NOVUM TESTAMENTUM GRAECE

NESTLE-ALAND

NOVUM TESTAMENTUM GRAECE

post Eberhard Nestle et Erwin Nestle
communiter ediderunt
Kurt Aland Matthew Black Carlo M. Martini
Bruce M. Metzger Allen Wikgren

apparatum criticum recensuerunt
et editionem novis curis elaboraverunt
Kurt Aland et Barbara Aland
una cum Instituto studiorum textus Novi Testamenti
Monasteriensi (Westphalia)

DEUTSCHE BIBELSTIFTUNG
STUTTGART

Großdruck-Studienausgabe
Novum Testamentum Graece
26. Auflage, nach dem 4. revidierten Druck

Gesamtherstellung Biblia-Druck Stuttgart
Printed in Germany
ISBN 3 438 05102 8

Über die Vorgeschichte dieser 26. Ausgabe gibt die «Einführung» in ihrem ersten Abschnitt: «Die Ausgabe und ihr Text» (S. 1*–7*) Auskunft, hier wie in den folgenden Abschnitten wird ausführlich Rechenschaft über ihren Aufbau im einzelnen abgelegt wie eine Einführung in ihre Benutzung gegeben. So kann sich dieses Vorwort auf einen Bericht über die interne Verteilung der Arbeit daran beschränken.

Auf die unterzeichneten Herausgeber geht außer dem Text der Einführung das zurück, was den Nestle-Aland vom Greek New Testament unterscheidet: die Gesamtanlage, die Absatzgliederung, die Orthographie und die Interpunktion, die Auswahl der Stellen, zu denen ein kritischer Apparat gegeben wird, wie der herangezogenen Handschriften. Allerdings ist dabei der Charakter der Ausgabe wie der Arbeit des Instituts für neutestamentliche Textforschung, Münster/Westf., zu berücksichtigen. Zwar ist von den früheren Ausgaben des Nestle (mit Ausnahme des Briefes an Karpian und den Kanontafeln S. 73*–78*) nichts an Material übernommen, sondern alles neu erarbeitet worden, so daß jetzt – im Gegensatz zu anderen Editionen – nichts mehr aus zweiter Hand, sondern alles aus den originalen Quellen stammt. Dennoch konnte der Aufbau bestehen bleiben, er mußte lediglich fortentwickelt werden. Außerdem ist das Institut für neutestamentliche Textforschung von vornherein auf Teamwork angelegt. So ist z. B. die Einführung im Kreis der Mitarbeiter diskutiert worden, wie für die Gestaltung der Interpunktion mehrere von ihnen Vorschläge gemacht haben. Auch sonst sind die Grenzen zwischen den einzelnen Arbeitsbereichen fließend, weil die Grundsatzfragen wie die Einzelheiten in zahllosen Einzelgesprächen und Gesamtsitzungen erörtert worden sind. Der Apparat am äußeren Rand wie der Anhang III mit dem Register der alttestamentlichen Zitate z. B. sind von J. G. Schomerus erarbeitet worden, aber etwa die Abgrenzung der alttestamentlichen Zitate ist auf die beschriebene Weise zustande gekommen. So ist es auch anderswo gewesen. Dennoch lassen sich die Arbeitsbereiche folgendermaßen umgrenzen: Angaben aus den lateinischen Handschriften: V. Reichmann, aus den syrischen Übersetzungen: G. S. Wendt und B. Aland, aus den koptischen

Übersetzungen: G. Mink und F. J. Schmitz, aus den Kirchenvätern: Chr. Hannick und G. Schmalzbauer. Die Papyri sind von W. Grunewald kollationiert worden, die Aufsicht über die Kollationen der anderen griechischen Handschriften lag zunächst bei K. Junack und dann bei M. Welte, der auch für die Überwachung der zahlreichen Korrekturgänge verantwortlich war, bei K. Junack lag die Schlußkontrolle.

Leider können die Mitarbeiter nicht namentlich aufgeführt werden, denen die zahllosen Kollationen aus den griechischen Handschriften oblagen, dafür ist ihre Zahl zu groß, zumal sich der Kreis im Laufe der vieljährigen Arbeit mehrfach umgeschichtet hat. Aus dem grob geordneten Rohmaterial, das aus der Kollationsabteilung kam und in das dann von den Zuständigen die Angaben aus den Übersetzungen und Kirchenvätern eingebracht wurden, ist schließlich durch K. Junack der kritische Apparat in seiner Endgestalt zusammengefügt worden (bei den Katholischen Briefen hat W. Grunewald, beim Johannesevangelium und bei der Offenbarung H. Bachmann mitgewirkt.)

Neben dem Dank an alle Mitarbeiter des Instituts muß der an die der Biblia-Druck ausgesprochen werden, die wieder einmal eine hervorragende Leistung vollbracht haben, und insbesondere der an die Hermann Kunst-Stiftung zur Förderung der neutestamentlichen Textforschung, ohne deren umfangreiche Hilfe z. B. die Kollations- und Korrekturarbeiten nicht hätten durchgeführt werden können.

Münster/W., 28. März 1979

Kurt Aland
Barbara Aland

Der erste Druck der 26. Auflage ist unmittelbar nach seinem Erscheinen vergriffen gewesen, alsbald mußten ihm zwei weitere folgen. So war es erst im vorliegenden vierten Druck möglich, die – bei der Fülle des Materials unvermeidlichen – Druckfehler und Versehen zu berichtigen, die bei der Arbeit mit der Ausgabe im Institut wie von Kollegen festgestellt wurden. Allen, die ihre Beobachtungen mitgeteilt haben, sei herzlicher Dank gesagt, verbunden mit der Bitte, das auch in Zukunft zu tun.

Münster/W., 1. Januar 1981

Kurt Aland
Barbara Aland

EINFÜHRUNG

I. DIE AUSGABE UND IHR TEXT

Als Eberhard Nestle 1898 die erste Ausgabe des Novum Testamentum graece vorlegte, hatte er eine Leistung vollbracht, deren Ausmaß zunächst weder ihm noch der Württembergischen Bibelanstalt, welche die Ausgabe möglich machte, deutlich gewesen sein dürfte. Wenn auch der Textus receptus damals noch eine Reihe von Verteidigern fand, so war er von der Wissenschaft des 19. Jahrhunderts doch endgültig als die schlechteste Textform des Neuen Testaments erwiesen worden. Hier beherrschten die Ausgaben von Tischendorf (seit 1841, abschließende Ausgabe die editio octava critica maior von 1869/72), Tregelles (1857/72) und Westcott/Hort (1881) das Feld. Aber in der Praxis von Universität, Kirche und Schule wurde international noch weithin eine Ausgabe des Textus receptus benutzt, wie sie z. B. bis 1904 von der Britischen Bibelgesellschaft verbreitet wurde. Erst mit dem Erscheinen der Ausgabe von Nestle ging die Herrschaft des Textus receptus auch hier zu Ende.

Eberhard Nestle war bei seinem Novum Testamentum graece von praktischen Erwägungen ausgegangen. Er wollte den von der Wissenschaft des 19. Jahrhunderts erarbeiteten Text der Allgemeinheit zugänglich machen. Dafür legte er die Ausgaben von Tischendorf, Westcott/Hort und Weymouth (1886, seit 1901 an deren Stelle die von Bernhard Weiss, 1894/1900) zugrunde und schuf aus ihnen durch Vergleich der Texte der drei Ausgaben einen Mehrheitstext: bei Differenzen zwischen den drei Ausgaben gab die Gemeinsamkeit zweier den Ausschlag für den Text, die Lesart der dritten wurde im Apparat verzeichnet – gingen alle drei auseinander, so wählte Nestle eine vermittelnde Lösung. Dieses Prinzip war an sich nicht neu: 1873 war bereits das Cambridge Greek Testament for Schools and Colleges erschienen, welches den Text aus den Ausgaben von Tischendorf und Tregelles konstituierte. Aber den Ausschlag gab hier im Zweifelsfall der Textus receptus (notfalls auch Lachmann und der Codex Sinaiticus). Außerdem war die Akribie nicht zu schlagen, mit welcher Nestle seine Ausgabe gestaltete, wobei er im Apparat hauptsächlich die Lesarten der von ihm benutzten Ausgaben bis hin zu ihren letzten Differenzen verzeichnete. Von Anfang an hatte Eberhard Nestle begonnen, in einem, allerdings meist sehr kurzen, zweiten Apparat außerdem auch Lesarten der neutestamentlichen Handschriften (insbesondere des Codex Bezae Cantabrigiensis) zu verzeichnen. Aus diesen Anfängen hat dann sein Sohn, Erwin Nestle, den Wünschen der deutschen Neutestamentlertagungen und den von ihnen erarbeiteten Richtlinien folgend, in der 13. Auflage von 1927 den modernen «Nestle» geschaffen, in dem ein kritischer Apparat geboten wurde, bei dem die Lesarten der drei Ausgaben (und die der von Sodens) zwar immer noch verzeichnet wurden, aber die Angaben aus den Handschriften, Übersetzungen und Kirchenvätern im Vordergrund standen. Sie waren jetzt so umfangreich, daß sie dem Benutzer ein selbständiges Urteil über den Text gestatteten, der außerdem in einigen Fällen vom Mehrheitsprinzip abweichend auf die nach allgemeiner Meinung ursprüngliche Lesart umgestellt wurde. Diese Angaben wurden mit derselben Akribie, wie es der Vater in bezug auf die Editionen getan hatte, immer weiter ausgebaut, allerdings – das war ihre Schwäche – nur aufgrund des Vergleichs mit den kritischen Apparaten anderer Ausgaben. Mit der 21. Auflage von 1952 trat Kurt Aland mit in die Arbeit ein; jetzt wurden die Angaben des Apparates an den Originalen nachgeprüft und insbesondere die Lesarten der neugefundenen Papyri eingebracht.

Dieser «Nestle», wie er bald allgemein genannt wurde, hat eine Verbreitung von vielen hunderttausenden von Exemplaren gefunden, und zwar nicht nur in der griechischen Ausgabe (zuletzt erschien die 25. Auflage 1963, die seitdem immer neue Nachdrucke erfahren hat), sondern auch in zweisprachigen Ausgaben[1]. Er wurde alsbald zu einer Art von neuem «Textus receptus», neben dem die anderen Handausgaben[2] eine vergleichsweise untergeordnete Rolle spielten. Das lag nicht nur daran, daß der «Nestle», seit langen Jahren «Nestle-Aland», relativ preiswert zu erwerben war, sondern vor allem an der Qualität des Textes wie des kritischen Apparates. Eberhard Nestle hatte mit seinem System sozusagen das «Ei des Colum-

[1] Griechisch-lateinisch, zuerst 1898, zuletzt 1963 (lat. Teil 1928), mit mehreren Nachdrucken; griechisch-deutsch, zuerst 1898, zuletzt 1963 (dtsch. Teil 1929), mit mehreren Nachdrucken.

[2] Souter 1. Ausg. 1910, 2. Ausgabe 1947; Vogels 1. Aufl. 1922, 4. Aufl. 1955; Merk 1. Aufl. 1933, 9. Aufl. 1964; Bover 1. Aufl. 1943, 5. Aufl. 1968

bus» gefunden; der von ihm konstituierte Mehrheitstext entsprach nicht nur der Auffassung der Neutestamentler des 19., sondern auch der des 20. Jahrhunderts vom Text des Neuen Testaments. Gewiß haben die, im wesentlichen auf P. Schmiedel zurückgehenden, textkritischen Zeichen manches Seufzen bei den Benutzern ausgelöst, aber sie erlaubten es, im kritischen Apparat eine nicht zu übertreffende Fülle von Informationen auf schmalem Raum unterzubringen.

Immerhin war dem Text die Herkunft aus den Ausgaben des 19. Jahrhunderts deutlich anzumerken, insbesondere da, wo die speziellen Theorien Westcott/Horts auf seine Gestaltung entscheidenden Einfluß genommen hatten[3]. Außerdem wurde die Kritik am letztlich mechanischen Verfahren Nestles immer stärker, zumal die Fülle der seit etwa 1930 bekannt gewordenen neutestamentlichen Papyri aus der Zeit um 200 völlig neue Einblicke in die Textgeschichte ermöglichte. Die 25. Auflage des Nestle-Aland von 1963, ja schon die von der 22. (1956) an, besaßen Überbrückungscharakter: während hier die überkommene Ausgabe nach Kräften fortgebildet und verbessert vorgelegt wurde, war gleichzeitig eine völlige Neugestaltung von Text und Apparat durch K. Aland im Gange. Die Arbeit war schon relativ weit gediehen, als die Amerikanische Bibelgesellschaft 1955 durch E. A. Nida eine zusätzliche Initiative ergriff. Sie ging vom Problem der Übersetzung des Neuen Testaments in moderne Sprachen aus, das sich damals – wie heute – an mehreren hundert Orten in der Welt stellte. Diese mehrere hundert Übersetzerkomitees brauchten eine Ausgabe des griechischen Neuen Testaments, die auf ihre speziellen Bedürfnisse zugeschnitten war, mit einer Reduktion des kritischen Apparates auf wenige, für ihre Arbeit wichtige Stellen, für deren Bewertung ihnen Maßstäbe an die Hand gegeben wurden. Zusätzlich wurde ein Interpunktionsapparat benötigt, welcher bei allen schwierigen Stellen die Satzaufteilung in allen Ausgaben des Urtextes wie in den wichtigsten modernen Übersetzungen anzeigte. Ein Kommentarband sollte außerdem die textlichen Entscheidungen des Herausgeberkomitees – von vornherein war nicht an einen einzelnen Herausgeber gedacht, sondern an eine Gemeinschaft aus international führenden Textkritikern – im einzelnen begründen und verständlich machen. Dem Enthusiasmus, dem Sachverstand und dem Geschick E. A. Nidas gelang es, nicht nur die Bibelgesellschaften (zunächst die Amerikanische, Württember-

[3] Wie etwa bei den sog. Western Non-interpolations. Ein besonders eindrucksvolles Beispiel gibt Kap. 24 des Lukasevangeliums, wo unter dem Einfluß dieser Theorien überwältigend gut bezeugte Verse aus dem Text in den Apparat verbannt worden waren.

gische und Schottische, später auch die Niederländische und Britische Bibelgesellschaft) zum Handeln zu vereinen, sondern auch das Herausgeberkomitee (K. Aland/Münster, M. Black/St. Andrews, B. M. Metzger/Princeton und A. Wikgren/Chicago; in der ersten Epoche gehörte auch A. Vööbus/Chicago dazu, in einer späteren trat an seiner Stelle C. M. Martini/Rom ein) bei der umfangreichen und schwierigen Arbeit zu halten, bis schließlich 1966 die erste Ausgabe des Greek New Testament erscheinen konnte.

Bei der sich über viele Jahre hinziehenden Arbeit an der Gestaltung des Textes (über die Einzelheiten gibt das Vorwort zum Greek New Testament Auskunft) brachte K. Aland selbstverständlich die von ihm für die Revision der 25. Ausgabe des Nestle-Aland vorgesehenen Textänderungen ein. In dem Maße, wie sie akzeptiert wurden, gestaltete sich die Frage des Nebeneinanders der Texte im Greek New Testament und im Nestle-Aland26 schwierig, zumal sich für Aland, wie nicht anders zu erwarten, aus den Beratungen des Komitees zusätzliche Erkenntnisse für die Textgestaltung ergeben hatten. Dieser gegenseitige Austausch wurde immer stärker. Nachdem in der zweiten Ausgabe des Greek New Testament (1968) die besonders schwierige Frage der sog. Western Non-interpolations so geregelt worden war, wie für den neuen Nestle vorgesehen, fanden zur Vorbereitung der dritten Ausgabe des Greek New Testament, welche die abschließende Textform bringen sollte, eine Reihe von Tagungen statt.

Über sie berichtet das Vorwort dazu (S. VIII):

«The greater part of these suggestions for further modification came from Kurt Aland, who had been making a detailed analysis of changes proposed for the 26th edition of the Nestle-Aland text. A number of these were textual alterations which had not been previously discussed by the Committee in their work on the First Edition. As a result of the Committee's discussions, more than five hundred changes have been introduced into this Third Edition.»

Dazu kam, daß von Anfang an dem Institut für neutestamentliche Textforschung ein wesentlicher Anteil an der Ausgabe zufiel. K. Aland hatte die Verantwortung für die Angaben über die griechischen Texthandschriften übernommen, ein entsprechender Arbeitsanfall ergab sich für die Mitarbeiter des Instituts. Dazu kam in immer stärkerem Umfang die Betreuung der Gesamtausgabe, bis die dritte Ausgabe des Greek New Testament schließlich vollständig im Institut besorgt wurde. Auf diese Weise hat sich, was den Wortbestand anbetrifft, eine Identität zwischen Greek New Testament und der jetzt vorliegenden 26. Ausgabe des Novum Testamentum graece von Nestle-Aland ergeben; unterschiedlich sind Absatzgliederung, Orthographie und Interpunktion geblieben (vgl. dazu S. 6*).

Gegen die Methode der Textgestaltung durch ein Komitee sind gelegentlich Einwände erhoben worden, wobei auf die Zufälligkeit von «Abstimmungen» (mit wechselnden Mehrheiten) verwiesen wurde. Das ist nicht berechtigt. Denn im Laufe der 20 Jahre zwischen dem Beginn der Arbeit und dem Erscheinen der 3. Ausgabe des Greek New Testament hat sich das Herausgebergremium – ohnehin aus hochqualifizierten Textkritikern bestehend – nicht nur zu einer einheitlichen Arbeitsgruppe zusammengefunden, sondern vor allem entspricht das Arbeiten in einem Gremium auch der Lage der neutestamentlichen Textkritik heute. Sie kann nicht von einem Stemma der Handschriften und einer vollständigen Übersicht über die Abhängigkeiten der vielfach verzweigten Überlieferung voneinander ausgehen und dementsprechend eine recensio vornehmen, wie das bei anderen griechischen Texten möglich ist, sondern muß von Fall zu Fall neu entscheiden. Man pflegt das als «Eklektizismus» zu bezeichnen, aber zu Unrecht. Nach einer sorgfältigen Feststellung des äußeren Befundes und seiner Wertigkeit wird nämlich unter den festgestellten (oft sehr zahlreichen) Lesarten die nach äußeren wie inneren Kriterien ursprüngliche, von der alle anderen abhängen, immer von neuem festgelegt. Diese – wenn man schon eine Bezeichnung wählen will: lokal-genealogische Methode ist nach unserem heutigen Wissensstand in bezug auf die neutestamentliche Überlieferung die einzig mögliche für die Textgestaltung. Die vorliegende ist alles andere als identisch mit der etwa von Westcott/Hort, wie es in der gelegentlichen ironischen Bezeichnung des «Standard-Textes» als «Westcott/Hort redivivus» behauptet wird. Der Text (vgl. Anhang II, S. 717 ff.) unterscheidet sich von dem ihren an zahlreichen, insbesondere an wichtigen Stellen. Außerdem haben sich Materialbasis wie Beurteilung der Handschriften seit der Zeit Westcott/Horts entscheidend verändert. Für Westcott/Hort begann die handschriftliche Grundlage im 4. Jahrhundert, der Text des 2. Jahrhunderts konnte nur in einer Kombination des «westlichen» Textes (sprich Codex Bezae Cantabrigiensis aus dem 5. Jahrhundert) mit der Vetus Syra und der Vetus Latina rekonstruiert werden. Wir haben heute in den frühen Papyri den Text um 200 in breitem Umfang zur Verfügung, und zwar im griechischen Wortlaut. Daß weder der Codex Bezae Cantabrigiensis noch die Vetus Syra direkt aus dem 2. Jahrhundert herrühren, ist eine sich heute immer mehr durchsetzende Überzeugung, ebenso ist die Vorstellung eines «neutralen Textes» aufgegeben. Weder der Codex Vaticanus noch der Codex Sinaiticus (ja nicht einmal der 200 Jahre ältere $\mathfrak{P}^{75}$) können uns eine Leitlinie geben, der man bei der Textgestaltung im Regelfall folgen könnte: das Zeitalter Westcott/Horts und Tischendorfs ist endgültig vorbei.

Zu den Einzelheiten der äußeren Gestaltung des Textes ist wenig zu sagen, was sich nicht dem Benutzer alsbald von selbst ergäbe. Gewiß ist die Drucktype nicht so deutlich wie die des Greek New Testament, die Wahlmöglichkeiten waren hier aber dadurch begrenzt, daß die griechische Type auch für zweisprachige Ausgaben verwendbar sein mußte. Dennoch ist es gelungen, einen klar lesbaren Druck zu schaffen, bei dem die oft zahlreichen textkritischen Zeichen die fortlaufende Lektüre nicht stören. Wenn die Verszahlen in den Text gesetzt worden sind, so um des Benutzers willen, der den Text in ständigem Bezug zum Apparat gebraucht; hier wie in der Anordnung des Apparates ist eine sehr viel größere Übersichtlichkeit als bei den früheren Ausgaben erreicht.

Die Absatzgliederung ist, und zwar nicht nur um der größeren Übersichtlichkeit willen, sehr viel weiter als früher entwickelt worden. Sie will dem Leser den Aufbau der Schriften verdeutlichen, in den Evangelien bis in die ursprünglichen Einheiten hinein, und dadurch das Verständnis erleichtern. Auch der stichische Satz ist im Vergleich zu früher um ein Vielfaches erweitert worden, manchmal vielleicht sogar zu sehr. Revisionen sind jedoch jederzeit möglich. Das gleiche gilt für die Interpunktion, welche den Gesetzen des Griechischen zu folgen sucht – im Gegensatz zum alten Nestle, welcher zu sehr von den Gesetzen der Interpunktion des Deutschen beherrscht war, und zum Greek New Testament, für welches dasselbe in bezug auf das Englische gilt.

Daß die alttestamentlichen Zitate nicht wie bisher (und im Greek New Testament) in Fett-, sondern in Kursivdruck erscheinen, wird hoffentlich begrüßt werden. Sie werden auch so als eigene Größe deutlich und beherrschen nicht das Satzbild, wie das sonst bei häufigerem Vorkommen leicht der Fall ist. Sie sind völlig neu festgelegt worden; welche Probleme das mit sich bringt, ist bekannt.

Die eckigen Klammern im Text erfüllen jetzt die in kritischen
[ ] Ausgaben übliche Funktion: Was in [ ] steht, ist in seiner Zugehörigkeit zum ursprünglichen Text nicht gesichert. Der Benutzer muß hier an Hand der Angaben des Apparates seine eigene Entscheidung treffen (allerdings kann er dabei davon ausgehen, daß die Herausgeber die Zugehörigkeit für wahrscheinlich hielten; beim Aufbau des Apparates wird jedenfalls als Text (vgl. die Bezeugung bei *txt*) der volle Wortbestand vor-

ausgesetzt). Was in ⟦ ⟧ steht, hat dagegen mit Sicherheit nicht zum ursprünglichen Textbestand gehört. Nur um seines unbezweifelbaren Alters (manchmal kann man sogar von der Zugehörigkeit zur ältesten Überlieferung sprechen), seiner Tradition und seiner Dignität willen ist es an der gewohnten Stelle belassen und nicht in den kritischen Apparat versetzt worden. ⟦ ⟧

II. DER KRITISCHE APPARAT

1. Aufbau und Sigla

Die Stärke wie die Schwäche des textkritischen Apparates der Ausgabe Nestles waren die hier verwandten textkritischen Zeichen. Seine Schwäche bestand darin, daß er nicht selten, insbesondere im englischsprachigen Raum, als zu kompliziert empfunden wurde. Seine unbestreitbare Stärke war, daß mit seiner Hilfe auf engem Raum eine Fülle von Informationen übersichtlich untergebracht werden konnte, die mit dem üblichen Lemma-System überhaupt nicht hätte bewältigt werden können. Denn das hätte ein Vielfaches an Umfang erfordert, ganz abgesehen davon, daß die Übersichtlichkeit dabei hoffnungslosen Schaden genommen hätte. Beim gegenwärtigen System kann der Leser bereits bei der Lektüre des Textes ersehen, was ihn im Apparat erwartet: ob Auslassung oder Zusetzung eines Wortes bzw. von Satzteilen, Umstellungen usw. – was nicht nur für den Fachmann eine wesentliche Hilfe bedeutet. Für den Anfänger bedarf es nur einer geringen Eingewöhnung, um mit den textkritischen Zeichen umzugehen (die übrigens mit einer Ausnahme dem alten Nestle-System entsprechen). Er hat sich lediglich folgende Bedeutungen einzuprägen:

Das nachfolgende Wort wird in einem Teil der Überlieferung ausgelassen. ○

Das nachfolgende Wort wird in einem Teil der Überlieferung durch ein anderes (oder mehrere) ersetzt. ⸀

An dieser Stelle wird von einem Teil der Überlieferung eine Einfügung (meist aus einem Wort bestehend) vorgenommen. ⸆

Steht ein ⸋, so findet sich in einem Teil der Überlieferung eine ⸋
längere Auslassung (ihr Ende wird durch ⸌ bezeichnet). ⸌

Steht ein ⸂, so ist in einem Teil der Überlieferung ein größeres ⸂
Stück verschieden überliefert, das Ende dieses Stückes wird
durch ⸃ bezeichnet. ⸃

⸉ zeigt an, daß in einem Teil der Überlieferung eine Umstellung ⸉
der folgenden Wörter vorgenommen wird, das Ende der Umstellung wird durch ⸊ bezeichnet. Die Reihenfolge der umge- ⸊

stellten Wörter in den verschiedenen Varianten wird dabei durch

⸉ 3 2 1 4 Zahlen angegeben.

⸉· bezeichnet die Umstellung lediglich des folgenden Wortes an den im Apparat bezeichneten Platz.

Das ist wahrlich nicht zuviel. Wenn man sich diese Grundzeichen eingeprägt hat, kann man mühelos mit dem kritischen Apparat arbeiten. Denn die Ausgabe ist jetzt typographisch so gestaltet, daß das Auffinden der zusammengehörigen Bestandteile von Text und Apparat ohne Mühe möglich ist.

Kommen mehrere Auslassungen, Wortänderungen, Einfügungen, längere Auslassungen, Umstellungen usw. in einem Vers vor, so kehrt dasselbe Zeichen wie oben angegeben wie-

○1 ○2 ⸀ ⸀1 ⸀2 ⸆ der, nur mit einem Zusatz: ○1, ○2 usw., ⸀, ⸀1, ⸀2 usw., ⸆, ⸆1,

⸆1 ⸆2 □1 □2 ⸆2 usw., □1, □2 usw., ⸂·, ⸂1, ⸂2 usw., ⸉1, ⸉2 usw., der als solcher

⸂· ⸂1 ⸂2 ⸉1 ⸉2 klar und ohne weiteres im Apparat aufzufinden ist. Welchen Gewinn an Raum wie an Übersichtlichkeit dieses System bedeutet, wird sofort klar, wenn man versucht, die Angaben des Apparates einmal in das alte und, etwa im englischen Sprachraum, weit verbreitete Lemma-System zu übertragen.

Der Aufbau des Apparates erfolgt immer nach demselben Schema: die verschiedenen Varianten zu einer Stelle sind

¦ durch ¦ getrennt. Dabei werden die Zeugen für den abgedruck-

txt ten Text durch ein vorangestelltes *txt* (= textus) hervorgehoben.

| Ein | trennt die verschiedenen Varianten zu einem Vers voneinander, der Übergang zum nächsten Vers ist außer durch die

• Verszahl durch • markiert. Dabei sind bei der Verzeichnung der Varianten jeweils soviel zusätzliche Informationen wie möglich untergebracht: stammt eine Lesart (insbesondere bei den

p) Evangelien) aus der Parallelüberlieferung, ist ein *p)* hinzugefügt (vgl. Matth 3,10), bzw. wird die Herkunft in Klammern genau angegeben (vgl. zu Matth 1,25 bei den Varianten zu υἱόν

(Lc 2,7) usw. den Hinweis auf Luk 2,7; bei Matth 1,23 zu καλέσουσιν den auf Is 7,14). Auch auf Parallelen innerhalb des jeweiligen Textes bzw. seiner Varianten wird verwiesen: vgl. bei Matth 2,13 den Verweis darauf, daß die Einfügung εἰς τὴν χώραν im

(12) Codex Vaticanus (B) aus Vers 12 stammt, bzw. daß die Textumstellung κατ' ὄναρ φαίνεται in C K 33.700.892 *pc* der

(*v. l.*), (19 *v. l.*) varia lectio (*v. l.*) zu Vers 19 bei C L W 0233 𝔐 parallel ist. Die Genauigkeit im Nachweis geht so weit, daß beispielsweise in Matth 2,18 verzeichnet wird, daß die Einfügung von θρῆνος καί in C D L W 0233 *f*13 𝔐 sy^s.c.h auf den Septuagintatext von

(Jr 38,15 𝔊) Jr 38,15 zurückzuführen ist. Wenn Zeugen im kritischen Appa-

( ) rat in () stehen, seien es griechische Handschriften (vgl. zu Matth 1,24 bei der Auslassung von οὐ die Minuskel 700)

oder Versionen bzw. Kirchenväter (vgl. z. B. bei Matth 4,4 die Wortänderung von ἐπὶ zu ἐν bei Clemens von Alexandrien), so bedeutet das, daß die Zugehörigkeit der angegebenen Zeugen zu der Variante, bei der sie verzeichnet sind, zwar eindeutig ist, daß ihr Text aber geringfügige Abweichungen gegenüber der verzeichneten Variante aufweist, deren Verzeichnung im einzelnen zu weit führen würde.

In [ ] sind im Apparat Zusätze verzeichnet, die nicht aus den [ ]
zugrunde gelegten Zeugen, sondern aus modernen Überlegungen stammen, seien es Konjekturen moderner Kommentatoren
(comm = commentatores) (vgl. z. B. Matth 5,6, wo Wellhausen comm
die Streichung des ganzen Verses fordert), seien es Interpunktionsvarianten (vgl. z. B. Matth 2,4), die im Text mit ⁚ bzw. ⁚1 ⁚ ⁚1
verzeichnet sind. Aus dem Apparat ist auch zu entnehmen, wo der neue Text sich von dem des alten Nestle unterscheidet, die jetzt im Apparat, früher im Text stehenden Lesarten sind mit † †
bezeichnet.

Besonders zu beachten ist, daß die bisherigen *Gruppensigla* des Nestle-Textes: ℌ (= Hesychianischer, ägyptischer Text) und 𝔎 (= Koine-, byzantinischer Text) aufgegeben worden sind. Beide Sigla vereinfachten zwar den kritischen Apparat ganz wesentlich, führten aber nicht selten in die Irre. Am treffendsten war noch die Zusammenfassung der byzantinischen Überlieferung unter 𝔎 (aber selbst die Koine ist häufig in sich gespalten). Das Sigel ℌ stellte dagegen nicht selten eine Konjektur dar. Denn die so bezeichnete Lesart wurde häufig nur von ganz wenigen Zeugen vertreten, während die Masse der Repräsentanten des sog. ägyptischen Textes anders las. Auf diese Weise ist im Benutzer oft das Bewußtsein einer falschen Sicherheit hervorgerufen worden. Jetzt ist jede wichtige Handschrift einzeln verzeichnet, so daß der Benutzer eine zuverlässige Grundlage für sein Urteil besitzt. Er kann sich auch darauf verlassen, daß alle wichtigen Handschriften, von den Papyri angefangen über die Majuskeln bis hin zu bestimmten Minuskeln, von denen noch zu reden sein wird, bei jeder Variante verzeichnet sind, vgl. das Verzeichnis der «ständigen Zeugen» auf S. 12* ff. Und vor allen Dingen: er findet jetzt die *Bezeugung pro et contra* vor, d. h. neben der für die Variante bzw. für die Varianten auch die für den Text. Nur da, wo die Variante nur eine so geringe Bezeugung aufweist, daß sie lediglich textgeschichtliches Interesse besitzt und als Alternative für den Text auf keine Weise in Betracht kommt, ist auf die Aufzählung der entgegenstehenden Handschriften usw. verzichtet worden. Der Benutzer kann in diesem Fall davon ausgehen, daß alle nicht genannten ständigen Zeugen (und viele andere mit ihnen) mit dem Text gehen.

Das alles bedeutet einen entscheidenden Fortschritt. Ein Wort
𝔐 ist jedoch noch zur *Einführung des Sigels* 𝔐 = *Mehrheitstext* erforderlich. In der Praxis entspricht dieses 𝔐 dem 𝔎 im alten Nestle, denn die Handschriften des byzantinischen Textes stellen in jedem Fall die Mehrheit dar. Aber direkt damit zu identifizieren ist dieses 𝔐 nicht. Denn alle «ständigen Zeugen» (sofern sie nicht in jedem Fall angeführt werden, vgl. dazu S. 12* ff.), welche mit diesem 𝔐 gehen, sind darunter subsumiert, eben weil sie sich der echten Mehrheit anschließen. So ist also als Regel zu beachten, daß alle «ständigen Zeugen», deren ausdrückliche Angabe bei einer pro et contra Verzeichnung zu einer Lesart vermißt wird, in diesem 𝔐 enthalten sind; sie können zuverlässig auf dem Wege der Subtraktion daraus abgeleitet werden. Eine derartige vollständige Verzeichnung aller wichtigen Handschriften hat es bisher in einer Handausgabe nicht gegeben. Dabei kann davon ausgegangen werden, daß das zu allen irgend relevanten Stellen des Neuen Testaments (ja eigentlich weit darüber hinaus) geschieht, beispielsweise bei allen Stellen, an denen die kritischen Ausgaben des Neuen Testaments in den letzten 100 Jahren einen verschiedenen Text konstituiert haben. Neben den Papyri und den Majuskeln sind jetzt zum ersten Mal auch die Minuskeln in größerer Zahl vollständig herangezogen worden. Das gilt nicht nur für die bekannten: 33, 69, 1739, f^1, f^{13} usw., sondern auch für eine ganze Reihe von bisher völlig unbekannten. Sie haben sich im Zusammenhang der Untersuchung des Textes aller Minuskeln als vielen Unzialhandschriften gleichwertig, ja überlegen erwiesen; die neutestamentliche Textkritik wird sich an ihre ständige Heranziehung gewöhnen müssen. Im 19. Jahrhundert befanden wir uns im Zeitalter der Unzialen und in der Mitte des 20. Jahrhunderts im Zeitalter der Papyri – hier gewannen wir den entscheidenden Vorsprung vor dem 19. Jahrhundert. Jetzt treten wir ins Zeitalter der Minuskeln ein, deren Einbeziehung in die textkritische Arbeit uns erst den vollen Einblick in die Geschichte des neutestamentlichen Textes und ein zuverlässiges Urteil über seinen Urzustand ermöglicht. Dabei ist zu berücksichtigen, daß die Auswahl der als «ständige Zeugen» herangezogenen Minuskeln entsprechend dem Erkenntnisstand beim Beginn der Kollationen dieser Ausgabe geschah: für die Evangelien früher als bei der Apostelgeschichte und den paulinischen Briefen. Die seitdem im Institut für neutestamentliche Textforschung ständig (im Rahmen der Vorbereitung der editio maior critica) fortgesetzten Kollationen der Minuskeln haben inzwischen zu zusätzlichen Resultaten geführt. Diese werden bei künftigen Auflagen entsprechend berücksichtigt werden.

Soviel in aller Kürze zur allgemeinen Einführung, weitere Hinweise werden in Abschnitt 5 gegeben. Am Schluß dieser Ausgabe findet sich in Anhang IV S. 776 ff. eine zusammenfassende Liste aller Sigla und Abkürzungen[4]. Von jetzt ab wird hier, um die Einführung nicht zu ausführlich zu gestalten, im wesentlichen in Übersichtsform verfahren werden müssen, wobei nur knappe zusätzliche Bemerkungen gemacht werden können.

2. Die griechischen Zeugen

Hier kann nur von den griechischen Handschriften gesprochen werden, die um ihrer Bedeutung willen zu jeder Variante herangezogen worden sind, den sog. «ständigen Zeugen». Die große Zahl der nicht vollständig, sondern nur an den Stellen herangezogenen Handschriften, an denen sie entweder besonders interessante Lesarten bieten oder wo es sich um textgeschichtlich oder exegetisch besonders wichtige Verse bzw. Perikopen handelt, ist aus der Liste der griechischen Handschriften in Anhang I S. 684 ff. zu ersehen. Sie sind sämtlich in Foto oder Mikrofilm benutzt worden (wo die Lesart wegen des Zustandes der Handschrift unsicher ist, oder wo sie nicht kontrolliert werden konnte, wird das durch *?* angegeben). Diese Liste hätte noch verlängert werden können, denn auch eine größere Zahl von Handschriften mit reinem Mehrheitstext sind benutzt worden, die lediglich in der an die Liste angeschlossenen Verzeichnung der Minuskeln mit 𝔐-Text mit ihrer Handschriftennummer auftauchen. Die Handschriftenliste geht in bezug auf den Inhalt für die «ständigen Zeugen» bis ins Detail (vgl. S. 684 ff.). Denn diese genauen Inhaltsangaben sind für den Benutzer zur Feststellung erforderlich, ob ein «ständiger Zeuge» für eine zu untersuchende Variante überhaupt in Betracht kommt oder wegen Lücke (vgl. z. B. die vielen Majuskelfragmente, aber auch C (04) und H (015)) von vornherein ausfällt. Nur unter ständiger Konsultierung dieser Handschriftenliste sind bei den «ständigen Zeugen» Schlüsse e silentio möglich.

«ständige Zeugen»

?

[4] Wer mehr sucht, sei auf das in Vorbereitung befindliche Buch von K. und B. Aland, «Der Text des griechischen Neuen Testaments» verwiesen, welches in Parallele zu E. Würthwein, «Der Text des Alten Testaments» (Stuttgart [4]1973) eine ausführliche Einführung in den Gebrauch der Ausgaben des griechischen Neuen Testaments sowie in Theorie und Praxis der neutestamentlichen Textkritik für den Studenten gibt. Das parallel dazu in Vorbereitung befindliche Werk von K. Aland: «Überlieferung und Text des Neuen Testaments. Ein Handbuch der modernen neutestamentlichen Textkritik» ist für Fortgeschrittene bzw. die Spezialisten bestimmt.

Als «ständige Zeugen» werden herangezogen

in den Evangelien

a) alle in Betracht kommenden Papyri, d. h.:

für Matth: $\mathfrak{P}^{1}$(!), $\mathfrak{P}^{19}$, $\mathfrak{P}^{21}$, $\mathfrak{P}^{25}$, $\mathfrak{P}^{35}$(!), $\mathfrak{P}^{37}$(!), $\mathfrak{P}^{44}$, $\mathfrak{P}^{45}$(!), $\mathfrak{P}^{53}$(!), $\mathfrak{P}^{62}$, $\mathfrak{P}^{64(+67)}$(!), $\mathfrak{P}^{70}$(!), $\mathfrak{P}^{71}$, $\mathfrak{P}^{77}$(!), $\mathfrak{P}^{86}$

für Mark: $\mathfrak{P}^{45}$(!), $\mathfrak{P}^{88}$

für Luk: $\mathfrak{P}^{3}$, $\mathfrak{P}^{4}$(!), $\mathfrak{P}^{42}$, $\mathfrak{P}^{45}$(!), $\mathfrak{P}^{69}$(!), $\mathfrak{P}^{75}$(!), $\mathfrak{P}^{82}$

für Joh: $\mathfrak{P}^{2}$, $\mathfrak{P}^{5}$(!), $\mathfrak{P}^{6}$, $\mathfrak{P}^{22}$(!), $\mathfrak{P}^{28}$(!), $\mathfrak{P}^{36}$, $\mathfrak{P}^{39}$(!), $\mathfrak{P}^{44}$, $\mathfrak{P}^{45}$(!), $\mathfrak{P}^{52}$(!), $\mathfrak{P}^{55}$, $\mathfrak{P}^{59}$, $\mathfrak{P}^{60}$, $\mathfrak{P}^{63}$, $\mathfrak{P}^{66}$(!), $\mathfrak{P}^{75}$(!), $\mathfrak{P}^{76}$, $\mathfrak{P}^{80}$(!)

b) alle nachstehend aufgeführten Majuskeln, d. h.:

für Matth: א (01), A (02), B (03), C (04), D (05), L (019), W (032), Z (035), Θ (038), 058, 064, 067, 071, 073, 074, 078, 084, 085, 087, 089, 090, 092a, 094, 0104, 0106, 0107, 0118, 0119, 0128, 0135, 0136, 0137, 0138, 0148, 0160, 0161, 0164, 0170, 0171, 0197, 0200, 0204, 0231, 0234, 0237, 0242, 0249, 0250, 0255, 0271

für Mark: א (01), A (02), B (03), C (04), D (05), L (019), W (032), Θ (038), Ψ (044), 059, 067, 069, 072, 074, 090, 092b, 099, 0103, 0104, 0107, 0112, 0126, 0130, 0131, 0132, 0134, 0135, 0143, 0146, 0167, 0184, 0187, 0188, 0213, 0214, 0215, 0235, 0250, 0263, 0269, 0274

für Luk: א (01), A (02), B (03), C (04), D (05), L (019), R (027), T (029), W (032), Θ (038), Ξ (040), Ψ (044), 053, 063, 070, 078, 079, 0102, 0108, 0113, 0115, 0117, 0124, 0130, 0135, 0139, 0147, 0171, 0177, 0178, 0179, 0181, 0182, 0202, 0239, 0250, 0253, 0265, 0266, 0267, 0272

für Joh: א (01), A (02), B (03), C (04), D (05), L (019), T (029), W (032), Θ (038), Ψ (044), 050, 054, 060, 063, 065, 068, 070, 078, 083, 086, 087, 091, 0100, 0101, 0105, 0109, 0110, 0113, 0114, 0124, 0125, 0127, 0145, 0162(!), 0180, 0190, 0191, 0193, 0210, 0216, 0217, 0218, 0234, 0238, 0250, 0256, 0260, 0264, 0268, 0273.

Alle voranstehend genannten Papyri und Majuskeln werden jedesmal zu jeder Variante genannt, sofern sie für die betr. Textstelle existieren. Dabei kommt unter den Papyri $\mathfrak{P}^{75}$ eine vorrangige Bedeutung zu. $\mathfrak{P}^{45}$ und $\mathfrak{P}^{66}$ folgen wertmäßig erst danach. Aber auch den Lesarten aller anderen Papyri
$\mathfrak{P}^{1}$(!) (wie der Majuskeln 0189, 0220, 0162), die mit einem (!) versehen sind, kommt automatisch Bedeutung zu, weil sie in der Zeit bis einschließlich des 3./4. Jahrhunderts geschrieben sind, also vor die Epoche der Bildung der großen Texttypen gehören. Unter den Majuskeln nimmt B in den Evangelien unbestritten die Spitzenstellung ein, W und Θ bieten oft einen eigenwilligen Text. Die Aussage von D hat besonderes Gewicht, wenn sie mit der der anderen großen Zeugen übereinstimmt. Geht D eigene Wege in Frontstellung gegen sie, bedarf es jedesmal sorgfältiger Erwägung, welche Motive dahinterstehen.

Neben diesen jedesmal ausdrücklich angeführten Papyri und Majuskeln werden von den Minuskeln ebenfalls ständig genannt: die Gruppen

f^1 = 1, 118, 131, 209, 1582 (K. Lake, Codex 1 of the Gospels and its Allies, Cambridge 1902, Neudruck 1967)

f^{13} = 13, 69, 124, 174, 230, 346, 543, 788, 826, 828, 983, 1689, 1709 (T. K. Abbott, A Collation of four important Mss. of the Gospels, Dublin/London 1877, K. u. S. Lake, Family 13 (The Ferrar Group), Studies and Documents 11, 1941) u. a. m.

Die in f^1 und f^{13} zusammengeschlossenen Handschriften werden immer nur mit ihrem Gruppensigel angeführt, nur in besonderen Fällen werden Einzelzeugen daraus angeführt. Zu diesen jedes Mal ausdrücklich genannten Zeugen kommen noch andere «ständige Zeugen» hinzu, die zwar auch zu jeder Variante kollationiert worden sind, die aber nur dann angeführt werden, wenn ihre Aussage sich von der von 𝔐 unterscheidet. Es handelt sich dabei um folgende Majuskeln und Minuskeln:

K (017), N (022), P (024), Q (026), Γ (036), Δ (037), 28 (XI), 33 (IX), 565 (IX), 700 (XI), 892 (IX), 1010 (XII), 1241 (XII), 1424 (IX/X).

Die Lesarten auch dieser Handschriften sind also zu jeder Variante feststellbar, lediglich dann werden sie nicht besonders angeführt, wenn sie mit 𝔐 identisch sind. Daß die Zahl der darüber hinaus herangezogenen Zeugen umso größer ist, wenn es sich um textgeschichtlich wie exegetisch besonders wichtige Stellen handelt, ist (hier wie anderswo) so selbstverständlich, daß es nicht besonders hervorgehoben werden muß.

In der Apostelgeschichte

werden als «ständige Zeugen» zu jeder Variante genannt, sofern sie den betr. Text enthalten

a) alle in Betracht kommenden Papyri, d. h.:

$\mathfrak{P}^{8}$, $\mathfrak{P}^{29}$(!), $\mathfrak{P}^{33(+58)}$, $\mathfrak{P}^{38}$(!), $\mathfrak{P}^{41}$, $\mathfrak{P}^{45}$(!), $\mathfrak{P}^{48}$(!), $\mathfrak{P}^{50}$, $\mathfrak{P}^{53}$(!), $\mathfrak{P}^{56}$, $\mathfrak{P}^{57}$, $\mathfrak{P}^{74}$

b) alle nachstehend aufgeführten Majuskeln, d. h.:

ℵ (01), A (02), B (03), C (04), D (05), E (08), Ψ (044), 048, 057, 066, 076, 077, 093, 095, 096, 097, 0120, 0123, 0140, 0165, 0166, 0175, 0189(!), 0236, 0244.

Ferner kommen als ständige Zeugen, deren Aussage aus 𝔐 zu erschließen ist, falls sie nicht besonders genannt werden, hinzu:

L (020), 33 (IX), 81 (1044), 323 (XI), 614 (XIII), 945 (XI), 1175 (XI), 1241 (XII), 1739 (X), 2495 (XIV/XV).

Wenn hier bei diesen Minuskeln, wie schon bei den Evangelien, im Gegensatz zum sonstigen Verfahren die Datierung angegeben wird (entweder als bloße Jahrhundertangabe oder als Jahreszahl, falls die Handschrift vom Schreiber datiert ist), so geschieht das, um sie auf diese Weise dem allgemeinen Bewußtsein etwas besser einzuprägen. Es handelt sich bei ihnen allen um für die Textgeschichte besonders wichtige Zeugen, vielfach mit einer Textqualität, die durchaus mit der guter Majuskeln konkurrieren kann. Wegen ihrer Textqualität werden darüber hinaus, ohne daß sie jedoch dadurch «ständige Zeugen» würden, in besonderem Maße herangezogen:

6 (XIII), 36 (XII), 104 (1087), 189 (XII), 326 (XII), 424 (XI), 453 (XIV), 1704 (1541), 1884 (XVI), 1891 (X), 2464 (X).

Zum Charakter der Handschriften war bei der Apg wenig zu sagen, weil hier im wesentlichen das zu den Evangelien Ausgeführte gilt. Hinzuweisen ist lediglich auf die besondere Bedeutung von $\mathfrak{P}^{74}$ trotz seiner Entstehung im 7. Jahrhundert.

In den Paulusbriefen

werden als «ständige Zeugen» zu jeder Variante genannt, sofern sie den betr. Text enthalten: alle in Betracht kommenden Papyri sowie die jeweils aufgeführten Majuskeln (nachstehend werden die Angaben über beide für jeden Brief zusammengefaßt, um Zusammengehöriges angesichts der 14 Briefe – für die Handschriften gehört Hebr zum Corpus Paulinum – nicht zu weit voneinander zu trennen):

für Röm: $\mathfrak{P}^{10}$, $\mathfrak{P}^{26}$, $\mathfrak{P}^{27}$(!), $\mathfrak{P}^{31}$, $\mathfrak{P}^{40}$(!), $\mathfrak{P}^{46}$(!), $\mathfrak{P}^{61}$
א (01), A (02), B (03), C (04), D (06), F (010), G (012), Ψ (044), 048, 0172, 0209, 0219, 0220(!), 0221

für 1.Kor: $\mathfrak{P}^{11}$, $\mathfrak{P}^{14}$, $\mathfrak{P}^{15}$(!), $\mathfrak{P}^{34}$, $\mathfrak{P}^{46}$(!), $\mathfrak{P}^{61}$, $\mathfrak{P}^{68}$
א (01), A (02), B (03), C (04), D (06), F (010), G (012), H (015), I (016), Ψ (044), 048, 088, 0121a, 0185, 0199, 0201, 0222, 0243, 0270

für 2.Kor: $\mathfrak{P}^{34}$, $\mathfrak{P}^{46}$(!)
א (01), A (02), B (03), C (04), D (06), F (010), G (012), H (015), I (016), Ψ (044), 048, 081, 098, 0121a, 0186, 0209, 0223, 0224, 0225, 0243

für Gal: $\mathfrak{P}^{46}$(!), $\mathfrak{P}^{51}$
א (01), A (02), B (03), C (04), D (06), F (010), G (012), H (015), I (016), Ψ (044), 062, 0122, 0174, 0176, 0254, 0261

für Eph: $\mathfrak{P}^{46}$(!), $\mathfrak{P}^{49}$(!)
א (01), A (02), B (03), C (04), D (06), F (010), G (012), I (016), Ψ (044), 048, 082, 0230

für Phil: $\mathfrak{P}^{16}$(!), $\mathfrak{P}^{46}$(!), $\mathfrak{P}^{61}$
א (01), A (02), B (03), C (04), D (06), F (010), G (012), I (016), Ψ (044), 048

für Kol: $\mathfrak{P}^{46}$(!), $\mathfrak{P}^{61}$
א (01), A (02), B (03), C (04), D (06), F (010), G (012), H (015), I (016), Ψ (044), 048, 0198, 0208

für 1.Thess: $\mathfrak{P}^{30}$(!), $\mathfrak{P}^{46}$(!), $\mathfrak{P}^{61}$, $\mathfrak{P}^{65}$(!)
א (01), A (02), B (03), C (04), D (06), F (010), G (012), H (015), I (016), Ψ (044), 048, 0183, 0208, 0226

für 2. Thess: 𝔓^{30}(!)
ℵ (01), A (02), B (03), D (06), F (010), G (012), I (016), Ψ (044), 0111

für 1. Tim: 𝔓 –
ℵ (01), A (02), C (04), D (06), F (010), G (012), H (015), I (016), Ψ (044), 048, 061, 0241, 0259, 0262

für 2. Tim: 𝔓 –
ℵ (01), A (02), C (04), D (06), F (010), G (012), H (015), I (016), Ψ (044), 048

für Tit: 𝔓^{32}(!), 𝔓^{61}
ℵ (01), A (02), C (04), D (06), F (010), G (012), H (015), I (016), Ψ (044), 048, 088, 0240

für Philem: 𝔓^{61}
ℵ (01), A (02), C (04), D (06), F (010), G (012), I (016), Ψ (044), 048

für Hebr: 𝔓^{12}(!), 𝔓^{13}(!), 𝔓^{17}, 𝔓^{46}(!), 𝔓^{79}
ℵ (01), A (02), B (03), C (04), D (06), H (015), I (016), Ψ (044), 048, 0121 b, 0122, 0227, 0228, 0252.

Als «ständige Zeugen», die nur dann besonders genannt werden, wenn sie nicht mit 𝔐 zusammengehen (also von dort her rekonstruiert werden können), kommen für die Paulusbriefe die folgenden hinzu:

K (018), L (020), P (025), 33 (IX), 81 (1044), 104 (1087), 365 (XIII), 630 (XIV), 1175 (XI), 1241 (XII), 1506 (1320), 1739 (X), 1881 (XIV), 2464 (X), 2495 (XIV/XV).

Wegen ihrer Textqualität bzw. um der Kontinuität zur Benutzung in anderen Teilen des NT willen werden außerdem, ohne dadurch «ständige Zeugen» zu werden, häufig herangezogen:

6 (XIII), 323 (XI), 326 (XII), 424 (XI), 614 (XIII), 629 (XIV), 945 (XI).

Bei den Paulusbriefen muß hervorgehoben werden, daß der Textcharakter von B hier wechselt und dem Codex Vaticanus deshalb nicht mehr die Autorität zukommt wie in den Evangelien. Außerdem muß besonders beachtet werden, daß die Buchstabenbezeichnung der Majuskeln von D ab (mit Ausnahme von Ψ) für andere Handschriften gilt als bei den Evangelien. D in den Paulusbriefen (= Codex Claromontanus) bedeutet z. B. in jeder Hinsicht etwas anderes als D in den Evangelien und der Apostelgeschichte (= Codex Bezae Cantabrigiensis)! (Für die Einzelheiten vgl. die Handschriftenliste im Anhang I.)

In den Katholischen Briefen

werden als «ständige Zeugen» zu jeder Variante genannt, sofern sie den betr. Text enthalten:
alle in Betracht kommenden Papyri sowie die jeweils aufgeführten Majuskeln (wieder um der Übersichtlichkeit willen zu jedem Brief zusammen genannt):

für Jak: $\mathfrak{P}^{20}$(!), $\mathfrak{P}^{23}$(!), $\mathfrak{P}^{54}$, $\mathfrak{P}^{74}$
א (01), A (02), B (03), C (04), P (025), Ψ (044), 048, 0166, 0173, 0246
für 1.Petr: $\mathfrak{P}^{72}$(!), $\mathfrak{P}^{74}$, $\mathfrak{P}^{81}$
א (01), A (02), B (03), C (04), P (025), Ψ (044), 048, 093, 0206, 0247
für 2.Petr: $\mathfrak{P}^{72}$(!), $\mathfrak{P}^{74}$
א (01), A (02), B (03), C (04), P (025), Ψ (044), 048, 0156, 0209, 0247
für 1.Joh: $\mathfrak{P}^{9}$(!), $\mathfrak{P}^{74}$
א (01), A (02), B (03), C (04), P (025), Ψ (044), 048, 0245
für 2.Joh: $\mathfrak{P}^{74}$
א (01), A (02), B (03), P (025), Ψ (044), 048, 0232
für 3.Joh: $\mathfrak{P}^{74}$
א (01), A (02), B (03), C (04), P (025), Ψ (044), 048, 0251
für Jud: $\mathfrak{P}^{72}$(!), $\mathfrak{P}^{74}$, $\mathfrak{P}^{78}$(!)
א (01), A (02), B (03), C (04), P (025), Ψ (044), 0251.

Als «ständige Zeugen», die nur dann besonders genannt werden, wenn sie von $\mathfrak{M}$ abweichen (also von dort her in ihrem Text rekonstruiert werden können), kommen für die Katholischen Briefe die folgenden hinzu:

K (018), L (020), 33 (IX), 81 (1044), 323 (XI), 614 (XIII), 630 (XIV), 1241 (XII), 1739 (X), 2495 (XIV/XV).

Außerdem werden (aus den mehrfach genannten Gründen und innerhalb der genannten Grenzen) besonders berücksichtigt:

69 (XV), 322 (XV), 623 (1037), 945 (XI), 1243 (XI), 1505 (1084), 1846 (XI), 1852 (XIII), 1881 (XIV), 2298 (XI), 2464 (X).

Daß die Zahl der herangezogenen Zeugen an textgeschichtlich wie exegetisch besonders interessanten Stellen größer ist als anderswo, versteht sich, um es noch einmal zu sagen, bei den Katholischen Briefen ebenso wie bei den anderen Schriftengruppen des Neuen Testaments. Bei diesen ist – was zu bemerken vielleicht nicht überflüssig ist – z. B. beim sog. Comma Johanneum (1.Joh 5,7-8) – die Dokumentation sozusagen vollständig.

In der Apokalypse

ist die textgeschichtliche und textkritische Situation völlig von der in den übrigen Schriften des Neuen Testaments verschieden. Dementsprechend anders sieht hier die Liste der zu jeder Variante angeführten «ständigen Zeugen» aus: nicht nur alle vorhandenen Papyri gehören (wie sonst) in diese Kategorie, sondern auch sämtliche Majuskeln (während sonst eine Auswahl daraus vorgenommen wurde).

Im einzelnen handelt es sich dabei um folgende Handschriften:

$\mathfrak{P}^{18}$(!), $\mathfrak{P}^{24}$, $\mathfrak{P}^{43}$, $\mathfrak{P}^{47}$(!), $\mathfrak{P}^{85}$
א (01), A (02), C (04), P (025), 046, 051, 052, 0163, 0169, 0207, 0229

1006 (XI), 1611 (XII), 1841 (IX/X), 1854 (XI), 2030 (XII), 2050 (1107), 2053 (XIII), 2062 (XIII), 2329 (X), 2344 (XI), 2351 (X/XI), 2377 (XIV).

Diese Auswahl der «ständigen Zeugen» reflektiert die Überlieferung der Apokalypse. $\mathfrak{P}^{47}$ ist der älteste Zeuge, dem Alter nach folgt ℵ (01), aber A wie C – beide sonst in der zweiten Reihe der Majuskeln stehend – sind ihnen im Textwert hier durchaus überlegen. Selbst $\mathfrak{M}$ ist jetzt geteilt in $\mathfrak{M}^{A}$ (die große $\mathfrak{M}^{A}$
Zahl der dem Kommentar des Andreas von Cäsarea zur Apk folgenden Handschriften) und $\mathfrak{M}^{K}$ (die ebenfalls zahlreichen $\mathfrak{M}^{K}$
eigentlichen Koine-Handschriften). Dabei gehen P (025) in $\mathfrak{M}^{A}$ und 046 in $\mathfrak{M}^{K}$ auf, die beiden Gruppen zusammen ergeben erst $\mathfrak{M}$. Zu A (02) und C (04) treten als wichtige Unterstützung die Minuskeln 2053, 2062 und 2344 hinzu, diese Gruppe ist im Textwert der Kombination von $\mathfrak{P}^{47}$ und ℵ durchaus überlegen. Kurz: bei der Apokalypse ist vieles (ja beinahe alles) anders als sonst[5]. Leider konnten die Lesarten der Minuskeln 2344 (wegen des schlechten Erhaltungszustandes der Handschrift oft gar nicht oder nur unsicher zu lesen) und 2377 nicht immer verzeichnet werden, es dürfen also daraus, daß sie weder bei der Variante noch bei der Textbezeugung genannt werden, nicht immer Schlüsse gezogen werden.

3. Die alten Übersetzungen

Hierzu sind zwei Vorbemerkungen erforderlich:

1. Die alten Übersetzungen – sei es ins Lateinische, Syrische, Koptische, Armenische, Georgische oder in welche Sprache auch immer – werden oft ungerechtfertigt überschätzt.
2. Die alten Übersetzungen werden oft ungerechtfertigt in Anspruch genommen.

Zu 1: Als man nur mit Hilfe der Übersetzungen hinter die durch B und ℵ für die griechische Überlieferung gezogene Bezeugungsgrenze des 4. Jahrhunderts zurück konnte, waren die Übersetzungen ins Syrische und Lateinische, welche aus früherer Zeit stammten bzw. zu stammen schienen, von allergrößter Bedeutung. Aber zunehmend setzt sich in unserer Generation aus philologischen Gründen die Überzeugung durch, daß die sog. Vetus Syra (repräsentiert durch den Sinai- und den Cureton-Syrer) nicht aus dem zweiten, sondern aller Wahrscheinlichkeit nach aus dem 4. Jahrhundert stammt (allein das entspricht auch den kirchenhistorischen Voraussetzungen; der syrische Text der Frühzeit ist durch das Diatessaron gegeben). Die Vetus Latina (Itala) geht mit ihren Anfängen tatsächlich bis ins 2. Jahrhundert zurück. Wenn man für sie aber eine Urübersetzung annimmt, von der alle spätere Überlieferung abhängt, so ergibt

[5] Vgl. dazu J. Schmid, Studien zur Geschichte des griechischen Apokalypse-Textes (3 Bde, München 1955/56)

deren Rekonstruktion[6] nur die eine dafür benutzte griechische Vorlage (alles andere wäre innerversionelle Entwicklung), während wir aus dieser Zeit in den Papyri mehrere griechische Texte besitzen.

Zu 2: Beim Kollationieren der Übersetzungen muß die jeweilige, von der griechischen verschiedene, Sprachstruktur der Versionen ständig sorgfältig in Betracht gezogen werden. Man darf sie deshalb als Zeugen in den kritischen Apparat nur da aufnehmen, wo sie wirklich eine sichere Aussage über den der Übersetzung zugrunde liegenden griechischen Text bieten. Die Bestimmung dessen und der gleichzeitige Ausschluß von rein innerversionellen Varianten bedarf eines langjährigen vertrauten Umgangs mit den Übersetzungen und eines Spezialistentums, das man bei Neutestamentlern für gewöhnlich nicht trifft. Alle Angaben des Apparats über Lesarten der Varianten gehen auf völlig neue Kollationen zurück, und zwar da, wo die Spezialausgaben fehlten oder nicht ausreichten, auf Mikrofilme der in Betracht kommenden Handschriften. Sie sind sämtlich mehrfach unter den genannten Gesichtspunkten überprüft worden, so daß auch der Nicht-Spezialist sie jetzt zuverlässig für seine Urteilsbildung heranziehen kann. Wenn irgendwo sonst Überlieferung aus den Versionen zu Varianten herangezogen wird, bei denen es in dieser Ausgabe nicht geschieht, kann davon ausgegangen werden, daß dieses Schweigen nicht nur berechtigt, sondern notwendig ist.

Im einzelnen liegen zugrunde für

die lateinischen Übersetzungen

in den Evangelien:

Itala. Das Neue Testament in altlateinischer Überlieferung. Nach den Handschriften hrsg. von A. Jülicher, durchgesehen und zum Druck besorgt von W. Matzkow† und K. Aland (Bd. I Matthäus-Evangelium ²1972, Bd. II Marcus-Evangelium ²1970, Bd. III Lucas-Evangelium ²1976, Bd. IV Johannes-Evangelium 1963),

in den Paulusbriefen:

für Eph–Kol Bd. 24/1–2 der Vetus Latina, hrsg. von H. J. Frede, 1962–1971, für 1.Thess.–1.Tim 3,1 Bd. 25 der Vetus Latina, hrsg. von H. J. Frede, 1975–1978,

in den Katholischen Briefen:

Bd. 26/1 der Vetus Latina, hrsg. von W. Thiele 1956–1969.

[6] Vgl. B. Fischer, Das Neue Testament in lateinischer Sprache, in: Die alten Übersetzungen des Neuen Testaments, die Kirchenväterzitate und Lektionare, hrsg. von K. Aland (ANTF 5, Berlin 1972). Dem Werk kommt für alle im Titel genannten Bezirke grundlegende Bedeutung zu.

Die Angaben für die *Apostelgeschichte, Röm, 1/2.Kor, Gal, 1.Tim 3,1 bis Schluß, 2.Tim, Tit, Philem, Hebr* und die *Offenbarung* entstammen Kollationen der Handschriften, die in der Handschriftenliste S. 712ff. mit ihren Einzelheiten beschrieben sind.

Die *altlateinischen Zeugen* werden wie herkömmlich mit kleinen lateinischen Buchstaben bezeichnet (daß neben ihnen in (a b c usw.)
der Handschriftenliste Anhang I S. 712ff., auch die Nummern der Beuroner Zählung genannt werden, geschieht lediglich zur Verdeutlichung). Bezeugen sie in ihrer Gesamtheit oder in ihrer Mehrheit eine Lesart, so wird dies durch das Sigel it (= Itala) (it)
festgestellt; die Handschriften, die anders lesen, sind im Regelfall bei den anderen Varianten notiert. Gehen die altlateinischen Zeugen mit der Vulgata (vg) zusammen und bietet die gesamte (vg)
lateinische Überlieferung eine einheitliche Aussage, wird das mit dem Sigel latt bezeichnet. Wenn bei einigen von ihnen die (latt)
gleiche griechische Vorlage zwar vermutet, aber wegen gewisser Freiheiten der Übersetzung nicht mit absoluter Sicherheit behauptet werden kann, wird das mit lat(t) bezeichnet. Geht nur (lat(t))
ein Teil der Altlateiner mit der Vulgata zusammen, wird das Sigel lat verwandt (auch hier wird, soweit irgend möglich, die (lat)
abweichende Bezeugung bei den anderen Varianten notiert). Eine Aufzählung der in solchen Fällen in Betracht kommenden großen Zahl von Einzelzeugen würde den Apparat überfüllen, die zusammenfassenden Sigla machen ihn sehr viel übersichtlicher, ohne daß die Information dadurch wesentlich eingeschränkt wird.

Für die einzelnen Ausgaben der *Vulgata*, soweit Angaben über deren Text notwendig bzw. informativ waren, werden folgende Abkürzungen verwandt: vg^{s} für die editio Sixtina, Rom 1590, (vg^{s})
vg^{cl} für die editio Clementina, Rom 1592 (vg^{s} wird nicht besonders genannt, wo ihr Text mit der vg^{cl} übereinstimmt). Die mo- (vg^{cl})
dernen Ausgaben von J. Wordsworth/H. J. White/H. F. D. (vg^{ww})
Sparks, Oxford 1889-1954, sowie die sog. Stuttgarter Vulgata, von R. Weber in Verbindung mit B. Fischer, J. Gribo- (vgst)
mont, H. F. D. Sparks, W. Thiele ^{2}1975 herausgegeben, werden ebenso angeführt, insbesondere da, wo der Text der Vulgataausgaben auseinandergeht. Ist die Anführung von wichtigen Vulgata-Handschriften erforderlich, geschieht das mit
vg^{ms}, wenn es sich um eine, mit vg^{mss}, wenn es sich um mehrere handelt. (vg^{ms} vg^{mss})

Die Angaben über die lateinische Version erfolgen im Apparat unmittelbar anschließend an die über die griechischen Zeugen. Daran angeschlossen werden die Angaben über

die syrischen Übersetzungen

Für die *Vetus Syra* liegen folgende Ausgaben zugrunde:

The Old Syriac Gospels or Evangelion da-mepharreshê; being the text of the Sinai or Syro-Antiochene Palimpsest, ed. by Agnes Smith Lewis, London 1910.

sy^{s} Dieser *Sinai-Syrer*, eine Palimpsesthandschrift (oberer Text: Heiligenleben aus dem 8. Jahrhundert) aus dem 4./5. Jahrhundert, bietet die Evangelien mit erheblichen Lücken: Matth 6,10–8,3; 16,15–17,11; 20,25–21,20; 28,7–Ende; Mark 1,1-12; 1,44–2,21; 4,18-41; 5,26–6,5; Luk 1,16-38; 5,28–6,11; Joh 1,1-25; 1,47–2,15; 4,38–5,6; 5,25-46; 14,10-11; 18,31–19,40. Das gleiche
sy^{c} gilt für den sog. *Cureton-Syrer*, eine Pergamenthandschrift aus dem 5. Jahrhundert. Hier fehlen: Matth 8,23–10,31; 23,25–Ende; Mark 1,1–16,17; Luk 1,1–2,48; 3,16–7,33; 16,13–17,1; 24,44-51; Joh 1,42–3,5; 8,19–14,10; 14,12-15; 14,19-21; 14,24-26; 14,29–21,25. Benutzt wird die Ausgabe

Evangelion da-mepharreshê. The Curetonian Version of the Four Gospels, ed. by F. Crawford Burkitt, Cambridge 1904.

sy^{p} Die *Peschitta* wird für die Evangelien, die Apostelgeschichte, die Paulusbriefe und die großen Katholischen Briefe zitiert nach

The New Testament in Syriac, The British and Foreign Bible Society, London 1920 ff.

Für die Evangelien legt diese Ausgabe (unter Weglassung des kritischen Apparats) die von Ph. E. Pusey und G. H. Gwilliam zugrunde:

Tetraevangelium sanctum iuxta simplicem Syrorum versionem, Oxford 1901.

Für die in der Peschitta fehlenden *kleinen Katholischen Briefe*
sy^{ph} (2. Petr, 2.3. Joh, Jud) und die ebenfalls fehlende *Apokalypse* treten ein:

Remnants of the Later Syriac Versions of the Bible, Part I: New Testament, the four minor catholic epistles in the original Philoxenian version ed. by John Gwynn, London/Oxford 1909.

The Apocalypse of St. John in a Syriac version hitherto unknown ed. by John Gwynn, Dublin/London 1897.

sy^{h} Die Ausgabe der *Harclensis* von Joseph White:

Sacrorum Evangeliorum versio Syriaca Philoxeniana cum interpretatione et annotationibus (Oxford 1778) und Actuum Apostolorum et Epistolarum tam Catholicarum quam Paulinarum versio Syriaca Philoxeniana cum interpretatione et annotationibus (Oxford 1799–1803)

endet bei Hebr 11,27. Für den Rest des Hebräerbriefes wird deshalb benutzt:

The Harklean Version of the Epistle to the Hebrews Chap. XI. 28–XIII. 25 ed. by Robert L. Bensly, Cambridge 1889.

sy^{hmg} sy^{h**} sy

Für den Text der Apokalypse muß auf Band V der Polyglotte von B. Walton, London 1657 zurückgegriffen werden, also eine über 300 Jahre alte Edition, während Whites Ausgabe nur (!) rund 200 Jahre zurückliegt – was bereits die Situation beleuchtet. Schon von der viel zu schmalen Materialbasis her ist die Ausgabe von White völlig überholt, um von anderem zu schweigen (daß er seine Ausgabe als eine der Philoxeniana und nicht der Harclensis bezeichnet, ist charakteristisch). Es wird noch viel Arbeit erforderlich sein, bis die Geschichte des syrischen Neuen Testaments wirklich aufgehellt ist. Von der Bearbeitung der neutestamentlichen Zitate bei syrischen Kirchenvätern wie möglicherweise von der Entdeckung bzw. Publikation bisher unbekannter Handschriften (für die sich auf A. Vööbus besondere Erwartungen richten) ist die entscheidende Hilfe dabei zu erwarten. Bei der Wiedergabe der Harclensis werden die besonders wichtigen Marginallesarten (hier gibt der Übersetzer der Harclensis zumeist Informationen über ihm bekannte griechische Lesarten – in syrischer Übersetzung –, die von dem von ihm zugrundegelegten griechischen Text abweichen) mit sy^{hmg} bezeichnet, mit sy^{h**} die vom Übersetzer der Harclensis bereits mit Asterisci versehenen Stücke (Zusätze aus einigen oder einer Hs zum Text der von ihm herangezogenen syrischen Vorlage). Die Übereinstimmung aller zur jeweiligen Stelle in Betracht kommenden syrischen Zeugen wird im Apparat mit sy angezeigt.

sy$^{(p)}$ sy$^{(s)}$ sy$^{(s.c)}$ sy$^{(c.p)}$ (sy^{p}) usw.

Hier bedarf es einer gewissen Aufmerksamkeit, wenn das Sigel sy mit einem Exponenten in Klammern erscheint. sy$^{(p)}$ bedeutet zum Beispiel, daß die so bezeichnete Lesart von der gesamten syrischen Überlieferung geboten wird, wobei lediglich ^{p} eine Untervariante aufweist, die am Befund nichts ändert. Das gleiche gilt etwa für die Angabe sy$^{(s)}$, sy$^{(s.c)}$, sy$^{(c.p)}$: die Aussage der syrischen Version ist in der Sache einheitlich, die in Klammern stehenden Zeugen weisen jedoch unbedeutende Abweichungen auf, die zu verzeichnen sich nicht lohnt. Diese Angaben müssen, damit keine falschen Resultate herauskommen, sorgfältig unterschieden werden: einmal von den oben beschriebenen, bei denen der Exponent ohne Klammern steht (sy^{p}, sy^{c} usw. bedeuten, daß nur die Peschitta, der Curetonsyrer usw. die betr. Lesart hat), und dann von den Angaben, bei denen das ganze Notat in Klammern steht, wie z. B. (sy^{p}), (sy^{c}), (sy$^{s.c}$) usw. Hier wird angezeigt, daß die in Klammern stehenden Zeugen (und nur sie!) einen Text bieten, der sie als zu der angegebenen Lesart, wenn auch mit leichten Abweichungen, gehörig ausweist. Die runden Klammern haben also auch im Syrischen dieselbe Bedeutung wie sonst, es muß nur auf das Bezugsobjekt geachtet werden.

Nach den Angaben des Apparats über die syrischen Übersetzungen (an erster Stelle stehen stets die über die lateinischen), also an dritter Stelle, werden die über

die koptischen Übersetzungen

geboten. Hier sind die verschiedenen Dialekte folgendermaßen bezeichnet:

ac = achmimisch
ac^2 = subachmimisch
bo = bohairisch
mae = mittelägyptisch
mf = mittelägyptisch-faijumisch
pbo = protobohairisch
sa = sahidisch.

Diese Sigel ohne Zusatz bedeuten jeweils die gesamte Überlieferung in dem betr. Dialekt; gehen alle zur Stelle verfügbaren
co koptischen Versionen zusammen, wird das durch das Sigel co zum Ausdruck gebracht. Natürlich ist es nicht selten erforderlich, die Lesart einzelner wichtiger Handschriften zu verzeich-
sa^{ms} bo^{ms} sa^{mss} nen. Dann bedeutet sa^{ms} bzw. bo^{ms}, daß ein Zeuge, sa^{mss} und
bo^{mss} bo^{mss}, daß mehrere Zeugen die angegebene Lesart vertreten (wobei im Sahidischen die Korrektoren, im Bohairischen die Korrektoren und die bohairischen Marginalien ebenfalls als Zeugen gelten). Sind es im Bohairischen fünf oder mehr Zeu-
bo^{pt} gen, die eine bestimmte Lesart vertreten, wird das mit bo^{pt} (= bo^{partim}) wiedergegeben. Wenn der Angabe bo bei der einen Variante die bo^{ms} oder bo^{mss} einer anderen gegenübersteht, so heißt das, daß eine oder mehrere bohairische Handschriften anders als der Rest lesen, das entspricht in etwa dem Verfahren bei der Verzeichnung der lateinischen Zeugen.

Für die koptische Überlieferung sind nach wie vor grundlegend die Ausgaben von Horner:

The Coptic Version of the New Testament in the Northern Dialect, otherwise called Memphitic and Bohairic, Oxford, 4 Bde, 1898–1905,

The Coptic Version of the New Testament in the Southern Dialect, otherwise called Sahidic and Thebaic, 7 Bde, Oxford 1911–1924.

Die von Horner als zusammengehörig festgestellten Handschriften werden im Apparat an den Stellen, wo dieser sie mit einem Sammelsigel bezeichnet, als ein Zeuge gewertet. Individuell behandelt und gezählt werden sie nur dann, wenn ihre Aussage auseinandergeht. Nun reichen die Ausgaben von Horner (die eigentlich beide neu gemacht werden müßten) als Grundlage für die Verzeichnung der koptischen Übersetzungen im Apparat nicht aus. Deshalb wurden zusätzlich eine Reihe von wichtigen und/oder alten Handschriften entweder in den z. T. erst seit kurzem vorliegenden kritischen Editionen oder (im Fall des Mittelägyptischen) im Mikrofilm herangezogen. Es handelt sich dabei um folgende Ausgaben bzw. Handschriften:

für das Achmimische: ac

Bruchstücke des ersten Clemensbriefes nach dem achmimischen Papyrus der Straßburger Universitäts- und Landesbibliothek mit biblischen Texten derselben Handschrift, hrsg. v. Fr. Rösch, Straßburg 1910 (Joh, Jak, 4. Jhdt),

für das Subachmimische: ac^2

The Gospel of St. John according to the earliest Coptic manuscript, hrsg. v. H. Thompson, London 1924 (Joh, 4. Jhdt),

für das Mittelägyptische: mae

Scheide-Codex, Scheide-Library, Princeton, New Jersey, (Matth, 4./5.(?) Jhdt), G 68, Glazier Collection, Pierpont Morgan Library, New York (Apg, 5. Jhdt),

für das Mittelägyptisch-Faijumische: mf

The Gospel of John in Fayumic Coptic (P. Mich. Inv. 3521), hrsg. v. E. Husselman, Ann Arbor 1962 (Joh, 4./5.(?) Jhdt),

für das Protobohairische: pbo

Papyrus Bodmer III, Évangile de Jean et Genèse I–IV, 2 en bohaïrique, hrsg. v. R. Kasser, CSCO 177, Louvain 1958 (Joh, 4./5.(?) Jhdt).

Diese Dialekte sind bei Horner nicht verzeichnet. Aber auch *für das Sahidische* sind über Horner hinaus folgende Texte herangezogen worden:

Papyrus Bodmer XIX, Évangile de Matthieu XIV, 28–XXVIII, 20; Épître aux Romains I, 1–II, 3 en sahidique, hrsg. v. R. Kasser, Genf 1962 (benutzt für Matth, 4./5. Jhdt); Das Markusevangelium saïdisch. Text der Handschrift PPalau Rib. Inv. Nr. 182 mit den Varianten der Handschrift M 569, hrsg. von H. Quecke, Barcelona 1972 (Mark, 5. Jhdt); Das Lukasevangelium saïdisch. Text der Handschrift PPalau Rib. Inv. Nr. 181 mit den Varianten der Handschrift M 569, hrsg. v. H. Quecke, Barcelona 1977 (Luk, 5. Jhdt), The Coptic Version of the Acts of the Apostles and the Pauline Epistles, hrsg. v. H. Thompson, Cambridge 1932, Chester Beatty Codex A/B (Apg und Paulus, A um 600, B 7. Jhdt).

Den drei vorstehend kurz behandelten Versionen kommt für die Diskussion über den ursprünglichen Text – innerhalb des bezeichneten Rahmens – wie für die Textgeschichte zentrale Bedeutung zu,

die anderen Übersetzungen,

seien es die ins Armenische, Georgische, Gotische, Äthiopische, Altkirchenslawische, haben im Vergleich mit ihnen nur eine sekundäre Bedeutung, die ins Arabische, Nubische usw. sogar nur eine tertiäre. Dementsprechend selten begegnen Bezugnahmen darauf. Für ihre Benutzung sind folgende Ausgaben besonders wichtig

arm *für das Armenische:*

Yovhannes Zōhrapean, Astuacašunčʻ matean hin ew nor ktakaranacʻ IV. Venedig 1805, überholt.

Fr. Macler, L'Évangile arménien. Édition phototypique du manuscrit nº 229 de la Bibliothèque d'Etchmiadzin. Paris 1920.

geo *für das Georgische:*

R. P. Blake, The Old Georgian Version of the Gospel of Matthew. Patrologia orientalis 24 (Paris 1933) 1–168; Ders., The Old Georgian Version of the Gospel of Mark. Patr. or. 20 (Paris 1929) 435–574; M. Brière, The Old Georgian Version of the Gospel of Luke. Patr. or. 27 (Paris 1955) 276–448; R. P. Blake–M. Brière, The Old Georgian Version of the Gospel of John. Patr. or. 26 (Paris 1950) 454–599. G. Garitte, L'ancienne version géorgienne des Actes des Apôtres d'après deux manuscrits du Sinai (Bibliothèque du Muséon 38). Louvain 1955.

Kʻ. Lortʻkʻipʻanidze, Katʻolike epistoletʻa kʻartʻuli versiebi X–XIV saukunetʻa ḫelnacerebis miḫedvitʻ. Tbilisi 1956.

Kʻ. Dzocenidze–K. Daniela, Pavles epistoletʻa kʻartʻuli versiebi. Tbilisi 1974.

I. Imnaišvili, Iovanes gamocʻḫadeba da misi tʻargmaneba. Dzveli kʻartʻuli versia, Tbilisi 1961.

got *für das Gotische:*

Die gotische Bibel, hrsg. von W. Streitberg, Heidelberg 1908, 2. verb. Aufl. 1919, 5. von E. A. Ebbinghaus durchgesehene Auflage 1965, [6]1976 (Vorsicht bei der Benutzung des griechischen Textes!).

aeth *für das Äthiopische:*

Petrus Aethiops, Testamentum Novum cum epistola Pauli ad Hebraeos, Rom 1548.

Evangelia sacra Aethiopice, ed. T. Pell Platt, London 1826; Novum Testamentum Domini nostri et Salvatoris Jesu Christi Aethiopice, ed. T. Pell Platt, London 1830; Die äthiopische Übersetzung der Johannes-Apokalypse, hrsg. u. übers. v. J. Hofmann, CSCO 281, Louvain 1967.

slav *für das Altkirchenslawische:*

J. Vajs, Evangelium sv. Matouše. Text rekonstruovaný. Praha 1935; Evangelium sv. Marka. Text rekonstruovaný. Praha 1935; Evangelium sv. Lukáše. Text rekonstruovaný. Praha 1936; Evangelium sv. Jana. Text rekonstruovaný. Praha 1936.

V. Jagić, Quattuor evangeliorum codex glagoliticus olim Zographensis nunc Petropolitanus. Berlin 1879; ders., Quattuor evangeliorum versionis palaeoslovenicae codex Marianus glagoliticus. Berlin 1883.

J. Vajs–J. Kurz, Evangeliarium Assemani. Codex vaticanus 3. slavicus glagoliticus I–II. Praha 1929–1955.

V. Ščepkin, Savvina kniga. St. Petersburg 1903.

Ae. Kałužniacki, Actus epistolaeque apostolorum palaeoslovenice ad fidem codicis Christinopolitani. Wien 1896.

G. A. Il'inskij, Slepčenskij apostol XII veka. Moskva 1912.

Arch. Amfilochij, Apokalipsis XIV veka Rumjancevskago muzeja. Moskva 1886.

4. Die Kirchenväter

Neben den Handschriften kommt den Zitaten aus dem Neuen Testament bei den Kirchenvätern, sei es den griechischen, sei es bei denen aus anderen Sprachbereichen, eine besondere, oft unterschätzte, *Bedeutung* zu, und zwar nicht nur dann, wenn sie uns – leider viel zu selten – einen direkten Bericht über die von den Handschriften ihrer Zeit gebotene Textüberlieferung einzelner Stellen oder gar ganzer Perikopen liefern. Für diesen Fall wird der Name des betr. Kirchenvaters mit der Zufügung ^{ms} oder ^{mss} geboten, je nachdem, ob sie sich auf eine oder viele Handschriften beziehen. Also: Or^{ms} bzw. Hier^{ms} bedeutet die Feststellung, daß sie die betr. Lesart oder Überlieferung einer *griechischen neutestamentlichen* Handschrift bezeugen, Or^{mss} bzw. Hier^{mss}, daß das für viele Handschriften gilt. Entsprechendes gilt für Angaben zu anderen Kirchenvätern, sie sind sämtlich, um das zu wiederholen, auf griechische Handschriften des Neuen Testaments bezogen. Die Zitate bei den Kirchenvätern erlauben uns, die lokale Festlegung bestimmter Lesarten für eine bestimmte Zeit, was die Texthandschriften in der Regel nicht hergeben. Am ergiebigsten sind dafür verständlicherweise die Kommentare der Kirchenväter zu neutestamentlichen Schriften. Aber hier beginnen bereits die Probleme: hier ist im allgemeinen das Lemma – der ausgelegte Text – vorangestellt, spätere Abschreiber pflegen diesen nach den bei ihnen selbst in Gebrauch stehenden Handschriften – und nicht nach der Vorlage – wiederzugeben. So wird das Lemma unbrauchbar, wenigstens, was die vom betr. Kirchenvater benutzte Textform angeht, diese kann nur aus dem anschließenden Kommentar mühsam im Wortlaut herausdestilliert werden (im Apparat wird deshalb der Bezeichnung für den Kirchenvater gelegentlich ^{com} = aus dem Kommentar oder ^{txt} = aus dem voranstehenden Text des Lemmas hinzugefügt). Außerdem ist sehr oft schwierig zu entscheiden, ob ein altchristlicher Schriftsteller das ihm selbstverständlich gedächtnismäßig vollständig präsente Neue Testament einfach aus der Erinnerung zitiert oder ob er die von ihm regelmäßig benutzte Handschrift dazu aufgeschlagen hat. Selbst dann kann er den Text für die speziellen Bedürfnisse seines Gedankenganges verändert bzw. umstilisiert haben.

Or^{ms} Hier^{ms}

Or^{mss}

Hier^{mss}

com txt

Die im Erscheinen begriffene Biblia patristica versetzt uns zwar in eine unendlich bessere Lage als frühere Generationen, denn hier werden die biblischen Zitate und Anspielungen (in Band I, Paris 1975, bis Tertullian und Clemens Alexandrinus, in Band II, Paris 1977, bis Laktanz ohne Origenes und Euseb) in bisher noch nicht gekannter Vollständigkeit verzeichnet. Tatsächlich ergibt aber eine kritische Durchsicht, daß viele von diesen «Zitaten» (besonders aus der Frühzeit) für die Textkritik wenig aussagefähig sind. Die im Apparat verzeichneten Angaben aus den Kirchenvätern und altkirchlichen Schriftstellern stehen daher unter dem Vorzeichen einer strengen Auslese. Ihre Zahl hätte leicht vermehrt werden können, aber welchen Sinn hat es, die zahlreichen Zeugen etwa für den Mehrheitstext ins Feld zu führen? Alle Angaben aus den Schriften der in der nachfolgenden Liste verzeichneten Väter werden aufgrund des Textes der modernen Ausgaben gemacht. Das war in früheren Ausgaben nicht der Fall, bis hin zur Third Edition des Greek New Testament und Nestle[25], die ihre Angaben darüber im wesentlichen aus der 100 Jahre alten Ausgabe von Tischendorf entnahmen. Um die zeitliche Einordnung der Zitate möglichst zu erleichtern, ist, soweit möglich, bei jedem Vater das Todesjahr angegeben (die bloße Angabe des Jahrhunderts, in dem er lebte, bleibt oft zu allgemein), das Sigel, unter dem er im Apparat erscheint, ergibt sich aus dem nicht eingeklammerten Teil seines Namens (nur bei Ambrosiaster, Cassianus und Lucifer wird das Sigel vor dem Namen angeführt).

Sigelverzeichnis für die Kirchenväter

Acac(ius Caesariensis), †366
Ad(amantius), 300/350
Ambr(osius), †397
PsAmbr(osius)
Ambst (= Ambrosiaster), 366–384
Anast(asius) S(inaita), †ca. 700
Andr(eas Cretensis), †740
Apr(ingius Pacensis), 531–548
Arn(obius der Jüngere), †p. 450
Ath(anasius Alexandrinus), †373
Aug(ustinus), †430
Bas(ilius Caesariensis), †379
Bea(tus von Liébana), †798?
Beda (Venerabilis), †735
Cass(iodorus), †p. 580
(Johannes) Chr(ysostomus), †407
Cl(emens Alexandrinus), †a. 215
Cl^{hom} (= PsCl, Homilien)
Cl^{lat} (Übs. i. Auftr. Cassiodorus)
Cl(emens) R(omanus) ca. 95
Cn (=Johannes Cassianus), †ca.435
Cyp(rianus), †258
PsCyp(rianus)
Cyr(illus Alexandrinus), †444
Cyr(illus v.) J(erusalem), †386
Dial(ogus) Tim(othei) et Aqu(ilae), V?
Didache, II
Did(ymus Alexandrinus), †398
Dion(ysius Alexandrinus), †264/65
Ephr(aem Syrus), †373
Epiph(anius Constantiensis), †403
Eus(ebius Caesariensis), †339
Firm(icus Maternus), †p. 360
fragm(entum) fajjum(ense), III
Fulg(entius), †527?

Gr(egorius) Ny(ssenus), †394
Hes(ychius), †p. 451
Hier(onymus), †420
Hil(arius), †367
Hipp(olytus), †235
Ir(enaeus), II
Ir^{lat}, p. 380
Ir^{arm}, IV/V
Ju(stinus), †ca. 165
Lact(antius), †p. 317
Lcf (= Lucifer), †ca. 371
M(ar)cion, II
Marc(us Eremita), †p. 430
M(arius) Vict(orinus), †p. 363
Meth(odius Olympius), †p. 250
Nic(etas v. Remesiana), †p. 414
Nil(us Ancyranus), †ca. 430
Non(nus), †p. 431
Nov(atianus), †p. 251
PsOec(umenius), VI
Or(igenes), †254
Or^{lat} (= Origenes lat. Übs.)
Oros(ius), †p. 418
Pel(agius), †p. 418
Pist(is) S(ophia), III
Porph(yrius Tyrius?), III
Prim(asius), †a. 567
Prisc(illianus), †385/6
Prosp(er), †463
Qu(odvultdeus), †ca. 453
Sche(nute), †466
Spec(ulum, Pseudo-Augustinus), V
Tert(ullianus), †p. 220
Th(eodo)ret(us Cyrrhensis),†ca.466
Tit(us Bostrensis), †a. 378
Tyc(onius), †p. 390
Vic(torinus Petavionensis), †304
Vig(ilius v. Thapsus), †p. 484

5. Weitere Hinweise für die Benutzung des Apparats

Über den Aufbau des Apparats und die dabei verwandten Sigla ist bereits berichtet worden (vgl. S. 7* ff.). Es ist aber noch einiges nachzutragen, was bisher nicht besprochen wurde, um den Leser nicht durch eine Überfülle von Angaben zu verwirren und ihm zu ermöglichen, sich schrittweise in die Benutzung der Ausgabe einzuarbeiten. Wenn er in der Lektüre bis hierher fortgeschritten ist, wird ihm zunächst eine zusammenfassende Charakteristik des Apparataufbaus willkommen sein:

Reihenfolge des Apparats
;

Der Apparat ordnet die Zeugen immer in derselben *Reihenfolge*: griechische, lateinische, syrische, koptische, sonstige Zeugen, Kirchenväter (vom Vorangehenden durch ; getrennt). Bei den griechischen Zeugen wird wieder immer dieselbe Reihenfolge eingehalten: Papyri, Majuskeln, Minuskeln, Lektionare. Bei den Majuskeln sind die sog. Buchstabenunzialen ℵ, A, B usw. vorangestellt und alphabetisch, die anderen in numerischer Folge geordnet. Bei den Minuskeln stehen voran die Gruppen f^1 und f^{13}, dann folgen die Minuskeln in numerischer Aufzählung (wobei zwischen die Zahlen immer ein Punkt gesetzt ist, um Mißverständnisse zu vermeiden), zum Schluß steht die Angabe über den Mehrheitstext. Welche Handschriften besonders herangezogen werden, ist besprochen, für sie und die sonst angeführten griechischen Handschriften sind alle Einzelheiten aus der Handschriftenliste im Anhang I S. 684ff. zu ersehen. Über die mit ihren Bezeichnungen einzeln genannten Handschriften hinaus finden sich im Apparat jedoch häufig Pauschalangaben:

pc = pauci (wenige)
al = alii (andere)
pm = permulti (sehr viele)
cet = ceteri (weitere)
rell = reliqui (die übrigen)

Die Quantifizierung dieser Angaben, die dazu dienen sollen, dem Benutzer einen Eindruck von der Verbreitung der betr. Lesarten zu geben, versteht sich eigentlich von allein. Zu bemerken ist nur, daß *al*(ii) wie *cet*(eri) zahlenmäßig nicht genau festzulegen sind, man kann lediglich sagen, daß die mit *al* gemeinte Zahl zwischen *pc* (pauci) und *pm* (permulti) liegt, allerdings sehr viel näher bei *pc* als bei *pm*. *cet*(eri) greift zahlenmäßig ebenfalls nicht allzu hoch. *pm* entspricht einer großen Teilgruppe des Mehrheitstextes, wenn dieser in sich gespalten ist, kann deshalb *pm* bei einer Variante doppelt vorkommen.

Insbesondere bei den Majuskeln, aber auch sonst, finden sich
* Zeichen, welche den *Schreiber* angeben: * bedeutet die erste
$^{1\ 2\ 3}$ usw. Hand, d. h. den Text des ursprünglichen Schreibers, ^{1} bzw. ^{2}
oder ^{3} die Textform, welche die Hand des 1. oder 2. bzw. 3. Korrektors herstellte, sofern das mit Sicherheit feststellbar ist, sonst
^{c} wird durch den Exponenten ^{c} ganz allgemein gesagt, daß ein *Korrektor* den Text verändert hat. Mindestens die erste Korrektur kann gleichzeitig mit der Niederschrift geschehen sein (die fertige Handschrift erfuhr im Skriptorium sogleich eine Kontrolle auf Genauigkeit). Nicht selten findet sich bei Handschriften eine Marginallesart, d. h. am Rand ist eine Lesart zugesetzt. Handelt es sich dabei um eine Alternativlesart, wird sie
v. l. als v(aria) l(ectio), als Variante, bezeichnet. Ist das nicht sicher,
^{mg} wird die Lesart nur durch Zusatz von ^{mg} = in margine charakterisiert. Wenn spätere Jahrhunderte geändert haben, ist deren Hand leicht zu erkennen, die Unterscheidung der frühen Korrektoren ist dagegen oft sehr schwierig. Sobald zu einer Hand-
^{s} schriftenbezeichnung ein ^{s} = Supplementum auftaucht, ist große Vorsicht geboten, hier handelt es sich immer um eine spätere Ergänzung, welche die Autorität der eigentlichen Handschrift nicht entfernt in Anspruch nehmen kann.

Um den Apparat nicht zu sehr anschwellen zu lassen, werden dort *einzelne Wörter* oft *gekürzt*, ein Blick auf den Text erlaubt aber die Ergänzung ohne Schwierigkeit. Wenn es z. B. Matth
M-σσην, M-σση 1,10 im Apparat heißt: M-σσην Δ *pc* und M-σση ℵ^{1} B, so bedeutet das jeweils nichts anderes als die Abänderung der Formen Μανασσῆ bzw. Μανασσῆς des Textes durch die angegebenen Handschriften. Wenn zu Matth 2,23 im Apparat nur steht
-ρεθ -ρεθ, so bedeutet das selbstverständlich, daß das Ναζαρετ des Textes bei C K usw. nur anders geschrieben wird (genau so

4,13 usw.). Oft wird bei längeren Varianten eine ganze Reihe von Wörtern nur mit den Anfangsbuchstaben wiedergegeben, der volle Wortlaut ergibt sich aber ohne Schwierigkeit aus dem Text. Wird bei einer Textangabe zwischen zwei Wörtern mit ... fortgefahren, so bedeutet das, daß der Text zwischen ihnen völlig ohne Abweichungen verläuft. ...

Hat eine Variante mehrere *Untervarianten*, d.h. kleine Differenzen zur im Prinzip gleichen Lesart, so wird das durch ein Klammersystem mit den Zeichen + (= Zufügung) und – (= Auslassung) angegeben, wie sie das folgende Beispiel erläutert. + –
Hier heißt es Matth 5,44 im Apparat:

⸆*p)* ευλογειτε τους καταρωμενους υμας (υμιν D* *pc*; – ε. τ. κ. υ. 1230. 1242* *pc* lat), καλως ποιειτε τοις μισουσιν υμας (– κ. π. τ. μ. υ. 1071 *pc*; Cl Eus) και (– W) προσευχεσθε υπερ των επηρεαζοντων υμας (– D *pc*) και D L W Θ *f*^{13} 𝔐 lat sy$^{(p).h}$; Cl Eus ¦ *txt* ℵ B *f*^{1} *pc* k sy$^{s.c}$ sa bo^{pt}; Cyp.

Als erstes ist deutlich, daß der Text: καὶ προσεύχεσθε ὑπὲρ τῶν von ℵ B usw. bis Cyprian bezeugt, im Vergleich mit den Zeugen für die Variante: D L W usw. bis Euseb, den Vorzug verdient. Diese Lesart stammt, vgl. das *p)* zu Beginn, aus der Parallelüberlieferung (d. h. von Luk 6,28) und ist aus dem Bemühen um eine Anreicherung und Parallelisierung des Textes bei Matth entstanden. Daß der so erweiterte Text mancherlei Nachfolge fand, ist angesichts der kurzen Aussage von Matth 5,44 voll verständlich. Aber diese Nachfolge ist bezeichnenderweise in sich gespalten, wie die Zufügungen in den Klammern verdeutlichen: υμας wird in D durch υμιν ersetzt; 1230, 1242* (d. h. die erste Hand!), wenige andere und ein Großteil der lateinischen Überlieferung lassen ε. τ. κ. υ. aus (– -Zeichen). Die *Abkürzungen* entsprechen genau dem vorangehenden ευλογειτε τους καταρωμενους υμας, genau so wie das in der nächsten Klammer begegnende – κ. π. τ. μ. υ. leicht aufzulösen ist als die Auslassung des unmittelbar voranstehenden καλως ποιειτε τοις μισουσιν υμας durch 1071 usw. Hinter και steht (– W), d. h. W läßt das και aus, so wie D und wenige andere das nachfolgende υμας. Diese Anordnung mag den Anfänger auf den ersten Blick vielleicht verwirren, aber diese Verwirrung beträgt nur einen geringen Bruchteil von der, die er erfahren würde, wenn er aus den hintereinander abgedruckten Texten der verschiedenen Zeugen (was übrigens viel Raum erfordern würde) sich selbst Gemeinsamkeiten und Unterschiede der dem Text entgegenstehenden Überlieferung heraussuchen sollte. Diese Verwirrung (und eine nicht geringe Arbeitsleistung) wird ihm hier (und in zahllosen anderen Fällen) abgenommen: die verschiedenen Überlieferungen sind so zusammengefaßt, daß hinter ihnen der gemeinsame Text sichtbar wird. So wird deutlich, daß sie nichts als Untervarianten eines ursprünglichen «Gegentextes» bedeuten. Außerdem wird ihm mit Klarheit dargelegt, worin diese Untervarianten bestehen und woher der «Gegentext» kommt – und das alles in vier Zeilen.

Der Apparat bemüht sich, ohne *verbindenden Text* auszukommen. Das war nicht immer möglich. Für diese Fälle wurde als neutrale Lösung das Lateinische in Anspruch genommen, wobei nach Möglichkeit Abkürzungen gewählt wurden, die in den modernen Sprachen ohne weiteres verständlich sind. Wo dem Benutzer die Bedeutung der Abkürzung nicht ohne weiteres verständlich ist, hilft ein Blick auf die alphabetisch geordnete Zusammenstellung am Schluß des Bandes weiter, hier findet er in Anhang IV auf S. 778 f. die Auflösung aller *Abkürzungen.* Er wird aber gut tun, sich einige von ihnen von vornherein einzuprägen, weil sie häufiger begegnen. Dazu gehören:

add. = addit bzw. addunt: fügt hinzu, fügen hinzu
om. = omittit bzw. omittunt: läßt weg, lassen weg

Diese Abkürzungen werden gewählt, wenn mit + und - nicht zu
a., *p.* operieren ist. Wichtig sind noch *a.* = ante (= vor), *p.* = post
pon. (= nach), sie werden (meist unter Hinzufügung von *pon.* =
ponit, ponunt (= stellt, stellen) verwandt, um die Umstellung
ʃ· eines Wortes (mit ʃ· im Text angezeigt) so kurz und präzis wie
vid möglich anzugeben. Wichtig ist auch die Angabe von vid = ut
videtur (= dem offensichtlichen Anschein nach). Insbesondere
bei den Papyri ist des öfteren nicht mit letzter Sicherheit zu entscheiden, was sie an bestimmten Stellen als Aussage bieten, deshalb ist in diesen Fällen im Apparat vorsichtshalber ein vid hinzugesetzt worden (obwohl das nichts anderes bedeutet als: mit an Sicherheit grenzender Wahrscheinlichkeit). Bestehen
? sonst Zweifel an der absoluten Zuverlässigkeit, wird ein ? gesetzt (bei Lesarten = konnte nicht am Film nachgeprüft werden, bei Angaben über die Lesart einer Version = nicht sicher zu entscheiden, ob an die angegebene Stelle gehörig). Da, wo die Angabe zunächst unsinnig erscheint, wird zur Bekräf-
(*!*) tigung ein (*!*) gesetzt. Zur Erklärung der Herkunft einer Lesart
ex err., *ex itac.* wird gelegentlich hinzugefügt: *ex err*(ore) = irrtümlich, *ex itac*-
ex lect. (ismo) = erklärt sich aus einem Itacismus, *ex lect*(ionariis) = stammt aus der Gewohnheit der Lektionare, den Text zu Beginn einer Lektion zu verändern, damit die Lesung voll ver-
ex lat*?* ständlich wurde, *ex* lat*?* = Herkunft aus dem Lateinischen?
h. t. Ein zugesetztes *h.t.* = homoioteleuton weist auf die Herkunft einer Lesart daraus hin, daß das Auge des Schreibers bei zwei gleichlautenden Satz- oder Versteilen den Zwischentext übersprang – eine Entstehungsursache für viele Varianten.

III. DIE BEIGABEN AM ÄUSSEREN UND INNEREN RAND

Der Beleg- und Verweisstellenapparat am äußeren Rand des alten Nestle besaß einen außerordentlichen Informationswert; neben dem Nachweis der alttestamentlichen Zitate und Anspielungen waren hier die parallelen Perikopen, wie sachliche und wörtliche Entsprechungen in einem derartigen Ausmaß angegeben, daß der Randapparat für den, der ihn mit Sachverstand zu benutzen wußte, einem Kurzkommentar gleichkam. Im Laufe der Jahre hatte Erwin Nestle ihn aber so aufgefüllt, daß die Übersichtlichkeit darunter litt; insbesondere die Einfügung von in runden Klammern gegebenen «Gegenstellen» (mit einer dem Text entgegengesetzten Aussage) trug dazu bei, ohne wirklichen Nutzen zu schaffen, ganz abgesehen davon, daß dieses Unternehmen von Anfang an zur Unvollständigkeit bzw. Subjektivität verurteilt war.

So ist der Apparat am äußeren Rande völlig neu bearbeitet worden mit dem Ziel, ein Maximum an Information (und zwar weit über den alten Nestle hinaus) mit einem Maximum an Übersichtlichkeit zu verbinden. Das ist wohl im allgemeinen geglückt, gelegentlich allerdings ergab der Text (wie z. B. beim Anfang des Römerbriefes) eine nur mühsam zu bändigende Fülle von Nachweisen. Aber auch hier ist der Grundsatz durchgehalten: jede Belegstelle steht auf der Höhe der Zeile, mindestens aber parallel zu dem Vers, zu dem sie gehört. Greift das Material darüber hinaus, wird der Beginn der Belegstellen zum nächsten Vers durch | bezeichnet. Stehen Teile von zwei Ver- |
sen auf der gleichen Zeile, wird das gleiche Zeichen verwandt, um Mißverständnisse zu vermeiden. Innerhalb eines Verses sind dann die Angaben zu verschiedenen Komplexen durch Hochpunkte voneinander getrennt.

Die verschiedenen Drucktypen zu beachten ist wichtig. Die Verweise auf Parallelperikopen stehen in größerer Schrift (wobei die Bezugsverse jeweils in Kursiv verzeichnet sind). Bei Matth 1,2 steht z. B. am Rande: *2–17:* L 3,23-38, damit wird darauf *2–17:* L 3,23-38
verwiesen, daß Luk 3,23-38 zu Matth 1,2-17 im Ganzen parallel läuft. Das begegnet in den Evangelien fortlaufend, vgl. z. B. Matth 7,1: *1–5:* L 6,37-42; Matth 8,2: *2–4:* Mc 1,40-45 L 5, 12-16; Matth 9,1: *1–8:* Mc 2,1-12 L 5,17-26. Aber nicht nur parallele Perikopen werden derart bezeichnet, sondern ähnliche zusammenfassende Verweise tauchen auch zahlreiche Male sonst auf, vgl. z. B. Matth 1,3: *3–6a:* Rth 4,12.18-22; Matth Rth 4,12.18-22
1,4: *4–6a:* 1 Chr 2,10-12.15; Matth 1,6: *6b–11:* 1 Chr 3,5 usw.

Stellenangaben aus der neutestamentlichen Schrift, um die es
sich jeweils handelt, werden grundsätzlich nur mit Kapitel und
Vers (bzw. nur mit dem Vers, wenn es sich um das gleiche Kapitel handelt) angegeben. So bedeutet die Angabe zu Matth
1,16: 27,17, daß Matth 27,17 gemeint ist, bei 1,20 verweist die
Randangabe mit: 2,13.19 auf Matth 2,13.19. Versangaben aus
. demselben Kapitel werden durch einen Tiefpunkt getrennt, wie
; das voranstehende Beispiel zeigt, mit ; Stellenangaben aus verschiedenen Kapiteln. Wenn bei Matth 1,1 z. B. als Verweis steht:
18 Gn 5,1; 22,18, so bedarf das einer gewissen Aufmerksamkeit:
Das Semikolon weist darauf hin, daß Gn 22,18 gemeint ist, die
voranstehende 18 ohne Stellenangabe bezieht sich selbstverständlich auf Matth 1,18. Gelegentlich wird das ; sogar vor einem Hochpunkt gesetzt, vgl. den Randapparat zu Matth 1,2,
wo es heißt: Gn 25.26; · 29,35. Auch bei 29,35 handelt es sich
also um eine Stelle aus der Genesis (wegen des vorangehenden ;), obwohl sie in einen anderen Interpretationszusammen-
hang gehört (deswegen durch · vom Vorangehenden getrennt).
cf Wenn zu einer Angabe cf (= confer, vergleiche) zugefügt wird,
so versteht sich der bloße Hinweischarakter dieser Angabe von
? allein, ebenso wie wenn ihr durch ? ein Zweifel mit auf den Weg
gegeben wird.

Wenn der Randapparat das angestrebte Maximum an Information bieten sollte, war möglichste Konzentration bei den Angaben geboten. Mit Rücksicht darauf sind auch die Bezeichnungen der biblischen Bücher möglichst kurz gehalten. Folgende Abkürzungen werden verwandt:

I. Für die alttestamentlichen Schriften:

Gn (Genesis), Ex (Exodus), Lv (Leviticus), Nu (Numeri), Dt (Deuteronomium; Genesis–Deuteronomium: 1.–5. Mose), Jos (Josua), Jdc (Judicum, Richter), Rth (Ruth), 1Sm, 2Sm (1./2. Samuel; in Septuaginta: 1./2. Reg(nor)um, Könige), 1Rg, 2Rg (1./2. Reg(nor)um, Könige; in Septuaginta: 3./4. Reg(nor)um, Könige), 1Chr, 2Chr (1./2. Chronik; in Septuaginta: 1./2. Paralipomenon), Esr (Esra, Esdras), Neh (Nehemia; in Septuaginta: Esdrae II,1–10 = Esra, Esdrae II, 11–23 = Nehemia), Esth (Esther), Job (Hiob), Ps (Psalmen), Prv (Proverbia, Sprüche), Eccl (Ecclesiastes, Prediger), Ct (Canticum, Hohes Lied), Is (Isaias, Jesaja), Jr (Jeremia), Thr (Threni, Klagelieder Jeremias), Ez (Ezechiel, Hesekiel), Dn (Daniel), Hos (Hosea, Osee), Joel, Am (Amos), Ob (Obadja, Abdias), Jon (Jona), Mch (Micha, Michaeas), Nah (Nahum), Hab (Habakuk), Zph (Zephanja, Sophonias), Hgg (Haggai, Aggaeus), Zch (Zacharja, Zacharias), Ml (Maleachi, Malachias).

II. Für die Apokryphen und Pseudepigraphen des AT:

3Esr, 4Esr (3./4. Esra, Esdras; in Septuaginta: Esdrae I = 3. Esra), 1–4Mcc (1.–4. Makkabäer), Tob (Tobit, Tobias), Jdth (Judith),

Sus (Susanna), Bel (Bel et Draco, Bel und der Drache), Bar (Baruch), EpistJer (Epistel Jeremias), Sir (Jesus Sirach, Siracides = Ecclesiasticus), Sap (Sapientia, Weisheit Salomos), Jub (Liber Jubilaeorum, Buch der Jubiläen), MartIs (Martyrium Isaiae, des Jesaja), PsSal (Psalmen Salomos), Hen (Henoch), AssMosis (Assumptio Mosis, Himmelfahrt des Mose), BarAp (Baruch-Apokalypse), (die Testamente der Zwölf Patriarchen:) TestRub (des Ruben), TestLev (des Levi), TestSeb (des Sebulon, Zabulon), TestDan (des Dan), TestNaph (des Naphthali), TestJos (des Joseph), TestBenj (des Benjamin), VitAd (Vita Adae et Evae, Leben Adams und Evas).

Von nicht erhaltenen Pseudepigraphen wird erwähnt:
ApcEliae (sec Orig) = Apokalypse des Elias (nach Angabe des Origenes).

III. Für die neutestamentlichen Schriften:

Mt (Matthäusevgl.), Mc (Markusevgl.), L (Lukasevgl.), J (Johannesevgl.), Act (Actus Apostolorum, Apostelgeschichte), (die Briefe des Paulus:) R (an die Römer), 1K, 2K (1./2. Korinther), G (Galater), E (Epheser), Ph (Philipper), Kol (Kolosser), 1Th, 2Th (1./2. Thessalonicher), 1T, 2T (1./2. Timotheus), Tt (an Titus), Phm (an Philemon), H (Hebräerbrief), (die katholischen Briefe:) Jc (Jakobus), 1P, 2P (1./2. Petrus), 1J, 2J, 3J (1.–3. Johannes), Jd (Judas), Ap (Apokalypse, Offenbarung des Johannes).

Die Angaben aus dem Alten Testament sind (in Text wie Zählung) auf die Biblia Hebraica bezogen, ist das nicht der Fall, wird durch ein zugesetztes 𝔊 ausdrücklich die Zugrundelegung der Septuaginta an der betr. Stelle durch den Autor bezeichnet. Steht hinter 𝔊 in Klammern eine zusätzliche Angabe, so ist nicht die Gesamtüberlieferung der Septuaginta gemeint, sondern die Lesart der betr. Handschriften. 𝔊 (A) bedeutet also z. B., daß der Text der Lesart im Codex Alexandrinus entspricht. Liegt einem Zitat nicht die Septuaginta zugrunde, sondern die Übersetzungen von Aquila, Symmachus oder Theodotion, so wird das durch Aqu, Symm, Theod angegeben. Direkte Zitate sind durch Kursivdruck hervorgehoben (vgl. z. B. *Mch 5,1.3* bei Matth 2,6 usw.). Anspielungen stehen in der Normaltype – daß eine Trennung zwischen beiden oft schwierig ist, vor allem dann, wenn sie gehäuft auftreten, wie etwa im Hebräerbrief oder in der Stephanusrede Apg 7, bedarf keiner Hervorhebung.

𝔊

Aqu, Symm, Theod
Mch 5,1.3

Sonst ist nur noch darauf hinzuweisen, daß s (= sequens) bzw. ss (= sequentes) bei den Stellenangaben hinzugefügt wird, wenn der nächstfolgende bzw. die nächstfolgenden Verse in die betr. Angabe eingeschlossen sind, vgl. z. B. zu Matth 1,3: Gn 38,29s = Gn 38,29-30. Wenn (bei den Evangelien) einer Stellenangabe ein p hinzugefügt ist, bedeutet das, daß nicht nur die

s
ss
p

angegebene Stelle, sondern auch ihre synoptischen Parallelen
! gemeint sind (die man an der angegebenen Stelle findet). Ein ! bei einer Stellenangabe weist darauf hin, daß dort weiteres Material an Parallelen zu finden ist. So steht z. B. bei Matth 4,1: H 4,15! Das bedeutet, daß bei Heb 4,15 die Fülle der weiteren Belegstellen dazu gegeben wird. Denn es war verständlicherweise nicht möglich, zu jeder Stelle in jedem Fall alle Verweise anzugeben. Daß das ! nach Möglichkeit auf die zentrale Belegstelle hinweist, versteht sich. Auch hier bedeutet die praktische Einübung das Entscheidende. Wer einmal zu einem Vers alle angegebenen Parallelstellen aufgeschlagen hat, wird nicht nur das System, sondern auch den Reichtum, der in diesem Randapparat steckt, bald erkennen.

Die Beigaben am inneren Rand sind auf die *Kephalaia*,
1 2 3 4 d. h. die Kapitelzählung in den Handschriften (mit kursiven Zahlen wiedergegeben) und (in den Evangelien) auf die eusebianischen *Sektions- und Kanonzahlen* beschränkt worden (Eusebs Brief an Karpian, der das System erklärt, und die Kanontafeln selbst sind S. 73* ff. nach Nestle[25] in korrigierter Gestalt wiedergegeben[7]). Die ingeniöse Erfindung des Euseb ist noch heute von Interesse, sie kann durchaus den Gebrauch einer Synopse
$\frac{1}{\text{III}}$ $\frac{2}{\text{X}}$ usw. vorläufig ersetzen. Bei Matth 1,1 steht z. B. $\frac{1}{\text{III}}$, bei 1,17 $\frac{2}{\text{X}}$, bei 1,18 $\frac{3}{\text{V}}$ usw. Das bedeutet, daß der Abschnitt von Matth 1,1ff seine Entsprechung in Kanontafel III findet. Hier ist neben Nr. 1 für Matth für Lukas Nr. 14 (= Luk 3,23-38) und für Johannes Nr. 1.3.5 (= Joh 1,1-5.9-10.14) angegeben. Bei $\frac{2}{\text{X}}$ muß man Tafel X aufschlagen und stellt fest, daß es für Matth 1,17 keine Entsprechung bei den Evangelien gibt (Kanon X stellt in vierfacher Reihenfolge die jedem Evangelium zugehörigen separaten Texte zusammen). Bei Matth 1,18 (= $\frac{3}{\text{V}}$) schlägt man die Kanontafel V auf und findet, daß der Abschnitt 3 dem Abschnitt 2 bei Lukas (= Luk 1,35) sachlich parallel läuft usw. Durch Einteilung der Evangelien in kleine Sinnabschnitte kann Euseb den gesamten Stoff gliedern: Canon I stellt die den vier Evangelien gemeinsamen Stoffe zusammen, Canon II–IV Texte, die sich jeweils in drei Evangelien finden, Canon V–IX die jeweils zwei Evangelien gemeinsamen, Canon X zählt in vier Abteilungen das Sondergut auf. Die Angaben der Kephalaia wie die Sektionszahlen finden sich (in der Regel) in den neutestamentlichen Handschriften, ihre Verzeich-

[7] Im kritischen Apparat zum Karpianbrief bzw. den Kanontafeln finden sich die Abweichungen der früheren Ausgaben von E(rasmus)[2–5], Stephanus (𝔖), M(ill), Ma(thaei), L(loyd) 1828 und 1836, Scr(ivener), Ln (Lachmann), 𝔗(ischendorf), 𝔚(ordsworth-White) und vS(oden).

nung in dieser Ausgabe bedeutet zugleich eine Hilfe bei deren Benutzung (am Rande bemerkt: wenn für die Kephalaia bei Matth erst zu 2,1 die Ziffer 1 erscheint, so ist das kein Irrtum, sondern reguläres Verfahren der Handschriften, der erste Abschnitt wird hier nicht gezählt). In den Fällen, wo der Beginn einer alten Einteilung nicht mit dem Versanfang zusammenfällt, gilt die stärkere Satztrennung, wo das zweifelhaft ist, wird im Text ein * eingefügt. *

IV. DIE ANHÄNGE

Zu ihnen sind wenige Bemerkungen erforderlich. Anhang I mit der *Liste der für diese Ausgabe benutzten griechischen und lateinischen Handschriften* (S. 684ff.) besitzt eine Entlastungsfunktion für diese Einführung. Nur eine Bemerkung ist erforderlich: bei den «ständigen Zeugen» ist vor der Handschriftennummer ein * hinzugefügt, wenn sie immer angeführt werden; *
falls sie nur bei Abweichungen von 𝔐 genannt werden, steht (*): also *B, aber (*)K. Hier ist mit aller Sorgfalt (und zwar an (*)
Hand der Handschriften selbst, denn vollständige und zuverlässige Angaben darüber findet man sonst nirgends) der Inhalt festgestellt worden, sei es in der negativen Form der Mitteilung der Lücken im Textbestand bei sonst vollständigen Handschriften, sei es in der positiven: der Mitteilung des tatsächlichen Inhalts, z. B. bei den Fragmenten. Bei Handschriften, die nur in einer Schriftengruppe oder unterschiedlich als «ständige Zeugen» gebraucht worden sind, erfolgen die entsprechenden Angaben im Inhaltsverzeichnis, ein [*] bei der Handschriftennummer weist darauf hin. Daß bei den nichtständigen Zeu- [*]
gen die Angaben summarisch gehalten sind (e = Evangelien, e a p r
a = apostolos, d. h. Apg und Kath. Briefe, p = Paulusbriefe, r = revelatio, Offenbarung Joh), bedarf wohl keiner Rechtfertigung[8].

Ein Wort mehr ist dagegen zu Anhang II erforderlich, der *Übersicht über die Varianten der modernen Ausgaben* (S. 717ff.). Daß die Angaben im alten Nestle über die Lesarten von Tischendorf, Westcott/Hort, Weiss, von Soden aus dem Apparat zu verbannen waren, darüber war von Anfang an kein Zweifel möglich. Denn Entscheidungen über den ursprünglichen Text des Neuen Testaments können nur auf Grund des Befunds in der handschriftlichen Überlieferung gefällt werden. Aber dennoch konnte es nicht ohne Interesse sein, wie man in den hundert

[8] Für weitere Abkürzungen vgl. die «Kurzgefaßte Liste der griechischen Handschriften des Neuen Testaments» von K. Aland, 1963, S. 23–26.

Jahren seit Tischendorf darüber geurteilt hat, zur Kontrolle – und vielleicht zur Korrektur – der von den Herausgebern des «Standard-Textes» getroffenen Entscheidungen. So ist es zu diesem Anhang gekommen, der eben nicht nur die von den beiden Nestles verzeichneten Ausgaben aufnimmt, sondern alle, deren Urteil eine wirkliche Bedeutung bzw. einen größeren Einfluß auf die neutestamentliche Wissenschaft besessen hat. Das sind im ganzen sieben, die in diesem Anhang mit folgenden Sigla wiedergegeben werden:

T = Tischendorf, Editio octava critica maior, 1869/72
H = Westcott/Hort, 1881
S = v. Soden, 1913
V = Vogels 1922 ([4]1955)
M = Merk 1933 ([9]1964)
B = Bover 1943 ([5]1968) sowie
N = Nestle[25] (1963).

Die Wiedergabe der Entscheidungen von Westcott/Hort konnte sich nicht nur auf das von ihnen in den Text Aufgenommene
h beschränken, sondern mußte auch (unter dem Sigel h) die von ihnen als dem Text gleichberechtigt bezeichneten (jedoch nicht die von ihnen tiefer eingestuften) «marginal readings» einschließen. In dem Fall, wo bei Westcott/Hort Abweichung vom Text dieser Ausgabe und eine gleichberechtigte Randlesart zusammen
(H) auftreten, wird das H in runde Klammern gesetzt. Damit ist dann aber auch alles aufgenommen, was als Text oder als Textmöglichkeit in den letzten 100 Jahren eine wesentliche Rolle gespielt hat. Die Verzeichnung ist relativ einfach, wie die nachfolgenden Übersichten zeigen. Da jede der Abweichungen eine Bezeugung im Apparat dieser Ausgabe besitzt (von den Orthographica, dem Wechsel von ειπον und ειπαν und ähnlichem abgesehen), brauchte nur das entsprechende textkritische Zei-
⊤V chen wiederholt zu werden. Matth 1,6 heißt es z. B. ⊤ V, das bedeutet: Vogels liest das im Apparat unter ⊤ wiedergegebene
⸁*bis* V B o βασιλευς. Zu Matth 1,7/8 wird angegeben ⸁*bis* V B, das bedeutet: Vogels und Bover lesen zweimal Ασα. Selbst wenn zu einem kritischen Zeichen mehrere Varianten wiedergegeben werden, bedeutet die Festlegung der Lesart der abweichenden Editionen kein Problem, es mußte dann zum textkritischen Zeichen nur eine Bezugsgröße hinzugefügt werden. Bei Matth
⸀*bis* S V M B *ut* 𝔐 1,5 heißt es so z. B. ⸀*bis* S V M B *ut* 𝔐, das bedeutet: Soden, Vogels, Merk, Bover lesen mit 𝔐 Βοοζ. Bei Matth 4,2 heißt es
⸉T M N *ut* א ⸉T M N *ut* א, das bedeutet: Tischendorf, Merk und Nestle[25] lesen mit א die Reihenfolge καὶ τεσσεράκοντα νύκτας. Stehen die Sigel in eckigen Klammern, bedeutet das, daß die genannten Ausgaben den betr. Text in eckige Klammern setzen.

Matth 1,25 heißt es z. B. ⸋[H N], das bedeutet: bei Westcott/Hort und Nestle25 steht [οὗ] im Text. Manchmal gehen die Texte der verglichenen Ausgaben auseinander, aber auch diese Situation ist mit dem zugrundegelegten System leicht zu bewältigen. Matth 1,24 heißt es z. B. ⸋T S; [H N] *ut txt*, das bedeutet: Tischendorf und von Soden lassen ὁ vor Ἰωσήφ aus, Westcott/Hort und Nestle25 bieten [ὁ] Ἰωσήφ.

⸋[H N]

⸋T S; [H N] *ut txt*

Wir glauben, diese Hinweise genügen, ist dieser Anhang doch vornehmlich für die Fachleute (die den gelegentlichen Charakter der kritischen Zeichen als bloße Positionsangaben leicht erkennen werden) und nicht für Anfänger bestimmt. Seine Bedeutung ist u. E. außerordentlich: er macht aus einer Handausgabe des «Standardtextes» – wenn auch mit einem kritischen Apparat, der in bezug auf Materialerfassung und -darbietung diese Kategorie weit überschreitet – eine Ausgabe, welche die Resultate der textkritischen Arbeit der letzten 100 Jahre nicht nur zusammengefaßt darbietet, sondern auch zu beurteilen erlaubt (eben weil zu jeder vom «Standardtext» abweichenden Lesart der herangezogenen sieben Ausgaben ein kritischer Apparat geboten wird). Mehr kann wohl nicht verlangt werden.

Über Anhang III, das *Register der alttestamentlichen Zitate und Anspielungen*, ist ebenfalls nicht viel zu sagen. Es faßt, nach den Büchern des Alten Testaments geordnet, das zusammen, was an Angaben am äußeren Rand der Ausgabe gegeben wird. Zu bemerken ist dazu lediglich, daß die neutestamentlichen Stellenangaben bei direkten Zitaten in Kursiv, bei Anspielungen im Normaldruck geboten werden und daß auch hier die Kapitel- und Verszählung der Biblia Hebraica gilt. Auch Zitate nach der Septuaginta (zugrundegelegt ist die Ausgabe von Rahlfs) sind hier darauf umgestellt (mit Ausnahme der nur griechisch überlieferten Texte, z. B. bei Daniel). Wenn also eine Stellenangabe im Randapparat mit 𝔊, Aqu, Theod oder Symm erfolgt, ist es zweckmäßig, die hier den in Betracht kommenden atl. Büchern vorangestellte Synopse der Zählungsdifferenzen vorher zu konsultieren. Diese Synopse verzeichnet, am Rande bemerkt, vollständig alle Zählungsdifferenzen zwischen dem hebräischen Text und dem griechischen (unter Zugrundelegung von Rahlfs), ein dem Neutestamentler sicherlich willkommenes Hilfsmittel. Was Zitat, was Anspielung ist, darüber gehen die Meinungen vielfach auseinander, so mag mancher vielleicht eine kursive Angabe in diesem Register lieber im Normaldruck oder umgekehrt sehen. Keine Meinungsverschiedenheit dürfte jedoch darüber bestehen, daß dieser Anhang Vergleichbares weit übertrifft. Anschließend werden die

Anspielungen bzw. Zitate aus griechischen nichtchristlichen Schriftstellern aufgeführt, die sich im Neuen Testament finden, sowie diejenigen (mit unde?), deren Herkunft nicht feststellbar war.

unde?

Anhang IV (S. 776ff.) mit seiner kurzen Aufzeichnung der *Signa, sigla et abbreviationes* soll dem Benutzer noch einmal eine kurze Zusammenfassung des in dieser Einführung Dargelegten bieten, ebenso wie einen Zugang zu den Abkürzungen, die hier im einzelnen nicht aufgelöst sind. Weiteres findet er in der S. 11* Anm. 4 bereits genannten Einführung von K. u. B. Aland.

INTRODUCTION

I. THE EDITION AND ITS TEXT

When Eberhard Nestle produced the first edition of the *Novum Testamentum Graece* in 1898, neither he nor the sponsoring Wurttemberg Bible Society could have imagined the full extent of what had been started. Although the Textus Receptus could still claim a wide range of defenders, the scholarship of the nineteenth century had conclusively demonstrated it to be the poorest form of the New Testament text. The major editions in the field were those of Tischendorf (from 1841 to the *editio octava critica maior* of 1869–1872), Tregelles (1857–1872), and Westcott-Hort (1881). But internationally by far the most popular text used in university, church, and school was still some edition of the Textus Receptus such as the one distributed, for example, by the British and Foreign Bible Society until 1904. The reign of the Textus Receptus did not end in this area as well until the appearance of Nestle's edition.

Eberhard Nestle was motivated by practical considerations in producing his *Novum Testamentum Graece*. He wished to make the text achieved by nineteenth century scholarship commonly available. To this end he took as his basis the editions of Tischendorf, Westcott-Hort, and Weymouth (1886, from 1901 the latter was replaced by the edition of Bernhard Weiss, 1894–1900), and from a comparison of these three editions he constructed a majority text: when the editions differed, the agreement of two determined the text, and the reading of the third was placed in the apparatus. When all three differed, Nestle would adopt a mediating solution. This principle was not new. In 1873 the *Cambridge Greek Testament for Schools and Colleges* had appeared with a text based on the editions of Tischendorf and Tregelles. But for it the deciding factor in a draw was the Textus Receptus (or when necessary even Lachmann and Codex Sinaiticus). Further, the meticulous care with which Nestle prepared his edition, recording in its apparatus the readings of the editions he used even in their minutest differences, cannot be faulted. From the first Eberhard Nestle had begun to indicate the readings of New Testament manuscripts (especially of Codex Bezae Cantabrigiensis) in a second and usually very brief apparatus. From these beginnings his son, Erwin Nestle, in response to proposals made by the *Deutsche Neutestamentlertagung* and following the lines suggested, created in the 13th edition of 1927 the modern "Nestle" with its critical apparatus, which retains the readings of the three above-mentioned editions (together with those of von Soden), but exhibits more prominently the evidence of manuscripts, versions, and the Church Fathers. This apparatus now became so comprehensive that it permitted the user to form an independent judgment on the text, differing at times from the results of the majority principle, and even replacing it by scholarly consensus. The information in it was constantly expanded by Erwin Nestle with the same care that his father had shown with regard to the editions, but (and this was its weakness) it was derived exclusively from the critical apparatus of other editions. Kurt Aland first became associated with the work in its 21st edition of 1952; from that time he began to collate the evidence in the apparatus against original sources, and in particular to introduce the readings of newly discovered papyri.

This "Nestle", as it was soon popularly called, was distributed in the hundreds of thousands, not only in the Greek edition (the 25th edition of 1963 has been reprinted repeatedly), but also in diglot editions.[1] It soon became a kind of new 'Textus Receptus' beside which the other pocket editions[2] played a relatively subordinate role. This was not due simply to the low cost of "Nestle", or "Nestle-Aland" as it has now been called for years, but rather primarily to the quality of its text and of its critical apparatus. Eberhard Nestle had discovered in his system the proverbial "Columbus' egg": the majority text which he formulated corresponded not only to the views of nineteenth century New Testament scholarship on the text of the New Testament, but to those of twentieth century scholarship as well. Admittedly the system of critical signs in the text (which may be traced in its essentials to P. Schmiedel) has tried the patience of many a student, yet it has also

[1] Greek-Latin first in 1898, latest edition in 1963 (with Latin text of 1928), with frequent reprints; Greek-German first in 1898, latest edition in 1963 (with German text of 1929), with frequent reprints.

[2] Souter 1st edition 1910, 2nd edition 1947; Vogels 1st edition 1922, 4th edition 1955; Merk 1st edition 1933, 9th edition 1964; Bover 1st edition 1943, 5th edition 1968.

made it possible to present in the critical apparatus an unparalleled wealth of information in minimal space.

Nevertheless the origin of the text itself was clearly traceable in the nineteenth century editions, particularly in passages where the special theories of Westcott-Hort had a dominant influence in its formation.[3] Further, the criticism of Nestle's essentially mechanical procedures increased as the abundance of New Testament papyri from about 200 A. D. discovered since the 1930's opened up completely new perspectives on the history of the text. The 25th edition of Nestle-Aland in 1963 had a provisional character which could already be observed in the 22nd edition of 1956: while these were marked by substantial development and improvement within the framework of the earlier editions, a completely new form of the text and apparatus was being prepared by K. Aland. The work was already well in progress when the American Bible Society undertook a further initiative through E. A. Nida. This grew out of the problem of translating the New Testament into modern languages, which was being encountered then as it is today in hundreds of places throughout the world. There were hundreds of translation committees which needed an edition of the Greek New Testament designed for their specific needs, equipped with a critical apparatus reduced to a select number of variants of special importance for their task, and provided with guidelines for their evaluation. A punctuation apparatus was also needed to show how difficult passages have been construed in editions of the Greek text as well as in the principal modern versions. A volume of commentary was also planned to set forth in detail and explain the textual decisions of the editorial committee, for from the beginning the project was conceived as the work of an international team of leading textual critics, and not of a single editor. By his enthusiasm, understanding, and skill, E. A. Nida succeeded not only in gaining the support of the Bible Societies (at first the American Bible Society, the Wurttemberg Bible Society, and the National Bible Society of Scotland, then later also the Netherlands Bible Society and the British and Foreign Bible Society), but also in achieving the continued cooperation of the Editorial Committee (K. Aland/Münster, M. Black/St. Andrews, B. M. Metzger/Princeton, A. Wikgren/Chicago; at an early stage A. Vööbus/Chicago was also a member, and later his place was taken by

[3] For example, in the "Western Non-interpolations." A particularly impressive example of this is found in Lk 24, where verses with excellent attestation were relegated to the apparatus under the influence of this theory.

C. M. Martini/Rome) throughout the extensive and arduous labors that eventually produced the First Edition of *The Greek New Testament* in 1966.

From his many years of research on the formation of the text (as reported in the Preface to *The Greek New Testament*), K. Aland naturally contributed the textual changes he had planned for the revision of the 25th edition of Nestle-Aland. To the extent that these were accepted they made the question of the relationship between the text of *The Greek New Testament* and that of Nestle-Aland[26] more difficult, especially since the deliberations of the Editorial Committee, as could only be expected, provided further insights for Aland on the formation of the text. This mutual relationship continued to develop. After the particularly difficult question of the "Western non-interpolations" was settled in the Second Edition of *The Greek New Testament* (1968) along the lines planned for the new Nestle, a series of conferences was held in preparation for a Third Edition of *The Greek New Testament* to determine its textual form. As its Preface states (p. VIII): "The greater part of these suggestions for further modification came from Kurt Aland, who had been making a detailed analysis of changes proposed for the 26th edition of the Nestle-Aland text. A number of these were textual alterations which had not been previously discussed by the Committee in their work on the First Edition. As a result of the Committee's discussions, more than five hundred changes have been introduced into this Third Edition." Furthermore, from the beginning an essential share of the task fell to the Institute for New Testament Textual Research. K. Aland accepted the responsibility for data on the Greek manuscript text. Similar responsibilities were undertaken by his colleagues in the Institute. The areas of participation were increasingly expanded until with the Third Edition of *The Greek New Testament* the complete responsibility for it lay with the Institute. In this way the texts of *The Greek New Testament* and the present 26th edition of the Nestle-Aland *Novum Testamentum graece* came to be identical so far as their wording is concerned. And yet there remain differences between them in paragraphing, orthography, and punctuation (cf. p. 44*).

Criticisms are occasionally raised against the committee method of determining a text, especially for the element of chance introduced by voting (with inconstant majorities). This objection is not justified. For in the course of the twenty years between the beginning of the work and the appearance of the Third Edition of *The Greek New Testament* the Editorial Committee – comprised of highly qualified textual critics – not only met regularly as a consistent working group, but their work as a committee reflected the situation in contemporary New Testament textual criticism. It is impossible to proceed from the assumption of a manuscript stemma, and on the basis of a full review and analysis of the relationships obtaining among the variety of interrelated branches in the manuscript tradition, to undertake a *recensio* of the data as one would do with other Greek texts. Decisions must be made one by one, instance by instance. This method has been characterized as eclecticism, but wrongly so. After carefully establishing the variety of readings offered in a passage and the possibilities of their interpretation, it must always then be determined afresh on the basis of external and internal criteria which of these readings (and frequently they are quite numerous) is the original, from which the others may be regarded as derivative. From the perspective of our present knowledge, this local-genealogical method (if it must be given a name) is the only one which meets the requirements of the New Testament textual tradition. The results are anything but identical with those of Westcott-Hort, as the occasional ironic reference to the Standard Text as 'Westcott-Hort redivivus' would have it. This text (cf. App. II, p. 717ff.) differs from the text of Westcott-Hort in numerous and quite significant points. Besides, the whole manuscript scene has changed radically since their day. The manuscript basis for Westcott-Hort's work dates from the IV century; the text of the II century could be reconstructed only by inference from agreements of the Western text (meaning the V century Codex Bezae Cantabrigiensis) with the Old Syriac and the Old Latin. Today the early papyri provide a wide range of witness to the text of about 200 A. D., and these are Greek witnesses. The view is becoming increasingly accepted today that neither Codex Bezae nor the Old Syriac derive directly from the II century. Similarly the idea of a "Neutral text" has been retired. Neither Codex Vaticanus nor Codex Sinaiticus (nor even $\mathfrak{P}^{75}$ of two hundred years earlier) can provide a guideline we can normally depend on for determining the text. The age of Westcott-Hort and of Tischendorf is definitely over!

Little can be said about the format and appearance of the text that will not be immediately obvious to the reader. The font used is certainly lacking in the simplicity and clarity of that used for *The Greek New Testament*. The options were limited by the necessity for a Greek type that could be used in diglot editions. And yet a clear, legible face has been achieved which can be read with minimal interference from the frequent critical signs referring to the textual apparatus. The verse numbers have been placed in the text for the convenience of the reader, to facilitate constant reference to the apparatus. Both here and in the arrangement of the apparatus itself a greater degree of clarity has been achieved than in earlier editions.

The system of paragraph divisions has been developed much more extensively than before, and not simply for greater clarity. It is designed to aid the reader's understanding of the writings by clarifying their structure, e. g., in the Gospels distinguishing the primitive units. The strophic printing of verse has been expanded, perhaps even too much at times, but further revision is always possible. The same holds for punctuation, which seeks to follow Greek usage in contrast to the earlier Nestle which was dominated by German usage, and *The Greek New Testament* where the influence is English.

Old Testament quotations are not printed in bold face as before (and in *The Greek New Testament*), but in italics. We hope this will be welcomed as a means of making them distinct, but without the overemphasis to which their frequency in bold face tended. They have also been completely revised: the problems involved here are familiar.

Square brackets in the text fulfil their usual function in
[ ] critical texts: the words enclosed by [ ] are of doubtful authenticity with regard to the original text. The reader must make his own decision in the light of the information in the apparatus (although he can infer that the editors considered their authenticity probable: the apparatus assumes in principle that such readings form part of the text and indicates them *txt*). Readings
⟦ ⟧ enclosed in double brackets ⟦ ⟧, however, are known not to be a part of the original text. They are printed in their traditional place instead of in the apparatus only because of their incontestable age (many are attributable to the earliest stage of transmission), their tradition, and their dignity.

II. THE CRITICAL APPARATUS

1. Structure and Critical Signs

The system of signs used here is closely akin to that used in Nestle's critical apparatus, which constituted both its strength and its weakness. Its weakness was that frequently, especially among English readers, it was felt to be too intricate. Its undeniable strength was that it made possible a concise presentation of a wealth of information within a very restricted space and with an ease beyond the capacity of the usual lemma system. This is because the lemma system not only requires far more space, but does nothing to clarify the evidence. In the present system the reader can tell while reading the text precisely what kind of variant is found in the apparatus – whether it is an omission or insertion of a word or a phrase, a transposition, etc. – useful information whether one is a specialist or not. The beginner needs very little practice to become accustomed to these critical signs (which with a single exception are identical with those of Nestle). Only the following definitions need be remembered:

○ the word following is omitted in a part of the tradition. ○

⸀ the word following is replaced by one or more different words in a part of the tradition. ⸀

⸆ at this point there is an insertion, usually of a single word but sometimes of more, in a part of the tradition. ⸆

⸋ ⸌ the words enclosed between these two signs are omitted in a part of the tradition. ⸋ ⸌

⸂ ⸃ the words enclosed between these two signs are replaced by other words in a part of the tradition. ⸂ ⸃

⸉ ⸊ the words enclosed between these two signs are preserved in a different order in a part of the tradition. ⸉ ⸊

⸉ 3 2 1 4 the order of the words transposed in the different variants is indicated by numerals. *⸉ 3 2 1 4*

⸉· indicates the transposition of the following word to a place designated in the apparatus. ⸉·

This is certainly not too much. Once these basic signs are learned the critical apparatus offers no problems, because the edition is typographically so arranged that the corresponding elements in the text and apparatus are easily identified.

When there are several instances of omission, substitution, the insertion of one or more words, or transposition, etc., in a single verse, the above signs are used in the text but with an additional mark, e. g., ○¹, ○², etc., ⸁, ⸀¹, ⸀², etc., ⸇, ⸆¹, ⸆², etc., ⸋¹, ⸋², etc., ⸄, ⸂¹, ⸂², etc., ⸉¹, ⸉², etc., with corresponding signs in the apparatus. The gains both in space and in clarity afforded by this system are immediately apparent from a comparison with the lemma system which is older, and still popular in the English speaking world.

○¹ ○² ⸁ ⸀¹ ⸀² ⸇ ⸆¹ ⸆² ⸋¹ ⸋² ⸄ ⸂¹ ⸂² ⸉¹ ⸉²

The *structure of the apparatus* always follows the same basic pattern: the different readings in a single instance of variation are separated by a broken vertical line ¦. The witnesses for the reading printed in the text are preceded by the sign *txt* (= *textus*). A solid vertical line | separates the different instances of varia-

¦ *txt* |

tion within a verse from each other, and the transition to the
• next verse is marked by a large dot • preceding the new verse
number. Each variant has been supplied with as much information as possible. If a reading is derived from a parallel passage
p) (especially in the Gospels), the sign *p)* is added (cf. Mt 3,10),
or the particular source is given in parentheses (e. g., Mt 1,25,
(Lc 2,7) the reference to Lk 2,7 for the variants of υἱόν; Mt 1,23, to
Is 7,14 for καλέσουσιν). Parallels within the same book and
their variants are also noted, e. g., Mt 2,13 the insertion of
(12) εἰς τὴν χώραν in Codex Vaticanus (B) is derived from v 12;
the transposition κατ' ὄναρ φαίνεται in C K 33. 700. 892 *pc*
(*v. l.*), (19 *v. l.*) parallels the variant reading (*v. l.*) in C L W 0233 𝔐 at v 19. At
times the reference is even more precise, e. g., at Mt 2,18 it is
noted that the insertion of θρῆνος καί in C D L W 0233 f^{13}
(Jr 38,15 𝔊) 𝔐 sy$^{s.c.h}$ may be traced to the Septuagint text of Jr 38,15. The
( ) parenthetical citation of witnesses in the critical apparatus,
whether Greek manuscripts (e. g., Mt 1,24 the omission of οὗ
in the minuscule 700), the versions, or Church Fathers (e. g.,
Mt 4,4 the substitution of ἐν for ἐπὶ by Clement of Alexandria),
indicates that these witnesses attest unequivocally the readings
in question, but that they also exhibit certain negligible variations which the restrictions of space preclude describing in
detail.

[ ] Square brackets [ ] in the apparatus enclose information
derived not from the basic textual witnesses, but from modern
editors, whether the conjectures of modern commentators
comm (comm = *commentatores*) (e. g., Mt 5,6 where Wellhausen pro-
poses omitting the entire verse), or punctuation variants (e. g.,
: :1 Mt 2,4) which are signalled in the text by :, :1, etc. The apparatus also tells where the new text differs from the earlier Nestle
† by marking with a dagger † those readings which stood in
Nestle's text and are now in the apparatus.

It should be noted in particular that Nestle's group signs ℌ (= Hesychian or Egyptian text) and 𝔎 (= Koine or Byzantine text) have been discarded. Both group signs essentially oversimplified the critical apparatus and were frequently misleading. The use of 𝔎 to represent the Koine tradition was most convenient (although the Koine text is itself frequently divided). Not infrequently the sign ℌ represented a conjecture, because it was often cited for a reading with the support of only a few witnesses where the majority of the witnesses to the Egyptian text read otherwise. Consequently a false sense of security was suggested to the reader. Each of the important witnesses is now indicated individually so that the reader may have a reliable foundation for making a decision. The reader may also be confident that all the important manuscripts, beginning with the papyri and including all the important uncials and a certain number of the minuscules (which are mentioned below in the list of constant witnesses, p. 49* ff.), are cited for each variant. And furthermore, he will now find exhibited all the evidence both for and against a reading, i. e., not only for the variant reading or readings, but also for the text. The evidence for the text is not given in full only when the variants have such poor support that they can in no way be considered as alternatives for the text, but are of interest only for the history of the text. In such instances the reader may infer that all the constant witnesses (and a great many others with them) support the text.

All of this marks a striking advance. But a word is necessary about the introduction of the sign 𝔐 = Majority text. For 𝔐
practical purposes 𝔐 corresponds to Nestle's 𝔎, because the Byzantine manuscripts always comprise the majority group. But 𝔐 cannot simply be identified as coextensive with 𝔎 because it also subsumes all the constant witnesses (not otherwise specifically indicated in the apparatus, cf. p. 49* ff.) which are in agreement with the majority text. Accordingly it should be noted that as a rule all constant witnesses not cited expressly either for or against a reading are included in the sign 𝔐. They may be inferred with confidence by simple subtraction. A comparable listing of full manuscript attestation has never before been achieved in a manual edition. This holds for all significant New Testament passages (and many more as well), including specifically all instances where critical editions of the past century have differed in their texts. Besides the papyri and uncials, this edition presents for the first time the full evidence of a great number of minuscules – not simply of such familiar minuscules as 33. 69. 1739 f^{1} f^{13} etc., but of a whole series hitherto quite unknown. In a study of the text of all the minuscules these have proved themselves of equal if not superior value to many uncials. New Testament textual critics will become accustomed to their constant citation. The nineteenth century was the age of the uncials; the mid-twentieth century was the age of the papyri – this marked a striking advance over the nineteenth century. But now we are entering the age of the minuscules; their inclusion in textual studies contributes a new insight to the history of the New Testament text, and makes it possible to reach a sounder judgment of its original form. But we should remember that the selection of minuscules to be included in the number of constant witnesses was made at the beginning of the collations for this edition – for the Gospels

before the Acts of the Apostles and the Pauline letters. Subsequently the continuing collation of minuscules at the Institute for New Testament Textual Research (in preparation for an *editio maior critica*) has led to further discoveries. These results will be duly presented in future editions.

These brief remarks must suffice here for a general introduction. Further notes are found below in section 5. A comprehensive list of signs and abbreviations is given in Appendix IV (p. 776 ff.) at the end of this edition.[4] And now to avoid expanding this introduction with more details, we must proceed to a concise sketch of essential matters with a minimum of comment.

2. The Greek Witnesses

"constant witnesses"

Only those Greek manuscripts can be mentioned here whose significance merits their citation for each variant, i. e., the "constant witnesses", in contrast to the majority of the Greek manuscripts included in Appendix I (p. 684 ff.), which are not cited consistently throughout but only in those passages where they preserve readings of special interest, or when a particular verse or pericope has a special significance for textual history or exegesis. All have been examined by photograph or by microfilm (when the condition of the manuscript makes a particular reading doubtful or verification is impossible, it is recorded with

? a question mark *?*). This list could have been expanded further, for a great many of the manuscripts examined preserve the pure majority text, and would have required only their inclusion under the sign 𝔐 at the end of the list. The manuscript list gives a detailed description of the textual contents of the constant witnesses (cf. p. 684 ff.), because it is important for the reader to know their precise content, whether a constant witness is extant for a particular variant or whether it has a lacuna (as do many of the uncial fragments, and also C (04) and H (015)). Only by continual reference to the manuscript list can an argument e silentio be made for a constant witness. Constant witnesses *in the Gospels* include:

[4] For further information the reader is referred to K. and B. Aland, *Der Text des griechischen Neuen Testaments* (in preparation), a companion volume to E. Würthwein, *Der Text des Alten Testaments* (Stuttgart 1973[4]; English tr. by E. F. Rhodes, *The Text of the Old Testament*, Grand Rapids, Michigan 1979), which provides for students a detailed introduction to the theory and practice of New Testament textual criticism, as well as to the use of the editions of the Greek New Testament. Another work also in preparation by K. Aland, *Überlieferung und Text des Neuen Testaments. Ein Handbuch der modernen neutestamentlichen Textkritik*, is designed for the advanced scholar and specialist.

a) all available papyri, i. e.:

for Matthew: $\mathfrak{P}^{1}$(!), $\mathfrak{P}^{19}$, $\mathfrak{P}^{21}$, $\mathfrak{P}^{25}$, $\mathfrak{P}^{35}$(!), $\mathfrak{P}^{37}$(!), $\mathfrak{P}^{44}$, $\mathfrak{P}^{45}$(!), $\mathfrak{P}^{53}$(!), $\mathfrak{P}^{62}$, $\mathfrak{P}^{64(+67)}$(!), $\mathfrak{P}^{70}$(!), $\mathfrak{P}^{71}$, $\mathfrak{P}^{77}$(!), $\mathfrak{P}^{86}$

for Mark: $\mathfrak{P}^{45}$(!), $\mathfrak{P}^{88}$

for Luke: $\mathfrak{P}^{3}$, $\mathfrak{P}^{4}$(!), $\mathfrak{P}^{42}$, $\mathfrak{P}^{45}$(!), $\mathfrak{P}^{69}$(!), $\mathfrak{P}^{75}$(!), $\mathfrak{P}^{82}$

for John: $\mathfrak{P}^{2}$, $\mathfrak{P}^{5}$(!), $\mathfrak{P}^{6}$, $\mathfrak{P}^{22}$(!), $\mathfrak{P}^{28}$(!), $\mathfrak{P}^{36}$, $\mathfrak{P}^{39}$(!), $\mathfrak{P}^{44}$, $\mathfrak{P}^{45}$(!), $\mathfrak{P}^{52}$(!), $\mathfrak{P}^{55}$, $\mathfrak{P}^{59}$, $\mathfrak{P}^{60}$, $\mathfrak{P}^{63}$, $\mathfrak{P}^{66}$(!), $\mathfrak{P}^{75}$(!), $\mathfrak{P}^{76}$, $\mathfrak{P}^{80}$(!)

b) all the following uncials, i. e.:

for Matthew: א (01), A (02), B (03), C (04), D (05), L (019), W (032), Z (035), Θ (038), 058, 064, 067, 071, 073, 074, 078, 084, 085, 087, 089, 090, 092a, 094, 0104, 0106, 0107, 0118, 0119, 0128, 0135, 0136, 0137, 0138, 0148, 0160, 0161, 0164, 0170, 0171, 0197, 0200, 0204, 0231, 0234, 0237, 0242, 0249, 0250, 0255, 0271

for Mark: א (01), A (02), B (03), C (04), D (05), L (019), W (032), Θ (038), Ψ (044), 059, 067, 069, 072, 074, 090, 092b, 099, 0103, 0104, 0107, 0112, 0126, 0130, 0131, 0132, 0134, 0135, 0143, 0146, 0167, 0184, 0187, 0188, 0213, 0214, 0215, 0235, 0250, 0263, 0269, 0274

for Luke: א (01), A (02), B (03), C (04), D (05), L (019), R (027), T (029), W (032), Θ (038), Ξ (040), Ψ (044), 053, 063, 070, 078, 079, 0102, 0108, 0113, 0115, 0117, 0124, 0130, 0135, 0139, 0147, 0171, 0177, 0178, 0179, 0181, 0182, 0202, 0239, 0250, 0253, 0265, 0266, 0267, 0272

for John: א (01), A (02), B (03), C (04), D (05), L (019), T (029), W (032), Θ (038), Ψ (044), 050, 054, 060, 063, 065, 068, 070, 078, 083, 086, 087, 091, 0100, 0101, 0105, 0109, 0110, 0113, 0114, 0124, 0125, 0127, 0145, 0162(!), 0180, 0190, 0191, 0193, 0210, 0216, 0217, 0218, 0234, 0238, 0250, 0256, 0260, 0264, 0268, 0273.

All of the above papyri and uncials are cited *in each instance for each variant* when they are extant for the passage. Among them $\mathfrak{P}^{75}$ is the most significant. $\mathfrak{P}^{45}$ and $\mathfrak{P}^{66}$ come close behind in value. But the readings of all the other papyri (and also the uncials 0189, 0220, 0162) which have (!) beside them are $\mathfrak{P}^{1}$(!) also of intrinsic significance, because they were written before the III/IV century, and therefore belong to the period before the rise of the major text types. Among the uncials B has a position of undisputed precedence in the Gospels, while W and Θ are frequently characterized by independent readings. The evidence of D carries special weight when it is in agreement with other important witnesses. When D goes its own way in opposition to them, the motives involved should always be given very careful consideration.

Together with these papyri and uncials which are cited explicitly for each variant, the following minuscules are also always cited: the groups *f*[1] = 1, 118, 131, 209, 1582 (K. Lake, *Codex 1 of the Gospels and its Allies*, Cambridge 1902, reprint 1967)

f[13] = 13, 69, 124, 174, 230, 346, 543, 788, 826, 828, 983, 1689, 1709 (T. K. Abbott, *A Collation of four important Mss. of the Gospels*, Dublin/London 1877, K. and S. Lake, *Family 13 (The Ferrar Group)*, Studies and Documents 11, 1941, etc.).

The manuscripts comprising *f*[1] and *f*[13] are usually cited only by their group sign; only in exceptional instances are they cited individually. In addition to these witnesses which are always cited there are several other constant witnesses which have been collated for every passage but are cited explicitly only when they differ from 𝔐. These include the following uncials and minuscules:

K (017), N (022), P (024), Q (026), Γ (036), Δ (037), 28 (XI), 33 (IX), 565 (IX), 700 (XI), 892 (IX), 1010 (XII), 1241 (XII), 1424 (IX/X).

The readings of these manuscripts also can always be inferred for each variant, because they are not explicitly cited only when they are in agreement with 𝔐. Of course, here as elsewhere, the more important a passage is for exegesis or for the history of the text, the greater the number of additional manuscripts cited.

In the Acts of the Apostles the constant witnesses cited explicitly for each variant where they are extant for the passage include:

a) all available papyri, i. e.:

𝔓[8], 𝔓[29](!), 𝔓[33(+58)], 𝔓[38](!), 𝔓[41], 𝔓[45](!), 𝔓[48](!), 𝔓[50], 𝔓[53](!), 𝔓[56], 𝔓[57], 𝔓[74]

b) all the following uncials, i. e.:

א (01), A (02), B (03), C (04), D (05), E (08), Ψ (044), 048, 057, 066, 076, 077, 093, 095, 096, 097, 0120, 0123, 0140, 0165, 0166, 0175, 0189(!), 0236, 0244.

The following are also constant witnesses which are represented in 𝔐 when they are not otherwise cited explicitly:

L (020), 33 (IX), 81 (1044), 323 (XI), 614 (XIII), 945 (XI), 1175 (XI), 1241 (XII), 1739 (X), 2495 (XIV/XV).

The dates (whether simply by century, or with a more precise date when it has been provided by a scribal colophon) have been given for these minuscules, as also above for the Gospels, contrary to the general usage elsewhere, in order to give some better impression of their individuality. They are all especially important witnesses for the history of the text, many of them ranking with the better uncials for the quality of their text. Other manuscripts are cited on occasion for the quality of their text, although without the regularity of the constant witnesses:

6 (XIII), 36 (XII), 104 (1087), 189 (XII), 326 (XII), 424 (XI), 453 (XIV), 1704 (1541), 1884 (XVI), 1891 (X), 2464 (X).

Little need be said about the character of manuscripts in Acts, because the situation remains essentially the same here as in the Gospels. It should be noted only that $\mathfrak{P}^{74}$ is particularly significant despite its VII century date.

In the Pauline letters the constant witnesses cited for each variant where they are extant include all the available papyri as well as the uncials mentioned in each of the paragraphs below (in the following both are listed together for each of the letters to avoid separating the related evidence for each of the 14 letters – in the manuscript tradition Hebrews is a part of the Pauline corpus):

for Romans: $\mathfrak{P}^{10}$, $\mathfrak{P}^{26}$, $\mathfrak{P}^{27}$(!), $\mathfrak{P}^{31}$, $\mathfrak{P}^{40}$(!), $\mathfrak{P}^{46}$(!), $\mathfrak{P}^{61}$
ℵ (01), A (02), B (03), C (04), D (06), F (010), G (012), Ψ (044), 048, 0172, 0209, 0219, 0220(!), 0221

for 1 Corinthians: $\mathfrak{P}^{11}$, $\mathfrak{P}^{14}$, $\mathfrak{P}^{15}$(!), $\mathfrak{P}^{34}$, $\mathfrak{P}^{46}$(!), $\mathfrak{P}^{61}$, $\mathfrak{P}^{68}$
ℵ (01), A (02), B (03), C (04), D (06), F (010), G (012), H (015), I (016), Ψ (044), 048, 088, 0121a, 0185, 0199, 0201, 0222. 0243, 0270

for 2 Corinthians: $\mathfrak{P}^{34}$, $\mathfrak{P}^{46}$(!)
ℵ (01), A (02), B (03), C (04), D (06), F (010), G (012), H (015), I (016), Ψ (044), 048, 081, 098, 0121a, 0186, 0209, 0223, 0224, 0225, 0243

for Galatians: $\mathfrak{P}^{46}$(!), $\mathfrak{P}^{51}$
ℵ (01), A (02), B (03), C (04), D (06), F (010), G (012), H (015), I (016), Ψ (044), 062, 0122, 0174, 0176, 0254, 0261

for Ephesians: $\mathfrak{P}^{46}$(!), $\mathfrak{P}^{49}$(!)
ℵ (01), A (02), B (03), C (04), D (06), F (010), G (012), I (016), Ψ (044), 048, 082, 0230

for Philippians: $\mathfrak{P}^{16}$(!), $\mathfrak{P}^{46}$(!), $\mathfrak{P}^{61}$
ℵ (01), A (02), B (03), C (04), D (06), F (010), G (012), I (016), Ψ (044), 048

for Colossians: $\mathfrak{P}^{46}$(!), $\mathfrak{P}^{61}$
ℵ (01), A (02), B (03), C (04), D (06), F (010), G (012), H (015), I (016), Ψ (044), 048, 0198, 0208

for 1 Thessalonians: $\mathfrak{P}^{30}$(!), $\mathfrak{P}^{46}$(!), $\mathfrak{P}^{61}$, $\mathfrak{P}^{65}$(!)
ℵ (01), A (02), B (03), C (04), D (06), F (010), G (012), H (015), I (016), Ψ (044), 048, 0183, 0208, 0226

for 2 Thessalonians: $\mathfrak{P}^{30}$(!)
ℵ (01), A (02), B (03), D (06), F (010), G (012), I (016), Ψ (044), 0111

for 1 Timothy: $\mathfrak{P}$ –
ℵ (01), A (02), C (04), D (06), F (010), G (012), H (015), I (016), Ψ (044), 048, 061, 0241, 0259, 0262

for 2 Timothy: $\mathfrak{P}$ –
ℵ (01), A (02), C (04), D (06), F (010), G (012), H (015), I (016), Ψ (044), 048

for Titus: $\mathfrak{P}^{32}$(!), $\mathfrak{P}^{61}$
א (01), A (02), C (04), D (06), F (010), G (012), H (015), I (016), Ψ (044), 048, 088, 0240
for Philemon: $\mathfrak{P}^{61}$
א (01), A (02), C (04), D (06), F (010), G (012), I (016), Ψ (044), 048
for Hebrews: $\mathfrak{P}^{12}$(!), $\mathfrak{P}^{13}$(!), $\mathfrak{P}^{17}$, $\mathfrak{P}^{46}$(!), $\mathfrak{P}^{79}$
א (01), A (02), B (03), C (04), D (06), H (015), I (016), Ψ (044), 048, 0121 b, 0122, 0227, 0228, 0252.

The following are constant witnesses for the Pauline letters which are cited explicitly only when they are not included in $\mathfrak{M}$ (and can accordingly be inferred from it):

K (018), L (020), P (025), 33 (IX), 81 (1044), 104 (1087), 365 (XIII), 630 (XIV), 1175 (XI), 1241 (XII), 1506 (1320), 1739 (X), 1881 (XIV), 2464 (X), 2495 (XIV/XV).

Other witnesses which are not counted among the constant witnesses but are cited frequently because of their textual quality or for consistency because they are cited elsewhere in the New Testament are:

6 (XIII), 323 (XI), 326 (XII), 424 (XI), 614 (XIII), 629 (XIV), 945 (XI).

It must be observed that in the Pauline letters the textual quality of B shifts, and it no longer commands the authority it possesses in the Gospels. Further, it should be noted that beginning with D, the capital letters used as signs for the uncials no longer represent the same manuscripts (with the exception of Ψ). Thus D in the Pauline letters (= Codex Claromontanus) is quite unrelated to D in the Gospels and Acts (= Codex Bezae Cantabrigiensis). For details see the list of manuscripts in Appendix I.

In the Catholic letters the constant witnesses cited for each variant where they are extant include all the available papyri together with the uncials mentioned in the paragraphs below:
for James: $\mathfrak{P}^{20}$(!), $\mathfrak{P}^{23}$(!), $\mathfrak{P}^{54}$, $\mathfrak{P}^{74}$
א (01), A (02), B (03), C (04), P (025), Ψ (044), 048, 0166, 0173, 0246
for 1 Peter: $\mathfrak{P}^{72}$(!), $\mathfrak{P}^{74}$, $\mathfrak{P}^{81}$
א (01), A (02), B (03), C (04), P (025), Ψ (044), 048, 093, 0206, 0247
for 2 Peter: $\mathfrak{P}^{72}$(!), $\mathfrak{P}^{74}$
א (01), A (02), B (03), C (04), P (025), Ψ (044), 048, 0156, 0209, 0247
for 1 John: $\mathfrak{P}^{9}$(!), $\mathfrak{P}^{74}$
א (01), A (02), B (03), C (04), P (025), Ψ (044), 048, 0245
for 2 John: $\mathfrak{P}^{74}$
א (01), A (02), B (03), P (025), Ψ (044), 048, 0232
for 3 John: $\mathfrak{P}^{74}$
א (01), A (02), B (03), C (04), P (025), Ψ (044), 048, 0251
for Jude: $\mathfrak{P}^{72}$(!), $\mathfrak{P}^{74}$, $\mathfrak{P}^{78}$(!)
א (01), A (02), B (03), C (04), P (025), Ψ (044), 0251.

Constant witnesses in the Catholic letters which are cited explicitly only when they differ from $\mathfrak{M}$ (and whose text can accordingly be inferred from it) include:

K (018), L (020), 33 (IX), 81 (1044), 323 (XI), 614 (XIII), 630 (XIV), 1241 (XII), 1739 (X), 2495 (XIV/XV).

Besides these there are also cited (for the same reasons and within the same qualifications as stated before):

69 (XV), 322 (XV), 623 (1037), 945 (XI), 1243 (XI), 1505 (1084), 1846 (XI), 1852 (XIII), 1881 (XIV), 2298 (XI), 2464 (X).

We should also remember, of course, that in the Catholic letters as in the other groups of New Testament books the number of witnesses cited for passages which are of especial interest, either for the history of the text or for exegesis, is much larger than elsewhere. It may be well to point out as an example that for the "Comma Johanneum" (1Jn 5,7-8) the documentation is virtually complete.

In the Book of Revelation the textual scene and its history differs greatly from the rest of the New Testament. Correspondingly the list of constant witnesses cited for each variant looks quite different. Not only are all available papyri included in this category (as elsewhere), but also all available uncials (which are elsewhere represented by only a selection). Specifically the following manuscripts are included:

$\mathfrak{P}^{18}$(!), $\mathfrak{P}^{24}$, $\mathfrak{P}^{43}$, $\mathfrak{P}^{47}$(!), $\mathfrak{P}^{85}$
א (01), A (02), C (04), P (025), 046, 051, 052, 0163, 0169, 0207, 0229

1006 (XI), 1611 (XII), 1841 (IX/X), 1854 (XI), 2030 (XII), 2050 (1107), 2053 (XIII), 2062 (XIII), 2329 (X), 2344 (XI), 2351 (X/XI), 2377 (XIV).

This selection of constant witnesses reflects the textual tradition of the Apocalypse. $\mathfrak{P}^{47}$ is the earliest witness, followed in age by א (01), but A and C – usually considered as uncials of secondary value elsewhere – are here both superior to them in textual value. Even $\mathfrak{M}$ is divided into $\mathfrak{M}^{A}$ (the mass of manu- $\mathfrak{M}^{A}$
scripts which follow the text of Andreas of Caesarea's commentary on the Apocalypse) and $\mathfrak{M}^{K}$ (the equally numerous $\mathfrak{M}^{K}$
manuscripts of a strictly Koine type). P (025) goes with $\mathfrak{M}^{A}$ and 046 with $\mathfrak{M}^{K}$; these two groups together comprise $\mathfrak{M}$. A reading attested by A (02) and C (04), together with their important supporting minuscules 2053, 2062, and 2344 possesses a textual value far superior to that of $\mathfrak{P}^{47}$ and א.

In brief, in the Apocalypse much (if not all) is different from elsewhere.[5] Unfortunately the readings of minuscules 2344 (whose poor state of preservation makes it difficult and fre-

[5] Cf. J. Schmid, *Studien zur Geschichte des griechischen Apokalypse-Textes* (3 vols., Munich 1955/1956).

quently impossible to decipher) and 2377 cannot always be cited, so that their witness cannot always be inferred when they are not included in the attestation for either the text or a variant reading.

3. The Early Versions

Two preliminary remarks are necessary here: 1. The early versions, whether in Latin, Syriac, Coptic, Armenian, Georgian, or any other language, are frequently unwarrantedly overrated; 2. The early versions are often cited with inadequate justification.

1. When the versions were the only means of getting around the IV century barrier drawn by B and א for the Greek manuscript tradition, the translations into Syriac and Latin which derived, or seemed to derive, from an earlier period assumed the greatest importance. But in our own generation the conviction has steadily increased, based on philological grounds, that the Old Syriac (represented by the Sinaitic and Curetonian versions) derives not from the II century but from the IV century (this also accords with the view of church historians that the earliest form of the Syriac text is represented by the Diatessaron). The origins of the Old Latin (Itala) can actually be traced in the II century. But even assuming an original II century translation underlying all of the subsequent tradition, its reconstruction[6] would only lead to a particular Greek exemplar used by the translator (anything else could only relate to intraversional development), and it is from this very period that we possess in the papyri a variety of texts in the original Greek.

2. In collating the versions it is necessary to be aware constantly of how they each differ from Greek in their linguistic structures. Correspondingly the witness of a version should be accepted in a critical apparatus only when it offers irrefutable evidence for a difference in its underlying Greek text. Recognizing such instances and eliminating all variants that are merely intraversional requires a degree of specialization and long familiarity with the versions that is rare among New Testament scholars. All the information in the apparatus about the readings in each of the variants is based on fresh collations, making use of microfilms when critical editions of the version

[6] Cf. B. Fischer, "Das Neue Testament in lateinischer Sprache," in K. Aland, ed., *Die alten Übersetzungen des Neuen Testaments, die Kirchenväterzitate und Lektionare* (ANTF 5, Berlin 1972). This is a work of fundamental significance for anyone concerned with the area indicated in the title.

in question were lacking or inadequate. It has all been checked and rechecked for relevance and accuracy, so that even the non-specialist can use it with confidence in forming a judgment. If any versional evidence is found cited elsewhere which is not adduced for a reading in this edition, it may be assumed that its omission here is not only justifiable, but necessary.

The sources used for the *Latin versions* are specifically:

in the Gospels:

Itala. Das Neue Testament in altlateinischer Überlieferung. Nach den Handschriften hrsg. von A. Jülicher, durchgesehen und zum Druck besorgt von W. Matzkow† und K. Aland (vol. I *Matthäus-Evangelium* 1972[2], vol. II *Marcus-Evangelium* 1970[2], vol. III *Lucas-Evangelium* 1976[2], vol. IV *Johannes-Evangelium* 1963).

in the Pauline letters:

for Eph–Col, vol. 24/1-2 of *Vetus Latina*, ed. by H. J. Frede, 1962–1971; for 1 Thess–1 Tim 3,1, vol. 25 of *Vetus Latina*, ed. by H. J. Frede, 1975–1978.

in the Catholic letters:

vol. 26/1 of *Vetus Latina*, ed. by W. Thiele, 1956–1969.

The information for *Acts*, *Rom*, *1-2 Cor*, *Gal*, *1 Tim 3,1–end*, *2 Tim*, *Tit*, *Phlm*, *Heb*, *and Rev* is based on collations of manuscripts which are described in detail in the list of manuscripts on p. 712 ff.

The *Old Latin witnesses* are indicated by the traditional lower case roman letters (the Beuron numbers have been added beside them in the list of manuscripts in Appendix I on p. 712 ff. solely for clarity). The support of all or of a majority for a particular reading is indicated by the sign it (= Itala); the manuscripts which differ are normally indicated with the other variants. Agreement of the Old Latin with the Vulgate (vg) to form a united Latin witness is indicated by the sign latt. If a part of the tradition apparently presupposes the same Greek translation base, but a certain freedom of translation makes absolute certainty impossible, the sign lat(t) is used. Agreement of only a part of the Old Latin with the Vulgate is indicated by the sign lat (the manuscripts which differ then are recorded with the other variants where possible). A detailed enumeration of the versional variations in such instances would overload the apparatus, while the use of comprehensive signs simplifies the presentation of the evidence without becoming simplistic.

a b c etc.

it

vg

latt

lat(t)

lat

The various editions of the *Vulgate* are indicated by the following abbreviations when information about their text is necessary or informative: vg^s for the Sixtine edition, Rome

vg^s

vg^{cl} 1590; vg^{cl} for the Clementine edition, Rome 1592 (vg^{s} is not indicated independently when its text agrees with vg^{cl}). The
vg^{ww} modern editions of J. Wordsworth/H. J. White/H. F. D. Sparks,
vgst Oxford 1889–1954, and the "Stuttgart Vulgate" edited by R. Weber in association with B. Fischer, J. Gribomont, H. F. D. Sparks, and W. Thiele, Stuttgart ^{2}1975, are also cited, especially when the texts of the editions differ. The citation of important Vulgate manuscripts is limited to the indication of
vg^{ms} vg^{mss} vg^{ms} for a single manuscript and vg^{mss} for more than one manuscript.

The evidence of the Latin version comes in the apparatus immediately following that of the Greek witnesses, and is itself followed by the evidence of the *Syriac versions.*

The evidence for the *Old Syriac* is derived from the following editions:

The Old Syriac Gospels or Evangelion da-mepharreshê; being the text of the Sinai or Syro-Antiochene Palimpsest, ed. by Agnes Smith Lewis, London 1910.

sy^{s} This *Sinaitic Syriac*, a palimpsest of the IV/V century (the upper writing is an VIII century hagiographical document), preserves the text of the Gospels with considerable lacunae: Mt 6,10–8,3; 16,15–17,11; 20,25–21,20; 28,7-end; Mk 1,1-12; 1,44–2,21; 4,18-41; 5,26–6,5; Lk 1,16-38; 5,28–6,11; Jn 1,1-25; 1,47–2,15; 4,38–5,6; 5,25-46; 14,10-11; 18,31–19,40. The parch-
sy^{c} ment manuscript from the V century known as the *Curetonian Syriac* similarly lacks: Mt 8,23–10,31; 23,25-end; Mk 1,1–16,17; Lk 1,1–2,48; 3,16–7,33; 16,13–17,1; 24,44-51; Jn 1,42–3,5; 8,19–14,10; 14,12-15; 14,19-21; 14,24-26; 14,29–21,25. The edition cited is:

Evangelion da-mepharreshê. The Curetonian Version of the Four Gospels, ed. by F. Crawford Burkitt, Cambridge 1904.

sy^{p} The *Peshitta* text of the Gospels, Acts, Pauline letters, and the longer Catholic letters is cited from:

The New Testament in Syriac, The British and Foreign Bible Society, London 1920ff.

For the Gospels this edition is based on that of P. E. Pusey and G. H. Gwilliam (omitting the critical apparatus):

Tetraevangelium sanctum iuxta simplicem Syrorum versionem, Oxford 1901.

For the *shorter Catholic letters* (2 Pet, 2-3 Jn, Jd) and the
sy^{ph} Apocalypse, which are lacking in the Peshitta, the citations are from:

Remnants of the Later Syriac Versions of the Bible, Part I. *New Testament, the four minor catholic epistles in the original Philoxenian version*, ed. by

John Gwynn, London/Oxford 1909, and *The Apocalypse of St. John in a Syriac version hitherto unknown*, ed. by John Gwynn, Dublin/London 1897.

The edition of the *Harclean* version by Joseph White: sy^{h}

Sacrorum Evangeliorum versio Syriaca Philoxeniana cum interpretatione et annotationibus, Oxford 1778, and *Actuum Apostolorum et Epistolarum tam Catholicarum quam Paulinarum versio Syriaca Philoxeniana cum interpretatione et annotationibus*, Oxford 1799–1803,

ends at Heb 11,27. The remainder of Hebrews is therefore cited from:

The Harklean Version of the Epistle to the Hebrews Chap. XI.28–XIII.25, ed. by Robert L. Bensly, Cambridge 1889.

It is typical of the situation that for the text of the Apocalypse we must rely on vol. 5 of B. Walton's Polyglot, London 1657, an edition over 300 years old, while White's edition is only (!) about 200 years old. With its limited manuscript base, not to mention other aspects, White's edition is rendered quite antiquated (characteristically he identifies his edition as the Philoxenian rather than the Harclean version). Much work remains to be done before the history of the Syriac New Testament achieves any real clarity. Significant help may be expected from the editing of New Testament quotations in the works of the Syriac fathers, and possibly from the discovery and publication of hitherto unknown manuscripts (for which we look particularly to A. Vööbus). In the Harclean version the marginal notes are of particular interest (these are mainly the translator's transcription in Syriac of readings derived from Greek manuscripts which differed from those on which the version itself was based), and are indicated as sy^{hmg}; sy^{h**} represents readings sy^{hmg} sy^{h**}
marked with asterisks by the Harclean translator (i. e., additions from one or more manuscripts to the text of his Syriac exemplar). The agreement of all the Syriac witnesses for a reading is indicated by the sign sy. sy

The use of the sign sy with parenthetical exponents needs comment. For example, sy$^{(p)}$ indicates that a reading is attested sy$^{(p)}$
by the whole Syriac tradition, and that sy^{p} alone exhibits a subvariant which does not affect its witness to the same basic Greek text. The same holds for sy$^{(s)}$, sy$^{(s.c)}$, sy$^{(c.p)}$: the wit- sy$^{(s)}$ sy$^{(s.c)}$ sy$^{(c.p)}$
ness of the Syriac versions is essentially united, and although the witnesses indicated in parentheses do exhibit certain variations, these are not of sufficient significance to merit further attention. In order to avoid misunderstanding, the use of the sign sy with parenthetical exponents must be distinguished from its use described first above, where the sign with its exponent stand without parentheses (e. g., sy^{p}, sy^{c}, etc., indicating re-

spectively that the Peshitta, the Curetonian Syriac, etc., have the reading in question), and again from the sign with its ex-
(sy^{p}) etc. ponent standing together within parentheses, e. g., (sy^{p}), (sy^{c}), (sy$^{s.c}$), etc., indicating that the witness enclosed in the parentheses (and only that witness) attests the reading in question, although in a form exhibiting a negligible variation. Thus the parentheses serve the same function for the Syriac as elsewhere, only their position must be carefully observed.

Following the information on the Syriac in the apparatus (which always stands second after the Latin in first position), and consequently in third position come the *Coptic versions*. These include the following dialects:

ac = Akhmimic
ac^{2} = Sub-Akhmimic
bo = Bohairic
mae = Middle Egyptian
mf = Middle Egyptian Fayyumic
pbo = Proto-Bohairic
sa = Sahidic

These signs without further qualifications always refer to the whole tradition of the particular dialect. The agreement of all the Coptic versions available for a passage is represented
co by co. Naturally it is frequently necessary to indicate the reading
sa^{ms} bo^{ms} of single important manuscripts: sa^{ms} and bo^{ms} indicate a
sa^{mss} bo^{mss} single witness, while sa^{mss} and bo^{mss} indicate more than one witness in support of a given reading (for the Sahidic the correctors, and for the Bohairic the correctors and the marginalia are counted as witnesses). If five or more witnesses support a
bo^{pt} particular reading in Bohairic, they are represented as bo^{pt} (= Bohairic^{partim}). When bo is cited for one reading and bo^{ms} or bo^{mss} for another, this means that one or more Bohairic manuscripts differ from the rest, corresponding to the usage followed for the Latin evidence.

The basis for citing the Coptic evidence remains the editions of Horner:

The Coptic Version of the New Testament in the Northern Dialect, otherwise called Memphitic and Bohairic, 4 vols., Oxford 1898–1905; *The Coptic Version of the New Testament in the Southern Dialect, otherwise called Sahidic and Thebaic*, 7 vols., Oxford 1911–1924.

The manuscripts which Horner identified as constituting groups are cited in the apparatus as single witnesses. They are considered and counted individually only when their readings differ. But Horner's editions (both stand in need of thorough revision) are inadequate as a basis for the apparatus. Accordingly a series of important early manuscripts have been consulted and cited either from recent critical editions or (especially in Middle Egyptian) from microfilm. These resources include the following editions and manuscripts:

for the Akhmimic: ac

Bruchstücke des ersten Clemensbriefes nach dem achmimischen Papyrus der Strassburger Universitäts- und Landesbibliothek mit biblischen Texten derselben Handschrift, ed. by Fr. Rösch, Strassburg 1910 (Jn, Jc, IV century)

for the Sub-Akhmimic: ac²

The Gospel of St. John according to the earliest Coptic manuscript, ed. by H. Thompson, London 1924 (Jn, IV century)

for the Middle Egyptian: mae

The Scheide codex, the Scheide Library, Princeton, New Jersey (Mt IV/V (?) century); G 68, Glazier Collection, Pierpont Morgan Library, New York (Acts, V century).

for the Middle Egyptian Fayyumic: mf

The Gospel of John in Fayyumic Coptic (P. Mich. Inv. 3521), ed. by E. Husselman, Ann Arbor 1962 (Jn, IV/V (?) century)

for the Proto-Bohairic: pbo

Papyrus Bodmer III, Évangile de Jean et Genèse I–IV,2 en bohaïrique, ed. by R. Kasser, CSCO 177, Louvain 1958 (Jn, IV/V (?) century).

These dialects are not indicated in Horner. But *for the Sahidic* as well the following editions have been used to supplement Horner's work:

Papyrus Bodmer XIX, Évangile de Matthieu XIV,28–XXVIII,20; Épître aux Romains I,1–II,3 en sahidique, ed. by R. Kasser, Genf 1962 (used for Mt, IV/V century); *Das Markusevangelium saïdisch, Text der Handschrift M PPalau Rib. Inv. Nr. 182 mit den Varianten der Handschrift M 569*, ed. by H. Quecke, Barcelona 1972 (Mk, V century); *Das Lukasevangelium saïdisch. Text der Handschrift PPalau Rib. Inv. Nr. 181 mit den Varianten der Handschrift M 569*, ed. by H. Quecke, Barcelona 1977 (Lk, V century); *The Coptic Version of the Acts of the Apostles and the Pauline Epistles*, ed. by H. Thompson, Cambridge 1932, Chester Beatty Codex A/B (Acts and Paul, A ca. 600, B VII century).

In addition to the three versions we have discussed briefly above, a number of *other versions* significant for the history of the text – within certain limitations – such as the Armenian, Georgian, Gothic, Ethiopic, and Old Church Slavonic, which are of secondary value, and the Arabic, Nubian, etc., which are of tertiary value, should also be included in a discussion of the original text. Accordingly these are referred to only infrequently. For their use the following editions are especially important:

arm *for the Armenian:*

Yovhannes Zōhrapean, *Astuacašunč' matean hin ew nor ktakaranac'*, vol. IV, Venice 1805, antiquated; Fr. Macler, *L'Évangile arménien. Édition phototypique du manuscrit no 229 de la Bibliothèque d'Etchmiadzin.* Paris 1920.

geo *for the Georgian:*

R. P. Blake, "The Old Georgian Version of the Gospel of Matthew," *Patrologia Orientalis* 24: 1–168, Paris 1933; "The Old Georgian Version of the Gospel of Mark," *PO* 20: 435–574, Paris 1929; M. Brière, "The Old Georgian Version of the Gospel of Luke," *PO* 27: 276–448, Paris 1955; R. P. Blake and M. Brière, "The Old Georgian Version of the Gospel of John," *PO* 26: 454–599, Paris 1950. G. Garitte, *L'ancienne version géorgienne des Actes des Apôtres d'après deux manuscrits du Sinai* (Bibliothèque du Muséon 38), Louvain 1955. K'. Lort'k'ip'anidze, *Kat'olike epistolet'a k'art'uli versiebi X–XIV saukunet'a ḫelnacerebis miḫedvit'*, Tiflis 1956. K'. Dzocenidze and K. Daniela, *Pavles epistolet'a k'art'uli versiebi*, Tiflis 1974. I. Imnaišvili, *Iovanes gamoc'ḫadeba da misi t'argmaneba Dzveli k'art'uli versia*, Tiflis 1961.

got *for the Gothic:*

W. Streitberg, ed., *Die gotische Bibel*, Heidelberg 1908, 1919[2] (corrected), 1965[5] (revised by E. A. Ebbinghaus), 1976[6]. The Greek text should be used with care.

aeth *for the Ethiopic:*

Petrus Aethiops, *Testamentum Novum cum epistola Pauli ad Hebraeos*, Rome 1548. T. Pell Platt, ed., *Evangelia sacra Aethiopice*, London 1826; *Novum Testamentum Domini nostri et Salvatoris Jesu Christi Aethiopice*, London 1830. J. Hofmann, ed. and tr., *Die äthiopische Übersetzung der Johannes-Apokalypse* (CSCO 281), Louvain 1967.

slav *for the Old Church Slavonic:*

J. Vajs, *Evangelium sv. Matouše. Text rekonstruovaný*, Praha 1935; *Evangelium sv. Marka. Text rekonstruovaný*, Praha 1935; *Evangelium sv. Lukáše. Text rekonstruovaný*, Praha 1936; *Evangelium sv. Jana. Text rekonstruovaný*, Praha 1936. V. Jagić, *Quattuor evangeliorum codex glagoliticus olim Zographensis nunc Petropolitanus*, Berlin 1879; *Quattuor evangeliorum versionis palaeoslovenicae codex Marianus glagoliticus*, Berlin 1883. J. Vajs and J. Kurz, *Evangeliarum Assemani. Codex Vaticanus 3. slavicus glagoliticus I–II*, Praha 1929–1955. V. Ščepkin, *Savvina kniga*, St. Petersberg 1903. Ae. Kałužniacki, *Actus epistolaeque apostolorum palaeoslovenicae ad fidem codicis Christinopolitani*, Vienna 1896. G. A. Il'inskij, *Slepčenskij apostol XII veka*, Moscow 1912. Arch. Amfilochij, *Apokalipsis XIV veka Rumjancevskago muzeja*, Moscow 1886.

4. The Church Fathers

In addition to the manuscripts, a distinctive and frequently underestimated *significance* may be ascribed to patristic quotations of the New Testament, whether in Greek or other languages, and not just when they provide reports of particular readings or of whole pericopes found in manuscripts examined by a Father. In such instances the name of the Father concerned appears with the exponent ^{ms} or ^{mss}, depending on whether the reference is to a single manuscript or to more than one manuscript. Thus, Or^{ms} and Hier^{ms} denote respectively that these Fathers cite the reading or tradition of a single Greek New Testament manuscript, while Or^{mss} and Hier^{mss} indicate that their reference is to many manuscripts. The same holds true for data about other Church Fathers: we repeat that the reference is always to Greek manuscripts of the New Testament. The quotations of the Church Fathers enable us to locate particular readings geographically and historically in a way that Biblical manuscripts usually cannot. The most productive sources are naturally patristic commentaries on New Testament books. But it is also here that problems arise. The lemma, or text to be commented, is usually found written out first; scribes of a later period would frequently replace this lemma with the text current in their own time. This makes the lemma useless as a witness to the form of text used by the Father himself, which can only be recovered from the accompanying commentary laboriously, word by word (accordingly in the apparatus the citation of a Father is sometimes qualified by the distinction between ^{com} = commentary and ^{txt} = the lemma standing before the commentary). Further, it is often difficult to determine whether an early Christian writer was simply quoting freely from the text of the New Testament he had committed to memory, or if he was copying from a manuscript he always referred to. But even if he was copying he could have adapted the text to the requirements of his train of thought, or rephrased it for stylistic reasons.

Or^{ms} Hier^{ms}

Or^{mss} Hier^{mss}

com

txt

The *Biblia patristica* now being published places us in a far better position than earlier generations because it records the Biblical quotations and allusions in greater detail than any previous publication (vol. I, Paris 1975, to Tertullian and Clement of Alexandria; vol. II, Paris 1977, to Lactantius, apart from Origen and Eusebius). On critical analysis, however, many of these "quotations" (especially from the early period) are irrelevant for the textual critic. The information given in the apparatus on the Church Fathers and early Christian writers is based on a rigorous screening process. Their number could easily have been increased, but what would have been gained by adducing greater numerical support, for example, for the majority text? All the material from the writings of the Fathers in the following list has been cited from modern editions. This has not been true of earlier editions prior to the Third Edition of the United Bible Societies' Greek New Testament and Nestle^{25},

which quarried their patristic information essentially from Tischendorf's edition, now a century old.
In order to facilitate a grasp of the historical relationships of the quotations, the year of death is given if possible for each of the Fathers in the following list (merely indicating the century in which he lived is often too vague), and the sign by which he is represented in the apparatus is the part of his name not enclosed in parentheses (in some instances the name is given in parentheses after the abbreviation).

List of abbreviations for the Church Fathers

Acac(ius of Caesarea), †366
Ad(amantius), 300–350
Ambr(ose), †397
PsAmbr(ose)
Ambst (= Ambrosiaster), 366–384
Anast(asius) S(inaita), †ca. 700
Andr(eas of Crete), †740
Apr(ingius Pacensis), 531–548
Arn(obius the Younger), †p. 450
Ath(anasius of Alexandria), †373
Aug(ustine of Hippo), †430
Bas(il of Caesarea), †379
Bea(tus of Libana), †798?
Beda (= the Venerable Bede), †735
Cass(iodorus), †p. 580
(John) Chr(ysostom), †407
Cl(ement of Alexandria), †a. 215
Cl^{hom} (= Ps.-Clement's homilies)
Cl^{lat} (tr. commiss. by Cassiodorus)
Cl(ement of) R(ome), ca. 95
Cn (= John Cassian), †ca. 435
Cyp(rian of Carthage), †258
Ps Cyp(rian)
Cyr(il of Alexandria), †444
Cyr(il of) J(erusalem), †386
Dial(ogus) Tim(othei) et Aqu(ilae), V?
Didache, II
Did(ymus of Alexandria), †398
Dion(ysius of Alexandria), †264/265
Ephr(aem Syrus), †373
Epiph(anius of Constantia), †403
Eus(ebius of Caesarea), †339
Firm(icus Maternus), †p. 360
frag. fajjum. (= Fayyumic fragments), III
Fulg(entius), †527
Gr(egory of) Ny(ssa), †394
Hes(ychius), †p. 451
Hier (= Jerome), †420
Hil(ary of Poitiers), †367
Hipp(olytus of Rome), †235
Ir(enaeus), II
Ir^{lat}, p. 380
Ir^{arm}, IV/V
Ju(stin Martyr), †ca. 165
Lact(antius), †p. 317
Lcf (= Lucifer of Calaris), †ca. 371
M(ar)cion, II
Marc(us Eremita), †p. 430
M(arius) Vict(orinus), †p. 363
Meth(odius of Olympus), †p. 250
Nic(etas of Remesiana), †p. 414
Nil(us of Ancyra), †ca. 430
Non(nus of Panopolis), †p. 431
Nov(atian), †p. 251
PsOec(umenius), VI
Or(igen), †254
Or^{lat} (= Latin tr. of Origen)
Oros(ius), †p. 418
Pel(agius), p. 418
Pist(is) S(ophia), III
Porph(yry Tyrius?), III
Prim(asius), †a. 567
Prisc(illian), †385/386
Prosp(er of Aquitaine), †463
Qu(odvultdeus), †ca. 453
Sche (= Shenute of Atripe), †466
Spec(ulum, Pseudo-Augustine), V
Tert(ullian), †p. 220
Th(eodo)ret (of Cyrrhus), †ca. 466
Tit(us of Bostra), †a. 378
Tyc(onius), †p. 390
Vic(tor of Pettau), †304
Vig(ilius of Thapsus), †484

5. Further Notes on the Use of the Apparatus

The structure of the apparatus and its related signs have already been discussed (cf. p. 44* ff.). Some further remarks should be added here to ensure that the reader will not be confused by the mass of information, but will be able to advance progressively toward a full use of this edition. The reader who has progressed this far will now find a systematic survey of the apparatus useful.

sequence in apparatus

;

The apparatus always presents the witnesses in the same sequence: Greek, Latin, Syriac, Coptic, other witnesses, Church Fathers (separated from the preceding by a semicolon ;). The Greek witnesses also always follow a set sequence: papyri, uncials, minuscules, lectionaries. The uncials represented by letters of the alphabet א A B etc. come first in alphabetical order, followed by the rest in numerical order. Among the minuscules the groups f^{1} and f^{13} stand first, followed by the other minuscules in numerical order (with a period between the numbers to avoid confusion), and with information on the majority text standing last. The manuscripts which are always cited explicitly have been indicated: details of these and all other manuscripts cited are found in the list of manuscripts in Appendix I. In addition to the individual manuscripts cited by their signs, the apparatus often includes the following summary indications:

pc = pauci (a few) *pc*
al = alii (others) *al*
pm = permulti (a great many) *pm*
cet = ceteri (some others) *cet*
rell = reliqui (the rest) *rell*

The quantities represented by these terms, which are intended to give the reader a general impression of the extent of support for a reading, are obvious. But it should be observed that while *al*(ii) and *cet*(eri) are not terms of numerical precision, *al* is somewhere between *pc* (pauci) and *pm* (permulti), but much closer to *pc* than to *pm*. *cet*(eri) does not imply very many. *pm* refers to a large group of the majority text when it is divided, and accordingly can be found in support of more than one variant.

* ; $^{1\,2\,3}$ etc. ; ^{c}

Especially with the uncials, but elsewhere as well, there are signs to indicate the scribe of a manuscript: * for the first hand, i. e., the original scribe, and ^{1}, ^{2}, and ^{3} for the hand of the first, second, and third correctors of a manuscript when such distinctions are possible, otherwise it is simply noted with an exponent ^{c} when an alteration of the text is due to a corrector.

The first corrector, at least, may be contemporary with the original scribe (a manuscript completed in a scriptorium was examined immediately for accuracy). It is not unusual in a manuscript to find a marginal reading, i. e., a reading added beside the column of text. If intended as an alternative reading,
v.l. it is designated as *v(aria) l(ectio)* = a variant reading; if it is uncertain, the reading is described simply by an exponent
mg ^{mg} (= in margine, or marginal). Hands that are separated by centuries are easily recognized, but early correctors can be very difficult to distinguish. When the sign for a manuscript is
s qualified by an exponent ^{s} (= supplement), this gives full warning that the reading in question derives from a later addition, and should in no way be associated with the authority of the original manuscript itself.

Single words are frequently *abbreviated* in the apparatus to save space, but a glance at the text above will always show quite clearly what has been abbreviated. Thus in Mt 1,10 the
M-σσην, M-σση apparatus reads M-σσην Δ *pc* and M-σση ℵ^{1} B, indicating that the manuscripts cited here read variants of the forms Μανασσῆ and Μανασσῆς respectively. In Mt 2,23 the apparatus reads
-ρεθ only -ρεθ, obviously meaning that the form Ναζαρετ in the text is spelled differently in C K etc. (and similarly in 4,13, etc.). Longer variants may have a whole series of words represented by their initial letters alone, but these can also be readily identified from the text. When a reading in the appara-
... tus has three periods ... between two words, it means that the intervening text between these two words shows no variation from the text above.

If a variant has several *subvariants*, i. e., minor differences within essentially the same reading, this is indicated by pa-
\+ - rentheses and the signs + (for insertion) and - (for omission) as in the following example. At Mt 5,44 the apparatus reads:

⸀*p)* ευλογειτε τους καταρωμενους υμας (υμιν D* *pc*; - ε.τ.κ.υ. 1230. 1242* *pc* lat), καλως ποιειτε τοις μισουσιν υμας (- κ.π.τ.μ.υ. 1071 *pc*; Cl Eus) και (- W) προσευχεσθε υπερ των επηρεαζοντων υμας (- D *pc*) και D L W Θ *f*^{13} 𝔐 lat sy$^{(p).h}$; Cl Eus ¦ *txt* ℵ B *f*^{1} *pc* k sy$^{s.c}$ sa bo^{pt}; Cyp.

First it is clear that the text καὶ προσεύχεσθε ὑπὲρ τῶν, attested by ℵ B etc. through Cyprian, is superior to the variant supported by D L W etc. through Eusebius. The *p)* at the beginning signals that this reading is dependent upon a parallel tradition (i. e., in Lk 6,28), and arose from efforts to enrich the text of Matthew and make it consistent with parallel texts. Considering the brevity of Mt 5,44 it is quite understandable that the expanded text would attract a following. But these followers are characteristically divided, as the parenthetical elements show: υμας is replaced by υμιν in D; 1230, 1242* (i. e., the original scribe!), and a few others with the majority of the Latin tradition omit (the sign -) ε. τ. κ. υ. The *abbreviations* correspond to the words immediately preceding: ευλογειτε τους καταρωμενους υμας, just as – κ. π. τ. μ. υ. in the next parentheses indicates the omission of the immediately preceding words καλως ποιειτε τοις μισουσιν υμας by 1071, etc. After και comes (- W), i. e., W omits και, just as D and a few other manuscripts omit the following υμας. This arrangement of the evidence may appear confusing at first sight to the beginner, but the confusion here is minimal in comparison with the complexity of working through the whole variety of different readings if they were to be exhibited independently and at length (which would incidentally require far more space), and of examining them individually for their similarities and differences. The reader has been spared here (and in innumerable other instances) this greater confusion, and no small amount of labor as well: the different traditions are presented in an arrangement that reveals the common textual elements of each. Correspondingly the character of the subvariants in relation to the principal variants is made clear. The format thus defines both the extent of the subvariants and the origins of the principal variants – all within the space of four lines.

The apparatus attempts to do without explanatory notes altogether, but this has not always been possible. When notes are necessary Latin has provided a neutral solution, and abbreviations have been chosen which are readily understood in modern languages. When the meaning of an abbreviation is not immediately apparent to the reader, it will be found in the alphabetical list in Appendix IV on p. 778 f., where all abbreviations are explained. It would be as well, however, for the reader to memorize a few which occur most frequently, such
as *add.* = addit/addunt = insert(s), *om.* = omittit/omittunt = *add., om.*
omit(s). These abbreviations are used when + and - are not
practicable. Also important are *a.* = ante = before, and *p.* = *a., p.*
post = after, which usually occur with *pon.* = ponit/ponunt = *pon.*
place(s), to describe the transposition of a word or verse
(marked by ʃ in the text) as briefly and precisely as possibly. ʃ
Another important sign is the exponent ^{vid} = ut videtur = vid
apparently. Especially in papyri it is not always possible to determine with absolute certainty the reading of a particular passage; in such instances the qualifying sign ^{vid} is added in the apparatus (indicating merely a qualified certainty). If there

? is any doubt of its essential reliability a question mark ? is
added (to readings, when they cannot be verified by film; to
witnesses, when it cannot be determined that their attestation
relates to the particular passage in question). When a reading
seems not to make sense, it is confirmed by an exclamation
(*!*) point (*!*). The explanation for the origin of a reading is added
ex err., ex itac. occasionally, e. g., *ex err*(ore) = by error, *ex itac*(ismo) =
ex lect. explicable as an itacism, *ex lect*(ionariis) = derived from the
custom in lectionaries of adapting the text at the beginning of
ex lat*?* a lesson to make its context clear, *ex* lat*?* = possibly derived
h. t. from the Latin. The insertion of *h. t.* = homoioteleuton notes
that a reading arose from scribal inadvertance, when the
scribe's eye skipped from one to another of two similar verses
or words standing in a sequence.

III. NOTES IN THE OUTER AND INNER MARGINS

The *source and cross reference notes in the outer margin* of the old Nestle were an extraordinarily useful source of information. Besides identifying Old Testament quotations and allusions, they also indicated parallel passages and thematic and verbal analogies as well to such an extent that for the knowledgeable reader they practically served as a concise commentary. But Erwin Nestle expanded them over the years in such a way that their clarity suffered, e. g., by adding parenthetical references to indicate contrasting passages (or texts related antithetically) – this served no real purpose, quite apart from being inevitably partial and subjective from the beginning.

The apparatus in the outer margin has therefore been thoroughly revised with the aim of combining a maximum of information (far more than in the old Nestle) with a maximum of clarity. This has been generally successful, although at times (e. g., at the beginning of Romans) the text requires a range of references that can be marshalled concisely only with difficulty. But even in such instances the principle has been consistently observed of placing the references against the line, or at least the verse, to which they are related. If the references extend too far, they are separated from those of the next verse by a solid vertical line |. When two verses share the same line, the same sign is used to avoid confusion. References to different parts of a verse are separated by a raised dot ·.

The differences in type face are important. References to parallel passages are in larger type, with the verses concerned given in italics. For example, at Mt 1,2 the margin reads: *2–17:* L 3,23-38. This means that Luke 3,23-38 contains material that is parallel to the whole of Matthew 1,2-17. And so it continues throughout the Gospels, e. g., Mt 7,1: *1–5:* L 6,37-42; Mt 8,2: *2–4:* Mc 1,40-45 L 5,12-16; Mt 9,1: *1–8:* Mc 2,1-12 L 5,17-26. Not only are parallel passages indicated in this way, but similarly reference summaries occur a great number of times, e. g., Mt 1,3: *3–6a:* Rth 4,12.18-22; Mt 1,4: *4–6a:* 1 Chr 2,10-12.15; Mt 1,6: *6b–11:* 1 Chr 3,5 etc.

2–17: L 3,23-38

Rth 4,12.18-22

References to passages within the same New Testament book are given by chapter and verse only (or by verse only when they are in the same chapter). Thus at Mt 1,16: 27,17 refers to Mt 27,17; at Mt 1,20 the marginal note 2,13.19 refers to Mt 2,13.19. Verses within the same chapter are indicated with a separating period, as the immediately preceding example shows, and a semicolon separates references to different chapters. For example, it should be noted at Mt 1,1 in the marginal reference 18 Gn 5,1; 22,18 that the reference after the semicolon intends Gn 22,18, while the 18 at the beginning, which stands without any indication of book or chapter, refers to Mt 1,18. At times a semicolon is placed before a raised dot, cf. the marginal apparatus at Mt 1,2 where we find: Gn 25,26; · 29,35. The latter reference 29,35 is also to a passage in Genesis and therefore requires the semicolon before it, but it is concerned with a different part of the verse, and therefore requires the raised dot to separate it from the preceding reference. If a reference is given with cf = confer = compare placed before it, it should be understood as provided merely for reference, just as a question mark ? indicates that it is questionable.

cf

?

In order to offer a maximum of information in the marginal apparatus, its form has been condensed as much as possible. Consequently the *abbreviations for the books of the Bible* are as short as possible. The following forms are used:

I. For the Old Testament:

Gn (Genesis), Ex (Exodus), Lv (Leviticus), Nu (Numbers), Dt (Deuteronomy), Jos (Joshua), Jdc (Judges), Rth (Ruth), 1 Sm, 2 Sm (1/2 Samuel; 1/2 Kingdoms in the Septuagint), 1 Rg, 2 Rg (1/2 Kings; 3/4 Kingdoms in the Septuagint), 1 Chr, 2 Chr (1/2 Chronicles; 1/2 Paralipomenon in the Septuagint), Esr (Ezra; 2 Esdras 1–10 in the Septuagint), Neh (Nehemiah; 2 Esdras 11–23 in the Septuagint), Esth (Esther), Job, Ps (Psalms), Prv (Proverbs), Eccl (Ecclesiastes), Ct (Song of Solomon), Is (Isaiah), Jr (Jeremiah), Thr (Lamentations of Jeremiah), Ez (Ezekiel), Dn (Daniel), Hos (Hosea), Joel, Am (Amos), Ob (Obadiah), Jon (Jonah), Mch (Micah), Nah (Nahum), Hab (Habakkuk), Zph (Zephaniah), Hgg (Haggai), Zch (Zechariah), Ml (Malachi).

II. For the Apocrypha and Pseudepigrapha of the Old Testament:

3 Esr (3 Ezra; 1 Esdras in Septuagint), 4 Esr (4 Ezra), 1–4 Mcc (1–4 Maccabees), Tob (Tobit), Jdth (Judith), Sus (Susanna; Part II of the Additions to Daniel), Bel (Bel and the Dragon), Bar (Baruch), Epist Jer (Letter of Jeremiah), Sir (Wisdom of Jesus ben Sirach), Sap (Wisdom of Solomon), Jub (Book of Jubilees), Mart Is (Martyrdom of Isaiah), Ps Sal (Psalms of Solomon), Hen (Enoch), Ass Mosis (Assumption of Moses), Bar Ap (Apocalypse of Baruch), (the Testaments of the 12 Patriarchs are cited individually:) Test Rub (of Reuben), Test Lev (of Levi), Test Seb (of Sebulon), Test Dan (of Dan), Test Naph (of Naphthali), Test Jos (of Joseph), Test Benj (of Benjamin), Vit Ad (Life of Adam and Eve). One of the lost pseudepigrapha is cited: Apc Eliae (sec Orig) = Apocalypse of Elijah, according to Origen.

III. For the New Testament:

Mt (Matthew), Mc (Mark), L (Luke), J (John), Act (Acts of the Apostles), (the Pauline letters:) R (to the Romans), 1 K, 2 K (1/2 Corinthians), G (Galatians), E (Ephesians), Ph (Philippians), Kol (Colossians), 1 Th, 2 Th (1/2 Thessalonians), 1 T, 2 T (1/2 Timothy), Tt (Titus), Phm (Philemon), H (Hebrews), (the Catholic letters:) Jc (James), 1 P, 2 P (1/2 Peter), 1 J, 2 J, 3 J (1–3 John), Jd (Jude), Ap (Revelation).

References to the Old Testament (both textual and chapter-verse) are based on the *Biblia Hebraica* unless expressly qualified
𝔊 by 𝔊 to designate the Septuagint as the source used by the author for a particular passage. A note in parentheses after 𝔊 indicates that only the manuscript indicated in the parentheses is intended, and not the whole Septuagint tradition. Thus for example, 𝔊 (A) means that the text corresponds to the reading in Codex Alexandrinus. If the text is based on the
Aqu, Symm, translation of Aquila, Symmachus, or Theodotion instead of
Theod the Septuagint, this is indicated by Aqu, Symm, or Theod.
Mch 5,1.3 Literal quotations are indicated by italics (cf. *Mch 5,1.3* at Mt 2,6 etc.). Allusions are indicated in normal type – admittedly the distinction cannot always be drawn with precision, especially when they come in clusters as in parts of Hebrews or in Stephen's address in Acts 7.

s, ss It should be noted further only that s (= sequens) and ss (= sequentes) added to a reference includes the following verse or verses, e. g., Mt 1,3: Gn 38,29s = Gn 38,29-30. When
p p is added to a reference (in the Gospels), it means that not only the passage indicated is intended, but also its synoptic
! parallels (which are indicated there). An exclamation point ! following a reference indicates that further references to parallels are found there. Thus at Mt 4,1 there is the reference: H 4,15! This means that at H 4,15 is found a full list of further

references. It would obviously be impracticable to repeat the full list for each instance; by means of the sign ! each of the instances is referred to the central reference list. Here again practice in using the system is important. Anyone who looks up all the references to parallels for a verse will soon understand not only the system itself, but also what a wealth of material has been summarized in the marginal apparatus.

The *notes in the inner margin* are restricted to the kephalaia, *1 2 3 4*
i. e., a system of chapters found in the manuscripts (in italic numerals), and the Eusebian section and canon table references (in the Gospels; the letter of Eusebius to Carpian which explains the system, and the canon tables themselves, are given in a corrected form on p. 73* ff. derived from Nestle^{25}).[7] This ingenious system designed by Eusebius is still of interest today. It is quite effective as a provisional synopsis of the Gospels.
Thus $\overset{1}{\mathrm{III}}$ is found at Mt 1,1; $\overset{2}{\mathrm{X}}$ at 1,17; and $\overset{3}{\mathrm{V}}$ at 1,18; etc. These $\overset{1}{\mathrm{III}}$ $\overset{2}{\mathrm{X}}$ etc.
mean that the parallels for Mt 1,1 ff. are to be found in canon table III: there beside no. 1 for Matthew is found no. 14 for Luke (= Lk 3,23-28), and nos. 1, 3, and 5 for John (= Jn 1,1-5.9-10.14). The sign $\overset{2}{\mathrm{X}}$ refers the reader to canon table X: there it is shown that for Mt 1,17 there are no corresponding passages in the other Gospels (canon X is repeated for each of the Gospels, listing in sequence for each the paragraphs which are peculiar to them). At Mt 1,18 $\overset{3}{\mathrm{V}}$ refers to canon table V, which shows that for no. 3 the parallel section in Luke is no. 2 (= Lk 1,35), etc. By dividing the Gospels into appropriate units Eusebius was able to arrange the material systematically: canon I brings together material common to all four Gospels, canons II–IV material common to three Gospels, canons V–IX material common to two Gospels, and canon X registers in four lists the special materials in each Gospel. As kephalaia numbers and section numbers are (usually) found in New Testament manuscripts, their inclusion in this edition will be an aid to those who work with manuscripts. (Incidentally, it is not by accident that in Matthew kephalaion 1 begins at 2,1; it is the regular usage in manuscripts not to number the first section.) Where the beginning of an early division does not coincide with the beginning of a verse, it follows the stronger punctuation division, and when this is not clear, it is indicated in the
text by an asterisk *. *

[7] In the critical apparatus for the *Letter to Carpian* and the Canon Tables are noted the differences from the earlier editions of E(rasmus)$^{2-5}$, Stephanus (ς), M(ill), Ma(thaei), L(loyd) 1828 and 1836, Scr(ivener), Ln (Lachmann), 𝔗(ischendorf), 𝔚(ordsworth-White), and v(on)S(oden).

IV. THE APPENDICES

Few remarks are necessary here. Appendix I with the *list of Greek and Latin manuscripts used in this edition* (p. 684 ff.) performs a key role for this introduction. Only one comment is necessary: the constant witnesses which are always cited
* explicitly are marked by a prefixed asterisk *; those which are cited explicitly only when they differ from 𝔐 have the prefixed
(*) asterisk in parentheses (*): e. g., *B, (*)K. The content of these manuscripts has been carefully described (based on examination of the manuscripts themselves, because complete and reliable information cannot be obtained otherwise), whether negatively by indicating the lacunae in otherwise complete manuscripts, or positively by giving the extent of the actual contents, e. g., for fragments. Manuscripts which are cited as constant witnesses only in part or in only one group of writings have the pertinent information given in the list of contents and
[*] are distinguished in the list of manuscripts by the sign [*]. Naturally the contents of manuscripts which are not included among the constant witnesses are described more summarily
e a p r (e = Gospels, a = the Apostolos, i. e., Acts and the Catholic letters, p = the Pauline letters, r = Revelation).[8]

On the other hand, Appendix II, *a survey of variants in modern editions* (p. 717 ff.), requires some comment. From the beginning it was plain that the notes on the readings of Tischendorf, Westcott-Hort, Weiss, and von Soden in the old Nestle could not be retained in the apparatus. Decisions on the original text of the New Testament can be based only on the evidence of the manuscript tradition. And yet a knowledge of the decisions made by scholars during the century since Tischendorf does have a certain value for monitoring – and perhaps for correcting – the conclusions reached by the editors of the "standard text". And so it is that not only those editions which were cited by both Nestles, but also all those whose decisions have been of real significance or exercised a considerable influence on New Testament scholarship have been included in this appendix. They number seven in all, and are represented in this appendix by the following signs:

T = Tischendorf, Editio octava critica maior, 1869–1872.
H = Westcott-Hort, 1881.
S = von Soden, 1913.
V = Vogels, 1922 (1955^{4}).
M = Merk, 1933 (1964^{9}).

[8] For further abbreviations, cf. K. Aland, *Kurzgefasste Liste der griechischen Handschriften des Neuen Testaments*, 1963, p. 23–26.

B = Bover, 1943 (1968[5]). B
N = Nestle, 1963[25]. N

The decisions of Westcott-Hort could not be reproduced by
citing only the readings accepted in their text, but had to
include (indicated by the sign h) the marginal readings which h
they designated as of equal value (though not those which they
rated as inferior). When Westcott-Hort not only differs from
the text of the present edition, but also offers a marginal
reading of equal value, the sign H is given in parentheses (H). (H)
This summarizes the range of readings which have either been
identified as the text, or considered seriously as possibilities
for the text, during the past hundred years. The system of
notation is relatively simple, as the following examples show.
As each of the variants (apart from orthographical matters and
such differences as ειπον/ειπαν) is represented in the apparatus
of this edition, only the critical signs used in the text need
to be repeated here. As an example, for Mt 1,6 ⸆V means ⸆V
that Vogels reads ο βασιλευς as indicated in the apparatus
by the sign ⸆. At Mt 1,7/8 is ⸁ *bis* V B, meaning that Vogels and ⸁ *bis* V B
Bover read Ασα twice. Even where there are several variants
included under a single critical sign, the identification of a
particular reading poses no greater problem than the addition
of the sign of one of the supporting witnesses. Thus at Mt 1,5
⸀ *bis* S V M B *ut* 𝔐 means that von Soden, Vogels, Merk, and ⸀ *bis* S V M B *ut* 𝔐
Bover reads Booζ together with 𝔐; at Mt 4,2 ⸂T M N *ut* ℵ ⸂T M N *ut* ℵ
means that Tischendorf, Merk, and Nestle[25] read the order
καὶ τεσσεράκοντα νύκτας together with ℵ. When the signs
are given in square brackets it means that the reading is placed
within square brackets by the editions indicated. Thus at Mt
1,25 °[H N] means that [οὗ] is found in the text of Westcott- °[H N]
Hort and of Nestle[25]. Frequently there are differences among
the texts of the various editions compared, but such situations
are also easily accommodated by the system adopted. Thus
at Mt 1,24 °T S; [H N] *ut txt* means that Tischendorf and von °T S; [H N]
Soden omit ὁ before Ἰωσήφ, while Westcott-Hort and Nestle[25] *ut txt*
read [ὁ] Ἰωσήφ.

We believe that these remarks are sufficient, especially as this appendix is not intended for beginners, but for specialists (who can easily recognize the special use of the critical signs here as simply a means of identifying particular variants). It is of the greatest importance, in our opinion: it makes a manual edition of the "standard text" – with a critical apparatus already surpassing other editions of its class for comprehensiveness and lucid presentation of evidence – into an edition which not only surveys the results of critical textual studies over the past century, but also permits their assessment (precisely because it provides a critical apparatus for each of the readings in which the seven editions compared differ from the "standard text"). What more could one ask!

Little need be said about Appendix III containing the *list of Old Testament quotations and allusions*. This brings together all the references in the outer margin of the text in the order of the Old Testament books. It should be noted merely that the New Testament references for direct quotations are indicated in italics and for allusions in normal type, and that here also the chapter-verse divisions follow the usage of the *Biblia Hebraica*. Even quotations from the Septuagint (based on the Rahlfs edition) are given following the Hebrew usage (excepting only texts transmitted only in Greek, such as in Daniel). Accordingly when the signs 𝔊, Aqu, Theod, and Symm are found beside a marginal reference, the comparative charts given at the beginning showing chapter and verse differences for the various Old Testament books should be consulted. These charts, incidentally, which indicate in full detail all the differences in numbering between the Hebrew text and the Greek (based on the Rahlfs edition), constitute a welcome tool for New Testament scholars. Opinions differ greatly in identifying quotations and allusions, so that many would probably rather an italic reference in this list to have been in normal type, or a normal type reference in italics. But there should be no question that this appendix is far more extensive than comparable lists. Also listed are *allusions and quotations from Greek non-Christian writers*, as well as quotations from
unde? unknown sources (designated by unde?).

Appendix IV (p. 776ff.) with its brief definitions of *signs and abbreviations* should serve the reader as a brief review and survey of the matters discussed in this introduction, and also as a key to the abbreviations which have not been explained here in detail. For further details see the *Introduction* by K. and B. Aland mentioned above (p. 48*, note 4).

The English translation of this Introduction was kindly done by Dr. E. F. Rhodes of the American Bible Society Library Research Staff.

EUSEBII EPISTULA AD CARPIANUM ET CANONES I–X*

Εὐσέβιος Καρπιανῷ ἀγαπητῷ ἀδελφῷ ἐν κυρίῳ χαίρειν.

Ἀμμώνιος μὲν ὁ Ἀλεξανδρεὺς πολλὴν ὡς εἰκὸς φιλοπονίαν καὶ σπουδὴν εἰσαγηοχὼς τὸ διὰ τεσσάρων ἡμῖν καταλέλοιπεν εὐαγγέλιον, τῷ κατὰ Ματθαῖον τὰς ὁμοφώνους τῶν λοιπῶν εὐαγγελιστῶν περικοπὰς παραθείς, ὡς ἐξ ἀνάγκης συμβῆναι τὸν τῆς ἀκολουθίας εἱρμὸν τῶν τριῶν διαφθαρῆναι ὅσον ἐπὶ τῷ ὕφει τῆς ἀναγνώσεως· ἵνα δὲ σωζομένου καὶ τοῦ τῶν λοιπῶν δι᾽ ὅλου σώματός τε καὶ εἱρμοῦ εἰδέναι ἔχοις τοὺς οἰκείους ἑκάστου εὐαγγελιστοῦ τόπους, ἐν οἷς κατὰ τῶν αὐτῶν ἠνέχθησαν φιλαλήθως εἰπεῖν, ἐκ τοῦ πονήματος τοῦ προειρημένου ἀνδρὸς εἰληφὼς ἀφορμὰς καθ᾽ ἑτέραν μέθοδον κανόνας δέκα τὸν ἀριθμὸν διεχάραξά σοι τοὺς ὑποτεταγμένους. ὧν ὁ μὲν πρῶτος περιέχει ἀριθμοὺς ἐν οἷς τὰ παραπλήσια εἰρήκασιν οἱ τέσσαρες, Ματθαῖος Μάρκος Λουκᾶς Ἰωάννης· ὁ δεύτερος, ἐν ᾧ οἱ τρεῖς, Ματθαῖος Μάρκος Λουκᾶς· ὁ τρίτος, ἐν ᾧ οἱ τρεῖς, Ματθαῖος Λουκᾶς Ἰωάννης· ὁ τέταρτος, ἐν ᾧ οἱ τρεῖς, Ματθαῖος Μάρκος Ἰωάννης· ὁ πέμπτος, ἐν ᾧ οἱ δύο, Ματθαῖος Λουκᾶς· ὁ ἕκτος, ἐν ᾧ οἱ δύο, Ματθαῖος Μάρκος· ὁ ἕβδομος, ἐν ᾧ οἱ δύο, Ματθαῖος Ἰωάννης· ὁ ὄγδοος, ἐν ᾧ οἱ δύο, Λουκᾶς Μάρκος· ὁ ἔνατος, ἐν ᾧ οἱ δύο, Λουκᾶς Ἰωάννης· ὁ δέκατος, ἐν ᾧ ἕκαστος αὐτῶν περί τινων ἰδίως ἀνέγραψεν. αὕτη μὲν οὖν ἡ τῶν ὑποτεταγμένων κανόνων ὑπόθεσις, ἡ δὲ σαφὴς αὐτῶν διήγησίς ἐστιν ἥδε. ἐφ᾽ ἑκάστῳ τῶν τεσσάρων εὐαγγελίων ἀριθμός τις πρόκειται, κατὰ

Inscr. E–L Υποθεσις κανονων της των ευαγγελιστων συμφωνιας Ma Ἐυσεβίου κάνονες (*sic*) **3** *codd* – ο **13** vS των αριθμων (err. typ.) **23** Ma Scr L^{nunc} ∼ περί τινων ἕκ. αὐτ. ϛ–L^{36} Ln περὶ τίνων ἕκ. αὐτ. E – περι τινων **25** *cod* – εστιν **26/27** ϛ–L προκ. κ. μ., αρχ.

---

* Über die Kanontafeln des Euseb und seinen Brief an Karpian, welcher deren Anlage erklärt, ist das Notwendige bereits S. 34*f. ausgeführt worden.

* The Canon Tables of Eusebius and his letter to Carpian which explains their arrangement have already received due discussion on p. 69* above.

μέρος ἀρχόμενος ἀπὸ τοῦ πρώτου, εἶτα δευτέρου καὶ τρίτου, καὶ καθεξῆς προϊὼν δι' ὅλου μέχρι τοῦ τέλους τῶν βιβλίων. καθ' ἕκαστον δὲ ἀριθμὸν ὑποσημείωσις πρόκειται διὰ κινναβάρεως, δηλοῦσα ἐν ποίῳ τῶν δέκα κανόνων κείμενος ὁ ἀριθμὸς τυγχάνει. οἷον εἰ μὲν α', δῆλον ὡς ἐν τῷ πρώτῳ· εἰ δὲ β', ἐν τῷ δευτέρῳ· καὶ οὕτως μέχρι τῶν δέκα. εἰ οὖν ἀναπτύξας ἕν τι τῶν τεσσάρων εὐαγγελίων ὁποιονδήποτε βουληθείης ἐπιστῆσαί τινι ᾧ βούλει κεφαλαίῳ, καὶ γνῶναι τίνες τὰ παραπλήσια εἰρήκασιν, καὶ τοὺς οἰκείους ἐν ἑκάστῳ τόπους εὑρεῖν, ἐν οἷς κατὰ τῶν αὐτῶν ἠνέχθησαν, ἧς ἐπέχεις περικοπῆς ἀναλαβὼν τὸν προκείμενον ἀριθμόν, ἐπιζητήσας τε αὐτὸν ἔνδον ἐν τῷ κανόνι ὃν ἡ διὰ τοῦ κινναβάρεως ὑποσημείωσις ὑποβέβληκεν, εἴσῃ μὲν εὐθὺς ἐκ τῶν ἐπὶ μετώπου τοῦ κανόνος προγραφῶν ὁπόσοι τε καὶ τίνες περὶ οὗ ζητεῖς εἰρήκασιν· ἐπιστήσας δὲ καὶ τοῖς τῶν λοιπῶν εὐαγγελίων ἀριθμοῖς τοῖς ἐν τῷ κανόνι ᾧ ἐπέχεις ἀριθμῷ παρακειμένοις, ἐπιζητήσας τε αὐτοὺς ἔνδον ἐν τοῖς οἰκείοις ἑκάστου εὐαγγελίου τόποις, τὰ παραπλήσια λέγοντας αὐτοὺς εὑρήσεις.

---

27 E *cod* – του **28/29** E–Ln του βιβλιου **29/30** E δια του μελανος εγκειται ϛ–Ln ~ δια κινναβ. προκ. **32** ϛ–Ln ουτω καθεξης μ. **34** E–Ln επιστηναι | E τι **35/36** *cod* οικ. εκαστου **36** E το αυτο **38** E – εν **39** E μελανος | E μεν + ουν **40** E–Ln – τε **41** περι ου ζητ.] E–Ln τα παραπλησια **43** E αριθμος παρακειμενος | τε] E *cod* δε **45** E–Ln – αυτους | *fin* E ϛ *codd* + Ερρωσο εν Κυριω.

CANON I, IN QUO QUATTUOR

Mt	Mc	Lc	Ioh	Mt	Mc	Lc	Ioh	Mt	Mc	Lc	Ioh
8	2	7	10	98	96	116	120	220	129	261	88
11	4	10	6	98	96	116	129	244	139	250	141
11	4	10	12	98	96	116	131	244	139	250	146
11	4	10	14	98	96	116	144	274	156	260	20
11	4	10	28	133	37	77	109	274	156	260	48
14	5	13	15	141	50	19	59	274	156	260	96
23	27	17	46	142	51	21	35	276	158	74	98
23	27	34	46	147	64	93	49	280	162	269	122
23	27	45	46	166	82	94	17	284	165	266	55
70	20	37	38	166	82	94	74	284	165	266	63
87	139	250	141	209	119	234	100	284	165	266	65
87	139	250	146	211	121	238	21	284	165	266	67
98	96	116	40	220	122	239	77	289	170	275	126
98	96	116	111	220	129	242	85	291	172	279	156

I. 87^{2} *etc*] – E–Ma 98^{1-6}] E^{2} *in Joh* 120. 111. 40. 144. 129. 131, *it.* ϛ–Scr, *sed* – 144, *cf. can. X.* 166^{1} *etc*] – E^{2}; Ma *in Mc* 64, 220^{1-3}] E^{2} *in Joh* 85.88.77 220^{3}] ϛ–Scr *in Mc* 122

Mt	Mc	Lc	Ioh
294	175	281	161
295	176	282	42
295	176	282	57
300	181	285	79
300	181	285	158
302	183	287	160
304	184	289	170
306	187	290	162
306	187	290	174
310	191	297	69
313	194	294	172
314	195	291	166
314	195	291	168
315	196	292	175
318	199	300	176
320	200	302	178
320	200	302	180
325	204	310	184
326	205	311	188
326	205	313	194
328	206	314	196
331	209	315	197
332	210	318	197
334	212	321	201
335	214	324	199
336	215	317	198
336	215	319	198
343	223	329	204
348	227	332	206
349	228	333	208
352	231	336	209
352	231	336	211

CANON II, IN QUO TRES

Mt	Mc	Lc
15	6	15
21	10	32
31	102	185
32	39	79
32	39	133
50	41	56
62	13	4
62	13	24
63	18	33
67	15	26
69	47	83
71	21	38
72	22	39
72	22	186
73	23	40
74	49	85
76	52	169
79	29	86
80	30	44
82	53	87
82	53	110
83	54	87
83	54	112
85	55	88
85	55	114
88	141	148
88	141	251
92	40	80
94	86	97
94	86	146
103	1	70
114	24	41
116	25	42
116	25	165
116	25	177
121	32	127
122	33	129
123	34	147
130	35	82
131	36	76
135	38	78
137	44	167
143	57	90
144	59	12
149	66	35
149	66	43
153	69	36
164	79	144
168	83	95
168	83	206
170	85	96
172	87	98
174	91	99
176	93	101
178	95	102
178	95	217
179	99	197
190	105	195
192	106	216
193	107	121
193	107	218
194	108	152
194	108	219
195	109	220
198	110	221
199	111	173
201	112	222
203	114	270
205	116	224
206	117	232
208	118	233
217	127	240
219	128	241
223	130	243
225	134	245
226	133	244
229	135	137
229	135	246
242	137	237
242	137	248
243	138	249
248	143	209
248	143	253
249	144	254
251	146	255
253	148	204
258	150	257
259	151	258
264	155	156
269	154	228
271	42	230
278	160	263
281	163	268
285	166	265
285	166	267
296	177	280
296	177	284
301	182	286
308	189	305
312	193	299
316	197	293
317	198	295
322	202	309
338	218	322
339	219	325
340	220	327
342	222	323
344	224	328
346	225	330
353	232	337
354	233	338

$295^{1.2}$] E^{2} *in Joh* 57.42. $300^{1.2}$] E^{2} *in Joh* 158.79, *sed scribit* „ρθγ“ *pro* 79 320^{2} *etc*] – E–Scr, *cf. can. IV.* 352^{2}] ϛ *in Joh* 209

II. $32^{1.2}$] E–Scr *in Lc* 133.79 67] Ma *in Mc 35* 83^{1}] E^{3-5} *in Lc 88* $85^{1.2}$] E^{2} *in Lc* 114.88 $149^{1.2}$] E^{2} *in Lc* 43.35. 168^{2}] ϛ–L^{28} *in Lc 96* 178^{2}] Ma *in Lc 117* 201] Ma *in Lc 122* 229^{1}] E ϛ *in Lc 237* 264] M–L^{28} *in Lc 256*

CANON III, IN QUO TRES

Mt	Lc	Ioh	Mt	Lc	Ioh	Mt	Lc	Ioh	Mt	Lc	Ioh
1	14	1	64	65	37	111	119	148	112	119	87
1	14	3	90	58	118	112	119	8	112	119	90
1	14	5	90	58	139	112	119	44	112	119	142
7	6	2	97	211	105	112	119	61	112	119	154
7	6	25	111	119	30	112	119	76	146	92	47
59	63	116	111	119	114						

CANON IV, IN QUO TRES

Mt	Mc	Ioh	Mt	Mc	Ioh	Mt	Mc	Ioh	Mt	Mc	Ioh
18	8	26	204	115	135	279	161	72	307	188	164
117	26	93	216	125	128	279	161	121	321	201	192
117	26	95	216	125	133	287	168	152	323	203	183
150	67	51	216	125	137	293	174	107	329	207	185
161	77	23	216	125	150	297	178	70	329	207	187
161	77	53	277	159	98	299	180	103	333	211	203
204	115	91									

CANON V, IN QUO DUO

Mt	Lc	Mt	Lc	Mt	Lc	Mt	Lc	Mt	Lc	Mt	Lc
3	2	46	153	68	105	119	126	183	198	240	141
10	8	47	134	78	108	125	62	187	199	241	175
12	11	48	191	84	111	127	128	197	272	255	202
16	16	49	150	86	109	128	132	213	235	256	205
25	46	51	59	93	145	129	130	221	181	257	213
27	48	53	125	95	160	132	81	228	139	261	207
28	47	54	54	96	182	134	120	231	179	262	212
30	49	55	170	96	184	138	168	231	215	265	157
34	194	57	61	102	69	156	57	232	142	266	155
36	162	58	60	104	71	158	226	234	136	266	157
38	53	60	171	105	193	162	161	236	135	267	158
40	52	61	64	107	73	175	200	237	138	270	229
41	55	65	172	108	115	182	187	238	140	272	231
43	123	66	66	110	118	182	189				

III. 59] E$^{4.5}$ *54* 112$^{1-8}$] E^{2} *in Joh* 87. 44. 61. 76. 90. 8. 154. 142. 112^{1}] Ma *in Joh 5* 146] E$^{3-5}$ *in Lc 47 in Joh 97.*

IV. 216$^{1-4}$] E^{2} *in Joh* 150. 128. 137. 133 216^{1}] E$^{4.5}$ *in Mc 115* 279$^{1.2}$] E^{2} *in Joh* 121. 72 307 *etc*] + E–Scr 321. 201. 180, *cf. can. I.*

V. 27 *etc*] E–L^{28} *26. 47.* L^{36} Scr *26. 48* (*cf. et. can. X Mt*) 28 *etc*] E–L^{28} *in Lc 48* 102] ς *in Lc 160* 231^{1}] 𝕿𝖂 *in Lc 176* 231^{2}] E^{3} „σσλ" E$^{4.5}$ „σολ" 232] E$^{2-5}$ „οβ" 266^{2} *etc*] – E–L^{29} (*hab.* L^{36} Scr).

CANON VI, IN QUO DUO

Mt	Mc	Mt	Mc	Mt	Mc	Mt	Mc	Mt	Mc	Mt	Mc
9	3	145	60	165	80	224	131	275	157	309	190
17	7	148	65	169	84	246	140	282	164	311	192
20	9	152	68	173	89	247	142	286	167	330	208
22	11	154	71	180	100	250	145	288	169	337	217
44	126	157	72	189	103	252	147	290	171	341	221
77	63	159	73	202	113	254	149	292	173	347	226
100	98	160	76	214	120	260	152	298	179	350	229
139	45	163	78	215	124	263	153	305	185		

CANON VII, IN QUO DUO

Mt	Ioh	Mt	Ioh	Mt	Ioh	Mt	Ioh
5	83	19	32	120	82	207	101
19	19	19	34	185	215		

CANON VIII, IN QUO DUO

Lc	Mc	Lc	Mc	Lc	Mc	Lc	Mc	Lc	Mc
23	12	27	28	89	56	103	97	277	216
25	14	28	17	91	61	247	136	335	230
27	16	84	48	100	75				

CANON IX, IN QUO DUO

Lc	Ioh	Lc	Ioh	Lc	Ioh	Lc	Ioh	Lc	Ioh	Lc	Ioh
30	219	274	227	303	186	307	190	340	213	341	225
30	222	274	229	303	190	312	182	340	217		
262	113	274	231	307	182	312	186	341	221		
262	124	303	182	307	186	312	190	341	223		

CANON X, IN QUO MATTH. PROPRIE

2	33	56	106	136	181	210	235	319
4	35	75	109	140	184	212	239	324
6	37	81	113	151	186	218	245	327
13	39	89	115	155	188	222	268	345
24	42	91	118	167	191	227	273	351
26	45	99	124	171	196	230	283	355
29	52	101	126	177	200	233	303	

VI. 139] E 13*4* 275] E „σρε".

VII. 19[1]] M *in Joh* „εθ" 120] E[4.5] ϛ *in Joh* „βπ".

VIII. 335 *etc*] + E 340. 234, + ϛ–Scr 339. 235.

IX. 274[1.2]] E[2] *in Joh* 229. 227. 303[1]–312[3]] E[2] 303. 307. 312 *ter* 303[2] 307[2] 312[2]] E[3–5] *in Joh* „ρπξ" *ter* 340[2]] E 34*1* 341[2.3]] E 34*2 bis*.

X. Mt 26] E–Scr 2*7* 235] 𝕿 23*6*.

CANON X, IN QUO MARC. PROPRIE

19	43	58	70	81	90	94	104	132	213
31	46	62	74	88	92	101	123	186	

CANON X, IN QUO LUC. PROPRIE

1	31	106	149	176	201	236	278	308
3	50	107	151	178	203	252	283	316
5	51	113	154	180	208	256	288	320
9	67	117	159	183	210	259	296	326
18	68	122	163	188	214	264	298	331
20	72	124	164	190	223	271	301	334
22	75	131	166	192	225	273	304	339
29	104	143	174	196	227	276	306	342

CANON X, IN QUO IOH. PROPRIE

4	31	58	81	108	134	157	181	212
7	33	60	84	110	136	159	189	214
9	36	62	86	112	138	163	191	216
11	39	64	89	115	140	165	193	218
13	41	66	92	117	143	167	195	220
16	43	68	94	119	145	169	200	224
18	45	71	97	123	147	171	202	226
22	50	73	99	125	149	173	205	228
24	52	75	102	127	151	177	207	230
27	54	78	104	130	153	179	210	232
29	56	80	106	132	155			

Mc 213] + E 235, + ς–L^{28} 234, + L^{36} Scr 234. 236
Lc 339] *casu typogr. excidisse vid in* L^{36}, – Scr 342] E 34*3*
Joh 143] + (ς *in txt*) M–Scr 144, *cf. can. I.*

NOVI TESTAMENTI TEXTUS

⸢ΚΑΤΑ ΜΑΘΘΑΙΟΝ⸣

1 III **1** Βίβλος γενέσεως Ἰησοῦ Χριστοῦ υἱοῦ Δαυὶδ υἱοῦ 18 Gn 5,1; 22,18
Ἀβραάμ.
2 Ἀβραὰμ ἐγέννησεν τὸν Ἰσαάκ, Ἰσαὰκ δὲ ἐγέννη- *2–17:* L 3,23-38
σεν τὸν Ἰακώβ, Ἰακὼβ δὲ ἐγέννησεν τὸν Ἰούδαν καὶ 1 Chr 1,34 · Gn
τοὺς ἀδελφοὺς αὐτοῦ, **3** Ἰούδας δὲ ἐγέννησεν τὸν Φά- 25,26; · 29,35 *3-6a:* Rth 4,12.
ρες καὶ τὸν ⸀Ζάρα ἐκ τῆς Θαμάρ, Φάρες δὲ ἐγέννησεν 18-22 · 1 Chr 2, 4 s. 9 Gn 38,29 s
τὸν Ἑσρώμ, Ἑσρὼμ δὲ ἐγέννησεν τὸν Ἀράμ, **4** Ἀρὰμ *4-6a:* 1 Chr 2,
δὲ ἐγέννησεν τὸν Ἀμιναδάβ, Ἀμιναδὰβ δὲ ἐγέννησεν 10-12.15
τὸν Ναασσών, Ναασσὼν δὲ ἐγέννησεν τὸν Σαλμών,
5 Σαλμὼν δὲ ἐγέννησεν τὸν ⸀Βόες ἐκ τῆς Ῥαχάβ, ⸀Βόες Jos 2,1 H 11,31!
δὲ ἐγέννησεν τὸν Ἰωβὴδ ἐκ τῆς Ῥούθ, Ἰωβὴδ δὲ ἐγέν- Rth 4,13-17
νησεν τὸν Ἰεσσαί, **6** Ἰεσσαὶ δὲ ἐγέννησεν τὸν Δαυὶδ 1 Sm 17,12
τὸν βασιλέα.

Δαυὶδ δὲ ⸆ ἐγέννησεν τὸν Σολομῶνα ἐκ τῆς τοῦ Οὐ- *6b-11:* 1 Chr 3,5.
ρίου, **7** Σολομὼν δὲ ἐγέννησεν τὸν Ῥοβοάμ, Ῥοβοὰμ δὲ 10-16 2 Sm 12,24
ἐγέννησεν τὸν ⸀Ἀβιά, ⸀Ἀβιὰ δὲ ἐγέννησεν τὸν ⸂Ἀσάφ,
8 ⸂Ἀσὰφ δὲ ἐγέννησεν τὸν Ἰωσαφάτ, Ἰωσαφὰτ δὲ ἐγέννησεν τὸν Ἰωράμ, Ἰωρὰμ δὲ ἐγέννησεν ⸆ τὸν Ὀζίαν,
9 Ὀζίας δὲ ἐγέννησεν τὸν Ἰωαθάμ, Ἰωαθὰμ δὲ ἐγέννησεν τὸν ⸀Ἀχάζ, ⸀Ἀχὰζ δὲ ἐγέννησεν τὸν Ἑζεκίαν,
10 Ἑζεκίας δὲ ἐγέννησεν τὸν ⸀Μανασσῆ, ⸂Μανασσῆς δὲ
ἐγέννησεν τὸν ⸀¹Ἀμώς, ⸀¹Ἀμὼς δὲ ἐγέννησεν τὸν Ἰωσίαν,

Inscriptio: ⸢ευαγγελιον κ. Ματθ. (Μαθθ. W) D W f^{13} 𝔐 ¦ αγιον ευ. κ. Μ. f^{1} *al* ¦ αρχη συν θεω του κ. Μ. ευ-ου 1241 *al* ¦ εκ του κ. Μ. L *al* ¦ *txt* (א B)

¶ **1,3** ⸀Ζαρε 𝔓^{1} B mae ● **5** ⸀*bis* Βοοζ L (W) $f^{1.13}$ 𝔐 lat sy^{p} ¦ Βοος C (D^{luc}) 33 *pc* g^{1} ¦ *txt* 𝔓^{1} א B k co ● **6** ⸆ο βασιλευς C L W 𝔐 lat sy^{h} ¦ *txt* 𝔓^{1} א B Γ $f^{1.13}$ 700 *pc* g^{1} k vg^{mss} sy$^{s.c.p}$ co ● **7/8** ⸀*bis* Αβιουδ (D^{luc}) f^{13} *pc* it (sy^{hmg}) | ⸂*bis* Ασα L W 𝔐 (a) f ff^{1} vg sy ¦ *txt* 𝔓^{1vid} א B C (D^{luc}) $f^{1.13}$ 700 *pc* it co | ⸆τον Οχοζιαν, Ο-ιας δε εγενν. τον Ιωας, Ι. δε εγενν. τον Αμασιαν, Α-ιας δε εγενν. (D^{luc}) sy^{c} ● **9** ⸀*bis* Αχας א(* -αζ^{1}) C (D^{luc}) g^{1} (k) q ¦ *txt* B L W Θ $f^{1.13}$ 𝔐 lat ● **10** ⸀Μ-σσην Δ *pc* | ⸂Μ-σση א^{1} B | ⸀¹*bis* Αμων L W f^{13} 𝔐 lat sy mae ¦ *txt* א B C (D^{luc}) Γ Δ Θ f^{1} 33 *pc* it vg^{mss} sa bo

Esr 1,32 𝔊 **11** Ἰωσίας δὲ ἐγέννησεν ⸆ τὸν Ἰεχονίαν καὶ τοὺς ἀδελφοὺς αὐτοῦ ἐπὶ τῆς μετοικεσίας Βαβυλῶνος.
1 Chr 3,17 **12** Μετὰ δὲ τὴν μετοικεσίαν Βαβυλῶνος Ἰεχονίας ἐγέν-
1 Chr 3,19 𝔊 Esr 3,2 νησεν τὸν Σαλαθιήλ, Σαλαθιὴλ δὲ ἐγέννησεν τὸν Ζορο-
βαβέλ, **13** Ζοροβαβὲλ δὲ ἐγέννησεν τὸν Ἀβιούδ, Ἀβιοὺδ
δὲ ἐγέννησεν τὸν Ἐλιακίμ, Ἐλιακὶμ δὲ ἐγέννησεν τὸν
Ἀζώρ, **14** Ἀζὼρ δὲ ἐγέννησεν τὸν Σαδώκ, Σαδὼκ δὲ ἐγέννησεν τὸν Ἀχίμ, Ἀχὶμ δὲ ἐγέννησεν τὸν Ἐλιούδ, **15** Ἐ-
λιοὺδ δὲ ἐγέννησεν τὸν Ἐλεάζαρ, Ἐλεάζαρ δὲ ἐγέννησεν
τὸν Ματθάν, Ματθὰν δὲ ἐγέννησεν τὸν Ἰακώβ, **16** Ἰακὼβ
L 1,27 δὲ ἐγέννησεν τὸν Ἰωσὴφ ⸂τὸν ἄνδρα Μαρίας, ἐξ ἧς ἐγεν-
27,17! νήθη Ἰησοῦς ὁ λεγόμενος χριστός⸃.
17 Πᾶσαι οὖν αἱ γενεαὶ ἀπὸ Ἀβραὰμ ἕως Δαυὶδ γενεαὶ 2 X
δεκατέσσαρες, καὶ ἀπὸ Δαυὶδ ἕως τῆς μετοικεσίας Βαβυλῶνος γενεαὶ δεκατέσσαρες, καὶ ἀπὸ τῆς μετοικεσίας
Βαβυλῶνος ἕως τοῦ Χριστοῦ γενεαὶ δεκατέσσαρες.

18–25: L 2,1-7 **18** Τοῦ δὲ ⸂Ἰησοῦ Χριστοῦ⸃ ἡ ⸀γένεσις οὕτως ἦν. μνη- 3 V
L 1,27 στευθείσης τῆς μητρὸς αὐτοῦ Μαρίας τῷ Ἰωσήφ, πρὶν
20 L 1,35 ἢ συνελθεῖν αὐτοὺς εὑρέθη ἐν γαστρὶ ἔχουσα ἐκ πνεύματος ἁγίου. **19** Ἰωσὴφ δὲ ὁ ἀνὴρ αὐτῆς, δίκαιος ὢν 4 X
καὶ μὴ θέλων αὐτὴν ⸀δειγματίσαι, ἐβουλήθη λάθρᾳ
2,13.19 ἀπολῦσαι αὐτήν. **20** ταῦτα δὲ αὐτοῦ ἐνθυμηθέντος ἰδοὺ
ἄγγελος κυρίου κατ' ὄναρ ἐφάνη αὐτῷ λέγων· Ἰωσὴφ
υἱὸς Δαυίδ, μὴ φοβηθῇς παραλαβεῖν ⸀Μαρίαν τὴν
γυναῖκά σου· τὸ γὰρ ἐν αὐτῇ γεννηθὲν ἐκ πνεύματός
18! | Gn 17,19 ἐστιν ἁγίου. **21** τέξεται δὲ ⸆ υἱόν, καὶ καλέσεις τὸ ὄνομα
L 1,31; 2,21 αὐτοῦ Ἰησοῦν· αὐτὸς γὰρ σώσει τὸν ⸂λαὸν αὐτοῦ⸃ ἀπὸ
Ps 130,8 Act 4,12 τῶν ἁμαρτιῶν αὐτῶν. **22** τοῦτο δὲ ὅλον γέγονεν ἵνα

11 ⸆ τον Ιωακιμ, Ι. δε εγενν. M Θ f^{1} 33 *al* sy^{h**}; (Ir^{lat}) ¦ (*ord. invers.* του Ιεχονιου του Ιωακιμ του Ελιακιμ *add.* D^{luc}, *i. e.* L 3,23-31) ● **16** ⸂ω μνηστευθεισα παρθενος (– q), Μαριαμ εγενν. Ιησουν τον λεγομενον χριστον Θ f^{13} it ¦ , Ιωσηφ, ω μν-θεισα ην Μ. παρθ., εγενν. Ι. τ. λ. χρ. sy^{s} ¦ ω μν. ην Μ. παρθ., ἣ ετεκεν Ι. χρ. sy^{c} ¦ τον μν-σαμενον Μ-μ (ω μν-θεισα Μ. $Dial^{2}$), εξ ης εγεννηθη ο χριστος ο υιος του θεου (Ι. ο λεγ. χρ. $Dial^{2}$) Dial. Tim. et $Aqu.^{2 et 3}$ ¦ *ut txt, sed* + και Ιωσηφ εγενν. τ. Ι. τ. λεγ. χρ. $Dial^{1}$ ¦ *txt* $𝔓^{1}$ א B C L W (f^{1}) 𝔐 aur f ff^{1} vg $sy^{p.h}$ co ● **18** ⸂*2 1* B ¦ *1* W ¦ *2 pc* latt $sy^{s.c}$; Ir | ⸀γεννησις L f^{13} 𝔐; Ir Or ¦ *txt* $𝔓^{1}$ א B C P W Z Δ Θ f^{1} *pc*; Eus ● **19** ⸀παραδ- $א^{*.2}$ C L W Θ f^{13} 𝔐 ¦ *txt* $א^{1}$ B Z f^{1} ● **20** ⸀Μαριαμ א C D W Z Θ f^{13} 𝔐; Eus ¦ *txt* B L f^{1} 1241 *pc* ● **21** ⸆ σοι $sy^{s.c}$ | ⸂κοσμον sy^{c}

πληρωθῇ τὸ ῥηθὲν ὑπὸ ⸆ κυρίου διὰ ⸆¹ τοῦ προφήτου
λέγοντος·
23 *ἰδοὺ ἡ παρθένος ἐν γαστρὶ ἕξει καὶ τέξεται υἱόν,* *Is 7,14* 𝔊
καὶ ⸀καλέσουσιν τὸ ὄνομα αὐτοῦ Ἐμμανουήλ,
ὅ ἐστιν μεθερμηνευόμενον *μεθ' ἡμῶν ὁ θεός.* 24 ⸀ἐγερθεὶς *Is 8,8.10* 𝔊 R 8,31
δὲ ° ὁ Ἰωσὴφ ἀπὸ τοῦ ὕπνου ἐποίησεν ὡς προσέταξεν αὐ-
τῷ ὁ ἄγγελος κυρίου καὶ παρέλαβεν τὴν γυναῖκα αὐτοῦ,
25 καὶ ⸋οὐκ ἐγίνωσκεν αὐτὴν ἕως °οὗ⸌ ἔτεκεν ⸀υἱόν· καὶ
ἐκάλεσεν τὸ ὄνομα αὐτοῦ Ἰησοῦν.
1 **2** Τοῦ δὲ Ἰησοῦ γεννηθέντος ἐν Βηθλέεμ τῆς Ἰουδαίας L 2,1-7 · Jdc 19,1s
ἐν ἡμέραις Ἡρῴδου τοῦ βασιλέως, ἰδοὺ μάγοι ἀπὸ
ἀνατολῶν παρεγένοντο εἰς Ἱεροσόλυμα 2 λέγοντες· ποῦ
ἐστιν ὁ τεχθεὶς βασιλεὺς τῶν Ἰουδαίων; εἴδομεν γὰρ αὐτοῦ
τὸν ἀστέρα ἐν τῇ ἀνατολῇ καὶ ἤλθομεν προσκυνῆσαι αὐτῷ. Nu 24,17 2Pt 1,19 Ap 22,16
3 ἀκούσας δὲ ὁ βασιλεὺς Ἡρῴδης ἐταράχθη καὶ °πᾶσα 21,10
Ἱεροσόλυμα μετ' αὐτοῦ, 4 καὶ συναγαγὼν πάντας τοὺς ἀρχιερεῖς καὶ γραμματεῖς τοῦ λαοῦ ἐπυνθάνετο ⸋παρ' αὐτῶν⸌·
5 VII ποῦ ὁ χριστὸς γεννᾶται⁚¹. 5 οἱ δὲ εἶπαν αὐτῷ· ἐν Βηθλέεμ
τῆς Ἰουδαίας· οὕτως γὰρ γέγραπται διὰ τοῦ προφήτου· J 7,42
6 *καὶ σὺ Βηθλέεμ*⸂, γῆ Ἰούδα⸃, *Mch 5,1.3*
οὐδαμῶς *ἐλαχίστη εἶ ἐν τοῖς ἡγεμόσιν Ἰούδα·*
ἐκ σοῦ γὰρ ἐξελεύσεται ἡγούμενος,
ὅστις ποιμανεῖ τὸν λαόν μου τὸν Ἰσραήλ. *2Sm 5,2 1Chr 11,2*
6 X 7 Τότε Ἡρῴδης λάθρᾳ καλέσας τοὺς μάγους ἠκρίβωσεν 16
παρ' αὐτῶν τὸν χρόνον τοῦ φαινομένου ἀστέρος, 8 καὶ
πέμψας αὐτοὺς εἰς Βηθλέεμ εἶπεν· πορευθέντες ⸉ἐξετάσατε
ἀκριβῶς⸊ περὶ τοῦ παιδίου· ἐπὰν δὲ εὕρητε, ἀπαγγείλατέ
μοι, ὅπως κἀγὼ ἐλθὼν προσκυνήσω αὐτῷ. 9 οἱ δὲ ἀκούσαντες τοῦ βασιλέως ἐπορεύθησαν καὶ ἰδοὺ ὁ ἀστήρ, ὃν
εἶδον ἐν τῇ ἀνατολῇ, προῆγεν αὐτούς, ἕως ἐλθὼν ⸀ἐστάθη
ἐπάνω ⸂οὗ ἦν τὸ παιδίον⸃. 10 ἰδόντες δὲ τὸν ἀστέρα ἐχά- Is 39,2 Jon 4,6

22 ⸆ του L 𝔐 ¦ *txt* ℵ B C D W Z Δ 071 $f^{1.13}$ 33. 892^{vid} *pc* | ⸆¹ Ησαιου D *pc* it sy$^{s.(c).h}$ sa^{ms} • 23 ⸀(*cf* Is 7,14) -σεις D *pc* (ff^{1}) bo^{mss}; Or Eus • 24 ⸀διεγ- C^{3} D L W 087 f^{13} 𝔐 ¦ *txt* ℵ B C* Z 071 f^{1} *pc* | ° ℵ K Z Γ Δ f^{13} 28. 565. (700). 1241 *al* ¦ *txt* B C D L W f^{1} 𝔐 • 25 ⸋ k sy^{s} | ° B* | ⸀αυτω υιον sy^{s}? ¦ (L 2,7) τον υ. αυτης (– D^{2} L d q) τον πρωτοτοκον C D L W 087 𝔐 aur f ff^{1} vg sy$^{p.h}$ ¦ *txt* ℵ B Z^{vid} 071^{vid} $f^{1.13}$ 33 *pc* it mae (sy^{c} sa bo)

¶ 2,3 ° D • 4 ⸋ D Γ *pc* | [⁚ · et ⁚¹ ;] • 6 ⸂της Ιουδαιας D *pc* it sy$^{s.c.p}$; Ir^{arm} ¦ γη των Ιουδαιων ff^{1} bo$^{ms(s)}$ • 8 ⸉ C^{3} L W 0233 𝔐 ¦ *txt* ℵ B C* D $f^{1.13}$ 33^{vid} *pc* • 9 ⸀εστη L W 0233 f^{13} 𝔐 ¦ *txt* ℵ B C D f^{1} 33 *pc* | ⸂του παιδιου D it

L 2,10 ρησαν χαρὰν μεγάλην σφόδρα. **11** καὶ ἐλθόντες εἰς τὴν
οἰκίαν ⸀εἶδον τὸ παιδίον μετὰ Μαρίας τῆς μητρὸς αὐτοῦ,
Ps 72,10s. 15 καὶ πεσόντες προσεκύνησαν αὐτῷ καὶ ἀνοίξαντες τοὺς θη-
Is 60,6 σαυροὺς αὐτῶν προσήνεγκαν αὐτῷ δῶρα, χρυσὸν καὶ λί-
22 βανον καὶ σμύρναν. **12** καὶ χρηματισθέντες κατ'
1 Rg 13,9s ὄναρ μὴ ἀνακάμψαι πρὸς Ἡρῴδην, δι' ἄλλης ὁδοῦ ἀνεχώ-
ρησαν εἰς τὴν χώραν αὐτῶν.
1,20! **13** Ἀναχωρησάντων δὲ αὐτῶν ⸆ ἰδοὺ ἄγγελος κυρίου
⸂φαίνεται κατ' ὄναρ⸃ τῷ Ἰωσὴφ λέγων· ἐγερθεὶς παράλαβε
1 Rg 11,40 Jr 26,21-23 · Ap 12,4-6 τὸ παιδίον καὶ τὴν μητέρα αὐτοῦ καὶ φεῦγε εἰς Αἴγυπτον
Ex 2,15 καὶ ἴσθι ἐκεῖ ἕως ἂν εἴπω σοι· μέλλει γὰρ Ἡρῴδης ζητεῖν
21 τὸ παιδίον τοῦ ἀπολέσαι αὐτό. **14** ὁ δὲ ἐγερθεὶς παρέλαβεν
τὸ παιδίον καὶ τὴν μητέρα αὐτοῦ νυκτὸς καὶ ἀνεχώρησεν
εἰς Αἴγυπτον, **15** καὶ ἦν ἐκεῖ ἕως τῆς τελευτῆς Ἡρῴδου·
ἵνα πληρωθῇ τὸ ῥηθὲν ὑπὸ κυρίου διὰ ⸆ τοῦ προφήτου
λέγοντος·
Hos 11,1 Nu 23,22; 24,8 *ἐξ Αἰγύπτου ἐκάλεσα τὸν υἱόν μου.*
16 Τότε Ἡρῴδης ἰδὼν ὅτι ἐνεπαίχθη ὑπὸ τῶν μάγων *2*
ἐθυμώθη λίαν, καὶ ἀποστείλας ἀνεῖλεν πάντας τοὺς παῖδας τοὺς ἐν Βηθλέεμ καὶ ἐν πᾶσι τοῖς ὁρίοις αὐτῆς ἀπὸ
7 ⸂διετοῦς καὶ κατωτέρω⸃, κατὰ τὸν χρόνον ὃν ἠκρίβωσεν
παρὰ τῶν μάγων. **17** τότε ἐπληρώθη τὸ ῥηθὲν ⸆ διὰ Ἰερε-
μίου τοῦ προφήτου λέγοντος·
Jr 31,15 **18** *φωνὴ ἐν Ῥαμὰ ἠκούσθη,*
Gn 35,19 ⸆*κλαυθμὸς καὶ ὀδυρμὸς* πολύς·
Ῥαχὴλ κλαίουσα τὰ τέκνα αὐτῆς,
καὶ οὐκ ἤθελεν παρακληθῆναι,
ὅτι οὐκ εἰσίν.
1,20! **19** Τελευτήσαντος δὲ τοῦ Ἡρῴδου ἰδοὺ ἄγγελος κυρίου
⸉φαίνεται κατ' ὄναρ⸊ τῷ Ἰωσὴφ ἐν Αἰγύπτῳ **20** λέγων·
ἐγερθεὶς παράλαβε τὸ παιδίον καὶ τὴν μητέρα αὐτοῦ καὶ
Ex 4,19 πορεύου εἰς γῆν Ἰσραήλ· τεθνήκασιν γὰρ οἱ ζητοῦντες τὴν
14 ψυχὴν τοῦ παιδίου. **21** ὁ δὲ ἐγερθεὶς παρέλαβεν τὸ παιδίον

11 ⸀ευρον 474 *al* lat ● **13** ⸆ (12) εις την χωραν αυτων B | ⸂ (19 *v. l.*) *2 3 1* C K 33. 700. 892 *pc* ¦ (1,20) κατ οναρ εφανη B sa mae ● **15** ⸆ του στοματος Ησαιου sy^{s} ● **16** ⸂ διετιας και κατω D* latt ● **17** ⸆ υπο κυριου D aur ● **18** ⸆ (Jr 38,15 𝔊) θρηνος και C D L W 0233 f^{13} 𝔐 $sy^{s.c.h}$ ¦ *txt* ℵ B Z 0250 f^{1} *pc* lat sy^{p} co ● **19** ⸉ C L W 0233 𝔐 ¦ *txt* ℵ B D Z 0250 $f^{1.13}$ *pc*

καὶ τὴν μητέρα αὐτοῦ καὶ ⸀εἰσῆλθεν εἰς γῆν Ἰσραήλ.
22 Ἀκούσας δὲ ὅτι Ἀρχέλαος βασιλεύει τῆς Ἰουδαίας
ἀντὶ ⸉τοῦ πατρὸς αὐτοῦ Ἡρῴδου⸊ ἐφοβήθη ἐκεῖ ἀπελθεῖν·
χρηματισθεὶς δὲ κατ' ὄναρ ἀνεχώρησεν εἰς τὰ μέρη τῆς 12
Γαλιλαίας, **23** καὶ ἐλθὼν κατῴκησεν εἰς πόλιν λεγομένην
⸀Ναζαρέτ· ὅπως πληρωθῇ τὸ ῥηθὲν διὰ τῶν προφητῶν L 1,26; 2,39.51; 4,16
ὅτι Ναζωραῖος κληθήσεται. Jdc 13,5; 16,17 Is 11,1 L 18,37

3 7 III **3** Ἐν ⸰δὲ ταῖς ἡμέραις ἐκείναις παραγίνεται Ἰωάννης *1-6:* Mc 1,2-6 L 3,1-6 J 1,19-23
ὁ βαπτιστὴς κηρύσσων ἐν τῇ ἐρήμῳ τῆς Ἰουδαίας L 1,80
2 ⸰[καὶ] λέγων· μετανοεῖτε· ἤγγικεν γὰρ ἡ βασιλεία τῶν 4,17p; 10,7p
οὐρανῶν.
8 I **3** οὗτος γάρ ἐστιν ὁ ῥηθεὶς διὰ Ἠσαΐου τοῦ προφήτου
λέγοντος·

⸋*φωνὴ βοῶντος ἐν τῇ ἐρήμῳ·*⸌ *Is 40,3* ⓖ
ἑτοιμάσατε τὴν ὁδὸν κυρίου,
⸋[1] *εὐθείας ποιεῖτε τὰς τρίβους* αὐτοῦ.⸌

9 VI **4** αὐτὸς δὲ ὁ Ἰωάννης εἶχεν τὸ ἔνδυμα αὐτοῦ ἀπὸ τριχῶν
καμήλου καὶ ζώνην δερματίνην περὶ τὴν ὀσφὺν αὐτοῦ, ἡ 2Rg 1,8
δὲ τροφὴ ἦν αὐτοῦ ἀκρίδες καὶ μέλι ἄγριον. **5** Τότε Lv 11,21s
ἐξεπορεύετο πρὸς αὐτὸν Ἱεροσόλυμα καὶ πᾶσα ἡ Ἰουδαία 11,7ss
καὶ πᾶσα ἡ περίχωρος τοῦ Ἰορδάνου, **6** καὶ ἐβαπτίζοντο
ἐν τῷ Ἰορδάνῃ ⸰ποταμῷ ὑπ' αὐτοῦ ἐξομολογούμενοι τὰς
ἁμαρτίας αὐτῶν.
10 V **7** Ἰδὼν δὲ πολλοὺς τῶν Φαρισαίων καὶ Σαδδουκαίων *7-10:* L 3,7-9
ἐρχομένους ἐπὶ τὸ βάπτισμα ⸰αὐτοῦ εἶπεν αὐτοῖς· γεννή- 12,34; 23,33 Gn 3,15
ματα ἐχιδνῶν, τίς ὑπέδειξεν ὑμῖν φυγεῖν ἀπὸ τῆς μελλού- H 2,3 · L 21,23
σης ὀργῆς; **8** ποιήσατε οὖν καρπὸν ἄξιον τῆς μετανοίας R 1,18! 1Th 1,10 E 5,6! Kol 3,6 | Act 26,20
9 καὶ μὴ δόξητε λέγειν ⸋ἐν ἑαυτοῖς⸌· πατέρα ἔχομεν τὸν R 2,17-29; 4,12
Ἀβραάμ. λέγω γὰρ ὑμῖν ὅτι δύναται ὁ θεὸς ἐκ τῶν λί- G 3,7 L 3,8!
θων τούτων ἐγεῖραι τέκνα τῷ Ἀβραάμ. **10** ἤδη δὲ ⸆ ἡ

21 ⸀ηλθεν D L W 0233. 0250 *f*[1.13] 𝔐 ¦ επανηλ- sa; Eus ¦ *txt* ℵ B C *pc* ● **22** ⸉ *4 1–3* C[3] D L 0233 .0250 *f*[1.13] 𝔐 latt ¦ *txt* ℵ B C* W ● **23** ⸀† -ρεθ C K N W Γ (Δ) 0233[vl]. 0250 *f*[(1).13] 28. 565 *pm* lat co ¦ -ρα 𝔓[70vid] ¦ *txt* ℵ B D L 33. 700. 892. 1241. 1424 *pm*
¶ **3,1** ⸰D K L N[vid] Γ Δ 28. 565. 700. 1010 *pm* it sy[s] bo[pt] ¦ *txt* ℵ B C W 0233 *f*[1.13] 33. 892. 1241. 1424 *pm* lat sy[p.h] sa mae bo[pt] ● **2** ⸰† ℵ B 28 q ¦ *txt* C D L W 0233 *f*[1.13] 𝔐 lat sy ● **3** ⸋ sy[s] *et* ⸋[1] k sy[s] ● **6** ⸰ C[3] D L *f*[13] 𝔐 lat mae ¦ *txt* ℵ B C* W Δ 0233 *f*[1] 33.1424 *al* q sy sa bo ● **7** ⸰† ℵ* B 28 sa mae; Or ¦ *txt* ℵ[1] C D L W 0233 *f*[1.13] 𝔐 latt sy[s.c.h] bo ● **9** ⸋ b c f g[1] sy[s]; Or Chr ● **10** ⸆*p)* και L *f*[13] 𝔐 sy[h] ¦ *txt* ℵ B C D[s] W Δ 0233 *f*[1] 700 *pc* co

7,19 L 13,6-9! ἀξίνη πρὸς τὴν ῥίζαν τῶν δένδρων κεῖται· πᾶν οὖν δέν-
13,40 J 15,6 δρον μὴ ποιοῦν καρπὸν °καλὸν ἐκκόπτεται καὶ εἰς πῦρ
βάλλεται.
11s: Mc 1,7s L 3,15-18 J 1,24-28 Act 1,5!; 13,24s · 11,3p!; 21,9p; 23,39p J 1,15! 11,27 Act 19,4 H 10,37 Ap 1,4 · Act 2,3s Am 7,4 **11** Ἐγὼ μὲν ὑμᾶς βαπτίζω ἐν ὕδατι εἰς μετάνοιαν, ὁ δὲ 11 I
⸋ὀπίσω μου⸌ ἐρχόμενος ἰσχυρότερός μού ἐστιν, οὗ οὐκ
εἰμὶ ἱκανὸς τὰ ὑποδήματα βαστάσαι· αὐτὸς ὑμᾶς βαπτίσει
ἐν πνεύματι ἁγίῳ καὶ πυρί· **12** οὗ τὸ πτύον ἐν τῇ χειρὶ αὐ- 12 V
τοῦ καὶ διακαθαριεῖ τὴν ἅλωνα αὐτοῦ καὶ συνάξει τὸν σῖ-
13,30 τον ⸂αὐτοῦ εἰς τὴν ἀποθήκην⸃, τὸ δὲ ἄχυρον κατακαύσει
Mc 9,43 πυρὶ ἀσβέστῳ.
13-17: Mc 1,9-11 L 3,21s J 1,29-34 **13** Τότε παραγίνεται ὁ Ἰησοῦς ἀπὸ τῆς Γαλιλαίας ἐπὶ 13 X
τὸν Ἰορδάνην πρὸς τὸν Ἰωάννην τοῦ βαπτισθῆναι ὑπ᾽ αὐ-
τοῦ. **14** ὁ δὲ °Ἰωάννης διεκώλυεν αὐτὸν λέγων· ἐγὼ χρείαν ἔχω ὑπὸ σοῦ βαπτισθῆναι, καὶ σὺ ἔρχῃ πρός με;
15 ἀποκριθεὶς δὲ ὁ Ἰησοῦς εἶπεν ⸂πρὸς αὐτόν⸃· ἄφες ἄρτι,
5,17 οὕτως γὰρ πρέπον ἐστὶν ἡμῖν πληρῶσαι πᾶσαν δικαιοσύνην. τότε ἀφίησιν αὐτόν⸆. **16** βαπτισθεὶς δὲ ὁ Ἰησοῦς 14 I
Ez 1,1 Act 10,11! ⸂εὐθὺς ἀνέβη⸃ ἀπὸ τοῦ ὕδατος· καὶ ἰδοὺ ἠνεῴχθησαν
1P 4,14 Is 11,2 °[αὐτῷ] οἱ οὐρανοί, καὶ εἶδεν °¹[τὸ] πνεῦμα °¹[τοῦ] θεοῦ
⸉καταβαῖνον ὡσεὶ⸊ περιστερὰν °²[καὶ] ἐρχόμενον ἐπ᾽ αὐ-
J 12,28 · 12,18; 17,5 Gn 22,2 Ps 2,7 Is 42,1; 62,4 Jr 31,20 τόν· **17** καὶ ἰδοὺ φωνὴ ἐκ τῶν οὐρανῶν λέγουσα⸆· ⸂οὗτός
ἐστιν⸃ ὁ υἱός μου ὁ ἀγαπητός, ἐν ᾧ εὐδόκησα.
1-11: Mc 1,12s L 4,1-13 H 4,15! **4** Τότε °ὁ Ἰησοῦς ἀνήχθη ⸂εἰς τὴν ἔρημον ὑπὸ τοῦ 15 II
πνεύματος πειρασθῆναι ὑπὸ τοῦ διαβόλου⸃. **2** καὶ νη- 16 V
Ex 34,28 Dt 9,9 1Rg 19,8 στεύσας ἡμέρας τεσσεράκοντα ⸂καὶ νύκτας τεσσεράκον-
Gn 3,1-7 1Th 3,5 τα⸃, ὕστερον ἐπείνασεν. **3** καὶ προσελθὼν ⸂ὁ πειράζων
6; 27,40.43p Ps 2,7 εἶπεν αὐτῷ⸃· εἰ υἱὸς εἶ τοῦ θεοῦ, εἰπὲ ἵνα οἱ λίθοι οὗτοι

10 ° sy^s; Ir ● **11** ⸋ a d sa^mss; Cyp ● **12** ⸂ *1–4 1* B W*pc* ¦ *2–4 1* L 892.1424 *al* b ff¹ g¹ sy mae ¦ *2–4* *f*¹³ *pc* a q; (Did) ¦ *txt* ℵ C D^s 0233 *f*¹ 𝔐 lat sa bo ● **14** ° † ℵ* B sa; Eus ¦ *txt* ℵ¹ C D^s L W 0233. 0250 *f*^1.13 𝔐 lat(t) sy mae bo ● **15** ⸂ † αυτω B *f*¹³ *pc* ¦ – 0250 sa^ms bo^ms ¦ *txt* 𝔓⁶⁷ ℵ C D^s L W 0233 *f*¹ 𝔐 | ⸆ βαπτισθηναι sy^s.(c) ¦ et cum baptizaretur lumen ingens circumfulsit de aqua, ita ut timerent omnes qui advenerant a (g¹) ● **16** ⸂ *2 1* C L (0233) *f*¹³ 𝔐 d h sy^h ¦ *2 pc* sy^s ¦ *txt* ℵ B D^s W *f*¹ 33^vid *pc* lat sy^p | ° † ℵ* B vg^mss sy^s.c sa; Ir^lat CyrJ ¦ *txt* ℵ¹ C D^s L W 0233 *f*^1.13 𝔐 lat sy^p.h mae bo | °¹ *bis* † ℵ B ¦ *txt* C D^s L W 0233 *f*^1.13 𝔐 | ⸉ καταβαινοντα εκ του ουρανου ως D *pc* it vg^mss (sy^h) | °² † ℵ* B lat ¦ *txt* ℵ² C D L W 0233 *f*^1.13 𝔐 f l vg^cl sy ● **17** ⸆ προς αυτον D a b g¹ h sy^s.c? | ⸂*p)* συ ει D a sy^s.c

¶ **4,1** ° B Δ 700 *pc* | ⸂ *4–6 1–3 7–10* ℵ K 892. 1424 *pc* sy^s.(c.p) ¦ *1–3 7 4–6* 713 ¦ *txt* B C D L W 0233 *f*^1.13 𝔐 latt sy^h sa ● **2** ⸂ † *1 3 2* ℵ D 892 ¦ *p)* – *f*¹ *pc* sy^c; Ir ¦ *txt* B C L W 0233 *f*¹³ 𝔐 sy^h ● **3** ⸂ *4 1–3* C L 0233 𝔐 f (k) sy^h ¦ *4 1–4* (D it) sy^s.c sa? ¦ *txt* ℵ B W *f*^1.13 33. 700. 892^vid *al* aur ff¹ l vg sy^p mae bo

ἄρτοι γένωνται. **4** ὁ δὲ ἀποκριθεὶς εἶπεν· γέγραπται· *οὐκ* *Dt 8,3;* Sap 16,26
ἐπ' ἄρτῳ μόνῳ ζήσεται ὁ ἄνθρωπος, ἀλλ' ⸀*ἐπὶ παντὶ ῥήματι*
⸋*ἐκπορευομένῳ διὰ στόματος*⸌ *θεοῦ.*
5 Τότε παραλαμβάνει αὐτὸν ὁ διάβολος εἰς τὴν ἁγίαν 27,53 Is 48,2; 52,1 Dn 3,28 𝔊; 9,24
πόλιν καὶ ⸀ἔστησεν αὐτὸν ἐπὶ τὸ πτερύγιον τοῦ ἱεροῦ Ap 11,2; 21,2.10; 22,19 · Dn 9,27 |
6 καὶ λέγει αὐτῷ· εἰ υἱὸς εἶ τοῦ θεοῦ, βάλε σεαυτὸν ⸆ κά- 3!
τω· γέγραπται γὰρ ὅτι

τοῖς ἀγγέλοις αὐτοῦ ἐντελεῖται περὶ σοῦ *Ps 91,11s*
καὶ *ἐπὶ χειρῶν ἀροῦσίν σε,*
μήποτε προσκόψῃς πρὸς λίθον τὸν πόδα σου.

7 ἔφη αὐτῷ ὁ Ἰησοῦς· πάλιν γέγραπται· ⸂*οὐκ ἐκπειράσεις*⸃ *Dt 6,16* 𝔊 Is 7,12 1K 10,9 Act 15,10
κύριον τὸν θεόν σου.
8 Πάλιν παραλαμβάνει αὐτὸν ὁ διάβολος εἰς ὄρος ὑψη- Dt 3,27; 34,1 Ap 21,10
λὸν λίαν καὶ δείκνυσιν αὐτῷ πάσας τὰς βασιλείας τοῦ
κόσμου καὶ τὴν δόξαν αὐτῶν **9** καὶ ⸀εἶπεν αὐτῷ· ταῦτά σοι
πάντα δώσω, ἐὰν πεσὼν προσκυνήσῃς μοι. **10** τότε λέγει 16,26
αὐτῷ ὁ Ἰησοῦς· ὕπαγε⸆, σατανᾶ· γέγραπται γάρ· *κύριον* 16,23 · *Dt 6,13* 𝔊 *10,20*; 32,43 𝔊
τὸν θεόν σου προσκυνήσεις καὶ αὐτῷ μόνῳ λατρεύσεις.
17 VI **11** Τότε ἀφίησιν αὐτὸν ὁ διάβολος, καὶ ἰδοὺ ἄγγελοι 1Rg 19,5ss 26,53 J 1,51 H
προσῆλθον καὶ διηκόνουν αὐτῷ. 1,6.14
18 IV **12** Ἀκούσας δὲ ⸆ ὅτι Ἰωάννης παρεδόθη ἀνεχώρησεν *12–17:* Mc 1,14s L 4,14s J 4,1-3.
19 VII εἰς τὴν Γαλιλαίαν. **13** καὶ καταλιπὼν τὴν ⸀Ναζαρὰ ἐλ- 43-46a
θὼν κατῴκησεν εἰς ⸁Καφαρναοὺμ τὴν παραθαλασσίαν ἐν 11,2; 14,3.13p 11,23! L 4,31
ὁρίοις Ζαβουλὼν καὶ Νεφθαλίμ· **14** ἵνα πληρωθῇ τὸ ῥη- J 2,12
θὲν διὰ Ἠσαΐου τοῦ προφήτου λέγοντος·

15 *γῆ Ζαβουλὼν* καὶ *γῆ Νεφθαλίμ,* *Is 8,23-9,1*
ὁδὸν θαλάσσης⁚, *πέραν τοῦ Ἰορδάνου,*
Γαλιλαία τῶν ἐθνῶν,⁚[1] 1Mcc 5,15 J 7,52
16 *ὁ λαὸς ὁ καθήμενος ἐν* ⸀*σκότει* J 1,9 R 2,19
φῶς εἶδεν μέγα,

4 ⸀εν C D f^{13} *al*; (Cl) Or GrNy Chr | ⸋ D a b g[1]; (Cl) Tit • **5** ⸀ιστησιν L W Θ 0233 f^{13} 𝔐 ¦ *txt* ℵ B C D Z f^{1} 33 *pc* • **6** ⸆*p)* εντευθεν C* Θ *pc* sy[s.hmg] bo • **7** ⸂ου πει- D • **9** ⸀λεγει L W Θ 0233 f^{1} 𝔐 ¦ *txt* ℵ B C D Z f^{13} 33 *pc* • **10** ⸆(16,23 p) οπισω μου C[2] D L Z 𝔐 b h l sy[c.h**] sa[mss] bo[mss]; Ju ¦ retro it ¦ *txt* ℵ B C*[vid] K P W Δ 0233 $f^{1.13}$ 565. 700. 892*[vid] *al* f k vg sy[p] sa[ms] mae bo; Or (Θ *lac.*) • **12** ⸆ ο Ιησους C[2] L W Θ 0233 $f^{1.13}$ 𝔐 it vg[cl] sy[c.p.h] bo[pt] ¦ *txt* ℵ B C*[vid] D Z 33. 700. 1010. 1241 *pc* ff[1] k vg[st] sy[s] sa mae bo[pt] • **13** ⸀-ρετ B[2] L Γ 565. 700. 892. 1010. 1241. 1424 *pm* aur; Epiph ¦ -ρεθ ℵ* D K W Θ 0233 $f^{1.13}$ 28 *pm* lat sa bo; Or[pt] Eus ¦ -ραθ C P Δ *pc* ¦ *txt* ℵ[1] B* Z 33 k mae; Or[pt] | ⸁-περναουμ C L W[c] (Θ) $f^{1.13}$ 𝔐; Eus ¦ *txt* ℵ B D W* Z 0233. 33 *pc* latt co • **15** [⁚ – *et* ⁚[1] · *vl*.] • **16** ⸀† σκοτια ℵ[1] B D W; Or[pt] ¦ *txt* ℵ* C L Θ $f^{1.13}$ 𝔐

καὶ τοῖς καθημένοις ἐν χώρᾳ καὶ σκιᾷ θανάτου
φῶς ἀνέτειλεν αὐτοῖς.
17 Ἀπὸ τότε ἤρξατο ὁ Ἰησοῦς κηρύσσειν καὶ λέγειν· 4 20
°μετανοεῖτε· ἤγγικεν °γὰρ ἡ βασιλεία τῶν οὐρανῶν. VI
18 ⸀Περιπατῶν δὲ παρὰ τὴν θάλασσαν τῆς Γαλιλαίας
εἶδεν δύο ἀδελφούς, Σίμωνα ⸋τὸν λεγόμενον Πέτρον⸌ καὶ
Ἀνδρέαν τὸν ἀδελφὸν αὐτοῦ, βάλλοντας ἀμφίβληστρον
εἰς τὴν θάλασσαν· ἦσαν γὰρ ἁλιεῖς. **19** καὶ λέγει αὐτοῖς· 21 II
δεῦτε ὀπίσω μου, καὶ ποιήσω ὑμᾶς ⸆ ἁλιεῖς ἀνθρώπων.
20 οἱ δὲ εὐθέως ἀφέντες τὰ δίκτυα ⸆ ἠκολούθησαν αὐτῷ.
21 ⸋καὶ προβὰς ἐκεῖθεν εἶδεν ἄλλους δύο ἀδελφούς, Ἰά- 22 VI
κωβον τὸν τοῦ Ζεβεδαίου καὶ Ἰωάννην τὸν ἀδελφὸν αὐτοῦ, ἐν τῷ πλοίῳ μετὰ Ζεβεδαίου τοῦ πατρὸς αὐτῶν καταρτίζοντας τὰ δίκτυα αὐτῶν, καὶ ἐκάλεσεν αὐτούς. **22** οἱ
δὲ εὐθέως ἀφέντες τὸ πλοῖον καὶ τὸν πατέρα αὐτῶν ἠκολούθησαν αὐτῷ.⸌
23 Καὶ περιῆγεν ⸂ἐν ὅλῃ τῇ Γαλιλαίᾳ⸃ διδάσκων ἐν 23 I
ταῖς συναγωγαῖς αὐτῶν καὶ κηρύσσων τὸ εὐαγγέλιον τῆς
βασιλείας καὶ θεραπεύων πᾶσαν νόσον καὶ πᾶσαν μαλα-
κίαν ἐν τῷ λαῷ.
24 ⸋Καὶ ⸀ἀπῆλθεν ἡ ἀκοὴ αὐτοῦ εἰς ὅλην τὴν Συρίαν·⸌
καὶ προσήνεγκαν αὐτῷ πάντας τοὺς κακῶς ἔχοντας ποικίλαις νόσοις καὶ βασάνοις συνεχομένους °[καὶ] ⸋[1]δαιμο-
νιζομένους καὶ σεληνιαζομένους καὶ παραλυτικούς⸌, καὶ
ἐθεράπευσεν αὐτούς. **25** καὶ ἠκολούθησαν αὐτῷ ὄχλοι
πολλοὶ ἀπὸ τῆς Γαλιλαίας καὶ Δεκαπόλεως καὶ Ἱεροσολύμων καὶ Ἰουδαίας καὶ πέραν τοῦ Ἰορδάνου.

5 Ἰδὼν δὲ τοὺς ὄχλους ἀνέβη εἰς τὸ ὄρος, καὶ καθίσαν- 5 24 X
τος αὐτοῦ προσῆλθαν °αὐτῷ οἱ μαθηταὶ αὐτοῦ· **2** καὶ 25 V
ἀνοίξας τὸ στόμα αὐτοῦ ἐδίδασκεν αὐτοὺς λέγων·
3 Μακάριοι οἱ πτωχοὶ τῷ πνεύματι,
ὅτι αὐτῶν ἐστιν ἡ βασιλεία τῶν οὐρανῶν.

L 1,78s Is 58,10 2P 1,16 · 3,2! · *18–22:* Mc 1,16-20 L 5,1-11 J 1,40ss 10,2; 16,17s Mc 1,29 · 2Rg 6,19 · 13,47 Jr 16,16 Ez 47,10 · 19,27p · 10,2p; 17,1!; 20,20p; 27,56 Mc 1,29; 10,41 L 9,54 J 21,2 Act 12,2 · 19,29p · *23:* Mc 1,39 L 4,44 · 9,35 10,1 L 4,15. 43; 8,1 Act 10,37s · *24s:* Mc 3,7-8a L 6,17 · 9,26! · 14,35p · 17,15 · Mc 3,7sp · Mc 5,20! · *c. 5–7:* L 6,20-49 14,23; 15,29; 24,3 L 6,12 J 6,3 · Sir 25,7-12 · 11,5 L 4,18 1K 1,27s Jc 2,5 Ps 33,19 𝔊 Is 57,15; 61,1

17 ° *bis* k sy[s.c]; (Ju) Cl Or[mss] Eus ● **18** ⸀*p)* παραγων D it sy[s] | ⸋ sy[s] ● **19** ⸆*p)* γενεσθαι ℵ[1] D 33 *pc* lat (sy[p]) ● **20** ⸆ αυτων K W 565 *al* it sy[s.c.p] co ● **21/22** ⸋ W 33 ● **23** ⸂ ο Ιησους εν ολη (– ℵ*) τη Γαλιλαια ℵ* C* (⸉C[3]) ¦ ο Ιησ. ολην την Γ-αν ℵ[1] D *f*[1] 33. 892 *pc* lat; Eus ¦ ολην την Γ-αν ο Ιησ. W *f*[13] 𝔐 ¦ *txt* B (k) sy[c] sa mae ● **24** ⸋ sy[s] | ⸀εξ- ℵ C *f*[1] 33. 892 *pc* | °† B C* *f*[13] 892 *pc* ¦ *txt* ℵ C[2] D W *f*[1] 𝔐 latt sa mae | ⸋[1] sy[s]
¶ **5,1** ° B *pc*

27 V **4** ⸉μακάριοι οἱ πενθοῦντες⸆, Is 61,2s Sir 48,24 · Ap 7,16s
ὅτι αὐτοὶ παρακληθήσονται.
26 X **5** μακάριοι οἱ πραεῖς, Ps 37,11
ὅτι αὐτοὶ κληρονομήσουσιν τὴν γῆν.⸊ Dt 4,38 Hen 5,7 R 4,13
28 V **6** ⸋μακάριοι οἱ πεινῶντες καὶ διψῶντες τὴν δικαιο- Ps 107,5.8s
σύνην,
ὅτι αὐτοὶ χορτασθήσονται.⸌ J 6,35 Ap 7,16s
29 X **7** μακάριοι οἱ ἐλεήμονες, 18,33 Jc 2,13 Prv 14,21; 17,5 𝔊
ὅτι αὐτοὶ ἐλεηθήσονται.
8 μακάριοι οἱ καθαροὶ τῇ καρδίᾳ, Ps 24,4; 73, 1 1T 1,5 2T 2,22 Gn
ὅτι αὐτοὶ τὸν θεὸν ὄψονται. 20,5s · Ap 22,4
9 μακάριοι οἱ εἰρηνοποιοί, Prv 10,10 𝔊 Jc 3,18 H 12,14! ·
ὅτι °αὐτοὶ υἱοὶ θεοῦ κληθήσονται. Hos 2,1 R 9,26
10 μακάριοι οἱ δεδιωγμένοι ἕνεκεν δικαιοσύνης, 1P 3,14
ὅτι αὐτῶν ἐστιν ἡ βασιλεία τῶν οὐρανῶν.
30 V **11** μακάριοί ἐστε
ὅταν ⸆ ⸉ὀνειδίσωσιν ὑμᾶς καὶ ⸀διώξωσιν⸊ καὶ εἴπω- 10,22 Is 51,7 Act 5,41 1P 4,14
σιν ⸉¹πᾶν πονηρὸν ⸇ καθ' ὑμῶν⸊ °[ψευδόμενοι] ἕνε-
κεν ⸁ἐμοῦ. **12** χαίρετε καὶ ἀγαλλιᾶσθε, ὅτι ὁ μισθὸς Ap 19,7 · Gn 15,1
ὑμῶν πολὺς ἐν τοῖς οὐρανοῖς· οὕτως γὰρ ἐδίωξαν 23,31 Act 7,52! H 11,33-38
τοὺς προφήτας ⸋τοὺς πρὸ ὑμῶν⸌⸆. Jc 5,10s
31 II **13** Ὑμεῖς ἐστε τὸ ἅλας τῆς γῆς· ἐὰν δὲ τὸ ἅλας μω- Mc 9,50p
ρανθῇ, ἐν τίνι ἁλισθήσεται; εἰς οὐδὲν ἰσχύει °ἔτι εἰ μὴ
⸂βληθὲν ἔξω⸃ καταπατεῖσθαι ὑπὸ τῶν ἀνθρώπων.
32 II **14** Ὑμεῖς ἐστε τὸ φῶς τοῦ κόσμου. οὐ δύναται πόλις J 8,12!
κρυβῆναι ἐπάνω ὄρους κειμένη· **15** οὐδὲ καίουσιν λύχ- Is 2,2 Ap 21,10s
νον καὶ τιθέασιν αὐτὸν ὑπὸ τὸν μόδιον ἀλλ' ἐπὶ τὴν λυχ- Mc 4,21 L 8,16; 11,33!
νίαν, καὶ λάμπει πᾶσιν τοῖς ἐν τῇ οἰκίᾳ. **16** οὕτως λαμ-
ψάτω τὸ φῶς ὑμῶν ἔμπροσθεν τῶν ἀνθρώπων, ὅπως ἴδωσιν E 5,8s Ph 2,15
ὑμῶν τὰ καλὰ °ἔργα καὶ δοξάσωσιν τὸν πατέρα ὑμῶν τὸν J 15,8 1K 10,31 Ph 1,11 1P 2,12
ἐν τοῖς οὐρανοῖς.

4/5 ⸉ (*vss* 5.4) D 33 b f q vg sy^{c} bo^{ms}; Cl Or | ⸆ νυν ℵ^{1} 33. 892 *pc* aur vg^{mss} sa^{ms} bo • **6** [⸋ *vs* Wellhausen *cj*] • **9** ° ℵ C D *f*^{13} *pc* it vg$^{cl.st}$ sy^{p}; Did ¦ *txt* B W Θ 0133. 0196 *f*^{1} 𝔐 f k vg^{ww} sy$^{s.c.h}$ co • **11** ⸆ *p)* οι ανθρωποι 0133 (aur g^{1} q vg^{s}) sy$^{s.c}$ | ⸉ *4 2 3 1* D (33) h k (sy^{c}) mae bo | ⸀-ξουσιν ℵ (D) W Δ Θ *f*^{13} *pc* | ⸉^{1} *3 4 1 2* D h k | ⸇ ρημα C W Θ 0133. 0196 *f*$^{1.13}$ 𝔐 q sy$^{p.h}$ mae; Or ¦ *txt* ℵ B (D) lat sy$^{s.c}$ sa bo; Tert | ° D it sy^{s}; Tert ¦ *txt* *rell* | ⸁ δικαιοσυνης D it ¦ (L 21,12) του ονοματος μου sy$^{s.c}$ • **12** ⸋ sy^{s} | ⸆ υπαρχοντας D (D* -χοντων) *ex* lat? bo? ¦ *p)* οι πατερες αυτων U b c (k) sy$^{s.(c)}$ • **13** ° D W it sy$^{s.c.p}$; Cyp | ⸂-θηναι εξω και D W Θ *f*^{13} 𝔐 ¦ *txt* ℵ B C *f*^{1} 33. 892 *pc* • **16** ° B*

R 3,31; 8,4 **17** Μὴ νομίσητε ὅτι ἦλθον καταλῦσαι τὸν νόμον ἢ 33 X
3,15 J 10,35 R 13,8 G 5,14 | τοὺς προφήτας· οὐκ ἦλθον καταλῦσαι ἀλλὰ πληρῶσαι.
L 16,17; 21,32sp Bar 4,1 **18** ἀμὴν γὰρ λέγω ὑμῖν· ἕως ἂν παρέλθῃ ὁ οὐρανὸς καὶ ἡ 34 V
γῆ, ἰῶτα ἓν ἢ μία κεραία οὐ μὴ παρέλθῃ ἀπὸ τοῦ νόμου⸆,
Jc 2,10 ἕως °ἂν πάντα γένηται. ⸆ **19** ὃς ἐὰν οὖν λύσῃ μίαν τῶν 35 X
ἐντολῶν τούτων τῶν ἐλαχίστων καὶ διδάξῃ οὕτως τοὺς
1K 15,9! ἀνθρώπους, ἐλάχιστος κληθήσεται ἐν τῇ βασιλείᾳ τῶν
20,26p οὐρανῶν· ⸋ὃς δ' ἂν ποιήσῃ καὶ διδάξῃ, οὗτος μέγας
κληθήσεται ἐν τῇ βασιλείᾳ τῶν οὐρανῶν.⸌

6,1 **20** ⸋Λέγω γὰρ ὑμῖν ὅτι ἐὰν μὴ περισσεύσῃ ὑμῶν ἡ δικαιοσύνη πλεῖον τῶν γραμματέων καὶ Φαρισαίων, οὐ μὴ
18,3! εἰσέλθητε εἰς τὴν βασιλείαν τῶν οὐρανῶν.⸌

Ex 20,13 Dt 5,17 Ex 21,12 Lv 24,17 **21** Ἠκούσατε ὅτι ἐρρέθη τοῖς ἀρχαίοις· *οὐ φονεύσεις*·
ὃς δ' ἂν φονεύσῃ, ἔνοχος ἔσται τῇ κρίσει. **22** ἐγὼ δὲ λέγω
E 4,26 Jc 1,19s 1J 3,15 · Dt 17,8-13; 21,18.20? ὑμῖν ὅτι πᾶς ὁ ὀργιζόμενος τῷ ἀδελφῷ αὐτοῦ ⸆ ἔνοχος
ἔσται τῇ κρίσει· ὃς δ' ἂν εἴπῃ τῷ ἀδελφῷ αὐτοῦ· ⸀ῥακά,
ἔνοχος ἔσται τῷ συνεδρίῳ· ὃς δ' ἂν εἴπῃ⸆· μωρέ, ἔνοχος
Mc 11,25 Dn 7,10 ἔσται εἰς τὴν γέενναν τοῦ πυρός. **23** ἐὰν οὖν προσφέ-
23,18s ρῃς τὸ δῶρόν σου ἐπὶ τὸ θυσιαστήριον κἀκεῖ μνησθῇς
ὅτι ὁ ἀδελφός σου ἔχει τι κατὰ σοῦ, **24** ἄφες ἐκεῖ τὸ δῶρόν σου ἔμπροσθεν τοῦ θυσιαστηρίου καὶ ὕπαγε⁚ πρῶ-
τον⁚¹ διαλλάγηθι τῷ ἀδελφῷ σου, καὶ τότε ἐλθὼν πρόσ-
25s: L 12,57-59; 18,3 φερε τὸ δῶρόν σου. **25** ἴσθι εὐνοῶν τῷ ἀντιδίκῳ σου 36 V
ταχύ, ἕως ὅτου εἶ ⸉μετ' αὐτοῦ ἐν τῇ ὁδῷ⸊, μήποτέ σε πα-
ραδῷ ὁ ἀντίδικος τῷ κριτῇ ⸋καὶ ὁ κριτὴς ⸆ τῷ ὑπηρέτῃ⸌
καὶ εἰς φυλακὴν βληθήσῃ· **26** ἀμὴν λέγω σοι, οὐ μὴ ἐξ-
18,34 έλθῃς ἐκεῖθεν, ἕως ⸀ἂν ἀποδῷς τὸν ἔσχατον κοδράντην.

Ex 20,14 Dt 5,18 | Ex 20,17 Job 31,1 Sir 9,8 2P 2,14 **27** Ἠκούσατε ὅτι ἐρρέθη⸆· *οὐ μοιχεύσεις*. **28** ἐγὼ δὲ 37 X
λέγω ὑμῖν ὅτι πᾶς ὁ βλέπων γυναῖκα πρὸς τὸ ἐπιθυμῆσαι
⸀αὐτὴν ἤδη ἐμοίχευσεν αὐτὴν ἐν τῇ καρδίᾳ αὐτοῦ. **29** εἰ
18,9sp δὲ ὁ ὀφθαλμός σου ὁ δεξιὸς σκανδαλίζει σε, ἔξελε αὐτὸν

● **18** ⸆και των προφητων Θ *f*^{13} 565 *al*; Ir^{lat} | ° B* *pc* | ⸆ (24,35) caelum et terra transibunt, verba autem mea non praeteribunt. c ● **19** ⸋ א* D W bo^{ms} ● **20** ⸋ *vs* D ● **22** ⸆εικη א^{2} D L W Θ 0233 *f*$^{1.13}$ 𝔐 it sy co; Ir^{lat} Or^{pt} Cyp Cyr ¦ *txt* 𝔓^{67} א* B *pc* vg; Ju Or^{pt} Hier^{mss} | ⸀ραχα א* D W | ⸆τω αδελφω αυτου L Θ 0233 *f*$^{1.13}$ 700 *pc* ff^{1} sy$^{s.c}$ bo; Cyp ● **24** [⁚ *vl* ⁚¹,] ● **25** ⸉ *3–5 1 2* Θ 0233 𝔐 lat sy^{h} sa^{mss} mae ¦ *txt* א B D L W *f*$^{1.13}$ 28. 33. 892 *pc* it sy$^{s.c.p}$ sa^{mss} bo^{pt} | ⸋ sy^{s} | ⸆*p)* σε παραδω (D) L W Θ 0233 𝔐 lat sy$^{c.p.h}$ ¦ *txt* 𝔓^{67} א B *f*$^{1.13}$ 892 *pc* k ● **26** ⸀οὗ L W (0233). 1424 *al* ¦ – 33 *pc* ● **27** ⸆ (21.33) τοις αρχαιοις L Δ Θ 0233 *f*^{13} 33. 892. 1010 *pm* lat sy$^{c.h**}$; Ir Or^{pt} Eus Cyr ● **28** ⸀αυτης א^{1} *f*^{1} *al* ¦ – 𝔓^{67} א* *pc*; Tert Cl Cyr ¦ *txt* B D L W Θ 0233 *f*^{13} 𝔐

καὶ βάλε ἀπὸ σοῦ· συμφέρει γάρ σοι ἵνα ἀπόληται ἓν τῶν
μελῶν σου καὶ μὴ ὅλον τὸ σῶμά σου ⸀βληθῇ εἰς γέενναν.
30 ⸋καὶ εἰ ⸂ἡ δεξιά σου χεὶρ⸃ σκανδαλίζει σε, ἔκκοψον 18,8sp
αὐτὴν καὶ βάλε ἀπὸ σοῦ· συμφέρει γάρ σοι ἵνα ἀπόληται
ἓν τῶν μελῶν σου καὶ μὴ ὅλον τὸ σῶμά σου ⸉εἰς γέενναν
ἀπέλθῃ⸊.⸌

31 Ἐρρέθη δέ· ὃς ἂν ἀπολύσῃ τὴν γυναῖκα αὐτοῦ, δό- Dt 24,1ss
τω αὐτῇ ἀποστάσιον. **32** ἐγὼ δὲ λέγω ὑμῖν ὅτι ⸂πᾶς ὁ ἀπο- 19,3-9p L 16,18 1K 7,10s
λύων⸃ τὴν γυναῖκα αὐτοῦ παρεκτὸς λόγου πορνείας ποιεῖ
αὐτὴν μοιχευθῆναι, ⸉καὶ ὃς ἐὰν ἀπολελυμένην γαμήσῃ,
μοιχᾶται.⸊

33 Πάλιν ἠκούσατε ὅτι ἐρρέθη ⸋τοῖς ἀρχαίοις⸌· οὐκ Lv 19,12 Nu 30,3 Dt 23,22 𝔊 Zch 8,17
ἐπιορκήσεις, ἀποδώσεις δὲ τῷ κυρίῳ τοὺς ὅρκους σου.
34 ἐγὼ δὲ λέγω ὑμῖν μὴ ὀμόσαι ὅλως· μήτε ἐν τῷ οὐρανῷ, 23,22 Is 66,1 Ps 11,4
ὅτι θρόνος ἐστὶν τοῦ θεοῦ, **35** μήτε ἐν τῇ γῇ, ὅτι ὑποπό- Is 66,1 Ps 99,5 Thr 2,1 · Ps 48,3
διόν ἐστιν τῶν ποδῶν αὐτοῦ, μήτε εἰς Ἱεροσόλυμα, ὅτι
πόλις ἐστὶν τοῦ μεγάλου βασιλέως, **36** μήτε ἐν τῇ κεφαλῇ
σου ὀμόσῃς, ὅτι οὐ δύνασαι ⸂μίαν τρίχα λευκὴν ποιῆσαι
ἢ μέλαιναν⸃. **37** ⸀ἔστω δὲ ὁ λόγος ὑμῶν ⸂ναὶ ναί,⸃ οὒ οὔ· 2K 1,17 Jc 5,12
τὸ δὲ περισσὸν τούτων ἐκ τοῦ πονηροῦ ἐστιν. 6,13!

38 Ἠκούσατε ὅτι ἐρρέθη· *ὀφθαλμὸν ἀντὶ ὀφθαλμοῦ* °καὶ *Ex 21,24s Lv 24,20 Dt 19,21*
ὀδόντα ἀντὶ ὀδόντος. **39** ἐγὼ δὲ λέγω ὑμῖν μὴ ἀντιστῆναι R 12,19.21 1P 2,23 1Th 5,15!
38 V τῷ πονηρῷ· ἀλλ᾽ ὅστις σε ⸀ῥαπίζει ⸀εἰς τὴν ⸂δεξιὰν σια- Prv 20,22; 24,29 · Thr 3,30 Is 50,6
γόνα [σου]⸃, στρέψον αὐτῷ καὶ τὴν ἄλλην· **40** καὶ ⸂τῷ
θέλοντί⸃ σοι κριθῆναι καὶ τὸν χιτῶνά σου λαβεῖν, ἄφες 1K 6,7 L 6,29s
39 X αὐτῷ καὶ τὸ ἱμάτιον⸆· **41** καὶ ὅστις σε ⸀ἀγγαρεύσει μίλιον
ἕν, ὕπαγε μετ᾽ αὐτοῦ ⸆ δύο. **42** τῷ αἰτοῦντί σε ⸀δός, καὶ Dt 15,7s
⸂τὸν θέλοντα ἀπὸ σοῦ δανίσασθαι⸃ μὴ ἀποστραφῇς.

29 ⸀*p)* απελθη D 700^{mg} it sy$^{s.c}$ (mae) bo ● **30** ⸋*vs* D *pc* vg^{ms} sy^{s} bo^{ms} | ⸂η χειρ σου η δεξια (Θ) *f*^{13} | ⸉(29) βληθη εις γεενναν (L) W Θ 0233 *f*^{13} 𝔐 f vg^{ms} sy$^{p.h}$ sa ¦ *txt* ℵ B *f*^{1} 33. 892 *pc* (lat) sy^{c} (mae) bo ● **32** ⸂*p)* ος αν απολυση D (0250). 28. 1010 *pm* it sy$^{s.c}$? sa^{ms} bo | ⸉και ο απολελυμενην γαμησας μ. B *pc* sa? ¦ – D *pc* a b k; Or? ¦ *txt* ℵ(*) L W (Θ) 0250 *f*$^{1.(13)}$ 𝔐 lat? sa? mae bo ● **33** ⸋ k sy^{s}; Ir ● **36** ⸂*1–3 5 6 4* 𝔐 sy^{h} ¦ *1 2 4 3 5 6* 0250 *f*^{13} 700 h ¦ *4* (-ειν D*) *1–3* (*2 1 3* D) *5 6* D *f*^{1} k; GrNy ¦ *txt* ℵ B (L) W Θ 33. 892 *pc* lat ● **37** ⸀εσται B 700 *pc* | ⸂ναι ναι και L (b g^{1} h?, sy$^{s.c.p}$?) ¦ το ν. ν. και το Θ *pc*; Ju Ir^{arm}? Cl Cl^{hom} Or Cyr ● **38** ° D *f*^{13} it mae ● **39** ⸀-σει D L Θ *f*$^{1.13}$ 𝔐 ¦ *txt* ℵ B W 33. 700. 1424 *pc* | ⸀*p)* επι ℵ^{2} D L Θ *f*$^{1.13}$ 𝔐 ¦ *txt* ℵ* B W *al* | ⸂*1 3 2* K L Δ Θ *f*^{13} 28. 565. 700. 1424 *pm* sy$^{p.h}$? ¦ *1 2* ℵ W *f*^{1} 33. 892. 1010. 1241 *pm* a f (h); Or Ad Epiph Cyr ¦ *2 3* D k sy$^{s.c}$ ¦ *txt* B sy$^{p.h}$?; Eus ● **40** ⸂ο -λων D | ⸆σου ℵ 33. 1241. 1424 *pc* ● **41** ⸀εαν εγγ-ση ℵ (33. 892* *pc*) | ⸆ετι αλλα D it vg^{cl} sy^{s} ¦ αλλα lat sy^{c}; Ir^{lat} ● **42** ⸀διδου L Θ *f*^{1} 𝔐 ¦ *txt* ℵ B D W *f*^{13} 892 *pc* | ⸂τω θελοντι δαν. D (k)

22,39p! *Lv 19,18* **43** Ἠκούσατε ὅτι ἐρρέθη· *ἀγαπήσεις τὸν πλησίον σου* καὶ
Dt 23,4.7; 7,2 μισήσεις τὸν ἐχθρόν σου. **44** ἐγὼ δὲ λέγω ὑμῖν· ἀγαπᾶτε 40 V
Lv 19,34 R 12,14 L 23,34 1K 4,12 τοὺς ἐχθροὺς ὑμῶν ⸂καὶ προσεύχεσθε ὑπὲρ τῶν⸃ διωκόν-
Act 7,60 1P 3,9 L 6,35 E 5,1 των ὑμᾶς, **45** ὅπως γένησθε υἱοὶ τοῦ πατρὸς ὑμῶν τοῦ
ἐν οὐρανοῖς, ⸀ὅτι τὸν ἥλιον αὐτοῦ ἀνατέλλει ἐπὶ πονη-
22,10! ροὺς καὶ ἀγαθοὺς καὶ βρέχει ἐπὶ δικαίους καὶ ἀδίκους.
46 ἐὰν γὰρ ἀγαπήσητε τοὺς ἀγαπῶντας ὑμᾶς, τίνα μισθὸν 41 V
ἔχετε; οὐχὶ καὶ οἱ τελῶναι ⸂τὸ αὐτὸ⸃ ποιοῦσιν; **47** ⸋καὶ
ἐὰν ἀσπάσησθε τοὺς ⸀ἀδελφοὺς ὑμῶν μόνον, τί περισσὸν
Dt 18,13 Lv 19,2 ποιεῖτε; οὐχὶ καὶ οἱ ⸁ἐθνικοὶ ⸂τὸ αὐτὸ⸃ ποιοῦσιν;⸌ **48** ἔσε-
19,21 1K 14,20 Kol 4,12 Jc 1,4 σθε οὖν ὑμεῖς τέλειοι ⸀ὡς ὁ πατὴρ ὑμῶν ὁ ⸁οὐράνιος
τέλειός ἐστιν.

5,20 **6** Προσέχετε °[δὲ] τὴν ⸀δικαιοσύνην ὑμῶν μὴ ποιεῖν 42 X
23,5 ἔμπροσθεν τῶν ἀνθρώπων πρὸς τὸ θεαθῆναι αὐτοῖς·
εἰ δὲ μή γε, μισθὸν οὐκ ἔχετε παρὰ τῷ πατρὶ ὑμῶν τῷ ἐν
1K 13,3 °¹τοῖς οὐρανοῖς. **2** Ὅταν οὖν ποιῇς ἐλεημοσύνην, μὴ σαλ-
πίσῃς ἔμπροσθέν σου, ὥσπερ οἱ ὑποκριταὶ ποιοῦσιν ἐν
ταῖς συναγωγαῖς καὶ ἐν ταῖς ῥύμαις, ὅπως δοξασθῶσιν
ὑπὸ τῶν ἀνθρώπων· ἀμὴν ⸆ λέγω ὑμῖν, ἀπέχουσιν τὸν μι-
R 12,8 σθὸν αὐτῶν. **3** σοῦ δὲ ποιοῦντος ἐλεημοσύνην μὴ γνώτω
ἡ ἀριστερά σου τί ποιεῖ ἡ δεξιά σου, **4** ὅπως ⸉ᾖ σου ἡ
6.18 ἐλεημοσύνη⸊ ἐν τῷ κρυπτῷ· καὶ ὁ πατήρ σου ὁ βλέπων
ἐν τῷ κρυπτῷ ⸆ ἀποδώσει σοι⸇.

5 ⸋Καὶ ὅταν ⸂προσεύχησθε, οὐκ ἔσεσθε⸃ ὡς οἱ ὑποκρι-

44 ⸂*p)* ευλογειτε τους καταρωμενους υμας (υμιν D* *pc*; – ε. τ. κ. υ. 1230. 1242* *pc* lat), καλως ποιειτε τοις μισουσιν υμας (– κ. π. τ. μ. υ. 1071 *pc*; Cl Eus) και (– W) προσευχεσθε υπερ των επηρεαζοντων υμας (– D *pc*) και D L W Θ f^{13} 𝔐 lat sy$^{(p).h}$; Cl Eus ¦ *txt* ℵ B f^{1} *pc* k sy$^{s.c}$ sa bo^{pt}; Cyp ● **45** ⸀οστις 1573 *pc* lat? sy?; Eus Cyr ¦ ος lat? sy?; Ju Ir Tert Hipp Or Cyp ● **46** ⸂ουτως D Z 33 h k sy$^{s.c}$ ¦ τουτο f^{1} *pc* lat mae ● **47** ⸋ *vs* k sy^{s} | ⸀φιλους L W Θ 𝔐 f h sy^{h} ¦ ασπαζομενους υμας 1424 ¦ *txt* ℵ B D Z $f^{1.13}$ 892 *pc* lat sy$^{c.p}$ co; Cyp | ⸁(46) τελωναι L W Θ f^{13} 𝔐 h sy^{p} ¦ *txt* ℵ B D Z f^{1} 33. 892. 1241. 1424 *pc* lat sy$^{c.h}$ co; Bas | ⸂ουτως K L Δ Θ 565. 1010 𝔐 h sy$^{c.h}$ ● **48** ⸀ωσπερ D K W Δ Θ 28. 565. 1010 𝔐 | ⸁εν τοις ουρανοις (D*) K Δ Θ 565. 700. 1010 *pm* it; Tert Cl Cl^{hom}
¶ **6,1** ° B D W 0250 f^{13} 𝔐 lat sy^{c} mae bo^{mss} ¦ *txt* ℵ L Z Θ f^{1} 33. 892. 1241. 1424 *al* g^{1} sy$^{p.h}$ bo | ⸀*p)* ελεημοσυνην L W Z Θ f^{13} 𝔐 f k sy$^{p.h}$ mae; Cl Or^{mss} ¦ δοσιν ℵ^{1} sy^{c} bo ¦ *txt* ℵ$^{*.2}$ B D 0250 f^{1} 892 *pc* lat; Or^{mss} | °¹ ℵ* D Z 0250 f^{1} 33 *pc* ¦ *txt* ℵ^{2} B L W Θ f^{13} 𝔐 ● **2** ⸆αμην ℵ* 13 *pc* ● **4** ⸉ *3 2 4 1* ℵ* (33) ¦ *3 4 2 1* D ¦ *txt* ℵ^{2} B L W Z^{vid} Θ 0250 $f^{1.13}$ 𝔐 | ⸆αυτος D W f^{1} (700) 𝔐 h q sy$^{p.h}$ ¦ *txt* ℵ B K L Z Θ 0250 f^{13} 33. 892. 1424 *al* lat sy$^{s.c}$ | ⸇εν τω φανερω L W Θ 0250 𝔐 it sy$^{s.p.h}$ ¦ *txt* ℵ B D Z $f^{1.13}$ 33 *al* aur ff^{1} k vg sy^{c} co ● **5** ⸋ *vs* sy^{s} | ⸂-χῃ, ουκ εσῃ (ℵ*) D L W Θ f^{13} 𝔐 k q sy$^{c.p.h}$ ¦ *txt* ℵ^{2} B Z f^{1} 892 lat sy^{hmg} co

ταί, ὅτι φιλοῦσιν ⸆ ἐν ταῖς συναγωγαῖς καὶ ἐν ταῖς γω- 23,5sp
νίαις τῶν πλατειῶν ἑστῶτες προσεύχεσθαι, ὅπως ⸇ φανῶσιν τοῖς ἀνθρώποις· ἀμὴν λέγω ὑμῖν, ⸆¹ ἀπέχουσιν τὸν
μισθὸν αὐτῶν.⸌ **6** σὺ δὲ ὅταν προσεύχῃ, εἴσελθε εἰς τὸ 2Rg 4,33 Is 26,
ταμεῖόν σου καὶ κλείσας τὴν θύραν σου πρόσευξαι τῷ 20 𝔊
πατρί σου τῷ ἐν τῷ κρυπτῷ· καὶ ὁ πατήρ σου ὁ βλέπων 4!
ἐν τῷ κρυπτῷ ἀποδώσει σοι ⸆.
43 V **7** Προσευχόμενοι δὲ μὴ βατταλογήσητε ὥσπερ οἱ ⸀ἐθνι- Is 1,15 Eccl 5,1
κοί, δοκοῦσιν γὰρ ὅτι ἐν τῇ πολυλογίᾳ αὐτῶν εἰσακου- Sir 7,14
σθήσονται. **8** μὴ οὖν ὁμοιωθῆτε αὐτοῖς· οἶδεν γὰρ ⸂ὁ πα- 32p
τὴρ ὑμῶν⸃ ὧν χρείαν ἔχετε πρὸ τοῦ ὑμᾶς ⸄αἰτῆσαι αὐτόν⸅.
9 Οὕτως οὖν προσεύχεσθε ὑμεῖς· *9–13:* L 11,2-4
Πάτερ ἡμῶν ὁ ἐν ⸂τοῖς οὐρανοῖς⸃· 7,11; 23,9app Is 63,16; 64,7s Sir
ἁγιασθήτω τὸ ὄνομά σου· 23,1.4 1P 1,17 · Ml 1,6 Is 29,23
10 ἐλθέτω ἡ βασιλεία σου· Ez 36,23 J 17,6 | Act 1,3.6 ·
γενηθήτω τὸ θέλημά σου, 7,21; 26,42p
°ὡς ἐν οὐρανῷ καὶ ἐπὶ ⸆ γῆς· 1Mcc 3,60
11 τὸν ἄρτον ἡμῶν τὸν ⸀ἐπιούσιον δὸς ἡμῖν σήμερον· Prv 30,8; 27,1 J 6,32
12 καὶ ἄφες ἡμῖν ⸂τὰ ὀφειλήματα⸃ ἡμῶν, 14s; 18,21-35 Sir 28,2
ὡς καὶ ἡμεῖς ⸀ἀφήκαμεν τοῖς ὀφειλέταις ἡμῶν·
13 καὶ μὴ εἰσενέγκῃς ἡμᾶς εἰς πειρασμόν, 2P 2,9 Ps 17,30 𝔊 Sir 33,1 · 5,37 J
ἀλλὰ ῥῦσαι ἡμᾶς ἀπὸ τοῦ πονηροῦ.⸆ 17,15 2Th 3,3 2T 4,18 |
44 VI **14** Ἐὰν °γὰρ ἀφῆτε τοῖς ἀνθρώποις τὰ παραπτώματα 12! Mc 11,25s
αὐτῶν, ἀφήσει καὶ ὑμῖν ὁ πατὴρ ὑμῶν ὁ ⸀οὐράνιος· Kol 3,13

5 ⸆στηναι (*sed* … εστωτες και προσευχομενοι) D it | ⸇αν W Δ Θ 28. 565. 700. 1010. 1241 𝔐 | ⸆¹οτι K L W Δ Θ 565. 1010. 1241. 1424 𝔐 f ● **6** ⸆(4 *v. l.*) εν τω φανερω L W Θ f^{13} 𝔐 it sy$^{p.h}$ ¦ *txt* א B D Z f^{1} *pc* aur ff^{1} k vg sy$^{s.c}$ co ● **7** ⸀υποκριται B 1424 sy^{c} mae ● **8** ⸂† ο θεος ο π. υμ. א^{1} B sa mae; Or ¦ ο π. υμ. ο ουρανιος 047. 28. 892^{c}. 1424 *pc* sy^{h} ¦ *txt* א* D L W Z Θ 0170^{vid} $f^{(1).13}$ 𝔐 latt sy$^{s.c.p}$ bo | ⸄ανοιξαι το στομα D h ● **9** ⸂τω ουρανω Didache ● **10** ° D* a b c k bo^{mss}; Tert Cyp | ⸆της D L Θ f^{13} 𝔐 ¦ *txt* א B W Z Δ f^{1} *pc* ● **11** ⸀cottidianum it ¦ supersubstantialem vg ¦ perpetuum sy^{c} ¦ necessarium sy$^{(p).h}$ ¦ venientem sa ¦ crastinum mae bo ● **12** ⸂την οφειλην Didache ¦ τα παραπτωματα Or | ⸀αφιομεν D (L) W Δ Θ 565 *pc* sy^{c}? co? ¦ αφιεμεν א^{1} f^{13} 𝔐 sy^{c}? co?; Didache Cl ¦ *txt* א* B Z f^{1} *pc* vgst sy$^{p.h}$; GrNy^{pt} ● **13** ⸆αμην 17 vg^{cl} ¦ (1Chr 29, 11-13) οτι σου εστιν η βασιλεια και (– η β. κ. k sa; Didache) η δυναμις και (– η δ. κ. sy^{c}) η δοξα (– κ. η δ. k) εις τους αιωνας (+ των αιωνων 2148 *pc* k sa^{ms})· αμην (– g^{1} k sy^{p}; Didache) L W Θ 0233 f^{13} 𝔐 f g^{1} k q sy sa bo^{pt}; Didache ¦ οτι σου εστιν η βασ. του πατρος και του υιου και του αγιου πνευματος εις τους αιωνας· αμην 1253 (*pc*) ¦ *txt* א B D Z 0170 f^{1} *pc* lat mae bo^{pt} ● **14** ° D* L *pc* sa^{ms} | ⸀*p)* εν τοις ουρανοις Θ 700 it ¦ *p)* ουρ. τα παραπτωματα υμων L f^{1} *pc* lat co; Bas

15 ἐὰν δὲ μὴ ἀφῆτε τοῖς ἀνθρώποις⸆, οὐδὲ ὁ πατὴρ ⸂ὑμῶν
ἀφήσει⸃ τὰ παραπτώματα ὑμῶν.
Is 58,5ss L 24,17 **16** ῞Οταν δὲ νηστεύητε, μὴ γίνεσθε ⸀ὡς οἱ ὑποκριταὶ 45 X
σκυθρωποί, ἀφανίζουσιν γὰρ τὰ πρόσωπα ⸁αὐτῶν ὅπως
23,5 φανῶσιν τοῖς ἀνθρώποις νηστεύοντες· ἀμὴν λέγω ὑμῖν,
2 Sm 12,20 Eccl 9,8 ⸆ἀπέχουσιν τὸν μισθὸν αὐτῶν. **17** σὺ δὲ νηστεύων ἄλει-
ψαί σου τὴν κεφαλὴν καὶ τὸ πρόσωπόν σου νίψαι, **18** ὅ-
πως μὴ φανῇς ⸉τοῖς ἀνθρώποις νηστεύων⸊ ἀλλὰ τῷ πατρί
4! σου τῷ ἐν ⸂τῷ κρυφαίῳ⸃· καὶ ὁ πατήρ σου ὁ βλέπων ἐν
⸂τῷ κρυφαίῳ⸃ ἀποδώσει σοι⸆.
19–21: L 12,33s; 12,16-21 · Is 51,8 Jc 5,2s Job 24,16 **19** Μὴ θησαυρίζετε ὑμῖν θησαυροὺς ἐπὶ τῆς γῆς, ὅπου
σὴς καὶ βρῶσις ἀφανίζει καὶ ὅπου κλέπται διορύσσουσιν
19,21p 1T 6,19 Sir 29,10s 4Esr 7,77 καὶ κλέπτουσιν· **20** θησαυρίζετε δὲ ὑμῖν θησαυροὺς ἐν οὐ- 46 V
ρανῷ, ὅπου οὔτε σὴς οὔτε βρῶσις ἀφανίζει καὶ ὅπου κλέ-
πται οὐ διορύσσουσιν ⸂οὐδὲ κλέπτουσιν⸃· **21** ὅπου γάρ
ἐστιν ὁ θησαυρός ⸀σου, ἐκεῖ ἔσται °καὶ ἡ καρδία ⸀σου.
22–23: L 11,34-36 E 1,18 **22** Ὁ λύχνος τοῦ σώματός ἐστιν ὁ ὀφθαλμός. ἐὰν °οὖν 47 V
⸉ᾖ ὁ ὀφθαλμός σου ἁπλοῦς⸊, ὅλον τὸ σῶμά σου φωτεινὸν
20,15 Mc 7,22 Dt 15,9 Sir 14,10 ἔσται· **23** ἐὰν δὲ ⸉ὁ ὀφθαλμός σου πονηρὸς ᾖ⸊, ὅλον τὸ
σῶμά σου σκοτεινὸν ἔσται. εἰ οὖν τὸ φῶς τὸ ἐν σοὶ σκό-
τος ἐστίν, τὸ σκότος πόσον.
24: L 16,13; 14,26 **24** Οὐδεὶς⸆ δύναται δυσὶ κυρίοις δουλεύειν· ἢ γὰρ τὸν 48 V
ἕνα μισήσει καὶ τὸν ἕτερον ἀγαπήσει, ἢ ἑνὸς ἀνθέξεται
καὶ τοῦ ἑτέρου καταφρονήσει. οὐ δύνασθε θεῷ δουλεύειν
καὶ μαμωνᾷ.
25–34: L 12,22-32 · Ph 4,6 1P 5,7 1T 6,6.8 **25** Διὰ τοῦτο λέγω ὑμῖν· μὴ μεριμνᾶτε τῇ ψυχῇ ὑμῶν 49 V
τί φάγητε ⸂[ἢ τί πίητε]⸃, μηδὲ τῷ σώματι ὑμῶν τί ἐνδύ-
σησθε. οὐχὶ ἡ ψυχὴ πλεῖόν ἐστιν τῆς τροφῆς καὶ τὸ σῶ-
10,29-31p Job 12,7; 38,41 Ps Sal 5,9ss μα τοῦ ἐνδύματος; **26** ἐμβλέψατε εἰς τὰ πετεινὰ τοῦ οὐρανοῦ ὅτι οὐ σπείρουσιν οὐδὲ θερίζουσιν οὐδὲ συνάγουσιν

15 ⸆τα παραπτωματα αυτων B L W Θ 0233 f^{13} 𝔐 (b) f q $sy^{c.h}$ sa bo^{pt} ¦ *txt* ℵ D f^{1} 892* *pc* lat sy^{p} mae bo^{pt} | ⸂υμιν αφ. ℵ *pc* ¦ υμων αφ. υμιν D 1241 *pc* it vg^{cl} $sy^{p.h}$ ¦ αφ. υμιν c sy^{c} ● **16** ⸀ωσπερ L W Θ 0233 f^{13} 𝔐 ¦ *txt* ℵ B D Δ f^{1} 892 *pc* | ⸁εαυ- B 28 *pc* | ⸆οτι L W Θ 𝔐 lat ¦ *txt* ℵ B D 0233. 0250 $f^{1.13}$ 565. 700 *al* it ● **18** ⸉ *3 1 2* B (k) | ⸂κρυφια *et* ⸂κρυφαιω D* ¦ *bis* τω κρυπτω L W Θ 0233. 0250 f^{13} 𝔐 ¦ *txt* ℵ B D^{c} f^{1} *pc* | ⸆(4.6 *v. l.*) εν τω φανερω Δ 0233. 1241 *pm* it ● **20** ⸂και κλ. $ℵ^{1}$ f^{1} *pc* it sy^{c} ¦ – W k ● **21** ⸀*bis* υμων L W Θ 0233 $f^{1.13}$ 𝔐 f sy bo^{pt} ¦ *txt* ℵ B *pc* lat co; Eus Bas | ° B bo^{ms} ● **22** ° ℵ *pc* lat sy^{c} mae bo^{ms} | ⸉ *2–5 1* L Θ $f^{1.13}$ 𝔐 it ¦ *txt* ℵ B W *pc* ● **23** ⸉ (22) *5 1–4* ℵ* W 33 *pc* ● **24** ⸆*p)* οικετης L 1241 *pc* ● **25** ⸂και τι πιητε L Θ 0233 𝔐 $sy^{p.h}$ ¦ – ℵ f^{1} 892 *pc* a b ff^{1} k l vg sy^{c} sa^{mss}; Cl ¦ *txt* B W f^{13} 33 *al* it sa^{mss} mae bo; $Hier^{mss}$

εἰς ᵀ ἀποθήκας, καὶ ὁ πατὴρ ὑμῶν ὁ οὐράνιος τρέφει αὐτά·
οὐχ ὑμεῖς μᾶλλον διαφέρετε αὐτῶν; **27** τίς δὲ ἐξ ὑμῶν με- 10,31!
ριμνῶν δύναται προσθεῖναι ἐπὶ τὴν ἡλικίαν αὐτοῦ πῆχυν
ἕνα; **28** καὶ περὶ ἐνδύματος τί μεριμνᾶτε; καταμάθετε
τὰ κρίνα τοῦ ἀγροῦ πῶς ⸂αὐξάνουσιν· οὐ κοπιῶσιν οὐδὲ Ps 103,15
νήθουσιν⸃· **29** λέγω δὲ ὑμῖν ὅτι οὐδὲ Σολομὼν ἐν πάσῃ 1Rg 10,4ss 2Chr 9,13ss 1Esr 1,4
τῇ δόξῃ αὐτοῦ περιεβάλετο ὡς ἓν τούτων. **30** εἰ δὲ τὸν
χόρτον τοῦ ἀγροῦ σήμερον ὄντα καὶ αὔριον εἰς κλίβανον Ps 90,5s
βαλλόμενον ὁ θεὸς οὕτως ἀμφιέννυσιν, οὐ πολλῷ μᾶλλον
ὑμᾶς, ὀλιγόπιστοι; **31** μὴ οὖν μεριμνήσητε λέγοντες· 8,26; 14,31; 16,8; 17,20
τί φάγωμεν; ἤ· τί πίωμεν; ἤ· τί περιβαλώμεθα; **32** ⸉πάντα
γὰρ ταῦτα⸊ τὰ ἔθνη ⸀ἐπιζητοῦσιν· οἶδεν γὰρ ὁ πατὴρ 8
ὑμῶν ὁ οὐράνιος ὅτι χρῄζετε τούτων ἁπάντων. **33** ζητεῖτε
δὲ πρῶτον τὴν ⸂βασιλείαν [τοῦ θεοῦ] καὶ τὴν δικαιοσύ- R 14,17
νην⸃ αὐτοῦ, καὶ ταῦτα πάντα προστεθήσεται ὑμῖν. **34** μὴ Ps 37,4.25 Sap 7,11
οὖν μεριμνήσητε εἰς τὴν αὔριον, ἡ γὰρ αὔριον μεριμνή- Ex 16,19
σει ⸀ἑαυτῆς· ἀρκετὸν τῇ ἡμέρᾳ ἡ κακία αὐτῆς.
50 II **7** Μὴ κρίνετε, ἵνα μὴ κριθῆτε· **2** ἐν ᾧ γὰρ κρίματι κρί- *1–5:* L 6,37-42
νετε κριθήσεσθε, καὶ ἐν ᾧ μέτρῳ μετρεῖτε ⸀μετρηθή- R 2,1; 14,4 1K 4,5; 5,12 Jc 4,11s;
51 V σεται ὑμῖν. **3** τί δὲ βλέπεις τὸ κάρφος τὸ ἐν τῷ ὀφθαλμῷ 5,9 · Mc 4,24
τοῦ ἀδελφοῦ σου, τὴν δὲ ἐν τῷ σῷ ὀφθαλμῷ δοκὸν οὐ
κατανοεῖς; **4** ἢ πῶς ⸀ἐρεῖς τῷ ἀδελφῷ σου· ἄφες ἐκβάλω
τὸ κάρφος ⸁ἐκ τοῦ ὀφθαλμοῦ σου, καὶ ἰδοὺ ἡ δοκὸς ἐν τῷ
ὀφθαλμῷ σοῦ⁝; **5** ὑποκριτά, ἔκβαλε πρῶτον ⸉ἐκ τοῦ
ὀφθαλμοῦ σοῦ τὴν δοκόν⸊, καὶ τότε διαβλέψεις ἐκβαλεῖν
τὸ κάρφος ἐκ τοῦ ὀφθαλμοῦ τοῦ ἀδελφοῦ σου.
52 X **6** Μὴ δῶτε τὸ ἅγιον τοῖς κυσὶν μηδὲ βάλητε τοὺς μαρ- 10,11-14; 15,26 Ex 29,33 Lv 22,10 · 2P 2,22
γαρίτας ὑμῶν ἔμπροσθεν τῶν χοίρων, μήποτε ⸀καταπατή-
σουσιν αὐτοὺς ἐν τοῖς ποσὶν αὐτῶν καὶ στραφέντες ῥή- H 10,29
ξωσιν ὑμᾶς.

26 ᵀτας ℵ L *pc* ● **28** ⸂... κοπιουσιν... B (33) ¦ ου ξαινουσιν ουδε νηθουσιν ουδε κοπιωσιν ℵ^{*vid} ¦ αυξανει· ου κοπια ουδε νηθει L W 0233 f^{13} 𝔐 ¦ *txt* ℵ^{1} (⸉ Θ sy^{c}) f^{1} ● **32** ⸉ *3 2 1* ℵ N Δ Θ f^{13} 892. 1241 *al* lat sy^{c}; Cl Bas | ⸀επιζητει L W 0233 𝔐 ¦ *txt* ℵ B Θ $f^{1.13}$ 33 *pc* ● **33** ⸂† *1 4–6* ℵ (k) l sa bo; Eus ¦ *6 4 5 1* B ¦ *txt* L W Θ 0233 $f^{1.13}$ 𝔐 lat sy mae ● **34** ⸀αυτης B* L co? ¦ τα εαυ- K N (Δ) 0233 $f^{1.13}$ 28. 33. 1010. 1241. 1424 *pm* sy^{h} ¦ το εαυ- Θ 565 ¦ εαυτη(ν) 700 (*pc*) ¦ *txt* ℵ B^{2} W 892 *pm* co?
¶ **7,2** ⸀*p)* αντιμετρηθησεται Θ 0233 f^{13} (28^{c}) *al* it vg^{cl}; Ath Cyr ● **4** ⸀λεγεις ℵ* Θ 0233. 700 lat mae | ⸁απο K W Δ Θ 565. 700. 1010 𝔐 | [⁝.] ● **5** ⸉ *5 6 1–4* L W Θ 0233 $f^{1.13}$ 𝔐 latt ¦ *txt* ℵ B C^{vid} ● **6** ⸀-σωσιν ℵ f^{1} 𝔐; Cl ¦ *txt* B C L N W Θ f^{13} 33 *al*

7–11: L 11,9-13 18,19; 21,22 Mc 11,24 J 14,13! Jc 1,5s Jr 29,13s Prv 8,17

7 Αἰτεῖτε καὶ δοθήσεται ὑμῖν, ζητεῖτε καὶ εὑρήσετε, 53 V
κρούετε καὶ ἀνοιγήσεται ὑμῖν· 8 πᾶς γὰρ ὁ αἰτῶν λαμβάνει καὶ ὁ ζητῶν εὑρίσκει καὶ τῷ κρούοντι ⸀ἀνοιγήσεται.
9 ἢ τίς °ἐστιν ἐξ ὑμῶν ἄνθρωπος, ὃν ⸀αἰτήσει ὁ υἱὸς αὐτοῦ ἄρτον, μὴ λίθον ἐπιδώσει αὐτῷ; 10 ⸂ἢ καὶ ἰχθὺν αἰτή-
σει⸃, μὴ ὄφιν ἐπιδώσει αὐτῷ; 11 εἰ οὖν ὑμεῖς πονηροὶ
ὄντες οἴδατε ⸂δόματα ἀγαθὰ⸃ διδόναι τοῖς τέκνοις ὑμῶν,
6,9! Jc 1,17 πόσῳ μᾶλλον ὁ πατὴρ ὑμῶν ὁ ἐν τοῖς οὐρανοῖς δώσει
ἀγαθὰ τοῖς αἰτοῦσιν αὐτόν⁝.

12: L 6,31 Tob 4,15 Sir 31,15 12 Πάντα °οὖν ὅσα ἐὰν θέλητε ἵνα ποιῶσιν ὑμῖν οἱ 54 V
ἄνθρωποι, οὕτως καὶ ὑμεῖς ποιεῖτε αὐτοῖς· οὗτος γάρ
22,39s R 13,8-10 G 5,14 ἐστιν ὁ νόμος καὶ οἱ προφῆται.

13s: L 13,23s 4Esr 7,6-14 13 Εἰσέλθατε διὰ τῆς στενῆς πύλης· ⸀ὅτι πλατεῖα ⸋ἡ 55 V
πύλη⸌ καὶ εὐρύχωρος ἡ ὁδὸς ἡ ἀπάγουσα εἰς τὴν ἀπώ-
λειαν καὶ πολλοί °εἰσιν οἱ εἰσερχόμενοι δι’ αὐτῆς· 14 ⸀τί
Act 14,22 στενὴ ⸋ἡ πύλη⸌ καὶ τεθλιμμένη ἡ ὁδὸς ἡ ἀπάγουσα εἰς
22,14p τὴν ζωὴν καὶ ὀλίγοι εἰσὶν οἱ εὑρίσκοντες αὐτήν.

24,24! 15 Προσέχετε ⸆ ἀπὸ τῶν ψευδοπροφητῶν, οἵτινες ἔρ- 56 X
R 16,17s 2T 3,5 χονται πρὸς ὑμᾶς ἐν ἐνδύμασιν προβάτων, ἔσωθεν δέ εἰσιν
Act 20,29! | L 6,44 λύκοι ἅρπαγες. 16 ἀπὸ τῶν καρπῶν αὐτῶν ἐπιγνώσεσθε
G 5,19-23 · Jc 3,12 Sir 27,6 Is 5,24 αὐτούς. μήτι συλλέγουσιν ἀπὸ ἀκανθῶν ⸀σταφυλὰς ἢ ἀπὸ 57 V
12,33 τριβόλων σῦκα; 17 οὕτως πᾶν δένδρον ἀγαθὸν καρ- 58 V
ποὺς ⸉καλοὺς ποιεῖ⸊, τὸ δὲ σαπρὸν δένδρον καρποὺς πο-
L 6,43 1J 3,9 νηροὺς ποιεῖ. 18 οὐ δύναται δένδρον ἀγαθὸν καρποὺς πονηροὺς ⸀ποιεῖν οὐδὲ δένδρον σαπρὸν καρποὺς καλοὺς
3,10p! ⸁ποιεῖν. 19 πᾶν⸆ δένδρον μὴ ποιοῦν καρπὸν καλὸν ἐκκόπτεται καὶ εἰς πῦρ βάλλεται. 20 ἄρα γε ἀπὸ τῶν καρπῶν αὐτῶν ἐπιγνώσεσθε αὐτούς.

8 ⸀-γεται B ¦ ανοιχθησεται Θ • **9** ° B* L 28. 565. 1241. 1424 *al* it | ⸀(ε)αν αιτηση ℵ[1] L W *f*[1.13] 𝔐 lat sy[h] ¦ *txt* ℵ* B C(* -σεις) Θ b (a c g[1] h) sy[c.p] • **10** ⸂η κ. εαν ι. -ση K[c] *f*[13] (28). 565 *al* lat (sy[c]) ¦ κ. (ε)αν ι. -ση (L W) Θ 𝔐 sy[p.h] ¦ *txt* ℵ B C (*f*[1]) 33. (892). 1241 *pc* (co) • **11** ⸂*2 1 f*[1] it vg[cl] ¦ *2* L *pc* ff[1] l vg[st] | [⁝ ;] • **12** ° ℵ* L 1424 *pc* sy[p] bo[mss] • **13** ⸀και τι 118* ¦ τι a b h l q vg[mss]; Cyp | ⸋ ℵ* *pc* a b c h k; Cl Hipp Or[pt] Cyp | ° ℵ* • **14** ⸀† οτι ℵ* N[c] 700[c]. 1010 *pc* ¦ οτι δε B* sa[mss] ¦ και 209 ¦ *txt* ℵ[2] (B[2]) C L W Θ *f*[1.13] 𝔐 lat sy | ⸋ 544 *pc* a (h) k; Cl Tert Hipp Or[pt] Cyp • **15** ⸆δε C L W Θ *f*[1.13] 𝔐 f q sy[h] sa[mss] bo ¦ *txt* ℵ B 0250. 565. 1424 *al* lat sy[c.p] sa[mss] mae • **16** ⸀σταφυλην C(* -ηνας) L W Θ *f*[13] 𝔐 ¦ *txt* ℵ B 0250 *f*[1] 892 lat • **17** ⸉ B • **18** ⸀† ενεγκειν B; Tert Or[pt] Ad ¦ *txt* ℵ C L W Z Θ 0250 *f*[1.13] 𝔐 latt sy | ⸁† ενεγκειν ℵ*; Tert Or[pt] ¦ *txt* ℵ[1] B C L W Z Θ 0250 *f*[1.13] 𝔐 lat sy • **19** ⸆ουν C[vid] L Z *f*[13] 33. (565). 1241 *al* it sy[c] sa mae bo[mss]

59 III 21 Οὐ πᾶς ὁ λέγων μοι· κύριε κύριε, εἰσελεύσεται εἰς 21,29 L 6,46 1K 12,3 · 12,50p; 6,
τὴν βασιλείαν τῶν οὐρανῶν, ἀλλ' ὁ ποιῶν τὸ θέλημα τοῦ 10 R 2,13 Jc 1,22. 25; 2,14 1J 2,17 |
60 V πατρός μου τοῦ ἐν °τοῖς οὐρανοῖς. ⸆ 22 πολλοὶ ἐροῦσίν L 13,26 Jr 14,14;
μοι ἐν ἐκείνῃ τῇ ἡμέρᾳ· κύριε κύριε, ⸆ οὐ τῷ σῷ ὀνόματι 27,15 1K 13,1s · Mc 9,38p L 10,20
ἐπροφητεύσαμεν, καὶ τῷ σῷ ὀνόματι δαιμόνια ⸇ ἐξεβάλο-
μεν, καὶ τῷ σῷ ὀνόματι δυνάμεις πολλὰς ἐποιήσαμεν;
23 καὶ τότε ὁμολογήσω αὐτοῖς ὅτι οὐδέποτε ἔγνων ὑμᾶς· 25,12
⸀*ἀποχωρεῖτε ἀπ' ἐμοῦ* ⸆ *οἱ ἐργαζόμενοι τὴν ἀνομίαν.* 25,41 *Ps 6,9* · 13,41 1J 3,4
61 V 24 Πᾶς οὖν ὅστις ἀκούει μου τοὺς λόγους °τούτους καὶ *24–27:* L 6,47-49 L 8,21 Jc 1,25
ποιεῖ αὐτούς, ⸀ὁμοιωθήσεται ἀνδρὶ φρονίμῳ, ὅστις ᾠκο-
δόμησεν αὐτοῦ τὴν οἰκίαν ἐπὶ τὴν πέτραν· 25 καὶ κατέβη 16,18
ἡ βροχὴ καὶ ἦλθον οἱ ποταμοὶ καὶ ἔπνευσαν οἱ ἄνεμοι καὶ
⸀προσέπεσαν τῇ οἰκίᾳ ἐκείνῃ, καὶ οὐκ ἔπεσεν, τεθεμελί- Job 1,19
ωτο γὰρ ἐπὶ τὴν πέτραν. 26 καὶ πᾶς ⸂ὁ ἀκούων⸃ μου τοὺς Jc 1,22
λόγους τούτους καὶ μὴ ⸀ποιῶν αὐτοὺς ὁμοιωθήσεται ἀνδρὶ μωρῷ, ὅστις ᾠκοδόμησεν ⸉αὐτοῦ τὴν οἰκίαν⸊ ἐπὶ τὴν
ἄμμον· 27 καὶ κατέβη ἡ βροχὴ καὶ ἦλθον οἱ ποταμοὶ καὶ Ez 13,10-15
□ἔπνευσαν οἱ ἄνεμοι καὶ⸌ ⸀προσέκοψαν τῇ οἰκίᾳ ἐκείνῃ,
καὶ ἔπεσεν καὶ ἦν ἡ πτῶσις αὐτῆς μεγάλη⸆.
62 II 28 Καὶ ἐγένετο ὅτε ⸀ἐτέλεσεν ὁ Ἰησοῦς τοὺς λόγους 11,1; 13,53; 19, 1; 26,1 L 7,1 ·
τούτους, ἐξεπλήσσοντο ⸂οἱ ὄχλοι⸃ ἐπὶ τῇ διδαχῇ αὐτοῦ· 13,54; 19,25; 22, 33 Mc 1,22! L
29 ἦν γὰρ διδάσκων αὐτοὺς ὡς ἐξουσίαν ἔχων καὶ οὐχ ὡς 4,32! Act 13,12 |
οἱ γραμματεῖς °αὐτῶν⸆. Mc 1,22.27 J 7,46

6 63 II 8 ⸂Καταβάντος δὲ αὐτοῦ⸃ ἀπὸ τοῦ ὄρους ἠκολούθησαν
αὐτῷ ὄχλοι πολλοί. 2 καὶ ἰδοὺ λεπρὸς ⸀προσελθὼν *2–4:* Mc 1,40-45 L 5,12-16 · 10,8;
προσεκύνει αὐτῷ λέγων· κύριε, ἐὰν θέλῃς δύνασαί με κα- 11,5p L 17,12 Nu 12,10.13

21 ° L W f^{13} 𝔐 ¦ *txt* ℵ B C Z Θ f^{1} 33. 892. 1424 *al* | ⸆αυτος (ουτος C^{2} 33 *pc*) εισελευσεται εις την βασιλειαν των ουρανων C^{2} W Θ 33. 1241 *pc* lat sy^{c}; Cyp Th'ret • **22** ⸆ (L 13,26) ου τω ονοματι σου εφαγομεν και επιομεν και sy^{c}; Ju (Or) | ⸇πολλα ℵ* • **23** ⸀αναχ- Θ f^{13} *pc* | ⸆παντες L Θ f^{13} 1424 *al* b vg^{s} • **24** ° B* 1424 *pc* a g^{1} k mae bo^{ms} | ⸀ομοιωσω αυτον C L W 𝔐 f h k q sy$^{c.h}$ bo; Cyp ¦ *txt* ℵ B Z Θ $f^{(1).13}$ 33. 700. 892. 1241 *al* ff^{1} l vg sy$^{p.hmg}$ sa mae • **25** ⸀-εκρουσαν W ¦ *p)*-ερρηξαν Θ Σ *pc* ¦ -εκοψαν 33. 1424 *pc* • **26** ⸂οστις ακουει *et* ⸀ποιει Θ f^{13} *pc* | ⸉ C L f^{13} 𝔐 ¦ *txt* ℵ B W Z (Θ) f^{1} 700. 892. 1241 *pc* • **27** □ ℵ* 33 | ⸀-ερρηξαν C Θ f^{1} *al* ¦ -εκρουσαν f^{13} *pc* | ⸆σφοδρα Θ f^{13} 33. 1241^{c} *al* mae • **28** ⸀συνετ- L Θ 𝔐 ¦ *txt* ℵ B C W Z^{vid} $f^{1.13}$ 33. 565. 700. 892. 1424 *al*; Or | ⸂παντες 998; Eus ¦ π. οι οχλ. Δ Θ f^{1} *pc* vg^{ms} • **29** ° C* L 565. 700. 1010. 1424 𝔐 (b) | ⸆και οι Φαρισαιοι C* W 33. 1241 *pc* lat sy

¶ **8,1** ⸂καταβαντι δε αυτω ℵ* K L (Δ) 565. 1010. 1241. 1424 𝔐 k? • **2** ⸀ελ- C K L W 33. 1241 𝔐 ¦ – 1424

θαρίσαι. **3** καὶ ἐκτείνας τὴν χεῖρα ἥψατο αὐτοῦ ⸆ λέγων·
θέλω, καθαρίσθητι· καὶ εὐθέως ἐκαθαρίσθη αὐτοῦ ἡ λέ-
9,30; 12,16p Mc 1,34p; 5,43p: 7, πρα. **4** καὶ λέγει αὐτῷ ὁ Ἰησοῦς· ὅρα μηδενὶ εἴπῃς, ἀλλὰ
36; 8,30p; 9,9p · Lv 13,49; 14,2-32 ὕπαγε σεαυτὸν δεῖξον τῷ ἱερεῖ καὶ προσένεγκον τὸ δῶ-
L 17,14 · 10,18p; 24,14 Mc 6,11p ρον ὃ προσέταξεν Μωϋσῆς, εἰς μαρτύριον αὐτοῖς.
5–13: L 7,1-10 J 4,46-54 · 9,1! **5** ⸂Εἰσελθόντος δὲ αὐτοῦ εἰς Καφαρναοὺμ⸃ προσῆλθεν 7/64
Act 10,1! αὐτῷ ⸀ἑκατόνταρχος παρακαλῶν αὐτὸν **6** καὶ λέγων· °κύ- III
ριε, ὁ παῖς μου βέβληται ἐν τῇ οἰκίᾳ παραλυτικός, δεινῶς βασανιζόμενος. **7** °καὶ λέγει αὐτῷ⸆· ἐγὼ ἐλθὼν θερα-
πεύσω αὐτόν⁚. **8** ⸂καὶ ἀποκριθεὶς⸃ ὁ ⸀ἑκατόνταρχος ἔφη·
Mc 1,7p 1K 15,9 κύριε, οὐκ εἰμὶ ἱκανὸς ἵνα μου ὑπὸ τὴν στέγην εἰσέλθῃς,
ἀλλὰ μόνον εἰπὲ λόγῳ, καὶ ἰαθήσεται ⸋ὁ παῖς μου⸌. **9** καὶ
γὰρ ἐγὼ ἄνθρωπός εἰμι ὑπὸ ἐξουσίαν⸆, ἔχων ὑπ' ἐμαυ-
Act 10,7 τὸν στρατιώτας, καὶ λέγω τούτῳ· πορεύθητι, καὶ πορεύεται, καὶ ἄλλῳ· ἔρχου, καὶ ἔρχεται, καὶ τῷ δούλῳ μου·
Mc 6,6 ποίησον τοῦτο, καὶ ποιεῖ. **10** ἀκούσας δὲ ὁ Ἰησοῦς ἐθαύ-
15,28 L 18,8 μασεν καὶ εἶπεν τοῖς ἀκολουθοῦσιν· ἀμὴν λέγω ὑμῖν, ⸂παρ'
11s: L 13,28s οὐδενὶ τοσαύτην πίστιν ἐν τῷ Ἰσραὴλ⸃ εὗρον. **11** λέγω
Ps 107,3 Is 43,5 Bar 4,37 δὲ ὑμῖν ὅτι πολλοὶ ἀπὸ ἀνατολῶν καὶ δυσμῶν ἥξουσιν καὶ 65/V
22,32 L 16,22 ἀνακλιθήσονται μετὰ Ἀβραὰμ καὶ Ἰσαὰκ καὶ Ἰακὼβ ἐν
4Mcc 13,17 τῇ βασιλείᾳ τῶν οὐρανῶν, **12** οἱ δὲ υἱοὶ τῆς βασιλείας ⸀ἐκ-
22,13; 25,30 · βληθήσονται εἰς τὸ σκότος τὸ ἐξώτερον· ἐκεῖ ἔσται ὁ
13,42.50; 24,51 Ps 112,10 κλαυθμὸς καὶ ὁ βρυγμὸς τῶν ὀδόντων. **13** καὶ εἶπεν ὁ Ἰη- 66/V
9,29; 15,28 σοῦς τῷ ⸀ἑκατοντάρχῃ· ὕπαγε, ⸆ ὡς ἐπίστευσας γενηθήτω
9,22; 17,18 σοι. καὶ ἰάθη ὁ παῖς °[αὐτοῦ] ⸂ἐν τῇ ὥρᾳ ἐκείνῃ⸃.⸇

3 ⸆ο Ιησους C^{2} L W Θ 𝔐 lat sy sa^{ms} mae ¦ *txt* ℵ B C* $f^{1.13}$ 33. 892 *al* k sa^{mss} bo; Cyr ● **5** ⸂-λθοντι δε αυτω εις Κ. (C^{3}) L W Θ 0233 𝔐 co? ¦ μετα δε ταυτα k (sy^{s}) ¦ μ. δε τ. εισελ. αυτ. εις Κ. it (sy^{c}) ¦ *txt* ℵ B C* Z $f^{1.13}$ 33. 700. 1241 *pc* co? | ⸀χιλιαρχης sy$^{s.hmg}$; Cl^{hom} Eus ● **6** ° ℵ* k sy$^{s.c}$; Or Hil ● **7** °† B 700 it vg^{ww} sy$^{s.c.p}$ sa mae bo^{mss} ¦ *txt* ℵ C L W Θ 0233. 0250 $f^{1.13}$ 𝔐 lat sy^{h} bo | ⸆ο Ιησους C L W Θ 0233. 0250 $f^{1.13}$ 𝔐 lat sy$^{c.p.h}$ sa mae bo^{mss} ¦ *txt* ℵ B 892 *pc* k sy^{s} bo | [⁚ ;] ● **8** ⸂† αποκρ. δε ℵ* B 33 *pc* sa ¦ *txt* ℵ^{1} C L W Θ 0233 $f^{1.13}$ 𝔐 lat sy^{h} bo | ⸀χιλιαρχης sy^{s}; Cl^{hom} Eus^{pt} | ⸋ f^{1} k sa mae bo^{mss} ● **9** ⸆*p)* τασσομενος ℵ B *pc* it vg^{cl} ● **10** ⸂*p)* ουδε εν τω Ι. τοσ. πισ. ℵ C L Θ 0233. 0250 f^{13} 𝔐 lat sy $^{(s.p).h}$ mae ¦ *txt* B W (f^{1}, 892) *pc* a (g^{1}) k q sy$^{c.(hmg)}$ sa bo ● **12** ⸀εξελευσονται ℵ* 0250 k sy$^{s.c.p}$ ¦ ibunt it; Ir^{lat} ● **13** ⸀χιλιαρχη sy^{s}; Cl^{hom} Eus | ⸆και C L Θ 0233 $f^{1.13}$ 𝔐 lat sy^{h} bo^{ms} ¦ *txt* ℵ B W 0250 *pc* it sy$^{s.c.p}$ co | °† ℵ B 0250 f^{1} 33 *pc* latt bo mae ¦ *txt* C L W Θ 0233 f^{13} 𝔐 sy sa? | ⸂εν τη ημερα εκεινη W 700. 1424 ¦ απο της ωρας ε-ης C N Δ Θ 0250. 33. 1010 *al* it vg^{mss} sa^{mss} bo^{pt} | ⸇ *p)* και υποστρεψας ο εκατονταρχος εις τον οικον αυτου εν αυτη τη ωρα ευρεν τον παιδα υγιαινοντα ℵ*$^{.2}$ C (N) Θ (0250) f^{1} (33. 1241) *al* g^{1} sy^{h}

8 67 II **14** Καὶ ἐλθὼν ὁ Ἰησοῦς εἰς τὴν οἰκίαν Πέτρου εἶδεν *14–16:* Mc 1,29-34 L 4,38-41
τὴν πενθερὰν αὐτοῦ βεβλημένην καὶ πυρέσσουσαν· **15** καὶ 1K 9,5
ἥψατο τῆς χειρὸς αὐτῆς, καὶ ἀφῆκεν αὐτὴν ὁ πυρετός, Mc 5,41p; 9,27 Act 3,7 · J 4,52
καὶ ἠγέρθη καὶ διηκόνει ⸀αὐτῷ. Act 28,8
9 **16** Ὀψίας δὲ γενομένης προσήνεγκαν αὐτῷ δαιμονιζο-
μένους πολλούς· καὶ ἐξέβαλεν τὰ πνεύματα λόγῳ καὶ πάντας τοὺς κακῶς ἔχοντας ἐθεράπευσεν, **17** ὅπως πληρωθῇ
τὸ ῥηθὲν διὰ Ἠσαΐου τοῦ προφήτου λέγοντος·
αὐτὸς τὰς ἀσθενείας ἡμῶν ἔλαβεν *Is 53,4*
καὶ τὰς νόσους ἐβάστασεν.
18 Ἰδὼν δὲ ὁ Ἰησοῦς ⸀ὄχλον περὶ αὐτὸν ἐκέλευσεν
10 68 V ἀπελθεῖν εἰς τὸ πέραν. **19** καὶ προσελθὼν εἷς γραμματεὺς Mc 4,35 L 8,22 *19–22:* L 9,57-62
εἶπεν αὐτῷ· διδάσκαλε, ἀκολουθήσω σοι ὅπου ἐὰν ἀπ-
έρχῃ. **20** καὶ λέγει αὐτῷ ὁ Ἰησοῦς· αἱ ἀλώπεκες φωλεοὺς
ἔχουσιν καὶ τὰ πετεινὰ τοῦ οὐρανοῦ κατασκηνώσεις, ὁ Ps 84,4
δὲ υἱὸς τοῦ ἀνθρώπου οὐκ ἔχει ποῦ τὴν κεφαλὴν κλίνῃ. 1K 4,11
21 ἕτερος δὲ τῶν μαθητῶν °[αὐτοῦ] εἶπεν αὐτῷ· κύριε,
ἐπίτρεψόν μοι πρῶτον ἀπελθεῖν καὶ θάψαι τὸν πατέρα 1Rg 19,20 Tob 4,3
μου. **22** ὁ δὲ °Ἰησοῦς ⸀λέγει αὐτῷ· ἀκολούθει μοι καὶ 9,9; 19,21 J 1,43!
ἄφες τοὺς νεκροὺς θάψαι τοὺς ἑαυτῶν νεκρούς.
11 69 II **23** Καὶ ἐμβάντι αὐτῷ εἰς °τὸ πλοῖον ἠκολούθησαν αὐ- *23–27:* Mc 4,35-41 L 8,22-25
τῷ οἱ μαθηταὶ αὐτοῦ. **24** καὶ ἰδοὺ σεισμὸς μέγας ἐγένετο cf 14,22ss p | Jon 1,4ss
ἐν τῇ θαλάσσῃ, ὥστε τὸ πλοῖον καλύπτεσθαι ὑπὸ τῶν κυ-
μάτων, αὐτὸς δὲ ἐκάθευδεν. **25** καὶ προσελθόντες ⸆ ἤγει-
ραν αὐτὸν λέγοντες· κύριε, σῶσον⸆, ἀπολλύμεθα. **26** καὶ
λέγει αὐτοῖς· τί⁚ δειλοί ἐστε, ὀλιγόπιστοι; τότε ἐγερθεὶς 6,30!
ἐπετίμησεν τοῖς ἀνέμοις καὶ τῇ θαλάσσῃ, καὶ ἐγένετο γα- Ps 89,10; 107,25-32; 65,8
λήνη μεγάλη. **27** οἱ δὲ ἄνθρωποι ἐθαύμασαν λέγοντες· πο- 9,33; 15,31; 21,20
ταπός ἐστιν οὗτος⸆ ὅτι καὶ οἱ ἄνεμοι καὶ ἡ θάλασσα J 7,15.21 Act 2,7
αὐτῷ ὑπακούουσιν;
12 **28** Καὶ ⸂ἐλθόντος αὐτοῦ⸃ εἰς τὸ πέραν εἰς τὴν χώραν *28–34:* Mc 5,1-17 L 8,26-37

15 ⸀*p)* αυτοις ℵ^{1} L Δ $f^{1.13}$ 33. 565. 892. 1424 *pm* lat sy$^{s.c}$ bo ● **18** ⸀πολλους οχλους ℵ^{2} C L Θ 0233 f^{13} 𝔐 lat sy ¦ πολυν οχλον (⸉ W *pc* c g^{1}) W 1424 *al* sa^{mss} mae ¦ οχλους ℵ* f^{1} *pc* bo ¦ *txt* B sa^{mss} ● **21** ° † ℵ B 33 *pc* it sa ¦ *txt* C L W Θ 0250 $f^{1.13}$ 𝔐 lat sy mae bo ● **22** ° ℵ 33 b c k q sy^{s} | ⸀ειπεν L W Θ f^{13} 𝔐 ¦ *txt* ℵ B C f^{1} 33. 892 *al* ● **23** ° *p)* ℵ^{1} B C $f^{1.13}$ 33. 565. 892 *pc* ¦ *txt* ℵ*$^{.2}$ L W Θ 𝔐 ● **25** ⸆ οι μαθηται C^{2} L f^{13} 𝔐 h ¦ οι μ. αυτου C* W Θ f^{1} 1424 *al* b g^{1} (q) vg^{cl} sy mae ¦ *txt* ℵ B 33^{vid}. 892 lat sa bo | ⸆ ημας L W Θ 0242^{vid} 𝔐 latt sy ¦ *txt* ℵ B C $f^{1.13}$ 33. 892 *pc* bo^{mss} ● **26** [⁚ ;] ● **27** ⸆ο ανθρωπος W *pc*; Th'ret ● **28** ⸂-θοντων -των ℵ* (vg^{mss}) ¦ -θοντι -τω K L W Δ 565. 700. 1424 𝔐

τῶν ⸀Γαδαρηνῶν ὑπήντησαν αὐτῷ δύο δαιμονιζόμενοι ἐκ
Is 65,4 τῶν μνημείων ἐξερχόμενοι, χαλεποὶ λίαν, ὥστε μὴ ἰσχύ-
ειν τινὰ παρελθεῖν διὰ τῆς ὁδοῦ ἐκείνης. **29** καὶ ἰδοὺ ἔκρα-
Mc 1,24!; · 3,11! ξαν λέγοντες· τί ἡμῖν καὶ σοί, ⸆ υἱὲ τοῦ θεοῦ; ἦλθες ὧδε
18,34 ⸂πρὸ καιροῦ βασανίσαι ἡμᾶς⸃; **30** ἦν δὲ ⸆ μακρὰν ἀπ' αὐτῶν ἀγέλη χοίρων ° πολλῶν βοσκομένη. **31** οἱ δὲ δαίμονες
παρεκάλουν αὐτὸν λέγοντες· εἰ ἐκβάλλεις ἡμᾶς, ⸂ἀπόστει-
λον ἡμᾶς⸃ εἰς τὴν ἀγέλην τῶν χοίρων. **32** καὶ εἶπεν αὐτοῖς·
ὑπάγετε. οἱ δὲ ἐξελθόντες ἀπῆλθον εἰς ⸂τοὺς χοίρους⸃·
καὶ ἰδοὺ ὥρμησεν πᾶσα ἡ ἀγέλη ⸆ κατὰ τοῦ κρημνοῦ εἰς
τὴν θάλασσαν καὶ ἀπέθανον ἐν τοῖς ὕδασιν. **33** οἱ δὲ βόσκοντες ἔφυγον, καὶ ἀπελθόντες εἰς τὴν πόλιν ἀπήγγειλαν πάντα καὶ τὰ τῶν δαιμονιζομένων. **34** καὶ ἰδοὺ πᾶσα
25,1 J 12,13 ἡ πόλις ἐξῆλθεν εἰς ⸀ὑπάντησιν ⸁τῷ Ἰησοῦ καὶ ἰδόντες
αὐτὸν παρεκάλεσαν ⸂ὅπως μεταβῇ⸃ ἀπὸ ⸋τῶν ὁρίων⸌
αὐτῶν.

1–8: Mc 2,1-12 L 5,17-26; · 8,37 4,13; 8,5p; 11,23; 17,24 Mc 1,21!p J 2,12! **9** Καὶ ἐμβὰς ⸆ εἰς ⸇ πλοῖον διεπέρασεν καὶ ἦλθεν εἰς 70 I
τὴν ἰδίαν πόλιν.

2 καὶ ἰδοὺ προσέφερον αὐτῷ παραλυτικὸν ἐπὶ κλίνης *13*
Act 14,9 βεβλημένον. καὶ ἰδὼν ὁ Ἰησοῦς τὴν πίστιν αὐτῶν εἶπεν
L 7,48s τῷ παραλυτικῷ· θάρσει, τέκνον, ⸀ἀφίενταί ⸂σου αἱ ἁμαρ-
τίαι⸃. **3** καὶ ἰδού τινες τῶν γραμματέων εἶπαν ἐν ἑαυ-
26,65 J 10,33!| 12,25 L 5,22! τοῖς· οὗτος βλασφημεῖ. **4** καὶ ⸀ἰδὼν ὁ Ἰησοῦς τὰς ἐνθυ-
J 2,25 · Zch 8,17 μήσεις αὐτῶν εἶπεν⸆· ἱνατί ⸇ ἐνθυμεῖσθε πονηρὰ ἐν ταῖς
καρδίαις ὑμῶν; **5** τί γάρ ἐστιν εὐκοπώτερον, εἰπεῖν· ⸀ἀφ-

28 ⸀*p)* Γερασηνων 892^{c} latt sy^{hmg} sa mae ¦ Γεργεσηνων א^{2} L W *f*$^{1.13}$ 𝔐 (sy^{hmg}) bo ¦ Γαζαρηνων א* ¦ *txt* B C (Δ) Θ 1010 *al* sy$^{s.p.h}$ ● **29** ⸆*p)* Ιησου C^{3} W Θ 0242^{vid} *f*^{13} 𝔐 it vg^{cl} sy$^{p.h}$ sa bo^{pt} ¦ *txt* א B C* L *f*^{1} 33. 892 *al* ff^{1} k l vgst sy^{s} mae bo^{pt} | ⸂ (L 4,34) ημ. απολεσαι πρ. κ. א* (W) *pc* vg^{mss} bo^{pt} ● **30** ⸆ου lat | ° Θ 565 *pc* (sy^{s}) ● **31** ⸂*p)* επιτρεψον ημιν απελθειν C L W *f*^{13} 𝔐 f h q sy$^{p.h}$ ¦ *txt* א B Θ 0242^{vid} *f*^{1} 33. 892* *pc* lat sy^{s} co; Cyr ● **32** ⸂την αγελην των χοιρων C^{3} L W Θ *f*^{13} 𝔐 f h sy^{h} ¦ *txt* א B C* 0242 *f*^{1} 33. 892. 1010 *pc* lat sy$^{s.p}$ co | ⸆των χοιρων C^{3} K L 565. 700 𝔐 bo mae ● **34** ⸀συναντ- C L W 0242^{vid} *f*^{13} 𝔐 ¦ *txt* א B Θ *f*^{1} 33 *pc* | ⸁του א C 33. 892 *pc* | ⸂ινα μεταβη B W ¦ μεταβηναι *f*^{1} 892; Cyr | ⸋ sy^{s}

¶ **9,1** ⸆ο Ιησους C^{3} (⸉ C* *pc*) F Θ^{c} *f*^{13} *al* vg^{s} | ⸇το C* W 0233 𝔐 ¦ *txt* א B C^{3} L Θ *f*$^{1.13}$ 33. 565. 892 *al* sa mae ● **2** ⸀αφεωνται C L W Θ 0233 *f*$^{1.13}$ 𝔐 it ¦ *txt* א B (D) *pc* lat | ⸂σοι αι αμ. D Δ^{c} *pc* k vg^{ms} ¦ *p)* σοι αι αμ. σου (C^{3}) L Θ 0233^{vid} *f*^{13} 𝔐 lat sy ¦ *txt* א B C* W *f*^{1} 33. 892 *pc* ● **4** ⸀† ειδως B (Θ) *f*^{1} 565. 700. 1424 *al* sy$^{p.h}$ sa mae ¦ *txt* א C D L (N) W 0233 *f*^{13} 𝔐 latt sy^{s} bo | ⸆αυτοις D N Θ *f*^{13} *pc* c h sy$^{s.p}$ sa mae bo^{mss} | ⸇υμεις L W Θ 0233^{vid} *f*^{13} 𝔐 sy^{h} sa? ¦ *txt* א B C D *f*^{1} 33. 892 *pc* mae bo ● **5** ⸀αφεωνται C L W Θ 0233 *f*$^{1.13}$ 𝔐 it ¦ *txt* א(*) B (D) lat *pc*

ίενταί σου αἱ ἁμαρτίαι, ἢ εἰπεῖν· ἔγειρε καὶ περιπάτει;
6 ἵνα δὲ εἰδῆτε ὅτι ἐξουσίαν ἔχει ὁ υἱὸς τοῦ ἀνθρώπου 28,18!
ἐπὶ τῆς γῆς ἀφιέναι ἁμαρτίας – τότε λέγει τῷ παραλυτικῷ·
⸀ἐγερθεὶς ἆρόν σου τὴν κλίνην καὶ ὕπαγε εἰς τὸν οἶκόν J 5,8s
σου. **7** καὶ ἐγερθεὶς ἀπῆλθεν εἰς τὸν οἶκον αὐτοῦ. **8** ἰδόντες δὲ οἱ ὄχλοι ⸀ἐφοβήθησαν καὶ ἐδόξασαν τὸν θεὸν τὸν
δόντα ἐξουσίαν τοιαύτην τοῖς ἀνθρώποις.
14 71 II **9** Καὶ παράγων ⸉ὁ Ἰησοῦς ἐκεῖθεν⸊ εἶδεν ἄνθρωπον *9–13:* Mc 2,13-17 L 5,27-32
καθήμενον ἐπὶ τὸ τελώνιον, Μαθθαῖον λεγόμενον, καὶ 10,3 p Act 1,13
λέγει αὐτῷ· ἀκολούθει μοι. καὶ ἀναστὰς ⸀ἠκολούθησεν 8,22! p
αὐτῷ.
72 II **10** καὶ ἐγένετο αὐτοῦ ἀνακειμένου ἐν τῇ οἰκίᾳ, °καὶ
ἰδοὺ πολλοὶ τελῶναι καὶ ἁμαρτωλοὶ ἐλθόντες συνανέκειντο τῷ Ἰησοῦ καὶ τοῖς μαθηταῖς αὐτοῦ. **11** καὶ ἰδόντες οἱ
Φαρισαῖοι ⸀ἔλεγον τοῖς μαθηταῖς αὐτοῦ· διὰ τί μετὰ τῶν 11,9 p L 15,2; 19,7
τελωνῶν καὶ ἁμαρτωλῶν ⸉ἐσθίει ὁ διδάσκαλος ὑμῶν⸊;
73 II **12** ὁ δὲ ⸆ ἀκούσας εἶπεν ⸆· οὐ χρείαν ἔχουσιν οἱ ἰσχύον-
τες ἰατροῦ ἀλλ’ οἱ κακῶς ἔχοντες. **13** πορευθέντες δὲ μά-
θετε τί ἐστιν· *ἔλεος θέλω καὶ οὐ θυσίαν·* οὐ γὰρ ἦλθον καλέ- 12,7 *Hos 6,6* 1Sm 15,22 Prv 16,7 𝔊
σαι δικαίους ἀλλὰ ἁμαρτωλούς⸆. H 10,5! L 19,10 1T 1,15
14 Τότε προσέρχονται αὐτῷ οἱ μαθηταὶ Ἰωάννου *14–17:* Mc 2,18-22 L 5,33-38
λέγοντες· διὰ τί ἡμεῖς καὶ οἱ Φαρισαῖοι νηστεύομεν 11,18s p L 18,12
⸀[πολλά], οἱ δὲ μαθηταί σου οὐ νηστεύουσιν; **15** καὶ εἶπεν Is 58,3
αὐτοῖς ὁ Ἰησοῦς· μὴ δύνανται οἱ υἱοὶ τοῦ ⸀νυμφῶνος ⸂πεν-
θεῖν ἐφ’ ὅσον μετ’ αὐτῶν ἐστιν ὁ νυμφίος; ἐλεύσονται δὲ 22,2! J 3,29; 26,11 p L 17,22
ἡμέραι ὅταν ἀπαρθῇ ἀπ’ αὐτῶν ὁ νυμφίος, καὶ τότε νη-
στεύσουσιν⸆. **16** οὐδεὶς δὲ ἐπιβάλλει ἐπίβλημα ῥάκους
ἀγνάφου ἐπὶ ἱματίῳ παλαιῷ· αἴρει γὰρ τὸ πλήρωμα αὐ- J 1,17 R 7,6
τοῦ ἀπὸ τοῦ ἱματίου καὶ χεῖρον σχίσμα γίνεται. **17** οὐδὲ

6 ⸀† *p)* εγειρε, B (D) *pc* ¦ *txt* ℵ C L W Θ 0233 $f^{1.13}$ 𝔐 q ● **8** ⸀εθαυμασαν C L Θ 0233 f^{13} 𝔐 (f) sy^{h} ¦ *txt* ℵ B D W f^{1} 33. 892. 1424 *al* lat $sy^{s.p}$ co ● **9** ⸉ *3 1 2* D N Θ f^{13} 565 *pc*; Eus ¦ *1 2* ℵ* L *pc* bo^{ms} | ⸀-θει ℵ C^{vid} D f^{1} 892. 1010 *pc* ● **10** ° ℵ D (700). 892 *pc* lat co ● **11** ⸀ειπον D Θ 0233 f^{13} 𝔐 ¦ *txt* ℵ B C L W f^{1} 33. 892. 1010 *al* | ⸉ *1* a ¦ *p)* εσθιετε και πινετε sy^{s} ¦ εσθιει κ. πινει ο δ. υ. M 565 *al* ● **12** ⸆*p)* Ιησους C L W Θ 0233^{c} $f^{1.13}$ 𝔐 lat $sy^{p.h}$ bo ¦ *txt* ℵ B D 0233*. 892. 1010 *pc* sy^{s} sa mae | ⸆*p)* αυτοις C^{3} L W Θ 0233 $f^{1.13}$ 𝔐 a f h q vg^{mss} $sy^{p.h}$ mae bo ¦ *txt* ℵ B C* 892. 1424 *pc* lat sy^{s} sa ● **13** ⸆*p)* εις μετανοιαν C L Θ f^{13} 𝔐 c g^{1} $sy^{s.hmg}$ sa mae bo^{pt} ¦ *txt* ℵ B D N W Γ* Δ 0233 f^{1} 33. 565 *al* lat $sy^{p.h}$ bo^{pt} ● **14** ⸀† – ℵ* B *pc* sa^{ms} ¦ *p)* πυκνα $ℵ^{1}$ lat? sy^{s}? ¦ *txt* $ℵ^{2}$ C D L W Θ 0233 $f^{1.13}$ 𝔐 k $sy^{p.h}$ co ● **15** ⸀-ιου D latt | ⸂*p)* νηστευειν D W 1424 *pc* it $sy^{p.hmg}$ sa mae bo^{mss} | ⸆*p)* εν εκειναις ταις ημεραις D it sy^{hmg}

βάλλουσιν οἶνον νέον εἰς ἀσκοὺς παλαιούς· εἰ δὲ μή °γε,
Job 32,19 ⸂ῥήγνυνται οἱ ἀσκοὶ⸃ καὶ ὁ οἶνος ⸄ἐκχεῖται καὶ οἱ ἀσκοὶ
ἀπόλλυνται⸅· ⸂¹ἀλλὰ βάλλουσιν οἶνον νέον εἰς ἀσκοὺς
καινούς⸃, καὶ ἀμφότεροι συντηροῦνται.
18–26: Mc 5, 21-43 L 8,40-56 **18** Ταῦτα αὐτοῦ λαλοῦντος αὐτοῖς, ἰδοὺ ἄρχων ⸂εἷς ἐλ- *15* 74
θὼν⸃ προσεκύνει αὐτῷ λέγων ⸀ὅτι ἡ θυγάτηρ μου ἄρτι II
19,13 Mc 6,5; 7,32; 8,23.25; ἐτελεύτησεν· ἀλλὰ ἐλθὼν ἐπίθες τὴν χεῖρά σου ἐπ' αὐ-
16,18 L 4,40; 13,13 Act 6,6! τήν, καὶ ζήσεται. **19** καὶ ἐγερθεὶς ὁ Ἰησοῦς ⸀ἠκολούθησεν
αὐτῷ καὶ οἱ μαθηταὶ αὐτοῦ.
Lv 15,25 **20** Καὶ ἰδοὺ γυνὴ αἱμορροοῦσα δώδεκα ἔτη ⸆ προσελ- *16*
Mc 1,41!; · 6,56p! Nu 15,38 Dt 22,12 θοῦσα ὄπισθεν ἥψατο τοῦ κρασπέδου τοῦ ἱματίου αὐτοῦ·
L 6,19 **21** ἔλεγεν γὰρ ἐν ἑαυτῇ· ἐὰν ⸂μόνον ἅψωμαι⸃ τοῦ ἱματίου
αὐτοῦ σωθήσομαι. **22** ὁ δὲ °Ἰησοῦς ⸀στραφεὶς καὶ ἰδὼν
Mc 10,52p L 7,50; 17,19 Act 16,31 αὐτὴν εἶπεν· θάρσει, ⸁θύγατερ· ἡ πίστις σου σέσωκέν σε.
R 10,9 · 8,13! καὶ ἐσώθη ἡ γυνὴ ἀπὸ τῆς ὥρας ἐκείνης.
23 Καὶ ἐλθὼν ὁ Ἰησοῦς εἰς τὴν οἰκίαν τοῦ ἄρχοντος
καὶ ἰδὼν τοὺς αὐλητὰς καὶ τὸν ὄχλον θορυβούμενον
24 ⸀ἔλεγεν· ἀναχωρεῖτε, οὐ γὰρ ἀπέθανεν τὸ κοράσιον
J 11,11-14 ἀλλὰ καθεύδει. καὶ κατεγέλων αὐτοῦ. **25** ὅτε δὲ ἐξεβλήθη
8,15 ὁ ὄχλος ⸀εἰσελθὼν ἐκράτησεν τῆς χειρὸς αὐτῆς, καὶ ἠγέρ-
4,24; 9,31 L 4,14. 37p; 5,15; 7,17 θη τὸ κοράσιον. **26** καὶ ἐξῆλθεν ἡ φήμη ⸀αὕτη εἰς ὅλην
τὴν γῆν ἐκείνην.
27–31: 20,29-34p **27** Καὶ παράγοντι ἐκεῖθεν τῷ Ἰησοῦ ἠκολούθησαν *17* 75
17,15! Ps 86,3 °[αὐτῷ] δύο τυφλοὶ κράζοντες καὶ λέγοντες· ἐλέησον ἡμᾶς, X
15,22; 12,23; 21,9 ⸀υἱὸς Δαυίδ. **28** ⸂ἐλθόντι δὲ⸃ εἰς τὴν οἰκίαν προσῆλθον
αὐτῷ οἱ ⸆ τυφλοί, καὶ λέγει αὐτοῖς ὁ Ἰησοῦς· πιστεύετε
ὅτι ⸄δύναμαι τοῦτο ποιῆσαι⸅; λέγουσιν αὐτῷ· ναὶ κύριε.

17 °B | ⸂*p)* ρησσει ο οινος ο νεος τους ασκους D (g¹ k μ sy^s) | ⸄*p)* απολλυται κ. οι α. D (a) k | ⸂¹ *1 3–6 2 7* C (892). 1010. 1424 *pc* ¦ *p)* αλλ *3–7* βλητεον ℵ • **18** ⸂† εἷς προσελ- ℵ¹ B lat ¦ τις προσελ- L *f*¹³ *al* g¹ ¦ προσελ- ℵ* *pc* (q?) ¦ τις ἐλ- Γ 1010 *pc* (h) k ¦ ΕΙΣΕΛ- ℵ² C D N W Θ *pc* ¦ εἰσελ- *f*¹ 700 *al* (q?) ¦ *txt* 𝔐 d f | ⸀– ℵ D *f*¹·¹³ 33. 892 *pc* ¦ κυριε M *pc* f ff¹ h vg^cl • **19** ⸀† -θει ℵ C D 33 *pc* ¦ *txt* B L W Θ *f*¹·¹³ 𝔐 • **20** ⸆ (J 5,5) εχουσα εν τη ασθενεια L *pc* • **21** ⸂ *2 1* D ¦ *2* ℵ* a h sy^s • **22** ° ℵ* D *pc* it sy^s | ⸀επιστρ- C L W Θ *f*¹ 𝔐 ¦ εστη στραφεις D ¦ *txt* ℵ B N *f*¹³ 33. 892. 1010 *al* | ⸁-τηρ D L N W Θ *pc*; Or • **24** ⸀*p)* λεγει αυτοις C L W Θ 𝔐 (f g¹) sy ¦ λεγ. N *pc* ¦ *txt* ℵ B D *f*¹·¹³ 33. 892 *pc* lat co • **25** ⸀ελ- D 1424 *pc* it • **26** ⸀αὐτῆς ℵ C N^vid Θ *f*¹ 33 *pc* mae bo ¦ αὐτοῦ D 1424 *pc* sa bo^ms ¦ *txt* *f*¹³ 𝔐 lat sy (αὐ- L Γ 28 *pc*; ΑΥ- B W Δ *pc*) • **27** °† B D 892 *pc* (k) ¦ *txt* ℵ C L W Θ 0250 *f*¹·¹³ 𝔐 lat sy | ⸀*p)* υιε ℵ C D K L Γ Δ Θ 0250 *f*¹ 28. 892*. 1010. 1424 *pm* ¦ κυριε υιε N *f*¹³ 892^c *pc* ¦ *txt* B W 565. (700) *pm* • **28** ⸂-θοντος δε αυτου 700 *pc* ¦ εισελθοντι δε αυτω ℵ* N (28. 1424 *al*) ¦ και ερχεται D | ⸆δυο ℵ* D *pc* a b h vg^mss | ⸄ *2 1 3* B N 892 q ¦ *1 3 2* C* ¦ *1* υμιν *2 3* ℵ* (∫ lat)

29 τότε ἥψατο τῶν ⸀ὀφθαλμῶν αὐτῶν λέγων· κατὰ τὴν
πίστιν ὑμῶν γενηθήτω ὑμῖν. **30** καὶ ἠνεῴχθησαν αὐτῶν 8,13!
οἱ ὀφθαλμοί. καὶ ⸀ἐνεβριμήθη αὐτοῖς ὁ Ἰησοῦς λέγων· Mc 1,43; 14,5 J 11,33.38
ὁρᾶτε μηδεὶς γινωσκέτω. **31** οἱ δὲ ἐξελθόντες διεφήμισαν 8,4! | 26!
αὐτὸν ἐν °ὅλῃ τῇ γῇ ἐκείνῃ.
18 **32** Αὐτῶν δὲ ἐξερχομένων ἰδοὺ προσήνεγκαν αὐτῷ °ἄν- *32–34:* cf 12,22-30p
θρωπον κωφὸν δαιμονιζόμενον. **33** καὶ ἐκβληθέντος τοῦ
δαιμονίου ἐλάλησεν ὁ κωφός. καὶ ἐθαύμασαν οἱ ὄχλοι λέ- 15,31; 8,27!
γοντες· οὐδέποτε ἐφάνη οὕτως ἐν τῷ Ἰσραήλ. **34** ⸋οἱ δὲ Mc 2.12
Φαρισαῖοι ἔλεγον· ἐν τῷ ἄρχοντι τῶν δαιμονίων ἐκβάλ- 10,25; 12,24.27p
λει τὰ δαιμόνια.⸌

76 II **35** Καὶ περιῆγεν ὁ Ἰησοῦς τὰς πόλεις πάσας καὶ τὰς
κώμας διδάσκων ἐν ταῖς συναγωγαῖς αὐτῶν καὶ κηρύσσων 4,23!
τὸ εὐαγγέλιον τῆς βασιλείας καὶ θεραπεύων πᾶσαν νόσον 24,14
καὶ πᾶσαν μαλακίαν⸆.
77 VI **36** Ἰδὼν δὲ τοὺς ὄχλους ⸆ ἐσπλαγχνίσθη περὶ αὐτῶν, ὅτι 14,14p; 15,32p; 20,34 Mc 1,41
ἦσαν ⸀ἐσκυλμένοι καὶ ἐρριμμένοι *ὡσεὶ πρόβατα μὴ ἔχοντα* 10,6! 26,31p 1P 2, 25 *Nu 27,17 Jdth*
78 V *ποιμένα.* **37** τότε λέγει τοῖς μαθηταῖς αὐτοῦ· ὁ μὲν θερι- *11,19 2Chr 18,16*
σμὸς πολύς, οἱ δὲ ἐργάται ὀλίγοι· **38** δεήθητε οὖν τοῦ Ez 34,5 1Rg 22,17 |
κυρίου τοῦ θερισμοῦ ὅπως ἐκβάλῃ ἐργάτας εἰς τὸν θε- L 10,2 J 4,35 Ap 14,15
ρισμὸν αὐτοῦ. 1Mcc 12,17 ⓖ
19 79 II **10** Καὶ προσκαλεσάμενος τοὺς δώδεκα μαθητὰς αὐτοῦ *1–15:* Mc 6,7-13 L 9,1-6
ἔδωκεν αὐτοῖς ἐξουσίαν ⸆ πνευμάτων ἀκαθάρτων L 10,17
ὥστε ἐκβάλλειν αὐτὰ καὶ θεραπεύειν πᾶσαν νόσον καὶ 4,23!
πᾶσαν μαλακίαν⸇.
80 II **2** Τῶν °δὲ δώδεκα ἀποστόλων τὰ ὀνόματά ἐστιν ταῦτα· *2–4:* Mc 3,16-19 L 6,13-16 J 1, 40-49 Act 1,13
πρῶτος Σίμων ὁ λεγόμενος Πέτρος καὶ Ἀνδρέας ὁ ἀδελ- 4,18!
φὸς αὐτοῦ, °¹καὶ Ἰάκωβος ὁ τοῦ Ζεβεδαίου καὶ Ἰωάννης ὁ 4,21!
ἀδελφὸς αὐτοῦ, **3** Φίλιππος καὶ Βαρθολομαῖος, Θωμᾶς καὶ
Μαθθαῖος ὁ τελώνης, Ἰάκωβος ὁ τοῦ Ἁλφαίου καὶ ⸀Θαδ- 9,9!

29 ⸀(20,34) ομματων D Θ 0250 ● **30** ⸀-μησατο B^{2} C D L W Θ 0250 f^{13} 𝔐 ¦ *txt* ℵ B* f^{1} 892 *pc* ● **31** ° ℵ* sy^{s} ● **32** °† ℵ B f^{13} 892 *pc* sy$^{s.p}$ co ¦ *txt* C D L W Θ f^{1} 𝔐 latt sy^{h} ● **34** ⸋ *vs* D a k sy^{s}; Hil ● **35** ⸆εν τω λαω C^{3} K Γ Θ 28. 700 *pm* c vg^{mss} ¦ και πολλοι ηκολουθησαν αυτω a b h ¦ εν τω λ. κ. π. (– ℵ*) ηκ. αυτ. ℵ* L f^{13} 1010. 1424 *al* g^{1} ● **36** ⸆ο Ιησους C N f^{13} 1010 *al* g^{1} sy$^{p.h**}$ mae (∫ G *pc*) | ⸀εκλελυμενοι L V 1424 *pc* (sy$^{s.p}$) ¶ **10,1** ⸆κατα L *al*; Cyr | ⸇(4,23) εν τω λαω L *pc* b g^{1} ● **2** ° D* Θ f^{13} 1010 *pc* | °¹ ℵ*$^{vid.c}$ C D L W Θ $f^{1.13}$ 𝔐 lat sy^{h} co ¦ *txt* ℵ^{c} B Γ *pc* d sy^{hmg} ● **3** ⸀Λεββαιος D k μ; Or ¦ Λ. ο επικληθεις Θαδδ. (ο και Θ. C*) C^{2} L W Θ f^{1} 𝔐 f sy$^{p.h}$ ¦ Θαδδ. ο ε. Λ. 13 *pc* ¦ Judas Zelotes it ¦ – sy^{s} ¦ *txt* ℵ B f^{13} 892 *pc* lat co

δαῖος, **4** Σίμων ὁ ⸀Καναναῖος ⸆ καὶ Ἰούδας ⸂ὁ Ἰσκαριώ-
της⸃ ὁ καὶ παραδοὺς αὐτόν.
5 Τούτους τοὺς δώδεκα ἀπέστειλεν ὁ Ἰησοῦς παραγγεί- 81 X
28,19 Act 13,46 L 9,52 λας αὐτοῖς ⸀λέγων· εἰς ὁδὸν ἐθνῶν μὴ ἀπέλθητε καὶ εἰς
πόλιν Σαμαριτῶν μὴ εἰσέλθητε· **6** ⸂πορεύεσθε δὲ⸃ μᾶλλον
9,36; 15,24; 18, 12 Jr 50,6 πρὸς τὰ πρόβατα τὰ ἀπολωλότα οἴκου Ἰσραήλ. **7** πορευ- 82 II
3,2! όμενοι δὲ κηρύσσετε λέγοντες ⸀ὅτι ἤγγικεν ἡ βασιλεία
Act 9,34.40 τῶν οὐρανῶν. **8** ἀσθενοῦντας θεραπεύετε, ⸂νεκροὺς ἐγεί-
8,2! · Mc 16,17! · ρετε, λεπροὺς καθαρίζετε, δαιμόνια ἐκβάλλετε⸃· δωρεὰν
2Rg 5,16 Act 8,20; 20,33 | L 10,4! ἐλάβετε, δωρεὰν δότε. **9** Μὴ κτήσησθε χρυσὸν μηδὲ
ἄργυρον μηδὲ χαλκὸν εἰς τὰς ζώνας ὑμῶν, **10** μὴ πήραν
εἰς ὁδὸν μηδὲ δύο χιτῶνας μηδὲ ὑποδήματα μηδὲ ⸀ῥάβδον·
Nu 18,31 L 10, 7 1K 9,4 1T 5,18 2Th 3,9 ἄξιος γὰρ ὁ ἐργάτης ⸂τῆς τροφῆς⸃ αὐτοῦ. **11** ⸂εἰς ἣν δ' 83 II
ἂν πόλιν ἢ κώμην εἰσέλθητε⸃, ἐξετάσατε τίς ἐν αὐτῇ ἄξιός
ἐστιν· κἀκεῖ μείνατε ἕως ἂν ἐξέλθητε. **12** εἰσερχόμενοι δὲ 84 V
L 10,5s εἰς τὴν οἰκίαν ἀσπάσασθε αὐτήν⸆· **13** καὶ ἐὰν μὲν ᾖ ἡ οἰκία
ἀξία, ἐλθάτω ἡ εἰρήνη ὑμῶν ἐπ' αὐτήν, ⸂ἐὰν δὲ μὴ ᾖ ἀξία,⸃
2J 10 ἡ εἰρήνη ὑμῶν ⸀πρὸς ὑμᾶς ἐπιστραφήτω. **14** καὶ ὃς ἂν μὴ 85 II
L 10,10-12 δέξηται ὑμᾶς μηδὲ ἀκούσῃ τοὺς λόγους ὑμῶν, ἐξερχόμενοι ἔξω ⸋τῆς οἰκίας ἢ⸌ τῆς πόλεως ⸆ ἐκείνης ἐκτινάξατε
Act 13,51; 18,6 τὸν κονιορτὸν ⸇ τῶν ποδῶν ὑμῶν. **15** ἀμὴν λέγω ὑμῖν,
11,24 Gn 19, 24s R 9,29 2P 2,6 Jd 7 | ἀνεκτότερον ἔσται γῇ Σοδόμων καὶ ⸀Γομόρρων ἐν ἡμέρᾳ
κρίσεως ἢ τῇ πόλει ἐκείνῃ.
16 Ἰδοὺ ἐγὼ ἀποστέλλω ὑμᾶς ὡς πρόβατα ⸂ἐν μέσῳ⸃ 86 V
L 10,3 Act 20,29! Sir 13,17 · Gn 3,1 · R 16,19 Ph 2,15 λύκων· γίνεσθε οὖν φρόνιμοι ὡς ⸄οἱ ὄφεις⸅ καὶ ⸀ἀκέραιοι
17–22: 24,9-14 ὡς αἱ περιστεραί.
Mc 13,9-13 L 21, 12-19 **17** Προσέχετε °δὲ ἀπὸ τῶν ἀνθρώπων· παραδώσουσιν 87 I
Act 5,40; 6,12; 22, 19 · 2K 11,23ss · 23,34 γὰρ ὑμᾶς εἰς συνέδρια καὶ ⸂ἐν ταῖς συναγωγαῖς αὐτῶν⸃ μα-

● **4** ⸀Κανανιτης ℵ W Θ *f*[13] 𝔐 sy[h] ¦ *txt* B C (D) L N *f*[1] 33. 892. 1010 *pc* | ⸆*p)* και Ιουδας ο του Ιακωβου sy[s] | ⸂ *2* ℵ[1] L W Γ *f*[13] 28. 565. 892 *pm* vg[cl] ¦ Ισκαριωθ C 1424 ¦ ο Σκαριωτης D lat ¦ Σιμωνος Ισκαριωτου Or ● **5** ⸀και λ. D ¦ – ℵ* 1424 ● **6** ⸂υπαγετε D ● **7** ⸀(4,17) μετανοειτε οτι 251 *pc* sa[mss] ¦ – B ● **8** ⸂ *3–6 1 2* P W Δ *pc* sy[h] ¦ *3 4 1 2 5 6* 348 *al* ¦ *5 6 3 4* 28 ¦ *5 6* 1424* ¦ *3–6* C[3] K L Γ Θ 700* 𝔐 f (sy[p]) sa mae ¦ *txt* ℵ B C* (D) N *f*[1.13] 33. 565. 700[mg]. 892. 1010 *al* lat (sy[s]) bo ● **10** ⸀-δους C L W *f*[13] 𝔐 a ff[1] k μ sy[h] bo[ms] ¦ *txt* ℵ B D Θ *f*[1] 33. 892. 1424 *al* lat sy[p] sa[mss] mae | ⸂του μισθου K 565. 892 *al* it sy[hmg] ● **11** ⸂ *1–5 8 f*[1] 700 it sy[s] ¦ *1–5 8 6 7* L *f*[13] *pc* co ¦ η πολις *1 2 4 8* εις αυτην D ● **12** ⸆ λεγοντες· ειρηνη τω οικω τουτω ℵ*.[2] D L W Θ *f*[1] 1010. (1424) *al* it vg[cl] ● **13** ⸂ει δε μη γε D sy[s]? ¦ ει δε μη αξια L | ⸀εφ ℵ B W 892. 1010 *pc* ● **14** ⸋ D | ⸆ της κωμης ℵ *f*[13] 892 *pc* vg[mss] co | ⸇εκ ℵ C 33. 892. 1010 *al* lat ● **15** ⸀-ρας D L N P Θ *f*[1] 1424 *al* h k ¦ γη ⸀-ας C 1010 *pc* ¦ γη ⸀-ων ℵ *pc* ● **16** ⸂εις -ον B | ⸄ο οφις ℵ*; Or[pt] Epiph | ⸀απλουστατοι D ● **17** ° D 28 *pc* it sy[s] sa[mss] mae | ⸂ *1–3* W aur ¦ εις τας -γας αυτ. D 0171

στιγώσουσιν ὑμᾶς· **18** καὶ ἐπὶ ⸂ἡγεμόνας δὲ καὶ βασιλεῖς Act 25,23; 27,24 ·
ἀχθήσεσθε⸃ ἕνεκεν ἐμοῦ εἰς μαρτύριον αὐτοῖς καὶ τοῖς 8,4! Dt 31,26
88 II ἔθνεσιν. **19** ὅταν δὲ ⸀παραδῶσιν ὑμᾶς, μὴ μεριμνήσητε
πῶς ἢ τί λαλήσητε· ⸋δοθήσεται γὰρ ὑμῖν ἐν ἐκείνῃ τῇ L 12,11s Ex 4,12
ὥρᾳ τί λαλήσητε·⸌ **20** οὐ γὰρ ὑμεῖς ἐστε οἱ λαλοῦντες
ἀλλὰ τὸ πνεῦμα τοῦ πατρὸς ὑμῶν τὸ λαλοῦν ἐν ὑμῖν. J 14,26 Act 4,8 1K 2,4
21 Παραδώσει δὲ ἀδελφὸς ἀδελφὸν εἰς θάνατον καὶ 35 Mch 7,6
πατὴρ τέκνον, καὶ ⸀ἐπαναστήσονται τέκνα ἐπὶ γονεῖς καὶ
θανατώσουσιν αὐτούς. **22** καὶ ἔσεσθε μισούμενοι ὑπὸ πάν- L 6,22p J 15,18! 21 1J 3,13
των διὰ τὸ ὄνομά μου· ὁ δὲ ὑπομείνας εἰς τέλος οὗτος 24,13 2T 2,12 Dn 12,12s ·
σωθήσεται. 4Esr 6,25
89 X **23** Ὅταν δὲ διώκωσιν ὑμᾶς ἐν τῇ πόλει ταύτῃ, φεύγετε
εἰς τὴν ⸀ἑτέραν· ⸆ ἀμὴν γὰρ λέγω ὑμῖν, οὐ μὴ τελέσητε 23,34 Act 8,1; ·
τὰς πόλεις °τοῦ Ἰσραὴλ ἕως ⸁ἂν ἔλθῃ ὁ υἱὸς τοῦ ἀν- 14,5s 2K 11,33 · 16,28; · 24,30!
θρώπου.
90 III **24** Οὐκ ἔστιν μαθητὴς ὑπὲρ τὸν διδάσκαλον⸆ οὐδὲ δοῦ- L 6,40 J 13,16; 15,20
λος ὑπὲρ τὸν κύριον αὐτοῦ. **25** ἀρκετὸν τῷ μαθητῇ ἵνα
γένηται ὡς ὁ διδάσκαλος αὐτοῦ καὶ ὁ δοῦλος ὡς ὁ κύριος
91 X αὐτοῦ. εἰ ⸂τὸν οἰκοδεσπότην⸃ ⸀Βεελζεβοὺλ ⸁ἐπεκάλεσαν, 9,34!
πόσῳ μᾶλλον ⸂τοὺς οἰκιακοὺς⸃ αὐτοῦ.
92 II **26** Μὴ οὖν φοβηθῆτε αὐτούς· * οὐδὲν γάρ ἐστιν κεκαλυμ- *26–33:* L 12,2-9 Mc 4,22p
μένον ὃ οὐκ ἀποκαλυφθήσεται καὶ κρυπτὸν ὃ οὐ γνωσθή-
93 V σεται. **27** ὃ λέγω ὑμῖν ἐν τῇ σκοτίᾳ εἴπατε ἐν τῷ φωτί,
καὶ ὃ εἰς τὸ οὖς ἀκούετε ⸀κηρύξατε ἐπὶ τῶν δωμάτων.
28 καὶ μὴ ⸀φοβεῖσθε ἀπὸ τῶν ἀποκτεννόντων τὸ σῶμα, 4Mcc 13,14 1P 3,14 Ap 2,10
τὴν δὲ ψυχὴν μὴ δυναμένων ἀποκτεῖναι· ⸁φοβεῖσθε δὲ
μᾶλλον τὸν δυνάμενον καὶ ψυχὴν καὶ σῶμα ἀπολέσαι ἐν H 10,31 Jc 4,12 Ap 14,7.10
γεέννῃ. **29** οὐχὶ δύο στρουθία ἀσσαρίου πωλεῖται; καὶ

18 ⸂ηγεμονων σταθησεσθε D (0171 it sy^{s}) ● **19** ⸀-δωσουσιν D L N W 33. 1010. 1424 *al* ¦ -δωσωσιν Φ 892 *al* ¦ -διδωσιν C Θ *f*^{13} 𝔐 ¦ *txt* ℵ B 0171^{vid} *f*^{1} *pc* | ⸋ D L 1010 *pc* g^{1} k vg^{mss}; Epiph ● **21** ⸀-σεται B Δ 700 *pc* ● **23** ⸀αλλην C D L Θ 0171^{vid} 𝔐 ¦ *txt* ℵ B W *f*$^{1.13}$ 33. 892. 1424 *pc*; Or Eus Th'ret | ⸆ καν (εαν δε D 0171^{vid} h k) εν τη αλλη (εκ ταυτης L Θ *f*$^{1.13}$ 565 *pc*) διωκ(ω)σιν υμας, φευγετε εις την αλλην (ετεραν L Θ)· D L Θ 0171^{vid} *f*$^{1.13}$ 565 *pc* it sy^{s}; Or | ° B D | ⸁† – ℵ* B *pc* ¦ οὐ ℵ^{2} *pc* ¦ *txt* C D L W Θ *f*$^{1.13}$ 𝔐 ● **24** ⸆ταυτου ℵ W *f*^{13} 1424 *al* sy ● **25** ⸂τω -οτη *et* ⸂τοις -κοις B* | ⸀† Βεεζ- ℵ B *pc* ¦ Beelzebub c (ff^{1}) vg sy$^{s.p}$ ¦ *txt* C (D L) W Θ *f*$^{1.13}$ 𝔐 it sy^{h} co; Cyp | ⸁-λεσαντο ℵ* L N 1010 *pc* ¦ εκαλεσαν Θ 0171 *f*^{1} 700. 1424 *pm* ¦ καλουσιν D ● **27** ⸀κηρυσσεται (*vl* -ετε) D Θ; Or ¦ κηρυχθησεται L ● **28** ⸀φοβηθητε B D N W Θ *f*^{1} 28. 33. 892. 1424 *pm* ¦ *txt* ℵ C K L Γ Δ *f*^{13} 565. 700. 1010 *pm* | ⸁φοβηθητε D L Θ^{vid} *f*$^{1.13}$ 𝔐 ¦ *txt* ℵ B C W 565. 892. 1010 *pc*

1 Sm 14,45 2 Sm ἓν ἐξ αὐτῶν οὐ πεσεῖται ἐπὶ τὴν γῆν ἄνευ τοῦ πατρὸς
14,11 L 21,28 ὑμῶν. **30** ⸂ὑμῶν δὲ⸃ καὶ αἱ τρίχες τῆς κεφαλῆς ⸆ πᾶσαι
Act 27,34 6,26; 12,12 ἠριθμημέναι εἰσίν. **31** μὴ οὖν ⸀φοβεῖσθε⸆· πολλῶν στρουθίων διαφέρετε ὑμεῖς.
1 J 4,2s.15 **32** Πᾶς οὖν ὅστις ὁμολογήσει ἐν ἐμοὶ ἔμπροσθεν τῶν
1 Sm 2,30 Ap 3,5 ἀνθρώπων, ὁμολογήσω κἀγὼ ἐν αὐτῷ ἔμπροσθεν τοῦ πα-
2 T 2,12 1 J 2,22s τρός μου τοῦ ἐν °[τοῖς] οὐρανοῖς· **33** ⸂ὅστις δ᾽ ἂν⸃ ἀρ- 94
Jd 4 Mc 8,38p νήσηταί με ἔμπροσθεν τῶν ἀνθρώπων, ἀρνήσομαι ⸉κἀ- II
γὼ αὐτὸν⸊ ἔμπροσθεν τοῦ πατρός μου τοῦ ἐν °[τοῖς]
οὐρανοῖς.
34–36: L 12,51-53; 12,49; · 22,36 **34** Μὴ νομίσητε ὅτι ἦλθον βαλεῖν εἰρήνην ἐπὶ τὴν 95
γῆν· οὐκ ἦλθον βαλεῖν εἰρήνην ἀλλὰ ⸀μάχαιραν. **35** ἦλ- V
21 *Mch 7,6* θον γὰρ διχάσαι ⸀*ἄνθρωπον κατὰ τοῦ πατρὸς αὐτοῦ* καὶ *θυ-*
γατέρα κατὰ τῆς μητρὸς αὐτῆς καὶ *νύμφην κατὰ τῆς πενθερᾶς*
αὐτῆς, **36** καὶ *ἐχθροὶ τοῦ ἀνθρώπου οἱ οἰκιακοὶ αὐτοῦ.*
37 s: L 14,26s 19,29 Dt 33,9 **37** Ὁ φιλῶν πατέρα ἢ μητέρα ὑπὲρ ἐμὲ οὐκ ἔστιν μου 96
ἄξιος, ⸋καὶ ὁ φιλῶν υἱὸν ἢ θυγατέρα ὑπὲρ ἐμὲ οὐκ ἔστιν V
16,24!p μου ἄξιος·⸌ **38** καὶ ὃς οὐ λαμβάνει τὸν σταυρὸν αὐτοῦ
καὶ ἀκολουθεῖ ὀπίσω μου, οὐκ ἔστιν μου ἄξιος. **39** ⸋ὁ εὑ- 97
16,25!p ρὼν τὴν ψυχὴν αὐτοῦ ἀπολέσει αὐτήν, καὶ⸌ ὁ ἀπολέσας III
τὴν ψυχὴν αὐτοῦ ἕνεκεν ἐμοῦ εὑρήσει αὐτήν.
18,5p L 10,16 J 12,44; 13,20 **40** Ὁ δεχόμενος ὑμᾶς ἐμὲ δέχεται, καὶ ὁ ἐμὲ δεχόμενος 98 I
G 4,14 δέχεται τὸν ἀποστείλαντά με. **41** ὁ δεχόμενος προφήτην 99
13,17; 23,29.34 1 Rg 17,9-24; εἰς ὄνομα προφήτου μισθὸν προφήτου λήμψεται, ⸋καὶ ὁ X
18,4 2 Rg 4,9-37 3 J 8 δεχόμενος δίκαιον εἰς ὄνομα δικαίου μισθὸν δικαίου λήμ-
25,35.40 Mc 9,41 ψεται.⸌ **42** καὶ ὃς ἂν ποτίσῃ ἕνα τῶν ⸂μικρῶν τούτων⸃ πο- 100
τήριον ⸀ψυχροῦ °μόνον εἰς ὄνομα μαθητοῦ, ἀμὴν λέγω VI
ὑμῖν, οὐ μὴ ⸂¹ἀπολέσῃ τὸν μισθὸν⸃¹ αὐτοῦ.
7,28! **11** Καὶ ἐγένετο ὅτε ἐτέλεσεν ὁ Ἰησοῦς διατάσσων 101
τοῖς δώδεκα μαθηταῖς αὐτοῦ, μετέβη ἐκεῖθεν τοῦ X
διδάσκειν καὶ κηρύσσειν ἐν ταῖς πόλεσιν αὐτῶν.

30 ⸂αλλα *et* ⸆υμων D it ● **31** ⸀φοβηθητε C Θ f^{13} 𝔐 ¦ *txt* ℵ B D L W f^{1} 892 *pc* | ⸆ταυτους W f^{13} 1424 *al* g^{1} vg^{mss} sa ● **32** ° 𝔓^{19vid} ℵ D L W Θ f^{1} 𝔐 ¦ *txt* B C K f^{13} 565. 892 *al* ● **33** ⸂ *1 2* B L 1424 *pc* ¦ και οστις W | ⸉ C L f^{13} 𝔐 ¦ *txt* 𝔓^{19} ℵ B D W Δ Θ f^{1} 33. 892 *al* | ° 𝔓^{19} ℵ C D L W Θ f^{1} 𝔐 ¦ *txt* B f^{13} 892. 1424 *al* ● **34** ⸀μαχην και μαχαιραν 28 ¦ διαμερισμον των διανοιων κ. μ. sy^{c} ● **35** ⸀(Mch 7,6) υιον D *pc* it sy$^{s.c}$ ● **37** ⸋ B* D *al* ¦ *om. usque ad* αξιος (*vs* 38) 𝔓^{19} ● **39** ⸋ ℵ* ● **41** ⸋ D *pc* ● **42** ⸂ελαχιστων τ. D latt ¦ μ. τ. ελαχιστων 1424 *pc* | ⸀-χρουν Z 33. 565. 1010 *al* ¦ υδατος -χρου D lat sy$^{s.c}$ co; (Cl) Or Cyp | ° D *pc* sy$^{s.c}$ | ⸂¹-ληται ο μισθος D it sy$^{s.c}$ bo; Cyp

20/102/V 2 Ὁ δὲ Ἰωάννης ἀκούσας ἐν τῷ δεσμωτηρίῳ τὰ ἔργα *2–6:* L 7,18-23 14,12!
τοῦ ⸀Χριστοῦ πέμψας ⸂διὰ τῶν μαθητῶν αὐτοῦ 3 εἶπεν
αὐτῷ· σὺ εἶ ὁ ⸀ἐρχόμενος ἢ ἕτερον προσδοκῶμεν; 4 καὶ 3,11! Ps 118,26 Dn 7,13; 9,26 𝔊 Ml 3,1
ἀποκριθεὶς ὁ Ἰησοῦς εἶπεν αὐτοῖς· πορευθέντες ἀπαγγεί-
λατε Ἰωάννῃ ἃ ἀκούετε καὶ βλέπετε· 5 *τυφλοὶ ἀναβλέπου-* 15,31 *Is 29,18; 35,5s; 42,18.7; 26,19;* 61,1
σιν ⸉καὶ χωλοὶ περιπατοῦσιν⸊, λεπροὶ καθαρίζονται καὶ
κωφοὶ ἀκούουσιν, καὶ ⸉*νεκροὶ ἐγείρονται* καὶ πτωχοὶ εὐαγ- 8,2! 21,14; 5,3!
γελίζονται⸊· 6 καὶ μακάριός ἐστιν ὃς °ἐὰν μὴ σκανδαλι- 13,57; 26,31 J 6,61; 16,1
σθῇ ἐν ἐμοί.

7 Τούτων δὲ πορευομένων ἤρξατο ὁ Ἰησοῦς λέγειν τοῖς *7–19:* L 7,24-35
ὄχλοις περὶ Ἰωάννου· τί ἐξήλθατε εἰς τὴν ἔρημον⁚ θε- 3,1.5p
άσασθαι⁚1; κάλαμον ὑπὸ ἀνέμου σαλευόμενον; 8 ἀλλὰ τί
ἐξήλθατε⁚ ⸉ἰδεῖν⁚1; ἄνθρωπον⸊ ἐν μαλακοῖς ⸆ ἠμφιεσμέ- 3,4p
νον; ἰδοὺ οἱ τὰ μαλακὰ φοροῦντες ἐν τοῖς οἴκοις τῶν ⸀βα-
σιλέων °εἰσίν. 9 ἀλλὰ τί ἐξήλθατε ⸉ἰδεῖν; προφήτην⸊; L 1,76!
103/II ναὶ λέγω ὑμῖν, καὶ περισσότερον προφήτου. 10 οὗτός ⸆
ἐστιν περὶ οὗ γέγραπται·

ἰδοὺ ἐγὼ ἀποστέλλω τὸν ἄγγελόν μου πρὸ προσώπου σου, Mc 1,2! *Ex 23,20 Ml 3,1*
ὃς κατασκευάσει τὴν ὁδόν σου ἔμπροσθέν σου.

104/V 11 Ἀμὴν λέγω ὑμῖν· οὐκ ἐγήγερται ἐν γεννητοῖς γυναι- Job 11,2; 14,1 etc
κῶν μείζων Ἰωάννου τοῦ βαπτιστοῦ· ὁ δὲ μικρότερος ἐν 18,1p L 1,15; 22,24
105/V τῇ βασιλείᾳ τῶν οὐρανῶν μείζων αὐτοῦ ἐστιν. 12 ἀπὸ δὲ
τῶν ἡμερῶν Ἰωάννου τοῦ βαπτιστοῦ ἕως ἄρτι ἡ βασιλεία
τῶν οὐρανῶν βιάζεται καὶ βιασταὶ ἁρπάζουσιν αὐτήν. L 16,16 J 6,15
13 πάντες γὰρ οἱ προφῆται ⸋καὶ ὁ νόμος⸌ ἕως Ἰωάννου 1P 1,10
106/X ἐπροφήτευσαν· 14 καὶ εἰ θέλετε δέξασθαι, αὐτός ἐστιν 17,10-13p L 1,17
Ἠλίας ὁ μέλλων ἔρχεσθαι. 15 ὁ ἔχων ὦτα ⸆ ἀκουέτω. Ml 3,23 Sir 48,10 | 13,9p.43; 25,29app
107/V 16 Τίνι δὲ ὁμοιώσω τὴν γενεὰν ταύτην; ὁμοία ἐστὶν Mc 4,23; 7,16app L 12,21app; 14,35; 21,4app; Ap 2,7!
παιδίοις καθημένοις ἐν ταῖς ἀγοραῖς ἃ προσφωνοῦντα Ez 3,27 | 12,41sp
τοῖς ⸀ἑτέροις ⸆ 17 λέγουσιν·

¶ **11,2** ⸀Ιησου D 0233. 1424 *al* sy^{c} | ⸂*p)* δυο C^{3} L *f*^{1} 𝔐 aur ff^{1} g^{1} l vg sy^{hmg} bo; Or ¦ *txt* א B C* D P W Z Δ Θ 0233 *f*^{13} 33 *pc* q sy$^{p.h}$ sa mae ● **3** ⸀εργαζομενος D* ● **5** ⸉ *2 3* Z Δ 28. 892 *pc* lat ¦ – D *pc* | ⸉ *4 5 3 1 2* Θ *f*^{13} *pc* sy^{c} ¦ *1 2* k sy^{s} ● **6** ° 0233 ● **7** [⁚; *et* ⁚1 –] ● **8** [⁚; *et* ⁚1 –] | ⸉; ανθ. ιδ. א* | ⸆*p)* ιματιοις C L W Θ 0233 *f*$^{1.13}$ 𝔐 b f h l sy ¦ *txt* א B D Z *pc* lat | ⸀-λειων K N 565^{c} *pm* | °† א* B ¦ *txt* א^{2} C D L W Z Θ 0233 *f*$^{1.13}$ 𝔐 ● **9** ⸉ † προφ. ιδ.; א* B^{1} W Z 892 *pc* ¦ *txt* א^{1} B*$^{.2}$ C D L Θ 0233 *f*$^{1.13}$ 𝔐 latt sy sa ● **10** ⸆γαρ C L W Θ 0233 *f*$^{1.13}$ 𝔐 lat sy$^{p.h}$ co ¦ *txt* א B D Z 892 b g^{1} k sy$^{s.c}$ bo^{mss} ● **13** ⸋ sy^{s} bo^{ms} ● **15** ⸆ακουειν א C L W Z Θ *f*$^{1.13}$ 𝔐 lat sy$^{c.p.h}$ co ¦ *txt* B D 700 *pc* k sy^{s} ● **16** ⸀(*ex itac.?*) εταιροις G 700. 1010 *pm* aur ff^{1} l vg sa; Hipp Or | ⸆αυτων και (– Θ *f*^{13} 1424 *pc*) C L W Θ *f*^{13} 𝔐 ¦ *txt* א B D Z^{vid} *f*^{1} 892 *pc*

ηὐλήσαμεν ὑμῖν καὶ οὐκ ὠρχήσασθε,
Eccl 3,4 ἐθρηνήσαμεν ⸆ καὶ οὐκ ἐκόψασθε.
3,4p L 1,15 **18** ἦλθεν γὰρ ⸆ Ἰωάννης μήτε ἐσθίων μήτε πίνων, καὶ λέ-
J 10,20! γουσιν· δαιμόνιον ἔχει. **19** ἦλθεν ὁ υἱὸς τοῦ ἀνθρώπου
9,11! 14s · Dt 21, ἐσθίων καὶ πίνων, καὶ λέγουσιν· ἰδοὺ ἄνθρωπος φάγος καὶ
20 Prv 23,20 οἰνοπότης, τελωνῶν φίλος καὶ ἁμαρτωλῶν. καὶ ἐδικαι-
L 11,49 ώθη ἡ σοφία ἀπὸ ⸀τῶν ἔργων⸋ αὐτῆς.
20–24: L 10,13- **20** Τότε ἤρξατο ⸆ ὀνειδίζειν τὰς πόλεις ἐν αἷς ἐγένον- 108
15 · J 12,37 το αἱ πλεῖσται δυνάμεις αὐτοῦ, ὅτι οὐ μετενόησαν· **21** οὐ- V
Mc 6,45; 8,22 αί σοι, Χοραζίν⸀, οὐαί σοι⸋, Βηθσαϊδά· ὅτι εἰ ἐν Τύρῳ καὶ
L 9,10 · Is 23 Σιδῶνι ἐγένοντο αἱ δυνάμεις αἱ γενόμεναι ἐν ὑμῖν, πάλαι
Dn 9,3 Jon 3,5s ἂν ἐν σάκκῳ καὶ σποδῷ ⸆ μετενόησαν. **22** πλὴν λέγω
24; 10,15; 12,36; 2P 2,9; 3,7 1J ὑμῖν, Τύρῳ καὶ Σιδῶνι ἀνεκτότερον ἔσται ἐν ἡμέρᾳ κρί-
4,17 Is 34,8 Jdth 16,17 σεως ἢ ὑμῖν. **23** καὶ σύ, Καφαρναούμ, ⸀μὴ ἕως οὐρανοῦ
9,1!p PsSal 1,5 ὑψωθήσῃ;⸋ ἕως ᾅδου ⸂καταβήσῃ· ὅτι εἰ ἐν Σοδόμοις ⸃ἐγε- 109
Is 14,13.11.15 Ez 31,14s νήθησαν αἱ δυνάμεις αἱ γενόμεναι ἐν σοί, ἔμεινεν ἂν μέ- X
22! 10,15!p χρι τῆς σήμερον. **24** πλὴν λέγω ὑμῖν ὅτι γῇ Σοδόμων ἀνεκτότερον ἔσται ἐν ἡμέρᾳ κρίσεως ⸀ἢ σοί⸋.
25–27: L 10,21s Sir 51,1 Ps 136,26 **25** Ἐν ἐκείνῳ τῷ καιρῷ ἀποκριθεὶς ὁ Ἰησοῦς εἶπεν· ἐξ- 110
Tob 7,17 Act 17, ομολογοῦμαί σοι, πάτερ, κύριε τοῦ οὐρανοῦ καὶ τῆς γῆς, V
24 · Is 29,14 1K 1,19.26-29 L 19,42 ὅτι ⸂ἔκρυψας ταῦτα ἀπὸ σοφῶν καὶ συνετῶν καὶ ἀπεκά-
· 21,16 | 1K 1,21 λυψας αὐτὰ νηπίοις· **26** ναὶ ὁ πατήρ, ὅτι οὕτως εὐδοκία
28,18! ἐγένετο ἔμπροσθέν σου. **27** Πάντα μοι παρεδόθη 111 III
J 10,14s; 17,25 ὑπὸ τοῦ πατρός °μου, * καὶ οὐδεὶς ἐπιγινώσκει τὸν υἱὸν 112 III
16,17 G 1,15s εἰ μὴ ὁ πατήρ, οὐδὲ τὸν πατέρα τις ἐπιγινώσκει εἰ μὴ ὁ
υἱὸς καὶ ᾧ ἐὰν βούληται ὁ υἱὸς ἀποκαλύψαι.
Sir 24,19; 51,23 · **28** Δεῦτε πρός με πάντες οἱ κοπιῶντες καὶ πεφορτισμέ- 113
Ex 33,14 | Sir 51, 26s; 6,24s νοι⸆, κἀγὼ ἀναπαύσω ὑμᾶς. **29** ἄρατε τὸν ζυγόν μου ἐφ' X
21,5 Nu 12,3 2K ὑμᾶς καὶ μάθετε ⸋ἀπ' ἐμοῦ⸌, ὅτι πραΰς εἰμι καὶ ταπεινὸς
10,1 · *Jr 6,16* Sir 6,28s 𝔊 Is 28,12 | τῇ καρδίᾳ, καὶ *εὑρήσετε ἀνάπαυσιν ταῖς ψυχαῖς ὑμῶν*· **30** ὁ
Act 15,30 · 1J 5,3 γὰρ ζυγός μου χρηστὸς καὶ τὸ φορτίον μου ἐλαφρόν ἐστιν.

17 ⸆υμιν C L W Θ f^{13} 𝔐 it sy ¦ *txt* ℵ B D Z f^{1} 892 *pc* lat co ● **18** ⸆προς υμας Θ f^{13} *al* sy[c.h]; Eus ● **19** ⸀*(p)* τ. τεκνων B[2] C D L Θ f^{1} 𝔐 lat sy[s.c.hmg] sa[mss] mae ¦ παντων τ. εργ. f^{13} *pc* (k) ¦ *txt* ℵ B* W *pc* sy[p.h] sa[ms] bo; Hier[mss] ● **20** ⸆ο Ιησους C K L N W Θ $f^{1.13}$ 565. 892. 1010[c] *pm* g[1] h sy sa[mss] ● **21** ⸀και D it | ⸆*p)* καθημενοι ℵ C 33 *pc* ¦ -μεναι Δ f^{1} 892. 1424 *al* sy[h] ● **23** ⸀η εως του (– Δ f^{13} 28 *pc*) ουρ. υψωθεισα (-θης Γ f^{13} 28. 700. 1010 *al* f q) f^{13} 𝔐 f h q sy[s.p.h]; Hier[ms] ¦ *txt* ℵ B* D W Θ lat sy[c] co (B[2] L ἤ, C f^{1} του ου.) | ⸂καταβιβασθηση ℵ C L Θ $f^{1.13}$ 𝔐 sy[p.h] mae bo ¦ *txt* B D W *pc* latt sy[s.c] sa | ⸃εγενοντο L W Θ f^{13} 𝔐 ¦ *txt* ℵ B C D f^{1} 892. 1424 *al* ● **24** ⸀η υμιν D 1424 *pc* it sa[ms] bo[mss] ¦ – 565 ● **25** ⸂απεκρ- C L W Θ $f^{1.13}$ 𝔐; Or ¦ *txt* 𝔓[62] ℵ B D 33. 565 *pc* ● **27** °ℵ* *pc* sa[ms] bo; Ju ● **28** ⸆εστε D* *ex* lat*?* ● **29** ⸋ℵ* 1010 *pc*

114 II **12** Ἐν ἐκείνῳ τῷ καιρῷ ἐπορεύθη ὁ Ἰησοῦς ⸆ τοῖς *1–8:* Mc 2,23-28 L 6,1-5
σάββασιν διὰ τῶν σπορίμων· οἱ δὲ μαθηταὶ αὐ-
τοῦ ἐπείνασαν καὶ ἤρξαντο τίλλειν ⸇ στάχυας ⸆¹ καὶ ἐσθί- Dt 5,14; 23,26
ειν. **2** οἱ δὲ Φαρισαῖοι ἰδόντες ⸆ εἶπαν αὐτῷ· ⸀ἰδοὺ οἱ μαθηταί σου ποιοῦσιν ὃ οὐκ ἔξεστιν ποιεῖν ⸋ἐν σαββάτῳ⸌. Ex 20,10 J 5,10
3 ὁ δὲ εἶπεν αὐτοῖς· οὐκ ἀνέγνωτε τί ἐποίησεν Δαυὶδ ὅτε 1Sm 21,7
ἐπείνασεν καὶ οἱ μετ᾽ αὐτοῦ, **4** πῶς εἰσῆλθεν εἰς τὸν οἶ-
κον τοῦ θεοῦ καὶ τοὺς ἄρτους τῆς προθέσεως ⸀ἔφαγον, ⸁ὃ Lv 24,5-9 2Mcc 10,3 Ex 40,23 etc
οὐκ ἐξὸν ἦν αὐτῷ φαγεῖν οὐδὲ τοῖς μετ᾽ αὐτοῦ εἰ μὴ τοῖς
115 X ἱερεῦσιν μόνοις; **5** ἢ οὐκ ἀνέγνωτε ἐν τῷ νόμῳ ὅτι ⸆ τοῖς
σάββασιν οἱ ἱερεῖς ἐν τῷ ἱερῷ τὸ σάββατον βεβηλοῦσιν Nu 28,9 J 7,22s
καὶ ἀναίτιοί εἰσιν; **6** λέγω δὲ ὑμῖν ὅτι τοῦ ἱεροῦ ⸀μεῖζόν 41s
ἐστιν ὧδε. **7** εἰ δὲ ἐγνώκειτε τί ἐστιν· *ἔλεος θέλω καὶ οὐ* 9,13! *Hos 6,6*
θυσίαν, οὐκ ἂν κατεδικάσατε τοὺς ἀναιτίους. **8** κύριος γάρ
ἐστιν τοῦ σαββάτου ὁ υἱὸς τοῦ ἀνθρώπου.
21 116 II **9** Καὶ μεταβὰς ἐκεῖθεν ⸆ ἦλθεν εἰς τὴν συναγωγὴν αὐ- *9–14:* Mc 3,1-6 L 6,6-11
τῶν· **10** καὶ ἰδοὺ ἄνθρωπος ⸆ χεῖρα ἔχων ξηράν. καὶ ἐπ-
ηρώτησαν αὐτὸν λέγοντες· εἰ ἔξεστιν ⸋τοῖς σάββασιν ⸀θε- L 14,3
ραπεῦσαι⸌; ἵνα κατηγορήσωσιν αὐτοῦ. **11** ὁ δὲ εἶπεν αὐ-
τοῖς· τίς ⸀ἔσται ἐξ ὑμῶν ἄνθρωπος ὃς ⸁ἕξει πρόβατον ἓν
καὶ ⸀¹ἐὰν ἐμπέσῃ ○τοῦτο τοῖς σάββασιν εἰς βόθυνον, οὐχὶ L 14,5!
⸂κρατήσει αὐτὸ καὶ ἐγερεῖ⸃; **12** πόσῳ οὖν ⸆ διαφέρει ἄν- 10,31
θρωπος προβάτου. ὥστε ἔξεστιν τοῖς σάββασιν καλῶς
ποιεῖν. **13** τότε λέγει τῷ ἀνθρώπῳ· ἔκτεινόν σου τὴν χεῖρα.
καὶ ἐξέτεινεν καὶ ἀπεκατεστάθη ὑγιὴς ⸋ὡς ἡ ἄλλη⸌.
117 IV **14** ⸂ἐξελθόντες δὲ οἱ Φαρισαῖοι⸃ συμβούλιον ἔλαβον κατ᾽ 22,15 J 5,18!
αὐτοῦ ὅπως αὐτὸν ἀπολέσωσιν.
118 X **15** Ὁ δὲ Ἰησοῦς γνοὺς ἀνεχώρησεν ἐκεῖθεν. * καὶ ἠκο- *15s:* Mc 3,7-12 L 6,17-19 · 22,18!

¶ **12,1** ⸆*p)* εν W | ⸇ *p)* τους (D) W 28. 700 *pc* sa bo | ⸆¹*p)* και ταις χερσιν αυτων ψωχειν (c) sy^{c} ● **2** ⸆αυτους C D L Δ Θ f^{13} 33 *pc* it sy$^{s.c.p}$ mae | ⸀τί c sy$^{s.c}$ | ⸋ ff^{1} k sy$^{s.c}$ ● **4** ⸀-γεν 𝔓^{70} C D L W Θ $f^{1.13}$ 𝔐 latt sy co ¦ ελαβεν 892* ¦ *txt* ℵ B *pc* | ⸁*p)* ους ℵ C L Θ 0233 f^{1} (33) 𝔐 lat sy^{h} sa bo ¦ *txt* 𝔓^{70} B D W f^{13} *pc* aur ff^{2} k q sy^{p} ● **5** ⸆εν C D W 1010 *pc* ● **6** ⸀-ζων C L Δ 0233 f^{13} (1010). 1424 *pm* lat ● **9** ⸆ο Ιησους C N Σ 1010 *al* c g^{1} h sy^{p} ● **10** ⸆ην την 𝔐 b c vg^{mss} ¦ ην εκει την D L (N) Δ Θ (0233) $f^{1.13}$ 33. 1010. 1424 *al* (it) sy$^{p.h}$ ¦ *txt* ℵ B C W 892 *pc* l vg | ⸋ sy^{s} | ⸀-πευειν B C Θ 0233 $f^{1.13}$ 𝔐 ¦ *txt* ℵ D L W *pc* ● **11** ⸀εστιν D Θ 33. 565. 892. 1424 *al* f (k) q ¦ – C* L f^{13} *pc* it | ⸁εχει D *pc* | ⸀¹ει 700^{c} ¦ – D f^{13} 700* *pc* b ff^{2} sy$^{s.c}$ sa bo | ○ D it sy$^{s.c.p}$ | ⸂κρατησας εγερει αυτο ℵ ff^{1} h ¦ κρατει αυτο και εγειρει D k ● **12** ⸆μαλλον Θ f^{13} 33. 565. (1424) *pc* lat sy mae ● **13** ⸋ ℵ C^{2} 892* ● **14** ⸂ *3 2 4 1* L Θ f^{13} 1010 *al* ¦ *3 2 4* W Δ *pc* q ¦ *3 2 4*, *sed. pon. 1 p.* αυτου 0233 𝔐 sy^{h} ¦ και *1 3 4* D 1424 *pc* ¦ *txt* ℵ B C f^{1} 33. 892 *pc* aur c l vg

19,2! λούθησαν αὐτῷ ⸂[ὄχλοι] πολλοί⸃, καὶ ἐθεράπευσεν αὐ-
8,4! τοὺς ⸄πάντας **16** καὶ ἐπετίμησεν⸅ αὐτοῖς ἵνα μὴ φανερὸν
αὐτὸν ποιήσωσιν, **17** ⸀ἵνα πληρωθῇ τὸ ῥηθὲν διὰ Ἠσαΐου
τοῦ προφήτου λέγοντος·

Is 42,1-4.9 Hgg 2,23 Act 3,26! · 3,17! p **18** *ἰδοὺ ὁ παῖς μου* ⸆ *ὃν ᾑρέτισα,*
ὁ ἀγαπητός μου ⸂*εἰς ὃν*⸃ *εὐδόκησεν ἡ ψυχή μου·*
L 4,18 *θήσω τὸ πνεῦμά μου ἐπ' αὐτόν,*
καὶ κρίσιν τοῖς ἔθνεσιν ἀπαγγελεῖ.
19 *οὐκ ἐρίσει οὐδὲ κραυγάσει,*
οὐδὲ ἀκούσει τις ἐν ταῖς πλατείαις τὴν φωνὴν αὐτοῦ.
20 □*κάλαμον συντετριμμένον*⸌ *οὐ κατεάξει*
καὶ λίνον τυφόμενον οὐ σβέσει,
ἕως ἂν ἐκβάλῃ εἰς νῖκος τὴν *κρίσιν*⸆.
Is 11,10 𝔊 R 15,12 **21** *καὶ* ⸆ *τῷ ὀνόματι αὐτοῦ ἔθνη ἐλπιοῦσιν.*

22–30: Mc 3,22-27 L 11,14-23 **22** Τότε ⸂προσηνέχθη αὐτῷ δαιμονιζόμενος τυφλὸς καὶ *22* 119
κωφός⸃, καὶ ἐθεράπευσεν αὐτόν, ὥστε ⸄τὸν κωφὸν⸅ ⸆ λα- V
Mc 2,12; 6,51 L 2,47; 8,56; 24,22 · λεῖν καὶ βλέπειν. **23** καὶ ἐξίσταντο πάντες οἱ ὄχλοι καὶ 120 VII
9,27! ἔλεγον· μήτι οὗτός ἐστιν ὁ υἱὸς Δαυίδ; **24** οἱ δὲ Φαρισαῖοι 121 II
9,34! ἀκούσαντες εἶπον· οὗτος οὐκ ἐκβάλλει τὰ δαιμόνια εἰ μὴ
ἐν τῷ ⸀Βεελζεβοὺλ ἄρχοντι τῶν δαιμονίων. **25** ⸂εἰδὼς 122 II
9,4! δὲ⸃ τὰς ἐνθυμήσεις αὐτῶν εἶπεν αὐτοῖς· πᾶσα βασιλεία
μερισθεῖσα καθ' ἑαυτῆς ἐρημοῦται καὶ πᾶσα πόλις ἢ οἰκία μερισθεῖσα καθ' ἑαυτῆς οὐ σταθήσεται. **26** καὶ εἰ ὁ
σατανᾶς τὸν σατανᾶν ἐκβάλλει, ἐφ' ἑαυτὸν ἐμερίσθη· πῶς
οὖν σταθήσεται ἡ βασιλεία αὐτοῦ; **27** καὶ εἰ ἐγὼ ἐν ⸀Βεελ-
Act 19,13 ζεβοὺλ ἐκβάλλω τὰ δαιμόνια, οἱ υἱοὶ ὑμῶν ἐν τίνι ἐκβάλ-
41s; 9,34! λουσιν; διὰ τοῦτο ⸉αὐτοὶ κριταὶ ἔσονται ὑμῶν⸊. **28** εἰ δὲ

15/16 ⸂† πολλοι ℵ B *pc* lat ¦ οχλοι N* ¦ *txt* C D L W Θ (⸉ 0233 *pc*) $f^{1.13}$ 𝔐 f h (q) sy[p.h] sa[ms] bo | ⸄ παντας δε ους εθεραπευσεν επεπληξεν D (f^1) it ¦ π. δε ους εθ. επεπλ. αυτοις και επετιμησεν W ¦ και επετιμα Θ • **17** ⸀οπως L W Θ 0233 f^{13} 𝔐 ¦ *txt* ℵ B C D f^1 33. 1010. 1424 *pc* • **18** ⸆εις D | ⸂† ον ℵ* B *pc* ff[1] ¦ εν ω D f^1 33. 1424 ¦ *txt* ℵ[1] C[vid] L W Θ 0106. 0233 f^{13} 𝔐 • **20** □ D* d | ⸆αυτου X 28. 1424 *al* sy[h] sa mae • **21** ⸆ επι W 0233 *pc* ¦ εν D *pc*; Eus • **22** ⸂προσηνεγκαν αυτω δ-μενον τυφλον κ. κωφον B 1424 *pc* sy[(s.c.p)] | ⸄ τ. κωφ. και τυφλον L W Δ Θ 0233 $f^{1.13}$ 700 *al* sy[p.h] ¦ τ. τυφλ. κ. κωφ. C 𝔐 q ¦ – lat ¦ *txt* ℵ B D 892. 1424 *pc* ff[1] g[1] k sy[s.c] co | ⸆και ℵ[2] C L 0233 𝔐 sy[h] ¦ *txt* ℵ* B D W Θ $f^{1.13}$ 33. 892. 1424 *al* • **24** ⸀† Βεεζεβουλ ℵ B ¦ Beelzebub c (ff[1]) vg sy[s.c.p] ¦ *txt* 𝔓[21] C D (L) W Θ $f^{1.13}$ 𝔐 it sy[h] (co); Or • **25** ⸂ειδως δε ο Ιησους C L W Θ 0106 $f^{1.13}$ 𝔐 (lat) sy[p.h] mae ¦ ιδων δε ο Ιησ. 33. 892[c] *pc* ff[1] bo[mss] ¦ ιδων δε 𝔓[21] ℵ[1] D 892* k sy[s.c] bo ¦ *txt* ℵ*.[2] B sa • **27** ⸀† Βεεζεβουλ ℵ B (bo[ms]) ¦ Beelzebub c (ff[1]) vg sy[c.p] ¦ *txt* C D (L) W Θ 0233 $f^{1.13}$ 𝔐 it sy[h] sa mae (bo); Or | ⸉ *1 2 4 3* Θ f^1 *pc* ¦ *1 4 3 2* C 0233 f^{13} 𝔐 ¦ *1 4 2 3* L *pc* ¦ *2 3 1 4* W ¦ *txt* ℵ B D 892. 1424

ἐν πνεύματι θεοῦ ἐγὼ ἐκβάλλω τὰ δαιμόνια, ἄρα ἔφθασεν 1J 3,8
ἐφ' ὑμᾶς ἡ βασιλεία τοῦ θεοῦ. **29** ἢ πῶς δύναταί τις εἰσ- L 17,21
ελθεῖν εἰς τὴν οἰκίαν τοῦ ἰσχυροῦ καὶ τὰ σκεύη αὐτοῦ Is 49,24; 53,12
⸀ἁρπάσαι, ἐὰν μὴ πρῶτον δήσῃ τὸν ἰσχυρόν⁚; καὶ τότε
τὴν οἰκίαν αὐτοῦ ⸂διαρπάσει⁚¹. **30** ὁ μὴ ὢν μετ' ἐμοῦ κατ' Mc 9,40p
ἐμοῦ ἐστιν, καὶ ὁ μὴ συνάγων μετ' ἐμοῦ σκορπίζει⸆.
123 II **31** Διὰ τοῦτο λέγω ὑμῖν, πᾶσα ἁμαρτία καὶ βλασφημία *31s:* Mc 3,28s L 12,10
ἀφεθήσεται ⸆ τοῖς ἀνθρώποις, ἡ δὲ τοῦ πνεύματος βλα-
σφημία οὐκ ἀφεθήσεται⸆. **32** καὶ ὃς ἐὰν εἴπῃ λόγον κατὰ H 6,4.6; 10,26
τοῦ υἱοῦ τοῦ ἀνθρώπου, ⸆ ἀφεθήσεται αὐτῷ· ὃς δ' ἂν εἴπῃ 1J 4,16 1T 1,13
κατὰ τοῦ πνεύματος τοῦ ἁγίου, ⸉οὐκ ἀφεθήσεται⸊ αὐτῷ
οὔτε ἐν τούτῳ τῷ αἰῶνι οὔτε ἐν τῷ μέλλοντι.
124 X **33** Ἢ ποιήσατε τὸ δένδρον καλὸν καὶ τὸν καρπὸν αὐ- *33–35:* L 6,43-45 · 7,17
τοῦ καλόν, ἢ ποιήσατε τὸ δένδρον σαπρὸν καὶ τὸν καρπὸν
αὐτοῦ σαπρόν· ἐκ γὰρ τοῦ καρποῦ τὸ δένδρον γινώσκε-
ται. **34** γεννήματα ἐχιδνῶν, πῶς δύνασθε ἀγαθὰ λαλεῖν 3,7! · J 8,43!
πονηροὶ ὄντες; ἐκ γὰρ τοῦ περισσεύματος τῆς καρδίας 15,11!
125 V τὸ στόμα λαλεῖ⸆. **35** ὁ ἀγαθὸς ἄνθρωπος ἐκ τοῦ ἀγαθοῦ
θησαυροῦ ⸆ ἐκβάλλει ⸆ ἀγαθά, καὶ ὁ πονηρὸς ἄνθρωπος R 8,7! 13,52
126 X ἐκ τοῦ πονηροῦ θησαυροῦ ἐκβάλλει ⸆¹ πονηρά. **36** λέγω
δὲ ὑμῖν ὅτι πᾶν ῥῆμα ἀργὸν ὃ ⸀λαλήσουσιν οἱ ἄνθρωποι Jc 3,1.6 Jd 15
ἀποδώσουσιν περὶ αὐτοῦ λόγον ἐν ἡμέρᾳ κρίσεως· **37** ἐκ L 16,2! · 11,22!
γὰρ τῶν λόγων σου δικαιωθήσῃ, καὶ ἐκ τῶν λόγων σου L 19,22
καταδικασθήσῃ.
23 127 V **38** Τότε ἀπεκρίθησαν ⸋αὐτῷ τινες τῶν γραμματέων *38–42:* L 11,16.29-32 cf Mt 16,1-4p
⸋καὶ Φαρισαίων⸌ λέγοντες· διδάσκαλε, θέλομεν ἀπὸ σοῦ J 2,18! L 23,8
128 V σημεῖον ἰδεῖν. **39** ὁ δὲ ἀποκριθεὶς εἶπεν αὐτοῖς· γενεὰ πο- 1K 1,22 | 45; 16,4; 17,17p
νηρὰ καὶ μοιχαλὶς σημεῖον ἐπιζητεῖ, καὶ σημεῖον οὐ δο- Mc 8,38 L 9,41 Act 2,40 Ph 2,15
θήσεται αὐτῇ εἰ μὴ τὸ σημεῖον Ἰωνᾶ τοῦ προφήτου. Dt 32,5 |
40 ὥσπερ γὰρ ⸀*ἦν Ἰωνᾶς ἐν τῇ κοιλίᾳ τοῦ κήτους τρεῖς ἡμέ-* *Jon 2,1*

29 ⸀διαρπασαι ℵ C^{2} D L Θ f^{13} 𝔐 ¦ *txt* B C* N W f^{1} 892. 1424 *al* | ⁚, *et* ⁚¹; *et* ⸂διαρπαση ℵ D K W f^{13} 28. 33. 565. 700. 1424 *pm* l vgst ● **30** ⸆με ℵ 33 *pc* sy^{hmg}; Or Ath ● **31** ⸆υμιν B f^{1} *pc* sa mae | ⸆τοις ανθρωποις C D L W Θ 0271 f^{13} 𝔐 it sy$^{p.h}$ ¦ αυτω (b) ff^{1} h sy$^{s.c}$ mae bo^{ms} ¦ *txt* ℵ B f^{1} 892. 1424 *pc* aur k vg sa bo ● **32** ⸆ουκ B* | ⸉ου μη αφ- ℵ* ¦ ου μη αφεθη B ● **34** ⸆αγαθα D* d ● **35** ⸆της καρδιας αυτου L f^{1} 33 *pc* aur (f) vg^{mss} (sy$^{s.c}$) | ⸆τα ℵ C L N Δ f^{1} 28. 33. 1010. 1424 *al* sa^{mss} (bo) ¦ *txt* B D W Θ f^{13} 𝔐 sa^{mss} mae | ⸆¹τα L N Δ 28. 33. 1424 *al* sa^{mss} bo ● **36** ⸀λαλουσιν D ¦ εαν λαλησωσιν (L) W 0250 $f^{1.13}$ 𝔐 ¦ εαν λαλησουσιν C Θ 33. 700* *pc* ¦ *txt* ℵ B *pc* ● **38** ⸋ W 0250 f^{1} 𝔐 mae ¦ *txt* ℵ B C D L N Θ f^{13} 33. 892. 1424 *al* lat sy^{h} sa bo | ⸋ B *pc* ● **40** ⸀εγενετο Θ 1424 *pc* ¦ – D *pc*

16,21; 27,63 E *ρας καὶ τρεῖς νύκτας*, οὕτως ἔσται ⸆ ὁ υἱὸς τοῦ ἀνθρώπου ἐν
4,9 1P 3,19 τῇ καρδίᾳ τῆς γῆς τρεῖς ἡμέρας καὶ τρεῖς νύκτας. **41** ἄν-
Jon 3,5 δρες Νινευῖται ἀναστήσονται ἐν τῇ κρίσει μετὰ τῆς γε-
27 νεᾶς ταύτης καὶ κατακρινοῦσιν αὐτήν, ὅτι μετενόησαν
6 εἰς τὸ κήρυγμα Ἰωνᾶ, καὶ ἰδοὺ πλεῖον Ἰωνᾶ ὧδε. **42** βασίλισσα νότου ἐγερθήσεται ἐν τῇ κρίσει μετὰ τῆς γενεᾶς
ταύτης καὶ κατακρινεῖ αὐτήν, ὅτι ἦλθεν ἐκ τῶν περάτων
6 τῆς γῆς ἀκοῦσαι τὴν σοφίαν Σολομῶνος, καὶ ἰδοὺ πλεῖον
Σολομῶνος ὧδε.

43–45: L 11,24-26 · Is 34,14 **43** Ὅταν δὲ τὸ ἀκάθαρτον πνεῦμα ἐξέλθῃ ἀπὸ τοῦ ἀν- 129 V
θρώπου, διέρχεται δι' ἀνύδρων τόπων ζητοῦν ἀνάπαυσιν:
καὶ οὐχ εὑρίσκει:¹. **44** τότε λέγει· εἰς τὸν οἶκόν μου ἐπι-
στρέψω ὅθεν ἐξῆλθον· καὶ ἐλθὸν εὑρίσκει ⸆ σχολάζοντα
⸇ σεσαρωμένον καὶ κεκοσμημένον. **45** τότε πορεύεται καὶ
L 8,2 παραλαμβάνει μεθ' ἑαυτοῦ ἑπτὰ ἕτερα πνεύματα πονηρότερα ἑαυτοῦ καὶ εἰσελθόντα κατοικεῖ ἐκεῖ· καὶ γίνεται τὰ
27,64 2P 2,20 J 5,14 ἔσχατα τοῦ ἀνθρώπου ἐκείνου χείρονα τῶν πρώτων. οὕ-
39! τως ἔσται καὶ τῇ γενεᾷ ταύτῃ τῇ πονηρᾷ.

46–50: Mc 3,31-35 L 8,19-21 **46** ⸂Ἔτι αὐτοῦ λαλοῦντος⸃ τοῖς ὄχλοις ἰδοὺ ἡ μήτηρ 130 II
13,55p · J 7,3! καὶ οἱ ἀδελφοὶ αὐτοῦ εἱστήκεισαν ἔξω ⸄ζητοῦντες αὐτῷ
λαλῆσαι⸅. **47** ⸋[εἶπεν δέ τις ⸀αὐτῷ· ἰδοὺ ἡ μήτηρ σου
καὶ οἱ ἀδελφοί σου ἔξω ἑστήκασιν ζητοῦντές σοι λαλῆσαι.]⸌ **48** ὁ δὲ ἀποκριθεὶς εἶπεν ⸂τῷ λέγοντι αὐτῷ⸃· τίς
ἐστιν ἡ μήτηρ μου ⸀καὶ τίνες °εἰσὶν οἱ ἀδελφοί °¹μου;
49 καὶ ἐκτείνας τὴν χεῖρα °αὐτοῦ ἐπὶ τοὺς μαθητὰς αὐτοῦ
J 20,17! εἶπεν· ἰδοὺ ἡ μήτηρ μου καὶ οἱ ἀδελφοί μου. **50** ὅστις γὰρ
7,21 J 15,14 ⸂ἂν ποιήσῃ⸃ τὸ θέλημα τοῦ πατρός μου τοῦ ἐν οὐρανοῖς
αὐτός μου ⸆ ἀδελφὸς καὶ ἀδελφὴ καὶ μήτηρ ἐστίν.

40 ⸆και D L W 1010. 1424 *al* it sy^c bo; Cyr ● **43** [:. *et* :¹,] ● **44** ⸆τον οικον D (sy^hmg) ¦ αυτον c ff² h vg^cl | ⸇ † και ℵ C* 565^vid. 1424 *al* it ¦ *txt* B C² D L W Z^vid Θ *f*^1.13 𝔐 lat ● **46** ⸂*1* δε *2 3* C W Θ *f*^1.13 𝔐 q sy^h ¦ λαλουντος δε αυτου D L Z 892 sy^p ¦ *txt* ℵ B 33. 1424 *pc* lat | ⸄ *1 3 2* D L Θ *f*^13 33. 1424 *al* ¦ – ℵ* ● **47** ⸋ *vs* ℵ* B L Γ *pc* ff¹ k sy^s.c sa ¦ *txt* ℵ^(1).2 C (D) W Z Θ *f*^(1).13 𝔐 lat sy^p.h mae bo | ⸀των μαθητων αυτου ℵ¹ (892) *pc* (bo) ● **48** ⸂τω ειποντι αυτω C L Θ *f*^1.13 𝔐 ¦ τω λεγοντι Z ¦ – W ¦ *txt* ℵ B D 33. 892. 1424 *pc* | ⸀η D W Θ *pc* it sy^s mae bo | ° W *pc* | °¹ B* ● **49** ° ℵ* D *al* lat; Epiph ● **50** ⸂ποιει D ¦ αν ποιη C Δ 700. 1010 *pc* ¦ αν ποιησει K L Z Γ Θ 28. 1424 *al* ¦ *txt* ℵ B W *f*^1.(13) 𝔐 | ⸆και Θ *f*^13 700. 1424 *al* lat

131 II **13** Ἐν ⸆ τῇ ἡμέρᾳ ἐκείνῃ ἐξελθὼν ὁ Ἰησοῦς ⸂τῆς οἰ- *1–9:* Mc 4,1-9 L 8,4-8 · 36
κίας⸃ ἐκάθητο παρὰ τὴν θάλασσαν· **2** καὶ συν-
ήχθησαν πρὸς αὐτὸν ὄχλοι πολλοί, ὥστε αὐτὸν εἰς ⸆ πλοῖ- Mc 2,13; 3,9
ον ἐμβάντα καθῆσθαι, καὶ πᾶς ὁ ὄχλος ἐπὶ τὸν αἰγιαλὸν
εἱστήκει.
24 **3** Καὶ ἐλάλησεν αὐτοῖς πολλὰ ἐν παραβολαῖς λέγων· 10.34sp
ἰδοὺ ἐξῆλθεν ὁ σπείρων τοῦ ⸀σπείρειν. **4** καὶ ἐν τῷ σπεί- 4Esr 8,41; 9,31ss
ρειν αὐτὸν ἃ μὲν ἔπεσεν παρὰ τὴν ὁδόν, καὶ ⸀ἐλθόντα τὰ
πετεινὰ ⸆ ⸆ κατέφαγεν αὐτά. **5** ἄλλα δὲ ἔπεσεν ἐπὶ τὰ πε- Sir 40,15
τρώδη ὅπου οὐκ εἶχεν γῆν πολλήν, καὶ εὐθέως ἐξανέτει-
λεν διὰ τὸ μὴ ἔχειν βάθος γῆς· **6** ἡλίου δὲ ἀνατείλαντος
⸀ἐκαυματίσθη καὶ διὰ τὸ μὴ ἔχειν ⸀ῥίζαν ⸀¹ἐξηράνθη. Jc 1,11 J 15,6
7 ἄλλα δὲ ἔπεσεν ἐπὶ τὰς ἀκάνθας, καὶ ἀνέβησαν αἱ ἄκαν- Job 31,40
θαι καὶ ⸀ἔπνιξαν αὐτά. **8** ἄλλα δὲ ἔπεσεν ἐπὶ τὴν γῆν τὴν
καλὴν καὶ ἐδίδου καρπόν, ὃ μὲν ἑκατόν, ὃ δὲ ἑξήκοντα,
ὃ δὲ τριάκοντα. **9** ὁ ἔχων ὦτα ⸆ ἀκουέτω. 11,15!
10 Καὶ προσελθόντες οἱ μαθηταὶ εἶπαν αὐτῷ· διὰ τί ἐν *10–17:* Mc 4,10-12 L 8,9s · 3!
παραβολαῖς λαλεῖς αὐτοῖς; **11** ὁ δὲ ἀποκριθεὶς εἶπεν ⸋αὐ-
τοῖς· ὅτι ὑμῖν δέδοται γνῶναι τὰ μυστήρια τῆς βασιλείας 1K 2,10
132 V τῶν οὐρανῶν, ἐκείνοις δὲ οὐ δέδοται. **12** ὅστις γὰρ ἔχει, R 11,25 25,29p Mc 4,25p
δοθήσεται αὐτῷ καὶ περισσευθήσεται· ὅστις δὲ οὐκ ἔχει,
133 I καὶ ὃ ἔχει ἀρθήσεται ἀπ’ αὐτοῦ. **13** διὰ τοῦτο ἐν παραβολαῖς ⸂αὐτοῖς λαλῶ⸃, ⸂ὅτι βλέποντες οὐ βλέπουσιν καὶ Mc 8,18 L 19,42 J 12,40 Jr 5,21
ἀκούοντες οὐκ ἀκούουσιν οὐδὲ συνίουσιν⸃, **14** καὶ ⸀ἀνα- Act 13,40s; 28,26s
πληροῦται αὐτοῖς ἡ προφητεία Ἠσαΐου ἡ λέγουσα·
⸆ *ἀκοῇ ἀκούσετε καὶ οὐ μὴ συνῆτε,* *Is 6,9s* 𝔊
καὶ βλέποντες βλέψετε καὶ οὐ μὴ ἴδητε.

¶ **13,1** ⸆δε C D L W Θ $f^{1.13}$ 𝔐 f h q sy$^{p.h}$ bo ¦ *txt* ℵ B Z 33. 892 *al* lat sy^{s} sa mae bo^{ms} | ⸂εκ της οικιας ℵ Z 33. 892 *pc* ¦ απο της οικιας C L W 𝔐 ¦ – D it sy^{s} ¦ *txt* B Θ $f^{1.13}$ 1424 *pc* ● **2** ⸆το D K Γ Δ f^{13} 28. 565 𝔐 ● **3** ⸀σπειραι ℵ (D) L W Θ $f^{1.13}$ 33. 700. 892. 1010. 1241. 1424 *pm* ¦ *p)* σ-ραι τον σπορον αυτου 28 *pc* b ff^{1} h (sy^{s}) ¦ *txt* B K Z Γ Δ 565 *pm* (C *h. t.*) ● **4** ⸀ηλθεν (-θον D L Z 33 *al*) *et* ⸆και ℵ C D L W Z f^{1} 𝔐 ¦ *txt* B Θ f^{13} 1424 *pc* | ⸆*p)* του ουρανου K Θ f^{13} 28. 565. 1010. 1241. 1424 *al* b ff^{1} h vg^{cl} sy$^{c.h}$ sa mae bo^{mss}; Or ● **6** ⸀εκαυματωθη B^{2} ¦ εκαυματισθησαν D sy^{h} | ⸀βαθος ριζης Θ f^{13} *pc* | ⸀¹-ανθησαν D sy^{h} ● **7** ⸀†απεπ- B C L W Z f^{1} 𝔐 ¦ *txt* ℵ D Θ f^{13} 565 *pc* ● **9** ⸆*p)* ακουειν ℵ^{2} C D W Z Θ $f^{1.13}$ 𝔐 lat sy$^{c.p.h}$ co ¦ *txt* ℵ* B L a e ff^{1} k sy^{s} ● **11** ⸋† ℵ C Z 892 *pc* ff^{1} k bo ¦ *txt* B D L W Θ $f^{1.13}$ 𝔐 lat sy sa mae ● **13** ⸂*2 1* N Θ Σ $f^{1.13}$ 33. 565. 1424 *al* ¦ *2* L *pc* ¦ λαλει αυτ. D(*) | ⸂*p)* ινα βλ. μη βλεπωσιν και ακ. μη ακουσωσιν μηδε συνωσιν 1424 ff^{1} sa mae ¦ ινα βλ. μη βλεπωσιν και ακ. μη ακουωσιν (-σωσιν D) και μη συνιωσιν (συνωσιν D) μηποτε επιστρεψωσιν D Θ $f^{1.13}$ *pc* it sy$^{s.c}$; (Eus) ● **14** ⸀τοτε πλ- f^{1} ¦ τοτε πληρωθησεται επ D 1424 *pc* it | ⸆ (Is 6,9) πορευθητι και ειπε τω λαω τουτω D it mae; Eus

15 *ἐπαχύνθη γὰρ ἡ καρδία τοῦ λαοῦ τούτου,*
καὶ τοῖς ὠσὶν ⸆ *βαρέως ἤκουσαν*
καὶ τοὺς ὀφθαλμοὺς αὐτῶν ἐκάμμυσαν,
μήποτε ἴδωσιν τοῖς ὀφθαλμοῖς
καὶ τοῖς ὠσὶν ἀκούσωσιν
καὶ τῇ καρδίᾳ συνῶσιν
καὶ ἐπιστρέψωσιν καὶ ἰάσομαι αὐτούς.
16,17 L 10,23s Is 52,15 PsSal 18,6s — **16** ὑμῶν δὲ μακάριοι οἱ ὀφθαλμοὶ ὅτι βλέπουσιν καὶ τὰ 134 V
ὦτα ⸋ὑμῶν ὅτι ⸀ἀκούουσιν. **17** ἀμὴν ⸋γὰρ λέγω ὑμῖν ὅτι
10,41! · H 11,13 1P 1,10 J 8,56 — πολλοὶ προφῆται καὶ δίκαιοι ἐπεθύμησαν ἰδεῖν ἃ βλέπετε
καὶ οὐκ ⸀εἶδαν, καὶ ἀκοῦσαι ἃ ἀκούετε καὶ οὐκ ἤκουσαν.
18–23: Mc 4,13-20 L 8,11-15 — **18** Ὑμεῖς οὖν ἀκούσατε τὴν παραβολὴν τοῦ ⸀σπείραν- 135 II
τος. **19** παντὸς ἀκούοντος τὸν λόγον τῆς βασιλείας καὶ
μὴ συνιέντος ἔρχεται ὁ πονηρὸς καὶ ἁρπάζει ⸂τὸ ἐσπαρ-
μένον⸃ ἐν τῇ καρδίᾳ αὐτοῦ, οὗτός ἐστιν ὁ παρὰ τὴν ὁδὸν
σπαρείς. **20** ὁ δὲ ἐπὶ τὰ πετρώδη σπαρείς, οὗτός ἐστιν ὁ
τὸν λόγον ἀκούων καὶ εὐθὺς μετὰ χαρᾶς λαμβάνων αὐτόν, **21** οὐκ ἔχει δὲ ῥίζαν ἐν ἑαυτῷ ἀλλὰ πρόσκαιρός
ἐστιν, γενομένης δὲ θλίψεως ἢ διωγμοῦ διὰ τὸν λόγον εὐθὺς σκανδαλίζεται. **22** ὁ δὲ εἰς τὰς ἀκάνθας σπαρείς, οὗ-
6,19-34p L 14,18-20; 21,34 Mc 10,23s — τός ἐστιν ὁ τὸν λόγον ἀκούων, καὶ ἡ μέριμνα τοῦ αἰῶνος
⸆ καὶ ἡ ἀπάτη τοῦ πλούτου συμπνίγει τὸν λόγον καὶ
ἄκαρπος γίνεται. **23** ὁ δὲ ἐπὶ τὴν καλὴν γῆν σπαρείς, οὗτός ἐστιν ὁ τὸν λόγον ἀκούων καὶ ⸀συνιείς, ⸂ὃς δὴ⸃ καρποφορεῖ καὶ ποιεῖ ὃ μὲν ἑκατόν, ὃ δὲ ἑξήκοντα, ὃ δὲ
τριάκοντα.
36-43 — **24** Ἄλλην παραβολὴν παρέθηκεν αὐτοῖς λέγων· ὡμοι- 136 X
ώθη ἡ βασιλεία τῶν οὐρανῶν ἀνθρώπῳ ⸀σπείραντι καλὸν
Mc 4,27 — σπέρμα ἐν τῷ ἀγρῷ αὐτοῦ. **25** ἐν δὲ τῷ καθεύδειν τοὺς
ἀνθρώπους ἦλθεν αὐτοῦ ὁ ἐχθρὸς καὶ ⸀ἐπέσπειρεν ζιζάνια
ἀνὰ μέσον τοῦ σίτου καὶ ἀπῆλθεν. **26** ὅτε δὲ ἐβλάστησεν

15 ⸆ταυτων ℵ C 33. 892. 1241 *pc* it vg^{mss} sy$^{s.c.p}$ ● **16** ⸋ B 1424 *pc* it | ⸀ακουει K L W Γ Δ 565 *pm* ¦ -ωσιν *f*^{13} *pc* ● **17** ⸋ ℵ 1241 *pc* it sa^{ms} bo^{pt} | ⸀ηδυνηθησαν ιδειν D ● **18** ⸀σπειροντος ℵ^{2} C D L Θ *f*$^{1.13}$ 𝔐 co ¦ *txt* ℵ* B W *al* ● **19** ⸂τον λογον εσπαρμενον sy^{p} mae ¦ το σπειρομενον D W ● **22** ⸆τουτου ℵ^{1} C L W Θ *f*$^{1.13}$ 𝔐 lat sy sa^{mss} mae bo; Or ¦ *txt* ℵ* B D it sa^{ms} ● **23** ⸀συνιων C L W *f*$^{1.13}$ 𝔐 ¦ *txt* ℵ B D Θ 892 *pc* | ⸂τοτε D it ¦ και lat sy$^{c.p}$ ¦ κ. τ. k sy^{s} ● **24** ⸀σπειροντι C D K L Γ Θ *f*^{1} 565. 700. 1010. 1241. 1424 *pm* ¦ *txt* ℵ B N W Δ *f*^{13} 28. 33. 892 *pm* co ● **25** ⸀επεσπαρκεν ℵ* ¦ εσπειρεν C D L W *f*^{13} 𝔐 ¦ *txt* ℵ^{1} B N Θ *f*^{1} 33. 1010. 1241 *pc*

ὁ χόρτος καὶ καρπὸν ἐποίησεν, τότε ἐφάνη °καὶ τὰ ζιζάνια. **27** προσελθόντες δὲ οἱ δοῦλοι τοῦ οἰκοδεσπότου εἶπον αὐτῷ· κύριε, οὐχὶ καλὸν σπέρμα ἔσπειρας ἐν τῷ σῷ
ἀγρῷ; πόθεν οὖν ἔχει ⊤ ζιζάνια; **28** ὁ δὲ ἔφη αὐτοῖς· ἐχθρὸς ἄνθρωπος τοῦτο ἐποίησεν. οἱ δὲ °δοῦλοι ⸀λέγουσιν
αὐτῷ⸌· θέλεις οὖν ἀπελθόντες συλλέξωμεν αὐτά; **29** ὁ δέ
⸀φησιν· οὔ, μήποτε συλλέγοντες τὰ ζιζάνια ἐκριζώσητε
ἅμα αὐτοῖς τὸν σῖτον. **30** ἄφετε συναυξάνεσθαι ἀμφότερα
⸀ἕως τοῦ θερισμοῦ, καὶ ἐν ⊤ καιρῷ τοῦ θερισμοῦ ἐρῶ τοῖς Ap 14,15
θερισταῖς· συλλέξατε πρῶτον τὰ ζιζάνια καὶ δήσατε ⸀αὐτὰ
εἰς δέσμας⸌ πρὸς τὸ κατακαῦσαι αὐτά, τὸν δὲ σῖτον ⸁συν- 3,12
αγάγετε εἰς τὴν ἀποθήκην μου.
137 II **31** Ἄλλην παραβολὴν ⸀παρέθηκεν αὐτοῖς λέγων· ὁμοία *31s:* Mc 4,30-32 L 13,18s · 17,20!
ἐστὶν ἡ βασιλεία τῶν οὐρανῶν κόκκῳ σινάπεως, ὃν λα-
βὼν ἄνθρωπος ἔσπειρεν ἐν τῷ ἀγρῷ αὐτοῦ· **32** ὃ μικρότερον μέν ἐστιν πάντων τῶν σπερμάτων, ὅταν δὲ ⸀αὐξηθῇ
μεῖζον τῶν λαχάνων ἐστὶν καὶ γίνεται δένδρον, ὥστε ἐλ-
θεῖν *τὰ πετεινὰ τοῦ οὐρανοῦ καὶ κατασκηνοῦν ἐν τοῖς κλά-* Dn 4,9.18 Ez 17, 23; 31,6 *Ps 103, 12* 𝔊
δοις αὐτοῦ.
138 V **33** Ἄλλην παραβολὴν ⸀ἐλάλησεν αὐτοῖς⸌· ὁμοία ἐστὶν *33:* L 13,20s
ἡ βασιλεία τῶν οὐρανῶν ζύμῃ, ἣν λαβοῦσα γυνὴ ἐνέκρυ- 16,6 1K 5,6 Gn 18,6
139 VI ψεν εἰς ἀλεύρου σάτα τρία ἕως οὗ ἐζυμώθη ὅλον. **34** ταῦτα *34:* Mc 4,33s
πάντα ἐλάλησεν ὁ Ἰησοῦς ἐν παραβολαῖς τοῖς ὄχλοις καὶ 3!
χωρὶς παραβολῆς ⸀οὐδὲν ἐλάλει αὐτοῖς, **35** ὅπως πληρωθῇ
τὸ ῥηθὲν διὰ ⊤ τοῦ προφήτου λέγοντος·
ἀνοίξω ἐν παραβολαῖς τὸ στόμα μου, *Ps 78,2*
ἐρεύξομαι κεκρυμμένα ἀπὸ καταβολῆς °[κόσμου]. 1K 2,7!

26 ° D W Θ f^{13} 1010. 1424 *pc* it sy$^{s.c}$ sa mae bo^{ms} ● **27** ⊤τα ℵ L Θ f^{13} 28. 1424 *al* ● **28** ° B 1424 *pc* h co; Eus | ⸀† *2 1* B C 1010 *pc* ¦ ειπον αυτω L W Θ $f^{1.13}$ 𝔐 ¦ *txt* ℵ (D) 33^{vid}. 892. 1241. 1424 *pc* ● **29** ⸀εφη L W 0233 $f^{1.13}$ 𝔐 ¦ εφη αυτοις N Θ *pc* ¦ (+ ο δε D) λεγει αυτοις D 33. 1424 *pc* ¦ *txt* ℵ B C 892. 1010 *pc* ● **30** ⸀αχρι ℵ$^{*.2}$ L ¦ μεχρι ℵ^{1} C W Θ 0233 $f^{1.13}$ 𝔐 ¦ *txt* B D 892. 1424 *pc* | ⊤τω ℵ$^{*.2}$ C L 0233. 565. 1010. 1424 *al* ¦ *txt* ℵ^{1} B D W Θ $f^{1.13}$ 𝔐 | ⸀ *1 3* L Δ f^{1} 700. 1241. 1424 *al* ¦ *3* D ¦ *1* 33 *pc* | ⸁συναγετε B Γ f^{1} *pc* ¦ συλλεγετε D k ● **31** ⸀ελαλησεν D L* N Θ f^{13} 1424 *al* it (sy$^{s.c}$) ● **32** ⸀-ξηση ℵ^{1} D f^{13} *pc* ● **33** ⸀ελαλησεν αυτοις λεγων ℵ L Θ f^{13} 28 *al* h (l) q vg^{mss} sa^{ms} mae ¦ (31) παρεθηκεν αυτοις λεγων C 1241 *pc* sa^{mss} ¦ – D (k) sy$^{s.c}$ ¦ *txt* B W 0233. 0242^{vid} f^{1} 𝔐 lat sy$^{p.(h**)}$ bo ● **34** ⸀*p)* ουκ ℵ^{2} D L Θ 0233 f^{1} 𝔐 lat bo ¦ *txt* ℵ* B C W Δ f^{13} 1010 *al* f sy^{h} sa ● **35** ⊤Ησαιου ℵ* Θ $f^{1.13}$ 33 *pc*; Hier^{mss} ¦ Asaph Hier^{mss} ¦ *txt* ℵ^{1} B C D L W 0233. 0242 𝔐 lat sy co | °† ℵ^{1} B f^{1} *pc* e k (sy$^{s.c}$); Or ¦ *txt* ℵ$^{*.2}$ C D L W Θ 0233 f^{13} 𝔐 lat sy$^{p.h}$ co; Eus

1 **36** Τότε ἀφεὶς τοὺς ὄχλους ἦλθεν εἰς τὴν οἰκίαν⸆. καὶ 140 X
προσῆλθον αὐτῷ οἱ μαθηταὶ αὐτοῦ λέγοντες· ⸀διασάφη-
24-30 σον ἡμῖν τὴν παραβολὴν τῶν ζιζανίων τοῦ ἀγροῦ. **37** ὁ δὲ
1J 3,9 ἀποκριθεὶς εἶπεν⸆· ὁ σπείρων τὸ καλὸν σπέρμα ἐστὶν ⸂ὁ
1K 3,9! υἱὸς τοῦ ἀνθρώπου⸃, **38** ὁ δὲ ἀγρός ἐστιν ὁ κόσμος, τὸ δὲ
καλὸν σπέρμα οὗτοί εἰσιν οἱ υἱοὶ τῆς βασιλείας· τὰ δὲ ζιζά-
J8,44! νιά εἰσιν οἱ υἱοὶ τοῦ πονηροῦ, **39** ὁ δὲ ἐχθρὸς ὁ σπείρας
40.49; 24,3; 28,20 H 9,6 Hen 16,1 4Esr 7,113 αὐτά ἐστιν ὁ διάβολος, ⸋ὁ δὲ θερισμὸς συντέλεια ⸆ αἰῶ-
νός ἐστιν,⸌ οἱ δὲ θερισταὶ ἄγγελοί εἰσιν. **40** ὥσπερ οὖν
3,10! συλλέγεται τὰ ζιζάνια καὶ πυρὶ ⸀[κατα]καίεται, οὕτως
ἔσται ἐν τῇ συντελείᾳ τοῦ αἰῶνος⸆· **41** ἀποστελεῖ ὁ υἱὸς
24,31! · 25,31-46 τοῦ ἀνθρώπου τοὺς ἀγγέλους αὐτοῦ, καὶ συλλέξουσιν ἐκ
20,21! · 7,23 Ps 141,9 1J 3,4 τῆς βασιλείας αὐτοῦ πάντα τὰ σκάνδαλα καὶ τοὺς ποι-
Dn 3,6 οῦντας τὴν ἀνομίαν **42** καὶ ⸀*βαλοῦσιν αὐτοὺς εἰς τὴν κάμινον*
τοῦ πυρός· ἐκεῖ ἔσται ὁ κλαυθμὸς καὶ ὁ βρυγμὸς τῶν ὀδόν-
8,12! 17,2 Jdc 5,31 των. **43** τότε οἱ δίκαιοι ἐκλάμψουσιν ὡς ὁ ἥλιος ἐν τῇ
2Sm 23,3s Dn 12,3 11,15! βασιλείᾳ ⸂τοῦ πατρὸς αὐτῶν⸃. ὁ ἔχων ὦτα ⸆ ἀκουέτω.

44 ⸆῾Ομοία ἐστὶν ἡ βασιλεία τῶν οὐρανῶν θησαυρῷ
Prv 2,4 Sir 20,30s κεκρυμμένῳ ἐν τῷ ἀγρῷ, ὃν εὑρὼν ἄνθρωπος ἔκρυψεν,
19,21.29 L 14,33 Ph 3,7 καὶ ἀπὸ τῆς χαρᾶς αὐτοῦ ὑπάγει καὶ πωλεῖ ⸰πάντα ὅσα
ἔχει καὶ ἀγοράζει τὸν ἀγρὸν ἐκεῖνον.

45 Πάλιν ὁμοία ἐστὶν ἡ βασιλεία τῶν οὐρανῶν ⸰ἀν-
θρώπῳ ἐμπόρῳ ζητοῦντι καλοὺς μαργαρίτας· **46** ⸂εὑρὼν
δὲ⸃ ⸰ἕνα πολύτιμον μαργαρίτην ἀπελθὼν πέπρακεν πάντα ὅσα εἶχεν καὶ ἠγόρασεν αὐτόν.

47 Πάλιν ὁμοία ἐστὶν ἡ βασιλεία τῶν οὐρανῶν σαγήνῃ

36 ⸆το Ιησους C L W Θ 0233 f^{13} 𝔐 f h q $sy^{(p).h}$ ¦ αυτου f^{1} 1424 *pc* ¦ *txt* ℵ B D *pc* lat $sy^{s.c}$ co | ⸀φρασον $ℵ^{2}$ C D L W 0233. 0250 $f^{1.13}$ 𝔐 it; Or ¦ *txt* ℵ* B Θ 0242^{vid}. 1424 *pc* lat ● **37** ⸆αυτοις C L W Θ 0119. 0233. 0242. 0250 $f^{1.13}$ 𝔐 c f h q vg^{cl} sy sa^{mss} bo^{ms} ¦ *txt* ℵ B D 892*. 1424 *pc* lat sa^{mss} mae bo | ⸂ο υιος του θεου 28 ¦ ο θεος Epiph ● **39** ⸋ ℵ* | ⸆του $ℵ^{2}$ C L W 0119. 0233. 0250 f^{1} 𝔐 ¦ *txt* $ℵ^{1}$ B D Θ f^{13} 33 *pc* ● **40** ⸀καιεται C L W Θ 0119. 0233^{vid}. 0242^{vid}. 0250 f^{13} 𝔐 ¦ κατακαιονται D ¦ *txt* ℵ B f^{1} 892. 1010 *al*; Or Cyr | ⸆τουτου C L W Θ 0119. 0233. 0242. 0250 $f^{1.13}$ 𝔐 f h q $sy^{p.h}$ bo ¦ *txt* ℵ B D Γ 892 *pc* lat $sy^{s.c}$ sa mae; Ir^{lat} Cyr ● **42** ⸀βαλλουσιν ℵ* D 0250. 565. 1424 *pc* e vg^{mss} ¦ εμβαλουσιν 700 *pc* ● **43** ⸂των ουρανων Θ f^{13} 700 *pc* | ⸆ακουειν $ℵ^{2}$ C D L W 0119. 0233. 0250 $f^{1.13}$ 𝔐 lat sy co ¦ *txt* ℵ* B Θ 0242. 700 a b e k vg^{st} ● **44** ⸆*p)* παλιν C L W Θ 0119. 0233. 0250 $f^{1.13}$ 𝔐 f h q $sy^{p.h}$; Or ¦ *txt* ℵ B D 0242. 892. 1241 *pc* lat $sy^{s.c}$ co | ⸰† B (28) *pc* bo; Or ¦ *txt* ℵ D 0242 f^{1} 892 *pc* latt sy sa mae (*sed* πωλ. *p.* εχει C L W Θ 0119. 0233. 0250 f^{13} 𝔐) ● **45** ⸰† ℵ* B Γ 1424 *pc* ¦ *txt* $ℵ^{1}$ C D L W Θ 0119. 0233. 0242. 0250 $f^{1.13}$ 𝔐 verss; Or Cyp ● **46** ⸂ος ευρων C W 0119. 0250 f^{13} 𝔐 sy^{h} ¦ *txt* ℵ B D L Θ 0233. 0242^{vid} f^{1} 33. 892 *pc* sy^{p} co | ⸰ D Θ *pc* sy^{c}

βληθείσῃ εἰς τὴν θάλασσαν καὶ ἐκ παντὸς γένους συναγα- 22,9s; 4,19p Hab 1,14s
γούσῃ· **48** ⸂ἣν ὅτε⸃ ἐπληρώθη ⸀ἀναβιβάσαντες ἐπὶ τὸν αἰγιαλὸν καὶ καθίσαντες συνέλεξαν τὰ ⸁καλὰ εἰς ⸀¹ἄγγη, τὰ
δὲ σαπρὰ ἔξω ἔβαλον. **49** οὕτως ἔσται ἐν τῇ συντελείᾳ 39!
τοῦ ⸀αἰῶνος· ἐξελεύσονται οἱ ἄγγελοι καὶ ἀφοριοῦσιν 25,32
τοὺς πονηροὺς ἐκ μέσου τῶν δικαίων **50** καὶ ⸀*βαλοῦσιν* Ps 1,5 *Dn 3,6*
αὐτοὺς εἰς τὴν κάμινον τοῦ πυρός· ἐκεῖ ἔσται ὁ κλαυθμὸς 8,12!
καὶ ὁ βρυγμὸς τῶν ὀδόντων.
51 ⸆Συνήκατε ταῦτα πάντα; λέγουσιν αὐτῷ· ναί⸇. **52** ⸂ὁ
δὲ εἶπεν⸃ αὐτοῖς· διὰ τοῦτο πᾶς γραμματεὺς μαθητευθεὶς 23,34
⸄τῇ βασιλείᾳ⸅ τῶν οὐρανῶν ὅμοιός ἐστιν ἀνθρώπῳ οἰκο- 20,1; 21,33
δεσπότῃ, ὅστις ἐκβάλλει ἐκ τοῦ θησαυροῦ αὐτοῦ καινὰ 12,35p · Mc 1,27
καὶ παλαιά.
53 Καὶ ἐγένετο ὅτε ἐτέλεσεν ὁ Ἰησοῦς τὰς παραβολὰς 7,28!
141 I ταύτας, μετῆρεν ἐκεῖθεν. **54** καὶ ἐλθὼν εἰς τὴν πατρίδα αὐ- *53–58:* Mc 6,1-6a L 4,16-30
τοῦ ἐδίδασκεν αὐτοὺς ἐν τῇ συναγωγῇ αὐτῶν, ὥστε ἐκ-
πλήσσεσθαι αὐτοὺς καὶ λέγειν· πόθεν τούτῳ ⸆ ἡ σοφία 7,28!
αὕτη καὶ αἱ δυνάμεις; **55** οὐχ οὗτός ἐστιν ὁ τοῦ τέκτονος 14,2
υἱός; ⸀οὐχ ἡ μήτηρ αὐτοῦ λέγεται Μαριὰμ καὶ οἱ ἀδελ- 12,46.48p J 2,1.12; 6,42; 19,25
φοὶ αὐτοῦ Ἰάκωβος καὶ ⸁Ἰωσὴφ καὶ Σίμων καὶ Ἰούδας; Act 1,14 Act 12,17!
56 καὶ αἱ ἀδελφαὶ αὐτοῦ οὐχὶ πᾶσαι πρὸς ἡμᾶς εἰσιν; πό-
142 I θεν οὖν τούτῳ ταῦτα πάντα; **57** καὶ ἐσκανδαλίζοντο ἐν J 7,15 | 11,6!
αὐτῷ. ὁ δὲ Ἰησοῦς εἶπεν αὐτοῖς· οὐκ ἔστιν προφήτης ἄτι- J 4,44
μος εἰ μὴ ἐν τῇ ⸀πατρίδι καὶ ἐν τῇ οἰκίᾳ αὐτοῦ. **58** καὶ
οὐκ ἐποίησεν ἐκεῖ δυνάμεις πολλὰς διὰ ⸂τὴν ἀπιστίαν⸃
αὐτῶν.

48 ⸂οτε δε D Θ 1424 *pc* | ⸀αναβιβασαντες αυτην P Δ 1010. 1424 *al* ¦ ανεβιβασαν αυτην D | ⸁καλλιστα D 700 it (sy$^{s.c}$) † ⸀¹αγγεια C^{3} (D) L W 0137 *f*^{13} 𝔐 ¦ αγγειον 33 ¦ *txt* ℵ B C* N Θ *f*^{1} 700. 892* *pc* ● **49** ⸀κοσμου D ¦ αιωνος τουτου N 0137 *pc* bo ● **50** ⸀βαλλουσιν ℵ* D* *f*^{13} 565. 1424 *pc* ● **51** ⸆λεγει αυτοις ο Ιησους C L W Θ 0137. 0233 *f*$^{1.13}$ 𝔐 (a) f h q sy$^{(c.p).h}$ (mae) bo^{mss} ¦ *txt* ℵ B D 1010 *pc* lat sy^{s} sa bo | ⸇κυριε C L W 0137. 0233 𝔐 it sy$^{p.h}$ co ¦ *txt* ℵ B D Θ *f*$^{1.13}$ 1424 *pc* lat sy$^{s.c}$ ● **52** ⸂ο δε λεγει B^{1} *pc* f ¦ ο δε Ιησους ειπεν C N Σ 1010. 1241 *pc* (c) sy^{hmg} ¦ λεγει D 892. 1424 lat sy^{p} | ⸄εν τη β-εια D 700 *pc* ¦ εις την β-ειαν L Γ Δ (0233). 28. (33). 892^{c} *pm* ● **54** ⸆πασα D 892 *pc* sy^{s} mae ¦ *p)* ταυτα και τις W *pc* ● **55** ⸀ουχι D L *f*$^{1.13}$ 𝔐 ¦ *txt* ℵ B C N W Δ Θ 700. 1241 *al* | ⸁Ιωσης K L W Δ 0119 *f*^{13} 565. 1241 *pm* k q^{c} sy$^{p.h}$? sa bo^{mss} ¦ Ιωση 700*. 1010 *pc* bo^{pt} ¦ Ιωαννης ℵ*^{vid} D Γ 28. 1424 *pm* vg^{mss} ¦ *txt* ℵ^{2} B C N Θ *f*^{1} 33. 700^{c}. 892 *pc* lat sy$^{s.c.hmg}$ mae bo^{pt}; Or ● **57** ⸀(J 4,44) ιδια πατριδι ℵ Z *f*^{13} 892 *pc*; Or^{pt} ¦ *p)* πατριδι αυτου L W 0119 *f*^{1} 𝔐 ¦ ιδια πατριδι αυτου C *pc* ¦ *txt* B D Θ 33. 700. 1424 a k; Or^{pt} ● **58** ⸂τας απιστιας D 892 k

1s: Mc 6,14-16 L 9,7-9 **14** Ἐν ἐκείνῳ ⸆ τῷ καιρῷ ἤκουσεν Ἡρῴδης ὁ τετρα- *25* 143
άρχης τὴν ἀκοὴν Ἰησοῦ, **2** καὶ εἶπεν τοῖς παισὶν II
16,14p αὐτοῦ· ⸆ οὗτός ἐστιν Ἰωάννης ὁ βαπτιστής⸆ʹ· αὐτὸς ἠγέρ-
13,54 G 3,5 θη ἀπὸ τῶν νεκρῶν καὶ διὰ τοῦτο αἱ δυνάμεις ἐνεργοῦσιν
ἐν αὐτῷ.
3-12: Mc 6,17-29 · L 3,19 s 4,12 **3** Ὁ γὰρ Ἡρῴδης ⸆ κρατήσας τὸν Ἰωάννην ἔδησεν 144 II
°[αὐτὸν] ⸂καὶ ἐν φυλακῇ ἀπέθετο⸃ διὰ Ἡρῳδιάδα τὴν γυ-
ναῖκα °¹Φιλίππου τοῦ ἀδελφοῦ αὐτοῦ· **4** ἔλεγεν γὰρ ⸂ὁ
19,9p Lv 18,16; 20,21 Ἰωάννης αὐτῷ⸃· οὐκ ἔξεστίν σοι ἔχειν αὐτήν. **5** καὶ
21,26p θέλων αὐτὸν ἀποκτεῖναι ἐφοβήθη τὸν ὄχλον, ὅτι ὡς προφήτην αὐτὸν εἶχον.
6 ⸂Γενεσίοις δὲ γενομένοις⸃ τοῦ Ἡρῴδου ὠρχήσατο ἡ 145 VI
θυγάτηρ ⸂ʹτῆς Ἡρῳδιάδος⸃ʹ ἐν τῷ μέσῳ καὶ ἤρεσεν τῷ
Ἡρῴδῃ, **7** ὅθεν μεθ᾽ ὅρκου ὡμολόγησεν αὐτῇ δοῦναι ὃ
ἐὰν αἰτήσηται. **8** ἡ δὲ προβιβασθεῖσα ὑπὸ τῆς μητρὸς
αὐτῆς⸆· δός μοι, °φησίν, ὧδε ⸋ἐπὶ πίνακι⸌ τὴν κεφαλὴν
Ἰωάννου τοῦ βαπτιστοῦ. **9** καὶ ⸂λυπηθεὶς ὁ βασιλεὺς διὰ⸃
τοὺς ὅρκους καὶ τοὺς συνανακειμένους ἐκέλευσεν δοθῆ-
ναι⸆, **10** καὶ πέμψας ἀπεκεφάλισεν °[τὸν] Ἰωάννην ἐν τῇ
φυλακῇ. **11** καὶ ἠνέχθη ἡ κεφαλὴ αὐτοῦ ⸀ἐπὶ πίνακι καὶ
ἐδόθη τῷ κορασίῳ, καὶ ἤνεγκεν τῇ μητρὶ αὐτῆς. **12** καὶ
Act 8,2 προσελθόντες οἱ μαθηταὶ αὐτοῦ ἦραν τὸ ⸀πτῶμα ⸆ καὶ
ἔθαψαν ⸁αὐτό[ν] καὶ ἐλθόντες ἀπήγγειλαν τῷ Ἰησοῦ.
13-21: Mc 6,32-44 L 9,10-17 J 6,1-13 cf Mt 15,32-39p · 4,12! **13** ⸂Ἀκούσας δὲ⸃ ὁ Ἰησοῦς ἀνεχώρησεν ἐκεῖθεν ⸋ἐν 146 III
πλοίῳ⸌ εἰς ἔρημον τόπον κατ᾽ ἰδίαν· καὶ ἀκούσαντες οἱ

¶ **14,1** ⸆δε D sy$^{s.c.p}$ bo ● **2** ⸆μητι D *pc* b f h vg^{mss} | ⸆ʹον εγω απεκεφαλισα D *pc* a b ff^{1} h vg^{mss}; Or^{pt} ● **3** ⸆τοτε B Θ f^{13} 700. 1010 *pc* sa mae | °† ℵ* B 700 *pc* ff^{1} h q bo^{mss} ¦ *txt* ℵ^{2} C D L W Z Θ 0119 $f^{1.13}$ 𝔐 lat | ⸂και εθετο εν φυλακη C L W 0119* 𝔐 sy^{h} ¦ και απεθετο εν τη φυλ. f^{1} 700 *pc* ¦ εν τη φυλακη και απεθετο ℵ^{2} (Z^{vid}) ¦ εν τη φυλ. D *pc* a e k ¦ *txt* ℵ* B* f^{13} 33. 1424 *al* ff^{1} h (B^{2} Θ 892: τη φ.) | °¹ D lat ● **4** ⸂ *2 3* ℵ^{2} ¦ *3 2* D ¦ *1 2* 28. 565 *pc* ¦ *2* ℵ* ¦ *3 1 2* C L W Θ 0119 $f^{1.13}$ 𝔐 (lat) ¦ *txt* B Z ● **6** ⸂γενεσιοις δε αγομενοις f^{1} *pc* ¦ γενεσιων δε αγομενων W 0119. 0136 f^{13} 𝔐 ¦ γενεσιων δε γενομενων C K N Θ 565. 892. 1241. 1424 *al* ¦ *txt* ℵ B D L Z 1010 *pc* | ⸂ʹΗρωδιαδος W Θ f^{13} 1010 *pc* ¦ αυτου Ηρωδιας D ● **8** ⸆ειπεν *et* ° D (W) 0119^{c}. 1424 it | ⸋ D ● **9** ⸂ελυπηθη ο βασιλευς· δια δε ℵ C (L) W Z^{vid} 0106. 0136 𝔐 lat sy co ¦ *txt* B D Θ $f^{1.13}$ 700. 1424 *pc* | ⸆αυτη Θ $f^{1.13}$ 1424 *pc* sy$^{s.c.p}$ sa ● **10** °† ℵ* B Z f^{1} ¦ *txt* ℵ^{2} C D L W Θ 0106^{vid}. 0136 f^{13} 𝔐 ● **11** ⸀επι τω D ¦ εν τω Θ $f^{1.(13)}$ 700. 892 *pc* ● **12** ⸀σωμα W 0106. 0136 𝔐 lat sy^{h} sa mae bo^{mss} ¦ *txt* ℵ B C D L Θ $f^{1.13}$ 33. 565. 700. 892. 1010. 1241. 1424 *al* e k sy$^{s.c.p}$ bo | ⸆αυτου ℵ*$^{.2}$ D L 565 *al* it vg^{cl} sy$^{s.c.p}$; Cyr | ⸁αυτο ℵ^{1} C D L W Θ 0136 $f^{1.13}$ 𝔐 lat bo ¦ *txt* ℵ* B 0106 a ff^{1} bo^{mss} ● **13** ⸂και ακουσας C W 0106. 0136 𝔐 ¦ *txt* ℵ B D L Z Θ $f^{1.13}$ 33^{vid}. 565. 700. 892. 1424 *al* | ⸋ Γ *pc* sy$^{s.c}$

ὄχλοι ἠκολούθησαν αὐτῷ ⸀πεζῇ ἀπὸ τῶν πόλεων. **14** Καὶ
⸀ἐξελθὼν εἶδεν πολὺν ὄχλον καὶ ἐσπλαγχνίσθη ⸂ἐπ' αὐ- 9,36! 15,39!p
τοῖς⸃ καὶ ἐθεράπευσεν τοὺς ⸁ἀρρώστους αὐτῶν.
26 147 **15** Ὀψίας δὲ γενομένης προσῆλθον αὐτῷ οἱ μαθηταὶ ⸆
I λέγοντες· ἔρημός ἐστιν ὁ τόπος καὶ ἡ ὥρα ⸉ἤδη παρῆλ-
θεν⸊· ἀπόλυσον ⸇ τοὺς ὄχλους, ἵνα ἀπελθόντες εἰς τὰς
⸆¹κώμας ἀγοράσωσιν ἑαυτοῖς βρώματα. **16** ὁ δὲ °[Ἰησοῦς] *16–20:* 2Rg 4,
εἶπεν αὐτοῖς· οὐ χρείαν ἔχουσιν ἀπελθεῖν, δότε ⸉αὐτοῖς 42-44
ὑμεῖς φαγεῖν⸊. **17** οἱ δὲ λέγουσιν αὐτῷ· οὐκ ἔχομεν ὧδε εἰ
μὴ πέντε ἄρτους καὶ δύο ἰχθύας. **18** ὁ δὲ εἶπεν· φέρετέ μοι 16,9
⸂ὧδε αὐτούς⸃. **19** καὶ ⸀κελεύσας ⸂τοὺς ὄχλους⸃ ἀνακλιθῆ-
ναι ἐπὶ ⸄τοῦ χόρτου⸅, ⸁λαβὼν τοὺς πέντε ἄρτους καὶ τοὺς
δύο ἰχθύας, ἀναβλέψας εἰς τὸν οὐρανὸν εὐλόγησεν καὶ Mc 7,34 J 11,41;
κλάσας ἔδωκεν τοῖς μαθηταῖς τοὺς ἄρτους, οἱ δὲ μαθηταὶ 17,1 Ps 123,1 · Mc
τοῖς ὄχλοις. **20** καὶ ἔφαγον πάντες καὶ ἐχορτάσθησαν, 14,22! · Act 27,35
καὶ ἦραν τὸ περισσεῦον τῶν κλασμάτων δώδεκα κοφίνους
πλήρεις. **21** οἱ δὲ ἐσθίοντες ἦσαν ἄνδρες ⸀ὡσεὶ πεντακισχίλιοι χωρὶς ⸂γυναικῶν καὶ παιδίων⸃.
27 148 **22** Καὶ °εὐθέως ἠνάγκασεν τοὺς μαθητὰς ⸆ ἐμβῆναι εἰς *22–33:* Mc 6,
VI °¹τὸ πλοῖον καὶ προάγειν °²αὐτὸν εἰς τὸ πέραν, ἕως οὗ 45-52 J 6,16-21 · cf 8,23ssp
149 II ἀπολύσῃ τοὺς ὄχλους. **23** καὶ ἀπολύσας τοὺς ὄχλους ἀν- 15,39!p · 5,1!
150 IV ἔβη εἰς τὸ ὄρος κατ' ἰδίαν προσεύξασθαι. * ὀψίας δὲ γενο- L 9,28!
μένης μόνος ἦν ἐκεῖ. **24** τὸ δὲ πλοῖον °ἤδη ⸂σταδίους
πολλοὺς ἀπὸ τῆς γῆς ἀπεῖχεν⸃ βασανιζόμενον ὑπὸ τῶν

13 ⸀πεζοι ℵ L Z 067 *al* sy^{hmg} • **14** ⸀ε. ο Ιησους C (L) W 067. 0106^{vid} 𝔐 f h q sy$^{p.h}$ ¦ – a b ff^{2} sy$^{s.c}$ ¦ *txt* ℵ B D Θ *f*$^{1.13}$ 33. 700. 892* *pc* lat co | ⸂*(p)* επ αυτους Φ 33. 1424 *pc* ¦ επ αυτον 067 ¦ περι αυτων D | ⸁αρρωστουντας D • **15** ⸆*p)* αυτου C D L W Θ 0106^{vid} *f*$^{1.13}$ 𝔐 lat sy ¦ *txt* ℵ B Z^{vid} 33. 892 *pc* b e k | ⸉ ℵ Z *f*^{1} (–ηδη sy$^{c.p}$ sa bo) ¦ *txt* B C D L W Θ 067. 0106 *f*^{13} 𝔐 latt | ⸇ † ουν ℵ C Z *f*^{1} 892. 1241 *pc* sy^{hmg} sa^{mss} bo ¦ *txt* B D L W Θ 067. 0106 *f*^{13} 𝔐 lat sy sa^{mss} mae bo^{ms} | ⸆^{1} *p)* κυκλω C* Θ 33. 700. 1010. 1241 *pc* sy^{hmg} sa^{ms} • **16** ° ℵ* D Z^{vid} 1424 *pc* e k sy$^{s.c.p}$ sa bo ¦ *txt* ℵ^{1} B C L W Θ 067. 0106 *f*$^{1.13}$ 𝔐 lat sy^{h} sa^{ms} mae | ⸉ *2 3 1* D ¦ *2 1 3* 892 *pc* • **18** ⸂ *2 1* C L W 0106 *f*^{13} 𝔐 ¦ *2* D Θ *f*^{1} 700 it sy$^{s.c}$ ¦ *txt* ℵ B Z^{vid} 33 • **19** ⸀εκελευσεν ℵ Z *pc* ¦ κελευσατε B* *pc* | ⸂τον οχλον D 892 lat mae bo^{mss} | ⸄τους χορτους (C^{2} L) 0106 *f*^{13} 𝔐 e sy^{h} bo^{ms} ¦ τον χορτον D 892 *pc* ¦ *txt* ℵ B C* W Θ 067 *f*^{1} 33. 700. 1010. 1424 *pc* | ⸁και λαβων ℵ C* W 067. 1010 *pc* ¦ ελαβεν D • **21** ⸀ως D Δ Θ 067 *f*^{1} 33. 700* *pc* ¦ – W 0106 *pc* lat sy$^{s.c.p}$ bo | ⸂ *3 2 1* D ¦ παιδων και γυναικων Θ *f*^{1} it • **22** ° ℵ* C* 892* (ff^{1}) sy$^{s.c}$ | ⸆*p)* αυτου B K P Θ *f*^{13} 565. 892. 1424 *pm* it vg^{mss} sy co? ¦ *txt* ℵ C D L W Γ Δ 067. 0106 *f*^{1} 28. 33. 700. 1010. 1241 *pm* lat | °^{1} B Σ *f*^{1} 33. 565. 700. 892 *pc* bo^{ms} mae; Eus | °^{2} D it • **24** ° D 28 *pc* lat sy$^{c.p}$ co | ⸂απειχεν απο της γης σταδιους ικανους Θ (700) sy$^{c.p}$? ¦ μεσον της θαλασσης ην ℵ C L W 084. 0106 *f*^{1} 𝔐 (lat) sy^{h} mae? ¦ ην (+ εις D) μεσον της θαλασσης D 1424 *pc* e ff^{1} mae? ¦ *txt* B *f*^{13} *pc* sy$^{c.p}$? sa

8,24p κυμάτων, ἦν γὰρ ἐναντίος ὁ ἄνεμος. **25** τετάρτῃ δὲ φυλα-
Ps 77,20 Job 9,8 Is 43,16 κῇ τῆς νυκτὸς ⸀ἦλθεν πρὸς αὐτοὺς περιπατῶν ἐπὶ ⸂τὴν θά-
λασσαν⸃. **26** ⸂οἱ δὲ μαθηταὶ ἰδόντες αὐτὸν⸃ ⸄ἐπὶ τῆς θαλάσ-
L 24,37 σης περιπατοῦντα⸅ ἐταράχθησαν λέγοντες ὅτι φάντασμά
ἐστιν, καὶ ἀπὸ τοῦ φόβου ἔκραξαν. **27** εὐθὺς δὲ ἐλάλησεν
⸂[ὁ Ἰησοῦς] αὐτοῖς⸃ λέγων· θαρσεῖτε, ἐγώ εἰμι· μὴ φοβεῖσθε. **28** ἀποκριθεὶς δὲ ⸂αὐτῷ ὁ Πέτρος εἶπεν⸃· κύριε, 151 X
εἰ σὺ εἶ, κέλευσόν με ⸉ἐλθεῖν πρός σε⸊ ἐπὶ τὰ ὕδατα. **29** ὁ
δὲ εἶπεν· ἐλθέ. καὶ καταβὰς ἀπὸ τοῦ πλοίου °[ὁ] Πέτρος
περιεπάτησεν ἐπὶ τὰ ὕδατα ⸂καὶ ἦλθεν⸃ πρὸς τὸν Ἰησοῦν.
30 βλέπων δὲ τὸν ἄνεμον °[ἰσχυρὸν] ἐφοβήθη, καὶ ἀρξάμενος καταποντίζεσθαι ἔκραξεν λέγων· κύριε, σῶσόν με.
31 εὐθέως δὲ ὁ Ἰησοῦς ἐκτείνας τὴν χεῖρα ἐπελάβετο αὐτοῦ
6,30! · 28,17 καὶ λέγει αὐτῷ· ὀλιγόπιστε, εἰς τί ἐδίστασας; **32** καὶ ⸂ἀνα- 152 VI
βάντων αὐτῶν⸃ εἰς τὸ πλοῖον ἐκόπασεν ὁ ἄνεμος. **33** οἱ δὲ
ἐν τῷ πλοίῳ ⊤ προσεκύνησαν αὐτῷ λέγοντες· ἀληθῶς
16,16! θεοῦ υἱὸς εἶ.
34–36: Mc 6,53-56 J 6,22-25 **34** Καὶ διαπεράσαντες ἦλθον ⸂ἐπὶ τὴν γῆν εἰς⸃ ⸀Γεν-
νησαρέτ. **35** καὶ ἐπιγνόντες αὐτὸν οἱ ἄνδρες ⸂τοῦ τόπου 153 II
ἐκείνου⸃ ἀπέστειλαν εἰς ὅλην τὴν περίχωρον ἐκείνην καὶ
4,24 προσήνεγκαν αὐτῷ πάντας τοὺς κακῶς ἔχοντας **36** καὶ
Mc 6,56! παρεκάλουν °αὐτὸν ἵνα μόνον ἅψωνται τοῦ κρασπέδου
τοῦ ἱματίου αὐτοῦ· καὶ ὅσοι ἥψαντο διεσώθησαν.

25 ⸀απηλθεν C^{*vid} D K L P W Γ Δ 0106. 28 𝔐 sy^{h} sa^{mss} | ⸂της θαλασσης C D L 𝔐 ¦ *txt* ℵ B P W Δ Θ 084. 0106 $f^{1.13}$ 700. 1241 *al* ● **26** ⸂ιδοντες δε αυτον ℵ* Θ 700 *pc* sa ¦ και ιδοντες αυτον 084 f^{1} 1241. 1424 *pc* bo^{pt} ¦ και ιδοντες αυτον οι μαθηται C L W 0106 𝔐 f? sy^{h} bo^{pt} ¦ *txt* ℵ^{1} B D f^{13} *pc* mae | ⸄ *4 1-3* Θ 084 f^{13} 700 *al* ¦ –1424 *pc* b ¦ επι την θ-σσαν περιπ. L W 0106 𝔐 ¦ *txt* ℵ B C D f^{1} 33. 892. 1010. 1241 *al* ● **27** ⸂ *3 1 2* C L W Θ 0106 $f^{1.13}$ 𝔐 f q sy^{h} ¦ *3* ℵ* D 084. 892. 1010 *pc* ff^{1} sy^{c} sa bo ¦ *txt* ℵ^{1} B *pc* ● **28** ⸂ *2–4 1* B 1424 *al* ¦ *2–4* Δ *al* lat ¦ *1 3 4* D *pc* | ⸉ K L P Γ 28. 565. 1010. 1424 𝔐 ● **29** °† ℵ B D ¦ *txt* C L W Θ 073. 0119 $f^{1.13}$ 𝔐 | ⸂ελθειν ℵ^{1} C^{2} D L W Θ 073. 0119 $f^{1.13}$ 𝔐 latt sy$^{p.h}$ mae bo ¦ ελθειν· ηλθεν ουν ℵ* ¦ *txt* B C^{*vid} 700. 1010 *pc* sy$^{s.c}$ sa ● **30** °† ℵ B* 073. 33 sa bo ¦ *txt* B^{1} C D L (+ σφοδρα W) Θ 0119 $f^{1.13}$ 𝔐 latt sy (mae) ● **32** ⸂εμβαντων αυτων C L W 0119 f^{1} 𝔐 ¦ εμβαντι αυτω 1241 it sy^{c} sa^{ms} mae bo ¦ *txt* ℵ B D Θ 084 f^{13} 33. 700. 892. 1424 *pc* ● **33** ⊤ελθοντες D L W 0119 𝔐 lat sy$^{p.h}$ mae? ¦ προσελθ- Θ f^{13} 1424 *pc* sy$^{s.c}$ mae? ¦ οντες 28. 118. 209 ff^{1}? sa bo? ¦ *txt* ℵ B C N f^{1} 700. 892*. 1010 *pc* ff^{1}? bo? ● **34** ⸂ *1–3* C N f^{13} 1010. 1424 *al* ¦ εις την γην L f^{1} 𝔐 ¦ *txt* ℵ B D W Δ Θ 084. 0119. 33. 892 *pc* sy^{h} | ⸀Γεννησαρ D* (-σαρατ D^{c}) 700 lat sy$^{s.c.p}$ ¦ Γεννησαρεθ (L) Θ f^{13} 𝔐 q (sa bo) ¦ *txt* ℵ B C (N) W Γ 0119 f^{1} 33. 892. 1010. (1241. 1424) *al* f (sy^{h}) mae ● **35** ⸂ *3 1 2* Θ f^{13} 700 *pc* ¦ *1 2* ℵ 084 ● **36** ° B* 892 *pc* q

28 154 VI **15** Τότε προσέρχονται τῷ Ἰησοῦ ⸆ ἀπὸ Ἱεροσολύμων 1–20: Mc 7,1-23 J 1,19
⸉Φαρισαῖοι καὶ γραμματεῖς⸊ λέγοντες· **2** διὰ τί οἱ
μαθηταί σου παραβαίνουσιν τὴν παράδοσιν τῶν πρεσβυ- Kol 2,8 G 1,14
τέρων; οὐ γὰρ νίπτονται τὰς χεῖρας ⸋[αὐτῶν] ὅταν ἄρτον L 11,38
ἐσθίωσιν. **3** ὁ δὲ ἀποκριθεὶς εἶπεν αὐτοῖς· διὰ τί καὶ ὑμεῖς
παραβαίνετε τὴν ἐντολὴν τοῦ θεοῦ διὰ τὴν παράδοσιν
ὑμῶν; **4** ὁ γὰρ θεὸς ⸀εἶπεν· *τίμα τὸν πατέρα* ⸆ *καὶ τὴν μητέρα* ⸆, *Ex 20,12 Dt 5,16*
καί· *ὁ κακολογῶν πατέρα ἢ μητέρα θανάτῳ τελευτάτω.* **5** ὑμεῖς *Ex 21,17 Lv 20,9* | Prv 28,24
δὲ λέγετε· ὃς ἂν εἴπῃ τῷ πατρὶ ἢ τῇ μητρί· δῶρον ὃ ἐὰν ἐξ
ἐμοῦ ὠφεληθῇς ⸆, **6** ⸆ οὐ μὴ τιμήσει τὸν πατέρα ⸋αὐτοῦ ⸆·
καὶ ἠκυρώσατε ⸂τὸν λόγον⸃ τοῦ θεοῦ διὰ τὴν παράδοσιν ὑμῶν. **7** ὑποκριταί, καλῶς ἐπροφήτευσεν περὶ ὑμῶν 22,18
Ἠσαΐας λέγων·

8 ⸂*ὁ λαὸς οὗτος*⸃ *τοῖς χείλεσίν με τιμᾷ,* *Is 29,13* 𝔊 Ps 78,36s
ἡ δὲ καρδία αὐτῶν πόρρω ⸀*ἀπέχει ἀπ' ἐμοῦ*·
9 *μάτην δὲ σέβονταί με*
διδάσκοντες διδασκαλίας ἐντάλματα ἀνθρώπων. Kol 2,22 Tt 1,14

10 καὶ προσκαλεσάμενος τὸν ὄχλον εἶπεν αὐτοῖς· ἀκούετε καὶ συνίετε· **11** οὐ ⸆ τὸ εἰσερχόμενον εἰς τὸ στόμα ⸀κοι-
νοῖ τὸν ἄνθρωπον, ἀλλὰ τὸ ἐκπορευόμενον ἐκ τοῦ στόμα- 18; 12,34 Act 10,15; 11,8 E 4,29
τος ⸀τοῦτο ⸀κοινοῖ τὸν ἄνθρωπον. Jc 3,6 R 14,14.20
155 X **12** Τότε προσελθόντες οἱ μαθηταὶ ⸆ ⸀λέγουσιν αὐτῷ·
οἶδας ὅτι οἱ Φαρισαῖοι ἀκούσαντες τὸν λόγον ἐσκανδα-
λίσθησαν; **13** ὁ δὲ ἀποκριθεὶς εἶπεν· πᾶσα φυτεία ἣν
οὐκ ἐφύτευσεν ὁ πατήρ μου ὁ οὐράνιος ἐκριζωθήσεται.

¶ **15,1** ⸆*p)* οι C L W 0119 𝔐 ¦ *txt* ℵ B D Θ $f^{(1).13}$ 700. 892. 1424 *al* co | ⸉ C L W 0119 𝔐 lat $sy^{s.c.h}$ mae bo^{ms} ¦ *txt* ℵ B D Θ $f^{1.13}$ 33. 565. 892. 1241. 1424 *pc* e ff^{1} sy^{p} sa bo ● **2** ⸋ † ℵ B Δ 084 f^{1} 700. 892. 1424 *pc* f g^{1} ¦ *txt* C D L W Θ f^{13} 𝔐 lat sy ● **4** ⸀ενετειλατο λεγων $ℵ^{*.2}$ C L W 0106 𝔐 f sy^{h} ¦ *txt* $ℵ^{1}$ B D Θ 084 $f^{1.13}$ 700. 892 *pc* lat $sy^{s.c.p}$ co; Ir^{lat} Cyr | ⸆σου C^{2} K L N W Θ f^{13} 33. 565. 1010. 1241. 1424 *pm* lat sy; Cyr | ⸆ σου N W 892. 1424 *pc* it $sy^{s.c.p}$; Cyr ● **5** ⸆ουδεν εστιν $ℵ^{*}$ ● **6** ⸆και K L N W Γ Δ 0106 f^{13} 1424 𝔐 lat $sy^{s.p.h}$ | ⸋ Θ f^{1} 1424 | ⸆ † η την μητερα αυτου C L W Θ 0106 f^{1} 𝔐 aur f ff^{1} vg^{cl} $sy^{p.h}$ ¦ και την μητερα αυτου Φ 565. 1241 *pc* (b) c q (sy^{s}) mae bo ¦ η την μητερα 084 f^{13} 33. 700. 892 *pc* ff^{2} g^{1} l vg^{st}; Cyr^{pt} ¦ *txt* ℵ B D *pc* a e sy^{c} sa | ⸂τον νομον $ℵ^{*.2}$ C 084 f^{13} 1010 *pc*; Epiph ¦ την εντολην L W 0106 f^{1} 𝔐 lat sy^{h}; Cyr ¦ *txt* $ℵ^{1}$ B D Θ 700. 892 *pc* it $sy^{s.c.p.hmg}$ co; Ir^{lat} Or Eus ● **8** ⸂ (Is 29,13) εγγιζει μοι ο λαος ουτος τω στοματι αυτων και C W 0106 (f^{1}) 𝔐 f q sy^{h} ¦ *txt* ℵ B D L Θ 084 f^{13} 33. 700. 892. 1424 *pc* lat $sy^{s.c.p}$ co | ⸀εστιν D 1424 latt; Cl^{pt} ● **11** ⸆παν D | ⸀*bis* κοινωνει D, *it. vl sim. vs* 18. 20 | ⸀ εκεινο D *pc* ¦ – 1010. 1241 *pc* a aur e ff^{1} sa (*om.* τουτο… ανθρ. f^{1} bo^{mss}) ● **12** ⸆αυτου C L W 0106 f^{1} 𝔐 lat sy ¦ *txt* ℵ B D Θ f^{13} 700. 892 *pc* e | ⸀ειπον (ℵ) C L W 0106 𝔐 lat sy^{h} ¦ *txt* B D Θ $f^{1.13}$ 33. 700 *pc* (ff^{1})

23,16.24 L 6,39; R 2,19 **14** ἄφετε ⸀αὐτούς· ⸂τυφλοί εἰσιν ὁδηγοὶ [τυφλῶν]⸃· τυ- 156 V
φλὸς δὲ τυφλὸν ⸄ἐὰν ὁδηγῇ⸅, ἀμφότεροι ⸂¹εἰς βόθυνον
πεσοῦνται⸃.
15 Ἀποκριθεὶς δὲ ὁ Πέτρος εἶπεν αὐτῷ· φράσον ἡμῖν 157 VI
τὴν παραβολὴν °[ταύτην]. **16** ὁ δὲ ᵀ εἶπεν· ἀκμὴν καὶ
ὑμεῖς ἀσύνετοί ἐστε; **17** ⸀οὐ νοεῖτε ὅτι πᾶν τὸ εἰσπορευόμενον εἰς τὸ στόμα εἰς τὴν κοιλίαν χωρεῖ καὶ εἰς
11! ἀφεδρῶνα ἐκβάλλεται; **18** τὰ δὲ ἐκπορευόμενα ἐκ τοῦ στόματος ἐκ τῆς καρδίας ⸋ἐξέρχεται, κἀκεῖνα κοινοῖ τὸν ἄν-
R 1,29! 11! θρωπον. **19** ἐκ γὰρ τῆς καρδίας⸌ ἐξέρχονται διαλογισμοὶ
πονηροί, φόνοι, μοιχεῖαι, πορνεῖαι, κλοπαί, ψευδομαρ-
τυρίαι, βλασφημίαι. **20** ταῦτά ἐστιν τὰ κοινοῦντα τὸν ἄνθρωπον, τὸ δὲ ἀνίπτοις χερσὶν φαγεῖν οὐ κοινοῖ τὸν
ἄνθρωπον.
21–28: Mc 7,24-30 · Mc 3,8 **21** Καὶ ἐξελθὼν ἐκεῖθεν ὁ Ἰησοῦς ἀνεχώρησεν εἰς τὰ
17,15! μέρη Τύρου καὶ Σιδῶνος. **22** καὶ ἰδοὺ γυνὴ Χαναναία ἀπὸ *29*
9,27! τῶν ὁρίων ἐκείνων ἐξελθοῦσα ⸀ἔκραζεν ᵀ λέγουσα· ἐλέησόν με, κύριε ⸁υἱὸς Δαυίδ· ἡ θυγάτηρ μου κακῶς δαιμονί-
ζεται. **23** ὁ δὲ οὐκ ἀπεκρίθη αὐτῇ λόγον. καὶ προσελθόντες οἱ μαθηταὶ αὐτοῦ ⸀ἠρώτουν αὐτὸν λέγοντες· ἀπόλυ-
Act 16,17 σον αὐτήν, ὅτι κράζει ὄπισθεν ἡμῶν. **24** ὁ δὲ ἀποκριθεὶς 158 V
10,6! · R 15,8 εἶπεν· οὐκ ἀπεστάλην εἰ μὴ εἰς τὰ πρόβατα ᵀ τὰ ἀπολωλότα οἴκου Ἰσραήλ. **25** ἡ δὲ ἐλθοῦσα ⸀προσεκύνει αὐτῷ 159 VI
λέγουσα· κύριε, βοήθει μοι. **26** ὁ δὲ ἀποκριθεὶς εἶπεν·
7,6 οὐκ ⸂ἔστιν καλὸν⸃ λαβεῖν τὸν ἄρτον τῶν τέκνων καὶ βαλεῖν τοῖς κυναρίοις. **27** ἡ δὲ εἶπεν· ναὶ κύριε, καὶ °γὰρ
L 16,21 τὰ κυνάρια ἐσθίει ἀπὸ τῶν ψιχίων τῶν πιπτόντων ἀπὸ

14 ⸀τους τυφλους D | ⸂ *3 2 1 4* C W 0106 𝔐 q ¦ *3 2 4* K *pc* $sy^{s.c}$ ¦ *3 2 1* $ℵ^{*.2}$; Epiph ¦ *1–3* B D 0237 ¦ *txt* $ℵ^{1}$ L Z Θ $f^{1.13}$ 33. 700. 892. 1241. 1424 *al* lat $sy^{p.h}$ | ⸄ οδηγων σφαλησεται και Θ f^{13} mae | ⸂¹ εμπεσουνται (πεσ- f^{1}) εις βοθρον D f^{1} *pc*; Did ¦ πεσουνται (εμπεσ- 700) εις τον (– L 0237) βοθυνον L Θ 0237 f^{13} *pc* ¦ εις βοθυνον εμπεσουνται W Φ 565. 1424 *al* Bas Epiph Chr • **15** °† ℵ B f^{1} 700. 892 sa bo ¦ *txt* C D L W Θ 0119 (f^{13}) 𝔐 lat sy mae • **16** ᵀΙησους C L W Θ 0119 $f^{1.13}$ 𝔐 f q sy^{h} ¦ *txt* ℵ B D Z 33. 892. 1424 *pc* lat $sy^{s.c.p}$ co • **17** ⸀ουπω ℵ C L W 0119 f^{1} 𝔐 f q sy^{h} bo ¦ *txt* B D Z Θ f^{13} 33. 565 *pc* lat $sy^{s.c.p}$ sa mae; Or • **18/19** ⸋ ℵ* W bo^{ms} • **22** ⸀εκραξεν ℵ* Z f^{13} 1241 *pc* ¦ εκραυγασεν C L W 0119 𝔐 ¦ *txt* $ℵ^{2}$ B D Θ f^{1} 700. 892 *pc* | ᵀαυτω K L W Γ Δ 0119 (f^{1}) 565 𝔐 lat sy^{h} ¦ οπισω αυτου D | ⸁υιε ℵ C L Z 0119 $f^{1.13}$ 𝔐 ¦ *txt* B D W Θ 565. 700 *pc* • **23** ⸀† ηρωτων L W Θ $f^{1.13}$ 𝔐 ¦ ηρωτησαν 0119. 1424 *pc* ¦ *txt* ℵ B C D *pc* • **24** ᵀταυτα D $sy^{s.c.h}$? • **25** ⸀προσεκυνησεν $ℵ^{2}$ C L W 0119 𝔐 mae bo ¦ *txt* ℵ* B D Θ $f^{1.13}$ 33. 700. 1241. 1424 *al* it • **26** ⸂καλον εστιν 544. 1010 *al* ¦ εξεστιν D it $sy^{s.c}$; Or ¦ εστιν 1293; Tert Eus • **27** ° *p)* B e $sy^{s.p}$ sa bo^{ms}

τῆς τραπέζης τῶν κυρίων αὐτῶν. **28** τότε ἀποκριθεὶς □ὁ
Ἰησοῦς⸌ εἶπεν αὐτῇ· ὦ γύναι, μεγάλη σου ἡ πίστις· γενηθήτω σοι ὡς θέλεις. καὶ ἰάθη ἡ θυγάτηρ αὐτῆς ἀπὸ 8,13!
τῆς ὥρας ἐκείνης.
30 160 **29** Καὶ μεταβὰς ἐκεῖθεν ὁ Ἰησοῦς ἦλθεν παρὰ τὴν θά- *29–31:* Mc 7,31-37 · 5,1!
VI λασσαν τῆς Γαλιλαίας, καὶ ἀναβὰς εἰς τὸ ὄρος ἐκάθητο
ἐκεῖ. **30** καὶ προσῆλθον αὐτῷ ὄχλοι πολλοὶ ἔχοντες μεθ’ 19,2! Mc 3,10
ἑαυτῶν ⸂χωλούς, τυφλούς, κυλλούς, κωφούς⸃, καὶ ἑτέρους
πολλοὺς καὶ ἔρριψαν αὐτοὺς παρὰ τοὺς πόδας ⸀αὐτοῦ, καὶ
ἐθεράπευσεν αὐτούς⸆· **31** ὥστε ⸂τὸν ὄχλον⸃ θαυμάσαι βλέ- 8,27!
ποντας κωφοὺς ⸀λαλοῦντας, ⸄κυλλοὺς ὑγιεῖς⸅ καὶ χωλοὺς 9,33 · 11,5
περιπατοῦντας καὶ τυφλοὺς βλέποντας· καὶ ⸁ἐδόξασαν τὸν L 2,20! 1Rg 1,48 Ps 41,14 etc
θεὸν Ἰσραήλ.
31 **32** Ὁ δὲ Ἰησοῦς προσκαλεσάμενος τοὺς μαθητὰς °αὐ- *32–39:* Mc 8,1-10 J 6,1-13
τοῦ εἶπεν· σπλαγχνίζομαι ἐπὶ τὸν ὄχλον, ὅτι °¹ἤδη ⸀ἡμέ- 9,36!
ραι τρεῖς ⸆ προσμένουσίν μοι καὶ οὐκ ἔχουσιν τί φάγωσιν·
καὶ ἀπολῦσαι αὐτοὺς νήστεις οὐ θέλω, □μήποτε ἐκλυθῶ-
σιν ἐν τῇ ὁδῷ.⸌ **33** καὶ λέγουσιν αὐτῷ οἱ μαθηταί⸆· πόθεν
⸇ ἡμῖν ἐν ἐρημίᾳ ἄρτοι τοσοῦτοι ὥστε χορτάσαι ὄχλον
τοσοῦτον; **34** καὶ λέγει αὐτοῖς ὁ Ἰησοῦς· πόσους ἄρτους
ἔχετε; οἱ δὲ εἶπαν· ἑπτὰ καὶ ὀλίγα ἰχθύδια. **35** καὶ ⸀παραγ-
γείλας ⸂τῷ ὄχλῳ⸃ ἀναπεσεῖν ἐπὶ τὴν γῆν **36** ⸀ἔλαβεν τοὺς
ἑπτὰ ἄρτους καὶ τοὺς ἰχθύας °καὶ εὐχαριστήσας ἔκλασεν
καὶ ⸁ἐδίδου τοῖς μαθηταῖς⸆, οἱ δὲ μαθηταὶ ⸄τοῖς ὄχλοις⸅.
37 καὶ ἔφαγον πάντες καὶ ἐχορτάσθησαν. καὶ ⸉τὸ περισ-

28 □ D Γ *pc* ($sy^{s.c}$) sa^{mss} ● **30** ⸂† *1 3 2 4* B *pc* sa^{mss} mae ¦ *1 2 4 3* P Γ Θ $f^{1.13}$ 700 *pm* f $sy^{c.p}$ sa^{mss} bo ¦ *1 4 2 3* C K 565. 1010 *pm* ¦ *4 1–3* L W Δ *al* l q vg sy^{h} ¦ *4 2 1 3* 33. 892. 1241 (⸉ *3 1* 1424) *pc* aur ff^{1} vg^{cl} ¦ *1–3* D *pc* ¦ *txt* ℵ *pc* a b ff^{2} sy^{s} | ⸀του Ιησου C K P W Γ Δ f^{1} 565. 1010. 1241 𝔐 f q $sy^{p.h}$ | ⸆παντας D *pc* it sa^{mss} bo^{ms} ● **31** ⸂τους οχλους B L W 𝔐 lat $sy^{c.p.h}$ mae ¦ *txt* ℵ C D Δ Θ $f^{1.13}$ 33. 700. 892. 1010. 1241. 1424 *al* | ⸀ακουοντας B Φ pc e ¦ ακ. και λαλ. N O Σ | ⸄και κυλ. υγ. D Θ f^{13} 33. 1424 *pc* $sy^{p.h}$ ¦ – ℵ f^{1} 700*. 892 *pc* lat $sy^{s.c}$ bo ¦ *txt* B C L W 𝔐 d f q | ⸁εδοξαζον ℵ L M f^{1} 33. 1010. 1241. 1424 *al* bo ● **32** ° ℵ W Θ 700 a | °¹ B *pc* l | ⸀ημερας ℵ Θ f^{13} 1241. 1424 *al* | ⸆εισιν και D | □ D* ● **33** ⸆αυτου C D L W Θ f^{1} 𝔐 c f q sy ¦ *txt* ℵ B Γ f^{13} 700. 892. 1010. 1241 *pc* lat sa^{mss} bo | ⸇ουν D Θ f^{1} 892. 1241 *pc* lat ● **35/36** ⸀εκελευσε *et* ⸀και λαβων C L W 𝔐 sy^{h} ¦ εκ. *et* και ελαβε 700. (892^{c}) *pc* $sy^{s.c.p}$ ¦ *txt* ℵ B D Θ $f^{1.13}$ 33. 892* *pc* | ⸂τους οχλους C 892^{c}. 1010. 1424 *al* ¦ τοις οχλοις L W 𝔐 ¦ *txt* ℵ B D Θ $f^{1.13}$ 33. 892*. 1241 *pc* lat sy^{h} sa^{mss} mae bo^{mss} | ° *p)* C^{2} (* – κ. ευχ.) L* W 𝔐 f ff^{1} sy^{h} ¦ *txt* ℵ B D L^{c} Θ $f^{1.13}$ 33. 565. 700. 892. 1010. 1424 *al* lat | ⸁εδωκεν C L W f^{1} 𝔐 ¦ *txt* ℵ B D Θ f^{13} 33. 700. 892. 1241 *pc* | ⸆*p)* αυτου C L W 𝔐 lat ¦ *txt* ℵ B D Θ $f^{1.13}$ 33. 700. 892*. 1241 *pc* c ff^{1} bo | ⸄*p)* τω οχλω C D W Θ 𝔐 lat sy^{h} sa^{mss} mae ¦ *txt* ℵ B K L $f^{1.13}$ 33. 700. 892. 1241 *al* e f ff^{1} $sy^{s.c.p}$ sa^{ms} bo ● **37** ⸉*p)* *5 1–4* ℵ C L W f^{13} 𝔐 f ff^{1} q ¦ *txt* B D Θ f^{1} 33. 700. 892 *pc* lat

16,10 σεῦον τῶν κλασμάτων ἦραν⸊ ἑπτὰ σπυρίδας πλήρεις.
38 οἱ δὲ ἐσθίοντες ἦσαν ⸆ τετρακισχίλιοι ἄνδρες χωρὶς
⸉γυναικῶν καὶ παιδίων⸊.
14,11.23 **39** Καὶ ἀπολύσας τοὺς ὄχλους ἐνέβη εἰς τὸ πλοῖον καὶ
ἦλθεν εἰς τὰ ὅρια ⸀Μαγαδάν.
1-4: Mc 8,11-13 **16** Καὶ προσελθόντες °οἱ Φαρισαῖοι καὶ Σαδδουκαῖοι 161 IV
12,38! πειράζοντες ⸀ἐπηρώτησαν αὐτὸν σημεῖον ἐκ τοῦ
οὐρανοῦ ἐπιδεῖξαι αὐτοῖς. **2** ὁ δὲ ἀποκριθεὶς εἶπεν αὐτοῖς· 162 V
L 12,54-56 ⸋[ὀψίας γενομένης λέγετε· εὐδία, πυρράζει γὰρ ὁ οὐρα-
νός· **3** καὶ πρωΐ· σήμερον χειμών, πυρράζει γὰρ στυγνά-
ζων ὁ ⸀οὐρανός. τὸ μὲν πρόσωπον τοῦ οὐρανοῦ γινώσκετε
διακρίνειν, τὰ δὲ σημεῖα τῶν καιρῶν οὐ ⸁δύνασθε;]⸌ **4** γε- 163 VI
12,39! νεὰ πονηρὰ ⸋καὶ μοιχαλὶς⸌ ⸂σημεῖον ἐπιζητεῖ, καὶ⸃ ση-
Jon 2,1 μεῖον οὐ δοθήσεται αὐτῇ εἰ μὴ τὸ σημεῖον Ἰωνᾶ⸆. καὶ
καταλιπὼν αὐτοὺς ἀπῆλθεν.
5-12: Mc 8,14-21 **5** Καὶ ἐλθόντες ⸂οἱ μαθηταὶ⸃ εἰς τὸ πέραν ἐπελάθοντο *32* 164
⸉ἄρτους λαβεῖν⸊. **6** ὁ δὲ Ἰησοῦς εἶπεν αὐτοῖς· ὁρᾶτε καὶ II
11 L 12,1 1K 5,7 προσέχετε ἀπὸ τῆς ζύμης τῶν Φαρισαίων καὶ Σαδδουκαίων. **7** ⸂οἱ δὲ⸃ διελογίζοντο ἐν ἑαυτοῖς λέγοντες ὅτι ἄρτους 165 VI
22,18! · Mc 2,8p οὐκ ἐλάβομεν. **8** γνοὺς δὲ ὁ Ἰησοῦς εἶπεν· τί διαλογίζεσθε
6,30! ἐν ἑαυτοῖς, ὀλιγόπιστοι, ὅτι ἄρτους οὐκ ⸀ἔχετε; **9** οὔπω
14,17-21 Mc 6,52 νοεῖτε, οὐδὲ μνημονεύετε τοὺς πέντε ἄρτους τῶν πεντα-
κισχιλίων καὶ πόσους κοφίνους ἐλάβετε; **10** οὐδὲ τοὺς
15,34-38 ἑπτὰ ἄρτους τῶν τετρακισχιλίων καὶ πόσας σπυρίδας ἐλάβετε; **11** πῶς οὐ νοεῖτε ὅτι οὐ περὶ ⸀ἄρτων ⸂εἶπον ὑμῖν;
6! προσέχετε δὲ⸃ ἀπὸ τῆς ζύμης τῶν ⸉Φαρισαίων καὶ Σαδ-

38 ⸆*p)* ως B Θ f^{13} 33. 892. 1010 *pc* ¦ ωσει ℵ 1241 *pc* ¦ *txt* C D L W f^{1} 𝔐 lat $sy^{s.c.p}$ sa^{ms} mae bo | ⸉ ℵ D (Θ f^{1}) lat sy^{c} sa bo ¦ *txt* B C L W f^{13} 𝔐 f $sy^{s.p.h}$ mae ● **39** ⸀Μαγδαλα L Θ $f^{1.13}$ 𝔐 sy^{h} ¦ -λαν C N W 33. 565 *al* q mae bo ¦ Μαγεδαν $ℵ^{2}$ lat (sa); Eus ¦ *txt* ℵ* B D

¶ **16,1** ° f^{1} 33. 565 *pc* mae; Or | ⸀ηρωτησαν 892 ¦ ηρωτων $ℵ^{1}$ ¦ επηρωτων $ℵ^{*.2}$ Θ $f^{1.13}$ 565. 1241. 1424 *pc* ● **2/3** ⸋ ℵ B X Γ f^{13} *al* $sy^{s.c}$ sa mae bo^{pt}; Or $Hier^{mss}$ ¦ *txt* C D L W Θ f^{1} 𝔐 latt $sy^{p.h}$ bo^{pt}; Eus | ⸀αηρ D | ⸁δυν. δοκιμαζειν G N (-σαι W) 33 *al* ¦ δυν. γνωναι 1012 *pc* lat ¦ συνιετε S 700 *al* ¦ *p)* δοκιμαζετε L ● **4** ⸋*p)* D it | ⸂*p)* ζητει σημειον κ. D (⸉ Θ) ¦ σημ. αιτει κ. B* ¦ – 700 *pc* | ⸆*p)* του προφητου C W Θ $f^{1.13}$ 𝔐 it vg^{cl} sy mae bo ¦ *txt* ℵ B D L 700 *pc* lat sa ● **5** ⸂οι μαθ. αυτου L W f^{1} 𝔐 lat sy ¦ – Δ *pc* ¦ *txt* ℵ B C Θ f^{13} 892 (⸉ D 700 e) *pc* | ⸉*p)* B K 892. 1424 *al* ● **7** ⸂τοτε D it sy^{s} ● **8** ⸀ελαβετε C L W f^{1} 𝔐 f sy sa; Eus ¦ *txt* ℵ B D Θ f^{13} 700. 892. 1241 *pc* lat mae bo ● **11** ⸀αρτου D W Γ Δ *pm* lat $sy^{p.h}$ bo^{pt} | ⸂ειπον υμιν (– D) προσεχειν D^{c} W 𝔐 sy^{h} ¦ ειπον υμιν (⸉ C^{2}) προσεχειν· προσεχετε δε C^{2} 33. (1010). 1241 *al* (q) ¦ ειπον υμιν (– D a b ff^{2})· προσεχετε D* f^{13} (892*). 1424 *pc* lat $sy^{s.c}$ bo^{mss} ¦ *txt* ℵ B C* L Θ f^{1} *pc* sy^{p} co | ⸉ 047 *pc* g^{1} mae

δουκαίων⸊. **12** τότε συνῆκαν ὅτι οὐκ εἶπεν προσέχειν ἀπὸ
τῆς ζύμης ⸂τῶν ἄρτων⸃ ἀλλὰ ἀπὸ τῆς διδαχῆς τῶν ⸉Φαρι-
σαίων καὶ Σαδδουκαίων⸊.
33/166 **13** Ἐλθὼν δὲ ὁ Ἰησοῦς εἰς τὰ μέρη Καισαρείας τῆς Φι- *13–20:* Mc 8,27-30 L 9,18-21
I λίππου ἠρώτα τοὺς μαθητὰς αὐτοῦ λέγων· τίνα ⸆ ⸉λέγου-
σιν οἱ ἄνθρωποι εἶναι⸊ °τὸν υἱὸν τοῦ ἀνθρώπου; **14** οἱ δὲ
εἶπαν· ⸋οἱ μὲν⸌ Ἰωάννην τὸν βαπτιστήν, ἄλλοι δὲ Ἠλί- 14,2p · 17,10 21,11!
αν, ἕτεροι δὲ Ἰερεμίαν ἢ ἕνα τῶν προφητῶν. **15** λέγει αὐ-
τοῖς⸆· ὑμεῖς δὲ τίνα με λέγετε εἶναι; **16** ἀποκριθεὶς δὲ Σί-
μων Πέτρος εἶπεν⸆· σὺ εἶ ὁ χριστὸς ὁ υἱὸς τοῦ θεοῦ ⸂τοῦ 14,33; 26,63; 27,40.43.54 J 1,34.
167/X ζῶντος⸃. **17** ⸂ἀποκριθεὶς δὲ⸃ ὁ Ἰησοῦς εἶπεν αὐτῷ· μα- 49; 6,69; 10,24; 11,27; 19,7; 20,31 |
κάριος εἶ, Σίμων ⸀Βαριωνᾶ, ὅτι σὰρξ καὶ αἷμα οὐκ ἀπεκά- 4,18!
λυψέν σοι ἀλλ᾽ ὁ πατήρ μου ὁ ⸂ἐν τοῖς οὐρανοῖς⸃. **18** κἀ- 11,27 G 1,15s
γὼ δέ σοι λέγω ὅτι σὺ εἶ Πέτρος, καὶ ἐπὶ ταύτῃ τῇ πέτρᾳ J 1,42! E 2,20
οἰκοδομήσω μου τὴν ἐκκλησίαν καὶ πύλαι ᾅδου οὐ κατ- 1P 2,5 · Job 38,17 Ps 9,14 Sap 16,13
ισχύσουσιν αὐτῆς. **19** ⸂δώσω σοι⸃ τὰς ⸀κλεῖδας τῆς βασι-
λείας τῶν οὐρανῶν, καὶ ⸂ὃ ἐὰν⸃ δήσῃς ἐπὶ τῆς γῆς ἔσται 18,18! Is 22,22
⸀δεδεμένον ἐν τοῖς οὐρανοῖς, καὶ ⸂ὃ ἐὰν⸃ λύσῃς ἐπὶ τῆς Ap 1,18; 3,7
168/II γῆς ἔσται ⸀λελυμένον ἐν τοῖς οὐρανοῖς. **20** τότε ⸀διε-
στείλατο τοῖς μαθηταῖς ⸆ ἵνα μηδενὶ εἴπωσιν ὅτι ⸀αὐτός 8,4!
ἐστιν ⸆ ὁ χριστός.

21 Ἀπὸ τότε ἤρξατο ⸂ὁ Ἰησοῦς⸃ δεικνύειν τοῖς μαθη- *21–23:* Mc 8,31-32 L 9,22
ταῖς αὐτοῦ ὅτι δεῖ αὐτὸν ⸉εἰς Ἱεροσόλυμα ἀπελθεῖν⸊ καὶ 17,12.22sp; 20,18sp; 26,2p L 13,
πολλὰ παθεῖν ἀπὸ τῶν πρεσβυτέρων καὶ ἀρχιερέων καὶ 33 · 28,6! 12,40 Hos 6,2 J 2,19 1K
γραμματέων⸆ καὶ ἀποκτανθῆναι καὶ ⸂τῇ τρίτῃ ἡμέρᾳ ἐγερ- 15,4

12 ⸂του αρτου C W 𝔐 c f q sy$^{p.h}$ sa^{ms} bo^{mss} ¦ των Φαρισαιων και Σαδδουκαιων ℵ* (33) ff^{1} sy^{c} ¦ – D Θ *f*^{13} 565 *pc* a b ff^{2} sy^{s} ¦ *txt* ℵ^{2} B L 892. 1241 (*f*^{1} 1424) *pc* lat co; Or | ⸉ B • **13** ⸆*p)* με D L Θ *f*$^{1.13}$ 𝔐 (⸉ C W *pc*) it vg^{mss} sy$^{(s.c).p.h}$; Ir^{lat} Tert ¦ *txt* ℵ B 700 *pc* c vg co; Or | ⸉ *2 3 1 4* ℵ^{2} D 700 it ¦ *2–4 1* ℵ* ¦ *1 4 2 3* *f*^{1} ff^{1} | ° D • **14** ⸋ D W it • **15** ⸆ ο Ιησους C 33. 1010. 1424 *pc* it vg^{cl} • **16** ⸆αυτω D (ff^{1}) bo^{ms} | ⸂του σωζοντος D* ¦ – l • **17** ⸂και αποκριθεις C L W 𝔐 f ff^{1} q sy^{h} ¦ *txt* ℵ B D Θ *f*$^{1.13}$ 33. 1241. 1424 *pc* lat sa^{mss} mae bo | ⸀βὰρ Ἰωνᾶ L Γ *f*$^{1.13}$ 28. 33. 565. 700. 892. 1010. 1241. 1424 *pm* | ⸂ *1 3* B ¦ ουρανιος *f*^{13} 565 *pc* • **19** ⸂και δ. σοι B^{2} C$^{*.3}$ (⸉ L) W *f*^{13} 𝔐 sy^{h} bo^{pt}; Eus ¦ δ. δε σοι Θ 1424 *pc* (sy^{hmg}) sa^{mss} bo^{pt} ¦ σοι δ. D ff^{1}; Did ¦ *txt* ℵ B* C^{2} *f*^{1} 33 *pc* sa^{ms} mae | ⸀κλεις ℵ^{2} B^{2} C D *f*$^{1.13}$ 𝔐 ¦ *txt* ℵ* B* L W Θ *pc* | ⸂ *bis* οσα αν *et* ⸀ δεδεμενα *et* ⸀ λελυμενα Θ *f*^{1} it; Or Cyp Eus Cyr • **20** ⸀† *p)* επετιμησεν B* D e sy^{c}; Or^{mss} ¦ *txt* ℵ B^{1} C L W Θ *f*$^{1.13}$ 𝔐 lat sy$^{p.h}$ co Or^{mss} | ⸆αυτου L W Θ *f*$^{1.13}$ 𝔐 lat sy co ¦ *txt* ℵ B C D 700 *pc* sa^{mss} | ⸀ουτος D Θ q ¦ – e | ⸆ Ιησους ℵ^{2} C (⸉ D) W 𝔐 lat sy^{h} mae bo ¦ *txt* ℵ* B L Δ Θ *f*$^{1.13}$ 28. 565. 700. 1010. 1424 *al* it sy$^{c.p}$ sa; Or • **21** ⸂† Ιησους Χριστος ℵ* B* sa^{mss} mae bo ¦ – ℵ^{1} 892 *pc*; Ir^{lat} ¦ *txt* ℵ^{2} C (B^{2} D: – ο) L W Θ *f*$^{1.13}$ 𝔐 latt sy sa^{ms} bo^{mss} | ⸉ C L W 𝔐 lat ¦ *txt* ℵ B D Θ *f*$^{1.13}$ 33. 700. 892. 1241. 1424 *pc* e | ⸆του λαου Θ *f*$^{1.13}$ mae | ⸂*p)* μετα τρεις ημερας αναστηναι D (*al* it) bo

θῆναι⸃. **22** καὶ προσλαβόμενος αὐτὸν ὁ Πέτρος ⸂ἤρξατο 169 VI
1 Mcc 2,21 ἐπιτιμᾶν αὐτῷ λέγων⸃· ἵλεώς σοι, κύριε· οὐ μὴ ἔσται ⸄σοι
4,10 2Sm 19,23 τοῦτο⸅. **23** ὁ δὲ ⸀στραφεὶς εἶπεν τῷ Πέτρῳ· ὕπαγε ὀπίσω
1 Rg 11,14 𝔊 · Is 8, 14 1P 2,8 R 9,32s ⸁μου, σατανᾶ· σκάνδαλον ⸂εἶ ἐμοῦ⸃, ὅτι οὐ φρονεῖς τὰ
1 K 1,23 · 2,11; 3,3 τοῦ θεοῦ ⸄ἀλλὰ τὰ τῶν ἀνθρώπων⸅.
24–28: Mc 8, 34-9,1 L 9,23-27 **24** Τότε ⸂ὁ Ἰησοῦς⸃ εἶπεν τοῖς μαθηταῖς αὐτοῦ· εἴ τις 170 II
θέλει ὀπίσω μου ἐλθεῖν, ἀπαρνησάσθω ἑαυτὸν καὶ ἀράτω
10,38sp τὸν σταυρὸν αὐτοῦ καὶ ἀκολουθείτω μοι. **25** ὃς γὰρ ἐὰν
L 17,33 J 12,25 Ap 12,11 θέλῃ τὴν ψυχὴν αὐτοῦ σῶσαι ἀπολέσει αὐτήν· ὃς δ' ἂν
ἀπολέσῃ τὴν ψυχὴν αὐτοῦ ἕνεκεν ἐμοῦ εὑρήσει αὐτήν.
4,8 L 12,20 Jc 4,13 **26** τί γὰρ ⸀ὠφεληθήσεται ἄνθρωπος ἐὰν τὸν κόσμον ὅλον
Ps 49,8s κερδήσῃ τὴν δὲ ψυχὴν αὐτοῦ ζημιωθῇ; ἢ τί δώσει ἄνθρωπος ἀντάλλαγμα τῆς ψυχῆς αὐτοῦ; **27** μέλλει γὰρ ὁ υἱὸς 171 X
19,28; 24,30p; 25,31 τοῦ ἀνθρώπου ἔρχεσθαι ἐν τῇ δόξῃ τοῦ πατρὸς αὐτοῦ
24,31! 2Th 1,7 · R 2,6! *Ps 62,13* μετὰ τῶν ἀγγέλων αὐτοῦ, καὶ τότε *ἀποδώσει ἑκάστῳ κατὰ*
Prv 24,12 Sir 35,22 𝔊 | ⸂*τὴν πρᾶξιν*⸃ *αὐτοῦ.* **28** ἀμὴν λέγω ὑμῖν °ὅτι εἰσίν τινες 172 II
J 8,52 H 2,9 ⸂τῶν ὧδε ἑστώτων⸃ οἵτινες οὐ μὴ γεύσωνται θανάτου
10,23; 20,21! ἕως ἂν ἴδωσιν τὸν υἱὸν τοῦ ἀνθρώπου ἐρχόμενον ἐν τῇ
βασιλείᾳ αὐτοῦ.
1–9: Mc 9,2-10 L 9,28-36 **17** Καὶ ⸆ μεθ' ἡμέρας ἓξ παραλαμβάνει ὁ Ἰησοῦς τὸν *34*
26,37p Mc 5,37p; 13,3 Πέτρον καὶ ⸇ Ἰάκωβον καὶ Ἰωάννην τὸν ἀδελφὸν
Ex 24,13-16 2P 1,16-18 αὐτοῦ καὶ ⸀ἀναφέρει αὐτοὺς εἰς ὄρος ὑψηλὸν ⸂κατ' ἰδίαν⸃.
13,43 Ex 34,29s Ap 1,16 **2** καὶ ⸀μετεμορφώθη ἔμπροσθεν αὐτῶν, °καὶ ἔλαμψεν τὸ
πρόσωπον αὐτοῦ ὡς ὁ ἥλιος, τὰ δὲ ἱμάτια αὐτοῦ ἐγένετο
λευκὰ ὡς ⸂τὸ φῶς⸃. **3** καὶ ἰδοὺ ⸀ὤφθη αὐτοῖς Μωϋσῆς καὶ
10 Ml 3,22s Ἠλίας ⸉συλλαλοῦντες μετ' αὐτοῦ⸊. **4** ἀποκριθεὶς δὲ ὁ
Πέτρος εἶπεν τῷ Ἰησοῦ· κύριε, καλόν ἐστιν ἡμᾶς ὧδε

22 ⸂ηρξατο αυτω (-τον Θ) επιτιμαν λεγων Θ $f^{1.13}$ 565. 700. 1424 *pc* ¦ ηρξατο αυτω επιτιμαν και λεγειν D ¦ λεγει αυτω επιτιμων B *pc* ¦ *txt* א C L W 𝔐 sy[h] | ⸄τουτο σοι D ¦ τουτο a b e ff[2] sy[c] ● **23** ⸀*p)* επιστραφεις D K L Θ f^{13} 565. 1424 *al* | [⸁ σου Blass *cj*] | ⸂ει εμοι D (*pc*) ¦ εμοι ει 565 ¦ μου ει L W f^1 𝔐 sy[h] ¦ *txt* א B (C Θ) f^{13} 700 *pc* | ⸄αλλα του ανθρωπου D (ff[1]) q ¦ – e ff[2] g[1] r[1] ● **24** ⸂Ιησους B* ¦ – 565 *pc* sa[ms] ● **26** ⸀ωφελειται C D W 𝔐 lat; Ju ¦ *txt* א B L Θ $f^{1.13}$ 33. 700. 892 *pc* e f q sy[h] co; Or Cyr ● **27** ⸂τα εργα א* f^1 28. 1424 *al* it vg[cl] sy[c.p.h] co ● **28** ° C D W f^1 𝔐 lat ¦ *txt* א B L Θ f^{13} 33. 700. 1424 *al* it | ⸂ωδε εστωτες W Γ (Δ) *pm* ¦ των ωδε εστηκοτων K 28. 565. 1424 *pm* ¦ *txt* א B C D L Θ $f^{1.13}$ 33. 700. 892. 1010. 1241 *pm*; Or

¶ **17,1** ⸆εγενετο D Θ (1010) *pc* it | ⸇τον א D Θ 33. 892 *pc* | ⸀αναγει D f^1; Or | ⸂λιαν D ● **2** ⸀μεταμορφωθεις ο Ιησους *et* ° D e (sy[p]) | ⸂(28,3) χιων D lat sy[c] bo[mss] ● **3** ⸀ωφθησαν C L W f^1 𝔐 f ff[1] q vg[cl] sy[p.h]; Cyr ¦ *txt* 𝔓[44vid] א B D Θ f^{13} 33 *al* lat sy[c] | ⸉ C D L Θ f^{13} 𝔐 lat sy[h] ¦ *txt* א B W f^1 892 ff[1] ff[2] q

εἶναι· ⸂εἰ θέλεις,⸃ ⸀ποιήσω ὧδε ⸉τρεῖς σκηνάς⸊, σοὶ μίαν L 9,54
καὶ Μωϋσεῖ μίαν καὶ ⸉¹Ἠλίᾳ μίαν⸊. **5** ἔτι αὐτοῦ λαλοῦντος ἰδοὺ νεφέλη φωτεινὴ ἐπεσκίασεν αὐτούς, καὶ ἰδοὺ 3,17!
φωνὴ ἐκ τῆς νεφέλης λέγουσα· οὗτός ἐστιν ὁ υἱός μου ὁ
ἀγαπητός, ἐν ᾧ εὐδόκησα· ⸉ἀκούετε αὐτοῦ.⸊ Dt 18,15
6 καὶ ἀκούσαντες οἱ μαθηταὶ ἔπεσαν ἐπὶ πρόσωπον αὐτῶν Dn 10,9 Hab 3,
καὶ ἐφοβήθησαν σφόδρα. **7** καὶ ⸂προσῆλθεν ὁ Ἰησοῦς καὶ 2 𝔊
ἁψάμενος αὐτῶν εἶπεν⸃· ἐγέρθητε καὶ μὴ φοβεῖσθε. **8** ἐπά- Ap 1,17
ραντες δὲ τοὺς ὀφθαλμοὺς αὐτῶν οὐδένα εἶδον εἰ μὴ ⸀αὐτὸν
Ἰησοῦν μόνον.
9 Καὶ καταβαινόντων αὐτῶν ἐκ τοῦ ὄρους ἐνετείλατο αὐτοῖς ὁ Ἰησοῦς λέγων· μηδενὶ εἴπητε τὸ ὅραμα ἕως οὗ ὁ 8,4! · Act 9,10!
173 VI υἱὸς τοῦ ἀνθρώπου ἐκ νεκρῶν ⸀ἐγερθῇ. **10** Καὶ ἐπ- *10–13:* Mc 9, 11-13
ηρώτησαν αὐτὸν οἱ μαθηταὶ ⸆ λέγοντες· τί οὖν οἱ γραμμα-
τεῖς λέγουσιν ὅτι *Ἠλίαν δεῖ ἐλθεῖν πρῶτον*; **11** ὁ δὲ ⸆ ἀπο- *Ml 3,23s*
κριθεὶς εἶπεν· *Ἠλίας* μὲν *ἔρχεται* ⸆ ⸂*καὶ ἀποκαταστήσει*⸃ Sir 48,10 Act 1,6!
πάντα⁚· **12** λέγω δὲ ὑμῖν ὅτι Ἠλίας ἤδη ἦλθεν, καὶ οὐκ 11,14!
ἐπέγνωσαν αὐτὸν ἀλλὰ ἐποίησαν °ἐν αὐτῷ ὅσα ἠθέλη- 14,9s 1Rg 19,2.10
σαν· ⸉οὕτως καὶ ὁ υἱὸς τοῦ ἀνθρώπου μέλλει πάσχειν 16,21!
ὑπ᾽ αὐτῶν. **13** τότε συνῆκαν οἱ μαθηταὶ ὅτι περὶ Ἰωάννου
τοῦ βαπτιστοῦ εἶπεν αὐτοῖς.⸊
35 174 **14** Καὶ ⸀ἐλθόντων πρὸς τὸν ὄχλον προσῆλθεν αὐτῷ *14–21:* Mc 9, 14-29 L 9,37-42
II ἄνθρωπος γονυπετῶν αὐτὸν **15** καὶ λέγων· κύριε, ἐλέησόν 9,27; 15,22; 20, 30sp L 17,13 ·
μου τὸν υἱόν, ὅτι σεληνιάζεται καὶ κακῶς ⸀πάσχει· πολ- 4,24
λάκις γὰρ πίπτει εἰς τὸ πῦρ καὶ ⸁πολλάκις εἰς τὸ ὕδωρ.
16 καὶ προσήνεγκα αὐτὸν τοῖς μαθηταῖς σου, καὶ οὐκ 2Rg 4,31
ἠδυνήθησαν αὐτὸν θεραπεῦσαι. **17** ⸂ἀποκριθεὶς δὲ ὁ Ἰη-

4 ⸂θελεις W Θ f^{1} 33 sa^{mss} bo ¦ – c | ⸀-σωμεν (-σομεν Φ f^{1} *pc*) C^{3} D L W Θ $f^{1.13}$ 𝔐 lat sy co ¦ *txt* ℵ B C* 700* *pc* b ff^{1} ff^{2} vg^{mss} | ⸉ B e | ⸉¹ B Γ 28. 565. 1241 *pm* q ● **5** ⸉ C L W Θ f^{13} 𝔐 lat sy mae ¦ *txt* ℵ B D f^{1} 33 ff^{1} ● **7** ⸂π-ηλθεν ο Ι. κ. ηψατο α. και ειπεν D ¦ π-ελθων ο Ι. ηψατο α. και ειπεν C L W f^{1} 𝔐 (sy^{h}) ¦ π-ελθων ο Ι. κ. αψαμενος α. ειπεν Θ f^{13} *pc* ¦ *txt* ℵ B 700. 892 ● **8** ⸀τον B^{2} C (D) L $f^{1.13}$ 𝔐 ¦ – W ¦ *txt* (⸉ ℵ) B* Θ 700 ● **9** ⸀*p)* αναστη ℵ C L (⸉ W) Z Θ $f^{1.13}$ 𝔐 ¦ *txt* B D *pc* ● **10** ⸆αυτου B C D f^{13} 𝔐 f ff^{2} q sy mae bo^{pt} ¦ *txt* ℵ L W Z Θ f^{1} 33. 700. 892 *pc* lat sa bo^{pt} ● **11** ⸆Ιησους C Θ f^{13} 𝔐 f q sy$^{p.h}$ ¦ *txt* ℵ B D L W Z f^{1} 33. 892. 1424 *pc* lat sy^{c} co | ⸆πρωτον C (⸉ L) Z f^{13} 𝔐 f q sy$^{p.h}$ ¦ *txt* ℵ B D W Θ f^{1} 33. 700. 1424 *pc* lat sy^{c} co | ⸂αποκαταστησαι D it ¦ απαγγελει υμιν bo | [⁚ ;] ● **12/13** ° ℵ D W f^{13} 700. 1010. 1241. 1424 *al* sy^{h} bo | ⸉τοτε … αυτοις. ουτως … αυτων D it ● **14** ⸀ελθοντων αυτων C L W Θ 𝔐 q? ¦ ελθων D lat (sy$^{s.c}$) bo^{pt} ¦ *txt* ℵ B Z^{vid} $f^{1.13}$ *pc* q? ● **15** ⸀† εχει ℵ B L Z^{vid} Θ *pc* ¦ *txt* C D W $f^{1.13}$ 𝔐 lat sy$^{c.h}$ | ⸁ενιοτε D Θ f^{1} *pc* it mae ¦ – W ● **17** ⸂ *3 2* ℵ* ¦ τοτε απ. ο Ι. ℵ^{1} Z 892 *pc*

12,39! Dt 32,5.20 σοῦς⸃ εἶπεν· ὦ γενεὰ ⸀ἄπιστος καὶ διεστραμμένη, ἕως πότε
J 14,9 ⸉μεθ' ὑμῶν ἔσομαι⸊; ἕως πότε ἀνέξομαι ὑμῶν; φέρετέ μοι
αὐτὸν ὧδε. **18** καὶ ἐπετίμησεν αὐτῷ ὁ Ἰησοῦς καὶ ἐξῆλ-
8,13! θεν ἀπ' αὐτοῦ τὸ δαιμόνιον καὶ ἐθεραπεύθη ὁ παῖς ἀπὸ
τῆς ὥρας ἐκείνης.
10,1 **19** Τότε προσελθόντες οἱ μαθηταὶ τῷ Ἰησοῦ κατ' ἰδίαν 175 V
εἶπον· διὰ τί ἡμεῖς οὐκ ἠδυνήθημεν ἐκβαλεῖν αὐτό; **20** ὁ
6,30! δὲ ⸆ ⸀λέγει αὐτοῖς· διὰ τὴν ⸁ὀλιγοπιστίαν ὑμῶν· ἀμὴν γὰρ
13,31p L 17,6 λέγω ὑμῖν, ἐὰν ἔχητε πίστιν ὡς κόκκον σινάπεως, ἐρεῖτε
21,21p 1K 13,2 τῷ ὄρει τούτῳ· ⸂μετάβα ἔνθεν⸃ ἐκεῖ, καὶ μεταβήσεται· καὶ
οὐδὲν ἀδυνατήσει ὑμῖν. ⸆
22s: Mc 9,30-32 L 9,43-45 · 16,21! **22** ⸀Συστρεφομένων δὲ αὐτῶν ἐν τῇ Γαλιλαίᾳ εἶπεν αὐ- 176 II
τοῖς ὁ Ἰησοῦς· μέλλει ὁ υἱὸς τοῦ ἀνθρώπου παραδίδοσθαι
εἰς χεῖρας ἀνθρώπων, **23** καὶ ἀποκτενοῦσιν αὐτόν, καὶ ⸂τῇ
28,6! · J 16,6 τρίτῃ ἡμέρᾳ⸃ ⸀ἐγερθήσεται. ⸋καὶ ἐλυπήθησαν σφόδρα.⸌
9,1! **24** Ἐλθόντων δὲ αὐτῶν εἰς Καφαρναοὺμ προσῆλθον οἱ *36* 177 X
22,19 τὰ δίδραχμα λαμβάνοντες τῷ Πέτρῳ καὶ εἶπαν· ὁ διδά-
Ex 30,13s σκαλος ὑμῶν οὐ τελεῖ ⸀[τὰ] δίδραχμα; **25** λέγει· ναί. καὶ
⸀ἐλθόντα εἰς τὴν οἰκίαν προέφθασεν αὐτὸν ὁ Ἰησοῦς λέ-
γων· τί σοι δοκεῖ, Σίμων; οἱ βασιλεῖς τῆς γῆς ἀπὸ ⸁τίνων
λαμβάνουσιν τέλη ἢ κῆνσον; ἀπὸ τῶν υἱῶν αὐτῶν ἢ ἀπὸ
τῶν ἀλλοτρίων; **26** ⸂εἰπόντος δέ⸃· ἀπὸ τῶν ἀλλοτρίων,
1K 9,1 ἔφη αὐτῷ ὁ Ἰησοῦς· ἄρα γε ἐλεύθεροί εἰσιν οἱ υἱοί.⸆
R 14,13 1K 8,13 **27** ἵνα δὲ μὴ ⸀σκανδαλίσωμεν αὐτούς, πορευθεὶς εἰς ⸆ θά-

17 ⸀πονηρα Z Φ *pc* | ⸉ K L W Γ Δ 28. 1010. 1241. 1424 𝔐 • **20** ⸆Ιησους C L W *f*^{1} 𝔐 lat sy$^{p.h}$ ¦ *txt* א B D Θ *f*^{13} 33. 700. 892 *pc* vgst sy$^{s.c}$ co | ⸀ειπεν C L W 𝔐 a f q vg^{cl} sy^{h} ¦ *txt* א B D Θ *f*$^{1.13}$ 33. 700. 892 *pc* lat | ⸁απιστιαν C D L W 𝔐 latt sy$^{s.p.h}$ ¦ *txt* א B Θ *f*$^{1.13}$ 33. 700. 892 *pc* sy^{c} co; Or | ⸂μεταβηθι ενθεν D ¦ μεταβηθι εντευθεν C L W 𝔐 ¦ μεταβα εντευθεν Θ *f*^{13} *pc* ¦ *txt* א B *f*^{1} 700 | ⸆*p)* [21] τουτο δε το γενος ουκ εκπορευεται (εκβαλλ- א^{2}; εξερχ- *al*) ει μη εν προσευχη και νηστεια א^{2} C D L W *f*$^{1.13}$ 𝔐 lat (sy$^{p.h}$) (mae) bo^{pt}; Or ¦ *txt* א* B Θ 33. 892* *pc* e ff^{1} sy$^{s.c}$ sa bo^{pt} • **22** ⸀αναστρεφομενων C (⸉ D) L W Θ *f*^{13} 𝔐 c (e) ff^{1} sa^{mss} mae bo ¦ *txt* א B *f*^{1} 892 lat sa^{mss}; Or • **23** ⸂*p)* μετα τρεις ημερας D it sy^{s} bo | ⸀*p)* αναστησεται B 047 *f*^{13} 892. 1424 *al* | ⸋ K *pc* • **24** ⸀† – א* D 1010 mae bo ¦ το W *pc* sa ¦ *txt* א^{2} B C L Θ *f*$^{1.13}$ 𝔐 sy^{h} • **25** ⸀εισελθοντα א*.^{2} (D) ¦ εισελθοντων Θ *f*^{13} (33) sy^{c}? ¦ οτε ηλθον C (*al*) sy^{c}? ¦ οτε εισηλθεν L W (* + ο Ιησ.) 𝔐 ¦ *txt* א^{1} B *f*^{1} 892 | ⸁τινος B *pc* • **26** ⸂ο δε εφη· απο των αλλοτριων. ειπ. δε א bo^{pt} ¦ λεγει αυτω ο Πετρος· W *f*^{13} 𝔐 (f) q sy$^{c.p.h}$ (mae) ¦ λεγ. αυ. ο Π.· απο των αλλοτριων. ειποντος δε (+ αυτου C) C L ¦ λεγει αυτω· D sy^{s} ¦ *txt* B Θ *f*^{1} 700. 892* (^{mg} + του Πετρ.) *pc* sa bo^{pt}; Or | ⸆εφη Σιμων· ναι. λεγει ο Ιησους· δος ουν και συ ως αλλοτριος αυτων 713; Ephr • **27** ⸀σκανδαλιζωμεν א L Z | ⸆την D S X 28. 565. 700. 1010. 1241. 1424 *pm*

λασσαν βάλε ἄγκιστρον καὶ τὸν ἀναβάντα πρῶτον ἰχθὺν Mc 14,13
ἆρον, καὶ ἀνοίξας τὸ στόμα αὐτοῦ εὑρήσεις ⸇ στατῆρα·
ἐκεῖνον λαβὼν δὸς αὐτοῖς ἀντὶ ἐμοῦ καὶ σοῦ.
37 178 II **18** Ἐν ἐκείνῃ ⸆ τῇ ⸀ὥρᾳ προσῆλθον οἱ μαθηταὶ τῷ *1–5:* Mc 9,33-37 L 9,46-48
Ἰησοῦ λέγοντες· τίς ἄρα μείζων ἐστὶν ἐν τῇ βασι- 11,11!
λείᾳ τῶν οὐρανῶν; **2** καὶ προσκαλεσάμενος ⸆ παιδίον ⸇ ἔ-
στησεν αὐτὸ ἐν μέσῳ αὐτῶν **3** καὶ εἶπεν· ἀμὴν λέγω ὑμῖν,
ἐὰν μὴ στραφῆτε καὶ γένησθε ὡς τὰ παιδία, οὐ μὴ εἰσέλ- 5,20; 19,14p J 3,3.5
θητε εἰς τὴν βασιλείαν τῶν οὐρανῶν. **4** ὅστις οὖν ταπεινώσει ἑαυτὸν ὡς τὸ παιδίον τοῦτο, οὗτός ἐστιν ὁ μείζων
ἐν τῇ βασιλείᾳ τῶν οὐρανῶν. **5** καὶ ὃς ἐὰν δέξηται ἓν παι- 10,40!
δίον τοιοῦτο ἐπὶ τῷ ὀνόματί μου, ἐμὲ δέχεται.
179 II **6** Ὃς δ᾽ ἂν σκανδαλίσῃ ἕνα τῶν μικρῶν τούτων τῶν *6–9:* Mc 9,42-47 L 17,1s
πιστευόντων εἰς ἐμέ, συμφέρει αὐτῷ ἵνα κρεμασθῇ μύλος Ap 18,21
ὀνικὸς ⸀περὶ τὸν τράχηλον αὐτοῦ καὶ καταποντισθῇ ἐν
τῷ πελάγει τῆς θαλάσσης. **7** Οὐαὶ τῷ κόσμῳ ἀπὸ τῶν
σκανδάλων· ἀνάγκη γὰρ ⸆ ἐλθεῖν τὰ σκάνδαλα, πλὴν οὐαὶ
180 VI τῷ ἀνθρώπῳ ⸇ δι᾽ οὗ τὸ σκάνδαλον ἔρχεται. **8** Εἰ δὲ 26,24
ἡ χείρ σου ἢ ὁ πούς σου σκανδαλίζει σε, ἔκκοψον ⸀αὐτὸν 5,30 Kol 3,5
καὶ βάλε ἀπὸ σοῦ· καλόν σοί ἐστιν εἰσελθεῖν εἰς τὴν ζωὴν ⸉κυλλὸν ἢ χωλὸν⸊ ἢ δύο χεῖρας ἢ δύο πόδας ἔχοντα
βληθῆναι εἰς τὸ πῦρ τὸ αἰώνιον. **9** ⸂καὶ εἰ⸃ ὁ ὀφθαλμός σου 5,29
σκανδαλίζει σε, ἔξελε αὐτὸν καὶ βάλε ἀπὸ σοῦ· καλόν σοί
ἐστιν μονόφθαλμον εἰς τὴν ζωὴν εἰσελθεῖν ἢ δύο ὀφθαλμοὺς ἔχοντα βληθῆναι εἰς τὴν γέενναν τοῦ πυρός.
181 X **10** Ὁρᾶτε μὴ καταφρονήσητε ἑνὸς τῶν μικρῶν τούτων ⸆·
λέγω γὰρ ὑμῖν ὅτι οἱ ἄγγελοι αὐτῶν ⸂ἐν οὐρανοῖς⸃ διὰ H 1,14
παντὸς βλέπουσι τὸ πρόσωπον τοῦ πατρός μου τοῦ ἐν οὐ- L 1,19 Tob 12,15 𝔊
ρανοῖς. ⸇

27 ⸇ εκει D it sy$^{s.c}$

¶ **18,1** ⸆ δε B *pc* e sa^{mss} bo | ⸀ ημερα Θ f^{1} 33. 700. 1424 *pc* it sy$^{s.c}$; Or^{mss} ● **2** ⸆ ο Ιησους D W Θ 078$^{c\ vid}$ f^{13} 𝔐 latt sy sa mae ¦ *txt* ℵ B L Z 078* f^{1} 700. 892*. 1241 bo | ⸇ ἓν D e sy$^{s.c}$ ● **6** ⸀ εις W Θ $f^{1.13}$ 𝔐 ¦ επι D 565. 1424 *al* ¦ εν (τω τ-λω) 700 ¦ *txt* ℵ B L N Z 28. 892 *pc* ● **7** ⸆ εστιν ℵ D W f^{13} 𝔐 ¦ *txt* B L N Θ f^{1} 33. 700. 892. 1010. 1241. 1424 *pc* | ⸇ εκεινω B (⸉ W) Θ f^{13} 𝔐 it vg^{cl} sa^{mss} ¦ *txt* ℵ D L f^{1} 892 *pc* aur g^{1} vg sy sa^{mss} mae bo ● **8** ⸀ αυτα W 𝔐 sy^{h} bo ¦ αυτην U 28 *pc* aur ¦ *txt* ℵ B D L Θ $f^{1.13}$ 892. 1010. 1241*. 1424 *al* lat | ⸉ D L W Θ $f^{1.13}$ 𝔐 e q co ¦ *txt* ℵ B *pc* lat ● **9** ⸂ το αυτο ει και D ● **10** ⸆ (18,6) των πιστευοντων εις εμε D *pc* it vg^{mss} sy^{c} sa^{mss} | ⸂ εν τω -ω B (33) *pc* sa^{mss} ¦ – N f^{1} aur e ff^{1} sy^{s} sa^{mss}; Cl Or Eus | ⸇ (L 19,10) **[11]** ηλθεν γαρ ο υιος του ανθρωπου (+ ζητησαι και (L^{mg}) 892^{c}. 1010 *al* c sy^{h} bo^{pt}) σωσαι το απολωλος D L^{c} W Θ^{c} 078^{vid} 𝔐 lat sy$^{c.p.h}$ bo^{pt} ¦ *txt* ℵ B L* Θ* $f^{1.13}$ 33. 892* *pc* e ff^{1} sy^{s} sa mae bo^{pt}; Or

12-14: L 15,4-7 **12** Τί ὑμῖν δοκεῖ; ἐὰν γένηταί τινι ἀνθρώπῳ ἑκατὸν πρό- *38* 182
Ez 34,6.12.16 Ps 119,176 1P βατα καὶ πλανηθῇ ἓν ἐξ αὐτῶν, οὐχὶ ⸀ἀφήσει τὰ ἐνενή- V
2,25 · 10,6! κοντα ἐννέα ⸆ ⸋ἐπὶ τὰ ὄρη⸌ ⸰καὶ πορευθεὶς ⸁ζητεῖ τὸ πλα-
νώμενον; **13** καὶ ἐὰν γένηται εὑρεῖν αὐτό, ἀμὴν λέγω ὑμῖν
ὅτι χαίρει ἐπ' αὐτῷ μᾶλλον ἢ ἐπὶ τοῖς ἐνενήκοντα ἐννέα
τοῖς μὴ πεπλανημένοις. **14** οὕτως οὐκ ἔστιν θέλημα ⸰ἔμ-
προσθεν τοῦ πατρὸς ⸀ὑμῶν τοῦ ἐν οὐρανοῖς ἵνα ἀπόληται
⸁ἓν τῶν μικρῶν τούτων.
15 Ἐὰν δὲ ἁμαρτήσῃ ⸋[εἰς σὲ]⸌ ὁ ἀδελφός σου, ὕπαγε 183 V
Lv 19,17 2T 4,2 L 17,3 G 6,1 Tt 3, 10 ἔλεγξον αὐτὸν μεταξὺ σοῦ καὶ αὐτοῦ μόνου. ἐάν σου ἀκούσῃ, ἐκέρδησας τὸν ἀδελφόν σου· **16** ἐὰν δὲ μὴ ἀκούσῃ, 184 X
Dt 19,15 J 8, 17! 2K 13,1 παράλαβε ⸂μετὰ σοῦ ἔτι ἕνα ἢ δύο⸃, ἵνα *ἐπὶ στόματος* ⸄*δύο*
1T 5,19 H 10,28 | *μαρτύρων ἢ τριῶν*⸅ *σταθῇ πᾶν ῥῆμα*· **17** ἐὰν δὲ παρακούσῃ
2Th 3,14s · 16,18 1K 5,9-13 αὐτῶν, εἰπὲ τῇ ἐκκλησίᾳ· ἐὰν δὲ καὶ τῆς ἐκκλησίας παρα-
κούσῃ, ἔστω σοι ὥσπερ ὁ ἐθνικὸς καὶ ⸆ ὁ τελώνης.
16,19 J 20,23 **18** Ἀμὴν λέγω ὑμῖν· ὅσα ἐὰν δήσητε ἐπὶ τῆς γῆς ⸋ἔσται 185 VII
δεδεμένα ἐν ⸀οὐρανῷ, καὶ ὅσα ἐὰν λύσητε ἐπὶ τῆς γῆς⸌
ἔσται λελυμένα ἐν ⸁οὐρανῷ.
19 Πάλιν ⸀[ἀμὴν] λέγω ὑμῖν ὅτι ἐὰν δύο ⸂συμφωνήσω- 186 X
σιν ἐξ ὑμῶν⸃ ἐπὶ τῆς γῆς περὶ παντὸς πράγματος οὗ ἐὰν
7,7! αἰτήσωνται, γενήσεται αὐτοῖς παρὰ τοῦ πατρός μου τοῦ
1K 5,4 ἐν οὐρανοῖς. **20** ⸂οὗ γάρ εἰσιν⸃ δύο ἢ τρεῖς συνηγμένοι εἰς
28,20 τὸ ἐμὸν ὄνομα, ⸀ἐκεῖ εἰμι ἐν μέσῳ αὐτῶν.
21 Τότε προσελθὼν ⸂ὁ Πέτρος εἶπεν αὐτῷ⸃· κύριε, πο- 187 V
6,12 σάκις ἁμαρτήσει ⸉εἰς ἐμὲ ὁ ἀδελφός μου⸊ καὶ ἀφήσω αὐτῷ; ἕως ἑπτάκις; **22** λέγει αὐτῷ ὁ Ἰησοῦς· οὐ λέγω σοι
L 17,4 Gn 4,24 ἕως ἑπτάκις ἀλλὰ ἕως ἑβδομηκοντάκις ἑπτά.

12 ⸀αφεις *et* ⸰ ℵ W 078 f^{1} 𝔐 q sy^{h} ¦ *txt* B (D) L Θ f^{13} 892 | ⸆προβατα B Θ f^{13} 1424* *pc* sa^{mss} mae | ⸋ ℵ* | ⸁ζητησει Θ f^{13} 565 *pc* d ● **14** ⸰ ℵ f^{13} *pc* (sy$^{s.c}$) bo | ⸀μου B N Γ Θ 078 f^{13} 33. 700. 892. 1010. 1241. 1424 *pm* sy$^{s.h}$ co; Or ¦ *txt* ℵ D(* ημ-) K L W Δ f^{1} 28. 565 *pm* latt sy$^{c.p.hmg}$ | ⸁εἷς W Θ 078 $f^{1.13}$ 𝔐 lat ¦ *txt* ℵ B D L N 33. 565. 892. 1010 *pc* e ● **15** ⸋ † ℵ B f^{1} *pc* sa bo^{pt}; Or ¦ *txt* D L W Θ 078 f^{13} 𝔐 latt sy mae bo^{pt} ● **16** ⸂ *3–6 1 2* 𝔓^{44vid} B ¦ *txt* (*sed* σεαυτου ℵ K L N Θ $f^{1.13}$ 28. 33. 892. 1010 *pm*) ℵ D L W Θ 078 $f^{1.13}$ 𝔐 | ⸄ *1 3 4 2* ℵ Θ 700 *pc* ¦ *2 1 3 4* L *pc* ¦ *1 3 4* D ● **17** ⸆ως D *pc* ● **18** ⸋ D* n | ⸀τοις ουρανοις ℵ L 28. 33. 892 *pc* c f co ¦ τω ουρανω W 058 f^{1} 𝔐 ¦ *txt* B Θ f^{13} *pc* | ⸁τοις ουρανοις D L 33 *pc* c f co ¦ τω ουρανω W 058 f^{1} 𝔐 ¦ *txt* ℵ B Θ f^{13} *pc* ● **19** ⸀δε N W Δ *pc* sy^{h} ¦ – ℵ D L Γ f^{1} 892 *al* lat sy^{p} bo ¦ *txt* B (Θ) 058. 078 f^{13} 𝔐 it sy$^{s.c}$ sa mae bo^{ms} | ⸂ *2 3 1* Θ 058 f^{13} 700 *pc* ¦ υμων συμφωνησωσιν K W Γ f^{1} 28. 565. 1010. 1241 *pm* ¦ υμιν συμφωνησουσιν N Δ 078. (33). 1424 *pm* ¦ συμφωνησουσιν εξ υμων ℵ D L *pc* ¦ *txt* B 892 *pc* ● **20** ⸂ουκ ε. γ. *et* ⸀παρ οις ουκ D* (g^{1}) sy^{s}; Cl ● **21** ⸂ *4 1-3* ℵ^{2} L W Θ $f^{1.13}$ 𝔐 aur (e) q sy$^{p.h}$; Lcf ¦ *1–3* ℵ* sy^{s} ¦ *txt* B (D) 892. 1424 *pc* | ⸉ *3–5 1 2* B Θ f^{13} *pc* ¦ *txt* ℵ D L W f^{1} 𝔐 latt

39 188 Χ **23** Διὰ τοῦτο ὡμοιώθη ἡ βασιλεία τῶν οὐρανῶν ἀνθρώπῳ βασιλεῖ, ὃς ἠθέλησεν συνᾶραι λόγον μετὰ τῶν δούλων 22,2 25,19
αὐτοῦ. **24** ἀρξαμένου δὲ αὐτοῦ συναίρειν ⸀προσηνέχθη
⸉αὐτῷ εἷς⸊ ὀφειλέτης ⸁μυρίων ταλάντων. **25** μὴ ἔχοντος
δὲ αὐτοῦ ἀποδοῦναι ἐκέλευσεν αὐτὸν ⸂ὁ κύριος⸃ πραθῆναι καὶ τὴν γυναῖκα ⸆ καὶ τὰ τέκνα καὶ πάντα ὅσα ⸀ἔχει,
καὶ ἀποδοθῆναι. **26** πεσὼν οὖν ὁ δοῦλος ⸆ προσεκύνει αὐτῷ λέγων· ⸇ μακροθύμησον ἐπ᾽ ἐμοί, ⸂καὶ πάντα ἀποδώσω σοι⸃. **27** σπλαγχνισθεὶς δὲ ⸂ὁ κύριος τοῦ δούλου 24,50
ἐκείνου⸃ ἀπέλυσεν αὐτὸν καὶ τὸ δάνειον ἀφῆκεν αὐτῷ. L 7,42
28 ἐξελθὼν δὲ ὁ δοῦλος °ἐκεῖνος εὗρεν ἕνα τῶν συνδού- 24,49
λων αὐτοῦ, ὃς ὤφειλεν αὐτῷ ἑκατὸν δηνάρια, καὶ κρατήσας αὐτὸν ἔπνιγεν λέγων· ἀπόδος ⸆ εἴ τι ὀφείλεις. **29** πεσὼν οὖν ὁ σύνδουλος αὐτοῦ ⸆ παρεκάλει αὐτὸν λέγων·
μακροθύμησον ἐπ᾽ ἐμοί, καὶ ἀποδώσω σοι. **30** ὁ δὲ οὐκ
ἤθελεν ἀλλὰ ἀπελθὼν ἔβαλεν αὐτὸν εἰς φυλακὴν ἕως ⸆
ἀποδῷ τὸ ὀφειλόμενον. **31** ἰδόντες ⸀οὖν οἱ σύνδουλοι αὐτοῦ τὰ ⸁γενόμενα ἐλυπήθησαν σφόδρα καὶ ἐλθόντες διε-
σάφησαν τῷ κυρίῳ ⸀¹ἑαυτῶν πάντα τὰ γενόμενα. **32** τότε προσκαλεσάμενος αὐτὸν ὁ κύριος αὐτοῦ λέγει °αὐτῷ·
⸉δοῦλε πονηρέ⸊, πᾶσαν τὴν ὀφειλὴν ἐκείνην ἀφῆκά σοι, R 13,7 7,2p
ἐπεὶ παρεκάλεσάς με· **33** οὐκ ἔδει ⸂καὶ σὲ⸃ ἐλεῆσαι τὸν 5,7
σύνδουλόν σου, ὡς κἀγὼ ⸄σὲ ἠλέησα⸅; **34** καὶ ὀργισθεὶς 1J 4,11 | 22,7
ὁ κύριος αὐτοῦ παρέδωκεν αὐτὸν τοῖς βασανισταῖς ἕως 8,29
°οὗ ἀποδῷ °¹πᾶν τὸ ὀφειλόμενον⸆. **35** οὕτως καὶ ὁ πα- 5,26
τήρ μου ὁ ⸀οὐράνιος ποιήσει ὑμῖν, ἐὰν μὴ ἀφῆτε ἕκαστος 6,14s Mc 11,26
τῷ ἀδελφῷ αὐτοῦ ἀπὸ τῶν καρδιῶν ὑμῶν⸆.

24 ⸀† προσηχθη B D *pc* ¦ *txt* ℵ L W Θ *f*$^{1.13}$ 𝔐 latt | ⸉† ℵ* B ¦ *txt* ℵ^{2} D L W Θ *f*$^{1.13}$ 𝔐 | ⸁πολλων ℵ* co; Or ¦ εκατον c ● **25** ⸂ο κυριος αυτου W Θ *f*^{13} 𝔐 it vg^{cl} sy$^{p.h}$ ¦ – *f*^{1} 700 g^{1} sy$^{s.c}$ ¦ *txt* ℵ B D L lat | ⸆αυτου D L W *f*^{13} 𝔐 lat sy ¦ *txt* ℵ B Θ *f*^{1} 700* *pc* h | ⸀ειχεν ℵ D L W *f*^{13} 𝔐 ¦ *txt* B Θ *f*^{1} *pc* ● **26** ⸆εκεινος ℵ^{2} D L Δ Θ 33. 892 *al* lat sy mae bo ¦ *txt* ℵ* B W 058 *f*$^{1.13}$ 𝔐 q sa | ⸇κυριε ℵ L W 058 *f*$^{1.13}$ 𝔐 it sy$^{p.h}$ co ¦ *txt* B D Θ 700 *pc* lat sy$^{s.c}$ | ⸂ *1 2 4 3* W *f*^{1} 𝔐 ¦ *1–3* D 700 it sy^{s} ¦ – Θ ¦ *txt* ℵ B L *f*^{13} 33. 892 *pc* ● **27** ⸂ *1–4* B Θ *f*^{1} *pc* sa^{mss} ¦ ο κυριος αυτου sy^{c} ¦ – sy^{s} ● **28** ° B *pc* | ⸆μοι C K Γ Δ *f*^{13} 28. 892^{c}. 1010. 1241. 1424 𝔐 e f sy bo^{ms} ● **29** ⸆εις τους ποδας αυτου C^{2} W *f*^{13} 𝔐 f q sy$^{p.h}$ mae ¦ προσεκυνει αυτον και 28 ¦ *txt* ℵ B C* D L Θ 058 *f*^{1} 700. 892. 1424 *al* lat sy$^{s.c}$ sa bo ● **30** ⸆οὗ D W Θ *f*$^{1.13}$ 𝔐 ¦ *txt* ℵ B C L 892 ● **31** ⸀δε ℵ^{1} C L W Θ *f*$^{1.13}$ 𝔐 ¦ *txt* ℵ$^{*.2}$ B D *pc* | ⸁γινομενα D L 892 *pc* | ⸀¹αυτων D L Θ *f*$^{1.13}$ 700. 1241. 1424 *al* ● **32** ° D Θ 047. 700*. 1424 *pc* bo^{ms} | ⸉ 𝔓^{25} ● **33** ⸂ουν 𝔓^{25} sy ¦ ουν και σε D Θ sa^{mss} | ⸄ηλεησα υμας 𝔓^{25vid} ● **34** ° B 892 *pc* | °¹ D *pc* sy^{s} | ⸆† αυτω ℵ$^{*.2}$ C L W *f*^{1} 𝔐 sy$^{p.h}$ ¦ *txt* ℵ^{1} B D Θ *f*^{13} 700. 1424 *pc* latt sy$^{s.c}$ ● **35** ⸀επουρανιος C^{*vid} W Θ *f*$^{(1).13}$ 𝔐 ¦ *txt* ℵ B C^{2} D K L 28. 33. 565. 892. 1010. 1241. 1424 *al* | ⸆τα παραπτωματα αυτων C W *f*^{13} 𝔐 f h sy$^{(p).h}$ ¦ *txt* ℵ B D L Θ *f*^{1} 700. 892* *pc* lat sy$^{s.c}$ co

1s: Mc 10,1 7,28! **19** Καὶ ἐγένετο ὅτε ⸀ἐτέλεσεν ὁ Ἰησοῦς τοὺς λόγους 189 VI
τούτους, μετῆρεν ἀπὸ τῆς Γαλιλαίας καὶ ἦλθεν εἰς
L 9,51! τὰ ὅρια τῆς Ἰουδαίας πέραν τοῦ Ἰορδάνου. **2** καὶ ἠκο-
12,15; 15,30 λούθησαν αὐτῷ ὄχλοι πολλοί, καὶ ἐθεράπευσεν αὐτοὺς
°ἐκεῖ.

3–9: Mc 10,2-12 **3** Καὶ προσῆλθον αὐτῷ ⸆ Φαρισαῖοι πειράζοντες αὐτὸν 40
5,31s καὶ λέγοντες⸆¹· εἰ ἔξεστιν ⸀ἀνθρώπῳ ἀπολῦσαι τὴν γυναῖκα αὐτοῦ κατὰ πᾶσαν αἰτίαν; **4** ὁ δὲ ἀποκριθεὶς εἶπεν⸆·
Gn 1,27; 5,2 οὐκ ἀνέγνωτε ὅτι ὁ ⸀κτίσας ἀπ’ ἀρχῆς *ἄρσεν καὶ θῆλυ*
Gn 2,24 𝔊 E 5,31 *ἐποίησεν αὐτούς*⁚; **5** καὶ εἶπεν· *ἕνεκα τούτου καταλείψει*
ἄνθρωπος τὸν πατέρα καὶ τὴν μητέρα καὶ ⸁*κολληθήσεται τῇ*
γυναικὶ αὐτοῦ, καὶ ἔσονται οἱ δύο εἰς σάρκα μίαν⁚¹. **6** ὥστε οὐκ-
1K 6,16; 7,10ss έτι εἰσὶν δύο ἀλλὰ ⸉σὰρξ μία⸊. ὃ οὖν ὁ θεὸς συνέζευξεν⸆
ἄνθρωπος μὴ χωριζέτω. **7** λέγουσιν αὐτῷ· τί οὖν Μωϋ-
Dt 24,1.3 σῆς ἐνετείλατο δοῦναι βιβλίον ἀποστασίου καὶ ἀπολῦσαι °[αὐτήν]; **8** λέγει αὐτοῖς ⸆ ὅτι Μωϋσῆς πρὸς τὴν
σκληροκαρδίαν ὑμῶν ἐπέτρεψεν ὑμῖν ἀπολῦσαι τὰς γυναῖκας ὑμῶν⁚, ἀπ’ ἀρχῆς δὲ οὐ γέγονεν οὕτως. **9** λέγω 190 II
L 16,18 δὲ ὑμῖν °ὅτι ὃς ἂν ἀπολύσῃ τὴν γυναῖκα αὐτοῦ ⸂μὴ ἐπὶ
πορνείᾳ καὶ γαμήσῃ ἄλλην μοιχᾶται⸃⸆.

10 Λέγουσιν °αὐτῷ οἱ μαθηταὶ °¹[αὐτοῦ]· εἰ οὕτως 191 X
1K 7,7.17 ἐστὶν ἡ αἰτία τοῦ ⸀ἀνθρώπου μετὰ τῆς γυναικός, οὐ συμφέρει γαμῆσαι. **11** ὁ δὲ εἶπεν αὐτοῖς· οὐ πάντες χωροῦσιν
τὸν λόγον °[τοῦτον] ἀλλ’ οἷς δέδοται. **12** εἰσὶν γὰρ εὐνοῦχοι οἵτινες ἐκ κοιλίας μητρὸς ἐγεννήθησαν οὕτως, καὶ εἰ-

¶ **19,1** ⸀ελαλησεν D it bo[mss] ● **2** ° 𝔓[25] *pc* h sy[s] ● **3** ⸆οι ℵ D 𝔐 sa[mss]; Or ¦ *txt* 𝔓[25] B C L W Δ Θ *f*[1.13] 33. 565. 700. 892. 1010 *al* sa[ms] mae bo | ⸆¹αυτω D W Δ 28. 33. 1241. 1424 *pm* c h q sy[h] mae | ⸀† – ℵ* B L Γ (700). 1424* *pc* ¦ *p)* ανδρι 1424[c] *pc* ¦ *txt* ℵ[2] C D W Θ 087 *f*[1.13] 𝔐 latt ● **4/5** ⸆αυτοις C W Θ *f*[1.13] 𝔐 lat sy mae ¦ *txt* ℵ B D L 700. 892 *pc* it sa bo | ⸀ποιησας ℵ C D (L) W Z *f*[13] 𝔐 lat sy ¦ *txt* B Θ *f*[1] 700 *pc* e co; Or | [⁚, *et* ⁚¹ ;] | ⸁προσκολ- ℵ C K L Z Γ Δ *f*[1] 33. 565. 700. 892. 1010. 1241. 1424 *pm* ¦ *txt* B D W Θ 078 *f*[13] 28 *pm* ● **6** ⸉ ℵ D | ⸆εις ἕν D it ● **7** °† ℵ D L Z Θ *f*[1] 700 *pc* lat ¦ *txt* B C W 078. 087 *f*[13] 𝔐 f q (b c ff[2]) sy[p.h] ● **8** ⸆ο Ιησους ℵ Φ 33[vid] *pc* a b c mae | [⁚ ·] ● **9** °*p)* B D Z 1424 *pc* it | ⸂ *1–6* (*1–3* N) ποιει αυτην μοιχευθηναι C* N *pc* ¦ (5,32) παρεκτος λογου πορνειας ποιει αυτην μοιχευθηναι B *f*[1] ff[1] bo ¦ παρεκτος λογου πορνειας *4–7* D *f*[13] 33 *pc* it (sy[c]) sa mae ¦ *txt* ℵ C[3] L (W) Z Θ 078 𝔐 l vg sy[s.p.h] | ⸆*p)* και ο απολελυμενην γαμων (γαμησας B 𝔐) μοιχαται B C* W Θ 078 *f*[1.13] 𝔐 lat sy[p.h] bo ¦ ωσαυτως και ο γαμ. απολελ. μοιχ. 𝔓[25] mae ¦ *txt* ℵ C[3] D L 1241 *pc* it sy[s.c] sa bo[ms] ● **10** ° 𝔓[25] ℵ* | °¹† 𝔓[71vid] ℵ B Θ e ff[1] g[1] sa[ms] mae ¦ *txt* 𝔓[25] C D L W Z 078 *f*[1.13] 𝔐 lat sy sa[mss] bo | ⸀ανδρος D ● **11** ° B *f*[1] 892* *pc* e bo[ms]; Cl ¦ *txt* ℵ C D L W Z (Θ) 078 *f*[13] 𝔐 lat sy co

σὶν εὐνοῦχοι οἵτινες εὐνουχίσθησαν ὑπὸ τῶν ἀνθρώπων,
καὶ εἰσὶν εὐνοῦχοι οἵτινες εὐνούχισαν ἑαυτοὺς διὰ τὴν
βασιλείαν τῶν οὐρανῶν. ὁ δυνάμενος χωρεῖν χωρείτω.
192 II **13** Τότε ⸀προσηνέχθησαν αὐτῷ παιδία ἵνα τὰς χεῖρας *13–15:* Mc 10,
ἐπιθῇ αὐτοῖς καὶ προσεύξηται· οἱ δὲ μαθηταὶ ἐπετίμησαν 13-16 L 18,15-17
αὐτοῖς. **14** ὁ δὲ Ἰησοῦς εἶπεν⸆· ἄφετε τὰ παιδία καὶ μὴ 9,18! · 20,31 p
κωλύετε αὐτὰ ἐλθεῖν πρός ⸀με, τῶν γὰρ τοιούτων ἐστὶν ἡ Mc 9,38 sp Act 8,
βασιλεία τῶν οὐρανῶν. **15** καὶ ἐπιθεὶς τὰς χεῖρας αὐτοῖς 36; 10,47 · 18,2s
ἐπορεύθη ἐκεῖθεν. L 9,51!
41 193 II **16** Καὶ ἰδοὺ εἷς προσελθὼν ⸉αὐτῷ εἶπεν⸊· διδάσκαλε⸆, *16–22:* Mc 10,
τί ἀγαθὸν ⸂ποιήσω ἵνα σχῶ ζωὴν αἰώνιον⸃; **17** ὁ δὲ εἶπεν 17-22 L 18,18-23
αὐτῷ· ⸂τί με ἐρωτᾷς περὶ τοῦ ἀγαθοῦ; εἷς ἐστιν ὁ ἀγα-
θός⸆⸃· εἰ δὲ θέλεις ⸉εἰς τὴν ζωὴν εἰσελθεῖν⸊, ⸀τήρησον
τὰς ἐντολάς. **18** ⸂λέγει αὐτῷ· ποίας;⸃ ὁ δὲ Ἰησοῦς ⸀εἶπεν· L 10,26-28
τὸ *οὐ φονεύσεις, οὐ μοιχεύσεις, οὐ κλέψεις, οὐ ψευδομαρτυρή-* *Ex 20,12-16 Dt*
σεις, **19** *τίμα τὸν πατέρα καὶ τὴν μητέρα,* καὶ *ἀγαπήσεις τὸν* *5,16-20* R 13,9
πλησίον σου ὡς σεαυτόν. **20** λέγει αὐτῷ ὁ νεανίσκος· ⸉πάν- 22,39! *Lv 19,18*
194 II τα ταῦτα⸊ ἐφύλαξα⸆· τί ἔτι ὑστερῶ; **21** ⸀ἔφη αὐτῷ ὁ
Ἰησοῦς· εἰ θέλεις τέλειος εἶναι, ὕπαγε πώλησόν σου τὰ 5,48 · 13,44
ὑπάρχοντα καὶ δὸς °[τοῖς] πτωχοῖς, καὶ ἕξεις θησαυρὸν 6,20 L 12,33
195 II ἐν ⸁οὐρανοῖς, καὶ δεῦρο ἀκολούθει μοι. **22** ἀκούσας δὲ 8,22! p
ὁ νεανίσκος ⸂τὸν λόγον⸃ ἀπῆλθεν λυπούμενος· ἦν γὰρ
ἔχων ⸀κτήματα πολλά.
23 Ὁ δὲ Ἰησοῦς εἶπεν τοῖς μαθηταῖς αὐτοῦ· ἀμὴν λέγω *23–30:* Mc 10, 23-31 L 18,24-30
ὑμῖν ὅτι πλούσιος δυσκόλως εἰσελεύσεται εἰς τὴν βασι- L 6,24

13 ⸀προσηνεχθη K W Γ Δ Θ 078^{vid} $f^{1.13}$ 28. 565. 700 𝔐 • **14** ⸆αυτοις א C D L W f^{13} 892. 1010. 1241 *al* lat sy sa^{ms} mae bo ¦ *txt* B Θ 078 f^{1} 𝔐 it sa^{mss} | ⸀εμε א L Δ • **16** ⸉ C (D) L W f^{1} 𝔐 sy ¦ *txt* א B Θ f^{13} 700. 892. 1010 *pc* sa | ⸆*p)* αγαθε C W Θ f^{13} 𝔐 lat sy sa mae bo^{pt} ¦ *txt* א B D L f^{1} 892*. 1010 *pc* a e ff^{1} bo^{pt}; Or | ⸂π. ινα εχω ζ. αι. (W) $f^{1.13}$ 𝔐 ¦ *p)* ποιησας ζ. αι. κληρονομησω א L 28. 33. 892. (1010) *pc* (sy$^{s.c.hmg}$) ¦ *txt* B C D Θ 700* • **17** ⸂*p)* τι με λεγεις αγαθον; ουδεις αγαθος ει μη εἷς ο θεος C (W) f^{13} 𝔐 f q sy$^{p.h}$ sa bo^{ms} ¦ *txt* א B (* – εις) (D) L Θ (f^{1} 700) 892* *pc* a d (lat, sy$^{s.c.hmg}$) mae bo; Or | ⸆ ο θεος lat sy^{c} mae bo ¦ ο πατηρ e | ⸉ W Γ Δ f^{1} 28. 700. 1241. 1424 𝔐 | ⸀† τηρει 𝔓^{71vid} B D 565 ¦ *txt* א C L W Θ $f^{1.13}$ 𝔐 • **18** ⸂ποιας; φησιν א L (892) | ⸀† εφη (𝔓^{71}) B (f^{13}) *pc* ¦ *txt* א C D L W Θ f^{1} 𝔐 • **20** ⸉† B D K Γ $f^{1.13}$ 28. 892. 1424 *pm* ¦ *txt* א C L W Δ Θ 33. 565. 700. 1010. 1241 *pm* | ⸆*p)* εκ νεοτητος μου (– D) א^{2} C D W f^{13} 𝔐 it vg^{cl} sy co; Cyr ¦ *txt* א* B L Θ f^{1} 700* *pc* lat; Cyp • **21** ⸀λεγει B Θ f^{13} | °† א C L W Z $f^{1.13}$ 𝔐 ¦ *txt* B D Θ co | ⸁ουρανω א L W Z Θ $f^{1.13}$ 𝔐 lat bo ¦ *txt* B C D Γ *pc* e g^{1} sa mae bo^{ms} • **22** ⸂† τον λογον τουτον B 892^{c} *pc* it sy$^{s.c.p}$ mae bo^{mss} ¦ – א L Z (e f h) ¦ *txt* C D W Θ $f^{1.13}$ 𝔐 lat sy^{h} sa bo | ⸀χρηματα B; Cl

λείαν τῶν οὐρανῶν. **24** πάλιν δὲ λέγω ὑμῖν, ⸆ εὐκοπώτε-
ρόν ἐστιν ⸀κάμηλον διὰ ⸁τρυπήματος ῥαφίδος ⸀¹διελθεῖν
ἢ πλούσιον ⸂εἰσελθεῖν εἰς τὴν βασιλείαν τοῦ θεοῦ⸃.
7,28! **25** ἀκούσαντες δὲ οἱ μαθηταὶ ⸆ ἐξεπλήσσοντο ⸇ σφόδρα
λέγοντες· τίς ἄρα δύναται σωθῆναι; **26** ἐμβλέψας δὲ ὁ Ἰη-
Gn 18,14 Job 10, 13 𝔊; 42,2 Zch 8, σοῦς εἶπεν αὐτοῖς· παρὰ ἀνθρώποις τοῦτο ἀδύνατόν ἐστιν,
6 𝔊 Mc 14,36 παρὰ δὲ θεῷ ⸉πάντα δυνατά⸊.
27 Τότε ἀποκριθεὶς ὁ Πέτρος εἶπεν αὐτῷ· ἰδοὺ ἡμεῖς
4,20p L 5,28 ἀφήκαμεν πάντα καὶ ἠκολουθήσαμέν σοι· τί ἄρα ἔσται
J 3,5 ἡμῖν; **28** ὁ δὲ Ἰησοῦς εἶπεν αὐτοῖς· ἀμὴν λέγω ὑμῖν ὅτι 196 X
Tt 3,5! ὑμεῖς οἱ ἀκολουθήσαντές μοι ἐν τῇ παλιγγενεσίᾳ, ὅταν
16,27! Dn 7,9s καθίσῃ ὁ υἱὸς τοῦ ἀνθρώπου ἐπὶ θρόνου δόξης αὐτοῦ,
20,21 L 22,30 ⸀καθήσεσθε καὶ ⸁ὑμεῖς ἐπὶ δώδεκα θρόνους κρίνοντες τὰς 197 V
Ap 3,21! · PsSal 17,26.29 δώδεκα φυλὰς τοῦ Ἰσραήλ. **29** καὶ πᾶς ὅστις ἀφῆκεν ⸂οἰ- 198 II
10,37; 4,22 κίας ἢ ἀδελφοὺς ἢ ἀδελφὰς ἢ πατέρα ἢ μητέρα ἢ τέκνα
ἢ ἀγροὺς⸃ ἕνεκεν τοῦ ⸄ὀνόματός μου⸅, ⸀ἑκατονταπλασί-
ονα λήμψεται καὶ ζωὴν αἰώνιον κληρονομήσει. **30** πολ- 199 II
20,16 L 13,30 λοὶ δὲ ἔσονται πρῶτοι ἔσχατοι καὶ ἔσχατοι πρῶτοι.
20 Ὁμοία γάρ ἐστιν ἡ βασιλεία τῶν οὐρανῶν ἀνθρώ- 42 200 X
13,52! πῳ οἰκοδεσπότῃ, ὅστις ἐξῆλθεν ἅμα πρωῒ μισθώ-
21,33ssp σασθαι ἐργάτας εἰς τὸν ἀμπελῶνα αὐτοῦ. **2** συμφωνήσας
13 Tob 5,15 𝔊 δὲ μετὰ τῶν ἐργατῶν ἐκ δηναρίου τὴν ἡμέραν ἀπέστειλεν
αὐτοὺς εἰς τὸν ἀμπελῶνα αὐτοῦ. **3** καὶ ἐξελθὼν περὶ τρίτην ὥραν ⸀εἶδεν ἄλλους ἑστῶτας ἐν τῇ ἀγορᾷ ἀργοὺς
4 κἀκείνοις εἶπεν· ὑπάγετε καὶ ὑμεῖς εἰς τὸν ἀμπελῶ-
Kol 4,1 να⸆, καὶ ὃ ἐὰν ᾖ δίκαιον δώσω ὑμῖν. **5** οἱ δὲ ἀπῆλθον.

24 ⸆οτι א C L Z 892. 1010 *al* ¦ *txt* B D W Θ $f^{1.13}$ 𝔐 | ⸀καμιλον *pc* | ⸁† τρηματος א* B ¦ *p)* τρυμαλιας C K Θ 565. 700 *pm* ¦ *txt* א² D L W Z Γ Δ $f^{1.13}$ 28. 33. 892. 1010. 1241. 1424 *pm* | ⸀¹† εισελθειν א C K L (W) Z Δ $f^{1.13}$ 28. 33. 892. 1010. 1241. 1424 *pm* sy$^{s.p.h}$ sa^{mss} bo ¦ *txt* B D Γ Θ 565. 700 *pm* latt sy^{c} sa^{mss} mae | ⸂† *2–6* א L 565. 892 *pc* (β. των ουρανων Z f^{1} 33 *pc* ff^{1} sy$^{s.c}$ bo^{ms}) ¦ *2–6 1* C W f^{13} 𝔐 sy^{h} ¦ *txt* B D Θ 700 *pc* sy^{p} ● **25** ⸆αυτου C^{3} W f^{1} 𝔐 ff^{1} sy^{c} mae ¦ *txt* א B C* D K L Z Δ Θ f^{13} 33. 565. 700. 892 *al* lat sy$^{s.p.h}$ sa bo | ⸇και εφοβηθησαν D it vg^{mss} sy^{c} ● **26** ⸉ א L Z 1010 *pc* ● **28** ⸀καθισεσθε D* K Γ 33. 565. 700. 892. 1010. 1241. 1424 *pm* ¦ καθεσθησεσθε Z f^{1} *pc* ¦ *txt* א B C D^{c} L W Δ Θ f^{13} 28 *pm* | ⸁† αυτοι א D L Z f^{1} 892 *pc*; Or ¦ *txt* B C W Θ f^{13} 𝔐 latt ● **29** ⸂ *1–9* η γυναικα *10–13* C^{3} W Θ f^{13} 𝔐 lat sy$^{(c).p.h}$ sa ¦ *3–9* η γυναικα *10–13* η οικιας (– א*) א C* L 892 mae bo ¦ *3–5* η γονεις *10–13* η οικιας f^{1} *pc* ¦ *txt* B (D) *pc* a n (sy^{s}) | ⸄† εμου ονοματος א B Θ *pc* ¦ *txt* C D L W $f^{1.13}$ 𝔐 | ⸀† πολλαπλασιονα B L 1010 *pc* sa mae; Or ¦ *txt* א C D(*) W Θ $f^{1.13}$ 𝔐 latt sy bo

¶ **20,3** ⸀(6) ευρεν D 1424 *pc* it ● **4** ⸆μου א C Θ f^{13} 33. 565. 700 *al* it vg^{cl} sa mae ¦ *txt* B D L W 085 f^{1} 𝔐 lat sy bo

πάλιν °[δὲ] ἐξελθὼν περὶ ⸉ἕκτην καὶ ἐνάτην ὥραν⸊ ἐποίησεν ὡσαύτως. **6** περὶ δὲ τὴν ἑνδεκάτην ⸆ ἐξελθὼν εὗρεν
ἄλλους ἑστῶτας ⸇ καὶ λέγει αὐτοῖς· τί ὧδε ἑστήκατε ὅλην
τὴν ἡμέραν ἀργοί; **7** λέγουσιν αὐτῷ· ὅτι οὐδεὶς ἡμᾶς ἐμι-
σθώσατο. λέγει αὐτοῖς· ὑπάγετε καὶ ὑμεῖς εἰς τὸν ἀμπε-
λῶνα⸆. **8** ὀψίας δὲ γενομένης λέγει ὁ κύριος τοῦ ἀμ- Lv 19,13 Dt 24,14s
πελῶνος τῷ ἐπιτρόπῳ αὐτοῦ· κάλεσον τοὺς ἐργάτας καὶ
ἀπόδος °αὐτοῖς τὸν μισθὸν ἀρξάμενος ἀπὸ τῶν ἐσχάτων
ἕως τῶν πρώτων. **9** ⸂καὶ ἐλθόντες⸃ οἱ περὶ τὴν ἑνδεκάτην
ὥραν ἔλαβον ἀνὰ δηνάριον. **10** ⸂καὶ ἐλθόντες⸃ οἱ πρῶτοι
ἐνόμισαν ὅτι ⸀πλεῖον λήμψονται· καὶ ἔλαβον ⸄[τὸ] ἀνὰ
δηνάριον καὶ αὐτοί⸅. **11** λαβόντες δὲ ἐγόγγυζον κατὰ τοῦ
οἰκοδεσπότου **12** λέγοντες· οὗτοι οἱ ἔσχατοι μίαν ὥραν
ἐποίησαν, καὶ ἴσους ⸉ἡμῖν αὐτοὺς⸊ ἐποίησας τοῖς βαστά-
σασι τὸ βάρος τῆς ἡμέρας καὶ τὸν καύσωνα. **13** ὁ δὲ ἀποκριθεὶς ⸉ἑνὶ αὐτῶν εἶπεν⸊· ἑταῖρε, οὐκ ἀδικῶ σε· οὐχὶ 22,12
δηναρίου ⸂συνεφώνησάς μοι⸃; **14** ἆρον τὸ σὸν καὶ ὕπαγε. 2
θέλω ⸀δὲ τούτῳ τῷ ἐσχάτῳ δοῦναι ὡς καὶ σοί· **15** °[ἢ] οὐκ
ἔξεστίν μοι ⸉ὃ θέλω ποιῆσαι⸊ ἐν τοῖς ἐμοῖς; ἢ ὁ ὀφθαλ- 6,23!
μός σου πονηρός ἐστιν ὅτι ἐγὼ ἀγαθός εἰμι; **16** οὕτως
ἔσονται οἱ ἔσχατοι πρῶτοι καὶ οἱ πρῶτοι ἔσχατοι.⸆ 19,30!
201 II **17** ⸂Καὶ ἀναβαίνων ὁ Ἰησοῦς⸃ εἰς Ἱεροσόλυμα παρέλα- *17–19:* Mc 10,32-34 L 18,31-33
βεν τοὺς δώδεκα ⸀[μαθητὰς] κατ᾽ ἰδίαν ⸄καὶ ἐν τῇ ὁδῷ⸅ L 9,51!

5 ° B W Θ 085 $f^{1.13}$ 𝔐 it mae bo ¦ *txt* ℵ C D L 28^{c}. 33. 892. 1010 *pc* lat sy^{h**} sa | ⸉ *4 1–3* D f l ¦ *1 4 2 3* Φ *pc* • 6 ⸆ωραν C W $f^{1.13}$ 𝔐 it ¦ *txt* ℵ B D L Θ 085. 700. 892* lat; Cyr | ⸇αργους C$^{*.3}$ W $f^{1.13}$ 𝔐 f h q sy$^{p.h}$ ¦ *txt* ℵ B C^{2} D L Θ 085. 33. 565. 700. 892 lat sy$^{s.c}$ co; Or • 7 ⸆μου C^{3} D Z 085. 565 it vg^{cl} sy^{s} sa mae; Cyr ¦ και ο εαν ῃ δικαιον λη(μ)ψεσθε C* W f^{13} 𝔐 q sy$^{(c).p.h}$ (bo^{mss}) ¦ μου και ο εαν... (*ut* 𝔐) N 1241 *al* f h ¦ *txt* ℵ B L Θ f^{1} 892* lat bo • 8 °† ℵ C L Z 085; Or ¦ *txt* B D W Θ $f^{1.13}$ 𝔐 • 9 ⸂† ελθοντες δε B sy^{c} sa^{mss} bo^{ms} ¦ ελθοντες ουν D Θ f^{13} 33 lat sa^{ms} mae ¦ *txt* ℵ C L W Z 085 f^{1} 𝔐 bo • 10 ⸂ελθ. δε ℵ L W Z f^{1} 𝔐 q sy^{h} bo ¦ ελθ. δε και N *pc* lat ¦ *txt* B C D Θ 085 f^{13} 33 *pc* mae bo^{mss} | ⸀πλειονα ℵ C^{2} 𝔐 ¦ πλειω D ¦ *txt* B C* L N W Θ 085 $f^{1.13}$ *pc* | ⸄ *2–5* B ¦ *1–3* 085 d ¦ *4 5 2 3* D W $f^{1.13}$ 𝔐 ¦ *4 5 1–3* C ¦ *txt* ℵ L Z Θ 33 • 12 ⸉† ℵ D L Z 085 f^{13} 892 *pc* ¦ *txt* B C W Θ f^{1} 𝔐 • 13 ⸉ *3 1 2* C L W Z $f^{1.13}$ 𝔐 e q sy ¦ *2 1 3* B ¦ *txt* ℵ D Θ 085. 700 *pc* lat | ⸂-σα σοι L Z 33. 892 *pc* sy^{s} sa^{mss} bo • 14 ⸀εγω B • 15 °† B D L Z Θ 700 sy$^{s.c}$ ¦ *txt* ℵ C W 085 $f^{1.13}$ 𝔐 lat sy$^{p.h}$ co | ⸉ *3 1 2* C (W) f^{1} 𝔐 (b f ff^{2}) q sy^{h} co ¦ *txt* ℵ B D L Z Θ (085) f^{13} 33. 700. 1010 *pc* lat sy^{p} • 16 ⸆(22,14) πολλοι γαρ εισιν κλητοι, ολιγοι δε εκλεκτοι C D W Θ $f^{1.13}$ 𝔐 latt sy mae bo^{pt} ¦ *txt* ℵ B L Z 085. 892*. 1424 *pc* sa bo^{pt} • 17 ⸂† μελλων δε αναβαινειν Ιησους B (f^{1}) sy^{p} sa bo; Or ¦ και αναβαινων 13 *pc* ¦ *txt* ℵ C D L W Θ 085 f^{13} 𝔐 sy$^{s.c.h}$ mae | ⸀† – ℵ D L Θ $f^{1.13}$ 892* *pc* sy$^{s.c}$ bo; Or ¦ μαθ. αυτου 13. 28^{c}. 892^{c}. 1010. 1424 *pc* it vg^{mss} sy^{p} sa^{mss} ¦ *txt* B C W 085 𝔐 lat sy^{h} sa^{mss} mae | ⸄ *2–4 1* C D W 𝔐 e f h q sy ¦ *2–4* 346 mae ¦ *1* 1424 aur g^{1} l vg ¦ *txt* ℵ B L Z Θ 085 $f^{1.13}$ 33. 700. 892. 1010 *pc* sa bo

εἶπεν αὐτοῖς· **18** ἰδοὺ ἀναβαίνομεν εἰς Ἱεροσόλυμα, καὶ
16,21! · J 18,36 ὁ υἱὸς τοῦ ἀνθρώπου παραδοθήσεται τοῖς ἀρχιερεῦσιν καὶ
γραμματεῦσιν, καὶ κατακρινοῦσιν αὐτὸν ⸀θανάτῳ **19** καὶ
J 18,30.35 Act 21, 11 · 27,29 · J 19,1 · 10,38 · 28,6! παραδώσουσιν αὐτὸν τοῖς ἔθνεσιν εἰς τὸ ἐμπαῖξαι καὶ
μαστιγῶσαι καὶ σταυρῶσαι, καὶ τῇ τρίτῃ ἡμέρᾳ ⸀ἐγερ-
θήσεται.
20–28: Mc 10, 35-45 · 4,21! **20** Τότε προσῆλθεν αὐτῷ ἡ μήτηρ τῶν υἱῶν Ζεβεδαίου *43* 202 VI
μετὰ τῶν υἱῶν αὐτῆς προσκυνοῦσα καὶ αἰτοῦσά τι ⸂ἀπ' αὐ-
τοῦ⸃. **21** ὁ δὲ εἶπεν αὐτῇ· τί θέλεις; ⸂λέγει αὐτῷ⸃· εἰπὲ ἵνα
19,28 καθίσωσιν οὗτοι οἱ δύο υἱοί μου εἷς ἐκ δεξιῶν °σου καὶ
13,41; 16,28 L 1, 33; 22,29; 23,42 εἷς ἐξ εὐωνύμων °¹σου ἐν τῇ βασιλείᾳ σου. **22** ἀποκριθεὶς
J 18,36 δὲ ὁ Ἰησοῦς εἶπεν· οὐκ οἴδατε τί αἰτεῖσθε. δύνασθε πιεῖν
26,39! τὸ ποτήριον ὃ ἐγὼ μέλλω πίνειν⸆; λέγουσιν αὐτῷ· δυνά-
Act 12,2 Ap 1,9 μεθα. **23** ⸆ λέγει αὐτοῖς⸆·· τὸ μὲν ποτήριόν μου πίεσθε⸆¹,
τὸ δὲ καθίσαι ἐκ δεξιῶν μου ⸀καὶ ἐξ εὐωνύμων ⸆² οὐκ
25,34 ἔστιν ἐμὸν °[τοῦτο] δοῦναι, ⸂ἀλλ' οἷς⸃ ἡτοίμασται ὑπὸ
τοῦ πατρός μου.
24–28: L 22,24-27 **24** ⸂Καὶ ἀκούσαντες⸃ οἱ δέκα ἠγανάκτησαν περὶ τῶν 203 II
δύο ἀδελφῶν. **25** ὁ δὲ Ἰησοῦς προσκαλεσάμενος αὐτοὺς
1K 2,6 · Ps 9,26. 31 𝔊 εἶπεν· οἴδατε ὅτι οἱ ἄρχοντες τῶν ἐθνῶν κατακυριεύουσιν αὐτῶν καὶ οἱ μεγάλοι κατεξουσιάζουσιν αὐτῶν. **26** οὐχ
5,19; 23,11 οὕτως ⸀ἔσται ἐν ὑμῖν, ἀλλ' ὃς ἐὰν θέλῃ ⸂ἐν ὑμῖν μέ-
Mc 9,35 γας γενέσθαι⸃ ⸁ἔσται ὑμῶν διάκονος, **27** καὶ ὃς ⸀ἂν θέλῃ
3J 9 · 1K 9,19 ⸂ἐν ὑμῖν εἶναι πρῶτος⸃ ⸁ἔσται ὑμῶν δοῦλος· **28** ὥσπερ 204 IV

18 ⸀† εις θανατον א (700) ¦ – B ¦ *txt* C D L W Z Θ 085 $f^{1.13}$ 𝔐 ● **19** ⸀*p)* αναστησεται B C² D W Θ 085 $f^{1.13}$ 𝔐 ¦ *txt* א C* L N Z 892 *pc* ● **20** ⸂παρ αυ. א C L W Z Θ $f^{1.13}$ 𝔐 ¦ – 085 ¦ *txt* B D 700 ● **21** ⸂η δε ειπεν B *pc* | °† א B; Or ¦ *txt* C D L W Θ 085 $f^{1.13}$ 𝔐 latt sy | °¹ D Θ f^{1} *pc* lat mae; Or ● **22** ⸆*p)* η (και S 892 *pc*) το βαπτισμα ο εγω βαπτιζομαι βαπτισθηναι C W 0197 𝔐 (f) h q sy$^{p.h}$ bo^{pt} ¦ *txt* א B D L Z Θ 085 $f^{1.13}$ *pc* lat sy$^{s.c}$ sa mae bo^{pt} ● **23** ⸆και C L W 085. 0197 𝔐 h q sy^{h} bo ¦ *txt* א B D Z Θ $f^{1.13}$ 700. 1424 *pc* lat sy$^{s.c.p}$ sa mae | ⸆·ο Ιησους D Δ Θ f^{13} *pc* it sy$^{s.c}$ mae bo | ⸆¹*p)* και το βαπτισμα ο εγω βαπτιζομαι βαπτισθησεσθε C W 0197 𝔐 f h q sy$^{p.h}$ bo^{pt} ¦ *txt* א B D L Z Θ 085 $f^{1.13}$ *pc* lat sy$^{s.c}$ sa mae bo^{pt} | ⸀*p)* ἤ B L Θ f^{1} 33. 1424 it vg^{cl} sa mae bo^{pt}; Or Epiph | ⸆² μου W Γ Δ 700. 1010. 1241 *pm* c l sy | °*p)* א B L Z Θ $f^{1.13}$ 𝔐 lat sy^{p} co ¦ *txt* C D W Δ 085. 33. (565). 1010 *al* q sy$^{(s.c).h}$ | ⸂ἄλλοις 225 *pc* d ● **24** ⸂ακ. δε א² L Z Θ f^{13} 33. 892. 1424 *pc* aur sy^{p} co ● **26** ⸀†*p)* εστιν B D Z *pc* sa^{mss} ¦ *txt* א C L W Θ 085. 0197 $f^{1.13}$ 𝔐 lat sa^{mss} mae bo | ⸂*3 1 2 4* B *pc* ¦ *3 4 1 2* C 1424 *pc* ¦ υμων μεγας γενεσθαι L Z 892 | ⸁εστω א² L S 28. 892. 1010 *pm* lat mae bo ● **27** ⸀εαν C L Z Θ 085. 0197 $f^{1.13}$ 𝔐 ¦ – Y 565 *pc* ¦ *txt* א B D W *pc* | ⸂*1 2 4 3* W *pc* ¦ ειναι υμων πρ. B | ⸁εστω B Γ 28. 1010. 1424 *pm* mae bo

ὁ υἱὸς τοῦ ἀνθρώπου οὐκ ἦλθεν διακονηθῆναι ἀλλὰ δια- Ph 2,7
κονῆσαι καὶ δοῦναι τὴν ψυχὴν αὐτοῦ λύτρον ἀντὶ πολ- 1T 2,6! Is 53,10ss
λῶν. ⸆
44 205 II **29** Καὶ ἐκπορευομένων αὐτῶν ἀπὸ Ἰεριχὼ ⸂ἠκολούθη- *29-34:* Mc 10, 46-52 L 18,35-
σεν αὐτῷ ὄχλος πολύς⸃. **30** καὶ ἰδοὺ δύο τυφλοὶ καθήμε- 43 cf Mt 9,27-31
νοι παρὰ τὴν ὁδὸν ἀκούσαντες ὅτι Ἰησοῦς παράγει, ἔκρα-
ξαν λέγοντες· ⸂ἐλέησον ἡμᾶς, [κύριε,]⸃ ⸀υἱὸς Δαυίδ. **31** ὁ 17,15! · 9,27!
δὲ ὄχλος ἐπετίμησεν αὐτοῖς ἵνα σιωπήσωσιν· οἱ δὲ μεῖ- 19,13p
ζον ⸀ἔκραξαν λέγοντες· ⸂ἐλέησον ἡμᾶς, κύριε,⸃ ⸁υἱὸς Δαυίδ. **32** καὶ στὰς °ὁ Ἰησοῦς ἐφώνησεν αὐτοὺς καὶ εἶπεν· τί
θέλετε ποιήσω ὑμῖν; **33** λέγουσιν αὐτῷ· κύριε, ἵνα ἀνοι-
γῶσιν ⸉οἱ ὀφθαλμοὶ ἡμῶν⸊ ⸆. ⸇ **34** σπλαγχνισθεὶς δὲ ὁ 9,36!
Ἰησοῦς ἥψατο ⸂τῶν ὀμμάτων αὐτῶν⸃, καὶ εὐθέως ἀνέβλε-
ψαν ⸆ καὶ ἠκολούθησαν αὐτῷ.

45 206 II **21** Καὶ ὅτε ⸀ἤγγισαν εἰς Ἱεροσόλυμα καὶ ⸀ἦλθον εἰς *1-9:* Mc 11,1-10 L 19,28-38 J 12,
Βηθφαγὴ ⸁εἰς τὸ ὄρος τῶν ἐλαιῶν, τότε ⸆ Ἰησοῦς 12-16 · Zch 14,4
ἀπέστειλεν δύο μαθητὰς **2** λέγων αὐτοῖς· ⸀πορεύεσθε εἰς 26,18
τὴν κώμην τὴν ⸁κατέναντι ὑμῶν, καὶ °εὐθέως εὑρήσετε
ὄνον δεδεμένην καὶ πῶλον μετ᾽ αὐτῆς· λύσαντες ⸀¹ἀγά-

28 ⸆ (cf L 14,8-10) υμεις δε ζητειτε εκ μικρου αυξησαι και (+ μη sy^{c}) εκ μειζονος ελαττον ειναι. εισερχομενοι δε και παρακληθεντες δειπνησαι μη ανακλινεσθε εις τους εξεχοντας τοπους, μηποτε ενδοξοτερος σου επελθη και προσελθων ο δειπνοκλητωρ ειπη σοι· ετι κατω χωρει, και καταισχυνθηση. εαν δε αναπεσης εις τον ηττονα τοπον και επελθη σου ηττων, ερει σοι ο δειπνοκλητωρ· συναγε ετι ανω, και εσται σοι τουτο χρησιμον. D (Φ it sy^{c}) ● **29** ⸂ηκολουθησαν αυτω (– 𝔓^{45}) οχλοι πολλοι 𝔓^{45} D (Γ) 1424 *pc* it vg^{mss} sy^{h} bo^{mss} ● **30** ⸂† *3 1 2* B L Z 085. 892 *pc* lat sa^{mss} bo ¦ *1 2* ℵ D Θ *f*^{13} 565. 700 *pc* it sy^{c} mae ¦ *txt* 𝔓^{45vid} C W *f*^{1} 𝔐 f q sy$^{p.h}$ sa^{ms} | ⸀*p)* υιε 𝔓^{45} C D N 085 *f*^{1} 33. 565. 1010. 1241. 1424 *pm* ¦ Ιησου υιε ℵ L Θ *f*^{13} 700. 892 *pc* c e h n sa^{mss} mae bo ¦ *txt* B K W Z Γ Δ 28 *pm* ● **31** ⸀εκραζον C W *f*^{1} 𝔐 ¦ εκραυγαζον Θ *f*^{13} ¦ εκραυγασαν 𝔓^{45} ¦ *txt* ℵ B D L Z 085. 700. 892 *pc* | ⸂† (30) *3 1 2* ℵ B D L Z Θ 085 *f*^{13} 892. 1010 *pc* lat sy^{p} sa^{mss} bo ¦ *1 2* 700 *pc* e ¦ *txt* C W *f*^{1} 𝔐 f ff^{2} q sy$^{c.h}$ sa^{ms} mae | ⸁*p)* υιε ℵ^{1}(* υιου) C D L N 085. 33. 892. 1010. 1241. 1424 *al* ¦ *txt* B W Z Θ *f*$^{1.13}$ 𝔐 ● **32** ° B ● **33** ⸉ *3 1 2* C W Θ *f*$^{1.13}$ 𝔐 ¦ *txt* ℵ^{2}(* υμων) B D L Z 33. 892. 1010 *pc*; Or | ⸆ και βλεπωμεν σε sy^{c} | ⸇ (9,28) Quibus dixit Jesus: Creditis posse me hoc facere? qui responderunt: Ita, Domine. c ● **34** ⸂ *3 1 2* B ¦ *1 2* Θ ¦ *p)* των οφθαλμων αυτων ℵ^{1} (* αυτου) C W *f*^{1} 𝔐 ¦ *txt* D L Z *f*^{13} 892 *pc*; Or | ⸆αυτων οι οφθαλμοι C K N W Γ Δ 565. 1241. 1424 𝔐 q sy$^{p.h}$ sa^{ms}

¶ **21,1** ⸀-σεν C^{3} 892 *pc* b e ff^{2} vg^{mss} sy$^{c.p}$ bo^{mss} *et* ⸀-θεν ℵ* C^{3} W 892 *al* e ff^{2} q sy$^{c.p}$ sa^{ms} mae; Or | ⸁*p)* προς ℵ D L W Θ *f*$^{1.13}$ 𝔐 ¦ *txt* B (C) 33 *pc* | ⸆ο ℵ C L W Θ *f*$^{1.13}$ 𝔐 ¦ *txt* B D 700 *pc* (– ο Ιησ. 1241 *pc*) ● **2** ⸀πορευθητε C W *f*^{1} 𝔐 ¦ *txt* ℵ B D L Z Θ *f*^{13} 33. 892. 1010. 1241. 1424 *al* | ⸁απεναντι W *f*^{1} 𝔐 ¦ *txt* ℵ B C D L Z Θ *f*^{13} 28. 33. 700. 892. 1010 *al* | ° 482 *pc* it (sy^{c}) bo | ⸀¹αγετε B D *pc*

J 13,13 γετέ μοι. **3** καὶ ἐάν τις ὑμῖν εἴπῃ τι, ἐρεῖτε ὅτι ὁ κύριος
⸀αὐτῶν χρείαν ἔχει· ⸂εὐθὺς δὲ⸃ ⸁ἀποστελεῖ αὐτούς. **4** τοῦ- 207 VII
το δὲ ⸆ γέγονεν ἵνα πληρωθῇ τὸ ῥηθὲν ⸀διὰ τοῦ προφή-
του λέγοντος·

Is 62,11 Zch 9,9 **5** *εἴπατε τῇ θυγατρὶ Σιών·*
ἰδοὺ ὁ βασιλεύς σου ἔρχεταί σοι
11,29s *πραῢς καὶ ἐπιβεβηκὼς ἐπὶ ὄνον*
καὶ °ἐπὶ πῶλον °¹υἱὸν ὑποζυγίου.

6 πορευθέντες δὲ οἱ μαθηταὶ καὶ ποιήσαντες καθὼς ⸀συν- 208 II
έταξεν αὐτοῖς ὁ Ἰησοῦς **7** ἤγαγον τὴν ὄνον καὶ τὸν πῶλον
καὶ ἐπέθηκαν ⸀ἐπ' ⸁αὐτῶν τὰ ἱμάτια⸆, καὶ ἐπεκάθισεν ἐπ-
2Rg 9,13 άνω αὐτῶν. **8** ὁ δὲ πλεῖστος ὄχλος ἔστρωσαν ⸀ἑαυτῶν τὰ
ἱμάτια ἐν τῇ ὁδῷ, ἄλλοι δὲ ἔκοπτον κλάδους ἀπὸ τῶν δένδρων καὶ ⸁ἐστρώννυον ἐν τῇ ὁδῷ. **9** οἱ δὲ ὄχλοι οἱ προ- 209 I
άγοντες °αὐτὸν καὶ οἱ ἀκολουθοῦντες ἔκραζον λέγοντες·

Ps 118,25s · 9,27! *ὡσαννὰ* τῷ υἱῷ Δαυίδ·
3,11! *εὐλογημένος ὁ ἐρχόμενος ἐν ὀνόματι κυρίου·*
ὡσαννὰ ἐν τοῖς ὑψίστοις.⸆

2,3 **10** Καὶ εἰσελθόντος αὐτοῦ εἰς Ἱεροσόλυμα ἐσείσθη πᾶ- 210 X
σα ἡ πόλις λέγουσα· τίς ἐστιν οὗτος; **11** οἱ δὲ ὄχλοι ἔλε-
46; 16,14 Mc 6,15 L 7,16.39; 24,19 J 7,40.52 γον· οὗτός ἐστιν ⸂ὁ προφήτης Ἰησοῦς⸃ ὁ ἀπὸ Ναζαρὲθ
τῆς Γαλιλαίας.

12–17: Mc 11,15-17 L 19,45s J 2,13-16 · Zch 14,21 PsSal 17,30 · L 2,24 **12** Καὶ εἰσῆλθεν ⸆ Ἰησοῦς εἰς τὸ ἱερὸν ⸇ καὶ ἐξέβαλεν 211 I
πάντας τοὺς πωλοῦντας καὶ ἀγοράζοντας ἐν τῷ ἱερῷ, καὶ
τὰς τραπέζας τῶν κολλυβιστῶν κατέστρεψεν καὶ τὰς καθέδρας τῶν πωλούντων τὰς περιστεράς, **13** καὶ λέγει αὐ-
τοῖς· γέγραπται·

3 ⸀αυτου ℵ Θ 1241 *pc* | ⸂και ευθεως D 33. 1010 *pc* ¦ ευθεως δε C W $f^{1.13}$ 𝔐 ¦ *txt* ℵ B L Θ 700. 892 *pc* | ⸁*p)* αποστελλει C L W Z Θ $f^{1.13}$ 𝔐 d h ¦ *txt* ℵ B D 700* *al* lat sa bo ● **4** ⸆ολον B C^{3} W $f^{1.13}$ 𝔐 q vg^{cl} sy^{h} sa mae bo^{ms} ¦ *txt* ℵ C* D L Z Θ 892 *pc* lat sy$^{c.p}$ bo | ⸀υπο L Z Γ Θ f^{13} 700. 892 *pc* ● **5** ° C D W Θ f^{13} 𝔐 latt mae bo ¦ *txt* ℵ B L N f^{1} 700 *pc* sy sa | °¹ ℵ^{1} L Z *pc*; Or^{mss} ● **6** ⸀προσεταξεν ℵ L W Z Θ $f^{1.13}$ 𝔐 ¦ *txt* B C D 33. 700 *pc* ● **7** ⸀επανω C W f^{1} 𝔐 sy^{h} ¦ – f^{13} *pc* ¦ *txt* ℵ B D L Z Θ 33. 892* *pc* sy^{p} | ⸁αυτω Θ f^{13} 33 *pc* ¦ αυτον D Φ | ⸆αυτων ℵ^{1} C L W $f^{1.13}$ 𝔐 lat sy^{h} ¦ *txt* ℵ* B D Θ *pc* b e ff^{1} ff^{2} ● **8** ⸀αυτων D L W Δ Θ f^{13} 700. 1241. 1424 *al* | ⸁εστρωσαν ℵ* D *pc* bo ● **9** °*p)* K N W Γ Δ Θ 28. 565. 700. 1241. 1424 𝔐 lat | ⸆(*cf* L 19,37; J 12,13) και εξηλθον εις υπαντησιν αυτω πολλοι χαιροντες και δοξαζοντες τον θεον περι παντων ων ειδον (Φ) sy^{c} ● **11** ⸂*3 1 2* C L W f^{1} 𝔐 lat sy mae bo^{ms} ¦ *1 2* f^{13} 1241 *pc* a aur ¦ *txt* ℵ B D Θ 700 *pc* sa bo ● **12** ⸆ο D K L N Γ Θ $f^{1.13}$ 33. 565. 892. 1010. 1424 *pm* ¦ *txt* ℵ B C W Δ 28. 700. 1241 *pm* | ⸇του θεου C D W f^{1} 𝔐 lat sy ¦ *txt* ℵ B L Θ f^{13} 33. 700. 892. 1010. 1424 *al* b co

ὁ οἶκός μου οἶκος προσευχῆς κληθήσεται, *Is 56,7;* 60,7
46 ὑμεῖς δὲ αὐτὸν ⸀ποιεῖτε *σπήλαιον λῃστῶν.* *Jr 7,11*
212 X **14** καὶ προσῆλθον αὐτῷ ⸉τυφλοὶ καὶ χωλοὶ⸊ ἐν τῷ ἱερῷ, 11,5 2Sm 5,8 𝔊
213 V καὶ ἐθεράπευσεν αὐτούς. **15** ἰδόντες δὲ οἱ ἀρχιερεῖς καὶ οἱ
γραμματεῖς τὰ θαυμάσια ἃ ἐποίησεν καὶ τοὺς παῖδας °τοὺς
κράζοντας ἐν τῷ ἱερῷ καὶ λέγοντας· ὡσαννὰ τῷ υἱῷ Ps 118,25
Δαυίδ, ἠγανάκτησαν **16** καὶ εἶπαν αὐτῷ· ἀκούεις τί οὗτοι λέγουσιν; ὁ δὲ Ἰησοῦς λέγει αὐτοῖς· ναί. οὐδέποτε Mc 2,25
ἀνέγνωτε °ὅτι
ἐκ στόματος νηπίων καὶ θηλαζόντων κατηρτίσω αἶνον; 11,25 *Ps 8,3* 𝔊
214 VI **17** καὶ καταλιπὼν αὐτοὺς ἐξῆλθεν ἔξω τῆς πόλεως εἰς L 21,37
Βηθανίαν καὶ ηὐλίσθη ἐκεῖ.
47 **18** ⸀Πρωῒ δὲ ⸁ἐπανάγων εἰς τὴν πόλιν ἐπείνασεν. **19** καὶ *18s:* Mc 11,12-14
ἰδὼν συκῆν μίαν ἐπὶ τῆς ὁδοῦ ἦλθεν ἐπ' αὐτὴν καὶ οὐδὲν L 13,6
εὗρεν ἐν αὐτῇ εἰ μὴ φύλλα μόνον, καὶ λέγει αὐτῇ· ⸆ μη- Hab 3,17
κέτι ἐκ σοῦ καρπὸς ⸀γένηται εἰς τὸν αἰῶνα. καὶ ἐξηράνθη
παραχρῆμα ἡ συκῆ.
20 Καὶ ἰδόντες οἱ μαθηταὶ ἐθαύμασαν λέγοντες· πῶς *20–22:* Mc 11,20-26 · 8,27!
215 VI παραχρῆμα ἐξηράνθη ἡ συκῆ; **21** ἀποκριθεὶς δὲ ὁ Ἰησοῦς
εἶπεν αὐτοῖς· ἀμὴν λέγω ὑμῖν, ἐὰν ἔχητε πίστιν καὶ μὴ 17,20!
διακριθῆτε, οὐ μόνον τὸ τῆς συκῆς ποιήσετε, ἀλλὰ κἂν R 4,20 Jc 1,6
τῷ ὄρει τούτῳ εἴπητε· ἄρθητι καὶ βλήθητι εἰς τὴν θάλασ-
216 IV σαν, γενήσεται· **22** καὶ πάντα ὅσα ⸀ἂν αἰτήσητε ἐν τῇ 7,7!
προσευχῇ πιστεύοντες λήμψεσθε.
48 217 **23** Καὶ ⸂ἐλθόντος αὐτοῦ⸃ εἰς τὸ ἱερὸν προσῆλθον αὐτῷ *23–27:* Mc 11,27-33 L 20,1-8
II διδάσκοντι οἱ ἀρχιερεῖς καὶ οἱ πρεσβύτεροι τοῦ λαοῦ λέ- 26,3.47; 27,1
γοντες· ἐν ποίᾳ ἐξουσίᾳ ταῦτα ποιεῖς⁚; καὶ τίς σοι ἔδωκεν Act 4,7
τὴν ἐξουσίαν ταύτην; **24** ἀποκριθεὶς °δὲ ὁ Ἰησοῦς εἶπεν
αὐτοῖς· ἐρωτήσω ὑμᾶς κἀγὼ ⸉λόγον ἕνα⸊, ὃν ἐὰν εἴπητέ
μοι κἀγὼ ὑμῖν ἐρῶ ἐν ποίᾳ ἐξουσίᾳ ταῦτα ποιῶ· **25** τὸ
βάπτισμα °τὸ Ἰωάννου πόθεν ἦν; ἐξ οὐρανοῦ ἢ ἐξ ἀνθρώ- J 1,25.33 · Act 5,38

13 ⸀*p)* εποιησατε C D W f^{13} 𝔐 ¦ πεποιηκατε f^{1}; Or ¦ *txt* א B L Θ 892. 1010 *pc* bo; Cyr • **14** ⸉ C K N W Γ Δ 28. (565). 1241. 1424 𝔐 sy[h] sa[mss] • **15** ° C K W Δ $f^{1.13}$ 28. 565. 892. 1241. 1424 𝔐 • **16** ° א D it • **18** ⸀πρωιας א[2] C L W $f^{1.13}$ 𝔐 ¦ *txt* א* B D Θ *pc* | ⸁† επαναγαγων א* B* L ¦ παραγων D it sy[c]? ¦ υπαγων W ¦ *txt* א[2] B[1] C Θ $f^{1.13}$ 𝔐 • **19** ⸆† οὐ B L ¦ *txt* א C D W Θ $f^{1.13}$ 𝔐 | ⸀γενοιτο א Θ; Or • **22** ⸀εαν C K L W Δ 700 *pm* ¦ – D • **23** ⸂ελθοντι (εισελθ- K 1424 *al*) αυτω K W Δ 087. 28. 565. (1241). 1424 𝔐 | [⁚,] • **24** ° L Z lat sy[s.c.p] sa[mss] mae bo | ⸉ C D Φ 28. 1424 *al* • **25** ° D L W Θ 0138 f^{13} 𝔐 ¦ *txt* א B C Z (f^{1}: του) 33 *pc*

πων; οἱ δὲ διελογίζοντο ⸀ἐν ἑαυτοῖς λέγοντες· ἐὰν εἴπω-
32 μεν· ἐξ οὐρανοῦ, ἐρεῖ ἡμῖν· διὰ τί °¹οὖν οὐκ ἐπιστεύσατε
46p; 14,5 L 22, αὐτῷ; 26 ἐὰν δὲ εἴπωμεν· ἐξ ἀνθρώπων, φοβούμεθα τὸν
2p Act 5,26 ὄχλον, πάντες γὰρ ⸂ὡς προφήτην ἔχουσιν τὸν Ἰωάννην⸃.
27 καὶ ἀποκριθέντες τῷ Ἰησοῦ εἶπαν· οὐκ οἴδαμεν. ἔφη
αὐτοῖς ⸂καὶ αὐτός⸃· οὐδὲ ἐγὼ λέγω ὑμῖν ἐν ποίᾳ ἐξουσίᾳ
ταῦτα ποιῶ.
L 15,11 28 Τί δὲ ὑμῖν δοκεῖ; ἄνθρωπος ⸆ εἶχεν ⸉τέκνα δύο⸊. °καὶ 49 218
προσελθὼν τῷ πρώτῳ εἶπεν· τέκνον, ὕπαγε σήμερον ἐρ- X
γάζου ⸂ἐν τῷ ἀμπελῶνι⸃⸇. 29 ὁ δὲ ἀποκριθεὶς εἶπεν·⸂οὐ
7,21! θέλω, ὕστερον ° δὲ μεταμεληθεὶς ἀπῆλθεν⸃. 30 ⸄προσελθὼν
δὲ⸅ τῷ ⸀ἑτέρῳ εἶπεν ὡσαύτως. ὁ δὲ ἀποκριθεὶς εἶπεν· ⸂ἐγώ,
κύριε, καὶ οὐκ ἀπῆλθεν⸃. 31 τίς ἐκ τῶν δύο ἐποίησεν τὸ
θέλημα τοῦ πατρός; λέγουσιν⸆· ⸂ὁ πρῶτος⸃. λέγει αὐτοῖς
L 3,12; 7,29; 18,14; 19,1-10 · ὁ Ἰησοῦς· ἀμὴν λέγω ὑμῖν ὅτι οἱ τελῶναι καὶ αἱ πόρναι
L 7,36-50 προάγουσιν ὑμᾶς εἰς τὴν βασιλείαν τοῦ θεοῦ. 32 ἦλθεν
2P 2,21 Prv 8,20; 12,28; 21,21 𝔊 γὰρ ⸉Ἰωάννης πρὸς ὑμᾶς⸊ ἐν ὁδῷ δικαιοσύνης, καὶ οὐκ
25 J 7,48 L 7,29s ἐπιστεύσατε αὐτῷ, οἱ δὲ τελῶναι καὶ αἱ πόρναι ἐπίστευσαν αὐτῷ· ὑμεῖς δὲ ἰδόντες ⸀οὐδὲ μετεμελήθητε ὕστερον
τοῦ πιστεῦσαι αὐτῷ.
33–46: Mc 12, 1-12 L 20,9-19 33 Ἄλλην παραβολὴν ἀκούσατε. ἄνθρωπος ἦν οἰκο- 50 219
13,52! · 20,1ss Is 5,1 s δεσπότης ὅστις ἐφύτευσεν ἀμπελῶνα καὶ φραγμὸν αὐτῷ II
περιέθηκεν καὶ ὤρυξεν ἐν αὐτῷ ληνὸν καὶ ᾠκοδόμησεν
πύργον καὶ ἐξέδετο αὐτὸν γεωργοῖς καὶ ἀπεδήμησεν.
34 ὅτε δὲ ἤγγισεν ὁ καιρὸς τῶν καρπῶν, ἀπέστειλεν τοὺς
22,3 2Chr 24,19 Jr 7,25s; 25,4 δούλους αὐτοῦ πρὸς τοὺς γεωργοὺς λαβεῖν τοὺς καρποὺς

25 ⸀παρ ℵ C D W Θ 0138 *f*$^{1.13}$ 𝔐 ¦ *txt* B L Z 33. 892 *al*; Cyr | °¹ D L 28. 700. 892 *al* it sy$^{s.c.p}$ sa^{ms} mae bo ● **26** ⸂ *3–5 1 2* D W Θ 0138 *f*^{13} 𝔐 sy^{h} ¦ ειχον *4 5 1 2* *f*^{1} ¦ *txt* ℵ B C L Z 33. 892. 1010 *pc* sy$^{s.c.p}$ ● **27** ⸂ο Ιησους ℵ *pc* it sy$^{c.p}$ ¦ – 700 l sa ● **28** ⸆τις C Δ Θ *f*$^{1.13}$ 33. 892^{c}. 1241. 1424 *pm* it vg^{cl} sy | ⸉ B 1424 *pc* lat | °† ℵ* L Z e ff^{1} (sy$^{s.c}$) co ¦ *txt* ℵ^{2} B C D W Θ 0138 *f*$^{1.13}$ 𝔐 lat sy$^{p.h}$ | ⸂εις τον αμπελωνα D 1424 | ⸇μου B C^{2} W Z 0138. 28. 1010. 1241. 1424 *pm* lat sa mae bo^{pt} ¦ *txt* ℵ C* D K L Δ Θ *f*$^{1.13}$ 33. 565. 700. 892 *pm* it sy bo^{pt} ● **29-31** ⸂† εγω (υπαγω Θ *f*^{13} 700 *pc*), κυριε (– Θ)· και ουκ απηλθεν *et* ⸂† ου θελω, υστερον (+ δε Θ *f*^{13} 700 *pc*) μεταμεληθεις απηλθεν *et* ⸂† ο υστερος (εσχατος Θ *f*^{13} 700 *pc*) B Θ *f*^{13} 700 *al* sa^{mss} bo; Hier^{mss} ¦ *txt* (ℵ) C (L) W (Z) 0138 (*f*^{1}) 𝔐 f q vg^{ww} sy$^{p.h}$ sa^{mss} mae; Hier^{mss} ¦ *txt, sed* + εις τον αμπελωνα *p.* απηλθεν^{1} *et* εσχατος *loco* πρωτος D it sy$^{s.(c)}$ | °ℵ* (B) 1010 *pc* it sa^{mss} | ⸄και προσελθων C W 0138 𝔐 h q sy$^{p.h}$ (– sy$^{s.c}$) ¦ *txt* ℵ B D L Z Θ *f*$^{1.13}$ 33. 700. 892 *pc* lat mae bo | ⸀†δευτερω ℵ^{2} B C^{2} L Z *f*^{1} 28. 33. 700. 892. 1424 *pm* mae bo | ⸆αυτω C W 0138 *f*^{1} 𝔐 it vg^{cl} sy sa mae bo^{ms} ¦ *txt* ℵ B D L Θ *f*^{13} 33. 892 *pc* lat bo ● **32** ⸉ D W Θ 0138 *f*$^{1.13}$ 𝔐 lat ¦ *txt* ℵ B C L 33. 892. 1010 *pc* c r^{1}; Or | ⸀ου ℵ C L W 𝔐 ¦ – D (c) e ff^{1*} sy^{s} ¦ *txt* B Θ 0138 *f*$^{1.13}$ 33. 700. 892 *al* lat sy$^{c.p.h}$

αὐτοῦ. **35** καὶ λαβόντες οἱ γεωργοὶ τοὺς δούλους αὐτοῦ
ὃν μὲν ἔδειραν, ὃν δὲ ἀπέκτειναν, ὃν δὲ ἐλιθοβόλησαν. Jr 20,2 · 22,6 Jr 26,21-23 Neh 9,26 | 22,4
36 ⸀πάλιν ἀπέστειλεν ἄλλους δούλους πλείονας τῶν πρώ-
των, καὶ ἐποίησαν αὐτοῖς ὡσαύτως. **37** ὕστερον δὲ ἀπέ- H 1,1s
στειλεν πρὸς αὐτοὺς τὸν υἱὸν αὐτοῦ λέγων· ἐντραπήσονται τὸν υἱόν μου. **38** οἱ δὲ γεωργοὶ ἰδόντες τὸν υἱὸν εἶπον
ἐν ἑαυτοῖς· οὗτός ἐστιν ὁ κληρονόμος· δεῦτε ἀποκτείνωμεν αὐτὸν καὶ ⸀σχῶμεν τὴν κληρονομίαν αὐτοῦ, **39** καὶ
λαβόντες ⸉αὐτὸν ἐξέβαλον ἔξω τοῦ ἀμπελῶνος καὶ ἀπ- H 13,12s
έκτειναν⸊. **40** ὅταν οὖν ἔλθῃ ὁ κύριος τοῦ ἀμπελῶνος, τί
ποιήσει τοῖς γεωργοῖς ἐκείνοις; **41** λέγουσιν αὐτῷ· κακοὺς κακῶς ἀπολέσει αὐτοὺς καὶ τὸν ἀμπελῶνα ἐκδώσε-
ται ἄλλοις γεωργοῖς, οἵτινες ἀποδώσουσιν αὐτῷ τοὺς
καρποὺς ἐν τοῖς καιροῖς αὐτῶν.
42 Λέγει αὐτοῖς ὁ Ἰησοῦς· οὐδέποτε ἀνέγνωτε ἐν ταῖς
γραφαῖς·

λίθον ὃν ἀπεδοκίμασαν οἱ οἰκοδομοῦντες, *Ps 118,22s* Act 4,11 1P 2,4.6-8 · L 9,22! · Is 28,16; 8,14 R 9,33 E 2,20
οὗτος ἐγενήθη εἰς κεφαλὴν γωνίας·
παρὰ κυρίου ἐγένετο αὕτη
καὶ ἔστιν θαυμαστὴ ἐν ὀφθαλμοῖς ⸀ἡμῶν;

43 διὰ τοῦτο λέγω ὑμῖν °ὅτι ἀρθήσεται ἀφ’ ὑμῶν ἡ βασιλεία τοῦ θεοῦ καὶ δοθήσεται ἔθνει ποιοῦντι τοὺς καρ-
ποὺς αὐτῆς. □[**44** καὶ ὁ πεσὼν ἐπὶ τὸν λίθον τοῦτον συν- Dn 2,34s.44s
θλασθήσεται· ἐφ’ ὃν δ’ ἂν πέσῃ λικμήσει αὐτόν.]⸌
220 I **45** ⸂Καὶ ἀκούσαντες⸃ οἱ ἀρχιερεῖς καὶ οἱ Φαρισαῖοι 27,62
τὰς παραβολὰς αὐτοῦ ἔγνωσαν ὅτι περὶ αὐτῶν λέγει·
46 καὶ ζητοῦντες αὐτὸν κρατῆσαι ἐφοβήθησαν τοὺς ὄχ- 26!
λους, ⸀ἐπεὶ ⸁εἰς προφήτην αὐτὸν εἶχον. 11!
51 221 V **22** Καὶ ἀποκριθεὶς ὁ Ἰησοῦς πάλιν εἶπεν ἐν παραβο- *1-10:* L 14,16-24
λαῖς αὐτοῖς λέγων· **2** ὡμοιώθη ἡ βασιλεία τῶν οὐ-
ρανῶν ἀνθρώπῳ βασιλεῖ, ὅστις ⸀ἐποίησεν γάμους τῷ υἱῷ 9,15; 18,23 Ap 19,7.9

36 ⸀και π. ℵ* sy^{p} ¦ π. ουν D ¦ π. δε d ● **38** ⸀κατασχ- C W 0138 *f*^{13} 𝔐 ff^{1} q sy$^{p.h}$ ¦ *txt* ℵ B D L Z Θ *f*^{1} 33 *pc* (lat) sy$^{s.c}$; Or Cyr ● **39** ⸉ *1 7 6 2–5* D it; Lcf ¦ *7 1 6 2–5* Θ ● **42** ⸀ υμων D* *f*$^{1.13}$ *al* sa mae ● **43** ° ℵ B* Θ 28. 565. 700. 892 *pc* ¦ *txt* B^{2} C D L W Z 0138 *f*$^{1.13}$ 𝔐 ● **44** □ *vs* D 33 it sy^{s}; Eus ¦ *txt* ℵ B C L W Z (Θ) 0138 *f*$^{1.13}$ 𝔐 lat sy$^{c.p.h}$ co ● **45** ⸂ακουσαντες δε ℵ L Z 33. 892 *pc* aur sy$^{s.c}$ sa bo ¦ *txt* B C D W Θ 0138 *f*$^{1.13}$ 𝔐 lat sy$^{p.h}$ mae ● **46** ⸀επειδη C W 0138 *f*^{13} 𝔐 ¦ *txt* ℵ B D L Θ *f*^{1} 33. 892 *pc* | ⸁ως C D W 0138 *f*^{13} 𝔐 sy ¦ *txt* ℵ B L Θ *f*^{1} *pc*
¶ **22,2/3** ⸀ποιων *et* ° Θ *f*^{1}; Or^{pt}

21,34 Prv 9,36 𝔊 αὐτοῦ. **3** °καὶ ἀπέστειλεν τοὺς δούλους αὐτοῦ καλέσαι
23,37 J 5,40 τοὺς κεκλημένους εἰς τοὺς γάμους, καὶ οὐκ ἤθελον ἐλθεῖν.
21,36 **4** πάλιν ἀπέστειλεν ἄλλους δούλους λέγων· εἴπατε τοῖς
κεκλημένοις· ἰδοὺ ⸋τὸ ἄριστόν μου ⸀ἡτοίμακα, οἱ ταῦροί
Prv 9,2.5 μου καὶ τὰ σιτιστὰ τεθυμένα καὶ⸌ πάντα ἕτοιμα· δεῦτε εἰς
H 2,3 τοὺς γάμους. **5** οἱ δὲ ἀμελήσαντες ἀπῆλθον, ὃς μὲν εἰς
τὸν ἴδιον ἀγρόν, ὃς δὲ ἐπὶ τὴν ἐμπορίαν αὐτοῦ· **6** οἱ δὲ
21,35; 23,37 λοιποὶ κρατήσαντες τοὺς δούλους αὐτοῦ ὕβρισαν καὶ ἀπ-
18,34 έκτειναν. **7** ⸂ὁ δὲ βασιλεὺς⸃ ὠργίσθη καὶ πέμψας ⸄τὰ στρα-
τεύματα⸅ αὐτοῦ ἀπώλεσεν τοὺς φονεῖς ἐκείνους καὶ τὴν
πόλιν αὐτῶν ἐνέπρησεν. **8** τότε λέγει τοῖς δούλοις αὐτοῦ·
ὁ μὲν γάμος ἕτοιμός ἐστιν, οἱ δὲ κεκλημένοι οὐκ ἦσαν
Act 13,46 ἄξιοι· **9** πορεύεσθε οὖν ἐπὶ τὰς διεξόδους τῶν ὁδῶν καὶ
ὅσους ἐὰν εὕρητε καλέσατε εἰς τοὺς γάμους. **10** καὶ ἐξ-
13,47 ελθόντες οἱ δοῦλοι ἐκεῖνοι εἰς τὰς ὁδοὺς συνήγαγον πάν-
5,45; 13,48 τας ⸀οὓς εὗρον, πονηρούς τε καὶ ἀγαθούς· καὶ ἐπλήσθη ὁ
⸁γάμος ⸆ ἀνακειμένων. **11** εἰσελθὼν δὲ ὁ βασιλεὺς θεά- 222 X
Ap 19,8 2Rg 10,22 σασθαι τοὺς ἀνακειμένους εἶδεν ἐκεῖ ἄνθρωπον οὐκ ἐνδε-
20,13 δυμένον ἔνδυμα γάμου, **12** καὶ λέγει αὐτῷ· ἑταῖρε, πῶς
⸀εἰσῆλθες ὧδε μὴ ἔχων ἔνδυμα γάμου; ὁ δὲ ἐφιμώθη. **13** τότε ⸉ὁ βασιλεὺς εἶπεν⸊ τοῖς διακόνοις· ⸂δήσαντες αὐτοῦ
Sap 17,2 πόδας καὶ χεῖρας ἐκβάλετε⸃ αὐτὸν εἰς τὸ σκότος τὸ ἐξώ-
8,12! τερον· ἐκεῖ ἔσται ὁ κλαυθμὸς καὶ ὁ βρυγμὸς τῶν ὀδόν-
20,16app 4Esr 8,3.41 των. **14** πολλοὶ γάρ εἰσιν ⸆ κλητοί, ὀλίγοι δὲ ⸆ ἐκλεκτοί.
15-22: Mc 12,13-17 L 20,20-26 **15** Τότε πορευθέντες οἱ Φαρισαῖοι συμβούλιον ἔλαβον *52* 223 II
12,14 ὅπως αὐτὸν παγιδεύσωσιν ἐν λόγῳ. **16** καὶ ἀποστέλλουσιν
Mc 3,6! αὐτῷ τοὺς μαθητὰς αὐτῶν μετὰ τῶν Ἡρῳδιανῶν ⸀λέγον-
J 3,2 · Gn 18,19 τες· διδάσκαλε, οἴδαμεν ὅτι ἀληθὴς εἶ καὶ τὴν ὁδὸν τοῦ
Ps 25,9; 51,15 θεοῦ ἐν ἀληθείᾳ διδάσκεις καὶ οὐ μέλει σοι περὶ οὐδενός.

4 ⸋sy^s | ⸀ητοιμασα C^3 W Θ 0138 f^{13} 𝔐 ¦ ητοιμασται 238 *al* ¦ *txt* א B C* D L 085 f^1 33. 700. 1424 *pc* • **7** ⸂και ακουσας ο βασιλευς εκεινος C (D) W 0138 𝔐 f q sy^h ¦ ο δε βασιλευς ακουσας Θ f^{13} lat sy^p mae bo^{pt} ¦ *txt* א B L f^1 700. 892* *pc* sy$^{s.c}$ sa bo^{pt} | ⸄το στρατευμα D f^1 *pc* it sy^c bo^{pt}; Or Eus Lcf • **10** ⸀οσους B^2 C L W Θ 085. 0138 f^1 𝔐 it sy^h ¦ *txt* א B* D 0161^{vid} f^{13} *pc* lat | ⸁† νυμφων א B* L 0138. 892. 1010 *pc* ¦ αγαμος C ¦ *txt* B^1 D W Θ 085. 0161^{vid} $f^{1.13}$ 𝔐 | ⸆των D Θ f^{13} 700 *pc* • **12** ⸀ηλθες D it sy^c; Ir Lcf • **13** ⸉ C D W 0138 f^1 𝔐 lat ¦ *txt* א B L Θ 085 f^{13} 33. 565. 700. 892. 1010 *pc* ff^2 | ⸂αρατε αυτον ποδων και χειρων και βαλετε D it (sy$^{s.c}$); Ir Lcf ¦ δησαντες αυτου ποδας και χειρας (⸉ M Φ 565. 1241) αρατε αυτον και εκβαλετε C W 0138 𝔐 f (sy^h) ¦ *txt* א B L Θ 085 $f^{1.(13)}$ 700. 892 *pc* lat (sy^p) co • **14** ⸆*bis* οι L f^1 700. 892 *pc* sa • **16** ⸀† λεγοντας א B L 085 *pc* ¦ *txt* C D W Θ 0138 $f^{1.13}$ 𝔐

οὐ γὰρ βλέπεις εἰς πρόσωπον ἀνθρώπων, **17** ⸋εἰπὲ οὖν 1Sm 16,7
ἡμῖν⸌ τί σοι δοκεῖ⁚· ἔξεστιν δοῦναι κῆνσον Καίσαρι ἢ
οὔ; **18** γνοὺς δὲ ὁ Ἰησοῦς τὴν πονηρίαν αὐτῶν εἶπεν· τί 12,15; 16,8; 26,10
με πειράζετε, ὑποκριταί; **19** ἐπιδείξατέ μοι τὸ νόμισμα τοῦ 15,7
κήνσου. οἱ δὲ προσήνεγκαν αὐτῷ δηνάριον. **20** ⸀καὶ λέγει 17,24
αὐτοῖς⸁· τίνος ἡ εἰκὼν αὕτη καὶ ἡ ἐπιγραφή; **21** λέγουσιν
°αὐτῷ· Καίσαρος. τότε λέγει αὐτοῖς· ἀπόδοτε οὖν τὰ R 13,7 1P 2,17
Καίσαρος ⸆ Καίσαρι καὶ τὰ τοῦ θεοῦ τῷ θεῷ. **22** καὶ ἀκού-
53 σαντες ἐθαύμασαν, καὶ ἀφέντες αὐτὸν ἀπῆλθαν. J 8,9
23 Ἐν ἐκείνῃ τῇ ἡμέρᾳ προσῆλθον αὐτῷ ⸀Σαδδουκαῖ- *23–33:* Mc 12,18-27 L 20,27-39
οι, λέγοντες μὴ εἶναι ἀνάστασιν, καὶ ἐπηρώτησαν αὐτὸν Act 4,2; 23,6.8 · 1K 15,12
24 λέγοντες· διδάσκαλε, Μωϋσῆς εἶπεν· *ἐάν τις ἀποθάνῃ*
μὴ ἔχων τέκνα, ἐπιγαμβρεύσει ὁ ἀδελφὸς αὐτοῦ ⸋*τὴν γυναῖκα* *Dt 25,5 Gn 38,8*
αὐτοῦ⸌ *καὶ ἀναστήσει σπέρμα τῷ ἀδελφῷ αὐτοῦ.* **25** ἦσαν δὲ
παρ' ἡμῖν ἑπτὰ ἀδελφοί· καὶ ὁ πρῶτος ⸀γήμας ἐτελεύτησεν,
καὶ μὴ ἔχων σπέρμα ἀφῆκεν τὴν γυναῖκα αὐτοῦ τῷ ἀδελφῷ ·
αὐτοῦ· **26** ὁμοίως καὶ ὁ δεύτερος καὶ ὁ τρίτος ἕως τῶν
ἑπτά. **27** ὕστερον δὲ πάντων ἀπέθανεν ⸆ ἡ γυνή. **28** ἐν τῇ
⸀ἀναστάσει οὖν⸁ τίνος ⸉τῶν ἑπτὰ ἔσται⸊ γυνή; πάντες γὰρ
ἔσχον αὐτήν· **29** ἀποκριθεὶς δὲ ὁ Ἰησοῦς εἶπεν αὐτοῖς·
πλανᾶσθε μὴ εἰδότες τὰς γραφὰς μηδὲ τὴν δύναμιν τοῦ
θεοῦ· **30** ἐν γὰρ τῇ ἀναστάσει οὔτε γαμοῦσιν οὔτε ⸀γαμί-
ζονται, ἀλλ' ὡς ⸂ἄγγελοι ἐν ⸀τῷ οὐρανῷ⸁ εἰσιν. **31** περὶ
δὲ τῆς ἀναστάσεως τῶν νεκρῶν οὐκ ἀνέγνωτε τὸ ῥηθὲν 1K 15,34
ὑμῖν ὑπὸ τοῦ θεοῦ λέγοντος· **32** *ἐγώ εἰμι ὁ θεὸς Ἀβραὰμ καὶ* 8,11 *Ex 3,6*.15s 4Mcc 7,19; 16,25
°*ὁ θεὸς Ἰσαὰκ καὶ* °*ὁ θεὸς Ἰακώβ*; οὐκ ἔστιν ⸀[ὁ] θεὸς⸁ νε-
κρῶν ἀλλὰ ζώντων. **33** καὶ ἀκούσαντες οἱ ὄχλοι ἐξεπλήσ- 7,28!
σοντο ἐπὶ τῇ διδαχῇ αὐτοῦ.

17 ⸋ D *pc* it sy^{s} ¦ *om. usque ad* δοκει 1424 *pc* | [⁚ ;] ● **20** ⸀ο δε λεγει αυτοις C ¦ και (– D it sy$^{s.c}$ mae) λεγει αυτοις ο Ιησους D L Z Θ f^{13} 33. 892. 1010 *pc* lat sy$^{s.c.p}$ mae bo ¦ *txt* ℵ B W 0138 f^{1} 𝔐 sy^{h} (sa) ● **21** °† ℵ B sy^{p} ¦ *txt* D L W Z Θ 0138 $f^{1.13}$ 𝔐 latt sy$^{s.c.h}$ co | ⸆τω D K Δ Θ 565. 700^{c}. 892 *al* ● **23** ⸀Σαδδουκαιοι, οι ℵ^{2} K L Θ 0107. 565 *pm* bo ¦ οι Σαδδ. 700 *pc* ¦ οι Σαδδ., οι f^{13} *pc* ● **24** ⸋ D ● **25** ⸀γαμησας D W 0138. 0161^{vid} f^{13} 𝔐 ¦ – sy^{s} ¦ *txt* ℵ B L Θ f^{1} 33. 700. 892. 1010 *pc* ● **27** ⸆*p)* και D Θ 0138 f^{13} 𝔐 lat sy$^{p.h}$ sa^{mss} mae bo ¦ *txt* ℵ B L W Δ f^{1} 565 *al* e sa^{mss} bo^{mss} ● **28** ⸀*2 1* W 0138 𝔐 ¦ *1* 565 *pc* sy^{s} ¦ *txt* ℵ B D L Θ $f^{1.13}$ 700. 892 *pc* | ⸉ D ● **30** ⸀εκγαμιζονται L 0138. 0161. 0197 𝔐 ¦ γαμισκονται W Θ f^{13} 33. 700 *pc* ¦ *txt* ℵ B D f^{1} 892. 1010. 1424 *al* | ⸂οι α. Θ f^{1} ¦ α. θεου ℵ L f^{13} 28. 33. 892. 1241. 1424 *al* ¦ α. του θεου W 0138. 0161 𝔐 ¦ *txt* B D 0197. 700 it sy^{c} sa mae | ⸀*2* D W 0138 𝔐 ¦ -νοις Θ r^{1} sa^{mss} mae ¦ *txt* ℵ B L 0161. 0197 $f^{1.13}$ 33. 892. 1424 *al* sa^{mss} bo ● **32** °*bis* ℵ | ⸀θεος ℵ D W 28. 1424* ¦ ο θεος θεος (Θ f^{13}) 0138 𝔐 sy^{h} ¦ *txt* B L Γ Δ f^{1} 33 *pc*

34 Οἱ δὲ Φαρισαῖοι ἀκούσαντες ὅτι ἐφίμωσεν τοὺς Σαδ- *54* 224
35–40: Mc 12,28-31 L 10,25-28 δουκαίους συνήχθησαν ⸂ἐπὶ τὸ αὐτό⸃, **35** καὶ ἐπηρώτησεν VI
εἷς ἐξ αὐτῶν ⸀[νομικὸς] πειράζων αὐτόν ⸆· **36** διδάσκαλε,
Dt 6,5 Jos 22,5 𝔊 ποία ἐντολὴ μεγάλη ἐν τῷ νόμῳ; **37** ⸂ὁ δὲ ἔφη αὐτῷ⸃· *ἀγα-*
πήσεις κύριον τὸν θεόν σου ἐν ὅλῃ °τῇ καρδίᾳ σου καὶ ἐν ὅλῃ
°¹τῇ ψυχῇ σου καὶ ἐν ὅλῃ τῇ ⸀διανοίᾳ σου· **38** αὕτη ἐστὶν ἡ
μεγάλη καὶ πρώτη ἐντολή. **39** δευτέρα °δὲ ⸂ὁμοία αὐτῇ⸃·
Lv 19,18.34 *ἀγαπήσεις τὸν πλησίον σου ὡς σεαυτόν.* **40** ἐν ταύταις ταῖς
5,43; 19,19 Jc 2,8 R 13,9 G 5,14 | 7,12 R 13,10 | δυσὶν ἐντολαῖς °ὅλος ὁ νόμος κρέμαται καὶ οἱ προφῆται.
41–45: Mc 12,35-37 L 20,41-44 **41** Συνηγμένων δὲ τῶν Φαρισαίων ἐπηρώτησεν αὐτοὺς *55* 225
ὁ Ἰησοῦς **42** λέγων· τί ὑμῖν δοκεῖ περὶ τοῦ χριστοῦ; τίνος II
J 7,42 υἱός ἐστιν; λέγουσιν αὐτῷ· τοῦ Δαυίδ. **43** λέγει αὐτοῖς⸆·
2Sm 23,2 πῶς οὖν Δαυὶδ ἐν πνεύματι ⸉καλεῖ αὐτὸν κύριον⸊ λέγων·
26,64p *Ps 110,1* Act 2,34s H 1,13; 10,12s Ap 3,21 **44** *εἶπεν ⸆ κύριος τῷ κυρίῳ μου·*
κάθου ἐκ δεξιῶν μου,
1K 15,25.27 H 2,8 *ἕως ἂν θῶ τοὺς ἐχθρούς σου*
⸀ὑποκάτω τῶν ποδῶν σου⁚;
45 εἰ οὖν Δαυὶδ ⸆ καλεῖ αὐτὸν κύριον, πῶς υἱὸς αὐτοῦ
46: Mc 12,34 L 20,40 ἐστιν; **46** καὶ οὐδεὶς ἐδύνατο ἀποκριθῆναι αὐτῷ λόγον οὐ- 226 II
δὲ ἐτόλμησέν τις ἀπ᾽ ἐκείνης τῆς ⸀ἡμέρας ἐπερωτῆσαι αὐ-
τὸν οὐκέτι.
1–36: Mc 12,37b-40 L 11,39-52; 20,45-47 **23** Τότε ⸂ὁ Ἰησοῦς ἐλάλησεν⸃ τοῖς ὄχλοις καὶ τοῖς *56* 227
μαθηταῖς αὐτοῦ **2** λέγων· ἐπὶ τῆς ⸉Μωϋσέως καθ- X
έδρας⸊ ἐκάθισαν οἱ γραμματεῖς καὶ οἱ Φαρισαῖοι. **3** πάντα

34 ⸂επ αυτον D it sy$^{s.c}$ mae? • **35** ⸀νομ. τις F G H *pc* ¦ – *f*^{1} e sy^{s} ¦ *txt rell* | ⸆και λεγων D W Θ 0138. 0161^{vid}. 0197 *f*$^{1.13}$ 𝔐 it sy$^{(s.c).h}$ sa^{mss} mae ¦ *txt* ℵ B L 33. 892* *pc* lat sy^{p} sa^{mss} bo • **37** ⸂ο δε Ιησους εφη (ειπεν W Θ *f*^{13} 700 *pc*) αυ. W Θ 0138. 0161. 0197 *f*$^{1.13}$ 𝔐 q sy$^{p.h}$ mae ¦ εφη αυ. Ι. D lat ¦ *txt* ℵ B L 33. 892 *pc* sa bo | ° ℵ* B W Γ Δ Θ 0107^{vid}. 0138. 0161 *f*^{13} 28. 700. 1241 *pm* | °¹ B W Γ Δ Θ 0107^{vid}. 0138. 28. 700 *pm* | ⸀ισχυι c sy$^{s.c}$; Cl ¦ *p)* ισχ. σου και εν ολ. τη δ. Θ 0107 *f*^{13} *pc* (sy^{p}) bo^{mss} • **39** °† ℵ* B *pc* sa^{ms} bo^{mss} ¦ *txt* ℵ^{2} D L W Z Θ 0107. 0138 *f*$^{1.13}$ 𝔐 latt sy^{h} sa^{mss} mae bo | ⸂ομ. αὕτη K Γ *f*^{13} 565. 892. 1010. 1424 *pm* sa mae ¦ ομ. αυτης Δ 0138 *pc* ¦ ομ. ταυτη D Z*^{vid} *pc* bo ¦ ομοιως B ¦ *txt* L Θ *f*^{1} 28. 33. 700. 1241 *pm* (*sine acc.* ℵ W Z^{c}) • **40** ° ℵ* 1424 sy$^{s.c.p}$ sa bo^{pt} • **43** ⸆ο Ιησους L Z *f*^{1} 33. 892. 1424 *pc* f ff^{1} r^{1} vg^{mss} mae bo | ⸉ *1 3 2* ℵ L Z 892 ¦ *3 2 1* W 0138. (0161) *f*$^{1.13}$ 𝔐 e q sy^{h} ¦ *txt* B (*αυτον αυτου) D (Θ) 0107^{vid}. 33 *pc* lat • **44** ⸆ο L W Θ 0107. 0138. 0161 *f*$^{1.13}$ 𝔐 ¦ *txt* ℵ B D Z | ⸀υποποδιον W 0138. 0161 *f*^{1} 𝔐 lat mae ¦ *txt* ℵ B D L Z Γ Θ *f*^{13} 892 *al* it sa bo | [⁚ .] • **45** ⸆(43) εν πνευματι D K Δ Θ *f*^{13} 565. 1010. 1424 *pm* it vg^{mss} sy^{h**} mae bo^{pt} • **46** ⸀ωρας D W *f*^{1} *pc* a q sy$^{s.c}$ bo^{ms}

¶ **23,1** ⸂ *3 1 2* D *f*^{13} 700 *pc* ¦ *2 3* B W *pc* ¦ *txt* ℵ L Z Θ 0107. 0138 *f*^{1} 𝔐 • **2** ⸉ D Θ *f*^{13} *pc*

οὖν ὅσα ἐὰν εἴπωσιν ὑμῖν ⸆ ⸂ποιήσατε καὶ τηρεῖτε⸃, κατὰ Ml 2,7s
δὲ τὰ ἔργα αὐτῶν μὴ ποιεῖτε· λέγουσιν γὰρ καὶ οὐ ποι- R 2,21s
228 V οὖσιν. **4** δεσμεύουσιν δὲ φορτία ⸂βαρέα [καὶ δυσβάστα- Act 15,10.28
κτα]⸃ καὶ ἐπιτιθέασιν ἐπὶ τοὺς ὤμους τῶν ἀνθρώπων, ⸂αὐ-
τοὶ δὲ τῷ⸃ δακτύλῳ αὐτῶν οὐ θέλουσιν κινῆσαι αὐτά.
229 II **5** πάντα δὲ τὰ ἔργα αὐτῶν ποιοῦσιν πρὸς τὸ θεαθῆναι τοῖς 6,1.5.16
ἀνθρώποις· πλατύνουσιν γὰρ τὰ φυλακτήρια αὐτῶν καὶ με- Ex 13,9 Dt 6,8; 11,18
γαλύνουσιν τὰ κράσπεδα⸆, **6** φιλοῦσιν δὲ ⸂τὴν πρωτοκλι-
σίαν⸃ ἐν τοῖς δείπνοις καὶ τὰς πρωτοκαθεδρίας ἐν ταῖς Nu 15,38s L 14,7
συναγωγαῖς **7** καὶ τοὺς ἀσπασμοὺς ἐν ταῖς ἀγοραῖς καὶ
καλεῖσθαι ὑπὸ τῶν ἀνθρώπων ῥαββί⸆.
230 X **8** Ὑμεῖς δὲ ⸂μὴ κληθῆτε⸃ ῥαββί· εἷς γάρ ἐστιν ὑμῶν ὁ Jr 31,34
⸀διδάσκαλος⸆, πάντες δὲ ὑμεῖς ἀδελφοί ἐστε. **9** καὶ πα-
τέρα μὴ καλέσητε ⸀ὑμῶν ἐπὶ τῆς γῆς, εἷς γάρ ἐστιν ⸉ὑμῶν cf 1K 4,14 · Ml 2,10
ὁ πατὴρ⸊ ὁ ⸀οὐράνιος. **10** μηδὲ κληθῆτε καθηγηταί, ⸂ὅτι 6,9!
καθηγητὴς ὑμῶν ἐστιν εἷς⸃ ὁ Χριστός. **11** ὁ δὲ μείζων
231 V ὑμῶν ἔσται ὑμῶν διάκονος. **12** ὅστις δὲ ὑψώσει ἑαυτὸν 20,26sp
ταπεινωθήσεται καὶ ὅστις ταπεινώσει ἑαυτὸν ὑψωθήσεται. L 14,11! Prv 29,23 Job 22,29
232 V **13** Οὐαὶ °δὲ ὑμῖν, γραμματεῖς καὶ Φαρισαῖοι ὑποκριταί, Is 5,8.11.18 etc
ὅτι κλείετε τὴν βασιλείαν τῶν οὐρανῶν ἔμπροσθεν τῶν
ἀνθρώπων· ὑμεῖς γὰρ οὐκ εἰσέρχεσθε οὐδὲ τοὺς εἰσερχο- 3J 10
μένους ἀφίετε εἰσελθεῖν. ⸆

3 ⸆τηρειν W 0107. 0138 *f*[13] 𝔐 q sy[p.h] ¦ ποιειν Γ 700 *pc* ¦ *txt* ℵ B D L Z Θ *f*[1] 892 *pc* lat sy[s.c] co | ⸂ποιειτε και τηρειτε D *f*[1] 700 *pc* co? ¦ τηρειτε και ποιειτε W 0107. 0138 *f*[13] 𝔐 lat sy[p.h] ¦ ακουετε και ποιειτε sy[c] ¦ ποιησατε ℵ* (Γ) *pc* sy[s]? ¦ τηρειτε Φ *pc* ¦ *txt* ℵ[2] B L Z Θ 892 *pc* co? ● **4** ⸂† *1* L *f*[1] 892 *pc* it sy[s.c.p] bo ¦ *3* 700. 1010 *pc* ¦ μεγαλα βαρεα ℵ ¦ *txt* B D[(*)] W Θ 0107. 0138 *f*[13] 𝔐 lat sy[h] sa (mae) | ⸂τω δε W Θ 0107[vid]. 0138 *f*[1.13] 𝔐 lat sy[h] ¦ *txt* ℵ B D L 33. 892. 1010 *pc* sy[(s.c).p] co ● **5** ⸆των ιματιων αυτων (– L Δ *pc*) L W 0107. 0138 *f*[13] 𝔐 it sy bo ¦ *txt* ℵ B D Θ *f*[1] *pc* lat sa mae ● **6** ⸂τας πρωτοκλισιας ℵ[2] L *f*[1] 33. 892 *pc* lat sy co ● **7** ⸆ραββι D W 0107 *f*[13] 𝔐 sy[s.c.h] ¦ *txt* ℵ B L Δ Θ 0138 *f*[1] 892. 1241 *al* lat sy[p] co ● **8** ⸂μηδενα καλεσητε Θ g[1] (sy[s.c]) | ⸀καθηγητης ℵ*[.2] D L (⸉ W) Θ 0107. 0138 *f*[1.13] 𝔐 ¦ *txt* ℵ[1] B 33. 892* *al* | ⸆(10) ο χριστος K Γ Δ 0138. 28. 700. 892[c]. 1010. 1241. 1424 𝔐 sy[c.h**] ● **9** ⸀υμιν D Θ *pc* lat sy[s.c.p] sa bo; Cl[pt] ¦ – 1241. 1424 *pc* l | ⸉ D L W Θ *f*[1.13] 𝔐 ¦ *txt* ℵ B 0138. 33. 892. 1010 *pc* | ⸀εν τοις (– D W Δ Θ *f*[1] *pc*) ουρανοις D W Θ 0133. 0138 *f*[1] 𝔐 sy[h] ¦ *txt* ℵ B L 0107 *f*[13] 33. 892 *pc* ● **10** ⸂ *1-3 5 4* D *pc* ¦ *1-4* Θ *f*[13] *pc* a d (e r[1]) sy[s.c] (*1-3* *f*[1] 700 *pc*) ¦ εις γαρ υμων εστιν (⸉ ℵ Δ 0107[vid]. 0133. 28. 1424 *al*; – υμ. K W 0104[vid]. 0138. 565. 1010. 1241) ο καθηγητης ℵ W 0104. 0107. 0133. 0138 𝔐 f q sy[(p).h] co ¦ *txt* B L 33. 892 *pc* ● **13** ° ℵ* K W Γ Δ 0104. 0107. 0133. 0138. 28. 565. 700. 1241. 1424 *pm* f h sy[c.p.h] sa[ms] bo[pt] | ⸆[14] Ουαι δε υμιν, γραμματεις και Φαρισαιοι υποκριται, οτι κατεσθιετε τας οικιας των χηρων και προφασει μακρα προσευχομενοι· δια τουτο λημψεσθε περισσοτερον κριμα. *f*[13] *pc* it vg[cl] sy[c] bo[pt] ¦ *idem, sed pon. p. vs* 12 W 0104. 0107. 0133. 0138 𝔐 f sy[p.h] bo[mss] ¦ *txt* ℵ B D L Z Θ *f*[1] 33. 892* *pc* a aur e ff[1] g[1] vg sy[s] sa mae bo[pt]

15 Οὐαὶ ὑμῖν, γραμματεῖς καὶ Φαρισαῖοι ὑποκριταί, ὅτι 233 X
περιάγετε τὴν θάλασσαν καὶ τὴν ξηρὰν ⸀ποιῆσαι ἕνα
Act 13,43! προσήλυτον, καὶ ὅταν γένηται ποιεῖτε αὐτὸν υἱὸν γεέννης
διπλότερον ὑμῶν.
15,14! **16** Οὐαὶ ὑμῖν, ὁδηγοὶ τυφλοὶ οἱ λέγοντες· ὃς ἂν ὀμόσῃ ἐν
τῷ ναῷ, οὐδέν ἐστιν· ὃς δ᾽ ἂν ὀμόσῃ ἐν τῷ χρυσῷ τοῦ ναοῦ, ὀφείλει. **17** μωροὶ καὶ τυφλοί, τίς γὰρ μείζων ἐστίν, ὁ
χρυσὸς ἢ ὁ ναὸς ὁ ⸀ἁγιάσας τὸν χρυσόν; **18** καί· ὃς ἂν
ὀμόσῃ ἐν τῷ θυσιαστηρίῳ, οὐδέν ἐστιν· ὃς δ᾽ ἂν ὀμόσῃ
5,23 ἐν τῷ δώρῳ τῷ ἐπάνω αὐτοῦ, ὀφείλει. **19** ⸆τυφλοί, τί γὰρ
Ex 29,37 μεῖζον, τὸ δῶρον ἢ τὸ θυσιαστήριον τὸ ἁγιάζον τὸ δῶρον; **20** ὁ οὖν ὀμόσας ἐν τῷ θυσιαστηρίῳ ὀμνύει ἐν αὐτῷ
καὶ ἐν πᾶσι τοῖς ἐπάνω αὐτοῦ· **21** καὶ ὁ ὀμόσας ἐν τῷ ναῷ
ὀμνύει ἐν αὐτῷ καὶ ἐν τῷ ⸀κατοικοῦντι αὐτόν, **22** καὶ ὁ
5,34 ὀμόσας ἐν τῷ οὐρανῷ ὀμνύει ἐν τῷ θρόνῳ τοῦ θεοῦ καὶ ἐν
τῷ καθημένῳ ἐπάνω αὐτοῦ.
23 Οὐαὶ ὑμῖν, γραμματεῖς καὶ Φαρισαῖοι ὑποκριταί, ὅτι 234 V
Lv 27,30 Dt 14,22s L 18,12 ἀποδεκατοῦτε τὸ ἡδύοσμον καὶ τὸ ἄνηθον καὶ τὸ κύμινον
Zch 7,9 Is 1,17 Jr καὶ ἀφήκατε τὰ βαρύτερα τοῦ νόμου, τὴν κρίσιν καὶ ⸉τὸ
22,3 Mch 6,8 Hos 6,6 1T 1,5 ἔλεος⸊ καὶ τὴν πίστιν· ταῦτα °[δὲ] ἔδει ποιῆσαι κἀκεῖνα
15,14! μὴ ⸀ἀφιέναι. **24** ὁδηγοὶ τυφλοί, °οἱ διϋλίζοντες τὸν κώ- 235 X
Lv 11,4 νωπα, τὴν δὲ κάμηλον καταπίνοντες.
25 Οὐαὶ ὑμῖν, γραμματεῖς καὶ Φαρισαῖοι ὑποκριταί, ὅτι 236 V
Mc 7,4p καθαρίζετε τὸ ἔξωθεν τοῦ ποτηρίου καὶ τῆς παροψίδος,
ἔσωθεν δὲ γέμουσιν ἐξ ἁρπαγῆς καὶ ⸀ἀκρασίας. **26** Φαρι-
J 9,40 σαῖε τυφλέ, καθάρισον πρῶτον τὸ ἐντὸς τοῦ ποτηρίου⸆,
ἵνα γένηται καὶ τὸ ἐκτὸς ⸀αὐτοῦ καθαρόν.
27 Οὐαὶ ὑμῖν, γραμματεῖς καὶ Φαρισαῖοι ὑποκριταί, ὅτι 237 V

15 ⸀του ποιησαι Δ Θ f^{13} *pc* ¦ ινα ποιησητε D ● 17 ⸀αγιαζων C L W Θ 0133. 0138 $f^{1.13}$ 𝔐 co ¦ *txt* ℵ B D Z 892 ● 19 ⸆*p)* μωροι και B C W 0133. 0138 f^{13} 𝔐 c f sy$^{p.h}$ co ¦ *txt* ℵ D L Z Θ f^{1} 892 lat sy$^{s.c}$ bo^{ms} ● 21 ⸀κατοικησαντι C D K L W Z Γ Δ 0104. 0133. 0138. 565. 700. 892. 1010. 1241 *pm* ¦ οικησαντι 33 ¦ *txt* ℵ B Θ $f^{1.13}$ 28. 1424 *pm* co ● 23 ⸉τον ελεον C W 0133 $f^{1.13}$ 𝔐 ¦ *txt* ℵ B D L Θ 0138. 33. 892. 1424 *al* | ° ℵ D Γ Θ 0133 $f^{1.13}$ 28. 700. 1241. 1424 *pm* lat sa^{ms} mae bo ¦ *txt* B C K L W Δ 0138. 33. 565. 892. 1010 *pm* a d h sy sa^{mss} | ⸀† αφειναι ℵ B L 892 *pc* ¦ *txt* C D W Θ 0133. 0138 $f^{1.13}$ 𝔐 ● 24 ° ℵ^{1} B D* L sa^{mss} ● 25 ⸀αδικιας C K Γ 28. 700 *pm* f sy^{p} ¦ ακρασ. αδικ. W (sy^{h}) ¦ ακαθαρσιας Σ lat sy^{s} co ¦ πλεονεξιας M *pc* ● 26 ⸆και της παροψιδος ℵ B C L W 0133. 0138 f^{13} 𝔐 lat sy$^{p.h}$ co ¦ *txt* D Θ f^{1} 700 a e ff^{2} r^{1} sy^{s}; Ir^{lat} | ⸀αυτων ℵ B^{2} C L W 0133. 0138 𝔐 sy$^{p.h}$ ¦ – X *pc* lat mae; Cl ¦ *txt* B* D Θ $f^{1.13}$ 28. 700. 1424 *al* a e sy^{s}

⸀παρομοιάζετε τάφοις κεκονιαμένοις, ⸂οἵτινες ἔξωθεν μὲν Act 23,3
φαίνονται ὡραῖοι, ἔσωθεν δὲ γέμουσιν⸃ ὀστέων νεκρῶν
καὶ πάσης ἀκαθαρσίας. **28** οὕτως καὶ ὑμεῖς ἔξωθεν μὲν
φαίνεσθε τοῖς ἀνθρώποις δίκαιοι, ἔσωθεν δέ ἐστε μεστοὶ L 16,15
ὑποκρίσεως καὶ ἀνομίας.
38 V **29** Οὐαὶ ὑμῖν, γραμματεῖς καὶ Φαρισαῖοι ὑποκριταί, ὅτι
οἰκοδομεῖτε τοὺς τάφους τῶν προφητῶν καὶ κοσμεῖτε τὰ 10,41! · Act 2,29
μνημεῖα τῶν δικαίων, **30** καὶ λέγετε· εἰ ἤμεθα ἐν ταῖς ἡμέραις τῶν πατέρων ἡμῶν, οὐκ ἂν ἤμεθα ⸂αὐτῶν κοινωνοὶ⸃
ἐν τῷ αἵματι τῶν προφητῶν. **31** ὥστε μαρτυρεῖτε ἑαυτοῖς
ὅτι υἱοί ἐστε τῶν φονευσάντων τοὺς προφήτας⁚. **32** καὶ 5,12!
39 X ὑμεῖς⁚¹ ⸀πληρώσατε τὸ μέτρον τῶν πατέρων ὑμῶν. **33** ὄ- 1Th 2,16
φεις, γεννήματα ἐχιδνῶν, πῶς φύγητε ἀπὸ τῆς κρίσεως τῆς 3,7!
γεέννης;
40 V **34** Διὰ τοῦτο ἰδοὺ ἐγὼ ἀποστέλλω πρὸς ὑμᾶς προφήτας 2Sm 12,1 Jr 7,25s; 25,4
καὶ σοφοὺς καὶ γραμματεῖς· ⸆ ἐξ αὐτῶν ἀποκτενεῖτε καὶ 1Th 2,15
σταυρώσετε ⸋καὶ ἐξ αὐτῶν μαστιγώσετε ἐν ταῖς συναγω- 10,17
γαῖς ὑμῶν⸌ καὶ διώξετε ἀπὸ πόλεως εἰς πόλιν· **35** ὅπως 10,23
ἔλθῃ ἐφ' ὑμᾶς πᾶν αἷμα δίκαιον ἐκχυννόμενον ἐπὶ τῆς γῆς 27,25! Joel 4,19 Jon 1,4 Prv 6,17 ·
ἀπὸ τοῦ αἵματος Ἅβελ τοῦ δικαίου ἕως τοῦ αἵματος Ζα- Gn 4,8.10 H 11,4
χαρίου ⸋υἱοῦ Βαραχίου⸌, ὃν ἐφονεύσατε μεταξὺ τοῦ ναοῦ 2Chr 24,20ss Zch 1,1
καὶ τοῦ θυσιαστηρίου. **36** ἀμὴν λέγω ὑμῖν, ἥξει ⸉ταῦτα
πάντα⸊ ἐπὶ τὴν γενεὰν ταύτην.
41 V **37** Ἰερουσαλὴμ Ἰερουσαλήμ, ἡ ἀποκτείνουσα τοὺς προ- *37–39:* L 13,34*s* 5,12! 1Th 2,15 ·
φήτας καὶ λιθοβολοῦσα τοὺς ἀπεσταλμένους πρὸς ⸀αὐ- Act 7,59 H 11,37
τήν, ποσάκις ἠθέλησα ἐπισυναγαγεῖν τὰ τέκνα σου, ὃν
τρόπον ⸉ὄρνις ἐπισυνάγει⸊ τὰ νοσσία ⸁αὐτῆς ὑπὸ τὰς
πτέρυγας, καὶ οὐκ ἠθελήσατε⁚. **38** ἰδοὺ ἀφίεται ὑμῖν ὁ οἶ- 22,3! L 19,14 | 1Rg 9,7s Is 64,10s Jr 12,7; 22,5
κος ὑμῶν °ἔρημος. **39** λέγω γὰρ ὑμῖν, οὐ μή με ἴδητε ἀπ' Tob 14,4 Act 1,20
ἄρτι ἕως ἂν εἴπητε· 6,14 | J 8,59!; 14,19
εὐλογημένος ὁ ἐρχόμενος ἐν ὀνόματι κυρίου. 3,11! *Ps 118,26*

27 ⸀ομ- B f^{1} | ⸂οιτ. εξωθ. μ. φαινεσθε τοις ανθρωποις δικαιοι, εσωθ. δε γεμ. 33 ¦ εξωθ. ο ταφος φαινεται ωραιος, εσωθ. δε γεμει D (mae) ● **30** ⸂ *2 1* 𝔓77 ℵ C L W 0133. 0138 𝔐 ¦ *2* Θ *pc* g1 ¦ *txt* B D $f^{1.13}$ 700 *pc* ● **31/32** [⁚ – *et* ⁚1.] | ⸀-σετε B* *pc* e sams ¦ επληρωσατε D *al*; Acac ● **34** ⸆και C D L 0133 𝔐 it vgww syh bo ¦ *txt* ℵ B W Δ Θ 0138 $f^{1.13}$ 33. 565 *al* e q vgst sys.p | ⸋ D a; Lcf ● **35** ⸋ ℵ* ● **36** ⸉ B K W Γ Δ 0138 f^{1} 33. 700. 892 *pm* ¦ *txt* ℵ C D L Θ f^{13} 28. 565. 1010. 1241. 1424 *pm* ● **37** ⸀σε D *pc* lat sys | ⸉ C W 0138 𝔐 ¦ *txt* 𝔓77 ℵ B D (K) L Θ $f^{1.13}$ 33. 700. 892 *pc* | ⸁εαυτης ℵ2 C L Θ $f^{1.13}$ 𝔐 ¦ – B* 700 ¦ *txt* 𝔓77vid ℵ* B1 D W Δ 0138. 33. 892 *pc* | [⁚ ;] ● **38** °† B L ff2 sys sa bopt ¦ *txt* 𝔓77vid ℵ C D W Θ 0138 $f^{1.13}$ 𝔐 lat syp.h mae bopt; Eus

1-36: Mc 13,1-37 L 21,5-36 **24** Καὶ ἐξελθὼν ὁ Ἰησοῦς ⸂ἀπὸ τοῦ ἱεροῦ ἐπορεύετο⸃, 24 I
καὶ προσῆλθον οἱ μαθηταὶ αὐτοῦ ἐπιδεῖξαι αὐτῷ
τὰς οἰκοδομὰς τοῦ ἱεροῦ. **2** ὁ δὲ ἀποκριθεὶς εἶπεν αὐτοῖς·
Jr 7,14; 9,11 etc L 19,44 Act 6,14 οὐ βλέπετε ταῦτα πάντα; ἀμὴν λέγω ὑμῖν, οὐ μὴ ἀφεθῇ
ὧδε λίθος ἐπὶ λίθον ὃς οὐ καταλυθήσεται.
5,1! **3** Καθημένου δὲ αὐτοῦ ἐπὶ τοῦ ὄρους τῶν ἐλαιῶν προσ- 5 24
ῆλθον αὐτῷ οἱ μαθηταὶ κατ' ἰδίαν λέγοντες· εἰπὲ ἡμῖν, I
27.37.39 πότε ταῦτα ἔσται καὶ τί τὸ σημεῖον τῆς σῆς παρουσίας
13,39! καὶ ⸆ συντελείας τοῦ αἰῶνος;
4 Καὶ ἀποκριθεὶς ὁ Ἰησοῦς εἶπεν αὐτοῖς· βλέπετε μή
11.24 τις ὑμᾶς πλανήσῃ· **5** πολλοὶ γὰρ ἐλεύσονται ἐπὶ τῷ ὀνόματί μου λέγοντες· ἐγώ εἰμι ὁ χριστός, καὶ πολλοὺς πλανήσουσιν. **6** μελλήσετε δὲ ἀκούειν πολέμους καὶ ἀκοὰς
Ap 1,1! Dn 2,28s. 45 · 2Th 2,2 | Is 19,2 2Chr 15,6 πολέμων· ὁρᾶτε μὴ θροεῖσθε· δεῖ γὰρ ⸆ γενέσθαι, ἀλλ'
οὔπω ἐστὶν τὸ τέλος. **7** ἐγερθήσεται γὰρ ἔθνος ἐπὶ ἔθνος
καὶ βασιλεία ἐπὶ βασιλείαν καὶ ἔσονται ⸂λιμοὶ καὶ σει-
σμοὶ⸃ κατὰ τόπους· **8** ⸉πάντα δὲ ταῦτα⸊ ἀρχὴ ὠδίνων.
9-14: 10,17-22 J 16,2 **9** Τότε παραδώσουσιν ὑμᾶς εἰς θλῖψιν καὶ ἀποκτενοῦ- 24 I
σιν ὑμᾶς, καὶ ἔσεσθε μισούμενοι ὑπὸ ⸂πάντων τῶν ἐθνῶν⸃
Dn 11,41 𝔊 v.l. διὰ τὸ ὄνομά μου. **10** καὶ τότε σκανδαλισθήσονται πολλοὶ 24 X
καὶ ἀλλήλους παραδώσουσιν ⸂καὶ μισήσουσιν ἀλλήλους⸃·
4! **11** καὶ πολλοὶ ψευδοπροφῆται ἐγερθήσονται καὶ πλανήσουσιν πολλούς· **12** καὶ διὰ τὸ πληθυνθῆναι τὴν ἀνο-
2Th 2,10 2T 3,1-5 · Ap 2,4 | 10,22! μίαν ψυγήσεται ἡ ἀγάπη τῶν πολλῶν. **13** ὁ δὲ ὑπομείνας
εἰς τέλος οὗτος σωθήσεται. **14** καὶ κηρυχθήσεται τοῦτο 24 V
9,35 · 28,19! L 24,47 Ap 14,6 · τὸ εὐαγγέλιον ⸋τῆς βασιλείας⸌ ἐν ὅλῃ τῇ οἰκουμένῃ εἰς
8,4! μαρτύριον πᾶσιν τοῖς ἔθνεσιν, καὶ τότε ἥξει τὸ τέλος.
Dn 9,27; 11,31; 12,11 1Mcc 1,54 · 2Mcc 8,17 **15** ⸀Ὅταν οὖν ἴδητε *τὸ βδέλυγμα τῆς ἐρημώσεως* τὸ ῥηθὲν 24 V
Ez 42,13 Act 6,13! διὰ Δανιὴλ τοῦ προφήτου ⸋ἑστὸς ἐν τόπῳ ἁγίῳ⸌, ὁ ἀνα-
Ez 7,16 1Mcc 2,28 γινώσκων νοείτω, **16** τότε οἱ ἐν τῇ Ἰουδαίᾳ φευγέτωσαν
L 17,31 ⸀εἰς τὰ ὄρη, **17** ὁ ἐπὶ τοῦ δώματος μὴ ⸀καταβάτω ἆραι 24 I

¶ **24,1** ⸂ *4 1-3* C W 0138 𝔐 ¦ εκ του ιερου επορευετο B *pc* ¦ *txt* ℵ D L Δ (Θ) $f^{1.13}$ 33. 700. 892. 1424 *al* ● **3** ⸆της D W 0138 f^{13} 𝔐 ¦ *txt* ℵ B C L Θ f^{1} 33. 565. 892 *pc* ● **6** ⸆ παντα C W 0138 f^{13} 𝔐 $sy^{p.h}$ ¦ ταυτα 565 *pc* lat sy^{s} ¦ παντα ταυτα (⸉ 544). 1241 *pc* (f) ¦ *txt* ℵ B D L Θ f^{1} 33. 892 *pc* co; Cyp ● **7** ⸂ *3 2 1* ℵ ¦ *p)* λιμοι και λοιμοι και σεισμοι C Θ 0138 $f^{1.13}$ (565) 𝔐 h q $sy^{p.h}$ mae ¦ λοιμ. κ. λιμ. κ. σεισμ. L W 33 *pc* lat ¦ *txt* B D 892 *pc* it sy^{s} sa ● **8** ⸉ W $f^{1.13}$ *pc* ● **9** ⸂ *1 3* D* *pc* ¦ *2 3* ℵ* ¦ *1* C f^{1} 1424 *al* l (sy^{s}) bo^{ms} ● **10** ⸂ (9) εις θλιψιν ℵ ¦ εις θανατον *1-3* Φ *pc* ● **14** ⸋ 1424 g^{1} (l); Cyr ● **15** ⸋ 1010 sy^{s} ● **16** ⸀επι ℵ K L W Z Γ 0133 f^{13} 33. 565. 1010. 1241 *pm* ¦ *txt* B D Δ Θ 094 f^{1} 28. 700. 892. 1424 *pm* ● **17** ⸀καταβαινετω W 0133 $f^{1.13}$ 𝔐 ¦ *txt* ℵ(^{2} -βητω) B D L Z Θ 094. 33. 700. 892. 1424 *al*

⸀τὰ ἐκ τῆς οἰκίας αὐτοῦ, **18** καὶ ὁ ἐν τῷ ἀγρῷ μὴ ἐπιστρε-
249 II ψάτω ὀπίσω ἆραι ⸂τὸ ἱμάτιον⸃ αὐτοῦ. **19** οὐαὶ δὲ ταῖς ἐν
γαστρὶ ἐχούσαις καὶ ταῖς ⸀θηλαζούσαις ἐν ἐκείναις ταῖς L 23,29 1K 7,26.28
ἡμέραις.
250 VI **20** προσεύχεσθε δὲ ἵνα μὴ γένηται ἡ φυγὴ ὑμῶν χει-
251 II μῶνος μηδὲ ⸀σαββάτῳ. **21** ἔσται γὰρ τότε θλῖψις μεγάλη Dn 12,1 Theod
οἵα ⸂οὐ γέγονεν⸃ ἀπ᾽ ἀρχῆς κόσμου ἕως τοῦ νῦν ⸄οὐδ᾽ οὐ⸅ Joel 2,2
252 VI μὴ γένηται. **22** καὶ εἰ μὴ ἐκολοβώθησαν αἱ ἡμέραι ἐκεῖναι, οὐκ ἂν ἐσώθη πᾶσα σάρξ· διὰ δὲ τοὺς ἐκλεκτοὺς 2T 2,10
κολοβωθήσονται αἱ ἡμέραι ἐκεῖναι.
253 II **23** Τότε ἐάν τις ὑμῖν εἴπῃ· ἰδοὺ ὧδε ὁ χριστός, ἤ· ὧδε, L 17,21.23
254 VI μὴ πιστεύσητε· **24** ἐγερθήσονται γὰρ ψευδόχριστοι καὶ 1J 2,18
ψευδοπροφῆται καὶ δώσουσιν σημεῖα ⸂μεγάλα καὶ τέρατα⸃ 11; 7,15 2P 2,1 1J 4,1 Act 13,6
255 V ὥστε ⸀πλανῆσαι, εἰ δυνατόν, καὶ τοὺς ἐκλεκτούς. **25** ἰδοὺ Ap 16,13! Dt 13,2-4 · Ap 13,13! · 4s! Dt 13,6 | J 13,19! | L 17,23
προείρηκα ὑμῖν. **26** ἐὰν οὖν εἴπωσιν ὑμῖν· ἰδοὺ ἐν τῇ ἐρήμῳ
ἐστίν, μὴ ἐξέλθητε· ἰδοὺ ἐν τοῖς ταμείοις, μὴ πιστεύσητε·
256 V **27** ὥσπερ γὰρ ἡ ἀστραπὴ ἐξέρχεται ἀπὸ ἀνατολῶν καὶ L 17,24
⸀φαίνεται ἕως δυσμῶν, οὕτως ἔσται ἡ παρουσία τοῦ υἱοῦ 3!
257 V τοῦ ἀνθρώπου· **28** ὅπου ⸆ ἐὰν ᾖ τὸ πτῶμα, ἐκεῖ συναχθή- L 17,37 Job 39,30 Ap 19,17s Hab 1,8
σονται οἱ ἀετοί.
258 II **29** Εὐθέως δὲ μετὰ τὴν θλῖψιν τῶν ἡμερῶν ἐκείνων
ὁ ἥλιος σκοτισθήσεται, Ap 6,12s *Is 13,10; 34,4* Joel 2,10; 3,4; 4,15 Ez 32,7
καὶ ἡ σελήνη οὐ δώσει τὸ φέγγος αὐτῆς,
καὶ οἱ ἀστέρες πεσοῦνται ⸀ἀπὸ τοῦ οὐρανοῦ,
καὶ αἱ δυνάμεις τῶν οὐρανῶν σαλευθήσονται. H 12,26s 2P 3,10
30 καὶ τότε φανήσεται τὸ σημεῖον τοῦ υἱοῦ τοῦ ἀνθρώ- Zch 12,10.12.14 Ap 1,7
259 II που ⸂ἐν οὐρανῷ⸃, καὶ ⸄τότε κόψονται⸅ πᾶσαι αἱ φυλαὶ τῆς 10,23; 26,64p
γῆς καὶ ὄψονται *τὸν υἱὸν τοῦ ἀνθρώπου ἐρχόμενον ἐπὶ τῶν νε-* *Dn 7,13s*
φελῶν τοῦ οὐρανοῦ μετὰ δυνάμεως καὶ δόξης πολλῆς· **31** καὶ 16,27! | 13,41; 16,27p; 25,31 · 1K 15,52 1Th 4,16 Ap 8,2 Is 27,13
ἀποστελεῖ τοὺς ἀγγέλους αὐτοῦ μετὰ σάλπιγγος ⸆ μεγάλης,

17 ⸀*p)* τι D Θ f^{1} 28. 33. 1424 *al* latt ¦ το ℵ* ● **18** ⸂τα ιματια W Γ Δ 0133. 28. 1010. 1241 *pm* f sy^{h} ¦ *txt* ℵ B D K L Z Θ 094 $f^{1.13}$ 33. 565. 700. 892. 1424 *pm* lat sy$^{s.p}$ co ● **19** ⸀θηλαζομεναις D ● **20** ⸀σαββατου D L *al* ¦ σαββατων 094 e ¦ εν σαββατω E F 0133. 28. 1424 *pm* ● **21** ⸂ουκ εγενετο ℵ D Θ 700; Ir | ⸄ουδε D W Δ 700. 1241. 1424 *pm* ● **24** ⸂ *2 3 1* 28. 1241. 1424 *pc* bo^{ms} ¦ *p) 2 3* ℵ W* *pc* ff^{1} r^{1} bo^{ms} | ⸀πλανασθαι L Z Θ f^{1} 33 *pc*; CyrJ ¦ πλανηθηναι ℵ D ¦ *txt* B W f^{13} 𝔐 c f ff^{1} h sy ● **27** ⸀φαινει D Θ f^{1} 700 ● **28** ⸆γαρ W f^{13} 𝔐 c ff^{2} q sy^{h} mae ¦ *txt* ℵ B D L Θ f^{1} 33. 700. 892 *pc* lat sy$^{s.p}$ sa bo ● **29** ⸀*p)* εκ ℵ D *pc* ● **30** ⸂εν τω ουρανω W $f^{1.13}$ 𝔐 ¦ του εν ουρανοις D ¦ *txt* ℵ B L Θ 700 | ⸄ *2 1* D Θ $f^{1.13}$ 700. 892 *pc* a ¦ *2* ℵ* *pc* e mae; Cyp ● **31** ⸆φωνης B 0133 f^{13} 𝔐 sa (sy^{h**}) ¦ και φωνης D 1010. 1241 *al* lat ¦ *txt* ℵ L W Δ Θ f^{1} 700. 892*. 1424 *pc* (e) sy$^{s.p}$ mae bo

Zch 2,10 Ap 7,1 Dt 30,4 καὶ ἐπισυνάξουσιν τοὺς ἐκλεκτοὺς αὐτοῦ ἐκ τῶν τεσσάρων
ἀνέμων ἀπʼ ἄκρων ⸆ οὐρανῶν ἕως ⸰[τῶν] ἄκρων αὐτῶν.⸆^{1}
32 Ἀπὸ δὲ τῆς συκῆς μάθετε τὴν παραβολήν· ὅταν ἤδη
ὁ κλάδος αὐτῆς γένηται ἁπαλὸς καὶ τὰ φύλλα ἐκφύῃ, γινώσκετε ὅτι ἐγγὺς τὸ θέρος· **33** οὕτως καὶ ὑμεῖς, ὅταν ἴδη-
Jc 5,9! τε ⸉πάντα ταῦτα⸊, γινώσκετε ὅτι ἐγγύς ἐστιν ἐπὶ θύραις.
34 ἀμὴν λέγω ὑμῖν ⸰ὅτι οὐ μὴ παρέλθῃ ἡ γενεὰ αὕτη ἕως
5,18 ⸰^{1}ἂν ⸂πάντα ταῦτα⸃ γένηται. **35** ⸋ὁ οὐρανὸς καὶ ἡ γῆ
Is 40,8 ⸀παρελεύσεται, οἱ δὲ λόγοι μου οὐ μὴ παρέλθωσιν⸌.
Act 1,7 1Th 5,1s Zch 14,7 **36** Περὶ δὲ τῆς ἡμέρας ἐκείνης καὶ ὥρας οὐδεὶς οἶδεν, 58 26[0] VI
οὐδὲ οἱ ἄγγελοι τῶν οὐρανῶν ⸋οὐδὲ ὁ υἱός⸌, εἰ μὴ ὁ πα-
τὴρ ⸆ μόνος.
37–39: L 17,26s.30 **37** Ὥσπερ ⸀γὰρ αἱ ἡμέραι τοῦ Νῶε, οὕτως ἔσται ⸆ ἡ 26[1] V
Gn 6,11-13 Is 54,9 · 3! | παρουσία τοῦ υἱοῦ τοῦ ἀνθρώπου. **38** ⸀ὡς γὰρ ἦσαν ἐν
2P 2,5; 3,5s ταῖς ἡμέραις ⸁[ἐκείναις] ταῖς πρὸ τοῦ κατακλυσμοῦ τρώ-
γοντες καὶ πίνοντες, γαμοῦντες καὶ ⸀^{1}γαμίζοντες, ἄχρι ἧς
Gn 7,7 ἡμέρας εἰσῆλθεν Νῶε εἰς τὴν κιβωτόν, **39** καὶ οὐκ ἔγνωσαν ἕως ἦλθεν ὁ κατακλυσμὸς καὶ ἦρεν ἅπαντας, οὕτως
3! | *40s:* L 17,34s ἔσται ⸰[καὶ] ἡ παρουσία τοῦ υἱοῦ τοῦ ἀνθρώπου. **40** τότε 26[2] V
⸉δύο ἔσονται⸊ ἐν τῷ ἀγρῷ, εἷς παραλαμβάνεται καὶ εἷς
ἀφίεται· **41** δύο ἀλήθουσαι ἐν τῷ ⸀μύλῳ, μία παραλαμβάνεται καὶ μία ἀφίεται⸆.
25,13 Mc 13,35.37! Mc 13,33 L 21,36 · **42** Γρηγορεῖτε οὖν, ὅτι οὐκ οἴδατε ποίᾳ ⸀ἡμέρᾳ ὁ κύριος 26[3] VI
43–51: L 12,39-46 ὑμῶν ἔρχεται. **43** Ἐκεῖνο δὲ γινώσκετε ὅτι εἰ ᾔδει ὁ 26[4] II

31 ⸆ των Θ f^{13} 700 *pc* | ⸰ ℵ D L W 0133 𝔐 ¦ *txt* B Θ $f^{1.13}$ 33. 700. 892 *pc* | ⸆^{1} *p)* αρχομενων δε τουτων γινεσθαι αναβλεψατε και επαρατε τας κεφαλας υμων, διοτι εγγιζει η απολυτρωσις υμων D 1093 it ● **33** ⸉ ℵ D K W Γ $f^{1.13}$ 28. 33. 700. 892. 1241. 1424 *pm* lat ¦ *txt* B L Δ Θ 0133. 565. 1010 *pm* e q sy^{h} ● **34** ⸰ ℵ W 0133 𝔐 ¦ *txt* B D L Θ $f^{1.13}$ 33. 700. 892. 1010. 1424 *al* | ⸰^{1} ℵ 1241 *pc* | ⸂ *2 1* D L Θ f^{13} *al* it ¦ *1* 1424 *al* aur b f ff^{1} vg^{mss} ● **35** ⸋*vs* ℵ* | ⸀παρελευσονται ℵ^{2} W Θ $f^{1.13}$ 𝔐 ¦ *txt* B D L 0133. 33. 892. 1010 *al* ● **36** ⸋ ℵ^{1} L W 0133 f^{1} 𝔐 g^{1} l vg sy co; Hier^{mss} ¦ *txt* ℵ*$^{.2}$ B D Θ f^{13} 28 *pc* it vg^{mss}; Hier^{mss} | ⸆μου K W Γ 0133. 1241 *pm* f ● **37** ⸀δε ℵ L W Θ 0133 $f^{1.13}$ 𝔐 lat sy$^{p.h}$ ¦ – 565 bo^{ms} ¦ *txt* B D 067 aur e r^{1} vg^{mss} sy$^{s.hmg}$ co | ⸆ (39) και D W Θ 067. 0133 $f^{1.13}$ 𝔐 lat sy^{h} ¦ *txt* ℵ B L Γ 33. 700. 892. 1010 *pc* it vg^{mss} sy$^{s.p}$ co ● **38** ⸀ωσπερ D W Θ 067. 0133 $f^{1.13}$ 𝔐 ¦ *txt* ℵ B L 33. 892* | ⸁του Νωε 1424 ¦ – ℵ L W Θ 067. 0133 $f^{1.13}$ 𝔐 lat mae bo ¦ *txt* B D *pc* it sa | ⸀^{1} γαμισκοντες B *pc* ¦ εκγαμισκοντες W 1424 *pc* ¦ εκγαμιζοντες L Θ 067. 0133 f^{1} 𝔐 ¦ εγγαμιζ- Σ f^{13} 892. 1241 *al* ¦ *txt* ℵ D 33 *pc*; Cl ● **39** ⸰ (37) B D 892 *pc* it vg^{mss} sy$^{s.p.h}$ co ¦ *txt* ℵ L W Θ 067 $f^{1.13}$ 𝔐 lat sy^{h} ● **40** ⸉† ℵ* B 892 *pc* aur h l r^{1} ¦ *txt* ℵ^{2} D L W Θ 067 $f^{1.13}$ 𝔐 lat ● **41** ⸀μυλωνι D Θ $f^{1.13}$ 28. 565. 700. 892. 1010. 1241. 1424 *pm* ¦ *txt* ℵ B K L W Γ Δ 067. 0133. 33 *pm* | ⸆*p)* δυο επι κλινης μιας· εις παραλαμβανεται και εις αφιεται D f^{13} *pc* it vg^{s} ● **42** ⸀ωρα K L Γ 28. 565. 700. 1010. 1241 𝔐 lat sy$^{s.p}$ sa^{ms} bo^{pt}

οἰκοδεσπότης ποίᾳ φυλακῇ ὁ κλέπτης ἔρχεται, ἐγρηγό- 1Th 5,2!
ρησεν ἂν καὶ οὐκ ἂν εἴασεν ⸀διορυχθῆναι τὴν οἰκίαν αὐτοῦ. **44** διὰ τοῦτο καὶ ὑμεῖς γίνεσθε ἕτοιμοι, ὅτι ᾗ οὐ δοκεῖτε ὥρᾳ ὁ υἱὸς τοῦ ἀνθρώπου ἔρχεται.
65/V **45** Τίς ἄρα ἐστὶν ὁ πιστὸς δοῦλος καὶ φρόνιμος ὃν κατ- 25,21
έστησεν ὁ κύριος ⸆ ἐπὶ τῆς ⸀οἰκετείας αὐτοῦ τοῦ δοῦναι Gn 39,4s
66/V αὐτοῖς τὴν τροφὴν ἐν καιρῷ; **46** μακάριος ὁ δοῦλος ἐκεῖ- Ps 104,27; 145,15
νος ὃν ἐλθὼν ὁ κύριος αὐτοῦ εὑρήσει ⸉οὕτως ποιοῦντα⸊·
47 ἀμὴν λέγω ὑμῖν ὅτι ἐπὶ πᾶσιν τοῖς ὑπάρχουσιν αὐτοῦ 25,21.23
67/V καταστήσει αὐτόν. **48** ἐὰν δὲ εἴπῃ ὁ κακὸς δοῦλος °ἐκεῖ-
νος ἐν τῇ καρδίᾳ αὐτοῦ· χρονίζει ⸂μου ὁ κύριος⸃, **49** καὶ 25,5 2P 3,4
ἄρξηται τύπτειν τοὺς συνδούλους αὐτοῦ, ἐσθίῃ δὲ καὶ πί- 18,28 L 21,34!
νῃ μετὰ τῶν μεθυόντων, **50** ἥξει ὁ κύριος τοῦ δούλου ἐκείνου ἐν ἡμέρᾳ ᾗ οὐ προσδοκᾷ καὶ ἐν ὥρᾳ ᾗ οὐ γινώσκει, 42!
51 καὶ διχοτομήσει αὐτὸν καὶ τὸ μέρος αὐτοῦ μετὰ τῶν
ὑποκριτῶν θήσει· ἐκεῖ ἔσται ὁ κλαυθμὸς καὶ ὁ βρυγμὸς 8,12!
τῶν ὀδόντων.
59/68 **25** Τότε ὁμοιωθήσεται ἡ βασιλεία τῶν οὐρανῶν δέκα
X παρθένοις, αἵτινες λαβοῦσαι τὰς λαμπάδας ⸀ἑαυ- L 12,35s
τῶν ἐξῆλθον εἰς ⸁ὑπάντησιν ⸂τοῦ νυμφίου⸃. **2** πέντε δὲ ἐξ 8,34
αὐτῶν ἦσαν μωραὶ καὶ πέντε φρόνιμοι. **3** αἱ γὰρ μωραὶ 7,26.24
λαβοῦσαι τὰς λαμπάδας ⸀αὐτῶν οὐκ ἔλαβον μεθ᾽ ἑαυτῶν
ἔλαιον⸆. **4** αἱ δὲ φρόνιμοι ἔλαβον ἔλαιον ἐν τοῖς ἀγγεί-
οις ⸆ μετὰ τῶν λαμπάδων ⸀ἑαυτῶν. **5** χρονίζοντος δὲ τοῦ 24,48p
νυμφίου ἐνύσταξαν πᾶσαι καὶ ἐκάθευδον. **6** μέσης δὲ νυ- Mc 13,36
κτὸς κραυγὴ γέγονεν· ἰδοὺ ὁ νυμφίος, ⸀ἐξέρχεσθε εἰς ⸂ἀπ-
άντησιν [αὐτοῦ]⸃. **7** τότε ἠγέρθησαν πᾶσαι αἱ παρθένοι

43 ⸀διορυγηναι B W Θ $f^{1.13}$ 𝔐 ¦ *txt* ℵ D L 067. 33. 892 *pc* ● **45** ⸆αυτου W Θ 0133 f^{13} 𝔐 lat sy^{h} ¦ *txt* ℵ B D L 067. 0204 f^{1} 33 *pc* it | ⸀οικιας ℵ 565. 892 *al* q ¦ *p)* θεραπειας D 0133 f^{1} 𝔐 e sy^{s} ¦ *txt* B L W Δ Θ 067. 0204 f^{13} 33. 1010. 1241 *al* lat $sy^{p.h}$ ● **46** ⸉ W 0133 𝔐 f q ¦ *txt* ℵ B C D L Θ 067. 0204 $f^{1.13}$ 33. 892. 1010 *al* lat ● **48** ° ℵ* Γ Θ 0204 *pc* sy^{s} sa mae | ⸂ο κυριος μου ελθειν W 0133 $f^{(1).13}$ 𝔐 latt sy mae bo^{mss} (⸉ C D L Θ 067. 1010. 1424 *al*) ¦ *txt* ℵ B 33. 700. 892 *pc* sa bo

¶ **25,1** ⸀αυ- ℵ C W 067 $f^{1.13}$ 𝔐 ¦ – 0249 ¦ *txt* B D L Θ *pc* | ⸁απαντ- D L W Θ f^{13} 𝔐 ¦ *txt* ℵ B C Z f^{1} 892 | ⸂τω νυμφιω C *pc* ¦ των -ων 892* ¦ του ν-ου και της νυμφης D Θ f^{1} *pc* latt sy mae ¦ *txt* ℵ B L W Z 0249 f^{13} 𝔐 ● **3** ⸀† – ℵ L Θ 700 *pc* lat ¦ εαυ. Z f^{1} *pc* ¦ *txt* B C D W 0133. 0249 f^{13} 𝔐 | ⸆(4) εν τοις αγγειοις αυτων D 1424^{vid} *pc* (ff^{1}) ● **4** ⸆αυτων C W 0249 f^{13} 𝔐 lat sy^{h} ¦ *txt* ℵ B D L Z Θ f^{1} 700. 892^{vid} *pc* aur h q r^{1} $sy^{s.p}$ | ⸀αυ-των D L W Θ 0249* $f^{1.13}$ 𝔐 ¦ – C Z^{vid} 1424 *pc* lat ¦ *txt* ℵ B 0249^{c} *pc* ● **6** ⸀εγειρεσθε Θ f^{1} *pc* b^{c} ff^{2} | ⸂† απαντησιν ℵ B 700 ¦ υπαντησιν Z ¦ υπαντησιν αυτου Θ 0133 *pc* ¦ συναντησιν αυτω C ¦ *txt* A D L W 0249 $f^{1.13}$ 𝔐

ἐκεῖναι καὶ ἐκόσμησαν τὰς λαμπάδας ⸀ἑαυτῶν. **8** αἱ δὲ μω-
Prv 13,9 Job 18,5 ραὶ ταῖς φρονίμοις εἶπαν· δότε ἡμῖν ἐκ τοῦ ἐλαίου ὑμῶν,
ὅτι αἱ λαμπάδες ἡμῶν σβέννυνται. **9** ἀπεκρίθησαν δὲ αἱ
φρόνιμοι λέγουσαι· μήποτε ⸂οὐ μὴ⸃ ἀρκέσῃ ἡμῖν καὶ ὑμῖν·
πορεύεσθε μᾶλλον πρὸς τοὺς πωλοῦντας καὶ ἀγοράσατε
ἑαυταῖς. **10** ἀπερχομένων δὲ αὐτῶν ἀγοράσαι ἦλθεν ὁ
22,4 νυμφίος, καὶ αἱ ἕτοιμοι εἰσῆλθον μετ’ αὐτοῦ εἰς τοὺς γάμους καὶ ἐκλείσθη ἡ θύρα. **11** ὕστερον δὲ ἔρχονται καὶ
L 13,25 αἱ λοιπαὶ παρθένοι λέγουσαι· κύριε κύριε, ἄνοιξον ἡμῖν.
7,23 L 13,27 **12** ὁ δὲ ἀποκριθεὶς εἶπεν· ἀμὴν λέγω ὑμῖν, οὐκ οἶδα
24,42! ὑμᾶς. **13** γρηγορεῖτε οὖν, ὅτι οὐκ οἴδατε τὴν ἡμέραν
οὐδὲ τὴν ὥραν⸆.
14–30: L 19,12-27 Mc 13,34 **14** Ὥσπερ γὰρ ἄνθρωπος ἀποδημῶν ἐκάλεσεν τοὺς ἰδί- *60* 269
ους δούλους καὶ παρέδωκεν αὐτοῖς τὰ ὑπάρχοντα αὐτοῦ, II
R 12,3.6 **15** καὶ ᾧ μὲν ἔδωκεν πέντε τάλαντα, ᾧ δὲ δύο, ᾧ δὲ ἕν, ἑκά- 270 V
στῳ κατὰ τὴν ἰδίαν δύναμιν, καὶ ἀπεδήμησεν⸂. εὐθέως
16 πορευθεὶς⸃ ὁ τὰ πέντε τάλαντα λαβὼν ἠργάσατο ἐν αὐτοῖς καὶ ⸀ἐκέρδησεν ἄλλα πέντε⸆· **17** ὡσαύτως ⸆ ὁ τὰ δύο
⸀ἐκέρδησεν ἄλλα δύο. **18** ὁ δὲ τὸ ἓν λαβὼν ἀπελθὼν ὤρυξεν ⸀γῆν καὶ ⸁ἔκρυψεν τὸ ἀργύριον τοῦ κυρίου αὐτοῦ.
19 μετὰ δὲ πολὺν χρόνον ἔρχεται ὁ κύριος τῶν δούλων
18,23 ἐκείνων καὶ συναίρει λόγον μετ’ αὐτῶν. **20** καὶ προσελθὼν
ὁ τὰ πέντε τάλαντα λαβὼν προσήνεγκεν ἄλλα πέντε τάλαντα λέγων· κύριε, πέντε τάλαντά μοι παρέδωκας· ἴδε ἄλλα πέντε τάλαντα ⸀ἐκέρδησα. **21** ἔφη ⸆ αὐτῷ ὁ κύριος αὐ-
23; 24,45-47p · L 16,10 τοῦ· εὖ, δοῦλε ἀγαθὲ καὶ πιστέ, ⸀ἐπὶ ὀλίγα ἦς πιστός, ἐπὶ

7 ⸀αυτων C D W Θ 0133. 0249 $f^{1.13}$ 𝔐 ¦ *txt* א A B L Z 892 *pc* • **9** ⸂ουκ א A L Z (Θ) f^{13} 28. 33. 565. 700. 1010. 1241. 1424 *pm* ¦ *txt* B C D K W Δ 0133. 0136. 0249 f^{1} 892 *pm* • **13** ⸆ (24,44) εν η ο υιος του ανθρωπου ερχεται C^{3} f^{13} 28. 700 𝔐 vg^{mss} • **15/16** ⸂ευθεως. πορευθεις δε א^{2} A C D L W 074. 0133. 0136 f^{13} 𝔐 aur l vg sy$^{p.h}$ ¦ . ευθεως δε πορευθεις Θ f^{1} 700 *pc* it sa mae ¦ *txt (sed sine interp.)* א* B *pc* b g^{1} | ⸀εποιησεν א* A^{c} W 0133. 0136 𝔐 q sy^{h} ¦ *txt* א^{2} A* B C D L Θ 074 $f^{1.13}$ 33. 892. 1010. 1424 *al* lat sy$^{p.hmg}$ sa | ⸆ταλαντα א A C D W 0133 $f^{1.13}$ 𝔐 f q sy^{h} ¦ *txt* B L Θ 074. 33. 892. 1010 *pc* lat sy^{p} co • **17** ⸆ και א^{2} B C^{3} D W 074. 0133 $f^{1.13}$ 𝔐 it vg^{cl} sy sa mae bo^{pt} ¦ δε και A *pc* h r^{1} bo^{pt} ¦ *txt* א* C* L Θ 33 aur b vg sa^{mss} bo^{ms} | ⸀εκ. και αυτος A C^{3} W Θ 074. 0133 $f^{1.13}$ 𝔐 h sy^{h} ¦ και αυτος εκερδησεν D ¦ *txt* א B C* L 33. 892. 1010. 1424 *pc* lat sy^{p} co • **18** ⸀εν τη γη A (C^{2}) D W Θ 074. 0133 $f^{1.13}$ 𝔐 ¦ την γην C* 700 ¦ *txt* א B L 33 | ⸁απεκρυψεν W Θ 074. 0133 $f^{1.13}$ 𝔐 ¦ *txt* א A B C D L 33. 700. 892 *al* • **20** ⸀επεκερδησα D Θ 700 lat ¦ εκερδησα επ (εν E 28. 892^{c}. 1424 *al*) αυτοις A C W 074. 0133 $f^{1.13}$ 𝔐 sy$^{p.h}$ ¦ *txt* 𝔓^{35vid} א B L 33. 892* *pc* ff^{1} g^{1} r^{1} co • **21** ⸆δε A W Δ 0133 $f^{1.13}$ 28. 565. 1424 *pm* sy^{h} bo ¦ *txt* 𝔓^{35} א B C D K L Γ Θ 074. 33. 700. 892. 1010. 1241 *pm* lat sy^{p} sa mae | ⸀επει επ D lat co; Ir^{lat}

πολλῶν σε καταστήσω· εἴσελθε εἰς τὴν χαρὰν τοῦ κυρίου H 12,2
σου. **22** προσελθὼν °[δὲ] καὶ ὁ τὰ δύο τάλαντα ⸆ εἶπεν·
κύριε, δύο τάλαντά μοι παρέδωκας· ἴδε ἄλλα δύο τάλαντα
⸀ἐκέρδησα. **23** ἔφη αὐτῷ ὁ κύριος αὐτοῦ· εὖ, δοῦλε ἀγαθὲ 21!
καὶ πιστέ, ⸀ἐπὶ ὀλίγα ⸉ἦς πιστός⸊, ἐπὶ πολλῶν σε καταστή-
σω· εἴσελθε εἰς τὴν χαρὰν τοῦ κυρίου σου. **24** προσελθὼν δὲ καὶ ὁ τὸ ἓν τάλαντον εἰληφὼς εἶπεν· κύριε, ἔγνων
°σε ὅτι σκληρὸς εἶ ἄνθρωπος, θερίζων ὅπου οὐκ ἔσπειρας καὶ συνάγων ⸀ὅθεν οὐ διεσκόρπισας, **25** καὶ φοβηθεὶς
ἀπελθὼν ἔκρυψα τὸ τάλαντόν σου ἐν τῇ γῇ· ἴδε ἔχεις τὸ
σόν. **26** ἀποκριθεὶς δὲ ὁ κύριος αὐτοῦ εἶπεν αὐτῷ· πονηρὲ δοῦλε καὶ ὀκνηρέ, ᾔδεις ὅτι θερίζω ὅπου οὐκ ἔσπειρα καὶ συνάγω ὅθεν οὐ διεσκόρπισα; **27** ἔδει ⸉σε οὖν⸊
βαλεῖν ⸂τὰ ἀργύριά⸃ μου τοῖς τραπεζίταις, καὶ ἐλθὼν ἐγὼ
ἐκομισάμην ἂν τὸ ἐμὸν σὺν τόκῳ. **28** ἄρατε οὖν ἀπ' αὐτοῦ
271 II τὸ τάλαντον καὶ δότε τῷ ἔχοντι τὰ ⸀δέκα τάλαντα· **29** τῷ
γὰρ ἔχοντι °παντὶ δοθήσεται καὶ περισσευθήσεται, τοῦ 13,12!
272 V δὲ μὴ ἔχοντος καὶ ὃ ⸀ἔχει ἀρθήσεται ἀπ' αὐτοῦ. ⸆ **30** καὶ
τὸν ἀχρεῖον δοῦλον ἐκβάλετε εἰς τὸ σκότος τὸ ἐξώτερον· L 17,10
ἐκεῖ ἔσται ὁ κλαυθμὸς καὶ ὁ βρυγμὸς τῶν ὀδόντων. 8,12!
61 273 X **31** Ὅταν δὲ ἔλθῃ ὁ υἱὸς τοῦ ἀνθρώπου ἐν τῇ δόξῃ αὐτοῦ 16,27! Dn 7,13s · 24,31! Zch 14,5
καὶ πάντες οἱ ⸆ ἄγγελοι μετ' αὐτοῦ, τότε καθίσει ἐπὶ θρόνου Dt 32,43; 33,2 𝔊 · Hen 61,8; 62,2s;
δόξης αὐτοῦ· **32** καὶ ⸀συναχθήσονται ἔμπροσθεν αὐτοῦ 69,27 | Ap 20,11-13
πάντα τὰ ἔθνη, καὶ ἀφορίσει αὐτοὺς ἀπ' ἀλλήλων, ὥσπερ R 14,10!
ὁ ποιμὴν ἀφορίζει τὰ πρόβατα ἀπὸ τῶν ἐρίφων, **33** καὶ 13,48s Ez 34,17.20
στήσει τὰ μὲν πρόβατα ἐκ δεξιῶν ⸉ αὐτοῦ, τὰ δὲ ἐρίφια ἐξ
εὐωνύμων. **34** τότε ἐρεῖ ὁ βασιλεὺς τοῖς ἐκ δεξιῶν αὐ-
τοῦ· δεῦτε οἱ εὐλογημένοι τοῦ πατρός μου, κληρονομή-
σατε τὴν ἡτοιμασμένην ὑμῖν βασιλείαν ἀπὸ καταβολῆς 20,33 1K 2,5

22 °† ℵ* B *pc* sa ¦ *txt* ℵ^{2} A C D L W Θ 074. 0133 $f^{1.13}$ 𝔐 l vg sy^{h} mae bo | ⸆λαβων ℵ D 0133 𝔐 latt sa^{mss} ¦ *txt* 𝔓^{35} A B C L W Δ Θ 074 $f^{1.13}$ 33. 892. 1241 *al* sy$^{p.h}$ sa^{mss} | ⸀επ-εκ- D Θ f ¦ εκ- επ (εν 28. 892^{c}. 1424 *al*) αυτοις A C W 074. 0133 $f^{1.13}$ 𝔐 sy$^{p.h}$ ¦ *txt* 𝔓^{35} ℵ B L 33. 700. 892* *pc* lat co ● **23** ⸀επει επ D latt co; Ir^{lat} | ⸉ B ● **24** ° D Θ *pc* lat sa mae | ⸀οπου D W *pc* lat sa ● **27** ⸉ A D W 074. 0133 $f^{1.13}$ 𝔐 ¦ *txt* ℵ B C L Θ 33. 700. 892 *pc* | ⸂*p*) το αργυριον ℵ^{2} A C D L 074. 0133 $f^{1.13}$ 𝔐 sa^{mss} mae bo ¦ *txt* ℵ* B W Θ 700 sy^{h} sa^{mss} ● **28** ⸀πεντε D ● **29** ° D W *pc* sy^{p} | ⸀δοκει εχειν L Δ 33. 1010. 1241 *al* lat sy^{h} mae; Cyr J | ⸆ταυτα λεγων εφωνει· ο εχων ωτα ακουειν ακουετω C^{3} H 892^{mg} *pc* ¦ *add. p. vs* 30 (Γ) f^{13} *pc* ● **31** ⸆αγιοι A W f^{13} 𝔐 f sy$^{p.h}$ bo^{pt} ¦ *txt* ℵ B D L Θ 074 f^{1} 33. 565 *pc* lat sa mae bo^{pt}; Or Eus Cyr ● **32** ⸀συναχθησεται A W Γ Δ f^{1} 700. 892. 1241. 1424 *pm*; Eus ● **33** ⸉ *p.* ευων. ℵ ¦ – A *pc*

Is 58,7 Ez 18,7. 9.16 Tob 4,17 κόσμου. **35** ἐπείνασα γὰρ καὶ ἐδώκατέ μοι φαγεῖν, ἐδίψη-
10,42 · Job 31,32 σα καὶ ἐποτίσατέ με, ξένος ἤμην καὶ συνηγάγετέ με,
Sir 7,32-35 **36** γυμνὸς καὶ περιεβάλετέ με, ἠσθένησα καὶ ἐπεσκέψασθέ
H 13,3 με, ἐν φυλακῇ ἤμην καὶ ἤλθατε πρός με. **37** τότε ἀποκριθήσονται αὐτῷ οἱ δίκαιοι λέγοντες· κύριε, πότε σε εἴδομεν πεινῶντα καὶ ἐθρέψαμεν, ἢ διψῶντα καὶ ἐποτίσαμεν;
38 πότε δέ σε εἴδομεν ξένον καὶ συνηγάγομεν, ἢ γυμνὸν
καὶ περιεβάλομεν; **39** πότε δέ σε εἴδομεν ⸀ἀσθενοῦντα ἢ
ἐν φυλακῇ καὶ ἤλθομεν πρός σε; **40** καὶ ἀποκριθεὶς ὁ βα-
Prv 19,17 σιλεὺς ἐρεῖ αὐτοῖς· ἀμὴν λέγω ὑμῖν, ἐφ’ ὅσον ἐποιήσατε
J 20,17! · 10,42 ἑνὶ τούτων ⸋τῶν ἀδελφῶν μου⸌ τῶν ἐλαχίστων, ἐμοὶ ἐποι-
7,23 ήσατε. **41** τότε ἐρεῖ καὶ τοῖς ἐξ εὐωνύμων· πορεύεσθε
Ap 14,10! ἀπ’ ἐμοῦ °[οἱ] κατηραμένοι εἰς τὸ πῦρ τὸ αἰώνιον ⸂τὸ ἡτοι-
2K 12,7 Ap 12,7.9 μασμένον⸃ τῷ διαβόλῳ καὶ τοῖς ἀγγέλοις αὐτοῦ. **42** ἐπεί-
Job 22,7 Jc 2,15 νασα γὰρ καὶ οὐκ ἐδώκατέ μοι φαγεῖν, ⸆ ἐδίψησα καὶ οὐκ
⸂ἐποτίσατέ με⸃, **43** ξένος ἤμην καὶ οὐ συνηγάγετέ με,
⸆ γυμνὸς ⸆ καὶ οὐ περιεβάλετέ με, ἀσθενὴς καὶ ἐν φυλακῇ
καὶ οὐκ ἐπεσκέψασθέ με. **44** τότε ἀποκριθήσονται καὶ αὐτοὶ λέγοντες· κύριε, πότε σε εἴδομεν πεινῶντα ἢ διψῶντα
ἢ ξένον ἢ γυμνὸν ἢ ἀσθενῆ ἢ ἐν φυλακῇ καὶ οὐ διηκονή-
σαμέν σοι; **45** τότε ἀποκριθήσεται αὐτοῖς λέγων· ἀμὴν
λέγω ὑμῖν, ἐφ’ ὅσον οὐκ ἐποιήσατε ἑνὶ τούτων τῶν ἐλαχί-
J 5,29! Dn 12,2 στων, οὐδὲ ἐμοὶ ἐποιήσατε. **46** καὶ ἀπελεύσονται οὗτοι
εἰς ⸀κόλασιν αἰώνιον, οἱ δὲ δίκαιοι εἰς ζωὴν αἰώνιον.

7,28! Dt 31,1 **26** Καὶ ἐγένετο ὅτε ἐτέλεσεν ὁ Ἰησοῦς πάντας τοὺς
2–5: Mc 14,1s L 22,1s λόγους τούτους, εἶπεν τοῖς μαθηταῖς ⸋αὐτοῦ· **2** οἴ- 274 I
δατε⸌ ὅτι μετὰ δύο ἡμέρας τὸ πάσχα γίνεται, καὶ ὁ υἱὸς
16,21! τοῦ ἀνθρώπου παραδίδοται εἰς τὸ σταυρωθῆναι.
21,23! **3** Τότε συνήχθησαν οἱ ἀρχιερεῖς ⸆ καὶ οἱ πρεσβύτεροι 275 VI
26,57 L 3,2 ⸋τοῦ λαοῦ⸌ εἰς τὴν αὐλὴν τοῦ ἀρχιερέως τοῦ λεγομέ-
J 11,49; 18,13ss Act 4,6 | J 11,53 νου ⸀Καϊάφα **4** καὶ συνεβουλεύσαντο ἵνα τὸν Ἰησοῦν

39 ⸀ασθενη ℵ A L W 067. 074. 0135 *f*[1.13] 𝔐 ¦ *txt* B D Θ *pc*; Cl • **40** ⸋(45) B* 1424 ff[1] ff[2]; Cl Eus GrNy • **41** °† ℵ B L 0128. 0135. 33 *pc* ¦ *txt* A D W Θ 067[vid]. 074 *f*[1.13] 𝔐 | ⸂τω ητοιμασμενω F *pc* ¦ ο ητοιμασεν ο πατηρ μου D *f*[1] it mae; Ir[lat] Cyp ¦ *txt* 𝔓[45] ℵ A B L W Θ 067. 074. 0128. 0135. 0136 *f*[13] 𝔐 lat sy sa bo • **42** ⸆ και B* L | [⸂εδωκατε μοι πιειν Blass *cj*] • **43** ⸆και 𝔓[45] Θ | ⸆ημην 𝔓[45] h • **46** ⸀(41) ignem it; Cyp
¶ **26,1/2** ⸋D • **3** ⸆και οι γραμματεις 0133. 0255 𝔐 it sy[p.h] ¦ και οι Φαρισαιοι W ¦ *txt* 𝔓[45] ℵ A B D L Θ 089 *f*[1.13] 565. 700. 892. 1424 *al* lat sy[s] co | ⸋B* | ⸀Καϊφα D *pc* it vg[ww] sa mae

δόλῳ κρατήσωσιν □καὶ ἀποκτείνωσιν⸌· **5** ἔλεγον δέ· μὴ
ἐν τῇ ἑορτῇ, ἵνα μὴ θόρυβος γένηται ἐν τῷ λαῷ.
62 276 **6** Τοῦ δὲ Ἰησοῦ γενομένου ἐν Βηθανίᾳ ἐν οἰκίᾳ Σίμωνος *6–13:* Mc 14,3-9 J 12,1-8 cf L 7,
I τοῦ λεπροῦ, **7** προσῆλθεν αὐτῷ γυνὴ ⸉ἔχουσα ἀλάβαστρον 36-50
μύρου⸊ ⸀βαρυτίμου καὶ κατέχεεν ἐπὶ ⸂τῆς κεφαλῆς⸃ αὐτοῦ
ἀνακειμένου. **8** ἰδόντες δὲ οἱ μαθηταὶ ⸆ ἠγανάκτησαν λέ-
γοντες· εἰς τί ἡ ἀπώλεια αὕτη; **9** ἐδύνατο γὰρ τοῦτο ⸆
πραθῆναι πολλοῦ καὶ δοθῆναι ⸇ πτωχοῖς. **10** γνοὺς δὲ 22,18!
ὁ Ἰησοῦς εἶπεν αὐτοῖς· τί κόπους παρέχετε τῇ γυναικί; L 11,7!
ἔργον γὰρ καλὸν ἠργάσατο εἰς ἐμέ· **11** πάντοτε γὰρ τοὺς
πτωχοὺς ἔχετε μεθ᾽ ἑαυτῶν, ἐμὲ δὲ οὐ πάντοτε ἔχετε· Dt 15,11 · 9,15
277 IV **12** βαλοῦσα γὰρ αὕτη τὸ μύρον τοῦτο ἐπὶ τοῦ σώματός
μου πρὸς τὸ ἐνταφιάσαι με ἐποίησεν. **13** ἀμὴν λέγω ὑμῖν,
ὅπου ἐὰν κηρυχθῇ τὸ εὐαγγέλιον τοῦτο ἐν ὅλῳ τῷ κό- 28,19!
σμῳ, λαληθήσεται καὶ ὃ ἐποίησεν αὕτη εἰς μνημόσυνον Hen 103,4
αὐτῆς.
278 II **14** Τότε πορευθεὶς εἷς τῶν δώδεκα, ὁ λεγόμενος Ἰού- *14–16:* Mc 14,10s L 22,3-6 J 11,57
δας ⸀Ἰσκαριώτης, πρὸς τοὺς ἀρχιερεῖς **15** ⸀εἶπεν· τί θέλε-
τέ μοι δοῦναι⁚, κἀγὼ ὑμῖν παραδώσω αὐτόν⁚[1]; οἱ δὲ ἔστη- 27,3.9 Zch 11,12
σαν αὐτῷ τριάκοντα ⸁ἀργύρια. **16** καὶ ἀπὸ τότε ἐζήτει
εὐκαιρίαν ἵνα αὐτὸν παραδῷ⸆.
63 **17** Τῇ δὲ πρώτῃ τῶν ἀζύμων προσῆλθον οἱ μαθηταὶ *17–20:* Mc 14,12-17 L 22,7-14
τῷ Ἰησοῦ λέγοντες· ποῦ θέλεις ἑτοιμάσωμέν σοι φαγεῖν
τὸ πάσχα; **18** ὁ δὲ εἶπεν· ὑπάγετε εἰς τὴν πόλιν πρὸς τὸν Ex 12,14-20
δεῖνα καὶ εἴπατε αὐτῷ· □ὁ διδάσκαλος λέγει·⸌ ὁ καιρός 21,2s
μου ἐγγύς ἐστιν, πρὸς σὲ ποιῶ τὸ πάσχα μετὰ τῶν μαθητῶν μου. **19** καὶ ἐποίησαν οἱ μαθηταὶ ὡς συνέταξεν αὐτοῖς ὁ Ἰησοῦς καὶ ἡτοίμασαν τὸ πάσχα.
279 IV **20** Ὀψίας δὲ γενομένης ἀνέκειτο μετὰ τῶν δώδεκα⸆.

4 □ B* *pc* ● 7 ⸉ *2 3 1* A W 0133. 0255 *f*[1] 𝔐 ¦ *2 1 3* 𝔓[45] 157 *pc* ¦ *txt* ℵ B D L Θ 089 *f*[13] 33. 700. 892 *pc* | ⸀*p)* πολυτιμου ℵ A D L Θ 33. 565. 892. 1010. 1424 *al* sy[hmg] ¦ *txt* B W 089. 0133. 0255 *f*[1.13] 𝔐 sy[h] | ⸂την κεφαλην 𝔓[45] A L W 0133. 0255 𝔐 ¦ *txt* ℵ B D Θ 089 *f*[1.13] 700 *pc* ● 8 ⸆αυτου A W 0133. 0255 *f*[1] 𝔐 c f q sy sa[ms] ¦ *txt* 𝔓[45vid.64vid] ℵ B D L Θ 089 *f*[13] 33. 700. 892 *pc* lat co ● 9 ⸆*p)* το μυρον K Γ *f*[13] 28. 33. 700. 1241. 1424 *pm* c q | ⸇*p)* τοις A D K W Γ Δ 0255. 28. 700. 1010. 1241. 1424 *pm* ¦ *txt* ℵ B L Θ 089. 0133 *f*[1.13] 33. 565. 892 *pm* ● 14 ⸀Σκαριωτης D Θ[c vid] lat ● 15 ⸀και ειπεν αυτοις D | [⁚ ; *et* ⁚[1].] | ⸁στατηρας D a b q r[1]; Eus[pt] ¦ στατηρας αργυριου *f*[1] h ● 16 ⸆αυτοις D Θ 892 it sa[ms] mae bo ● 18 □ A Φ ● 20 ⸆† μαθητων ℵ A L W Δ Θ 33. 892. 1241. 1424 *pm* lat sy[h] sa[mss] mae bo ¦ μαθητων αυτου 074 *pc* it vg[cl] sy[p] ¦ *txt* 𝔓[37vid.45vid] B D K Γ *f*[1.13] 28. 565. 700. 1010 *pm* (sy[s]) sa[mss]; Eus

21–25: Mc 14, 18-21 L 22,21-23 J 13,21-26 **21** καὶ ἐσθιόντων αὐτῶν εἶπεν· ἀμὴν λέγω ὑμῖν ○ὅτι εἷς
ἐξ ὑμῶν παραδώσει με. **22** καὶ λυπούμενοι σφόδρα ἤρ- 280 I
ξαντο λέγειν ○αὐτῷ ⸂εἷς ἕκαστος⸃· μήτι ἐγώ εἰμι, κύριε;
23 ὁ δὲ ἀποκριθεὶς εἶπεν· ὁ ἐμβάψας ⸉μετ᾽ ἐμοῦ τὴν χεῖρα 281 II
ἐν τῷ τρυβλίῳ⸊ οὗτός με παραδώσει. **24** ὁ μὲν υἱὸς τοῦ
18,7p ἀνθρώπου ὑπάγει καθὼς γέγραπται περὶ αὐτοῦ, οὐαὶ δὲ
τῷ ἀνθρώπῳ ἐκείνῳ δι᾽ οὗ ὁ υἱὸς τοῦ ἀνθρώπου παραδίδο-
Hen 38,2 ται· καλὸν ἦν αὐτῷ εἰ οὐκ ἐγεννήθη ὁ ἄνθρωπος ἐκεῖνος. 282 VI
25 ἀποκριθεὶς δὲ Ἰούδας ὁ παραδιδοὺς αὐτὸν εἶπεν· μήτι 283 X
ἐγώ εἰμι, ῥαββί; λέγει αὐτῷ⸆· σὺ εἶπας.

26–29: Mc 14, 22-25 L 22,15-20 1K 11,23-25 Mc 14,22! 1K 10, 16 **26** ⸉Ἐσθιόντων δὲ αὐτῶν⸊ λαβὼν ὁ Ἰησοῦς ⸆ ἄρτον *64* 284
⸂καὶ εὐλογήσας⸃ ἔκλασεν καὶ ⸂δοὺς τοῖς μαθηταῖς⸃ εἶπεν· I
λάβετε φάγετε, τοῦτό ἐστιν τὸ σῶμά μου. **27** καὶ λαβὼν ⸆ 285 II
ποτήριον ○καὶ εὐχαριστήσας ἔδωκεν αὐτοῖς λέγων· πίετε
Ex 24,8 Zch 9,11 Jr 31,31 · H 7,22! · Is 53,12 Jr 31,34 ἐξ αὐτοῦ πάντες, **28** τοῦτο γάρ ἐστιν τὸ αἷμά μου ⸆ τῆς ⸆
διαθήκης τὸ περὶ πολλῶν ἐκχυννόμενον εἰς ἄφεσιν ἁμαρ-
Act 10,41 τιῶν. **29** λέγω δὲ ὑμῖν, ⸆ οὐ μὴ πίω ἀπ᾽ ἄρτι ἐκ ⸂τούτου τοῦ⸃
γενήματος τῆς ἀμπέλου ἕως τῆς ἡμέρας ἐκείνης ὅταν αὐ-
τὸ ⸀πίνω ⸉μεθ᾽ ὑμῶν καινὸν⸊ ἐν τῇ βασιλείᾳ τοῦ πατρός
30: Mc 14,26 L 22,39 J 18,1 · Ps 113–118 μου. **30** Καὶ ὑμνήσαντες ἐξῆλθον εἰς τὸ ὄρος τῶν 286 VI
ἐλαιῶν.

31–35: Mc 14, 27-31 L 22,31-34 · 11,6! **31** Τότε λέγει αὐτοῖς ὁ Ἰησοῦς· πάντες ὑμεῖς σκανδα- 287 IV
λισθήσεσθε ἐν ἐμοὶ ἐν τῇ νυκτὶ ταύτῃ, γέγραπται γάρ· 288 VI
Zch 13,7 *πατάξω τὸν ποιμένα,*
9,36 J 16,32 *καὶ ⸀διασκορπισθήσονται τὰ πρόβατα τῆς ποίμνης.*

21 ○ 𝔓[37.45] *pc* • **22** ○ 𝔓[37vid.45] D Θ *f*[13] 700. 1424 *pc* latt sy[s] mae bo; Eus | ⸂εις εκ. αυτων 𝔓[45vid] D Θ *f*[13] *pc* sy[s.p.hmg] ¦ εκ. αυτων A W 074 *f*[1] 𝔐 sy[h]; Eus ¦ – 𝔓[64vid] 1424 ¦ *txt* ℵ B C L Z 33. 892 *pc* sa • **23** ⸉ *3 4 1 2 5–7* 𝔓[37.45] (D) Θ 700 ¦ *1 2 5–7 3 4* C W 0133 *f*[1.13] 𝔐 ¦ *txt* 𝔓[64] ℵ A B L Z 074. 33. 892. 1424 *pc*; Cyr • **25** ⸆ο Ιησους 𝔓[45] ℵ 13 *pc* it vg[mss] sy[p] • **26** ⸉ D Θ *f*[13] | ⸆τον A W 0160[vid] *f*[13] 𝔐 ¦ *txt* 𝔓[45] ℵ B C D L Z Θ 074 *f*[1] 33. 700. 892. 1010. 1424 *al* co | ⸂*p)* και ευχαριστησας A K W Γ Δ *f*[1.13] 28. 565. 1010. 1241 *pm* sy[h]; Ju Ir ¦ – 1424 ¦ *txt* 𝔓[45] ℵ B C D L Z Θ 074. 0160. 33. 700. 892 *pm* sy[s.p.hmg] co; Or | ⸂ εδιδου τοις μαθηταις και (– ℵ*) ℵ* A C W 074 𝔐 ¦ *txt* 𝔓[37.45vid] ℵ[1] B D L Z Θ 0160 *f*[1.13] 33. 700. 892. 1424 *al* • **27** ⸆το 𝔓[45] A C D K Γ *f*[13] 565. 1010. 1241 *pm* ¦ *txt* ℵ B L W Z Δ Θ 074 *f*[1] 28. 33. 700. 892. 1424 *pm* co; Or | ○*p)* A C L Z Δ *f*[1] 33. 892 *pc*; Or Bas • **28** ⸆το A C W 074 *f*[1.13] 𝔐 sy[h] ¦ *txt* 𝔓[37] ℵ B D L Z Θ 33 *pc* | ⸆*p)* καινης A C D W 074 *f*[1.13] 𝔐 latt sy sa bo; Ir[lat] ¦ *txt* 𝔓[37] ℵ B L Z Θ 33 *pc* mae bo[ms] • **29** ⸆*p)* οτι A C L W 074 𝔐 ¦ *txt* 𝔓[45] ℵ B D Z Θ *f*[1.13] 33. 892* *al* | ⸂τουτου 𝔓[37]* ℵ* C L *pc* ¦ του Δ 892. (1010). 1424 *pc* sy[s] sa[mss] mae bo | ⸀πιω 𝔓[37] D Θ 565 *pc*; Epiph | ⸉ C L Z *f*[1] 28. 33. 1010 *pc*; Ir[arm] • **31** ⸀-πισθησεται 𝔓[37.45] D K W Γ Δ Θ *f*[1] 28. 565. 1424 *pm* ¦ -πισω 4 *pc* ¦ *txt* 𝔓[53] ℵ A B C L 047. 067. (074) *f*[13] 33. 700. 892. 1010. 1241 *pm*

32 μετὰ δὲ τὸ ἐγερθῆναί με προάξω ὑμᾶς εἰς τὴν Γαλι- 28,7!
289 I λαίαν. 33 ἀποκριθεὶς δὲ ὁ Πέτρος εἶπεν °αὐτῷ· εἰ πάντες
σκανδαλισθήσονται ⸂ἐν σοί, ἐγὼ⸃ οὐδέποτε σκανδαλισθή- J 13,36-38
σομαι. 34 ἔφη αὐτῷ ⸆ ὁ Ἰησοῦς· ἀμὴν λέγω σοι ὅτι °ἐν 75
ταύτῃ τῇ νυκτὶ πρὶν ⸂ἀλέκτορα φωνῆσαι⸃ ⸄τρὶς ἀπαρνήσῃ
290 VI με⸅. 35 λέγει αὐτῷ ὁ Πέτρος· κἂν δέῃ με σὺν σοὶ ἀποθανεῖν, οὐ μή σε ἀπαρνήσομαι. ὁμοίως ⸀καὶ πάντες οἱ μαθηταὶ εἶπαν.
291 I 36 Τότε ἔρχεται ⸉μετ’ αὐτῶν ὁ Ἰησοῦς⸊ εἰς χωρίον λε- *36–46:* Mc 14,32-42 L 22,40-46 J 18,1
292 VI γόμενον Γεθσημανὶ * καὶ λέγει ⸂τοῖς μαθηταῖς⸃· καθίσατε
⸀αὐτοῦ ἕως ⸁[οὗ] ἀπελθὼν ⸄ἐκεῖ προσεύξωμαι⸅. 37 καὶ παραλαβὼν τὸν Πέτρον καὶ τοὺς δύο υἱοὺς Ζεβεδαίου ἤρξατο 17,1! 4,21!
293 IV λυπεῖσθαι καὶ ἀδημονεῖν. 38 τότε λέγει αὐτοῖς· *περίλυπός* H 5,7s | *Ps 42,6.12; 43,5* Jon 4,9 𝔊 Sir 37,2 J 12,27
ἐστιν ἡ ψυχή μου ἕως θανάτου· μείνατε ⸆ ὧδε καὶ γρηγορεῖ-
294 I τε μετ’ ἐμοῦ. 39 καὶ ⸀προελθὼν μικρὸν ἔπεσεν ἐπὶ πρόσωπον αὐτοῦ προσευχόμενος καὶ λέγων· πάτερ °μου, εἰ
δυνατόν ἐστιν, παρελθάτω ἀπ’ ἐμοῦ τὸ ποτήριον τοῦτο· 20,22p Is 51,17.22 J 18,11
295 I * πλὴν οὐχ ὡς ἐγὼ θέλω ἀλλ’ ὡς σύ. ⸆ 40 καὶ ἔρχεται πρὸς J 6,38!
296 II τοὺς μαθητὰς ⸆ καὶ εὑρίσκει αὐτοὺς καθεύδοντας, καὶ λέ- 25,5
γει τῷ Πέτρῳ· οὕτως οὐκ ἰσχύσατε μίαν ὥραν γρηγορῆ-
σαι μετ’ ἐμοῦ; 41 γρηγορεῖτε καὶ προσεύχεσθε, ἵνα μὴ 1P 5,8!; 4,7 E 6,18 · 6,13 H 2,18; 4,15
297 IV εἰσέλθητε εἰς πειρασμόν· τὸ μὲν πνεῦμα πρόθυμον ἡ δὲ
298 VI σὰρξ ἀσθενής. 42 πάλιν ἐκ δευτέρου ἀπελθὼν προσηύξατο °λέγων· πάτερ °¹μου, εἰ οὐ δύναται ⸀τοῦτο παρελθεῖν ⸆ ἐὰν μὴ αὐτὸ πίω, γενηθήτω τὸ θέλημά σου. 43 καὶ 6,10 Act 21,14

33 ° 𝔓[37] 700. 1424 *pc* b c ff[2] sy[s] sa[ms] | ⸂εν σοι, εγω δε C[3] K Γ 33. 565. 700. 1241 *pm* h co ¦ εγω εν σοι 𝔓[53] ● 34 ⸆και 𝔓[37] | ° 𝔓[37] D it | ⸂αλεκτοροφωνιας 𝔓[37vid.45] (L: πρ. ἢ α.) *f*[1] | ⸄ *2 3 1* A ¦ *1 3 2* ℵ* 074. 33 *pc* ¦ τρις απαρνησει με 𝔓[53] B C Θ 28. 565. 892. 1424 *al* ¦ *txt* ℵ[2] D L W 067. 0160[vid] *f*[1.13] 𝔐 ● 35 ⸀δε Φ 69 sa[mss] bo[pt] ¦ δε και A W Θ 074. 0160[vid] *f*[1.13] 𝔐 q sa[mss] bo[pt] ¦ *txt* ℵ B C D L 067[vid] 33. 700 *al* lat sy mae bo[mss] ● 36 ⸉ D W Θ *pc* | ⸂*p)* αυτοις Θ *f*[13] *pc* ¦ τοις μαθηταις αυτου ℵ A C D W *f*[1] 1424 *al* lat sy sa[ms] mae bo ¦ *txt* B L 067. 074 𝔐 vg[mss] sa[mss] | ⸀ωδε 33. 700 ¦ – ℵ C* *pc* | ⸁αν D K L W Δ Θ 074 *f*[1.13] 565. 1010 *al* ¦ – ℵ C 28. 33. 700. 892. 1424 *pc* ¦ ου αν 𝔓[53] A *pc* ¦ *txt* B 067 𝔐 | ⸄ *2 1* A C K W Δ 067 *f*[1] *pm* (-ξομαι ε. Γ 28. 1010. 1241. 1424 *pm*) ¦ προσευξομαι 565 *pc* sy[s.p] ¦ *txt* 𝔓[53] ℵ B L 074. 33. 892 *pc* (ε. -ξομαι D Θ *f*[13] 700 *pc*) ● 38 ⸆δε 𝔓[37] ● 39 ⸀προσελθων 𝔓[53] ℵ A C D L W Θ 067. 074[vid] *f*[1.13] 𝔐 sy[h] ¦ *txt* 𝔓[37.45] B 892. 1424[c] *al* lat sy[s.p] co | ° *p)* 𝔓[53]* L Δ *f*[1] 892 *pc* a vg[ww] | ⸆ *p) hic add.* L 22,43-44 *f*[13] *pc* (*ex lect.*) ● 40 ⸆αυτου D 047. 1010 *pc* it vg[cl] sy[s.p] bo ● 42 ° B g[1] | °¹ 𝔓[37] *pc* a c h[c] | ⸀τουτο το ποτηριον Θ 𝔐 lat sy[s.p] mae bo (⸉ D *f*[13] *pc* g[1] l) ¦ *txt* 𝔓[37] ℵ A B C L W Δ 067 *f*[1] 33. 565. 1010 *pc* b ff[2] q sy[h] sa[mss] | ⸆απ εμου A C W 067 *f*[13] 𝔐 f ff[2] q sy[h] ¦ *txt* 𝔓[37vid] ℵ B D L Θ *f*[1] 700. 892. 1424 *pc* lat sy[s.p]

L 9,32 ἐλθὼν ⸂πάλιν εὗρεν αὐτοὺς⸃ καθεύδοντας, ἦσαν γὰρ αὐτῶν οἱ ὀφθαλμοὶ βεβαρημένοι. **44** καὶ ἀφεὶς αὐτοὺς⁚
2K 12,8 ⸂πάλιν⁚¹ ἀπελθὼν προσηύξατο⸃ ⸋ἐκ τρίτου⸌ τὸν αὐτὸν λόγον εἰπὼν⁚² ⸰πάλιν⁚³. **45** τότε ἔρχεται πρὸς τοὺς μαθητὰς ⸆ 299 IV
καὶ λέγει αὐτοῖς· καθεύδετε ⸰[τὸ] λοιπὸν καὶ ἀναπαύ-
εσθε⁚· ⸂ἰδοὺ ἤγγικεν⸃ ἡ ὥρα καὶ ὁ υἱὸς τοῦ ἀνθρώπου
2Sm 24,14 | J 14,31 παραδίδοται εἰς χεῖρας ἁμαρτωλῶν. **46** ἐγείρεσθε ἄγωμεν·
ἰδοὺ ἤγγικεν ὁ παραδιδούς με.
47–56: Mc 14,43-50 L 22,47-53 J 18,3-11 **47** Καὶ ἔτι αὐτοῦ λαλοῦντος ἰδοὺ Ἰούδας εἷς τῶν δώ- *65* 300
δεκα ἦλθεν καὶ μετ' αὐτοῦ ὄχλος πολὺς μετὰ μαχαιρῶν I
21,23! καὶ ξύλων ἀπὸ τῶν ἀρχιερέων καὶ πρεσβυτέρων τοῦ λαοῦ.
48 ὁ δὲ παραδιδοὺς αὐτὸν ἔδωκεν αὐτοῖς σημεῖον λέγων· 301 II
2Sm 20,9 ὃν ἂν φιλήσω αὐτός ἐστιν, κρατήσατε αὐτόν. **49** καὶ εὐ-
27,29; 28,9 θέως προσελθὼν τῷ Ἰησοῦ εἶπεν⸆· ⸋χαῖρε, ῥαββί, καὶ
κατεφίλησεν αὐτόν. **50** ὁ δὲ Ἰησοῦς εἶπεν αὐτῷ·⸌ ⸉ἑταῖ-
ρε, ἐφ' ὃ πάρει⸊⁚. τότε προσελθόντες ἐπέβαλον τὰς χεῖ-
J 18,12 ρας ἐπὶ τὸν Ἰησοῦν καὶ ἐκράτησαν αὐτόν. **51** Καὶ 302 I
ἰδοὺ εἷς τῶν μετὰ Ἰησοῦ ἐκτείνας τὴν χεῖρα ἀπέσπασεν
J 18,26 τὴν μάχαιραν αὐτοῦ καὶ πατάξας τὸν δοῦλον τοῦ ἀρχιερέως ἀφεῖλεν αὐτοῦ τὸ ὠτίον. **52** τότε λέγει αὐτῷ ὁ Ἰη-
σοῦς· ἀπόστρεψον ⸂τὴν μάχαιράν σου⸃ εἰς τὸν τόπον
Gn 9,6 Ap 13,10 αὐτῆς· πάντες γὰρ οἱ λαβόντες μάχαιραν ἐν μαχαίρῃ 303 X
⸀ἀπολοῦνται. **53** ἢ δοκεῖς ὅτι οὐ δύναμαι παρακαλέσαι τὸν
Ps 91,11s H 12,22 πατέρα μου, καὶ παραστήσει μοι ⸆ ⸉·ἄρτι ⸀πλείω ⸇ δώδεκα
J 18,36 ⸂λεγιῶνας ἀγγέλων⸃; **54** πῶς οὖν πληρωθῶσιν αἱ γραφαὶ
Dn 2,28s.45 ὅτι οὕτως δεῖ γενέσθαι; **55** Ἐν ἐκείνῃ τῇ ὥρᾳ εἶπεν ὁ 304 I

43 ⸂ *2 3 1* A K W Δ 565. 1241. 1424 *al* sy^{h} ¦ ευρισκει αυτ. παλ. 𝔐 ¦ *txt* 𝔓^{37} ℵ B C D L (Γ: ευρισκει) Θ 067 $f^{1.13}$ 33. 700. 892 *al* (lat) sy$^{s.p.hmg}$ sa^{mss} mae bo^{pt} ● **44** [⁚, *et* ⁚¹ – *vl* ⁚ – *et* ⁚¹,] | ⸂ *2 1 3* Γ 1424 *pm* f r^{1} ¦ *2 3 1* A K W Δ 565. 1241 *pm* q sy^{h} ¦ *2 3* 𝔓^{37} Θ $f^{1.13}$ 700 *pc* a sy^{s} ¦ *txt* ℵ B C D L 067. 28. 33. 892. 1010 *pc* lat sa bo | ⸋ 𝔓^{37} A D K f^{1} 565. 1424 *al* it | [⁚². *et* ⁚³ –] | ⸰ A C D W 067 $f^{1.13}$ 𝔐 lat sy$^{p.h}$ sa mae ¦ *txt* 𝔓^{37} ℵ B L Θ *pc* (sy^{s}) bo ● **45** ⸆αυτου D W Γ 28. (1424) 𝔐 lat sy$^{s.p}$ bo | ⸰† B C L W 892. 1241 *al* ¦ *txt* 𝔓^{37} ℵ A D Θ $f^{1.13}$ 𝔐 | [⁚ ;] | ⸂ιδ. γαρ ηγγ. B *pc* sy^{s} sa^{mss} ¦ ηγγ. γαρ Θ f^{1} mae ● **49/50** ⸆ αυτω 𝔓^{37}? C *pc* (sy^{s}) sa^{ms} mae bo; Eus | ⸋ 𝔓^{37} | ⸉ *2–4 1* D it sy$^{s.p}$ | [⁚ ;] ● **52** ⸂ *3 1 2* A C W 𝔐 ¦ *1 2* K Θ 0133. 33. 565. 700. 1241 *al* sy$^{s.p}$ bo ¦ *txt* ℵ B D L $f^{1.13}$ 892. 1424 *pc* | ⸀αποθανουνται K W Γ Δ 0133 f^{13} 565. 1241 *pm* sy$^{p.h}$ mae? ¦ *txt* 𝔓^{37} ℵ A B C D L Θ f^{1} 28. 33. 700. 892. 1010. 1424 *pm* sy^{s} sa bo; Cyr ● **53** ⸆ωδε ℵ* Θ f^{1} (bo) | ⸉·*p.* δυναμαι A C D W Θ 0133 $f^{1.13}$ 𝔐 it (sy^{h} mae) ¦ – *4 pc* f sy^{s} ¦ *txt* ℵ B L 33. 892. 1010 *pc* lat sy^{p} sa bo | ⸀πλειους ℵ^{2} A C L W Θ $f^{1.13}$ 𝔐 ¦ πλειον 1424 ¦ *txt* ℵ* B D 0133 | ⸇ ἤ A C W 0133 $f^{1.13}$ 𝔐 lat ¦ *txt* ℵ B D L Θ 700 b | ⸂λεγ(ε)ωνων αγγ-ων ℵ* A C K L Θ f^{13} 33. 700 *pc* ¦ λεγεωνων αγγελους ℵ^{2} Δ 565 *pc*

Ἰησοῦς τοῖς ὄχλοις· ὡς ἐπὶ λῃστὴν ἐξήλθατε μετὰ μαχαιρῶν καὶ ξύλων συλλαβεῖν με⁚; καθ' ἡμέραν ⊤ ⸀ἐν τῷ ἱερῷ L 19,47!
305 VI ἐκαθεζόμην διδάσκων⸁ καὶ οὐκ ἐκρατήσατέ με. **56** τοῦτο
δὲ ὅλον γέγονεν ἵνα πληρωθῶσιν αἱ γραφαὶ τῶν προφητῶν. Τότε οἱ μαθηταὶ ⊤ πάντες ἀφέντες αὐτὸν ἔφυγον. 31 J 16,32
306 I **57** Οἱ δὲ κρατήσαντες τὸν Ἰησοῦν ἀπήγαγον πρὸς *57–68:* Mc 14,53-65 L 22,54s. 63-71 J 18,13-24 3!
⸀Καϊάφαν τὸν ἀρχιερέα, ὅπου οἱ γραμματεῖς καὶ οἱ πρεσ-
307 IV βύτεροι συνήχθησαν. **58** ὁ δὲ Πέτρος ἠκολούθει αὐτῷ
°ἀπὸ μακρόθεν ἕως τῆς αὐλῆς τοῦ ἀρχιερέως καὶ εἰσελ- 69
θὼν ἔσω ἐκάθητο μετὰ τῶν ὑπηρετῶν ἰδεῖν τὸ τέλος.
308 II **59** Οἱ δὲ ἀρχιερεῖς ⊤ καὶ τὸ συνέδριον ὅλον ἐζήτουν
ψευδομαρτυρίαν κατὰ τοῦ Ἰησοῦ ὅπως ⸀αὐτὸν θανατώσω- Ps 27,12
σιν⸁, **60** καὶ οὐχ εὗρον ⊤ πολλῶν ⸉προσελθόντων ψευδο-
309 VI μαρτύρων⸊⸆. * ὕστερον δὲ προσελθόντες δύο⊤¹ **61** εἶπαν· J 8,17!
οὗτος ἔφη· δύναμαι καταλῦσαι τὸν ναὸν τοῦ θεοῦ καὶ διὰ 27,40 J 2,19-21 Act 6,14 · Mc 13,2app
τριῶν ἡμερῶν ⸀οἰκοδομῆσαι. **62** καὶ ἀναστὰς ὁ ἀρχιε-
ρεὺς εἶπεν αὐτῷ· οὐδὲν ἀποκρίνῃ τί οὗτοί σου καταμαρτυροῦσιν; **63** ὁ δὲ Ἰησοῦς ἐσιώπα. καὶ ⊤ ὁ ἀρχιερεὺς εἶπεν 27,14p
αὐτῷ· ⸀ἐξορκίζω σε κατὰ τοῦ θεοῦ τοῦ ζῶντος ἵνα ἡμῖν Mc 5,7
εἴπῃς εἰ σὺ εἶ ὁ χριστὸς ὁ υἱὸς τοῦ θεοῦ⸆. **64** λέγει αὐτῷ 16,16!
310 I ὁ Ἰησοῦς· σὺ εἶπας⁚. πλὴν λέγω ὑμῖν· ἀπ' ἄρτι ὄψεσθε 27,11p
τὸν *υἱὸν τοῦ ἀνθρώπου* καθήμενον ἐκ δεξιῶν τῆς δυνάμεως *Dn 7,13* Ps 110,1 24,30! 22,44 Mc 16,19 Act 7,55s
311 VI καὶ *ἐρχόμενον ἐπὶ τῶν νεφελῶν τοῦ οὐρανοῦ.* **65** τότε ὁ Ez 1,26 Hen 69,27-29 | Lv 10,6; 21,10 Act 14,14 ·
ἀρχιερεὺς διέρρηξεν τὰ ἱμάτια αὐτοῦ λέγων· ⊤ ἐβλασφή-

55 [⁚ ·] | ⊤*p)* προς υμας (A) C D W Θ 0133 *f*$^{1.13}$ 𝔐 latt sy$^{p.h}$ mae; Eus ¦ *txt* ℵ B L 33. 700. 892. 1424 sy^{s} sa bo | ⸂ *4 5 1-3* (A) W Γ Δ 0133 *f*^{13} 28. 565. 1010 *pm* lat sy^{h} ¦ *4 1-3 5* C (D) K 1241 *pm* it sa bo; Eus ¦ *1-4 f*^{1} (1424) ¦ *txt* ℵ B L Θ 33. 700. 892 *pc* sy$^{s.p}$ mae ● **56** ⊤ταυτου B *pc* it sy^{s} sa ● **57** ⸀Καϊφαν D *pc* it vg^{cl} sa ● **58** ° ℵ C L Δ *f*^{1} 28. 33. 892 *pm* ¦ *txt* A B D K N W Γ Θ 0133 *f*^{13} 565. 700. 1010. 1241. 1424 *pm* ● **59** ⊤και οι πρεσβυτεροι A C W 090. 0133 *f*^{1} 𝔐 f q sy$^{p.h}$ ¦ *txt* ℵ B D L Θ *f*^{13} 892* *pc* lat co | ⸂αυτον θανατωσουσιν C^{2} D L N 090. 33. 1424 *al* ¦ θ-σουσιν αυ. A W Δ 0133. 28. 1010. 1241 *pm* ¦ θ-σωσιν Θ ¦ θ-σωσιν αυ. K Γ 565 *pm* ¦ *txt* ℵ B C*^{vid} *f*$^{1.13}$ 700. 892 *al* ● **60** ⊤ · και *et* ⸆ουχ ευρον A C^{2} (D) W 090. 0133 *f*$^{(1).13}$ 𝔐 it sy$^{(s).h}$ ¦ *txt* ℵ B C* L N* Θ *pc* lat (sy^{p}) co | ⸉ C W 0133 *f*^{13} 𝔐 sy^{h} ¦ *txt* ℵ A B (D) L Θ 090 (*f*^{1}) 33 *pc* | ⊤^{1}ψευδομαρτυρες (A) C D 090. 0133 *f*^{13} 𝔐 latt sy^{h} ¦ τινες ψευδομαρ. N W 1241 *al* (sy^{s}) ¦ *txt* ℵ B L Θ *f*^{1} *pc* sy^{p} co ● **61** ⸀αυτον οικοδομησαι ℵ C L 047. 090. 0133. 33. 892 *pc* ¦ οικοδ. αυτον A D W 𝔐 lat ¦ *txt* B Θ *f*$^{1.13}$ 700* *pc*; Or ● **63** ⊤αποκριθεις A C (D) W 090. 0133 𝔐 it sy ¦ *txt* ℵ^{2} B L Z Θ *f*$^{1.13}$ 33. 892. (1010). 1424 *pc* lat co (ℵ* *h. t.*) | ⸀ορκιζω D L Θ *f*^{13} 565 *al*; Cyr^{pt} | ⸆του ζωντος C* N W Δ 090. 1241. 1424 *al* ff^{2} vg^{mss} sy^{h} sa^{mss} mae bo ● **64** [⁚ ;] ● **65** ⊤οτι A C*^{vid} W 0133 *f*$^{1.13}$ 𝔐 ¦ ιδε ℵ* sy^{p} ¦ *txt* ℵ^{2} B C^{2} D L Z Θ 090. 33. 700. 892 *pc*

9,3! μησεν· * τί ἔτι χρείαν ἔχομεν μαρτύρων; ἴδε νῦν ἠκού- 312 II
σατε τὴν βλασφημίαν⸇· **66** τί ὑμῖν δοκεῖ; οἱ δὲ ⸀ἀποκρι-
J 19,7 Lv 24,16 θέντες εἶπαν· ἔνοχος θανάτου ἐστίν.
27,30p Is 50,6 Mch 4,14 **67** Τότε ἐνέπτυσαν εἰς τὸ πρόσωπον αὐτοῦ καὶ ἐκολά- 313 I
φισαν αὐτόν, οἱ δὲ ἐράπισαν ⸆ **68** λέγοντες· προφήτευ-
σον ἡμῖν, χριστέ, τίς ἐστιν ὁ παίσας σε;
69–75: Mc 14,66-72 L 22,56-72 J 18,25-27 · 58 Act 4,13 **69** Ὁ δὲ Πέτρος ⸂ἐκάθητο ἔξω⸃ ἐν τῇ αὐλῇ· καὶ προσ- 66 314 I
ῆλθεν αὐτῷ μία παιδίσκη λέγουσα· καὶ σὺ ἦσθα μετὰ Ἰη-
σοῦ τοῦ ⸀Γαλιλαίου. **70** ὁ δὲ ἠρνήσατο ἔμπροσθεν ⸀πάν-
των λέγων· οὐκ οἶδα τί λέγεις⸆. **71** ⸂ἐξελθόντα δὲ⸃ εἰς 315 I
τὸν πυλῶνα εἶδεν αὐτὸν ἄλλη ⸆ καὶ λέγει ⸀τοῖς ἐκεῖ· ⸇οὗ-
τος ἦν μετὰ Ἰησοῦ τοῦ Ναζωραίου. **72** καὶ πάλιν ἠρνήσατο μετὰ ὅρκου ⸀ὅτι οὐκ οἶδα τὸν ἄνθρωπον. **73** μετὰ
μικρὸν δὲ προσελθόντες οἱ ἑστῶτες εἶπον τῷ Πέτρῳ· ἀληθῶς □καὶ σὺ⸌ ἐξ αὐτῶν εἶ, καὶ γὰρ ⸆ ἡ λαλιά σου ⸂δῆλόν
σε ποιεῖ⸃. **74** τότε ἤρξατο καταθεματίζειν καὶ ὀμνύειν ὅτι
οὐκ οἶδα τὸν ἄνθρωπον. καὶ εὐθέως ἀλέκτωρ ἐφώνησεν.
75 καὶ ἐμνήσθη ὁ Πέτρος τοῦ ῥήματος Ἰησοῦ εἰρηκό- 316 II
34p τος ⸆ ὅτι πρὶν ἀλέκτορα φωνῆσαι τρὶς ἀπαρνήσῃ με· καὶ
Is 22,4 ἐξελθὼν ἔξω ἔκλαυσεν πικρῶς.
1s: Mc 15,1 L 23,1 J 18,28 · L 22,66 · 21,23! **27** Πρωΐας δὲ γενομένης συμβούλιον ⸀ἔλαβον πάντες 317 II
οἱ ἀρχιερεῖς καὶ οἱ πρεσβύτεροι τοῦ λαοῦ κατὰ τοῦ
Ἰησοῦ ὥστε θανατῶσαι αὐτόν· **2** καὶ δήσαντες αὐτὸν ἀπ- 318 I
ήγαγον καὶ παρέδωκαν ⸆ ⸇ Πιλάτῳ τῷ ἡγεμόνι.
3–10: Act 1,18s **3** Τότε ἰδὼν Ἰούδας ὁ ⸀παραδιδοὺς αὐτὸν ὅτι κατεκρί- 67 319 X
26,15 θη, μεταμεληθεὶς ⸁ἔστρεψεν τὰ τριάκοντα ἀργύρια τοῖς

65 ⸇αυτου A C W Θ 090. 0133 *f* 1.13 𝔐 it ¦ *txt* ℵ B D L Z 700 lat sa bo ● **66** ⸀απεκριθησαν παντες και D it sy^s ● **67** ⸆αυτον D G Φ *f*^1 700 *pc* ● **69** ⸂ *2 1* A C W 0133 𝔐 sy^h ¦ *1* 565. 892 ¦ *txt* ℵ B D L Z Θ 090 *f*^1.13 33 *al* latt | ⸀(71) Ναζωραιου C 047 *pc* sy^p ● **70** ⸀αυτων K 565. 1424 *al* ¦ αυτων παντων A C* W Γ Δ 0133 *f*^1 700^c. 1241 *pm* ¦ *txt* ℵ B C^2 D L Z Θ 090 *f*^13 33. 700*. 892. 1010 *pm* verss | ⸆*p)* ουδε επισταμαι D (Δ) 090 *f*^1 it sy^s ● **71** ⸂εξελθοντα δε αυτον A C W Θ 0133 *f*^1.13 𝔐 b r^1 ¦ εξελθοντος δε αυτου D *pc* lat ¦ *txt* ℵ B L Z 33. 892. (1010) *pc* | ⸆παιδισκη D it vg^cl | ⸀αυτοις A C L Γ Δ 0133 *f*^1 33. 700. 892. 1241. 1424 *pm* (*et · p.* αυτοις *pm*) ¦ – 1010 ¦ *txt* ℵ B D K W Θ *f*^13 565 *pm* | ⸇και A C L W Θ 0133 *f*^1.13 𝔐 latt sy^p.h bo ¦ *txt* ℵ B D *pc* sy^s sa mae ● **72** ⸀λεγων D it mae ¦ – ℵ *pc* ● **73** □ *p)* D Θ *f*^1 *pc* sy^s sa^ms | ⸆ Γαλιλαιος ει και C* Σ sy^h** | ⸂ομοιαζει D it sy^s ● **75** ⸆αυτω A C W Θ 0133 *f*^1.13 𝔐 b f (q) sy sa^ms mae bo ¦ *txt* ℵ B D L 33. 892 *pc* lat sa^mss

¶ **27,1** ⸀εποιησαν D a c f vg^mss mae bo ● **2** ⸆αυτον A (C^3) W Θ 0250 *f*^1.13 𝔐 ¦ *txt* ℵ B C* K L 33 *al* lat | ⸇Ποντιω A C W Θ 0250 *f*^1.13 𝔐 latt sy^h ¦ *txt* ℵ B L 33 *pc* sy^s.p co; Or ● **3** ⸀† παραδους B L 33 *pc* co ¦ *txt* ℵ A C W Θ *f*^1.13 𝔐; Eus | ⸁απεστρεψεν ℵ^1 A C W Θ *f*^1.13 𝔐; Eus ¦ *txt* ℵ* B L 0231^vid *pc*

ἀρχιερεῦσιν καὶ ⸆ πρεσβυτέροις **4** λέγων· ἥμαρτον παραδοὺς αἷμα ⸀ἀθῷον. οἱ δὲ εἶπαν· τί πρὸς ἡμᾶς; σὺ ὄψῃ. 24 Dt 27,25
5 καὶ ῥίψας τὰ ⸆ ἀργύρια ⸂εἰς τὸν ναὸν⸃ ἀνεχώρησεν, καὶ
ἀπελθὼν ἀπήγξατο. **6** Οἱ δὲ ἀρχιερεῖς λαβόντες τὰ 2Sm 17,23
ἀργύρια εἶπαν· οὐκ ἔξεστιν βαλεῖν αὐτὰ εἰς τὸν ⸀κορβα- Mc 7,11
νᾶν, ἐπεὶ τιμὴ αἵματός ἐστιν. **7** συμβούλιον δὲ λαβόντες Dt 23,19
ἠγόρασαν ἐξ αὐτῶν τὸν ἀγρὸν τοῦ κεραμέως εἰς ταφὴν
τοῖς ξένοις. **8** διὸ ἐκλήθη ὁ ἀγρὸς ἐκεῖνος ἀγρὸς αἵματος
ἕως τῆς σήμερον. **9** τότε ἐπληρώθη τὸ ῥηθὲν διὰ ⸀Ἰερεμί-
ου τοῦ προφήτου λέγοντος· *καὶ ἔλαβον τὰ τριάκοντα ἀρ-* 26,15 *Zch 11,13*
γύρια, τὴν τιμὴν τοῦ τετιμημένου ὃν ἐτιμήσαντο ἀπὸ υἱῶν
Ἰσραήλ, **10** καὶ ⸀ἔδωκαν αὐτὰ εἰς τὸν ἀγρὸν τοῦ κεραμέ- Jr 18,2s; · 32,7-9 · *Ex 9,12* 𝔊
ως, *καθὰ συνέταξέν* μοι *κύριος.*
320 I **11** Ὁ δὲ Ἰησοῦς ⸀ἐστάθη ἔμπροσθεν τοῦ ἡγεμόνος· καὶ *11-14:* Mc 15,2-5 L 23,2s J 18,
ἐπηρώτησεν αὐτὸν ⸋ὁ ἡγεμὼν⸌ λέγων· σὺ εἶ ὁ βασιλεὺς 29-38 · 1T 6,13
321 IV τῶν Ἰουδαίων; ὁ δὲ Ἰησοῦς ἔφη⸆· σὺ λέγεις⁚. **12** καὶ ἐν 26,64
τῷ κατηγορεῖσθαι αὐτὸν ὑπὸ τῶν ἀρχιερέων καὶ πρεσβυ- L 23,10 Act 24,2
τέρων οὐδὲν ἀπεκρίνατο. **13** τότε λέγει αὐτῷ ὁ Πιλᾶτος· Is 53,7 L 23,9
οὐκ ἀκούεις πόσα σου καταμαρτυροῦσιν; **14** καὶ οὐκ ἀπ- 26,63 J 19,9s
εκρίθη αὐτῷ πρὸς οὐδὲ ἓν ῥῆμα, ὥστε θαυμάζειν τὸν ἡγεμόνα λίαν.
322 II **15** Κατὰ δὲ ἑορτὴν εἰώθει ὁ ἡγεμὼν ἀπολύειν ἕνα τῷ *15-23:* Mc 15,
323 IV ὄχλῳ δέσμιον ὃν ἤθελον. **16** εἶχον δὲ τότε δέσμιον ἐπί- 6-14 L 23,17-23 J 18,39s
σημον λεγόμενον ⸰[Ἰησοῦν] Βαραββᾶν⸆. **17** συνηγμένων
⸀οὖν αὐτῶν εἶπεν αὐτοῖς ὁ Πιλᾶτος· τίνα θέλετε ἀπολύσω
ὑμῖν, ⸂[Ἰησοῦν τὸν] Βαραββᾶν⸃ ἢ Ἰησοῦν τὸν λεγόμενον 22; 1,16
χριστόν; **18** ᾔδει γὰρ ὅτι διὰ φθόνον παρέδωκαν αὐτόν.
324 X **19** Καθημένου δὲ αὐτοῦ ἐπὶ τοῦ βήματος ἀπέστειλεν Act 25,17
πρὸς αὐτὸν ἡ γυνὴ αὐτοῦ λέγουσα· μηδὲν σοὶ καὶ τῷ δι- L 23,47 Act 3,14!

3 ⸆τοις A W $f^{1.13}$ 𝔐; Eus ¦ *txt* ℵ B C L Θ 0231. 33 *al* ● **4** ⸀δικαιον B^{1} L Θ latt sy^{s} sa^{mss} mae bo; Cyp ● **5** ⸆ (3) τριακοντα ℵ *pc* | ⸂εν τω ναω A C W 0133 f^{1} 𝔐 ¦ *txt* ℵ B L Θ f^{13} 33. 700 *pc* ● **6** ⸀κορβαν B* it ¦ κορβοναν K f^{13} (33). 1010. 1241 *al* l vg^{mss} ● **9** ⸀Ζαχαριου 22 sy^{hmg} ¦ Ιησαϊου 21 l ¦ – Φ 33 a b sy$^{s.p}$ bo^{ms} ● **10** ⸀εδωκα ℵ B^{2vid} W *pc* sy; Eus ¦ εδωκεν A^{*vid} ¦ *txt* A^{c} B* C L Θ 064. 0133 $f^{1.13}$ 𝔐 latt co ● **11** ⸀εστη A W 064. 0133. 0135. 0255 f^{13} 𝔐 ¦ *txt* ℵ B C L Θ f^{1} 33 *pc* | ⸋ W Θ sy^{s} | ⸆αυτω A B W Θ 064. 0133. 0135. 0250. 0255 $f^{1.13}$ 𝔐 lat sy mae ¦ *txt* ℵ L 33. 700. 892 *pc* a d sa bo | [⁚ ;] ● **16** ⸰† ℵ A B D L W 064. 0135. 0250 f^{13} 𝔐 latt sy$^{p.h}$ co; Or^{mss} ¦ *txt* Θ f^{1} 700* *pc* sy^{s}; Or^{mss} | ⸆ (*cf* Mk 15,7) ος δια φονον και στασιν ην βεβλημενος εις φυλακην Φ *pc* (sy^{s} mae) ● **17** ⸀δε D Θ 064 f^{13} *al* it sa^{mss} mae | ⸂† τον B. B 1010 *pc*; Or^{mss} ¦ Βαραββαν ℵ A D L W 064. 0135 f^{13} 𝔐 latt sy$^{p.h}$ co ¦ *txt* f^{1} *pc* sy^{s}; Or^{mss} (Ιησ. B. Θ 700* *pc*)

καίῳ ἐκείνῳ· πολλὰ γὰρ ἔπαθον σήμερον κατ' ὄναρ δι'
αὐτόν.
20 Οἱ δὲ ἀρχιερεῖς καὶ οἱ πρεσβύτεροι ἔπεισαν τοὺς 325 I
ὄχλους ἵνα αἰτήσωνται τὸν Βαραββᾶν, τὸν δὲ Ἰησοῦν ἀπολέσωσιν. **21** ἀποκριθεὶς δὲ ὁ ἡγεμὼν εἶπεν αὐτοῖς· τίνα
θέλετε ἀπὸ τῶν δύο ἀπολύσω ὑμῖν; οἱ δὲ εἶπαν· ⸋τὸν Βαρ-
Act 3,13s; 13,27s · αββᾶν. **22** λέγει αὐτοῖς ὁ Πιλᾶτος· τί οὖν ⸀ποιήσω Ἰη- 326 I
17! σοῦν τὸν λεγόμενον χριστόν; λέγουσιν ⸆ πάντες· σταυ-
ρωθήτω. **23** ⸂ὁ δὲ ἔφη⸃· τί γὰρ κακὸν ἐποίησεν; οἱ δὲ
περισσῶς ἔκραζον λέγοντες· σταυρωθήτω.
24–26: Mc 15,15 L 23,24s J 19,16a **24** Ἰδὼν δὲ ὁ Πιλᾶτος ὅτι οὐδὲν ὠφελεῖ ἀλλὰ μᾶλλον 327 X
Dt 21,6-8 Ps 26,6; 73,13 · θόρυβος γίνεται, λαβὼν ὕδωρ ἀπενίψατο τὰς χεῖρας ⸀ἀπ-
4 Sus 46 2Sm 3,28 Act 20,26 έναντι τοῦ ⸁ὄχλου λέγων· ἀθῷός εἰμι ἀπὸ τοῦ αἵματος ⸀¹τού-
του· ὑμεῖς ὄψεσθε. **25** καὶ ἀποκριθεὶς πᾶς ὁ λαὸς εἶπεν·
23,35 Act 5,28; 18,6 2Sm 1,16; 14,9 Jr 51,35 τὸ αἷμα αὐτοῦ ἐφ' ἡμᾶς καὶ ἐπὶ τὰ τέκνα ἡμῶν. **26** τότε 328 I
ἀπέλυσεν αὐτοῖς τὸν Βαραββᾶν, τὸν δὲ Ἰησοῦν φραγελ-
λώσας παρέδωκεν ⸆ ἵνα ⸀σταυρωθῇ.
27–31: Mc 15,16-20 J 19,2s **27** Τότε οἱ στρατιῶται τοῦ ἡγεμόνος παραλαβόντες τὸν 329 IV
Ἰησοῦν εἰς τὸ πραιτώριον συνήγαγον ἐπ' αὐτὸν ὅλην τὴν
σπεῖραν. **28** καὶ ⸀ἐκδύσαντες αὐτὸν ⸆ χλαμύδα κοκκίνην
περιέθηκαν αὐτῷ, **29** καὶ πλέξαντες στέφανον ἐξ ἀκανθῶν
ἐπέθηκαν ἐπὶ ⸂τῆς κεφαλῆς⸃ αὐτοῦ καὶ κάλαμον ἐν τῇ δε-
20,19 Ps 22,8 ξιᾷ αὐτοῦ, καὶ γονυπετήσαντες ἔμπροσθεν αὐτοῦ ⸀ἐνέπαι-
26,49 ξαν αὐτῷ λέγοντες· χαῖρε, ⸁βασιλεῦ τῶν Ἰουδαίων, **30** καὶ 330 VI
26,67 Is 50,6 ἐμπτύσαντες εἰς αὐτὸν ἔλαβον τὸν κάλαμον καὶ ἔτυπτον
εἰς τὴν κεφαλὴν αὐτοῦ. **31** καὶ ὅτε ἐνέπαιξαν αὐτῷ, ⸀ἐξ-
έδυσαν αὐτὸν τὴν χλαμύδα ⸋καὶ ἐνέδυσαν αὐτὸν τὰ ἱμάτια αὐτοῦ καὶ ἀπήγαγον αὐτὸν εἰς τὸ σταυρῶσαι.

21 ⸋ A D W 064 f^{13} 𝔐 ¦ *txt* ℵ B L Θ f^{1} 33. 892*. 1010 *pc* • **22** ⸀ποιησωμεν D *pc* it | ⸆αυτω L Γ 700. 892. 1010 𝔐 c f • **23** ⸂ο δε ηγεμων εφη A W 064. 0250 𝔐 sy^{h} ¦ λεγει αυτοις ο ηγεμων D L f^{1} 892 *pc* lat sy^{p} mae bo ¦ *txt* ℵ B Θ f^{13} 33 *pc* sa • **24** ⸀† κατεναντι B D ¦ *txt* ℵ A L W Θ 064 $f^{1.13}$ 𝔐 | ⸁λαου Θ 064 *pc* | ⸀¹του δικαιου τουτου ℵ L W $f^{1.13}$ 𝔐 lat $sy^{p.h}$ sa^{mss} mae bo (⸉A Δ 064 *pc* aur f h) ¦ του δικαιου 1010 *pc* bo^{ms} ¦ *txt* B D Θ *pc* it sy^{s} (sa^{mss}); Or^{lat} Cyp • **26** ⸆αυτοις ℵ¹ D L N Θ f^{1} 892. 1010 *al* lat sy^{s} | ⸀σταυρωσωσιν αυτον D Θ *pc* it • **28** ⸀ενδυσαντες ℵ¹ B D 1424 *pc* it sy^{s} | ⸆τα ιματια αυτου 064. 33 *pc* sy^{hmg} sa^{ms} mae bo^{ms} ¦ *p)* ιματιον πορφυρουν και D *pc* it (sy^{s}) • **29** ⸂ την κεφαλην A D W 064. 0250 f^{1} 𝔐 ¦ τη κεφαλη 33 *pc* ¦ *txt* ℵ B L Θ f^{13} 892 *pc* | ⸀ενεπαιζον A W Θ 064. 0250 $f^{1.13}$ 𝔐 ¦ *txt* ℵ B D L Γ 33. 892 *pc* | ⸁ο βασιλευς ℵ A L W 064 f^{13} 𝔐; Eus ¦ *txt* B D Δ Θ 0250 f^{1} *al* • **31** ⸀εκδυσαντες *et* ⸋ ℵ (L) 33. 892. 1010 *pc*

331 I 32 Ἐξερχόμενοι δὲ εὗρον ἄνθρωπον Κυρηναῖον ⸆ ὀνόματι *32–37:* Mc 15,21-
Σίμωνα, τοῦτον ἠγγάρευσαν ἵνα ἄρῃ τὸν σταυρὸν αὐτοῦ. 26 L 23,26-34
332 I 33 Καὶ ἐλθόντες εἰς ⸆ τόπον ⸆ λεγόμενον Γολγοθᾶ, ὅ J 19,17-27 · Act 6,9!
333 IV ἐστιν ⸂Κρανίου Τόπος λεγόμενος⸃, 34 ἔδωκαν αὐτῷ πιεῖν
⸀οἶνον μετὰ χολῆς μεμιγμένον· καὶ γευσάμενος οὐκ ⸁ἠθέ- Ps 69,22
334 I λησεν πιεῖν. 35 Σταυρώσαντες δὲ αὐτὸν *διεμερίσαν-* *Ps 22,19*
το τὰ ἱμάτια αὐτοῦ ⸀*βάλλοντες κλῆρον*⸆, 36 καὶ καθήμε-
335 I νοι ἐτήρουν αὐτὸν ἐκεῖ. 37 Καὶ ἐπέθηκαν ἐπάνω τῆς
κεφαλῆς αὐτοῦ τὴν αἰτίαν αὐτοῦ γεγραμμένην·
οὗτός ἐστιν Ἰησοῦς ὁ βασιλεὺς τῶν Ἰουδαίων.
336 I 38 Τότε σταυροῦνται σὺν αὐτῷ δύο λῃσταί, εἷς ἐκ δε- *38–43:* Mc 15,27-32a L 23,35-38 · Is 53,12
337 VI ξιῶν ⸆ καὶ εἷς ἐξ εὐωνύμων⸆·. 39 Οἱ δὲ παραπορευ-
όμενοι ἐβλασφήμουν αὐτὸν κινοῦντες τὰς κεφαλὰς αὐτῶν Ps 22,8; 109,25 Thr 2,15
40 καὶ λέγοντες· ὁ καταλύων τὸν ναὸν καὶ ἐν τρισὶν ἡμέ- 26,61!
ραις οἰκοδομῶν, σῶσον σεαυτόν, εἰ υἱὸς ⸂εἶ τοῦ θεοῦ⸃, °[καὶ] 4,3!
338 II κατάβηθι ἀπὸ τοῦ σταυροῦ. 41 ὁμοίως ⸀καὶ οἱ ἀρχιερεῖς
ἐμπαίζοντες μετὰ τῶν γραμματέων ⸂καὶ πρεσβυτέρων⸃ ἔλε-
γον· 42 ἄλλους ἔσωσεν, ἑαυτὸν οὐ δύναται σῶσαι⁚· ⸆ βα- L 4,23 · Zph 3,15
σιλεὺς Ἰσραήλ ἐστιν, καταβάτω νῦν ἀπὸ τοῦ σταυροῦ καὶ
⸀πιστεύσομεν ⸂ἐπ' αὐτόν⸃. 43 ⸆ *πέποιθεν ἐπὶ* ⸂*τὸν θεόν*⸃, *ῥυ-* *Ps 22,9* Is 36,7.20
σάσθω ⸀*νῦν εἰ θέλει αὐτόν*· εἶπεν γὰρ ὅτι θεοῦ εἰμι υἱός. Sap 2,13.18-20 · 16,16!
339 II 44 Τὸ δ' αὐτὸ καὶ οἱ λῃσταὶ οἱ ⸀συσταυρωθέντες ⸂σὺν *44:* Mc 15,32b L 23,39-43
αὐτῷ⸃ ὠνείδιζον αὐτόν.

32 ⸆εις απαντησιν αυτου D it vg^{mss} ¦ *p)* ερχομενον απ αγρου 33 ● **33** ⸆*bis* τον B | ⸂*3 1 2* A (N* W 0250) f^{13} 𝔐 r^{1} ¦ *1 2* א^{1} D Γ Θ 565. 700. 1010. 1241. 1424 *al* lat sa bo ¦ *txt* א$^{*.2}$ B L f^{1} 33. 892 *pc* ff^{1} mae ● **34** ⸀(Ps 69,22) οξος A W 0250 𝔐 c f h q sy$^{p.h}$ mae bo^{mss} ¦ *txt* א B D K L Θ $f^{1.13}$ 33 *al* lat sy$^{s.hmg}$ sa bo | ⸁ηθελεν א^{1} A W 𝔐 ¦ *txt* א$^{*.2}$ B D L Θ 0250 $f^{1.13}$ 33. 892. 1010 *pc* ● **35** ⸀βαλοντες א A D Θ f^{1} 565. 892^{c} *al* bo | ⸆(J 19,24) ινα πληρωθη το ρηθεν δια (υπο $f^{1.13}$) του προφητου (+ λεγοντος 0250)· διεμερισαντο (-σαν Θ) τα ιματια μου εαυτοις, και επι τον ιματισμον μου εβαλον κληρον Δ Θ 0250 $f^{1.13}$ 1424 *al* it vg^{cl} sy^{h} mae; Eus ¦ επ αυτα 892* *pc* sy^{s} co? ● **38** ⸆nomine Zoatham *et* ⸆· nomine Camma c ● **40** ⸂*3 1* B | ° א^{2} B L W Θ 0250 $f^{1.13}$ 𝔐 lat sy^{h} co? ¦ *txt* א* A D *pc* it sy$^{(s).p}$ ● **41** ⸀δε και D 𝔐 ff^{1} sy^{h} (sa) mae ¦ – א A L W *pc* bo^{pt} ¦ *txt* B K Θ $f^{1.13}$ 33. 565. 700. 1010 *al* lat sy$^{(s).p}$ bo^{pt} | ⸂και Φαρισαιων D W 1424 *pc* it sy^{s} ¦ και πρεσβ. και Φαρ. 𝔐 f sy$^{p.h}$ bo^{pt} ¦ *p)* – Γ *pc* ¦ *txt* (⸉ א) A B L Θ $f^{1.13}$ 33. 700. 892 *al* lat sa^{mss} mae bo^{pt} ● **42** [⁚;] | ⸆ει A W Θ $f^{1.13}$ 𝔐 lat sy mae bo ¦ *txt* א B D L 33. 892 *pc* sa | ⸀*p)* πιστευσωμεν א L W Γ Δ Θ f^{13} 33. 565. 1010. 1424 *pm* ¦ πιστευομεν A 1241 *pc* ¦ *txt* B D K f^{1} 700. 892 *pm* | ⸂εις αυτον Σ 047 *pc* ¦ επ αυτω W 𝔐 ¦ αυτω A D Θ $f^{1.13}$ 700. 1010 *al* ¦ *txt* א B L 33. 892. 1424 *al* ● **43** ⸆ει D Θ f^{1} 1010 *pc* it co | ⸂τω θεω B | ⸀αυτον A 565. 1010. 1424 *al* ff^{2} ¦ νυν αυτον D W Θ $f^{1.13}$ 𝔐 lat ¦ *txt* א B L 33. 892 *pc* vg^{cl} ● **44** ⸀σταυρωθεντες D L Θ | ⸂μετ αυτου 090 *pc* ¦ αυτω A^{c} W $f^{1.13}$ 𝔐 ¦ *txt* א B D L Θ 892 (A* *illeg.*)

45–54: Mc 15,33-39 L 23,44-48 J 19,28-30 · Am 8,9 Jr 15,9 | **45** Ἀπὸ δὲ ἕκτης ὥρας σκότος ἐγένετο ⸂ἐπὶ πᾶσαν τὴν 340 II
γῆν⸃ ἕως ὥρας ἐνάτης. **46** περὶ δὲ τὴν ἐνάτην ὥραν ⸀ἀν- 341 VI
εβόησεν ὁ Ἰησοῦς φωνῇ μεγάλῃ λέγων·
Ps 22,2 ⸂*ηλι ηλι*⸃ ⸂¹*λεμα σαβαχθανι*⸃¹;
τοῦτ' ἔστιν· *θεέ μου θεέ μου, ἱνατί με ἐγκατέλιπες;* **47** τινὲς
δὲ τῶν ἐκεῖ ⸀ἑστηκότων ἀκούσαντες ἔλεγον °ὅτι Ἠλίαν
φωνεῖ οὗτος. **48** καὶ εὐθέως δραμὼν εἷς ⸋ἐξ αὐτῶν⸌ καὶ 342 II
Ps 69,22 λαβὼν σπόγγον πλήσας τε ὄξους καὶ περιθεὶς καλάμῳ
ἐπότιζεν αὐτόν. **49** οἱ δὲ λοιποὶ ⸀ἔλεγον· ἄφες ἴδωμεν εἰ
ἔρχεται Ἠλίας σώσων αὐτόν. ⸆ **50** ὁ δὲ Ἰησοῦς πάλιν κρά- 343 I
ξας φωνῇ μεγάλῃ ἀφῆκεν τὸ πνεῦμα.
Ex 26,31ss H 6,19! **51** Καὶ ἰδοὺ τὸ καταπέτασμα τοῦ ναοῦ ἐσχίσθη ⸂ἀπ' 344 II
H 12,26 ἄνωθεν ἕως κάτω εἰς δύο⸃ * καὶ ἡ γῆ ἐσείσθη καὶ αἱ πέ- 345 X
Ez 37,12s τραι ἐσχίσθησαν, **52** καὶ τὰ μνημεῖα ἀνεῴχθησαν καὶ πολ-
Is 26,19 Dn 12,2 λὰ σώματα τῶν κεκοιμημένων ἁγίων ⸀ἠγέρθησαν, **53** καὶ
1K 15,20! ἐξελθόντες ἐκ τῶν μνημείων μετὰ τὴν ἔγερσιν αὐτοῦ εἰσ-
4,5! ῆλθον εἰς τὴν ἁγίαν πόλιν καὶ ἐνεφανίσθησαν πολλοῖς.
54 Ὁ δὲ ἑκατόνταρχος καὶ οἱ μετ' αὐτοῦ τηροῦντες τὸν 346 II
Ἰησοῦν ἰδόντες τὸν σεισμὸν καὶ τὰ ⸀γενόμενα ἐφοβήθη-
16,16! σαν σφόδρα, λέγοντες· ἀληθῶς ⸂θεοῦ υἱὸς ἦν⸃ οὗτος.
55s: Mc 15,40s L 23,49 J 19,24b-27 **55** Ἦσαν δὲ ἐκεῖ γυναῖκες πολλαὶ ἀπὸ μακρόθεν θεω- 34 V
ροῦσαι, αἵτινες ἠκολούθησαν τῷ Ἰησοῦ ἀπὸ τῆς Γαλιλαί-
Mc 15,40! ας διακονοῦσαι αὐτῷ· **56** ἐν αἷς ἦν ⸀Μαρία ἡ Μαγδαληνὴ
61; 28,1p καὶ ⸀Μαρία ἡ τοῦ Ἰακώβου καὶ ⸂Ἰωσὴφ μήτηρ καὶ ἡ
4,21! μήτηρ⸃ τῶν υἱῶν Ζεβεδαίου. 6
57–61: Mc 15,42-47 L 23,50-55 J 19,38-42 **57** Ὀψίας δὲ γενομένης ἦλθεν ἄνθρωπος πλούσιος ἀπὸ 34 I

45 ⸂εφ ολην την γην ℵ^{1} 1424 *pc* ¦ – ℵ* *pc* l ● **46** ⸀*p)* εβ- B L W 33. 700 *al* | ⸂ελωι ελωι ℵ B 33 co; Ath ¦ *txt* A D (L) W Θ 090 $f^{1.13}$ 𝔐 | ⸂¹λαμα ζαφθανι D*(^{c}: σαφθ-) b ff^{2} h ¦ λαμα σαβαχθανι Θ f^{1} *pc* vg^{cl} mae ¦ λιμα σαβαχθανι A (W) 090 f^{13} 𝔐 (f q) ¦ λεμα σαβακθανι B (892) *pc* lat bo^{pt} ¦ *txt* ℵ L 33. 700. 1010 *pc* ff^{1} ● **47** ⸀εστωτων A D 090 $f^{1.13}$ 𝔐 ¦ *txt* ℵ B C L (W) Θ 33. 700. 892 *pc* | ° ℵ D L Θ 33. 700. 892. 1424 *pc* ● **48** ⸋ ℵ ● **49** ⸀† ειπαν B (D) f^{13} *pc* ¦ *txt* ℵ A C L W Θ 090 f^{1} 𝔐 | ⸆ (J 19,34) αλλος δε λαβων λογχην ενυξεν αυτου την πλευραν, και εξηλθεν υδωρ και αιμα ℵ B C L Γ 1010 *pc* vg^{mss} mae ¦ *txt* A D W Θ 090 $f^{1.13}$ 𝔐 lat sy sa bo ● **51** ⸂ *5 6 1–4* A C^{3} W 090 $f^{1.13}$ 𝔐 sy$^{p.h}$ mae ¦ *2–6* L sa^{mss} ¦ απ ανω εως κατω 1424 ¦ *5 6 2–4* ℵ Θ ¦ εις δυο μερη απο ανωθεν εως κατω D *ex* latt*?* ¦ *txt* B C* 33 sa^{mss} bo ● **52** ⸀ηγερθη A C W 090 𝔐 ¦ *txt* ℵ B D L Θ $f^{1.13}$ 33 *al* ● **54** ⸀† γινομενα B D 28. 33 *pc* ¦ *txt* ℵ A C L W Θ 090 $f^{1.13}$ 𝔐 sy co | ⸂ *2 1 3* B D ¦ υιος ην του θεου ℵ* ● **56** ⸀*bis* Μαριαμ C (L) Δ Θ (f^{1}) *pc* sa$^{(mss)}$ | ⸂Ιωση (-σητος D^{c}) *2–5* A B C D^{c} $f^{1.13}$ 𝔐 sy$^{(p).h}$ sa^{mss}; Eus ¦ η Μαρια η Ιωσηφ και η Μαρια η ℵ* ¦ Ιωσηφ και η μητηρ it ¦ *txt* (ℵ^{2}) D* L W Θ *pc* lat sy$^{s.hmg}$ sa^{mss} mae bo

Ἁριμαθαίας, τοὔνομα Ἰωσήφ, ὃς καὶ αὐτὸς ⸀ἐμαθητεύθη
τῷ Ἰησοῦ· **58** οὗτος προσελθὼν τῷ Πιλάτῳ ᾐτήσατο τὸ Dt 21,22s
σῶμα τοῦ Ἰησοῦ. τότε ὁ Πιλᾶτος ἐκέλευσεν ἀποδοθῆ-
349 I ναι⸆. **59** καὶ λαβὼν τὸ σῶμα ὁ Ἰωσὴφ ἐνετύλιξεν αὐτὸ 1Rg 13,29s
°[ἐν] σινδόνι καθαρᾷ **60** καὶ ἔθηκεν °αὐτὸ ἐν τῷ καινῷ
αὐτοῦ μνημείῳ ὃ ἐλατόμησεν ἐν τῇ πέτρᾳ καὶ προσκυλί-
σας λίθον μέγαν τῇ θύρᾳ τοῦ μνημείου ἀπῆλθεν. Mc 16,4
350 VI **61** Ἦν δὲ ἐκεῖ ⸀Μαριὰμ ἡ Μαγδαληνὴ καὶ ἡ ἄλλη Μαρία 56!
καθήμεναι ἀπέναντι τοῦ τάφου.
351 X **62** Τῇ δὲ ἐπαύριον, ἥτις ἐστὶν μετὰ τὴν παρασκευήν,
συνήχθησαν οἱ ἀρχιερεῖς καὶ οἱ Φαρισαῖοι πρὸς Πιλᾶτον 21,45
63 λέγοντες· κύριε, ἐμνήσθημεν ὅτι ἐκεῖνος ὁ πλάνος J 7,12.47 L 23,5.14
εἶπεν ἔτι ζῶν· μετὰ τρεῖς ἡμέρας ἐγείρομαι. **64** κέλευσον 40; 12,40
οὖν ἀσφαλισθῆναι τὸν τάφον ἕως τῆς τρίτης ἡμέρας, μήποτε ἐλθόντες οἱ μαθηταὶ °αὐτοῦ ⸂κλέψωσιν αὐτὸν⸃ καὶ 28,13
εἴπωσιν τῷ λαῷ· ἠγέρθη ἀπὸ τῶν νεκρῶν, καὶ ἔσται ἡ
ἐσχάτη πλάνη χείρων τῆς πρώτης. **65** ἔφη ⸆ αὐτοῖς ὁ Πι- 12,45!
λᾶτος· ἔχετε ⸀κουστωδίαν· ὑπάγετε ⸁ἀσφαλίσασθε ὡς οἴ- 28,11
δατε. **66** οἱ δὲ πορευθέντες ἠσφαλίσαντο τὸν τάφον σφρα- Dn 6,17
γίσαντες τὸν λίθον μετὰ ⸂τῆς κουστωδίας⸃⁝.

52 I **28** Ὀψὲ °δὲ σαββάτων⁝¹, τῇ ἐπιφωσκούσῃ εἰς μίαν *1-8:* Mc 16,1-8 L 24,1-12 J 20,1-10 · 1K 16,2!
σαββάτων ἦλθεν ⸀Μαριὰμ ἡ Μαγδαληνὴ καὶ ἡ ἄλ- 27,56!
λη ⸁Μαρία θεωρῆσαι τὸν τάφον. **2** καὶ ἰδοὺ σεισμὸς ἐγέ- Mc 15,47 | 27,51
νετο μέγας· ἄγγελος γὰρ κυρίου καταβὰς ἐξ οὐρανοῦ °καὶ
προσελθὼν ἀπεκύλισεν τὸν λίθον ⸆ καὶ ἐκάθητο ἐπάνω αὐ-

57 ⸀εμαθητευσεν A B L W f^{13} 𝔐 ¦ *txt* ℵ C D Θ f^{1} 33. 700. 892 *pc* • **58** ⸆το σωμα A C D W Θ f^{13} 𝔐 lat $sy^{p.h}$ ¦ το σωμα του Ιησου Σ *pc* sy^{hmg} ¦ το σωμα Ιωσηφ 1424 ¦ αυτω 237 sa mae ¦ *txt* ℵ B L f^{1} 33. 892 *pc* sy^{s} bo • **59** ° ℵ A C L W $f^{1.13}$ 𝔐 g^{1} vg^{st} ¦ *txt* B D Θ *pc* it vg^{ww} • **60** ° ℵ L Θ f^{13} 33. 892 *pc* • **61** ⸀Μαρια A D W f^{13} 𝔐 sa bo ¦ *txt* ℵ B C L Δ Θ f^{1} *pc* mae bo^{ms} • **64** ° † ℵ B arm geo^{pt} ¦ *txt* A C D L W Θ $f^{1.13}$ 𝔐 latt sy co | ⸂κλεψουσιν αυτον ℵ ¦ νυκτος κλεψωσιν αυτον C^{3} L Γ 565. 700. 892. 1241 *pm* sy^{s} ¦ κλεψωσιν α. νυκτος S 28 *al* sy^{p} ¦ *txt* A B C* D K W Δ Θ $f^{1.13}$ 33. 1010. 1424 *pm* latt co • **65** ⸆δε ℵ A C D W Δ f^{1} 28. 565. 892. 1010. 1424 *pm* sy^{h**} bo^{pt} ¦ *txt* B K L Γ Θ f^{13} 33. 700. 1241 *pm* lat $sy^{s.p}$ sa mae bo^{pt} | ⸀φυλακας D* it mae bo | ⸁ασφαλισασθαι ℵ C D W Θ *al* • **66** ⸂των φυλακων D* lat mae bo^{pt} | [⁝ – *et* (28,1) ⁝¹ .]
¶ **28,1** ° L 047. 33. 1241. 1424 *al* | ⸀Μαρια A B D W $f^{1.13}$ 𝔐 sa bo ¦ *txt* ℵ C L Δ Θ *pc* mae | ⸁Μαριαμ L Δ Θ • **2** ° A D Θ $f^{1.13}$ 𝔐 ¦ *txt* ℵ B C L W 33. 1010 *al* | ⸆απο της θυρας C K W Δ 1424 *pm* f h q sy^{p} ¦ απο της θυρας του μνημειου A L Γ Θ $f^{1.13}$ (28). 33. 565. 1010. 1241 *pm* sy^{h} mae bo ¦ *txt* ℵ B D 700. 892 *pc* lat sy^{s} sa

Dn 10,6 · Act 1,10 τοῦ. **3** ἦν δὲ ἡ ⸀εἰδέα αὐτοῦ ὡς ἀστραπὴ καὶ τὸ ἔνδυμα αὐ-
17,2 Dn 7,9 τοῦ λευκὸν ⸂ὡς χιών. **4** ἀπὸ δὲ τοῦ φόβου αὐτοῦ ἐσείσθη-
Ap 1,17 σαν οἱ τηροῦντες καὶ ⸀ἐγενήθησαν ⸂ὡς νεκροί. **5** ἀπο- 35 II
L 1,13! κριθεὶς δὲ ὁ ἄγγελος εἶπεν ταῖς γυναιξίν· μὴ φοβεῖσθε ὑμεῖς, οἶδα γὰρ ὅτι Ἰησοῦν τὸν ἐσταυρωμένον ζη-
16,21; 17,23; 20,19; 12,40 τεῖτε· **6** οὐκ ἔστιν ὧδε, ἠγέρθη γὰρ καθὼς εἶπεν· δεῦτε
ἴδετε τὸν τόπον ὅπου ἔκειτο⸆. **7** καὶ ταχὺ πορευθεῖσαι εἴ-
πατε τοῖς μαθηταῖς αὐτοῦ ὅτι ἠγέρθη ⸋ἀπὸ τῶν νεκρῶν⸌,
10.16; 26,32p καὶ ἰδοὺ προάγει ὑμᾶς εἰς τὴν Γαλιλαίαν, ἐκεῖ αὐτὸν
ὄψεσθε· ἰδοὺ εἶπον ὑμῖν.

8 Καὶ ⸀ἀπελθοῦσαι ταχὺ ἀπὸ τοῦ μνημείου μετὰ φόβου 35 II
καὶ χαρᾶς μεγάλης ἔδραμον ἀπαγγεῖλαι τοῖς μαθηταῖς
9s: Mc 16,9-11 J 20,14-18 αὐτοῦ. **9** ⸆καὶ ἰδοὺ ⸆ Ἰησοῦς ⸀ὑπήντησεν αὐταῖς λέγων· 35 X
26,49! χαίρετε. αἱ δὲ προσελθοῦσαι ἐκράτησαν αὐτοῦ τοὺς πό-
δας καὶ προσεκύνησαν αὐτῷ. **10** τότε λέγει αὐταῖς ὁ
L 1,13! · J 20,17! Ἰησοῦς· μὴ φοβεῖσθε· ὑπάγετε ἀπαγγείλατε τοῖς ⸉ἀδελ-
7! φοῖς μου⸊ ἵνα ἀπέλθωσιν εἰς τὴν Γαλιλαίαν, κἀκεῖ με ⸀ὄ-
ψονται.

27,62-66 **11** Πορευομένων δὲ αὐτῶν ἰδού τινες τῆς κουστωδίας
ἐλθόντες εἰς τὴν πόλιν ⸀ἀπήγγειλαν τοῖς ἀρχιερεῦσιν ἅ-
παντα τὰ γενόμενα. **12** καὶ συναχθέντες μετὰ τῶν πρεσβυτέρων συμβούλιόν τε λαβόντες ἀργύρια ἱκανὰ ἔδωκαν
τοῖς στρατιώταις **13** λέγοντες· εἴπατε ὅτι οἱ μαθηταὶ αὐ-
27,64 τοῦ νυκτὸς ἐλθόντες ἔκλεψαν αὐτὸν ἡμῶν κοιμωμένων.
14 καὶ ἐὰν ἀκουσθῇ τοῦτο ⸀ἐπὶ τοῦ ἡγεμόνος, ἡμεῖς πεί-
σομεν °[αὐτὸν] καὶ ὑμᾶς ἀμερίμνους ποιήσομεν. **15** οἱ δὲ
λαβόντες °τὰ ἀργύρια ἐποίησαν ὡς ἐδιδάχθησαν. καὶ

3 ⸀ιδεα K L W Γ Δ Θ $f^{1.13}$ 33. 565. 1241 *pm* ¦ *txt* ℵ^{1}(*: – ην … αυτου) A B^{2}(*: ειδε) C D 28. 700. 892. 1010. 1424 *pm* | ⸂ωσει A C L W Θ f^{13} 𝔐 ¦ *txt* ℵ B D K f^{1} 892 *al* ● **4** ⸀εγενοντο A C^{3} W Θ $f^{1.13}$ 𝔐 ¦ *txt* ℵ B C* D L 33 | ⸂ωσει A^{c} C Θ f^{13} 𝔐 ¦ *txt* ℵ A* B D L W Δ f^{1} 892 *pc* ● **6** ⸆ο κυριος A C D L W 0148 $f^{1.13}$ 𝔐 lat sy$^{(p).h}$ ¦ το σωμα του κυριου 1424 *pc* ¦ ο Ιησους Φ ¦ *txt* ℵ B Θ 33. 892* *pc* e sy^{s} co ● **7** ⸋ D 565 *pc* lat sy^{s} arm; Or ● **8** ⸀*p)* εξελθ- A D W 0148 f^{1} 𝔐 ¦ *txt* ℵ B C L Θ f^{13} 33 *al* ● **9** ⸆ως δε επορευοντο απαγγειλαι τοις μαθηταις αυτου A C L 0148 f^{1} (1424) 𝔐 f (q) sy^{h} ¦ *txt* ℵ B D W Θ f^{13} 33. 700. 892 *al* lat sy^{p} co | ⸆ο D L W Γ Θ 0148 $f^{1.13}$ 28^{c}. 33. 1424 *pm* ¦ *txt* ℵ A B C K Δ 28*. 565. 700. 892. 1010. 1241 *pm* | ⸀απηντ- ℵ^{2} A D L W 0148 𝔐 ¦ *txt* ℵ* B C Θ $f^{1.13}$ 565. 700. 892. 1241. 1424 *al* ● **10** ⸉αδ. ℵ* ¦ μαθηταις μου 157 *pc*; Cyr^{pt} | ⸀οψεσθε D e h ● **11** ⸀ανηγγειλαν ℵ D Θ 565 ● **14** ⸀υπο B D 0148. 892 *pc* | ° † ℵ B Θ 33 e ¦ *txt* A C D L W 074. 0148. 0234 $f^{1.13}$ 𝔐 lat sy? ● **15** ° † ℵ* B* W 0234 *pc* ¦ *txt* ℵ^{1} A B^{2} D L Θ 074. 0148 $f^{1.13}$ 𝔐

⸀διεφημίσθη ὁ λόγος οὗτος παρὰ Ἰουδαίοις μέχρι τῆς
σήμερον °¹[ἡμέρας].
16 Οἱ δὲ ἕνδεκα μαθηταὶ ἐπορεύθησαν εἰς τὴν Γαλιλαίαν εἰς τὸ ὄρος οὗ ἐτάξατο αὐτοῖς ὁ Ἰησοῦς, 17 καὶ ἰδόντες αὐτὸν προσεκύνησαν⸆, οἱ δὲ ἐδίστασαν. 18 καὶ προσελθὼν ὁ Ἰησοῦς ἐλάλησεν αὐτοῖς λέγων· ἐδόθη μοι πᾶσα
ἐξουσία ἐν ⸀οὐρανῷ καὶ ἐπὶ °[τῆς] γῆς. ⸆ 19 πορευθέντες
⸀οὖν μαθητεύσατε πάντα τὰ ἔθνη, ⸁βαπτίζοντες αὐτοὺς
εἰς τὸ ὄνομα τοῦ πατρὸς καὶ τοῦ υἱοῦ καὶ τοῦ ἁγίου πνεύματος, 20 διδάσκοντες αὐτοὺς τηρεῖν πάντα ὅσα ἐνετει-
λάμην ὑμῖν· καὶ ἰδοὺ ἐγὼ ⸉μεθ' ὑμῶν εἰμι⸊ πάσας τὰς
ἡμέρας ἕως τῆς συντελείας τοῦ αἰῶνος.⸆

27,8

Mc 16,14 L 24,9. 33 Act 1,26; 2,14 · 7!

14,31

9,6p; 11,27p J 3, 35! Dn 7,14 E 1, 20-22 Ap 12,10 | 10,5s; 24,14p; 26, 13 Mc 16,15c Act 1,8 Kol 1,23 · Act 14,21; · 8,12; 2, 38 | J 14.23

18,20 Act 18,10 Hgg 1,3 𝔊 13,39!

15 ⸀εφημισθη ℵ Δ 33. 892* *pc*; Or | °¹ ℵ A W 074. 0148^vid^ $f^{1.13}$ 𝔐 e ff² ¦ *txt* B D L Θ *pc* lat • **17** ⸆αυτω A W Θ 074. 0148 $f^{1.13}$ 𝔐 ¦ αυτον Γ 28. 700*. 1241 *al* ¦ *txt* ℵ B D 33 lat • **18** ⸀ουρανοις D | ° ℵ A W Θ 074. 0148^vid^ $f^{1.13}$ 𝔐 ¦ *txt* B D 892 *pc* | ⸆(J 20, 21) καθως απεστειλεν με ο πατηρ καγω αποστελω υμας Θ *pc* sy^p^ • **19** ⸀νυν D it ¦ – ℵ A 0148^vid^ f^{13} 𝔐 bo^pt^ ¦ *txt* B W Δ Θ 074 f^{1} 33. 565. 892. 1010. 1241 *al* lat sy sa mae bo^pt^ | ⸁βαπτισαντες B D • **20** ⸉ ℵ D | ⸆αμην. A^c^ Θ f^{13} 𝔐 it vg^mss^ sy bo^pt^ ¦ *txt* ℵ A* B D W 074 f^{1} 33 *pc* lat sa mae bo^pt^

Act 12,12.25; 13,5.13; 15,37 Kol 4,10 2T 4, 11 Phm 24 1P 5,13

⸂ΚΑΤΑ ΜΑΡΚΟΝ⸃

2-6: Mt 3,1-6 L 3,1-6 J 1,19-23 · Ex 23,20 Ml 3,1 Mt 11,10p L 1,76 J 3,28

1 Ἀρχὴ τοῦ εὐαγγελίου Ἰησοῦ Χριστοῦ ⸂[υἱοῦ θεοῦ]⸃⁚. 1 II
⸋2 Καθὼς γέγραπται ἐν ⸉τῷ Ἠσαΐᾳ τῷ προφήτῃ⸊·
ἰδοὺ ⸆ *ἀποστέλλω τὸν ἄγγελόν μου πρὸ προσώπου σου,*
ὃς κατασκευάσει τὴν ὁδόν σου⸆·
Is 40,3 𝔊 3 *φωνὴ βοῶντος ἐν τῇ ἐρήμῳ·* 2 I
ἑτοιμάσατε τὴν ὁδὸν κυρίου,
εὐθείας ποιεῖτε τὰς τρίβους ⸀αὐτοῦ⁚¹,⸆¹⸌
Act 13,24; 19,4; · 2,38; 22,16 4 ἐγένετο Ἰωάννης ⸂[ὁ] βαπτίζων ἐν τῇ ἐρήμῳ καὶ⸃ κη- 3 VI
ρύσσων βάπτισμα μετανοίας εἰς ἄφεσιν ἁμαρτιῶν. 5 καὶ
ἐξεπορεύετο πρὸς αὐτὸν πᾶσα ἡ Ἰουδαία χώρα καὶ οἱ
Ἱεροσολυμῖται πάντες, καὶ ἐβαπτίζοντο ⸂ὑπ’ αὐτοῦ ἐν τῷ
Ἰορδάνῃ ποταμῷ⸃ ἐξομολογούμενοι τὰς ἁμαρτίας αὐτῶν.
Zch 13,4 Mt 11,8p 2Rg 1,8 · Lv 11,21s 6 ⸂καὶ ἦν ὁ Ἰωάννης⸃ ἐνδεδυμένος ⸀τρίχας καμήλου ⸋καὶ
ζώνην δερματίνην περὶ τὴν ὀσφὺν αὐτοῦ⸌ καὶ ἐσθίων ἀ-
κρίδας καὶ μέλι ἄγριον.
7s: Mt 3,11 L 3,16 J 1,26s Act 13,25 7 Καὶ ἐκήρυσσεν λέγων· * ἔρχεται ὁ ἰσχυρότερός 4 I
μου ὀπίσω °μου, οὗ οὐκ εἰμὶ ἱκανὸς °¹κύψας λῦσαι τὸν
ἱμάντα τῶν ὑποδημάτων αὐτοῦ. 8 ἐγὼ ἐβάπτισα ὑμᾶς ⸆
J 16,7! ὕδατι, αὐτὸς δὲ βαπτίσει ὑμᾶς °ἐν πνεύματι ἁγίῳ.

Inscriptio: ⸂ευαγγελιον κ. Μ. A D L W Θ f^{13} 1 𝔐 lat ¦ το κ. Μ. αγ. ευαγγ. 209 *al* (vg^{cl}) ¦ *txt* (א B) *pc*

¶ 1,1-3 ⸂† – א* Θ (28) *pc*; Or ¦ υιου του κυριου 1241 ¦ *txt* $א^1$ B D L W *pc* (*sed* του θ. A $f^{1.13}$ 𝔐) latt sy co; Ir^{lat} | ⁚, et ⁚¹. (Ir) Or Epiph | [⸋ Lachmann *cj*] | ⸉ *2–4* D Θ f^1 700 *pc*; Or Epiph ¦ τοις προφηταις A W f^{13} 𝔐 sy^h (bo^{mss}) ¦ *txt* א B L Δ 33. 565. 892. 1241 *al* $sy^{p.hmg}$ co; Ir | ⸆εγω א A L W $f^{1.13}$ 𝔐 vg^{cl} sy^h sa^{ms} bo^{ms}; Or Eus ¦ *txt* B D Θ 28*. 565 *pc* lat co; Ir^{lat} | ⸆ (Mt 11,10) εμπροσθεν σου A $f^{1.13}$ 𝔐 f ff² l vg^{cl} sy^h sa^{mss} bo^{pt}; Eus ¦ *txt* א B D K L P W Θ 700* *al* lat sy^p bo^{pt} | ⸀του θεου ημων D it | ⸆¹ (L 3,5s) *add* Is 40,4-8 W (c) ● 4 ⸂† *1–5* B 33. (892) *pc* bo^{mss} ¦ *2–6* A W $f^{1.13}$ 𝔐 sy^h sa? ¦ *3–5 2 6* D Θ 28. 700 lat sy^p ¦ *txt* א L Δ *pc* bo ● 5 ⸂*3 5 1 2* D W Θ 28. 565. 700 a ¦ *3–6 1 2* A $f^{1.13}$ 𝔐 sy^h ¦ *txt* א B L 33. 892. 1241 *pc* lat co? ● 6 ⸂ην δε ο (– A D W Δ *pm*) Ιωαννης A D W Θ $f^{1.13}$ (∫ 28) 𝔐 it sy^h sa bo^{pt} ¦ *txt* א B L (33). 565^c. 892 *pc* lat bo^{mss} | ⸀δερριν D a *et* ⸋ D it ● 7 ° B (Δ 1424 t ff²); Or | °¹ *p*) D Θ f^{13} 28*. 565 *pc* it ● 8 ⸆εν A (D) L W (Θ) $f^{1.13}$ 𝔐 it ¦ *txt* א B Δ 33. 892* *pc* vg; Or | °† B L b t vg ¦ *txt* א A D W Θ 0133 $f^{1.13}$ 𝔐 it vg^{mss}; Or

5 I 9 ⸂Καὶ ἐγένετο⸃ ἐν ἐκείναις ταῖς ἡμέραις ἦλθεν Ἰησοῦς 9–11: Mt 3,13-17 L 3,21s J 1,
ἀπὸ ⸀Ναζαρὲτ τῆς Γαλιλαίας καὶ ἐβαπτίσθη εἰς τὸν Ἰορ- 29-34 · Mt 2,23!
δάνην ὑπὸ Ἰωάννου. 10 καὶ εὐθὺς ἀναβαίνων ἐκ τοῦ ὕδα-
τος εἶδεν σχιζομένους τοὺς οὐρανοὺς καὶ τὸ πνεῦμα ὡς Ez 1,1 Act 10, 11!
περιστερὰν καταβαῖνον ⸆ ⸀εἰς αὐτόν· 11 καὶ φωνὴ ⸂ἐγένετο
ἐκ τῶν οὐρανῶν⸃· σὺ εἶ ὁ υἱός μου ὁ ἀγαπητός, ἐν σοὶ 9,7p; 14,61; 15,39 Mt 3,16!
εὐδόκησα.
6 II 12 Καὶ εὐθὺς τὸ πνεῦμα αὐτὸν ἐκβάλλει εἰς τὴν ἔρη- 12s: Mt 4,1-11 L 4,1-13
μον. 13 καὶ ἦν ⸂ἐν τῇ ἐρήμῳ⸃ τεσσεράκοντα ἡμέρας πειρα-
7 VI ζόμενος ὑπὸ τοῦ σατανᾶ, καὶ ἦν μετὰ τῶν θηρίων, * καὶ Job 5,22s
οἱ ἄγγελοι διηκόνουν αὐτῷ. Ps 91,11s J 1,51 · 31; 15,41 L 10,40; 22,43

8 IV 14 ⸂Μετὰ δὲ⸃ τὸ παραδοθῆναι τὸν Ἰωάννην ἦλθεν ὁ 14s: Mt 4,12.17 L 4,14s J 4,1-3.
9 VI Ἰησοῦς εἰς τὴν Γαλιλαίαν * κηρύσσων τὸ εὐαγγέλιον ⸆ 43-46a · 6,17p
τοῦ θεοῦ 15 ⸂καὶ λέγων⸃ ὅτι ⸉πεπλήρωται ὁ καιρὸς⸊ καὶ Dn 7,22 Tob 14,5 G 4,4
ἤγγικεν ἡ βασιλεία τοῦ θεοῦ· μετανοεῖτε καὶ πιστεύετε
ἐν τῷ εὐαγγελίῳ. 8,35; 10,29; 13,10; 14,9p Mt 24,14
16 Καὶ παράγων παρὰ τὴν θάλασσαν τῆς Γαλιλαίας 16–20: Mt 4,18-22 cf L 5,1-11
εἶδεν Σίμωνα καὶ Ἀνδρέαν τὸν ἀδελφὸν ⸀Σίμωνος ⸁ἀμφι-
10 II βάλλοντας ἐν τῇ θαλάσσῃ· ἦσαν γὰρ ἁλιεῖς. 17 καὶ εἶπεν J 1,35-51
αὐτοῖς ὁ Ἰησοῦς· δεῦτε ὀπίσω μου, καὶ ποιήσω ὑμᾶς γε- 2Rg 6,19 · Jr 16,
νέσθαι ἁλιεῖς ἀνθρώπων. 18 καὶ εὐθὺς ἀφέντες ⸂τὰ δί- 16 Ez 47,10 Mt 13,47 · 20; 10,28
11 VI κτυα⸃ ἠκολούθησαν αὐτῷ. 19 Καὶ προβὰς ὀλίγον εἶδεν
Ἰάκωβον τὸν τοῦ Ζεβεδαίου καὶ Ἰωάννην τὸν ἀδελφὸν Mt 4,21!
αὐτοῦ καὶ αὐτοὺς ἐν τῷ πλοίῳ καταρτίζοντας τὰ δίκτυα,
20 καὶ εὐθὺς ἐκάλεσεν αὐτούς. καὶ ἀφέντες τὸν πατέρα 18!

9 ⸂ *2* B *pc* ¦ *1* Θ r^1 ¦ εγ. δε W aur ff^2 sa^{mss} bo^{pt} | ⸀† -ρεθ D K W Θ *f*$^{1.13}$ 1010. 1424 *pm* ¦ Ναζαρατ A P *pc* ¦ *txt* ℵ B L Γ Δ 0133. 28. 33. 565. 700. 892. 1241 *pm* ● **10** ⸆ (J 1,33) και μενον ℵ (W) 33 *pc* lat bo^{pt} | ⸀*p)* επ ℵ A L W Θ *f*^{1} 𝔐 sy ¦ *txt* B D *f*^{13} *pc* ● **11** ⸂ *2–4* ℵ* D ff^2 t ¦ *2–4* ηκουσθη Θ 28. 565 *pc* ¦ *txt* ℵ^2 A B L (W) *f*$^{1.13}$ 𝔐 lat sy co ● **13** ⸂εκει K *f*^{1} 69. 565. 700. 1424 *al* sy^s ¦ εκει εν τ. ερ. W 074. 13 𝔐 sy$^{p.h}$ ¦ *txt* ℵ A B D L Θ 33. 892 *pc* lat co ● **14** ⸂† και μ. B D a ff^2 bo^{pt} ¦ *txt* ℵ A L W Θ 074. 0133. 0135 *f*$^{1.13}$ 𝔐 lat sa^{mss} bo^{mss}; Or | ⸆της βασιλειας A D W 074. 0133. 0135 𝔐 lat sy^p bo^{pt} ¦ *txt* ℵ B L Θ *f*$^{1.13}$ 28*. 33. 565. 892 *pc* b c ff^2 t sy$^{s.h}$ sa bo^{pt}; Or ● **15** ⸂ *2* ℵ^1 A D Γ 074. 1010 *pm* it sa bo^{ms} ¦ – ℵ* c sy^s; Or ¦ *txt* B K L W Δ Θ *f*$^{1.13}$ 28. 33. 565. 700. 892. 1241. 1424 *pm* lat sy$^{p.h}$ bo | ⸉πεπληρωνται οι καιροι D it ● **16** ⸀του Σιμωνος A Δ 0135 *f*^{1} 1241 *pm* ¦ αυτου D W Γ Θ 28. 33. 1424 *pm* lat sy$^{s.p}$ bo^{mss} ¦ αυτου του Σιμωνος K 074. 1010 *pm* sy^h ¦ *txt* ℵ B L *f*^{13} 565. 700. 892 | ⸁α. τα δικτυα D (Θ) *f*^{13} 28. 565* *pc* ¦ *p)* βαλλοντας αμφιβληστρον Γ (*f*^{1}, 700.) 892. 1010. 1241 *al* ¦ αμφιβαλλ- αμφιβλ. A W 074 𝔐 ¦ *txt* ℵ B L 0133. 33 *pc* ● **18** ⸂τα δ. αυτων A C^2 074. 0133. 0135 *f*^{1} 𝔐 f l sa bo^{mss} ¦ τα λινα 700 ¦ παντα D it ¦ *txt* ℵ B C* L W Θ *f*^{13} 28. 33. 565. 892. 1241. 1424 *pc* lat

αὐτῶν Ζεβεδαῖον ἐν τῷ πλοίῳ μετὰ τῶν μισθωτῶν ⸂ἀπ-
ῆλθον ὀπίσω αὐτοῦ⸃.
21–28: L 4,31-37 9,33 L 4,23 Mt 4,13; 9,1! 21 Καὶ ⸋εἰσπορεύονται εἰς ⸀Καφαρναούμ· καὶ εὐ- 12 VIII
θὺς⸌ τοῖς σάββασιν ⸂εἰσελθὼν εἰς τὴν συναγωγὴν ἐδί-
6,2; 7,37; 10,26; 11,18.28 Mt 7, 28!; · 7,29! δασκεν⸃. 22 καὶ ἐξεπλήσσοντο ἐπὶ τῇ διδαχῇ αὐτοῦ· ἦν 13 II
γὰρ διδάσκων αὐτοὺς ὡς ἐξουσίαν ἔχων καὶ οὐχ ὡς οἱ
γραμματεῖς.
5,2 23 Καὶ ⸰εὐθὺς ἦν ἐν τῇ συναγωγῇ αὐτῶν ἄνθρωπος ἐν *1* 14
5,7p J 2,4 1Rg 17,18 etc πνεύματι ἀκαθάρτῳ καὶ ἀνέκραξεν 24 λέγων· ⸆ τί ἡμῖν VIII
1J 3,8 καὶ σοί, Ἰησοῦ Ναζαρηνέ; ἦλθες ἀπολέσαι ἡμᾶς; ⸀οἶδά
J 6,69 Ps 106,16 Jdc 16,17 𝔊 (B) σε τίς εἶ, ὁ ἅγιος τοῦ θεοῦ. 25 καὶ ἐπετίμησεν αὐτῷ ὁ Ἰη-
9,25 σοῦς ⸀λέγων· φιμώθητι καὶ ἔξελθε ⸂ἐξ αὐτοῦ⸃. 26 ⸂καὶ
9,20p.26 σπαράξαν αὐτὸν τὸ πνεῦμα τὸ ἀκάθαρτον καὶ ⸀φωνῆσαν
φωνῇ μεγάλῃ ἐξῆλθεν ἐξ αὐτοῦ.⸃ 27 καὶ ἐθαμβήθησαν
ἅπαντες ὥστε συζητεῖν ⸂πρὸς ἑαυτοὺς⸃ λέγοντας· ⸄τί
4,41 · Mt 7,29! ἐστιν τοῦτο; διδαχὴ καινὴ κατ' ἐξουσίαν·⸅ καὶ τοῖς
πνεύμασι τοῖς ἀκαθάρτοις ἐπιτάσσει, καὶ ὑπακούουσιν
Mt 9,26! αὐτῷ. 28 ⸂καὶ ἐξῆλθεν⸃ ἡ ἀκοὴ αὐτοῦ ⸄εὐθὺς πανταχοῦ⸅
εἰς ὅλην τὴν περίχωρον τῆς Γαλιλαίας.
29–31: Mt 8,14s L 4,38s 29 ⸂Καὶ εὐθὺς ἐκ τῆς συναγωγῆς ἐξελθόντες ἦλθον⸃ *2* 15
Mt 4,18! 21! εἰς τὴν οἰκίαν Σίμωνος καὶ Ἀνδρέου μετὰ Ἰακώβου καὶ II
Act 28,8 Ἰωάννου. 30 ἡ δὲ πενθερὰ Σίμωνος κατέκειτο πυρέσσου-
σα, καὶ εὐθὺς λέγουσιν αὐτῷ περὶ αὐτῆς. 31 καὶ προσελ-

20 ⸂*p)* ηκολουθησαν αυτω D W 1424 latt • 21 ⸋ sy^{s} | ⸀Καπερν- A C L 074. 0135 *f*^{1} 𝔐 ¦ *txt* ℵ B D W Δ Θ *f*^{13} 33. 565. 700 *pc* latt; Or | ⸂ *5 2–4* ℵ(*: -ξεν) (⸉ C) L *f*^{13} 28. 565 *pc* (sy^{s}) sa^{mss}; Or ¦ εις την συναγ. αυτων εδιδ. Δ (892, sy^{p}) ¦ *txt* A B W 074. 0135 *f*^{1} (⸉ 33) 𝔐 t sy^{h} (*sed* εδιδ. αυτους D Θ 700 lat sy^{h**}) • 23 ⸰*p)* A C D W Θ 0135 *f*^{13} 𝔐 latt sy ¦ *txt* ℵ B L *f*^{1} 33 *pc* co; Or • 24 ⸆*p)* ἔα ℵ^{2} A C L 0135 *f*$^{1.13}$ 𝔐 sy^{h}; Or Cyr ¦ *txt* ℵ* B D W Θ 28*. 565 *pc* latt sy$^{s.p}$ co | ⸀οιδαμεν ℵ L Δ 892 bo; Or Eus • 25 ⸀και ειπεν W b e (c) ¦ – ℵ* A* | ⸂εκ του ανθρωπου, πνευμα ακαθαρτον D W (Θ 565^{mg}) it ¦ απ αυτου L 33. 565*. 700. 892. 1424 *al* f ¦ *txt* ℵ A B C *f*$^{1.13}$ 𝔐 • 26 ⸂και εξηλθεν το πνευμα σπαραξαν αυτον και ανεκραγεν φωνη μεγαλη και απηλθεν απ αυτου (D) W e (ff^{2}) | ⸀κραξαν A C Θ *f*$^{1.13}$ 𝔐 ¦ *txt* ℵ B L 33. 892. 1241 *pc*; Or • 27 ⸂† αυτους ℵ B ¦ προς αυτους L 892 *al* ¦ *txt* A C D (W) Θ *f*$^{1.13}$ 𝔐 | ⸄τι εστι τουτο; τις η διδαχη η καινη αυτη; οτι κατ εξουσιαν (A) C (*f*^{13}, 565^{mg}) 𝔐 lat sy$^{p.h}$ ¦ τις η διδαχη εκεινη η καινη αυτη η εξουσια οτι D (W it sy^{s}) ¦ τι εστιν τουτο; διδαχη καινη αυτη, οτι κατ εξουσιαν Θ (700) ¦ *txt* ℵ B L 33 (*f*^{1} 28*. 565*: καιν. αυτη) • 28 ⸂εξηλθεν δε A 0104. 0133 *f*$^{1.13}$ 𝔐 ¦ *txt* ℵ B C D L W Δ Θ 33. 700. 892. 1241. 1424 *al* bo | ⸄ *1* A D 0104 𝔐 lat sy$^{p.h}$ ¦ *2* W *pc* b e q bo^{pt} ¦ – ℵ* Θ *f*^{1} 28. 33. 565. 700. 1241. 1424 *al* c ff^{2} r^{1} sy^{s} bo^{ms} ¦ *txt* (ℵ^{2}) B C L 0133 *f*^{13} 892 *pc* sa^{mss} bo^{pt} • 29 ⸂κ. ευ. εκ τ. σ. εξελθων ηλθεν B (⸉ Θ 1424) *f*$^{1.13}$ 565. 700 *pc* ¦ εξελθων δε εκ της συναγ. ηλθεν D W it bo^{pt} ¦ *txt* ℵ A C L 0133 𝔐 vg sy$^{(p).h}$ bo^{pt}

θὼν ⸀ἤγειρεν αὐτὴν κρατήσας τῆς χειρός⸆⸌· καὶ ἀφῆκεν J 4,52
αὐτὴν ὁ πυρετός⸆, καὶ διηκόνει αὐτοῖς. 13!
3 32 Ὀψίας δὲ γενομένης, ὅτε ⸀ἔδυ ὁ ἥλιος, ἔφερον πρὸς *32–34:* Mt 8,16s L 4,40s
αὐτὸν πάντας τοὺς κακῶς ἔχοντας⸆ ⸋καὶ τοὺς δαιμονιζο-
μένους⸌· **33** καὶ ⸂ἦν ὅλη ἡ πόλις ἐπισυνηγμένη πρὸς τὴν 2,2
θύραν⸃. **34** καὶ ἐθεράπευσεν ⸂πολλοὺς κακῶς ἔχοντας
16 III ποικίλαις νόσοις⸃ * καὶ ⸄δαιμόνια πολλὰ ἐξέβαλεν⸅ καὶ Act 16,17s
οὐκ ἤφιεν λαλεῖν τὰ δαιμόνια, ὅτι ᾔδεισαν ⸀αὐτόν. Mt 8,4!
17 III **35** Καὶ πρωῒ ἔννυχα λίαν ἀναστὰς ⸂ἐξῆλθεν καὶ ἀπῆλ- *35–38:* L 4,42s
θεν⸃ εἰς ἔρημον τόπον κἀκεῖ προσηύχετο. **36** καὶ ⸀κατ- L 9,28!
εδίωξεν αὐτὸν ⸆ Σίμων καὶ οἱ μετ’ αὐτοῦ, **37** ⸂καὶ ⸀εὗρον
αὐτὸν °καὶ λέγουσιν⸃ αὐτῷ ὅτι πάντες ⸉ζητοῦσίν σε⸊. J 6,24
38 καὶ λέγει αὐτοῖς· ἄγωμεν ἀλλαχοῦ εἰς τὰς ⸂ἐχομένας
κωμοπόλεις⸃, ἵνα καὶ ἐκεῖ κηρύξω· εἰς τοῦτο γὰρ ⸀ἐξ-
ῆλθον.
39 Καὶ ⸀ἦλθεν κηρύσσων ⸂εἰς τὰς συναγωγὰς⸃ αὐτῶν *39:* Mt 4,23; 9,35 L 4,44
εἰς ὅλην τὴν Γαλιλαίαν ⸋καὶ τὰ δαιμόνια ἐκβάλλων⸌.
4 18 **40** Καὶ ἔρχεται πρὸς αὐτὸν λεπρὸς παρακαλῶν αὐτὸν *40–45:* Mt 8,2-4 L 5,12-16
II ⸂[καὶ γονυπετῶν] καὶ⸃ λέγων αὐτῷ ὅτι ἐὰν θέλῃς δύνα-
σαί με καθαρίσαι. **41** ⸀καὶ ⸁σπλαγχνισθεὶς ἐκτείνας τὴν Mt 9,36!

31 ⸂εκτεινας την χειρα κρατησας (και επιλαβομενος W) ηγειρεν αυτην D W b q r^{1} | ⸆αυτης A C Θ 0104. 0133 $f^{1.13}$ 𝔐 lat ¦ *txt* ℵ B L | ⸆ ευθεως A (⸉ D) 0104. 0130. 0133 f^{13} 𝔐 (⸉ lat) sy ¦ *txt* ℵ B C L W Θ f^{1} 28. 33. 565. 700. 892. 1424 *pc* e co ● **32** ⸀† εδυσεν B D 28. 1424 *pc* ¦ *txt* ℵ A C L W Θ 0133 $f^{1.13}$ 𝔐 | ⸆*p)* νοσοις ποικιλαις D (⸉ 1424) it (sy^{s}) | ⸋ W sy^{s} (ℵ* *om.* και τους... νοσοις *vs* 34) ● **33** ⸂ *3 4 2 5 1* (– Γ *al*) *6–8* A 0104. 0133. 0233 $f^{1.(13)}$ 𝔐 ¦ η πολις ολη συνηγμενη ην προς τας θυρας W 28. (565). 700 *pc* ¦ *txt* ℵ^{2} B C (D) L Θ 33. 892. 1424 *pc* lat ● **34** ⸂ *1–3* L 892 ¦ αυτους D | ⸄ τους δαιμονια εχοντας εξεβαλεν αυτα απ αυτων D ff^{2} | ⸀αυτον χριστον ειναι B L W Θ f^{1} 28. 33^{vid}. 565 *al* l vg^{mss} sy^{h**} sa^{ms} bo ¦ *p)* τον χρ. αυτον (⸉ ℵ^{2} f^{13} 700. 1424) ειναι ℵ^{2} C f^{13} 700. 892. 1241. 1424 *pc* ¦ αυτον και εθεραπευσεν πολλους κακως εχοντας ποικιλαις νοσοις και δαιμονια πολλα εξεβαλεν D (*cf vs* 34a) ¦ *txt* ℵ* A 090. 0104. 0133 𝔐 lat sy$^{s.p}$ sa^{ms} ● **35** ⸂ *3* W *pc* it sy^{p} ¦ *1* B 28. 565 *pc* sa^{mss} bo^{pt} ¦ *txt* ℵ A (C) D L Θ 090. 0130. 0133 $f^{1.13}$ 𝔐 lat sy$^{s.h}$ bo^{pt} ● **36** ⸀-ξαν A C D K L W Γ Δ 090. 0104 $f^{1.13}$ 33. 892. 1010. 1241. 1424 *pm* it ¦ *txt* ℵ B Θ 28. 565. 700 *pm* lat | ⸆ο A C 090. 0104. 0130. 0133 𝔐 ¦ ο τε K Θ $f^{1.13}$ 28. 565. 1424 *al* ¦ τε D* (τοτε D^{c}) ¦ *txt* ℵ B L W 33. 892 *pc* ● **37** ⸂ λεγοντες W | ⸀ευροντες *et* ° A C Θ 090. 0104. 0130. 0133 $f^{1.13}$ 𝔐 ¦ οτε ευρον *et* ° D ¦ *txt* ℵ B L 892 e | ⸉ A K Γ 090 f^{13} 565. 1010 *pm* ● **38** ⸂εγγυς κωμας και εις τας πολεις D *ex* latt*?* | ⸀εληλυθα W Δ 090 f^{13} 28. 565. 892. 1424 *pm* sy$^{s.p.hmg}$ ¦ εξεληλυθα A D K Γ 0104. 0133 f^{1} 700. 1010. 1241 *pm* ¦ *txt* ℵ B C L Θ 33 *pc* ● **39** ⸀*p)* ην (*et* ⸂εν ταις -γαις Γ 700. 1010 *pm*) A C D W 090 $f^{1.13}$ 𝔐 latt sy ¦ *txt* ℵ B L Θ 892 *pc* co | ⸋ W ● **40** ⸂† *1 2* ℵ* ¦ *p)* – B sa^{mss} ¦ *3* D W Γ 0104 *pc* it ¦ και γον. αυτον και A C 090. 0130. 0133 f^{13} 𝔐 (q) ¦ *txt* ℵ^{2} L Θ f^{1} 565. 892. 1241 *pc* (lat) ● **41** ⸀ο δε Ιησους A C (⸉ L) W Θ 090. 0104. 0130. 0133 $f^{1.13}$ 𝔐 lat sy sa^{ms} bo^{pt} ¦ *txt* ℵ B D 892 it sa^{mss} bo^{pt} | ⸁οργισθεις D a ff^{2} r^{1}

3,10p; 5,27sp; χεῖρα ⸂αὐτοῦ ἥψατο⸃ καὶ λέγει °αὐτῷ· θέλω, καθαρίσθητι·
6,56p; 7,33; 8,22; 10,13p **42** καὶ ⸆εὐθὺς ⸋ἀπῆλθεν ἀπ' αὐτοῦ ἡ λέπρα, ⸋¹καὶ⸌ ἐκαθα-
Mt 9,30! ρίσθη. **43** καὶ ἐμβριμησάμενος αὐτῷ εὐθὺς ἐξέβαλεν αὐ-
Mt 8,4! τὸν⸌¹ **44** καὶ λέγει αὐτῷ· ὅρα μηδενὶ °μηδὲν εἴπῃς, ἀλλὰ
Lv 13,49; 14,2-4 ὕπαγε σεαυτὸν δεῖξον τῷ ἱερεῖ καὶ προσένεγκε περὶ τοῦ
Mt 8,4! καθαρισμοῦ σου ἃ προσέταξεν Μωϋσῆς, εἰς μαρτύριον
αὐτοῖς. **45** ὁ δὲ ἐξελθὼν ἤρξατο κηρύσσειν °πολλὰ καὶ 19 X
2,2; 4,33; 8,32 διαφημίζειν τὸν λόγον, ὥστε μηκέτι αὐτὸν δύνασθαι ⸉φα-
νερῶς εἰς πόλιν εἰσελθεῖν⸊, ἀλλ' ἔξω ἐπ' ἐρήμοις τόποις
°¹ἦν· καὶ ἤρχοντο πρὸς αὐτὸν πάντοθεν.

1-12: Mt 9,1-8 L5,17-26 · Mt4,13! **2** Καὶ εἰσελθὼν πάλιν εἰς Καφαρναοὺμ δι' ἡμερῶν 20 I
15; 3,20; 6,31 ἠκούσθη ὅτι ⸂ἐν οἴκῳ⸃ ἐστίν. **2** καὶ ⸆ συνήχθησαν
1,33 πολλοὶ ὥστε μηκέτι χωρεῖν μηδὲ τὰ πρὸς τὴν θύραν, καὶ
1,45! ἐλάλει αὐτοῖς τὸν λόγον. **3** καὶ ⸂ἔρχονται φέροντες πρὸς *5*
αὐτὸν παραλυτικὸν αἰρόμενον ὑπὸ τεσσάρων⸃. **4** καὶ μὴ
δυνάμενοι ⸀προσενέγκαι αὐτῷ διὰ τὸν ὄχλον ἀπεστέγα-
σαν τὴν στέγην ὅπου ἦν⸆, καὶ ἐξορύξαντες χαλῶσι τὸν
κράβαττον ⸁ὅπου ὁ παραλυτικὸς κατέκειτο. **5** ⸂καὶ ἰδὼν⸃
10,24 ὁ Ἰησοῦς τὴν πίστιν αὐτῶν λέγει τῷ παραλυτικῷ· τέκνον,
⸀ἀφίενταί σου αἱ ἁμαρτίαι. **6** ἦσαν δέ τινες τῶν γραμματέων ἐκεῖ καθήμενοι καὶ διαλογιζόμενοι ἐν ταῖς καρδίαις
Is 43,25 Ps 103, αὐτῶν· **7** ⸀τί οὗτος οὕτως λαλεῖ⸁; βλασφημεῖ· τίς δύναται
3; 130,4 · 10,18 · ἀφιέναι ἁμαρτίας εἰ μὴ εἷς ὁ θεός; **8** καὶ εὐθὺς ἐπιγνοὺς

41 ⸂*p) 2 1* A C W Θ 090. 0133 $f^{1.13}$ 𝔐 ¦ *1 2 1* D lat ¦ *txt* ℵ B L 892 *pc* | ° ℵ*(W) f^{1} *pc* c ff² sy^{p} sa^{mss} bo^{mss} ● **42/43** ⸆ειποντος αυτου A C Θ 090. 0130. 0133 f^{1} 𝔐 lat sy^{h} ¦ *txt* ℵ B D L W f^{13} 565. 892 *pc* it sy$^{s.p}$ co | ⸋ sy^{s} | ⸋¹ W b c (e) ● **44** °*p)* ℵ A D L W Δ 0130 f^{13} 33. 565. 700. 892. 1241 *al* ¦ *txt* B C Θ 090 f^{1} 𝔐 sy^{h} ● **45** ° D W latt | ⸉ *2 3 1 4* ℵ C L 28. 33. 565. 892 *pc* ¦ *1 4 2 3* D ff² vg^{cl} ¦ *txt* A B W Θ 090. 0130 $f^{1.13}$ 𝔐 lat sy^{h} | °¹ B (b e)

¶ **2,1** ⸂εις οικον A C 090. 0130 $f^{1.13}$ 𝔐 ¦ *txt* 𝔓^{88} ℵ B D L W Θ 33. 892 *pc* ● **2** ⸆ευθεως A C D 090. 0130 $f^{1.13}$ 𝔐 it sy^{h} ¦ *txt* ℵ B L W Θ 33. 700. 892 *pc* lat sy^{p} co ● **3** ⸂ *1 3-5 2 6-8* A C^{3} 090 𝔐 ¦ *1 3 4 2 5-8* C* D Θ $f^{1.13}$ (565). 700. 1241 *al* sy$^{(p).h}$ ¦ ιδου ανδρες ερ. πρ. αυ. βασταζοντες εν κρεβαττω παρ. W (e) bo^{pt} ¦ *txt* 𝔓^{88} ℵ B (L) 33. 892 *pc* vg ● **4** ⸀προσεγγισαι A C D 090 $f^{1.13}$ 𝔐 ¦ προσελθειν W sa^{ms} ¦ *txt* 𝔓^{88} ℵ B L Θ (33). 892 *pc* lat sy^{h} co | ⸆ο Ιησους D Δ Θ 1424 *pc* it vg^{mss} sy^{p} | ⸁εφ ω 𝔓^{84vid} A C 090 f^{1} 𝔐 ¦ εφ ου Θ f^{13} 33. 565 *pc* ¦ εις ον W ¦ *txt* ℵ B (D) L 892 a ● **5** ⸂ιδ. δε A D W 090. 0130 f^{1} 𝔐 lat sy sa^{mss} ¦ *txt* 𝔓^{88} ℵ B C L Θ f^{13} 28. 33. 565. 700. 892 *pc* (e) sa^{ms} bo | ⸀αφεωνται 𝔓^{88} ℵ A C D L W 090. 0130 $f^{1.13}$ 𝔐 it sy ¦ αφιωνται (Δ) Θ ¦ *txt* B 28. 33. 565. 1241 *pc* lat ● **7** ⸀οτι B Θ | ⸁*p)* βλασφημιας A C W Θ (0130) $f^{1.13}$ 𝔐 c e f sy ¦ *txt* 𝔓^{88} ℵ B D L lat

ὁ Ἰησοῦς τῷ πνεύματι αὐτοῦ ὅτι °οὕτως ⸆ διαλογίζονται J 2,25 · 8,12!
ἐν ἑαυτοῖς λέγει °¹αὐτοῖς· τί ταῦτα διαλογίζεσθε ἐν ταῖς
καρδίαις ὑμῶν; **9** τί ἐστιν εὐκοπώτερον, εἰπεῖν τῷ παρα-
λυτικῷ· ⸀ἀφίενταί σου αἱ ἁμαρτίαι, ἢ εἰπεῖν· ⸁ἔγειρε ⸂καὶ
ἆρον τὸν κράβαττόν σου⸃ καὶ ⸀¹περιπάτει; **10** ἵνα δὲ εἰδῆτε ὅτι ἐξουσίαν ἔχει ὁ υἱὸς τοῦ ἀνθρώπου ⸂ἀφιέναι
ἁμαρτίας ἐπὶ τῆς γῆς⸃ – λέγει τῷ παραλυτικῷ· **11** σοὶ
λέγω, ἔγειρε ἆρον τὸν κράβαττόν σου καὶ ὕπαγε εἰς τὸν J 5,8s
οἶκόν σου. **12** καὶ ἠγέρθη καὶ εὐθὺς ἄρας τὸν κράβαττον
ἐξῆλθεν ⸀ἔμπροσθεν πάντων, ὥστε ἐξίστασθαι πάντας καὶ
δοξάζειν τὸν θεὸν °λέγοντας ὅτι ⸉οὕτως οὐδέποτε⸊ εἴ- Mt 9,33
δομεν.
6 21 II **13** Καὶ ἐξῆλθεν πάλιν ⸀παρὰ τὴν θάλασσαν· καὶ πᾶς *13–17:* Mt 9,9-13 L 5,27-32
ὁ ὄχλος ἤρχετο πρὸς αὐτόν, καὶ ἐδίδασκεν αὐτούς. 4,1
14 Καὶ παράγων εἶδεν ⸀Λευὶν τὸν τοῦ Ἁλφαίου καθήμε- 3,18p Act 1,13
νον ἐπὶ τὸ τελώνιον, καὶ λέγει αὐτῷ· ἀκολούθει μοι. καὶ J 1,43!
ἀναστὰς ἠκολούθησεν αὐτῷ.
22 II **15** Καὶ γίνεται κατακεῖσθαι αὐτὸν ἐν τῇ οἰκίᾳ αὐτοῦ,
°καὶ πολλοὶ τελῶναι καὶ ἁμαρτωλοὶ συνανέκειντο τῷ
Ἰησοῦ καὶ τοῖς μαθηταῖς αὐτοῦ· ἦσαν γὰρ πολλοὶ⁚ καὶ 2,2!
ἠκολούθουν ⸂αὐτῷ⁚¹. **16** καὶ οἱ γραμματεῖς τῶν Φαρισαί-
ων⸃ ⸋ἰδόντες ⸄ὅτι ἐσθίει⸅ μετὰ τῶν ⸉ἁμαρτωλῶν καὶ τε- L 15,1s
λωνῶν⸊⸌ ἔλεγον τοῖς μαθηταῖς αὐτοῦ· ⸀ὅτι μετὰ τῶν

8 ° B W Θ it syp | ⸆ αυτοι 𝔓84vid A C 090 *f*13 𝔐 syh ¦ *txt* א B D L W Θ *f*1 28. 565. 700. 892 *al* | °¹ B Θ ff2 • **9** ⸀ αφεωνται A C (D) L W Θ 090. 0130 *f*1.13 𝔐 b sy ¦ *txt* א B 28. 565 lat | ⸁ εγειρου B L Θ 28 | ⸂ *1 2 5 3 4* Γ Δ 0130. 1010 *pm* ¦ *2–5* C (D) L *f*1 (33.) 700c. 1424 *pc* f l q vgcl ¦ *p)* – W *f*13 *pc* b c e ¦ *txt* א A B K Θ 28. 565. 892. 1241 *pm* lat; Epiph | ⸀¹ υπαγε 𝔓88 א L Δ 892 bo? ¦ (11) υπαγε εις τον οικον σου D (33) a ff2 r1 ¦ *txt* A B C W Θ *f*1.13 𝔐 lat sy sa; Epiph • **10** ⸂ *3–5 1 2* 𝔓88 א C D L Δ 090. 0130. 33. 700. 892. 1241. 1424 *pm* lat syp co ¦ *1 3–5 2* A K Γ *f*1.13 28. 565. 1010 *pm* syh ¦ *1 2* W *pc* b q ¦ *txt* B Θ *pc* • **12** ⸀ εναντιον A C D *f*1.13 𝔐 ¦ ενωπιον Θ 090. 28. 33. 1241. 1424 *pc* ¦ *txt* 𝔓88 א B L (⸉ W) 700. 892 *pc* | ° B W b | ⸉ A C Θ 090. 0130 *f*1.13 𝔐 lat sy ¦ *txt* 𝔓88 א B D L W 892 *pc* • **13** ⸀ εις א* • **14** ⸀ (3,18) Ιακωβον D Θ *f*13 565 *pc* it; Tat ¦ Λευι א* A K Γ Δ 28. 33 *pm* aur q vgcl ¦ *txt* 𝔓88 א2 B C L W 1. 700. 892. 1010. 1241. 1424 *pm* f l vgst • **15/16** ° D W Θ *f*1 28 *pc* lat syp | [⁚. *et* ⁚¹ – (*cf mss*)] | ⸂ αυτω. και οι (οι δε Σ 700 a c e ff2 samss) γρ. και οι Φ-οι A C (D *sed* και ειδ.) Θ *f*1.13 𝔐 lat sy samss boms ¦ αυτω και (– Δ) γραμμ. των Φαρισαιων. και (𝔓88) א L Δ 33 *pc* b bomss ¦ *txt* B W 28 *pc* | ⸋ W e | ⸄ οτι ησθιεν 𝔓88 א D 892 lat bopt ¦ οτι εσθιον(*!*) Θ ¦ αυτον εσθιοντα (⸉A) C *f*1.13 𝔐 a f q ¦ *txt* B L 33. 565 *pc* b d (ff2) r1 | ⸉ א A C Lc *f*1.13 𝔐 f ff2 l vgcl sy samss bopt ¦ *txt* (𝔓88) B* L* 565. 892 *pc* it vgst samss bopt (α. κ. των τ. B1 D Θ 33) | ⸀ τι οτι A *f*1.13 𝔐 syh ¦ *p)* δια τι א D W latt ¦ τι Θ ¦ *txt* B Cvid L 33. 1424 *pc* bomss

τελωνῶν καὶ ἁμαρτωλῶν ⸀ἐσθίει; **17** καὶ ἀκούσας ὁ Ἰη- 23 II
σοῦς λέγει ⸰αὐτοῖς ⸰¹[ὅτι] οὐ χρείαν ἔχουσιν οἱ ἰσχύον-
J 3,17! τες ἰατροῦ ἀλλ' οἱ κακῶς ἔχοντες· οὐκ ἦλθον καλέσαι
δικαίους ἀλλὰ ἁμαρτωλούς.

18–22: Mt 9,14-17 L 5,33-38 **18** Καὶ ἦσαν οἱ μαθηταὶ Ἰωάννου καὶ οἱ ⸀Φαρισαῖοι
νηστεύοντες. καὶ ἔρχονται καὶ λέγουσιν αὐτῷ· διὰ τί οἱ
μαθηταὶ Ἰωάννου ⸂καὶ οἱ μαθηταὶ τῶν Φαρισαίων⸃ νηστεύουσιν, οἱ δὲ ⸂¹σοὶ μαθηταὶ⸃¹ οὐ νηστεύουσιν; **19** καὶ
εἶπεν αὐτοῖς ⸋ὁ Ἰησοῦς⸌· μὴ δύνανται οἱ υἱοὶ τοῦ νυμ-
J 3,29 φῶνος ἐν ᾧ ὁ νυμφίος μετ' αὐτῶν ἐστιν νηστεύειν; ⸋¹ὅ-
σον χρόνον ἔχουσιν τὸν νυμφίον μετ' αὐτῶν οὐ δύνανται
L 17,22 · 14,7p νηστεύειν.⸌ **20** ἐλεύσονται δὲ ἡμέραι ὅταν ἀπαρθῇ ἀπ'
J 16,20 αὐτῶν ὁ νυμφίος, καὶ τότε νηστεύσουσιν ἐν ἐκείνῃ τῇ
ἡμέρᾳ. **21** Οὐδεὶς ἐπίβλημα ῥάκους ἀγνάφου ἐπιράπτει
ἐπὶ ἱμάτιον παλαιόν· εἰ δὲ μή, αἴρει τὸ πλήρωμα ἀπ' αὐτοῦ τὸ καινὸν τοῦ παλαιοῦ καὶ χεῖρον σχίσμα γίνεται.
Job 13,28 **22** καὶ οὐδεὶς βάλλει οἶνον νέον εἰς ἀσκοὺς παλαιούς·
εἰ δὲ μή, ⸂ῥήξει ὁ οἶνος τοὺς ἀσκοὺς⸃ καὶ ὁ οἶνος ⸂¹ἀπ-
όλλυται καὶ οἱ ἀσκοί⸃¹· ⸋ἀλλὰ οἶνον νέον εἰς ἀσκοὺς
καινούς⸆.⸌

23–28: Mt 12,1-8 L 6,1-5 **23** Καὶ ἐγένετο αὐτὸν ἐν τοῖς σάββασιν ⸀παραπορεύ- 24 II
Dt 23,26 εσθαι διὰ τῶν σπορίμων, καὶ οἱ μαθηταὶ αὐτοῦ ἤρξαντο
⸂ὁδὸν ποιεῖν⸃ τίλλοντες τοὺς στάχυας. **24** καὶ οἱ Φαρι-
Ex 31,13-17; 34,21 σαῖοι ἔλεγον αὐτῷ· ἴδε τί ποιοῦσιν τοῖς σάββασιν ὃ

16 ⸀εσθιετε Θ ¦ *p)* εσθιετε και πινετε G 565. 700. 1241. 1424 *pc* ¦ εσθιει και πινει 𝔓^{88} A f^{1} 𝔐 c q sy sa^{ms} ¦ εσθιει και πινει (– ℵ aur) ο διδασκαλος υμων ℵ (⸉ C) L Δ f^{13} *pc* vg co ¦ *txt* B D W *pc* it ● **17** ⸰ 𝔓^{88} D W f^{1} 28 it | ⸰¹ ℵ A C D L W $f^{1.13}$ 𝔐 latt ¦ *txt* 𝔓^{88} B Δ Θ 565 *pc* ● **18** ⸀των Φαρισαιων L f^{1} 𝔐 a l vg^{mss} sy^{hmg} sa^{mss} bo^{pt} ¦ μαθηται των Φαρισαιων W ¦ *txt* 𝔓^{88} ℵ A B C D K Θ f^{13} 565. 1241. 1424 *al* lat sy$^{p.h}$ sa^{mss} bo^{pt} | ⸂*1 2 4 5* C^{2} D $f^{1.13}$ 𝔐 sy^{h} bo^{pt} ¦ *1 4 5* W Δ ¦ και οι Φαρισαιοι Θ 1424 *pc* a ff^{2} ¦ *p)* – A *pc* ¦ *txt* 𝔓^{88} ℵ B C^{*vid} L 33. 565. 892 *pc* e sy^{hmg} sa | ⸂¹*p) 1* B 565 *pc* bo^{pt} ¦ μαθ. σου ℵ (⸉ Δ) Θ 28 *pc* ¦ *txt* A C D L W $f^{1.13}$ 𝔐 ● **19** ⸋ D W 28. 1424 *pc* b i q bo^{ms} | ⸋¹ *p)* D W f^{1} 33. 700 it vg^{mss} (sy^{p}) ¦ *txt* (𝔓^{88}) ℵ B C (L: μεθ εαυ-) Θ 28. (565.) 892 lat sy^{h} co (*sed* μεθ εαυτ. *a.* εχ. A f^{13} 𝔐 f q) ● **22** ⸂*p)* ρησσει ο οινος ο νεος (– ο ν. f^{13} 28. 700 *pc*) τους ασκους A (C^{2}) 074. 0133 $f^{1.13}$ (33) 𝔐 (c q) e f sy^{h} ¦ διαρησσονται οι ασκοι W (a) bo^{ms} ¦ *txt* 𝔓^{88} ℵ B C* D L Θ 565. 892 *al* lat sy$^{s.p}$ sa | ⸂¹*p)* εκχειται (– D it) και οι ασκοι απολουνται (– L) ℵ A C D L (W Θ) 074. 0133 $f^{1.13}$ 𝔐 lat sy$^{(p)}$ sa ¦ *txt* 𝔓^{88} B 892 bo | ⸋ D it bo^{ms} | ⸆ βαλλουσιν W (e f) sy$^{s.p}$ ¦ *p)* βλητεον 𝔓^{88} ℵ^{2} A C L Θ 074. 0133 $f^{1.13}$ 𝔐 lat ¦ *txt* ℵ* B ● **23** ⸀*p)* διαπορ- B (⸉ C) D it ¦ παραπορευομενον 565 ¦ πορευεσθαι W (⸉ f^{13}) ¦ *txt* 𝔓^{88} ℵ Θ 700. 892 (⸉ A L 074. 0133 f^{1} 𝔐) | ⸂οδοποιειν B f^{1} 892 *al* ¦ οδοιπορουντες f^{13} 565^{mg} *pc*

οὐκ ἔξεστιν; **25** καὶ ⸀λέγει αὐτοῖς· οὐδέποτε ἀνέγνωτε
τί ἐποίησεν Δαυὶδ ὅτε χρείαν ἔσχεν καὶ ἐπείνασεν αὐ- 1Sm 21,1-7
τὸς καὶ οἱ μετ’ αὐτοῦ, **26** °πῶς εἰσῆλθεν εἰς τὸν οἶκον
τοῦ θεοῦ ⸋ἐπὶ Ἀβιαθὰρ ἀρχιερέως⸌ καὶ τοὺς ἄρτους Ex 40,23 etc
τῆς προθέσεως ἔφαγεν, οὓς οὐκ ἔξεστιν φαγεῖν εἰ μὴ Lv 24,5-9
⸂τοὺς ἱερεῖς⸃, καὶ ἔδωκεν καὶ τοῖς σὺν αὐτῷ οὖσιν;
25 II **27** ⸂καὶ ἔλεγεν αὐτοῖς· τὸ σάββατον διὰ τὸν ἄνθρωπον Ex 20,10; 23,12 Dt 5,14
ἐγένετο καὶ οὐχ ὁ ἄνθρωπος διὰ τὸ σάββατον· **28** ὥστε⸃
κύριός ἐστιν ὁ υἱὸς τοῦ ἀνθρώπου καὶ τοῦ σαββάτου.
7 **3** Καὶ εἰσῆλθεν πάλιν εἰς °τὴν συναγωγήν. καὶ ἦν *1-6:* Mt 12,9-14 L 6,6-11; 14,1-6
ἐκεῖ ἄνθρωπος ἐξηραμμένην ἔχων τὴν χεῖρα. **2** καὶ
παρετήρουν αὐτὸν εἰ ⸆ τοῖς σάββασιν ⸀θεραπεύσει αὐτόν, ἵνα κατηγορήσωσιν αὐτοῦ. **3** καὶ λέγει τῷ ἀνθρώπῳ
τῷ ⸂τὴν ξηρὰν χεῖρα ἔχοντι⸃· ἔγειρε ⸆ εἰς τὸ μέσον.
4 καὶ λέγει αὐτοῖς· ἔξεστιν τοῖς σάββασιν ⸂ἀγαθὸν ποι- Jc 4,17
ῆσαι⸃ ἢ κακοποιῆσαι, ψυχὴν σῶσαι ἢ ⸀ἀποκτεῖναι; οἱ δὲ
ἐσιώπων. **5** καὶ περιβλεψάμενος αὐτοὺς μετ’ ὀργῆς, °συλ- 34; 5,32; 10,23 · J 11,33 ·
λυπούμενος ἐπὶ τῇ ⸀πωρώσει τῆς καρδίας αὐτῶν λέγει τῷ 6,52; 8,17 J 12,40 R 11,25 E 4,18
ἀνθρώπῳ· ἔκτεινον τὴν χεῖρα⸆. καὶ ἐξέτεινεν καὶ ἀπε-
26 IV κατεστάθη ἡ χεὶρ αὐτοῦ. **6** καὶ ἐξελθόντες οἱ Φαρισαῖοι εὐθὺς μετὰ τῶν Ἡρῳδιανῶν συμβούλιον ⸀ἐδίδουν 8,15; 12,13p
κατ’ αὐτοῦ ὅπως αὐτὸν ἀπολέσωσιν. Ex 31,14
7 Καὶ ὁ Ἰησοῦς μετὰ τῶν μαθητῶν αὐτοῦ ἀνεχώρησεν *7-12:* Mt 12,15s L 6,17-19 cf Mt 4,23-25
27 I ⸀πρὸς τὴν θάλασσαν, καὶ πολὺ πλῆθος ἀπὸ τῆς Γαλι-

25 ⸀αυτος ελεγεν A 074 f^{1} 𝔐 ¦ αυτος λεγει 28. 1241. 1424 *pc* ¦ αποκριθεις ειπεν D (Θ) a ¦ ελεγεν B 565 bo^{pt} ¦ *txt* 𝔓^{88} ℵ C L W f^{13} 33. (700). 892 *pc* • **26** ° B D r^{1} t | ⸋ *p)* D W *pc* it sy^{s} | ⸂ τοις ιερευσιν A C D (L, Θ) W 074. 0133. 0135 f^{1} 𝔐 ¦ *p)* τοις ιερ. μονοις Δ 33 *pc* sa^{mss} bo (⸉ f^{13} it vg^{mss}) ¦ τοις αρχιερευσιν (Φ) 28. 1241 *pc* ¦ *txt* ℵ B 892 sa^{mss} bo^{mss} • **27/28** ⸂ λεγω δε υμιν οτι το σαββ. δια τον ανθρ. εκτισθη ωστε W (b, sy^{s}) ¦ λεγω δε υμιν D (it)

¶ **3,1** °† ℵ B bo ¦ *txt* A C D L W Θ 072. 074. 0135 $f^{1.13}$ 𝔐 sa • **2** ⸆ εν ℵ C D H Θ 1241 *al* ¦ *txt* A B L W 072. 0133. 0135 $f^{1.13}$ 𝔐 | ⸀-ευει ℵ W Δ 072 *pc* • **3** ⸂ † *1 3 4 2* B (L) (28). 565. 892 (*pc*) a ¦ *4 1 3 2* W lat (*sed 2 3* C^{3}; *sed* εξηραμμενην D) ¦ εξηραμμενην εχοντι την χειρα A 0133. 0135. 0213 $f^{1.13}$ 𝔐 ¦ *txt* ℵ C* Δ Θ (33^{vid}) | ⸆ *p)* και στηθι D c (e f) sa • **4** ⸂ αγαθοποιησαι A B C L Θ 0133. 0135 $f^{1.13}$ 𝔐 ¦ τι αγαθον ποιησαι D b e ¦ *txt* ℵ W | ⸀ *p)* απολεσαι L W Δ Θ $f^{1.13}$ 28. 565. 700. 892. 1424 *al* latt sy$^{s.p}$ sa^{ms} ¦ *txt* ℵ A B C D 0133. 0135 𝔐 sy^{h} sa^{mss} bo • **5** ° W b c d | ⸀ πηρ- 17 *pc* ¦ νεκρωσει D it sy^{s} | ⸆ *p)* σου ℵ A C D K L P W Δ Θ $f^{1.13}$ 28. 565. 700. 892. 1241 (⸉ 1424) *pm* ¦ *txt* B Γ 0133. 0135. 1010 *pm* • **6** ⸀ εποιησαν ℵ C Δ Θ 892^{mg} *pc* ¦ εποιουν A (W) 0133. 0135 f^{1} 𝔐 ¦ ποιουντες D a ¦ *txt* B L f^{13} 28. 565. 700. 892*^{vid} *pc* bo^{mss} • **7/8** ⸀ εις D P *al* ¦ παρα f^{13} 28. 1424 *pc*

λαίας ⸂[ἠκολούθησεν], καὶ ἀπὸ τῆς Ἰουδαίας **8** καὶ ἀπὸ
Ἱεροσολύμων⸃ ⸋καὶ ἀπὸ τῆς Ἰδουμαίας⸌ καὶ ⸆ πέραν τοῦ
7,24p Ἰορδάνου καὶ ⸇ περὶ Τύρον καὶ Σιδῶνα ⸄πλῆθος πο-
λὺ⸅ ἀκούοντες ὅσα ⸀ἐποίει ἦλθον πρὸς αὐτόν.
4,1p **9** καὶ εἶπεν τοῖς μαθηταῖς αὐτοῦ ἵνα πλοιάριον προσκαρ-
5,24 τερῇ αὐτῷ διὰ τὸν ὄχλον ἵνα μὴ θλίβωσιν αὐτόν⸆·
Mt 15,30 **10** πολλοὺς γὰρ ἐθεράπευσεν, ὥστε ἐπιπίπτειν αὐτῷ ἵνα
1,41! αὐτοῦ ἅψωνται ὅσοι εἶχον μάστιγας. **11** καὶ °τὰ πνεύματα
°τὰ ἀκάθαρτα, ὅταν αὐτὸν ⸂ἐθεώρουν, προσέπιπτον αὐτῷ
5,7 Mt 8,29 L 4,41 * καὶ ἔκραζον λέγοντες⸃ ὅτι σὺ εἶ ὁ υἱὸς τοῦ θεοῦ. **12** καὶ 28 VIII
Mt 8,4! πολλὰ ἐπετίμα αὐτοῖς ἵνα μὴ ⸉αὐτὸν φανερὸν⸊ ⸀ποιή-
σωσιν.
13-19: Mt 10,1-4 L 6,12-16 **13** Καὶ ἀναβαίνει εἰς τὸ ὄρος καὶ προσκαλεῖται οὓς *8* 29
ἤθελεν αὐτός, καὶ ἀπῆλθον πρὸς αὐτόν. **14** καὶ II
ἐποίησεν δώδεκα ⸆ ⸂[οὓς καὶ ἀποστόλους ὠνόμασεν] ἵνα
5,18 ὦσιν μετ’ αὐτοῦ⸃ καὶ ἵνα ἀποστέλλῃ αὐτοὺς κηρύσσειν
6,7 **15** ⸂καὶ ἔχειν⸃ ἐξουσίαν ἐκβάλλειν τὰ δαιμόνια·
16 ⸂[καὶ ἐποίησεν τοὺς δώδεκα,]⸃ * καὶ ἐπέθηκεν ὄνομα 30 II
14,37 J 1,42 | Mt 4,21! L 9,54 τῷ Σίμωνι Πέτρον, **17** ⸂καὶ Ἰάκωβον τὸν τοῦ Ζεβεδαίου καὶ
Ἰωάννην τὸν ἀδελφὸν τοῦ Ἰακώβου καὶ ἐπέθηκεν αὐτοῖς
⸀ὀνόμα[τα]⸃ Βοανηργές, ⸋ὅ ἐστιν υἱοὶ βροντῆς⸌· **18** ⸂καὶ
Mt 9,9! Ἀνδρέαν καὶ Φίλιππον καὶ Βαρθολομαῖον καὶ Μαθθαῖον
J 11,16! · 2,14! καὶ Θωμᾶν καὶ Ἰάκωβον τὸν τοῦ Ἁλφαίου ⸄καὶ Θαδδαῖ-

7/8 ⸂ *2 4–8* D (f^{13} 28) *pc* it (sy^s) bo^pt (*id., sed pon.* ηκολουθουν αυτω *p.* Σιδωνα W b c) ¦ *2–5* ηκολουθησαν *6–8* ℵ C (Δ, 33) *pc* (vg) ¦ ηκολουθησαν αυτω *2–8* K* 0133. 0135. 1241. 1424 *pm* (sy^h) sa (bo^pt) ¦ ηκ-σεν αυτω *2–8* A K² P Γ 700. 892. 1010 *pm* ¦ ηκ-σεν αυτω *6–8 2–5* f^1 *pc* ¦ *txt* B L (⸉ Θ) 565 *pc* | ⸋ *p)* ℵ* W Θ f^1 *pc* c sy^s | ⸆οι D (f) | ⸇οι A D Θ 0135 $f^{1.13}$ 𝔐 (lat bo) sy^h ¦ *txt* ℵ B C L W Δ 892 sa | ⸄και πλ. π. f^1 ¦ – W a b c sy^s | ⸀ † ποιει B L 892 sa bo^pt ¦ *txt* ℵ A C D W Θ 0133. 0135 $f^{1.13}$ 𝔐 lat sy^h bo^pt ● **9** ⸆πολλοι D (⸉ a) i ¦ οι οχλοι f^{13} 28 *pc* ff² ● **11** ° *bis* D Θ f^{13} 28 *pc* | ⸂ εθεωρει, προσεπιπτεν α. και εκραζεν λεγοντα E H 700. 1010 *pm* ¦ εθ-ρει, πρ-πτον (-πτεν f^1) α. κ. εκραζον λεγοντα (-ντες K) A K P Γ f^1 *pm* ¦ † *ut txt, sed* λεγοντα B C L Δ Θ f^{13} 33. 565. 892. 1241. 1424 *pm* ¦ *txt* ℵ D W 28 *pc* ● **12** ⸉ A L 0133 𝔐 ¦ *txt* ℵ B C D W Δ Θ $f^{1.13}$ 33. 565. 892 *pc* | ⸀ποιωσιν B² D K L W f^{13} 892 *pc* ● **14** ⸆μαθητας W | ⸂ † *5–8* A C² (D) L 0133 f^1 𝔐 latt sy sa^ms ¦ *5–8 1–4* W (Δ) ¦ *txt* ℵ B (C*) Θ f^{13} 28 *pc* sy^hmg co ● **15** ⸂ το ευαγγελιον και εδωκεν αυτοις D W (lat) bo^pt ● **16** ⸂ – A C² D L Θ 0133. 0134 f^1 𝔐 lat sy bo ¦ και περιαγοντας κηρυσσειν το ευαγγελιον W a c e vg^mss ¦ πρωτον Σιμωνα f^{13} *pc* sa^mss ¦ *txt* ℵ B C* Δ 565 *pc* sa^ms ● **17** ⸂κοινως δε αυτους εκαλεσεν W (it) | ⸀ † ονομα B D 28 *pc* bo^ms ¦ *txt* ℵ A C L Θ 0133. 0134 $f^{1.13}$ 𝔐 latt sy^h co | ⸋ sy^s ● **18/19** ⸂ ησαν δε ουτοι Σιμων κ. Ανδρεας Ιακωβος κ. Ιωαννης Φ-ος *etc* W b c e | ⸄και Λεββαιον D it ¦ – W e

ον⸌ καὶ Σίμωνα τὸν ⸀Καναναῖον **19** καὶ Ἰούδαν⸌ ⸀Ἰσκα-
ριώθ, ὃς καὶ παρέδωκεν αὐτόν.
31 X **20** Καὶ ⸀ἔρχεται εἰς οἶκον· καὶ συνέρχεται πάλιν ⸰[ὁ]
ὄχλος, ὥστε μὴ δύνασθαι αὐτοὺς ⸁μηδὲ ἄρτον φαγεῖν. 2,2!
21 καὶ ⸂ἀκούσαντες οἱ παρ' αὐτοῦ⸃ ἐξῆλθον κρατῆσαι L 8,19p
αὐτόν· ἔλεγον γὰρ ὅτι ἐξέστη. J 10,20! Ps 69,9 Is 28,7 Zch 13,3
32 II **22** Καὶ οἱ γραμματεῖς οἱ ἀπὸ Ἱεροσολύμων καταβάντες *22–27:* Mt 12,24-29 L 11,15-22 7,1
ἔλεγον ὅτι ⸀Βεελζεβοὺλ ἔχει καὶ ὅτι ἐν τῷ ἄρχοντι τῶν Mt 9,34!
δαιμονίων ἐκβάλλει τὰ δαιμόνια.
33 II **23** Καὶ προσκαλεσάμενος αὐτοὺς ἐν παραβολαῖς ἔλε- 4,2!
γεν αὐτοῖς· πῶς δύναται σατανᾶς σατανᾶν ἐκβάλλειν;
24 καὶ ἐὰν βασιλεία ἐφ' ἑαυτὴν μερισθῇ, οὐ δύναται σταθῆναι ἡ βασιλεία ἐκείνη· **25** καὶ ἐὰν οἰκία ἐφ' ἑαυτὴν μερισθῇ, οὐ δυνήσεται ⸂ἡ οἰκία ἐκείνη σταθῆναι⸃. **26** καὶ
εἰ ὁ σατανᾶς ἀνέστη ἐφ' ἑαυτὸν ⸂καὶ ἐμερίσθη⸃, οὐ δύναται ⸀στῆναι ἀλλὰ τέλος ἔχει. **27** ⸂ἀλλ' οὐ δύναται οὐδεὶς⸃
⸉εἰς τὴν οἰκίαν τοῦ ἰσχυροῦ εἰσελθὼν τὰ σκεύη⸊ αὐτοῦ Is 49,24 Ps Sal 5,3
διαρπάσαι, ἐὰν μὴ πρῶτον τὸν ἰσχυρὸν δήσῃ, καὶ τότε
τὴν οἰκίαν αὐτοῦ διαρπάσει.
34 II **28** Ἀμὴν λέγω ὑμῖν ὅτι πάντα ἀφεθήσεται τοῖς υἱοῖς *28–30:* Mt 12,31-33 L 12,10
τῶν ἀνθρώπων τὰ ἁμαρτήματα καὶ αἱ βλασφημίαι ⸀ὅσα
ἐὰν βλασφημήσωσιν· **29** ὃς δ' ἂν βλασφημήσῃ εἰς τὸ
πνεῦμα τὸ ἅγιον, οὐκ ἔχει ἄφεσιν ⸋εἰς τὸν αἰῶνα⸌, ἀλλὰ

18/19 ⸀ Κανανιτην A Θ 0134 $f^{1.13}$ 𝔐 sy^{h} sa^{mss}? ¦ *txt* ℵ B C D L^{vid} (W) Δ 33. 565. 1241 *pc* latt sa^{ms} bo? ● **19** ⸀ Σ-ωθ D lat ¦ Ισ-ωτην A (W) 0134 $f^{1.13}$ 𝔐 vg^{cl} sy^{h} co ¦ *txt* ℵ B C L Δ Θ 33. 565. 892. 1241 *pc* ● **20** ⸀ερχονται ℵ^{2} A C L Θ 0133. 0134 $f^{1.13}$ 𝔐 lat sy$^{p.h}$ ¦ εισερχονται D ¦ *txt* ℵ* B W Γ 1241 *pc* b sy^{s} sa bo^{pt} | ⸰ ℵ* C L* W Θ* 0133. 0134 $f^{1.13}$ 𝔐 bo^{pt} ¦ *txt* ℵ^{1} A B D L^{c} Δ Θ^{c} 565. 892. 1010. 1241 *pc* sa^{mss} bo^{pt} | ⸁μητε ℵ C D Γ Θ 0134 f^{1} 700. 1010. 1241. 1424 *pm* ¦ *txt* A B K L W Δ f^{13} 28. 33. 565. 892 *pm* ● **21** ⸂ ακ- (οτε ηκουσαν D) περι αυτου οι γραμματεις και οι λοιποι D W it ● **22** ⸀† Βεεζε-Β ¦ Beelzebub vg sy$^{s.p}$ ¦ *txt* ℵ A C D L W Θ 0133. 0134 $f^{1.13}$ 𝔐 it vg^{mss} sy^{h} co ● **25** ⸂ † η οικ. εκ. στηναι B L 892 *pc* ¦ η οικ. εκ. εσταναι D ¦ σταθηναι (στηναι K *pc*) η οικ. εκ. A 0134 $f^{1.13}$ 𝔐 a sy^{h} ¦ σταθηναι W ¦ σταθησεται (*et om.* δυνησ.) 1241 ¦ *txt* ℵ C Δ Θ 28 ● **26** ⸂και μεμερισται A C^{2} (D) Θ 0134 $f^{1.13}$ (1241) 𝔐 ¦ εμερισθη (*sed* – ανεσ.) W ¦ εμερισθη και ℵ* C*^{vid} Δ lat ¦ *txt* (ℵ^{1}) B L 892* *pc* | ⸀σταθηναι A 0134 $f^{1.13}$ 𝔐 ¦ *p)* σταθηναι η βασιλεια αυτου D W *pc* it ¦ *txt* ℵ B C L Θ 892 *pc* ● **27** ⸂ουδεις (+ δε Θ *pc*) δυναται A D W Θ 0133. 0134 𝔐 lat sy sa^{mss} ¦ αλλ ουδεις δυν. L $f^{1.13}$ 28. 33. 700. 892 *pc* sy^{hmg} sa^{ms} ¦ *txt* ℵ B C$^{(2)}$ Δ *pc* | ⸉ *7 8 4–6 1–3* A D (W) 0133. 0134 $f^{1.13}$ 𝔐 lat sy^{h} ¦ *6 1–5 7 8* ℵ ¦ *txt* B C L Δ Θ 33. 892 *pc* ● **28** ⸀οσας A C K L Γ 0134 f^{1} 28. 33. 565. 700. 892. 1010. (1241). 1424 *pm* ¦ *txt* ℵ B D Δ Θ f^{13} *pm* sa^{mss} bo^{ms} (W it sa^{ms} *om.* οσα… βλασφ.) ● **29** ⸋ D W Θ 1. 28. 565. 700 *pc* it (sy^{s}); Cyp

ἔνοχός ⸀ἐστιν αἰωνίου ⸁ἁμαρτήματος. **30** ὅτι ἔλεγον·
22 πνεῦμα ἀκάθαρτον ἔχει.
31–35: Mt 12, **31** ⸂Καὶ ἔρχεται⸃ ⸉ἡ μήτηρ αὐτοῦ καὶ οἱ ἀδελφοὶ αὐ- 35 II
46-50 L 8,19-21 τοῦ⸊ καὶ ἔξω ⸀στήκοντες ἀπέστειλαν πρὸς αὐτὸν καλοῦν-
τες αὐτόν. **32** καὶ ἐκάθητο περὶ αὐτὸν ὄχλος, καὶ λέ-
6,3 p γουσιν αὐτῷ· ἰδοὺ ἡ μήτηρ σου καὶ οἱ ἀδελφοί σου ⸋[καὶ
αἱ ἀδελφαί σου]⸌ ἔξω ζητοῦσίν σε. **33** ⸂καὶ ἀποκριθεὶς
αὐτοῖς λέγει⸃· τίς ἐστιν ἡ μήτηρ μου ⸀καὶ οἱ ἀδελφοί
5! ⸰[μου]; **34** καὶ περιβλεψάμενος τοὺς περὶ αὐτὸν κύκλῳ
J 20,17! καθημένους λέγει· ἴδε ἡ μήτηρ μου καὶ οἱ ἀδελφοί μου.
Mt 7,21 **35** ὃς ⸰[γὰρ] ἂν ποιήσῃ ⸂τὸ θέλημα⸃ τοῦ θεοῦ, οὗτος ἀδελφός μου καὶ ἀδελφὴ ⸆ καὶ μήτηρ ἐστίν.
1-9: Mt 13,1-9 **4** Καὶ πάλιν ἤρξατο διδάσκειν παρὰ τὴν θάλασσαν· 36 II
L 8,4-8 · 2,13 καὶ συνάγεται πρὸς αὐτὸν ὄχλος πλεῖστος, ὥστε αὐ-
3,9 τὸν ⸂εἰς πλοῖον ἐμβάντα⸃ καθῆσθαι ἐν τῇ θαλάσσῃ, καὶ
πᾶς ὁ ὄχλος ⸉πρὸς τὴν θάλασσαν ἐπὶ τῆς γῆς⸊ ⸀ἦσαν.
3,23; 4,11.33 s; 12,1 **2** καὶ ἐδίδασκεν αὐτοὺς ἐν παραβολαῖς πολλὰ καὶ ἔλεγεν 9
αὐτοῖς ἐν τῇ διδαχῇ αὐτοῦ·
3 Ἀκούετε. ἰδοὺ ἐξῆλθεν ὁ σπείρων ⸀σπεῖραι. **4** καὶ
⸂ἐγένετο ἐν τῷ σπείρειν⸃ ὃ μὲν ἔπεσεν παρὰ τὴν ὁδόν, καὶ
ἦλθεν τὰ πετεινὰ καὶ κατέφαγεν αὐτό. **5** καὶ ἄλλο ἔπεσεν
Sir 40,15 ἐπὶ τό πετρῶδες ⸀ὅπου οὐκ εἶχεν γῆν πολλήν, καὶ εὐ-

29 ⸀εσται ℵ D L Δ 33. 892. 1241 *pc* lat sa^{ms}; Cyp Aug ¦ *txt* A B C W Θ 074. 0134 $f^{1.13}$ 𝔐 b sa^{ms} bo | ⸁κρισεως A C^{2} 074. 0134 f^{1} (1424) 𝔐 f r^{1} sy$^{p.h}$ bo^{pt} ¦ κολασεως 348. 1216 *pc* ¦ αμαρτιας C^{*vid} D W f^{13} ¦ *txt* ℵ B L Δ Θ 28. 33. 565. 892* • **31** ⸂† κ. ερχονται B C L Δ f^{13} 28. 700. 1241. 1424 *pc* lat sy$^{s.p}$ sa^{mss} bo ¦ ερχονται ουν A 074. 0134 𝔐 sy^{h} ¦ *txt* ℵ D W Θ f^{1} 565. 892 *pc* it vg^{mss} | ⸉ *5 6 4 1–3* (A *al*) 074. 0134 f^{13} 𝔐 sy$^{(s).h}$ ¦ *txt* ℵ B C D L (W) Δ (Θ 565, f^{1}) 33. 892. 1424 *pc* it sy^{p} co | ⸀εστηκοτες (C^{2}, L) f^{1} 700. (892) *pc* ¦ εστωτες A D W Θ 074. 0134 f^{13} 𝔐 ¦ σταντες ℵ ¦ *txt* B C* Δ 28 • **32** ⸋*p)* ℵ B C K L W Δ Θ 074 $f^{1.13}$ 28. 33. 565. 892. 1241. 1424 *pm* lat sy ¦ *txt* A D Γ 700. 1010 *pm* it vg^{mss} sy^{hmg} • **33** ⸂και απεκριθη αυτοις λεγων A D (Θ) 074 𝔐 f sa ¦ απεκριθη αυτοις και λεγει $f^{1.13}$ 28. 700 *pc* ¦ ος δε απεκριθη και ειπεν αυτοις W (33) ¦ *txt* ℵ B (C) L Δ 892 *pc* vg bo | ⸀η A K (D) 074. 28. 33. 700. 1010 *pm* it sy$^{s.h}$ bo^{ms} ¦ *txt* ℵ B C L W Γ Δ Θ $f^{1.13}$ 565. 892. 1241. 1424 *pm* lat co | ⸰† B D ¦ *txt* ℵ A C L W Θ 074 $f^{1.13}$ 𝔐 latt sy • **35** ⸰† B (W) b e bo ¦ *txt* ℵ A C D L Θ 074 $f^{1.13}$ 𝔐 lat sy sa bo^{mss} | ⸂τα -ματα B | ⸆μου C 074 𝔐 lat sy ¦ *txt* ℵ A B D L W Δ Θ $f^{1.13}$ 28. 33. 565. 700. 892 *al* it

¶ **4,1** ⸂εις το πλ. εμβ. B^{2} D W Δ *pc* ¦ εμβαντα εις το (– K 074 f^{1} *al*) πλοιον A 074. 0133 $f^{1.(13)}$ 𝔐 sy^{h} ¦ *txt* ℵ B* C L Θ 33. 565. 892. 1241. 1424 *pc* | ⸉περαν της θαλασσης D ¦ εν τω αιγιαλω W it | ⸀ην A D W Θ 0133 $f^{1.13}$ 𝔐 sy^{h} ¦ *txt* ℵ B C L Δ 074. 33. 892. 1241 *pc* d • **3** ⸀*p)* του σπειραι ℵ^{1} A C L Θ 0133 $f^{1.13}$ 𝔐 ¦ – D sa^{ms} bo^{pt} ¦ *txt* ℵ* B W 074 • **4** ⸂– W ¦ *2–4* D lat sy$^{s.p}$ sa • **5** ⸀και οπου B ¦ και οτι D W it

θὺς ⸁ἐξανέτειλεν διὰ τὸ μὴ ἔχειν βάθος γῆς· **6** καὶ ὅτε
ἀνέτειλεν ὁ ἥλιος ⸀ἐκαυματίσθη καὶ διὰ τὸ μὴ ἔχειν ῥίζαν Jc 1,11
ἐξηράνθη. **7** καὶ ἄλλο ἔπεσεν εἰς τὰς ἀκάνθας, καὶ ἀνέβη- Jr 4,3
σαν αἱ ἄκανθαι καὶ συνέπνιξαν αὐτό, καὶ καρπὸν οὐκ
ἔδωκεν. **8** ⸂καὶ ἄλλα⸃ ἔπεσεν εἰς τὴν γῆν τὴν καλὴν καὶ
ἐδίδου καρπὸν ἀναβαίνοντα καὶ ⸀αὐξανόμενα καὶ ἔφε-
ρεν ⸁ἓν τριάκοντα καὶ ⸁ἓν ἑξήκοντα καὶ ⸁ἓν ἑκατόν.
9 καὶ ἔλεγεν· ὃς ἔχει ὦτα ἀκούειν ἀκουέτω⸆. Mt 11,15!
10 Καὶ ὅτε ἐγένετο κατὰ μόνας, ἠρώτων αὐτὸν οἱ ⸂περὶ *10–12:* Mt 13,10-17 L 8,9s
αὐτὸν σὺν τοῖς δώδεκα⸃ ⸄τὰς παραβολάς⸅. **11** καὶ ἔλεγεν
αὐτοῖς· ὑμῖν τὸ μυστήριον δέδοται τῆς βασιλείας τοῦ Dn 2,27s.47 Sap 2,22
37 I θεοῦ· ἐκείνοις δὲ τοῖς ⸀ἔξω ἐν παραβολαῖς °τὰ πάντα 1K 5,12s Kol 4,5 1Th 4,12 1T 3,7 · 2!
⸀γίνεται,

12 ἵνα *βλέποντες βλέπωσιν καὶ μὴ ἴδωσιν,* *Is 6,9s* Act 28,26
καὶ ἀκούοντες ἀκούωσιν καὶ μὴ συνιῶσιν,
μήποτε ἐπιστρέψωσιν καὶ ⸀*ἀφεθῇ αὐτοῖς*⸆.

13 Καὶ λέγει αὐτοῖς· οὐκ οἴδατε τὴν παραβολὴν ταύ- *13–20:* Mt 13,18-23 L 8,11-15
38 II την, καὶ πῶς πάσας τὰς παραβολὰς γνώσεσθε; **14** ὁ σπεί-
ρων τὸν λόγον σπείρει. **15** οὗτοι δέ εἰσιν οἱ παρὰ τὴν 4Esr 9,31ss; 8,41
ὁδόν· ὅπου σπείρεται ὁ λόγος καὶ ὅταν ἀκούσωσιν, εὐ-
θὺς ἔρχεται ὁ σατανᾶς καὶ αἴρει τὸν λόγον τὸν ἐσπαρ-
μένον ⸂εἰς αὐτούς⸃. **16** καὶ οὗτοί ⸀εἰσιν οἱ ἐπὶ τὰ πετρώδη
σπειρόμενοι, οἳ ὅταν ἀκούσωσιν τὸν λόγον εὐθὺς μετὰ
χαρᾶς λαμβάνουσιν °αὐτόν, **17** καὶ οὐκ ἔχουσιν ῥίζαν
ἐν ἑαυτοῖς ἀλλὰ πρόσκαιροί εἰσιν, εἶτα γενομένης θλίψεως ἢ διωγμοῦ διὰ τὸν λόγον εὐθὺς σκανδαλίζονται. **18** καὶ 2Th 1,4!

5 ⸁εξεβλαστησεν $f^{1.13}$ 28. 700 *pc* ¦ ανετ- W ● **6** ⸀-θησαν B D a e ● **8** ⸂κ. αλλο ℵ(*) A D $f^{1.13}$ 𝔐 lat ¦ *txt* B C L W Θ 28. 33. 892 *pc* e | ⸀-μενον A D L W Δ 892 *pc* bo ¦ αυξανοντα C Θ 0133 $f^{1.13}$ 𝔐 ¦ *txt* ℵ B *pc* sa (565 *h. t.*) | ⸁ † εἰς... ἐν... ἐν B^{2}(* *sine acc.*) ¦ εἰς... ἓν... ἓν L ¦ *ter* εἰς ℵ C^{*vid} Δ 28. 700 *pc* ¦ *ter* ἐν 0133 f^{1} 𝔐 sy^{h} ¦ *ter* το ἓν W ¦ *txt* f^{13} *pc* lat sy^{p} (A C^{2} D Θ *sine acc.*) ● **9** ⸆και ο συνιων συνιετω D it sy^{hmg} ● **10** ⸂(*p*) μαθηται αυτου D W Θ f^{13} 28. 565 it sy^{s}; (Or^{lat}) | ⸄ την -λην A 0133 f^{1} 𝔐 vg^{cl} sy$^{p.h}$ bo^{ms} ¦ ⸄ τις η παραβολη αυτη D W Θ f^{13} 28. 565 it; Or^{lat} ¦ *txt* ℵ B C L Δ 892 *pc* vgst sy^{s} co ● **11** ⸀εξωθεν B Σ 1424 *pc* | ° ℵ D K W Θ 28. 565. 1424 *al* ¦ *txt* A B C L 0133 $f^{1.13}$ 𝔐 bo | ⸀λεγεται D Θ 28. 565. 1424 *pc* it (sa) ● **12** ⸀-θησομαι D* (αφησω D^{2} it) | ⸆τα αμαρτηματα A D Θ f^{13} 𝔐 lat sy ¦ *txt* ℵ B C L W f^{1} 28*. 892* *pc* b co ● **15** ⸂εν ταις καρδιαις αυτων D Θ 0133 𝔐 lat sy bo^{pt} ¦ απο της καρδιας αυτων A l ¦ εν αυτοις ℵ C L Δ 892 *pc* sy^{hmg} ¦ *txt* B W f^{13} 28 *pc* ● **16** ⸀† εισ. ομοιως A B 0133 𝔐 lat sy^{h} ¦ ομ. εισ. ℵ C L Δ 33. 892. 1241 *pc* ¦ *txt* D W Θ $f^{1.13}$ 28. 565. 700 *pc* it sy$^{s.p}$ | ° Θ $f^{1.13}$ 28. 565. 700 *pc*; Or

⸂ἄλλοι εἰσὶν⸃ οἱ ⸀εἰς τὰς ἀκάνθας σπειρόμενοι□· οὗτοί
L 21,34! · 2Th 2,10 H 3,13 2P 2,13 εἰσιν⸌ οἱ τὸν λόγον ἀκούσαντες, **19** καὶ αἱ μέριμναι τοῦ
⸀αἰῶνος καὶ ⸂ἡ ἀπάτη τοῦ πλούτου⸃ □καὶ αἱ περὶ τὰ
λοιπὰ ἐπιθυμίαι⸌ εἰσπορευόμεναι συμπνίγουσιν τὸν λό-
Tt 3,14 2P 1,8 γον καὶ ἄκαρπος γίνεται. **20** καὶ ἐκεῖνοί εἰσιν οἱ ἐπὶ τὴν
γῆν τὴν καλὴν σπαρέντες, οἵτινες ἀκούουσιν τὸν λόγον
καὶ παραδέχονται καὶ καρποφοροῦσιν ⸀ἓν τριάκοντα καὶ
⸀ἓν ἑξήκοντα καὶ ⸀ἓν ἑκατόν.

21–25: L 8,16-18 **21** Καὶ ἔλεγεν αὐτοῖς· ⸆ μήτι ⸀ἔρχεται ὁ λύχνος ἵνα 39 II
Mt 5,15! ὑπὸ τὸν μόδιον τεθῇ ἢ ὑπὸ τὴν κλίνην; οὐχ ἵνα ⸀ἐπὶ τὴν
Mt 10,26p λυχνίαν τεθῇ; **22** οὐ γάρ ἐστιν ⸆ κρυπτὸν ἐὰν μὴ ἵνα φα- 40 II
νερωθῇ, οὐδὲ ἐγένετο ἀπόκρυφον ἀλλ' ἵνα ἔλθῃ εἰς φα-
Mt 11,15! νερόν. **23** εἴ τις ἔχει ὦτα ἀκούειν ἀκουέτω. **24** * Καὶ ἔλε- 41 II
Mt 7,2p γεν αὐτοῖς· βλέπετε τί ἀκούετε. ἐν ᾧ μέτρῳ μετρεῖτε μετρη-
Mt 13,12! θήσεται ὑμῖν □καὶ προστεθήσεται ὑμῖν⸆⸌. **25** ὃς γὰρ ἔχει, 42 II
δοθήσεται αὐτῷ· καὶ ὃς οὐκ ἔχει, καὶ ὃ ἔχει ἀρθήσεται
ἀπ' αὐτοῦ.

26 Καὶ ἔλεγεν· οὕτως ἐστὶν ἡ βασιλεία τοῦ θεοῦ ⸂ὡς 43 X
Jc 5,7 · Mt 13,25 ἄνθρωπος⸃ βάλῃ τὸν σπόρον ἐπὶ τῆς γῆς **27** καὶ καθεύδῃ
καὶ ἐγείρηται νύκτα καὶ ἡμέραν, καὶ ὁ σπόρος βλαστᾷ
καὶ μηκύνηται ὡς οὐκ οἶδεν αὐτός. **28** ⸀αὐτομάτη ἡ γῆ
καρποφορεῖ, πρῶτον χόρτον ⸀εἶτα στάχυν ⸀εἶτα ⸂πλή-
ρη[ς] σῖτον⸃ ἐν τῷ στάχυϊ. **29** ὅταν δὲ παραδοῖ ὁ ⸀καρ-
Joel 4,13 Ap 14,15 πός, εὐθὺς ἀποστέλλει τὸ δρέπανον, ὅτι παρέστηκεν ὁ
θερισμός.

18 ⸂ – W Θ $f^{1.13}$ 28. 565. 700. 892. 1424 *pc* sy^{p} sa^{mss} ¦ ουτοι εισ. *et* □ A 𝔐 f q sy^{h} ¦ *txt* ℵ B C$^{(2)}$ D L Δ *pc* lat sa^{ms} bo | ⸀επι ℵ C Δ *pc* ¦ *txt* A B D L W Θ $f^{1.13}$ 𝔐 • **19** ⸀βιου D W Θ 565. 700. 1424 *pc* it | ⸂απαται του πλ. W (1424, lat) ¦ απαται του κοσμου D (Θ 565) it ¦ η αγαπη του πλ. Δ | □ D (Θ) W f^{1} 28. (565. 700) it • **20** ⸀† *ter* ἐν $f^{1.13}$ 𝔐 sy ¦ *ter* το εν W ¦ ἐν ... – ... – B(*) 1424 ¦ εν ... – ... εν C*^{vid} *pc* ¦ *txt* L Θ *pc* lat (ℵ A C^{2} D *sine acc.*) • **21** ⸆† οτι B L 892 ¦ ιδετε f^{13} 28 *pc* ¦ *txt* ℵ A C D W Θ f^{1} 𝔐 latt | ⸀απτεται D (W f^{13}) it sa^{mss} bo^{pt} | ⸀υπο ℵ B* f^{13} 33 *pc* • **22** ⸆† τι ℵ A C L Δ 0133. 33. 892. 1010. 1241. 1424 *pm* lat sy ¦ *txt* B D K W Θ $f^{1.13}$ 28. 565. 700 *pm* it co • **24** □ *p)* D W 565 *pc* b e l sa^{ms} vg^{mss} | ⸆τοις ακουουσιν A Θ 0107. 0133. 0167 $f^{1.13}$ 𝔐 q sy sa^{mss} bo^{pt} ¦ credentibus f ¦ *txt* ℵ B C L Δ 700. 892 *pc* lat bo^{pt} • **26** ⸂ως ανθρωπος οταν W f^{1} e sa^{mss} bo^{mss} ¦ ως (ε)αν ανθ. A C 0107. 0133 𝔐 sy^{h} ¦ ωσπερ ανθ. Θ f^{13} 28. 565. 700 *pc* ¦ *txt* ℵ B D L Δ 33. 892*. 1241 *pc* • **28** ⸀α. γαρ W Θ 0133. 0167 $f^{1.13}$ 𝔐 lat sa^{ms} bo^{pt} ¦ οτι α. D 565. 700 bo^{mss} ¦ *txt* ℵ A B C L 892*. 1241 *pc* sy^{h} sa^{mss} bo^{pt} | ⸀† *bis* ειτεν (ℵ*) B* L Δ ¦ επειτα ... ειτα 565 (*pc*) ¦ *txt* (ℵ^{1}) A B^{2} C D W Θ 0107. 0133. 0167 $f^{1.13}$ 𝔐 | ⸂† πληρης (-ρες B) σιτος B 1325 ¦ πληρης ο σιτος D W ¦ πληρη (+ τον Θ 565. 700. 892. 1424) σιτον ℵ A C^{2} L Θ $f^{1.13}$ 𝔐 ¦ *txt* C*^{vid} 28 • **29** [⸀καιρος Blass *cj*]

44 II **30** Καὶ ἔλεγεν· πῶς ὁμοιώσωμεν τὴν βασιλείαν τοῦ *30–32:* Mt 13,
θεοῦ ἢ ἐν τίνι ⸂αὐτὴν παραβολῇ θῶμεν⸃; **31** ὡς ⸀κόκκῳ 31s L 13,18s Is 40,18 𝔊
σινάπεως, ὃς ὅταν σπαρῇ ἐπὶ τῆς γῆς, μικρότερον ὂν Mt 17,20!p
πάντων τῶν σπερμάτων τῶν ἐπὶ τῆς γῆς, **32** καὶ ὅταν
σπαρῇ, ἀναβαίνει καὶ γίνεται ⸂μεῖζον πάντων τῶν λαχά-
νων⸃ καὶ ποιεῖ κλάδους μεγάλους, ὥστε δύνασθαι ὑπὸ Ez 17,23; 31,6
τὴν σκιὰν αὐτοῦ *τὰ πετεινὰ τοῦ οὐρανοῦ κατασκηνοῦν.* Dn 4,9.18 *Ps 103,12* 𝔊
45 VI **33** Καὶ τοιαύταις παραβολαῖς πολλαῖς ἐλάλει αὐτοῖς *33s:* Mt 13,34
τὸν λόγον καθὼς ἠδύναντο ἀκούειν· **34** χωρὶς δὲ παρα- 1K 3,1 J 16,12
46 X βολῆς οὐκ ἐλάλει αὐτοῖς, κατ' ἰδίαν δὲ τοῖς ἰδίοις μαθη- 1,45! | 2!
ταῖς ἐπέλυεν ⸀πάντα.
10 47 II **35** Καὶ λέγει αὐτοῖς ἐν ἐκείνῃ τῇ ἡμέρᾳ ὀψίας γενομέ- *35–41:* Mt 8,18.
νης· διέλθωμεν εἰς τὸ πέραν. **36** καὶ ⸂ἀφέντες τὸν ὄχλον⸃ 23-27 L 8,22-25 cf Mc 6,45ssp
παραλαμβάνουσιν αὐτὸν ὡς ἦν ἐν τῷ πλοίῳ, καὶ ⸄ἄλλα
πλοῖα ἦν μετ' αὐτοῦ⸅. **37** καὶ γίνεται λαῖλαψ μεγάλη ἀνέ- Jon 1,4ss
μου καὶ τὰ κύματα ἐπέβαλλεν εἰς τὸ πλοῖον, ὥστε ἤδη
γεμίζεσθαι τὸ πλοῖον. **38** καὶ ⸉αὐτὸς ἦν⸊ ἐν τῇ πρύμνῃ
ἐπὶ τὸ προσκεφάλαιον καθεύδων. καὶ ⸀ἐγείρουσιν αὐτὸν °καὶ λέγουσιν αὐτῷ· διδάσκαλε, οὐ μέλει σοι ὅτι L 10,40
ἀπολλύμεθα; **39** καὶ διεγερθεὶς ἐπετίμησεν τῷ ἀνέμῳ καὶ Ps 105,9 𝔊
εἶπεν τῇ θαλάσσῃ· σιώπα, πεφίμωσο. καὶ ἐκόπασεν ὁ 6,51 Ps 65,8; 89,
ἄνεμος καὶ ἐγένετο γαλήνη μεγάλη. **40** καὶ εἶπεν αὐτοῖς· 10; 107,25-32
τί ⸂δειλοί ἐστε; οὔπω⸃ ἔχετε πίστιν; **41** καὶ ἐφοβήθη- J 14,1.27 2T 1,7
σαν φόβον μέγαν καὶ ἔλεγον πρὸς ἀλλήλους· τίς ἄρα L 2,9 Jon 1,10.16 · 1,27
οὗτός ἐστιν ὅτι καὶ ὁ ἄνεμος καὶ ἡ θάλασσα ⸂ὑπακούει
αὐτῷ⸃;

30 ⸂παραβολη (ομοιωματι f^{1} *pc*) παραβαλωμεν αυτην A C^{2} D Θ 0107^{vid}. 0133 f^{1} 𝔐 lat sy ¦ την παραβολην δωμεν W ¦ παραβολη αυτην θωμεν; παραβαλομεν αυτην f^{13} ¦ *txt* ℵ B C^{*vid} L (Δ) 28. 892 *pc* b bo; Or ● **31** ⸀κοκκον A L W Θ 0107. 0133 $f^{1.13}$ 𝔐 ¦ *txt* ℵ B C^{vid} D Δ(*) 565 *al* ● **32** ⸂μειζων παντ. τ. λαχ. D Δ f^{1} 28. 565. 700. 1424 *pm* aur e (⸉ K 0133 f^{13} 1010 *pm*) ¦ *txt* ℵ B C L W Θ 33. 892. 1241 *pc* lat (⸉ A *pm*) ● **34** ⸀αυτας D W it ● **36** ⸂αφιουσιν τον οχλον και 𝔓^{45vid} D W Θ f^{13} 28. 565. 700 *pc* it ¦ αφεντες αυτον A | ⸄αλλα δε πλοια (-αρια L 0133. 1010 *pm*; + πολλα D 33) ην (ησαν D) μετ αυτου A C^{2} D L 0133 f^{13} 𝔐 sy^{h} ¦ αμα πολλοι ησαν μετ αυτου W e ¦ τα αλλα τα οντα πλοια μετ αυτου Θ (f^{1} 28. 700) 565 ¦ *txt* (ℵ: ησαν) B C* (Δ) 892 *pc* vg ● **38** ⸉ A D W Θ $f^{1.13}$ 𝔐 sy^{h} ¦ *txt* ℵ B C L Δ 892 *pc* | ⸀διεγειραντες (εγ- f^{13}) *et* ° D W Θ f^{13} 28. 565. 700 *pc* it ¦ διεγειρουσιν A B^{1} C^{2} L f^{1} 𝔐 ¦ *txt* ℵ B* C* Δ *al* ● **40** ⸂† δειλοι εστε ουτως; πως ουκ A C 𝔐 sy$^{(p).h}$ (f) ¦ δειλοι εστε ουτως; W (e q) ¦ ουτως δειλοι εστε; ουπω 𝔓^{45vid} $f^{1.13}$ (28) *pc* ¦ *txt* ℵ B D L Δ Θ 565. 700. 892* *pc* lat co ● **41** ⸂*2 1* ℵ* C Δ $f^{1.13}$ 28 *pc* ¦ υπακουουσιν D ff^{2} i q ¦ υπακουουσιν αυτω A W Θ 0133 𝔐 lat ¦ *txt* ℵ^{2} B L 892

1–20: Mt 8,28-34 L 8,26-39 **5** Καὶ ⸀ἦλθον εἰς τὸ πέραν τῆς θαλάσσης εἰς τὴν χώ- *11*
ραν τῶν ⸂Γερασηνῶν. **2** καὶ ἐξελθόντος αὐτοῦ ἐκ τοῦ
πλοίου ⸋εὐθὺς ⸀ὑπήντησεν αὐτῷ ⸉ἐκ τῶν μνημείων ἄν-
1,23 θρωπος⸊ ἐν πνεύματι ἀκαθάρτῳ, **3** ὃς τὴν κατοίκησιν εἶ-
Is 65,4 χεν ἐν τοῖς μνήμασιν, καὶ οὐδὲ ἁλύσει οὐκέτι οὐδεὶς
ἐδύνατο αὐτὸν δῆσαι **4** ⸉διὰ τὸ αὐτὸν πολλάκις πέδαις καὶ
ἁλύσεσιν δεδέσθαι καὶ διεσπάσθαι ὑπ' αὐτοῦ τὰς ἁλύσεις
καὶ τὰς πέδας συντετρῖφθαι⸊⸆, καὶ οὐδεὶς ἴσχυεν αὐτὸν
δαμάσαι· **5** καὶ διὰ παντὸς νυκτὸς καὶ ἡμέρας⸊ ἐν τοῖς
μνήμασιν καὶ ἐν τοῖς ὄρεσιν ἦν κράζων καὶ κατακόπτων
ἑαυτὸν λίθοις. **6** καὶ ἰδὼν τὸν Ἰησοῦν ἀπὸ μακρόθεν
ἔδραμεν καὶ προσεκύνησεν ⸀αὐτῷ **7** καὶ κράξας φωνῇ
1,24! · 3,11! · Gn 14,18 Act 16,17 μεγάλῃ λέγει· τί ἐμοὶ καὶ σοί, Ἰησοῦ υἱὲ τοῦ θεοῦ τοῦ
Gn 24,3 Mt 26,63 ὑψίστου; ὁρκίζω σε τὸν θεόν, μή με βασανίσῃς. **8** ἔλεγεν
γὰρ αὐτῷ· ἔξελθε τὸ πνεῦμα τὸ ἀκάθαρτον ἐκ τοῦ ἀν-
θρώπου. **9** καὶ ἐπηρώτα αὐτόν· τί ὄνομά σοι; καὶ ⸉λέγει
αὐτῷ⸊· ⸀λεγιὼν ὄνομά μοι ⸆, ὅτι πολλοί ἐσμεν. **10** καὶ παρεκάλει αὐτὸν πολλὰ ἵνα μὴ ⸉αὐτὰ ἀποστείλῃ⸊ ἔξω τῆς χώρας. **11** ἦν δὲ ἐκεῖ πρὸς τῷ ὄρει ἀγέλη χοίρων μεγάλη
βοσκομένη· **12** καὶ παρεκάλεσαν αὐτὸν ⸀λέγοντες· πέμψον ἡμᾶς εἰς τοὺς χοίρους, ἵνα εἰς αὐτοὺς εἰσέλθωμεν.
13 καὶ ⸉ἐπέτρεψεν αὐτοῖς⸊. καὶ ἐξελθόντα τὰ πνεύματα τὰ
ἀκάθαρτα εἰσῆλθον εἰς τοὺς χοίρους, καὶ ὥρμησεν ἡ
ἀγέλη κατὰ τοῦ κρημνοῦ εἰς τὴν θάλασσαν, ὡς δισχί-
λιοι, καὶ ἐπνίγοντο ἐν τῇ θαλάσσῃ.

¶ **5,1** ⸀ηλθεν ℵ$^{c vid}$ C L Δ Θ f^{13} 28. 700. 892. 1241 *al* q sy bo; Epiph | ⸂*p)* Γαδαρηνων A C f^{13} 𝔐 sy$^{p.h}$ ¦ Γεργυστηνων W sy^{hmg} ¦ Γεργεσηνων ℵ^{2} L Δ Θ f^{1} 28. 33. 565. 700. 892. 1241. 1424 *al* sy^{s} bo ¦ *txt* ℵ* B D latt sa ● **2** ⸋ B W it sy$^{s.p}$ | ⸀απηντησεν A W 𝔐 ¦ *txt* ℵ B C D L Δ Θ $f^{1.13}$ 28. 565. 700. 1424 *al* | ⸉ *4 1–3* D W Θ 565. 700 e ¦ *4* 1355 *pc* sy^{s} ● **4/5** ⸉οτι πολλακις αυτον δεδεμενον πεδαις και αλυσεσιν εν αις εδησαν διεσπακεναι και τας πεδας συντετριφεναι D (W f^{1} 28. 565. 700 lat sy$^{s.p}$) | ⸆και μηδενα αυτον ισχυειν δαμασαι. νυκτος δε και ημερας D (W 565. 700) e ● **6** ⸀† αυτον A B C L Δ 892. 1241 *pc* ¦ *txt* ℵ D W Θ $f^{1.13}$ 𝔐 ● **9** ⸉απεκριθη D *pc* it ¦ απεκριθη λεγων E 565. 700. 1010 *pm* | ⸀λεγεων ℵ^{2} A B^{2} W Θ $f^{1.13}$ 𝔐 ¦ *txt* ℵ* B* C (D) L Δ 700$^{c vid}$ *pc* | ⸆εστιν B (⸉ D) f^{13} *pc* ● **10** ⸉αυτους αποστειλη D 𝔐 (⸉ A 074 $f^{1.13}$ 1241 *al* it) ¦ αυτον αποστ. ℵ L *pc* lat sy^{p} bo (⸉ K W 892 *al*) ¦ *txt* B C Δ (⸉ Θ) ● **12** ⸀παντες (– K *al*) οι δαιμονες λ. A 074 𝔐 ¦ παντα (– D) τα δαιμονια ειποντα D Θ 565. (700) *pc* a ¦ (παρακ-σαντες *et*) ειπον W f^{13} 28 ¦ *txt* ℵ B C L Δ f^{1} 892 *al* ● **13** ⸉επεμψεν αυτους (+ ο Ιησους 565. 700) Θ 565. 700 ¦ ευθεως κυριος Ιησους επεμψεν αυτους εις τους χοιρους D *pc* (c) ff^{2} (i) r^{1} ¦ επετρεψεν αυτοις ευθεως ο Ιησους A 074 f^{13} (⸉ 1241) 𝔐 lat sy^{h} ¦ *txt* ℵ B C L W Δ f^{1} 28. 892* b e sy$^{s.p}$ bo; Epiph

14 Καὶ οἱ βόσκοντες αὐτοὺς ἔφυγον καὶ ⸀ἀπήγγειλαν
εἰς τὴν πόλιν καὶ εἰς τοὺς ἀγρούς· καὶ ἦλθον ἰδεῖν τί
ἐστιν τὸ γεγονὸς **15** καὶ ἔρχονται πρὸς τὸν Ἰησοῦν καὶ
θεωροῦσιν τὸν δαιμονιζόμενον καθήμενον ἱματισμένον
καὶ σωφρονοῦντα, ⸂τὸν ἐσχηκότα τὸν λεγιῶνα,⸃ καὶ ἐφοβήθησαν. **16** καὶ διηγήσαντο αὐτοῖς οἱ ἰδόντες πῶς ἐγένετο τῷ δαιμονιζομένῳ καὶ περὶ τῶν χοίρων. **17** καὶ ⸂ἤρ-
ξαντο παρακαλεῖν αὐτὸν⸃ ἀπελθεῖν ἀπὸ τῶν ὁρίων αὐτῶν.
48 VIII **18** Καὶ ἐμβαίνοντος αὐτοῦ εἰς τὸ πλοῖον παρεκάλει
αὐτὸν ὁ δαιμονισθεὶς ἵνα μετ᾽ αὐτοῦ ᾖ. **19** καὶ οὐκ ἀφῆκεν 3,14
αὐτόν, ἀλλὰ λέγει αὐτῷ· ὕπαγε εἰς τὸν οἶκόν σου πρὸς
τοὺς σοὺς καὶ ⸀ἀπάγγειλον αὐτοῖς ὅσα ⸂ὁ κύριός σοι⸃ 11,3
πεποίηκεν καὶ ἠλέησέν σε. **20** καὶ ἀπῆλθεν καὶ ἤρξατο
κηρύσσειν ἐν τῇ Δεκαπόλει ὅσα ἐποίησεν αὐτῷ ὁ Ἰησοῦς, 7,31 Mt 4,25
καὶ πάντες ἐθαύμαζον.
49 II **21** Καὶ διαπεράσαντος ⸂τοῦ Ἰησοῦ [ἐν τῷ πλοίῳ]⸃ ⸄πά- *21–43:* Mt 9,18-26 L 8,40-56 1Rg 17,17-24
λιν εἰς τὸ πέραν⸅ συνήχθη ὄχλος πολὺς ἐπ᾽ αὐτόν, καὶ 2Rg 4,8.17-37
12 ἦν παρὰ τὴν θάλασσαν. **22** Καὶ ⸆ ἔρχεται εἷς τῶν ἀρχι- Act 9,36ss
συναγώγων, ⸂ὀνόματι Ἰάϊρος,⸃ καὶ ἰδὼν αὐτὸν πίπτει πρὸς 7,25 J 11,32 Act 10,25
τοὺς πόδας αὐτοῦ **23** ⸂καὶ παρακαλεῖ⸃ αὐτὸν ⸀πολλὰ λέγων
ὅτι τὸ θυγάτριόν μου ἐσχάτως ἔχει, ⸄ἵνα ἐλθὼν ἐπιθῇς
τὰς χεῖρας αὐτῇ⸅ ἵνα σωθῇ καὶ ζήσῃ. **24** καὶ ἀπῆλθεν Mt 9,18!
μετ᾽ αὐτοῦ. καὶ ἠκολούθει αὐτῷ ὄχλος πολὺς καὶ συνέ-
θλιβον αὐτόν. 3,9
13 **25** Καὶ γυνὴ ⸆ οὖσα ἐν ῥύσει αἵματος δώδεκα ἔτη **26** καὶ
πολλὰ παθοῦσα ὑπὸ πολλῶν ἰατρῶν καὶ δαπανήσασα τὰ
⸂παρ᾽ αὐτῆς⸃ πάντα καὶ μηδὲν ὠφεληθεῖσα ἀλλὰ μᾶλ-

14 ⸀ανηγγειλαν W Δ f^{13} 28. 565. 1010 *pm* ¦ *txt* ℵ A B C D K L Θ 074 f^{1} 33. 700. 892. 1241. 1424 *pm*; Epiph ● **15** ⸂τον εσχ. τον λεγεωνα ℵ^{1} A B C W Θ 074. 0107 $f^{1.13}$ 𝔐 ¦ – D lat sy^{s} ¦ *txt* ℵ* L Δ aur vg^{mss} ● **17** ⸂παρεκαλουν D Θ 565. 700. 1424 *pc* a ● **19** ⸀διαγγ- 𝔓^{45} D W $f^{1.13}$ 28. 700 *pc* ¦ αναγγ- A L 0132. 0134 𝔐 ¦ *txt* ℵ B C Δ Θ *pc* | ⸂*3 1 2* A L W 074. 0132. 0134 $f^{1.13}$ 𝔐 lat ¦ *p)* σοι ο θεος D (1241) ¦ *txt* (ℵ) B C Δ Θ ff^{2} ● **21** ⸂*1 2* 𝔓^{45} D Θ f^{1} 28. 565. 700 *pc* it sy^{s} ¦ *3–5 1 2* W sa^{mss} ¦ *txt* ℵ A (B) C L 0132. 0134 f^{13} 𝔐 vg sy$^{p.h}$ sa^{mss} bo | ⸄ *2–4 1* ℵ* D 565. 700 it sy^{p} ¦ *1* 𝔓^{45} (c) f ¦ *2–4* Θ *pc* sy^{s} bo^{mss} ¦ παλιν ηλθεν εις το περαν f^{13} *pc* (sa) ¦ *txt* ℵ^{1} A B C L W 0132. 0134 f^{1} 𝔐 vg sy^{h} bo ● **22** ⸆ιδου 𝔓^{45} A C W 0107. 0134 $f^{1.13}$ 𝔐 c f sy^{h} ¦ *txt* ℵ B D L Δ Θ 892 lat sy$^{s.p}$ co | ⸂*p)* ω ονομα Ι. W Θ 565. 700 ¦ – D it ● **23** ⸂κ. παρεκ- B W Θ 0107. 0132. 0134 $f^{1.13}$ 𝔐 lat sa ¦ παρακαλων *et* ⸀και D (it) ¦ *txt* ℵ A C L 28. 33. 565. 892. 1241 *pc* bo | ⸄ ελθε αψαι αυτης εκ των χειρων σου D it (sy$^{s.p}$) ● **25** ⸆τις D Θ 0132. 0134 f^{13} 𝔐 a f sy^{h} ¦ *txt* ℵ A B C L W Δ f^{1} 33. 892. 1010 *pc* lat ● **26** ⸂εαυτης D W Θ f^{1} (*S* 28) 565. 700. 1424 *pc* ¦ παρ εαυτης ℵ C K Δ 1241 *al* ¦ *txt* A B L 0132. 0134 f^{13} 𝔐

λον εἰς τὸ χεῖρον ἐλθοῦσα, **27** ἀκούσασα ⸆ περὶ τοῦ Ἰη-
1,41! σοῦ, ἐλθοῦσα ἐν τῷ ὄχλῳ ὄπισθεν ἥψατο τοῦ ἱματίου
αὐτοῦ· **28** ἔλεγεν γὰρ ὅτι ἐὰν ἅψωμαι κἂν τῶν ἱματίων
αὐτοῦ σωθήσομαι. **29** καὶ εὐθὺς ἐξηράνθη ἡ πηγὴ τοῦ
αἵματος αὐτῆς καὶ ἔγνω τῷ σώματι ὅτι ἴαται ἀπὸ τῆς μά-
στιγος. **30** καὶ εὐθὺς ὁ Ἰησοῦς ἐπιγνοὺς ἐν ἑαυτῷ τὴν
L 5,17! ἐξ αὐτοῦ δύναμιν ἐξελθοῦσαν ἐπιστραφεὶς ἐν τῷ ὄχλῳ ⸀ἔ-
λεγεν· τίς μου ἥψατο τῶν ἱματίων; **31** καὶ ἔλεγον αὐτῷ
οἱ μαθηταὶ αὐτοῦ· βλέπεις τὸν ὄχλον συνθλίβοντά σε καὶ
3,5! λέγεις· τίς μου ἥψατο; **32** καὶ περιεβλέπετο ἰδεῖν τὴν
τοῦτο ποιήσασαν. **33** ἡ δὲ γυνὴ φοβηθεῖσα καὶ τρέμου-
σα⸆, εἰδυῖα ὃ γέγονεν ⸀αὐτῇ, ἦλθεν καὶ προσέπεσεν αὐτῷ καὶ εἶπεν αὐτῷ πᾶσαν τὴν ⸂ἀλήθειαν. **34** ὁ δὲ εἶπεν
Mt 9,22! · 1Sm 1,17; 20,42 Jdth 8,35 2Sm 15,9 2Rg 5,19 L 7,50 Act 16,36 Jc 2,16 | αὐτῇ· ⸀θυγάτηρ, ἡ πίστις σου σέσωκέν σε· ὕπαγε εἰς εἰ-
ρήνην καὶ ἴσθι ὑγιὴς ἀπὸ τῆς μάστιγός σου.

35 Ἔτι αὐτοῦ λαλοῦντος ἔρχονται ἀπὸ τοῦ ἀρχισυναγώγου λέγοντες ὅτι ἡ θυγάτηρ σου ἀπέθανεν· τί ἔτι
σκύλλεις τὸν διδάσκαλον; **36** ὁ δὲ Ἰησοῦς ⸀παρακούσας
⸉τὸν λόγον λαλούμενον⸊ λέγει τῷ ἀρχισυναγώγῳ· μὴ
φοβοῦ, μόνον πίστευε. **37** καὶ οὐκ ἀφῆκεν ⸉οὐδένα μετ'
αὐτοῦ συνακολουθῆσαι⸊ εἰ μὴ ⸀τὸν Πέτρον καὶ Ἰάκωβον
Mt 17,1! καὶ Ἰωάννην τὸν ἀδελφὸν Ἰακώβου. **38** καὶ ἔρχονται εἰς
τὸν οἶκον τοῦ ἀρχισυναγώγου, καὶ θεωρεῖ θόρυβον ⸉καὶ
κλαίοντας καὶ ἀλαλάζοντας⸊ πολλά, **39** καὶ εἰσελθὼν λέ-
Act 20,10 γει αὐτοῖς· τί θορυβεῖσθε καὶ ⸆ κλαίετε; τὸ παιδίον οὐκ
J 11,4.11 ἀπέθανεν ἀλλὰ καθεύδει. **40** καὶ κατεγέλων αὐτοῦ. ⸉αὐτὸς
11,15 Act 9,40 δὲ⸊ ἐκβαλὼν πάντας παραλαμβάνει τὸν πατέρα τοῦ παιδίου καὶ τὴν μητέρα καὶ τοὺς μετ' αὐτοῦ καὶ εἰσπορεύεται

27 ⸆ † τα ℵ* B C* Δ *pc* ¦ *txt* ℵ^{c} A C^{2} D L W Θ 0132^{vid}. 0134 $f^{1.13}$ 𝔐 sy co ● **30** ⸀ειπεν D W Θ 565. 700 ● **33** ⸆ διο πεποιηκει λαθρα D (Θ) 28. 565. (700) *pc* it | ⸀επ αυτη A W Θ 0132. 0133 f^{1} 𝔐 ¦ επ αυτην Φ f^{13} 565. 1241 *pc* ¦ *txt* ℵ B C D L 892 *pc* | ⸂αιτιαν αυτης W f^{13} (1). 28 sa^{mss} ● **34** ⸀-τερ ℵ A C^{2vid} L Θ 0132 $f^{1.13}$ 𝔐 ¦ *txt* B D W 28 *pc* (C* *illeg.*) ● **36** ⸀*p)* ακουσας ℵ^{c} D Θ 0126 $f^{1.13}$ 28. 565. 700. 892^{c}. 1241. 1424 *al* lat co ¦ ευθεως ακουσας A C (∫ N) 0132. 0133 𝔐 (a) sy^{h} ¦ *txt* ℵ* B L W Δ 892* *pc* e | ⸉τ. λ. τον λαλ. B ¦ τουτον τον λ. D it ● **37** ⸉ουδ. αυτω συνακ- (ακ- A K 33. 1241 *al*) A Θ 0132. 0133^{c} f^{13} 𝔐 ¦ ουδ. αυτω (∫ D, W) παρακ- D W 0133* f^{1} 28. 565. 700 *pc* ¦ *txt* ℵ B C L Δ 892 | ⸀μονον W ¦ – A D L Θ 0132. 0133 $f^{1.13}$ 𝔐 ¦ *txt* ℵ B C Δ ● **38** ⸉κλαιοντων και αλαλαζοντων D (565) a ● **39** ⸆ τι D Θ 28 it ● **40** ⸉ο δε A W 0132. 0133 f^{13} 𝔐 ¦ ο δε Ιησους Φ f^{1} *pc* sy^{h**} ¦ *txt* ℵ B C D L Δ Θ 33. 892 *pc*

ὅπου ἦν τὸ παιδίον⸆. **41** καὶ κρατήσας τῆς χειρὸς τοῦ Mt 8,15!
παιδίου λέγει αὐτῇ· ⸂ταλιθα κουμ⸃, ὅ ἐστιν μεθερμηνευ-
όμενον· τὸ κοράσιον, σοὶ λέγω, ἔγειρε. **42** καὶ °εὐθὺς L 7,14
ἀνέστη τὸ κοράσιον καὶ περιεπάτει· ἦν γὰρ ἐτῶν δώδεκα.
καὶ ἐξέστησαν ⸀[εὐθὺς] ἐκστάσει μεγάλῃ. **43** καὶ διεστείλατο αὐτοῖς °πολλὰ ἵνα μηδεὶς γνοῖ τοῦτο, καὶ εἶπεν δο- Mt 8,4!
θῆναι αὐτῇ φαγεῖν.

50 I **6** Καὶ ἐξῆλθεν ⸂ἐκεῖθεν καὶ ἔρχεται⸃ εἰς τὴν πατρίδα *1–6a:* Mt 13,53-58 L 4,16-30
αὐτοῦ, καὶ ἀκολουθοῦσιν αὐτῷ οἱ μαθηταὶ αὐτοῦ. **2** καὶ
γενομένου σαββάτου ἤρξατο ⸉διδάσκειν ἐν τῇ συναγω-
γῇ⸊, καὶ ⸂πολλοὶ ἀκούοντες⸃ ἐξεπλήσσοντο λέγοντες· 1,22!
πόθεν τούτῳ ταῦτα, καὶ τίς ἡ σοφία ἡ δοθεῖσα ⸀τούτῳ, J 7,15
⸄καὶ αἱ δυνάμεις τοιαῦται διὰ τῶν χειρῶν αὐτοῦ γινόμε- L 10,13 Act 19,11
ναι⸅; **3** οὐχ οὗτός ἐστιν ὁ ⸂τέκτων, ὁ υἱὸς⸃ τῆς Μαρίας 3,31s J 6,42
⸄καὶ ἀδελφὸς⸅ Ἰακώβου ⸂¹καὶ Ἰωσῆτος⸃ καὶ Ἰούδα καὶ Mt 12,46! · Act 12,17! · Jd 1
Σίμωνος; καὶ οὐκ εἰσὶν αἱ ἀδελφαὶ αὐτοῦ ὧδε πρὸς ἡμᾶς;
51 I καὶ ἐσκανδαλίζοντο ἐν αὐτῷ. **4** καὶ ἔλεγεν αὐτοῖς ὁ Ἰη- J 7,5
σοῦς ὅτι οὐκ ἔστιν προφήτης ἄτιμος εἰ μὴ ἐν τῇ ⸂πατρίδι J 4,44 L 13,33
αὐτοῦ⸃ καὶ ἐν τοῖς συγγενεῦσιν αὐτοῦ καὶ ἐν τῇ οἰκίᾳ
αὐτοῦ. **5** καὶ οὐκ ἐδύνατο ⸂ἐκεῖ ποιῆσαι οὐδεμίαν δύνα-
μιν⸃, εἰ μὴ ὀλίγοις ἀρρώστοις ἐπιθεὶς τὰς χεῖρας ἐθεράπευ- Mt 9,18!

40 ⸆ανακειμενον A C 𝔐 (κατακ- W Θ $f^{1.13}$ 28. 565. 700 *pc*) lat sy ¦ *txt* ℵ B D L Δ 892 *pc* it ● **41** ⸂ταλιθα κουμι A Θ 0126. 0133 f^{13} 𝔐 q vg sy^{h} ¦ ταβιθα W a r^{1} (+ κουμι it) ¦ ραββι θαβιτα κουμι D [ρ. θ. *ex* ραβιθα = puella Wellhausen *cj*] ¦ tabea acultha cumhi e ¦ *txt* ℵ B C L f^{1} 28. 892. 1241 *al* co ● **42** ° 𝔓^{45vid} bo^{pt} | ⸀παντες D it sa^{mss} bo^{ms} ¦ – 𝔓^{45} A W Θ 0133 $f^{1.13}$ 𝔐 lat sy$^{p.h}$ bo^{mss} ¦ *txt* ℵ B C L Δ 33. 892 *pc* sa^{mss} bo ● **43** ° D 1424 *pc* it

¶ **6,1** ⸂ *1* 13 *pc* ¦ – W ¦ εκ. κ. ηλθεν (απηλ- D) A D 0126 $f^{1.13}$ 𝔐 sy^{h} ¦ *txt* ℵ B C L Δ Θ 892 *pc* sy^{hmg} ● **2** ⸉ 𝔓^{45vid} A W 0126. 0133 $f^{1.13}$ 𝔐 ¦ *txt* ℵ B C D L Δ (Θ) 33. 892 *pc* | ⸂† οι πολλοι ακουοντες B L 28^{c}. 892 *pc* ¦ οι πολλοι ακουσαντες f^{13} 28* *pc* ¦ πολλοι ακουσαντες D Δ Θ 0126. 565. 1010 *al* ¦ *txt* ℵ A C W 0133 f^{1} 𝔐 | ⸀αυτω A D W Θ 0133 $f^{1.13}$ 𝔐 sy sa^{mss} ¦ *txt* ℵ B C L Δ 892 sa^{mss} bo | ⸄και δυν. … γινονται A C^{2} W 0133 $f^{1.13}$ 𝔐 a e ¦ ινα και δυν. … γινωνται C* D K (Θ 700) *al* it sy^{h} ¦ και αι δυν. αι τοιαυται αι … γινομεναι ℵ^{1} Δ ¦ *txt* ℵ* B (L) 33. 892 *pc* bo ● **3** ⸂του τεκτονος υιος και (𝔓^{45vid}) f^{13} (565). 700 *pc* it bo^{mss} | ⸄αδελφος δε A W 0133 $f^{1.13}$ 𝔐 q sy^{h} ¦ ο αδελφος (Θ) 565. 700. 892^{c} *pc* lat ¦ και ο αδελφος ℵ D L 892* *pc* ¦ *txt* B C Δ 1241. 1424 *pc* | ⸂¹ *p)* και Ιωσηφ ℵ *pc* lat ¦ και Ιωση A C W 0133 f^{1} 𝔐 sa^{mss} ¦ – c ff^{2} i ¦ *txt* B D L Δ Θ f^{13} 33. 565. 700 *pc* a sa^{mss} bo ● **4** ⸂π. εαυτου ℵ* f^{13} ¦ ιδια π. αυτου ℵ^{2} A (L, 892) ¦ π. τη εαυτου Θ 565 ¦ *txt* B C D W 0133 f^{1} 𝔐 ● **5** ⸂ *1 3 4 2* A 0133 f^{13} 𝔐 sy^{h} ¦ *1 3 2 4* D 565. 700 *pc* a ¦ ουκετι ποιησαι δυναμιν W ¦ *txt* ℵ B C L Δ Θ f^{1} 892

6b–13: Mt 9,35; 10,1.7-11.14 L 9, 1-6 | 30s · L 10,1 · σεν. **6** καὶ ⸀ἐθαύμαζεν διὰ τὴν ἀπιστίαν αὐτῶν. * Καὶ 52 II
περιῆγεν τὰς κώμας κύκλῳ διδάσκων. **7** Καὶ ⸂προσ- *14* 53
καλεῖται τοὺς δώδεκα καὶ ἤρξατο αὐτοὺς ἀποστέλλειν II
δύο⸃ δύο καὶ ἐδίδου αὐτοῖς ἐξουσίαν τῶν πνευμάτων τῶν
ἀκαθάρτων, **8** καὶ παρήγγειλεν αὐτοῖς ἵνα μηδὲν ⸀αἴ-
ρωσιν εἰς ὁδὸν εἰ μὴ ῥάβδον μόνον, μὴ ἄρτον, μὴ πήραν, μὴ εἰς τὴν ζώνην χαλκόν, **9** ἀλλὰ ὑποδεδεμένους
σανδάλια, καὶ μὴ ⸀ἐνδύσησθε δύο χιτῶνας. **10** καὶ ἔλεγεν 54 II
αὐτοῖς· ὅπου ἐὰν εἰσέλθητε εἰς οἰκίαν, ἐκεῖ μένετε ἕως ἂν
ἐξέλθητε ἐκεῖθεν. **11** καὶ ⸂ὃς ἂν τόπος μὴ δέξηται⸃ ὑμᾶς 55 II
Act 13,51 μηδὲ ἀκούσωσιν ὑμῶν, ἐκπορευόμενοι ἐκεῖθεν ἐκτινάξατε
Mt 8,4! τὸν χοῦν τὸν ὑποκάτω τῶν ποδῶν ὑμῶν εἰς μαρτύριον αὐτοῖς. ⸆ **12** Καὶ ἐξελθόντες ⸀ἐκήρυξαν ἵνα ⸁μετανο- 56 VIII
16,17s! ὦσιν, **13** καὶ δαιμόνια πολλὰ ἐξέβαλλον, καὶ ἤλειφον
L 10,34 Jc 5,14s ἐλαίῳ πολλοὺς ἀρρώστους καὶ ἐθεράπευον.

14–16: Mt 14, 1s L 9,7-9; 3,1! **14** Καὶ ἤκουσεν ὁ βασιλεὺς Ἡρῴδης, φανερὸν γὰρ ἐγέ- *15* 57
νετο τὸ ὄνομα αὐτοῦ, καὶ ⸀ἔλεγον ὅτι Ἰωάννης ὁ ⸁βαπτί- II
ζων ⸂ἐγήγερται ἐκ νεκρῶν⸃ καὶ διὰ τοῦτο ἐνεργοῦσιν αἱ
8,28p δυνάμεις ἐν αὐτῷ. **15** ἄλλοι δὲ ἔλεγον ὅτι Ἠλίας ἐστίν· 58 X
Mt 21,11! ἄλλοι δὲ ἔλεγον ὅτι προφήτης ὡς εἷς τῶν προφητῶν.
16 ἀκούσας δὲ ὁ Ἡρῴδης ⸀ἔλεγεν⸆· ὃν ἐγὼ ἀπεκεφάλισα
⸂Ἰωάννην, οὗτος ἠγέρθη⸃.

17–29: Mt 14,3-12 L 3,19s 1,14 **17** Αὐτὸς γὰρ ὁ Ἡρῴδης ἀποστείλας ἐκράτησεν τὸν 59 II
Ἰωάννην καὶ ἔδησεν αὐτὸν ἐν φυλακῇ διὰ Ἡρῳδιάδα

6 ⸀† εθαυμασεν ℵ B 565 *pc* ¦ *txt* A C D L W Θ 0133 *f*$^{1.13}$ 𝔐 sy^{h} • **7** ⸂*p)* προσκαλεσαμενος τους δωδεκα μαθητας απεστειλεν αυτους ανα D (*f*^{1} 565 *pc*) ff^{2} sy^{s}? • **8** ⸀αρωσιν ℵ C L W Δ Θ *f*^{13} 565 *pc* ¦ *txt* A B D 0133 *f*^{1} 𝔐 • **9** ⸀ενδυσασθαι B^{2} 892 *pc* (-σασθε B* 33 *pc*) ¦ ενδεδυσθαι L N 1424 *al* • **11** ⸂*1 2 4 5 f*^{1} *pc* sy^{s} ¦ *p)* οσοι αν μη δεξωνται A C^{2} D Θ 0167^{vid} 𝔐 lat sy$^{p.h}$ ¦ *txt* ℵ B C*^{vid} L W*f*^{13} 28 *pc* co | ⸆(Mt 10,15) αμην λεγω υμιν· ανεκτοτερον εσται Σοδομοις η Γομορροις εν ημερα κρισεως ἢ τη πολει εκεινη A 0133 *f*$^{1.13}$ 𝔐 a f q sy$^{p.h}$ bo^{pt} ¦ *txt* ℵ B C D L W Δ Θ 28*. 565. 892* *pc* lat sy^{s} sa bo^{pt} • **12** ⸀εκηρυσσον A W Θ 0133 *f*$^{1.13}$ 𝔐 sy^{h} ¦ *txt* ℵ B C D L Δ 892 *pc* sy^{hmg} | ⸁μετανοησωσιν ℵ A C 0133 *f*$^{1.13}$ 𝔐 ¦ *txt* B D L W Θ • **14** ⸀-γεν ℵ A C L Θ *f*$^{1.13}$ 𝔐 lat sy co ¦ *txt* B (D) W *pc* a b ff^{2} vg^{mss} sa^{ms} | ⸁*p)* βαπτιστης D W Θ *f*^{13} 28. 33. 700 *al* | ⸂ηγερθη εκ ν. C Θ (1241. 1424 *pc*) ¦ εκ ν. ηγερθη W 0269 *f*$^{1.13}$ 𝔐 ¦ εκ ν. ανεστη A K *al* ¦ *txt* ℵ B D L Δ 33. 565. 700. 892 • **16** ⸀ειπεν A D W 0269 *f*$^{1.13}$ 𝔐 ¦ *txt* 𝔓^{45vid} ℵ B C L Δ Θ 33. 892 *pc* bo | ⸆οτι 𝔓^{45} A C W 0269 *f*^{13} 𝔐 ¦ *txt* ℵ B D L Θ *f*^{1} 28. 33. 565. 700. 892 *pc* | ⸂ουτ. Ιωαννης ηγ. ℵ* ¦ Ιωαννην (– D), ουτ. εκ νεκρων ηγ. D *f*^{13} 28 *pc* lat bo^{ms} ¦ ουτ. εστιν Ιωαννης· αυτος εκ νεκρων ηγ. Θ (*f*^{1}) 565. 700 *pc* it ¦ Ιωαννην, ουτος εστιν· αυτος ηγ. εκ νεκρων A (C) 0269 𝔐 ¦ *txt* ℵ^{1} B L W Δ (33). 892* co

τὴν γυναῖκα Φιλίππου τοῦ ἀδελφοῦ αὐτοῦ, ὅτι αὐτὴν Lv 18,16 L 3,1!
ἐγάμησεν· **18** ἔλεγεν γὰρ ὁ Ἰωάννης τῷ Ἡρῴδῃ ὅτι οὐκ
ἔξεστίν σοι ἔχειν τὴν γυναῖκα τοῦ ἀδελφοῦ σου. **19** ἡ δὲ
Ἡρῳδιὰς ἐνεῖχεν αὐτῷ καὶ ἤθελεν αὐτὸν ἀποκτεῖναι, καὶ
οὐκ ἠδύνατο· **20** ὁ γὰρ Ἡρῴδης ἐφοβεῖτο τὸν Ἰωάννην,
εἰδὼς αὐτὸν ἄνδρα δίκαιον καὶ ἅγιον, καὶ συνετήρει αὐτόν, καὶ ἀκούσας αὐτοῦ πολλὰ ⸀ἠπόρει, καὶ ἡδέως αὐτοῦ ἤκουεν.

21 Καὶ γενομένης ἡμέρας εὐκαίρου ὅτε Ἡρῴδης ⸆ τοῖς
γενεσίοις αὐτοῦ δεῖπνον ἐποίησεν τοῖς μεγιστᾶσιν °αὐ- Ap 6,15; 18,23
τοῦ καὶ τοῖς χιλιάρχοις καὶ τοῖς πρώτοις τῆς Γαλιλαίας,
22 καὶ εἰσελθούσης τῆς θυγατρὸς ⸀αὐτοῦ Ἡρῳδιάδος καὶ
ὀρχησαμένης ⸁ἤρεσεν τῷ Ἡρῴδῃ καὶ τοῖς συνανακειμέ-
νοις. ⸂εἶπεν ὁ βασιλεὺς⸃ τῷ κορασίῳ· αἴτησόν με ὃ ἐὰν
θέλῃς, καὶ δώσω σοι· **23** καὶ ὤμοσεν ⸂αὐτῇ [πολλὰ]⸃ ⸄ὅ
τι⸅ ἐάν ⸂¹με αἰτήσῃς⸃ δώσω σοι ⸂²ἕως ἡμίσους⸃ τῆς Esth 5,3.6; 7,2
βασιλείας μου. **24** καὶ ἐξελθοῦσα εἶπεν τῇ μητρὶ αὐτῆς·
τί αἰτήσωμαι; ἡ δὲ εἶπεν⸆· τὴν κεφαλὴν Ἰωάννου τοῦ
⸀βαπτίζοντος. **25** καὶ εἰσελθοῦσα εὐθὺς μετὰ σπουδῆς πρὸς
τὸν βασιλέα ᾐτήσατο λέγουσα· θέλω ἵνα ἐξαυτῆς δῷς μοι
ἐπὶ πίνακι τὴν κεφαλὴν Ἰωάννου τοῦ βαπτιστοῦ. **26** καὶ
περίλυπος γενόμενος ὁ βασιλεὺς διὰ τοὺς ὅρκους καὶ τοὺς
⸀ἀνακειμένους οὐκ ἠθέλησεν ⸉ἀθετῆσαι αὐτήν⸊· **27** καὶ
εὐθὺς ἀποστείλας ὁ βασιλεὺς σπεκουλάτορα ἐπέταξεν
⸀ἐνέγκαι τὴν κεφαλὴν αὐτοῦ. ⸁καὶ ἀπελθὼν ἀπεκεφάλισεν
αὐτὸν ἐν τῇ φυλακῇ **28** καὶ ἤνεγκεν τὴν κεφαλὴν αὐτοῦ
ἐπὶ πίνακι καὶ ἔδωκεν αὐτὴν τῷ κορασίῳ, καὶ τὸ κορά-

20 ⸀εποιει A C D f^{1} 𝔐 lat sy ¦ α εποιει f^{13} 28 *pc* ¦ – Δ ¦ *txt* ℵ B L (W) Θ co ● **21** ⸆εν 𝔓^{45} | ° D 1. 565 lat ● **22** ⸀† αυτης της A C Θ f^{13} 𝔐 ¦ αυτης W ¦ της f^{1} *pc* (aur b c f) ¦ *txt* ℵ B D L Δ 565 *pc* | ⸁και αρεσασης 𝔓^{45} A C^{3} D W Θ $f^{1.13}$ 𝔐 lat ¦ *txt* ℵ B C* L Δ 33 *pc* c ff^{2} | ⸂ † ο δε β. ειπεν ℵ (⸉A) B C* L Δ 33 ¦ ειπεν ο (+ βασιλευς 𝔓^{45c}) Ηρωδης 𝔓^{45} ¦ *txt* C^{3} D W Θ $f^{1.13}$ 𝔐 it sy^{h} ● **23** ⸂† *1* ℵ A B C^{2vid} f^{13} 𝔐 lat sa^{mss} bo ¦ *2* 28 ¦ – L *pc* sa^{ms} bo^{ms} ¦ *txt* 𝔓^{45} D Θ 565. 700 it (C*^{vid} W Γ f^{1} *pc* r^{1}: *h. t.*) | ⸄† οτι (*vl* ο τι) ὅ ℵ A L Θ f^{13} 𝔐 latt ¦ ει τι D ¦ *txt* 𝔓^{45} B Δ 33*. 1241 *pc* (C *illeg.*) | ⸂¹† *2* 𝔓^{45vid} ℵ L f^{13} 892. 1424 *al* lat sy^{p} bo ¦ *2 1* A K *al* ¦ *txt* B C D (N) Θ 𝔐 it sy^{h} sa | ⸂²και (καν 565) το ημισυ D 565 lat ● **24** ⸆αὐτῇ 28 ¦ αιτησαι 𝔓^{45} W | ⸀-στου A C D W $f^{1.13}$ 𝔐 ¦ *txt* ℵ B L Δ Θ 565 ● **26** ⸀*p)* συνανακειμενους ℵ A C^{2}(**illeg.*) D Θ $f^{1.13}$ 𝔐 latt sy^{h} ¦ *txt* B L W Δ 1241 *pc* | ⸉ A D W $f^{1.13}$ 𝔐 ¦ *txt* ℵ B C L N Δ (Θ) 892. (1241) ● **27** ⸀ενεχθηναι A D L W Θ $f^{1.13}$ 𝔐 ¦ *txt* ℵ B C Δ 892 | ⸁ο δε A D Θ f^{13} 𝔐 sy^{h} ¦ *txt* B C L W Δ f^{1} 28 *pc* (ℵ 33 *pc*: *h. t.*)

σιον ἔδωκεν αὐτὴν τῇ μητρὶ αὐτῆς. **29** καὶ ἀκούσαντες
οἱ μαθηταὶ αὐτοῦ ἦλθον ⸂καὶ ἦραν⸃ τὸ πτῶμα αὐτοῦ καὶ
ἔθηκαν ⸀αὐτὸ ἐν μνημείῳ.
7 L 9,10a; 10,17 **30** Καὶ συνάγονται οἱ ἀπόστολοι πρὸς τὸν Ἰησοῦν καὶ 61 VI
ἀπήγγειλαν αὐτῷ πάντα ὅσα ἐποίησαν καὶ °ὅσα ἐδίδα-
ξαν. **31** καὶ λέγει αὐτοῖς⸆· δεῦτε ⸂ὑμεῖς αὐτοὶ κατ' ἰδίαν⸃ 62 X
εἰς ἔρημον τόπον καὶ ἀναπαύσασθε ὀλίγον. ἦσαν γὰρ οἱ
2,2! ἐρχόμενοι καὶ οἱ ὑπάγοντες πολλοί, καὶ οὐδὲ φαγεῖν εὐ-
καίρουν.
32–44: Mt 14,13-21 L 9,10b-17 J 6,1-13 **32** Καὶ ⸂ἀπῆλθον ἐν τῷ πλοίῳ εἰς ἔρημον τόπον⸃ κατ' 63 V
ἰδίαν. **33** καὶ εἶδον αὐτοὺς ὑπάγοντας καὶ ⸀ἐπέγνωσαν
54s ⸁πολλοὶ καὶ πεζῇ ἀπὸ πασῶν τῶν πόλεων συνέδραμον
ἐκεῖ ⸂καὶ προῆλθον αὐτούς⸃.
Mt 9,36! **34** Καὶ ἐξελθὼν εἶδεν πολὺν ὄχλον καὶ ἐσπλαγχνίσθη 1c
Nu 27,17 etc ⸂ἐπ' αὐτούς⸃, ὅτι ἦσαν ⸋*ὡς πρόβατα*⸌ *μὴ ἔχοντα ποιμένα,*
καὶ ἤρξατο διδάσκειν αὐτοὺς πολλά.
35ss: cf 8,1-9 **35** Καὶ ἤδη ὥρας πολλῆς ⸀γενομένης προσελθόντες 64 I
⸂αὐτῷ οἱ μαθηταὶ αὐτοῦ ἔλεγον⸃ ὅτι ἔρημός ἐστιν ὁ τό-
πος καὶ ἤδη ὥρα πολλή· **36** ἀπόλυσον αὐτούς, ἵνα ἀπελθόντες εἰς τοὺς κύκλῳ ἀγροὺς καὶ κώμας ἀγοράσωσιν
ἑαυτοῖς τί φάγωσιν. **37** ὁ δὲ ἀποκριθεὶς εἶπεν °αὐτοῖς·
δότε αὐτοῖς ὑμεῖς φαγεῖν. καὶ λέγουσιν αὐτῷ· ἀπελθόν-
J 4,8 τες ἀγοράσωμεν δηναρίων διακοσίων ἄρτους καὶ ⸀δώσο-
μεν αὐτοῖς φαγεῖν; **38** ὁ δὲ λέγει αὐτοῖς· πόσους ⸉ἄρτους
ἔχετε⸊; ὑπάγετε ⸆ ἴδετε. καὶ γνόντες λέγουσιν· πέντε⸇,

29 ⸂κηδευσαι W 28 | ⸀*p)* αυτον ℵ W *pc* ¦ – 1010 *pc* sy^{p} ● **30** ° ℵ* C* W f^{1} 565 *pc* lat ● **31** ⸆το Ιησους D Θ f^{13} 28. 565. 700 *pc* it sa | ⸂υπαγωμεν D it (sy$^{s.p}$) ● **32** ⸂απηλθον (-θεν Γ *al*) εις ερ. τοπ. τω (εν τω N *al*) πλοιω (-αριω f^{1}) A W f^{1} 𝔐 sy ¦ αναβαντες εις το πλοιον απηλθον εις ερημον τοπον D lat sa ¦ *txt* (ℵ) B L Δ Θ 0187 (f^{13}, 33). 892 *pc* bo ● **33** ⸀εγνωσαν B* D f^{1} | ⸁αυτους πολ. ℵ A K L N Δ 33. 892. 1241. 1424 *pm* f q sy$^{(s.p).h}$ sa^{mss} bo ¦ αυτον πολ. Γ 565. 1010 *pm* ¦ αυτον f^{13} *pc* ¦ *txt* B D W Θ f^{1} 28. 700 *pc* lat sa^{mss} | ⸂κ. προσηλ. αυτοις (L) Δ Θ (1241) *pc* ¦ κ. συνηλ. αυτου D (28. 700 *pc*) b ¦ κ. ηλ. αυτου (f^{1}) 565 *pc* it ¦ κ. προηλ. αυτους και συνηλθον προς αυτον (A, f^{13}) 𝔐 sy^{h} f (q) ¦ – W sy^{s} ¦ *txt* ℵ B (0187). 892 *pc* lat co ● **34** ⸂επ αυτοις A L W Θ $f^{1.13}$ 𝔐 ¦ *txt* ℵ B D 1424 *pc* | ⸋ ℵ* ● **35** ⸀γιν- ℵ D | ⸂αυτω οι μαθ. αυτου λεγουσιν (W $f^{1.13}$) 𝔐 (aur c f q sy$^{p.h}$) ¦ οι μαθ. αυτου λεγουσιν αυτω D 565. 700 *pc* (a b sy^{s}) ¦ οι μαθ. αυτω λεγ. A (K) *al* ¦ *txt* ℵ^{1}(* : *2–4*) B L Δ (Θ) 0187^{vid}. 33. 892 *pc* ● **37** ° A L f^{1} 33. 892 sa^{mss} | ⸀δωμεν W Θ f^{1} 𝔐 ¦ δωσωμεν ℵ D N f^{13} 28. 33. 565. 892. 1424 *pc* ¦ *txt* 𝔓^{45} A B L Δ *pc* ● **38** ⸉† B L Δ Θ 0187^{vid} ¦ *txt* 𝔓^{45} ℵ A D W $f^{1.13}$ 𝔐 | ⸆και A Θ f^{13} 𝔐 lat sy^{h} ¦ *txt* ℵ B D L W f^{1} 33 *pc* b c ff^{2} sy$^{s.p}$ | ⸇*p)* αρτους D 565 *pc* it vg^{mss} sy$^{s.p}$ bo

καὶ δύο ἰχθύας. 39 καὶ ἐπέταξεν αὐτοῖς ⸂ἀνακλῖναι πάν-
τας⸃ ⸄συμπόσια συμπόσια⸅ ἐπὶ τῷ χλωρῷ χόρτῳ. 40 καὶ
ἀνέπεσαν πρασιαὶ πρασιαὶ ⸋⸀κατὰ ἑκατὸν καὶ ⸀κατὰ πεν-
τήκοντα⸌. 41 καὶ λαβὼν τοὺς °πέντε ἄρτους καὶ τοὺς 8,19
°δύο ἰχθύας ἀναβλέψας εἰς τὸν οὐρανὸν εὐλόγησεν καὶ Mt 14,19! · 14,22!
κατέκλασεν τοὺς ⸆ ἄρτους καὶ ἐδίδου τοῖς μαθηταῖς °¹[αὐ-
τοῦ] ἵνα ⸀παρατιθῶσιν αὐτοῖς, καὶ τοὺς δύο ἰχθύας ἐμέρισεν πᾶσιν. 42 καὶ ἔφαγον πάντες καὶ ἐχορτάσθησαν, 43 καὶ
ἦραν ⸂κλάσματα δώδεκα κοφίνων πληρώματα⸃ καὶ ἀπὸ
τῶν ἰχθύων. 44 καὶ ἦσαν οἱ φαγόντες ⸋[τοὺς ἄρτους]⸌
πεντακισχίλιοι ἄνδρες.
65 VI 45 Καὶ εὐθὺς ἠνάγκασεν τοὺς μαθητὰς αὐτοῦ ἐμβῆναι *45–52:* Mt 14,22-33 J 6,16-21
εἰς τὸ πλοῖον καὶ προάγειν ⸋εἰς τὸ πέραν⸌ πρὸς Βηθ- 8,22 L 9,10
66 II σαϊδάν, ἕως αὐτὸς ⸀ἀπολύει τὸν ὄχλον. 46 καὶ ἀποταξά-
17 67 IV μενος αὐτοῖς ἀπῆλθεν εἰς τὸ ὄρος προσεύξασθαι. 47 καὶ
ὀψίας γενομένης ἦν ⸆ τὸ πλοῖον ἐν μέσῳ τῆς θαλάσσης,
καὶ αὐτὸς μόνος ἐπὶ τῆς γῆς. 48 καὶ ⸀ἰδὼν αὐτοὺς βασανι-
ζομένους ⸂ἐν τῷ ἐλαύνειν⸃, ἦν γὰρ ὁ ἄνεμος ἐναντίος αὐ-
τοῖς⸆, περὶ τετάρτην φυλακὴν ⸋τῆς νυκτὸς⸌ ἔρχεται
⸋¹πρὸς αὐτοὺς⸌ περιπατῶν ἐπὶ τῆς θαλάσσης καὶ ἤθελεν Job 9,8
παρελθεῖν αὐτούς. 49 οἱ δὲ ἰδόντες αὐτὸν ἐπὶ τῆς θαλάσσης περιπατοῦντα ⸂ἔδοξαν ὅτι φάντασμά ἐστιν⸃, καὶ ἀν- Sap 17,15
έκραξαν⸄· 50 πάντες γὰρ αὐτὸν εἶδον⸅ καὶ ἐταράχθησαν. ⸂¹ὁ δὲ εὐθὺς⸃ ἐλάλησεν μετ' αὐτῶν, καὶ λέγει αὐτοῖς·

39 ⸂† ανακλιθηναι π. ℵ B* (⸉ Θ 565). 0187 $f^{1.13}$ 28. 892ᶜ *al* syˢ ¦ ανακλιναι αυτους 33 *pc* ¦ ανακλιθηναι 700 ¦ *txt* A B¹ D L W 𝔐 vg syᵖ·ʰ; Orᵖᵗ | ⸄ *1* L W Θ f^{13} 565 *pc* ¦ κατα την συμποσιαν D ¦ – a syˢ • 40 ⸋ 𝔓⁴⁵ | ⸀*bis* ανα A L Θ $f^{1.13}$ 𝔐 ¦ ανδρες ... ανα W ¦ *txt* ℵ B D *pc* • 41 °*bis* 𝔓⁴⁵ | ⸆πεντε D W it | °¹† ℵ B L Δ 33. 892. 1241. 1424 *pc* d saᵐˢˢ bo ¦ *txt* 𝔓⁴⁵ A D W Θ $f^{1.13}$ 𝔐 lat sy saᵐˢˢ | ⸀παραθωσιν 𝔓⁴⁵ ℵᶜ A D Θ $f^{1.13}$ 𝔐 ¦ *txt* ℵ* B L W Δ 0187ᵛⁱᵈ. 892 *pc* • 43 ⸂*p)* κλασματων δωδεκα κοφινους πληρεις A D Θ 𝔐 (syʰ) ¦ περισσευματα κλ-των δωδ. κ-νους πληρεις (33). 1241. 1424 *pc* lat ¦ κλ-των δωδ. κ-νων πληρωματα ℵ W $f^{(1).13}$ *pc* ¦ *txt* 𝔓⁴⁵ B (L Δ) 892 *pc* • 44 ⸋*p)* 𝔓⁴⁵ ℵ D W Θ $f^{1.13}$ 28. 565. 700 lat sa ¦ *txt* A B L 𝔐 f syᵖ·ʰ bo • 45 ⸋ 𝔓⁴⁵ᵛⁱᵈ W f^{1} q syˢ | ⸀απολυση 𝔓⁴⁵ A N W 33. 1010. 1424 *pm* ¦ απολυσει K Γ f^{13} 28. 700. 892ᶜ. 1241 *pm* ¦ απελυσεν Θ 565 syˢ ¦ *txt* ℵ B D L Δ f^{1} 892* • 47 ⸆παλαι 𝔓⁴⁵ D f^{1} 28 *pc* it vgᵐˢˢ • 48 ⸀ειδεν 𝔓⁴⁵ A $f^{1.13}$ 𝔐 (c) i syʰ ¦ *txt* ℵ B D L W Δ Θ 892. 1241. 1424 *pc* lat | ⸂και ελαυνοντας D (⸉ Θ 565. 700 it) | ⸆σφοδρα και 𝔓⁴⁵ᵛⁱᵈ W Θ f^{13} 28. (565. 700) *pc* ¦ και A D f^{1} 𝔐 lat syʰ ¦ *txt* ℵ B L Δ 892 *pc* aur b vgᵐˢˢ co | ⸋ 𝔓⁴⁵ᵛⁱᵈ | ⸋¹ D W Θ 565 it • 49/50 ⸂εδοξαν φαντασμα ειναι A D Θ f^{13} 𝔐 (⸉ 𝔓⁴⁵ᵛⁱᵈ W f^{1} 28 *pc*) ¦ *txt* ℵ B L Δ 33. 892 *pc* | ⸄παντες D Θ 565. 700 it | ⸂¹ευθυς δε Θ (565) ¦ και ευθεως A W $f^{1.13}$ 𝔐 lat sy ¦ και D ff² i ¦ ο δε 33 (c) ¦ *txt* ℵ B L Δ 892. (1424) co

θαρσεῖτε, ἐγώ εἰμι· μὴ φοβεῖσθε. **51** καὶ ἀνέβη πρὸς αὐ-
4,39 τοὺς εἰς τὸ πλοῖον καὶ ἐκόπασεν ὁ ἄνεμος, καὶ ⸂λίαν [ἐκ
περισσοῦ] ἐν ἑαυτοῖς⸃ ἐξίσταντο⸆· **52** οὐ γὰρ συνῆκαν
3,5! ἐπὶ τοῖς ἄρτοις, ⸂ἀλλ' ἦν⸃ αὐτῶν ἡ καρδία πεπωρωμένη.
53–56: Mt 14,34-36 J 6,22-25 **53** Καὶ διαπεράσαντες ἐπὶ τὴν γῆν ἦλθον εἰς ⸀Γεννη-
σαρὲτ ⸋καὶ προσωρμίσθησαν⸌. **54** καὶ ἐξελθόντων αὐ-
33 τῶν ἐκ τοῦ πλοίου εὐθὺς ἐπιγνόντες αὐτὸν **55** περιέδρα-
μον ὅλην τὴν χώραν ἐκείνην καὶ ἤρξαντο ἐπὶ τοῖς κρα-
βάττοις ⸆ τοὺς κακῶς ἔχοντας ⸂περιφέρειν ὅπου ἤκουον⸃
⸂ὅτι ἐστίν⸃. **56** καὶ ὅπου ἂν εἰσεπορεύετο εἰς κώμας ἢ
Act 5,15 ⸋εἰς πόλεις ἢ ⸋εἰς ἀγρούς, ἐν ταῖς ἀγοραῖς ⸀ἐτίθεσαν
τοὺς ἀσθενοῦντας καὶ παρεκάλουν αὐτὸν ἵνα κἂν τοῦ
Mt 9,20p Nu 15,38s · 1,41! · Act 19,11s κρασπέδου τοῦ ἱματίου αὐτοῦ ἅψωνται· καὶ ὅσοι ⸋¹ἂν
⸀¹ἥψαντο αὐτοῦ ἐσῴζοντο.

1–23: Mt 15,1-20 **7** Καὶ συνάγονται πρὸς αὐτὸν οἱ Φαρισαῖοι καί τινες
3,22 τῶν γραμματέων ἐλθόντες ἀπὸ Ἱεροσολύμων. **2** καὶ
ἰδόντες τινὰς τῶν μαθητῶν αὐτοῦ ⸋ὅτι κοιναῖς χερσίν,
L 11,38p τοῦτ' ἔστιν ἀνίπτοις, ⸀ἐσθίουσιν τοὺς ἄρτους ⸆ **3** – οἱ γὰρ
Φαρισαῖοι καὶ πάντες οἱ Ἰουδαῖοι ἐὰν μὴ ⸀πυγμῇ νίψων-
ται τὰς χεῖρας οὐκ ἐσθίουσιν, κρατοῦντες τὴν παράδοσιν
τῶν πρεσβυτέρων, **4** καὶ ἀπ' ἀγορᾶς ⸆ ἐὰν μὴ ⸀βαπτίσων-
ται οὐκ ἐσθίουσιν, καὶ ἄλλα πολλά ἐστιν ἃ παρέλαβον
Mt 23,25 κρατεῖν, βαπτισμοὺς ποτηρίων καὶ ξεστῶν καὶ χαλκίων
⸋[καὶ κλινῶν]⸌ – **5** ⸀καὶ ἐπερωτῶσιν αὐτὸν οἱ Φαρισαῖοι

51 ⸂λιαν εν εαυτοις א B (L) Δ 892 ($sy^{s.p}$) co ¦ περισσως εν εαυτοις D (W, f^1, 28). 565. 700 *pc* b ¦ περιεσωσεν αυτους και Θ (Φ: *it.* + *txt*) ¦ *txt* A f^{13} 𝔐 lat sy^h | ⸆και εθαυμαζον A D W Θ f^{13} (565) 𝔐 it $sy^{p.h}$ ¦ *txt* א B L Δ (f^1) 28. 892 lat sy^s co ● **52** ⸂ην γαρ A D W $f^{1.13}$ 𝔐 lat sy ¦ *txt* א B L Δ Θ 33. 892. 1241. 1424 *al* sy^{hmg} co ● **53** ⸀Γεννησαρ D it vg^{mss} $sy^{s.p}$ bo^{ms} ¦ Γεν(ν)ησαρεθ B* K N Θ $f^{1.13}$ 565 *pm* lat co | ⸋ *p)* D W Θ $f^{1.13}$ 28. 565. 700 it $sy^{s.p}$ ● **55** ⸆φερειν παντας *et* ⸂· περιεφερον γαρ αυτους οπου αν ηκουσαν D it | ⸂ τον Ιησουν ειναι D it ¦ οτι εκει εστιν A f^{13} 𝔐 sy^h (∫ W f^1 28. 565. 700) ¦ *txt* א B L Δ Θ 892 lat sy^p ● **56** ⸋*bis* A W (Θ) $f^{(1).13}$ 𝔐 (b q) ¦ *txt* א B D L Δ 33. 892 *pc* | ⸀ετιθουν A D W Θ $f^{1.13}$ 𝔐 sy^h ¦ *txt* א B L Δ 892. 1241. 1424 *pc* | ⸋¹ א D Δ f^1 33 *pc* | ⸀¹ηπτοντο A 𝔐 sy^h ¦ *txt* א B D L W Δ Θ 0274 $f^{1.13}$ 28. 33. 565. 892. 1241 *pc*
¶ **7,2** ⸋*et* ⸀εσθιοντας A D W Θ $f^{1.13}$ (1241. 1424) 𝔐 a ¦ *txt* א B L Δ 0274. 33. 892 *pc* | ⸆κατεγνωσαν D ¦ εμεμψαντο K N W Θ $f^{1.13}$ 28. (33). 565. 700 *pm* lat $sy^{p.h}$ ¦ *txt* א A B L Γ Δ 0274. 892. 1010. 1241. 1424 *pm* b sy^s sa^{mss} bo ● **3** ⸀πυκνα א W (b) f l vg $sy^{p.h}$ bo ¦ – Δ sy^s sa ¦ *txt* A B (D) L Θ 0131. 0274 $f^{1.13}$ 𝔐 it sy^{hmg}; Or ● **4** ⸆οταν ελθωσιν D W *pc* it vg^{mss} | ⸀† ραντισ- א B *pc* sa ¦ βαπτιζ- L Δ *pc* ¦ *txt* A D W Θ $f^{1.13}$ 𝔐 latt; Or | ⸋† $𝔓^{45vid}$ א B L Δ 28* *pc* (sy^s) sa^{ms} bo ¦ *txt* A D W Θ $f^{1.13}$ 𝔐 latt $sy^{p.h}$ sa^{mss}; Or ● **5** ⸀επειτα A W f^{13} 𝔐 f $sy^{s.h}$ ¦ *txt* א B D L Δ* Θ f^1 33. 565. 700. 892 *pc* lat sy^p bo

καὶ οἱ γραμματεῖς· διὰ τί οὐ περιπατοῦσιν οἱ μαθηταί σου
κατὰ τὴν παράδοσιν τῶν πρεσβυτέρων, ἀλλὰ ⸀κοιναῖς
χερσὶν⸁ ἐσθίουσιν τὸν ἄρτον;
6 Ὁ δὲ ⸆ εἶπεν αὐτοῖς· ⸆ καλῶς ἐπροφήτευσεν Ἠσαΐας
περὶ ὑμῶν τῶν ὑποκριτῶν, ὡς γέγραπται °[ὅτι]
⸉οὗτος ὁ λαὸς⸊ τοῖς χείλεσίν με ⸀τιμᾷ, Is 29,13 𝔊
ἡ δὲ καρδία αὐτῶν πόρρω ἀπέχει ἀπ' ἐμοῦ·
7 *μάτην δὲ σέβονταί με*
διδάσκοντες διδασκαλίας ⸆ *ἐντάλματα ἀνθρώπων.* Kol 2,22
8 ⸋ἀφέντες ⸆ τὴν ἐντολὴν τοῦ θεοῦ κρατεῖτε τὴν ⸀παρά-
δοσιν τῶν ἀνθρώπων⸆. **9** καὶ ἔλεγεν αὐτοῖς·⸌ καλῶς ἀθε-
τεῖτε τὴν ἐντολὴν τοῦ θεοῦ, ἵνα τὴν παράδοσιν ὑμῶν
⸀στήσητε. **10** Μωϋσῆς γὰρ εἶπεν· *τίμα τὸν πατέρα σου καὶ* Ex 20,12 Dt 5,16
τὴν μητέρα σου, καί· *ὁ κακολογῶν πατέρα ἢ μητέρα θανάτῳ* Ex 21,17 Lv 20,9
τελευτάτω. **11** ὑμεῖς δὲ λέγετε· ἐὰν εἴπῃ ἄνθρωπος τῷ πατρὶ
ἢ τῇ μητρί· κορβᾶν, ὅ ἐστιν δῶρον, ὃ ἐὰν ἐξ ἐμοῦ ὠφε- Mt 27,6
ληθῇς, **12** ⸀οὐκέτι ἀφίετε⸁ αὐτὸν οὐδὲν ποιῆσαι τῷ πατρὶ
ἢ τῇ μητρί, **13** ἀκυροῦντες τὸν λόγον τοῦ θεοῦ τῇ παρα-
δόσει ὑμῶν ⸆ ᾗ παρεδώκατε· ⸀καὶ παρόμοια τοιαῦτα
πολλὰ ποιεῖτε.⸁
14 Καὶ προσκαλεσάμενος ⸀πάλιν τὸν ὄχλον ἔλεγεν αὐ-
τοῖς· ἀκούσατέ μου πάντες καὶ σύνετε. **15** οὐδέν ἐστιν
ἔξωθεν τοῦ ἀνθρώπου εἰσπορευόμενον εἰς αὐτὸν ⸀ὃ δύνα- Mt 23,25p
ται κοινῶσαι αὐτόν⸁, ἀλλὰ τὰ ἐκ τοῦ ἀνθρώπου ἐκπορευ-
όμενά ἐστιν τὰ κοινοῦντα τὸν ἄνθρωπον. ⸆ *16:* Mt 11,15!

5 ⸀ανιπτοις χερσιν א[2] A L 𝔐 it sy[(s)]; Bas ¦ κοιναις χερσιν και ανιπτοις 𝔓[45] (*f*[13]) ¦ *txt* א* B (D W) Θ *f*[1] 33. (565). 700 *pc* lat co ● **6** ⸆αποκριθεις 𝔓[45] A D W Θ *f*[1.13] 𝔐 latt sy[h]; Bas ¦ *txt* א B L Δ 33. 892 *pc* sy[s.p] co | ⸆οτι 𝔓[45] A D W *f*[1.13] 𝔐 b q sy[h]; Bas ¦ *txt* א B L Δ Θ 33 *pc* | ° A D W Θ *f*[1.13] 𝔐 latt sy[h]; Bas ¦ *txt* א B L 0274. 892 *pc* | ⸉ *p)* B D *pc* | ⸀αγαπα D W a b c; Cl[pt] ● **7** ⸆και 𝔓[45] it vg[cl] ● **8/9** ⸋ sy[s] | ⸆γαρ A *f*[1.13] 𝔐 vg sy[p.h]; Bas ¦ *txt* 𝔓[45] א B D L W Δ Θ 28. 565 *pc* it co | ⸀εντολην 𝔓[45] | ⸆(7,4.13) βαπτισμους ξεστων και ποτηριων και αλλα παρομοια τοιαυτα πολλα ποιειτε (A) *f*[13] 𝔐 vg sy[(p).h] (bo[ms]) (D, Θ 0131[vid]. 28. 565 it : *sim., sed add. a.* αφεντες) ¦ *txt* 𝔓[45] א B L W Δ 0274 *f*[1] *pc* co | ⸀† τηρησητε א A (B: τηρητε) L *f*[13] 𝔐 vg sy[h] co ¦ *txt* D W Θ *f*[1] 28. 565 it sy[s.p]; Cyp ● **12** ⸀και ο. α. 𝔓[45] A W 𝔐 vg sy[(s.p).h] ¦ οτι α. L ¦ ουκ εναφιετε D ¦ *txt* א B Δ Θ *f*[1.13] 28. 565. 700. 892. 1241 *pc* it co ● **13** ⸆τη μωρα D it sy[hmg] | ⸀ *1 2 4 3 5* א *f*[1.13] 700. 1241 *al* ¦ *1 2 4 5* Δ *pc* ¦ – W ¦ *txt* A B (D) L Θ 𝔐 lat sy[h] ● **14** ⸀παντα A W Θ *f*[1.13] 𝔐 f sy sa[mss]; Bas ¦ – 565 *pc* c sa[mss] bo[mss] ¦ *txt* א B D L Δ 892 lat (sy[hmg]) sa[ms] bo ● **15** ⸀ *1 2 4 3* A D W *f*[1.13] 𝔐 ¦ το κοινουν αυτον B ¦ *txt* א L (Δ) Θ 0274. 892 | ⸆[16] ει τις εχει ωτα ακουειν ακουετω A D W Θ *f*[1.13] 𝔐 latt sy sa[mss] bo[pt] ¦ *txt* א B L Δ* 0274. 28 sa[mss] bo[pt]

17 Καὶ ὅτε εἰσῆλθεν εἰς ⸆ οἶκον ἀπὸ τοῦ ὄχλου, ἐπηρώ- 72 VI
των αὐτὸν οἱ μαθηταὶ αὐτοῦ ⸂τὴν παραβολήν⸃. 18 καὶ λέγει αὐτοῖς· οὕτως καὶ ὑμεῖς ἀσύνετοί ἐστε; ⸀οὐ νοεῖτε ὅτι
πᾶν τὸ ἔξωθεν εἰσπορευόμενον ⸂εἰς τὸν ἄνθρωπον οὐ δύναται αὐτὸν κοινῶσαι⸃ 19 ὅτι οὐκ εἰσπορεύεται αὐτοῦ
εἰς τὴν καρδίαν ἀλλ’ εἰς τὴν κοιλίαν, καὶ εἰς τὸν ⸀ἀφεδρῶ-
να ἐκπορεύεται, ⸁καθαρίζων πάντα τὰ βρώματα; 20 ἔλεγεν δὲ ὅτι τὸ ἐκ τοῦ ἀνθρώπου ἐκπορευόμενον, ἐκεῖνο
κοινοῖ τὸν ἄνθρωπον. 21 ἔσωθεν γὰρ ἐκ τῆς καρδίας τῶν
R 1,28! ἀνθρώπων οἱ διαλογισμοὶ οἱ κακοὶ ἐκπορεύονται, ⸂πορ-
νεῖαι, κλοπαί, φόνοι, 22 μοιχεῖαι, πλεονεξίαι, πονηρίαι,
Mt 6,23! δόλος⸃, ἀσέλγεια, ὀφθαλμὸς πονηρός, βλασφημία, ὑπερ-
ηφανία, ἀφροσύνη· 23 πάντα ταῦτα τὰ πονηρὰ ἔσωθεν ἐκπορεύεται καὶ κοινοῖ τὸν ἄνθρωπον.
24–30: Mt 15,21-28 · 3,8; 7,31 24 ⸂Ἐκεῖθεν δὲ ἀναστὰς⸃ ἀπῆλθεν εἰς τὰ ⸀ὅρια Τύρου⸆. 19
1Rg 17,9-24 Καὶ εἰσελθὼν εἰς οἰκίαν οὐδένα ⸁ἤθελεν γνῶναι, καὶ
οὐκ ⸀1ἠδυνήθη λαθεῖν· 25 ⸂ἀλλ’ εὐθὺς ἀκούσασα γυνὴ⸃
περὶ αὐτοῦ, ἧς εἶχεν ⸄τὸ θυγάτριον αὐτῆς⸅ ⸂1πνεῦμα ἀκά-
5,22! θαρτον⸃, ⸀ἐλθοῦσα προσέπεσεν πρὸς τοὺς πόδας αὐτοῦ·
26 ἡ δὲ γυνὴ ἦν Ἑλληνίς, ⸀Συροφοινίκισσα τῷ γένει·
καὶ ἠρώτα αὐτὸν ἵνα τὸ δαιμόνιον ἐκβάλῃ ⸁ἐκ τῆς θυ- 73 VI
γατρὸς αὐτῆς. 27 καὶ ἔλεγεν αὐτῇ· ἄφες πρῶτον χορτασθῆναι τὰ τέκνα, οὐ γάρ ⸉ἐστιν καλὸν⸊ λαβεῖν τὸν ἄρτον τῶν τέκνων καὶ τοῖς κυναρίοις βαλεῖν. 28 ἡ δὲ ἀπε-

17 ⸆τον ℵ (D 565) Δ *pc* | ⸂περι της παραβολης A W Θ $f^{1.13}$ 𝔐 ¦ *txt* ℵ B D L Δ 33. 892 lat ● 18 ⸀ουπω ℵ L Δ f^{1} 700. 892 *pc* f sy^{hmg} | ⸂ου κοινοι τον ανθρωπον ℵ (sy^{s}) ● 19 ⸀οχετον D | ⸁-ζον K Γ 33. 700. 1010 *pm* ¦ -ζει D ¦ -ζεται 1047 sy^{s} ● 21/22 ⸂ *4 1–3 5–7* (W) f^{1} 33. (28, 565, 700 it) sy^{p} ¦ *4 1 3 2 5–7* A f^{13} 𝔐 f (l) vg sy$^{s.h}$ ¦ πορνεια κλεμματα μοιχεια φονος πλεονεξια δολος πονηρια D ¦ *txt* ℵ B (L Θ) Δ 0274. 892 *pc* sa^{ms} (co) ● 24 ⸂και εκειθεν αναστας A (⸉ D) Θ $f^{1.13}$ 𝔐 sy^{h} ¦ και αναστ. W it sy^{s} ¦ *txt* ℵ B L Δ 892. 1241. 1424 *pc* sy^{hmg} | ⸀μεθορια A 𝔐 ¦ ορη 565 ¦ *txt* ℵ B D L W Δ Θ $f^{1.13}$ 28. 700. 892 *pc*; Or | ⸆*p)* και Σιδωνος ℵ A B $f^{1.13}$ 𝔐 lat sy$^{p.h}$ co ¦ *txt* D L W Δ Θ 28. 565 it sy^{s}; Or | ⸁ηθελησεν ℵ Δ f^{13} 565 *pc*; Or | ⸀1† ηδυνασθη ℵ B ¦ ηδυνατο 565 *pc* ¦ *txt* A D L W Θ $f^{1.13}$ 𝔐 ● 25 ⸂ακουσασα γαρ γυνη A W Θ $f^{1.13}$ 𝔐 a n (q) sy^{h} ¦ γυνη δε ευθεως ως ακουσασα D vg^{mss} ¦ *txt* ℵ B L Δ 33. 892 (*pc*) f sy^{hmg} sa bo^{pt} | ⸄ *2* 𝔓^{45} f^{13} 28 sa ¦ *1 2* ℵ D W Δ Θ f^{1} 565. 700 *al* ¦ *txt* A B L 𝔐 | ⸂1εν πνευματι ακαθαρτω 𝔓^{45} W f^{13} 28 *pc* | ⸀εισελθουσα ℵ L (Δ) 700. 892 *pc* lat ● 26 ⸀ Συρα Φοινικισσα (Φοινισσα W *al*) B N W Γ f^{13} 700. 1010 *pm* ¦ Φοινισσα D i ¦ Τυροφοινικισσα sy^{s} ¦ *txt* 𝔓^{45} ℵ A K L Δ Θ f^{1} 28. 565. 892. 1241. 1424 *pm*; Did | ⸁απο D ¦ – 𝔓^{45} L $f^{1.(13)}$ 28. 565. 700 *pc* ● 27 ⸉ A W f^{13} 𝔐 ¦ *txt* ℵ B D L Δ Θ f^{1} 565. 700. 892. 1241. 1424 *pc*

κρίθη καὶ λέγει αὐτῷ· ⸂κύριε· καὶ⸃ τὰ κυνάρια ⸆ ὑποκάτω
τῆς τραπέζης ⸀ἐσθίουσιν ἀπὸ τῶν ⸁ψιχίων τῶν ⸁παιδίων. L 16,21
29 καὶ εἶπεν αὐτῇ· διὰ τοῦτον τὸν λόγον ὕπαγε, ἐξελήλυθεν ἐκ τῆς θυγατρός σου τὸ δαιμόνιον. **30** καὶ ἀπελθοῦσα
εἰς τὸν οἶκον ⸰αὐτῆς εὗρεν ⸂τὸ παιδίον βεβλημένον ἐπὶ J 4,51
τὴν κλίνην καὶ⸃ τὸ δαιμόνιον ἐξεληλυθός.
0 4 X **31** Καὶ πάλιν ἐξελθὼν ἐκ τῶν ὁρίων Τύρου ⸂ἦλθεν διὰ *31–37:* Mt 15, 29-31 · 24!
Σιδῶνος⸃ εἰς τὴν θάλασσαν τῆς Γαλιλαίας ἀνὰ μέσον
τῶν ὁρίων Δεκαπόλεως. **32** Καὶ φέρουσιν αὐτῷ κωφὸν 5,20!
⸰καὶ μογιλάλον καὶ παρακαλοῦσιν αὐτὸν ἵνα ἐπιθῇ αὐτῷ
τὴν χεῖρα. **33** καὶ ἀπολαβόμενος αὐτὸν ἀπὸ τοῦ ὄχλου Mt 9,18!
κατ' ἰδίαν ἔβαλεν τοὺς δακτύλους ⸰αὐτοῦ εἰς τὰ ὦτα αὐ-
τοῦ καὶ πτύσας ἥψατο τῆς γλώσσης αὐτοῦ, **34** καὶ ἀνα- 8,23! | 1,41!
βλέψας εἰς τὸν οὐρανὸν ⸀ἐστέναξεν καὶ λέγει αὐτῷ· εφ- Mt 14,19! · 8,12!
φαθα, ὅ ἐστιν διανοίχθητι. **35** καὶ ⸰[εὐθέως] ⸀ἠνοίγησαν
αὐτοῦ αἱ ἀκοαί, καὶ ⸆ ἐλύθη ὁ δεσμὸς τῆς γλώσσης αὐτοῦ L 13,16
καὶ ἐλάλει ὀρθῶς. **36** καὶ διεστείλατο αὐτοῖς ἵνα μηδενὶ
5 III λέγωσιν· ὅσον δὲ αὐτοῖς διεστέλλετο, αὐτοὶ μᾶλλον Mt 8,4!
περισσότερον ἐκήρυσσον. **37** καὶ ὑπερπερισσῶς ἐξεπλήσ- 1,22!
6 VI σοντο λέγοντες· καλῶς πάντα πεποίηκεν, ⸆ καὶ τοὺς κωφοὺς ποιεῖ ἀκούειν καὶ ⸂[τοὺς] ἀλάλους⸃ λαλεῖν. 9,17 Is 35,5s
1 **8** Ἐν ἐκείναις ταῖς ἡμέραις ⸂πάλιν πολλοῦ⸃ ὄχλου ὄν- *1–10:* Mt 15,32-39 cf Mc 6,32-44
τος καὶ μὴ ἐχόντων τί φάγωσιν, προσκαλεσάμενος
τοὺς μαθητὰς ⸆ λέγει αὐτοῖς· **2** σπλαγχνίζομαι ἐπὶ τὸν Mt 9,36!
ὄχλον, ὅτι ἤδη ⸂ἡμέραι τρεῖς προσμένουσίν μοι⸃ καὶ οὐκ
ἔχουσιν τί φάγωσιν· **3** καὶ ἐὰν ἀπολύσω αὐτοὺς νήστεις

28 ⸂† ναι, κυριε, και ℵ B Δ 28. 33. 892. 1241 *pc* sy^{p} (co); Bas ¦ ναι, κυριε, και γαρ A L f^{1} 𝔐 lat sy^{h} ¦ κυριε, αλλα και D it ¦ *txt* 𝔓^{45} W Θ f^{13} 565. 700 sy^{s} | ⸆τα 𝔓^{45} | ⸀εσθιει A K N Γ 1010 𝔐 | ⸁-χων D W *et* ⸁-δων D ● **30** ⸰ 𝔓^{45} D W f^{1} 28 it bo^{ms} | ⸂την θυγατεραν αυτης (– D f^{1}) βεβλημενην επι τ. κ. και D Θ f^{1} 565. 700 a f n q (⸉ *p.* εξεληλυθος 𝔓^{45} A W f^{13} 𝔐 sy^{h}) ¦ *txt* ℵ B L Δ 33. 892. 1241. 1424 *pc* bo ● **31** ⸂(*cf* 7,24) και Σιδωνος ηλθεν 𝔓^{45} A W 0131 $f^{1.13}$ 𝔐 q sy sa^{mss} ¦ *txt* ℵ B D L Δ Θ 33. 565. 700. 892 lat sa^{mss} bo ● **32** ⸰ 𝔓^{45} A L $f^{1.13}$ 𝔐 sy co ¦ *txt* ℵ B D W Δ Θ 0131. 565. 700 latt ● **33** ⸰ ℵ L W 892 c i ● **34** ⸀ανεστεναξεν D 0131 f^{13} *pc* ● **35** ⸰† ℵ B D L Δ 0131*. 0274. 33. 892 *pc* it sa^{mss} bo ¦ *txt* 𝔓^{45} A W Θ 0131^{c} $f^{1.13}$ 𝔐 lat sy sa^{mss} | ⸀διηνοιγησαν W Θ 565. 700 ¦ διηνοιχθησαν 𝔓^{45} A 0131 f^{13} 𝔐 ¦ *txt* ℵ B D (L) Δ 0274 f^{1} 892 | ⸆† ευθυς 𝔓^{45vid} ℵ Δ (L 0274. 892) ¦ του μογγιλαλου 0131 ¦ *txt* A B D W Θ $f^{1.13}$ 𝔐 latt sy co ● **37** ⸆ως B | ⸂† *2* ℵ B L Δ 33. 892. 1241 ¦ – W 28 sy^{s} ¦ *txt* A D Θ 0131 $f^{1.13}$ 𝔐
¶ **8,1** ⸂παμπολλου A K Γ 0131. 700. 1010 𝔐 q sy^{h} sa^{mss} bo^{mss} | ⸆αυτου A B W Θ f^{13} 𝔐 sy$^{s.p}$ sa bo^{ms} ¦ παλιν Δ ¦ *txt* ℵ D L N 0131 f^{1} 28. 892 *pc* latt sy^{h} bo ● **2** ⸂-ραις τρισιν πρ. B ¦ ημ. τρ. εισιν απο ποτε ωδε εισιν D it

εἰς οἶκον αὐτῶν, ἐκλυθήσονται ἐν τῇ ὁδῷ· καί τινες
αὐτῶν ἀπὸ μακρόθεν ⸀ἥκασιν. **4** καὶ ἀπεκρίθησαν αὐτῷ
οἱ μαθηταὶ αὐτοῦ ὅτι πόθεν τούτους δυνήσεταί τις ὧδε
χορτάσαι ἄρτων ἐπ' ἐρημίας; **5** ⸂καὶ ἠρώτα⸃ αὐτούς· πόσους ἔχετε ἄρτους; οἱ δὲ εἶπαν· ἑπτά. **6** καὶ παραγγέλλει
20 τῷ ὄχλῳ ἀναπεσεῖν ἐπὶ τῆς γῆς· καὶ λαβὼν τοὺς ἑπτὰ ἄρτους εὐχαριστήσας ἔκλασεν καὶ ἐδίδου τοῖς μαθηταῖς αὐτοῦ ἵνα παρατιθῶσιν, καὶ παρέθηκαν τῷ ὄχλῳ. **7** καὶ εἶ-
14,22! χον ἰχθύδια ὀλίγα· καὶ ⸂εὐλογήσας αὐτὰ⸃ ⸄εἶπεν καὶ ταῦτα
παρατιθέναι⸅. **8** ⸂καὶ ἔφαγον⸃ καὶ ἐχορτάσθησαν, καὶ ἦραν
⸄περισσεύματα κλασμάτων⸅ ἑπτὰ σπυρίδας. **9** ἦσαν δὲ ⸆
ὡς τετρακισχίλιοι. καὶ ἀπέλυσεν αὐτούς.

10 Καὶ εὐθὺς ἐμβὰς ⸆ εἰς °τὸ πλοῖον μετὰ τῶν μαθητῶν
αὐτοῦ ἦλθεν εἰς ⸂τὰ μέρη Δαλμανουθά⸃.

11–13: Mt 16,1-4; 12,38s L 11,16.29 · J 6,30 **11** Καὶ ἐξῆλθον οἱ Φαρισαῖοι καὶ ἤρξαντο συζητεῖν 77 IV
αὐτῷ, ⸋ζητοῦντες παρ' αὐτοῦ⸌ σημεῖον ⸀ἀπὸ τοῦ οὐρα-
10,2; 12,15 | 7,34 R 8,23.26 2K 5,2.4 νοῦ, πειράζοντες αὐτόν. **12** καὶ ἀναστενάξας τῷ πνεύματι 78 VI
αὐτοῦ λέγει· τί ἡ γενεὰ αὕτη ⸂ζητεῖ σημεῖον⸃; ἀμὴν ⸄λέ-
γω ὑμῖν⸅, εἰ δοθήσεται τῇ γενεᾷ ταύτῃ σημεῖον. **13** καὶ
ἀφεὶς αὐτοὺς ⸂πάλιν ἐμβὰς⸃ ἀπῆλθεν εἰς τὸ πέραν.

14–21: Mt 16,5-12 **14** Καὶ ἐπελάθοντο λαβεῖν ἄρτους ⸂καὶ εἰ μὴ ἕνα ἄρτον οὐκ εἶχον⸃ μεθ' ἑαυτῶν ἐν τῷ πλοίῳ. **15** καὶ διεστέλ- 22 79 II

3 ⸀† εισιν B L Δ 0274. 892 ¦ ηκουσιν 0131 *f*[13] 𝔐 ¦ *txt* ℵ A D N W Θ *f*[1] 28. 33. 565. 700. 1241. 1424 *al* ● 5 ⸂και επηρωτα A D Θ 0131 *f*[1.13] 𝔐 ¦ ο δε ηρωτησεν W ¦ *txt* ℵ B L Δ 892. 1424 ● 7 ⸂ *2 1* W 0131 *f*[1.13] 28. 565 *al* ¦ ταυτα ευλογησας A K *pm* ¦ ευλογησας N Γ 33. 700. 1010 *pm* ¦ ευχαριστησας D q ¦ *txt* ℵ B C L Δ Θ 892. 1241. 1424 *pc* | ⸄ παρεθηκεν ℵ* ¦ ειπεν παραθηναι (N) W Θ 0131 *f*[1] 28. 565 *al* sy[s.(p)] ¦ ειπεν παραθηναι και αυτα A *f*[13] 𝔐 sy[h] ¦ ειπεν και αυτος εκελευσεν παρατιθεναι D ¦ ειπεν· και ταυτα παραθετε C (33) *pc* bo[ms] ¦ *txt* ℵ[1] B L Δ 892 *pc* bo ● 8 ⸂*p)* και εφ. παντες ℵ 33 *pc* ¦ εφ. δε A 0131 *f*[13] 𝔐 sy[h] sa ¦ *txt* B C D L W Δ Θ *f*[1] 28. 565. 700. 892 *pc* bo | ⸄ *1* W Δ k ¦ τα π-ματα κλασματων ℵ C (Θ 1241) *pc* ¦ το π-μα των κλ. D 565. (700) ¦ τα περισσευσαντα κλασματα 33 ¦ *txt* A B L 0131 *f*[1.13] 𝔐 ● 9 ⸆οι φαγοντες A C D W Θ 0131 *f*[1.13] 𝔐 latt sy sa[mss] bo[pt] ¦ *txt* ℵ B L Δ 33. 892. 1241. 1424 *pc* sa[ms] bo[pt] ● 10 ⸆αυτος B (⸉ D it) | ° L W *f*[1.13] 28. 33. 700 *al* | ⸂τα ορια Δ. (N) 1241. 1424 *pc* f ¦ το ορος Δαλμουναι W (28: Μαγεδα) ¦ τα μερη Μαγδαλα (-γεδα 565 it) Θ *f*[1.13] 565 *pc* it ¦ τα ορια Μαγαδα D(* Μελεγαδα) aur c i k sy[s] ¦ *txt* ℵ A (B) C L 0131. 0274 𝔐 vg ● 11 ⸋ 𝔓[45] Δ | ⸀*p)* εκ 𝔓[45] W *f*[13] ● 12 ⸂σ. αιτει 𝔓[45] ¦ σ. επιζητει A W 0131 *f*[13] 𝔐; Or ¦ *txt* ℵ B C D L Δ Θ *f*[1] 28. 33. 565. 700. 892. (1241) | ⸄ *1* B L 892 *pc* ¦ – 𝔓[45] W ● 13 ⸂εμβας παλιν εις (το) πλοιον (A 0131) *f*[1] 𝔐 sy[(s).h] sa (⸉ 𝔓[45] D W Θ *f*[13] 28. 33. 565. 700. 892 *pc*, 1241, 1424, it vg[cl], bo[pt]) ¦ *txt* ℵ B C L Δ (vg[st], bo[pt]) ● 14 ⸂ενα μονον αρτον εχοντες 𝔓[45vid] (W) Θ *f*[1.(13] 28). 565. 700 k sa

λετο αὐτοῖς λέγων· ⸀ὁρᾶτε, βλέπετε⸋ ἀπὸ τῆς ζύμης τῶν
Φαρισαίων καὶ τῆς ζύμης ⸀Ἡρῴδου. 16 ⸀καὶ διελογίζοντο Mt 16,6!
πρὸς ἀλλήλους ⸆ ὅτι ἄρτους οὐκ ⸁ἔχουσιν. 17 καὶ γνοὺς J 4,33
⸆ λέγει αὐτοῖς· τί διαλογίζεσθε ⸆ ὅτι ἄρτους οὐκ ἔχετε; 3,5!
οὔπω νοεῖτε οὐδὲ συνίετε⸀; πεπωρωμένην ἔχετε τὴν καρδίαν ὑμῶν⸋;

18 *ὀφθαλμοὺς ἔχοντες οὐ βλέπετε* Jr 5,21 Ez 12,2 Mt 13,13
καὶ ὦτα ἔχοντες οὐκ ἀκούετε;

καὶ οὐ μνημονεύετε, 19 ὅτε τοὺς πέντε ἄρτους ἔκλασα 6,41-44
εἰς τοὺς πεντακισχιλίους⸆, πόσους κοφίνους κλασμάτων
πλήρεις ἤρατε; λέγουσιν αὐτῷ· δώδεκα. 20 ⸀ὅτε τοὺς
ἑπτὰ ⸆ εἰς τοὺς τετρακισχιλίους, πόσων σπυρίδων πληρώ- 6-9
ματα κλασμάτων ἤρατε; ⸀καὶ λέγουσιν [αὐτῷ]⸋· ἑπτά.
21 καὶ ἔλεγεν αὐτοῖς· ⸀οὔπω συνίετε;

22 Καὶ ἔρχονται εἰς ⸀Βηθσαϊδάν. Καὶ φέρουσιν αὐτῷ 6,45!
τυφλὸν καὶ παρακαλοῦσιν αὐτὸν ἵνα αὐτοῦ ἅψηται. 23 καὶ 1,41!
ἐπιλαβόμενος τῆς χειρὸς ⸀τοῦ τυφλοῦ⸋ ⸀ἐξήνεγκεν αὐτὸν ἔξω τῆς κώμης καὶ πτύσας εἰς τὰ ὄμματα αὐτοῦ, ἐπι- 7,33 J 9,6
θεὶς τὰς χεῖρας αὐτῷ ἐπηρώτα αὐτόν· εἴ τι ⸁βλέπεις; Mt 9,18!
24 καὶ ἀναβλέψας ⸀ἔλεγεν· βλέπω τοὺς ἀνθρώπους ὅτι
ὡς δένδρα ὁρῶ περιπατοῦντας. 25 εἶτα πάλιν ⸀ἐπέθηκεν
τὰς χεῖρας ἐπὶ τοὺς ὀφθαλμοὺς αὐτοῦ, καὶ διέβλεψεν καὶ

15 ⸀ *2* D Θ f^1 565 ¦ *1* Δ 700 ¦ ορατε και βλεπετε 𝔓45 C 0131 f^{13} 28. 1424 *pc* c vg[cl] ¦ *txt* ℵ A B L W 𝔐 vg[st] sy[p.h] | ⸀των Ηρωδιανων 𝔓45 W Θ $f^{1.13}$ 28. 565 *pc* i k sa[mss] ● 16 ⸀οι δε 𝔓45 W 565 | ⸆*p)* λεγοντες A C L Θ 0131 f^{13} 𝔐 vg sy bo ¦ *txt* 𝔓45 ℵ B D W f^1 28. 565. 700 *pc* it sa | ⸁εχομεν ℵ A C L Θ f^{13} 𝔐 vg sy[p.h] bo[mss] ¦ ειχαν D it ¦ *p)* ελαβομεν 1424 *pc* ¦ *txt* 𝔓45 B W f^1 28. 565. 700 *pc* k co ● 17 ⸆*p)* ο Ιησους ℵ* A C D (⸉ L) W Θ $f^{1.13}$ 𝔐 lat sy sa[mss] ¦ *txt* ℵ[1] B Δ 892* aur i sa[mss] bo | ⸆*p)* εν εαυτοις, ολιγοπιστοι, 𝔓45 W f^{13} *pc* (sa[mss]) ¦ εν ταις καρδιαις υμων, ολιγοπιστοι (D) Θ 28. 565. 700 *pc* (it) sy[h**] | ⸀ετι (οτι 047. 1424 *pc*) πεπωρωμενην εχετε την καρδιαν υμων A 𝔐 vg sy[(s.p).h] ¦ πεπωρωμενη υμων εστιν η καρδια (D) Θ (0143[vid]). 565 (it) co ¦ *txt* 𝔓45vid ℵ B C L N W Δ $f^{1.13}$ (28). 33. 892*. 1241 *pc* ● 19 ⸆*p)* και ℵ C D Θ f^1 33. 565. 1241. 1424 *al* vg[st] sy[s] ¦ ανθρωπους και Δ l ¦ *txt* 𝔓45 A B L W f^{13} 𝔐 k vg[ww] sy[p.h] bo ● 20 ⸀οτε και ℵ Δ (⸉ 892) lat ¦ οτε δε A D W Θ $f^{1.13}$ 𝔐 it sy[h] ¦ οτε δε και C N f ¦ *txt* B L 565. 1241. 1424 *pc* | ⸆*p)* αρτους 𝔓45vid ℵ C W f^{13} 1010. 1424 *al* lat ¦ *txt* A B D L Θ f^1 𝔐 it sy bo | ⸀ † *1 2* ℵ *pc* ¦ οι δε ειπον 𝔓45 A D W Θ $f^{1.13}$ 𝔐 it sy[h] ¦ *txt* B C L (Δ 892) *pc* vg ● 21 ⸀πως ου B Γ 28. 1010 *pm* b d q ¦ πως ουπω A D N W Θ (f^{13}) 33. 565 *pm* lat sy[p.h] ¦ *txt* ℵ C K L Δ f^1 700. 892. 1241. 1424 *al* k sy[s] ● 22 ⸀Βηθανιαν D *pc* it ● 23 ⸀αυτου 𝔓45 W Θ $f^{1.13}$ (⸉ 28). 565. 700 (*pc*) q | ⸀εξηγαγεν A D W $f^{1.13}$ 𝔐 ¦ *txt* 𝔓45vid ℵ B C L Δ Θ 33. 892 *pc* | ⸁βλεπει. ℵ A D[2] L W $f^{1.13}$ 𝔐 latt sy[p.h] ¦ *txt* B C D* Δ Θ 565. 1010 *pc* sy[s] co ● 24 ⸀ειπεν 𝔓45 ℵ* C Θ *pc* ¦ λεγει D N W f^{13} 565 *pc* ¦ *txt* ℵ[2] A B L f^1 𝔐 ● 25 ⸀εθηκεν B L 892 ¦ επιθεις (*et om.* και[1]) (D) Θ 565. 700 a

ἀπεκατέστη καὶ ἐνέβλεπεν ⸀τηλαυγῶς ἅπαντα. **26** καὶ
ἀπέστειλεν αὐτὸν εἰς οἶκον αὐτοῦ λέγων· ⸂μηδὲ εἰς τὴν
κώμην εἰσέλθῃς⸃.

27–30: Mt 16,13-20 L 9,18-21 J 6,67-71 · L 3,1! **27** Καὶ ἐξῆλθεν ὁ Ἰησοῦς καὶ οἱ μαθηταὶ αὐτοῦ εἰς ⸂τὰς
κώμας Καισαρείας⸃ τῆς Φιλίππου· καὶ ἐν τῇ ὁδῷ ἐπηρώ-
τα τοὺς μαθητὰς αὐτοῦ λέγων αὐτοῖς· τίνα με λέγουσιν
οἱ ἄνθρωποι εἶναι; **28** οἱ δὲ ⸂εἶπαν αὐτῷ λέγοντες⸃ ⸀[ὅτι]
6,14sp Ἰωάννην τὸν βαπτιστήν, καὶ ἄλλοι Ἠλίαν, ἄλλοι δὲ ὅτι
εἷς τῶν προφητῶν. **29** καὶ αὐτὸς ἐπηρώτα αὐτούς· ὑμεῖς
δὲ τίνα με λέγετε εἶναι; ⸀ἀποκριθεὶς ὁ Πέτρος λέγει αὐ-
14,61 Hen 46,10 | Mt 8,4! τῷ· σὺ εἶ ὁ χριστός⸆. **30** καὶ ἐπετίμησεν αὐτοῖς ἵνα μη-
δενὶ λέγωσιν περὶ αὐτοῦ.

31–33: Mt 16,21-23 L 9,22 **31** Καὶ ἤρξατο διδάσκειν αὐτοὺς ὅτι δεῖ τὸν υἱὸν τοῦ
9,31; 10,32-34 L 9,22! · 12,10 ἀνθρώπου πολλὰ παθεῖν καὶ ἀποδοκιμασθῆναι ὑπὸ τῶν
Ps 118,22 πρεσβυτέρων καὶ τῶν ἀρχιερέων καὶ τῶν γραμματέων καὶ
ἀποκτανθῆναι καὶ μετὰ τρεῖς ἡμέρας ἀναστῆναι· **32** καὶ
J 10,24 · 1,45! παρρησίᾳ τὸν λόγον ἐλάλει. καὶ προσλαβόμενος ⸂ὁ Πέ-
30 τρος αὐτὸν⸃ ἤρξατο ἐπιτιμᾶν αὐτῷ. **33** ὁ δὲ ἐπιστραφεὶς
καὶ ἰδὼν τοὺς μαθητὰς αὐτοῦ ἐπετίμησεν ⸆ Πέτρῳ καὶ
1Rg 11,14 Mt 4,10 λέγει· ὕπαγε ὀπίσω ⸀μου, σατανᾶ, ὅτι οὐ φρονεῖς τὰ τοῦ
θεοῦ ἀλλὰ τὰ τῶν ἀνθρώπων.

34–9,1: Mt 16,24-28 L 9,23-27 **34** Καὶ προσκαλεσάμενος τὸν ὄχλον σὺν τοῖς μαθηταῖς
αὐτοῦ εἶπεν αὐτοῖς· ⸂εἴ τις⸃ θέλει ὀπίσω μου ⸀ἀκολουθεῖν,
Mt 16,24! ἀπαρνησάσθω ἑαυτὸν καὶ ἀράτω τὸν σταυρὸν αὐτοῦ καὶ
Mt 10,39! ἀκολουθείτω μοι. **35** ὃς γὰρ ἐὰν θέλῃ τὴν ⸂ψυχὴν αὐτοῦ⸃

25 ⸀δηλ- ℵ* C L Δ 33 *pc* ¦ *txt* ℵ² A B D (W) Θ $f^{1.13}$ 𝔐 ● **26** ⸂υπαγε εις τον οικον σου και μηδενι ειπης εις την κωμην D q ¦ υπαγε εις τον (– Θ 28) οικον σου και εαν εις την κωμην εισελθης μηδενι (+ μηδεν 28) ειπης μηδε (– Θ 565) εν τη κωμη Θ f^{13} 28. 565 *pc* ff² i (lat sy^{hmg}) ¦ *txt* + μηδε ειπης τινι εν τη κωμη A C (892) 𝔐 $sy^{p.h}$ (bo^{pt}) ¦ *txt* ℵ(* W: μη) B L f^1 *pc* sy^s sa bo^{pt} ● **27** ⸂Καισαρειαν D it ● **28** ⸂απεκριθησαν A f^1 𝔐 sy^h ¦ απεκριθησαν αυτω λεγ. D (W) Θ 0143 f^{13} 28. (33). 565 *pc* lat ¦ *txt* ℵ B $C^{(2)}$ L Δ 892 *pc* k | ⸀*p)* οι μεν C² W Δ f^{13} 1010. 1241. 1424 *pc* vg^{mss} sa^{mss} bo^{mss} ¦ – $ℵ^c$ A D L Θ 0143^{vid} f^1 𝔐 lat sy^h ¦ *txt* ℵ* B C^{*vid} *pc* ● **29** ⸀αποκριθεις δε ℵ C D W Θ $f^{1.13}$ 𝔐 f ff² ¦ και αποκριθεις A N 33. 892. 1241. 1424 *pc* it ¦ *txt* B L *pc* vg $sy^{p.h}$ | ⸆*p)* ο υιος του θεου ℵ L *pc* r¹ ¦ ο υιος του θ. του ζωντος W f^{13} *pc* b sy^p sa^{mss} ● **32** ⸂*3 1 2* ℵ A C W Θ $f^{1.13}$ 𝔐 ¦ *1 2* D *pc* ¦ *txt* B L 892 a ● **33** ⸆τω A C W Θ 0214 $f^{1.13}$ 𝔐 ¦ *txt* ℵ B D L *pc* | [⸀σου Blass *cj*] ● **34** ⸂οστις A C² Θ 𝔐 sy^h ¦ *txt* ℵ B C* D L W Δ 0214 $f^{1.13}$ 28. 33. 565. 700. 892 *al* latt sy^{hmg} | ⸀†*p)* ελθειν ℵ A B C² K L Γ f^{13} 33. 892. 1241 *al* aur c (k) l bo ¦ ελ. και ακ. Δ sa^{mss} ¦ *txt* $𝔓^{45}$ C* D W Θ 0214 f^1 𝔐 lat sa^{mss} ● **35** ⸂εαυτου ψυχην B 28; Or^{pt}

σῶσαι ἀπολέσει αὐτήν· ὃς δ᾽ ἂν ⸀ἀπολέσει ⸂τὴν ψυχὴν
αὐτοῦ⸃ ἕνεκεν ⸂¹ἐμοῦ καὶ τοῦ εὐαγγελίου⸃ σώσει αὐ- 1,15!
τήν. **36** τί γὰρ ⸀ὠφελεῖ ⸀ἄνθρωπον ⸂κερδῆσαι τὸν κόσμον
ὅλον καὶ ζημιωθῆναι⸃ τὴν ψυχὴν αὐτοῦ; **37** τί γὰρ ⸀δοῖ
86 II ἄνθρωπος ἀντάλλαγμα τῆς ψυχῆς αὐτοῦ; **38** ὃς γὰρ ἐὰν Ps 49,8s Sir 26,14
ἐπαισχυνθῇ με καὶ τοὺς ἐμοὺς °λόγους ἐν τῇ γενεᾷ ⸂ταύτῃ Mt 10,33; 12,39!
τῇ μοιχαλίδι⸃ καὶ ἁμαρτωλῷ, καὶ ὁ υἱὸς τοῦ ἀνθρώπου
ἐπαισχυνθήσεται αὐτόν, ὅταν ἔλθῃ ἐν τῇ δόξῃ τοῦ πατρὸς αὐτοῦ ⸀μετὰ τῶν ἀγγέλων τῶν ἁγίων. 13,27
87 II **9** Καὶ ἔλεγεν αὐτοῖς· ἀμὴν λέγω ὑμῖν ὅτι εἰσίν τινες
⸉ὧδε τῶν ἑστηκότων⸊ ⸆ οἵτινες οὐ μὴ γεύσωνται θα- J 8,52
νάτου ἕως °ἂν ἴδωσιν τὴν βασιλείαν τοῦ θεοῦ ἐληλυθυῖαν
ἐν δυνάμει. R 1,4
25 **2** Καὶ μετὰ ἡμέρας ἓξ παραλαμβάνει ὁ Ἰησοῦς τὸν Πέ- *2–10:* Mt 17,1-9
τρον καὶ τὸν Ἰάκωβον καὶ °τὸν Ἰωάννην καὶ ἀναφέρει L 9,28-36 · Ex 24, 15s · Mt 17,1!
αὐτοὺς εἰς ὄρος ὑψηλὸν κατ᾽ ἰδίαν μόνους. καὶ ⸆ μετεμορ- 2P 1,18 · 2K 3,18
φώθη ἔμπροσθεν αὐτῶν, **3** καὶ τὰ ἱμάτια αὐτοῦ ἐγένετο
στίλβοντα λευκὰ λίαν, οἷα γναφεὺς ἐπὶ τῆς γῆς οὐ δύνα- 16,5! Dn 7,9
ται οὕτως λευκᾶναι. **4** καὶ ὤφθη αὐτοῖς Ἠλίας σὺν Μωϋ- Ml 3,22.24 Dt 18,15
σεῖ καὶ ἦσαν συλλαλοῦντες τῷ Ἰησοῦ. **5** καὶ ἀποκριθεὶς
ὁ Πέτρος λέγει τῷ Ἰησοῦ· ῥαββί, καλόν ἐστιν ἡμᾶς ὧδε 11,21; 14,45
εἶναι, καὶ ποιήσωμεν ⸉τρεῖς σκηνάς⸊, σοὶ μίαν καὶ Μωϋσεῖ μίαν καὶ Ἠλίᾳ μίαν. **6** οὐ γὰρ ᾔδει τί ⸀ἀποκριθῇ, ⸂ἔκ- 14,40
φοβοι γὰρ ἐγένοντο⸃. **7** καὶ ἐγένετο νεφέλη ἐπισκιάζουσα Ex 40,34

35 ⸀-ση A L W 𝔐 *et* ⸂την εαυτου ψυχην C3 K W Θ f13 28. 700. 1010 *pm* ¦ αυτην D(* *h. t.*) ⸀ ¦ – q ¦ *txt* 𝔓45vid ℵ A B C* L Δ 0214 f1 33. 565. 892. 1241. 1424 *pm* | ⸂¹ *3 4* 𝔓45 D 28. 700 it (sys) ¦ *1* 33 *pc* ff2 ● **36** ⸀ωφελησει A C D Θ f1.13 𝔐 ¦ ωφεληθησεται 33 *pc* ¦ *txt* ℵ B L W 0214. 892. 1241. 1424 | ⸀*p)* -πος ℵ* C3 L Γ Δ f1.13 33. 1010. 1241 *pm* ¦ τον -πον 𝔓45vid A C* D W Θ 28 *al* ¦ *txt* ℵ2 B K 0214vid. 565. 700. 892. 1424 *pm* | ⸂*p)* εαν κερδηση τ. κ. ο. κ. ζημιωθη 𝔓45vid A (C) D (L) W Θ f1.13 𝔐 latt ¦ *txt* ℵ B 0214vid. 892. 1424 ● **37** ⸀δω ℵ2 L ¦ δωσει 𝔓45 A C D W Θ f1.13 𝔐 latt ¦ – (*et* ανθρ.) Δ ¦ *txt* ℵ* B ● **38** °𝔓45vid W k sa; Tert | ⸂ *2 3* 𝔓45vid W a i k n ¦ ταυτη τη πονηρα και μοιχ. Θ | ⸀και 𝔓45 W sys

¶ **9,1** ⸉ *2 1 3* (ℵ) A C D2 L W Θ f13 (33) 𝔐 syh; Or ¦ *2 3 1* 𝔓45 f1 ¦ *txt* B D* | ⸆μετ εμου D 565 it | ° 𝔓45 W *pc* ● **2** °† A B N Γ Δ Θ 0131. 700. 892. 1010. 1241 *pm* ¦ *txt* 𝔓45 ℵ C D K L W f1.13 (28). 33. 565. 1424 *pm* | ⸆*p)* εν τω προσευχεσθαι αυτους (αυτον Θ *pc*) 𝔓45 W Θ f13 (28. 565) *pc* ● **5** ⸉ A D W Θ f1.13 𝔐 syh ¦ *txt* 𝔓45 ℵ B C L Δ 33. 892. 1424 *pc* ● **6** ⸀ελαλει Θ d sys? ¦ λαλει 𝔓45 W sa ¦ λαλησει A C3 D f13 𝔐 ¦ απεκριθη ℵ; Or ¦ *txt* B C* L Δ Ψ f1 28. 33. 565. 700. 892 *pc* k | ⸂ησαν γαρ εκφοβοι 𝔓45vid A W f1.13 𝔐 vg syp.h ¦ *txt* ℵ B C D L Δ Θ Ψ 33. 565. 892. (1241. 1424) *pc* it

1,11 p! 2P 1,17 ⸀αὐτοῖς, καὶ ⸂ἐγένετο φωνὴ ἐκ τῆς νεφέλης· οὗτός ἐστιν
Dt 18,15 ὁ υἱός μου ὁ ἀγαπητός⸆, ⸉ἀκούετε αὐτοῦ⸊. **8** καὶ ἐξάπινα
περιβλεψάμενοι οὐκέτι οὐδένα εἶδον ⸉ἀλλὰ τὸν Ἰησοῦν
μόνον μεθ' ἑαυτῶν⸊.
9 ⸉Καὶ καταβαινόντων⸊ αὐτῶν ⸀ἐκ τοῦ ὄρους διεστεί-
Mt 8,4! λατο αὐτοῖς ἵνα μηδενὶ ἃ εἶδον διηγήσωνται, εἰ μὴ ὅταν
ὁ υἱὸς τοῦ ἀνθρώπου ἐκ νεκρῶν ἀναστῇ. **10** καὶ τὸν λόγον 88 X
ἐκράτησαν πρὸς ἑαυτοὺς συζητοῦντες τί ἐστιν ⸉τὸ ἐκ
νεκρῶν ἀναστῆναι⸊.
11–13: Mt 17,10-12 **11** Καὶ ἐπηρώτων αὐτὸν λέγοντες· ὅτι ⸉λέγουσιν οἱ 89 VI
Ml 3,23 γραμματεῖς⸊ ὅτι *Ἠλίαν δεῖ ἐλθεῖν πρῶτον*; **12** ὁ δὲ ⸀ἔφη
Ml 3,24 Act 1,6 αὐτοῖς· ⸆ Ἠλίας °μὲν ἐλθὼν πρῶτον ⸂ἀποκαθιστάνει πάν-
τα· καὶ πῶς γέγραπται ἐπὶ τὸν υἱὸν τοῦ ἀνθρώπου ἵνα
Is 53,3 Ps 22,7 πολλὰ πάθῃ καὶ ⸀¹ἐξουδενηθῇ; **13** ἀλλὰ λέγω ὑμῖν ὅτι καὶ
Mt 11,14 · 1Rg 19,2.10 Ἠλίας ἐλήλυθεν, καὶ ἐποίησαν αὐτῷ ὅσα ἤθελον, καθὼς
γέγραπται ἐπ' αὐτόν.
14–29: Mt 17, 14-21 L 9,37-42 **14** Καὶ ⸀ἐλθόντες πρὸς τοὺς μαθητὰς ⸀εἶδον ὄχλον 90 X
πολὺν περὶ αὐτοὺς καὶ γραμματεῖς συζητοῦντας πρὸς αὐ-
τούς. **15** καὶ εὐθὺς πᾶς ὁ ὄχλος ἰδόντες αὐτὸν ἐξεθαμβήθησαν καὶ ⸀προστρέχοντες ἠσπάζοντο αὐτόν. **16** καὶ ἐπηρώτησεν αὐτούς· τί συζητεῖτε πρὸς αὐτούς; **17** καὶ 2
⸉ἀπεκρίθη αὐτῷ εἷς ἐκ τοῦ ὄχλου⸊· διδάσκαλε, ἤνεγκα τὸν 9
25; 7,37 υἱόν μου πρὸς σέ, ἔχοντα πνεῦμα ἄλαλον· **18** καὶ ὅπου II
°ἐὰν αὐτὸν καταλάβῃ ῥήσσει °¹αὐτόν, καὶ ἀφρίζει καὶ
τρίζει τοὺς ὀδόντας καὶ ξηραίνεται· καὶ εἶπα τοῖς μαθηταῖς

7 ⸀αυτω 473 sy^{s} | ⸂ηλθεν A D Θ (⸋ f^{13} 28 *pc*) 𝔐 lat sy$^{(s).h}$ sa ¦ – W f^{1} *pc* aur c k sy^{p} ¦ *txt* ℵ B C L Δ Ψ 892 *pc* sy^{hmg} bo | ⸆ον εξελεξαμην 0131 ¦ *p)* εν ω ευδοκησα ℵ^{1} Δ | ⸉ *2 1* A f^{13} 𝔐 it sy ¦ – Δ ¦ *txt* ℵ B C D L W Θ Ψ 0131 f^{1} 28. 33. 565. 892. 1241. 1424 *pc* lat ● **8** ⸉† ει μη τον Ιησ. μον. μεθ εαυ. ℵ (⸋ B 33) D N Ψ 892. 1241. 1424 lat sy^{h} ¦ ει μη τον (– 0131) Ιησ. μον. 0131 *pc* a k l sy^{s} ¦ *txt* A C L W Θ $f^{1.13}$ 𝔐 sy^{p} ● **9** ⸉κα-ταβαινοντων δε A W Θ $f^{1.13}$ 𝔐 f sy^{h} ¦ *txt* ℵ B C D L N Δ Ψ 33. 892 *pc* | ⸀απο ℵ A C L W Θ $f^{1.13}$ 𝔐 ¦ *txt* B D Ψ 33 *pc* ● **10** ⸉(9) οταν εκ νεκρων αναστη D W $f^{1.13}$ lat ● **11** ⸉ *2 3 1* D Θ a ¦ λεγουσιν οι Φαρισαιοι και οι γραμματεις ℵ L *pc* lat ● **12** ⸀*p)* αποκριθεις ειπεν A D W Θ $f^{1.13}$ 𝔐 lat sy$^{s.h}$ ¦ *txt* ℵ B C L Δ Ψ 892 *pc* sy^{p} co | ⸆ει D | ° D L W Ψ f^{1} 28. 565. 892 *pc* latt | ⸂αποκαταστησει C Θ 565 *pc* ¦ αποκαταστανει ℵ* D (28) ¦ αποκαθιστα f^{13} 𝔐 ¦ *txt* ℵ^{2} A B L W Δ Ψ f^{1} 33 | ⸀¹εξουδενωθη (ℵ: -θενωθη) A C f^{13} 𝔐 ¦ *txt* B D Ψ (L N W Θ f^{1} 565. 892 *pc*: -θενηθη) ● **14** ⸀ελθων *et* ⸀ειδεν A C D Θ 067^{vid} $f^{1.13}$ 𝔐 lat sy$^{p.h}$ bo ¦ *txt* ℵ B L W Δ Ψ 892 *pc* k sa ● **15** ⸀προσχαιροντες D it ● **17** ⸉αποκριθεις εἷς εκ του οχ. ειπεν A (C, W 067 $f^{1.13}$) 𝔐 vg sy^{h} ¦ απεκριθη εις εκ του οχλου και ειπεν αυτω Θ ¦ *txt* ℵ B D L Δ Ψ 33 *pc* it ● **18** ° ℵ* f^{1} 1241 *pc* | °¹ ℵ D W (Δ) k

σου ἵνα αὐτὸ ἐκβάλωσιν, καὶ οὐκ ἴσχυσαν⸆. **19** ὁ δὲ ἀποκριθεὶς αὐτοῖς λέγει· ὦ γενεὰ ⸀ἄπιστος, ἕως πότε πρὸς ὑ- L 24,25
μᾶς ἔσομαι; ἕως πότε ἀνέξομαι ὑμῶν; φέρετε αὐτὸν πρός
με. **20** καὶ ἤνεγκαν αὐτὸν πρὸς αὐτόν. καὶ ἰδὼν αὐτὸν τὸ
πνεῦμα εὐθὺς ⸀συνεσπάραξεν αὐτόν, καὶ πεσὼν ἐπὶ τῆς 1,26!
γῆς ἐκυλίετο ἀφρίζων. **21** καὶ ἐπηρώτησεν τὸν πατέρα
αὐτοῦ· πόσος χρόνος ἐστὶν ⸀ὡς τοῦτο γέγονεν αὐτῷ; ὁ δὲ
εἶπεν· ἐκ παιδιόθεν· **22** καὶ πολλάκις καὶ εἰς πῦρ αὐτὸν L 8,29!
ἔβαλεν καὶ εἰς ὕδατα ἵνα ἀπολέσῃ αὐτόν· ἀλλ' εἴ τι δύνῃ,
βοήθησον ἡμῖν σπλαγχνισθεὶς ἐφ' ἡμᾶς. **23** ὁ δὲ Ἰησοῦς
εἶπεν αὐτῷ· ⸂τὸ εἰ δύνῃ⸃, πάντα δυνατὰ τῷ πιστεύοντι. Mt 17,20
24 ⸆ εὐθὺς κράξας ὁ πατὴρ τοῦ παιδίου ⸇ ἔλεγεν· πιστεύω·
βοήθει μου τῇ ἀπιστίᾳ. **25** ἰδὼν δὲ ὁ Ἰησοῦς ὅτι ἐπισυν- L 17,5
τρέχει ⸆ ὄχλος, ἐπετίμησεν τῷ πνεύματι ⸋τῷ ἀκαθάρτῳ⸌
λέγων αὐτῷ· τὸ ἄλαλον καὶ κωφὸν πνεῦμα, ἐγὼ ⸉ἐπιτάσ- 17!
σω σοι⸊, ἔξελθε ἐξ αὐτοῦ καὶ μηκέτι εἰσέλθῃς εἰς αὐτόν. 1,25
26 καὶ κράξας καὶ πολλὰ σπαράξας ἐξῆλθεν⸆· καὶ ἐγέ- 1,26!
νετο ὡσεὶ νεκρός, ὥστε °τοὺς πολλοὺς λέγειν ὅτι ἀπέθανεν. **27** ὁ δὲ Ἰησοῦς κρατήσας τῆς χειρὸς αὐτοῦ ἤγειρεν Mt 8,15!
αὐτόν, ⸋καὶ ἀνέστη⸌.

2 X **28** Καὶ εἰσελθόντος αὐτοῦ εἰς οἶκον οἱ μαθηταὶ αὐ- 33; 10,10
τοῦ κατ' ἰδίαν ἐπηρώτων αὐτόν· ⸀ὅτι ἡμεῖς οὐκ ἠδυνήθημεν ἐκβαλεῖν αὐτό; **29** καὶ εἶπεν αὐτοῖς· τοῦτο τὸ γένος
ἐν οὐδενὶ δύναται ἐξελθεῖν εἰ μὴ ἐν προσευχῇ⸆.

3 II **30** Κἀκεῖθεν ἐξελθόντες ⸀παρεπορεύοντο διὰ τῆς Γα- *30-32:* Mt 17,22s L 9,43b-45
λιλαίας, καὶ οὐκ ἤθελεν ἵνα τις γνοῖ· **31** ἐδίδασκεν γὰρ L 17,11 J 7,1 | 8,31-33!
τοὺς μαθητὰς αὐτοῦ καὶ ἔλεγεν °αὐτοῖς ὅτι ὁ υἱὸς τοῦ

18 ⸆εκβαλειν αυτο D W Θ (⸉ 565) a b sa • **19** ⸀*p)* απιστος και διεστραμμενη 𝔓45vid (W) *f*13 *pc* ¦ απιστε D (W) Θ 565 • **20** ⸀εσπαραξεν 𝔓45 A W Θ Ψ 067 *f*1.13 𝔐 ¦ εταραξεν D ¦ *txt* ℵ B C L Δ 33. 892 *pc* • **21** ⸀εως 𝔓45 B *pc* ¦ εξ ου ℵ2 C* L W Δ Θ Ψ 33. 565. 892. 1241 *pc* ¦ αφ ου N *f*13 1424 *pc* ¦ *txt* ℵ* A C3 D *f*1 𝔐 • **23** ⸂το ει δυνασαι πιστευσαι A (⸉ C3) Ψ 𝔐 ¦ ει δυνη (-νασαι) πιστ. D K Θ *f*13 28. 565. 700c. 1010 *al* syp.h ¦ τουτο (– 𝔓45) ει δυνη 𝔓45 W ¦ *txt* (*vl* -νασαι) ℵ B C* L N* Δ *f*1 892 *pc* k • **24** ⸆και (ℵ*) A C(*) D W (Θ) Ψ *f*1.13 𝔐 lat sy ¦ *txt* ℵ2 B L Δ aur c | ⸇ μετα δακρυων A2 C3 D Θ *f*1.13 𝔐 lat syp.h bopt ¦ *txt* 𝔓45 ℵ A* B C* L W Δ Ψ 28. 700 *pc* k sys sa bopt • **25** ⸆ο ℵ A L W Δ Ψ *f*13 28. 33. 565. 700. 892. 1010 *al* ¦ *txt* B C D Θ *f*1 𝔐 | ⸋ 𝔓45 W *f*1 sys | ⸉ A D Θ *f*1.13 𝔐 lat ¦ *txt* ℵ B C L W Δ Ψ 33. 892 *pc* k vgcl • **26** ⸆απ αυτου D *pc* lat sys sa | ° C D W Θ *f*1.13 𝔐 co? ¦ *txt* ℵ A B L Δ Ψ 0274. 33. 892 *pc* • **27** ⸋ 𝔓45vid W k l sys.p • **28** ⸀*p)* δια τι A D K 33 *al* co • **29** ⸆και νηστεια 𝔓45vid ℵ2 A C D L W Θ Ψ *f*1.13 𝔐 lat syh co (⸉ sys.p boms) ¦ *txt* ℵ* B 0274 k; Cl • **30** ⸀ επορευοντο B* D • **31** ° B k

2Sm24,14 Sir2,18 ἀνθρώπου παραδίδοται εἰς χεῖρας ἀνθρώπων, καὶ ἀποκτενοῦσιν αὐτόν, καὶ ἀποκτανθεὶς ⸂μετὰ τρεῖς ἡμέρας⸃
L 9,45! ἀναστήσεται. **32** οἱ δὲ ἠγνόουν τὸ ῥῆμα, καὶ ἐφοβοῦντο
αὐτὸν ἐπερωτῆσαι. 2
33–37: Mt 18,1-5 L 9,46-48 · 1,21!p **33** Καὶ ⸀ἦλθον εἰς Καφαρναούμ. Καὶ ἐν τῇ οἰκίᾳ γενό- 94 X
28! | μενος ἐπηρώτα αὐτούς· τί ἐν τῇ ὁδῷ διελογίζεσθε; **34** οἱ 95 II
δὲ ἐσιώπων· πρὸς ἀλλήλους γὰρ διελέχθησαν ⸋ἐν τῇ
Mt 11,11! ὁδῷ⸌ τίς μείζων. **35** καὶ καθίσας ἐφώνησεν τοὺς δώδεκα
10,43s Mt 20,27p ⸋καὶ λέγει αὐτοῖς· εἴ τις θέλει πρῶτος εἶναι, ἔσται πάντων ἔσχατος καὶ πάντων διάκονος⸌. **36** καὶ λαβὼν παι-
10,16 δίον ἔστησεν αὐτὸ ἐν μέσῳ αὐτῶν καὶ ἐναγκαλισάμενος
αὐτὸ εἶπεν αὐτοῖς· **37** ὃς ἂν ⸀ἓν τῶν ⸂τοιούτων παιδίων⸃
Mt10,40! · 39;13,6 δέξηται ἐπὶ τῷ ὀνόματί μου, ἐμὲ δέχεται· καὶ ὃς ἂν ἐμὲ 96 I
⸁δέχηται, οὐκ ἐμὲ δέχεται ἀλλὰ τὸν ἀποστείλαντά με.
38–41: L 9,49s Nu 11,26-29 **38** ⸀Ἔφη αὐτῷ ὁ Ἰωάννης⸆· διδάσκαλε, εἴδομέν τινα 97 VII
Act 19,13 ἐν τῷ ὀνόματί σου ἐκβάλλοντα δαιμόνια ⸂καὶ ἐκωλύομεν
αὐτόν, ὅτι οὐκ ἠκολούθει ἡμῖν⸃. **39** ὁ δὲ ⸀Ἰησοῦς εἶπεν·
Mt 19,14! μὴ κωλύετε αὐτόν. οὐδεὶς γάρ ἐστιν ὃς ποιήσει δύναμιν
37! · 1K 12,3 ἐπὶ τῷ ὀνόματί μου καὶ δυνήσεται ταχὺ κακολογῆσαί με·
Mt 12,30 **40** ὃς γὰρ οὐκ ἔστιν καθ' ⸀ἡμῶν, ὑπὲρ ⸀ἡμῶν ἐστιν.
Mt 10,42 **41** Ὃς γὰρ ἂν ποτίσῃ ὑμᾶς ποτήριον ὕδατος ἐν ⸀ὀνό- 98 VI
1K 1,12! ματι ὅτι Χριστοῦ ἐστε, ἀμὴν λέγω ὑμῖν ὅτι οὐ μὴ ἀπολέσῃ τὸν μισθὸν αὐτοῦ.
42–48: Mt 18,6-9 L 17,2 **42** Καὶ ὃς ἂν σκανδαλίσῃ ἕνα τῶν μικρῶν ⸀τούτων τῶν 99 II
⸂πιστευόντων [εἰς ἐμέ]⸃, καλόν ἐστιν αὐτῷ μᾶλλον εἰ

31 ⸂*p)* τη τριτη ημερα A C^3 W Θ $f^{1.13}$ 𝔐 vg sy ¦ *txt* ℵ B C* D L Δ Ψ 892 *pc* it sy^{hmg} co ● **33** ⸀ηλθεν A C L Θ Ψ (f^{13} 700) 𝔐 f q $sy^{s.h}$ bo ¦ *txt* ℵ B D W 0274 f^1 565. 1424 *pc* lat sy^p sa ● **34** ⸋ A D Δ *pc* it sy^s ● **35** ⸋ D k ● **37** ⸀εκ W Θ f^{13} 565 it ¦ – D Γ *pc* $sy^{s.p}$ | ⸂π. τουτων ℵ C Δ (Ψ) *pc* | ⸁δεξηται A C D W Θ $f^{1.13}$ 𝔐 ¦ *txt* (ℵ) B L Ψ 0274. 892. (1241) *pc* ● **38** ⸀αποκριθεις δε εφη C ¦ και αποκριθεις *et* ⸆ειπεν W f^{13} (565.700) *pc* ¦ απεκριθη *et* ⸆και ειπεν D (f^1 28 it) ¦ απεκριθη δε *et* ⸆λεγων A 𝔐 f q (sy^h) ¦ *txt* ℵ B (L) Δ Θ Ψ 892 *pc* sy^p | ⸂† ος ουκ ακολουθει ημιν, και εκωλυομεν αυτον οτι ουκ ηκολουθει ημιν *pc?* (*id, sed* -λυσαμεν *et* ακολ- A 𝔐 sy^{h**}; Bas) ¦ ος ουκ ακολ. (ηκολ- W 565) ημιν (μεθ ημων D) και εκωλυσαμεν (-λυομεν D f^1) αυτον D W $f^{1.13}$ 28. 565. 700. 1241. 1424 *pc* lat ¦ *txt* ℵ B Δ Θ 0274 *pc* aur f $sy^{s.p}$ (co) (C: -λυσαμεν; C L Ψ 892: ακολ-) ● **39** ⸀αποκριθεις D 565 it ¦ – W $f^{1.13}$ 28 *pc* sy^s ● **40** ⸀*bis p)* υμων A D 𝔐 lat $sy^{p.h}$ bo^{ms} ¦ ημων … υμων L *pc* ¦ υμων … ημων X *pc* ¦ *txt* ℵ B C W Δ Θ Ψ $f^{1.13}$ 28. 565. 892. 1241 k $sy^{s.hmg}$ co; Bas ● **41** ⸀(+ τω D Δ Θ f^{13} *al*) ον. μου ℵ* C^3 D Θ W f^{13} 𝔐 latt sy^{hmg} ¦ *txt* $ℵ^2$ A B C* K L N Ψ f^1 892. 1241. 1424 *al* sy ● **42** ⸀μου W ¦ – K Γ Ψ f^{13} 892 𝔐 | ⸂† *1* ℵ C^{*vid} Δ it ¦ πιστιν εχοντων D a ¦ *txt* A B C^2 L W Θ Ψ $f^{1.13}$ 𝔐 lat sy sa bo^{pt}

περίκειται μύλος ὀνικὸς περὶ τὸν τράχηλον αὐτοῦ καὶ Ap 18,21
100 VI βέβληται εἰς τὴν θάλασσαν. **43** Καὶ ἐὰν ⸀σκανδαλίζῃ Mt 5,30
σε ἡ χείρ σου, ἀπόκοψον αὐτήν· καλόν ἐστίν σε κυλ-
λὸν εἰσελθεῖν εἰς τὴν ζωὴν ἢ τὰς δύο χεῖρας ἔχοντα ⸂ἀπ-
ελθεῖν εἰς τὴν γέενναν, εἰς τὸ πῦρ τὸ ἄσβεστον⸃⸆. Mt 3,12p
45 καὶ ἐὰν ὁ πούς σου σκανδαλίζῃ σε, ἀπόκοψον αὐτόν·
καλόν ἐστίν σε εἰσελθεῖν εἰς τὴν ζωὴν χωλὸν ἢ τοὺς
δύο πόδας ἔχοντα βληθῆναι εἰς τὴν γέενναν⸆ ⸆.
47 καὶ ἐὰν ὁ ὀφθαλμός σου σκανδαλίζῃ σε, ἔκβαλε αὐτόν· Mt 5,29
καλόν σέ ἐστιν μονόφθαλμον εἰσελθεῖν εἰς τὴν βασιλείαν τοῦ θεοῦ ἢ δύο ὀφθαλμοὺς ἔχοντα ⸀βληθῆναι εἰς
101 X °τὴν γέενναν⸆, **48** ὅπου *ὁ σκώληξ αὐτῶν οὐ τελευτᾷ καὶ τὸ* *Is 66,24* Jdth 16,17
πῦρ οὐ σβέννυται.
102 II **49** ⸂Πᾶς γὰρ πυρὶ ἁλισθήσεται.⸃ **50** * καλὸν τὸ ⸀ἅλας· *49s:* Mt 5,13 L 14,34s
ἐὰν δὲ τὸ ⸀ἅλας ἄναλον γένηται, ἐν τίνι αὐτὸ ἀρτύσετε; Kol 4,6
ἔχετε ἐν ἑαυτοῖς ἅλα καὶ εἰρηνεύετε ἐν ἀλλήλοις. R 12,18!
103 VI **10** Καὶ ἐκεῖθεν ἀναστὰς ἔρχεται εἰς τὰ ὅρια τῆς Ἰου- *1:* Mt 19,1s L 9,51
δαίας ⸂[καὶ] πέραν⸃ τοῦ Ἰορδάνου, καὶ συμπορεύον-
ται πάλιν ὄχλοι πρὸς αὐτόν, καὶ ὡς εἰώθει πάλιν ἐδί- L 4,16!
δασκεν αὐτούς.
28 **2** ⸂Καὶ προσελθόντες Φαρισαῖοι⸃ ἐπηρώτων αὐτὸν εἰ *2–12:* Mt 19,3-9
ἔξεστιν ἀνδρὶ γυναῖκα ἀπολῦσαι, πειράζοντες αὐτόν. **3** ὁ 8,11!
δὲ ἀποκριθεὶς εἶπεν αὐτοῖς· τί ὑμῖν ἐνετείλατο Μωϋσῆς;
4 οἱ δὲ εἶπαν· ⸂ἐπέτρεψεν Μωϋσῆς⸃ βιβλίον ἀποστασίου Dt 24,1.3 Mt 5,31!s

43 ⸀† -ιση ℵ B L W Δ Ψ 892 *pc* ¦ *txt* A C D Θ $f^{1.13}$ 𝔐 | ⸂ *1–4* ℵ[1] L Δ Ψ 0274. 700. 892 *pc* sy^{p} ¦ *1 5–9* W $f^{1.13}$ 28 *pc* sy^{s} ¦ βληθηναι εις την γεεν. οπου εστιν το πυρ το ασβ. D k (a f) ¦ εισελθειν *2–9* ℵ* ¦ *txt* ℵ[2] A B C Θ 𝔐 vg (sy^{h}) (sa) $bo^{(mss)}$ | ⸆[44] (48) οπου ο σκωληξ αυτων ου τελευτα και το πυρ ου σβεννυται A D Θ f^{13} 𝔐 lat $sy^{p.h}$; Bas ¦ *txt* ℵ B C L W Δ Ψ 0274 f^{1} 28. 565. 892 *pc* k sy^{s} co ● **45** ⸆ (48) εις το πυρ το ασβεστον A D Θ f^{13} (700) 𝔐 f q (sy^{h}) ¦ *txt* ℵ B C L W Δ Ψ 0274 f^{1} (28). 892 *pc* b k $sy^{s.p}$ co | ⸆ [46] *ut vs* 44 ● **47** ⸀απελθειν D f^{1} (1241). 1424 *pc* (c) i sy^{s} ¦ – W | ° B L Ψ 28 | ⸆του πυρος A C Θ f^{13} 𝔐 lat $sy^{p.h}$ bo^{ms} ¦ *txt* ℵ B D L W Δ Ψ 0274 f^{1} 28. 565. 700. 892 *pc* it sy^{s} co ● **49** ⸂ (Lv 2,13) πασα γαρ θυσια αλι αλισθησεται D it ¦ πας γ. π. (εν π. C) αλ- (αναλωθησεται Θ) και πασα θυσια αλι αλισθησεται (αναλωθησεται Ψ) A C Θ Ψ 𝔐 lat $sy^{p.h}$ bo^{pt} ¦ *txt* B L Δ 0274 $f^{1.13}$ 28*. 565. 700 *pc* sy^{s} sa bo^{pt} (ℵ: εν π.; W: αλισγηθησεται); Did ● **50** ⸀*bis* αλα ℵ(*) L W Δ 0274. 892 *pc*
¶ **10,1** ⸂*p) 2* C[2] D W Δ Θ $f^{1.13}$ 28. 565. 1241. 1424 *al* latt $sy^{s.p}$ ¦ δια του περαν A 𝔐 sy^{h} ¦ *txt* ℵ B C* L Ψ 892 *pc* co ● **2** ⸂οι δε Φαρισαιοι προσελθ. W Θ 565 *pc* $sa^{ms(s)}$ ¦ και D it sy^{s} (sa^{mss}) ¦ και προσελθ. οι Φ. ℵ C N (f^{1}) 1241. 1424 *pm* ¦ *txt* A B K L Γ Δ Ψ f^{13} 28. 700. 892. 1010 *pm* bo ● **4** ⸂ *2 1* A W f^{13} 𝔐 vg ¦ *1* Θ 565 a c ff[2] ¦ Μ. ενετειλατο f^{1} ¦ *txt* ℵ B C D L Δ Ψ 892. 1241 *pc*

γράψαι καὶ ἀπολῦσαι. 5 ⸀ὁ δὲ⸌ Ἰησοῦς εἶπεν αὐτοῖς· πρὸς
τὴν σκληροκαρδίαν ὑμῶν ἔγραψεν ὑμῖν τὴν ἐντολὴν ταύ-
Gn 1,27; 5,2 την. 6 ἀπὸ δὲ ἀρχῆς κτίσεως *ἄρσεν καὶ θῆλυ ἐποίησεν*
Gn 2,24 𝔊 E 5,31 ⸀*αὐτούς*· 7 *ἕνεκεν τούτου καταλείψει ἄνθρωπος τὸν πατέρα*
αὐτοῦ καὶ τὴν ⸀*μητέρα* ⸋*[καὶ προσκολληθήσεται πρὸς τὴν*
1K 6,16 *γυναῖκα αὐτοῦ]*⸌, 8 *καὶ ἔσονται οἱ δύο εἰς σάρκα μίαν*· ὥστε
οὐκέτι εἰσὶν δύο ἀλλὰ μία σάρξ. 9 ὃ οὖν ὁ θεὸς συνέζευ-
ξεν ἄνθρωπος μὴ χωριζέτω.
9,28! 10 Καὶ εἰς τὴν οἰκίαν πάλιν οἱ μαθηταὶ περὶ τούτου ἐπηρώτων αὐτόν. 11 καὶ λέγει αὐτοῖς· ⸀ὃς ἂν ἀπο-
L 16,18p 1K 7,10s λύσῃ τὴν γυναῖκα αὐτοῦ καὶ γαμήσῃ ἄλλην μοιχᾶται ἐπ᾽
1K 7,13 αὐτήν· 12 καὶ ἐὰν ⸀αὐτὴ ⸀ἀπολύσασα τὸν ἄνδρα αὐτῆς
γαμήσῃ ἄλλον⸌ μοιχᾶται⸌.
13–16: Mt 19,13-15 L 18,15-17 13 Καὶ προσέφερον αὐτῷ παιδία ἵνα ⸉αὐτῶν ἅψηται⸊·
1,41! 2Rg 4,27 | οἱ δὲ μαθηταὶ ⸀ἐπετίμησαν αὐτοῖς⸌. 14 ἰδὼν δὲ ὁ Ἰησοῦς
ἠγανάκτησεν καὶ ⸆ εἶπεν αὐτοῖς· ἄφετε τὰ παιδία ἔρχε-
Act 8,36! σθαι πρός με, μὴ κωλύετε αὐτά, τῶν γὰρ τοιούτων ἐστὶν
ἡ βασιλεία τοῦ θεοῦ. 15 ἀμὴν λέγω ὑμῖν, ὃς ἂν μὴ δέξηται
Mt 18,3! τὴν βασιλείαν τοῦ θεοῦ ὡς παιδίον, οὐ μὴ εἰσέλθῃ εἰς
9,36 αὐτήν. 16 καὶ ἐναγκαλισάμενος αὐτὰ ⸀κατευλόγει τιθεὶς
τὰς χεῖρας ἐπ᾽ αὐτά⸌.
17–22: Mt 19,16-22 L 18,18-23 17 Καὶ ἐκπορευομένου αὐτοῦ εἰς ὁδὸν ⸀προσδραμὼν
εἷς⸌ καὶ γονυπετήσας αὐτὸν ἐπηρώτα αὐτόν· διδάσκαλε
ἀγαθέ, τί ποιήσω ἵνα ζωὴν αἰώνιον κληρονομήσω; 18 ὁ
δὲ Ἰησοῦς εἶπεν αὐτῷ· τί με λέγεις ἀγαθόν; οὐδεὶς ἀγα-
2,7 | *Ex 20,12-16 Dt 5,16-20; 24,14* 𝔊 θὸς εἰ μὴ εἷς ὁ θεός. 19 τὰς ἐντολὰς οἶδας· ⸀*μὴ φονεύσῃς,*

5 ⸀και αποκριθεις ο A D W $f^{1.13}$ (1424) 𝔐 (lat) sy$^{(s.p)}$ ¦ *txt* ℵ B C L Δ Θ Ψ (892*) *pc* co ● 6 ⸀ο θεος D W *pc* it ¦ αυτους ο θεος A Θ Ψ $f^{1.13}$ 𝔐 lat sy ¦ *txt* ℵ B C L Δ *pc* c co ● 7 ⸀μητερα αυτου ℵ (D) 1241 *pc* it | ⸋ † ℵ B Ψ 892* sy^{s} ¦ *txt* D W Θ f^{13} 𝔐 lat sy$^{p.h}$ co (A C L N Δ f^{1} *al*: τη γυναικι) ● 11/12 ⸀εαν απολ. γυνη τ. ανδ. αυτ. κ. γαμηση αλλον μοιχ.· και εαν ανηρ απολ. τ. γυν. μοιχαται W (1 *pc* sy^{s}) | ⸀γυνη A D (⸉ Θ) f^{13} 𝔐 latt sy$^{p.h}$ ¦ *txt* ℵ B C L Δ Ψ 892 *pc* co | ⸀απολυση τ. ανδ. αυτ. και γαμηθη αλλω A 𝔐 vg sy$^{p.h}$ ¦ εξελθη απο του ανδρος και αλλον γαμηση D (Θ) f^{13} (28). 565. (700) it ¦ *txt* ℵ B (C) L (Δ, Ψ) 892 *pc* co ● 13 ⸉ A D W $f^{1.13}$ 𝔐; Or ¦ *txt* ℵ B C L Δ Θ Ψ 892. 1241. 1424 *pc*; Bas | ⸀επετιμων τοις προσφερουσιν A D W (Θ $f^{1.13}$) 𝔐 lat sy; Bas ¦ *txt* ℵ B C L Δ Ψ 892 *pc* c k sa^{mss} bo ● 14 ⸆επιτιμησας W Θ $f^{1.13}$ 28. 565 *pc* sy$^{s.hmg}$ ● 16 ⸀ετιθει τας χειρας επ αυτα και ευλογει αυτα D (W) it ¦ τιθεις τας χειρας επ αυτα ευλογει αυτα A $f^{1.13}$ 𝔐 vg ¦ *txt* ℵ B C L^{vid} Δ Θ Ψ 892. 1241. (1424) *pc* ● 17 ⸀ιδου τις πλουσιος προσδρ. A K W (Θ) f^{13} 28. 565. 700 *al* sy^{hmg} (sa^{mss}) ● 19 ⸀*p) 3 4 1 2* A W Θ f^{13} 𝔐 lat sy^{h}; Cl ¦ *1 2* ℵ* ¦ *3 4* f^{1} *pc* (sy^{p}) ¦ μη μοιχ. μη πορνευσης D (Γ *pc*) k; Ir ¦ *txt* ℵ^{2} B C Δ Ψ 0274. 892 *pc* aur c sy^{s} co

μὴ μοιχεύσῃς⸃, *μὴ κλέψῃς, μὴ ψευδομαρτυρήσῃς,* ⸋*μὴ ἀπο-* *Sir 4,1* 𝔊 R 13,
στερήσῃς,⸌ *τίμα τὸν πατέρα σου καὶ τὴν μητέρα*⸆. **20** ὁ δὲ 9 1K 6,8; 7,5
⸀ἔφη αὐτῷ· διδάσκαλε, ταῦτα πάντα ἐφυλαξάμην ἐκ νεότη-
τός μου. **21** ὁ δὲ Ἰησοῦς ἐμβλέψας αὐτῷ ἠγάπησεν αὐ- J 11,5
108 II τὸν καὶ εἶπεν αὐτῷ· * ἕν σε ὑστερεῖ· ὕπαγε, ὅσα ἔχεις πώλησον καὶ δὸς °[τοῖς] πτωχοῖς, καὶ ἕξεις θησαυρὸν ἐν οὐ- L 12,33p
109 II ρανῷ, καὶ δεῦρο ἀκολούθει μοι⸆. **22** ὁ δὲ στυγνάσας ἐπὶ
τῷ λόγῳ ἀπῆλθεν λυπούμενος· ἦν γὰρ ἔχων κτήματα
πολλά.

23 Καὶ περιβλεψάμενος ὁ Ἰησοῦς λέγει τοῖς μαθηταῖς *23–31:* Mt 19,
αὐτοῦ· πῶς δυσκόλως οἱ τὰ χρήματα ἔχοντες εἰς τὴν βα- 23-30 L 18,24-30
σιλείαν τοῦ θεοῦ εἰσελεύσονται. ⸆ **24** οἱ δὲ μαθηταὶ 3,5!
ἐθαμβοῦντο ἐπὶ τοῖς λόγοις αὐτοῦ. ὁ δὲ Ἰησοῦς πάλιν
ἀποκριθεὶς λέγει αὐτοῖς· τέκνα, πῶς δύσκολόν ἐστιν ⸆ 2,5 J 13,33!
εἰς τὴν βασιλείαν τοῦ θεοῦ εἰσελθεῖν· **25** ⸋εὐκοπώτερόν
ἐστιν ⸀κάμηλον διὰ °[τῆς] ⸀τρυμαλιᾶς °[τῆς] ⸀¹ῥαφίδος
διελθεῖν ἢ πλούσιον εἰς τὴν βασιλείαν τοῦ θεοῦ εἰσελθεῖν.⸌ **26** οἱ δὲ περισσῶς ἐξεπλήσσοντο λέγοντες ⸂πρὸς 1,22!
ἑαυτούς⸃· καὶ τίς δύναται σωθῆναι; **27** ἐμβλέψας ⸆ αὐτοῖς ὁ Ἰησοῦς λέγει· παρὰ ἀνθρώποις ἀδύνατον⸂, ἀλλ᾽ οὐ
παρὰ θεῷ· πάντα γὰρ δυνατὰ παρὰ τῷ θεῷ⸃. 14,36 Gn 18,14
28 Ἤρξατο λέγειν ὁ Πέτρος αὐτῷ· ἰδοὺ ἡμεῖς ἀφή- Job 42,2 Zch 8, 6 𝔊 2Chr 14,10
110 II καμεν πάντα καὶ ⸀ἠκολουθήκαμέν σοι. **29** ⸂ἔφη ὁ Ἰη- 1,18!

19 ⸋ *p)* B* K W Δ Ψ $f^{1.13}$ 28. 700. 1010 *al* sy[s]; Ir Cl ¦ *txt* ℵ A B[2] C D Θ 0274 𝔐 lat sy[p.h] co | ⸆σου ℵ* C N W Θ 28. 565 *al* it vg[mss] sy[s.p] • **20** ⸀αποκριθεις ειπεν A D W Θ $f^{1.13}$ 𝔐 it sy ¦ αποκρ. εφη C ¦ *txt* ℵ B Δ Ψ 0274. 892 *pc* co • **21** ° A B W Ψ f^{13} 𝔐; Cl ¦ *txt* ℵ C D Θ 0274 f^{1} 28. 565. 892 *al* | ⸆(8,34) αρας τον σταυρον (+ σου W f^{13} *pc*) A (⸉ W $f^{1.13}$) 𝔐 (a) q sy (sa[mss]) bo[mss] ¦ *txt* ℵ B C D Δ Θ Ψ 0274. 565. 892 *pc* lat sa[ms] bo; Cl • **23** ⸆ταχιον καμηλος δια τρυμαλιδος ραφιδος διελευσεται ἢ πλουσιος εις την βασιλειαν του θεου (*et om. vs* 25) D it • **24** ⸆τους πεποιθοτας επι (+ τοις D Θ $f^{1.13}$ 28. 565 *al*) χρημασιν A C D Θ $f^{1.13}$ (1241) 𝔐 lat sy bo[pt]; Cl ¦ *txt* ℵ B (W: + πλουσιον *p.* εισελ.) Δ Ψ k sa bo[pt] • **25** ⸋(*cf vs* 23) | ⸀καμιλον 13. 28 *pc* | ° *bis* ℵ A C (D) K N W Δ Θ Ψ $f^{1.13}$ 700. 892. 1241. 1424 *pm* (Γ 28. 565 *al*: *om.* της[1]); Epiph ¦ *txt* B E 1010 *pm* | ⸀*p)* τρηματος ℵ* ¦ τρυπηματος f^{13} *pc* | ⸀¹βελονης f^{13} • **26** ⸂προς αυτον ℵ B C Δ Ψ 892 co ¦ προς αλληλους M* k sy[p] ¦ – 569 *pc* bo[ms]; Cl ¦ *txt* A D W Θ $f^{1.13}$ 𝔐 lat sy[h] • **27** ⸆δε A C[2] D W (Θ) f^{13} 𝔐 sy[p.h] ¦ *txt* ℵ B C* Δ Ψ f^{1} *pc* sy[s] | ⸂ *1–8 10* B Θ 892 *pc* ¦ *1–4* Δ Ψ f^{1} *al* l ¦ *p)* εστιν, παρα δε τω θεω δυνατον D (it) • **28** ⸀*p)* -θησαμεν ℵ A Θ Ψ $f^{1.13}$ 𝔐; Cl ¦ *txt* B C D W *pc* • **29** ⸂εφη αυτω ο Ιησους ℵ *pc* ¦ εφη αυτοις Ψ ¦ και (– A W *pm*) αποκριθεις ο Ιησους ειπεν A C W Θ $f^{1.13}$ 565. 700 *pm* lat sy ¦ αποκριθεις δε ο Ιησους (– ο Ι. Γ) ειπεν (D) K (Γ) 28. 1010. 1241. 1424 *pm* it; Cl ¦ *txt* B Δ 892 (*pc*) bo

L 14,26 σοῦς⸃· ἀμὴν λέγω ὑμῖν, οὐδείς ἐστιν ὃς ἀφῆκεν οἰκίαν ἢ
ἀδελφοὺς ἢ ἀδελφὰς ἢ μητέρα ἢ πατέρα ⸆ ἢ τέκνα ἢ
1,15! ἀγροὺς ἕνεκεν ἐμοῦ καὶ °ἕνεκεν τοῦ εὐαγγελίου, **30** ἐὰν
R 3,26 μὴ λάβῃ ἑκατονταπλασίονα °νῦν ἐν τῷ καιρῷ τούτῳ ⸂οἰ-
κίας καὶ ἀδελφοὺς καὶ ἀδελφὰς καὶ μητέρας καὶ τέκνα
καὶ ἀγροὺς μετὰ διωγμῶν, καὶ ἐν τῷ αἰῶνι τῷ ἐρχομένῳ
Mt 19,30! ζωὴν αἰώνιον⸃. **31** πολλοὶ δὲ ἔσονται πρῶτοι ἔσχατοι καὶ 111 II
°[οἱ] ἔσχατοι πρῶτοι.
32–34: Mt 20,17-19 L 18,31-33 **32** Ἦσαν δὲ ἐν τῇ ὁδῷ ἀναβαίνοντες εἰς Ἱεροσόλυμα, 112 II
καὶ ἦν προάγων αὐτοὺς ὁ Ἰησοῦς, καὶ ἐθαμβοῦντο, ⸋οἱ δὲ
ἀκολουθοῦντες ἐφοβοῦντο⸌. καὶ παραλαβὼν πάλιν τοὺς
δώδεκα ἤρξατο αὐτοῖς λέγειν τὰ μέλλοντα αὐτῷ συμ-
βαίνειν **33** ὅτι ἰδοὺ ἀναβαίνομεν εἰς Ἱεροσόλυμα, καὶ ὁ
8,31! υἱὸς τοῦ ἀνθρώπου παραδοθήσεται τοῖς ἀρχιερεῦσιν καὶ
14,64 τοῖς γραμματεῦσιν, καὶ κατακρινοῦσιν αὐτὸν θανάτῳ καὶ
15,19s παραδώσουσιν αὐτὸν τοῖς ἔθνεσιν **34** καὶ ἐμπαίξουσιν αὐτῷ
14,65 Is 50,6 καὶ ἐμπτύσουσιν αὐτῷ καὶ ⸋μαστιγώσουσιν αὐτὸν καὶ
ἀποκτενοῦσιν⸌, καὶ ⸂μετὰ τρεῖς ἡμέρας⸃ ἀναστήσεται.
35–45: Mt 20,20-28 · Mt 4,21! **35** Καὶ προσπορεύονται αὐτῷ Ἰάκωβος καὶ Ἰωάννης *30* 113
⸀οἱ υἱοὶ Ζεβεδαίου λέγοντες αὐτῷ· διδάσκαλε, θέλομεν VI
⸋ἵνα ὃ ἐὰν ⸀αἰτήσωμέν σε ποιήσῃς ἡμῖν. **36** ὁ δὲ εἶπεν αὐ-
τοῖς· ⸂τί θέλετέ [με] ποιήσω⸃ ὑμῖν; **37** οἱ δὲ εἶπαν αὐτῷ·
δός ἡμῖν⸌ ἵνα εἷς ⸉σου ἐκ δεξιῶν⸊ καὶ εἷς ⸂ἐξ ἀριστε-
ρῶν⸃ καθίσωμεν ἐν τῇ δόξῃ σου. **38** ὁ δὲ Ἰησοῦς εἶπεν
Mt 26,39!p αὐτοῖς· οὐκ οἴδατε τί αἰτεῖσθε. δύνασθε πιεῖν τὸ ποτήριον
L 12,50 R 6,3 ὃ ἐγὼ πίνω ἢ τὸ βάπτισμα ὃ ἐγὼ βαπτίζομαι βαπτισθῆναι;
39 οἱ δὲ εἶπαν °αὐτῷ· δυνάμεθα. ὁ δὲ Ἰησοῦς εἶπεν αὐτοῖς·

29 ⸆ τη γυναικα A C Ψ f^{13} 𝔐 f q sy[p.h] bo[ms] ¦ *txt* א B D W Δ Θ f^{1} 565. 700. 892 *pc* lat sy[s] co | ° A B* 700. 1424 *al* aur c k; Bas **30** ° D *pc* a q sy[s] | ⸂ . . . μητερα . . . א[1] A C W Θ f^{13} 565. 700 *al* ¦ . . . μητερα και πατερα . . . (א[2]) K f^{1} 892. 1241. 1424 *al* ¦ · ος δε αφηκεν οικιαν και α-φας και α-φους και μητ. και τεκνα και αγρ. μ. διωγμου, εν τω αι. τω ερχ. ζ. αι. λημψεται D (it) ¦ *txt* B Ψ 𝔐 (א* *om.* οικ. . . . διωγ.) ● **31** ° *p)* א A D K L W Δ Θ Ψ f^{1} 28. 565. 700. 1241. 1424 *pm* bo ¦ *txt* B C N Γ f^{13} 892. 1010 *pm* sa? ● **32** ⸋ D K f^{13} 28. 700. 1010 *al* a b ● **34** ⸋ D *pc* ff[2] (k) | ⸂ *p)* τη τριτη ημερα A(*) W Θ $f^{1.13}$ 𝔐 vg sy; Cl ¦ *txt* א B C D L Δ Ψ 892 *pc* it sy[hmg] co ● **35/37** ⸀† οι δυο B C *pc* co ¦ – A K N Θ 28. 565. 700 *pm* ¦ *txt* א D L W Γ Δ Ψ $f^{1.13}$ 892. 1010. 1241. 1424 *pm*; Or | ⸋ א* | ⸀ ερωτησωμεν D (Θ 1). 565 *pc* | ⸂ *1 2 4* C Θ $f^{1.13}$ 565. (1241). 1424 *pc* ¦ *1 4* a b i ¦ *4* D ¦ τι θελετε ποιησαι με (א[2]) A (L W) 𝔐 ¦ *txt* א[1] B Ψ | ⸉ A C[3] D W Θ $f^{1.13}$ 𝔐 ¦ *txt* א B C* L Δ Ψ 892*. 1241 *pc* | ⸂ *p)* εξ ευωνυμων D W Θ 1. 565. 1424 *pc* ¦ εξ ευωνυμων σου (⸉ א) A C 0146 f^{13} (⸉ 1241) 𝔐 ¦ σου εξ αριστερων L Ψ 892* ¦ *txt* B Δ 892[v.l.] ● **39** ° D W Θ 0146 f^{1} 565. 700. 892. 1424 *pc* it

τὸ ποτήριον ὃ ἐγὼ πίνω πίεσθε καὶ τὸ βάπτισμα ὃ ἐγὼ Act 12,2
βαπτίζομαι βαπτισθήσεσθε, **40** τὸ δὲ καθίσαι ἐκ δεξιῶν
μου ἢ ἐξ εὐωνύμων οὐκ ἔστιν ἐμὸν δοῦναι⸂, ἀλλ᾽ οἷς⸃
ἡτοίμασται⸆.
41 Καὶ ἀκούσαντες οἱ δέκα ἤρξαντο ἀγανακτεῖν περὶ
Ἰακώβου καὶ Ἰωάννου. **42** καὶ προσκαλεσάμενος αὐτοὺς
ὁ Ἰησοῦς λέγει αὐτοῖς· οἴδατε ὅτι οἱ δοκοῦντες ἄρχειν L 22,25-27
τῶν ἐθνῶν κατακυριεύουσιν αὐτῶν καὶ οἱ ⸂μεγάλοι αὐ- 1P 5,3
τῶν⸃ κατεξουσιάζουσιν αὐτῶν. **43** οὐχ οὕτως δέ ⸀ἐστιν ἐν
ὑμῖν, ἀλλ᾽ ὃς ἂν θέλῃ μέγας ⸁γενέσθαι ἐν ὑμῖν ⸀¹ἔσται Mt 5,19
ὑμῶν διάκονος, **44** καὶ ὃς ἂν θέλῃ ⸂ἐν ὑμῖν εἶναι⸃ πρῶτος 9,35p Mt 23,11
ἔσται πάντων δοῦλος· **45** καὶ γὰρ ὁ υἱὸς τοῦ ἀνθρώπου 1K 9,19 2K 4,5
οὐκ ἦλθεν διακονηθῆναι ἀλλὰ διακονῆσαι καὶ δοῦναι Is 53,10-12 J 13,1ss
τὴν ψυχὴν αὐτοῦ λύτρον ἀντὶ πολλῶν. 1T 2,6
46 ⸋Καὶ ἔρχονται εἰς Ἰεριχώ.⸌ Καὶ ἐκπορευομένου αὐ- *46–52:* Mt 20,29-34; 9,27-31 L 18,35-43
τοῦ ⸂ἀπὸ Ἰεριχὼ καὶ⸃ τῶν μαθητῶν αὐτοῦ καὶ ὄχλου ἱκα-
νοῦ ὁ υἱὸς Τιμαίου ⸀Βαρτιμαῖος, ⸆ τυφλὸς ⸉προσαίτης,
ἐκάθητο παρὰ τὴν ὁδόν⸊. **47** καὶ ἀκούσας ὅτι Ἰησοῦς ὁ
⸀Ναζαρηνός ἐστιν ἤρξατο κράζειν καὶ λέγειν· ⸁υἱὲ Δαυὶδ 11,10; 12,35
Ἰησοῦ, ἐλέησόν με. **48** ⸋καὶ ἐπετίμων αὐτῷ πολλοὶ ἵνα
σιωπήσῃ· ὁ δὲ πολλῷ μᾶλλον ἔκραζεν· ⸀υἱὲ Δαυίδ, ἐλέησόν με.⸌ **49** καὶ στὰς ὁ Ἰησοῦς εἶπεν⸂· φωνήσατε αὐ-
τόν⸃. καὶ φωνοῦσιν τὸν τυφλὸν λέγοντες αὐτῷ· θάρσει,
ἔγειρε, φωνεῖ σε. **50** ὁ δὲ ἀποβαλὼν τὸ ἱμάτιον αὐτοῦ
ἀναπηδήσας ἦλθεν πρὸς τὸν Ἰησοῦν. **51** καὶ ἀποκριθεὶς
αὐτῷ ὁ Ἰησοῦς εἶπεν· τί σοι θέλεις ποιήσω; ὁ δὲ τυ-

40 ⸂· ἄλλοις 225 it sa^{ms} ¦ · ἄλλοις δε sy^{s} ¦ *txt* B^{2} Θ Ψ *f*$^{1.13}$ 𝔐 lat sy$^{p.h}$ bo (*cet. incert.*) | ⸆*p)* υπο του πατρος μου ℵ$^{*.2}$ (Θ) *f*^{1} 1241 *pc* a r^{1vid} sy^{hmg} bo^{ms} ● 42 ⸂ βασιλεις αυτων (– ℵ) C^{*vid} (lat) ● 43 ⸀εσται A C^{3} *f*$^{1.13}$ 𝔐 q bo^{ms} ¦ *txt* ℵ B C* D L W Δ Θ Ψ 700 *pc* lat co | ⸁ειναι (D, Θ) 0146. (700) *pc* it | ⸀^{1}εστω ℵ C Δ 565 *al* ● 44 ⸂υμων ειναι D W *f*^{1} 565 *pc* ¦ υμων γενεσθαι A C^{3} *f*^{13} 𝔐 ¦ *txt* ℵ B C* L (Δ) Θ (Ψ) 0146^{vid}. 28. 700. 892. 1241. 1424 *pc* c ff^{2} ● 46 ⸋ B* | ⸂εκειθεν μετα D (Θ) it | ⸀Βαριτιμιας D it ¦ – W | ⸆ο A C Θ *f*$^{1.13}$ 𝔐 sy^{h} ¦ *txt* ℵ B D L W Δ Ψ 892*. 1241. 1424 *pc* co; Or | ⸉εκαθητο παρα την οδον προσαιτων (επαιτ- D Θ 565) A C^{2} D W Θ *f*$^{1.13}$ 𝔐 lat sy sa ¦ *txt* (ℵ) B L Δ Ψ (892) *pc* k bo (C* *om.* προσαιτης) ● 47 ⸀*p)* Ναζωραιος ℵ A C *f*^{13} 𝔐 ff^{2} ¦ Ναζωρηνος D 28 l q* ¦ *txt* (B: εστ. ο Ν.) L W Δ Θ Ψ *f*^{1} 892 lat | ⸁*p)* υιος D K *f*^{13} 565 *pc*; Or^{pt} ¦ ο υιος A W *f*^{1} 𝔐 ¦ κυριε υιος 28 ¦ *txt* ℵ B C L Δ Θ Ψ 892. 1241. 1424 *al* ● 48 ⸋ *vs* W 1241 *pc* | ⸀*p)* υιος D *pc* ¦ ο υιος *f*^{1} ¦ κυριε υιος 28 ¦ Ιησου υιε *f*^{13} *pc* ● 49 ⸂αυτον φωνηθηναι A D W Θ *f*$^{(1).13}$ 𝔐 lat sa ¦ *txt* ℵ B C L Δ Ψ 892. 1241. 1424 *al* k sy^{hmg} bo

J 20,16 φλὸς εἶπεν αὐτῷ· ⸀ῥαββουνί, ἵνα ἀναβλέψω. **52** ⸂καὶ ὁ⸃
Mt 9,22! Ἰησοῦς εἶπεν αὐτῷ· ὕπαγε, ἡ πίστις σου σέσωκέν σε. καὶ
εὐθὺς ἀνέβλεψεν καὶ ἠκολούθει ⸀αὐτῷ ἐν τῇ ὁδῷ.

1-10: Mt 21,1-9 L 19,28-38 J 12,12-16 · Zch 14,4
11 Καὶ ὅτε ⸀ἐγγίζουσιν εἰς Ἱεροσόλυμα ⸂εἰς Βηθφαγὴ
καὶ Βηθανίαν⸃ πρὸς τὸ ὄρος ⸁τῶν ἐλαιῶν, ἀποστέλλει δύο τῶν μαθητῶν αὐτοῦ **2** καὶ λέγει αὐτοῖς· ὑπάγετε
εἰς τὴν κώμην τὴν κατέναντι ὑμῶν, καὶ εὐθὺς εἰσπορευ-
Zch 9,9 Gn 49,11 1Sm 6,7 όμενοι εἰς αὐτὴν εὑρήσετε πῶλον δεδεμένον ἐφ᾽ ὃν ⸂οὐδ-
εὶς οὔπω ἀνθρώπων⸃ ⸀ἐκάθισεν· λύσατε αὐτὸν καὶ φέρετε.
14,14 **3** καὶ ἐάν τις ὑμῖν εἴπῃ· τί ποιεῖτε τοῦτο; εἴπατε· ⸆ ὁ
5,19 κύριος αὐτοῦ χρείαν ἔχει, καὶ εὐθὺς ⸂αὐτὸν ἀποστέλλει
πάλιν⸃ ὧδε. **4** καὶ ἀπῆλθον καὶ εὗρον ⸆ πῶλον δεδεμένον
πρὸς ⸇ θύραν ἔξω ἐπὶ τοῦ ἀμφόδου καὶ λύουσιν αὐτόν.
5 καί τινες τῶν ἐκεῖ ἑστηκότων ἔλεγον αὐτοῖς· τί ποιεῖτε
λύοντες τὸν πῶλον; **6** οἱ δὲ εἶπαν αὐτοῖς καθὼς εἶπεν ὁ
Ἰησοῦς, καὶ ἀφῆκαν αὐτούς. **7** καὶ ⸀φέρουσιν τὸν πῶλον
πρὸς τὸν Ἰησοῦν καὶ ἐπιβάλλουσιν αὐτῷ τὰ ἱμάτια ⸁αὐ-
τῶν, καὶ ⸀¹ἐκάθισεν ἐπ᾽ αὐτόν. **8** καὶ πολλοὶ τὰ ἱμάτια αὐ-
2Rg 9,13 τῶν ἔστρωσαν εἰς τὴν ὁδόν, ⸋ἄλλοι δὲ στιβάδας ⸂κόψαν-
τες ἐκ τῶν ἀγρῶν⸃.⸌ **9** καὶ οἱ προάγοντες καὶ οἱ ἀκολουθοῦντες ἔκραζον· ⸆

Ps 118,25s ⸀*ὡσαννά·*
10,47! L 1,32 *εὐλογημένος ὁ ἐρχόμενος ἐν ὀνόματι κυρίου·*

51 ⸀κυριε ραββι D it • **52** ⸂ο δε א$^{*.2}$ A C D W Θ 0133 $f^{1.13}$ 𝔐 lat sy^{h} sa^{mss} ¦ *txt* א^{1} B L Δ Ψ 892. 1241. 1424 *pc* q sy^{p} sa^{ms} bo^{pt} | ⸀τω Ιησου Θ 𝔐 sy^{h} ¦ *txt* א A B C D L W Δ Ψ $f^{1.13}$ 28. 565. 700. 892. 1241. 1424 *al* latt sy$^{s.hmg}$ co

¶ **11,1** ⸀ηγγιζεν D it sy^{p} | ⸂*1 2* Ψ *pc* ¦ *3 1 4* D (700) lat ¦ εις Βηθφαγη και εις Βηθανιαν א C Θ *pc* ¦ *txt* A (B*, L) W f^{13} 𝔐 f l q sy$^{(s)}$ sa (bo) (B^{2} Γ f^{1} 1241 *pm*: Βηθσ-) | ⸁το B • **2** ⸂ *2 1 3* K W *al* r^{1} sy^{h} ¦ *1 3 2* א C f^{13} *pc* ¦ *1 3* D Θ f^{1} 𝔐 ¦ ουδεις πωποτε ανθρωπων A 1241 *pc* ¦ *txt* B L Δ Ψ 892 *pc* lat; Or | ⸀κεκαθικεν A D (W) $f^{1.13}$ 𝔐 ¦ *txt* א B C L Δ Θ Ψ 565. 700. 892. 1241. 1424 *pc*; Or • **3** ⸆*p)* οτι א A C D L W Θ Ψ $f^{1.13}$ 𝔐 lat sy^{h}; Or ¦ *txt* B Δ *pc* it | ⸂ *2 3 1* B ¦ *2 3* Δ ¦ *1 3 2* C^{*vid} ¦ *3 2 1* Θ ¦ *1 2* A C^{2} f^{13} 𝔐 aur b sy; Or^{pt} ¦ αυτον αποστελει G W Ψ f^{1} 700 *al* lat ¦ *txt* א D L 892. 1241 *pc* • **4** ⸆τον א C Δ Θ 28 *pm* ¦ *txt* A B D K L W Γ Ψ $f^{1.13}$ 565. 700. 892. 1010. 1241. 1424 *pm*; Or | ⸇την א A C D f^{1} 𝔐 ¦ *txt* B L W Δ Θ Ψ f^{13} 565. 892; Or^{pt} • **7** ⸀*p)* ηγαγον A D 0133 𝔐 sy ¦ αγουσιν א* C W Θ $f^{1.13}$ 28 *pc* ¦ *txt* א^{2} B L Δ Ψ 892 *pc*; Or | ⸁εαυ- א^{2} B Θ 892 *pc* ¦ αυτου D ¦ – W f^{1} 28 *pc* it | ⸀¹-θησαν א^{*vid} *pc* ¦ καθιζει D W f^{1} 28. 565. 700 • **8** ⸋ W i sy^{s} | ⸂*p)* εκοπτον εκ των δενδρων και εστρωννυον εις (– D) την οδον A D (Θ) $f^{1.13}$ 𝔐 lat sy$^{p.h}$ (bo^{pt}) ¦ *txt* א B (C) L Δ Ψ 892* (sy^{hmg}, sa) • **9** ⸆*p)* λεγοντες A D W Θ $f^{1.13}$ 𝔐 lat sy sa^{mss} bo^{mss} ¦ *txt* א B C L Δ (Ψ) 892 *pc* c ff^{2} k sa^{mss} bo; Or | ⸀ωσ. τω υψιστω Θ f^{13} 28. 565. 700 *pc* k ¦ – D W it

10 εὐλογημένη ἡ ἐρχομένη βασιλεία τοῦ πατρὸς ἡ-
μῶν Δαυίδ·
⸀*ὡσαννὰ ἐν τοῖς ὑψίστοις.* *Ps 148,1 Job 16,19*
20 I **11** Καὶ εἰσῆλθεν εἰς Ἱεροσόλυμα εἰς τὸ ἱερὸν καὶ *11:* Mt 21,10.17
περιβλεψάμενος πάντα, ⸀ὀψίας ἤδη οὔσης ⸂τῆς ὥρας⸃, L 21,37
ἐξῆλθεν εἰς Βηθανίαν μετὰ τῶν δώδεκα.
3 **12** Καὶ τῇ ἐπαύριον ἐξελθόντων αὐτῶν ἀπὸ Βηθανίας *12–14:* Mt 21,18s
ἐπείνασεν. **13** καὶ ἰδὼν συκῆν ἀπὸ μακρόθεν ἔχουσαν L 13,6-9
φύλλα ἦλθεν, ⸂εἰ ἄρα τι εὑρήσει⸃ ἐν αὐτῇ, καὶ ἐλθὼν ἐπ'
αὐτὴν οὐδὲν εὗρεν εἰ μὴ φύλλα· ⸂¹ὁ γὰρ καιρὸς οὐκ ἦν
σύκων⸃¹. **14** καὶ ἀποκριθεὶς εἶπεν αὐτῇ· μηκέτι εἰς τὸν 20
αἰῶνα ἐκ σοῦ μηδεὶς καρπὸν φάγοι. καὶ ἤκουον οἱ μαθηταὶ αὐτοῦ.
21 I **15** Καὶ ⸂ἔρχονται εἰς Ἱεροσόλυμα. * Καὶ εἰσελθὼν εἰς *15–17:* Mt 21, 12s L 19,45s
τὸ ἱερὸν⸃ ἤρξατο ἐκβάλλειν τοὺς πωλοῦντας ⸋καὶ τοὺς J 2,14-16 · 5,40
ἀγοράζοντας⸌ ἐν τῷ ἱερῷ, καὶ τὰς τραπέζας τῶν κολλυβιστῶν καὶ τὰς καθέδρας τῶν πωλούντων τὰς περιστερὰς
κατέστρεψεν, **16** καὶ οὐκ ἤφιεν ἵνα τις διενέγκῃ σκεῦος
διὰ τοῦ ἱεροῦ. **17** καὶ ἐδίδασκεν καὶ ἔλεγεν ⸋αὐτοῖς· οὐ
γέγραπται ὅτι
ὁ οἶκός μου οἶκος προσευχῆς κληθήσεται *Is 56,7*
πᾶσιν τοῖς ἔθνεσιν;
ὑμεῖς δὲ ⸂πεποιήκατε αὐτὸν⸃ *σπήλαιον λῃστῶν.* *Jr 7,11*
22 I **18** Καὶ ἤκουσαν οἱ ⸉ἀρχιερεῖς καὶ οἱ γραμματεῖς⸊ *18s:* L 19,47s
καὶ ἐζήτουν πῶς αὐτὸν ἀπολέσωσιν· ἐφοβοῦντο γὰρ 12,12p; 14,1p
αὐτόν, πᾶς γὰρ ὁ ὄχλος ⸀ἐξεπλήσσετο ἐπὶ τῇ διδαχῇ 1,22!
αὐτοῦ.
23 X **19** Καὶ ὅταν ὀψὲ ἐγένετο, ⸀ἐξεπορεύοντο ἔξω τῆς πόλεως.
20 Καὶ παραπορευόμενοι πρωῒ εἶδον τὴν συκῆν ἐ- *20–26:* Mt 21, 20-22

10 ⸀ειρηνη W 28. 700 sy^{s} ¦ ειρ. εν ουρανω και δοξα Θ (f^{1}) *pc* sy^{h**} • **11** ⸀† οψε ℵ C L Δ 892 *pc*; Or ¦ οψινης 565 ¦ *txt* A B D W Θ Ψ 069 $f^{1.13}$ 𝔐 | ⸂της ημερας f^{13} 28 *pc* ¦ – B 1424 *pc* • **13** ⸂ως ευρησων τι Θ 0188. 565. 700 *pc* ¦ ιδειν εαν τι εστιν D | ⸂¹ ου γαρ ην καιρος (καρπος 0188) συκων A C^{2} (D W) Θ 0188 $f^{(1).13}$ 𝔐 latt sy$^{(s).h}$; Or ¦ *txt* ℵ B C* L Δ Ψ 892 *pc* sy^{p} • **15** ⸂εισελθων εις Ιερ. και οτε ην εν τω ιερω D ¦ και εισελθων εις το ιερον 28 | ⸋ W • **17** ⸋ B f^{13} 28 b sy^{s} sa | ⸂*(p)* εποιησατε αυ. ℵ C D W f^{13} 𝔐 (⸉ A Θ f^{1} 33. 565. 700. 1424 *al*) ¦ *txt* B L Δ Ψ 892 *pc* • **18** ⸉ *4 2 3 1* N Γ f^{13} 1010. 1241 𝔐 sy^{h} ¦ γραμμ. και οι Φαρισαιοι 1424 *pc* | ⸀εξεπλησσοντο ℵ Δ 892. (1424) *al* c • **19** ⸀εξεπορευετο ℵ C D Θ $f^{(1).13}$ (1010) 𝔐 lat sy$^{s.h}$ co ¦ – (*!*) L ¦ *txt* A B K (⸉ W) Δ Ψ (⸉ 28). 565. 700 *al* aur c d r^{1} sy$^{p.hmg}$

14 ¦ 14,72 ξηραμμένην ἐκ ῥιζῶν. **21** καὶ ἀναμνησθεὶς ὁ Πέτρος λέγει
9,5! αὐτῷ· ῥαββί, ἴδε ἡ συκῆ ἣν κατηράσω ἐξήρανται.
22 καὶ ἀποκριθεὶς ὁ Ἰησοῦς λέγει αὐτοῖς· ⸆ ἔχετε πίστιν
Mt 17,20! θεοῦ. **23** ἀμὴν ⸆ λέγω ὑμῖν ὅτι ὃς ἂν εἴπῃ τῷ ὄρει τούτῳ·
Jc 1,6s ἄρθητι καὶ βλήθητι εἰς τὴν θάλασσαν, καὶ μὴ διακριθῇ
ἐν τῇ καρδίᾳ αὐτοῦ ἀλλὰ ⸂πιστεύῃ ὅτι ὃ λαλεῖ γίνεται,
ἔσται⸃ αὐτῷ. **24** διὰ τοῦτο λέγω ὑμῖν, πάντα ὅσα προσ-
Mt 7,7! εύχεσθε καὶ αἰτεῖσθε, πιστεύετε ὅτι ⸀ἐλάβετε, καὶ ἔσται
Mt 5,23s ὑμῖν. **25** Καὶ ὅταν ⸀στήκετε προσευχόμενοι, ἀφίετε
εἴ τι ἔχετε κατά τινος, ἵνα καὶ ὁ πατὴρ ὑμῶν ὁ ἐν τοῖς οὐ-
Mt 6,14s ρανοῖς ἀφῇ ὑμῖν τὰ παραπτώματα ὑμῶν. ⸆
27–33: Mt 21,23-27 L 20,1-8 **27** Καὶ ἔρχονται πάλιν εἰς Ἱεροσόλυμα. καὶ ἐν τῷ ἱερῷ περιπατοῦντος αὐτοῦ ἔρχονται πρὸς αὐτὸν οἱ ἀρχιε-
ρεῖς καὶ οἱ γραμματεῖς καὶ οἱ πρεσβύτεροι **28** καὶ ἔλε-
1,22 γον αὐτῷ· ἐν ποίᾳ ἐξουσίᾳ ταῦτα ποιεῖς; ⸋ἢ τίς σοι
⸉ἔδωκεν τὴν ἐξουσίαν ταύτην⸊ ἵνα ταῦτα ποιῇς;⸌ **29** ὁ
δὲ Ἰησοῦς εἶπεν αὐτοῖς· ἐπερωτήσω ⸀ὑμᾶς ἕνα λόγον,
⸰καὶ ἀποκρίθητέ μοι καὶ ἐρῶ ὑμῖν ἐν ποίᾳ ἐξουσίᾳ ταῦ-
Act 5,38s τα ποιῶ· **30** τὸ βάπτισμα ⸰τὸ Ἰωάννου ἐξ οὐρανοῦ ἦν ἢ
ἐξ ἀνθρώπων; ἀποκρίθητέ μοι. **31** καὶ ⸀διελογίζοντο
πρὸς ἑαυτοὺς λέγοντες· ⸆ ἐὰν εἴπωμεν· ἐξ οὐρανοῦ, ἐρεῖ·
διὰ τί ⸰[οὖν] οὐκ ἐπιστεύσατε αὐτῷ; **32** ἀλλὰ εἴπωμεν·
Mt 21,26! ἐξ ἀνθρώπων; – ἐφοβοῦντο τὸν ⸀ὄχλον· ἅπαντες γὰρ
⸁εἶχον τὸν Ἰωάννην ⸂ὄντως ὅτι⸃ προφήτης ἦν. **33** καὶ

22 ⸆ει ℵ D Θ f^{13} 28. 33^{c}. 565. 700 *pc* it sy^{s} • **23** ⸆γαρ A C L W Ψ 𝔐 q $sy^{p.h**}$ bo ¦ *txt* ℵ B D N Θ $f^{1.13}$ 28. 565. 700 *al* lat sy^{s} sa bo^{mss} | ⸂πιστευση το μελλον, ο αν ειπη γενησεται D (it) • **24** ⸀λαμβανετε A f^{13} 𝔐 ¦ λη(μ)ψεσθε D Θ f^{1} 565. 700 *pc* latt; Cyp ¦ *txt* ℵ B C L W Δ Ψ 892 *pc* sa^{mss} bo^{mss} • **25** ⸀στηκητε B K N W Γ Δ 33 *pm* ¦ στητε ℵ ¦ εστηκετε L (892) ¦ *txt* A C D Θ Ψ $f^{1.13}$ 28. 565. 700. 1010. 1241. 1424 *pm* | ⸆ [26] ει δε υμεις ουκ αφιετε ουδε ο πατηρ υμων ο εν τοις ουρανοις αφησει τα παραπτωματα υμων A (C, D) Θ ($f^{1.13}$) 𝔐 lat $sy^{p.h}$ bo^{pt}; Cyp ¦ *txt* ℵ B L W Δ Ψ 565. 700. 892 *pc* k l sy^{s} sa bo^{pt} • **28** ⸋ D *pc* k | ⸉ *2 3 4 1* A 𝔐 sy^{h} ($𝔓^{45vid}$ Γ f^{13} 1241 *al*: δεδωκεν) ¦ *4 2 3 1* W ¦ *1 4 2 3* f^{1} ¦ *txt* ℵ B C L Δ Θ Ψ 33. 565. 892. 1424 *al* $sy^{s.p}$ • **29** ⸀*p)* υμας καγω $𝔓^{45vid}$ ℵ D W Θ $f^{1.13}$ 𝔐 lat sy? sa^{mss} bo^{ms} ¦ καγω υμας A K 565. 1424 *pc* ¦ *txt* B C L Δ Ψ *pc* k sa^{mss} bo | ⸰ D W Θ 28. 565 it • **30** ⸰ W Ψ $f^{1.13}$ 𝔐 ¦ *txt* ℵ A B C D L Δ Θ 33 • **31** ⸀ελογιζοντο A N Γ 700. 1010. 1241 *pm* ¦ *txt* ℵ(*) B C $D^{(c)}$ K L W Δ Θ Ψ $f^{1.13}$ 28. 33. 565. 892. 1424 *pm* | ⸆τι ειπωμεν D Θ f^{13} 28. 565. 700 *pc* it | ⸰ A C* L W Δ Ψ 28. 565. 892. (1241) *al* it vg^{mss} $sy^{s.p}$ sa^{ms} bo ¦ *txt* ℵ B C^{2} D Θ $f^{1.13}$ 𝔐 lat sy^{h} sa^{mss} • **32** ⸀λαον A D L W Θ Ψ $f^{1.13}$ 𝔐 lat sy^{h} ¦ *txt* ℵ B C N 33. 1424 *pc* sy^{hmg} | ⸁ηδεισαν D W Θ 565 it ¦ οιδασι 700 | ⸂ *2 1* A W 𝔐 lat; Or ¦ *2* ℵ* Θ $f^{1.13}$ 28. 565. 700. 1424 *pc* (c) k sy^{s} ¦ οτι αληθως D ¦ *txt* $ℵ^{2}$ B C L Ψ 892 *pc* sa^{mss}

ἀποκριθέντες ⸉τῷ Ἰησοῦ λέγουσιν⸊· οὐκ οἴδαμεν. καὶ ⸆ ὁ
Ἰησοῦς λέγει αὐτοῖς· οὐδὲ ἐγὼ λέγω ὑμῖν ἐν ποίᾳ ἐξουσίᾳ
ταῦτα ποιῶ.
36 128 II **12** Καὶ ἤρξατο αὐτοῖς ἐν παραβολαῖς λαλεῖν· ⸂ἀμπε- *1–12:* Mt 21,33-46 L 20,9-19
λῶνα ἄνθρωπος ἐφύτευσεν⸃ καὶ περιέθηκεν φραγμὸν 4,2! · Is 5,1s Ps 80,8s
καὶ ὤρυξεν ὑπολήνιον καὶ ᾠκοδόμησεν πύργον καὶ ἐξ- L 14,28
έδετο αὐτὸν γεωργοῖς καὶ ἀπεδήμησεν. **2** καὶ ἀπέστειλεν 13,34
πρὸς τοὺς γεωργοὺς τῷ καιρῷ δοῦλον ἵνα παρὰ τῶν γεωρ- Mt 21,34!
γῶν λάβῃ ἀπὸ τῶν καρπῶν τοῦ ἀμπελῶνος· **3** ⸀καὶ λαβόντες
αὐτὸν ἔδειραν καὶ ἀπέστειλαν κενόν. **4** καὶ πάλιν ἀπέστειλεν πρὸς αὐτοὺς ἄλλον δοῦλον· κἀκεῖνον ⸆ ἐκεφαλίω-
σαν καὶ ⸀ἠτίμασαν. **5** καὶ ἄλλον ἀπέστειλεν· κἀκεῖνον
ἀπέκτειναν, καὶ πολλοὺς ἄλλους, οὓς μὲν δέροντες, οὓς
δὲ ἀποκτέννοντες. **6** ⸀ἔτι ἕνα ⸂εἶχεν υἱὸν⸃ ἀγαπητόν⸆· H 1,1s
ἀπέστειλεν ⸁αὐτὸν ⸄ἔσχατον πρὸς αὐτοὺς⸅ λέγων ὅτι ἐντραπήσονται τὸν υἱόν μου. **7** ἐκεῖνοι δὲ οἱ γεωργοὶ ⸂πρὸς
ἑαυτοὺς εἶπαν ὅτι⸃ οὗτός ἐστιν ὁ κληρονόμος· δεῦτε ἀποκτείνωμεν αὐτόν, καὶ ἡμῶν ἔσται ἡ κληρονομία. **8** καὶ Gn 37,20
λαβόντες ⸉ἀπέκτειναν αὐτὸν⸊ καὶ ἐξέβαλον ⸰αὐτὸν ἔξω H 13,12s
τοῦ ἀμπελῶνος. **9** τί ⸰[οὖν] ποιήσει ὁ κύριος τοῦ ἀμπελῶνος; ἐλεύσεται καὶ ἀπολέσει τοὺς γεωργοὺς καὶ δώσει
τὸν ἀμπελῶνα ἄλλοις. **10** οὐδὲ τὴν γραφὴν ταύτην
ἀνέγνωτε·

33 ⸉ A D f^{1} 𝔐 ¦ *txt* $\mathfrak{P}^{45vid}$ ℵ B C L N W Δ Θ Ψ f^{13} 28. 33. 892 *pc* | ⸆αποκριθεις A D K $f^{1.13}$ (28). 1241 *pm* lat sy$^{s.h}$ sa^{mss} (⸉ W Θ 565. 700. 1424 *pm*) ¦ *txt* ℵ B C L N Γ Δ Ψ 33. 892. (1010) *al* it sa^{mss} bo

¶ **12,1** ⸂ *1 3 2* A D f^{1} 𝔐 lat sy^{h} ¦ *2 3 1* N *pc* ¦ ανθρωπος τις εφυτευσεν αμπελωνα W Θ f^{13} 565 *pc* aur c ¦ *txt* ℵ B C Δ Ψ 33. 1424 *pc* (L 892: εποιησεν) ● **3** ⸀οι δε A C W Θ $f^{1.13}$ 𝔐 lat sy$^{p.h}$ sa^{mss} ¦ *txt* ℵ B D L Δ Ψ 33. 892. 1424 *pc* it sa^{mss} bo ● **4** ⸆λιθοβολησαντες A C Θ f^{13} 𝔐 sy$^{p.h}$ ¦ *txt* ℵ B D L W Δ Ψ (f^{1}) 28. 33. 565. 700 *pc* latt co | ⸀απεστειλαν ητιμωμενον A C Θ f^{13} 𝔐 ¦ απεστ. ητιμασμενον W f^{1} 28. (565. 700) *pc* ¦ *txt* ℵ B (D) L Δ Ψ 33. 892 *pc* lat sa^{ms} bo ● **6** ⸀ετι ουν A C D 𝔐 vg sy^{h} ¦ *p)* υστερον δε W Θ (f^{13} 28. 700). 565 aur c sa sy^{p} sa^{mss} ¦ *txt* ℵ B L Δ Ψ f^{1} 33. 892* *pc* b i r^{1} sa^{ms} bo | ⸂εχων υι. A C* D Θ *pc* ¦ υι. εχων 𝔐 ¦ υι. εχων, τον W $f^{1.13}$ 28 *pc* ¦ *txt* ℵ B C^{2} L Δ Ψ 33. (⸉ 700*). 892. 1424 *pc* | ⸆αυτου $\mathfrak{P}^{45vid}$ A W $f^{1.13}$ 𝔐 (aur c) sy^{h} sa^{ms} ¦ *txt* ℵ B C D L Δ Θ Ψ 565. 700. 892 *pc* lat sy$^{s.p}$ sa^{mss} bo | ⸁και αυτον A C (Ψ) 𝔐 sy^{h} ¦ κακεινον (*pon. p.* αγαπ.) D ¦ – W $f^{1.13}$ 28. 565. 700 *pc* sy^{s} ¦ *txt* ℵ B L Δ Θ 892* *pc* sy^{p} | ⸄ *2 3 1* A W f^{1} 𝔐 vg sy$^{p.h}$? ¦ *2 3* 63 *pc* sy^{s} ¦ *1* D it ¦ *txt* ℵ B C L Δ Θ Ψ f^{13} 33. 892. 1424 *al* ● **7** ⸂ *3 1 2 4* A (D) 𝔐 ¦ *p)* θεασαμενοι αυτον ερχομενον ειπαν προς εαυτους Θ (N, f^{13} 28). 565. 700 *al* c sy^{h**} ¦ *txt* ℵ B C L W (Δ) Ψ (f^{1}) 33. 892 *pc* ● **8** ⸉ A D W Θ $f^{1.(13)}$ 𝔐 ¦ *txt* ℵ B C L Δ Ψ 892 *pc* | ⸰ ℵ L W $f^{1.13}$ 𝔐 lat ¦ *txt* A B C D N Γ Θ Ψ 565. 1241. 1424 *al* ● **9** ⸰† B L 892* *pc* k sy^{s} sa^{mss} bo ¦ *txt* ℵ A C D W Θ Ψ $f^{1.13}$ 𝔐 lat sy$^{p.h}$ sa^{mss} bo^{ms}

Ps 118,22s Act 4,11 R 9, 33 1P 2,6-8 *λίθον ὃν ἀπεδοκίμασαν οἱ οἰκοδομοῦντες,*
οὗτος ἐγενήθη εἰς κεφαλὴν γωνίας·
11 *παρὰ κυρίου ἐγένετο αὕτη*
καὶ ἔστιν θαυμαστὴ ἐν ὀφθαλμοῖς ἡμῶν;
11,18! · Mt 21,26! **12** Καὶ ἐζήτουν αὐτὸν κρατῆσαι, καὶ ἐφοβήθησαν τὸν ὄχ- 129 I
λον, ἔγνωσαν γὰρ ὅτι πρὸς αὐτοὺς τὴν παραβολὴν εἶπεν.
⸋καὶ ἀφέντες αὐτὸν ἀπῆλθον.⸌
13–17: Mt 22,15-22 L 20,20-26 **13** Καὶ ἀποστέλλουσιν ⸋πρὸς αὐτόν⸌ τινας τῶν Φαρι- *37* 130
3,6! σαίων καὶ τῶν Ἡρῳδιανῶν ἵνα αὐτὸν ἀγρεύσωσιν λόγῳ. II
14 ⸀καὶ ⸂ἐλθόντες λέγουσιν αὐτῷ⸃· διδάσκαλε, οἴδαμεν
ὅτι ἀληθὴς εἶ καὶ οὐ μέλει σοι περὶ οὐδενός· οὐ γὰρ βλέ-
Jc 2,9 · Act 18,25s πεις εἰς πρόσωπον ἀνθρώπων, ἀλλ' ἐπ' ἀληθείας τὴν ὁδὸν
τοῦ θεοῦ διδάσκεις· ἔξεστιν ⸄δοῦναι κῆνσον Καίσαρι⸅
ἢ οὔ; ⸋δῶμεν ἢ μὴ δῶμεν;⸌ **15** ὁ δὲ ⸀εἰδὼς αὐτῶν τὴν
8,11! ὑπόκρισιν εἶπεν αὐτοῖς· τί με πειράζετε⸆; φέρετέ μοι δηνάριον ἵνα ἴδω. **16** οἱ δὲ ἤνεγκαν. καὶ λέγει αὐτοῖς· τίνος
ἡ εἰκὼν αὕτη καὶ ἡ ἐπιγραφή; οἱ δὲ εἶπαν αὐτῷ· Καίσα-
R 13,7 ρος. **17** ⸂ὁ δὲ Ἰησοῦς εἶπεν⸃ °αὐτοῖς· τὰ Καίσαρος ἀπόδοτε Καίσαρι καὶ τὰ τοῦ θεοῦ τῷ θεῷ. καὶ ἐξεθαύμαζον
ἐπ' αὐτῷ.⸆
18–27: Mt 22,23-33 L 20,27-38 **18** Καὶ ἔρχονται Σαδδουκαῖοι πρὸς αὐτόν, οἵτινες λέ- *38*
Act 23,8 γουσιν ἀνάστασιν μὴ εἶναι, καὶ ἐπηρώτων αὐτὸν λέγον-
Dt 25,5s τες· **19** διδάσκαλε, Μωϋσῆς ἔγραψεν ἡμῖν ὅτι *ἐάν τινος*
ἀδελφὸς ἀποθάνῃ καὶ καταλίπῃ γυναῖκα *καὶ ⸂μὴ ἀφῇ*
Gn 38,8 *τέκνον⸃*, ἵνα *λάβῃ ὁ ἀδελφὸς αὐτοῦ τὴν γυναῖκα* ⸆ *καὶ ἐξ-*
αναστήσῃ σπέρμα τῷ ἀδελφῷ αὐτοῦ. **20** ἑπτὰ ἀδελφοὶ ἦσαν·
καὶ ὁ πρῶτος ἔλαβεν γυναῖκα καὶ ἀποθνῄσκων οὐκ ἀφῆκεν σπέρμα· **21** καὶ ὁ δεύτερος ἔλαβεν αὐτὴν καὶ ἀπέθα-

12 ⸋ W • 13 ⸋ D it sa^{ms} • 14 ⸀οι δε A W Θ $f^{1.13}$ 𝔐 sy$^{p.h}$ sa^{mss} ¦ *txt* ℵ B C D L Δ Ψ 33. 892 *pc* sy^{s} sa^{mss} bo | ⸂επηρωτων αυτον οι Φαρισαιοι D (*pc*) c ff^{2} k ¦ ελθοντες ηρξαντο ερωταν αυτον εν δολω λεγοντες (– W *pc*) W (Θ) $f^{1.13}$ 28. (565. 700) *al* (it, sy^{s}) sa^{mss} | ⸄ *2 3 1* A $f^{1.13}$ (28) 𝔐 ¦ δουν. επικεφαλαιον Καισ. D Θ 565 k ¦ *txt* ℵ B C L W Δ Ψ 33. 892. 1241. 1424 *al* lat | ⸋*p)* D it (sy^{s}) • 15 ⸀ιδων ℵ* D f^{13} 28. 565 *pc* it | ⸆*p)* υποκριται 𝔓45 N W Θ $f^{1.13}$ 28. 33. 565 *al* q sy^{h**} • 17 ⸂και αποκριθεις ο Ιησ. ειπ. A (D) $f^{1.13}$ 𝔐 sy$^{(s).h}$ ¦ και αποκριθεις ειπ. W (Θ 565) ¦ και λεγει 1424 ¦ *txt* ℵ B C L Δ Ψ 33. 892 *pc* (sy^{p}) sa bo^{ms} | ° B D | [⸆*hic add.* J 7,53–8,11 comm] • 19 ⸂*3 1 2* W Θ f^{1} 700 *pc* a c k ¦ τεκνα μη αφη A D f^{13} 𝔐 lat sy$^{p.h}$ ¦ *txt* ℵ^{1} B L Δ Ψ 892 *pc* ff^{2} (ℵ* C 33: τεκνα) | ⸆*p)* αυτου A D f^{13} 𝔐 lat sy$^{p.h}$ ¦ *txt* ℵ B C L W Δ Θ Ψ f^{1} 565. 700. 892 *pc*

νεν ⸂μὴ καταλιπὼν⸃ σπέρμα· καὶ ⸄ὁ τρίτος ὡσαύτως·
22 καὶ οἱ ἑπτὰ⸅ οὐκ ἀφῆκαν σπέρμα. ⸂¹ἔσχατον πάντων⸃
⸉καὶ ἡ γυνὴ ἀπέθανεν⸊. 23 ἐν τῇ ἀναστάσει ⸋[ὅταν ἀνα-
στῶσιν]⸌ τίνος αὐτῶν ἔσται γυνή; οἱ γὰρ ἑπτὰ ἔσχον αὐτὴν γυναῖκα. 24 ⸂ἔφη αὐτοῖς ὁ Ἰησοῦς⸃· οὐ διὰ τοῦτο
πλανᾶσθε μὴ εἰδότες τὰς γραφὰς μηδὲ τὴν δύναμιν τοῦ
θεοῦ; 25 ὅταν γὰρ ἐκ νεκρῶν ἀναστῶσιν οὔτε γαμοῦσιν
οὔτε γαμίζονται, ἀλλ᾽ εἰσὶν ὡς ⸀ἄγγελοι ἐν τοῖς οὐρα- Hen 15,6s; 51,4
νοῖς. 26 περὶ δὲ τῶν νεκρῶν ὅτι ἐγείρονται οὐκ ἀνέγνωτε
ἐν τῇ βίβλῳ Μωϋσέως ἐπὶ τοῦ βάτου πῶς εἶπεν αὐτῷ ὁ Ex 3,1s
θεὸς λέγων· *ἐγὼ* °*ὁ θεὸς Ἀβραὰμ καὶ* °¹[*ὁ*] *θεὸς Ἰσαὰκ καὶ* *Ex 3,6*.15s
°¹[*ὁ*] *θεὸς Ἰακώβ;* 27 οὐκ ἔστιν ⸆ θεὸς νεκρῶν ἀλλὰ ⸇ ζών-
των· ⸆¹πολὺ πλανᾶσθε.

28 Καὶ προσελθὼν εἷς τῶν γραμματέων ἀκούσας αὐ- *28–34*: Mt 22,35-40 L 10,25-28
τῶν συζητούντων, ⸀ἰδὼν ὅτι καλῶς ⸉ἀπεκρίθη αὐτοῖς⸊
ἐπηρώτησεν αὐτόν· ποία ἐστὶν ἐντολὴ πρώτη πάντων;
29 ⸂ἀπεκρίθη ὁ Ἰησοῦς⸃ ⸄ὅτι πρώτη ἐστίν⸅· *ἄκουε, Ἰσρα-* *Dt 6,4* 1K 8,6!
ήλ, κύριος ὁ θεὸς ἡμῶν κύριος εἷς ἐστιν, 30 *καὶ ἀγαπήσεις* *Dt 6,5 Jos 22,5* ®
κύριον τὸν θεόν σου ἐξ ὅλης °*τῆς καρδίας σου καὶ ἐξ ὅλης*
°¹*τῆς ψυχῆς σου* ⸋*καὶ ἐξ ὅλης* °¹*τῆς διανοίας σου*⸌ *καὶ ἐξ*

21/22 ⸂και ουδε αυτος (+ ουκ D) αφηκεν A D (W, Θ) $f^{1.13}$ 𝔐 lat sy$^{(p)}$ sa^{mss} ¦ *txt* ℵ B C L Ψ 33. 892 *pc* c sa^{mss} bo | ⸄ωσαυτως ελαβον αυτην οι επτα, και D (b) ff^{2} r^{1} ¦ · ο τρ. ωσ. ελαβεν αυτην· και οι επτα Θ (f^{1} 565. 700) ¦ · ο τρ. ωσ.· και ελαβον αυτην (+ ωσαυτως και A *pc* vg sy^{h}) οι επτα και A 𝔐 lat sy ¦ *txt* ℵ B C L (W) Δ* Ψ (f^{13}, 28) 33. 892 *pc* | ⸂¹εσχ. δε παντων G (Δ) Θ $f^{1.13}$ 28. 33. 565. 700 *al* q co ¦ εσχατη π. A Γ 1010. 1241. 1424 *pm* vg sy^{h} ¦ – D c sa^{ms} ¦ *txt* ℵ B C K L W Ψ 892 *pm* aur sy$^{s.p}$ | ⸉ *4 1–3* A 𝔐 lat sy ¦ *txt* ℵ B C D L (W) Δ Θ Ψ $f^{1.13}$ 28. 33. 565. 892 *al* it • **23** ⸋ *p)* ℵ B C D L W Δ Ψ 33. 892 *pc* c r^{1} k sy^{p} co ¦ *txt* A Θ $f^{1.(13)}$ 𝔐 lat sy$^{s.h}$ (bo^{ms}) • **24** ⸂και αποκριθεις ο Ιησους ειπεν αυτοις A 𝔐 lat sy$^{(s).h}$ sa^{mss} (D W Θ $f^{1.13}$ 28. 565. 700 *pc*: απ. δε) ¦ *txt* ℵ B C L Δ Ψ 33. 892 *pc* sy^{p} sa^{mss} bo • **25** ⸀οι αγγ. οι B (W) Θ (892) ¦ αγγελοι οι A Γ Ψ 565. 1010 *pm* ¦ αγγελοι θεου οι f^{13} (33) *pc* l vg^{mss} ¦ *txt* ℵ C D K L Δ f^{1} 28. 700. 1241. 1424 *pm* • **26** ° D W *pc* | °¹† *bis* B D W ¦ *txt* ℵ A C L Θ Ψ $f^{1.13}$ 𝔐; Epiph • **27** ⸆ο ℵ A C Ψ f^{1} 𝔐 ¦ ο θεος Θ f^{13} 33. 1241 *al* (sy^{s}) ¦ *txt* B D K L W Δ 28. 892 *al* | ⸇ θεος Γ 1010. 1241 *pm* q sy^{h} | ⸆¹ υμεις ουν A D Θ f^{13} 𝔐 lat sy$^{p.h}$ ¦ υμεις δε G f^{1} 565. 700 *pc* c ff^{2} sy^{s} ¦ *txt* ℵ B C L W Δ Ψ 892* k co • **28** ⸀† ειδως ℵ^{2} A B 𝔐 co ¦ *txt* ℵ* C (D) L W Θ Ψ $f^{1.13}$ 28. 565. 700. 892 *al* latt sy$^{p.h}$ | ⸉ A D 𝔐 ¦ *txt* ℵ B C L W Δ Θ Ψ $f^{1.13}$ 28. 33. 892. 1424 *al* • **29** ⸂ο δε Ι. απεκρ. αυτω A C 𝔐 vg sy^{h} ¦ ο δε (αποκριθεις δε ο D) Ι. (– W f^{1}) ειπεν αυτω D W Θ $f^{1.13}$ 28. 565 *pc* k (it) ¦ *txt* ℵ B L Δ (Ψ) 33. 892 *pc* bo | ⸄οτι πρωτη παντων των εντολων (εντολη A C *al*; + εστιν C f^{13} *pm*) A (C) f^{13} 𝔐 lat (sy$^{p.h}$) ¦ παντων πρωτη D W Θ (⸉ f^{1}) 28. 565. 700 *al* it sy^{s} ¦ – 229 k sa^{mss} ¦ *txt* ℵ B L Δ Ψ 892 *pc* sa^{ms} (bo) • **30** ° B D* X f^{13} *pc* | °¹ *bis* B | ⸋ D *pc* c

Lv 19,18 J 15,12 *ὅλης τῆς ἰσχύος σου*⸆. **31** ⸂δευτέρα αὕτη⸃· *ἀγαπήσεις τὸν*
πλησίον σου ὡς σεαυτόν. μείζων τούτων ἄλλη ἐντολὴ οὐκ
L 20,39 ἔστιν. **32** ⸋καὶ εἶπεν αὐτῷ ὁ γραμματεύς· καλῶς, δι-
Dt 6,4; 4,35 Is 45,21 δάσκαλε, ἐπ' ἀληθείας εἶπες ὅτι *εἷς ἐστιν καὶ οὐκ ἔστιν*
Dt 6,5 Jos 22,5 𝔊 *ἄλλος πλὴν αὐτοῦ*· **33** καὶ τὸ *ἀγαπᾶν αὐτὸν ἐξ ὅλης* ⸋*τῆς καρ-*
δίας καὶ ἐξ ὅλης τῆς ⸀*συνέσεως καὶ ἐξ ὅλης τῆς* ⸁*ἰσχύος* καὶ
Lv 19,18 τὸ *ἀγαπᾶν τὸν πλησίον ὡς ἑαυτὸν* περισσότερόν ἐστιν πάν-
1Sm 15,22 Hos 6,6 | των τῶν ὁλοκαυτωμάτων καὶ ⸆ θυσιῶν. **34** καὶ ὁ Ἰησοῦς
ἰδὼν ⸋[αὐτὸν] ὅτι νουνεχῶς ἀπεκρίθη εἶπεν αὐτῷ· οὐ
Mt 22,46p L 20,40 μακρὰν ⸋¹εἶ ἀπὸ τῆς βασιλείας τοῦ θεοῦ. καὶ οὐδεὶς
οὐκέτι ἐτόλμα αὐτὸν ἐπερωτῆσαι.

35–37a: Mt 22,41-45 L 20,41-44 · 10,47 J 7,42 **35** Καὶ ἀποκριθεὶς ὁ Ἰησοῦς ἔλεγεν διδάσκων ἐν τῷ
ἱερῷ· πῶς λέγουσιν οἱ γραμματεῖς ὅτι ὁ χριστὸς υἱὸς
2Sm 23,2 ⸉Δαυίδ ἐστιν⸊; **36** αὐτὸς ⸆ Δαυὶδ εἶπεν ἐν τῷ πνεύματι
τῷ ἁγίῳ·

Ps 110,1 *εἶπεν* ⸆· *κύριος τῷ κυρίῳ μου·*
⸀*κάθου ἐκ δεξιῶν μου,*
ἕως ἂν θῶ τοὺς ἐχθρούς σου
⸁*ὑποκάτω τῶν ποδῶν σου.*

37 αὐτὸς ⸆ Δαυὶδ λέγει αὐτὸν κύριον, καὶ πόθεν αὐτοῦ
ἐστιν υἱός;
37b–40: Mt 23,1-36 L 20,45-47 L 19,48; 21,38 Καὶ ⸋[ὁ] πολὺς ὄχλος ἤκουεν αὐτοῦ ἡδέως.

38 ⸂Καὶ ἐν τῇ διδαχῇ αὐτοῦ ἔλεγεν⸃· βλέπετε ἀπὸ τῶν
γραμματέων τῶν θελόντων ἐν ⸀στολαῖς περιπατεῖν καὶ
L 11,43; 14,7 J 5,44 ἀσπασμοὺς ἐν ταῖς ἀγοραῖς **39** καὶ πρωτοκαθεδρίας ἐν
ταῖς συναγωγαῖς καὶ πρωτοκλισίας ἐν τοῖς δείπνοις,
Ex 22,22 Is 10,2 **40** οἱ ⸀κατεσθίοντες τὰς οἰκίας τῶν χηρῶν ⸆ ⸋καὶ προφά-

30 ⸆*p)* αὔτη πρωτη εντολη (– W Θ *pc* k) A D W Θ *f*$^{1.13}$ 𝔐 lat sy bo^{ms} ¦ *txt* ℵ B L Δ Ψ *pc* a co ● **31** ⸂και δευτερα ομοια αυτη (ταυτη D *f*^{13}) A (D) W (Θ) *f*$^{1.13}$ 𝔐 lat (sy) ¦ *txt* (ℵ: + εστιν) B L (Δ Ψ, 892) *pc* ● **32** ⸋ B *pc* sy$^{s.p}$ ● **33** ⸋ B Ψ *pc* | ⸀δυναμεως D Θ 565 it | ⸁ψυχης αυτου D ¦ ψυχης και εξ ολης της ισχυος A 092b *f*^{13} 𝔐 lat sy$^{p.h}$ sa^{ms} (bo^{mss}) ¦ *txt* ℵ B L W Δ Θ Ψ 28. 565. 892 *pc* a sa^{mss} (⸉ *f*^{1} 33. 1241. 1424 *pc* bo) | ⸆των ℵ L Δ Ψ *f*^{1} 33. 565. 892. 1424 *al* ¦ *txt* A B D W Θ 092b *f*^{13} 𝔐 ● **34** ⸋ ℵ D L W Δ Θ *f*$^{1.13}$ 28. 33. 565. 892 *pc* lat sy^{s} ¦ *txt* A B Ψ 092b 𝔐 a sy$^{p.h}$ | ⸋¹ ℵ* L (⸉ ℵ^{2} Δ Ψ 892) ● **35** ⸉ A W 𝔐 sy^{h} ¦ *txt* ℵ B D L Δ Θ Ψ *f*$^{1.13}$ 33. 565. 892. 1424 *al* ● **36** ⸆ *p)* γαρ A (D) Θ 092b *f*^{1} 𝔐 sy$^{p.h}$ ¦ *txt* ℵ B L W Δ Ψ *f*^{13} 28. 565 *pc* a k | ⸆· ο ℵ A L W Θ Ψ 092b *f*$^{1.13}$ 𝔐 ¦ *txt* B D *pc* | ⸀-θισον B | ⸁υποποδιον ℵ A L Θ Ψ 092b *f*$^{1.13}$ 𝔐 lat sy$^{p.h}$ ¦ *txt* B D W 28 sy^{s} co ● **37** ⸆ουν A 092b *f*$^{1.13}$ 𝔐 lat sy$^{p.h**}$ ¦ *txt* ℵ B D L W Δ Θ Ψ 28. 565 *pc* it | ⸋ ℵ D W Θ *f*^{13} 28. 565. 700 ¦ *txt* A B L Ψ *f*^{1} 𝔐 ● **38** ⸂ο δε διδασκων αμα (– Θ 565) ελεγεν αυτοις D Θ 565 a (sy^{s}) | ⸀στοαις sy^{s}? ● **40** ⸀καθεσθιουσιν *et* ⸋ D (*f*$^{1.13}$ *pc*) co | ⸆και ορφανων D W *f*^{13} 28. 565 it

σει μακρὰ προσευχόμενοι· οὗτοι λήμψονται περισσό- Jc 3,1
τερον κρίμα.
41 Καὶ ⸀καθίσας ⸁κατέναντι τοῦ γαζοφυλακίου ἐθεώρει *41–44:* L 21,1-4 2Rg 12,9s J 8,20
πῶς ὁ ὄχλος ⸋βάλλει χαλκὸν εἰς τὸ γαζοφυλάκιον. καὶ Mt 27,6
πολλοὶ πλούσιοι⸌ ἔβαλλον πολλά· 42 καὶ ἐλθοῦσα μία
χήρα °πτωχὴ ἔβαλεν λεπτὰ δύο, ὅ ἐστιν κοδράντης. 43 καὶ
προσκαλεσάμενος τοὺς μαθητὰς αὐτοῦ ⸀εἶπεν αὐτοῖς·
ἀμὴν λέγω ὑμῖν ὅτι ἡ χήρα αὕτη ἡ πτωχὴ πλεῖον πάντων ⸁ἔβαλεν τῶν βαλλόντων εἰς τὸ γαζοφυλάκιον·
44 πάντες γὰρ ἐκ τοῦ περισσεύοντος αὐτοῖς ἔβαλον, αὕτη
δὲ ἐκ τῆς ὑστερήσεως αὐτῆς πάντα ὅσα εἶχεν ἔβαλεν ὅλον 2K 8,12s
τὸν βίον αὐτῆς.
13 Καὶ ἐκπορευομένου αὐτοῦ ἐκ τοῦ ἱεροῦ λέγει αὐ- *1s:* Mt 24,1s L 21,5s
τῷ εἷς ⸆ τῶν μαθητῶν αὐτοῦ· διδάσκαλε, ἴδε ποτα-
ποὶ λίθοι καὶ ποταπαὶ οἰκοδομαί. 2 ⸂καὶ ὁ Ἰησοῦς εἶπεν
αὐτῷ⸃· βλέπεις ταύτας τὰς μεγάλας οἰκοδομάς; οὐ μὴ ἀφ- Jr 7,14; 9,11 etc L 19,44
εθῇ °ὧδε λίθος ἐπὶ ⸀λίθον ὃς οὐ μὴ καταλυθῇ ⸆.
3 Καὶ καθημένου αὐτοῦ εἰς τὸ ὄρος τῶν ἐλαιῶν κατ- *3–8:* Mt 24,3-8 L 21,7-11
έναντι τοῦ ἱεροῦ ἐπηρώτα αὐτὸν κατ' ἰδίαν ⸆ Πέτρος καὶ
Ἰάκωβος καὶ Ἰωάννης καὶ Ἀνδρέας· 4 εἰπὸν ἡμῖν, πότε Mt 17,1!
ταῦτα ἔσται καὶ τί τὸ σημεῖον ὅταν μέλλῃ ταῦτα συν-
τελεῖσθαι πάντα; 5 ⸂ὁ δὲ Ἰησοῦς ἤρξατο λέγειν αὐ-
τοῖς⸃· βλέπετε μή τις ὑμᾶς πλανήσῃ· 6 πολλοὶ ⸆ ἐλεύσονται ἐπὶ τῷ ὀνόματί μου λέγοντες ὅτι ἐγώ εἰμι, καὶ πολ- 9,37!
λοὺς πλανήσουσιν. 7 ὅταν δὲ ⸀ἀκούσητε πολέμους καὶ
ἀκοὰς πολέμων, μὴ ⸁θροεῖσθε· δεῖ ⸆ γενέσθαι, ἀλλ' οὔπω Dn 2,28s. 45 Ap 1,1!

41 ⸀καθισας ο Ιησους A 𝔐 lat sy$^{p.h}$ sa^{mss} ¦ καθεζομενος ο Ι. (*sed pon. p.* γαζοφ.) D q ¦ εστως ο Ι. W Θ $f^{1.13}$ 28. 565 *pc* sy$^{s.hmg}$; (Or) ¦ *txt* ℵ B L Δ Ψ 892 *pc* a k sa^{ms} bo | ⸁απεναντι B Ψ 33. 1424 *pc* | ⸋ D ● **42** ° D Θ 565 it ● **43** ⸀λεγει W $f^{1.13}$ 𝔐 lat ¦ *txt* ℵ A B D K L Δ Θ Ψ 33. 565. 700. 892. (1424) *al* a k | ⸁βεβληκεν W $f^{1.(13)}$ 𝔐 ¦ *txt* ℵ A B D L Δ Θ Ψ 33. 565. 892. 1424 *al*

¶ **13,1** ⸆εκ A D Δ Θ $f^{1.13}$ 28. 565. 700. 892 *al* ¦ *txt* ℵ B L W Ψ 𝔐 ● **2** ⸂και ο Ιησ. αποκριθεις (⸉ *pm*) ειπεν αυτω A (D) $f^{(1).13}$ 𝔐 (lat sa^{mss}) sy^{h} (W Θ: – ο Ι.) ¦ *txt* ℵ B L Ψ 33. 892 *pc* (sy$^{s.p}$) sa^{ms} bo | °† A K Γ 1010. 1241 *pm* lat ¦ *txt* ℵ B D L W Δ Θ Ψ $f^{1.13}$ 28. 33. 565. 700. 892. 1424 *pm* it sy sa (bo) | ⸀λιθω A D K 565. 1010 𝔐 | ⸆(14,58) και δια τριων ημερων αλλος αναστησεται ανευ χειρων D W it ● **3** ⸆ο ℵ D Θ 565 *pc* ● **5** ⸂ο δε Ιησους αποκριθεις αυτοις ηρξατο λεγειν A 𝔐 sy^{h} sa^{mss} ¦ και αποκρ. ο Ι. ειπεν αυτοις D Θ 565. 700. (1424) *pc* ¦ και αποκριθεις αυτοις ο Ιησους ηρξατο λεγειν W $f^{1.(13)}$ 28 *pc* ¦ *txt* ℵ B L Ψ 33. 892 *pc* sy^{p} sa^{mss} bo ● **6** ⸆*p)* γαρ A D Θ $f^{1.13}$ 𝔐 verss ¦ *txt* ℵ B L W Ψ ● **7** ⸀-ουητε B ¦ -ουετε f^{13} | ⸁θορυβεισθε D *pc* | ⸆*p)* γαρ ℵ^{2} A D L Θ $f^{1.13}$ 𝔐 latt sy$^{s.h}$ sa^{mss} bo^{mss} ¦ *txt* ℵ* B W Ψ sy^{p} sa^{mss} bo

Is 19,2 2 Chr 15,6 τὸ τέλος. **8** ἐγερθήσεται γὰρ ἔθνος ἐπ' ἔθνος καὶ βασιλεία
Is 13,13 4Esr ἐπὶ βασιλείαν, ⸆ ἔσονται σεισμοὶ κατὰ τόπους, ⸀ἔσονται
13,30-32 · Is 8,21 λιμοί⸆· ⸂ἀρχὴ ὠδίνων ταῦτα.
9–13: Mt 10,17-22 L 21,12-17 **9** ⸋Βλέπετε δὲ ὑμεῖς ἑαυτούς·⸌ ⸀παραδώσουσιν ὑμᾶς⸁
εἰς συνέδρια καὶ εἰς συναγωγὰς δαρήσεσθε καὶ ἐπὶ ἡγε-
Mt 8,4! μόνων καὶ βασιλέων σταθήσεσθε ἕνεκεν ἐμοῦ εἰς μαρτύ-
16,15! Ap 14,6 ριον αὐτοῖς⁚. **10** καὶ εἰς πάντα τὰ ἔθνη ⸀πρῶτον δεῖ⸁
1,15! κηρυχθῆναι τὸ εὐαγγέλιον⸆. **11** καὶ ὅταν ἄγωσιν ὑμᾶς
L 12,11s παραδιδόντες, μὴ προμεριμνᾶτε τί λαλήσητε, ἀλλ' ὃ ἐὰν
δοθῇ ὑμῖν ἐν ἐκείνῃ τῇ ὥρᾳ τοῦτο λαλεῖτε· οὐ γάρ ἐστε
J 14,26 ὑμεῖς οἱ λαλοῦντες ἀλλὰ τὸ πνεῦμα τὸ ἅγιον. **12** καὶ
Mt 10,21! παραδώσει ἀδελφὸς ἀδελφὸν εἰς θάνατον καὶ πατὴρ τέ-
κνον, καὶ ἐπαναστήσονται τέκνα ἐπὶ γονεῖς καὶ θανατώ-
Mt 24,9 σουσιν αὐτούς· **13** καὶ ἔσεσθε μισούμενοι ὑπὸ πάντων διὰ
Dn 12,12 4Esr 6,25 τὸ ὄνομά μου. ὁ δὲ ὑπομείνας εἰς τέλος οὗτος σωθήσεται.
14–20: Mt 24,15-22 L 21,20-24 **14** Ὅταν δὲ ἴδητε *τὸ βδέλυγμα τῆς ἐρημώσεως* ἑστηκότα
Dn 12,11; 11,31; 9,27 2Th 2,3s ὅπου οὐ δεῖ, ὁ ἀναγινώσκων νοείτω⸆, * τότε οἱ ἐν τῇ
Ez 7,12-16 | Ἰουδαίᾳ φευγέτωσαν εἰς τὰ ὄρη, **15** ⸀ὁ [δὲ]⸁ ἐπὶ τοῦ δώ-
L 17,31 ματος μὴ καταβάτω ⸆ μηδὲ εἰσελθάτω ⸂ἆραί τι⸃ ἐκ τῆς
οἰκίας αὐτοῦ, **16** καὶ ὁ εἰς τὸν ἀγρὸν μὴ ἐπιστρεψάτω
L 23,29p ⸋εἰς τὰ⸌ ὀπίσω ἆραι τὸ ἱμάτιον αὐτοῦ. **17** οὐαὶ δὲ ταῖς
ἐν γαστρὶ ἐχούσαις καὶ ταῖς θηλαζούσαις ἐν ἐκείναις
ταῖς ἡμέραις.
18 προσεύχεσθε δὲ ἵνα μὴ ⸀γένηται χειμῶνος⸁· **19** ἔσον-
Dn 12,1 Joel 2,2 ται γὰρ αἱ ἡμέραι ἐκεῖναι θλῖψις οἵα οὐ γέγονεν τοιαύτη
Ex 9,18 Dt 4,32 ἀπ' ἀρχῆς κτίσεως ⸋ἣν ἔκτισεν ὁ θεὸς⸌ ἕως τοῦ νῦν καὶ

8 ⸆και A Θ $f^{1.13}$ 𝔐 lat ¦ *txt* ℵ B D L W Ψ *pc* co | ⸀και εσ. A $f^{1.13}$ 𝔐 q sy$^{p.h}$ sa^{ms} ¦ και D Θ 565. 700 lat ¦ – W sy^{s} ¦ *txt* ℵ^{2}(* *h. t.*) B L Ψ 28. 892 *pc* | ⸆και ταραχαι A (W, Θ) $f^{1.13}$ 𝔐 q sy sa^{mss} ¦ και λοιμοι και ταραχαι Σ *pc* ¦ *txt* ℵ^{2} B (D) L Ψ lat sa^{mss} bo | ⸂αρχαι A f^{1} 𝔐 b l ¦ – (*et om.* ωδ. ταυτ.) W c ¦ *txt* ℵ B D K L Δ Θ Ψ f^{13} 28. 33. 565. 892. 1424 *al* lat sa ● **9** ⸋ D W Θ f^{1} 28. 565. 700 it sy^{s} | ⸀παραδ. γαρ υμ. ℵ A f^{13} 𝔐 lat sy$^{p.h}$ sa^{mss} ¦ και παραδ. υμας (W) f^{1} 28 *pc* sy^{s} ¦ ειτα υμας αυτους παραδ. D (Θ 565. 700) it ¦ *txt* B L Ψ *pc* sa^{mss} bo | [⁚ – (*cf* W Θ *pc ad vs* 10)] ● **10** ⸀*2 1* A L $f^{1.13}$ 𝔐 q sy^{h} ¦ · πρωτον δε δει W Θ 565 *pc* it sy^{p} ¦ πρωτον λαον δει ℵ* ¦ *txt* ℵ^{c} B D Ψ 28. 892 *pc* lat | ⸆εν πασι τοις εθνεσιν D ff^{2} (sa^{mss}) ● **14** ⸆τι αναγινωσκει D a ● **15** ⸀† ο B 1424 *al* c ¦ και ο D Θ 565. 700 lat sy$^{s.p}$ ¦ *txt* ℵ A L W Ψ 0104 $f^{1.13}$ 𝔐 sy^{h} | ⸆εις την οικιαν A D W Θ $f^{1.13}$ 𝔐 lat sy$^{s.h}$ ¦ *txt* ℵ B L Ψ 892 *pc* c k sy^{p} co | ⸂† *2 1* B K L Ψ 892 *pc* ¦ *1* W ¦ *txt* ℵ A D Θ $f^{1.13}$ 𝔐 ● **16** ⸋ ℵ D (0104^{vid}). 0235 *pc* ● **18** ⸀χειμ. γενωνται D ¦ γενηται ταυτα χειμ. (∫ Θ) f^{13} 28. 565 *pc* it ¦ χειμ. ταυτα γινεται η σαββατου L (*al* sa^{ms} bo^{ms}) ¦ γενηται η φυγη υμων χειμ. ℵ^{2} A Ψ 0104 f^{1} 𝔐 (k) sy$^{p.h}$ co ¦ *txt* ℵ* B W 0235 sy^{s} bo^{ms} ● **19** ⸋ D Θ 565 *pc* it

οὐ μὴ γένηται. **20** καὶ εἰ μὴ ⸂ἐκολόβωσεν κύριος⸃ τὰς ἡ-
μέρας, οὐκ ἂν ἐσώθη πᾶσα σάρξ· ἀλλὰ διὰ τοὺς ἐκλεκτοὺς οὓς ἐξελέξατο ἐκολόβωσεν τὰς ἡμέρας.
21 Καὶ τότε ἐάν τις ὑμῖν εἴπῃ· ἴδε ὧδε ὁ χριστός, ⸆ ἴδε *21–23:* Mt 24,23-25
ἐκεῖ, μὴ πιστεύετε· **22** ἐγερθήσονται ⸀γὰρ ⸋ψευδόχριστοι
καὶ⸌ ψευδοπροφῆται καὶ ⸁δώσουσιν σημεῖα καὶ τέρατα Jr 6,13 𝔊 Dt 13,2.6 Ap 13,13!
πρὸς τὸ ἀποπλανᾶν, εἰ δυνατόν, τοὺς ἐκλεκτούς. **23** ὑμεῖς
δὲ βλέπετε· ⸆ προείρηκα ὑμῖν πάντα.
24 Ἀλλὰ ἐν ἐκείναις ταῖς ἡμέραις μετὰ τὴν θλῖψιν *24–27:* Mt 24,29-31 L 21,25-28
ἐκείνην
ὁ ἥλιος σκοτισθήσεται, *Is 13,10* Joel 2,10; 3,4.15
καὶ ἡ σελήνη οὐ δώσει τὸ φέγγος αὐτῆς,
25 *καὶ οἱ ἀστέρες* ⸂*ἔσονται* ἐκ τοῦ οὐρανοῦ *πί-* *Is 34,4* H 12,26s Ap 6,13
πτοντες⸃,
καὶ αἱ δυνάμεις αἱ ἐν τοῖς οὐρανοῖς σαλευθήσονται.
26 καὶ τότε ὄψονται *τὸν υἱὸν τοῦ ἀνθρώπου ἐρχόμενον ἐν νε-* *Dn 7,13s* Mt 16,27! | Mt 24,31!
φέλαις μετὰ δυνάμεως πολλῆς *καὶ δόξης*. **27** καὶ τότε ἀπο-
στελεῖ τοὺς ἀγγέλους ⸆ καὶ ἐπισυνάξει τοὺς ἐκλεκτοὺς Zch 2,6
°[αὐτοῦ] ἐκ τῶν τεσσάρων ἀνέμων ἀπ᾽ ἄκρου γῆς ἕως ἄ- Dt 30,4
κρου οὐρανοῦ.
28 Ἀπὸ δὲ τῆς συκῆς μάθετε τὴν παραβολήν· ὅταν *28–32:* Mt 24,32-36 L 21,29-33
⸂ἤδη ὁ κλάδος αὐτῆς⸃ ἁπαλὸς γένηται καὶ ἐκφύῃ τὰ
φύλλα, ⸀γινώσκετε ὅτι ἐγγὺς τὸ θέρος ἐστίν· **29** οὕτως
καὶ ὑμεῖς, ὅταν ⸂ἴδητε ταῦτα⸃ γινόμενα, γινώσκετε ὅτι
ἐγγύς ἐστιν ἐπὶ θύραις. Ph 4,5 Jc 5,9 Ap 3,20

20 ⸂ *2 1* A D f^1 𝔐 sy$^{p.h}$ ¦ *1* W 1241 *pc* ¦ ο θεος εκολοβωσεν Θ (ϛ Ψ) f^{13} 28. 565 *pc* (it) ¦ *txt* א B L 892 *pc* lat • **21** ⸆και B r^1 sy^p sa^{mss} ¦ η A (C) D K Γ Δ Θ f^1 28. 1010 *pm* it sy^h sa^{mss} bo? ¦ *txt* א L W Ψ 0235 f^{13} 565. 700. 892. 1241. 1424 *pm* lat sy^s • **22** ⸀ † δε א C ¦ *txt* A B D L W Θ Ψ 0104. 0235 $f^{1.13}$ 𝔐 verss | ⸋ D *pc* i k | ⸁ † ποιησουσιν D Θ f^{13} 28. 565 *pc* a ¦ *txt* א A B C L W Ψ 0235 f^1 𝔐 lat sy co • **23** ⸆*p)* ιδου א A C D Θ 0104 $f^{1.13}$ 𝔐 lat sy bo^{ms} ¦ *txt* B L W Ψ 0235. 28 *pc* co • **25** ⸂του ουρανου εσονται εκπιπτοντες (πιπτ- L) L 0104 f^1 𝔐 vg sy^h ¦ οι εκ του ουρ. εσονται πιπτ. D (f^{13} 28 *pc*) sy^{hmg} ¦ εκ του ουρ. πεσουνται W (ϛ 565. 700) e ¦ *txt* א (A: εκπιπτ.) B C Θ Ψ 892. 1424 *pc* a i • **27** ⸆*p)* αυτου א A C Θ Ψ 0104 $f^{1.13}$ 𝔐 lat sy; Or^{lat} ¦ *txt* B D L W 0235 it bo^{mss} | ° D L W Ψ f^1 28. 565. 892 *pc* it; Or^{lat} ¦ *txt* א A B C Θ 0104. 0235 f^{13} 𝔐 lat sy • **28** ⸂ *4 1–3* K Γ (Δ) 0104 f^1 28. 700. (1010). 1241 *pm* ¦ *4 2 3* W 1424 *pc* ¦ *txt* א A B C D L Θ Ψ f^{13} 565. 892 *pm* | ⸀ (*ex itac.?*) γινωσκεται B^2 D L W Δ Θ 28 *al* bo^{mss} • **29** ⸂ *2 1* W 0104 𝔐 ¦ ιδητε παντα ταυτα D *pc* i sa bo^{pt} ¦ *txt* א A B C L Θ Ψ $f^{1.13}$ 565. 892. 1424 *al* lat

30 Ἀμὴν λέγω ὑμῖν ὅτι οὐ μὴ παρέλθῃ ἡ γενεὰ αὕτη
Is 51,6 μέχρις οὗ ⸂ταῦτα πάντα γένηται⸃. 31 ὁ οὐρανὸς καὶ ἡ γῆ
παρελεύσονται, οἱ δὲ λόγοι μου οὐ °μὴ παρελεύσονται.
Mt 24,36! 32 Περὶ δὲ τῆς ἡμέρας ἐκείνης ἢ τῆς ὥρας οὐδεὶς οἶδεν, οὐδὲ ⸂οἱ ἄγγελοι⸃ ἐν οὐρανῷ ⸋οὐδὲ ὁ υἱός⸌, εἰ μὴ ὁ
πατήρ.
33s: Mt 25,13-15 L 19,12s; 21,36 E 6,18 | 12,1 33 Βλέπετε, ἀγρυπνεῖτε⸆· οὐκ οἴδατε γὰρ πότε ὁ και-
ρός °ἐστιν. 34 Ὡς ἄνθρωπος ἀπόδημος ἀφεὶς τὴν
οἰκίαν αὐτοῦ καὶ δοὺς τοῖς δούλοις αὐτοῦ τὴν ἐξουσίαν
ἑκάστῳ τὸ ἔργον αὐτοῦ καὶ τῷ θυρωρῷ ἐνετείλατο ἵνα
37! Mt 24,42 L 12,40.38 γρηγορῇ. 35 γρηγορεῖτε οὖν· οὐκ οἴδατε γὰρ πότε ὁ
κύριος τῆς οἰκίας ἔρχεται, °ἢ ὀψὲ ἢ μεσονύκτιον ἢ
Mt 25,5 ἀλεκτοροφωνίας ἢ πρωΐ, 36 μὴ ἐλθὼν ἐξαίφνης εὕρῃ
Mt 24,42!p Act 20,31 1K 16,13 1Th 5,6.10 1P 5,8 ὑμᾶς καθεύδοντας. 37 ⸂ὃ δὲ ὑμῖν λέγω πᾶσιν λέγω⸃, γρηγορεῖτε.

1s: Mt 26,2-5 L 22,1s 14 Ἦν δὲ τὸ πάσχα ⸋καὶ τὰ ἄζυμα⸌ μετὰ δύο ἡμέρας.
11,18! καὶ ἐζήτουν οἱ ἀρχιερεῖς καὶ οἱ γραμματεῖς πῶς αὐτὸν ⸋¹ἐν δόλῳ⸌ κρατήσαντες ἀποκτείνωσιν· 2 ἔλεγον γάρ·
⸂μὴ ἐν τῇ ἑορτῇ, μήποτε⸃ ⸉ἔσται θόρυβος⸊ τοῦ λαοῦ.
3-9: Mt 26,6-13 J 12,1-8 L 7,36-50 3 Καὶ ὄντος αὐτοῦ ἐν Βηθανίᾳ ἐν τῇ οἰκίᾳ Σίμωνος τοῦ
λεπροῦ, κατακειμένου αὐτοῦ ἦλθεν γυνὴ ἔχουσα ἀλάβα-
στρον μύρου ⸋νάρδου πιστικῆς πολυτελοῦς⸌, ⸀συντρί-
ψασα ⸀τὴν ἀλάβαστρον κατέχεεν ⸂αὐτοῦ τῆς κεφαλῆς⸃.
4 ⸂ἦσαν δέ τινες ἀγανακτοῦντες πρὸς ἑαυτούς⸃· εἰς τί ἡ

30 ⸂ *2 1 3* A D W 0104 *f*[1] 𝔐 sy[h] ¦ *2 3* 1424 *pc* a c k ¦ *2 3 1* 28 *pc* ¦ *txt* ℵ B C L Δ Θ Ψ *f*[13] 565. 700. 892. 1241 *al* d sy[s.p] ● 31 °† B D* ¦ *txt* ℵ A C D[c] L W Θ Ψ 0104 *f*[1.13] 𝔐 ● 32 ⸂αγγελος B ¦ οι αγγελοι οι A C W Ψ 0104. 0116 *f*[1] 𝔐 ¦ *txt* ℵ D K* L Θ *f*[13] 28. 565. 700. 892. 1241. 1424 *al* | ⸋ X *pc* ● 33 ⸆ (14,38) και προσευχεσθε ℵ A C L W Θ Ψ 0104 *f*[1.13] 𝔐 lat sy co ¦ *txt* B D *pc* a c k | ° D W a c ● 35 ° A D W *f*[1.13] 𝔐 lat sy[p.h] ¦ *txt* ℵ B C L Δ Θ Ψ 700. 892. 1424 *pc* (k) sy[hmg] ● 37 ⸂α δε υμιν λεγω πασιν λεγω A (W) *f*[(1).13] 𝔐 q sy[h] ¦ εγω δε λεγω υμιν D (Θ, 565) a ¦ quod autem uni dixi, omnibus vobis dico k ¦ *txt* ℵ B C K L Δ Ψ 892. (𝔖 1424) *al* lat co

¶ 14,1 ⸋ D a ff[2] | ⸋¹ D a i r[1] ● 2 ⸂μηποτε εν τη ε. D it ¦ μη εν τη ε. και Θ 565. 700 | ⸉ *2 1* A W *f*[1.13] 𝔐 sy[h] ¦ θορυβος γενηται 28. 1424 *pc* lat ¦ θορυβου οντος Δ ¦ *txt* ℵ B C D L Θ Ψ 565. 700. 892 k ● 3 ⸋ D | ⸀και συντρ. A C W *f*[1.13] 𝔐 ¦ και θραυσασα D Θ 565 ¦ *txt* ℵ B L Ψ | ⸀τον ℵ* A D K Γ 28. 565. 892. 1010. 1424 *pm* ¦ το G W Θ *f*[1.13] 700. 1241 *pm* ¦ *txt* ℵ[2] B C L Δ Ψ *pc* | ⸂αυτου κατα της κεφ. A Θ *f*[13] 𝔐 k ¦ επι της κεφ. αυτου D lat ¦ *txt* ℵ B C L W Δ (Ψ) *f*[1] 28. 892 *pc* ● 4 ⸂ησ. δε τιν. (+ των μαθητων W *f*[13]) αγανακτ. προς εαυτ. και λεγοντες A C[2] W (𝔖 *f*[1]) *f*[13] 𝔐 lat sy[(p)] sa bo[pt] ¦ οι δε μαθηται αυτου διεπονουντο και ελεγον D Θ 565 (it) ¦ *txt* ℵ(*) B C* L Ψ 892* *pc* bo[pt]

ἀπώλεια αὕτη ⸋τοῦ μύρου⸌ γέγονεν; **5** ἠδύνατο γὰρ τοῦτο
τὸ μύρον πραθῆναι °ἐπάνω ⸉δηναρίων τριακοσίων⸊ καὶ
δοθῆναι τοῖς πτωχοῖς· καὶ ⸀ἐνεβριμῶντο αὐτῇ. **6** ὁ δὲ Mt 9,30
Ἰησοῦς εἶπεν· ἄφετε αὐτήν· τί αὐτῇ κόπους παρέχετε;
καλὸν ἔργον ἠργάσατο ἐν ἐμοί. **7** πάντοτε γὰρ τοὺς πτωχοὺς ἔχετε μεθ' ἑαυτῶν καὶ ὅταν θέλητε δύνασθε ⸀αὐτοῖς Dt 15,11
59 V εὖ ποιῆσαι, ἐμὲ δὲ οὐ πάντοτε ἔχετε. **8** ὃ ἔσχεν ⸆ ἐποίη- 2,20
σεν· προέλαβεν μυρίσαι ⸉τὸ σῶμά μου⸊ εἰς τὸν ἐντα- 16,1
φιασμόν. **9** ἀμὴν δὲ λέγω ὑμῖν, ὅπου ἐὰν κηρυχθῇ τὸ
εὐαγγέλιον ⸆ εἰς ὅλον τὸν κόσμον, καὶ ὃ ἐποίησεν αὕτη 1,15! 16,15!
λαληθήσεται εἰς μνημόσυνον αὐτῆς.
60 I **10** Καὶ ⸆ Ἰούδας ⸀Ἰσκαριὼθ ὁ εἷς τῶν δώδεκα ἀπῆλ- *10s:* Mt 26,14-16 L 22,3-6
θεν πρὸς τοὺς ἀρχιερεῖς ἵνα ⸂αὐτὸν παραδοῖ⸃ °αὐτοῖς.
11 οἱ δὲ ἀκούσαντες ἐχάρησαν καὶ ἐπηγγείλαντο αὐτῷ ἀργύριον δοῦναι. καὶ ἐζήτει πῶς αὐτὸν εὐκαίρως ⸀παραδοῖ.
5 **12** Καὶ τῇ πρώτῃ ἡμέρᾳ τῶν ἀζύμων, ὅτε τὸ πάσχα *12–16:* Mt 26,17-19 L 22,7-13
ἔθυον, λέγουσιν αὐτῷ οἱ μαθηταὶ αὐτοῦ· ποῦ θέλεις ἀπελ- Ex 12,14-21 Dt 16,2 |
θόντες ἑτοιμάσωμεν ἵνα φάγῃς τὸ πάσχα; **13** καὶ ἀποστέλ-
λει δύο τῶν μαθητῶν αὐτοῦ καὶ λέγει αὐτοῖς· ὑπάγετε
εἰς τὴν πόλιν, καὶ ἀπαντήσει ὑμῖν ἄνθρωπος κεράμιον Mt 17,27
ὕδατος βαστάζων· ἀκολουθήσατε αὐτῷ **14** καὶ ὅπου ἐὰν
εἰσέλθῃ εἴπατε τῷ οἰκοδεσπότῃ ὅτι ὁ διδάσκαλος λέ- 11,3
γει· ποῦ ἐστιν τὸ κατάλυμά μου ὅπου τὸ πάσχα μετὰ τῶν
μαθητῶν μου φάγω; **15** καὶ αὐτὸς ὑμῖν δείξει ἀνάγαιον
μέγα ἐστρωμένον ἕτοιμον· καὶ ἐκεῖ ἑτοιμάσατε ἡμῖν.
16 καὶ ἐξῆλθον οἱ μαθηταὶ ⸆ καὶ ἦλθον εἰς τὴν πόλιν
καὶ εὗρον καθὼς εἶπεν αὐτοῖς καὶ ἡτοίμασαν τὸ πάσχα.
51 V **17** Καὶ ὀψίας γενομένης ἔρχεται μετὰ τῶν δώδεκα. *17–21:* Mt 26,20-25 L 22,21-23
6 **18** καὶ ἀνακειμένων αὐτῶν καὶ ἐσθιόντων ὁ Ἰησοῦς εἶ- J 13,21-26 · Ps 41,10

4 ⸋ W f^{1} *pc* a l sy^{s}? ● 5 ° 954 *pc* c k sy^{s}; Or | ⸉ A B 0103 $f^{1.13}$ 𝔐 ¦ *txt* ℵ C D L W Θ Ψ 565 *pc* | ⸀ενεβριμουντο ℵ C* W 1424 *pc* ● 7 ⸀αυτους A Θ 𝔐 ¦ – ℵ* ¦ αυτοις παντοτε $ℵ^{2}$ B L 892. (1241) *pc* ¦ *txt* C D W Γ Δ Ψ $f^{1.13}$ 565. 700 *al* ● 8 ⸆αυτη A C D (⸉ Δ) 𝔐 lat ¦ *txt* ℵ B L W Θ Ψ $f^{1.13}$ 28. 565 *pc* a | ⸉ A C W 0103 $f^{1.13}$ 𝔐 ¦ *txt* ℵ B D L Θ Ψ 565. 892. 1424 *al* ● 9 ⸆*p)* τουτο A C Θ Ψ 0103 f^{1} 𝔐 lat $sy^{p.h}$ co ¦ *txt* ℵ B D L W f^{13} 28. 565 *pc* it ● 10 ⸆ιδου f^{13} *pc* ¦ ο K 1010. 1241 *pm* ¦ ιδου ο W *pc* | ⸀ο (– f^{13} *pc*) Ισκαριωτης A C^{2} W $f^{1.13}$ 𝔐 vg^{cl} sa; Or Eus ¦ ο Ισκαριωθ $ℵ^{2}$ L Θ Ψ 565. 892 *pc* ¦ Σκαριωτης D lat ¦ *txt* ℵ* B C^{*vid} | ⸂ προδοι αυ. D ¦ αυτον παραδω ℵ C L Δ Ψ f^{13} 892. 1424 *pc* (⸉ A Θ f^{1} 𝔐) ¦ *txt* B (⸉ W 28) | ° D W Θ f^{13} 28. 565 *pc* it sy^{s}; Or Eus^{pt} ● 11 ⸀παραδω *rell* ¦ *txt* B D W ● 16 ⸆αυτου A C D W Θ f^{13} 𝔐 latt sy sa^{mss} bo^{mss} ¦ *txt* ℵ B L Δ Ψ f^{1} 28. 892. 1424 *pc* sa^{ms} bo

πεν· ἀμὴν λέγω ὑμῖν ὅτι εἷς ἐξ ὑμῶν παραδώσει με ⸂ὁ
ἐσθίων⸃ μετ' ἐμοῦ. **19** ⸆ ἤρξαντο λυπεῖσθαι καὶ λέγειν αὐ- 16 I
τῷ εἷς κατὰ εἷς· μήτι ἐγώ⸇; **20** ὁ δὲ εἶπεν αὐτοῖς· εἷς ⸆ 16 II
τῶν δώδεκα, ὁ ἐμβαπτόμενος μετ' ἐμοῦ εἰς τὸ ⸇ τρύβλιον.
21 ὅτι ὁ μὲν υἱὸς τοῦ ἀνθρώπου ὑπάγει καθὼς γέγραπται
περὶ αὐτοῦ, οὐαὶ δὲ τῷ ἀνθρώπῳ ἐκείνῳ δι' οὗ □ὁ υἱὸς
τοῦ ἀνθρώπου⸌ παραδίδοται· καλὸν ⸆ αὐτῷ εἰ οὐκ ἐγεν- 16 V
νήθη ὁ ἄνθρωπος ἐκεῖνος.

22-25: Mt 26,26-29 L 22,15-20 1K 11,23-25 6,41p; 8,7 L 24,30 |
22 Καὶ ἐσθιόντων αὐτῶν λαβὼν ⸆ ἄρτον εὐλογήσας 16 I
ἔκλασεν καὶ ⸀ἔδωκεν αὐτοῖς ⸇ καὶ εἶπεν· °λάβετε⸆¹, τοῦτό
°¹ἐστιν τὸ σῶμά μου. **23** καὶ λαβὼν ⸆ ποτήριον εὐχαριστή- 16 II
σας ἔδωκεν αὐτοῖς, καὶ ἔπιον ἐξ αὐτοῦ πάντες. **24** καὶ εἶπεν
Ex 24,8 Zch 9,11 Jr 31,31.34 H 9,20 · Is 53,11s 𝔊 |
αὐτοῖς· τοῦτό ἐστιν τὸ αἷμά μου ⸂τῆς διαθήκης⸃ τὸ ⸉ἐκ-
χυννόμενον ὑπὲρ πολλῶν⸊ ⸆. **25** ἀμὴν λέγω ὑμῖν ὅτι ⸂οὐκέτι
οὐ μὴ πίω⸃ ἐκ τοῦ γενήματος τῆς ἀμπέλου ἕως τῆς ἡμέρας
ἐκείνης ὅταν αὐτὸ πίνω καινὸν ἐν τῇ βασιλείᾳ τοῦ θεοῦ.

26-31: Mt 26,30-35 L 22,31-34 J 13,36-38 L 22,39 J 18,1 |
26 Καὶ ὑμνήσαντες ἐξῆλθον εἰς τὸ ὄρος τῶν ἐλαιῶν. 16 V
27 καὶ λέγει αὐτοῖς ὁ Ἰησοῦς * ὅτι πάντες σκανδαλισθή- 16 IV
σεσθε⸆, ὅτι γέγραπται·
Zch 13,7 *πατάξω τὸν ποιμένα,* 16 V
Mt 9,36! *καὶ ⸂τὰ πρόβατα διασκορπισθήσονται⸃.*
16,7p **28** □ἀλλὰ μετὰ τὸ ἐγερθῆναί με προάξω ὑμᾶς εἰς τὴν Γαλιλαίαν.⸌ **29** ὁ δὲ Πέτρος ἔφη αὐτῷ· εἰ καὶ πάντες σκανδα- 17 I
λισθήσονται, ἀλλ' οὐκ ἐγώ. **30** καὶ λέγει αὐτῷ ὁ Ἰησοῦς·

18 ⸂των εσθιοντων B co ● **19** ⸆και C 892 *pc* sa^mss ¦ οι δε A D W Θ *f*^1.13 𝔐 latt sy ¦ *txt* ℵ B L Ψ | ⸇, και αλλος· μητι εγω D Θ *f*^1 𝔐 it sy^hmg; Or ¦ ειμι, ραββι (κυριε 892. 1424 *pc*; – *f*^13) · και αλλος· μητι εγω A *f*^13 28. 892. 1424 *pc* f ¦ *txt* ℵ B C L P W Δ Ψ *pc* lat sy co ● **20** ⸆εκ A D *f*^1.13 𝔐 ¦ *txt* ℵ B C L W Θ Ψ 892. (1424) *pc* | ⸇ † ἓν B C* Θ 565 ¦ *txt* ℵ A C² D L W Ψ *f*^1.13 𝔐 latt sy co; Or ● **21** □ D 700 a | ⸆*p)* ην ℵ A C D Θ Ψ 0116 *f*^1.13 𝔐 sy^h ¦ *txt* B L W 892 it vg^st ● **22** ⸆ο Ιησους τον Σ *al* ¦ ο Ιησ. ℵ*.² A C L Θ Ψ *f*^1 𝔐 lat sy^p.h bo ¦ *txt* ℵ¹ B D W *f*^13 565 it sy^s sa | ⸀εδιδου W *f*^1.13 *pc* | ⸇και εφαγον εξ αυτου παντες *et* ° k | ⸆¹*p)* φαγετε Γ 0116 *f*^13 28. 1010. 1241 𝔐 ff² | °¹ W ● **23** ⸆το A K P W Γ 565. 1010. 1241 𝔐 ● **24** ⸂*(p)* το (– *al*) της καινης διαθ. A *f*^1.13 𝔐 lat sy sa^mss bo^pt ¦ το της διαθ. D* W ¦ – ff² ¦ *txt* ℵ B C D^c L Θ Ψ 565 k | ⸉ *2 3 1* D W Δ Θ *f*^13 565 *pc* sy^s.p? ¦ *p)* περι πολ. εκχυν(ν)ομενον A *f*^1 𝔐 sy^h? ¦ *txt* ℵ B C L Ψ 892 *pc* | ⸆*p)* εις αφεσιν αμαρτιων W *f*^13 *pc* a ● **25** ⸂*(p) 2–4* ℵ C L W Ψ 892 *pc* c k bo ¦ ου μη προσθω πειν D (Θ, 565) a f ¦ *txt* A B *f*^1.13 𝔐 lat sy sa ● **27** ⸆εν εμοι Ψ^c 28 *pc* it sy^s sa^mss bo^ms ¦ εν τη νυκτι ταυτη *pc* vg^st bo^mss ¦ *p)* εν εμοι εν τη νυκτι ταυτη A C² K (N) W Θ *f*^1.(13) 565. 700. 892. 1241. 1424 *pm* c vg^cl sy^p.h sa^mss bo^mss ¦ *txt* ℵ B C* D L Γ Δ Ψ* 1010 *pm* b ff² q sa^ms bo^pt | ⸂ *3 1 2* (+ της ποιμνης K *al*) A Ψ *f*^1 𝔐 lat ¦ *txt* ℵ B C D L (W) Θ *f*^13 565. 892 *pc* i k q ● **28** □ frag. fajjum.

ἀμὴν λέγω σοι ὅτι σὺ °σήμερον ⸂ταύτῃ τῇ νυκτὶ⸃ πρὶν
⸄ἢ δὶς ἀλέκτορα φωνῆσαι⸅ τρίς με ἀπαρνήσῃ. **31** ὁ δὲ ἐκ- 72
περισσῶς ἐλάλει· ἐὰν ⸉δέῃ με⸊ συναποθανεῖν σοι, οὐ μή J 11,16
σε ⸀ἀπαρνήσομαι. ὡσαύτως °δὲ καὶ πάντες ἔλεγον.
32 Καὶ ἔρχονται εἰς χωρίον οὗ τὸ ὄνομα Γεθσημανὶ *32–42:* Mt 26,36-46 L 22,39-46 ·
* καὶ λέγει τοῖς μαθηταῖς αὐτοῦ· καθίσατε ὧδε ἕως προσ- J 18,1 H 5,7
εύξωμαι. **33** καὶ παραλαμβάνει τὸν Πέτρον καὶ °[τὸν] Ἰά- Mt 17,1!
κωβον καὶ °[τὸν] Ἰωάννην μετ' αὐτοῦ καὶ ἤρξατο ἐκθαμ-
βεῖσθαι καὶ ⸀ἀδημονεῖν **34** καὶ λέγει αὐτοῖς· *περίλυπός ἐστιν* *Ps 42,6.12; 43,5* Jon 4,9 𝔊 Sir 37,2
ἡ ψυχή μου ἕως θανάτου· μείνατε ὧδε καὶ γρηγορεῖτε. **35** καὶ J 12,27
⸀προελθὼν μικρὸν ἔπιπτεν ἐπὶ τῆς γῆς καὶ προσηύχετο
⸂ἵνα εἰ δυνατόν ἐστιν παρέλθῃ⸃ ἀπ' αὐτοῦ ἡ ὥρα, **36** καὶ
ἔλεγεν· αββα □ὁ πατήρ⸌, πάντα δυνατά σοι· ⸀παρένεγκε R 8,15 G 4,6 ·
τὸ ποτήριον τοῦτο ἀπ' ἐμοῦ· ἀλλ' ⸂οὐ τί ἐγὼ θέλω ἀλλὰ 10,27 · 10,38p
τί σύ⸃. **37** καὶ ἔρχεται καὶ εὑρίσκει αὐτοὺς καθεύδοντας,
καὶ λέγει τῷ Πέτρῳ· Σίμων, καθεύδεις; οὐκ ἴσχυσας μίαν 3,16
ὥραν γρηγορῆσαι; **38** γρηγορεῖτε καὶ προσεύχεσθε, ἵνα
μὴ ⸀ἔλθητε εἰς πειρασμόν· τὸ μὲν πνεῦμα πρόθυμον ἡ δὲ Mt 6,13 · Ps 51,14
σὰρξ ἀσθενής. **39** καὶ πάλιν ἀπελθὼν προσηύξατο □τὸν
αὐτὸν λόγον εἰπών⸌. **40** καὶ ⸂πάλιν ἐλθὼν εὗρεν αὐτοὺς⸃
καθεύδοντας, ἦσαν γὰρ αὐτῶν οἱ ὀφθαλμοὶ ⸀καταβαρυ-
νόμενοι, καὶ οὐκ ᾔδεισαν τί ἀποκριθῶσιν αὐτῷ. **41** καὶ 9,6
ἔρχεται τὸ τρίτον καὶ λέγει αὐτοῖς· καθεύδετε °τὸ λοιπὸν καὶ ἀναπαύεσθε· ⸂ἀπέχει· ἦλθεν⸃ ἡ ὥρα, ἰδοὺ παραδίδοται ὁ υἱὸς τοῦ ἀνθρώπου εἰς τὰς χεῖρας τῶν ἁμαρ- G 2,15

30 °*p)* D Θ f^{13} 565. 700 *pc* it sa^{ms} | ⸂ *2 3 1* W $f^{1.13}$ *pc* ¦ εν τη νυκτι ταυτη A 𝔐 lat ¦ *txt* ℵ B C D L Θ Ψ 0112. 565. 700. 892 *pc* it | ⸄ *1 3 4* C$^{(2)}$ ¦ *3 2 4* Θ f^{13} 565. 700 *pc* l vg^{cl} ¦ *p) 3 4* ℵ D W *pc* ¦ *txt* A B L Ψ 0112 f^{1} 𝔐 lat • **31** ⸉ (ℵ*) C (D*) W Θ 𝔐 ¦ *txt* ℵ^{2} A B D^{c} L N Ψ 0112 $f^{1.13}$ 700. 892. 1424 *al* | ⸀απαρνησωμαι ℵ K Γ 0112. 892. 1010$^{v.l.}$ *pm* | ° B f^{1} *pc* a c k • **33** °*bis* ℵ C D Θ Ψ 0112. 0116 𝔐 ¦ *om.* τον *a.* Ιωανν. L f^{1} 1010 *al* ¦ *txt* A B K W f^{13} *al* | ⸀ακηδεμ- D* • **35** ⸀προσελθων A C D L Θ Ψ 0116 $f^{1.13}$ 𝔐 ff^{2} sy$^{p.h}$ ¦ *txt* ℵ B K N W 0112 *al* lat sy^{s}? co | ⸂ *2–4 1 5* D W $f^{1.13}$ 565. 700 *pc* it ¦ ει δυνατον παρελθειν ℵ$^{(2)}$ • **36** [□ Beza *cj*] | ⸀παρενεγκαι ℵ A C K Θ Ψ 0116. 892. 1424 *al* d ¦ *txt* B D L W 0112 $f^{1.13}$ 𝔐 | ⸂ουχ ο εγω θελω αλλ ο συ θελεις D (Θ, f^{13}, 565) it co • **38** ⸀*p)* εισελθητε ℵ^{2} A C D L W Θ Ψ 0112. 0116 f^{1} 𝔐 sy ¦ *txt* ℵ* B f^{13} *pc* q • **39** □ D it • **40** ⸂υποστρεψας ευρεν αυτους παλιν A C (N) W (Θ) $f^{1.13}$ 𝔐 sy$^{(p).h}$ ¦ *txt* ℵ B (D) L Ψ 0112. 892 *pc* sy^{s} co | ⸀-ρουμενοι D W ¦ *p)* βεβαρημενοι C Γ Θ 28. 565. 700. 1010 *pm* • **41** °*p)* A C D L W Ψ 28. 892. 1010 *pm* ¦ *txt* ℵ B K N Γ Δ Θ $f^{1.13}$ 565. 700. 1241. 1424 *pm* | ⸂ (Lc 22,37) απεχει το τελος, (+ ιδου W) ηλθ. W Θ f^{13} 565 *pc* it sy$^{(s)}$ ¦ απεχει το τελος και D c q ¦ ηλθεν Ψ 892 *pc* (k) bo^{ms}

J 14,31 τωλῶν. **42** ἐγείρεσθε ἄγωμεν· ἰδοὺ ὁ παραδιδούς με
⸀ἤγγικεν.
43–50: Mt 26,47-56 L 22,47-53 J 18,2-12 **43** Καὶ εὐθὺς ἔτι αὐτοῦ λαλοῦντος παραγίνεται ⸆ Ἰού- 18 I
δας ⸇ εἷς τῶν δώδεκα καὶ μετ' αὐτοῦ ὄχλος μετὰ μαχαι-
ρῶν καὶ ξύλων παρὰ τῶν ἀρχιερέων καὶ °τῶν γραμματέων
καὶ °¹τῶν πρεσβυτέρων. **44** δεδώκει δὲ ὁ παραδιδοὺς αὐ- 18 I
τὸν σύσσημον αὐτοῖς λέγων· ὃν ἂν φιλήσω αὐτός ἐστιν,
κρατήσατε αὐτὸν καὶ ἀπάγετε ἀσφαλῶς. **45** καὶ ⸋ἐλθὼν
9,5! εὐθὺς⸌ προσελθὼν αὐτῷ λέγει· ⸆ ῥαββί, καὶ κατεφίλησεν αὐτόν· **46** οἱ δὲ ἐπέβαλον ⸂τὰς χεῖρας αὐτῷ⸃ καὶ ἐκράτησαν αὐτόν. **47** ⸂εἷς δέ [τις] τῶν παρεστηκότων⸃ σπασά- 18 I
μενος °τὴν μάχαιραν ἔπαισεν τὸν δοῦλον τοῦ ἀρχιερέως
καὶ ἀφεῖλεν αὐτοῦ τὸ ⸀ὠτάριον.
48 Καὶ ἀποκριθεὶς ὁ Ἰησοῦς εἶπεν αὐτοῖς· ὡς ἐπὶ λη- 18 I
στὴν ἐξήλθατε μετὰ μαχαιρῶν καὶ ξύλων συλλαβεῖν με;
L 19,47 **49** καθ' ἡμέραν ἤμην πρὸς ὑμᾶς ἐν τῷ ἱερῷ διδάσκων καὶ
Is 53,7 οὐκ ⸀ἐκρατήσατέ με· ἀλλ' ἵνα πληρωθῶσιν αἱ γραφαί. 18 V
J 16,32 **50** ⸂Καὶ ἀφέντες αὐτὸν ἔφυγον πάντες⸃. **51** * ⸂καὶ νεανί- 18 X
σκος τις⸃ συνηκολούθει αὐτῷ περιβεβλημένος σινδόνα
⸋ἐπὶ γυμνοῦ⸌, ⸄καὶ κρατοῦσιν αὐτόν⸅· **52** ὁ δὲ καταλιπὼν
Am 2,16 τὴν σινδόνα γυμνὸς ἔφυγεν⸆.
53s: Mt 26,57s L 22,54s J 18,13-15 **53** Καὶ ἀπήγαγον τὸν Ἰησοῦν πρὸς τὸν ἀρχιερέα, καὶ 18 I
συνέρχονται ⸆ πάντες οἱ ἀρχιερεῖς καὶ οἱ πρεσβύτεροι
καὶ οἱ γραμματεῖς. **54** καὶ ὁ Πέτρος ἀπὸ μακρόθεν ἠκο- 18 IV

42 ⸀ηγγισεν ℵ C ● **43** ⸆† ο A B ¦ *txt* ℵ C D L W Θ Ψ 0112 $f^{1.13}$ 𝔐 | ⸇ο (– 565) Ισκαριωτης A K Θ 565. 1241. 1424 *pm* sy$^{p.h}$? bo^{ms}?; Or ¦ Σκαριωτης.D (lat) | ° A C K N W Δ Ψ 0112 $f^{1.13}$ 565. (700). 1424 *al* ¦ *txt* ℵ B D L Θ 𝔐 | °¹ ℵ* A W 0112 $f^{1.13}$ (700). 1424 *al* ¦ *txt* ℵ^{1} B C D L Θ Ψ 𝔐 ● **45** ⸋ D Θ (f^{1}) 565. 700 *pc* it (sy$^{s.p}$) | ⸆*p)* χαιρε C^{2} W $f^{1.13}$ 565. 892. 1241. 1424 *pc* a aur c vg^{cl} sy^{hmg} sa ¦ ραββι A 0116 𝔐 sy$^{p.h}$ ¦ *txt* ℵ B C* D L Δ Θ Ψ *pc* lat sy^{s} bo ● **46** ⸂ (+ αυτω N Σ) τας χειρας αυτων ℵ* C N W Δ Σ 892 *pc* ¦ επ' αυτον τας χειρας αυτων (– *al*) (A K) 𝔐 (lat) ¦ *txt* ℵ^{2} B D L Θ (Ψ) $f^{1.13}$ 565. 700 *pc* (a k) q ● **47** ⸂εις δε των π. ℵ A L 700 *al* aur f ¦ και τις D (it) ¦ και εις τις τ. παρεστωτων W (f^{1}) ¦ *txt* B C Θ Ψ f^{13} 𝔐 a l vg sy^{h} | ° D W f^{1} 565 *pc* | ⸀*p)* ωτιον A C L W Θ f^{13} 𝔐 ¦ *txt* ℵ B D Ψ f^{1} *pc* ● **49** ⸀-τειτε (B) Ψ ● **50** ⸂ *1–3 5 4* A D f^{1} 𝔐 it ¦ τοτε οι μαθηται αυτου αφεντες αυτον παντες εφυγον (N) W (Θ f^{13} 565 *al* aur c l vg) sy$^{(s)}$ ¦ *txt* ℵ B C L Δ Ψ 892. 1424 *pc* ● **51** ⸂νεανισκος δε τις D lat ¦ και εις τις νεανισκος A W Θ $f^{1.13}$ 𝔐 sy^{h} ¦ *txt* ℵ B C L Ψ 892 *pc* a | ⸋ W f^{1} c k sy^{s} sa^{mss} | ⸄ και κρατ. αυτον οι νεανισκοι A (C^{2}) 𝔐 q sy^{h} ¦ οι δε νεανισκοι κρατουσιν αυτον (W) Θ $f^{1.(13)}$ 565. 700 *pc* (sa^{mss}) ¦ *txt* ℵ B C*^{vid} D L Δ Ψ 892 lat sy^{p} sa^{mss} bo ● **52** ⸆απ αυτων A D W Θ (Δ) $f^{1.13}$ 𝔐 lat sy$^{s.h}$ ¦ *txt* ℵ B C (L Ψ 892 aur c k sy^{p} co) ● **53** ⸆αυτω A B Ψ 𝔐 sy$^{p.h}$? ¦ προς αυτον C ¦ αυτου 1 ¦ *txt* ℵ D L W Δ Θ f^{13} 565. 700. 892 *pc* latt; Or

λούθησεν αὐτῷ ἕως ἔσω εἰς τὴν αὐλὴν τοῦ ἀρχιερέως καὶ
ἦν συγκαθήμενος μετὰ τῶν ὑπηρετῶν καὶ θερμαινόμενος
⸋πρὸς τὸ φῶς⸌.
189 II **55** Οἱ δὲ ἀρχιερεῖς καὶ ὅλον τὸ συνέδριον ἐζήτουν κατὰ *55–65:* Mt 26,
τοῦ Ἰησοῦ μαρτυρίαν εἰς τὸ θανατῶσαι αὐτόν, καὶ οὐχ 59-68 L 22,67-71.63-65 J 18,
ηὕρισκον· **56** πολλοὶ γὰρ ἐψευδομαρτύρουν κατ' αὐτοῦ, 19-24 · 15,1
190 VI καὶ ἴσαι αἱ μαρτυρίαι οὐκ ἦσαν. **57** καί τινες ἀναστάν- Dt 17,6; 19,15
τες ἐψευδομαρτύρουν κατ' αὐτοῦ λέγοντες **58** ὅτι ἡμεῖς
ἠκούσαμεν αὐτοῦ λέγοντος ὅτι ἐγὼ καταλύσω τὸν ναὸν 15,29 J 2,19-21; 4,21.23 Act 6,14 ·
τοῦτον τὸν χειροποίητον καὶ διὰ τριῶν ἡμερῶν ⸀ἄλλον 2K 5,1 H 9,11
ἀχειροποίητον οἰκοδομήσω⸋. **59** καὶ οὐδὲ οὕτως ἴση ἦν ἡ
μαρτυρία αὐτῶν. **60** καὶ ἀναστὰς ὁ ἀρχιερεὺς εἰς ⸆ μέσον
ἐπηρώτησεν τὸν Ἰησοῦν λέγων· ⸋οὐκ ἀποκρίνῃ οὐδὲν⸌
⸀τί οὗτοί σου καταμαρτυροῦσιν; **61** ὁ δὲ ἐσιώπα καὶ ⸀οὐκ
ἀπεκρίνατο οὐδέν⸋. ⸀¹πάλιν ὁ ἀρχιερεὺς ἐπηρώτα αὐτὸν⸋¹ 15,5 Is 53,7
καὶ λέγει αὐτῷ· σὺ εἶ ⸋ὁ χριστὸς⸌ ὁ υἱὸς τοῦ εὐλογητοῦ; 8,29! · 1,11!
191 I **62** ὁ δὲ Ἰησοῦς εἶπεν· ⸆ ἐγώ εἰμι, καὶ ὄψεσθε *τὸν υἱὸν τοῦ* *Dn 7,13*
ἀνθρώπου ἐκ δεξιῶν καθήμενον τῆς δυνάμεως ⸋καὶ *ἐρχόμε-* Ps 110,1
192 VI *νον*⸌ *μετὰ τῶν νεφελῶν τοῦ οὐρανοῦ.* **63** ὁ δὲ ἀρχιερεὺς διαρ-
193 II ρήξας τοὺς χιτῶνας αὐτοῦ λέγει· τί ἔτι χρείαν ἔχομεν μαρτύρων; **64** ἠκούσατε ⸀τῆς βλασφημίας⸋· τί ὑμῖν φαίνεται; Lv 24,16 J 19,7
οἱ δὲ πάντες κατέκριναν αὐτὸν ⸀¹ἔνοχον εἶναι θανάτου⸋¹. 10,33
194 I **65** Καὶ ἤρξαντό τινες ἐμπτύειν ⸂αὐτῷ ⸋καὶ περικαλύπ- 10,34!
τειν αὐτοῦ τὸ πρόσωπον⸌ καὶ κολαφίζειν αὐτὸν καὶ λέγειν αὐτῷ· προφήτευσον⸆, καὶ ⸋¹οἱ ὑπηρέται⸌ ῥαπίσμα-
σιν αὐτὸν ⸄ἔλαβον.
47 195 I **66** Καὶ ὄντος τοῦ Πέτρου ⸀κάτω ἐν τῇ αὐλῇ⸋ ἔρχεται *66–72:* Mt 26, 69-75 L 22,56-62 J 18,17.25-27

54 ⸋ f^{1} *pc* sy^{s} ● **58** ⸀αναστησω αχειρ. D it ● **60** ⸆το D Θ Ψ f^{1} 565. 700 *al* | ⸋ W | ⸂οτι (*vl* ο τι) B W P$^{c\,vid}$ Ψ ● **61** ⸀ουδεν απεκρινατο A (D) W Θ 067 $f^{1.13}$ 𝔐; Or ¦ *txt* ℵ B C L Ψ 33. 892 *pc* | ⸀¹και π. ο αρχιερευς (– W) επηρωτα αυτον εκ δευτερου W Θ f^{13} (565. 700) *pc* vg sy^{s}; Or ¦ – D a ff^{2} | ⸋ Γ Φ *pc* k ● **62** ⸆*p)* συ ειπας οτι Θ f^{13} 565. 700 *pc*; Or | ⸋ D ● **64** ⸀την βλασφημιαν του στοματος (– D f^{1} *pc*) αυτου D W Θ $f^{1.13}$ (565) *pc* sy$^{(p).hmg}$ | ⸀¹ *2 1 3* A W Θ $f^{1.13}$ 𝔐 ¦ *1 3* D ff^{2} ¦ *txt* ℵ B C L Δ Ψ 33. 892 *pc* ● **65** ⸂*p)* αυτου τω προσωπω (⸉ D) Θ 565. 700 (a) f sy^{p} | ⸋ D a sy^{s} bo^{mss} | ⸆νυν G f^{1} *pc* (sy^{s}) ¦ ημιν Ψ *pc* c f k (sy^{s}) sa^{mss} ¦ *p)* ημιν (νυν W f^{13} *pc*) Χριστε τις εστιν ο παισας σε N W X (Δ) Θ f^{13} 33. 565. 700. 892. 1424 *pc* vg^{ms} sy^{h} sa^{mss} (bo) ¦ *txt* ℵ A B C D L 067 𝔐 lat sy^{p} | ⸋¹ D c k | ⸄ελαμβανον (⸉ D) G W Θ $f^{1.13}$ 565 sy^{h} *al* ¦ εβαλον E 33. 700. 892. 1010. 1424 *pm* ¦ εβαλλον H 28 *pm* ¦ *txt* ℵ A B C K L N Γ Δ Ψ 067. 1241 *al* ● **66** ⸀ *2–4 1* A W $f^{1.13}$ 𝔐 lat sy^{h} ¦ *2–4* D Ψ 067. 565 *pc* it sy^{s}; Eus ¦ *txt* ℵ B C L Θ 33. 892. 1424 *pc* sy^{p}

μία ⸄τῶν παιδισκῶν⸅ τοῦ ἀρχιερέως **67** καὶ ἰδοῦσα τὸν
Πέτρον θερμαινόμενον ἐμβλέψασα αὐτῷ λέγει· καὶ σὺ
μετὰ τοῦ Ναζαρηνοῦ ἦσθα τοῦ Ἰησοῦ. **68** ὁ δὲ ἠρνήσατο
λέγων· οὔτε οἶδα οὔτε ἐπίσταμαι σὺ τί λέγεις. * καὶ ἐξῆλ- 196 I
θεν ἔξω εἰς τὸ προαύλιον ⸋[καὶ ἀλέκτωρ ἐφώνησεν]⸌.
69 ⸂καὶ ἡ παιδίσκη ἰδοῦσα αὐτὸν⸃ ⸄ἤρξατο πάλιν
λέγειν⸅ τοῖς παρεστῶσιν ὅτι οὗτος ἐξ αὐτῶν ἐστιν. **70** ⸋ὁ
δὲ πάλιν ἠρνεῖτο⸌. καὶ μετὰ μικρὸν πάλιν οἱ παρεστῶτες ἔλεγον ⸋¹τῷ Πέτρῳ⸌· ἀληθῶς ἐξ αὐτῶν εἶ, ⸂καὶ γὰρ
Γαλιλαῖος εἶ⸃. **71** ὁ δὲ ἤρξατο ἀναθεματίζειν καὶ ⸀ὀμνύ-
ναι ὅτι οὐκ οἶδα τὸν ἄνθρωπον τοῦτον ὃν λέγετε. **72** καὶ
30 °εὐθὺς ⸋ἐκ δευτέρου⸌ ἀλέκτωρ ἐφώνησεν. καὶ ἀνε- 197 II
11,21 μνήσθη ὁ Πέτρος τὸ ῥῆμα ⸀ὡς εἶπεν αὐτῷ ὁ Ἰησοῦς ⸋¹ὅτι
πρὶν ἀλέκτορα ⸂φωνῆσαι δὶς τρίς με ἀπαρνήσῃ⸃⸌· καὶ
⸄ἐπιβαλὼν ἔκλαιεν⸅.

1: Mt 27,1s L 22,66; 23,1 J 18,28 **15** Καὶ εὐθὺς ⸆ πρωῒ συμβούλιον ⸀ποιήσαντες οἱ ἀρ- 198 II
χιερεῖς μετὰ τῶν πρεσβυτέρων καὶ ⸇ γραμματέων
14,55 · J 18,12 καὶ ὅλον τὸ συνέδριον, ⸆¹ δήσαντες τὸν Ἰησοῦν ⸁ἀπήνεγ- 199 I
καν καὶ παρέδωκαν ⸆² Πιλάτῳ.
2-5: Mt 27,11-14 L 23,3 J 18,33-37.12.18.26.32 **2** Καὶ ἐπηρώτησεν αὐτὸν ὁ Πιλᾶτος· σὺ εἶ ὁ βασιλεὺς 200 I
τῶν Ἰουδαίων; ὁ δὲ ἀποκριθεὶς αὐτῷ λέγει· σὺ λέγεις.
3 καὶ κατηγόρουν αὐτοῦ οἱ ἀρχιερεῖς πολλά⸆. **4** ὁ δὲ Πι- 201 IV

66 ⸄παιδισκη ℵ C^{vid} sa^{ms} bo^{ms} ● **68** ⸋† ℵ B L W Ψ* 892 *pc* c sy^{s} sa^{mss} bo ¦ *txt* A C D Θ Ψ^{c} 067 *f*$^{1.13}$ (1424) 𝔐 lat sy$^{p.h}$ (sa^{mss} bo^{ms}); Eus ● **69** ⸂παλιν δε ιδουσα αυτον η παιδισκη D Θ 565. 700 lat (sy$^{s.p}$) (D^{gr} *add. hic vs* 70a: ο δε παλ. ηρνησατο); Eus | ⸄ *1 3* (D) W Θ 565. 700 latt sy$^{s.p}$; Eus ¦ *2 1 3* A 067 *f*$^{1.13}$ 𝔐 sy^{h} ¦ ειπεν B co ¦ *txt* ℵ C L Δ Ψ 892. 1424 *pc* ● **70** ⸋ (*cf ad vs* 69) | ⸋¹ D a | ⸂και γαρ Γαλ. ει και η λαλια σου ομοιαζει A Θ *f*^{13} 𝔐 q sy$^{p.h}$ bo^{pt} ¦ – W *pc* a ¦ *txt* ℵ B C D L Ψ *f*^{1} 565. 700 *pc* lat (sy^{s}) sa bo^{pt}; Eus ● **71** ⸀λεγειν D q ¦ ομνυειν ℵ A C K N W Δ Θ Ψ *f*$^{1.13}$ 28. 33. 565. 1241. 1424 *pm* ¦ *txt* B L Γ 700. 892. 1010 *pm* ● **72** ° A C^{2} Ψ *f*^{1} 𝔐 sy$^{s.h}$ co ¦ *txt* ℵ B C* D L W Θ 0250 *f*^{13} 565. 700 *al* latt sy^{p} sa^{ms} bo^{ms} | ⸋ *p)* ℵ C*^{vid} L *pc* c | ⸀ ὁ D Θ 𝔐 ¦ οὗ M W *f*^{13} 700 *al* ¦ *txt* ℵ A B C L Δ Ψ 0250. 33. 892 *pc* sa^{mss} bo | ⸋¹ D a | ⸂† *2 1 3–5* B (Θ 565. 700) k ¦ *1 3–5* ℵ C*^{vid} W Δ it sa^{mss} bo^{ms} ¦ *1 2 5 4 3* A 0250 *f*$^{1.13}$ 𝔐 sy^{h} co ¦ *txt* C^{2vid} L Ψ 892 vg sy$^{s.p}$? | ⸄ηρξατο κλαιειν D Θ 565 latt sa^{mss} ¦ επιβαλων εκλαυσεν ℵ* A*^{vid} C ¦ *txt* ℵ^{2} A^{c} B L W (Δ) Ψ 0250 *f*$^{1.13}$ 𝔐 sy^{h}

¶ **15,1** ⸆επι το (τω *al*) A W 0250 *f*$^{1.13}$ 𝔐 sy^{h} ¦ εγενετο 1424 ¦ *txt* ℵ B C D L Θ Ψ 565. 892 *pc* | ⸀† ετοιμασαντες ℵ C L 892 *pc* ¦ εποιησαν *et* ⸆¹και D Θ 565 *pc* it; Or ¦ *txt* A B W Ψ (0250) *f*$^{1.13}$ 𝔐 vg | ⸇των ℵ D W Θ 565 *pc* | ⸁απηγαγον (+ εις την αυλην D it) C D W Θ *f*^{1} 565. 700. 892. 1424 *al* | ⸆²τω A (W *f*^{13}) 0250 𝔐 ¦ *txt* ℵ B C D L Δ Θ Ψ *f*^{1} 565. 700. 892 *al* ● **3** ⸆*p)* αυτος δε ουδεν απεκρινατο N W Δ Θ Ψ *f*^{13} 33. 565. 1424 *al* a c vg^{mss} sy$^{s.h}$ sa^{ms}

λᾶτος ⸂πάλιν ἐπηρώτα αὐτὸν⸃ °λέγων· οὐκ ἀποκρίνῃ οὐδέν; ἴδε πόσα σου κατηγοροῦσιν. **5** ὁ δὲ Ἰησοῦς οὐκέτι
οὐδὲν ἀπεκρίθη, ὥστε θαυμάζειν τὸν Πιλᾶτον. 14,61
202 II **6** Κατὰ δὲ ἑορτὴν ἀπέλυεν αὐτοῖς ἕνα δέσμιον ⸂ὃν παρ- *6–14:* Mt 27,15-23 L 23,17-23 J 18,39s
203 IV ῃτοῦντο⸃. **7** ἦν δὲ ὁ λεγόμενος Βαραββᾶς μετὰ τῶν ⸀στα-
σιαστῶν δεδεμένος οἵτινες ἐν τῇ στάσει φόνον πεποι-
ήκεισαν. **8** καὶ ⸀ἀναβὰς ὁ ὄχλος ἤρξατο αἰτεῖσθαι καθὼς
⸂ἐποίει αὐτοῖς⸃. **9** ὁ δὲ Πιλᾶτος ἀπεκρίθη αὐτοῖς λέγων·
θέλετε ἀπολύσω ὑμῖν τὸν βασιλέα τῶν Ἰουδαίων; **10** ἐγίνωσκεν γὰρ ὅτι διὰ φθόνον παραδεδώκεισαν αὐτὸν ⸋οἱ
204 I ἀρχιερεῖς⸌. **11** οἱ δὲ ἀρχιερεῖς ἀνέσεισαν τὸν ὄχλον ἵνα
205 I μᾶλλον τὸν Βαραββᾶν ἀπολύσῃ αὐτοῖς. **12** ὁ δὲ Πιλᾶτος
πάλιν ἀποκριθεὶς ἔλεγεν αὐτοῖς· τί οὖν °[θέλετε] ποιήσω
⸂[ὃν λέγετε]⸃ τὸν βασιλέα τῶν Ἰουδαίων; **13** οἱ δὲ πάλιν 2!
ἔκραξαν· σταύρωσον αὐτόν. **14** ὁ δὲ Πιλᾶτος ἔλεγεν αὐ-
τοῖς· τί γὰρ ἐποίησεν κακόν; οἱ δὲ ⸀περισσῶς ἔκραξαν· Act 3,13s; 13,27s
σταύρωσον αὐτόν.
206 I **15** Ὁ δὲ Πιλᾶτος ⸂βουλόμενος τῷ ὄχλῳ τὸ ἱκανὸν ποι- *15:* Mt 27,26 L 23,24s J 19,16a
ῆσαι⸃ ἀπέλυσεν αὐτοῖς τὸν Βαραββᾶν, ⸄καὶ παρέδωκεν
τὸν Ἰησοῦν φραγελλώσας⸅ ἵνα σταυρωθῇ. Act 2,36
207 IV **16** Οἱ δὲ στρατιῶται ἀπήγαγον αὐτὸν ἔσω τῆς αὐλῆς, *16–20a:* Mt 27,27-31a J 19,2s
ὅ ἐστιν πραιτώριον, καὶ συγκαλοῦσιν ὅλην τὴν σπεῖραν.
17 καὶ ἐνδιδύσκουσιν αὐτὸν ⊤ πορφύραν καὶ περιτιθέασιν
αὐτῷ πλέξαντες ἀκάνθινον στέφανον· **18** καὶ ἤρξαντο
ἀσπάζεσθαι αὐτόν· χαῖρε, ⸀βασιλεῦ τῶν Ἰουδαίων· **19** καὶ 2!
ἔτυπτον αὐτοῦ τὴν κεφαλὴν καλάμῳ καὶ ἐνέπτυον αὐτῷ
208 VI ⸋καὶ τιθέντες τὰ γόνατα προσεκύνουν αὐτῷ⸌. **20** καὶ 10,34

4 ⸂παλιν επηρωτησεν αυτον ℵ A Θ f^{1} 0250 𝔐 sy$^{p.h}$ (∫ C D *pc* it) ¦ επηρωτα αυτον U 1424 *pc* ¦ *txt* B W Ψ f^{13} 33. 565. 892 *pc* sy^{hmg} | ° ℵ* 565 *pc* a sa^{mss} • **6** ⸂ον αν (– W f^{1}) ητ- D W $f^{1.13}$ 565. 1241 *pc* ¦ ονπερ (+ αν Θ) ητ- ℵ^{2} B^{2} C Θ Ψ 0250 𝔐 ¦ *txt* ℵ* A B* (Δ) • **7** ⸀συστασ- A 𝔐 ¦ *txt* ℵ B C D K N W (Θ) Ψ f^{13} 1. 565 *al* • **8** ⸀αναβ. ολος D a (k) ¦ αναβοησας (+ ολος *pc*) ℵ^{2} A C W Θ Ψ $f^{1.13}$ 𝔐 sy bo^{ms} ¦ *txt* ℵ* B 892 lat co | ⸂αει εποιει αυτοις A C^{vid} D $f^{1.13}$ 𝔐 lat sy^{h} ¦ εθος ην ινα τον Βαραββαν απολυση αυτοις Θ 565. (700) ¦ *txt* ℵ B W Δ Ψ 892. 1424 *pc* co • **10** ⸋ B 1 *pc* sy^{s} bo • **12** °† ℵ B C W Δ Ψ $f^{1.13}$ 33. 892 *pc* sa^{mss} bo ¦ *txt* (+ ινα 1424 *pc* c) A D Θ 0250 𝔐 latt sy | ⸂ *2* B ¦ – A D W Θ $f^{1.13}$ 565. 700 *pc* lat sy^{s} sa ¦ *txt* ℵ C Ψ 0250 𝔐 sy$^{p.h}$ bo • **14** ⸀-σσοτερως P Γ 28. 1010 *pm* • **15** ⸂ *1 6 4 5 2 3* ℵ C Θ *pc* ¦ *p)* – D ff^{2} k r^{1} ¦ *txt* A (B) Ψ 0250 $f^{1.13}$ 𝔐 lat sy^{h} | ⸄ *p)* τον δε Ιησουν φραγελλωσας παρεδωκεν D 565. (700) *pc* (k) ¦ παρεδωκεν δε τον Ιησουν φραγελλωσας B • **17** ⊤*p)* χλαμυδα κοκκινην και Θ f^{13} 565. 700 *pc* • **18** ⸀*p)* ο βασιλευς A C K N Γ Δ f^{13} 28. 33. 892. 1010. 1241. 1424 *pm* ¦ *txt* ℵ B D P Θ Ψ 0250 f^{1} 565. 700 *pm* • **19** ⸋*p)* D *pc* k

ὅτε ⸋ἐνέπαιξαν αὐτῷ,⸌ ἐξέδυσαν αὐτὸν ⸆ τὴν πορφύραν
καὶ ἐνέδυσαν αὐτὸν τὰ ⸂ἱμάτια αὐτοῦ⸃.
20b–21: Mt 27,31b-32 L 23,26 J 19,16b-17a · 20 H 13,12 · R 16,13 Καὶ ἐξάγουσιν αὐτὸν ⸉ἵνα σταυρώσωσιν⸊ °αὐτόν. 209 I
21 * καὶ ἀγγαρεύουσιν παράγοντά τινα Σίμωνα Κυρηναῖον
ἐρχόμενον ἀπ᾽ ἀγροῦ, τὸν πατέρα Ἀλεξάνδρου καὶ Ῥού-
φου, ἵνα ἄρῃ τὸν σταυρὸν αὐτοῦ.
22–26: Mt 27,33-37 L 23,33s J 19,17b-19.24 **22** Καὶ φέρουσιν αὐτὸν ἐπὶ °τὸν Γολγοθᾶν τόπον, ὅ 210 I
ἐστιν ⸀μεθερμηνευόμενον Κρανίου Τόπος. **23** καὶ ἐδίδουν 211 IV
Ps 69,22 αὐτῷ ⸆ ἐσμυρνισμένον οἶνον· ⸂ὃς δὲ⸃ οὐκ ἔλαβεν.
Ps 22,19 **24** Καὶ ⸂σταυροῦσιν αὐτὸν καὶ⸃ *διαμερίζονται τὰ ἱμάτια αὐ-* 212 I
τοῦ βάλλοντες κλῆρον ἐπ᾽ αὐτὰ ⸋τίς τί ἄρῃ⸌. **25** ἦν δὲ ὥρα 213 X
J 19,14 ⸀τρίτη ⸂καὶ ἐσταύρωσαν⸃ αὐτόν. **26** καὶ ἦν ἡ ἐπιγραφὴ τῆς 214 I
αἰτίας αὐτοῦ ἐπιγεγραμμένη·
2! ⸆ ὁ βασιλεὺς τῶν Ἰουδαίων.
27–32a: Mt 27,38-42 L 23,33b.35 · Is 53,12 **27** Καὶ σὺν αὐτῷ ⸀σταυροῦσιν δύο λῃστάς, ἕνα ἐκ δε- 215 I
ξιῶν ⸆ καὶ ἕνα ἐξ εὐωνύμων αὐτοῦ⸆. * ⸆¹ 216 VIII
Ps 22,8; 109,25 **29** Καὶ οἱ παραπορευόμενοι ἐβλασφήμουν αὐτὸν κι- 217 VI
νοῦντες τὰς κεφαλὰς αὐτῶν καὶ λέγοντες· οὐὰ ὁ καταλύων
14,58! Sap 2,17s τὸν ναὸν καὶ ⸂οἰκοδομῶν ἐν τρισὶν ἡμέραις⸃, **30** σῶσον σεαυτὸν καταβὰς ἀπὸ τοῦ σταυροῦ. **31** ὁμοίως καὶ 218 II
οἱ ἀρχιερεῖς ἐμπαίζοντες πρὸς ἀλλήλους μετὰ τῶν γραμματέων ἔλεγον· ἄλλους ἔσωσεν, ἑαυτὸν οὐ δύναται σῶ-
2! Zph 3,15 𝔊 σαι· **32** ὁ χριστὸς ὁ βασιλεὺς Ἰσραὴλ καταβάτω νῦν
32b: Mt 27,44 L 23,39-43 ἀπὸ τοῦ σταυροῦ, ἵνα ἴδωμεν καὶ πιστεύσωμεν⸆. καὶ οἱ 219 II
συνεσταυρωμένοι ⸂σὺν αὐτῷ⸃ ὠνείδιζον αὐτόν.

20 ⸋ D | ⸆*p)* την χλαμυδα και Θ $f^{(1).13}$ 565. 700 | ⸂ *1* D ¦ ιματια τα ιδια A 0250 $f^{1.13}$ 𝔐 ¦ ιδια ιματια αυτου ℵ (Θ 892) ¦ *txt* B C Δ Ψ *pc* | ⸉ ινα σταυρωσουσιν A C D L N P Δ Θ 0250 f^{13} 33. 1424 *al* ¦ ινα σταυρωθη 28 *pc* ¦ ωστε σταυρωσαι f^{1} ¦ *txt* ℵ B Ψ 𝔐 | ° ℵ D f^{1} 28. 700. 1424 *pc* ff^{2} k ● **22** ° A C* D f^{1} 𝔐 ¦ *txt* ℵ B C^{2} L N Δ Θ Ψ 0250 f^{13} 33. 565. 892. 1424 *al* | ⸀† -ομενος A B N 892 *pc* k ¦ *txt* ℵ C D L Θ Ψ 0250 $f^{1.13}$ 𝔐 ● **23** ⸆*p)* πιειν A C^{2} (D) Θ 0250 $f^{1.13}$ 𝔐 lat sy$^{p.h}$ sa^{mss} ¦ *txt* ℵ B C* L Δ Ψ 700 *pc* n sy^{s} sa^{mss} bo | ⸂και D *ex* latt? ¦ *p)* και γευσαμενος f^{1} *pc* ¦ ο δε A C L Θ Ψ 0250 f^{13} 𝔐 sy$^{p.h}$ ¦ *txt* ℵ B Γ* Σ 33. 892*. 1424* *pc* ● **24** ⸂ *p)* σταυρωσαντες αυ. ℵ A C D Θ 0250 $f^{1.13}$ 𝔐 lat sy^{h} ¦ *txt* B (L) Ψ 892 it sy^{hmg} | ⸋ D *pc* it sy^{s} ● **25** ⸀εκτη Θ *pc* sy^{hmg} | ⸂οτε εστ. f^{13} *pc* aur sy^{p} sa^{ms} ¦ και εφυλασσον D it sa^{mss} ● **26** ⸆*p)* ουτος εστιν D (33) aur r^{1} sy$^{s.p}$ ● **27** ⸀εσταυρωσαν B 565 *pc* it co ¦ σταυρουνται (*et* λησται) D | ⸆ nomine Zoathan *et* ⸆ nomine Chammata c | ⸆¹[28] (Lc 22,37; Is 53,12) και επληρωθη η γραφη η λεγουσα· και μετα ανομων ελογισθη L Θ 0112. 0250 $f^{1.13}$ 𝔐 lat sy$^{p.h}$ (bo^{pt}) ¦ *txt* ℵ A B C D Ψ *pc* k sy^{s} sa bo^{pt} ● **29** ⸂ *2–4 1* ℵ C $f^{1.13}$ 𝔐 vg sy^{h}; Eus ¦ *3 4 1* A P Θ 28 *al* ¦ *1 3 4* D 565 k ¦ *txt* B L Ψ 059. 0112 it ● **32** ⸆ αυτω C^{3} D P Γ Θ $f^{1.13}$ 28^{mg}. 565. 700. 1241 *pm* it vg^{mss} sy^{p} sa; Eus | ⸂αυτω A C 059* $f^{1.13}$ 𝔐 ¦ μετ αυτου Ψ ¦ – D 1241. 1424 ¦ *txt* ℵ B L Θ 059^{c}. 0112. 892 *pc*

33 Καὶ γενομένης ὥρας ἕκτης σκότος ἐγένετο ἐφ᾽ ὅλην *33–39:* Mt 27,45-54 L 23,44-48 J 19,28-30 Am 8,9 |
τὴν γῆν ἕως ὥρας ἐνάτης. **34** καὶ τῇ ⸂ἐνάτῃ ὥρᾳ⸃ ἐβό-
ησεν ⸋ὁ Ἰησοῦς⸌ φωνῇ μεγάλῃ·
⸀*ελωι* ⸀*ελωι* ⸄*λεμα σαβαχθανι*⸅; *Ps 22,2*
ὅ ἐστιν μεθερμηνευόμενον· *ὁ θεός* ⸰*μου* ⸋¹*ὁ θεός μου*⸌,
εἰς τί ⸂¹*ἐγκατέλιπές με*⸃; **35** καί τινες τῶν ⸀παρεστηκότων
ἀκούσαντες ἔλεγον· ⸁ἴδε Ἠλίαν φωνεῖ. **36** δραμὼν δέ
τις ⸂[καὶ] γεμίσας⸃ σπόγγον ὄξους περιθεὶς καλάμῳ Ps 69,22
⸋ἐπότιζεν αὐτὸν λέγων⸌· ⸀ἄφετε ἴδωμεν εἰ ἔρχεται Ἠλίας
καθελεῖν αὐτόν. **37** ὁ δὲ Ἰησοῦς ἀφεὶς φωνὴν μεγάλην ἐξέπνευσεν.
38 Καὶ τὸ καταπέτασμα τοῦ ναοῦ ἐσχίσθη εἰς δύο ⸆ ἀπ᾽ Ex 26,31-33
ἄνωθεν ἕως κάτω. **39** Ἰδὼν δὲ ὁ κεντυρίων ὁ παρεστηκὼς
⸂ἐξ ἐναντίας αὐτοῦ⸃ ⸄ὅτι οὕτως ἐξέπνευσεν⸅ εἶπεν· ἀληθῶς
οὗτος ὁ ἄνθρωπος ⸉υἱὸς θεοῦ ἦν⸊. 1,11!
40 Ἦσαν δὲ καὶ γυναῖκες ἀπὸ μακρόθεν θεωροῦσαι, *40s:* Mt 27,55s L 23,49 J 19,24b-27 · 47; 16,1.9 L 8,2s · L 24,10 · 16!
ἐν αἷς καὶ ⸀Μαρία ἡ Μαγδαληνὴ καὶ Μαρία ⸁ἡ Ἰακώβου
τοῦ μικροῦ καὶ ⸀¹Ἰωσῆτος μήτηρ καὶ Σαλώμη, **41** ⸀αἳ ὅτε
ἦν ἐν τῇ Γαλιλαίᾳ ἠκολούθουν αὐτῷ ⸋καὶ διηκόνουν αὐ- 1,13!
τῷ⸌, καὶ ἄλλαι πολλαὶ αἱ συναναβᾶσαι αὐτῷ εἰς Ἱεροσόλυμα.
42 Καὶ ἤδη ὀψίας γενομένης, ἐπεὶ ἦν παρασκευὴ ὅ *42–47:* Mt 27,57-61 L 23,50-55 J 19,38-42 Dt 21,22s |

34 ⸂ωρα τη ενατη A C 𝔐 ¦ *txt* ℵ B D L Θ Ψ 059. 0112 $f^{1.13}$ (565). 892. 1424 *al* c ff² | ⸋ D Θ *pc* i k sy^s bo^pt | ⸀*p) bis* ηλι D Θ 059. 565 *pc* it; Eus | ⸄ † λαμα σαβαχθανι (ζαβαφθ. B) B Θ 059. 1. 565 *pc* vg ¦ λιμα σαβαχθανι (A: σαβακτ-) f^{13} 𝔐 sy^h ¦ λαμα ζαφθανι D i vg^mss ¦ *txt* ℵ(*: σαβακτ-) C L Δ Ψ (0112: ζαβ-). 892 *pc* c l vg^mss; Eus | ⸰ A K P Γ Δ Θ 059 $f^{1.13}$ *pm* i; Eus | ⸋¹ B 565 bo^ms | ⸂¹ *2 1* C (K) Θ $f^{1.13}$ 𝔐 it (-λειπ- A *al*) ¦ ωνειδισας με D c (i) k; Porph ¦ *txt* ℵ B Ψ 059 *pc* vg (-λειπ- L 0112. 565. 892 *pc*) ● **35** ⸀ παρεστωτων ℵ D Θ 33. 565 *al* ¦ *p)* (+ εκει A) εστηκοτων A B ¦ *txt* C L Ψ 059. 0112 $f^{1.13}$ 𝔐 | ⸁ιδου A 𝔐 ¦ οτι C 565 *pc* ¦ οτι ιδου K *al* ¦ – D Θ 700 it sy^p ¦ *txt* ℵ B L Δ Ψ f^{13} 1. 33. 892. 1424 *al* ● **36** ⸂ † *2* B L Ψ (f^{13}) *pc* c ¦ *p)* και πλησας D Θ 565. 700 ¦ *txt* ℵ A C 059. 0112 f^{1} 𝔐 | ⸋ D | ⸀*p)* αφες ℵ D N Θ $f^{1.13}$ 28. 565. 700 *al* it ¦ *txt* A B C L Ψ 0112 𝔐 vg sy ● **38** ⸆μερη D it vg^mss ● **39** ⸂αυτω W f^{1} *pc* sy^s.p? ¦ εκει D Θ 565 i n q | ⸄ οτι ουτ. (– W Θ 565 sy^s) κραξας εξεπν. A C W Θ $f^{1.13}$ 𝔐 lat sy ¦ ουτως αυτον κραξαντα και εξεπν. (*et om.* ειπεν) D ¦ quia sic exclamavit k ¦ *txt* ℵ B L Ψ 892 *pc* sa (bo) | ⸉ *1 3 2* A C W $f^{1.13}$ 𝔐 c sy^h ¦ *2 1 3* D 565 it ¦ *txt* ℵ B L Γ Δ Θ Ψ 892. 1424 *al* aur l n vg ● **40** ⸀Μαριαμ B C W Θ f^{1} ¦ *txt* ℵ A D (L) Ψ 0184 f^{13} 𝔐 | ⸁*p)* η του A 𝔐 ¦ filia sy^s ¦ – D L Θ Ψ f^{13} 28. 33. 565. 1010. 1424 *al* ¦ *txt* ℵ B C K N W Δ 0184. 892 *al* | ⸀¹η Ιωσ. B ¦ (+ η Ψ) Ιωση ℵ* A C W Ψ 𝔐 sa ¦ Joseph lat sy^s ¦ *txt* ℵ² D L (Δ) Θ 0112. 0184 $f^{(1).13}$ 33. 565 *pc* bo ● **41** ⸀και A C L W Δ *al* vg ¦ αι και D Θ $f^{1.13}$ 𝔐 n sy^h ¦ *txt* ℵ B Ψ 0112. 0184. 33. 892. 1424 *pc* it sy^s.p co | ⸋ C D Δ *pc* n

ἐστιν ⸀προσάββατον, **43** ἐλθὼν Ἰωσὴφ °[ὁ] ἀπὸ ⸀Ἁριμα-
L 2,38! θαίας εὐσχήμων βουλευτής, ὃς καὶ αὐτὸς ἦν προσδεχό-
μενος τὴν βασιλείαν τοῦ θεοῦ, τολμήσας εἰσῆλθεν πρὸς
°¹τὸν Πιλᾶτον καὶ ᾐτήσατο τὸ ⸀σῶμα τοῦ Ἰησοῦ. **44** ὁ δὲ
Πιλᾶτος ⸀ἐθαύμασεν εἰ ἤδη τέθνηκεν καὶ προσκαλεσάμενος τὸν κεντυρίωνα ἐπηρώτησεν αὐτὸν ⸂εἰ πάλαι⸃ ἀπ-
έθανεν· **45** καὶ γνοὺς ἀπὸ τοῦ κεντυρίωνος ἐδωρήσατο
τὸ ⸀πτῶμα τῷ ⸁Ἰωσήφ. **46** ⸀καὶ ἀγοράσας σινδόνα
⸁καθελὼν αὐτὸν ἐνείλησεν τῇ σινδόνι καὶ ⸀¹ἔθηκεν αὐτὸν ἐν ⸀²μνημείῳ ὃ ἦν λελατομημένον ἐκ πέτρας καὶ
προσεκύλισεν λίθον ἐπὶ τὴν θύραν τοῦ μνημείου. **47** ἡ δὲ
40! ⸀Μαρία ἡ Μαγδαληνὴ καὶ ⸀Μαρία °ἡ ⸁Ἰωσῆτος ⸆ ἐθεώρουν ποῦ τέθειται.

1-8: Mt 28,1-8 L 24,1-9 J 20,1-10 · 15,40! **16** Καὶ □διαγενομένου τοῦ σαββάτου ⸆ Μαρία ἡ Μαγδαληνὴ καὶ Μαρία ⸂ἡ [τοῦ]⸃ Ἰακώβου καὶ Σαλώμη⸌
14,8 ⸀ἠγόρασαν ἀρώματα ἵνα ⸉ἐλθοῦσαι ἀλείψωσιν αὐτόν⸊.
1K 16,2! **2** ⸂καὶ λίαν πρωῒ τῇ μιᾷ τῶν σαββάτων ἔρχονται⸃ ἐπὶ τὸ
⸀μνημεῖον ⸁ἀνατείλαντος τοῦ ἡλίου. **3** καὶ ἔλεγον πρὸς
ἑαυτάς· τίς ἀποκυλίσει ἡμῖν τὸν λίθον ⸂ἐκ τῆς θύρας

42 ⸀πριν σαβ. D ¦ προς σαβ. A B^2 L Γ Ψ f^{13} 28. 33. 565. 700. 892. 1010 *pm* ¦ *txt* ℵ B* C K W Δ Θ 0112. 0212 f^1 1241. 1424 *pm* ● **43** ° B D W^c 0112. 28 *pc* sy^s bo^{pt} ¦ *txt* ℵ A C L W* Θ Ψ $f^{1.13}$ 𝔐 | ⸀-θιας $ℵ^c$ D 565 *pc* lat | °¹ A C D Θ $f^{1.13}$ 𝔐 ¦ *txt* ℵ B L W Δ Ψ 33 | ⸀πτωμα D k sy^s ● **44** ⸀-ζεν ℵ D | ⸂ει ηδη B D W Θ *pc* lat ¦ ει 544 *pc* sy^s ¦ και ειπεν Δ ● **45** ⸀σωμα A C W Ψ 0112 $f^{1.13}$ 𝔐 lat $sy^{p.h}$ co ¦ πτωμα αυτου D sy^s ¦ *txt* ℵ B L Θ 565 | ⸁Ιωση B W ● **46** ⸀ο δε Ιωσηφ D Θ Σ 565 *pc* lat $sy^{(p).h}$ | ⸁ευθεως ηνεγκεν και καθελων W (sy^s) ¦ *p)* λαβων D (n) | ⸀¹† κατεθηκεν (A) C* (K) 𝔐 ¦ *txt* ℵ B C^2 D L W Θ Ψ 0112 $f^{1.13}$ 33. 565. 892. 1424 *pc* | ⸀²† μνηματι ℵ B *pc* ¦ *txt* A C (D) L W Θ Ψ 0112 $f^{1.13}$ 𝔐 ● **47** ⸀*bis* Μαριαμ Θ f^1 (33) | ° (D) L $f^{1.13}$ 𝔐 ¦ *txt* $ℵ^2$ A B C W Δ Θ Ψ 0112. 33. 1424 *al* (ℵ*: *h. t.* – 16,1) | ⸁Ιακωβου D *pc* it sy^s ¦ Ιακωβου και Ιωσητος Θ f^{13} 565 *pc* ¦ Ιωση C W $Ψ^c$ 𝔐 sa^{ms} ¦ Ιωσηφ A *pc* vg ¦ *txt* $ℵ^2$ B L Δ Ψ* 0112 *pc* k sa^{mss} bo | ⸆μητηρ W f^{13} *pc* ¶ **16,1** □ D (k) n | ⸆† η $ℵ^2$ B* L ¦ *txt* A B^2 C W Θ Ψ $f^{1.13}$ 𝔐 | ⸂η ℵ* C W Γ Θ Ψ 700 *pm* ¦ του L *pc* ¦ – E $f^{1.13}$ 28. 565. 892. 1010. 1241. 1424 *pm* ¦ *txt* $ℵ^2$ A B K Δ 33 *al* | ⸀πορευθεισαι ηγ. D aur n bo^{pt} ¦ πορευθεισαι ητοιμασαν Θ 565 | ⸉ *3 2* D it bo^{mss}? ¦ εισελθ. αλειψ. αυτ. W ¦ ελθ. αλειψ. τον Ιησουν K X f^{13} 892 ^{mg}. (1241) *al* vg^{cl} ● **2** ⸂και λιαν (– κ. λ. W) πρωι μια των (– f^1) σαββ. ερχ. B W f^1 ¦ και λιαν πρωϊ της μιας σαββ. ερχ. A C (K f^{13}) 𝔐 sy^h ¦ και ερχ. πρωϊ μιας σαββατου D ¦ *txt* ℵ L Δ(*) Θ Ψ 33. 565. 892 *pc*; Eus | ⸀† μνημα ℵ* C* W Θ 565 ¦ *txt* $ℵ^2$ A B C^3 D L Ψ 0112 $f^{1.13}$ 𝔐 | ⸁-τελλοντος D ● **3** ⸂ab osteo? Subito autem ad horam tertiam tenebrae diei factae sunt per totum orbem terrae, et descenderunt de caelis angeli et surgent (-ntes?, nte eo?, surgit?) in claritate vivi Dei (viri duo? + et?) simul ascenderunt cum eo, et continuo lux facta est. Tunc illae accesserunt ad monimentum k

τοῦ μνημείου⸃; 4 ⸂καὶ ἀναβλέψασαι θεωροῦσιν ὅτι ⸀ἀπο-
κεκύλισται ὁ λίθος· ἦν γὰρ μέγας σφόδρα⸃.
5 Καὶ ⸀εἰσελθοῦσαι εἰς τὸ μνημεῖον εἶδον νεανίσκον
καθήμενον ἐν τοῖς δεξιοῖς περιβεβλημένον στολὴν λευ- Mt 27,60
2 κήν, καὶ ἐξεθαμβήθησαν. 6 ὁ δὲ λέγει αὐταῖς· μὴ ἐκθαμ- 9,3 Act 1,10; 10,30
βεῖσθε· Ἰησοῦν ζητεῖτε ⸋τὸν Ναζαρηνὸν⸌ τὸν ἐσταυ-
ρωμένον· ἠγέρθη, οὐκ ἔστιν ὧδε· ⸂ἴδε ὁ τόπος⸃ ὅπου
ἔθηκαν αὐτόν. 7 ἀλλὰ ὑπάγετε εἴπατε τοῖς μαθηταῖς αὐτοῦ καὶ τῷ Πέτρῳ ὅτι ⸀προάγει ὑμᾶς εἰς τὴν Γαλιλαίαν· 14,28p
ἐκεῖ ⸀αὐτὸν ὄψεσθε, καθὼς ⸀[1]εἶπεν ὑμῖν.
3 8 ⸂Καὶ ἐξελθοῦσαι⸃ ἔφυγον ἀπὸ τοῦ μνημείου, εἶχεν
γὰρ αὐτὰς ⸀τρόμος καὶ ἔκστασις· ⸋καὶ οὐδενὶ οὐδὲν εἶ-
παν·⸌ ἐφοβοῦντο γάρ. ⸆

⟦[1]⸆Πάντα δὲ τὰ παρηγγελμένα τοῖς περὶ τὸν Πέτρον συντόμως ἐξήγγειλαν. Μετὰ δὲ ταῦτα καὶ αὐτὸς °ὁ Ἰησοῦς ⸇ ἀπὸ ⸀ἀνατολῆς °[1]καὶ ⸀ἄχρι δύσεως ἐξαπέστειλεν δι' αὐτῶν τὸ ἱερὸν καὶ ἄφθαρτον κήρυγμα τῆς αἰωνίου σωτηρίας. °[2]ἀμήν.⟧

4 ⸂ην γαρ μεγ. σφ. και ερχονται και ευρισκουσιν αποκεκυλισμενον τον λιθον D Θ 565 c ff^{2} n (sy^{s}); Eus | ⸀† ανακ- (א) B L ¦ *txt* A C W Ψ $f^{1.13}$ 𝔐 ● **5** ⸀ελθ- B ● **6** ⸋ א* D | ⸂ειδετε εκει τον τοπον αυτου D(*) (c ff^{2}) ¦ ειδετε· εκει ο τοπος αυτου εστιν W (Θ 565) ● **7** ⸀ηγερθη απο νεκρων και ιδου προαγει f^{1} *pc* ¦ ιδου προαγω *et* ⸀με *et* ⸀[1]ειρηκα D k ● **8** ⸂και ακουσασαι Θ (565) ¦ και ακουσασαι εξηλθον και W (099) sy$^{s.(p).hmg}$ | ⸀φοβος D W *pc* it; Cl | ⸋ k | ⸆ ⟦[1]Παντα δε ... σωτηριας. αμην⟧ *add.* k ¦ ⟦[1]Παντα δε ... σωτηριας. αμην⟧ *et* ⟦[2]Αναστας δε ... σημειων (= 16,9-20)⟧ *add.* L Ψ 099. 0112. 274^{mg}. 579. ℓ 1602 sy^{hmg} sa^{mss} bo^{mss} aeth^{mss} ¦ ⟦[2]Αναστας δε ... σημειων (= 16,9-20)⟧ *add.* A C D W Θ f^{13} 𝔐 lat sy$^{c.p.h}$ bo; Ju? Ir Tert (*add. cum obel.* f^{1} *al*) ¦ *nihil hab.* א B 304 sy^{s} sa^{ms} arm^{mss}; Cl Or Eus Hier^{mss}

Ad ⟦[1]Παντα ... σωτηριας. αμην⟧: *om.* א A B C D W Θ $f^{1.13}$ 𝔐 lat sy sa^{ms} bo ¦ *txt* L Ψ 099. 0112. 274^{mg}. 579. ℓ 1602 k sy^{hmg} sa^{mss} bo^{mss} aeth^{mss} | ⸆ Φερεται που και ταυτα· L sy^{hmg} ¦ Εν τισιν αντιγραφων ταυτα φερεται· 099 sa^{ms} ¦ Εν αλλοις αντιγραφοις ουκ εγραφη ταυτα· ℓ 1602 | ° Ψ 0112 | ⸇ εφανη Ψ ℓ 1602 k ¦ εφανη αυτοις 099 sa^{mss} bo^{mss} aeth^{mss} | ⸀ανατολων 274^{mg} ¦ ανατολης ηλιου 099 sa^{mss} aeth^{mss} | °[1] 0112 k sy^{hmg} sa^{mss} bo^{mss} | ⸀μεχρι Ψ | °[2] † L bo^{mss} ¦ *txt* Ψ 099. 0112. 274^{mg}. 579. ℓ 1602 k sy^{hmg} sa^{mss} aeth^{mss}

9–11: L 24,10s J 20,14.18 18 · 15,40! ⟦[2] ⸆ **9** ⸂Ἀναστὰς δὲ⸃ πρωῒ πρώτῃ σαββάτου ⸀ἐφάνη πρῶ-
τον⸃ ⸀Μαρίᾳ τῇ Μαγδαληνῇ, ⸁παρ᾽ ἧς ἐκβεβλήκει ἑπτὰ
δαιμόνια. **10** ἐκείνη πορευθεῖσα ἀπήγγειλεν ⸂τοῖς μετ᾽ αὐ-
τοῦ⸃ γενομένοις πενθοῦσι ⸋καὶ κλαίουσιν⸌· **11** κἀκεῖνοι
ἀκούσαντες ὅτι ζῇ καὶ ἐθεάθη ὑπ᾽ αὐτῆς ⸀ἠπίστησαν.

12s: L 24,13-35 **12** Μετὰ δὲ ταῦτα δυσὶν ἐξ αὐτῶν περιπατοῦσιν ἐφανερώθη ἐν ἑτέρᾳ μορφῇ πορευομένοις εἰς ἀγρόν· **13** κἀκεῖνοι ἀπελθόντες ἀπήγγειλαν τοῖς λοιποῖς· οὐδὲ ἐκείνοις
ἐπίστευσαν.

14–18: L 24,36-43 J 20,19-23.26-29 · Mt 28,16 · L 24,25 **14** Ὕστερον °[δὲ] ἀνακειμένοις °[1]αὐτοῖς τοῖς ἕνδεκα
ἐφανερώθη καὶ ὠνείδισεν τὴν ἀπιστίαν αὐτῶν καὶ σκλη-
ροκαρδίαν ὅτι τοῖς θεασαμένοις αὐτὸν ἐγηγερμένον ⸆ οὐκ
ἐπίστευσαν.⸆ **15** ⸂καὶ εἶπεν αὐτοῖς·⸃ πορευθέντες εἰς τὸν
13,10; 14,9 Mt 28,18-20 Kol 1,23 κόσμον ἅπαντα κηρύξατε τὸ εὐαγγέλιον πάσῃ τῇ κτίσει.
J 3,18 Act 2,38; 16,31.33 | **16** ⸆ ὁ πιστεύσας καὶ βαπτισθεὶς σωθήσεται, ὁ δὲ ἀπι-
στήσας ⸀κατακριθήσεται. **17** σημεῖα δὲ τοῖς πιστεύσασιν
6,7p.13 Mt 10,8 L 10,17 Act 8,7; 16,18; 19,6 · ⸂ταῦτα παρακολουθήσει⸃· ἐν τῷ ὀνόματί μου δαιμόνια

Ad ⟦[2](= 16,9-20)⟧: *om.* ℵ B 304 k sy[s] sa[ms] arm[mss]; Cl Or Eus Hier[mss] ¦ ⟦[2](= 16,9-20)⟧ *add. p.* ⟦[1]Παντα δε ... σωτηριας. αμην⟧ L Ψ 099. 0112. 274[mg]. 579. ℓ 1602 sy[hmg] sa[mss] bo[mss] aeth[mss] ¦ ⟦[2](= 16,9-20)⟧ *add. p.* 16,8: *txt* A C D W Θ *f*[13] 𝔐 lat sy[c.p.h] bo; Ju? Ir Tert (*ad f*[1] *al cf* ⸆) | ⸆(*post* 16,8) Εν τισιν των αντιγραφων εως ωδε πληρουται ο ευαγγελιστης εως οὗ και Ευσεβιος ο Παμφιλου εκανονισεν· εν πολλοις δε και ταυτα φερεται *f*[1] (*al*) ¦ (*post* ⟦[1] ...⟧) Εστιν δε και ταυτα φερομενα μετα το εφοβουντο γαρ L Ψ 0112. (099. ℓ 1602 sa[mss] bo[mss]) ● **9** ⸂*1* C* 1 ¦ αναστας δε (– *f*[13] *pc*) ο Ιησους F *f*[13] *pm* aur c ff[2] vg[s] | ⸂ εφανερωσεν πρωτοις D | ⸀Μαριαμ C | ⸁αφ A C[3] Θ Ψ *f*[1.13] 𝔐 ¦ *txt* C* D L W 0112. 33. 892 *pc* ● **10** ⸂τοις μαθηταις αυτου Θ ¦ αυτοις τοις μετ αυτου D | ⸋ W ● **11** ⸀και ουκ επιστευσαν αυτη D(*) ● **14** ° C L W Ψ 099 *f*[13] 𝔐 vg sa[ms] ¦ *txt* A D Θ *f*[1] 565. 892. 1424 it vg[s] sy[p.h**] | °[1] L W 13 *pc* | ⸆εκ νεκρων A C* Δ *f*[1.13] 28. 33. 565. 892. 1241. 1424 *al* sy[h] bo[pt] ¦ *txt* C[3] D L W Θ Ψ 099 𝔐 lat sy[p] sa bo[pt] | ⸆ κακεινοι απελογουντο λεγοντες οτι ο αιων ουτος της ανομιας και της απιστιας υπο τον σαταναν εστιν, ο μη εων τα (τον μη εωντα?) υπο των πνευματων ακαθαρτα (-των?) την αληθειαν του θεου καταλαβεσθαι (+ και? *vl* αληθινην *pro* αληθειαν) δυναμιν· δια τουτο αποκαλυψον σου την δικαιοσυνην ηδη, εκεινοι ελεγον τω χριστω. και ο χριστος εκεινοις προσελεγεν οτι πεπληρωται ο ὅρος των ετων της εξουσιας του σατανα, ἀλλὰ εγγιζει ἄλλα δεινα· και υπερ ων εγω αμαρτησαντων παρεδοθην εις θανατον ινα υποστρεψωσιν εις την αληθειαν και μηκετι αμαρτησωσιν ινα την εν τω ουρανω πνευματικην και αφθαρτον της δικαιοσυνης δοξαν κληρονομησωσιν. W ¦ et illi satisfaciebant dicentes: Saeculum istud iniquitatis et incredulitatis substantia (sub Satana?) est, quae non sinit per immundos spiritus veram Dei apprehendi virtutem: idcirco iamnunc revela iustitiam tuam. Hier[mss] ● **15** ⸂αλλα W ● **16** ⸆ οτι D[s] 565 *pc* | ⸀κατακριθεις ου σωθησεται W ● **17** ⸂ *2 1* A C[2] 099. 33. 1424 *pc* ¦ ακολουθ. ταυτα C* L Ψ 892 *pc* ¦ *txt* C[3] D[s] W Θ *f*[1.13] 𝔐 lat sy[p.h]

ἐκβαλοῦσιν, γλώσσαις λαλήσουσιν °καιναῖς, **18** ⸋[καὶ
ἐν ταῖς χερσὶν]⸌ ὄφεις ἀροῦσιν κἂν θανάσιμόν τι πίωσιν
οὐ μὴ αὐτοὺς βλάψῃ, ἐπὶ ἀρρώστους χεῖρας ἐπιθήσουσιν
καὶ καλῶς ἕξουσιν.
0) **19** ʿΟ μὲν °οὖν κύριος ⸀Ἰησοῦς μετὰ τὸ λαλῆσαι αὐτοῖς
ἀνελήμφθη εἰς τὸν οὐρανὸν καὶ ἐκάθισεν ⸂ἐκ δεξιῶν⸃ τοῦ
1) θεοῦ. **20** ἐκεῖνοι δὲ ἐξελθόντες ἐκήρυξαν πανταχοῦ, τοῦ
κυρίου συνεργοῦντος καὶ τὸν λόγον βεβαιοῦντος διὰ τῶν
ἐπακολουθούντων σημείων.⸆ ⟧

1 K 14,2ss | L 10,19 Act 28,3-6 · Mt 9,18! Jc 5,14s

19: L 24,50s Act 1,9-11 2 Rg 2,11 1 T 3,16! · Ps 110,1 Mt 26,64! | Act 14,3 H 2,4

17 ° C* L Δ Ψ *pc* co (099 *om.* γλωσσ. λαλ. καιν.) ¦ *txt* A C^{2} D^{s} W Θ *f*$^{1.13}$ 𝔐 latt sy • 18 ⸋† A D^{s} W Θ *f*^{13} 𝔐 latt sy^{p} ¦ *txt* C L Δ Ψ 099. 1. 33. 565. 892. 1424 *al* sy$^{c.h**}$ co • 19 ° C* L W *pc* | ⸀Ιησους Χριστος W o bo^{mss} ¦ – A C^{3} D^{s} Θ Ψ 𝔐 vgst ¦ *txt* C* K L Δ *f*$^{1.13}$ 33. 565. 892^{c}. 1241. 1424 *al* it vg^{cl} sy co; Ir^{lat} | ⸂εν δεξια C Δ *pc* it; Epiph • 20 ⸆ αμην C* D^{s} L W Θ Ψ *f*^{13} 𝔐 c o vg^{ww} bo ¦ *txt* A C^{2} *f*^{1} 33 *pc* it vgst sy sa

⸂ΚΑΤΑ ΛΟΥΚΑΝ⸃

Kol 4,14 Phm 24 2T 4,11 2K 8,18?

1 Ἐπειδήπερ πολλοὶ ἐπεχείρησαν ἀνατάξασθαι διήγη-
σιν περὶ τῶν πεπληροφορημένων ἐν ἡμῖν πραγμάτων,
J 15,27 H 2,3 — **2** καθὼς παρέδοσαν ἡμῖν οἱ ἀπ᾽ ἀρχῆς αὐτόπται καὶ ὑπ-
Act 6,4 — ηρέται γενόμενοι τοῦ λόγου, **3** ἔδοξε κἀμοὶ ⸆ παρηκολου-
Act 11,4; · 24,3! — θηκότι ἄνωθεν πᾶσιν ἀκριβῶς καθεξῆς σοι γράψαι, κρά-
Act 1,1 | — τιστε Θεόφιλε, **4** ἵνα ἐπιγνῷς περὶ ὧν κατηχήθης λόγων
τὴν ἀσφάλειαν.

Mt 2,1 — **5** Ἐγένετο ἐν ταῖς ἡμέραις Ἡρῴδου ⸆ βασιλέως τῆς
1Chr 24,10 Neh 12,4.17 — Ἰουδαίας ἱερεύς τις ὀνόματι Ζαχαρίας ἐξ ἐφημερίας Ἀβιά,
καὶ γυνὴ αὐτῷ ἐκ τῶν θυγατέρων Ἀαρὼν καὶ τὸ ὄνομα
Ex 6,23 — αὐτῆς Ἐλισάβετ. **6** ἦσαν δὲ δίκαιοι ἀμφότεροι ⸀ἐναντίον
Gn 26,5 Dt 4,40 — τοῦ θεοῦ, πορευόμενοι ἐν πάσαις ταῖς ἐντολαῖς καὶ δι-
Ez 36,27 Ph 3,6 — καιώμασιν τοῦ κυρίου ἄμεμπτοι. **7** καὶ οὐκ ἦν αὐτοῖς τέκ-
Gn 18,11 — νον, καθότι ἦν °ἡ Ἐλισάβετ στεῖρα, καὶ ἀμφότεροι προ-
βεβηκότες ἐν ταῖς ἡμέραις αὐτῶν ἦσαν.

8 Ἐγένετο δὲ ἐν τῷ ἱερατεύειν αὐτὸν ἐν τῇ τάξει τῆς
ἐφημερίας αὐτοῦ ἔναντι τοῦ θεοῦ, **9** κατὰ τὸ ἔθος τῆς
Ex 30,7s — ἱερατείας ἔλαχε τοῦ θυμιᾶσαι εἰσελθὼν εἰς τὸν ναὸν τοῦ
⸀κυρίου, **10** καὶ πᾶν τὸ πλῆθος ἦν τοῦ λαοῦ προσευχόμε-
Dn 9,21 | 22,43 — νον ἔξω τῇ ὥρᾳ τοῦ θυμιάματος. **11** ὤφθη δὲ αὐτῷ ἄγγελος
Jdc 6,12etc — κυρίου ἑστὼς ἐκ δεξιῶν τοῦ θυσιαστηρίου τοῦ θυμιάμα-
τος. **12** καὶ ἐταράχθη Ζαχαρίας ἰδὼν καὶ φόβος ἐπέπεσεν
Jdc 13,6s — ἐπ᾽ αὐτόν. **13** εἶπεν δὲ πρὸς αὐτὸν ὁ ἄγγελος⸆·

Inscr.: ⸂ευαγγελιον κ. Λ. (A) D L W Θ Ξ Ψ 𝔐 lat ¦ το κ. Λ. αγιον ευαγγ. 209 *al* ¦ αρχη του κ. Λ. αγιου ευαγγελιου 1241 *pc* ¦ *txt* (א B) *pc* vg^{st}

¶ **1,3** ⸆(Act 15,28) et spiritui sancto b q ● **5** ⸆του A C D Θ 053 $f^{1.13}$ 𝔐 sa (bo) ¦ *txt* א B L R W Ξ Ψ *pc* ● **6** ⸀ενωπιον A C^3 D L R W Θ Ξ 053 $f^{1.13}$ 𝔐 ¦ *txt* א B C* Ψ 892. 1241 *pc* ● **7** ° B W f^{13} 1424 *pc* ● **9** ⸀θεου C* D Ψ 1424 *pc* ● **13** ⸆κυριου Θ 700 *pc* c ff^2 l sa^{mss}

μὴ φοβοῦ, Ζαχαρία, 30; 2,10 Mt 28,5. 10 Dn 10,12
διότι εἰσηκούσθη ἡ δέησίς σου, Act 10,31
καὶ ἡ γυνή σου Ἐλισάβετ γεννήσει υἱόν °σοι Gn 17,19
καὶ καλέσεις τὸ ὄνομα αὐτοῦ Ἰωάννην. 60
14 καὶ ἔσται χαρά σοι καὶ ἀγαλλίασις
καὶ πολλοὶ ἐπὶ τῇ ⸀γενέσει αὐτοῦ χαρήσονται. 58
15 ἔσται γὰρ μέγας ἐνώπιον ⸂[τοῦ] κυρίου⸃, 32; 7,28 Mt 11,11!
καὶ οἶνον καὶ σίκερα οὐ μὴ πίῃ, 7,33p *Nu 6,3 Lv 10,9* 1Sm 1,11 𝔊
καὶ πνεύματος ἁγίου πλησθήσεται 41.67
ἔτι ⸆ἐκ κοιλίας⸇ μητρὸς αὐτοῦ,
16 καὶ πολλοὺς τῶν υἱῶν Ἰσραὴλ ἐπιστρέψει
ἐπὶ κύριον τὸν θεὸν αὐτῶν.
17 καὶ αὐτὸς ⸀προελεύσεται ἐνώπιον αὐτοῦ Ml 3,1
ἐν πνεύματι καὶ δυνάμει Ἠλίου, Mt 11,14!
ἐπιστρέψαι καρδίας πατέρων ἐπὶ τέκνα Sir 48,10 Ml 3,23
καὶ ἀπειθεῖς ἐν φρονήσει δικαίων,
ἑτοιμάσαι κυρίῳ λαὸν κατεσκευασμένον.
18 καὶ εἶπεν Ζαχαρίας πρὸς τὸν ἄγγελον· κατὰ τί γνώσο- Gn 15,8
μαι τοῦτο; ἐγὼ γάρ εἰμι πρεσβύτης καὶ ἡ γυνή μου προ- Gn 18,11; 17,17
βεβηκυῖα ἐν ταῖς ἡμέραις αὐτῆς. **19** καὶ ἀποκριθεὶς ὁ ἄγ-
γελος εἶπεν αὐτῷ· ἐγώ εἰμι Γαβριὴλ ὁ ⸀παρεστηκὼς ἐνώ- 26 Dn 8,16; 9,21 · Tob 12,15
πιον τοῦ θεοῦ καὶ ἀπεστάλην λαλῆσαι πρὸς σὲ καὶ εὐ- H 1,14
αγγελίσασθαί σοι ταῦτα· **20** καὶ ἰδοὺ ἔσῃ σιωπῶν καὶ μὴ
δυνάμενος λαλῆσαι ἄχρι ἧς ἡμέρας γένηται ταῦτα, ἀνθ’ Act 13,11
ὧν οὐκ ἐπίστευσας τοῖς λόγοις μου, οἵτινες ⸀πληρωθή-
σονται εἰς τὸν καιρὸν αὐτῶν.
21 Καὶ ἦν ὁ λαὸς ⸀προσδοκῶν τὸν Ζαχαρίαν καὶ ἐθαύμαζον ἐν τῷ χρονίζειν ⸂ἐν τῷ ναῷ αὐτόν⸃. **22** ἐξελθὼν δὲ
οὐκ ἐδύνατο λαλῆσαι αὐτοῖς, καὶ ἐπέγνωσαν ὅτι ὀπτα- Dn 10,7
σίαν ἑώρακεν ἐν τῷ ναῷ· καὶ αὐτὸς ἦν διανεύων αὐτοῖς
καὶ διέμενεν κωφός. **23** καὶ ἐγένετο ὡς ἐπλήσθησαν αἱ
ἡμέραι τῆς λειτουργίας αὐτοῦ, ἀπῆλθεν εἰς τὸν οἶκον αὐτοῦ. **24** Μετὰ δὲ ταύτας τὰς ἡμέρας συνέλαβεν

13 °D Δ 1 *pc*; Or[lat] • **14** ⸀γεννησει Γ Ψ 053 $f^{1.13}$ 28. 33. 700. 1241. 1424 *pm* • **15** ⸂ †*2* ℵ A C L[c] f^{1} 33. 1010. 1241 *pm*; Cyr ¦ του θεου Θ Ψ f^{13} 700. 1424 *al* ¦ *txt* B D K L* W Γ Δ 053. 28. 565. 892 *pm* | ⸆ εν -λια W it sy • **17** ⸀προσελευσεται B* C L *al* ¦ προπορευσεται 945 *pc* ¦ *txt* ℵ A B[2] D W Θ Ψ 053 $f^{1.13}$ 𝔐 co • **19** ⸀παρεστως D • **20** ⸀πλησθησονται D (W) Ξ Ψ*; Or • **21** ⸀προσδεχομενος D | ⸂*4 1–3* ℵ A C D Θ 0130 $f^{1.13}$ 𝔐 ¦ *4* 700 *pc* ¦ *txt* B L W Ξ Ψ 565 *pc*

Ἐλισάβετ ἡ γυνὴ αὐτοῦ καὶ περιέκρυβεν ἑαυτὴν μῆνας
Gn 30,23 πέντε λέγουσα **25** ὅτι οὕτως μοι πεποίηκεν ⸆ κύριος ἐν
ἡμέραις αἷς ἐπεῖδεν ἀφελεῖν ⸆¹ ὄνειδός μου ἐν ἀνθρώποις.
19! **26** Ἐν δὲ τῷ μηνὶ τῷ ἕκτῳ ἀπεστάλη ὁ ἄγγελος Γαβριὴλ
Mt 2,23! ⸀ἀπὸ τοῦ θεοῦ εἰς πόλιν τῆς ⸁Γαλιλαίας ⸋ᾗ ὄνομα Ναζα-
2,5 Mt 1,18 ρὲθ⸌ **27** πρὸς παρθένον ⸀ἐμνηστευμένην ἀνδρὶ ᾧ ὄνομα
2,4; 3,23ss Ἰωσὴφ ἐξ οἴκου ⸆ Δαυὶδ καὶ τὸ ὄνομα τῆς παρθένου Μαριάμ. **28** καὶ εἰσελθὼν ⸆ πρὸς αὐτὴν εἶπεν· χαῖρε, κεχαρι-
Jdc 6,12 τωμένη, ὁ κύριος μετὰ σοῦ⸆¹. **29** ἡ δὲ ⸆ ἐπὶ τῷ λόγῳ διε-
ταράχθη καὶ διελογίζετο ⸆¹ ποταπὸς εἴη ὁ ἀσπασμὸς οὗτος. **30** καὶ εἶπεν ὁ ἄγγελος αὐτῇ·

13! · Gn 6,8 Ex 33,16 Prv 12,2 μὴ φοβοῦ, Μαριάμ, εὗρες γὰρ χάριν παρὰ τῷ θεῷ.
Gn 16,11 Jdc 13,3 Is 7,14 Mt 1,21-23 **31** καὶ ἰδοὺ συλλήμψῃ ἐν γαστρὶ καὶ τέξῃ υἱὸν
καὶ καλέσεις τὸ ὄνομα αὐτοῦ Ἰησοῦν.
15 · 1,76! **32** οὗτος ἔσται μέγας καὶ υἱὸς ὑψίστου κληθήσεται
Is 9,6 etc καὶ δώσει αὐτῷ κύριος ὁ θεὸς τὸν θρόνον Δαυὶδ τοῦ
Mc 11,10 2Sm 7,12s.16 πατρὸς αὐτοῦ, [νας
Mch 4,7 **33** καὶ βασιλεύσει ἐπὶ τὸν οἶκον Ἰακὼβ εἰς τοὺς αἰῶ-
Dn 7,14 H 7,24 καὶ τῆς βασιλείας αὐτοῦ οὐκ ἔσται τέλος.

34 εἶπεν δὲ Μαριὰμ πρὸς τὸν ἄγγελον· πῶς ἔσται τοῦτο, ἐπεὶ ἄνδρα οὐ γινώσκω; **35** καὶ ἀποκριθεὶς ὁ ἄγγελος 2 V
εἶπεν αὐτῇ·

Mt 1,18! Act 1,8 πνεῦμα ἅγιον ἐπελεύσεται ἐπὶ σὲ
καὶ δύναμις ὑψίστου ἐπισκιάσει σοι·
2,23 Is 4,3 · J 10,36 διὸ καὶ τὸ γεννώμενον ⸆ ἅγιον κληθήσεται υἱὸς θεοῦ.

36 καὶ ἰδοὺ Ἐλισάβετ ἡ συγγενίς σου καὶ αὐτὴ ⸀συνεί- 3 X
ληφεν υἱὸν ἐν γήρει αὐτῆς καὶ οὗτος μὴν ἕκτος ἐστὶν
Mt 19,26!p Gn 18,14 αὐτῇ τῇ καλουμένῃ στείρᾳ· **37** ὅτι οὐκ ἀδυνατήσει παρὰ

25 ⸆ο A B Θ Ψ 053. 0130. 0135 $f^{1.13}$ 𝔐 ¦ *txt* א C D L W 33 *pc* | ⸆¹το A B² C Θ Ψ 0130. 0135 f^{13} 𝔐 ¦ *txt* א B* D L W 1. 565. 700 *pc* • **26** ⸀υπο A C D Θ 053 𝔐 ¦ *txt* א B L W Ψ 0130 $f^{1.(13)}$ 565. 700. 892. 1241 *pc* | ⸁Ιουδαιας א* (*pc*) | ⸋D • **27** ⸀μεμνηστευμενην א² B² C Θ Ψ 053. 0135 $f^{1.13}$ 𝔐; Or Eus Epiph ¦ μεμνησμενην D ¦ *txt* א*.² A B* L W *pc* | ⸆ (2,4) και πατριας א C L f^{1} 28. 700. 1424 *al*; Eus • **28** ⸆ο αγγελος A C D 053 f^{13} 𝔐 latt $sy^{p.h}$ bo^{pt} (א Δ *al: add p.* αυτ.) ¦ *txt* B L W Θ Ξ Ψ f^{1} 565. 1241 *pc* sa bo^{pt}; Epiph | ⸆¹ (42) ευλογημενη συ εν γυναιξιν A C D Θ 053. 0135 f^{13} 𝔐 latt $sy^{p.h}$ bo^{mss}; Eus ¦ *txt* א B L W Ψ f^{1} 565. 700. 1241 *pc* co • **29** ⸆ιδουσα A C Θ 053. 0130. 0135 f^{13} 𝔐 lat $sy^{p.h}$ bo^{pt} ¦ ακουσασα 1194 vg^{cl} ¦ *txt* א B D L W Ψ f^{1} 565. 1241 *pc* sa bo^{pt} | ⸆¹εν εαυτη D 28 *pc* bo^{ms} ¦ εν εαυτη λεγουσα Ψ 33. 892. 1241 *pc* sy^{hmg} • **35** ⸆εκ σου C* Θ f^{1} 33 *pc* a c e (r^{1}) vg^{cl} sy^{p}; Ir^{lat} Tert Ad Epiph • **36** ⸀συνειληφυια A C D Θ Ψ 053. 0135 $f^{1.13}$ 𝔐; Cl Epiph ¦ *txt* א B L W Ξ 565. 892 *pc*

⸂τοῦ θεοῦ⸃ πᾶν ῥῆμα. 38 εἶπεν δὲ Μαριάμ· ἰδοὺ ἡ δούλη
κυρίου· γένοιτό μοι κατὰ τὸ ῥῆμά σου. καὶ ⸀ἀπῆλθεν
ἀπ' αὐτῆς ὁ ἄγγελος.
39 Ἀναστᾶσα δὲ Μαριὰμ ἐν ταῖς ἡμέραις ταύταις ἐπορεύθη εἰς τὴν ὀρεινὴν μετὰ σπουδῆς εἰς πόλιν Ἰούδα,
40 καὶ εἰσῆλθεν εἰς τὸν οἶκον Ζαχαρίου καὶ ἠσπάσατο
τὴν Ἐλισάβετ. 41 καὶ ἐγένετο ὡς ἤκουσεν ⸉τὸν ἀσπα-
σμὸν τῆς Μαρίας ἡ Ἐλισάβετ⸊, ἐσκίρτησεν ⸆ τὸ βρέφος Gn 25,22 𝔊
ἐν τῇ κοιλίᾳ αὐτῆς, καὶ ἐπλήσθη πνεύματος ἁγίου ἡ Ἐλι- 15!
σάβετ, 42 καὶ ⸂ἀνεφώνησεν κραυγῇ⸃ μεγάλῃ καὶ εἶπεν·
εὐλογημένη σὺ ἐν γυναιξὶν 11,27 Jdc 5,24 Jdth 13,18
καὶ εὐλογημένος ὁ καρπὸς τῆς κοιλίας σου. BarAp 54,10 · Dt 28,4
43 καὶ πόθεν μοι τοῦτο ἵνα ἔλθῃ ἡ μήτηρ τοῦ κυρίου μου 2Sm 24,21
πρὸς ⸀ἐμέ; 44 ἰδοὺ γὰρ ὡς ἐγένετο ἡ φωνὴ τοῦ ἀσπασμοῦ
σου εἰς τὰ ὦτά μου, ἐσκίρτησεν ἐν ἀγαλλιάσει τὸ βρέφος ἐν τῇ κοιλίᾳ μου. 45 καὶ μακαρία ἡ πιστεύσασα ὅτι 48 H 11,11
ἔσται τελείωσις τοῖς λελαλημένοις αὐτῇ παρὰ κυρίου.
46 Καὶ εἶπεν ⸀Μαριάμ· *46-55:* 1Sm 2,1-10
Μεγαλύνει ἡ ψυχή μου τὸν κύριον, Ps 34,3s; 35,9
47 καὶ ἠγαλλίασεν τὸ πνεῦμά μου ⸀ἐπὶ τῷ θεῷ
τῷ σωτῆρί μου, Hab 3,18 Is 61, 10; 17,10
48 ὅτι ἐπέβλεψεν ⸆ ἐπὶ τὴν ταπείνωσιν τῆς δούλης
αὐτοῦ. 1Sm 1,11; 9,16 Gn 29,32 ·
ἰδοὺ γὰρ ἀπὸ τοῦ νῦν μακαριοῦσίν με πᾶσαι αἱ
γενεαί, Gn 30,13 Ps 71, 17 𝔊 Ml 3,12 |
49 ὅτι ἐποίησέν μοι ⸀μεγάλα ὁ δυνατός. Dt 10,21 Ps 71,19 · Ps 44,4.6 𝔊 etc ·
καὶ ἅγιον τὸ ὄνομα αὐτοῦ, Ps 111,9 |
50 καὶ τὸ ἔλεος αὐτοῦ ⸂εἰς γενεὰς καὶ γενεὰς⸃
τοῖς φοβουμένοις αὐτόν. Ps 103,11.17.13; 100,5; 89,2 |
51 Ἐποίησεν κράτος ἐν βραχίονι αὐτοῦ, Ps 117,15s 𝔊; 89, 11 ·

37 ⸂τω θεω ℵ^{2} A C Θ Ψ 053. 0135 *f*$^{(1).13}$ 𝔐 sy$^{p.h}$ ¦ *txt* ℵ* B (⸉D) L W Ξ 565 *pc* • 38 ⸀απεστη D • 41 ⸉ *5 6 1–4* A C^{2} W 053 𝔐 sy^{h} ¦ *txt* ℵ B C* D L Θ Ξ Ψ *f*$^{1.13}$ 565. 892. 1424 *pc* | ⸆(44) εν αγαλλιασει ℵ* 565^{c} *pc* sy^{hmg} sa^{ms} bo^{ms}; (Hipp) • 42 ⸂ανεφωνησεν φωνη A D Ψ *f*^{1} 𝔐; Cyr ¦ ανεβοησεν φ. ℵ C Θ 053 *f*^{13} 28. 33. 892. 1424 *pc* ¦ *txt* B L W Ξ 565. 1241; Or^{pt} • 43 ⸀με ℵ^{2} A C D L W Ψ 053 *f*$^{1.13}$ 𝔐 ¦ *txt* ℵ* B Θ Ξ^{vid} • 46 ⸀Elisabeth a b l; Ir^{lat} Or$^{lat.mss}$ Nic ¦ [- comm *cj*] • 47 ⸀εν D lat; Ir^{lat} • 48 ⸆κυριος D • 49 ⸀μεγαλεια ℵ^{2} A C D^{2} Θ Ξ Ψ 053 *f*$^{1.13}$ 𝔐 e ¦ *txt* ℵ* B D* L W lat; Or^{lat} • 50 ⸂εις γενεας γενεων A C^{2} D(*) Θ 053 𝔐 (a b c) sy^{h}; Or^{lat} ¦ εις γενεαν και γενεαν ℵ Ψ *f*$^{1.13}$ 28. 700. 1424 *al* it; Cyr ¦ απο γενεας εις γενεαν 565. 1241 *pc* sa ¦ *txt* B C* L W Ξ vg bo

Prv 3,34 𝔊 διεσκόρπισεν ὑπερηφάνους διανοίᾳ καρδίας αὐ-
τῶν·
Sir 10,14 · Job 12,19; · 5,11 Ez 21,31 | **52** καθεῖλεν δυνάστας ἀπὸ θρόνων
καὶ ὕψωσεν ταπεινούς,
Ps 107,9 **53** πεινῶντας ἐνέπλησεν ἀγαθῶν
Job 22,9 | καὶ πλουτοῦντας ἐξαπέστειλεν κενούς.
Is 41,8s **54** ἀντελάβετο Ἰσραὴλ παιδὸς αὐτοῦ,
Ps 98,3 μνησθῆναι ἐλέους,
Mch 7,20 **55** καθὼς ἐλάλησεν πρὸς τοὺς πατέρας ἡμῶν,
2Sm 22,51 τῷ Ἀβραὰμ καὶ τῷ σπέρματι αὐτοῦ ⸂εἰς τὸν αἰ-
ῶνα⸃.
56 Ἔμεινεν δὲ Μαριὰμ σὺν αὐτῇ ⸀ὡς μῆνας τρεῖς, καὶ
ὑπέστρεψεν εἰς τὸν οἶκον αὐτῆς.
2,6 **57** Τῇ δὲ Ἐλισάβετ ἐπλήσθη ὁ χρόνος τοῦ τεκεῖν αὐτὴν καὶ ἐγέννησεν υἱόν. **58** καὶ ἤκουσαν οἱ περίοικοι καὶ
Gn 19,19 οἱ συγγενεῖς αὐτῆς ὅτι ἐμεγάλυνεν κύριος τὸ ἔλεος αὐ-
14 τοῦ μετ' αὐτῆς καὶ συνέχαιρον αὐτῇ. **59** Καὶ ἐγένετο
2,21 Gn 17,12 Lv 12,3 Ph 3,5 ἐν τῇ ⸂ἡμέρᾳ τῇ ὀγδόῃ⸃ ἦλθον περιτεμεῖν τὸ παιδίον καὶ
ἐκάλουν αὐτὸ ἐπὶ τῷ ὀνόματι τοῦ πατρὸς αὐτοῦ Ζαχαρίαν.
60 καὶ ἀποκριθεῖσα ἡ μήτηρ αὐτοῦ εἶπεν· οὐχί, ἀλλὰ
13 κληθήσεται ⸆ Ἰωάννης. **61** καὶ εἶπαν πρὸς αὐτὴν ὅτι οὐδείς ἐστιν ἐκ τῆς συγγενείας σου ὃς καλεῖται ⸂τῷ ὀνόματι
τούτῳ⸃. **62** ἐνένευον δὲ τῷ πατρὶ αὐτοῦ τὸ τί ἂν θέλοι καλεῖσθαι αὐτό. **63** καὶ αἰτήσας πινακίδιον ἔγραψεν ⸋λέ-
γων· Ἰωάννης ἐστὶν ⸆ ὄνομα αὐτοῦ. ⸂καὶ ἐθαύμασαν πάν-
20 Dn 10,16 τες. **64** ἀνεῴχθη δὲ τὸ στόμα αὐτοῦ παραχρῆμα καὶ ἡ
γλῶσσα⸃ αὐτοῦ, καὶ ἐλάλει εὐλογῶν τὸν θεόν. **65** Καὶ
5,26; 7,16; 8,37 Act 2,43! ἐγένετο ἐπὶ πάντας φόβος ⸆ τοὺς περιοικοῦντας αὐτούς,
καὶ ἐν ὅλῃ τῇ ὀρεινῇ τῆς Ἰουδαίας διελαλεῖτο ⸋πάντα
9,44! τὰ ῥήματα ταῦτα, **66** καὶ ἔθεντο πάντες οἱ ἀκούσαντες ἐν

55 ⸂εως αιωνος C Ψ $f^{1.13}$ 700. 1241. 1424 *pm* vg^{mss} ● **56** ⸀ωσει A C Θ f^{13} 𝔐 ¦ – D *pc* it sa bo^{pt}; Or^{lat} ¦ *txt* ℵ B L W Ξ Ψ f^{1} 565 *pc* ● **59** ⸂*3 1* A Θ Ψ 053 f^{1} 𝔐 ¦ *txt* ℵ B C (D) L W Ξ f^{13} 33. 565. 892. 1241 *pc* ● **60** ⸆το ονομα αυτου C* D *pc* bo^{pt} ● **61** ⸂το ονομα τουτο D ● **63/64** ⸋D *pc* e sy^{s} | ⸆το ℵ A B^{2} C D W Θ Ψ 053 $f^{1.13}$ 𝔐 ¦ *txt* 𝔓^{4} B* L Ξ 565. 700 *pc* | ⸂(Mc 7,35) και εθαυμασαν ... παραχρημα και ελυθη ο δεσμος της γλωσσης f^{1} *pc* ¦ και παραχρημα ελυθη η γλωσσα αυτου και εθαυμασαν παντες· ανεωχθη δε το στομα D a b (sy^{s}) ● **65** ⸆τους ακουοντας ταυτα και Θ arm | ⸋ℵ* L 1241. 1424 *pc* sy$^{s.p}$ bo^{mss}

τῇ καρδίᾳ αὐτῶν λέγοντες· τί ἄρα τὸ παιδίον τοῦτο ἔσται; 2,19!
καὶ °γὰρ χεὶρ κυρίου °¹ἦν μετ' αὐτοῦ. Act 11,21
67 Καὶ Ζαχαρίας ὁ πατὴρ αὐτοῦ ἐπλήσθη πνεύματος 15!
ἁγίου καὶ ⸀ἐπροφήτευσεν λέγων⸁·
68 Εὐλογητὸς °κύριος ὁ θεὸς τοῦ Ἰσραήλ, Ps 41,14; 72,18; 106,48 1 Rg 1,48
ὅτι ἐπεσκέψατο καὶ ἐποίησεν λύτρωσιν τῷ λαῷ Ex 4,31 Rth 1,6 · Ps 111,9 |
αὐτοῦ, 1 Sm 2,1.10 Ez 29,
69 καὶ ἤγειρεν κέρας σωτηρίας ἡμῖν 21 Ps 132,17; 18,3 2 Sm 22,3 ·
ἐν ⸆ οἴκῳ Δαυὶδ ⸆' παιδὸς αὐτοῦ, 1 Chr 17,4.24 Ps
70 καθὼς ἐλάλησεν διὰ στόματος ⸀τῶν ἁγίων ἀπ' 18,1 etc |
αἰῶνος προφητῶν αὐτοῦ⸁, R 1,2 Ap 10,7! |
71 σωτηρίαν ἐξ ἐχθρῶν ἡμῶν καὶ ἐκ χειρὸς πάντων Ps 18,18; 106,
τῶν μισούντων ἡμᾶς, 10 2 Sm 22,18 |
72 ποιῆσαι ἔλεος μετὰ τῶν πατέρων ἡμῶν Mch 7,20
καὶ μνησθῆναι διαθήκης ἁγίας αὐτοῦ, Ps 105,8s; 106,45 Lv 26,42 Ex 2,24 |
73 ὅρκον ὃν ὤμοσεν πρὸς Ἀβραὰμ τὸν πατέρα ἡμῶν, Gn 26,3 Jr 11,5 Mch 7,20 |
τοῦ δοῦναι ἡμῖν 74 ἀφόβως ἐκ χειρὸς ⸀ἐχθρῶν Ps 97,10 Mch 4,10
ῥυσθέντας
λατρεύειν αὐτῷ 75 ἐν ὁσιότητι καὶ δικαιοσύνῃ E 4,24
ἐνώπιον αὐτοῦ ⸀πάσαις ταῖς ἡμέραις⸁ ⸆ ἡμῶν.
76 Καὶ σὺ δέ, παιδίον, προφήτης ὑψίστου κληθήσῃ· 7,26p; 20,6 · 32; 6,35
προπορεύσῃ γὰρ ⸀ἐνώπιον κυρίου ἑτοιμάσαι ὁδοὺς Ml 3,1 Is 40,3 Mc 1,2!
αὐτοῦ,
77 τοῦ δοῦναι γνῶσιν σωτηρίας τῷ λαῷ αὐτοῦ
ἐν ἀφέσει ἁμαρτιῶν ⸀αὐτῶν, 3,3p
78 διὰ σπλάγχνα ἐλέους θεοῦ ἡμῶν,
ἐν οἷς ⸀ἐπισκέψεται ἡμᾶς ἀνατολὴ ἐξ ὕψους, Is 60,1s · Zch 3,8; 6,12 𝔊 Jr 23,5 𝔊 2 P 1,19 |

66 ° A C^{2} Θ 053. 0130 *f*$^{1.13}$ 𝔐 sy$^{p.h}$ ¦ *txt* 𝔓^{4} ℵ B C* D L W Ψ 565 *pc* latt sy^{hmg} co | °¹ D it sy^{s}? ● **67** ⸀ειπεν D ● **68** ° 𝔓^{4} W it vgst sy^{s} sa^{mss}; Ir Cyp ● **69** ⸆τω A R Θ Ψ 053. 0130. 0135 𝔐 ¦ *txt* 𝔓^{4vid} ℵ B C D L W *f*$^{1.13}$ 28. 33. 565. 700. 892. 1241 *pc* | ⸆' του A C R Θ Ψ 053. 0130. 0135 *f*$^{1.13}$ 𝔐 ¦ *txt* ℵ B D L W 565. 892 *pc* ● **70** ⸀ *2 5 6 1 3 4* D it; Ir^{lat} ¦ *1–4 6 5* ℵ W; Eus ¦ των αγ. των απ αι. προφ. αυ. A C Θ Ψ 053. 0135 *f*^{1} 𝔐 ¦ *txt* 𝔓^{4} B L R Δ 0130 *f*^{13} 33 *pc* vg ● **74** ⸀εχθρων ημων D 33 *pc*; Or^{pt} ¦ των εχθρ. ημων A C (K) R Θ Ψ 053. 0135. 0177 𝔐 ¦ *txt* ℵ B L W (0130) *f*$^{1.13}$ 565. 892 *pc* β e; Ir ● **75** ⸀πασας τας ημερας ℵ A C D R Θ Ψ 053. 0130. 0135. 0177 *f*$^{1.13}$ 𝔐; Or ¦ *txt* 𝔓^{4vid} B L W 565 *pc* | ⸆της ζωης Γ Θ 053 *f*$^{1.13}$ 28. 1424 *pm* sy^{s}; Or ● **76** ⸀προ προσωπου A C D L R Θ Ψ 053. 0130. 0135 *f*$^{1.13}$ 𝔐 sy ¦ *txt* 𝔓^{4} ℵ B W 0177 *pc*; Or ● **77** ⸀ημων A C Θ Ψ *f*^{1} 28 *al* vg^{ms} ¦ αυτου W 0177. 565 *pc* ¦ – 122* *pc* vg^{ms} bo^{pt} ¦ *txt* 𝔓^{4vid} ℵ B D L R Ξ 053. 0130. 0135 *f*^{13} 𝔐 lat sy sa bo^{pt}; Cyr ● **78** ⸀επεσκεψατο ℵ^{2} A C D R Ξ Ψ 053. 0130. 0135 *f*$^{1.13}$ 𝔐 latt sy^{h}; Ir^{lat} ¦ *txt* ℵ* B L W Θ 0177 *pc* sy$^{s.p}$ co

79 ἐπιφᾶναι ⸆ τοῖς ἐν σκότει καὶ σκιᾷ θανάτου καθημένοις,
τοῦ κατευθῦναι τοὺς πόδας ἡμῶν εἰς ὁδὸν εἰρήνης.
80 Τὸ δὲ παιδίον ηὔξανεν καὶ ἐκραταιοῦτο πνεύματι,
καὶ ἦν ἐν ταῖς ἐρήμοις ἕως ἡμέρας ἀναδείξεως αὐτοῦ
πρὸς τὸν Ἰσραήλ.
2 Ἐγένετο δὲ ἐν ταῖς ἡμέραις ἐκείναις ἐξῆλθεν δόγμα *1*
παρὰ Καίσαρος Αὐγούστου ἀπογράφεσθαι πᾶσαν τὴν
οἰκουμένην. **2** αὕτη ⸆ ἀπογραφὴ ⸉πρώτη ἐγένετο⸊ ἡγεμο-
νεύοντος τῆς Συρίας ⸀Κυρηνίου. **3** καὶ ἐπορεύοντο πάντες ἀπογράφεσθαι, ἕκαστος εἰς τὴν ⸂ἑαυτοῦ πόλιν⸃.
4 Ἀνέβη δὲ καὶ Ἰωσὴφ ἀπὸ τῆς Γαλιλαίας ἐκ πόλεως Ναζαρὲθ εἰς ⸂τὴν Ἰουδαίαν⸃ εἰς πόλιν Δαυὶδ ἥτις καλεῖται
Βηθλέεμ, ⸉διὰ τὸ εἶναι αὐτὸν ἐξ οἴκου καὶ πατριᾶς Δαυίδ,
5 ἀπογράψασθαι σὺν Μαριὰμ τῇ ⸂ἐμνηστευμένῃ αὐτῷ⸃,
οὔσῃ ἐγκύῳ⸊. **6** ⸂Ἐγένετο δὲ ἐν τῷ εἶναι αὐτοὺς ἐκεῖ
ἐπλήσθησαν⸃ αἱ ἡμέραι τοῦ τεκεῖν αὐτήν, **7** καὶ ἔτεκεν τὸν
υἱὸν αὐτῆς ⸋τὸν πρωτότοκον⸌, καὶ ἐσπαργάνωσεν αὐτὸν
καὶ ἀνέκλινεν αὐτὸν ἐν ⸀φάτνῃ, διότι οὐκ ἦν αὐτοῖς τόπος ⸋¹ἐν τῷ καταλύματι⸌.
8 Καὶ ποιμένες ἦσαν ἐν τῇ χώρᾳ τῇ αὐτῇ ἀγραυ- *2*
λοῦντες καὶ φυλάσσοντες φυλακὰς τῆς νυκτὸς ἐπὶ τὴν
ποίμνην αὐτῶν. **9** καὶ ⸆ ἄγγελος κυρίου ἐπέστη αὐτοῖς καὶ
δόξα ⸀κυρίου περιέλαμψεν αὐτούς, καὶ ἐφοβήθησαν ⸂φό-
βον μέγαν⸃. **10** καὶ εἶπεν αὐτοῖς ὁ ἄγγελος· μὴ φοβεῖσθε,
ἰδοὺ γὰρ εὐαγγελίζομαι ὑμῖν χαρὰν μεγάλην ἥτις ἔσται
⸆ παντὶ τῷ λαῷ, **11** ὅτι ἐτέχθη ὑμῖν σήμερον σωτὴρ ὅς
ἐστιν ⸂χριστὸς κύριος⸃ ἐν πόλει Δαυίδ. **12** καὶ τοῦτο ὑμῖν

Tt 2,11! Ps 106,10.14 𝔊 Is 9,1; 42,7 Mt 4,16 · Is 59,8 R 3,17 |
2,40 Jdc 13,24s ·
3,2p Mt 3,1
1–7: Mt 1,18-25
Act 17,7
Act 5,37
1,27
1,27
1,57 Gn 25,24 𝔊
22,11
24,4 Act 12,7
Act 26,13 · Mc 4,41
1,13!
Mt 2,10
Act 5,31; 13,23 J 4,42 1J 4,14 · 9,20! Thr 4,20 𝔊 PsSal 17,32𝔊 |

79 ⸆φως D (r¹)
¶ **2,2** ⸆η ℵ² A C L R W Ξ Ψ 053. 0135 $f^{1.13}$ 𝔐 ¦ *txt* ℵ* B D Θ 0177. 565. 700 *pc* | ⸉ℵ* (D) | ⸀Κυρινιου f^{13} 33. 565. 892. 1010 *al* ¦ Κυρ(ε)ινου B W 0177 *pc* lat sa ● **3** ⸂ιδιαν πολιν A C³ R Θ 053. 0135 $f^{1.13}$ 𝔐 sy^{h} ¦ ιδιαν χωραν C* sy^{s}? ¦ εαυτ. πατριδα D *pc* sy^{s}? ¦ *txt* ℵ(*) B L W Ξ Ψ 565 *pc*; Eus ● **4/5** ⸂γην Ιουδα D (a) e (r¹) | ⸉απογραφεσθαι ... εγκυω, δια το ... Δαυιδ D (sy^{s}) | ⸂γυναικι αυτου aur b c sy^{s} ¦ μεμνηστευμενη αυτω γυναικι (A: εμν-) C³ Θ Ψ 053 f^{13} 𝔐 lat sy^{h} ¦ *txt* ℵ(*) B(*) C(*) D(*) L W Ξ (0177 f^{1}) 565 (700) *pc* it co; (Eus) ● **6** ⸂ως δε παρεγινοντο ετελεσθησαν D ● **7** ⸋W | ⸀τη φατνη Ψ 053 $f^{1.13}$ 𝔐 ¦ τω σπηλαιω φατνη Or (Epiph) ¦ *txt* ℵ(*) A B D L W Θ Ξ 700 *pc*; Eus | ⸋¹ sy^{s} ● **9** ⸆ιδου A D Θ Ψ 053 $f^{1.13}$ 𝔐 lat $sy^{p.h}$ bo ¦ *txt* ℵ B L W Ξ 565. 700. 1241 *pc* (e) sy^{s} sa; Eus | ⸀θεου ℵ² Ξ Ψ 892 *pc* lat sy^{hmg}; Eus ¦ – D *pc* it | ⸂(Mt 17,6) σφοδρα B ¦ φοβ. μεγ. σφοδρα W bo ● **10** ⸆και D ● **11** ⸂*2 1* W $sy^{s.p}$ ¦ χριστος κυριου β r¹

°τὸ σημεῖον, εὑρήσετε βρέφος ἐσπαργανωμένον ⸂καὶ 1Sm 10,1 Is 38,7
κείμενον⸃ ἐν φάτνῃ. **13** καὶ ἐξαίφνης ἐγένετο σὺν τῷ ἀγ-
γέλῳ πλῆθος στρατιᾶς ⸀οὐρανίου αἰνούντων τὸν θεὸν καὶ 1Rg 22,19 Dn 7,10 Mt 26,53
λεγόντων·

14 δόξα ἐν ὑψίστοις θεῷ 19,38 PsSal 18,10
καὶ ἐπὶ γῆς εἰρήνη Is 57,19 E 6,15!
⸂ἐν ἀνθρώποις εὐδοκίας⸃. 10,21; 3,22 Ps 51,20

15 Καὶ ἐγένετο ὡς ἀπῆλθον ἀπ' αὐτῶν εἰς τὸν οὐρανὸν
οἱ ἄγγελοι, ⸆ οἱ ποιμένες ⸀ἐλάλουν πρὸς ἀλλήλους· διέλθωμεν δὴ ἕως Βηθλέεμ καὶ ἴδωμεν τὸ ῥῆμα τοῦτο τὸ γεγονὸς ὃ ὁ κύριος ἐγνώρισεν ἡμῖν. **16** καὶ ἦλθαν σπεύσαν-
τες καὶ ἀνεῦραν τήν τε Μαριὰμ καὶ τὸν Ἰωσὴφ καὶ τὸ
βρέφος κείμενον ἐν τῇ φάτνῃ· **17** ἰδόντες δὲ ⸀ἐγνώρι-
σαν περὶ τοῦ ῥήματος τοῦ λαληθέντος αὐτοῖς περὶ τοῦ
παιδίου °τούτου. **18** καὶ πάντες οἱ ἀκούσαντες ἐθαύμασαν 33
περὶ τῶν λαληθέντων ὑπὸ τῶν ποιμένων πρὸς αὐτούς·
19 ἡ δὲ ⸀Μαριὰμ πάντα συνετήρει τὰ ῥήματα ταῦτα συμ- 51; 1,66 Gn 37,11 Dn 7,28
βάλλουσα ἐν τῇ καρδίᾳ αὐτῆς. **20** καὶ ὑπέστρεψαν οἱ ποι-
μένες δοξάζοντες καὶ αἰνοῦντες τὸν θεὸν ἐπὶ πᾶσιν οἷς 5,25sp; 7,16; 13,13; 17,15; 18,43; 23,47 Mt 15,31
ἤκουσαν καὶ εἶδον καθὼς ἐλαλήθη πρὸς αὐτούς. Act 11,18! |

21 Καὶ ὅτε ⸀ἐπλήσθησαν ἡμέραι ὀκτὼ τοῦ περιτεμεῖν 1,59!
⸁αὐτὸν ⸂καὶ ἐκλήθη⸃ τὸ ὄνομα αὐτοῦ Ἰησοῦς, τὸ κληθὲν Mt 1,21!
ὑπὸ τοῦ ἀγγέλου πρὸ τοῦ συλλημφθῆναι αὐτὸν ἐν τῇ κοιλίᾳ.

22 Καὶ ὅτε ἐπλήσθησαν αἱ ἡμέραι τοῦ καθαρισμοῦ ⸀αὐ- Lv 12,2-4
τῶν κατὰ τὸν νόμον Μωϋσέως, ἀνήγαγον αὐτὸν εἰς Ἱερο-
σόλυμα παραστῆσαι τῷ κυρίῳ, **23** καθὼς γέγραπται ἐν R 12,1! |
νόμῳ κυρίου ὅτι *πᾶν ἄρσεν διανοῖγον μήτραν ἅγιον τῷ* 1,35 *Ex 13,2.12.15*
κυρίῳ κληθήσεται, **24** καὶ τοῦ δοῦναι θυσίαν κατὰ τὸ εἰρημένον ἐν τῷ νόμῳ κυρίου, *ζεῦγος τρυγόνων ἢ δύο νοσσοὺς* *Lv 5,11; 12,8*
περιστερῶν.

12 °† B Ξ sa ¦ *txt* ℵ A D L W Θ Ψ 053 *f*$^{1.13}$ 𝔐; Eus | ⸂*2* A K Γ Δ 053 *f*^{13} 28. 700. 1010. 1424 *pm* a ¦ – ℵ* D *pc* ● **13** ⸀ουρανου B* D* ● **14** ⸂εν (και sy$^{s.p}$, κ. εν sy^{h}) ανθρωποις ευδοκια ℵ^{2} B^{2} L Θ Ξ Ψ 053 *f*$^{1.13}$ 𝔐 sy bo; Or^{pt} Eus Epiph ¦ ανθρωποις ευδοκιας (benevolentiae) it vg^{cl}; Ir^{lat} ¦ *txt* ℵ* A B* D W *pc* vgst sa; Or^{lat} ● **15** ⸆και οι ανθρωποι A D Ψ 053 *f*^{13} 𝔐 q sy^{h} ¦ *txt* ℵ B L W Θ Ξ 1. 565. 700 *pc* lat sy$^{s.p}$ co; Or^{lat} Eus | ⸀ειπον A D L Θ Ξ Ψ 053 *f*$^{1.13}$ 𝔐 ¦ *txt* ℵ B W 565 ● **17** ⸀διεγνωρισαν A R Θ Ψ 053 *f*$^{1.13}$ 𝔐 ¦ *txt* ℵ B D L W Ξ 565. 1241 *pc* | °D Θ 1. 700 *pc* it sy$^{s.p}$ co ● **19** ⸀†Μαρια ℵ* B D R Θ 1241. 1424 *pc* sa bo^{pt} ¦ *txt* ℵ^{2} A L W Ξ Ψ 053 *f*$^{1.13}$ 𝔐 bo^{pt} ● **21** ⸀επληρωθησαν Θ 33 *pc* ¦ συνετελεσθησαν D 565 *pc* lat | ⸁το παιδιον D (Γ) 053 *f*^{13} 28. 33 *pm* β e r^{1} vg^{cl} sy$^{s.p}$; Or^{lat} | ⸂*2* Θ *f*^{13} 565 *pc* ¦ ωνομασθη D ● **22** ⸀αυτου D *pc* lat sy^{s} ¦ – 435 *pc* bo^{pt}; Ir^{lat}

25 Καὶ ἰδοὺ ⸉ἄνθρωπος ἦν⸊ ἐν Ἰερουσαλὴμ ᾧ ὄνομα
Act 2,5! Συμεὼν καὶ ὁ ἄνθρωπος οὗτος δίκαιος καὶ ⸀εὐλαβὴς προσ-
38!; 6,24 Jr 17, δεχόμενος παράκλησιν τοῦ Ἰσραήλ, καὶ πνεῦμα ἦν ἅγιον
7 Is 40,1; 49,13; 52,9 ἐπʼ αὐτόν· **26** ⸂καὶ ἦν αὐτῷ κεχρηματισμένον⸃ ὑπὸ τοῦ
J 8,51 H 11,5 Ps 89,49 πνεύματος τοῦ ἁγίου μὴ ἰδεῖν θάνατον ⸄πρὶν [ἢ] ἂν⸅ ἴδῃ
9,20! τὸν χριστὸν κυρίου. **27** καὶ ἦλθεν ἐν τῷ πνεύματι εἰς τὸ
ἱερόν· καὶ ἐν τῷ εἰσαγαγεῖν ⸋τοὺς γονεῖς⸌ τὸ παιδίον Ἰησοῦν τοῦ ποιῆσαι αὐτοὺς κατὰ τὸ ⸀εἰθισμένον τοῦ νόμου
περὶ αὐτοῦ **28** καὶ αὐτὸς ἐδέξατο αὐτὸ εἰς τὰς ἀγκάλας ⸆
καὶ εὐλόγησεν τὸν θεὸν καὶ εἶπεν·

Gn 15,15; 46,30 Tob 11,9 𝔊 · Act 4,24! **29** νῦν ἀπολύεις τὸν δοῦλόν σου, δέσποτα,
κατὰ τὸ ῥῆμά σου ἐν εἰρήνῃ·
3,6 Job 19,27; 42, 5 Ps 98,2s; 67,3 Is 40,5 𝔊; 52,10 **30** ὅτι εἶδον οἱ ὀφθαλμοί μου τὸ σωτήριόν σου,
31 ὃ ἡτοίμασας κατὰ πρόσωπον πάντων τῶν
λαῶν,
Is 42,6; 49,9.6; 46,13 **32** φῶς εἰς ἀποκάλυψιν ⸰ἐθνῶν
καὶ δόξαν λαοῦ σου Ἰσραήλ.

18 **33** καὶ ἦν ⸂ὁ πατὴρ αὐτοῦ⸃ καὶ ἡ μήτηρ ⸆ θαυμάζοντες
ἐπὶ τοῖς λαλουμένοις περὶ αὐτοῦ. **34** καὶ εὐλόγησεν αὐτοὺς Συμεὼν καὶ εἶπεν πρὸς Μαριὰμ τὴν μητέρα αὐτοῦ·
Is 8,14 Dn 11, ἰδοὺ οὗτος κεῖται εἰς πτῶσιν καὶ ἀνάστασιν πολλῶν ἐν
41 𝔊 Mt 21,42! Act 28,22! τῷ Ἰσραὴλ καὶ εἰς σημεῖον ἀντιλεγόμενον – **35** καὶ σοῦ
48 J 19,25 ⸰[δὲ] αὐτῆς τὴν ψυχὴν διελεύσεται ῥομφαία – ὅπως ἂν
ἀποκαλυφθῶσιν ⸰¹ἐκ πολλῶν καρδιῶν διαλογισμοί.

36 Καὶ ἦν Ἅννα προφῆτις, θυγάτηρ Φανουήλ, ἐκ
φυλῆς Ἀσήρ· αὕτη προβεβηκυῖα ἐν ἡμέραις πολλαῖς, ζή-
σασα μετὰ ἀνδρὸς ⸀ἔτη ἑπτὰ ἀπὸ τῆς παρθενίας αὐτῆς
1 T 5,5 **37** καὶ αὐτὴ χήρα ⸀ἕως ἐτῶν ⸁ὀγδοήκοντα τεσσάρων, ἣ
Jdth 8,6 Act 26,7 οὐκ ἀφίστατο τοῦ ἱεροῦ νηστείαις καὶ δεήσεσιν λατρεύ-
ουσα νύκτα καὶ ἡμέραν. **38** καὶ ⸀αὐτῇ τῇ ὥρᾳ ἐπιστᾶσα

25 ⸉ A D L R Θ Ψ 053. 0130 $f^{1.13}$ 𝔐 ¦ *txt* ℵ B W 892. 1424 *pc* | ⸀ευσεβης ℵ* K Γ 565.700. 1424 *al* ● **26** ⸂κεχρ-μενος δε ην D | ⸄ *1 3* B Θ *pc* ¦ *1* W (f^{13}) 1424 *pc* ¦ *1 2* A D 0130 f^{1} 𝔐 ¦ εως αν ℵ* e ¦ *txt* ℵ^{2} L R Ψ 33. 892 *pc* ● **27** ⸋245 | ⸀εθος D ● **28** ⸆αυτου A D Θ Ψ 053. 0130. 0239 $f^{1.13}$ 𝔐 lat sy ¦ *txt* ℵ B L W 565* *pc* it ● **32** ⸰D ● **33** ⸂Ιωσηφ (A) Θ (Ψ) 053 f^{13} 𝔐 it vg^{mss} sy$^{p.h}$ bo^{pt} ¦ *txt* ℵ B D L W 1. 700. 1241 *pc* vg sy$^{s.hmg}$ sa bo^{pt}; Or^{lat} .| ⸆αυτου ℵ* A L Θ Ψ 053 f^{13} 𝔐 it sy ¦ *txt* ℵ^{2} B D N W 1. 33. 700. 1241 *pc* vg ● **35** ⸰B L W Ξ Ψ lat sy^{s}; Epiph ¦ *txt* ℵ A D Θ 053 $f^{1.13}$ 𝔐 a e sy$^{p.h}$ | ⸰¹D ● **36** ⸀ημερας sy^{s}; Ephr ● **37** ⸀ως ℵ^{2} W Θ 053. 0130 $f^{1.13}$ 𝔐 sy$^{p.h}$ ¦ – D it ¦ *txt* ℵ* A B L N Ξ Ψ 33 *pc* vg sy^{s} | ⸁εβδομηκοντα ℵ* ● **38** ⸀αὕτη αὐτῇ Θ 053 $f^{1.13}$ 𝔐 lat ¦ *txt* ℵ A B D L W Δ Ξ Ψ 0130. 28. 33 *pc*

ἀνθωμολογεῖτο τῷ θεῷ καὶ ἐλάλει περὶ αὐτοῦ πᾶσιν τοῖς
προσδεχομένοις λύτρωσιν ⸀Ἰερουσαλήμ. 25; 23,51p; 24,21! Is 52,9
39 Καὶ ὡς ἐτέλεσαν ⸀πάντα °τὰ κατὰ τὸν νόμον κυρίου, 39s: Mt 2,22s
⸀ἐπέστρεψαν εἰς τὴν Γαλιλαίαν εἰς ⸆ πόλιν ἑαυτῶν Να- Mt 2,23!
ζαρέθ⸇. 40 Τὸ δὲ παιδίον ηὔξανεν καὶ ἐκραταιοῦτο ⸆ 52; 1,80
πληρούμενον ⸀σοφίᾳ, καὶ χάρις θεοῦ ἦν ἐπ' αὐτό.
41 Καὶ ἐπορεύοντο ⸂οἱ γονεῖς αὐτοῦ⸃ κατ' ἔτος εἰς Ἰερου-
σαλὴμ τῇ ἑορτῇ τοῦ πάσχα. 42 Καὶ ὅτε ἐγένετο Ex 23,14-17 Dt 16,16 |
⸀ἐτῶν δώδεκα, ⸂ἀναβαινόντων αὐτῶν⸃ ⸆ κατὰ τὸ ἔθος τῆς
ἑορτῆς ⸇ 43 καὶ τελειωσάντων τὰς ἡμέρας, ἐν τῷ ὑποστρέ- Ex 12,15.18
φειν αὐτοὺς ⸀ὑπέμεινεν ⸂Ἰησοῦς ὁ παῖς⸃ ἐν Ἰερουσαλήμ,
καὶ οὐκ ⸄ἔγνωσαν οἱ γονεῖς⸅ αὐτοῦ. 44 νομίσαντες δὲ αὐτὸν εἶναι ἐν τῇ συνοδίᾳ ἦλθον ἡμέρας ὁδὸν καὶ ἀνεζή-
τουν αὐτὸν ἐν τοῖς συγγενεῦσιν καὶ τοῖς γνωστοῖς, 45 καὶ
μὴ εὑρόντες ὑπέστρεψαν εἰς Ἰερουσαλὴμ ⸀ἀναζητοῦν-
τες αὐτόν. 46 καὶ ἐγένετο μετὰ ἡμέρας τρεῖς εὗρον αὐτὸν
ἐν τῷ ἱερῷ καθεζόμενον ἐν μέσῳ τῶν διδασκάλων καὶ
4 II ἀκούοντα αὐτῶν καὶ ἐπερωτῶντα αὐτούς· 47 ἐξίσταντο Mt 12,23!
δὲ πάντες ⸋οἱ ἀκούοντες αὐτοῦ⸌ ἐπὶ τῇ συνέσει καὶ ταῖς J 7,15
ἀποκρίσεσιν αὐτοῦ. 48 καὶ ἰδόντες αὐτὸν ἐξεπλάγη- 4,32!
5 X σαν, * καὶ εἶπεν πρὸς αὐτὸν ἡ μήτηρ αὐτοῦ· τέκνον, τί
ἐποίησας ἡμῖν οὕτως; ⸂ἰδοὺ ὁ πατήρ σου κἀγὼ⸃ ὀδυνώ- 35
μενοι ⸆ ⸀ἐζητοῦμέν σε. 49 καὶ εἶπεν πρὸς αὐτούς· τί ὅτι
⸀ἐζητεῖτέ με; οὐκ ⸀ᾔδειτε ὅτι ἐν τοῖς τοῦ πατρός μου δεῖ 23,46 J 2,16

38 ⸀εν Ιερουσαλημ A D L Θ Ψ 053. 0130 f^{13} 𝔐 sy^{h} ¦ Ισραηλ 1216 *pc* a r^{1} vg^{cl} bo^{ms} ¦ εν τω Ισραηλ *pc* ¦ *txt* א B W Ξ 1. 565* *pc* lat sy$^{s.p}$ co; Ir^{lat} • **39** ⸀απαντα A D Θ Ψ 053. 0130 $f^{1.13}$ 𝔐 ¦ *txt* א B L N W Ξ 892. 1241 *pc* | ° א D L N Δ Θ 0130 f^{13} 1. 565 *al* | ⸀υπεστρεψαν א^{2} A D L Θ Ψ 053 $f^{1.13}$ 𝔐 ¦ *txt* (א*) B W Ξ 0130 *pc* | ⸆την א^{2} A D^{2} L Θ Ξ Ψ 053. 0130 f^{13} 𝔐 ¦ *txt* א* B D* W 1 *pc* | ⸇ (Mt 2,23) καθως ερρεθη δια του προφητου οτι Ναζωραιος κληθησεται D a • **40** ⸆πνευματι A Θ Ψ 053 $f^{1.13}$ 𝔐 aur f q sy$^{p.h}$ bo^{mss}; Epiph ¦ *txt* א B D L N W *pc* lat sy^{s} co; Or | ⸀σοφιας א* A D Θ 053 $f^{1.13}$ 𝔐 ¦ *txt* א^{c} B L W Ψ 33 *pc* • **41** ⸂ο τε Ιωσηφ και η Μαρια(μ) *pc* it • **42** ⸀αυτω ετη D L *pc* a b l q | ⸂ανεβησαν οι γονεις αυτου εχοντες αυτον D e (c r^{1}) | ⸆εις Ιεροσολυμα A C^{vid} (N) Θ Ψ 0130 $f^{1.13}$ 𝔐 lat sy^{h} (bo^{ms}) ¦ *txt* א B D L W 1241 *pc* β sy$^{s.p}$ co | ⸇των αζυμων D *pc* a c e • **43** ⸀απεμεινεν D N Ψ f^{1} 33 *pc* | ⸂*2 3 1* D *pc* lat co ¦ *2 3* א* *pc* ¦ *1* a e | ⸄εγνω Ιωσηφ και η μητηρ A C Ψ 0130 f^{13} 𝔐 it sy$^{p.h}$ bo^{pt} ¦ *txt* א B D L W Θ f^{1} 33. (700). 1241 *pc* lat sy$^{s.hmg}$ sa bo^{pt} • **45** ⸀ζητουντες א* A Ψ 0130 𝔐 ¦ *txt* א^{2} B C D L W Θ $f^{1.13}$ 33. 892. 1241 *pc* • **47** ⸋ B W 1241 *pc* • **48** ⸂ιδου ημεις sy^{c} ¦ – a b ff^{2} l ¦ ιδου οι συγγενεις σου καγω C^{vid} *pc* β e | ⸆και λυπουμενοι D it (sy^{c}) | ⸀†ζητ- א* B *pc* co ¦ *txt* א^{2} A C D L W Θ Ψ $f^{1.13}$ 𝔐 sy bo^{mss} • **49** ⸀ζητ- א* W Δ *pc* b sy^{c} co | ⸀οιδατε D W 1424 *pc* it sy$^{c.p}$ sa; Or^{pt} Cyr

9,45; 18,34 Mt 2,23! εἶναί με; **50** καὶ αὐτοὶ οὐ συνῆκαν τὸ ῥῆμα ὃ ἐλάλησεν
αὐτοῖς. **51** καὶ κατέβη ⸂μετ᾽ αὐτῶν καὶ ἦλθεν⸃ εἰς Ναζαρὲθ
19! καὶ ἦν ὑποτασσόμενος αὐτοῖς. καὶ ἡ μήτηρ αὐτοῦ διετή-
ρει ⸉πάντα τὰ ῥήματα⸊ ἐν τῇ καρδίᾳ αὐτῆς. **52** Καὶ
40! 1Sm 2,21.26 · Prv 3,3s R 14,18 Ἰησοῦς προέκοπτεν ⸂[ἐν τῇ]⸃ σοφίᾳ καὶ ἡλικίᾳ καὶ χάριτι
παρὰ θεῷ καὶ ἀνθρώποις.

3 Ἐν ἔτει δὲ πεντεκαιδεκάτῳ τῆς ἡγεμονίας Τιβερίου 5/6
Καίσαρος, ⸀ἡγεμονεύοντος Ποντίου Πιλάτου τῆς II
19; 23,7 Mc 6,14 Ἰουδαίας, καὶ τετρααρχοῦντος τῆς Γαλιλαίας Ἡρῴδου,
Mc 8,27; 6,17 Φιλίππου δὲ τοῦ ἀδελφοῦ αὐτοῦ τετρααρχοῦντος τῆς Ἰτου-
ραίας καὶ Τραχωνίτιδος χώρας, καὶ Λυσανίου τῆς Ἀβι-
Mt 26,3! ληνῆς τετρααρχοῦντος, **2** ἐπὶ ἀρχιερέως Ἅννα καὶ ⸀Καϊ-
Jr 1,1 𝔊 άφα, ἐγένετο ῥῆμα θεοῦ ἐπὶ Ἰωάννην τὸν Ζαχαρίου υἱὸν
1,80 | *3–6:* Mt 3,1-6 Mc 1,2-6 J 1,19-23 · 1,77 Act 13,24; 19,4 ἐν τῇ ἐρήμῳ. **3** καὶ ἦλθεν εἰς πᾶσαν ⸋[τὴν] περίχω- 7/I
ρον τοῦ Ἰορδάνου κηρύσσων βάπτισμα μετανοίας εἰς
ἄφεσιν ἁμαρτιῶν, **4** ὡς γέγραπται ἐν βίβλῳ λόγων Ἠσαΐου τοῦ προφήτου·

Is 40,3-5 𝔊 *φωνὴ βοῶντος ἐν τῇ ἐρήμῳ·*
ἑτοιμάσατε τὴν ὁδὸν κυρίου,
εὐθείας ποιεῖτε τὰς τρίβους ⸀αὐτοῦ·
5 *πᾶσα φάραγξ πληρωθήσεται*
καὶ πᾶν ὄρος καὶ βουνὸς ταπεινωθήσεται,
καὶ ἔσται τὰ σκολιὰ εἰς ⸀*εὐθείαν*
καὶ αἱ τραχεῖαι εἰς ὁδοὺς λείας·
2,30 Act 28,28 Ps 67,3; 97,3 𝔊 **6** *καὶ ὄψεται πᾶσα σὰρξ τὸ σωτήριον* ⸂*τοῦ θεοῦ*⸃.

7–9: Mt 3,7-10! 7,29 · **7** Ἔλεγεν οὖν τοῖς ἐκπορευομένοις ὄχλοις ⸂βαπτισθῆ- 8/V
ναι ὑπ᾽ αὐτοῦ⸃· γεννήματα ἐχιδνῶν, τίς ὑπέδειξεν ὑμῖν
φυγεῖν ἀπὸ τῆς μελλούσης ὀργῆς; **8** ποιήσατε οὖν ⸂καρ-
ποὺς ἀξίους⸃ τῆς μετανοίας καὶ μὴ ἄρξησθε λέγειν ἐν
L 13,16; 16,24; 19,9 J 8,33.37.39 Act 3,25 ἑαυτοῖς· ⸆ πατέρα ἔχομεν τὸν Ἀβραάμ. λέγω γὰρ ὑμῖν

51 ⸂*1 2* D 28 *pc* co ¦ – C* | ⸉παντα τα ρημ. ταυτα (+ συλλαβουσα א²) א² C L Θ Ψ $f^{1.13}$ 𝔐 lat sy$^{c.h}$ ¦ τα ρημ. παντα D ¦ τα ρημ. παν. ταυτα A K (565). 700 *al* ¦ *txt* א* B W *pc* e sy$^{s.p}$ • **52** ⸂*2* B W *pc* ¦ – A C D Θ Ψ $f^{1.13}$ 𝔐 ¦ *txt* א L
¶ **3,1** ⸀επιτροπευ- D • **2** ⸀Καϊφα C D *pc it* vg^{cl} sa • **3** ⸋A B L N W Ψ *pc*; Or^{pt} ¦ *txt* א C D Θ $f^{1.13}$ 𝔐 • **4** ⸀υμων D ¦ τω θεω ημων (r¹) sy$^{s.c.p}$ • **5** ⸀†ευθειας B D Ξ 892 *pc* lat; Or ¦ *txt* א A C L W Θ Ψ $f^{1.13}$ 𝔐 it • **6** ⸂κυριου D (r¹) sy$^{s.c}$ • **7** ⸂βαπτ. ενωπιον αυτου D it ¦ βαπτ. sy$^{s.p}$ ¦ – sy^{c} • **8** ⸂*2 1* B ¦ *p)* καρπον αξιον D W *pc* e r¹ sy^{h} | ⸆οτι L Θ 33. 1241 *pc*

ὅτι δύναται ὁ θεὸς ἐκ τῶν λίθων τούτων ἐγεῖραι τέκνα τῷ
Ἀβραάμ. **9** ἤδη δὲ καὶ ἡ ἀξίνη πρὸς τὴν ῥίζαν τῶν δένδρων κεῖται· πᾶν οὖν δένδρον μὴ ποιοῦν ⸂καρπὸν καλὸν⸃
ἐκκόπτεται καὶ εἰς πῦρ βάλλεται.
6 9 **10** Καὶ ἐπηρώτων αὐτὸν οἱ ὄχλοι λέγοντες· τί οὖν
X ποιήσωμεν⸆; **11** ἀποκριθεὶς δὲ ⸀ἔλεγεν αὐτοῖς· ὁ ἔχων Act 2,37!
δύο χιτῶνας μεταδότω τῷ μὴ ἔχοντι, καὶ ὁ ἔχων βρώματα Jc 2,15-17
ὁμοίως ποιείτω. **12** ἦλθον δὲ καὶ τελῶναι ⸆ βαπτισθῆναι Mt 21,31s!
καὶ εἶπαν πρὸς αὐτόν· διδάσκαλε, τί ποιήσωμεν⸇; **13** ὁ
δὲ εἶπεν πρὸς αὐτούς· μηδὲν πλέον παρὰ τὸ διατεταγμένον ὑμῖν πράσσετε. **14** ἐπηρώτων δὲ αὐτὸν καὶ στρα-
τευόμενοι λέγοντες· ⸂τί ποιήσωμεν καὶ ἡμεῖς⸃; καὶ εἶπεν
⸀αὐτοῖς· μηδένα διασείσητε ⸁μηδὲ συκοφαντήσητε καὶ ἀρ- 19,8
κεῖσθε τοῖς ὀψωνίοις ὑμῶν.
15 Προσδοκῶντος δὲ τοῦ λαοῦ καὶ διαλογιζομένων *15-17:* Mt 3,11s Mc 1,7s
πάντων ἐν ταῖς καρδίαις αὐτῶν ⸋περὶ τοῦ Ἰωάννου⸌, μή- J 1,24-28
ποτε αὐτὸς εἴη ὁ χριστός, **16** ⸂ἀπεκρίνατο λέγων πᾶσιν J 1,20!
10 I ὁ Ἰωάννης⸃· * ἐγὼ μὲν ὕδατι βαπτίζω ὑμᾶς⸆· ⸉ἔρχεται δὲ
ὁ ἰσχυρότερός μου⸊, οὗ οὐκ εἰμὶ ἱκανὸς λῦσαι τὸν ἱμάντα Act 13,25
τῶν ὑποδημάτων αὐτοῦ· αὐτὸς ὑμᾶς βαπτίσει ἐν πνεύματι
11 V °ἁγίῳ καὶ πυρί· **17** οὗ τὸ πτύον ἐν τῇ χειρὶ αὐτοῦ ⸀δια-
καθᾶραι τὴν ἅλωνα αὐτοῦ καὶ ⸁συναγαγεῖν τὸν ⸆ σῖτον
εἰς τὴν ἀποθήκην °αὐτοῦ, τὸ δὲ ἄχυρον κατακαύσει πυρὶ
ἀσβέστῳ. Mc 9,43
18 Πολλὰ μὲν οὖν καὶ ἕτερα ⸀παρακαλῶν εὐηγγελίζετο
12 II τὸν λαόν. **19** Ὁ δὲ Ἡρῴδης ὁ τετραάρχης, ἐλεγχό- *19s:* Mt 14,3s
μενος ὑπ' αὐτοῦ περὶ Ἡρῳδιάδος τῆς γυναικὸς ⸆ τοῦ ἀδελ- Mc 6,17s · 1 Act 12,3
φοῦ αὐτοῦ καὶ περὶ πάντων ὧν ἐποίησεν πονηρῶν ὁ Ἡρῴ-

9 ⸂ *1* 𝔓^4vid^ lat; Or ¦ -πους -λους D sy^s.c.p^ ● **10** ⸆ (Act 16,30) ινα σωθωμεν D sy^c^? sa^mss^ ¦ ινα ζωμεν b q sy^c^? sa^mss^ ● **11** ⸀λεγει A C² D Θ Ψ 𝔐 ¦ ειπεν W ¦ *txt* ℵ B C* L N *f*^1.13^ 33. 700. 892. 1241 *pc* ● **12** ⸆ομοιως D a | ⸇ινα σωθωμεν D ● **14** ⸂ *3 4 1 2* A C³ Θ Ψ 𝔐 a sy^h^ ¦ τι ποιησωμεν ινα σωθωμεν D ¦ *txt* 𝔓^4vid^ ℵ B C* L W Ξ *f*^1.13^ 892. 1241 *pc* lat sy^s.c.p^ | ⸀προς αυτους ℵ A W Ψ *f*^13^ 𝔐 sy^h^ ¦ *txt* 𝔓^4vid^ B C D L Θ Ξ 1. 33. 700 *pc* | ⸁, μηδενα ℵ* H (ς 1241) *pc* sy^s.c.p^ ● **15** ⸋sy^c^ ● **16** ⸂επιγνους τα διανοηματα αυτων ειπεν D | ⸆*p)* εις μετανοιαν C D 892. 1424 *pc* it | ⸉*p)* ο δε ερχομενος ισχυροτερος μου εστιν D l | ° 64; Cl Tert ● **17** ⸀*p)* και διακαθαριει *et* ⸁συναξει ℵ² A C (D) L W Θ Ξ Ψ *f*^1.13^ 𝔐 lat sy bo^pt^ ¦ *txt* 𝔓^4vid^ ℵ* B *pc* e sa^mss^ bo^pt^ | ⸆μεν (D) G Θ *f*^13^ *pc* | ° ℵ² D *pc* e bo^pt^ ● **18** ⸀παραινων D ● **19** ⸆*p)* Φιλιππου A C K W Ψ 33. 565. 1424 *al* sy^p.h^ sa^mss^ bo

δης, 20 προσέθηκεν καὶ τοῦτο ἐπὶ πᾶσιν °[καὶ] κατέκλει-
σεν τὸν Ἰωάννην ἐν φυλακῇ.
21 Ἐγένετο δὲ ἐν τῷ βαπτισθῆναι ἅπαντα τὸν λαὸν 1
καὶ Ἰησοῦ βαπτισθέντος καὶ προσευχομένου ἀνεῳχθῆ-
ναι τὸν οὐρανὸν 22 καὶ καταβῆναι τὸ πνεῦμα τὸ ἅγιον
σωματικῷ εἴδει ⸀ὡς περιστερὰν ⸁ἐπ' αὐτόν, καὶ φωνὴν ἐξ
οὐρανοῦ γενέσθαι· ⸂σὺ εἶ ὁ υἱός μου ὁ ἀγαπητός, ἐν σοὶ
εὐδόκησα⸃.
23 ⸂Καὶ αὐτὸς ἦν Ἰησοῦς ⸀ἀρχόμενος ὡσεὶ ἐτῶν τριά- 1 II
κοντα, ὢν ⸉υἱός, ὡς ἐνομίζετο⸊, Ἰωσὴφ ⸆ ⸋τοῦ Ἠλὶ
24 τοῦ Μαθθὰτ τοῦ Λευὶ τοῦ Μελχὶ τοῦ Ἰανναὶ τοῦ
Ἰωσὴφ 25 τοῦ Ματταθίου τοῦ Ἀμὼς τοῦ Ναοὺμ τοῦ Ἑσλὶ
τοῦ Ναγγαὶ 26 τοῦ Μάαθ τοῦ Ματταθίου τοῦ Σεμεῒν τοῦ
Ἰωσὴχ τοῦ Ἰωδὰ 27 τοῦ Ἰωανὰν τοῦ Ῥησὰ τοῦ Ζοροβαβὲλ τοῦ Σαλαθιὴλ τοῦ Νηρὶ 28 τοῦ Μελχὶ τοῦ Ἀδδὶ τοῦ
Κωσὰμ τοῦ ⸁Ἐλμαδὰμ τοῦ Ἢρ 29 τοῦ Ἰησοῦ τοῦ Ἐλιέ-
ζερ τοῦ Ἰωρὶμ τοῦ Μαθθὰτ τοῦ Λευὶ 30 τοῦ Συμεὼν τοῦ
Ἰούδα τοῦ Ἰωσὴφ τοῦ Ἰωνὰμ τοῦ Ἐλιακὶμ 31 τοῦ Μελεὰ
⸋¹τοῦ Μεννὰ⸌¹ τοῦ Ματταθὰ τοῦ ⸀¹Ναθὰμ τοῦ Δαυὶδ⸃
32 τοῦ Ἰεσσαὶ τοῦ ⸀Ἰωβὴδ τοῦ ⸁Βόος τοῦ ⸀¹Σαλὰ τοῦ Ναασσὼν 33 ⸂τοῦ Ἀμιναδὰβ τοῦ Ἀδμὶν τοῦ Ἀρνὶ⸃ τοῦ Ἑσρὼμ ⸋τοῦ Φάρες⸌ τοῦ Ἰούδα 34 τοῦ Ἰακὼβ τοῦ Ἰσαὰκ

21s: Mt 3,13-17 Mc 1,9-11 J 1,29-34
9,28!s · Ez 1,1
9,35
Ps 2,7 Jr 31,20 Gn 22,2 Is 42,1; 44,21; 62,4 · 2,14!
23-38: Mt 1,1-17 · Act 1,1.22; 10,37 · Gn 41,46 · 4,22p J 1,45; 6,42
Esr 3,2; 5,2 1Chr 3,19 𝔊
2Sm 5,14 1Chr 3,5; 14,4; 2,15 |
1Sm 16,1.13 · *32s:* Rth 4,18-22
32-34: 1Chr 2,1-15 | Gn 38,29; 29,35 Rth 4,12 |

20 °† ℵ* B D Ξ b e ¦ *txt* ℵ^{2} A C L W Θ Ψ $f^{1.13}$ 𝔐 lat sy ● 22 ⸀ωσει A Θ Ψ $f^{1.13}$ 𝔐 ¦ *txt* 𝔓^{4} ℵ B D L W 33. 1241 *pc* | ⸁εις D | ⸂(Ps 2,7) υιος μου ει συ, εγω σημερον γεγεννηκα σε D it; Ju (Cl) Meth Hil Aug ¦ *ut txt sed* εν ῷ ευδ. X *pc* f bo^{pt} ¦ ουτος εστιν ο υι. ... εν ῷ ευδ. *pc* ● 23-31 ⸂(Mt 1,6–16 *ord. invers.*) ην δε Ιησους ως ετων λ' αρχομενος ως ενομιζετο ειναι υιος Ιωσηφ του Ιακωβ του Μαθθαν του Ελεαζαρ του Ελιουδ του Ιαχιν του Σαδωκ του Αζωρ του Ελιακιμ του Αβιουδ του Ζοροβαβελ του Σαλαθιηλ του Ιεχονιου του Ιωακιμ του Ελιακιμ του Ιωσια του Αμως του Μανασση του Εζεκια του Αχας του Ιωαθαν του Οζια του Αμασιου του Ιωας του Οχοζιου του Ιωραμ του Ιωσαφαδ του Ασαφ του Αβιουδ του Ροβοαμ του Σολομων του Δαυιδ D | ⸀ερχομενος 700; Ju Cl ¦ – *pc* e f sy$^{s.p}$ sa | ⸉ *2 3 1* A Θ 0102 f^{13} 𝔐 sy^{h} ¦ *txt* 𝔓^{4} ℵ B L W Ψ f^{1} 892. 1241 *pc* | ⸆του Ιακωβ N^{c} Θ *pc* (*cf* ⸂D) | ⸋(*vss* 23–38) W ¦ *om.* τ. Ηλι τ. Μαθ. c; Ir^{lat} | ⸁Ελμωδαμ A (Γ) Θ Ψ 0102 $f^{1.(13)}$ 𝔐 aur f q sy^{h} ¦ Ελμασαμ 𝔓^{4} ¦ *txt* ℵ B L N^{vid} 33. 1424 *pc* lat | ⸋^{1} A | ⸀^{1}Ναθαν ℵ^{2} A L Θ Ψ $f^{1.13}$ 𝔐 sy bo ¦ *txt* 𝔓^{4} ℵ* B *pc* it ● 32 ⸀Ιωβηλ ℵ* B sy^{s} ¦ Ωβηλ D* ¦ Ωβηδ D^{c} Θ f^{1} 𝔐 lat ¦ *txt* ℵ^{2} A L Γ Δ Ψ f^{13} 33. 892. 1241. 1424 *al* c | ⸁Βοοζ Θ $f^{1.13}$ 𝔐 lat ¦ – N* ¦ *txt* ℵ A B D L Ψ 33. 565 *al* it | ⸀^{1}Σαλμων ℵ^{2} A D L Θ Ψ 0102 ($f^{1.13}$) 𝔐 lat sy$^{p.h}$ bo ¦ *txt* 𝔓^{4} ℵ* B sy^{s} sa bo^{mss} ● 33 ⸂*3-6* B ¦ τ. Αμιναδαβ τ. Αραμ A D 33. 565. (1424) *pm* lat sy^{p} ¦ τ. Αμιναδαβ τ. Αραμ τ. Ιωραμ K Δ Ψ (28). 700. (⸉892). 1010 *pm* b e (sy^{h}) ¦ τ. Αμιναδαβ τ. Αραμ τ. Αδμι τ. Αρνι (N) Θ (0102, 1) *pc* ¦ τ. Αδαμ τ. Αδμιν τ. Αρνι ℵ* 1241 *pc* sa *et v. l. al* ¦ *txt* 𝔓^{4vid} ℵ^{2} L X (Γ) f^{13} *pc* bo | ⸋A

τοῦ Ἀβραὰμ τοῦ Θάρα τοῦ Ναχὼρ **35** τοῦ ⸀Σεροὺχ τοῦ Gn 21,2s; 25,26;
Ῥαγαὺ τοῦ ⸁Φάλεκ τοῦ Ἔβερ τοῦ Σαλὰ **36** ⸂τοῦ Καϊ- 11,10-16 1Chr
νὰμ⸃ τοῦ Ἀρφαξὰδ τοῦ Σὴμ τοῦ Νῶε τοῦ Λάμεχ **37** τοῦ 1,24-27 | Gn 5,9-32 1Chr 1,1-4 |
Μαθουσαλὰ τοῦ Ἑνὼχ τοῦ ⸀Ἰάρετ τοῦ ⸁Μαλελεὴλ τοῦ
⸀¹Καϊνὰμ **38** τοῦ Ἐνὼς τοῦ Σὴθ τοῦ Ἀδὰμ τοῦ θεοῦ⸌. Gn 4,25s; 5,1-8; 2,7
4 Ἰησοῦς δὲ πλήρης πνεύματος ἁγίου ὑπέστρεψεν ἀπὸ *1-13:* Mt 4,1-11 Mc 1,12s
τοῦ Ἰορδάνου καὶ ἤγετο ἐν τῷ πνεύματι ⸂ἐν τῇ ἐρήμῳ⸃ Ap 17,3
2 ἡμέρας τεσσεράκοντα πειραζόμενος ὑπὸ τοῦ ⸀διαβό-
λου. Καὶ οὐκ ἔφαγεν οὐδὲν ⸆ ἐν ταῖς ἡμέραις ἐκείναις
καὶ συντελεσθεισῶν αὐτῶν ἐπείνασεν. **3** εἶπεν δὲ αὐτῷ ὁ
διάβολος· εἰ υἱὸς εἶ τοῦ θεοῦ, εἰπὲ ⸂τῷ λίθῳ τούτῳ ἵνα
γένηται ἄρτος⸃. **4** καὶ ἀπεκρίθη πρὸς αὐτὸν ὁ Ἰησοῦς·
γέγραπται ὅτι *οὐκ ἐπ' ἄρτῳ μόνῳ ζήσεται ὁ ἄνθρωπος*⸆. *Dt 8,3*
5 ⸉Καὶ ἀναγαγὼν αὐτὸν ⸆ ἔδειξεν αὐτῷ πάσας τὰς βασιλείας ⸂τῆς οἰκουμένης⸃ ἐν στιγμῇ χρόνου **6** καὶ εἶπεν αὐτῷ ὁ διάβολος· σοὶ δώσω τὴν ἐξουσίαν ταύτην ἅπασαν Ap 13,2
καὶ τὴν δόξαν αὐτῶν, ὅτι ἐμοὶ παραδέδοται καὶ ᾧ ἐὰν
θέλω δίδωμι αὐτήν· **7** σὺ οὖν ἐὰν προσκυνήσῃς ἐνώπιον
ἐμοῦ, ἔσται σοῦ πᾶσα. **8** καὶ ἀποκριθεὶς ⸄ὁ Ἰησοῦς εἶπεν
αὐτῷ⸅· ⸇ γέγραπται· ⸉¹*κύριον τὸν θεόν σου προσκυνήσεις*⸊¹ *Dt 6,13; 10,20*
καὶ αὐτῷ μόνῳ λατρεύσεις.
9 Ἤγαγεν δὲ αὐτὸν εἰς Ἰερουσαλὴμ καὶ ἔστησεν ἐπὶ Ez 8,3
τὸ πτερύγιον τοῦ ἱεροῦ καὶ εἶπεν °αὐτῷ· εἰ υἱὸς εἶ τοῦ θεοῦ,
βάλε σεαυτὸν ἐντεῦθεν κάτω· **10** γέγραπται γὰρ ὅτι
τοῖς ἀγγέλοις αὐτοῦ ἐντελεῖται περὶ σοῦ *Ps 91,11*
τοῦ διαφυλάξαι σε

35 ⸀Σερουκ D | ⸁Φαλεγ A K Γ 0102 $f^{1.13}$ 28. 565. 700 *pm* ¦ Φαλεχ 1241. 1424 *pc* • **36** ⸂τ. -ναν A Θ Ψ 0102 f^{13} (565) 𝔐 sy$^{p.h}$ ¦ – 𝔓^{75vid} D ¦ *txt* ℵ B L f^{1} 33 *pc* • **37** ⸀-εδ B^{2} D L $f^{1.13}$ 𝔐 vg sy ¦ -εθ A K Θ Ψ *pc* b c r^{1} ¦ *txt* 𝔓$^{4vid.75vid}$ ℵ B* a aur l q | ⸁Μελ- ℵ^{2} A N f^{13} 1010 *pc* | ⸀¹-ναν A B D Ψ $f^{1.13}$ 𝔐 sy ¦ *txt* 𝔓^{75vid} ℵ L Θ | (*ad* ⸌ *cf* 23)
¶ **4,1** ⸂*p)* εις την ερημον A Θ Ξ Ψ 0102 $f^{1.13}$ 𝔐 ¦ *txt* 𝔓$^{4vid.7}$ ℵ B D L W 892. 1241 *pc* • **2** ⸀*p)* σατανα D *pc* e sy^{s} | ⸆ουδε επιεν 0116^{vid} f^{13} *pc* • **3** ⸂*p)* ινα οι λιθοι ουτοι αρτοι γενωνται D r^{1} vg^{mss} • **4** ⸆*p)* αλλ επι παντι ρηματι θεου A (D) Θ Ψ (0102) $f^{1.13}$ 𝔐 latt sy$^{p.h}$ bo^{pt} ¦ *txt* ℵ B L W 1241 *pc* sy^{s} sa bo^{pt} • **5-12** ⸉*vss* 5–8 *post* 9–12 it; Ambr | ⸆*p)* ο διαβολος εις ορος υψηλον A Θ Ψ 0102 (f^{13}) 𝔐 it vg^{cl} sy$^{(p).h}$ bo^{mss} ¦ εις ορος υψηλον ℵ^{2} (D, W) f^{1} 700 *pc* (e) sa^{mss} bo^{pt} ¦ *txt* ℵ* B L 1241 *pc* sa^{mss} bo^{pt} | ⸂*p)* του κοσμου D 1241 *pc* f ¦ της γης W | ⸄*4 3 1 2* (⸉A) Θ 0102 𝔐 ¦ *4 1 2 3* D Ψ 28 *pc* ¦ *4 3 2* B ¦ *txt* ℵ L W Ξ $f^{1.(13)}$ 33. 892. 1241 *pc* | ⸇*p)* υπαγε οπισω μου σατανα A Θ Ψ 0102 f^{13} 𝔐 it sy^{h} (bo^{pt}) ¦ *txt* ℵ B D L W Ξ f^{1} 33. 700. 892*. 1241 *pc* lat sy$^{s.p}$ sa bo^{pt} | ⸉¹†*5 1–4* A Θ 0102 𝔐 a r^{1} ¦ *txt* ℵ B D L W Ξ Ψ $f^{1.13}$ 33. 892. 1241. 1424 *al* lat sy$^{p.h}$ | ° L Ξ e

11 καὶ ⸋^{1}ὅτι
Ps 91,12 *ἐπὶ χειρῶν ἀροῦσίν σε,*
μήποτε προσκόψῃς πρὸς λίθον τὸν πόδα σου.
12 καὶ ἀποκριθεὶς εἶπεν αὐτῷ ὁ Ἰησοῦς ⸉^{1}ὅτι εἴρηται⸊·
Dt 6,16 𝔊 Is 7,12 1K 10,9 H 4,15 22,3 · Act 13,11 *οὐκ ἐκπειράσεις κύριον τὸν θεόν σου.*⸌
13 Καὶ συντελέσας πάντα πειρασμὸν ὁ διάβολος ἀπέστη
ἀπ' αὐτοῦ ἄχρι ⸀καιροῦ.

14s: Mt 4,12-17 Mc 1,14s J 4,1-3.43-46a · 5,17! · **14** Καὶ ὑπέστρεψεν ὁ Ἰησοῦς ἐν τῇ δυνάμει τοῦ πνεύ-
Mt 9,26! ματος εἰς τὴν Γαλιλαίαν. καὶ φήμη ἐξῆλθεν καθ' ὅλης
τῆς ⸀περιχώρου περὶ αὐτοῦ. **15** καὶ αὐτὸς ἐδίδασκεν ἐν
Mt 4,23! ταῖς συναγωγαῖς αὐτῶν δοξαζόμενος ὑπὸ πάντων.
16–30: Mt 13,53-58 Mc 6,1-6a · Mt 2,23! · Act 22,3 · Mc 10,1 Act 17,2 · Act 13,15.27 | **16** ⸉Καὶ ἦλθεν εἰς ⸀Ναζαρά, οὗ ἦν ⸁τεθραμμένος, καὶ
εἰσῆλθεν⸊ κατὰ τὸ εἰωθὸς ⸋αὐτῷ ἐν τῇ ἡμέρᾳ τῶν σαββά-
των εἰς τὴν συναγωγὴν καὶ ἀνέστη ἀναγνῶναι. **17** καὶ ἐπε-
δόθη αὐτῷ ⸉βιβλίον τοῦ προφήτου Ἠσαΐου⸊ καὶ ⸀ἀναπτύ-
ξας τὸ βιβλίον εὗρεν ⸋τὸν τόπον οὗ ἦν γεγραμμένον·
Is 61,1s 𝔊 Act 10,38! **18** *πνεῦμα κυρίου ἐπ' ⸀ἐμὲ*
οὗ εἵνεκεν ἔχρισέν ⸀με
Mt 5,3! *εὐαγγελίσασθαι πτωχοῖς,*
ἀπέσταλκέν με, ⸆
κηρύξαι αἰχμαλώτοις ἄφεσιν
καὶ τυφλοῖς ἀνάβλεψιν,
Is 58,6 *ἀποστεῖλαι τεθραυσμένους ἐν ἀφέσει,*
Lv 25,10 2K 6,2 **19** *κηρύξαι ἐνιαυτὸν κυρίου δεκτόν.*
20 καὶ πτύξας τὸ βιβλίον ἀποδοὺς τῷ ὑπηρέτῃ ἐκάθισεν·
Act 6,15 καὶ πάντων οἱ ὀφθαλμοὶ ἐν τῇ συναγωγῇ ἦσαν ἀτενίζοντες αὐτῷ. **21** ἤρξατο δὲ λέγειν πρὸς αὐτοὺς ⸋ὅτι σή-
Mt 5,17 μερον πεπλήρωται ἡ γραφὴ αὕτη ἐν τοῖς ὠσὶν ὑμῶν.
22 Καὶ πάντες ἐμαρτύρουν αὐτῷ καὶ ἐθαύμαζον ἐπὶ τοῖς

5-12 ⸋^{1} D Γ Δ 0102. 28. 700. 1010 𝔐 it sy$^{s.p}$ sa bo^{pt} | ⸉^{1}*p)* γεγραπται D W *pc* it ● **13** ⸀ χρονου D ● **14** ⸀χωρας ℵ lat ● **16** ⸉ελθων δε εις -ρεδ οπου ην *et* ⸋D* | ⸀την -ρετ K 565. 700. 1010. 1424 *pm* (B^{2} L 892. 1241 *al*: – την) ¦ την -ρεθ Γ Ψ *f*^{13} 28 *pm* (W 1 *pc*: – την) ¦ την -ρατ A Θ 0102 *pc* ¦ *txt* ℵ B* (Δ) Ξ (33) *pc*; Or | ⸁ανατεθρ. ℵ L W Θ Ξ 0102 *f*^{13} 1. 33. 892 *al* ¦ *txt* A B (D^{2}) Ψ 𝔐 ● **17** ⸉*1 4 2 3* A *f*^{1} 𝔐 sy co ¦ ο προφητης Ησαιας D *pc* ¦ *txt* ℵ B L W Θ Ξ Ψ *f*^{13} 33. 892 *pc* a b vgst | ⸀†ανοιξας A B L W Ξ 33. 892. 1241 *pc* ¦ *txt* ℵ D(*) Θ Ψ *f*$^{1.13}$ 𝔐 latt; Eus | ⸋ℵ L W Ξ 33 *pc* ● **18** ⸀*bis* (επι) σε sy^{s} | ⸆(Is 61,1) ιασασθαι τους συντετριμμενους την καρδιαν A Θ Ψ 0102 *f*^{1} 𝔐 f vg^{cl} sy$^{p.h}$ bo^{mss}; Ir ¦ *txt* ℵ B D L W Ξ *f*^{13} 33. 700. 892* *pc* lat sy^{s} co; Or Eus Did ● **21** ⸋D W *pc* sy^{s}

λόγοις τῆς χάριτος τοῖς ἐκπορευομένοις ἐκ τοῦ στόματος E 4,29!
αὐτοῦ καὶ ἔλεγον· οὐχὶ υἱός ἐστιν Ἰωσὴφ οὗτος; 23 καὶ 3,23!
εἶπεν πρὸς αὐτούς· πάντως ἐρεῖτέ μοι τὴν παραβολὴν
ταύτην· ἰατρέ, θεράπευσον σεαυτόν· ὅσα ἠκούσαμεν γε- Mt 27,42p
νόμενα ⸂εἰς τὴν⸃ ⸀Καφαρναοὺμ ποίησον καὶ ὧδε ἐν τῇ 31 Mt 9,1!
πατρίδι σου. 24 εἶπεν δέ· ἀμὴν ⸆ λέγω ὑμῖν ὅτι οὐδεὶς
προφήτης δεκτός ἐστιν ἐν τῇ πατρίδι ⸀αὐτοῦ. 25 ἐπ᾽ ἀλη- J 4,44
θείας δὲ λέγω ὑμῖν, ⸆ πολλαὶ χῆραι ἦσαν ἐν ταῖς ἡμέραις
Ἠλίου ἐν τῷ Ἰσραήλ, ὅτε ἐκλείσθη ὁ οὐρανὸς °ἐπὶ ἔτη 1Rg 17,1; 18,1 Jc 5,17 Ap 11,6
τρία καὶ μῆνας ἕξ, ὡς ἐγένετο λιμὸς μέγας ἐπὶ πᾶσαν τὴν
γῆν, 26 καὶ πρὸς οὐδεμίαν αὐτῶν ἐπέμφθη Ἠλίας εἰ μὴ
εἰς Σάρεπτα τῆς ⸀Σιδωνίας πρὸς γυναῖκα ⸁χήραν. 27 καὶ 1Rg 17,9
πολλοὶ λεπροὶ ἦσαν ἐν τῷ Ἰσραὴλ ἐπὶ Ἐλισαίου τοῦ προ- 2Rg 5,14
φήτου, καὶ οὐδεὶς αὐτῶν ἐκαθαρίσθη εἰ μὴ Ναιμὰν ὁ Σύρος.
28 καὶ ἐπλήσθησαν πάντες θυμοῦ ἐν τῇ συναγωγῇ ἀκούοντες ταῦτα 29 καὶ ἀναστάντες ἐξέβαλον αὐτὸν ἔξω τῆς Act 7,58
πόλεως καὶ ἤγαγον αὐτὸν ἕως ὀφρύος τοῦ ὄρους ἐφ᾽ οὗ
ἡ πόλις ᾠκοδόμητο αὐτῶν ⸀ὥστε κατακρημνίσαι αὐτόν·
30 αὐτὸς δὲ διελθὼν διὰ μέσου αὐτῶν ἐπορεύετο. J 8,59!

31 Καὶ κατῆλθεν εἰς ⸀Καφαρναοὺμ πόλιν τῆς Γαλιλαί- *31s:* Mc 1,21s Mt 9,1! · 13,10
ας⸆. καὶ ἦν διδάσκων αὐτοὺς ἐν τοῖς σάββασιν· 32 καὶ
ἐξεπλήσσοντο ἐπὶ τῇ διδαχῇ αὐτοῦ, ὅτι ἐν ἐξουσίᾳ ἦν ὁ 2,48; 9,43 Mt 7,28!s
λόγος αὐτοῦ.

33 Καὶ ἐν τῇ συναγωγῇ ἦν ἄνθρωπος ἔχων πνεῦμα *33–37:* Mc 1,23-28
⸂δαιμονίου ἀκαθάρτου⸃ καὶ ἀνέκραξεν φωνῇ μεγάλῃ·
34 °ἔα, τί ἡμῖν καὶ σοί, Ἰησοῦ Ναζαρηνέ; ἦλθες ⸂ἀπ- 1Rg 17,18etc
ολέσαι ἡμᾶς⸃; οἶδά σε τίς εἶ, ὁ ἅγιος τοῦ θεοῦ. 35 καὶ ἐπ- Mc 1,24! Jdc 16,17 𝔊 B
ετίμησεν αὐτῷ ὁ Ἰησοῦς λέγων· φιμώθητι καὶ ἔξελθε
⸀ἀπ᾽ αὐτοῦ. καὶ ῥίψαν αὐτὸν τὸ δαιμόνιον εἰς τὸ μέσον ⸆
ἐξῆλθεν ⸁ἀπ᾽ αὐτοῦ ⸋μηδὲν βλάψαν αὐτόν⸌. 36 καὶ ἐγέ-

23 ⸂εν τη Θ Ψ f^{1} 𝔐 ¦ εν A K N 0102. 565 *al* ¦ εις D L f^{13} 892 *pc* ¦ *txt* ℵ B W 700 *pc* | ⸀Καπερναουμ *vide ad vs* 31 ● 24 ⸆αμην D 700 *pc* ff^{2} r^{1} | ⸀εαυτου ℵ D W 892 *pc* ● 25 ⸆οτι ℵ L W Θ Ψ $f^{1.13}$ 33. 700. 892. 1241. 1424 *al* e f l ¦ *txt* A B D 0102 𝔐 lat | °B D 1241 *pc* ● 26 ⸀Σιδωνος 𝔐 ¦ *txt* ℵ A B C D L W Γ Θ Ψ $f^{1.13}$ 700. 892. 1241 *al* | [⸁Συραν Wellhausen *cj*] ● 29 ⸀εις το A C Ψ (1424) 𝔐 ¦ *txt* $\mathfrak{P}^{4vid}$ ℵ B D L W Θ $f^{1.13}$ 33. 700. 892. 1241 *pc* ● 31 ⸀Καπερναουμ A C L Θ Ψ 0102 $f^{1.13}$ 𝔐 q ¦ *txt* ℵ B D W 33 *pc* lat; Mcion Or | ⸆*p)* την παραθαλασσιον εν οριοις Ζαβουλων και Νεφθαλιμ D ● 33 ⸂δαιμονιον ακαθαρτον D *pc* lat ● 34 °*p)* D 33 *pc* it sy^{s} co | ⸂ημας ωδε απολεσαι D ● 35 ⸀*p)* εξ $\mathfrak{P}^{75}$ A C Θ Ψ 0102 𝔐 ¦ *txt* ℵ B D L W Ξ $f^{1.13}$ 700. 892. 1424 *al* | ⸆ανακραυγασαν τε D | ⸁εξ $\mathfrak{P}^{75}$ Γ 0102 *pc* | ⸋W

5,9 νετο θάμβος ⸆ ἐπὶ πάντας καὶ συνελάλουν πρὸς ἀλλήλους λέγοντες· τίς ὁ λόγος οὗτος ὅτι ἐν ἐξουσίᾳ καὶ δυνάμει ἐπιτάσσει τοῖς ἀκαθάρτοις πνεύμασιν καὶ ἐξέρχον-
Mt 9,26! ται; **37** καὶ ⸂ἐξεπορεύετο ἦχος⸃ περὶ αὐτοῦ εἰς πάντα
τόπον τῆς περιχώρου.
38s: Mt 8,14s Mc 1,29-31 **38** Ἀναστὰς δὲ ἀπὸ τῆς συναγωγῆς εἰσῆλθεν εἰς τὴν
οἰκίαν Σίμωνος⸆. πενθερὰ δὲ τοῦ Σίμωνος ἦν συνεχο-
μένη πυρετῷ μεγάλῳ καὶ ἠρώτησαν αὐτὸν περὶ αὐτῆς.
Mt 8,15! **39** καὶ ⸋ἐπιστὰς ἐπάνω αὐτῆς⸌ ἐπετίμησεν τῷ πυρετῷ
13,13 καὶ ἀφῆκεν αὐτήν⸂· παραχρῆμα δὲ ἀναστᾶσα διηκόνει⸃
αὐτοῖς.
40s: Mt 8,16s Mc 1,32-34 **40** ⸀Δύνοντος δὲ τοῦ ἡλίου ⸁ἅπαντες ὅσοι εἶχον ἀσθε-
Act 28,9 · Mt 9,18! νοῦντας νόσοις ποικίλαις ἤγαγον αὐτοὺς πρὸς αὐτόν· ὁ
δὲ ἑνὶ ἑκάστῳ ⸰αὐτῶν τὰς χεῖρας ⸀¹ἐπιτιθεὶς ⸀²ἐθεράπευ-
εν αὐτούς. **41** ⸀ἐξήρχετο δὲ καὶ δαιμόνια ⸰ἀπὸ πολλῶν
Mc 3,11! Act 16,17 ⸁κρ[αυγ]άζοντα καὶ λέγοντα ὅτι σὺ εἶ ⸆ ὁ υἱὸς τοῦ θεοῦ.
Mt 8,4! · Act 19,15 καὶ ἐπιτιμῶν οὐκ εἴα αὐτὰ λαλεῖν, ὅτι ᾔδεισαν τὸν χριστὸν αὐτὸν εἶναι.
42s: Mc 1,35-38 **42** Γενομένης δὲ ἡμέρας ἐξελθὼν ἐπορεύθη εἰς ἔρημον
τόπον· καὶ οἱ ὄχλοι ἐπεζήτουν αὐτὸν καὶ ἦλθον ἕως αὐ-
τοῦ καὶ κατεῖχον αὐτὸν τοῦ μὴ πορεύεσθαι ἀπ᾽ αὐτῶν.
43 ὁ δὲ εἶπεν πρὸς αὐτοὺς ὅτι καὶ ταῖς ἑτέραις πόλεσιν
8,1 εὐαγγελίσασθαί ⸉με δεῖ⸊ τὴν βασιλείαν τοῦ θεοῦ, ⸂ὅτι
44: Mt 4,23 ἐπὶ τοῦτο ἀπεστάλην⸃. **44** Καὶ ἦν κηρύσσων ⸂εἰς τὰς
Mc 1,39 · 7,17; 23,5 συναγωγὰς τῆς Ἰουδαίας⸃.

36 ⸆μεγας D b r^1 sy^p bo^{pt} ● **37** ⸂*p)* εξηλθεν η ακοη D a ● **38** ⸆*p)* και Ανδρεου D it ¦ Πετρου bo^{ms} ● **39** ⸋sy^s | ⸂παρ. ωστε αναστασαν αυτην διακονειν D ● **40** ⸀δυσαντος D ¦ δυναντος U Λ *al* | ⸁παντες ℵ A D L Q R W Ξ Ψ 0102. 0135 *f*^{13} 𝔐 ¦ *txt* B C Θ *f*^{1} 700 *pc* | ⸰D 565 *pc* lat | ⸀¹επιθεις (⸉ℵ C) A L R Θ Ψ 0102 *f*^{1} 𝔐 ¦ *txt* B D Q W Δ Ξ *f*^{13} 892. 1241 *pc* | ⸀² *p)* εθεραπευσεν ℵ A C L R Θ Ξ 0102 *f*$^{1.13}$ 𝔐 ¦ *txt* B D W Ψ *pc* ● **41** ⸀εξηρχοντο ℵ C Θ *f*^{1} 33. 1241 *al*; Or | ⸰ℵ W *f*^{1} (28). 1241. 1424 *pc* | ⸁κραζοντα ℵ(*: -ζοντων) B C K N R Θ Ξ Ψ *f*^{1} 28. 33. 565. 892. 1241. 1424 *pm* ¦ *txt* A D L (Q) W Γ Δ (0102) *f*^{13} 700. 1010 *pm* | ⸆ο χριστος A Q Θ Ψ 0102 *f*$^{1.13}$ 𝔐 f q sy$^{p.h}$ bo^{pt} ¦ *txt* ℵ B C D L R W Ξ 33. 700. 1241 *pc* lat sy^s sa bo^{pt}; Mcion Or ● **43** ⸉B (D) W 892 *pc* | ⸂οτι εις (επι 700 *pc*) τουτο απεσταλμαι A R Q Θ Ψ 𝔐 ¦ – sy^s ¦ *txt* 𝔓^{75} ℵ B (C, D) L W *f*$^{(1).13}$ (28*. 33). 892. 1241 *pc* ● **44** ⸂εν ταις -γαις (εις τας -γας D Ψ *f*^{13} *pc*) της Γαλιλαιας A D Θ Ψ *f*^{13} 𝔐 latt sy$^{p.hmg}$ bo^{pt} ¦ εις τας -γας των Ιουδαιων W (1424) ¦ *txt* 𝔓^{75} ℵ B Q 892 *pc* sa bo^{pt} (*sed* εν ταις -γαις C L R *f*^{1} 1241 *pc*)

29 X **5** ⸂Ἐγένετο δὲ⸃ ἐν τῷ τὸν ὄχλον ἐπικεῖσθαι αὐτῷ ⸀καὶ *1-11:* cf Mt 4,18-22 Mc 1,16-20 J 21,1-11
ἀκούειν τὸν λόγον τοῦ θεοῦ ⸄καὶ αὐτὸς ἦν ἑστὼς⸅
παρὰ τὴν λίμνην Γεννησαρὲτ **2** καὶ εἶδεν ⸂δύο πλοῖα⸃ ἑστῶ- Mt 13,1-3p
τα παρὰ τὴν λίμνην· οἱ δὲ ἁλιεῖς ἀπ’ αὐτῶν ἀποβάντες
⸀ἔπλυνον τὰ δίκτυα. **3** ἐμβὰς δὲ εἰς ἓν τῶν πλοίων, ὃ ἦν ⸆
Σίμωνος, ἠρώτησεν αὐτὸν ἀπὸ τῆς γῆς ἐπαναγαγεῖν ⸀ὀλί-
γον· ⸂καθίσας δὲ ἐκ τοῦ πλοίου ἐδίδασκεν⸃ τοὺς ὄχλους.
11 30 **4** Ὡς δὲ ἐπαύσατο λαλῶν, εἶπεν πρὸς τὸν Σίμωνα· ἐπ-
IX ανάγαγε εἰς τὸ βάθος καὶ χαλάσατε τὰ δίκτυα ὑμῶν εἰς
ἄγραν. **5** καὶ ἀποκριθεὶς ⸆ Σίμων εἶπεν⸇· ⸀ἐπιστάτα, δι’ 8,24.45; 9,33.49; 17,13
ὅλης ⸆^{1} νυκτὸς κοπιάσαντες οὐδὲν ἐλάβομεν· ἐπὶ δὲ τῷ
ῥήματί σου ⸂χαλάσω τὰ δίκτυα. **6** καὶ τοῦτο ποιήσαν-
τες⸃ συνέκλεισαν πλῆθος ἰχθύων πολύ, ⸄διερρήσσετο δὲ
τὰ δίκτυα αὐτῶν⸅. **7** καὶ κατένευσαν τοῖς μετόχοις ⸆ ἐν
τῷ ἑτέρῳ πλοίῳ τοῦ ἐλθόντας ⸀συλλαβέσθαι αὐτοῖς· καὶ
ἦλθον καὶ ἔπλησαν ἀμφότερα τὰ πλοῖα ὥστε ⸇ βυθίζεσθαι
31 X αὐτά. **8** ⸂ἰδὼν δὲ Σίμων Πέτρος⸃ προσέπεσεν τοῖς γόνασιν ⸆ Ἰησοῦ λέγων· ⸇ ἔξελθε ἀπ’ ἐμοῦ, ὅτι ἀνὴρ ἁμαρ- 18,13
τωλός εἰμι, κύριε. **9** θάμβος γὰρ περιέσχεν αὐτὸν ⸋καὶ 4,36
πάντας τοὺς σὺν αὐτῷ⸌ ἐπὶ τῇ ἄγρᾳ τῶν ἰχθύων ⸀ὧν συνέλαβον, **10** ⸂ὁμοίως δὲ καὶ Ἰάκωβον καὶ Ἰωάννην υἱοὺς Mt 4,21!

¶ **5,1** ⸂και εγ. 𝔓^{75} | ⸀του C D Q R Θ Ψ f^{13} 𝔐 lat sy$^{p.h}$ ¦ *txt* 𝔓^{75} ℵ A B L W f^{1} 892. 1241 *pc* c | ⸄εστωτος αυτου D e ● **2** ⸂†δυο πλοιαρια A C* L Q R Ψ 33. 1241. 1424 *al* f (⸉ 4 *pc*) ¦ πλοια δυο B W 892 *pc* ¦ *txt* 𝔓^{75} ℵ(*: *om.* δυο) C^{3} D Θ $f^{1.13}$ 𝔐 lat | ⸀απεπλυν(α)ν A C^{3} R Θ Ψ $f^{1.13}$ 𝔐 ¦ *txt* 𝔓^{75} ℵ B C* D L Q W 892. 1241 *pc* ● **3** ⸆του A C Q R Θ Ψ $f^{1.13}$ 𝔐 ¦ *txt* 𝔓^{75} ℵ B D L W *pc* | ⸀οσον οσον D | ⸂και καθ. εδιδ. εκ του πλ. A C (L Q W: καθ. δε) R Θ Ψ ($f^{1.13}$) 𝔐 lat sy^{h} ¦ καθισας δε εν τω πλοιω εδιδασκεν ℵ (D) e sa ¦ *txt* 𝔓^{75} B 1241. (1424) *pc* ● **5/6** ⸆ο A C (D) R W Θ Ψ $f^{1.13}$ 𝔐 ¦ *txt* 𝔓^{75} (ℵ) B L Δ 1424 *pc* | ⸇αυτω A C D L W Θ Ψ $f^{1.13}$ 𝔐 lat sy sa ¦ *txt* 𝔓^{75} ℵ B 700 *pc* e bo | ⸀διδασκαλε D | ⸆^{1}της C D Θ $f^{1.13}$ 𝔐 ¦ *txt* 𝔓^{75} ℵ A B L W Ψ 33 *pc* | ⸂χαλασω (-ωμεν K Ψ f^{1} *al*) το δικτυον. και τουτ. ποι. A C Ψ $f^{(1).13}$ 𝔐 lat sy$^{p.h}$ (sa^{mss} bo^{pt}) ¦ ου μη παρακουσομαι (-σομεν D^{2})· και ευθυς χαλασαντες τα δικτυα D (e) ¦ *txt* 𝔓^{75vid} ℵ B L W Θ 700. 892 *pc* aur c q sa^{mss} bo^{pt} | ⸄διερρηγνυτο δε το δικτυον (τα -τυα f^{1}) αυτων A (C, Θ) Ψ $f^{1.13}$ 𝔐 lat sy$^{p.h}$ ¦ ωστε τα δικτυα ρησσεσθαι D (e f r^{1}) ¦ *txt* 𝔓^{75} ℵ B L W 892.1241 *pc* sy^{s} ● **7** ⸆τοις A C Θ $f^{1.13}$ 𝔐 ¦ *txt* 𝔓^{75} ℵ B D L W Ψ 700 *pc* | ⸀βοηθειν D | ⸇παρα τι D c e r^{1} vg^{cl} sy$^{s.p.hmg}$ ¦ ηδη C* ● **8** ⸂ιδων δε ο Σ. W f^{13} 892. 1241 *pc* a b e r^{1} sy^{hmg} ¦ ο δε Σ. D | ⸆του A C L Θ Ψ $f^{1.13}$ 33. 1010. 1241. 1424 *al* | ⸇παρακαλω D it (sy^{p}) ● **9** ⸋D | ⸀† ἧ ℵ A C L W (Θ) Ψ $f^{1.13}$ 𝔐 lat sy^{h} sa ¦ *txt* 𝔓^{75} B D *pc* aur bo ● **10/11** ⸂*(p)* ησαν δε κοινωνοι αυτου Ιακωβος και Ιωαννης υιοι Ζεβεδαιου· ο δε ειπεν αυτοις· δευτε και μη γινεσθε αλιεις ιχθυων, ποιησω γαρ υμας αλιεις ανθρωπων· οι δε ακουσαντες παντα κατελειψαν επι της γης και D (e)

Ζεβεδαίου, οἳ ἦσαν κοινωνοὶ τῷ Σίμωνι. καὶ εἶπεν πρὸς
τὸν Σίμωνα °ὁ Ἰησοῦς· μὴ φοβοῦ· ἀπὸ τοῦ νῦν ἀνθρώπους ἔσῃ ζωγρῶν. **11** καὶ καταγαγόντες τὰ πλοῖα ἐπὶ τὴν
Mt 19,27! γῆν ἀφέντες ⸀πάντα⸁ ἠκολούθησαν αὐτῷ.
12–16: Mt 8,1-4 Mc 1,40-45 **12** Καὶ ἐγένετο ἐν τῷ εἶναι αὐτὸν ἐν μιᾷ τῶν πόλεων καὶ
ἰδοὺ ἀνὴρ ⸂πλήρης λέπρας⸃· ⸄ἰδὼν δὲ⸅ τὸν Ἰησοῦν, ⸀πε-
17,16 σὼν ἐπὶ πρόσωπον ⸋ἐδεήθη αὐτοῦ⸌ λέγων· κύριε, ἐὰν
θέλῃς δύνασαί με καθαρίσαι. **13** καὶ ἐκτείνας τὴν χεῖρα
ἥψατο αὐτοῦ ⸀λέγων· θέλω, καθαρίσθητι· καὶ εὐθέως ⸂ἡ
λέπρα ἀπῆλθεν ἀπ’ αὐτοῦ⸃. **14** καὶ αὐτὸς παρήγγειλεν
Lv 13,49; 14,2s Mt 8,4! αὐτῷ μηδενὶ εἰπεῖν, ἀλλὰ ἀπελθὼν δεῖξον σεαυτὸν τῷ
ἱερεῖ καὶ προσένεγκε περὶ τοῦ καθαρισμοῦ σου καθὼς
προσέταξεν Μωϋσῆς, ⸂εἰς μαρτύριον αὐτοῖς⸃. ⸆ **15** διήρ-
Mt 9,26! χετο δὲ μᾶλλον ὁ λόγος περὶ αὐτοῦ, καὶ συνήρχοντο ὄχλοι πολλοὶ ἀκούειν καὶ θεραπεύεσθαι ⸆ ἀπὸ τῶν ἀσθενειῶν αὐτῶν· **16** αὐτὸς δὲ ἦν ὑποχωρῶν ἐν ταῖς ἐρήμοις
9,28! καὶ προσευχόμενος.
17–26: Mt 9,1-8 Mc 2,1-12 **17** Καὶ ἐγένετο ἐν μιᾷ τῶν ἡμερῶν ⸂καὶ αὐτὸς ἦν διδάσκων, καὶ ἦσαν καθήμενοι Φαρισαῖοι καὶ νομοδιδά-
σκαλοι οἳ ἦσαν ἐληλυθότες⸃ ἐκ πάσης ⸄κώμης τῆς Γαλι-
6,17 · 4,14; 6,19; 8,46p λαίας καὶ Ἰουδαίας καὶ Ἰερουσαλήμ⸅⸂¹· καὶ δύναμις κυρίου ἦν εἰς τὸ⸃ ἰᾶσθαι ⸀αὐτόν. **18** καὶ ἰδοὺ ἄνδρες φέρον-
τες ἐπὶ κλίνης ἄνθρωπον ὃς ἦν παραλελυμένος καὶ ἐζήτουν αὐτὸν εἰσενεγκεῖν καὶ θεῖναι °[αὐτὸν] ἐνώπιον αὐτοῦ. **19** καὶ μὴ εὑρόντες ποίας εἰσενέγκωσιν αὐτὸν διὰ
τὸν ὄχλον, ⸂ἀναβάντες ἐπὶ τὸ δῶμα διὰ τῶν κεράμων
καθῆκαν αὐτὸν σὺν τῷ κλινιδίῳ⸃ εἰς τὸ μέσον ἔμπροσθεν

10/11 °B L | ⸀απ- A C W Θ Ψ *f*¹·¹³ 𝔐 ¦ *txt* ℵ B (D) L 1424 *pc* ● **12** ⸂*p)* λεπρος D; Mcion | ⸄*1* 700 ¦ και ιδ. A C D L W Θ Ψ *f*¹·¹³ 𝔐 ¦ προσελθων και ιδ. 1424 (*pc*) ¦ *txt* ℵ B | ⸀επεσεν *et* ⸋D e r¹ ● **13** ⸀ειπων A Ψ *f*¹ 𝔐 ¦ *txt* ℵ B C D L W Θ *f*¹³ 33. 892. 1241 *pc* | ⸂*p)* εκαθαρισθη D e ● **14** ⸂ινα εις μαρτυριον ην (*i. e.* ᾖ) υμιν τουτο D it; (Mcion) | ⸆*p)* ο δε εξελθων ηρξατο κηρυσσειν και διαφημιζειν τον λογον ωστε μηκετι δυνασθαι αυτον φανερως εις πολιν εισελθειν, αλλα εξω ην εν ερημοις τοποις, και συνηρχοντο προς αυτον και ηλθεν παλιν εις Καφαρναουμ D ● **15** ⸆υπ αυτου (A) C² Θ Ψ 𝔐 sy^h ¦ *txt* ℵ B C* D L W *f*¹·¹³ 892. 1241 *pc* latt sa bo^pt ● **17** ⸂αυτου διδασκοντος συνελθειν τους Φαρισαιους και νομοδιδασκαλους· ησαν δε συνεληλυθοτες D (e) ¦ αυτου διδασκοντος και ησαν *etc. ut txt* c (sy^p) | ⸄*1–5* D ¦ *1–3 6 7* H ¦ *2–7* 1241 bo ¦ [*2 5–7* Spitta *cj*] | ⸂¹του D | ⸀αυτους A C D (K) Θ Ψ *f*¹·¹³ 𝔐 latt sy^p.h bo ¦ *txt* ℵ B L W Ξ *pc* sy^s sa ● **18** °ℵ A C D W Ψ *f*¹·¹³ 𝔐 ¦ *txt* B L Θ Ξ *pc* ● **19** ⸂*p)* ανεβησαν επι το δωμα και αποστεγασαντες τους κεραμους οπου ην καθηκαν τον κραβαττον συν τω παραλυτικω D (b)

⸄τοῦ Ἰησοῦ⸅. **20** καὶ ἰδὼν τὴν πίστιν αὐτῶν εἶπεν· ἄνθρωπε, ἀφέωνταί σοι αἱ ἁμαρτίαι σου. **21** καὶ ἤρξαντο 7,48
διαλογίζεσθαι οἱ γραμματεῖς καὶ οἱ Φαρισαῖοι ⸆ λέγον- 12,17
τες· ⸂τίς ἐστιν οὗτος ὃς⸃ λαλεῖ βλασφημίας; τίς δύναται 7,49 J 5,12
⸄ἁμαρτίας ἀφεῖναι⸅ εἰ μὴ μόνος ὁ θεός; **22** ἐπιγνοὺς δὲ ὁ Is 43,25; 55,7 | 6,8; 9,46s Mt 9,4!
Ἰησοῦς τοὺς διαλογισμοὺς αὐτῶν ἀποκριθεὶς εἶπεν πρὸς
αὐτούς· τί διαλογίζεσθε ἐν ταῖς καρδίαις ὑμῶν⸆; **23** τί
ἐστιν εὐκοπώτερον, εἰπεῖν· ἀφέωνταί ⸂σοι αἱ ἁμαρτίαι
σου⸃, ἢ εἰπεῖν· ἔγειρε καὶ περιπάτει; **24** ἵνα δὲ εἰδῆτε ὅτι
ὁ υἱὸς τοῦ ἀνθρώπου ἐξουσίαν ἔχει ἐπὶ τῆς γῆς ἀφιέναι Mt 28,18!
ἁμαρτίας – ⸀εἶπεν τῷ ⸁παραλελυμένῳ· σοὶ λέγω, ἔγειρε J 5,8
καὶ ⸀¹ἄρας ⸂τὸ κλινίδιόν⸃ σου ⸆ πορεύου εἰς τὸν οἶκόν
σου. **25** καὶ παραχρῆμα ἀναστὰς ἐνώπιον αὐτῶν, ἄρας J 5,9
⸂ἐφ' ὃ κατέκειτο⸃, ἀπῆλθεν εἰς τὸν οἶκον αὐτοῦ δοξάζων 2,20!
τὸν θεόν. **26** ⸋καὶ ἔκστασις ἔλαβεν ἅπαντας καὶ ἐδόξαζον τὸν θεὸν⸌ καὶ ἐπλήσθησαν φόβου λέγοντες ὅτι εἴδο- 1,65!
μεν παράδοξα σήμερον.

27 ⸂Καὶ μετὰ ταῦτα ἐξῆλθεν καὶ ἐθεάσατο τελώνην ὀνό- *27–32:* Mt 9,9-13 Mc 2,13-17
ματι Λευὶν⸃ καθήμενον ἐπὶ τὸ τελώνιον, καὶ ⸀εἶπεν αὐτῷ·
ἀκολούθει μοι. **28** καὶ καταλιπὼν πάντα ἀναστὰς ⸀ἠκο- Mt 19,27p
λούθει αὐτῷ. **29** Καὶ ἐποίησεν δοχὴν μεγάλην Λευὶς
αὐτῷ ἐν τῇ οἰκίᾳ αὐτοῦ, καὶ ἦν ὄχλος πολὺς τελωνῶν ⸂καὶ 15,1
ἄλλων⸃ ⸄οἳ ἦσαν μετ' αὐτῶν κατακείμενοι⸅. **30** καὶ ἐγόγ- 15,2; 19,7
γυζον οἱ ⸂Φαρισαῖοι καὶ οἱ γραμματεῖς αὐτῶν⸃ πρὸς τοὺς
μαθητὰς αὐτοῦ λέγοντες· διὰ τί μετὰ τῶν τελωνῶν ⸋καὶ Mt 9,11!
ἁμαρτωλῶν⸌ ἐσθίετε καὶ πίνετε; **31** καὶ ἀποκριθεὶς ⸂ὁ
Ἰησοῦς⸃ εἶπεν πρὸς αὐτούς· οὐ χρείαν ἔχουσιν οἱ ὑγιαί-
νοντες ἰατροῦ ἀλλὰ οἱ κακῶς ἔχοντες· **32** οὐκ ἐλήλυθα
καλέσαι δικαίους ἀλλὰ ⸀ἁμαρτωλοὺς εἰς μετάνοιαν. 19,10p; 15,7p

19 ⸄παντων B • **21** ⸆*p)* εν ταις καρδιαις αυτων D it | ⸂*p)* τι ουτος D | ⸄αφιεναι αμαρτιας ℵ A C W Θ Ψ f^{13} 𝔐 ¦ *txt* B D Ξ *pc* (L f^{1}: αφιεναι) • **22** ⸆*p)* πονηρα D (⸉ it) • **23** ⸂σου αι αμαρτιαι ℵ (C) D W Θ (33. 1241) *pc* ¦ σοι αι αμαρτιαι N Ψ *pc* lat ¦ *txt* A B L Ξ $f^{1.13}$ 𝔐 it sy • **24** ⸀λεγει D 1424 *pc* | ⸁*p)* παραλυτικω ℵ C D L N W Θ Ξ Ψ f^{13} 33. 700. 1241. 1424 *al* ¦ *txt* A B f^{1} 𝔐 | ⸀¹*p)* αρον *et* ⸆και ℵ D 1424 *pc*; Mcion | ⸂*p)* τον κραβαττον D 1424 c r[1]; Mcion • **25** ⸂την κλινην D (e sy[p]) sa • **26** ⸋ D W Ψ 1241 *al* e • **27** ⸂*p)* και ελθων παλιν παρα την θαλασσαν τον επακολουθουντα αυτω οχλον εδιδασκεν· και παραγων ειδεν Λευι τον του Αλφαιου D | ⸀*p)* λεγει ℵ D f^{13} • **28** ⸀*p)* ηκολουθησεν ℵ A C R Θ Ψ $f^{1.13}$ 𝔐 ¦ *txt* B D L W Ξ 892 *pc* • **29** ⸂και αμαρτωλων N W 1424 *pc* bo[ms] ¦ – ℵ* q | ⸄ανακειμενων D e ¦ *ut txt sed* αυτου B* f^{1} *pc* sy[hmg] • **30** ⸂*4 5 2 3 1* A Θ Ψ f^{13} 𝔐 r[1] sy[h] ¦ *1–4* ℵ (⸉ D) *pc* it co ¦ *txt* B C L R W Ξ 1. 33. 700. 892. 1241 *pc* lat | ⸋C* D • **31** ⸂*2* 𝔓[4] B ¦ – W 1241 • **32** ⸀ασεβεις ℵ*

33–39: Mt 9,14- **33** Οἱ δὲ εἶπαν πρὸς αὐτόν· ⸆ οἱ μαθηταὶ Ἰωάννου ⸂νη-
17 Mc 2,18-22 11,1 στεύουσιν πυκνὰ καὶ δεήσεις ποιοῦνται ὁμοίως καὶ οἱ
τῶν Φαρισαίων⸃, οἱ δὲ ⸄σοὶ ἐσθίουσιν καὶ πίνουσιν⸅.
34 ὁ δὲ °Ἰησοῦς εἶπεν πρὸς αὐτούς· μὴ ⸂δύνασθε τοὺς
J 3,29 υἱοὺς⸃ τοῦ νυμφῶνος ⸄ἐν ᾧ ὁ νυμφίος μετ' αὐτῶν ἐστιν⸅
17,22 ⸂¹ποιῆσαι νηστεῦσαι⸃; **35** ἐλεύσονται δὲ ἡμέραι, καὶ ὅταν
ἀπαρθῇ ἀπ' αὐτῶν ὁ νυμφίος, τότε νηστεύσουσιν ἐν ἐκείναις ταῖς ἡμέραις.
6,39; 13,6; 18,1 **36** Ἔλεγεν δὲ καὶ παραβολὴν πρὸς αὐτοὺς ὅτι οὐδεὶς
ἐπίβλημα ἀπὸ ἱματίου καινοῦ σχίσας ἐπιβάλλει ἐπὶ ἱμάτιον παλαιόν· εἰ δὲ μή γε, καὶ τὸ καινὸν σχίσει καὶ τῷ
παλαιῷ οὐ συμφωνήσει ⸂τὸ ἐπίβλημα τὸ ἀπὸ τοῦ καινοῦ⸃.
Job 32,19 **37** καὶ οὐδεὶς βάλλει οἶνον νέον εἰς ἀσκοὺς παλαιούς· εἰ
δὲ μή γε, ῥήξει ὁ οἶνος ὁ νέος τοὺς ἀσκοὺς καὶ αὐτὸς
ἐκχυθήσεται καὶ οἱ ἀσκοὶ ἀπολοῦνται· **38** ἀλλὰ οἶνον
νέον εἰς ἀσκοὺς καινοὺς ⸀βλητέον⸆. **39** ⸋°[καὶ] οὐδεὶς
J 2,10 πιὼν παλαιὸν ⸆ θέλει νέον· λέγει γάρ· ὁ παλαιὸς ⸀χρη-
στός ἐστιν.⸌
1–5: Mt 12,1-8 **6** Ἐγένετο δὲ ⸂ἐν σαββάτῳ⸃ διαπορεύεσθαι αὐτὸν διὰ 41 II
Mc 2,23-28 Dt 23,26 σπορίμων, ⸄καὶ ἔτιλλον οἱ μαθηταὶ αὐτοῦ⸅ ⸂¹καὶ ἤσθιον τοὺς στάχυας ψώχοντες ταῖς χερσίν⸃. **2** τινὲς δὲ τῶν
J 5,10 Φαρισαίων εἶπαν· ⸂τί ποιεῖτε ὃ οὐκ ἔξεστιν τοῖς σάβ-
βασιν⸃; **3** καὶ ἀποκριθεὶς ⸂πρὸς αὐτοὺς εἶπεν ὁ Ἰησοῦς⸃·

33 ⸆*p)* δια τι ℵ$^{*.2}$ A C D R Θ Ψ $f^{1.13}$ 𝔐 latt sy$^{p.h}$ bo^{pt} ¦ *txt* 𝔓^{4} ℵ^{1} B L W Ξ 33. 892*. 1241 *pc* sa bo^{pt} | ⸂*p)* και οι μαθηται των Φαρισαιων νηστευουσιν πυκνα και δεησεις ποιουσιν D (it) | ⸄μαθηται σου ουδεν τουτων ποιουσιν D e • **34** °A Θ Ψ 𝔐 lat sy$^{p.h}$ ¦ *txt* 𝔓^{4} ℵ B C D L R W Ξ $f^{1.13}$ 33. 892. 1241 *al* f sy^{hmg} co | ⸂*p)* δυνανται οι υιοι ℵ* D it sa^{ms} bo^{pt}; Mcion | ⸄εφ οσον εχουσιν τον νυμφιον μεθ εαυτων D e | ⸂¹νηστευειν ℵ* D it; (Mcion) ¦ ποιησαι νηστευειν A C L R W Θ Ψ $f^{1.13}$ 𝔐 ¦ *txt* ℵ^{2} B Ξ 28. 1241 *pc* • **36** ⸂*3–6* A (D) R Ψ 𝔐 ¦ *txt* 𝔓^{4vid} ℵ B C L W Θ $f^{1.13}$ 33. 700. 892. 1241. 1424 *al* lat sy$^{p.h}$ • **38** ⸀*p)* βαλλουσιν ℵ* D it sy^{p} ¦ βαλληται W | ⸆*p)* και αμφοτεροι συντηρουνται A C (D) R Θ Ψ f^{13} 𝔐 latt sy$^{p.h}$ (bo^{mss}) ¦ *txt* 𝔓^{4} ℵ B L W f^{1} 33. 700. 1241 *pc* co • **39** ⸋*vs p)* D it; Mcion Ir Eus | ° 𝔓^{4} ℵ^{2} B 700. 892. 1241 ¦ *txt rell* | ⸆ευθεως A C^{2} R Θ Ψ f^{13} 𝔐 latt sy$^{p.h}$ ¦ *txt* 𝔓^{4} ℵ B C* L W f^{1} 1241 *pc* co | ⸀χρηστοτερος A C R Θ Ψ $f^{1.13}$ 𝔐 lat sy^{h} ¦ *txt* 𝔓^{4} ℵ B L W 1241 *pc* sy^{p}

¶ **6,1** ⸂εν σαβ. δευτεροπρωτω A C D R Θ Ψ (f^{13}) 𝔐 lat sy^{h}; Epiph ¦ sabbato mane e ¦ *txt* 𝔓^{4} ℵ B L W f^{1} 33. 1241 *pc* it sy$^{p.hmg}$ sa bo^{pt} | ⸄οι δε μαθ. αυτ. ηρξαντο τιλλειν D b | ⸂¹*3 4 1 5–7 2* D (e) f sy^{p} ¦ *3 4 1 2 5–7* (ℵ) A C^{3} W Θ Ψ $f^{1.13}$ 𝔐 lat sy^{h} ¦ *txt* 𝔓^{4} B (C*) L R 700. 892. 1241 *pc* • **2** ⸂*p)* ιδε τι ποιουσιν οι μαθηται σου τοις σαβ. ο ουκ εξεστιν D ¦ *ut txt sed p)* εξεστιν ποιειν (ℵ) A C (L, W) Θ (Ψ) $f^{1.(13)}$ 𝔐 q sy$^{(p).h}$ bo^{pt} ¦ *txt* 𝔓^{4} B R 700 *pc* lat sa bo^{pt} • **3** ⸂*4 5 1–3* ℵ L R W Θ Ψ *al* vg sy^{h} ¦ *4 5 3 1 2* A C^{3} (D) K $f^{(1).13}$ 28. 565. 892. 1241 *al* it sy^{p} ¦ *1–3 5* 𝔓^{4} B ¦ *txt* 𝔓^{75vid} C* 𝔐

οὐδὲ τοῦτο ἀνέγνωτε ὃ ἐποίησεν Δαυὶδ ⸀ὅτε ἐπείνασεν
αὐτὸς καὶ οἱ μετ’ αὐτοῦ °[ὄντες], **4** ⸀[ὡς] εἰσῆλθεν εἰς
τὸν οἶκον τοῦ θεοῦ καὶ τοὺς ἄρτους τῆς προθέσεως ⸁λα- Lv 24,5-9 1 Sm 21,7
βὼν ἔφαγεν καὶ ἔδωκεν ⸆ τοῖς μετ’ αὐτοῦ, οὓς οὐκ ἔξεστιν
φαγεῖν εἰ μὴ μόνους τοὺς ἱερεῖς; ⸆ **5** ⸉καὶ ἔλεγεν αὐτοῖς·
⸆ κύριός ἐστιν ⸂τοῦ σαββάτου ὁ υἱὸς τοῦ ἀνθρώπου⸃.
15 42 **6** ⸂Ἐγένετο δὲ ἐν ἑτέρῳ σαββάτῳ εἰσελθεῖν αὐτὸν εἰς *6–11:* Mt 12,9-14 Mc 3,1-6
II τὴν συναγωγὴν καὶ διδάσκειν. καὶ ἦν ἄνθρωπος ἐκεῖ καὶ
ἡ χεὶρ αὐτοῦ ἡ δεξιὰ ἦν ξηρά⸃. **7** παρετηροῦντο δὲ °αὐ- 14,1; 20,20
τὸν οἱ γραμματεῖς καὶ οἱ Φαρισαῖοι εἰ ἐν τῷ σαββάτῳ
⸀θεραπεύει, ἵνα ⸂εὕρωσιν κατηγορεῖν⸃ ⸆ αὐτοῦ. **8** αὐτὸς δὲ
⸂ᾔδει τοὺς διαλογισμοὺς αὐτῶν, εἶπεν δὲ⸃ τῷ ἀνδρὶ τῷ 5,22!
ξηρὰν ἔχοντι τὴν χεῖρα· ἔγειρε καὶ στῆθι εἰς τὸ μέσον·
⸀καὶ ἀναστὰς ἔστη. **9** εἶπεν δὲ °ὁ Ἰησοῦς πρὸς αὐτούς·
⸀ἐπερωτῶ ὑμᾶς ⸁εἰ ἔξεστιν τῷ σαββάτῳ ἀγαθοποιῆσαι ἢ 14,3
κακοποιῆσαι, ψυχὴν σῶσαι ἢ ⸀¹ἀπολέσαι; ⸆ **10** καὶ περιβλεψάμενος πάντας αὐτοὺς ⸀εἶπεν αὐτῷ· ἔκτεινον τὴν
χεῖρά σου. ὁ δὲ ⸁ἐποίησεν καὶ ἀπεκατεστάθη ἡ χεὶρ αὐ-
τοῦ⸆. **11** αὐτοὶ δὲ ἐπλήσθησαν ἀνοίας καὶ ⸂διελάλουν
πρὸς ἀλλήλους τί ἂν ποιήσαιεν τῷ Ἰησοῦ⸃.

3 ⸀†οποτε A R Θ f^{13} 𝔐 ¦ *txt* 𝔓^{4} ℵ B C D L W Δ Ψ f^{1} 892. 1241. 1424 *al* | ° 𝔓^{4} ℵ B D L W Θ f^{1} 33. 700. 892. 1241 *pc* ¦ *txt* A C R Ψ f^{13} 𝔐 • **4** ⸀πως ℵ^{2} L R Θ $f^{1.13}$ 33. 700. 1241. 1424 *pc* co ¦ – 𝔓^{4vid} B D sy^{p} ¦ *txt* ℵ* A C W Ψ 𝔐 | ⸁ελαβεν και A C^{3} R Ψ 𝔐 ¦ *p)* – ℵ D K W $f^{1.13}$ 565. 700. 1241 *al*; Ir ¦ *txt* 𝔓^{4vid} B C* L Θ 892 *pc* | ⸆και ℵ A D R Θ f^{13} 𝔐 sy^{h} bo ¦ *txt* B L W Ψ f^{1} *pc* lat sy^{p} sa | ⸆ Τη αυτη ημερα θεασαμενος τινα εργαζομενον τω σαββατω ειπεν αυτω· ανθρωπε, ει μεν οιδας τι ποιεις, μακαριος ει· ει δε μη οιδας, επικαταρατος και παραβατης ει του νομου D • **5** ⸉ *vs* 5 *post* 10 D; Mcion | ⸆οτι ℵ^{2} A (D) L R Θ Ψ f^{13} 𝔐 ¦ *txt* ℵ* B W f^{1} 700 *pc* | ⸂*p)* ο υιος του ανθρ. και του σαβ. A (D) L R Θ Ψ $f^{1.13}$ 𝔐 lat sy^{h} sa bo^{pt}; Mcion ¦ *txt* ℵ B W 1241 sy^{p} bo^{pt} • **6** ⸂*p)* Και εισελθοντος αυτου παλιν εις την συναγωγην σαββατω εν η ην ανθρωπος ξηραν εχων την χειρα D • **7** ° A R Θ Ψ f^{1} 𝔐 lat sy^{h} bo^{mss} ¦ *txt* 𝔓^{4} ℵ B D L W f^{13} 33. 892. 1241. 1424 *pc* co | ⸀*p)* θεραπευσει 𝔓^{4} B Θ $f^{1.(13)}$ 𝔐 ¦ *txt* ℵ A D L W Ψ 565 *pc* | ⸂ευρ. κατηγοριαν ℵ^{2} A L W f^{13} 𝔐 r^{1} sy^{hmg} bo; Cyr ¦ ευρ. καθηγορησαι D ¦ κατηγορησωσιν Ψ *pc* bo^{mss} ¦ *txt* 𝔓^{4vid} ℵ* B Θ f^{1} 28. 1241 *al* sa | ⸆κατ ℵ^{2} K L R W 33. 565. 892. 1424 *al*; Cyr • **8** ⸂γινωσκων τους διαλογισμους αυτων λεγει D b f | ⸀ο δε A K Γ Δ f^{13} 28. 565. 1010 𝔐 sy^{h} • **9** ° 𝔓^{4} B | ⸀-τησω A D Θ Ψ $f^{(1).13}$ 𝔐 it sa bo^{ms} ¦ *txt* 𝔓^{4} ℵ B L W bo | ⸁τι A Θ Ψ $f^{1.13}$ 𝔐 q r^{1} sy$^{p.h}$ ¦ *txt* 𝔓^{4} ℵ B D L W 892. 1241 *pc* lat co; Mcion | ⸀¹*p)* αποκτειναι A Θ 𝔐 e ¦ *txt* 𝔓^{4} ℵ B D L W Ψ $f^{1.13}$ 892. 1241 *pc* lat; Mcion | ⸆*p)* οι δε εσιωπων D Λ *al* • **10** ⸀εν οργη ειπ. (λεγει D) D X Θ Λ $f^{1.(13)}$ *al* it sy^{h} | ⸁*p)* εξετεινεν ℵ D (W) $f^{1.13}$ 1424 *pc* latt sy$^{p.hmg}$ co | ⸆ως η αλλη A (D) K Q Δ Θ Ψ (f^{1}) 565 *al* it sy^{h} (*et hic add vs* 5 D; Mcion) ¦ *p)* υγιης ως η αλλη f^{13} 𝔐 ¦ υγιης W bo? ¦ *txt* 𝔓^{4} ℵ B L 33 *pc* lat sa bo? • **11** ⸂*p)* διελογιζοντο πρ. αλλ. πως απολεσωσιν αυτον D

12–16: Mt 10,1-4 Mc 3,13-19 — 12 Ἐγένετο δὲ ἐν ταῖς ἡμέραις ταύταις ἐξελθεῖν αὐτὸν
9,28! — εἰς τὸ ὄρος προσεύξασθαι, καὶ ἦν διανυκτερεύων ἐν τῇ
προσευχῇ ⸋τοῦ θεοῦ⸌. 13 καὶ ὅτε ἐγένετο ἡμέρα, προσ-
J 6,70 Act 1,2 — εφώνησεν τοὺς μαθητὰς αὐτοῦ, καὶ ἐκλεξάμενος ἀπ᾽ αὐ-
Act 1,13 — τῶν δώδεκα, οὓς καὶ ἀποστόλους ⸀ὠνόμασεν· 14 ⸂Σίμωνα
ὃν καὶ ὠνόμασεν Πέτρον⸃, καὶ Ἀνδρέαν τὸν ἀδελφὸν αὐτοῦ, °καὶ Ἰάκωβον καὶ Ἰωάννην ⸆ °καὶ Φίλιππον καὶ
Mt 9,9! — Βαρθολομαῖον 15 °καὶ Μαθθαῖον καὶ Θωμᾶν ⸆ °¹καὶ Ἰάκωβον Ἁλφαίου καὶ Σίμωνα τὸν καλούμενον ζηλωτὴν
J 14,22 — 16 °καὶ Ἰούδαν Ἰακώβου καὶ Ἰούδαν ⸀Ἰσκαριώθ, ὃς ἐγένετο προδότης.

17–19: Mt 4,24s Mc 3,7-12 — 17 Καὶ καταβὰς μετ᾽ αὐτῶν ἔστη ἐπὶ τόπου πεδινοῦ,
19,37 J 6,60.66 — καὶ ὄχλος πολὺς μαθητῶν αὐτοῦ, καὶ πλῆθος πολὺ τοῦ
5,17 — λαοῦ ἀπὸ πάσης τῆς Ἰουδαίας καὶ ⸂Ἰερουσαλὴμ ⸆ καὶ
τῆς παραλίου Τύρου καὶ Σιδῶνος, 18 οἳ ἦλθον⸃ ἀκοῦσαι
αὐτοῦ καὶ ἰαθῆναι ἀπὸ τῶν νόσων αὐτῶν· καὶ οἱ ἐνοχλού-
μενοι ἀπὸ πνευμάτων ἀκαθάρτων ἐθεραπεύοντο, 19 καὶ
Mt 9,20s · 5,17! — πᾶς ὁ ὄχλος ἐζήτουν ἅπτεσθαι αὐτοῦ, ὅτι δύναμις παρ᾽
αὐτοῦ ἐξήρχετο καὶ ἰᾶτο πάντας.

20–23: Mt 5,2-12 — 20 Καὶ αὐτὸς ἐπάρας τοὺς ὀφθαλμοὺς αὐτοῦ εἰς τοὺς
μαθητὰς αὐτοῦ ἔλεγεν·

Is 61,1 Jc 2,5 — Μακάριοι οἱ πτωχοί⸆,
ὅτι ⸀ὑμετέρα ἐστὶν ἡ βασιλεία τοῦ θεοῦ.
Ap 7,16s — 21 μακάριοι οἱ πεινῶντες °νῦν,
ὅτι ⸀χορτασθήσεσθε.
Ps 126,5s Is 61,2s; 65,18s — ⸋μακάριοι οἱ κλαίοντες °νῦν,
ὅτι ⸁γελάσετε.⸌
J 15,19 Mt 10,22 — 22 μακάριοί ἐστε ὅταν μισήσωσιν ὑμᾶς οἱ ἄνθρω-
1P 4,14 — ποι ⸋καὶ ὅταν ἀφορίσωσιν ὑμᾶς⸌ καὶ ὀνειδίσω-

12 ⸋D • **13** ⸀εκαλεσεν D *pc* • **14** ⸂*p)* πρωτον Σ. ον και Π. επωνομασεν D (a r¹) | °*bis* A Q Θ Ψ *f*¹ 𝔐 lat syʰ; (Eus) ¦ *txt* 𝔓⁴·⁷⁵ ℵ B D L W (*f*¹³) 33. (565. 1241) *al* it sy^s.p | ⸆*p)* τον αδελφον αυτου, ους επωνομασεν Βοανηργες ο εστιν υιοι βροντης D (ff²) ¦ τους υιους του Ζεβεδαιου sy^s.c • **15** °A Q Θ Ψ *f*¹ 𝔐 lat syʰ ¦ *txt* 𝔓⁴ ℵ B D L W *f*¹³ 1241 *pc* it sy^s.p; Eus | ⸆(J 11,16) τον επικαλουμενον Διδυμον D | °¹A B D² Q W Θ Ψ *f*¹ 𝔐 lat syʰ ¦ *txt* 𝔓⁴ ℵ D* L *f*¹³ 33. 700. 1241 *pc* it sy^s.p • **16** °A Θ Ψ *f*¹ 𝔐 lat syʰ ¦ *txt* 𝔓⁴·⁷⁵ ℵ B D L Q W *f*¹³ 892. 1241 *pc* it sy^s.p | ⸀Ισκαριωτην ℵ² A Q W Θ Ψ *f*¹·¹³ 𝔐 vg^cl; Mcion ¦ Σκαριωθ D lat ¦ *txt* 𝔓⁴ ℵ* B L 33 *pc* d • **17/18** ⸂αλλων πολεων εληλυθοτων D | ⸆και της περαιας (ℵ*) W ff² (syˢ) ¦ et trans fretum it • **20** ⸆*p)* τω πνευματι ℵ² Q Θ *f*¹·¹³ 33 *al* it bo^pt | ⸀αυτων W syˢ; Mcion • **21** °*bis* Mcion Eus | ⸀-σονται ℵ* *pc* it syˢ sa^ms; Mcion | ⸋D | ⸁-σουσιν W e syˢ sa^mss; Mcion • **22** ⸋Mcion

σιν καὶ ἐκβάλωσιν τὸ ὄνομα ὑμῶν ὡς πονηρὸν Jc 2,7
ἕνεκα τοῦ υἱοῦ τοῦ ἀνθρώπου·
23 ⸋χάρητε ἐν ἐκείνῃ τῇ ἡμέρᾳ καὶ σκιρτήσατε, ἰδοὺ γὰρ Act 5,41 Jc 1,2 1P 4,13
ὁ μισθὸς ὑμῶν πολὺς ἐν τῷ οὐρανῷ·⸌ κατὰ ⸀τὰ αὐτὰ⸁ γὰρ
ἐποίουν τοῖς προφήταις οἱ πατέρες αὐτῶν. 2Chr 36,16 Act 7,52!
24 Πλὴν οὐαὶ ὑμῖν τοῖς πλουσίοις, Mt 19,23sp Jc 5,1 Hen 94,8 ·
ὅτι ἀπέχετε τὴν παράκλησιν ὑμῶν. 16,25; 2,25!
25 οὐαὶ ὑμῖν, οἱ ἐμπεπλησμένοι °νῦν, Is 5,22
ὅτι πεινάσετε. Is 65,13
οὐαί⸆, οἱ γελῶντες νῦν, Jc 4,9
ὅτι πενθήσετε καὶ κλαύσετε.
26 οὐαὶ ⸆ ὅταν ⸉ὑμᾶς καλῶς εἴπωσιν⸊ ⸀πάντες οἱ
ἄνθρωποι⸁·
κατὰ ⸀¹τὰ αὐτὰ⸁¹ γὰρ ἐποίουν τοῖς ψευδοπρο- Mch 2,11 Jr 5,31
φήταις ⸋οἱ πατέρες αὐτῶν⸌.
27 Ἀλλὰ ὑμῖν λέγω τοῖς ἀκούουσιν· ἀγαπᾶτε τοὺς ἐχ- *27–35:* Mt 5,39-47 · 35
θροὺς ὑμῶν, καλῶς ποιεῖτε τοῖς μισοῦσιν ὑμᾶς, 28 εὐλο- 1,71 | 1P 3,9
γεῖτε τοὺς καταρωμένους ⸀ὑμᾶς, προσεύχεσθε περὶ τῶν
ἐπηρεαζόντων ὑμᾶς. 29 τῷ τύπτοντί σε ⸀ἐπὶ τὴν σιαγόνα
⸆πάρεχε καὶ τὴν ἄλλην, καὶ ἀπὸ τοῦ αἴροντός σου τὸ
ἱμάτιον καὶ τὸν χιτῶνα μὴ κωλύσῃς. 30 παντὶ ⸆ αἰτοῦντί σε δίδου, καὶ ἀπὸ τοῦ αἴροντος τὰ σὰ μὴ ἀπαίτει.
31 Καὶ καθὼς θέλετε ἵνα ποιῶσιν ὑμῖν οἱ ἄνθρωποι Mt 7,12
⸆ ποιεῖτε αὐτοῖς °ὁμοίως. 32 καὶ εἰ ἀγαπᾶτε τοὺς ἀγαπῶντας ὑμᾶς, ποία ὑμῖν χάρις ἐστίν; καὶ γὰρ οἱ ἁμαρτω- 1P 2,19s
λοὶ ⸆ τοὺς ἀγαπῶντας αὐτοὺς ἀγαπῶσιν. 33 καὶ °[γὰρ] ἐὰν
ἀγαθοποιῆτε τοὺς ἀγαθοποιοῦντας ὑμᾶς, ποία ὑμῖν χάρις Lv 25,35s
ἐστίν; καὶ ⸆ οἱ ἁμαρτωλοὶ τὸ αὐτὸ ποιοῦσιν. 34 καὶ ἐὰν

23 ⸋Mcion | ⸀ταυτα ℵ A L R Θ 0135 $f^{1.13}$ 𝔐 lat sy^{h} ¦ *txt* 𝔓^{75} B D Q W Ξ Ψ 0147. 33^{c}. 892. 1241 *pc* c e bo • **25** °A D K P Γ Ψ 0135. 28. 565. 1010 𝔐 lat sy^{p}; Mcion Ir^{lat} | ⸆υμιν 𝔓^{75} A D Q R Ψ 0135 𝔐 lat sy$^{p.h}$ co ¦ *txt* ℵ B K L W Θ Ξ 0139. 0147 $f^{1.13}$ 700. 892. 1241 *al* sy^{s} • **26** ⸆υμιν D W* Δ 1424 *pc* b r^{1} sy$^{s.p}$ co; Ir^{lat} | ⸉ †*2 1 3* (D) Q R W Θ Ξ 0135 $f^{1.13}$ 𝔐 ¦ *2 3 1* ℵ A L Ψ 33. 892 *al* ¦ *txt* 𝔓^{75} B | ⸀*2 3 1* ℵ ¦ *2 3* D L Γ Δ 28. 892*. 1010 *pm* vg^{cl} sy$^{s.p}$ bo^{mss}; Mcion | ⸀¹ταυτα *vide vs* 23 | ⸋B 700*. 1241 *pc* sy^{s} sa • **28** ⸀υμιν 𝔓^{75} L Δ Θ Ψ 0135. 1010 *pm* • **29** ⸀*p)* εις ℵ* D P W Θ 700. 892 *pc*; Mcion Cl Or | ⸆*p)* δεξιαν ℵ* 28 *pc* • **30** ⸆τω K L R f^{1} 565. 1241. 1424 *pc* ¦ δε τω A D Θ Ξ Ψ 0135 f^{13} 𝔐 lat ¦ *txt* ℵ B W 700. 892* *pc* • **31** ⸆και υμεις ℵ A D L W Θ Ξ Ψ 0135 $f^{1.13}$ (565) 𝔐 lat sy^{h}; Mcion ¦ καλα r^{1} sy^{s} ¦ *txt* 𝔓^{75vid} B 700. 1241 it sy^{p}; Ir^{lat} Cl | °D e • **32** ⸆τουτο ποιουσιν, D (f^{1}?, *h. t. usque ad vs* 33) • **33** °ℵ^{2} A D L W Θ Ξ Ψ 0135 f^{13} 𝔐 latt sy co ¦ *txt* 𝔓^{75} ℵ* B 700 | ⸆γαρ A D L Θ Ξ Ψ 0135 f^{13} 𝔐 lat sy$^{p.h}$ ¦ *txt* ℵ B W 700. 892*. 1241 *pc* r^{1} sy^{s}

δανίσητε παρ' ὧν ἐλπίζετε λαβεῖν, ποία ὑμῖν χάρις
°[ἐστίν]; καὶ ⸆ ἁμαρτωλοὶ ἁμαρτωλοῖς δανίζουσιν ἵνα
27 ἀπολάβωσιν ⸋τὰ ἴσα⸌. **35** πλὴν ἀγαπᾶτε τοὺς ἐχθροὺς
ὑμῶν καὶ ἀγαθοποιεῖτε καὶ δανίζετε ⸀μηδὲν ἀπελπίζον-
1,76! τες· καὶ ἔσται ὁ μισθὸς ὑμῶν πολύς, καὶ ἔσεσθε υἱοὶ ὑψί-
Ps 25,8; 86,5 Sap 15,1 στου, ὅτι αὐτὸς χρηστός ἐστιν ἐπὶ τοὺς ἀχαρίστους καὶ
πονηρούς.
36: Mt 5,48 **36** Γίνεσθε οἰκτίρμονες καθὼς °[καὶ] ὁ πατὴρ ὑμῶν οἰ-
37–42: Mt 7,1-5 κτίρμων ἐστίν. **37** Καὶ μὴ κρίνετε, ⸂καὶ οὐ⸃ μὴ κρι-
θῆτε· καὶ μὴ ⸀καταδικάζετε, ⸂¹καὶ οὐ⸃¹ μὴ ⸀καταδικασθῆτε.
Mt 18,18! ἀπολύετε, καὶ ἀπολυθήσεσθε· **38** δίδοτε, καὶ δοθήσεται
ὑμῖν· μέτρον καλὸν πεπιεσμένον σεσαλευμένον ὑπερ-
ἐκχυννόμενον δώσουσιν εἰς τὸν κόλπον ὑμῶν· ⸂ᾧ γὰρ
Mt 7,2! μέτρῳ⸃ μετρεῖτε ⸀ἀντιμετρηθήσεται ὑμῖν.
5,36! **39** Εἶπεν δὲ καὶ παραβολὴν αὐτοῖς· μήτι δύναται
Mt 15,14! τυφλὸς τυφλὸν ὁδηγεῖν; οὐχὶ ἀμφότεροι εἰς βόθυνον ⸀ἐμ-
Mt 10,24s! πεσοῦνται; **40** οὐκ ἔστιν μαθητὴς ὑπὲρ τὸν διδάσκαλον⸆·
κατηρτισμένος δὲ πᾶς ἔσται ὡς ὁ διδάσκαλος αὐτοῦ.
41 Τί °δὲ βλέπεις τὸ κάρφος τὸ ἐν τῷ ὀφθαλμῷ τοῦ
ἀδελφοῦ σου, τὴν δὲ δοκὸν τὴν ἐν τῷ ἰδίῳ ὀφθαλμῷ οὐ
κατανοεῖς; **42** ⸀πῶς δύνασαι λέγειν τῷ ἀδελφῷ σου·
ἀδελφέ, ἄφες ἐκβάλω τὸ κάρφος ⸂τὸ ἐν τῷ ὀφθαλμῷ⸃ σου,
⸂¹αὐτὸς τὴν ἐν τῷ ὀφθαλμῷ σου δοκὸν οὐ βλέπων;⸃¹ ὑποκριτά, ἔκβαλε πρῶτον τὴν δοκὸν ἐκ τοῦ ὀφθαλμοῦ σου,
καὶ τότε διαβλέψεις τὸ κάρφος ⸂τὸ ἐν τῷ ὀφθαλμῷ⸃ τοῦ
ἀδελφοῦ σου ἐκβαλεῖν.
43–45: Mt 12,33-35; · 7,16-20 **43** Οὐ γάρ ἐστιν δένδρον καλὸν ποιοῦν ⸂καρπὸν σα-
πρόν⸃, οὐδὲ °πάλιν δένδρον σαπρὸν ποιοῦν ⸂καρπὸν κα-

34 ° 𝔓[45.75] B 700 e ¦ *txt* ℵ A D L W Θ Ξ Ψ 0135. 0147 *f*[1.13] 𝔐 lat sy[h] | ⸆γαρ A D Θ 0135 *f*[1.13] 𝔐 lat sy ¦ *txt* 𝔓[75] ℵ B L W Ξ Ψ 700. 892 *pc* | ⸋D it sy[s] • **35** ⸀μηδενα ℵ W Ξ *pc* sy[s.p] • **36** °†ℵ B L W Ξ Ψ *f*[1] *pc* c d sy[s]; Mcion Cl ¦ *txt* A D Θ *f*[13] 𝔐 lat sy[p.h]; Cyp Bas Cyr • **37** ⸂*p)* ινα A D W Ψ *pc* it sy[s] sa bo[pt]; Mcion Cyp | ⸀*bis* δικ- 𝔓[75] B (579) | ⸂¹ινα D W* it sy[s] sa; Mcion • **38** ⸂τω γαρ (– 𝔓[45] Θ *f*[13] *pc*) αυτω μετρω ᾧ 𝔓[45vid] A C Θ Ψ *f*[(1).13] 𝔐 lat sy[h]; Mcion ¦ *txt* ℵ B D L W Ξ 33. 892. 1241 *pc* c e sy[(s).p]; Or | ⸀*p)* μετ- B P 28 *pc* • **39** ⸀πεσ- ℵ A C Ξ Ψ 𝔐 ¦ *txt* B D L P W Θ *f*[1.(13)] 700. 892. 1241 *al*; Bas • **40** ⸆αυτου A C Ψ 𝔐 sy ¦ *txt* 𝔓[75] ℵ B D L W Θ Ξ *f*[1.13] 33. 700. 892 *pc* latt; Ir[lat] Or • **41** ° 𝔓[75] 1424 *pc* • **42** ⸀*p)* η πως A C D L W Θ Ξ Ψ *f*[1.13] 𝔐 it vg[cl] sy[p.h] sa[mss] bo ¦ πως δε ℵ 892 *pc* vg ¦ *txt* B e ff[2] sy[s] sa[ms] bo[ms] | ⸂*bis* εκ του οφθαλμου D lat sy[s.p] | ⸂¹*p)* και ιδου η δοκος εν τω σω οφθαλμω υποκειται D it sy[s] • **43** ⸂-πους σαπρους *et* -πους καλους D it (vg) sy[s.p] | ° A C D Θ Ψ 𝔐 lat sy sa ¦ *txt* 𝔓[75] ℵ B L W Ξ *f*[1.13] 892. 1241 *pc* b q bo

λόν⸃. **44** ἕκαστον °γὰρ δένδρον ἐκ τοῦ ἰδίου καρποῦ γι-
νώσκεται· οὐ γὰρ ἐξ ἀκανθῶν ⸀συλλέγουσιν σῦκα οὐδὲ
ἐκ βάτου σταφυλὴν τρυγῶσιν. **45** ὁ ἀγαθὸς ἄνθρωπος ἐκ
τοῦ ἀγαθοῦ θησαυροῦ τῆς καρδίας ⸆ προφέρει °τὸ ἀγαθόν, καὶ ὁ πονηρὸς ἐκ τοῦ πονηροῦ ⸆¹ προφέρει τὸ πο-
νηρόν· ἐκ γὰρ περισσεύματος καρδίας λαλεῖ τὸ στόμα
αὐτοῦ.
46 Τί δέ με καλεῖτε· κύριε κύριε, καὶ οὐ ποιεῖτε ⸀ἃ Ml 1,6 Mt 7,21!
λέγω; **47** Πᾶς ὁ ἐρχόμενος πρός με καὶ ἀκούων μου *47–49:* Mt 7,24-27
τῶν λόγων καὶ ποιῶν αὐτούς, ὑποδείξω ὑμῖν τίνι ἐστὶν
ὅμοιος· **48** ὅμοιός ἐστιν ἀνθρώπῳ οἰκοδομοῦντι οἰκίαν
ὃς ἔσκαψεν καὶ ἐβάθυνεν καὶ ἔθηκεν θεμέλιον ἐπὶ τὴν
πέτραν· πλημμύρης δὲ γενομένης προσέρηξεν ὁ ποταμὸς
τῇ οἰκίᾳ ἐκείνῃ, καὶ οὐκ ἴσχυσεν σαλεῦσαι αὐτὴν ⸂διὰ
τὸ καλῶς οἰκοδομῆσθαι αὐτήν⸃. **49** ὁ δὲ ἀκούσας καὶ μὴ
ποιήσας ὅμοιός ἐστιν ἀνθρώπῳ οἰκοδομήσαντι ⸆ οἰκίαν
ἐπὶ τὴν γῆν χωρὶς θεμελίου, ᾗ προσέρηξεν ὁ ποταμός, καὶ
°εὐθὺς ⸀συνέπεσεν καὶ ἐγένετο τὸ ῥῆγμα τῆς οἰκίας ἐκείνης μέγα.

7 ⸂⸀Ἐπειδὴ ἐπλήρωσεν πάντα τὰ ῥήματα αὐτοῦ εἰς τὰς *1–10:* Mt 8,5-13 J 4,46b-53
ἀκοὰς τοῦ λαοῦ, εἰσῆλθεν⸃ εἰς Καφαρναούμ. Mt 7,28! · 4,31!
2 Ἑκατοντάρχου δέ τινος ⸀δοῦλος κακῶς ἔχων ἤμελλεν
τελευτᾶν, ὃς ἦν αὐτῷ ἔντιμος. **3** ἀκούσας δὲ περὶ τοῦ Ἰησοῦ ἀπέστειλεν ⸋πρὸς αὐτὸν⸌ πρεσβυτέρους τῶν Ἰουδαίων ἐρωτῶν αὐτὸν ὅπως ἐλθὼν διασώσῃ τὸν δοῦλον αὐτοῦ. **4** οἱ δὲ παραγενόμενοι ⸂πρὸς τὸν Ἰησοῦν⸃ ⸀παρεκά-
λουν αὐτὸν σπουδαίως λέγοντες ὅτι ἄξιός ἐστιν ᾧ παρ-
έξῃ τοῦτο· **5** ἀγαπᾷ γὰρ τὸ ἔθνος ἡμῶν καὶ τὴν συναγω- Act 10,2
γὴν αὐτὸς ᾠκοδόμησεν ἡμῖν. **6** ὁ δὲ Ἰησοῦς ἐπορεύετο

44 ° D Γ 700 *pc* it sy^{s} | ⸀εκλεγονται (⸉ D) e ● **45** ⸆ταυτου A C (D) L W Θ Ξ Ψ *f*$^{1.13}$ 𝔐 ¦ *txt* 𝔓^{75vid} א B *pc* | ° D W *pc* | ⸆¹θησαυρου της καρδιας αυτου A C Θ Ψ *f*^{13} 𝔐 it (vg^{cl}) sy bo^{ms} ¦ *txt* 𝔓^{75} א B D L W Ξ *f*^{1} 700. 892. 1241 *pc* lat bo^{pt} ● **46** ⸀ο 𝔓^{75} B e ● **48** ⸂*p)* τεθεμελιωτο γαρ επι την πετραν A C D Θ Ψ *f*$^{1.13}$ 𝔐 latt sy$^{p.h}$ (bo^{pt}) ¦ – 𝔓^{45vid} 700* sy^{s} ¦ *txt* 𝔓^{75vid} א B L W Ξ 33. 892. 1241 *pc* sy^{hmg} sa bo^{pt}; Cyr ● **49** ⸆*p)* την 𝔓^{75} Θ *al* | °*p)* D a c | ⸀επ- A C W Ψ 𝔐 ¦ *txt* 𝔓$^{45.75}$ א B D L R Θ Ξ *f*$^{1.13}$ 33. 700. 892. 1241 *pc*

¶ **7,1** ⸂και εγενετο οτε ετελεσεν ταυτα τα ρηματα λαλων ηλθεν D (it sy^{hmg}) | ⸀επει δε א C^{2} L R Ξ Ψ *f*$^{1.13}$ 𝔐 ¦ οτε δε Θ *pc* ¦ *txt* A B C* (K) W (892) *al* ● **2** ⸀*p)* παις D(*) ● **3** ⸋ D *f*^{13} 700 *pc* it bo^{ms} ● **4** ⸂προς αυτον 700 ¦ – D it | ⸀ηρωτων א D L Ξ *f*$^{1.13}$ 700 *pc*

σὺν αὐτοῖς. ἤδη δὲ αὐτοῦ οὐ μακρὰν ἀπέχοντος °ἀπὸ τῆς
οἰκίας ἔπεμψεν ⸆ φίλους ὁ ἑκατοντάρχης ⸂λέγων αὐτῷ⸃·
8,49p κύριε, μὴ σκύλλου, οὐ γὰρ ⸉ἱκανός εἰμι⸊ ἵνα ὑπὸ τὴν
στέγην μου εἰσέλθῃς· **7** ⸋διὸ οὐδὲ ἐμαυτὸν ἠξίωσα πρὸς
σὲ ἐλθεῖν·⸌ ἀλλὰ εἰπὲ λόγῳ, καὶ ⸀ἰαθήτω ὁ παῖς μου.
8 καὶ γὰρ ἐγὼ ἄνθρωπός εἰμι ὑπὸ ἐξουσίαν τασσόμενος
ἔχων ὑπ' ἐμαυτὸν στρατιώτας, καὶ λέγω τούτῳ· πορεύθητι, καὶ πορεύεται, καὶ ἄλλῳ· ἔρχου, καὶ ἔρχεται, καὶ
τῷ δούλῳ μου· ποίησον τοῦτο, καὶ ποιεῖ. **9** ἀκούσας δὲ
ταῦτα ὁ Ἰησοῦς ἐθαύμασεν αὐτὸν καὶ στραφεὶς τῷ ἀκο-
λουθοῦντι αὐτῷ ὄχλῳ εἶπεν· ⸆ λέγω ὑμῖν, ⸂οὐδὲ ἐν τῷ
18,8 Ἰσραὴλ τοσαύτην πίστιν εὗρον⸃. **10** Καὶ ὑποστρέψαντες
εἰς τὸν οἶκον οἱ πεμφθέντες ⸆ εὗρον τὸν ⸆¹ δοῦλον ὑγιαίνοντα.

8,1 **11** Καὶ ⸂ἐγένετο ἐν τῷ⸃ ἑξῆς ἐπορεύθη εἰς πόλιν καλουμένην ⸀Ναῒν καὶ συνεπορεύοντο αὐτῷ οἱ μαθηταὶ αὐ-
12-16: 1Rg 17,17-24 2Rg 4,32-37 · 8,42; 9,38 τοῦ ⸆ καὶ ὄχλος πολύς. **12** ⸂ὡς δὲ⸃ ἤγγισεν τῇ πύλῃ τῆς
πόλεως, καὶ ἰδοὺ ἐξεκομίζετο °τεθνηκὼς ⸉μονογενὴς
υἱὸς⸊ τῇ μητρὶ αὐτοῦ καὶ ⸀αὐτὴ ἦν χήρα, καὶ ⸄ὄχλος τῆς
πόλεως ἱκανὸς ἦν σὺν αὐτῇ⸅. **13** καὶ ἰδὼν αὐτὴν ὁ ⸀κύ-
10,33 · 8,52 Ap 5,5 ριος ἐσπλαγχνίσθη ⸂ἐπ' αὐτῇ⸃ καὶ εἶπεν αὐτῇ· μὴ κλαῖε.
14 καὶ προσελθὼν ἥψατο τῆς σοροῦ, οἱ δὲ βαστάζοντες
Mc 5,41p ἔστησαν, καὶ εἶπεν· νεανίσκε⸆, σοὶ λέγω, ἐγέρθητι. **15** καὶ
Act 9,40 · 9,42 1Rg 17,23 | ⸀ἀνεκάθισεν ὁ νεκρὸς καὶ ἤρξατο λαλεῖν, καὶ ἔδωκεν αὐ-
1,65! τὸν τῇ μητρὶ αὐτοῦ. **16** ἔλαβεν δὲ φόβος ⸀πάντας καὶ ἐδό-
2,20! · Mt 21,11! ξαζον τὸν θεὸν λέγοντες ὅτι προφήτης μέγας ἠγέρθη ἐν
1,68! ἡμῖν καὶ ὅτι ἐπεσκέψατο ὁ θεὸς τὸν λαὸν αὐτοῦ⸆. **17** καὶ

6 °א D $f^{1.13}$ | ⸆προς αυτον א² (A) C D L R (W) Θ Ξ Ψ $f^{1.13}$ 𝔐 latt sy bo ¦ *txt* 𝔓⁷⁵ א* B 892. 1241 *pc* sa | ⸂*2 1* 𝔓⁷⁵ ¦ *1* א* Θ 700 lat sa^ms bo^ms | ⸉A C D L R Θ Ξ Ψ $f^{1.13}$ 𝔐 it vg^cl ¦ *txt* 𝔓^75vid א B W 700 lat ● **7** ⸋*p)* D 700* it sy^s | ⸀*p)* ιαθησεται א A C D R W Θ Ψ $f^{1.13}$ 𝔐 latt bo ¦ *txt* 𝔓^75vid B L 1241 sa bo^mss ● **9** ⸆*p)* αμην D Θ Ψ f^{13} *pc* lat | ⸂ουδεποτε τοσ. πισ. ευρ. εν τω Ισ. D ● **10** ⸆δουλοι (*et om.* δουλον) D | ⸆¹ασθενουντα A C (D) R Θ Ψ f^{13} 𝔐 f vg sy^p.h ¦ *txt* 𝔓⁷⁵ א B L W f^{1} 700. 892*. 1241 *pc* it sy^s co ● **11** ⸂τη D e ¦ εγ. τη W ¦ εγ. εν τη א* C K 28. 565. 892. 1424 *pm* | ⸀Ναιμ f^{1} lat ¦ Capharnaum e l | ⸆ικανοι A C R Θ Ψ $f^{(1).13}$ 𝔐 b c q sy^h ¦ *txt* 𝔓⁷⁵ א B D L W Ξ 1241 *pc* lat sy^s.p co ● **12** ⸂εγενετο δε ως D it | °A *pc* c | ⸉A C D R Θ $f^{1.13}$ 𝔐 lat sy^h ¦ *txt* 𝔓⁷⁵ א B L W Ξ Ψ *pc* c | ⸀†αὕτη B² f^{1} 892. 1241 *al* ¦ *txt* L^vid Θ Ψ f^{13} 𝔐 (𝔓⁷⁵ א A B* C D W *sine acc.*) | ⸄πολυς οχ. της π. συνεληλυθει αυτη D (e) ● **13** ⸀Ιησους D W f^{1} 700. 1241 *pc* f sy^s.p bo | ⸂επ αυτην א K R Γ Ψ f^{13} 33. 565. 700. 892. 1241. 1424 *al* ¦ – Θ *pc* ff² l ● **14** ⸆νεανισκε D a ff² ● **15** ⸀εκαθισεν B *pc* e ● **16** ⸀απαντας א A C L W Γ Θ Ξ Ψ 33. 892. 1424 *al* ¦ *txt* 𝔓⁷⁵ B D R $f^{1.13}$ 𝔐 | ⸆εις αγαθον X f^{13} *al* it sy^p

ἐξῆλθεν ὁ λόγος οὗτος ἐν ὅλῃ τῇ Ἰουδαίᾳ περὶ αὐτοῦ Mt 9,26! · 4,44!
καὶ πάσῃ τῇ περιχώρῳ.
18 ⸂Καὶ ἀπήγγειλαν Ἰωάννῃ οἱ μαθηταὶ αὐτοῦ περὶ *18–23:* Mt 11,2-6 · J 3,25s
πάντων τούτων.⸃ καὶ προσκαλεσάμενος δύο τινὰς τῶν μα-
θητῶν αὐτοῦ ⸋ὁ Ἰωάννης⸌ **19** ⸂ἔπεμψεν πρὸς τὸν ⸀κύριον
λέγων⸃· σὺ εἶ ὁ ἐρχόμενος ἢ ⸁ἄλλον προσδοκῶμεν; **20** πα- Mt 3,11!; 11,3! Ps 118,26
ραγενόμενοι δὲ πρὸς αὐτὸν οἱ ἄνδρες εἶπαν· Ἰωάννης
ὁ βαπτιστὴς ⸀ἀπέστειλεν ἡμᾶς πρὸς σὲ λέγων· σὺ εἶ ὁ ἐρχόμενος ἢ ⸁ἄλλον προσδοκῶμεν; **21** ἐν ⸀ἐκείνῃ τῇ ὥρᾳ
ἐθεράπευσεν πολλοὺς ἀπὸ νόσων καὶ μαστίγων καὶ πνευμάτων πονηρῶν καὶ ⸂τυφλοῖς πολλοῖς ἐχαρίσατο⸃ βλέπειν. **22** καὶ ἀποκριθεὶς εἶπεν αὐτοῖς· πορευθέντες ⸂ἀπαγ-
γείλατε Ἰωάννῃ ἃ εἴδετε καὶ ἠκούσατε⸃·

⸆ *τυφλοὶ ἀναβλέπουσιν,* ⸇ χωλοὶ περιπατοῦσιν, *Is 29,18; 35,5.6; 42,18; 26,19;* 61,1
λεπροὶ καθαρίζονται °καὶ *κωφοὶ ἀκούουσιν,* Sir 48,5
νεκροὶ ἐγείρονται, πτωχοὶ εὐαγγελίζονται·

23 καὶ μακάριός ἐστιν ὃς ἐὰν μὴ σκανδαλισθῇ ἐν ἐμοί.
24 Ἀπελθόντων δὲ τῶν ἀγγέλων Ἰωάννου ἤρξατο λέ- *24–35:* Mt 11,7-19
γειν πρὸς τοὺς ὄχλους περὶ Ἰωάννου· τί ⸀ἐξήλθατε εἰς
τὴν ἔρημον˸ θεάσασθαι˸¹; κάλαμον ὑπὸ ἀνέμου σαλευ- 1Rg 14,15 𝔊 A
όμενον; **25** ἀλλὰ τί ⸀ἐξήλθατε˸ ἰδεῖν˸¹; ἄνθρωπον ἐν μαλακοῖς ἱματίοις ἠμφιεσμένον; ἰδοὺ οἱ ἐν ἱματισμῷ ἐν- Mt 3,4p
δόξῳ καὶ τρυφῇ ⸁ὑπάρχοντες ἐν τοῖς βασιλείοις εἰσίν.
26 ἀλλὰ τί ⸀ἐξήλθατε˸ ἰδεῖν˸¹; προφήτην; ναὶ λέγω 1,76!
ὑμῖν, καὶ περισσότερον προφήτου⸆. **27** οὗτός ⸆ ἐστιν
περὶ οὗ γέγραπται·

18 ⸂εν οις και μεχρι Ιωαννου του βαπτιστου ος *et* ⸋D (e) • **19** ⸂λεγει· πορευθεντες ειπατε αυτω D e | ⸀Ιησουν ℵ A W Θ Ψ f^{1} 𝔐 it vg^{cl} sy bo ¦ *txt* B L R Ξ f^{13} 33 *pc* a ff^{2} vgst sa bo^{mss} | ⸁*p)* ετερον ℵ B L R W Ξ Ψ 28. 33. 892. 1241. 1424 *al* ¦ *txt* A D Θ $f^{1.13}$ 𝔐 • **20** ⸀απεσταλκεν A D L Θ Ξ Ψ $f^{1.13}$ 𝔐 ¦ *txt* 𝔓^{75vid} ℵ B W 1241. 1424 *pc* | ⸁ετερον ℵ D L W Ξ Ψ f^{1} 33. 892. 1241 *pc* ¦ *txt* 𝔓^{75} A B Θ f^{13} 𝔐 • **21** ⸀αυτη δε A D R Θ Ξ (Ψ) 0265^{vid} 𝔐 lat ¦ *txt* 𝔓^{75} ℵ B L W $f^{1.13}$ 700. 892. 1241 *pc* c co; Cyr | ⸂τυφλους εποιει D (c) e • **22** ⸂ειπατε Ιω. α ειδον υμων οι οφθαλμοι και α ηκουσαν υμων τα ωτα D (e) | ⸆οτι A D R 𝔐 sy^{h} ¦ *txt* ℵ B L W Θ Ξ Ψ $f^{1.13}$ 700. 892. 1241. 1424 *pc* sa^{ms} bo | ⸇*p)* και 𝔓^{75*} W Θ Ψ f^{13} 1241. 1424 *pc* aur e sy^{h} | ° A L Θ Ψ f^{1} 𝔐 lat sy^{h} ¦ *txt* 𝔓^{75} ℵ B D W Γ Ξ f^{13} 892. 1241. 1424 *al* • **24/25** ⸀*bis* εξεληλυθατε Θ Ψ 𝔐 ¦ *txt* 𝔓^{75vid} ℵ A B D L W Ξ $f^{(1).13}$ (33). 565. (700). 1241. 1424 *al* | [˸ *bis*; *et* ˸¹ *bis* –] | ⸁διαγοντες D K *al*; Cl • **26** ⸀εξεληλυθατε A W Θ Ψ 𝔐 ¦ *txt* 𝔓^{75} ℵ B D L Ξ $f^{(1).13}$ 565. (892). 1241. 1424 *pc* | [˸ ; *et* ˸¹ –] | ⸆οτι ουδεις μειζων εν γεννητοις γυναικων προφητης Ιωαννου του βαπτιστου (*et om. vs* 28a) D (a) • **27** ⸆γαρ Θ Ψ $f^{1.13}$ 33. 892. 1241. 1424 *al* b e sy^{h} bo^{pt}

9,52 Ex 23,20 Ml 3,1 *ἰδοὺ ἀποστέλλω τὸν ἄγγελόν μου πρὸ προσώπου σου,*
ὃς κατασκευάσει τὴν ὁδόν σου ⸋ἔμπροσθέν σου⸌.
1,15 **28** ⸀λέγω ὑμῖν, ⸋μείζων ἐν γεννητοῖς γυναικῶν ⸁Ἰωάν-
νου οὐδείς ἐστιν⸌· ⸂ὁ δὲ μικρότερος⸃ ἐν τῇ βασιλείᾳ
τοῦ θεοῦ μείζων αὐτοῦ ἐστιν.
3,7.12 Mt 21,31s! **29** Καὶ πᾶς ὁ λαὸς ἀκούσας καὶ οἱ τελῶναι ἐδικαίω-
σαν τὸν θεὸν βαπτισθέντες τὸ βάπτισμα Ἰωάννου· **30** οἱ
Ps 33,10s Act 20,27 R 10,3 δὲ Φαρισαῖοι καὶ οἱ νομικοὶ τὴν βουλὴν τοῦ θεοῦ ἠθέτη-
σαν ⸋εἰς ἑαυτοὺς⸌ μὴ βαπτισθέντες ὑπ' αὐτοῦ.
31 Τίνι οὖν ὁμοιώσω τοὺς ἀνθρώπους τῆς γενεᾶς ταύτης καὶ τίνι εἰσὶν ὅμοιοι; **32** ὅμοιοί εἰσιν παιδίοις τοῖς ἐν
ἀγορᾷ καθημένοις καὶ προσφωνοῦσιν ἀλλήλοις ⸂ἃ λέγει⸃·
ηὐλήσαμεν ὑμῖν καὶ οὐκ ὠρχήσασθε,
ἐθρηνήσαμεν ⸆ καὶ οὐκ ἐκλαύσατε.
1,15 **33** ἐλήλυθεν γὰρ Ἰωάννης ὁ βαπτιστὴς ⸀μὴ ⸂ἐσθίων ἄρ-
J 10,20! τον ⸁μήτε πίνων οἶνον⸃, καὶ λέγετε· δαιμόνιον ἔχει.
34 ἐλήλυθεν ὁ υἱὸς τοῦ ἀνθρώπου ἐσθίων καὶ πίνων, καὶ
Mt 9,11! λέγετε· ἰδοὺ ἄνθρωπος φάγος καὶ οἰνοπότης, φίλος τελω-
1K 1,24ss νῶν καὶ ἁμαρτωλῶν. **35** καὶ ἐδικαιώθη ἡ σοφία ἀπὸ ⸂πάν-
των τῶν τέκνων αὐτῆς⸃.
36–50: cf Mt 13 Mc 14,3-9 26,6- J 12,1-8 · 11,37; 14,1 **36** Ἠρώτα δέ τις αὐτὸν τῶν Φαρισαίων ἵνα φάγῃ μετ'
αὐτοῦ, καὶ εἰσελθὼν εἰς τὸν οἶκον τοῦ Φαρισαίου ⸀κατ-
εκλίθη. **37** καὶ ἰδοὺ γυνὴ ⸂ἥτις ἦν ἐν τῇ πόλει⸃ ἁμαρτωλός, καὶ ἐπιγνοῦσα ὅτι κατάκειται ἐν τῇ οἰκίᾳ τοῦ Φαρισαίου, κομίσασα ἀλάβαστρον μύρου **38** καὶ στᾶσα ὀπίσω παρὰ τοὺς πόδας αὐτοῦ κλαίουσα τοῖς δάκρυσιν ⸂ἤρ-
ξατο βρέχειν⸃ τοὺς πόδας αὐτοῦ καὶ ταῖς θριξὶν τῆς
κεφαλῆς αὐτῆς ⸀ἐξέμασσεν καὶ κατεφίλει τοὺς πόδας

27 ⸋ D it ● **28** ⸀*p)* αμην λ. ℵ L Ξ 892 *pc*; Cyr ¦ λ. γαρ A Θ f^{1} 𝔐 vg sy^{h} ¦ λ. δε D W f^{13} *pc* it ¦ *txt* B Ψ 33. 700. 1241 *pc* sy$^{s.p}$ co | ⸋ D (*cf vs* 26) | ⸁ Ιωαννου του βαπτιστου K 33. 565 *al* it sy^{hmg} sa^{ms} ¦ προφητης Ιωαννου του βαπτιστου A (D) Θ f^{13} 𝔐 lat sy$^{p.h}$ bo^{pt} ¦ προφητης Ιωαννου Ψ 700 (⸉ 892, 1241) *pc* sy^{s} ¦ *txt* 𝔓^{75} ℵ B L W Ξ f^{1} *pc* sa^{mss} bo^{pt} | ⸂οτι ο μικρ. αυτου D ● **30** ⸋ ℵ D *pc* sa ● **32** ⸂και λεγουσιν A Θ Ψ 𝔐 vg sy^{h} ¦ λεγοντες D L f^{13} ¦ λεγοντα ℵ^{2} W Ξ *pc* ¦ – sy^{s} ¦ *txt* ℵ* B f^{1} 700* | ⸆υμιν A Ψ f^{1} 𝔐 it sy ¦ *txt* ℵ B D L W Θ Ξ f^{13} 892. 1241 *pc* lat co ● **33** ⸀μητε *et* ⸁μητε A D L Θ Ψ $f^{1.13}$ 𝔐 ¦ μη *et* μηδε ℵ W *pc* ¦ *txt* B Ξ *pc* | ⸂*2 1 (3) 5 4* A Θ Ψ 𝔐 r^{1} sy^{h} ¦ *p) 1 (3) 4* D $f^{1.13}$ 700 *pc* it sy$^{s.c}$ ¦ *txt* (ℵ) B L (W) Ξ 1241 *pc* vg sy^{p}? ● **35** ⸂*2–4 1* A Ξ 𝔐 ¦ *p) 2–4* D L Θ Ψ f^{1} 28. 700. 1241 *al*; Ir ¦ παντων των εργων αυτης ℵ$^{(2)}$ ¦ *txt* B W f^{13} 892 ● **36** ⸀ανεκλιθη A W Θ Ψ f^{13} 𝔐 ¦ κατεκειτο ℵ* ¦ *txt* ℵ^{2} B D L Ξ f^{1} 33. 700. 892. 1241 *pc*; Mcion Epiph ● **37** ⸂*3–5 1 2* A Θ Ψ 𝔐 it sy^{h} ¦ *3–5* D ¦ *txt* ℵ B L W Ξ ($f^{1.13}$ 700. 1241) *pc* ● **38** ⸂εβρεξε D it sy$^{s.c}$; Mcion | ⸀εξεμαξεν 𝔓^{3} ℵ* A D L W Ψ 33. 1241 *pc* ¦ *txt* ℵ^{2} B Θ $f^{1.13}$ 𝔐

αὐτοῦ καὶ ἤλειφεν τῷ μύρῳ. **39** ἰδὼν δὲ ὁ Φαρισαῖος ⸂ὁ
καλέσας αὐτὸν⸃ εἶπεν ἐν ἑαυτῷ λέγων· οὗτος εἰ ἦν ⸆
προφήτης, ἐγίνωσκεν ἂν τίς καὶ ποταπὴ ἡ γυνὴ ἥτις Mt 21,11! J 4,19 Dt 18,15
ἅπτεται αὐτοῦ, ὅτι ἁμαρτωλός ἐστιν. **40** καὶ ἀπο-
κριθεὶς ὁ Ἰησοῦς εἶπεν πρὸς αὐτόν· Σίμων, ἔχω σοί τι
εἰπεῖν. ὁ δέ· διδάσκαλε, εἰπέ, φησίν. **41** δύο χρεοφειλέ- 16,5
ται ἦσαν δανιστῇ τινι· ὁ εἷς ὤφειλεν δηνάρια πεντακό-
σια, ὁ δὲ ἕτερος πεντήκοντα. **42** μὴ ἐχόντων ⸆ αὐτῶν
ἀποδοῦναι ἀμφοτέροις ἐχαρίσατο. τίς οὖν αὐτῶν ⸇ πλεῖ- Mt 18,27 Kol 2,13
ον ἀγαπήσει ⸉αὐτόν; **43** ⸀ἀποκριθεὶς Σίμων εἶπεν· ὑπο-
λαμβάνω ὅτι ᾧ τὸ πλεῖον ἐχαρίσατο. ὁ δὲ εἶπεν αὐτῷ·
ὀρθῶς ἔκρινας. **44** καὶ στραφεὶς πρὸς τὴν γυναῖκα τῷ 10,28; 20,21 |
Σίμωνι ἔφη· βλέπεις ταύτην τὴν γυναῖκα; εἰσῆλθόν σου
εἰς τὴν οἰκίαν, ὕδωρ ⸂μοι ἐπὶ πόδας⸃ οὐκ ἔδωκας· αὕτη Gn 18,4
δὲ τοῖς δάκρυσιν ἔβρεξέν μου τοὺς πόδας καὶ ταῖς θριξὶν J 13,5ss 1T 5,10 1Sm 25,41
αὐτῆς ἐξέμαξεν. **45** φίλημά μοι οὐκ ἔδωκας· αὕτη δὲ ἀφ’ R 16,16!
ἧς ⸀εἰσῆλθον οὐ ⸁διέλιπεν καταφιλοῦσά μου τοὺς πόδας.
46 ἐλαίῳ ⸂τὴν κεφαλήν⸃ μου οὐκ ἤλειψας· αὕτη δὲ μύρῳ
ἤλειψεν ⸄τοὺς πόδας μου⸅. **47** οὗ χάριν⁚ λέγω σοι, ἀφέωνται ⸂αἱ ἁμαρτίαι αὐτῆς αἱ πολλαί⸃, ⸋ὅτι ἠγάπησεν
πολύ· ᾧ δὲ ὀλίγον ἀφίεται, ὀλίγον ἀγαπᾷ.⸌ **48** εἶπεν δὲ
αὐτῇ· ἀφέωνταί σου αἱ ἁμαρτίαι. **49** καὶ ἤρξαντο οἱ 5,20p Mt 9,2
συνανακείμενοι λέγειν ἐν ἑαυτοῖς· τίς οὗτός ἐστιν ὃς
καὶ ἁμαρτίας ἀφίησιν; **50** εἶπεν δὲ πρὸς τὴν γυναῖκα· ⸆ ἡ 5,21!
πίστις σου σέσωκέν σε· πορεύου ⸂εἰς εἰρήνην⸃. Mt 9,22! · Mc 5,34!
8 Καὶ ἐγένετο ἐν τῷ καθεξῆς καὶ αὐτὸς διώδευεν κατὰ 7,11 · Mt 4,23!
πόλιν καὶ κώμην κηρύσσων καὶ εὐαγγελιζόμενος τὴν 4,43!
βασιλείαν τοῦ θεοῦ καὶ οἱ δώδεκα σὺν αὐτῷ, **2** καὶ γυναῖ- 23,49 Act 1,14

39 ⸂παρ ω κατεκειτο D e | ⸆το B* Ξ *pc* ¦ *txt* ℵ A B² D L W Θ Ψ $f^{1.13}$ 𝔐 co • **42** ⸆ δε 𝔓³ ℵ A W Θ Ψ 079 $f^{1.13}$ 𝔐 it sy ¦ *txt* B D L P Ξ 565 *pc* | ⸇ειπε (A: επι) Θ 079 f^{13} 𝔐 sy^h ¦ *txt* 𝔓³ ℵ B D L W Ξ Ψ f^{1} 892. 1241. 1424 *pc* latt sy^s.c.p co | ⸉ *a.* αγαπ. A Θ 079 $f^{1.13}$ 𝔐 sy^p.h ¦ *loco* αυτων *a.* πλειον D lat ¦ – Γ Δ *pc* ¦ *txt* 𝔓^3vid ℵ B L W Ξ Ψ 33. 892. 1241 *pc* sy^s.c • **43** ⸀α. δε 𝔓³ ℵ Γ 892. 1241. 1424 *pc* ¦ α. δε ο A Θ Ψ f^{13} 𝔐 ¦ ο δε W 079 f^{1} 700 *pc* ¦ *txt* B (D) L Ξ *pc* lat • **44** ⸂μοι επι τους π. Ψ 33. 892. 1241 *pc* ¦ μου επι τους π. ℵ L Ξ *pc* ¦ επι τους π. μου A Θ 079(*) $f^{1.13}$ 𝔐 ¦ επι π. μοι D (W) ¦ *txt* B e • **45** ⸀-θεν L* f^{13} *al* sy^p.h | ⸁† -λειπ- ℵ A K L W Δ Ξ 079 f^{13} 28. 33. 565. 892. 1010. 1241. 1424 *pm* ¦ *txt* B D P Γ Θ Ψ f^{1} 700 *pm* • **46** ⸂τους ποδας a e ff² l | ⸄ *3 1 2* ℵ K Δ Ψ $f^{1.13}$ 28. 565. 892. 1241 *pm* ¦ – D W 079 it ¦ *txt* A B (⸉ L) P Γ Θ Ξ 33. 700. 1010. 1424 *pm* • **47** [⁚,] | ⸂ *3 1 2 4 5* ℵ A K W Ψ 565. 892. 1424 *al* lat ¦ αυτη πολλα D ff² l ¦ *txt* B L Θ Ξ 079 $f^{1.13}$ 𝔐 q | ⸋ D (e) • **50** ⸆ γυναι D | ⸂εν ειρηνη D

κές τινες αἳ ἦσαν τεθεραπευμέναι ἀπὸ πνευμάτων ⸀πονη-
Mc 15,40!p ρῶν καὶ ἀσθενειῶν, Μαρία ἡ καλουμένη Μαγδαληνή,
Mt 12,45 | 24,10 ἀφ' ἧς δαιμόνια ἑπτὰ ἐξεληλύθει, **3** καὶ Ἰωάννα γυνὴ Χου-
ζᾶ ἐπιτρόπου Ἡρῴδου καὶ Σουσάννα καὶ ἕτεραι πολλαί,
αἵτινες ⸆ διηκόνουν ⸀αὐτοῖς ἐκ τῶν ὑπαρχόντων αὐταῖς.
4–8: Mt 13,1-9 Mc 4,1-9 **4** ⸀Συνιόντος δὲ ὄχλου πολλοῦ καὶ τῶν κατὰ πόλιν ἐπι-
πορευομένων πρὸς αὐτὸν εἶπεν ⸂διὰ παραβολῆς⸃· **5** ἐξ-
ῆλθεν ὁ σπείρων τοῦ σπεῖραι τὸν σπόρον αὐτοῦ. καὶ ἐν
τῷ σπείρειν αὐτὸν ⸀ὃ μὲν ἔπεσεν παρὰ τὴν ὁδὸν καὶ κατ-
επατήθη, καὶ τὰ πετεινὰ ⸋τοῦ οὐρανοῦ⸌ κατέφαγεν ⸁αὐτό.
6 καὶ ἕτερον κατέπεσεν ἐπὶ ⸰τὴν πέτραν, καὶ φυὲν ἐ-
Jr 17,8 ξηράνθη διὰ τὸ μὴ ἔχειν ἰκμάδα. **7** καὶ ἕτερον ἔπεσεν ἐν
μέσῳ τῶν ἀκανθῶν, καὶ συμφυεῖσαι αἱ ἄκανθαι ἀπέπνιξαν
⸀αὐτό. **8** καὶ ἕτερον ἔπεσεν εἰς τὴν γῆν τὴν ⸀ἀγαθὴν
καὶ φυὲν ἐποίησεν καρπὸν ἑκατονταπλασίονα. ταῦτα λέ-
Mt 11,15! γων ἐφώνει· ὁ ἔχων ὦτα ἀκούειν ἀκουέτω.
9s: Mt 13,10-17 Mc 4,10-12 **9** Ἐπηρώτων δὲ αὐτὸν οἱ μαθηταὶ αὐτοῦ ⸆ τίς αὕτη εἴη
ἡ παραβολή. **10** ὁ δὲ εἶπεν· ὑμῖν δέδοται γνῶναι τὰ μυ-
στήρια ⸋τῆς βασιλείας⸌ τοῦ θεοῦ, * τοῖς δὲ λοιποῖς ἐν παραβολαῖς, ἵνα
Is 6,9s βλέποντες μὴ ⸀βλέπωσιν
καὶ ἀκούοντες μὴ συνιῶσιν.
11–15: Mt 13,18-23 Mc 4,13-20 · 1P 1,23 **11** Ἔστιν δὲ αὕτη ἡ παραβολή· ὁ σπόρος ἐστὶν ὁ λόγος
τοῦ θεοῦ. **12** οἱ δὲ παρὰ τὴν ὁδόν εἰσιν οἱ ⸂ἀκούσαντες,
εἶτα⸃ ἔρχεται ὁ διάβολος καὶ αἴρει τὸν λόγον ἀπὸ τῆς
1K 1,21! καρδίας αὐτῶν, ἵνα μὴ πιστεύσαντες σωθῶσιν. **13** οἱ δὲ
Act 8,14! ἐπὶ ⸂τῆς πέτρας⸃ οἳ ὅταν ἀκούσωσιν μετὰ χαρᾶς δέχονται
Kol 2,7 τὸν λόγον, καὶ ⸀οὗτοι ῥίζαν οὐκ ἔχουσιν, οἳ πρὸς καιρὸν
1T 4,1 πιστεύουσιν καὶ ἐν καιρῷ πειρασμοῦ ἀφίστανται. **14** τὸ δὲ
εἰς τὰς ἀκάνθας πεσόν, οὗτοί εἰσιν οἱ ⸆ ἀκούσαντες, καὶ
ὑπὸ μεριμνῶν καὶ πλούτου καὶ ἡδονῶν τοῦ βίου πορευ-

¶ **8,2** ⸀ακαθαρτων ℵ Θ *pc* it ● **3** ⸆και D *pc* it; Mcion | ⸀αυτω ℵ A L Ψ f^{1} 33. 565. 1241 *pm* it vg^{cl} sy^{h} co; Mcion ¦ *txt* B D K W Γ Δ Θ f^{13} 28. 700. 892. (1010). 1424 *pm* lat $sy^{s.c.p.hmg}$ ● **4** ⸀συνοντος ℵ* 1424 *pc* ¦ συνελθοντος D f^{13} *pc* | ⸂παραβολην τοιαυτην προς αυτους D it ● **5** ⸀α B W *et* ⸁αυτα 𝔓^{75} B | ⸋*p)* D W *pc* it $sy^{s.c.p}$ ● **6** ⸰ 𝔓^{75} B ● **7** ⸀αυτα 𝔓^{75} *pc* ● **8** ⸀*p)* αγαθην και καλην D (⸉ Θ) *pc* a c e r^{1} sy^{p} ¦ καλην Ψ 1424 *pc* ¦ *p)* αγ. και εδιδου καρπον sy^{c} ● **9** ⸆λεγοντες A Θ Ψ f^{13} 𝔐 f l q sy^{h} ¦ *txt* 𝔓^{75} ℵ B D L (R) W Ξ 1. 33. 700. 1241. 1424 *pc* lat $sy^{s.c.p}$ co ● **10** ⸋W *pc* ff^{2}; Eus | ⸀ιδωσιν D L W Ξ 1. 700 *pc* ● **12** ⸂ακολοθουντες ὧν D ● **13** ⸂την πετραν ℵ* D 1241 *pc*; Or | ⸀αυτοι B* 1241 *pc* ¦ – D e ● **14** ⸆*p)* τον λογον Θ f^{1} *pc* a c f r^{1} $sy^{c.p}$ sa bo^{ms}

όμενοι συμπνίγονται καὶ οὐ τελεσφοροῦσιν. **15** τὸ δὲ ἐν
τῇ καλῇ γῇ, οὗτοί εἰσιν οἵτινες ἐν καρδίᾳ ⸋καλῇ καὶ⸌ Act 16,14
ἀγαθῇ ἀκούσαντες τὸν λόγον ⸆ κατέχουσιν καὶ καρποφο- 21,19 R 2,7 H 10,
ροῦσιν ἐν ὑπομονῇ. 36; 12,1 Ap 3,10; 13,10; 14,12
16 Οὐδεὶς δὲ λύχνον ἅψας καλύπτει αὐτὸν σκεύει ἢ *16–18:* Mc 4,21-
ὑποκάτω κλίνης τίθησιν, ἀλλ᾽ ἐπὶ ⸀λυχνίας ⸀¹τίθησιν, 25 · 11,33!
⸋ἵνα οἱ εἰσπορευόμενοι βλέπωσιν τὸ φῶς.⸌ **17** οὐ γάρ
ἐστιν κρυπτὸν ὃ οὐ φανερὸν γενήσεται οὐδὲ ἀπόκρυφον Mt 10,26 R 2,16
⸂ὃ οὐ μὴ⸃ γνωσθῇ καὶ εἰς φανερὸν ἔλθῃ.
18 Βλέπετε οὖν πῶς ἀκούετε· ⸂ὃς ἂν⸃ γὰρ ἔχῃ, δοθήσε- Mt 13,12!
ται αὐτῷ· καὶ ὃς ἂν μὴ ἔχῃ, καὶ ὃ δοκεῖ ἔχειν ἀρθήσεται
ἀπ᾽ αὐτοῦ.
19 ⸀Παρεγένετο δὲ πρὸς αὐτὸν ἡ μήτηρ ⸆ καὶ οἱ ἀδελ- *19–21:* Mt 12,46-50 Mc 3,31-35
φοὶ αὐτοῦ καὶ οὐκ ἠδύναντο συντυχεῖν αὐτῷ διὰ τὸν ὄχ- Mc 3,21
λον. **20** ⸂ἀπηγγέλη δὲ⸃ αὐτῷ⸆· ἡ μήτηρ ⸰σου καὶ οἱ ἀδελ- Act 1,14!
φοί σου ἑστήκασιν ἔξω ⸂¹ἰδεῖν θέλοντές σε⸃¹. **21** ὁ δὲ ἀποκριθεὶς εἶπεν πρὸς ⸀αὐτούς· μήτηρ μου καὶ ἀδελφοί μου J 20,17!
οὗτοί εἰσιν οἱ τὸν λόγον τοῦ θεοῦ ἀκούοντες καὶ ποι- 11,28 Mt 7,24
οῦντες.
22 Ἐγένετο δὲ ἐν μιᾷ τῶν ἡμερῶν ⸂καὶ αὐτὸς ἐνέβη⸃ *22–25:* Mt 8,18.23-27 Mc 4,35-41
εἰς πλοῖον καὶ οἱ μαθηταὶ αὐτοῦ καὶ εἶπεν πρὸς αὐτούς·
διέλθωμεν εἰς τὸ πέραν τῆς λίμνης, καὶ ἀνήχθησαν.
23 πλεόντων δὲ αὐτῶν ἀφύπνωσεν. καὶ κατέβη λαῖλαψ
⸉ἀνέμου εἰς τὴν λίμνην⸊ καὶ συνεπληροῦντο καὶ ἐκινδύ-
νευον. **24** προσελθόντες δὲ διήγειραν αὐτὸν λέγοντες· ⸂ἐπι-
στάτα ἐπιστάτα⸃, ἀπολλύμεθα. ὁ δὲ διεγερθεὶς ἐπετίμη- 5,5!
σεν τῷ ἀνέμῳ καὶ τῷ κλύδωνι ⸋τοῦ ὕδατος⸌· καὶ ⸀ἐπαύ-
σαντο καὶ ἐγένετο γαλήνη. **25** εἶπεν δὲ αὐτοῖς· ποῦ ⸆ ἡ

15 ⸋D it | ⸆του θεου D sa^{ms} • **16** ⸀την λυχνιαν ℵ D K (Θ Ψ 700). 1241. 1424 *al* ¦ *txt* 𝔓^{75} A B L W Ξ 0202 $f^{1.13}$ 𝔐 | ⸀¹επιτιθησιν A W Ψ 𝔐 ¦ – 1241 *pc* ¦ *txt* 𝔓^{75} ℵ B D L Θ Ξ 0202 $f^{1.13}$ 892. 1424 *al* | ⸋𝔓^{75} B *pc* • **17** ⸂*1 2* A L* W $f^{1.13}$ 𝔐 ¦ *p)* αλλα ινα D ¦ *txt* 𝔓^{75} ℵ B L^{c} Θ Ξ Ψ 0202. 33. 892. 1241. 1424 *pc* • **18** ⸂οσον 𝔓^{75} • **19** ⸀παρεγενοντο ℵ A L W Θ Ξ Ψ $f^{1.13}$ 𝔐 ¦ *txt* 𝔓^{75} B D 0202 *pc* | ⸆*p)* αυτου ℵ D 1241 *pc* • **20** ⸂και απηγγελη A (W) Θ Ψ f^{1} 𝔐 lat sy^{h} ¦ *txt* 𝔓^{75} ℵ B D L Ξ f^{13} 33. 700. 892. (1241). 1424 *pc* | ⸆οτι ℵ D L Θ f^{1} 33. 892. 1241 *pc* it ¦ λεγοντων A Ξ f^{13} 𝔐 r^{1} ¦ λεγοντων οτι Ψ 1424 *pc* sy^{h} ¦ *txt* 𝔓^{75} B W Δ *pc* vg | ⸰𝔓^{75} ℵ | ⸂¹*1 3 2* ℵ A L W Θ Ψ $f^{1.13}$ 𝔐 ¦ *p)* ζητουντες σε D *pc* ¦ *txt* 𝔓^{75} B Ξ • **21** ⸀αυτον 𝔓^{75} b • **22** ⸂και αυ. (– 𝔓^{75}) ανεβη 𝔓^{75} L Θ f^{13} 1010^{s} *al* sy^{h} ¦ αναβηναι αυτον D (e) • **23** ⸉𝔓^{75} B *pc* a • **24** ⸂*1* ℵ^{c} W Γ 700^{c}. 1424 *al* lat bo; Cyr ¦ κυριε κυριε D (sy^{c}) | ⸋D | ⸀-σατο ℵ W Θ Ψ f^{1} 28 *pm* sa bo^{ms} • **25** ⸆εστιν D 0135 f^{13} 𝔐 ¦ *txt* ℵ A B L W Θ Ψ 1. 700. 892* *al*

πίστις ὑμῶν; ⸂φοβηθέντες δὲ⸃ ἐθαύμασαν ⸄λέγοντες πρὸς
ἀλλήλους⸅· τίς ἄρα οὗτός ἐστιν ὅτι καὶ τοῖς ἀνέμοις ἐπιτάσσει καὶ τῷ ὕδατι, ⸋καὶ ὑπακούουσιν αὐτῷ⸌;
26–39: Mt 8,28-34 Mc 5,1-20 **26** Καὶ κατέπλευσαν εἰς τὴν χώραν τῶν ⸀Γερασηνῶν,
ἥτις ἐστὶν ἀντιπέρα τῆς Γαλιλαίας. **27** ἐξελθόντι δὲ αὐ-
τῷ ἐπὶ τὴν γῆν ὑπήντησεν ⸂ἀνήρ τις⸃ ἐκ τῆς πόλεως
⸀ἔχων δαιμόνια ⸄καὶ χρόνῳ ἱκανῷ⸅ ⸂¹οὐκ ἐνεδύσατο ἱμά-
τιον⸃ καὶ ἐν οἰκίᾳ οὐκ ἔμενεν ἀλλ' ἐν τοῖς μνήμασιν.
28 ἰδὼν δὲ τὸν Ἰησοῦν ἀνακράξας ⸋προσέπεσεν αὐτῷ
Mc 1,24! 1Rg 17,18etc καὶ⸌ φωνῇ μεγάλῃ εἶπεν· τί ἐμοὶ καὶ σοί, °Ἰησοῦ υἱὲ
Gn 14,18etc ⸋¹τοῦ θεοῦ⸌ τοῦ ὑψίστου; δέομαί σου, μή με βασανίσῃς.
29 ⸀παρήγγειλεν γὰρ τῷ ⸁πνεύματι τῷ ἀκαθάρτῳ ⸀¹ἐξελθεῖν
13,16 Mc 9,21 J 5,6 ἀπὸ τοῦ ἀνθρώπου. πολλοῖς γὰρ χρόνοις συνηρπάκει αὐτὸν καὶ ἐδεσμεύετο ἁλύσεσιν καὶ πέδαις φυλασσόμενος
καὶ διαρρήσσων τὰ δεσμὰ ἠλαύνετο ⸀²ὑπὸ τοῦ ⸀³δαιμο-
νίου εἰς τὰς ἐρήμους. **30** ἐπηρώτησεν δὲ αὐτὸν ὁ Ἰη-
σοῦς⸆· τί σοι ὄνομά ἐστιν; ὁ δὲ εἶπεν· ⸀λεγιών⸂, ὅτι
εἰσῆλθεν δαιμόνια πολλὰ εἰς αὐτόν⸃. **31** καὶ ⸀παρεκάλουν
Ap 9,11! αὐτὸν ἵνα μὴ ἐπιτάξῃ αὐτοῖς εἰς τὴν ἄβυσσον ἀπελθεῖν.
32 ἦν δὲ ἐκεῖ ἀγέλη χοίρων °ἱκανῶν ⸀βοσκομένη ἐν τῷ
ὄρει· καὶ παρεκάλεσαν αὐτὸν ἵνα ⸂ἐπιτρέψῃ αὐτοῖς εἰς
ἐκείνους εἰσελθεῖν⸃· καὶ ἐπέτρεψεν αὐτοῖς. **33** ἐξελθόντα
δὲ τὰ δαιμόνια ἀπὸ τοῦ ἀνθρώπου ⸀εἰσῆλθον εἰς τοὺς χοίρους, καὶ ὥρμησεν ἡ ἀγέλη κατὰ τοῦ κρημνοῦ εἰς τὴν
λίμνην καὶ ἀπεπνίγη.

25 ⸂οι δε φοβηθεντες ℵ L 33. 892. 1241 *pc* | ⸄ *2 3 1* L Ξ Ψ 33. 892. 1241. 1424 *al* ¦ *1* ℵ sa^{ms} | ⸋ 𝔓^{75} B 700 • **26** ⸀ Γεργεσηνων ℵ L Θ Ξ *f*^{1} 33. 700*. 1241 *pc* (bo); Epiph ¦ *p)* Γαδαρηνων A R W Ψ 0135 *f*^{13} 𝔐 sy ¦ *txt* 𝔓^{75} B D 0267 latt sy^{hmg} (sa) • **27** ⸂ *2 1* B ¦ *1* D a | ⸀ος ειχεν ℵ^{2} A D L R W Θ Ξ Ψ 0135 *f*$^{1.13}$ 𝔐 sy^{h} ¦ *txt* 𝔓^{75} ℵ* B 1241 *pc* | ⸄ εκ χρονων ικανων και ℵ^{1} A R W Θ Ψ 0135 *f*^{13} 𝔐 lat sy ¦ απο χρονων ικανων ος D ¦ *txt* 𝔓^{75vid} ℵ$^{*.2}$ B L Ξ (*f*^{1}) 33. 1241 *pc* sy^{hmg} | ⸂¹ιμ. ουκ ενεδιδυσκετο (ℵ^{1}) A D R W Θ Ψ 0135 *f*^{13} 𝔐 latt ¦ *txt* 𝔓^{75} ℵ$^{*.2}$ B L Ξ *f*^{1} 33. 1241 *pc* • **28** ⸋D | °𝔓^{75} D R *f*^{1} *al* e bo^{pt} | ⸋¹D Ξ *f*^{1} 892. 1424 *pc* l • **29** ⸀†παρηγγελλεν ℵ A C K L R W Γ Δ 1. 33. 565. 892 *pm* ¦ *p)* ελεγεν D e ¦ *txt* 𝔓^{75} B Θ Ξ Ψ *f*^{13} 28. 700. 1010^{s}. 1241. 1424 *pm* | ⸁δαιμονιω D e | ⸀¹*p)* εξελθε D e | ⸀²†απο B Ξ ¦ *txt* 𝔓^{75} ℵ A C D L R W Θ Ψ *f*$^{1.13}$ 𝔐 | ⸀³δαιμονος A C^{3} L R W Θ *f*$^{1.13}$ 𝔐 a ¦ *txt* 𝔓^{75} ℵ B C* D Ξ Ψ *pc* • **30** ⸆λεγων A C D L R W Θ Ξ Ψ *f*^{13} 𝔐 lat sy$^{s.c.h}$ bo^{pt} ¦ *txt* 𝔓^{75} ℵ B *f*^{1} 1241 *pc* it sy^{p} sa bo^{pt} | ⸀λεγεων 𝔓^{75} ℵ^{2} A B^{2} C D^{2} R W Θ Ξ *f*$^{1.13}$ 𝔐 ¦ *txt* ℵ* B* D* L Ψ *pc* | ⸂ονομα μοι· πολλα γαρ ησαν δαιμονια D c (it) • **31** ⸀*p)* παρεκαλει A K P R Γ Δ Θ Ξ Ψ 565. 700. 1010^{s} 𝔐 bo^{mss} • **32** °D c r^{1} bo^{pt} | ⸀-μενων A C L R W Ξ Ψ *f*^{1} 𝔐 lat sy ¦ *txt* 𝔓^{75} ℵ B D K Θ *f*^{13} 565 *al* a | ⸂εις τους χοιρους εισελθωσιν D (it) • **33** ⸀ωρμησαν D

34 Ἰδόντες δὲ οἱ βόσκοντες τὸ γεγονὸς ἔφυγον καὶ ἀπήγγειλαν εἰς τὴν πόλιν καὶ εἰς τοὺς ἀγρούς. **35** ⸂ἐξῆλθον
δὲ ἰδεῖν τὸ γεγονὸς καὶ ἦλθον πρὸς τὸν Ἰησοῦν καὶ εὗρον καθήμενον τὸν ἄνθρωπον ἀφ᾽ οὗ τὰ δαιμόνια ⸀ἐξῆλ-
θεν ἱματισμένον καὶ σωφρονοῦντα⸃ παρὰ τοὺς πόδας
°τοῦ Ἰησοῦ, καὶ ἐφοβήθησαν. **36** ἀπήγγειλαν δὲ αὐτοῖς
□οἱ ἰδόντες⸌ πῶς ἐσώθη ⸂ὁ δαιμονισθείς⸃. **37** ⸂καὶ ⸀ἠρώ-
τησεν αὐτὸν ἅπαν τὸ πλῆθος τῆς περιχώρου⸃ τῶν ⸁Γε-
ρασηνῶν ἀπελθεῖν ἀπ᾽ αὐτῶν, ὅτι φόβῳ μεγάλῳ συνεί- 1,65!
II χοντο· αὐτὸς δὲ ἐμβὰς ⸄εἰς πλοῖον⸅ ⸀¹ὑπέστρεψεν. Mt 9,1
38 □ἐδεῖτο δὲ αὐτοῦ ὁ ἀνὴρ ἀφ᾽ οὗ ἐξεληλύθει τὰ δαιμόνια εἶναι σὺν αὐτῷ·⸌ ⸀ἀπέλυσεν δὲ αὐτὸν λέγων·
39 ⸀ὑπόστρεφε εἰς τὸν οἶκόν σου καὶ διηγοῦ ὅσα σοι
ἐποίησεν ὁ θεός. καὶ ἀπῆλθεν καθ᾽ ὅλην τὴν πόλιν κηρύσσων ὅσα ἐποίησεν αὐτῷ ὁ Ἰησοῦς.

40 ⸂Ἐν δὲ⸃ τῷ ⸀ὑποστρέφειν τὸν Ἰησοῦν ἀπεδέξατο *40–56:* Mt 9,18-26 Mc 5,21-43
αὐτὸν ὁ ὄχλος· ἦσαν γὰρ πάντες προσδοκῶντες ⸁αὐτόν. 4,42p
41 καὶ ἰδοὺ ἦλθεν ἀνὴρ ᾧ ὄνομα Ἰάϊρος καὶ ⸀οὗτος ἄρχων τῆς συναγωγῆς ὑπῆρχεν, καὶ πεσὼν παρὰ τοὺς πόδας
°[τοῦ] Ἰησοῦ παρεκάλει αὐτὸν εἰσελθεῖν εἰς τὸν οἶκον
αὐτοῦ, **42** ⸂ὅτι θυγάτηρ μονογενὴς ἦν αὐτῷ ὡς ἐτῶν δώ- 7,12!
δεκα καὶ ⸀αὐτὴ ἀπέθνῃσκεν⸃. ⸄Ἐν δὲ τῷ ὑπάγειν⸅ αὐτὸν
οἱ ὄχλοι συνέπνιγον αὐτόν. **43** Καὶ γυνὴ οὖσα ἐν
ῥύσει αἵματος ἀπὸ ἐτῶν δώδεκα, ⸂ἥτις □[ἰατροῖς προσ-

35 ⸂παραγενομενων δε εκ της πολεως και θεωρησαντων καθημενον τον δαιμονιζομενον σωφρονουντα και ιματισμενον καθημενον (*et om.* και *a.* εφοβ.) D | ⸀εξεληλυθει A C L R W Θ Ψ $f^{1.13}$ 𝔐 ¦ *txt* 𝔓^{75} ℵ$^{(2)}$ B *pc* | ° 𝔓^{75} B ● **36** □579 *pc* sy$^{s.c}$ | ⸂ο λεγιων D(*) ¦ a legione lat ¦ – c ¦ ο ανηρ sy$^{s.c.(p)}$ ● **37** ⸂ηρωτησαν δε τον Ιησουν παντες και η χωρα D | ⸀ηρωτησαν (D) L W Γ Δ Ψ f^{1} 565. 700. 1010^{s}. 1424 *pm* ¦ παρεκαλεσαν Θ | ⸁Γεργεσηνων ℵ$^{*.2}$ (C^{2}) L P Θ $f^{1.13}$ 33. 700*. 1241 *al* (bo) ¦ Γαδαρηνων ℵ^{1} A R W Ψ 𝔐 sy ¦ *txt* 𝔓^{75} B C* D *pc* latt (sa) | ⸄ *p)* εις το πλοιον A K P W Γ Δ f^{13} 565. 1010^{s}. 1424 𝔐 ¦ – D l | [⸀¹υπεστρεφεν Schmiedel *cj*] ● **38** □W | ⸀εδιδασκεν W ¦ απεστειλεν L *pc* sy^{hmg}; Cyr ● **39** ⸀πορευου D c ● **40** ⸂εγενετο δε εν ℵ$^{*.2}$ A C D W Θ Ψ f^{13} 𝔐 latt sy^{h} ¦ *txt* 𝔓^{75} ℵ^{1} B L R f^{1} 33. 700* *pc* sy$^{s.c.p}$ sa | ⸀υποστρεψαι A C D L W Θ Ψ $f^{1.13}$ (565) 𝔐 ¦ *txt* 𝔓^{75} ℵ B R 28. 1241 *pc* | ⸁τον θεον ℵ* ● **41** ⸀αυτος ℵ A C L W Θ Ψ 𝔐 sy^{h} ¦ *txt* 𝔓^{75} B (D) R $f^{1.13}$ 1424 *pc* | °† 𝔓^{75vid} ℵ* B P *pc* ¦ *txt* ℵ^{1} A C D L R W Θ Ψ $f^{1.13}$ 𝔐 ● **42** ⸂ην γαρ θυγ. μονογ. αυτω ετων δωδεκα αποθνησκουσα D | ⸀†αὕτη B^{2} Γ Ψ f^{1} 33. 565. 700. 892. 1010^{s}. 1241. 1424 *pm* ¦ *txt* K L^{vid} Θ f^{13} 28 *pm* (𝔓^{75} ℵ A B* C D W *sine acc.*) | ⸄και εγενετο εν τω πορευεσθαι C* D P *pc* lat ● **43** ⸂ἣν ουδε εἷς ισχυεν θεραπευσαι D | □† 𝔓^{75} B (D) sy^{s} sa ¦ *txt* ℵ(*, C) A L R W Θ Ξ (Ψ) $f^{1.13}$ (1424) 𝔐 (lat sy$^{c.p.h}$ bo)

ἀναλώσασα ὅλον τὸν βίον]⸌ οὐκ ἴσχυσεν ⸀ἀπ' οὐδενὸς
θεραπευθῆναι⸋, 44 προσελθοῦσα °ὄπισθεν ἥψατο ⸋τοῦ
Nu 15,38s κρασπέδου⸌ τοῦ ἱματίου αὐτοῦ καὶ παραχρῆμα ἔστη
ἡ ῥύσις τοῦ αἵματος αὐτῆς. 45 ⸉καὶ εἶπεν ὁ Ἰησοῦς⸊· τίς
ὁ ἁψάμενός μου; ἀρνουμένων δὲ πάντων εἶπεν ὁ Πέ-
5,5! τρος⸆· ἐπιστάτα, οἱ ὄχλοι συνέχουσίν σε καὶ ἀποθλίβου-
σιν⸆. 46 ὁ δὲ Ἰησοῦς εἶπεν· ἥψατό μού τις, ἐγὼ γὰρ
5,17! ἔγνων δύναμιν ⸀ἐξεληλυθυῖαν ἀπ' ἐμοῦ. 47 ⸋ἰδοῦσα δὲ ἡ
γυνὴ ὅτι οὐκ ἔλαθεν, ⸀τρέμουσα ἦλθεν⸌ καὶ προσπεσοῦσα
αὐτῷ ⸋¹δι' ἣν αἰτίαν ἥψατο αὐτοῦ⸌ ἀπήγγειλεν ἐνώπιον
παντὸς τοῦ λαοῦ καὶ ὡς ἰάθη παραχρῆμα. 48 ὁ δὲ εἶπεν
Mt 9,22! · Mc 5,34! αὐτῇ· ⸆ ⸀θυγάτηρ, ἡ πίστις σου σέσωκέν σε· πορεύου εἰς
εἰρήνην. 49 Ἔτι αὐτοῦ λαλοῦντος ⸉ἔρχεταί τις παρὰ
τοῦ ἀρχισυναγώγου λέγων⸊ ⸆ ὅτι τέθνηκεν ἡ θυγάτηρ
7,6 σου· ⸀μηκέτι σκύλλε τὸν διδάσκαλον. 50 ὁ δὲ Ἰησοῦς
ἀκούσας ἀπεκρίθη ⸀αὐτῷ· μὴ φοβοῦ, μόνον ⸁πίστευσον,
καὶ σωθήσεται. 51 ἐλθὼν δὲ εἰς τὴν οἰκίαν ⸉οὐκ ἀφ-
Mt 17,1! p ῆκεν εἰσελθεῖν τινα σὺν αὐτῷ⸊ εἰ μὴ Πέτρον καὶ ⸉¹Ἰω-
άννην καὶ Ἰάκωβον⸊¹ καὶ τὸν πατέρα τῆς παιδὸς καὶ τὴν
μητέρα. 52 ἔκλαιον δὲ πάντες καὶ ἐκόπτοντο αὐτήν. ὁ δὲ
7,13! εἶπεν· μὴ κλαίετε, ⸉οὐ γὰρ⸊ ἀπέθανεν ἀλλὰ καθεύδει.
53 καὶ κατεγέλων αὐτοῦ εἰδότες ὅτι ἀπέθανεν. 54 αὐτὸς
δὲ ⸆ κρατήσας τῆς χειρὸς αὐτῆς ἐφώνησεν λέγων· ἡ παῖς,

43 ⸀υπ ℵ C L W Θ Ξ Ψ $f^{1.13}$ 𝔐 ¦ *txt* $\mathfrak{P}^{75}$ A B R • **44** °D Ψ *pc* | ⸋*p)* D it • **45** ⸉*p)* ο δε Ιησους γνους την εξελθουσαν εξ αυτου δυναμιν επηρωτα D a | ⸆και οι συν αυτω (μετ αυτου Ψ 𝔐) ℵ A C D L R W Θ Ξ Ψ $f^{1.13}$ 𝔐 latt sy$^{p.h}$ bo ¦ *txt* $\mathfrak{P}^{75}$ B Π 700* *al* sy$^{s.c}$ sa | ⸆*p)* και λεγεις· τις ο αψαμενος μου A C(*, D) R W Θ Ξ (Ψ) f^{13} 𝔐 latt sy bo^{ms} ¦ *txt* $\mathfrak{P}^{75}$ ℵ B L f^{1} 1241 *pc* co • **46** ⸀εξελθουσαν A C D R W Θ Ξ Ψ $f^{1.13}$ 𝔐; Mcion Epiph ¦ *txt* $\mathfrak{P}^{75}$ ℵ B L 33. 892 *pc* • **47** ⸋ℵ* | ⸀εντρομος ουσα D ¦ φοβηθεισα και τρεμουσα sy^{c} | ⸋¹ℵ • **48** ⸆*p)* θαρσει A C R W Θ f^{13} 𝔐 q sy$^{p.h}$ ¦ *txt* $\mathfrak{P}^{75}$ ℵ B D L Ξ Ψ f^{1} 1241 *pc* lat sy$^{s.c}$ co | ⸀θυγατερ ℵ A C D R Ξ Ψ $f^{1.13}$ 𝔐 ¦ *txt* B K L W Θ *pc* • **49** ⸉ερχονται απο του αρχισ. λεγοντες D (c) sy$^{s.c}$ | ⸆αυτω A C D R W Θ Ψ f^{13} 𝔐 lat sy ¦ *txt* ℵ B L Ξ f^{1} 33. 700. 1241 *pc* e co | ⸀μη A C L R W Θ Ξ Ψ $f^{1.13}$ 𝔐 lat sy bo ¦ *txt* $\mathfrak{P}^{75}$ ℵ B D *pc* sy^{h**} sa • **50** ⸀τω πατρι της παιδος λεγων 1229 *pc* (lat sy^{p}) ¦ αυτω λεγων A C D R W Θ Ψ f^{13} 𝔐 sy$^{s.h}$ ¦ *txt* $\mathfrak{P}^{75}$ ℵ B L Ξ f^{1} 33. 892. 1010. 1241. 1424 *pc* | ⸁*p)* πιστευε ℵ A C D R W Θ Ψ $f^{1.13}$ 𝔐 ¦ *txt* B L Ξ *pc* • **51** ⸉ουκ αφ. εισελθ. ουδενα A C^{3} R W Ψ f^{1} (565) 𝔐 sy$^{s.c}$? ¦ ουκ αφ. εισελθ. ουδενα συν α. L Θ 892. 1424 *pc* (sy^{h}) ¦ ουδενα αφ. συνελθειν αυτω ℵ (f^{13}) ¦ *txt* B C* (⸉D) 33. 1241 *pc* | ⸉¹*p)* *3 2 1* ℵ A L 33. 700. 892. 1241. 1424 *al* vg^{cl} sy$^{s.c.p}$ sa^{ms} bo ¦ *1* Valentiniani *apud* Ir ¦ *3* 1038? • **52** ⸉†ουκ A R 𝔐 b e vg; Cyr ¦ *txt* ℵ B C D L W Δ Θ Ψ $f^{1.13}$ 33. 892. 1241. 1424 *al* it vg^{mss} sy$^{s.p}$ • **54** ⸆*p)* εκβαλων εξω παντας και (A, C, R W, Θ) Ψ f^{13} 𝔐 f q sy$^{p.h}$ co ¦ *txt* $\mathfrak{P}^{75}$ ℵ B D L f^{1} 700. 1241 *pc* lat sy$^{s.c}$

⸀ἔγειρε. **55** καὶ ἐπέστρεψεν τὸ πνεῦμα αὐτῆς ⸋καὶ ἀν- 1Rg 17,22
έστη παραχρῆμα⸌ καὶ διέταξεν αὐτῇ δοθῆναι φαγεῖν.
56 καὶ ἐξέστησαν οἱ γονεῖς αὐτῆς· ὁ δὲ παρήγγειλεν αὐ- Mt 12,23!
τοῖς μηδενὶ εἰπεῖν τὸ γεγονός. Mt 8,4! p

9 Συγκαλεσάμενος δὲ τοὺς δώδεκα ⸆ ἔδωκεν ⸉αὐτοῖς δύ- *1-6:* Mt 10,1.7-11.14 Mc 6,7-13 cf L 10,1-12
ναμιν⸊ καὶ ἐξουσίαν ἐπὶ πάντα τὰ δαιμόνια καὶ νόσους
θεραπεύειν **2** καὶ ἀπέστειλεν αὐτοὺς κηρύσσειν τὴν βασι- Mt 4,23!
λείαν τοῦ θεοῦ καὶ ἰᾶσθαι ⸂[τοὺς ἀσθενεῖς]⸃, **3** καὶ εἶπεν
πρὸς αὐτούς· μηδὲν αἴρετε εἰς τὴν ὁδόν, μήτε ῥάβδον 10,4!
μήτε πήραν μήτε ἄρτον μήτε ἀργύριον μήτε ⸰[ἀνὰ] δύο
χιτῶνας ἔχειν. **4** καὶ εἰς ἣν ἂν οἰκίαν εἰσέλθητε, ἐκεῖ μένετε καὶ ἐκεῖθεν ἐξέρχεσθε. **5** καὶ ὅσοι ἂν μὴ δέχωνται
ὑμᾶς, ἐξερχόμενοι ἀπὸ τῆς πόλεως ἐκείνης ⸆ τὸν κονιορτὸν ἀπὸ τῶν ποδῶν ὑμῶν ἀποτινάσσετε εἰς μαρτύριον ἐπ' Mt 8,4! p
αὐτούς. **6** ἐξερχόμενοι δὲ ⸂διήρχοντο κατὰ τὰς κώμας⸃
εὐαγγελιζόμενοι καὶ θεραπεύοντες πανταχοῦ.
7 ⸀Ἤκουσεν δὲ Ἡρῴδης ὁ τετραάρχης τὰ γινόμενα ⸆ *7-9:* Mt 14,1s Mc 6,14-16
⸂πάντα καὶ διηπόρει⸃ διὰ τὸ λέγεσθαι ὑπό τινων ὅτι Ἰω-
άννης ⸂ἠγέρθη ἐκ νεκρῶν⸃, **8** ὑπό τινων δὲ ὅτι Ἠλίας 19p Ml 3,23s Sir 48,10
ἐφάνη, ἄλλων δὲ ὅτι προφήτης ⸀τις τῶν ἀρχαίων ἀνέστη.
9 εἶπεν δὲ ⸆ Ἡρῴδης· Ἰωάννην ἐγὼ ἀπεκεφάλισα· τίς
δέ ἐστιν οὗτος περὶ οὗ ⸆ ἀκούω τοιαῦτα; καὶ ἐζήτει 23,8
ἰδεῖν αὐτόν.
10 Καὶ ὑποστρέψαντες οἱ ἀπόστολοι διηγήσαντο αὐτῷ *10a:* Mc 6,30 10,17
ὅσα ἐποίησαν. Καὶ παραλαβὼν αὐτοὺς ὑπεχώρησεν *10b-17:* Mt 14,13-21 Mc 6,32-44 J 6,1-13 · Mt 11,21! Mc 6,45!
κατ' ἰδίαν ⸂εἰς πόλιν καλουμένην Βηθσαϊδά⸃. **11** οἱ δὲ

54 ⸀εγειρου A R W f^{13} 𝔐 ¦ *txt* ℵ B C D L Θ Ψ f^{1} 33. 892. 1241. 1424 *pc* • **55** ⸋ℵ* ¶ **9,1** ⸆αποστολους ℵ C* L Θ Ξ Ψ 0202 f^{13} 33. 892. 1241. 1424 *pc* lat sy^{h} bo ¦ *p)* μαθητας αυτου C^{3} 1010 *al* it ¦ *txt* $\mathfrak{P}^{75}$ A B D R W f^{1} 𝔐 sy$^{s.c.p}$ sa; Mcion | ⸉ B *pc* • **2** ⸂† – B sy$^{s.c}$ ¦ τους ασθενουντας C W Θ f^{13} 𝔐 ¦ *txt* ℵ A D L Ξ Ψ (0202) f^{1} 33. 1241 *pc* • **3** ⸰ ℵ B C* L Ξ 0202. 1241 *pc* ¦ *txt* A C^{3} D W Θ Ψ $f^{1.13}$ 𝔐 • **5** ⸆και A C^{3} f^{13} 𝔐 lat sy ¦ *txt* $\mathfrak{P}^{75}$ ℵ B C* D L W Θ Ξ Ψ f^{1} 33. 892. 1241. 1424 *pc* a c f co • **6** ⸂διηρχ- κατα πολεις και κωμ. (it); Mcion ¦ κατα πολεις και ηρχοντο D • **7** ⸀ακουσας *et* ⸂ηπορειτο D | ⸆υπ αυτου A C^{3} W Θ Ψ f^{1} 𝔐 lat sy$^{p.h}$ ¦ *txt* $\mathfrak{P}^{75}$ ℵ B C* D L Ξ f^{13} 1241 *pc* it sy$^{s.c}$ co | ⸂εγηγερται εκ νεκρων A W Θ Ψ 𝔐 ¦ εκ νεκ. ανεστη D c e ¦ *txt* $\mathfrak{P}^{75}$ ℵ B C L Ξ $f^{1.(13)}$ 33. 700. 892. (1241). 1424 *pc* • **8** ⸀εἷς A W Θ 𝔐 lat sy$^{s.c.h}$ sa ¦ – D *pc* a e ¦ *txt* ℵ B C L Δ Ξ Ψ $f^{1.13}$ 33. 892. 1241 *pc* • **9** ⸆†ο B L Ξ Ψ $f^{1.13}$ 33. 700. 892. 1241 *pc* ¦ *txt* ℵ A C D W Θ 𝔐 | ⸆εγω A C^{2} D L W Θ Ξ Ψ $f^{1.13}$ 𝔐 lat ¦ *txt* $\mathfrak{P}^{75}$ ℵ B C*^{vid} 565. 892 *pc* e f l • **10** ⸂εις κωμην λεγομ- Βηδ- D ¦ *p)* εις τοπον ερημον ℵ*$^{.2}$ (1241) sy^{c} bo^{mss} ¦ εις κωμ. καλουμ- Β. εις τοπ. ερημ. Θ r^{1} ¦ εις τοπ. ερημ. πολεως καλουμ- Β. A C W Ξ^{mg} $f^{(1).13}$ 𝔐 sy$^{(p).h}$ ¦ εις τοπ. καλουμενον Β. Ψ ¦ – 1010 ¦ *txt* ($\mathfrak{P}^{75}$: Βηδ-) ℵ^{1} B L Ξ* 33 *pc* (sy^{s}) co

ὄχλοι γνόντες ἠκολούθησαν αὐτῷ· καὶ ἀποδεξάμενος
αὐτοὺς ἐλάλει αὐτοῖς περὶ τῆς βασιλείας τοῦ θεοῦ, καὶ
τοὺς χρείαν ἔχοντας θεραπείας ⸆ ⸀ἰᾶτο.
12 Ἡ δὲ ἡμέρα ἤρξατο κλίνειν· προσελθόντες δὲ οἱ 28 93
δώδεκα εἶπαν αὐτῷ· ἀπόλυσον ⸂τὸν ὄχλον⸃, ἵνα πορευ- I
θέντες εἰς τὰς κύκλῳ κώμας καὶ ⸆ ἀγροὺς καταλύσωσιν
⸋καὶ εὕρωσιν ἐπισιτισμόν⸌, ὅτι ὧδε ἐν ἐρήμῳ τόπῳ ἐσμέν.
13 εἶπεν δὲ πρὸς αὐτούς· δότε αὐτοῖς ⸉ὑμεῖς φαγεῖν⸊. οἱ
δὲ εἶπαν· οὐκ εἰσὶν ἡμῖν πλεῖον ἢ ⸂ἄρτοι πέντε⸃ καὶ ⸉¹ἰχ-
θύες δύο⸊, εἰ μήτι πορευθέντες ἡμεῖς ἀγοράσωμεν εἰς
πάντα τὸν λαὸν τοῦτον βρώματα. **14** ἦσαν ⸀γὰρ ὡσεὶ
ἄνδρες πεντακισχίλιοι. εἶπεν δὲ πρὸς τοὺς μαθητὰς αὐ-
τοῦ· κατακλίνατε αὐτοὺς κλισίας °[ὡσεὶ] ἀνὰ ⸆ πεντήκοντα. **15** καὶ ἐποίησαν οὕτως ⸋καὶ κατέκλιναν ⸀ἅπαν-
τας⸌. **16** λαβὼν δὲ τοὺς πέντε ἄρτους καὶ τοὺς δύο ἰχθύας
Mt 14,19! ἀναβλέψας εἰς τὸν οὐρανὸν ⸆ εὐλόγησεν ⸀αὐτοὺς ⸋καὶ
κατέκλασεν⸌ καὶ ἐδίδου τοῖς μαθηταῖς ⸁παραθεῖναι τῷ
ὄχλῳ. **17** καὶ ἔφαγον καὶ ἐχορτάσθησαν πάντες, καὶ ἤρθη
2Rg 4,44 τὸ ⸀περισσεῦσαν ⸁αὐτοῖς κλασμάτων κόφινοι δώδεκα.
18–21: Mt 16,13-20 Mc 8,27-30 **18** Καὶ ἐγένετο ἐν τῷ εἶναι ⸀αὐτὸν °προσευχόμενον 2 9.
9,28! κατὰ μόνας ⸁συνῆσαν αὐτῷ οἱ μαθηταί, καὶ ἐπηρώτησεν I
αὐτοὺς λέγων· τίνα με ⸂λέγουσιν οἱ ὄχλοι⸃ εἶναι; **19** οἱ
δὲ ἀποκριθέντες εἶπαν· Ἰωάννην τὸν βαπτιστήν, ἄλλοι δὲ
7s! Ἠλίαν⸂, ἄλλοι δὲ ὅτι προφήτης τις τῶν ἀρχαίων ἀνέστη⸃.
20 εἶπεν δὲ αὐτοῖς· ὑμεῖς δὲ τίνα με λέγετε εἶναι; Πέτρος
2,11.26; 23,35 J 6,69 δὲ ἀποκριθεὶς εἶπεν· τὸν χριστὸν ⸆ τοῦ θεοῦ. **21** ὁ δὲ ἐπι- 9:
22: Mt 16,21 Mc 8,31 · τιμήσας αὐτοῖς παρήγγειλεν μηδενὶ λέγειν τοῦτο **22** εἰ- I
31.44; 17,25; 18,32s; 24,7.26.46 πὼν ὅτι δεῖ τὸν υἱὸν τοῦ ἀνθρώπου πολλὰ παθεῖν καὶ

11 ⸆αυτου παντας D | ⸀ιασατο C L Ξ f^{13} 33. 892. 1241. 1424 *pc* ● **12** ⸂*p)* τους οχλους 𝔓^{75} א^{2} 28. 565. 1424 *pc* lat sy$^{s.c.p}$ sa^{mss} bo | ⸆τους A C D L R W Θ Ξ Ψ 𝔐 ¦ *txt* 𝔓^{75} א B $f^{1.13}$ 700. 1241 *pc* | ⸋D ● **13** ⸉†B ¦ *txt* א A C D L R W Θ Ξ Ψ $f^{1.13}$ 𝔐 | ⸂*2 1* (א^{2}) A D L R (W) Θ Ξ Ψ $f^{1.13}$ 𝔐 sy^{h} ¦ (Mc 8,5p) επτα αρτοι C ¦ *txt* א* B *pc* | ⸉¹D L N R Ξ Ψ 33. 892. 1241. 1424 *pc* sy^{h} ● **14** ⸀δε א$^{*.2}$ L 892 *pc* lat bo | °A W Θ Ψ $f^{1.13}$ 𝔐 lat bo ¦ *txt* א B C D L R Ξ 33. 892. 1241 *pc* e sa; Or | ⸆*p)* εκατον και ανα Θ ● **15** ⸋D *pc* | ⸀παντας א L (N) Ξ f^{13} 33. 700. 892. (1241) *pc* ● **16** ⸆προσηυξατο και D | ⸀επ αυτ. D it sy$^{(s).c}$; Mcion ¦ *p)* – א 1241 sy^{p} | ⸋D q | ⸁παρατιθεναι A D L R W Ξ f^{13} 𝔐 ¦ *txt* 𝔓^{75} א B C N Θ Ψ f^{1} 700. 1241 *pc* ● **17** ⸀περισσευμα D W f^{13} 1424 *pc* | ⸁*p)* των א D e ¦ αυτων των W ● **18** ⸀αυτους D *et* °D a c e sy^{c} | ⸁συνηντησαν B* (1424) *pc* f | ⸂†*2 3 1* א* B L R Ξ f^{1} 892 *pc* ¦ λεγ. οι ανθρωποι A 1241. 1424 *pc* e sa^{mss} bo ¦ *txt* 𝔓^{75} א^{2} C D W Θ Ψ f^{13} 𝔐 ● **19** ⸂*p)* ἢ ενα των προφητων D e ¦ – sy$^{s.c}$ ● **20** ⸆υιον D (28. 892 *pc*) it bo^{ms}

ἀποδοκιμασθῆναι ἀπὸ τῶν πρεσβυτέρων καὶ ἀρχιερέων Mt 21,42!
καὶ γραμματέων καὶ ἀποκτανθῆναι καὶ ⸂τῇ τρίτῃ ἡμέρᾳ⸃ Hos 6,2
⸀ἐγερθῆναι.
96 II **23** ˋἜλεγεν δὲ πρὸς πάντας· εἴ τις θέλει ὀπίσω μου *23–27:* Mt 16,24-28 Mc 8,34-9,1
ἔρχεσθαι, ⸀ἀρνησάσθω ἑαυτὸν ⸋καὶ ἀράτω τὸν σταυ- 14,27 Mt 16,24s!
ρὸν αὐτοῦ⸌ ⸋¹καθʼ ἡμέραν⸌ καὶ ἀκολουθείτω μοι. **24** ὃς 1K 15,31 R 8,36
γὰρ ἂν θέλῃ τὴν ψυχὴν αὐτοῦ σῶσαι ἀπολέσει αὐτήν·
ὃς δʼ ἂν ἀπολέσῃ τὴν ψυχὴν αὐτοῦ ἕνεκεν ἐμοῦ οὗτος
σώσει αὐτήν. **25** τί γὰρ ⸀ὠφελεῖται ⸁ἄνθρωπος ⸀¹κερδή-
σας τὸν κόσμον ὅλον ἑαυτὸν δὲ ⸀¹ἀπολέσας ἢ ⸀¹ζημιω-
97 II θείς; **26** ὃς γὰρ ἂν ἐπαισχυνθῇ με καὶ τοὺς ἐμοὺς °λόγους, Mt 10,33! R 1,16 2T 1,8
τοῦτον ὁ υἱὸς τοῦ ἀνθρώπου ἐπαισχυνθήσεται, ὅταν ἔλθῃ
ἐν τῇ δόξῃ αὐτοῦ καὶ τοῦ πατρὸς καὶ τῶν ἁγίων ἀγγέλων. 1T 5,21
98 II **27** λέγω δὲ ὑμῖν ⸀ἀληθῶς, εἰσίν τινες τῶν αὐτοῦ ἑστηκότων οἳ οὐ μὴ γεύσωνται θανάτου ἕως ἂν ἴδωσιν ⸂τὴν Mt 16,28!
βασιλείαν τοῦ θεοῦ⸃. 19,11!
30 **28** Ἐγένετο δὲ μετὰ τοὺς λόγους τούτους ὡσεὶ ἡμέραι *28–36:* Mt 17,1-8 Mc 9,2-8
ὀκτὼ °[καὶ] παραλαβὼν Πέτρον καὶ ⸉Ἰωάννην καὶ Ἰά- Mt 17,1!
κωβον⸊ ⸆ ἀνέβη εἰς τὸ ὄρος προσεύξασθαι. **29** καὶ ἐγένετο 3,21; 5,16; 6,12; 9,18; 11,1 Mt 14,23p Mc 1,35
ἐν τῷ ⸀προσεύχεσθαι αὐτὸν ⸂τὸ εἶδος⸃ τοῦ προσώπου αὐ-
τοῦ ⸄ἕτερον καὶ⸅ ὁ ἱματισμὸς αὐτοῦ ⸆ λευκὸς ἐξαστράπ-
των. **30** καὶ ἰδοὺ ἄνδρες δύο ⸀συνελάλουν αὐτῷ, οἵτινες
ἦσαν Μωϋσῆς καὶ Ἠλίας, **31** οἳ ὀφθέντες ἐν δόξῃ ἔλεγον τὴν ἔξοδον αὐτοῦ, ἣν ⸀ἤμελλεν πληροῦν ⸁ἐν Ἰερου- 22!
σαλήμ. **32** ὁ δὲ Πέτρος καὶ οἱ σὺν αὐτῷ ἦσαν βεβαρημέ- Mt 26,43
νοι ὕπνῳ· διαγρηγορήσαντες δὲ εἶδον τὴν δόξαν αὐτοῦ J 1,14 2P 1,16-18
καὶ τοὺς δύο ἄνδρας τοὺς συνεστῶτας αὐτῷ. **33** καὶ ἐγένετο ἐν τῷ διαχωρίζεσθαι αὐτοὺς ἀπʼ αὐτοῦ εἶπεν °ὁ Πέτρος πρὸς τὸν Ἰησοῦν· ⸀ἐπιστάτα, καλόν ἐστιν ἡμᾶς 5,5!

22 ⸂*p)* μεθ ημερας τρεις D it; (Mcion) | ⸀αναστηναι A C D K f^{1} 565 *pm*; Mcion • **23** ⸀*p)* απαρνησασθω 𝔓^{75} B* C R W Ψ f^{1} 𝔐 ¦ *txt* ℵ A B^{2} D K L Θ Ξ f^{13} 33 *pc* | ⸋ D a l | ⸋¹*p)* ℵ^{1} C D 𝔐 it sy$^{s.hmg}$ sa^{ms} ¦ *txt* 𝔓^{75} ℵ$^{*.2}$ A B K L R W Θ Ξ Ψ $f^{1.13}$ 33. 700. 892 *al* vg sy$^{c.p.h}$ sa^{mss} bo • **25** ⸀*p)* ωφελει ℵ C D 700 *pc* | ⸁*p)* ανθρωπον *et* ⸀¹κερδησαι *et* ⸀¹απολεσαι *et* ⸀¹ζημιωθηναι D* (a) c • **26** °D a e l sy^{c}; Or • **27** ⸀*p)* αλ. οτι 𝔓^{45} K R Π *al* ¦ οτι αλ. D; Or | ⸂*p)* τον υιον του ανθρωπου ερχομενον εν τη δοξη αυτου D • **28** ° 𝔓^{45vid} ℵ* B H *pc* it sy^{p} ¦ *txt* ℵ^{2} A C D L R W Θ Ξ Ψ $f^{1.13}$ 𝔐 lat sy^{h} bo^{ms} | ⸉*p)* 𝔓$^{45.75vid}$ C^{3} D L Ξ 33. 892 *pc* r^{1} vg^{cl} sy$^{s.c.p}$ sa^{mss} bo | ⸆και 𝔓^{75} G *pc* sy^{p} • **29** ⸀(28) προσευξασθαι 𝔓^{45} ℵ* Ψ 1 *pc* | ⸂η ιδεα D; Or | ⸄ηλλοιωθη και D e sy$^{s.c.p}$ co ¦ ετ. και ηλλοιωθη *et* ⸆και εγενετο Θ sy^{h**}; Or • **30** ⸀*p)* συνλαλουντες 𝔓^{45} • **31** ⸀ἔμελλον 𝔓^{45} ¦ μελλει D | ⸁εις 𝔓^{45} D • **33** ° A W Γ Θ Ψ 28. 565. 1010 *pm* | ⸀διδασκαλε 𝔓^{45} X *pc*

ὧδε εἶναι, ⸂καὶ ποιήσωμεν⸃ σκηνὰς τρεῖς, μίαν σοὶ καὶ
μίαν Μωϋσεῖ καὶ μίαν Ἠλίᾳ, μὴ εἰδὼς ὃ λέγει. **34** ταῦτα
Ex 24,18 δὲ αὐτοῦ λέγοντος ἐγένετο νεφέλη καὶ ⸀ἐπεσκίαζεν αὐ-
τούς· ἐφοβήθησαν δὲ ἐν τῷ ⸂εἰσελθεῖν αὐτοὺς⸃ εἰς τὴν
νεφέλην. **35** καὶ φωνὴ ⸀ἐγένετο ἐκ τῆς νεφέλης λέγουσα·
3,22! Is 42,1 Dt 18,15 οὗτός ἐστιν ὁ υἱός μου ὁ ⸁ἐκλελεγμένος, αὐτοῦ ἀκούετε.
36 καὶ ⸆ ἐν τῷ γενέσθαι τὴν φωνὴν εὑρέθη Ἰησοῦς μόνος.
⸂καὶ αὐτοὶ⸃ ἐσίγησαν καὶ οὐδενὶ ἀπήγγειλαν ἐν ἐκείναις
ταῖς ἡμέραις °οὐδὲν ὧν ἑώρακαν.
37–43a: Mt 17,14-21 Mc 9,14-29 **37** Ἐγένετο δὲ ⸂τῇ ἑξῆς ἡμέρᾳ⸃ ⸄κατελθόντων αὐτῶν⸅
ἀπὸ τοῦ ὄρους ⸂¹συνήντησεν αὐτῷ ὄχλος πολύς⸃. **38** καὶ
ἰδοὺ ἀνὴρ ἀπὸ τοῦ ὄχλου ⸀ἐβόησεν λέγων· διδάσκαλε,
7,12! δέομαί σου ⸁ἐπιβλέψαι ἐπὶ τὸν υἱόν μου, ὅτι μονογενής
μοί ἐστιν, **39** ⸂καὶ ἰδοὺ πνεῦμα λαμβάνει αὐτὸν καὶ ἐξ-
Mc 1,26 αίφνης κράζει ⸆ καὶ σπαράσσει αὐτὸν⸃ μετὰ ἀφροῦ καὶ
⸀μόγις ἀποχωρεῖ ἀπ' αὐτοῦ συντρῖβον αὐτόν· **40** καὶ ἐδεήθην τῶν μαθητῶν σου ἵνα ⸂ἐκβάλωσιν αὐτό⸃, καὶ οὐκ
Mt 12,39! ἠδυνήθησαν. **41** ἀποκριθεὶς δὲ ὁ Ἰησοῦς εἶπεν· ὦ γενεὰ
J 14,9 ἄπιστος καὶ διεστραμμένη, ἕως πότε ἔσομαι πρὸς ὑμᾶς καὶ
ἀνέξομαι ὑμῶν; προσάγαγε ⸂ὧδε τὸν υἱόν σου⸃. **42** ἔτι δὲ
προσερχομένου αὐτοῦ ἔρρηξεν αὐτὸν τὸ δαιμόνιον καὶ
⸀συνεσπάραξεν· ἐπετίμησεν δὲ ὁ Ἰησοῦς τῷ πνεύματι
τῷ ἀκαθάρτῳ καὶ ⸂ἰάσατο τὸν παῖδα⸃ καὶ ἀπέδωκεν ⸁αὐ-
7,15 4,32! τὸν τῷ πατρὶ αὐτοῦ. **43** ἐξεπλήσσοντο δὲ πάντες ἐπὶ τῇ
2P 1,16 Act 19,27 μεγαλειότητι τοῦ θεοῦ.
43b–45: Mt 17,22s Mc 9,30-32 Πάντων δὲ θαυμαζόντων ἐπὶ πᾶσιν οἷς ⸀ἐποίει εἶπεν

33 ⸂*p)* θελεις, ποιησω ωδε D* (bo) ● **34** ⸀*p)* επεσκιασεν 𝔓[45] A C D R W Θ Ψ *f*[1.13] 𝔐 ¦ *txt* 𝔓[75] ℵ B L 1241 *pc*; Mcion | ⸂*1* 𝔓[75] ¦ εκεινους εισελθ. 𝔓[45] A D R W Θ Ψ *f*[1.13] 𝔐 sy[h] sa ¦ *txt* ℵ B (⸉C) L 1241 *pc* ● **35** ⸀ηλθεν D | ⸁*p)* αγαπητος A C* R W *f*[13] 𝔐 it vg[ww] sy[(c).p.h]; Mcion Cl ¦ *p)* αγαπητος εν ω (η)υδοκησα C[3] D Ψ *pc* (bo[ms]) ¦ *txt* 𝔓[45.75] ℵ B L Ξ 892. 1241 *pc* (*sed* εκλεκτος Θ 1 *pc*) vg[st] sy[s.hmg] co ● **36** ⸆εγενετο 𝔓[45] 1241 | ⸂αυ. δε D e sa ¦ και 𝔓[45] | ° 𝔓[45] D r[1] ● **37** ⸂δια (– 𝔓[45]) της ημερας 𝔓[45] D it sy[s] sa[ms] | ⸄-θοντα αυτον D (1424) sa[ms] bo[ms] | ⸂¹συνελθειν αυτω οχλον πολυν D ● **38** ⸀ανεβοησεν A R W Θ 0115 *f*[1] 𝔐 ¦ *txt* 𝔓[45.75vid] ℵ B C D L Ψ *f*[13] 700. 892. 1241 *pc* | ⸁επιβλεψον ℵ D W 0115 *f*[1] 28. 33. 565. 700. 892. 1010. 1424 *pm* ● **39** ⸂λαμβανει γαρ αυτον εξαιφνης πνευμα και ρησσει και σπαρασσει D (e) | ⸆*p)* και ρησσει ℵ (D) Θ *f*[1] (892) *pc* latt (sy[s]) | ⸀†μολις B R W Θ *f*[1] 700. 1424 *pc* ¦ *txt* 𝔓[75] ℵ A C D L Ψ 0115 *f*[13] 𝔐 ● **40** ⸂...] αυτον 𝔓[45] ¦ απαλλαξωσιν αυτον D e ● **41** ⸂*2–4* D (r[1]) ¦ *2–4 1* A C R W Θ Ψ 0115 *f*[13] 𝔐 ¦ *txt* 𝔓[75] ℵ B L Ξ *f*[1] 700. 892 *pc* lat ● **42** ⸀συνεταραξεν D | ⸂αφηκεν αυτον *et* ⸁τον παιδα D (e) ● **43** ⸀εποιησεν ο Ιησους W 0135 𝔐 ¦ εποιει ο Ι. A C Θ Ψ 0115 *f*[13] 33. 892 *al* f q r[1] bo[ms] ¦ *txt* 𝔓[75] ℵ B D L Ξ *f*[1] 700. 1241 *pc* lat sy[s.c] co

πρὸς τοὺς μαθητὰς αὐτοῦ· **44** θέσθε ὑμεῖς εἰς τὰ ὦτα ὑμῶν 1,66; 21,14
τοὺς λόγους τούτους· ὁ γὰρ υἱὸς τοῦ ἀνθρώπου μέλλει 22!
παραδίδοσθαι εἰς χεῖρας ἀνθρώπων. **45** οἱ δὲ ἠγνόουν τὸ 2,50! 24,25.45
ῥῆμα τοῦτο καὶ ἦν παρακεκαλυμμένον ἀπ' αὐτῶν ἵνα μὴ
αἴσθωνται αὐτό, καὶ ἐφοβοῦντο ⸀ἐρωτῆσαι αὐτὸν περὶ τοῦ J 16,19
ῥήματος τούτου.
2 **46** Εἰσῆλθεν δὲ διαλογισμὸς ἐν αὐτοῖς, τὸ τίς ἂν εἴη *46–48:* Mt 18,1-5 Mc 9,33-37
μείζων αὐτῶν. **47** ὁ δὲ Ἰησοῦς ⸀εἰδὼς τὸν διαλογισμὸν τῆς 22,24 | 5,22!
καρδίας αὐτῶν, ἐπιλαβόμενος ⸂παιδίον ἔστησεν αὐτὸ
παρ' ἑαυτῷ **48** καὶ εἶπεν ⸋αὐτοῖς· ὃς ἐὰν δέξηται ⸉τοῦ-
το τὸ παιδίον⸊ ἐπὶ τῷ ὀνόματί μου, ἐμὲ δέχεται· καὶ ⸆ὃς Mt 10,40!
ἂν ἐμὲ δέξηται, δέχεται⸅ τὸν ἀποστείλαντά με· ὁ γὰρ μικρότερος ἐν πᾶσιν ὑμῖν ὑπάρχων οὗτός ⸀ἐστιν ⸆ μέγας. 22,26
3 II **49** Ἀποκριθεὶς δὲ ⸆ Ἰωάννης εἶπεν· ⸀ἐπιστάτα, εἴδομέν *49s:* Mc 9,38-41 5,5!
τινα ⸂ἐν τῷ ὀνόματί σου ἐκβάλλοντα δαιμόνια καὶ ⸀¹ἐκω- 10,17 Nu 11,28
λύομεν αὐτόν, ὅτι οὐκ ἀκολουθεῖ μεθ' ἡμῶν. **50** εἶπεν δὲ
πρὸς αὐτὸν ⸋ὁ Ἰησοῦς· μὴ κωλύετε⸆· ⸆ὃς γὰρ οὐκ ἔστιν 11,23
καθ' ⸀ὑμῶν, ὑπὲρ ⸀ὑμῶν ἐστιν.⸅

4 **51** Ἐγένετο δὲ ἐν τῷ συμπληροῦσθαι τὰς ἡμέρας τῆς Act 2,1
ἀναλήμψεως αὐτοῦ καὶ αὐτὸς ⸄τὸ πρόσωπον ἐστήρισεν⸅ 1T 3,16!
τοῦ πορεύεσθαι εἰς Ἰερουσαλήμ. **52** καὶ ἀπέστειλεν ἀγ- 53; 13,22; 17,11; 18,31; 19,28 Mt 19,1p.15; 20,17p
γέλους πρὸ προσώπου αὐτοῦ. καὶ πορευθέντες εἰσῆλ- 7,27!
θον εἰς ⸀κώμην Σαμαριτῶν ⸂ὡς ἑτοιμάσαι αὐτῷ· **53** καὶ 10,33; 17,16 J 4,4-9.40 Act 8,1!
οὐκ ἐδέξαντο αὐτόν, ὅτι τὸ πρόσωπον αὐτοῦ ἦν ⸀πορευ- Mt 10,5 · 10,10 ·
όμενον εἰς Ἰερουσαλήμ. **54** ἰδόντες δὲ οἱ μαθηταὶ ⸆ Ἰά- 2Sm 17,11 𝔊 |

45 ⸀*p)* επερωτησαι C D K Π *pc* ● **47** ⸀ιδων A C D L W Θ Ξ Ψ 0115. 0135 f^{13} 𝔐 latt bo; Or ¦ γνους f^{1} *pc* ¦ *txt* ℵ B K 700. 1424 *al* | ⸂παιδιου ℵ A L W Θ Ξ Ψ 0115. 0135 $f^{1.13}$ 𝔐 ¦ *txt* 𝔓^{75} B C D 28. 565. 1010 *pc*; Or ● **48** ⸋ 𝔓^{45} D it sy$^{s.c}$ | ⸉ *2 3 1* 𝔓^{75} D f^{1} *pc* lat | ⸆D | ⸀εσται A D W Θ Ψ 0135 f^{13} 𝔐 e q; Or^{mss} Cyp ¦ *txt* 𝔓$^{45vid.75}$ ℵ B C L Ξ f^{1} 33. 700. 1241 *pc* lat co; Or^{mss} | ⸆ο 𝔓^{45} *pc* co ● **49** ⸆†ο ℵ A C^{2} L Θ Ξ Ψ 0135 f^{1} 𝔐 ¦ *txt* 𝔓$^{45.75}$ B C^{*vid} D W f^{13} 28. 892. 1241 *al* | ⸀*p)* διδασκαλε 𝔓^{45} C* L Ξ 892 *pc* | ⸂επι A C D W Θ 0135 𝔐 ¦ *txt* 𝔓$^{45.75}$ ℵ B L Δ Ξ Ψ $f^{1.13}$ 33. 700. 892. 1241 *pc* | ⸀¹-λυσαμεν A C D W Θ Ψ 0135 $f^{1.13}$ 𝔐 ¦ *txt* 𝔓^{75vid} ℵ B L Ξ 892. 1241 *pc* ● **50** ⸋† ℵ* B ¦ *txt* 𝔓$^{45.75}$ ℵ^{2} A C D L W Θ Ψ 0135 $f^{1.13}$ 𝔐 | ⸆ου γαρ εστιν καθ υμων L Ξ Ψ 33. 892 *pc* sy^{h**} bo ¦ ου γαρ εστιν καθ υμων ουδε υπερ υμων *et* ⸆ 𝔓^{45} | ⸀*p)* *bis* ημων ℵ^{2} 0135 $f^{1.13}$ 𝔐 ¦ υμων … ημων ℵ* A Δ *pc* ¦ ημων … υμων Θ *pc* ¦ *txt* ℵ^{1} B C D K L W Ξ Ψ 33. 565. 892. 1241. 1424 *al* lat sy co ● **51** ⸄το π. αυτου (– f^{1}) εστηριξεν ℵ A D (⸉W) Θ Ψ 0135 $f^{1.13}$ 𝔐 ¦ εστηρισεν το π. αυτου L Ξ 33 (892) *pc* ¦ το π. αυ. εστ-σεν C 1241 *pc* ¦ *txt* 𝔓^{45} B 700 *pc* ● **52** ⸀πολιν ℵ* Γ Ψ f^{13} 28. 1424 *al* lat | ⸂†ωστε ℵ^{2} A C D L W Θ Ξ Ψ 0135 $f^{1.13}$ 𝔐 sy^{h} ¦ *txt* 𝔓$^{45.75}$ ℵ* B ● **53** ⸀πορευομενου 𝔓^{45} lat; [Beza *cj*] ● **54** ⸆αυτου A C D L W Θ Ξ Ψ f^{13} 𝔐 lat sy bo ¦ *txt* 𝔓$^{45.75}$ ℵ B f^{1} 700. 1241 *pc* e sa bo^{ms}

Mt 4,21!; · 17,4 · 2Rg 1,10.12 κωβος καὶ Ἰωάννης εἶπαν· κύριε, θέλεις εἴπωμεν *πῦρ κατα-*
βῆναι ἀπὸ τοῦ οὐρανοῦ καὶ ἀναλῶσαι αὐτούς⸆; **55** στραφεὶς
δὲ ἐπετίμησεν αὐτοῖς⸆. **56** καὶ ἐπορεύθησαν εἰς ἑτέραν
κώμην.
57–60: Mt 8,19-22 **57** ⸂Καὶ πορευομένων⸃ αὐτῶν ἐν τῇ ὁδῷ εἶπέν τις πρὸς 33 10 V
αὐτόν· ἀκολουθήσω σοι ὅπου ἐὰν ⸀ἀπέρχῃ⸆. **58** καὶ εἶ-
πεν αὐτῷ °ὁ Ἰησοῦς· αἱ ἀλώπεκες φωλεοὺς ἔχουσιν καὶ
τὰ πετεινὰ τοῦ οὐρανοῦ κατασκηνώσεις, ὁ δὲ υἱὸς τοῦ
ἀνθρώπου οὐκ ἔχει ποῦ τὴν κεφαλὴν κλίνῃ. **59** Εἶπεν
δὲ πρὸς ἕτερον· ἀκολούθει μοι. ὁ δὲ εἶπεν· °[κύριε,] ἐπίτρεψόν μοι ⸂ἀπελθόντι πρῶτον⸃ θάψαι τὸν πατέρα μου.
60 εἶπεν δὲ αὐτῷ· ἄφες τοὺς νεκροὺς θάψαι τοὺς ἑαυτῶν
νεκρούς, σὺ δὲ ⸀ἀπελθὼν διάγγελλε τὴν βασιλείαν τοῦ
θεοῦ. **61** Εἶπεν δὲ καὶ ἕτερος· ἀκολουθήσω σοι, κύριε· 10 X
1Rg 19,20 πρῶτον δὲ ἐπίτρεψόν μοι ἀποτάξασθαι τοῖς εἰς τὸν οἶκόν
14,33; 17,31 J 6,66 Ph 3,13 Gn 19,17. 26 · 14,35 μου. **62** εἶπεν δὲ ⸂[πρὸς αὐτὸν] ὁ Ἰησοῦς⸃· οὐδεὶς ⸄ἐπιβα-
λὼν τὴν χεῖρα ἐπ᾽ ἄροτρον καὶ βλέπων εἰς τὰ ὀπίσω⸅
εὔθετός ἐστιν ⸂¹τῇ βασιλείᾳ⸃ τοῦ θεοῦ.
1-12: Mt 10,7-16 Ex 24,1 Nu 11,16 9,1-6.52 **10** ⸂Μετὰ δὲ ταῦτα ἀνέδειξεν ὁ κύριος⸃ ⸆ ἑτέρους ἑβ- 34 10 X
δομήκοντα °[δύο] καὶ ἀπέστειλεν αὐτοὺς ἀνὰ δύο
°¹[δύο] πρὸ προσώπου αὐτοῦ εἰς πᾶσαν πόλιν καὶ τόπον οὗ
ἤμελλεν αὐτὸς ἔρχεσθαι. **2** ἔλεγεν δὲ πρὸς αὐτούς· ὁ 10 V

54 ⸆ως και Ηλιας εποιησεν A C D W Θ Ψ *f*^1.13 𝔐 it sy^p.h bo^pt; Mcion ¦ *txt* 𝔓^45.75 ℵ B L Ξ 700*. 1241 *pc* lat sy^s.c sa bo^pt ● **55/56** ⸆και ειπεν· ουκ οιδατε οιου (ποιου D *f*^1 700 *al*) πνευματος εστε (+ υμεις K *f*^1 *al*)· ο (+ γαρ K *al*) υιος του ανθρωπου ουκ ηλθεν ψυχας (-χην Γ *pc*) ανθρωπων απολεσαι (αποκτειναι Γ 700 *al*) αλλα σωσαι K Γ Θ *f*^1.13 700 *pm* it vg^ww sy^c.p.h bo^pt (*sed om.* ο υιος ... σωσαι D; Mcion Epiph) ● **57** ⸂ εγενετο δε πορευομενων A (D) W Ψ *f*^1.(13) 𝔐 lat sy^h ¦ *txt* 𝔓^45.75 ℵ B C L Θ Ξ 33. 700. 892. 1241 *pc* sy^s.c.p bo | ⸀υπαγης 𝔓^45 D *pc* | ⸆κυριε A C W Θ Ψ *f*^13 𝔐 (⸉ b) f q sy^p.h bo^ms ¦ *txt* 𝔓^45.75 ℵ B D L Ξ *f*^1 *pc* lat sy^s.c co ● **58** °B ● **59** °† B* D *pc* sy^s; Or ¦ *txt* 𝔓^45.75 ℵ A B^2 C L W Θ Ξ Ψ 0181 *f*^1.13 𝔐 lat sy^c.p.h co | ⸂†*2 1* ℵ B (D: -θοντα) Ψ 28. 33. 892 *al* ¦ *1* W ¦ απελθειν πρ. A K (⸉ *f*^1.13 1424) *al* ¦ *txt* 𝔓^45.75 C L (Θ: -θοντα) Ξ 0181 𝔐 ● **60** ⸀πορευθεις D ● **62** ⸂*3 4* 𝔓^45.75 B 0181. 700 sa^mss ¦ *3 4 1 2* A C W Θ Ψ *f*^13 𝔐 q sy^h ¦ *1 2* Δ *pc* ¦ *txt* ℵ (D) L Ξ *f*^1 33. 1241 *al* lat sy^s.c.p | ⸄ε. (-βαλλων A L W Θ *pc*) τ. χ. αυτου επ αρ. κ. βλ. εις τα οπ. ℵ A C L W Θ Ξ Ψ *f*^13 𝔐 vg sy ¦ εις τα οπ. βλ. κ. επιβαλλων τ. χ. αυτ. επ αρ. 𝔓^45vid D it; Cl ¦ *txt* B *f*^1 (𝔓^75 0181: -βαλλων) | ⸂¹εν τη βασ. 𝔓^75 ℵ^2 700. 1241 *pc* q; Epiph ¦ εις την βασιλειαν A C D W (Δ) Θ Ψ *f*^13 𝔐 ¦ *txt* ℵ* B L Ξ 0181 *f*^1 33. 892 *pc* lat; Cl Or

¶ **10,1** ⸂απεδειξεν δε D it; Mcion | ⸆και ℵ A C D W Θ Ψ *f*^1.13 𝔐 lat sy^c.h; Mcion ¦ *txt* 𝔓^75 B L Ξ 0181. 892. 1424 *pc* r^1 sy^s.p | °ℵ A C L W Θ Ξ Ψ *f*^1.13 𝔐 f q sy^p.h bo; Ir^lat Cl Tert Or^pt ¦ *txt* 𝔓^75 B D 0181 *pc* lat sy^s.c sa bo^ms; Or^pt Ad | °¹† ℵ A C D L W Ξ Ψ 0181 *f*^1 𝔐 ¦ *txt* B K Θ *f*^13 565 *al* sy^h; Eus

μὲν θερισμὸς πολύς, οἱ δὲ ἐργάται ὀλίγοι· δεήθητε οὖν Mt 9,37s!
τοῦ κυρίου τοῦ θερισμοῦ ὅπως ⸉ἐργάτας ἐκβάλῃ⸊ εἰς τὸν
9 θερισμὸν αὐτοῦ. **3** ὑπάγετε· ἰδοὺ ⸆ ἀποστέλλω ὑμᾶς ὡς
0 ἄρνας ἐν μέσῳ λύκων. **4** μὴ βαστάζετε βαλλάντιον, μὴ
πήραν, μὴ ὑποδήματα, °καὶ μηδένα κατὰ τὴν ὁδὸν ἀσπά- 22,35s; 9,3 2Rg 4,29
1 σησθε. **5** εἰς ἣν δ' ἂν εἰσέλθητε ⸂οἰκίαν, πρῶτον⸃ λέ- 9,4
γετε· εἰρήνη τῷ οἴκῳ τούτῳ. **6** καὶ ἐὰν ⸂ἐκεῖ ᾖ⸃ υἱὸς εἰρή- 1Sm 25,5s J 20,19
νης, ⸀ἐπαναπαήσεται ἐπ' αὐτὸν ἡ εἰρήνη ὑμῶν· εἰ δὲ μή γε, 1P 4,14
2 ἐφ' ὑμᾶς ⸀ἀνακάμψει. **7** ἐν αὐτῇ δὲ τῇ οἰκίᾳ μένετε ἐσθί-
οντες ⸋καὶ πίνοντες⸌ τὰ παρ' αὐτῶν· ἄξιος γὰρ ὁ ἐργά- Ph 4,18 · 1T 5,18 1K 9,4-14 Nu 18,31
3 της τοῦ μισθοῦ αὐτοῦ⸆. μὴ μεταβαίνετε ἐξ οἰκίας εἰς
οἰκίαν. **8** καὶ εἰς ἣν ἂν πόλιν εἰσέρχησθε καὶ δέχωνται
ὑμᾶς, ἐσθίετε τὰ παρατιθέμενα ὑμῖν **9** καὶ θεραπεύετε τοὺς 1K 10,27 | 9,2
ἐν αὐτῇ ἀσθενεῖς καὶ λέγετε αὐτοῖς· ἤγγικεν ἐφ' ὑμᾶς ἡ Mt 3,2!
4 βασιλεία τοῦ θεοῦ. **10** εἰς ἣν δ' ἂν πόλιν ⸀εἰσέλθητε καὶ μὴ
δέχωνται ὑμᾶς, ἐξελθόντες εἰς τὰς πλατείας αὐτῆς εἴπατε· 9,5p
11 καὶ τὸν κονιορτὸν ⸋τὸν κολληθέντα⸌ ἡμῖν ἐκ τῆς πό- Act 13,51; 18,6
λεως °ὑμῶν ⸂εἰς τοὺς πόδας⸃ ἀπομασσόμεθα °ὑμῖν· πλὴν
τοῦτο γινώσκετε ὅτι ἤγγικεν ⸆ ἡ βασιλεία τοῦ θεοῦ.
12 λέγω ⸆ ὑμῖν ὅτι Σοδόμοις ⸂ἐν τῇ ἡμέρᾳ ἐκείνῃ⸃ ἀν- Mt 11,24
εκτότερον ἔσται ἢ τῇ πόλει ἐκείνῃ.
15/7 **13** Οὐαί σοι, Χοραζίν⸂, οὐαί σοι⸃, ⸀Βηθσαϊδά· ὅτι εἰ *13-15:* Mt 11,21-23 · 9,10
ἐν Τύρῳ καὶ Σιδῶνι ⸀ἐγενήθησαν αἱ δυνάμεις αἱ γενό- Mc 6,2
μεναι ἐν ὑμῖν, πάλαι ἂν ἐν σάκκῳ καὶ σποδῷ καθή- Jon 3,5s Dn 9,3 Esth 4,3
μενοι μετενόησαν. **14** πλὴν Τύρῳ καὶ Σιδῶνι ἀνεκτότερον
ἔσται ⸂ἐν τῇ κρίσει⸃ ἢ ὑμῖν. **15** καὶ σύ, Καφαρναούμ, 4,31! · Mt 11,23!

2 ⸉ ℵ A C L W Θ Ξ Ψ $f^{1.13}$ 𝔐 lat ¦ *txt* $𝔓^{75}$ B D 0181. 700 e ● **3** ⸆*p)* εγω C D L W Θ Ξ Ψ 0181 $f^{1.13}$ 𝔐 lat sy sa^{mss} bo ¦ *txt* $𝔓^{75}$ ℵ A B *pc* it sa^{ms} ● **4** ° ℵ* 0181. 28. 33 *pc* ● **5** ⸂ *2 1* D* a $sy^{s.c}$ ¦ *1* D^c *pc* r^1; Or ● **6** ⸂ *2 1* ℵ A C D L R W Ξ Ψ $f^{1.13}$ 𝔐 ¦ *2* Θ ¦ *txt* $𝔓^{75}$ B 0181^{vid} | ⸀-παυσεται $ℵ^2$ A B^2 C D L R (W) Θ Ξ Ψ $f^{1.13}$ 𝔐 ¦ *txt* $𝔓^{75}$ ℵ* B* 0181 *pc* | ⸀ *p)* επιστρεψει η ειρηνη υμων D ● **7** ⸋ W | ⸆εστιν A C W Θ Ψ $f^{1.13}$ 𝔐 sy^h ¦ *txt* $𝔓^{75}$ ℵ B D L R Ξ 700. 892. 1241 *pc* ● **10** ⸀εισερχησθε A R W Θ Ψ 0181 𝔐 ¦ *txt* $𝔓^{45vid.75}$ ℵ B C D L Ξ $f^{1.13}$ 33. 700. 892. 1241 *pc* ● **11** ⸋ *et* ° *bis* $𝔓^{45}$ | ⸂εις τ. π. ημων A C K L W Θ Ξ Ψ $f^{1.13}$ 33. 700. 892. 1424 *al* (f) sy ¦ – 𝔐 vg ¦ *txt* $𝔓^{45.75}$ ℵ B D R 1241 *pc* it | ⸆εφ υμας A C R W Θ Ψ f^{13} 𝔐 f l $sy^{p.h}$ sa bo^{mss} ¦ *txt* $𝔓^{45.75}$ ℵ B D L Ξ 0181. 1. 33. 892. 1241. 1424 *pc* lat $sy^{s.c}$ bo; Mcion ● **12** ⸆δε ℵ D Θ Ξ 892. 1424 *al* a q vg^{mss} | ⸂εν τη βασιλεια του θεου *et pon. p.* εσται D e ● **13** ⸂και D it | ⸀Βηθσαιδαν $𝔓^{45}$ ℵ W $f^{1.13}$ 28. 700 *al* | ⸀εγενοντο A C R W Ψ 0115 f^1 𝔐 ¦ *txt* $𝔓^{45.75}$ ℵ B D L Θ Ξ f^{13} 33. 700. 892. 1241. 1424 *pc* ● **14** ⸂*p)* εν ημερα κρισεως f^{13} 1424 *pc* c f r^1 sy^c sa^{mss} ¦ εν τη ημ. εκεινη Ψ *pc* sy^s ¦ – $𝔓^{45}$ D 1241 *pc* e l

⸂μὴ ἕως οὐρανοῦ ὑψωθήσῃ;⸃ ⸆ ἕως °τοῦ ᾅδου ⸀καταβήσῃ.
16 Ὁ ἀκούων ὑμῶν ἐμοῦ ἀκούει, καὶ ὁ ἀθετῶν ὑμᾶς
ἐμὲ ἀθετεῖ· ὁ δὲ ⸂ἐμὲ ἀθετῶν ἀθετεῖ τὸν ἀποστείλαντά με⸃.
17 Ὑπέστρεψαν δὲ οἱ ἑβδομήκοντα °[δύο] μετὰ χαρᾶς
λέγοντες· κύριε, καὶ τὰ δαιμόνια ὑποτάσσεται ἡμῖν ἐν
τῷ ὀνόματί σου. 18 εἶπεν δὲ αὐτοῖς· ἐθεώρουν τὸν σατανᾶν ⸉ὡς ἀστραπὴν ἐκ τοῦ οὐρανοῦ πεσόντα⸊. 19 ἰδοὺ
⸀δέδωκα ὑμῖν τὴν ἐξουσίαν τοῦ πατεῖν ἐπάνω ὄφεων
καὶ σκορπίων, καὶ ἐπὶ πᾶσαν τὴν δύναμιν τοῦ ἐχθροῦ, καὶ
οὐδὲν ὑμᾶς ⸋οὐ μὴ⸌ ⸁ἀδικήσῃ. 20 πλὴν ἐν τούτῳ μὴ χαίρετε ὅτι τὰ ⸀πνεύματα ὑμῖν ὑποτάσσεται, χαίρετε δὲ ὅτι
τὰ ὀνόματα ὑμῶν ⸁ἐγγέγραπται ἐν τοῖς οὐρανοῖς.
21 Ἐν αὐτῇ τῇ ὥρᾳ ἠγαλλιάσατο ⸂[ἐν] τῷ πνεύματι τῷ
ἁγίῳ⸃ ⸆ καὶ εἶπεν· ἐξομολογοῦμαί σοι, πάτερ, κύριε τοῦ οὐρανοῦ ⸋καὶ τῆς γῆς⸌, ὅτι ἀπέκρυψας ταῦτα ἀπὸ σοφῶν καὶ
συνετῶν καὶ ἀπεκάλυψας αὐτὰ νηπίοις· ναὶ ὁ πατήρ, ὅτι
οὕτως ⸉εὐδοκία ἐγένετο⸊ ἔμπροσθέν σου. 22 ⸆ πάντα μοι
παρεδόθη ὑπὸ τοῦ πατρός °μου, καὶ οὐδεὶς γινώσκει τίς
ἐστιν ὁ υἱὸς εἰ μὴ ὁ πατήρ, καὶ τίς ἐστιν ὁ πατὴρ εἰ μὴ ὁ
υἱὸς καὶ ᾧ ἐὰν βούληται ὁ υἱὸς ἀποκαλύψαι.
23 Καὶ στραφεὶς πρὸς τοὺς μαθητὰς ⸋κατ' ἰδίαν⸌ εἶ-
πεν· μακάριοι οἱ ὀφθαλμοὶ οἱ βλέποντες ἃ βλέπετε ⸆.

Is 14,13.15.11
Mt 10,40! · J 5,23!; 12,48; 15,23 1Th 4,8 1J 2,23
9,10p
9,49 Mc 16,17
J 12,31 Ap 12, 8s Is 14,12
Ps 91,13 Gn 3, 15 R 16,20 Mc 16,18 Act 28,6
Ex 32,32 Is 4,3 Ph 4,3 H 12,23 Ap 3,5!
21s: Mt 11,25-27 · Sir 51,1 Ps 136,26 · Tob 7, 17 𝔊 Is 29,14 · 1K 2,7s
2,14!
23s: Mt 13,16s!

15 ⸂η εως του (– C *pc*) ουρ. -θεισα (-θηση B^{2} f^{1}) A B^{2} C R W Θ Ψ 0115 $f^{1.13}$ 𝔐 lat sy$^{p.h}$; Cyr ¦ *txt* 𝔓$^{45.75}$ ℵ B* D *pc* it sy$^{s.c}$ sa^{mss} bo (L Ξ 700: του ουρ.) | ⸆και 𝔓^{45} *pc* ¦ η C D* f^{1} *pc* it | ° 𝔓^{45} ℵ A C D R W Θ Ξ Ψ $f^{1.13}$ 𝔐; Cyr ¦ *txt* 𝔓^{75} B L 0115. 1010 *pc* | ⸀καταβιβασθηση 𝔓^{45} ℵ A C L R W Θ Ξ Ψ 0115 $f^{1.13}$ 𝔐 lat sy$^{p.h}$ co; Cyr ¦ *txt* 𝔓^{75} B D *pc* sy$^{s.c}$ • 16 ⸂εμου ακουων ακουει του αποστειλαντος με D it ¦ *ead. add. p. txt* Θ f^{13} r^{1} sy$^{(s).c.h}$ • 17 °(*cf* 10,1) ℵ A C L W Θ Ξ Ψ 0115 $f^{1.13}$ 𝔐 f i q sy$^{c.p.h}$ bo; Ir^{lat} Cl Tert Or^{pt} ¦ *txt* 𝔓$^{45.75}$ B D *pc* lat sy$^{s.hmg}$ sa bo^{ms}; Or^{pt} Ad • 18 ⸉ *3–5 1 2 6* B *pc*; Or ¦ *1 2 6 3–5* 𝔓^{75} *pc*; Epiph • 19 ⸀διδωμι 𝔓^{45} A C^{3} D Θ Ψ f^{13} 𝔐 c sy; Ir^{lat} ¦ *txt* 𝔓^{75} ℵ B C* L W f^{1} 700. 892. 1241. 1424 *pc* lat sy^{hmg} sa^{mss}; Or Cyr | ⸋ℵ* D; Did *et* ⸁†αδικησει ℵ A D L W Γ Θ 1. 28. 1241 *al*; Did ¦ *txt* 𝔓$^{45.75}$ B C Ψ 0115 f^{13} 𝔐; Or Cyr • 20 ⸀δαιμονια D f^{1} 565 *pc* e f sy$^{s.c.p}$ bo^{pt}; Cyr | ⸁εγραφη 𝔓^{45vid} A C D W Ψ 0115. 0253 f^{13} 𝔐 ¦ *txt* 𝔓^{75} ℵ B L (Θ) 1. 33. 1241 *pc* • 21 ⸂†τω πνευματι τω αγιω 𝔓^{75} B C K Θ f^{1} 1424 *al* vg ¦ τω πνευματι A W Ψ f^{13} 𝔐 f ¦ εν τω πνευματι 𝔓^{45vid} 0115. 892 *pc* q ¦ *txt* ℵ D L Ξ 33. 1241 *al* it | ⸆ο Ιησους A C W Ψ 0115. 0253 f^{1} 𝔐 f q sy^{h} bo^{pt} (⸉ *p.* ηγαλλ. L N Θ f^{13} 33 *al* it sy^{p}) ¦ *txt* 𝔓$^{45vid.75}$ ℵ B D Ξ 1241 *pc* lat sy$^{s.c}$ sa bo^{pt} | ⸋ 𝔓^{45}; Mcion | ⸉ ℵ A C^{3} D W Θ 0115. 0253 f^{13} 𝔐 ¦ *txt* 𝔓$^{45vid.75}$ B C* L Ξ Ψ 0124. 1. 33. 892 *pc* • 22 ⸆ (23) και στραφεις προς τους μαθητας ειπεν A C$^{(2)}$ W Θ Ψ (0115). 0253 𝔐 it sy$^{p.h}$ bo^{ms} ¦ *txt* 𝔓$^{45vid.75}$ ℵ B D L Ξ 0124 $f^{1.13}$ 33. 700. 892. 1241. 1424 *al* lat sy$^{s.c}$ co | ° D a c l vg^{ww} sy^{s}; Mcion Ju • 23 ⸋D 1424 *pc* lat sy$^{s.c}$ | ⸆*p)* και ακουοντες α ακουετε D (c e f)

24 λέγω °γὰρ ὑμῖν ὅτι πολλοὶ προφῆται ⸋καὶ βασιλεῖς⸌
ἠθέλησαν ἰδεῖν ἃ ὑμεῖς βλέπετε καὶ οὐκ εἶδαν, καὶ ἀκοῦσαι ⸆ ἃ ἀκούετε καὶ οὐκ ἤκουσαν.
35 21 **25** Καὶ ἰδοὺ νομικός τις ἀνέστη ἐκπειράζων αὐτὸν λέ- *25–28:* Mt 22,35-40 Mc 12,28-
II γων· °διδάσκαλε, τί ποιήσας ζωὴν αἰώνιον κληρονομή- 31 cf L 18,18-20
σω; **26** ὁ δὲ εἶπεν πρὸς αὐτόν· ἐν τῷ νόμῳ °τί γέγραπται;
πῶς ἀναγινώσκεις; **27** ὁ δὲ ἀποκριθεὶς εἶπεν· *ἀγαπήσεις* *Dt 6,5;* 10,12 *Jos*
κύριον τὸν θεόν °*σου* ⸀*ἐξ ὅλης [τῆς] καρδίας*⸁ *σου* °¹*καὶ* ⸂*ἐν* *22,5* 𝔊
ὅλῃ τῇ ψυχῇ⸃ *σου* ⸀¹*καὶ ἐν ὅλῃ τῇ ἰσχύϊ σου*⸁ ⸀²*καὶ ἐν ὅλῃ τῇ*
διανοίᾳ σου⸁, *καὶ τὸν πλησίον σου ὡς σεαυτόν.* **28** εἶπεν δὲ *Lv 19,18*
22 X αὐτῷ· ὀρθῶς ἀπεκρίθης· τοῦτο ποίει καὶ ζήσῃ. **29** ὁ δὲ θέ- 7,43! · Lv 18,5 Ez 20,21 Neh 9,29
λων ⸀δικαιῶσαι ἑαυτὸν εἶπεν πρὸς τὸν Ἰησοῦν· καὶ τίς 16,15!
ἐστίν μου πλησίον; Lv 19,16.33s
36 **30** Ὑπολαβὼν ⸆ ὁ Ἰησοῦς εἶπεν· ἄνθρωπός τις κατέβαινεν ἀπὸ Ἰερουσαλὴμ εἰς Ἰεριχὼ καὶ λῃσταῖς περι-
έπεσεν, οἳ καὶ ἐκδύσαντες αὐτὸν καὶ πληγὰς ἐπιθέντες
ἀπῆλθον ἀφέντες ἡμιθανῆ ⸆. **31** ⸀κατὰ συγκυρίαν⸁ δὲ
ἱερεύς τις κατέβαινεν °ἐν τῇ ὁδῷ ἐκείνῃ καὶ ἰδὼν αὐτὸν
ἀντιπαρῆλθεν· **32** ⸋ὁμοίως δὲ καὶ Λευίτης ⸀[γενόμενος]
κατὰ τὸν τόπον ἐλθὼν⸁ καὶ ἰδὼν ⸆ ἀντιπαρῆλθεν.⸌ **33** Σα- 9,52!
μαρίτης δέ τις ὁδεύων ἦλθεν κατ᾽ αὐτὸν καὶ ἰδὼν ⸆ ἐ- 7,13
σπλαγχνίσθη, **34** καὶ προσελθὼν κατέδησεν τὰ τραύματα 2Chr 28,15
αὐτοῦ ἐπιχέων ἔλαιον καὶ οἶνον, ἐπιβιβάσας δὲ αὐτὸν ἐπὶ Mc 6,13!
τὸ ἴδιον κτῆνος ἤγαγεν αὐτὸν εἰς πανδοχεῖον καὶ ἐπεμε-
λήθη αὐτοῦ. **35** καὶ ἐπὶ τὴν αὔριον ⸆ ἐκβαλὼν ⸀ἔδωκεν
δύο δηνάρια⸁ τῷ πανδοχεῖ καὶ εἶπεν· ἐπιμελήθητι αὐτοῦ,
καὶ ὅ τι ἂν προσδαπανήσῃς ἐγὼ ἐν τῷ ἐπανέρχεσθαί

24 ° 𝔓^{75} *pc* sa^{ms} bo^{ms} | ⸋*p)* D it; Mcion | ⸆μου 𝔓^{75} B 0124 sa ● **25** ° D ● **26** ° D* *pc* ● **27** ° B* H | ⸀*1 2 4* 𝔓^{75} B Ξ 0124 *pc* ¦ εν ολη τη (– *f*^{1}) καρδια D *f*^{1} *pc* it ¦ *txt* ℵ A C L W Θ Ψ *f*^{13} 𝔐 lat | °¹ 𝔓^{75} B | ⸂εξ ολης της ψυχης *et* ⸀¹κ. εξ ... ισχυος σου *et* ⸀²κ. εξ ... διανοιας σου A C W Θ Ψ *f*^{13} 𝔐 lat sy$^{(c)}$ ¦ *ut txt, sed* ⸀¹– 1241; κ. εξ ... ισχυος σ. 0124; ⸀²– D it; Mcion ¦ *txt* 𝔓^{75} ℵ B L Ξ (*f*^{1}) *pc* ● **29** ⸀δικαιουν A C^{3} W Θ Ψ *f*$^{1.13}$ 𝔐 ¦ *txt* 𝔓$^{45.75}$ ℵ B C* (D) L Ξ 0124. 892. 1241 *pc* ● **30** ⸆δε ℵ^{2} A C^{2} D L W Θ Ξ Ψ *f*$^{1.13}$ 𝔐 latt sy^{h} ¦ *txt* 𝔓^{75} ℵ* B C*^{vid} | ⸆τυγχανοντα A C W Ψ 0190 *f*^{13} 𝔐 sy^{h} ¦ *txt* 𝔓$^{45.75}$ ℵ B D L Θ Ξ *f*^{1} 33. 700. 1241 *pc* ● **31** ⸀κατα τυχα D ¦ κατα συντυχιαν 𝔓^{75c} ¦ – it | ° B 0190^{vid}. 1 *pc* ● **32** ⸋ℵ* | ⸀†κατα τον τ. ελθων 𝔓^{75} ℵ^{2} B L Ξ 0190 *f*^{1} 33. 700. 892. 1241 *pc* ¦ γεν. κατα τον τ. 𝔓^{45} D *pc* ¦ *txt* A C W Θ Ψ *f*^{13} (28) 𝔐 q sy$^{p.h}$ | ⸆αυτον A D Γ Δ 892. 1424 *al* lat sy co ● **33** ⸆αυτον A C D W Θ Ψ *f*^{13} 𝔐 lat sy sa^{ms} bo^{pt} ¦ *txt* 𝔓$^{45.75}$ ℵ B L Ξ *f*^{1} 33. 700. 892. 1241 *pc* it bo^{pt} ● **35** ⸆εξελθων A C(*) W Θ Ψ *f*^{13} 𝔐 q sy^{h} ¦ *txt* 𝔓$^{45.75}$ ℵ B D L Ξ 0190 *f*^{1} 33. 892. 1241. 1424 *pc* lat sy$^{s.c.p}$ | ⸀†*2 3 1* ℵ A C L W Θ Ξ Ψ 0190 *f*^{1} 𝔐 lat sy ¦ *3 1* *f*^{13} *pc* ¦ *3 2 1* D c e ¦ *txt* 𝔓$^{45.75}$ B

με ἀποδώσω σοι. **36** ⸂τίς τούτων τῶν τριῶν πλησίον δοκεῖ σοι⸃ γεγονέναι τοῦ ἐμπεσόντος εἰς τοὺς λῃστάς; **37** ὁ
δὲ εἶπεν· ὁ ποιήσας τὸ ἔλεος μετ' αὐτοῦ. εἶπεν ⸀δὲ αὐτῷ °ὁ Ἰησοῦς· πορεύου καὶ σὺ ⸆ ποίει ὁμοίως.
38 ⸂Ἐν δὲ⸃ τῷ πορεύεσθαι ⸄αὐτοὺς αὐτὸς εἰσῆλθεν⸅
J 11,1s; 12,2s εἰς κώμην τινά· γυνὴ δέ τις ὀνόματι Μάρθα ὑπεδέξατο
αὐτόν⸆. **39** καὶ τῇδε ἦν ἀδελφὴ καλουμένη ⸀Μαριάμ,
Act 22,3 °[ἣ] καὶ ⸀παρακαθεσθεῖσα πρὸς τοὺς πόδας ⸂τοῦ κυ-
1K 7,35 ρίου⸃ ⸀¹ἤκουεν τὸν λόγον αὐτοῦ. **40** ἡ δὲ Μάρθα περι-
J 12,2 εσπᾶτο περὶ πολλὴν διακονίαν· ἐπιστᾶσα δὲ εἶπεν· κύριε,
Mc 4,38 οὐ μέλει σοι ὅτι ἡ ἀδελφή μου μόνην με ⸀κατέλιπεν διακονεῖν; εἰπὲ οὖν αὐτῇ ἵνα μοι συναντιλάβηται. **41** ἀποκριθεὶς δὲ εἶπεν αὐτῇ ὁ ⸀κύριος· Μάρθα Μάρθα, ⸂μεριμ-
νᾷς καὶ θορυβάζῃ περὶ πολλά, **42** ἑνὸς δέ ἐστιν χρεία⸃·
⸀Μαριὰμ ⸀¹γὰρ τὴν ἀγαθὴν μερίδα ἐξελέξατο ἥτις οὐκ
ἀφαιρεθήσεται ⸆ αὐτῆς.
9,28! **11** Καὶ ἐγένετο ἐν τῷ εἶναι αὐτὸν ἐν τόπῳ τινὶ προσευ-
χόμενον, ὡς ἐπαύσατο, εἶπέν τις τῶν μαθητῶν αὐτοῦ
πρὸς αὐτόν· κύριε, δίδαξον ἡμᾶς προσεύχεσθαι, καθὼς
5,33 καὶ Ἰωάννης ἐδίδαξεν τοὺς μαθητὰς αὐτοῦ. **2** εἶπεν δὲ
2-4: Mt 6,9-13 αὐτοῖς· ὅταν ⸀προσεύχησθε ⸆ λέγετε·

36 ⸂ *1–4 6 7 5* 𝔓^{45} *f*^{1} 700 *pc* ¦ τινα ουν δοκεις πλησιον D • **37** ⸀ουν A C^{3} W Θ Ψ 𝔐 q sy^{h} ¦ *txt* 𝔓$^{45.75}$ ℵ B C* D L Δ Ξ *f*$^{1.13}$ 33. 700. 892. 1241 *al* lat sy^{hmg} co | ° B* bo^{mss} | ⸆ και 𝔓^{45} • **38** ⸂ εγενετο δε εν A C D W Θ Ψ *f*$^{1.13}$ 𝔐 latt sy$^{p.h}$ ¦ *txt* 𝔓$^{45.75}$ ℵ B L Ξ 33. 892. 1241 *pc* sy$^{s.c}$ co | ⸄ αυτον εισηλθεν D (*f*^{1}) sa ¦ αυτους και αυτος εισηλθεν A C W Θ Ψ *f*^{13} 𝔐 lat sy^{h} ¦ *txt* 𝔓$^{(45).75}$ ℵ B L Ξ 33. 1241 *pc* a sy$^{s.c.p}$ bo | ⸆ †εις την οικιαν (+ αυτης ℵ^{1} C^{2}) 𝔓^{3vid} ℵ C L Ξ 33 *pc* ¦ εις τον οικον αυτης A D W Θ Ψ 0190 *f*$^{1.13}$ 𝔐 lat sy; Bas ¦ *txt* 𝔓$^{45.75}$ B sa • **39** ⸀ Μαρια 𝔓^{45} A B* C^{3} D Θ *f*^{13} 𝔐 ¦ *txt* 𝔓^{75} ℵ B^{2} C* L P W Ξ Ψ 1. 33 *pc* | ° 𝔓$^{45.75}$ ℵ* B^{2} L Ξ *pc* ¦ *txt* ℵ^{1} A B* C D W Θ Ψ *f*$^{1.13}$ 𝔐 sy^{h} | ⸀ παρακαθισασα 𝔓^{45} C^{3} D W Θ Ψ *f*$^{1.13}$ 𝔐 ¦ *txt* 𝔓$^{3.75}$ ℵ A B C* L Ξ *pc* | ⸂ του (– 𝔓^{75}) Ιησου 𝔓$^{45.75}$ A B* C^{2} W Θ Ψ *f*$^{1.13}$ 𝔐 sy$^{s.h}$ sa^{mss} bo^{mss} ¦ αυτου C* ¦ *txt* 𝔓^{3} ℵ B^{2} D L Ξ 892 *pc* lat sy$^{c.p.hmg}$ sa^{ms} bo | ⸀^{1} -σεν 𝔓^{45} L Ξ • **40** ⸀ †-λειπ- A B* C L Θ Ξ 𝔐 ¦ *txt* 𝔓$^{45.75}$ ℵ B^{2} D (W) Ψ *f*$^{1.13}$ 28. 565. 700. 892. 1010. 1241 *al*; Bas • **41/42** ⸀ Ιησους (*sed* ο I. *a.* ειπεν C^{3} D K Θ *f*^{13} 565. 1241 *pm*) A B* C D W Θ Ψ *f*$^{1.13}$ 𝔐 it sy$^{s.p.h}$ bo; Bas ¦ *txt* 𝔓$^{3.(45).75}$ ℵ B^{2} L 892 *pc* lat sy^{hmg} sa bo^{mss} | ⸂ †μεριμν. κ. θορυβ. περι πολ., ολιγων δε εστιν χρεια (– ℵ*; χρ. ε. B) η ενος 𝔓^{3} ℵ B C^{2} L *f*^{1} 33 *pc* sy^{hmg} bo; Bas ¦ θορυβαζη D ¦ – it sy^{s} ¦ *txt* 𝔓$^{45.75}$ C* W Θ *pc* (*sed* τυρβαζη A Ψ *f*^{13} 𝔐) lat sy$^{c.p.h}$ sa bo^{ms} | ⸀ Μαρια ℵ A C D L W Θ Ψ *f*^{13} 𝔐 ¦ *txt* 𝔓$^{3.75}$ B *f*^{1} *pc* | ⸀^{1} δε A C W Θ *f*^{13} 𝔐 f q sy$^{p.h}$ ¦ – D *pc* lat sy$^{s.c}$ ¦ *txt* 𝔓$^{3.75}$ ℵ B L Ψ *f*^{1} 892. 1241. 1424 *al* | ⸆ απ 𝔓^{75} ℵ^{2} A C W Θ Ψ *f*$^{1.13}$ 𝔐 lat ¦ *txt* ℵ* B D L *pc* it

¶ **11,2** ⸀ προσευχεσθε 𝔓^{75} A C P W Δ Θ *f*$^{1.13}$ 1241 *al* ¦ *txt* ℵ B D L Ξ Ψ 𝔐 | ⸆ *p)* μη βαττολογειτε ως οι λοιποι· δοκουσιν γαρ τινες οτι εν τη πολυλογια αυτων εισακουσθησονται· αλλα προσευχομενοι D

Πάτερ⸆,
ἁγιασθήτω τὸ ὄνομά σου·
⸂ἐλθέτω ἡ βασιλεία σου⸃·⸆1
3 τὸν ἄρτον ⸀ἡμῶν τὸν ἐπιούσιον ⸁δίδου ἡμῖν ⸂τὸ
καθ' ἡμέραν⸃·
4 καὶ ἄφες ἡμῖν ⸂τὰς ἁμαρτίας⸃ ἡμῶν,
⸄καὶ γὰρ αὐτοὶ⸅ ⸀ἀφίομεν ⸂1παντὶ ὀφείλοντι
ἡμῖν⸃·
καὶ μὴ ⸂2εἰσενέγκῃς ἡμᾶς⸃ εἰς πειρασμόν ⸆.
24 5 Καὶ εἶπεν πρὸς αὐτούς· τίς ἐξ ὑμῶν ἕξει φίλον καὶ
πορεύσεται πρὸς αὐτὸν μεσονυκτίου καὶ ⸀εἴπῃ αὐτῷ· φίλε,
χρῆσόν μοι τρεῖς ἄρτους, 6 ἐπειδὴ φίλος μου ⸂παρεγένε-
το ἐξ ὁδοῦ πρός με⸃ καὶ οὐκ ἔχω ὃ παραθήσω αὐτῷ·
7 κἀκεῖνος ἔσωθεν ἀποκριθεὶς ⸀εἴπῃ· μή μοι κόπους πάρ- 18,5 Mt 26,10p G 6,17
εχε· ἤδη ἡ θύρα κέκλεισται καὶ τὰ παιδία μου μετ' ἐμοῦ
εἰς τὴν κοίτην εἰσίν· οὐ δύναμαι ἀναστὰς δοῦναί σοι.
8⸆λέγω ὑμῖν, ⸋εἰ καὶ⸌ οὐ δώσει αὐτῷ ἀναστὰς διὰ τὸ
εἶναι ⸂φίλον αὐτοῦ⸃, διά γε τὴν ἀναίδειαν αὐτοῦ ἐγερθεὶς
5 δώσει αὐτῷ ὅσων χρῄζει. 9 Κἀγὼ ὑμῖν λέγω, αἰτεῖτε καὶ *9–13:* Mt 7,7-11
δοθήσεται ὑμῖν, ⸋ζητεῖτε καὶ εὑρήσετε,⸌ κρούετε καὶ
⸀ἀνοιγήσεται ὑμῖν· 10 πᾶς γὰρ ὁ αἰτῶν λαμβάνει καὶ ὁ
ζητῶν εὑρίσκει καὶ τῷ κρούοντι ⸀ἀνοιγ[ήσ]εται. 11 ⸂τίνα

2 ⸆*p)* ημων ο εν τοις ουρανοις A C D W Θ Ψ *f*13 𝔐 it syc.p.h co ¦ ημων L *pc* ¦ *txt* 𝔓75 ℵ B 1. 700 *pc* vg sys; Mcion Or | ⸂εφ ημας ελθ. σου η βασ. D ¦ ελθ. το πνευμα σου το αγιον εφ ημας και καθαρισατω ημας (162). 700; (Mcion GrNy) | ⸆1*p)* γενηθητω το θελημα σου ως εν ουρανω και επι της (– ℵc A C D W Δ Θ 892 *al*) γης ℵ(*) A C D W Θ Ψ *f*13 𝔐 it vgs syp.h bo ¦ γενηθητω το θελημα σου a sa bomss ¦ *txt* 𝔓75 B L 1 *pc* vg sys.c; Mcion Or • **3** ⸀σου Mcion Orpt ¦ – *pc* sys.c.p | ⸁*p)* δος ℵ D 28. 1010* *pc* | ⸂*p)* σημερον D 28 *pc* it vgcl bomss; Orpt • **4** ⸂*p)* τα οφειληματα D it ¦ τα αμαρτηματα *f*1 | ⸄ως και αυτοι ℵ* lat ¦ *p)* ως και ημεις D it (sys.c) | ⸀αφιεμεν ℵ* L Θ Ξ 𝔐 ¦ αφηκαμεν syp.h ¦ *txt* 𝔓75 ℵ1 A B C D K Pvid W Γ Δ Ψ *f*13 1 *al* | ⸂1*p)* τοις οφειλεταις ημων D it bopt | ⸂2αφες ημας (εισ)ενεχθηναι Mcion | ⸆*p)* αλλα ρυσαι ημας απο του πονηρου (ℵ1) A C D Rvid W Θ Ψ *f*13 𝔐 it syc.p.h bopt ¦ *txt* 𝔓75 ℵ*.2 B L 1. 700 *pc* vg sys sa bopt; Mcion Tert Or • **5** ⸀ερει A D K R W Ψ *f*13 892. 1424 *al* • **6** ⸂παρεστιν απ αγρου D • **7** ⸀ερει D • **8** ⸆et si ille perseveraverit pulsans it vgcl | ⸋D | ⸂αυτου φιλος W *f*13 ¦ αυτον φιλον A R 565. 1424 *pc* ¦ αυτον φιλον αυτου D • **9** ⸋syc | ⸀ανοιχθησεται D Γ W 1010. 1424 *pm* • **10** ⸀ανοιγεται 𝔓75 B D ¦ ανοιχθησεται A K W Γ Δ 565. 1010. 1424 *pm* ¦ *txt* 𝔓45 ℵ C L R Θ Ψ *f*1.13 28. 33. 700. 892. 1241 *pm* • **11** ⸂τις δε εξ υμων τον πατ. αιτ. ℵ L (⸉ 1241) *pc* vg ¦ τινα ... αιτ. τον (– 𝔓75) πατ. ο υιος 𝔓75 B ¦ τις ... τον πατ. ο υιος αιτ. D (⸉ 33. 892); Epiph ¦ *txt* (𝔓45) A C R (⸉ W) Θ Ψ *f*(1).13 𝔐 syp.h

δὲ ἐξ ὑμῶν τὸν πατέρα αἰτήσει ὁ υἱὸς⸃ ⸆ ἰχθύν, ⸀καὶ
ἀντὶ ἰχθύος ὄφιν ⸉αὐτῷ ἐπιδώσει⸊; **12** ἢ καὶ ⸆ αἰτήσει
⸀ᾠόν, ⸆¹ ἐπιδώσει αὐτῷ σκορπίον; **13** εἰ οὖν ὑμεῖς πονη-
Jc 1,17 ροὶ ⸀ὑπάρχοντες οἴδατε δόματα ἀγαθὰ διδόναι τοῖς
τέκνοις ὑμῶν, πόσῳ μᾶλλον ὁ πατὴρ ⸂[ὁ] ἐξ οὐρανοῦ⸃
R 8,15.26 δώσει ⸂¹πνεῦμα ἅγιον⸃¹ τοῖς αἰτοῦσιν αὐτόν.
14–23: Mt 12,22-30 Mc 3,22-27 cf Mt 9,32-34 **14** ⸂Καὶ ἦν ἐκβάλλων δαιμόνιον ⸋[καὶ αὐτὸ ἦν]⸌ κω-
φόν· ἐγένετο δὲ τοῦ δαιμονίου ἐξελθόντος ἐλάλησεν
ὁ κωφὸς καὶ ἐθαύμασαν οἱ ὄχλοι⸃. **15** τινὲς δὲ ἐξ αὐ-
Mt 9,34! τῶν ⸀εἶπον· ἐν ⸁Βεελζεβοὺλ τῷ ἄρχοντι τῶν δαιμονίων
Mc 8,11p ἐκβάλλει τὰ δαιμόνια· ⸆ **16** ἕτεροι δὲ πειράζοντες σημεῖον
ἐξ οὐρανοῦ ἐζήτουν παρ' αὐτοῦ. **17** αὐτὸς δὲ εἰδὼς αὐτῶν τὰ διανοήματα εἶπεν αὐτοῖς· πᾶσα βασιλεία ⸂ἐφ'
ἑαυτὴν διαμερισθεῖσα⸃ ἐρημοῦται καὶ οἶκος ἐπὶ οἶκον
πίπτει. **18** εἰ δὲ καὶ ὁ σατανᾶς ἐφ' ἑαυτὸν διεμερίσθη,
⸀πῶς σταθήσεται ἡ βασιλεία αὐτοῦ; ὅτι λέγετε ἐν ⸁Βεελ-
ζεβοὺλ ⸂ἐκβάλλειν με⸃ τὰ δαιμόνια. **19** εἰ δὲ ἐγὼ ἐν ⸀Βεελ-
ζεβοὺλ ἐκβάλλω τὰ δαιμόνια, οἱ υἱοὶ ὑμῶν ἐν τίνι
ἐκβάλλουσιν; διὰ τοῦτο ⸉αὐτοὶ ὑμῶν κριταὶ ἔσονται⸊.
Ex 8,15[19] **20** εἰ δὲ ἐν δακτύλῳ θεοῦ ⸰[ἐγὼ] ἐκβάλλω τὰ δαιμόνια,
17,21 ἄρα ἔφθασεν ἐφ' ὑμᾶς ἡ βασιλεία τοῦ θεοῦ. **21** ὅταν ὁ
ἰσχυρὸς καθωπλισμένος φυλάσσῃ τὴν ἑαυτοῦ αὐλήν, ἐν
Is 49,24; 53,12 εἰρήνῃ ἐστὶν τὰ ὑπάρχοντα αὐτοῦ· **22** ἐπὰν δὲ ⸆ ἰσχυ-

11 ⸆*p)* αρτον, μη λιθον επιδωσει αυτω; (+ *vs* 12 C) η και (– ℵ L *pc*) ℵ A C (⸉D) L R W Θ Ψ *f*$^{1.13}$ 𝔐 lat sy$^{c.p.h}$ bo; Mcion ¦ *txt* 𝔓$^{45.(75)}$ B 1241 *pc* ff^{2} i l sy^{s} sa | ⸀†μη ℵ A C D L R W Θ Ψ *f*$^{1.13}$ 𝔐 latt ¦ μη και Γ *pc* ¦ *txt* 𝔓$^{45.75}$ B *pc* | ⸉ 𝔓^{45} ℵ A C R W Θ Ψ *f*$^{1.13}$ 𝔐 ¦ *txt* 𝔓^{75} B D L 700. 892 *pc* ● **12** ⸆ (ε)αν 𝔓^{45} A (C, D) R W Θ Ψ 𝔐 latt sy ¦ *txt* 𝔓^{75} ℵ B L *f*$^{1.13}$ 33. 1241 co | ⸀αρτον 𝔓^{45} | ⸆¹μη ℵ A (C) D R W Θ Ψ *f*$^{1.13}$ 𝔐 latt sa^{ms} bo; Mcion ¦ *txt* 𝔓$^{45.75}$ B L 892 *pc* sa^{mss} ● **13** ⸀*p)* οντες ℵ D K 1424 *al* | ⸂*2 3* 𝔓^{75} ℵ L Ψ 33. 892 *pc* sa bo^{pt} ¦ υμων ο ουρανιος 𝔓^{45} 1424 (*pc*) l vg^{s} ¦ υμ. ο εξ ουρ. C (*f*^{13}) *pc* ¦ *txt* A B D R W Θ *f*^{1} 𝔐 sy^{h} | ⸂¹πν. αγαθον 𝔓^{45} L *pc* vg sy^{hmg} ¦ αγαθον δομα D it ¦ δοματα αγαθα Θ (a^{2} sy^{s}) ● **14** ⸂*p)* ταυτα δε ειποντος αυτου προσφερεται αυτω δαιμονιζομενος κωφος, και εκβαλοντος αυτου εθαυμαζον D (c f) | ⸋ 𝔓$^{45.75}$ ℵ A* B L *f*^{1} 33. 892. 1241 *pc* sy$^{s.c}$ co ¦ *txt* A^{c} C R W Θ Ψ *f*^{13} 𝔐 lat sy$^{p.h}$ ● **15** ⸀ελαλησαν οχυροι λεγοντες 𝔓^{45} | ⸁ †Βεεζεβουλ ℵ B ¦ Beelzebub vg sy$^{s.c.p}$ ¦ *txt* 𝔓$^{45.75}$ A C D (L) R W Θ Ψ *f*$^{1.13}$ 𝔐 it sy^{h} co (*cf et vss* 18. 19) | ⸆*p)* ο δε αποκριθεις ειπεν· πως δυναται σατανας σαταναν εκβαλλειν (-βαλειν D) A D (K) *al* a^{2c} r^{1} sy^{h} ● **17** ⸂*3 1 2* ℵ A D L 33. 892 *pc* (*sed* μερισθ. 𝔓^{45} Ψ) ¦ *txt* 𝔓^{75} B R *f*$^{1.13}$ 𝔐 (*sed* μερισθ. C W Θ Γ *al*) ● **18** ⸀*p)* ου D | ⸁ *vide vs* 15 | ⸂εκβαλλει 𝔓^{45} W *pc* ● **19** ⸀*vide vs* 15 | ⸉ *1 3 4 2* ℵ *pc* ¦ *1 4 2 3* 𝔓^{45} ¦ *3 2 1 4* R Γ Δ 28. 565. 1010. 1424 *pm* ¦ *1 3 2 4* A C K L W Θ Ψ *f*$^{1.13}$ 33. 892. 1241 *pm* ¦ *txt* 𝔓^{75} B D 700 *pc* ● **20** ⸰ 𝔓^{45} ℵ* A W Θ Ψ *f*^{1} 𝔐 lat ¦ *txt* 𝔓^{75} ℵ^{1} B C (⸉D) L R *f*^{13} 33. 892 *al* it sy^{h**} co ● **22** ⸆ο A C R W *f*$^{1.13}$ 𝔐 sy^{h} sa ¦ *txt* 𝔓$^{45.75}$ ℵ B D L Γ Θ Ψ 700. 892. 1241 *pc* bo

ρότερος ⸀αὐτοῦ ⸁ἐπελθὼν νικήσῃ αὐτόν, τὴν πανοπλίαν Kol 2,15 1J 4,4
αὐτοῦ αἴρει ἐφ’ ᾗ ἐπεποίθει καὶ τὰ σκῦλα αὐτοῦ διαδίδω-
σιν. **23** Ὁ μὴ ὢν μετ’ ἐμοῦ κατ’ ἐμοῦ ἐστιν, καὶ ὁ μὴ συν- 9,50
άγων μετ’ ἐμοῦ σκορπίζει⸆.
24 ῞Οταν ⸆ τὸ ἀκάθαρτον πνεῦμα ἐξέλθῃ ἀπὸ τοῦ ἀν- *24–26:* Mt 12,43-45
θρώπου, διέρχεται δι’ ἀνύδρων τόπων ζητοῦν ἀνάπαυσιν
καὶ μὴ εὑρίσκον· °[τότε] λέγει· ὑποστρέψω εἰς τὸν οἶκόν
μου ὅθεν ἐξῆλθον· **25** καὶ ἐλθὸν εὑρίσκει ⸆ σεσαρωμένον
καὶ κεκοσμημένον. **26** °τότε πορεύεται καὶ παραλαμβάνει ἕτερα πνεύματα πονηρότερα ἑαυτοῦ ἑπτὰ καὶ εἰσελθόντα κατοικεῖ °¹ἐκεῖ· καὶ γίνεται τὰ ἔσχατα τοῦ ἀνθρώπου ἐκείνου χείρονα τῶν πρώτων. J 5,14
27 Ἐγένετο δὲ ἐν τῷ λέγειν αὐτὸν °ταῦτα ⸂ἐπάρασά τις
φωνὴν γυνὴ ἐκ τοῦ ὄχλου⸃ εἶπεν αὐτῷ· μακαρία ἡ κοιλία 1,28.42.48
ἡ βαστάσασά σε καὶ μαστοὶ οὓς ἐθήλασας. **28** αὐτὸς δὲ
εἶπεν· ⸀μενοῦν μακάριοι οἱ ἀκούοντες τὸν λόγον τοῦ θεοῦ 8,15.21p Ap 1,3 Jc 1,22
καὶ φυλάσσοντες.
29 Τῶν δὲ ὄχλων ἐπαθροιζομένων ἤρξατο λέγειν· ἡ *29–32:* Mt 12,38-42 · 1K 1,22!
γενεὰ αὕτη °γενεὰ πονηρά ἐστιν· σημεῖον ⸀ζητεῖ, καὶ
σημεῖον οὐ δοθήσεται αὐτῇ εἰ μὴ τὸ σημεῖον Ἰωνᾶ⸆.
30 καθὼς γὰρ ἐγένετο ⸆ Ἰωνᾶς τοῖς Νινευίταις σημεῖον,
οὕτως ἔσται °καὶ ὁ υἱὸς τοῦ ἀνθρώπου τῇ γενεᾷ ταύτῃ⸇.
31 βασίλισσα νότου ἐγερθήσεται ⸋ἐν τῇ κρίσει⸌ μετὰ 1Rg 10,1
τῶν ἀνδρῶν τῆς γενεᾶς ταύτης καὶ κατακρινεῖ ⸀αὐτούς,
ὅτι ἦλθεν ἐκ τῶν περάτων τῆς γῆς ἀκοῦσαι τὴν σοφίαν
Σολομῶνος, καὶ ἰδοὺ πλεῖον Σολομῶνος ὧδε. **32** ⸋ἄνδρες
Νινευῖται ἀναστήσονται ἐν τῇ κρίσει μετὰ τῆς γενεᾶς Jon 3,5

22 ⸀αυτου εστιν א* ¦ – 𝔓$^{45.75}$ D 1241 | ⸁επανελθων 𝔓^{45} ¦ ελθων 𝔓^{75} 1241 ● **23** ⸆με א$^{*.2}$ C^{2} L Θ Ψ 33. 892 *pc* sy^{s} bo ¦ *txt* 𝔓$^{45.(75)}$ א^{1} A B C* D R W *f*$^{1.13}$ 𝔐 lat sy$^{c.p.h}$ sa bo^{mss} ● **24** ⸆*p)* δε 𝔓$^{45.75}$ D W 1241 *al* | °† 𝔓^{45} א* A C D R W Ψ *f*$^{1.13}$ 𝔐 lat sy$^{s.c.p}$ ¦ *txt* 𝔓^{75} א^{2} B L Θ Ξ 0124. 33. 892. 1241 *pc* b l sy^{h} co ● **25** ⸆*p)* σχολαζοντα א^{2} B C L R Γ Ξ Ψ *f*$^{1.13}$ 33. (⸉ 69). 892 *al* f l r^{1} sy^{h**} bo ¦ *txt* 𝔓^{75} א* A D W Θ 0124 𝔐 lat sy sa ● **26** °D sy^{c} bo^{ms} | °^{1}D 33 it ● **27** ° 𝔓^{75} | ⸉ *1 2 4 3 5–7* A C R W Θ Ξ Ψ 0124 *f*^{13} 𝔐 ¦ *4 2 1 3 5–7* D e ¦ *1 2 4–7 3* K *f*^{1} *al* (c) ¦ *txt* 𝔓^{75} א B L ● **28** ⸀μενουν γε B^{2} C D Θ Ψ (0124) *f*$^{1.13}$ 𝔐 ¦ *txt* 𝔓^{75} א A B* L W Δ Ξ *pc* ● **29** °C K W Γ Δ 28. 565. 1010. 1424 *pm* sy^{p} | ⸀*p)* επιζητει C D W Θ Ψ 0124 *f*$^{1.13}$ 𝔐 ¦ *txt* 𝔓$^{45vid.75}$ א A B L Ξ 700. 892 *pc* | ⸆*p)* του προφητου A C W Θ Ψ 0124 *f*$^{1.13}$ 𝔐 it vg^{cl} sy bo ¦ *txt* 𝔓$^{45.75}$ א B D L Ξ 700. 892* *pc* lat sa bo^{mss} ● **30** ⸆το B *pc* ¦ *txt* 𝔓^{75} א A C D L W Θ Ξ Ψ 0124 *f*$^{1.13}$ 𝔐 | °*p)* 𝔓^{45} Ψ *pc* c sa | ⸇*p)* και καθως Ιωνας εν τη κοιλια του κητους εγενετο τρεις ημερας και τρεις νυκτας, ουτως και ο υιος του ανθρωπου εν τη γη D (a ff^{2}) e r^{1} ¦ σημειον Θ *pc* bo^{ms} ● **31** ⸋ 𝔓^{45} D (1241) | ⸀αυτην 𝔓$^{45.75}$ 1424 *pc* d ● **32** ⸋*vs* D

ταύτης καὶ κατακρινοῦσιν αὐτήν· ὅτι μετενόησαν εἰς τὸ
κήρυγμα Ἰωνᾶ, καὶ ἰδοὺ πλεῖον Ἰωνᾶ ὧδε.⸌
8,16p Mt 5,15 **33** Οὐδεὶς λύχνον ἅψας εἰς ⸀κρύπτην τίθησιν ⸋[οὐδὲ
ὑπὸ τὸν μόδιον]⸌ ἀλλ' ἐπὶ τὴν λυχνίαν, ἵνα οἱ εἰσπορευόμενοι τὸ ⸁φῶς βλέπωσιν.
34–36: Mt 6,22s **34** Ὁ λύχνος τοῦ σώματός ἐστιν ὁ ὀφθαλμός σου.
ὅταν ⸆ ὁ ὀφθαλμός σου ἁπλοῦς ᾖ, καὶ ⸀ὅλον τὸ σῶμά
E 1,18 σου φωτεινόν ⸁ἐστιν· ἐπὰν δὲ πονηρὸς ᾖ, καὶ τὸ σῶμά
σου σκοτεινόν⸆. **35** ⸂σκόπει οὖν μὴ τὸ φῶς τὸ ἐν σοὶ
σκότος ἐστίν. **36** εἰ οὖν τὸ σῶμά σου ὅλον φωτεινόν, μὴ
ἔχον ⸄μέρος τι⸅ σκοτεινόν, ἔσται φωτεινὸν ὅλον ὡς ὅταν
ὁ λύχνος ⸆ τῇ ἀστραπῇ φωτίζῃ σε.⸃
7,36! **37** ⸂Ἐν δὲ τῷ λαλῆσαι ἐρωτᾷ αὐτὸν Φαρισαῖος ⸆ ὅπως
ἀριστήσῃ παρ' αὐτῷ⸃· εἰσελθὼν δὲ ἀνέπεσεν. **38** ὁ δὲ
Mt 15,2p Φαρισαῖος ⸂ἰδὼν ἐθαύμασεν ὅτι⸃ οὐ πρῶτον ⸀ἐβαπτίσθη
39–41: Mt 23,25s πρὸ τοῦ ἀρίστου. **39** εἶπεν δὲ ὁ κύριος πρὸς αὐτόν· νῦν
ὑμεῖς οἱ Φαρισαῖοι ⸆ τὸ ἔξωθεν τοῦ ποτηρίου καὶ τοῦ πί-
νακος καθαρίζετε, τὸ δὲ ἔσωθεν ὑμῶν γέμει ἁρπαγῆς καὶ
πονηρίας. **40** ἄφρονες, οὐχ ὁ ποιήσας τὸ ⸉ἔξωθεν καὶ τὸ
12,33 ἔσωθεν⸊ ἐποίησεν; **41** πλὴν τὰ ἐνόντα δότε ἐλεημοσύνην,
καὶ ἰδοὺ ⸀πάντα καθαρὰ ὑμῖν ⸁ἐστιν.
42: Mt 23,23 **42** ἀλλὰ οὐαὶ ὑμῖν °τοῖς Φαρισαίοις, °ὅτι ἀποδεκατοῦτε
τὸ ἡδύοσμον καὶ τὸ ⸀πήγανον καὶ πᾶν λάχανον καὶ παρ-
J 5,42 έρχεσθε τὴν κρίσιν καὶ τὴν ἀγάπην τοῦ θεοῦ· ⸂ταῦτα
δὲ ἔδει ποιῆσαι κἀκεῖνα μὴ παρεῖναι.⸃
43: Mt 23,6s Mc 12,38s 14,7! **43** Οὐαὶ ὑμῖν ⸂τοῖς Φαρισαίοις⸃, ὅτι ἀγαπᾶτε τὴν πρωτο-

33 ⸀κρυπτον 𝔓^{45} Ψ 1. 28 *pc* | ⸋ 𝔓$^{45.75}$ L Γ Ξ 0124 f^{1} 700*. 1241 *pc* sy^{s} sa ¦ *txt* ℵ A B C D W Θ Ψ f^{13} 𝔐 lat | ⸁†φεγγος 𝔓^{45} A K L W Γ Δ Ψ 28. 565. 700. 1010 *pm* ¦ *txt* 𝔓^{75} ℵ B C D Θ $f^{1.13}$ 33. 892. 1241. 1424 *pm* ● **34** ⸆*p)* ουν A C Θ Ψ $f^{1.13}$ 𝔐 sy$^{c.p.h}$ ¦ *txt* 𝔓$^{45.75}$ ℵ B (D) L W 0124. 1241 *pc* | ⸀παν 𝔓^{45} D | ⸁*p)* εσται 𝔓^{45} K L f^{1} 28. 892. 1241. 1424 *al* lat bo^{pt} | ⸆ εσται 𝔓^{45} K Θ f^{13} 1241 *al* lat sa ¦ εστιν D 0124 *pc* e bo ● **35/36** ⸂*p)* ει ουν το φως το εν σοι σκοτος, το σκοτος ποσον D it ¦ *ead. add. a. vs* 36: 1241; *loco vs* 36: sy^{c} | ⸄ *2 1* ℵ 𝔐 ¦ *1* C L Γ Θ Ψ 700 *pc* ¦ μελος τι 𝔓^{45} ¦ *txt* 𝔓^{75} A B K W 0124 $f^{1.13}$ 33. 1241 *al* | ⸆εν B ● **37** ⸂εδεηθη δε αυτου τις Φαρισαιος ινα αριστηση μετ αυτου D sy$^{s.c}$ | ⸆τις A C (D) W Θ Ψ 𝔐 latt sy$^{p.h}$ ¦ *txt* 𝔓$^{45.75}$ ℵ B L 0124 $f^{1.13}$ 700. 1241 *pc* ● **38** ⸂ηρξατο διακρινομενος εν εαυτω λεγειν δια τι D (*pc*) lat sy^{c}; (Mcion) | ⸀-τισατο 𝔓^{45} 700 ● **39** ⸆*p)* υποκριται D b ● **40** ⸉ 𝔓^{45} C D Γ 700 *pc* a c e ● **41** ⸀απαντα 𝔓^{75} L Γ Ψ f^{13} 33. 892. 1241 *pc* | ⸁εσται 𝔓^{45} (⸉ D) Γ $f^{1.13}$ *pc* a; Mcion ● **42** °*bis* 𝔓^{45} | ⸀*p)* ανηθον 𝔓^{45} *pc* e ¦ ανηθον και το πηγανον f^{13} *pc* | ⸂ – D (b: *sed pon. p. vs* 41) ¦ *ut txt sed*: – δε ℵ* A W f^{1} 𝔐; αφιεναι B^{2} C W Θ Ψ 0108 f^{1} 𝔐, αφειναι 𝔓^{45} ℵ* 892 *pc*, παραφιεναι A ¦ *txt* 𝔓^{75} ℵ^{1} B* L f^{13} *pc* lat ● **43** ⸂Φαρισαιοι ℵ D it sy$^{s.c.p}$; Cl

καθεδρίαν ἐν ταῖς συναγωγαῖς καὶ τοὺς ἀσπασμοὺς ἐν
ταῖς ἀγοραῖς⸆.
8 **44** Οὐαὶ ὑμῖν, ⸆ ὅτι ⸂ἐστὲ ὡς τὰ⸃ ἄδηλα, καὶ *44:* Mt 23,27-28
οἱ ἄνθρωποι °[οἱ] περιπατοῦντες ἐπάνω οὐκ οἴδασιν.
9 **45** Ἀποκριθεὶς δέ τις τῶν νομικῶν λέγει αὐτῷ· διδάσκαλε, ταῦτα λέγων καὶ ἡμᾶς ὑβρίζεις.
3 **46** ὁ δὲ εἶπεν· καὶ ὑμῖν τοῖς νομικοῖς οὐαί, ὅτι φορτίζετε *46:* Mt 23,4
τοὺς ἀνθρώπους φορτία δυσβάστακτα, καὶ αὐτοὶ ⸆ ἑνὶ
τῶν δακτύλων °ὑμῶν οὐ προσψαύετε ⸋τοῖς φορτίοις⸌.
0 **47** Οὐαὶ ὑμῖν, ὅτι οἰκοδομεῖτε τὰ μνημεῖα τῶν προφητῶν, *47s:* Mt 23,29-32
⸂οἱ δὲ⸃ πατέρες ὑμῶν ἀπέκτειναν αὐτούς. **48** ἄρα ⸂μάρτυρές Act 7,52
ἐστε⸃ ⸄καὶ συνευδοκεῖτε⸅ τοῖς ἔργοις τῶν πατέρων ὑμῶν, Act 8,1!
ὅτι αὐτοὶ μὲν ἀπέκτειναν αὐτούς, ὑμεῖς δὲ οἰκοδομεῖτε⸆.
1 **49** διὰ τοῦτο ⸋καὶ ἡ σοφία τοῦ θεοῦ εἶπεν·⸌ ⸀ἀποστελῶ *49–51:* Mt 23,34-36 · ubi? Mt 11,19p · Jr 7,25s | Ap 18,24!
εἰς αὐτοὺς προφήτας καὶ ἀποστόλους, καὶ ἐξ αὐτῶν ἀπο-
κτενοῦσιν καὶ ⸁διώξουσιν, **50** ἵνα ἐκζητηθῇ τὸ αἷμα πάντων τῶν προφητῶν τὸ ⸀ἐκκεχυμένον ἀπὸ καταβολῆς κό-
σμου ⸁ἀπὸ τῆς γενεᾶς ταύτης, **51** ἀπὸ ⸆ αἵματος Ἅβελ ⸆· Gn 4,8.10
ἕως ⸆ αἵματος Ζαχαρίου ⸂τοῦ ἀπολομένου μεταξὺ τοῦ 2Chr 24,20-22 Zch 1,1
θυσιαστηρίου καὶ τοῦ οἴκου⸃· ναὶ λέγω ὑμῖν, ἐκζητηθή-
σεται ἀπὸ τῆς γενεᾶς ταύτης.
2 **52** Οὐαὶ ὑμῖν τοῖς νομικοῖς, ὅτι ⸀ἤρατε τὴν κλεῖδα τῆς *52:* Mt 23,13
γνώσεως· ⸆ αὐτοὶ οὐκ εἰσήλθατε καὶ τοὺς εἰσερχομέ-
νους ἐκωλύσατε.
3 **53** ⸂Κἀκεῖθεν ἐξελθόντος αὐτοῦ⸃ ⸄ἤρξαντο οἱ γραμμα-

43 ⸆*p)* και τας πρωτοκλισιας εν τοις δειπνοις C (D, *f*^{13}) *pc* b l q r^{1} • **44** ⸆*p)* γραμματεις και Φαρισαιοι υποκριται A (D) W Θ Ψ *f*^{13} 𝔐 it sy$^{p.h}$ bo^{pt} ¦ *txt* 𝔓$^{45.75}$ ℵ B C L *f*^{1} 33. 1241 *pc* lat sy$^{s.c}$ sa bo^{pt} | ⸂*1 4* D it sy$^{s.c}$ ¦ *2 1 4 (!)* 𝔓^{45} ¦ *1 2 4 5* W | ° 𝔓^{75} A D W *f*$^{1.13}$ 𝔐 ¦ *txt* ℵ B C L (⸉ Θ) Ψ 33. 1241 *pc* • **46** ⸆υμεις 𝔓^{75} B | ° 𝔓^{75} c e | ⸋D (a) b^{vid} q sy$^{s.c}$ • **47** ⸂και οι ℵ* C • **48** ⸂μαρτυρειτε 𝔓^{75} A C D W Θ Ψ *f*$^{1.13}$ 𝔐 lat ¦ *txt* ℵ B L 700*. 892. 1241 sy; Mcion Or | ⸄μη συνευδοκειν D (it); Mcion | ⸆ταυτων τα μνημεια A C W Θ Ψ 𝔐 ¦ τους ταφους αυτων *f*$^{1.(13)}$ *pc* ¦ *txt* 𝔓^{75} ℵ B D L 1241 *pc* it sy$^{s.c}$ sa bo^{pt} • **49** ⸋*p)* D b; Lcf | ⸀*p)* αποστελλω D Θ 1241. 1424 *pc* b q r^{1}; Epiph | ⸁εκδιωξ- A D W Ψ *f*^{13} 𝔐 ¦ *txt* 𝔓^{75} ℵ B C L Θ 1. 33. 1241. 1424 *pc* • **50** ⸀εκχυν(ν)ομενον 𝔓^{75} ℵ A C D L W Θ Ψ *f*^{1} 𝔐 ¦ *txt* 𝔓^{45vid} B *f*^{13} 33. 1241 *pc* | ⸁εως D (*pc*) it sy$^{s.c}$ • **51** ⸆*bis p)* του A (C) W Θ Ψ *f*^{13} 𝔐 sa ¦ *txt* 𝔓^{75} ℵ B D L *f*^{1} 33. 892. 1241 *pc* | ⸆·*p)* του δικαιου K *al* it sy^{h**} bo^{mss} | ⸂*p)* υιου Βαραχιου ον εφονευσαν αναμεσον του θυσ. και του ναου D (a sy$^{s.c.p}$ sa^{ms} bo^{pt}) • **52** ⸀εκρυψατε D (Θ) *pc* it sy$^{s.c}$ | ⸆και 𝔓^{45} D *f*^{13} *pc* it vg^{mss} • **53/54** ⸂λεγοντος δε αυτου ταυτα προς αυτους A (D) W Θ Ψ *f*$^{1.13}$ 𝔐 latt sy bo^{ms} ¦ *txt* (𝔓^{75}) ℵ B C L 33. 1241 *pc* co | ⸄ενωπιον παντος του λαου ηρξαντο οι Φαρισαιοι και οι νομικοι δεινως εχειν και συμβαλλειν αυτω περι πλειονων ζητουντες αφορμην τινα λαβειν αυτου ινα ευρωσιν κατηγορησαι αυτου D (Θ, it, sy$^{s.c}$)

τεῖς καὶ οἱ Φαρισαῖοι δεινῶς ἐνέχειν καὶ ἀποστοματί-
ζειν αὐτὸν περὶ πλειόνων, **54** ἐνεδρεύοντες °αὐτὸν ⊤ θη-
ρεῦσαί τι ἐκ τοῦ στόματος αὐτοῦ⸆⸃.

12 ⸂Ἐν οἷς ἐπισυναχθεισῶν τῶν μυριάδων τοῦ ⸀ὄχ-
λου, ὥστε καταπατεῖν ἀλλήλους⸃, ἤρξατο λέγειν
Mt 16,6!p πρὸς τοὺς μαθητὰς αὐτοῦ⁚ πρῶτον⁚1· προσέχετε ἑαυτοῖς
ἀπὸ τῆς ζύμης⸉, ἥτις ἐστὶν ὑπόκρισις, τῶν Φαρισαίων⸊.
2-9: Mt 10,26-33 · 8,17p **2** Οὐδὲν ⸀δὲ ⸁συγκεκαλυμμένον ἐστὶν ὃ ⸂οὐκ ἀποκα-
λυφθήσεται⸃ □καὶ κρυπτὸν ὃ οὐ γνωσθήσεται⸋. **3** ἀνθ᾽
ὧν ὅσα ἐν τῇ σκοτίᾳ εἴπατε ἐν τῷ φωτὶ ἀκουσθήσεται,
καὶ ὃ πρὸς τὸ οὖς ἐλαλήσατε ἐν τοῖς ταμείοις κηρυχθήσεται ἐπὶ τῶν δωμάτων.
J 15,14s 3J 15 Act 27,3 **4** Λέγω δὲ ὑμῖν τοῖς φίλοις μου, μὴ ⸀φοβηθῆτε ἀπὸ
τῶν ἀποκτεινόντων τὸ σῶμα ⸂καὶ μετὰ ταῦτα μὴ ἐχόν-
των περισσότερόν τι ποιῆσαι⸃. **5** ὑποδείξω δὲ ὑμῖν τίνα
23,40 φοβηθῆτε· °φοβήθητε τὸν μετὰ τὸ ἀποκτεῖναι ἔχοντα
Ps 119,120 H 10,31 Ap 14,7.10 ἐξουσίαν ⸀ἐμβαλεῖν εἰς τὴν γέενναν. ναὶ λέγω ὑμῖν,
τοῦτον ⸁φοβήθητε. **6** οὐχὶ πέντε στρουθία ⸀πωλοῦνται
ἀσσαρίων δύο; καὶ ἓν ἐξ αὐτῶν οὐκ ἔστιν ἐπιλελη-
Mt 10,30s! 1Sm 14,15 2Sm 14,11 σμένον ἐνώπιον τοῦ θεοῦ. **7** ἀλλὰ καὶ αἱ τρίχες τῆς κεφαλῆς ὑμῶν πᾶσαι ⸀ἠρίθμηνται. μὴ φοβεῖσθε· πολλῶν
στρουθίων διαφέρετε⊤.
Ap 3,5 **8** Λέγω δὲ ὑμῖν, πᾶς ὃς ἂν ⸀ὁμολογήσῃ ἐν ἐμοὶ ἔμπροσθεν τῶν ἀνθρώπων, καὶ ὁ υἱὸς τοῦ ἀνθρώπου ὁμολογήσει ἐν αὐτῷ ἔμπροσθεν □τῶν ἀγγέλων⸋ τοῦ θεοῦ·
9,26p **9** □1ὁ δὲ ἀρνησάμενός με ἐνώπιον τῶν ἀνθρώπων ἀπαρ-
νηθήσεται ἐνώπιον □τῶν ἀγγέλων⸋ τοῦ θεοῦ.⸋1

53/54 ° א Θ Ψ *pc* vgst | ⊤ζητουντες A C (D) W Ψ *f*^{13} 𝔐 vg sy$^{p.h}$ ¦ *txt* 𝔓^{75} א B L Θ *f*^{1} 1241 co | ⸆ινα κατηγορησωσιν αυτου A C (D) W Θ Ψ *f*$^{1.13}$ 𝔐 vg sy$^{(p).h}$ ¦ *txt* 𝔓$^{45.75}$ א B L 892*. 1241 *pc* co
¶ **12,1** ⸂πολλων δε οχλων συμπεριεχοντων κυκλω ωστε αλληλους συμπνιγειν D (lat sy) | ⸀λαου 𝔓^{45} *pc* | [⁚· *et* ⁚1–] | ⸉*p) 4 5 1–3* 𝔓^{45} א A C D W Θ Ψ *f*$^{1.13}$ (28) 𝔐 lat sy bo; Mcion Epiph ¦ *txt* 𝔓^{75} B L 1241 e sa • **2** ⸀*p)* γαρ D sy$^{s.c.hmg}$ ¦ – א *f*^{13} 565 *pc* r^{1} vg^{mss} | ⸁*p)* κεκαλ- 𝔓^{45} א C* 1241 | ⸂ου φανερωθησεται D | □ 𝔓^{45} • **4** ⸀πτοηθητε 𝔓^{45} 700 | ⸂*1–5 7 6 8* L (Θ Ψ) *f*^{13} (33). 892. 1241. 1424 *al* ¦ *1–3 6 4 5 7 8 f*^{1} 700 ¦ *p)* την δε ψυχην μη δυναμενων αποκτειναι μηδε εχοντων περισσον τι ποιησαι D (157) • **5** ° א D *pc* a sy^{p} | ⸀βαλειν 𝔓^{45} (⸉D) W; Mcion Cl | ⸁φοβηθηναι 𝔓^{45} • **6** ⸀-λειται 𝔓^{45} D L R W 0191 *f*^{1} 𝔐 (-λειτε A 28. 1010 *al*) ¦ *txt* 𝔓^{75} א B Θ Ψ *f*^{13} 892. 1241 *pc* • **7** ⸀*p)* ηριθμημεναι εισιν (– 𝔓^{45}) 𝔓^{45} D Θ *pc* | ⊤*p)* υμεις D K Θ *f*^{13} 33 *al* (a) e vg^{cl} • **8/9** ⸀ ομολογησει A B* D Γ Δ 1241. 1424 *al* ¦ *txt* 𝔓$^{45.75}$ א B^{2} L Q W Θ Ψ 0191 *f*$^{1.13}$ 𝔐 | □ *bis* א*; Mcion | □1 *vs* 𝔓^{45} *pc* e sy^{s} bo^{ms}

7 **10** Καὶ πᾶς ὃς ἐρεῖ λόγον εἰς τὸν υἱὸν τοῦ ἀνθρώπου, *10:* Mt 12,32 Mc 3,28s
ἀφεθήσεται αὐτῷ· ⸂τῷ δὲ εἰς τὸ ἅγιον πνεῦμα βλασφημή-
σαντι οὐκ ἀφεθήσεται⸃. *11s:* Mt 10,19s
8 **11** Ὅταν δὲ εἰσφέρωσιν ὑμᾶς ⸀ἐπὶ τὰς ⸉συναγωγὰς καὶ Mc 13,11 cf L 21,14s
τὰς ἀρχὰς⸊ καὶ τὰς ἐξουσίας, μὴ ⸁μεριμνήσητε ⸂πῶς ἢ E 1,21!
τί⸃ ἀπολογήσησθε ἢ τί εἴπητε· **12** τὸ γὰρ ἅγιον πνεῦμα J 14,26 Act 4,8
διδάξει ὑμᾶς ἐν αὐτῇ τῇ ὥρᾳ ἃ δεῖ εἰπεῖν. 1K 2,13
9 **13** Εἶπεν δέ τις ⸉ἐκ τοῦ ὄχλου αὐτῷ⸊· διδάσκαλε, εἰπὲ
τῷ ἀδελφῷ μου μερίσασθαι μετ’ ἐμοῦ τὴν κληρονομίαν.
14 ὁ δὲ εἶπεν αὐτῷ· ἄνθρωπε, τίς με κατέστησεν ⸂κριτὴν Ex 2,14 Act 7,27.35
ἢ μεριστὴν⸃ ἐφ’ ὑμᾶς; **15** εἶπεν δὲ πρὸς αὐτούς· ὁρᾶτε
καὶ φυλάσσεσθε ἀπὸ πάσης πλεονεξίας, ὅτι οὐκ ἐν τῷ
περισσεύειν τινὶ ⸂ἡ ζωὴ αὐτοῦ ἐστιν ἐκ τῶν ὑπαρχόντων αὐτῷ⸃.
16 Εἶπεν δὲ παραβολὴν πρὸς αὐτοὺς λέγων· ἀνθρώ-
που τινὸς πλουσίου εὐφόρησεν ἡ χώρα. **17** καὶ διελογί- Ps 49,17ss | 5,21
ζετο ἐν ⸀ἑαυτῷ λέγων· τί ποιήσω, ὅτι οὐκ ἔχω ποῦ συν- 16,3!
άξω τοὺς καρπούς μου; **18** καὶ εἶπεν· τοῦτο ποιήσω, καθ-
ελῶ μου τὰς ἀποθήκας καὶ ⸂μείζονας οἰκοδομήσω⸃ καὶ
συνάξω ἐκεῖ ⸄πάντα τὸν σῖτον καὶ τὰ ἀγαθά μου⸅ **19** καὶ
ἐρῶ τῇ ψυχῇ μου· ψυχή, ἔχεις πολλὰ ἀγαθὰ ⸋κείμενα εἰς Hen 97,8-10
ἔτη πολλά· ἀναπαύου, φάγε, πίε,⸌ εὐφραίνου. **20** εἶπεν δὲ Eccl 8,15 Tob 7,10 Jc 4,13s Sir
αὐτῷ ὁ θεός· ἄφρων, ταύτῃ τῇ νυκτὶ τὴν ψυχήν σου ⸀ἀπαι- 11,19 |
τοῦσιν ἀπὸ σοῦ· ἃ δὲ ἡτοίμασας, τίνι ἔσται; **21** ⸋οὕτως Jr 17,11 Sap 15,8
ὁ θησαυρίζων ⸀ἑαυτῷ καὶ μὴ εἰς θεὸν πλουτῶν.⸆⸌ Ps 39,7 Mt 6,20 1T 6,
0 **22** Εἶπεν δὲ πρὸς τοὺς μαθητὰς °[αὐτοῦ]· διὰ τοῦτο 17-19 *22–32:* Mt 6,25-
⸉λέγω ὑμῖν⸊· μὴ μεριμνᾶτε τῇ ψυχῇ ⸆ τί φάγητε, μηδὲ τῷ 34 · 21,34

10 ⸂*p)* εις δε το πν. το αγ. ουκ αφεθ. αυτω ουτε εν τω αιωνι τουτω ουτε εν τω μελλοντι D (c e) ● **11** ⸀εις ℵ D R *f*[1.13] 700. 1241 *pc* | ⸉ 𝔓[45] | ⸁μεριμνατε A W 𝔐 ¦ *p)* προμεριμνατε D; Cl ¦ *txt* 𝔓[75] ℵ B L Q R Θ Ψ 0191 *f*[1.13] 33. 700. 892. 1241 *pc*; Or | ⸂πως D *pc* it sy[c.p]; Or ¦ τι r[1] sy[s] ● **13** ⸉A D R W Ψ *f*[1.13] 𝔐 lat sy ¦ *txt* 𝔓[75] ℵ B L Q (Θ) 0191. 33 *pc* ● **14** ⸂δικαστην η μερ. A Q R W Θ Ψ 𝔐 ¦ κριτην D; Mcion ¦ δικαστην 28 *pc* ¦ *txt* 𝔓[75] ℵ B L 0191 *f*[1.13] 33. 700. 892. 1241 *pc* ● **15** ⸂τα υπαρχοντα εστιν η ζωη αυτου Cl ● **17** ⸀αυτω B L* ● **18** ⸂ποιησω αυτας μειζονας D e (q) | ⸄παντα τα γενηματα μου ℵ* D it (sy[s.c]) ¦ π. τα γεν. μου και τα αγ. μου A Q W Θ Ψ 𝔐 vg sy[p.h] ¦ *txt* 𝔓[75(*)] (ℵ[2]) B L 070 *f*[1.(13)] 892. 1241 *pc* co ● **19** ⸋ D it ● **20** ⸀αιτουσιν 𝔓[75] B L Q 070. 33 *pc* ¦ *txt* ℵ A (⸉D) W Θ Ψ *f*[1.13] 𝔐 ● **21** ⸋*vs* D a b | ⸀†αυτω ℵ* B ¦ εν εαυτω (L) W Γ *al* ¦ *txt* 𝔓[75] ℵ[2] A Q Θ Ψ 070 *f*[1.13] 𝔐 | ⸆(*ex lect.*) ταυτα λεγων εφωνει· ο εχων ωτα ακουειν ακουετω U *f*[13] 892 *al* ● **22** °𝔓[75] B 1241 c e ¦ *txt* ℵ A D L Q W Θ Ψ 070 *f*[1.13] 𝔐 lat sy co | ⸉A Q W Θ Ψ *f*[1] 𝔐 a b c e ¦ *txt* 𝔓[75] ℵ B D L *f*[13] 892. 1241 *al* lat | ⸆*p)* υμων 𝔓[45] Ψ 070 *f*[13] 𝔐 a e vg[cl] sy[c.p]; Cl ¦ *txt* 𝔓[75] ℵ A B D L Q W Θ *f*[1] 700 *al* lat sy[s.h]

σώματι ⸆ τί ἐνδύσησθε. **23** ἡ ° γὰρ ψυχὴ πλεῖόν ἐστιν τῆς
τροφῆς καὶ τὸ σῶμα τοῦ ἐνδύματος. **24** κατανοήσατε ⸂τοὺς
Ps 147,9 Job 38,41 κόρακας⸃ ὅτι ⸀οὐ σπείρουσιν ⸀οὐδὲ θερίζουσιν, οἷς οὐκ
ἔστιν ταμεῖον οὐδὲ ἀποθήκη, καὶ ὁ θεὸς τρέφει ⸁αὐτούς·
πόσῳ μᾶλλον ° ὑμεῖς διαφέρετε τῶν πετεινῶν. **25** τίς δὲ
ἐξ ὑμῶν ° μεριμνῶν δύναται ⸉ἐπὶ τὴν ἡλικίαν αὐτοῦ προσ-
θεῖναι⸊ πῆχυν⸆; **26** ⸂εἰ οὖν οὐδὲ ἐλάχιστον δύνασθε, τί
περὶ τῶν λοιπῶν⸃ μεριμνᾶτε; **27** κατανοήσατε τὰ κρίνα
πῶς ⸂αὐξάνει· οὐ κοπιᾷ οὐδὲ νήθει⸃· λέγω δὲ ὑμῖν, ⸆ οὐδὲ Σολομὼν ἐν πάσῃ τῇ δόξῃ αὐτοῦ περιεβάλετο ὡς ἓν
τούτων. **28** εἰ δὲ ἐν ἀγρῷ τὸν χόρτον ὄντα σήμερον
καὶ αὔριον εἰς κλίβανον βαλλόμενον ὁ θεὸς οὕτως ⸀ἀμ-
φιέζει, πόσῳ μᾶλλον ὑμᾶς, ὀλιγόπιστοι. **29** καὶ ὑμεῖς μὴ
ζητεῖτε τί φάγητε ⸀καὶ τί πίητε καὶ μὴ μετεωρίζεσθε·
30 ταῦτα γὰρ πάντα τὰ ἔθνη τοῦ κόσμου ⸀ἐπιζητοῦσιν,
ὑμῶν δὲ ὁ πατὴρ οἶδεν ὅτι χρῄζετε τούτων. **31** πλὴν ζητεῖτε τὴν βασιλείαν ⸀αὐτοῦ, καὶ ταῦτα ⸆ προστεθήσεται
Is 41,14 Act 20,28 1 P 5,2 ὑμῖν. **32** Μὴ φοβοῦ, τὸ μικρὸν ποίμνιον, ὅτι ⸆ εὐδόκησεν
22,29 Dn 7,18. 27 𝔊 | ὁ πατὴρ ὑμῶν δοῦναι ὑμῖν τὴν βασιλείαν.
33s: Mt 6,20s 11,41 Mc 10,21 **33** Πωλήσατε τὰ ὑπάρχοντα ὑμῶν καὶ δότε ἐλεημο-
σύνην· * ποιήσατε ἑαυτοῖς βαλλάντια μὴ παλαιούμενα,
18,22p θησαυρὸν ἀνέκλειπτον ἐν τοῖς οὐρανοῖς, ὅπου κλέπτης
οὐκ ἐγγίζει οὐδὲ σὴς διαφθείρει· **34** ὅπου γάρ ἐστιν ὁ θη-
σαυρὸς ὑμῶν, ἐκεῖ ⸉καὶ ἡ καρδία ὑμῶν ἔσται⸊.
Ex 12,11 1 Rg 18,46 etc E 6,14 1 P 1,13 | **35** ⸂*Ἔστωσαν ὑμῶν αἱ ὀσφύες περιεζωσμέναι*⸃ καὶ οἱ λύ-
χνοι καιόμενοι· **36** καὶ ὑμεῖς ὅμοιοι ἀνθρώποις προσδε-

22 ⸆ † υμων B 070 f13 28. 33. 1424 *al* a syp ¦ *txt* 𝔓45vid.75 ℵ A D L Q W Θ Ψ f1 𝔐 lat sys.c.h; Cl ● **23** ° 𝔓45 A K Q W Γ Δ Ψ 565. 1010. 1424 *pm* lat sams boms ¦ *txt* 𝔓75 ℵ B D L Θ (070) f1.13 28. 33. 700. 892. 1241 *pm* b c e sy ● **24** ⸂*p)* τα πετεινα του ουρανου D e (f) l r1 ¦ τα πετ. του ουρ. και τους κορ. 𝔓45 | ⸀ † *bis* ουτε ℵ D L Q 892 *pc* e ¦ *txt* 𝔓45.75 A B W Θ Ψ (070) f1.13 𝔐 lat; Cl | ⸁ αυτα 𝔓45 D f13 f r1 | ° 𝔓75 *pc* ● **25** ° D | ⸉ *5 1–4* 𝔓45 ℵ A D L Q W Θ Ψ 070 f1.13 𝔐 ¦ *txt* 𝔓75 B *pc* | ⸆ *p)* ενα ℵ1 A L Q W Θ Ψ 070 f1.13 𝔐 lat sy ¦ *txt* 𝔓45.75 ℵ* B D ff2 i l ● **26** ⸂ και περι των λοιπων τι D it ● **27** ⸂ † ουτε νηθει ουτε υφαινει D sys.c (⸉a; Mcion) Cl ¦ *txt* 𝔓45.75 *rell* | ⸆ *p)* οτι ℵ A D L Ψ f1.13 33. 892. 1424 *al* it; Cl ¦ *txt* 𝔓45.75 B W Θ 070 𝔐 a vg ● **28** ⸀ αμφιεννυσιν ℵ A Q W Θ Ψ f1.13 𝔐 ¦ *txt* 𝔓45.75 (B) D L 070. 892 ● **29** ⸀ *p)* η 𝔓75 A D W Θ Ψ f1.13 𝔐 lat syh sa bopt; Cl ¦ *txt* 𝔓45 ℵ B L Q 070. 33. 565. 892. 1241. 1424 *pc* e sys.c.p bopt ● **30** ⸀ επιζητει 𝔓45 A (D) Q W Θ Ψ f1 𝔐 ¦ *txt* 𝔓75 ℵ B L 070 f13 33. 1241 *pc* ● **31** ⸀ του θεου 𝔓45 A D1 Q W Θ 070 f1.13 𝔐 lat sy; Cl Epiph ¦ – 𝔓75 ¦ *txt* ℵ B D* L Ψ 892 *pc* a c co | ⸆ *p)* παντα ℵ1 A D K N Γ Θ Ψ 070 f1.13 28. 33. 565. 700. 1241. 1424 *pm* lat syp.h** samss bo ¦ *txt* 𝔓45.75 ℵ* B L Q (W) Δ 892. 1010 *pm* a e sys.c samss ● **32** ⸆ εν αυτω D (e) ● **34** ⸉ *p) 5 1–4* D *pc* ● **35** ⸂ εστω υμ. η οσφυς περιεζωσμενη D

χομένοις τὸν κύριον ἑαυτῶν πότε ἀναλύσῃ ἐκ τῶν γά- Mt 25,1-13
μων, ἵνα ἐλθόντος καὶ κρούσαντος εὐθέως ἀνοίξωσιν Ap 3,20
5 αὐτῷ. **37** μακάριοι οἱ δοῦλοι ἐκεῖνοι, οὓς ἐλθὼν ὁ κύ- 43
ριος εὑρήσει γρηγοροῦντας· ἀμὴν λέγω ὑμῖν ὅτι περιζώ- 17,8 J 13,4
σεται καὶ ἀνακλινεῖ αὐτοὺς ⸋καὶ παρελθὼν διακονήσει
αὐτοῖς⸌. **38** ⸂κἂν ἐν τῇ δευτέρᾳ κἂν ἐν τῇ τρίτῃ φυλακῇ Mc 13,35
6 ἔλθῃ καὶ εὕρῃ οὕτως⸃, μακάριοί εἰσιν ⸀ἐκεῖνοι. **39** τοῦτο *39–46:* Mt 24,43-51 · 1Th 5,2!
δὲ γινώσκετε ὅτι εἰ ᾔδει ὁ οἰκοδεσπότης ποίᾳ ὥρᾳ ὁ κλέπ-
της ἔρχεται, ⸂οὐκ ἂν⸃ ἀφῆκεν διορυχθῆναι τὸν οἶκον αὐ-
τοῦ. **40** ⸋καὶ ὑμεῖς ⸆ γίνεσθε ἕτοιμοι, ὅτι ᾗ ὥρᾳ οὐ δοκεῖτε Mc 13,35
ὁ υἱὸς τοῦ ἀνθρώπου ἔρχεται.⸌
7 **41** Εἶπεν δὲ ⸆ ὁ Πέτρος· κύριε, πρὸς ἡμᾶς τὴν παραβολὴν ταύτην λέγεις ⸋ἢ καὶ πρὸς πάντας⸌; **42** καὶ εἶπεν ὁ
κύριος· τίς ἄρα ἐστὶν ὁ πιστὸς οἰκονόμος ὁ φρόνιμος⸆, 16,1 1K 4,1s!
ὃν καταστήσει ὁ κύριος ἐπὶ τῆς θεραπείας αὐτοῦ τοῦ ⸀δι-
δόναι ἐν καιρῷ °[τὸ] σιτομέτριον; **43** μακάριος ὁ δοῦλος 37 Mt 25,21
ἐκεῖνος, ὃν ἐλθὼν ὁ κύριος αὐτοῦ εὑρήσει ⸉ποιοῦντα οὕ-
τως⸊. **44** ⸀ἀληθῶς λέγω ὑμῖν ὅτι ἐπὶ πᾶσιν τοῖς ὑπάρχου-
8 σιν ⸁αὐτοῦ καταστήσει αὐτόν. **45** ἐὰν δὲ εἴπῃ ὁ δοῦλος
ἐκεῖνος ἐν τῇ καρδίᾳ ⸀αὐτοῦ· χρονίζει ὁ κύριός μου ἔρ- Mt 25,5
χεσθαι, καὶ ἄρξηται τύπτειν τοὺς παῖδας καὶ τὰς παιδί-
σκας, ἐσθίειν ⸁τε καὶ πίνειν καὶ μεθύσκεσθαι, **46** ἥξει ὁ
κύριος τοῦ δούλου ἐκείνου ἐν ἡμέρᾳ ᾗ οὐ προσδοκᾷ καὶ
ἐν ὥρᾳ ᾗ οὐ γινώσκει, καὶ διχοτομήσει αὐτὸν καὶ τὸ μέρος αὐτοῦ μετὰ τῶν ἀπίστων θήσει.
9 **47** Ἐκεῖνος δὲ ὁ δοῦλος ὁ γνοὺς τὸ θέλημα τοῦ κυρίου Jc 4,17 · Act 22,14 R 2,18 2P 2,21
αὐτοῦ καὶ °μὴ ⸂ἑτοιμάσας ἢ ποιήσας⸃ πρὸς τὸ θέλημα
αὐτοῦ δαρήσεται πολλάς· **48** ὁ δὲ μὴ γνούς, ποιήσας δὲ

37 ⸋ℵ* • **38** ⸂και εαν ελθη τη εσπερινη φυλακη και ευρησει ουτως ποιησει και εαν εν τη δευτ. και τη τριτη D c (f[1] it sy[c]; Ir[lat]) | ⸀οι δουλοι εκ. A Q W Θ Ψ 070 f[1.13] 𝔐 lat sy[p.h] sa bo[pt] ¦ – ℵ* it ¦ *txt* 𝔓[75] ℵ[1] B D L e sy[s.c] bo[pt] • **39** ⸂*p)* εγρηγορησεν αν (– ℵ[1]) και ουκ ℵ[1] (A) B L (Q) W (Θ) Ψ (070) f[1.13] 𝔐 lat sy[p.h] sa[ms] bo ¦ *txt* 𝔓[75] ℵ* (D) e i sy[s.c] sa[mss]; Mcion • **40** ⸋*vs* f[1] | ⸆ουν A (D) W f[13] 𝔐 sy[p.h] ¦ *txt* 𝔓[75] ℵ B L Q Θ Ψ 070. 28. 1241 *pc* lat sy[s.c] • **41** ⸆αυτω ℵ A Q W Θ Ψ f[1.13] 𝔐 f q vg sy sa bo[pt] ¦ *txt* 𝔓[75] B D L R 33. 700. 1241 *pc* it bo[pt] | ⸋D • **42** ⸆ο αγαθος D (c e sy[c]) | ⸀δουναι N W Θ Ψ (28). 700. (1241). 1424 *al* ¦ διαδουναι ℵ* (*pc*) ¦ διαδιδοναι 𝔓[75] (*pc*) | °𝔓[75] B D f[13] ¦ *txt* ℵ A L Q R W Θ Ψ 070 f[1] 𝔐 • **43** ⸉*p)* 𝔓[45.75] ℵ L Ψ 070 f[13] 33. 892. 1241 *pc* • **44** ⸀*p)* αμην D *pc* c | ⸁αυτω 𝔓[45] P W Θ Γ 070 *pc* • **45** ⸀εαυτου 𝔓[75] N 33. (892) *pc* | ⸁τι 𝔓[75] ¦ – f[13] • **47** °𝔓[45] | ⸂*1* L W f[13] it sy[s.c.p] ¦ *3* 𝔓[45] D *pc*; Mcion Ir[lat] Or Cyr ¦ ετ. μηδε ποιη. A R Θ f[1] 𝔐 f ¦ *txt* 𝔓[75] ℵ B Ψ 070. 33. 892. 1241 *pc* (vg)

ἄξια πληγῶν δαρήσεται ὀλίγας. παντὶ °δὲ ᾧ ⸀ἐδόθη πολύ,
πολὺ ζητηθήσεται παρ' αὐτοῦ⸃, καὶ ᾧ παρέθεντο πολύ,
⸂περισσότερον αἰτήσουσιν⸃ αὐτόν.
Act 2,3 **49** Πῦρ ἦλθον βαλεῖν ⸀ἐπὶ τὴν γῆν, καὶ τί θέλω εἰ ἤδη
Mc 10,38 · 18,31! ἀνήφθη. **50** βάπτισμα δὲ ἔχω βαπτισθῆναι, καὶ πῶς συν-
51–53: Mt 10,34-36 έχομαι ἕως ὅτου τελεσθῇ. **51** δοκεῖτε ὅτι εἰρήνην παρεγενόμην ⸀δοῦναι ἐν τῇ γῇ; οὐχί, λέγω ὑμῖν, ⸂ἀλλ' ἢ⸃
διαμερισμόν. **52** ἔσονται γὰρ ἀπὸ τοῦ νῦν πέντε ἐν ἑνὶ
οἴκῳ ⸉διαμεμερισμένοι, τρεῖς⸊ ἐπὶ δυσὶν καὶ δύο ἐπὶ τρι-
Mch 7,6 σίν, **53** διαμερισθήσονται ⸉πατὴρ ἐπὶ υἱῷ καὶ *υἱὸς ἐπὶ*
πατρί⸊, μήτηρ ἐπὶ ⸂τὴν θυγατέρα⸃ καὶ *θυγάτηρ ἐπὶ* ⸂*τὴν μη-*
τέρα⸃, πενθερὰ ἐπὶ τὴν νύμφην °αὐτῆς καὶ *νύμφη ἐπὶ τὴν*
πενθεράν⸆.
Mt 16,2s **54** Ἔλεγεν δὲ καὶ τοῖς ὄχλοις· ὅταν ἴδητε °[τὴν] νε-
1 Rg 18,44 φέλην ἀνατέλλουσαν ⸀ἐπὶ δυσμῶν, εὐθέως λέγετε °¹ὅτι
ὄμβρος ἔρχεται, καὶ γίνεται οὕτως· **55** καὶ ὅταν νότον
πνέοντα⸆, λέγετε °ὅτι καύσων ⸀ἔσται, καὶ γίνεται. **56** ὑ-
ποκριταί, τὸ πρόσωπον ⸂τῆς γῆς καὶ τοῦ οὐρανοῦ⸃ οἴδατε
δοκιμάζειν, ⸄τὸν καιρὸν δὲ⸅ τοῦτον ⸂¹πῶς οὐκ οἴδατε
δοκιμάζειν⸃;
1 K 6,5 · Act 4,19 **57** Τί δὲ καὶ ἀφ' ἑαυτῶν οὐ κρίνετε τὸ δίκαιον; **58** * ὡς
Mt 5,25s! γὰρ ὑπάγεις μετὰ τοῦ ἀντιδίκου σου ἐπ' ἄρχοντα, ἐν τῇ
ὁδῷ δὸς ἐργασίαν ἀπηλλάχθαι °ἀπ' αὐτοῦ, μήποτε ⸀κα-
τασύρῃ σε πρὸς τὸν κριτήν, καὶ ὁ κριτής σε παραδώσει
τῷ πράκτορι, καὶ ὁ πράκτωρ σε βαλεῖ εἰς ⸆ φυλακήν.

48 ° 𝔓[75] ℵ* | ⸀εδωκαν πολυ, ζητησουσιν απ αυτου περισσοτερον D (e ff[2] l) | ⸂πλεον απαιτησουσιν D ● **49** ⸀εις 𝔓[45] D R Γ Δ 28. 565. 1010 *pm*; Meth ● **51** ⸀ποιησαι D e sy[c] ¦ βαλειν 1424 *pc* b l q r[1] sy[s.p] sa[ms] bo; Mcion PistS | ⸂αλλα 𝔓[45] D Θ 700 *pc*; Mcion ● **52** ⸉ 𝔓[45] D ● **53** ⸉ 𝔓[45] *pc* | ⸂ † θ-τερα *et* ⸂την μητερα B D ¦ θ-τερα *et* μητερα ℵ ¦ θ-τρι *et* μητρι A (W) Ψ *f*[13] (1241) 𝔐 ¦ *txt* 𝔓[45.75] L Θ *f*[1] (070). 700. 892. (1241) *pc* | ° 𝔓[75*] ℵ* Δ* *pc* l bo[pt] | ⸆ταυτης ℵ[2] A W Θ Ψ 070 *f*[1.13] 𝔐 lat sy ¦ *txt* 𝔓[45.75] ℵ* B D L 892 *pc* bo[pt] ● **54** ° † 𝔓[75] ℵ A B L N Δ Ψ *f*[1.13] 33. 700. 892. 1241 *al* co ¦ *txt* 𝔓[45] D W Θ 070 𝔐 | ⸀απο 𝔓[45] A D W Θ Ψ 070 *f*[1.13] 𝔐 sy ¦ *txt* 𝔓[75] ℵ B L 1241 *pc* it | °¹ D W 070 *f*[1] 𝔐 lat sy[p] ¦ *txt* 𝔓[45.75] ℵ A B K L N Θ Ψ *f*[13] 33 *al* e ● **55** ⸆ιδητε 𝔓[45] it | ° 𝔓[45] ℵ* D L 892. 1241 *pc* r[1] sy[p] | ⸀ερχεται 𝔓[45] ℵ* W *pc* l ● **56** ⸂ *4 5* Δ* 1424 *pc* ¦ *4 5 3 1 2* 𝔓[45.75] ℵ[2] D K L N 070. 28. 33. 1241 *pm* it vg[cl] sy[s.c] co | ⸄ *1 3 2* ℵ A W Θ Ψ 070 *f*[1.13] 𝔐 ¦ *1 2* L ¦ πλην τον καιρον 𝔓[45] D *pc* c e ¦ *txt* 𝔓[75] B 892 *pc* | ⸂¹ † πως ου δοκιμαζετε 𝔓[45] A W Ψ *f*[1.13] 𝔐 lat sy[p.h] ¦ ου δοκιμαζετε D it sy[c] ¦ πως ουκ οιδατε δοκιμαζετε 070 ¦ *txt* 𝔓[75] ℵ B L Θ 33. 892. 1241 *pc* sy[hmg] (co) ● **58** ° B 892. 1241; Cl | ⸀κατακρινη D it sy[s.c] | ⸆την 𝔓[45] 700 *pc*

59 λέγω σοι, οὐ μὴ ἐξέλθῃς ἐκεῖθεν, ἕως ⸆ καὶ ⸂τὸ ἔσχατον λεπτὸν ἀποδῷς⸃.
7/3 **13** Παρῆσαν δέ τινες ἐν αὐτῷ τῷ καιρῷ ἀπαγγέλλον-
τες °αὐτῷ περὶ τῶν Γαλιλαίων ὧν τὸ αἷμα Πιλᾶτος Act 5,37 ?
ἔμιξεν μετὰ °τῶν θυσιῶν αὐτῶν. **2** καὶ ἀποκριθεὶς ⸆
εἶπεν αὐτοῖς· δοκεῖτε ὅτι οἱ Γαλιλαῖοι οὗτοι ἁμαρτωλοὶ J 9,2
παρὰ πάντας τοὺς Γαλιλαίους ἐγένοντο, ὅτι ⸀ταῦτα πε-
πόνθασιν; **3** οὐχί, λέγω ὑμῖν, ἀλλ' ἐὰν μὴ ⸀μετανοῆτε πάν- Ps 7,13 𝔊 Jr 12,17 𝔊
τες ⸁ὁμοίως ἀπολεῖσθε. **4** ἢ ἐκεῖνοι οἱ δεκαοκτὼ ἐφ' οὓς
ἔπεσεν ὁ πύργος ἐν τῷ Σιλωὰμ καὶ ἀπέκτεινεν αὐτούς, J 9,7.11
δοκεῖτε ὅτι αὐτοὶ ὀφειλέται ἐγένοντο παρὰ πάντας τοὺς
ἀνθρώπους τοὺς ⸀κατοικοῦντας ⸆ Ἰερουσαλήμ; **5** οὐχί,
λέγω ὑμῖν, ἀλλ' ἐὰν μὴ ⸀μετανοῆτε πάντες ⸁ὡσαύτως ἀπολεῖσθε.
4 **6** Ἔλεγεν δὲ ταύτην τὴν παραβολήν· συκῆν εἶχέν τις 5,36! *6-9:* Is 5,1-7 Ps 80,9-17 Jr 24,2-6 Hos 9,10.16s
πεφυτευμένην ἐν τῷ ἀμπελῶνι αὐτοῦ, καὶ ἦλθεν ζητῶν
καρπὸν ἐν αὐτῇ καὶ οὐχ εὗρεν. **7** εἶπεν δὲ πρὸς τὸν ἀμπελ- Hab 3,17 · Mt 3,10p; 21,19 |
ουργόν· ἰδοὺ τρία ἔτη ἀφ' οὗ ἔρχομαι ζητῶν καρπὸν ἐν Lv 19,23-25
τῇ συκῇ ταύτῃ καὶ οὐχ εὑρίσκω· ⸆ ἔκκοψον °[οὖν] αὐτήν, ἱνατί καὶ ⸂τὴν γῆν⸃ καταργεῖ; **8** ὁ δὲ ἀποκριθεὶς λέγει
αὐτῷ· κύριε, ἄφες αὐτὴν καὶ τοῦτο τὸ ἔτος, ἕως ὅτου σκά-
ψω περὶ αὐτὴν καὶ βάλω ⸀κόπρια, **9** κἂν μὲν ποιήσῃ καρπὸν ⸉εἰς τὸ μέλλον· εἰ δὲ μή γε,⸊ ἐκκόψεις αὐτήν.⸆
10 Ἦν δὲ διδάσκων ἐν μιᾷ τῶν συναγωγῶν ⸂ἐν τοῖς σάβ- 4,31
βασιν⸃. **11** καὶ ἰδοὺ γυνὴ ⸂πνεῦμα ἔχουσα ἀσθενείας⸃ ἔτη
δεκαοκτὼ καὶ ἦν συγκύπτουσα καὶ μὴ δυναμένη ἀνακύ-
ψαι εἰς τὸ παντελές. **12** ἰδὼν δὲ αὐτὴν ⸂ὁ Ἰησοῦς προσ-

59 ⸆οὗ (A) D W Ψ *f*[13] 𝔐 ¦ αν Θ 070 ¦ *txt* 𝔓[75] ℵ B L 1. 892. 1241 *pc* | ⸂*(p)* αποδοις τον εσχατον κοδραντην D it vg[mss]

¶ **13,1** °*bis* 𝔓[75] • **2** ⸆ο Ιησους A D W Θ Ψ *f*[1.13] 𝔐 it sy sa[ms] bo[pt] ¦ *txt* 𝔓[75] ℵ B L 070. 1241 *pc* lat sa[mss] bo[pt] | ⸀τοιαυτα 𝔓[75] A W Ψ 070 *f*[1.(13)] 𝔐 lat ¦ *txt* ℵ B D L Θ 892 *pc* e r[1] • **3** ⸀-ησητε A D Γ Θ *f*[1.(13)] 892[mg]. 1241. 1424 *al*; Epiph | ⸁(5) ωσαυτως A W Ψ 𝔐 ¦ *txt* 𝔓[75] ℵ B D L Θ 070 *f*[1.13] 33. 892. 1241 *al* • **4** ⸀ενοικ- D | ⸆εν ℵ A W Θ Ψ 070 *f*[13] 𝔐 ¦ *txt* 𝔓[45.75vid] B D L *f*[1] 892. 1241 *al* • **5** ⸀†(*cf vs* 3) -ησητε ℵ[*.2] A D L Θ 070 *f*[1.(13)] 1241. 1424 *al*; Epiph ¦ *txt* 𝔓[75] ℵ[1] B W Ψ 𝔐 | ⸁(3) ομοιως 𝔓[75] A D W Θ Ψ *f*[13] 𝔐 ¦ *txt* ℵ B L *f*[1] 33. 892. 1241 *pc* • **7** ⸆φερε την αξινην D | °† ℵ B D W *f*[1] 𝔐 e sy[(s).c.p] ¦ *txt* 𝔓[75] A L Θ Ψ 070 *f*[13] 33. 892 *al* lat sy[h] co | ⸂τον τοπον B* 1424 • **8** ⸀κοφινον κοπριων D it • **9** ⸉ *4–7 1–3* 𝔓[45vid] A D W Θ Ψ *f*[1.13] 𝔐 latt sy ¦ *txt* 𝔓[75] ℵ B L (070). 892. 1241 *pc* co | ⸆ταυτα λεγων εφωνει· ο εχων ωτα ακουειν ακουετω Γ *al* • **10** ⸂ *2 3* (⸉ 𝔓[45]) Ψ 070 *f*[1.13] *pc* ¦ σαββατω D aur i sa bo[pt] • **11** ⸂εν ασθενεια ην πνευματος D • **12** ⸂ *1 2* D e sa[ms] ¦ *3 4* 𝔓[45] b i

εφώνησεν καὶ⸌ εἶπεν αὐτῇ· γύναι, ἀπολέλυσαι ⸆ τῆς ἀσθε-
Mt 9,18! · 4,39 · νείας σου, **13** καὶ ἐπέθηκεν ⸆ αὐτῇ τὰς χεῖρας· καὶ παρα-
2,20! χρῆμα ἀνωρθώθη καὶ ⸀ἐδόξαζεν τὸν θεόν. **14** ἀποκρι- 16 II
θεὶς δὲ ὁ ἀρχισυνάγωγος, ἀγανακτῶν ὅτι τῷ σαββάτῳ
Ex 20,9s Dt 5,13s ἐθεράπευσεν ὁ Ἰησοῦς, ἔλεγεν τῷ ὄχλῳ ὅτι ἓξ ἡμέραι
εἰσὶν ἐν αἷς δεῖ ἐργάζεσθαι· ἐν ⸀αὐταῖς οὖν ἐρχόμενοι θε-
ραπεύεσθε καὶ μὴ τῇ ἡμέρᾳ τοῦ σαββάτου. **15** ⸀ἀπεκρίθη
δὲ αὐτῷ ὁ ⸀κύριος °καὶ εἶπεν· ⸀¹ὑποκριταί, ἕκαστος ὑμῶν
14,5! τῷ σαββάτῳ οὐ λύει τὸν βοῦν αὐτοῦ ἢ τὸν ὄνον ἀπὸ
τῆς φάτνης καὶ ⸀²ἀπαγαγὼν ποτίζει; **16** ταύτην δὲ θυγα-
3,8! · 2K 12,7 Mt 18,8 · 8,29! τέρα Ἀβραὰμ οὖσαν, ἣν ἔδησεν ὁ σατανᾶς ἰδοὺ δέκα καὶ
Mc 7,35 ὀκτὼ ἔτη, οὐκ ἔδει λυθῆναι ἀπὸ τοῦ δεσμοῦ τούτου τῇ
ἡμέρᾳ τοῦ σαββάτου; **17** καὶ ⸋ταῦτα λέγοντος αὐτοῦ⸌ 16 X
Is 45,16 𝔊 κατῃσχύνοντο °πάντες οἱ ἀντικείμενοι αὐτῷ, καὶ πᾶς ὁ
ὄχλος ἔχαιρεν ἐπὶ πᾶσιν ⸂τοῖς ἐνδόξοις τοῖς γινομένοις
ὑπ' αὐτοῦ⸃.

18s: Mt 13,31s Mc 4,30-32 **18** ⸉Ἔλεγεν οὖν· τίνι ὁμοία ἐστὶν ἡ βασιλεία τοῦ θεοῦ 4 16 II
καὶ τίνι ὁμοιώσω αὐτήν; **19** ὁμοία ἐστὶν κόκκῳ σινάπεως,
ὃν λαβὼν ἄνθρωπος ἔβαλεν εἰς ⸆ κῆπον ⸀ἑαυτοῦ, καὶ ηὔ-
Dn 4,9.18 Ez 17,23; 31,6 *Ps* 103,12 𝔊 ξησεν καὶ ἐγένετο εἰς δένδρον⸆, καὶ *τὰ πετεινὰ τοῦ οὐρα-*
νοῦ κατεσκήνωσεν ἐν τοῖς κλάδοις αὐτοῦ.

20s: Mt 13,33 **20** ⸂Καὶ πάλιν εἶπεν· τίνι ὁμοιώσω τὴν βασιλείαν τοῦ 1
1K 5,6 θεοῦ⸃; **21** ὁμοία ἐστὶν ζύμῃ, ἣν λαβοῦσα γυνὴ ⸀[ἐν]έκρυ-
ψεν εἰς ἀλεύρου σάτα τρία ἕως οὗ ἐζυμώθη ὅλον.

22 Καὶ διεπορεύετο κατὰ πόλεις καὶ κώμας διδάσκων 1 I
9,51! καὶ πορείαν ποιούμενος εἰς ⸀Ἱεροσόλυμα.

1K 1,18! **23** Εἶπεν δέ τις αὐτῷ· κύριε, εἰ ὀλίγοι οἱ σῳζόμενοι; ὁ 5 1
1T 6,12 δὲ ⸂εἶπεν πρὸς αὐτούς⸃· **24** ἀγωνίζεσθε εἰσελθεῖν διὰ τῆς
Mt 7,13s στενῆς ⸀θύρας, ὅτι πολλοί, λέγω ὑμῖν, ζητήσουσιν εἰσ-

12 ⸆απο ℵ A D 33. 892 *pc* ● **13** ⸆επ 𝔓75 Θ *pc* | ⸀-σεν 𝔓45 D ● **14** ⸀ταυταις D Θ 𝔐 ¦ *txt* 𝔓45.75 ℵ A B L N W Ψ 070 *f*1.13 892 *al* ● **15** ⸀-θεις *et* ° 𝔓45 28. 1424 *pc* | ⸀Ιησους D N Θ *f*1.13 28. 1010 *al* vgmss sys.c.p bopt | ⸀¹-τα 𝔓45 D W *f*1 *al* f l sys.c.p | ⸀²απαγων ℵ* B* Θ 1 *pc* ● **17** ⸋D e | ° 𝔓45 D it | ⸂οἱς εθεωρουν ενδ. υπ αυτ. γινομ. D e (it) ● **19** ⸆τον 𝔓45 ℵ1 D 700 *pc* | ⸀αυ- 𝔓45 ℵ D K L Θ Ψ 700. 892. 1241. 1424 *al* | ⸆μεγα 𝔓45 A W Θ Ψ *f*(1).13 𝔐 lat syp.h bopt ¦ *txt* 𝔓75 ℵ B (D) L 070. (892). 1241 *pc* it sys.c sa bopt ● **20** ⸂(18) η τινι ομοια εστιν η βασιλεια του θεου και τινι ομοιωσω αυτην D (a a2) ● **21** ⸀†εκρ- B K L N 892. 1010. 1424 *al* ¦ *txt* 𝔓75 ℵ A D W Θ Ψ 070 *f*13 1 𝔐 ● **22** ⸀Ιερουσαλημ A D W (Θ) Ψ *f*1.13 𝔐 lat ¦ *txt* 𝔓75 ℵ B L 892. 1241 *pc* a a2 ● **23** ⸂ειπεν *f*13 ¦ αποκριθεις ειπ. D ¦ ειπ. πρ. αυτον *pc* (sys.c) boms ● **24** ⸀*p)* πυλης A W Ψ *f*13 𝔐 ¦ *txt* 𝔓(45).75 ℵ B D L Θ (070) *f*1 892. 1241 *pc*

1 ελθεῖν καὶ οὐκ ἰσχύσουσιν. **25** ἀφ' οὗ ἂν ⸀ἐγερθῇ ὁ οἰκο-
δεσπότης⸁ καὶ ἀποκλείσῃ τὴν θύραν καὶ ἄρξησθε ⸋ἔξω
ἑστάναι καὶ⸌ κρούειν ⸋^{1}τὴν θύραν⸌ λέγοντες· κύριε⸆, Mt 25,11s
ἄνοιξον ἡμῖν, καὶ ἀποκριθεὶς ἐρεῖ ὑμῖν· οὐκ οἶδα ὑμᾶς
πόθεν ἐστέ. **26** τότε ⸀ἄρξεσθε λέγειν·⸆ ἐφάγομεν ἐνώπιόν *26s:* Mt 7,22s
σου καὶ ἐπίομεν καὶ ἐν ταῖς πλατείαις ἡμῶν ἐδίδαξας·
27 καὶ ἐρεῖ ⸀λέγων ὑμῖν·⸁ ⸂οὐκ οἶδα [ὑμᾶς] πόθεν ἐστέ⸃· Mt 25,12
ἀπόστητε ἀπ' ἐμοῦ πάντες ἐργάται ⸀*ἀδικίας*. **28** ἐκεῖ ἔσται ὁ *Ps 6,9 1Mcc 3,6*
2 κλαυθμὸς καὶ ὁ βρυγμὸς τῶν ὀδόντων, * ὅταν ⸀ὄψησθε *28s:* Mt 8,11s!
Ἀβραὰμ καὶ Ἰσαὰκ καὶ Ἰακὼβ καὶ πάντας τοὺς προφήτας
ἐν τῇ βασιλείᾳ τοῦ θεοῦ, ⸋ὑμᾶς δὲ ἐκβαλλομένους ἔξω.⸌
29 καὶ ἥξουσιν ἀπὸ ἀνατολῶν καὶ δυσμῶν ⸀καὶ ἀπὸ⸁ βορρᾶ Is 43,5; 49,12; 59,19 Bar 4,37 Ps
καὶ νότου καὶ ἀνακλιθήσονται ἐν τῇ βασιλείᾳ τοῦ θεοῦ. 107,3 Ml 1,11 Ap 21,13 · 14,15; 22,16
3 **30** καὶ ἰδοὺ εἰσὶν ἔσχατοι οἳ ἔσονται πρῶτοι καὶ εἰσὶν Mt 19,30!p
πρῶτοι οἳ ἔσονται ἔσχατοι.
4 **31** Ἐν ⸀αὐτῇ τῇ ⸂ὥρᾳ προσῆλθάν τινες Φαρισαῖοι λέγοντες αὐτῷ· ἔξελθε καὶ πορεύου ἐντεῦθεν, ὅτι Ἡρῴδης
θέλει σε ἀποκτεῖναι. **32** καὶ εἶπεν αὐτοῖς· πορευθέντες
εἴπατε τῇ ἀλώπεκι ταύτῃ· ἰδοὺ ἐκβάλλω δαιμόνια καὶ
ἰάσεις ⸀ἀποτελῶ σήμερον καὶ αὔριον καὶ τῇ τρίτῃ ⸆ τε-
λειοῦμαι. **33** πλὴν δεῖ με σήμερον καὶ αὔριον καὶ τῇ ⸀ἐχο-
μένῃ πορεύεσθαι, ὅτι οὐκ ἐνδέχεται προφήτην ἀπολέσθαι Mc 6,4 · Mt 16,21!
ἔξω Ἰερουσαλήμ.
5 **34** Ἰερουσαλὴμ Ἰερουσαλήμ, ἡ ἀποκτείνουσα τοὺς προ- *34s:* Mt 23,37-39 · Mt 21,34-39!
φήτας καὶ λιθοβολοῦσα τοὺς ἀπεσταλμένους πρὸς αὐτήν,
ποσάκις ἠθέλησα ἐπισυνάξαι τὰ τέκνα σου ὃν τρόπον
⸀ὄρνις ⸋τὴν ἑαυτῆς νοσσιὰν ὑπὸ τὰς πτέρυγας⸌, καὶ οὐκ Is 31,5 Dt 32,11 Ps 91,4

25 ⸀εγ. ο δεσποτης 𝔓^{75} ¦ ο οικοδ. εισελθη D (∫ *f*^{13} lat) | ⸋א* bo^{ms} | ⸋^{1}D it | ⸆*p)* κυριε A D W Θ Ψ 070 *f*$^{1.13}$ 𝔐 it sy$^{c.p.h}$ bo^{pt} ¦ *txt* 𝔓^{75} א B L 892. 1241 *pc* lat sy^{s} sa bo^{pt} ● **26** ⸀-ξησθε א A D K L N W Γ Δ Θ Ψ 070 *f*^{13} 28. 1241. 1424 *pm* ¦ *txt* 𝔓^{75} B *f*^{1} 565. 700. 892. 1010 *pm* | ⸆κυριε D ● **27** ⸀υμ. א *pc* lat sy^{p} sa bo^{pt} ¦ – 1195 *pc* bo^{pt} ¦ · λεγω υμιν 𝔓^{75*} A D L R W Θ Ψ 070 *f*$^{1.13}$ 𝔐 sy$^{s.(c).h}$ (bo^{ms}) ¦ *txt* 𝔓^{75c} B 892. 1424 *pc* | ⸂† *1 2 4 5* 𝔓^{75} B L R 070. 1241 *pc* it ¦ ουδεποτε ειδον υμας D (e) ¦ *txt* א A W Θ Ψ *f*$^{1.13}$ 𝔐 lat sy | ⸀της αδ. A W Θ 070 *f*$^{1.13}$ 𝔐 ¦ *p)* ανομιας D (1424) bo^{mss}; Mcion Epiph ¦ *txt* 𝔓^{75} א B L R Ψ 892 *pc* ● **28** ⸀οψεσθε B* D *f*^{13} 1241 *al* ¦ ιδητε א Θ ¦ *txt* 𝔓^{75} A B^{1} L R W Ψ 070 *f*^{1} 𝔐 | ⸋*pc* sy^{s} ● **29** ⸀*1* א A D W Θ Ψ *f*^{1} 𝔐 lat ¦ *2* 𝔓^{75} 070 ¦ *txt* B L R *f*^{13} 892 *pc* it ● **31** ⸀ταυτη D K W Θ 070 *pc* | ⸂ημερα B^{1} W Θ Ψ 070 𝔐 lat sy$^{(s.c)}$ sa^{ms} bo ¦ *txt* 𝔓^{75} א A B* D L R *f*$^{1.13}$ 700. 892 *pc* sy^{hmg} sa^{mss} ● **32** ⸀επι- A R W Θ Ψ *f*$^{1.13}$ 𝔐 ¦ αποτελουμαι D ¦ ποιουμαι και 𝔓^{45} sy^{p} ¦ *txt* 𝔓^{75} א B L 33. 1241 *pc*; Cl | ⸆ημερα B *pc* it vg^{cl} ● **33** ⸀ερχ- 𝔓^{75} א D 1241 *al* bo ● **34** ⸀-νιξ א D W | ⸋𝔓^{75}

1Rg 9,7s Jr 22,5; 12,7 Ps 69,26 Tob 14,4 · ἠθελήσατε. **35** ἰδοὺ ἀφίεται ὑμῖν ὁ οἶκος ὑμῶν⸆. λέγω
○[δὲ] ὑμῖν, ⸇ οὐ μὴ ⸉ἴδητέ με⸊ ἕως ⸂[ἥξει ὅτε]⸃ εἴπητε·
Ps 118,26 Mt 3,11! *εὐλογημένος ὁ ἐρχόμενος ἐν ὀνόματι κυρίου.*

14 Καὶ ἐγένετο ἐν τῷ ⸀ἐλθεῖν αὐτὸν εἰς οἶκόν τινος τῶν 1
7,36! ἀρχόντων ○[τῶν] Φαρισαίων σαββάτῳ φαγεῖν ἄρ-
6,6-11p; 20,20 τον καὶ αὐτοὶ ἦσαν παρατηρούμενοι αὐτόν.
2 Καὶ ἰδοὺ ἄνθρωπός ○τις ἦν ὑδρωπικὸς ἔμπροσθεν
αὐτοῦ. **3** καὶ ἀποκριθεὶς ὁ Ἰησοῦς εἶπεν πρὸς τοὺς νομι-
6,9p κοὺς καὶ Φαρισαίους λέγων· ⸆ ἔξεστιν τῷ σαββάτῳ θεραπεῦσαι □ἢ οὔ⸌; **4** οἱ δὲ ἡσύχασαν. καὶ ἐπιλαβόμενος
ἰάσατο αὐτὸν καὶ ἀπέλυσεν. **5** καὶ ⸆ πρὸς αὐτοὺς εἶπεν· 1
13,15 Mt 12,11 Dt 22,4 τίνος ὑμῶν ⸀υἱὸς ἢ βοῦς εἰς φρέαρ πεσεῖται, καὶ οὐκ εὐθέως ἀνασπάσει αὐτὸν ⸁ἐν ἡμέρᾳ τοῦ σαββάτου; **6** ⸂καὶ
οὐκ ἴσχυσαν ἀνταποκριθῆναι⸃ πρὸς ταῦτα.
7 Ἔλεγεν δὲ πρὸς τοὺς κεκλημένους παραβολήν, ἐπ-
11,43; 20,46p ἔχων πῶς τὰς πρωτοκλισίας ἐξελέγοντο, λέγων πρὸς αὐ- 1
τούς· **8** ὅταν κληθῇς ὑπό τινος □εἰς γάμους⸌, μὴ κατα-
8-11: Prv 25,6s κλιθῇς εἰς τὴν πρωτοκλισίαν, μήποτε ἐντιμότερός ○σου
⸂ᾖ κεκλημένος ὑπ' αὐτοῦ⸃, **9** καὶ ἐλθὼν ὁ σὲ καὶ αὐτὸν
καλέσας ἐρεῖ σοι· δὸς τούτῳ τόπον, καὶ τότε ⸀ἄρξῃ μετὰ
αἰσχύνης τὸν ἔσχατον τόπον κατέχειν. **10** ἀλλ' ὅταν κληθῇς, πορευθεὶς ἀνάπεσε εἰς τὸν ἔσχατον τόπον, ἵνα ὅταν
ἔλθῃ ὁ κεκληκώς σε ⸀ἐρεῖ σοι· φίλε, προσανάβηθι ἀνώ-
18,14 Mt 23,12 τερον· τότε ἔσται σοι δόξα ἐνώπιον ○πάντων τῶν συν-
Ez 21,31; 17,24 ἀνακειμένων σοι. **11** ὅτι πᾶς ὁ ὑψῶν ἑαυτὸν ταπεινω- 1
2K 11,7 Ph 2,8s Jc 4,10 θήσεται, καὶ ὁ ταπεινῶν ἑαυτὸν ὑψωθήσεται.

35 ⸆(Jr 22,5) ερημος D N Δ Θ Ψ f^{13} 28. 33. 700. 892. 1241. 1424 *pm* it vg^{cl} sy$^{c.p.h}$ ¦ *txt* 𝔓$^{45vid.75}$ א A B K L R W Γ f^{1} 565. 1010 *pm* lat sy^{s} sa | ○𝔓^{45} א* L *pc* it sy^{c} ¦ *txt* 𝔓^{75} א^{2} A B D R W Θ Ψ $f^{1.13}$ 𝔐 lat sy^{h} | ⸇οτι A W Ψ f^{13} 𝔐 lat sy ¦ *txt* 𝔓$^{45vid.75}$ א B D L R Θ f^{1} 1241 *pc* it | ⸉*p)* 𝔓$^{45.75}$ D L Ψ f^{1} 𝔐 ¦ *txt* א A B K W R Θ (f^{13}) *al* | ⸂ – 𝔓^{75} B L R 892 *pc* ¦ *p)* αν 𝔓^{45} א N (Θ) f^{13} 1010. (1241) *pc* ¦ αν ηξει οτε A W (Ψ f^{1}) 𝔐 ¦ *txt* D
¶ **14,1** ⸀εισελ- D Θ f^{13} 28. 892. 1010 *al* latt | ○𝔓$^{45.75}$ א B K* 892 *pc* ¦ *txt* A D L W Θ Ψ $f^{1.13}$ 𝔐 ● **2** ○D f^{1} *pc* ● **3** ⸆ει 𝔓^{45} A W $f^{1.13}$ 𝔐 lat sy ¦ *txt* 𝔓^{75} א B D L Θ Ψ 892. 1241 *pc* | □𝔓^{45} A W Ψ 𝔐 lat sy$^{s.p}$ ¦ *txt* 𝔓^{75} א B D L Θ $f^{1.13}$ 892. 1241 *pc* it sy$^{c.h**}$ co ● **5** ⸆αποκριθεις א$^{*.2}$ A (W) Θ Ψ f^{13} 𝔐 ¦ *txt* 𝔓$^{45.75}$ א^{1} B D (K) L f^{1} 892. 1241 *al* it sy$^{s.c.p}$ co | ⸀ονος א K L Ψ $f^{1.13}$ 33. 892. 1241 *al* lat (sy^{s}) bo ¦ ονος υιος Θ (sy^{c}) ¦ προβατον D ¦ *txt* 𝔓$^{45.75}$ (A) B W 𝔐 e f q sy$^{p.h}$ sa | ⸁τη A (⸉D) K L Δ Θ f^{13} 892. 1241. 1424 *al* ¦ εν τη א^{2} W Ψ f^{1} 𝔐 ¦ *txt* 𝔓$^{45.75}$ א* B *pc* ● **6** ⸂... αποκρ. א f^{1} *pc* ¦ ... ανταποκρ. αυτω A W Θ Ψ f^{13} 𝔐 sy ¦ οι δε ουκ απεκριθησαν D *pc* ¦ *txt* 𝔓$^{45.75}$ B L 892. 1241 *pc* l ● **8** □𝔓^{75} b sa | ○𝔓^{75} | ⸂*1 2* 𝔓^{45vid} it sy$^{s.p}$ bo ¦ ηξει D (sy^{c}) ● **9** ⸀εση D e ● **10** ⸀ειπη A D W Ψ $f^{1.13}$ 𝔐 ¦ *txt* 𝔓^{75} א B L N Θ 892. 1241 *pc* | ○D W Ψ 𝔐 lat sy^{s} ¦ *txt* 𝔓^{75} א A B L N Θ $f^{1.13}$ 33. 892. 1241 *al* π r^{1}

12 Ἔλεγεν δὲ καὶ τῷ κεκληκότι αὐτόν· ὅταν ποιῇς ἄρι-
στον ἢ δεῖπνον, μὴ φώνει τοὺς φίλους σου μηδὲ τοὺς
ἀδελφούς σου μηδὲ τοὺς συγγενεῖς σου ⸂μηδὲ γείτονας⸃
πλουσίους, μήποτε καὶ αὐτοὶ ἀντικαλέσωσίν σε καὶ γένηται ἀνταπόδομά σοι. 13 ἀλλ' ὅταν ⸂δοχὴν ποιῇς⸃, κάλει 21 Dt 14,29
πτωχούς, ἀναπείρους, χωλούς, τυφλούς· 14 καὶ μακάριος Tob 2,2 |
ἔσῃ, ὅτι οὐκ ἔχουσιν ἀνταποδοῦναί σοι, ἀνταποδοθήσε- Mt 6,4
ται ⸀γάρ σοι ἐν τῇ ἀναστάσει τῶν δικαίων. Act 24,15
15 Ἀκούσας δέ τις τῶν συνανακειμένων ταῦτα εἶπεν
αὐτῷ· μακάριος ⸀ὅστις φάγεται ⸁ἄρτον ἐν τῇ βασιλείᾳ 13,29!
τοῦ θεοῦ.
16 Ὁ δὲ εἶπεν αὐτῷ· ἄνθρωπός τις ⸀ἐποίει δεῖπνον *16–24:* Mt 22,1-10
μέγα, καὶ ἐκάλεσεν πολλοὺς 17 καὶ ἀπέστειλεν τὸν δοῦλον αὐτοῦ τῇ ὥρᾳ τοῦ δείπνου εἰπεῖν τοῖς κεκλημένοις⸀·
ἔρχεσθε, ὅτι ἤδη ἕτοιμά ⸁ἐστιν. 18 καὶ ἤρξαντο ἀπὸ
μιᾶς πάντες παραιτεῖσθαι. ὁ πρῶτος εἶπεν αὐτῷ· ἀγρὸν
ἠγόρασα καὶ ἔχω ἀνάγκην ἐξελθὼν ἰδεῖν αὐτόν· ἐρωτῶ
σε, ἔχε με παρῃτημένον. 19 καὶ ἕτερος εἶπεν· ζεύγη βοῶν
ἠγόρασα πέντε καὶ πορεύομαι δοκιμάσαι αὐτά· ⸂ἐρωτῶ
σε, ἔχε με παρῃτημένον⸃. 20 καὶ ἕτερος εἶπεν· γυναῖκα Dt 24,5 1K 7,33
⸂ἔγημα καὶ διὰ τοῦτο⸃ οὐ δύναμαι ἐλθεῖν. 21 °καὶ παραγενόμενος ὁ δοῦλος ἀπήγγειλεν τῷ κυρίῳ αὐτοῦ ταῦτα.
τότε ὀργισθεὶς ὁ οἰκοδεσπότης εἶπεν τῷ δούλῳ αὐτοῦ·
ἔξελθε ταχέως εἰς τὰς πλατείας καὶ ῥύμας τῆς πόλεως καὶ
τοὺς πτωχοὺς καὶ ἀναπείρους καὶ τυφλοὺς καὶ χωλοὺς 13
⸀εἰσάγαγε ὧδε. 22 καὶ εἶπεν ὁ δοῦλος· °κύριε, γέγονεν
ὃ ἐπέταξας, καὶ ἔτι τόπος ἐστίν. 23 καὶ εἶπεν ὁ κύριος
πρὸς τὸν δοῦλον⸆· ἔξελθε εἰς τὰς ὁδοὺς καὶ φραγμοὺς
καὶ ⸀ἀνάγκασον εἰσελθεῖν, ἵνα γεμισθῇ μου ὁ οἶκος· Mc 6,45p
24 λέγω γὰρ ὑμῖν ὅτι οὐδεὶς τῶν ⸀ἀνδρῶν ἐκείνων τῶν κε-
κλημένων γεύσεταί μου τοῦ δείπνου.⸆

12 ⸂μη γ. 𝔓^{75} B ¦ μηδε τους γ. σου τους Θ *f*^{13} sy ¦ μηδε τους γ. μηδε τους D it vg^{s} ● **13** ⸂*2 1* A D L R W Θ Ψ *f*$^{1.13}$ 𝔐 ¦ δ. ποιησης 𝔓^{75} ℵ 1241 *pc* ¦ *txt* B 892 *pc* ● **14** ⸀δε ℵ* N *f*^{13} 1. 1424 *pc* it ● **15** ⸀ος A D W Θ Ψ 𝔐 ¦ *txt* 𝔓^{75} ℵ^{1}(**h. t.*) B L P R *f*$^{1.13}$ *pc* | ⸁αριστον A* W *f*^{13} 𝔐 sy$^{s.c}$; Cyr ¦ *txt* 𝔓^{75} ℵ^{1}(**h. t.*) A^{c} B D K* L N P R Δ Θ Ψ *f*^{1} 892. 1241 *al* latt sy$^{p.h}$; Cl Eus Epiph ● **16** ⸀εποιησεν A D L W Θ Ψ *f*^{13} 𝔐 ¦ *txt* 𝔓^{75} ℵ B R 1 *pc* ● **17** ⸀ερχεσθαι ℵ A D K L P R W Δ 28 *al* vg | ⸁εισιν 𝔓^{75} ℵ$^{*.2}$ L R Θ *pc* ¦ εστιν παντα A (⸉D) W Ψ *f*$^{1.13}$ 𝔐 lat ¦ εισιν π. ℵ^{1} ¦ *txt* B it ● **19** ⸂(*cf vs* 20) διο ου δυναμαι ελθειν D it; Or^{mss} ● **20** ⸂ελαβον· διο D (sy$^{s.c}$) ● **21** ° 𝔓^{75} | ⸀ενεγκε D ● **22** ° D c e ● **23** ⸆αυτου 𝔓^{75*} D *pc* a b sy$^{s.c.p}$ | ⸀ποιησον 𝔓^{45} *pc* sy$^{s.c}$ ● **24** ⸀ανθρωπων ℵ (D) e | ⸆ *(ex lect. vl p)* πολλοι γαρ εισιν κλητοι, ολιγοι δε εκλεκτοι Γ *f*^{13} 28^{mg}. 700. 892^{mg}. 1010^{mg} *al*

25 Συνεπορεύοντο δὲ ⸀αὐτῷ ὄχλοι °πολλοί, καὶ στρα-
26s: Mt 10,37s φεὶς εἶπεν πρὸς αὐτούς· 26 εἴ τις ἔρχεται πρός με καὶ
18,29sp Dt 33,9 Mt 6,24 Mc 10,29 οὐ μισεῖ τὸν πατέρα ⸀ἑαυτοῦ καὶ τὴν μητέρα καὶ τὴν γυναῖκα καὶ τὰ τέκνα καὶ τοὺς ἀδελφοὺς καὶ τὰς ἀδελφὰς
J 12,25 ἔτι ⸁τε καὶ τὴν ⸉ψυχὴν ἑαυτοῦ⸊, οὐ δύναται ⸉¹εἶναί μου
9,23p G 6,14 μαθητής⸊. 27 ⸋⸆ὅστις οὐ βαστάζει τὸν σταυρὸν ἑαυτοῦ
καὶ ἔρχεται ὀπίσω μου, οὐ δύναται εἶναί μου μαθητής.⸌
Gn 11,3ss Mc 12,1 28 Τίς γὰρ ἐξ ὑμῶν ⸀θέλων πύργον οἰκοδομῆσαι οὐχὶ
πρῶτον καθίσας ψηφίζει τὴν δαπάνην, εἰ ἔχει εἰς ἀπαρ-
τισμόν; 29 ἵνα μήποτε θέντος αὐτοῦ θεμέλιον ⸂καὶ μὴ
ἰσχύοντος ἐκτελέσαι⸃ πάντες οἱ θεωροῦντες ἄρξωνται
αὐτῷ ἐμπαίζειν 30 λέγοντες ὅτι οὗτος ὁ ἄνθρωπος ἤρξατο οἰκοδομεῖν καὶ οὐκ ἴσχυσεν ἐκτελέσαι. 31 Ἢ τίς
βασιλεὺς πορευόμενος ἑτέρῳ βασιλεῖ συμβαλεῖν εἰς πόλεμον ⸀οὐχὶ καθίσας πρῶτον ⸁βουλεύσεται εἰ δυνατός ἐστιν
ἐν δέκα χιλιάσιν ὑπαντῆσαι τῷ μετὰ εἴκοσι χιλιάδων
19,42 · 2Sm 8,10; 11,7 Ps 122,6 ἐρχομένῳ ἐπ᾽ αὐτόν; 32 εἰ δὲ μή γε, ἔτι αὐτοῦ πόρρω
ὄντος πρεσβείαν ἀποστείλας ἐρωτᾷ ⸂τὰ πρὸς⸃ εἰρήνην.
9,62 33 οὕτως οὖν πᾶς ἐξ ὑμῶν ὃς οὐκ ἀποτάσσεται πᾶσιν
τοῖς ἑαυτοῦ ὑπάρχουσιν οὐ δύναται εἶναί μου μαθητής.
Mt 5,13 Mc 9,50 34 Καλὸν °οὖν τὸ ⸀ἅλας· ἐὰν δὲ °¹καὶ τὸ ⸀ἅλας ⸁μω-
ρανθῇ, ἐν τίνι ἀρτυθήσεται; 35 οὔτε εἰς ⸆ γῆν οὔτε εἰς
9,62 · Mt 11,15! κοπρίαν εὔθετόν ἐστιν, ἔξω βάλλουσιν αὐτό. ὁ ἔχων ὦτα
ἀκούειν ἀκουέτω.
5,29-32p 15 Ἦσαν δὲ αὐτῷ ἐγγίζοντες °πάντες οἱ τελῶναι καὶ
19,7 οἱ ἁμαρτωλοὶ ἀκούειν αὐτοῦ. 2 καὶ διεγόγγυζον
οἵ °τε Φαρισαῖοι καὶ οἱ γραμματεῖς λέγοντες ὅτι οὗτος
Mt 9,11! G 2,12 ἁμαρτωλοὺς προσδέχεται καὶ συνεσθίει αὐτοῖς.

25 ⸀τω Ιησου E F *al* ¦ – 𝔓[75] | °D Θ it sy[c] ● 26 ⸀†αυτ- 𝔓[45] א A D W Θ *f*[1.13] 𝔐 ¦ – 579 e ¦ *txt* 𝔓[75] B L R Ψ *pc* | ⸁δε 𝔓[45] א A D W Θ Ψ *f*[1.13] 𝔐 lat sy[h] ¦ – 𝔓[75] it ¦ *txt* B L R Δ 33. 892 *pc* | ⸉ 𝔓[45] A D L R W Θ Ψ *f*[1.13] 𝔐 ¦ *txt* 𝔓[75] א B (1241) *pc* | ⸉¹ *2 1 3* 𝔓[45.75] K N Ψ *f*[13] 28 *al*; Or ¦ *2 3 1* A D W Θ *f*[1] 𝔐 ¦ *txt* א B L 892. 1241 *pc* ● 27 ⸋ *vs* R Γ *al* vg[ms] sy[s] bo[ms] | ⸆*p)* και א[2] A D W Θ Ψ *f*[1.13] 𝔐 latt sy[c.p.h] ¦ *txt* 𝔓[45.75] א* B L *pc* ● 28 ⸀ο θελων 𝔓[45] W Γ *f*[13] 565. 700. 1010 *pm* ¦ θελει 𝔓[75] ● 29 ⸂μη ισχυση οικοδομησαι και D e ● 31 ⸀ου 𝔓[45] ¦ ουκ ευθεως D | ⸁-λευεται A D L R W Ψ *f*[1.13] 𝔐 lat ¦ *txt* 𝔓[75] א B Θ 1241 *pc* ● 32 ⸂προς א* Γ 1241 *pc* ¦ εις B (K) *pc* ¦ – 𝔓[75] *pc* ¦ *txt* א[2] A D L R W Θ Ψ *f*[1.13] 𝔐 vg sy[h] ● 34 °A D R W Ψ *f*[1] 𝔐 latt sy sa[mss] bo[pt] ¦ *txt* 𝔓[75] א B K L Θ *f*[13] 892. 1241 *pc* bo[pt] | ⸀(*bis*) αλα (𝔓[75]) א* D W | °¹ 𝔓[75] A W R *f*[1.13] 𝔐 e vg[cl] co ¦ *txt* א B D L N Θ Ψ 1241 *pc* a r[1] sy sa[ms] | ⸁μαρανθη 56 *pc* lat ● 35 ⸆την 𝔓[75] D *pc* ¶ 15,1 °W *pc* lat sy[s.c.p] sa[ms] ● 2 °(A) W Ψ *f*[1.13] 𝔐 ¦ *txt* 𝔓[75] א B D L Θ 892. 1241 *pc*

3 Εἶπεν δὲ πρὸς αὐτοὺς τὴν παραβολὴν ταύτην °λέ-
γων· 4 τίς ἄνθρωπος ἐξ ὑμῶν ⸀ἔχων ἑκατὸν πρόβατα καὶ 4-7: Mt 18,12-14 J 10,11s!
⸁ἀπολέσας ἐξ αὐτῶν ἓν ⸂οὐ καταλείπει⸃ τὰ ἐνενήκοντα
ἐννέα ἐν τῇ ἐρήμῳ καὶ ⸄πορεύεται ἐπὶ τὸ ἀπολωλὸς⸅ ἕως 19,10 Ez 34,11s.16
⸆ εὕρῃ αὐτό; 5 καὶ εὑρὼν ἐπιτίθησιν ἐπὶ τοὺς ὤμους αὐ- Is 49,22
τοῦ χαίρων 6 καὶ ἐλθὼν εἰς τὸν οἶκον ⸀συγκαλεῖ τοὺς
φίλους καὶ °τοὺς γείτονας λέγων αὐτοῖς· συγχάρητέ μοι,
ὅτι εὗρον τὸ πρόβατόν μου τὸ ἀπολωλός. 7 λέγω ὑμῖν
ὅτι οὕτως χαρὰ ⸉ἐν τῷ οὐρανῷ ἔσται⸊ ἐπὶ ἑνὶ ἁμαρτωλῷ Mc 2,17p
μετανοοῦντι ἢ ἐπὶ ἐνενήκοντα ἐννέα δικαίοις οἵτινες οὐ
χρείαν ἔχουσιν μετανοίας.
8 Ἢ τίς γυνὴ δραχμὰς ἔχουσα δέκα ⸂ἐὰν ἀπολέσῃ
δραχμὴν μίαν⸃, οὐχὶ ἅπτει λύχνον καὶ σαροῖ τὴν οἰκίαν
καὶ ζητεῖ ἐπιμελῶς ἕως ⸀οὗ εὕρῃ; 9 καὶ εὑροῦσα ⸀συγκαλεῖ
τὰς φίλας καὶ ⸆ γείτονας λέγουσα· συγχάρητέ μοι, ὅτι
εὗρον τὴν δραχμὴν ἣν ἀπώλεσα. 10 οὕτως, λέγω ὑμῖν,
⸂γίνεται χαρὰ⸃ ἐνώπιον °τῶν ἀγγέλων τοῦ θεοῦ ἐπὶ ἑνὶ
ἁμαρτωλῷ μετανοοῦντι.
11 Εἶπεν δέ· ἄνθρωπός τις εἶχεν δύο υἱούς. 12 καὶ εἶπεν Mt 21,28
ὁ νεώτερος αὐτῶν τῷ πατρί· πάτερ, δός μοι τὸ ἐπιβάλλον 1 Mcc 10,29 [30]
μέρος τῆς οὐσίας. ⸂ὁ δὲ⸃ διεῖλεν αὐτοῖς τὸν βίον. 13 καὶ Tob 3,17
μετ' οὐ πολλὰς ἡμέρας ⸀συναγαγὼν ⸁πάντα ὁ νεώτερος
υἱὸς ἀπεδήμησεν εἰς χώραν μακρὰν καὶ ἐκεῖ διεσκόρπισεν 16,1 Prv 29,3
⸂τὴν οὐσίαν αὐτοῦ⸃ ζῶν ἀσώτως. 14 δαπανήσαντος δὲ
αὐτοῦ πάντα ἐγένετο λιμὸς ⸀ἰσχυρὰ κατὰ τὴν χώραν ἐκείνην, καὶ αὐτὸς ἤρξατο ὑστερεῖσθαι. 15 καὶ πορευθεὶς
ἐκολλήθη ἑνὶ τῶν πολιτῶν τῆς χώρας ἐκείνης, καὶ ἔπεμψεν αὐτὸν εἰς τοὺς ἀγροὺς αὐτοῦ βόσκειν χοίρους, 16 καὶ
ἐπεθύμει ⸀χορτασθῆναι ⸁ἐκ τῶν κερατίων ὧν ἤσθιον οἱ 16,21

3 °D Θ f^{13} 28 *pc* b e sy$^{s.c.p}$ ● 4 ⸀ος εξει D *ex* lat? | ⸁απολεση B* D | ⸂ουκ αφιησι *et* ⸄απελθων το απ. ζητει D (lat sy$^{s.c.p}$ co) | ⸆ου ℵ A N Δ Ψ $f^{1.13}$ 1424 *al* ● 6 ⸀-ειται D N $f^{1.13}$ 1241 *al* | ° 𝔓^{75} Θ *pc* ● 7 ⸉A D W Θ $f^{1.13}$ (28) 𝔐 ¦ *txt* 𝔓^{75} ℵ B L Ψ 892. 1241 *pc* ● 8 ⸂και απολεσασα μιαν D it | ⸀οτου A W Ψ 𝔐 ¦ – D 892 *pc* ¦ *txt* 𝔓^{75} ℵ B L Θ $f^{1.13}$ 33. 1241 *al* ● 9 ⸀-ειται A D W $f^{1.13}$ 𝔐 ¦ *txt* 𝔓^{75} ℵ B K L N Δ Θ Ψ 892. 1424 *al* | ⸆τας A W Ψ $f^{1.13}$ 𝔐 ¦ τους 579 *pc* ¦ *txt* 𝔓^{75} ℵ B (⸉D) L Θ *pc* ● 10 ⸂*2 1* A W Θ Ψ f^{1} 𝔐 ¦ χ. εσται D N f^{13} *pc* latt ¦ *txt* 𝔓^{75} ℵ B L 33 *pc* | °B ● 12 ⸂και ℵ* D W Θ Ψ $f^{1.13}$ 𝔐 latt sy ¦ – 𝔓^{75} ¦ *txt* ℵ^{2} A B L 892. 1241 *pc* bo ● 13 ⸀συναγων 𝔓^{75} *pc* | ⸁απαντα ℵ A L W Θ Ψ $f^{1.13}$ 𝔐 ¦ *txt* 𝔓^{75} B D 1241 *pc* | ⸂εαυτου τον βιον D ● 14 ⸀-ρος W Θ Ψ f^{13} 𝔐 ¦ – it sy^{s} ¦ *txt* 𝔓^{75} ℵ A B D L R f^{1} 892 *pc* ● 16 ⸀†γεμισαι την κοιλιαν αυτου A Θ Ψ 𝔐 lat sy$^{s.p.h}$ bo ¦ γεμ. τ. κ. και χορτασθηναι W ¦ *txt* 𝔓^{75} ℵ B D L R $f^{1.13}$ 1241 *pc* e f (sy^{c}) sa | ⸁απο A W Θ Ψ 𝔐 ¦ *txt* 𝔓^{75} ℵ B D L R $f^{1.13}$ *pc*

16,3! χοῖροι, καὶ οὐδεὶς ἐδίδου αὐτῷ. **17** εἰς ἑαυτὸν δὲ ἐλθὼν
ἔφη· ⸀πόσοι μίσθιοι τοῦ πατρός μου ⸁περισσεύονται ἄρτων, ἐγὼ δὲ ⸂λιμῷ ὧδε⸃ ἀπόλλυμαι. **18** ἀναστὰς πορεύσο-
21 Ex 10,16 Ps 51,6 μαι πρὸς τὸν πατέρα μου καὶ ἐρῶ αὐτῷ· πάτερ, ἥμαρτον
εἰς τὸν οὐρανὸν καὶ ἐνώπιόν σου, **19** οὐκέτι εἰμὶ ἄξιος
κληθῆναι υἱός σου· ποίησόν με ὡς ἕνα τῶν μισθίων σου.
20 καὶ ἀναστὰς ἦλθεν πρὸς τὸν πατέρα ⸀ἑαυτοῦ. Ἔτι
δὲ αὐτοῦ μακρὰν ἀπέχοντος εἶδεν αὐτὸν ὁ πατὴρ αὐτοῦ
καὶ ἐσπλαγχνίσθη καὶ δραμὼν ἐπέπεσεν ἐπὶ τὸν τράχηλον αὐτοῦ καὶ κατεφίλησεν αὐτόν. **21** ⸉εἶπεν δὲ ὁ υἱὸς
18! αὐτῷ⸊· πάτερ, ἥμαρτον εἰς τὸν οὐρανὸν καὶ ἐνώπιόν σου,
οὐκέτι εἰμὶ ἄξιος κληθῆναι υἱός σου⸆. **22** εἶπεν δὲ ὁ πατὴρ πρὸς τοὺς δούλους αὐτοῦ· °ταχὺ ⸀ἐξενέγκατε ⸆ στο-
Gn 41,42 λὴν τὴν πρώτην καὶ ἐνδύσατε αὐτόν, καὶ δότε δακτύλιον
εἰς τὴν χεῖρα αὐτοῦ καὶ ὑποδήματα εἰς τοὺς πόδας, **23** καὶ
⸀φέρετε τὸν μόσχον τὸν σιτευτόν, θύσατε, καὶ φαγόντες
32 | E 2,1! εὐφρανθῶμεν, **24** ὅτι οὗτος ὁ υἱός μου νεκρὸς ἦν καὶ ⸀ἀν-
19,10 έζησεν, ⸂ἦν ἀπολωλὼς⸃ καὶ ⸆ εὑρέθη. καὶ ⸁ἤρξαντο εὐ-
φραίνεσθαι. **25** Ἦν δὲ ὁ υἱὸς αὐτοῦ ὁ πρεσβύτερος
ἐν ἀγρῷ· ⸂καὶ ὡς ἐρχόμενος ἤγγισεν⸃ τῇ οἰκίᾳ, ἤκουσεν
Dn 3,5.10.15 συμφωνίας καὶ χορῶν, **26** καὶ προσκαλεσάμενος ἕνα τῶν
παίδων ἐπυνθάνετο ⸂τί ἂν εἴη ταῦτα⸃. **27** ὁ δὲ εἶπεν αὐτῷ
ὅτι ὁ ἀδελφός σου ἥκει, καὶ ἔθυσεν ὁ πατήρ σου τὸν
μόσχον τὸν σιτευτόν, ὅτι ὑγιαίνοντα αὐτὸν ἀπέλαβεν.
28 ὠργίσθη δὲ καὶ οὐκ ἤθελεν εἰσελθεῖν, ὁ δὲ πατὴρ αὐτοῦ ἐξελθὼν παρεκάλει αὐτόν. **29** ὁ δὲ ἀποκριθεὶς εἶπεν
τῷ πατρὶ °αὐτοῦ· ἰδοὺ τοσαῦτα ἔτη δουλεύω σοι καὶ
οὐδέποτε ἐντολήν σου παρῆλθον, καὶ ἐμοὶ οὐδέποτε ἔδω-

17 ⸀πως οι X *al* | ⸁-ευουσιν ℵ D L W Θ Ψ f^{13} 𝔐 ¦ *txt* 𝔓^{75} A B P f^{1} 1241 *pc* | ⸂*2 1* D N Θ R $f^{1.13}$ 700. 1241 *al* lat sy$^{s.c.p}$ ¦ *1* A W 𝔐 sa^{ms} ¦ *txt* 𝔓^{75} ℵ B L Ψ 892 *pc* • **20** ⸀αυ- ℵ D K L N P Q Θ f^{13} 1241. 1424 *pm* ¦ *txt* 𝔓^{75} A B W Γ Δ Ψ 1. 28. 565. 700. 892. 1010 *pm* • **21** ⸉*1 2 5 3 4* ℵ A W Θ Ψ f^{13} 𝔐 ¦ *3 2 4 1 5* D ¦ *txt* 𝔓^{75} B L f^{1} *pc* | ⸆(19) ποιησον με ως ενα των μισθιων σου ℵ B D 33. 700. 1241 *pc* vg^{mss} sy^{h} ¦ *txt* 𝔓^{75} A L W Θ Ψ $f^{1.13}$ 𝔐 lat sy$^{s.c.p}$ co • **22** ° A W Θ Ψ f^{1} 𝔐 sy^{p} sa^{mss} ¦ *txt* 𝔓^{75} ℵ B D L f^{13} 892. 1241 *pc* latt sy$^{s.c.h**}$ sa^{mss} bo | ⸀ενεγκ- 𝔓^{75} 1241 *pc* | ⸆την 𝔓^{75} D^{2} R $f^{1.13}$ 𝔐 ¦ *txt* ℵ A B D* K* L N P Q W Θ Ψ 892 *al* • **23** ⸀ενεγκατε D 1424 *pc* ¦ ενεγκαντες A W Θ Ψ $f^{1.13}$ 𝔐 ¦ *txt* 𝔓^{75} ℵ B L R 1241 *pc* • **24** ⸀εζ- B *pc* | ⸂*2 1* ℵ^{2} P Θ $f^{1.13}$ 1241 *al* ¦ *2* D Q R *al* ¦ – (*et om.* κ. ευρ.) W ¦ και απ. ην (Ψ) 𝔐 sy ¦ *txt* 𝔓^{75} ℵ* A B L *pc* | ⸆αρτι D | ⸁-ξατο 𝔓^{75} 1 *pc* • **25** ⸂ελθων δε και εγγισας D • **26** ⸂*1 3 4* ℵ A W Θ 𝔐 ¦ τινα ειη ταυτα L *pc* ¦ τι θελει τουτο ειναι D ¦ *txt* 𝔓^{75} B N P Q R Ψ $f^{1.13}$ 892. 1241. 1424 *al* • **29** °† ℵ L W Θ Ψ f^{1} 𝔐 sy^{h} ¦ *txt* 𝔓^{75} A B D N P R (Δ) f^{13} *al* latt sy$^{s.c.p}$

κας ⸀ἔριφον ἵνα μετὰ τῶν φίλων μου ⸁εὐφρανθῶ· **30** ⸂ὅτε
δὲ ὁ υἱός σου οὗτος ὁ καταφαγών σου τὸν βίον μετὰ 13
⸆ πορνῶν ἦλθεν, ἔθυσας αὐτῷ⸃ τὸν ⸄σιτευτὸν μόσχον⸅.
31 ὁ δὲ εἶπεν αὐτῷ· τέκνον, σὺ πάντοτε μετ᾽ ἐμοῦ εἶ, καὶ J 17,10
πάντα τὰ ἐμὰ σά ἐστιν· **32** εὐφρανθῆναι δὲ καὶ χαρῆναι 24
ἔδει, ὅτι ὁ ἀδελφός σου οὗτος νεκρὸς ἦν καὶ ⸀ἔζησεν, ⸂καὶ
ἀπολωλὼς⸃ καὶ εὑρέθη.
58 **16** Ἔλεγεν δὲ καὶ πρὸς τοὺς μαθητάς⸆· ἄνθρωπός τις
ἦν πλούσιος ὃς εἶχεν οἰκονόμον, καὶ οὗτος διεβλή- 12,42
θη αὐτῷ ὡς διασκορπίζων τὰ ὑπάρχοντα αὐτοῦ. **2** καὶ φω- 15,13
νήσας αὐτὸν εἶπεν αὐτῷ· τί τοῦτο ἀκούω περὶ σοῦ; ἀπό- Mt 12,36 Act 19,40 R 14,2 H 4,13; 13,17 1P 4,5
δος τὸν λόγον τῆς οἰκονομίας σου, οὐ γὰρ ⸀δύνῃ ἔτι
οἰκονομεῖν. **3** εἶπεν δὲ ἐν ἑαυτῷ ὁ οἰκονόμος· τί ποιήσω, 12,17; 15,17; 18,4
ὅτι ὁ κύριός μου ἀφαιρεῖται τὴν οἰκονομίαν ἀπ᾽ ἐμοῦ; Is 22,19
σκάπτειν οὐκ ἰσχύω, ⸆ ἐπαιτεῖν αἰσχύνομαι. **4** ἔγνων τί
ποιήσω, ἵνα ὅταν μετασταθῶ ⸀ἐκ τῆς οἰκονομίας δέξων-
ταί με εἰς τοὺς οἴκους ⸁αὐτῶν. **5** καὶ προσκαλεσάμενος
ἕνα ἕκαστον τῶν χρεοφειλετῶν τοῦ κυρίου ἑαυτοῦ ἔλεγεν 7,41
τῷ πρώτῳ· πόσον ὀφείλεις τῷ κυρίῳ μου; **6** ὁ δὲ εἶπεν·
ἑκατὸν ⸀βάτους ἐλαίου. ὁ δὲ εἶπεν αὐτῷ· δέξαι σου ⸂τὰ
γράμματα⸃ καὶ ⸋καθίσας ⸉ταχέως⸊ γράψον⸌ πεντήκοντα.
7 ἔπειτα ἑτέρῳ εἶπεν· σὺ δὲ πόσον ὀφείλεις; ὁ δὲ εἶπεν·
ἑκατὸν κόρους σίτου. ⸀λέγει αὐτῷ· δέξαι σου ⸂τὰ γράμ-
ματα⸃ καὶ γράψον ὀγδοήκοντα. **8** καὶ ἐπῄνεσεν ὁ κύριος
τὸν οἰκονόμον τῆς ἀδικίας ὅτι φρονίμως ἐποίησεν· ⸀ὅτι 9; 18,6
οἱ υἱοὶ τοῦ αἰῶνος τούτου φρονιμώτεροι ὑπὲρ τοὺς υἱοὺς 20,34
τοῦ φωτὸς εἰς τὴν γενεὰν τὴν ἑαυτῶν εἰσιν. **9** Καὶ J 12,36!

29 ⸀ερ. εξ αιγων D ¦ εριφιον 𝔓75 B *pc* | ⸁αριστησω D lat • **30** ⸂τω δε υιω σου τω καταφαγοντι παντα μετα των πορ. και ελθοντι εθ. D e (sy^p) | ⸆των A (D) L Q R Ψ *pc* | ⸄μ. τον σιτ. A W Θ Ψ *f*^1.13 𝔐 ¦ *txt* 𝔓75 א B D L Q R *pc* • **32** ⸀ανεζ- א² A D W Θ Ψ *f*^1.13 𝔐 ¦ *txt* 𝔓75 א* B L R Δ *pc* | ⸂2 D Θ Ψ *f*^1.13 *pc* ¦ απ. ην א 1241 *pc* ¦ και απ. ην 𝔐 ¦ *txt* 𝔓75 A B L R W 892 *pc* sy^h

¶ **16,1** ⸆αυτου A W Θ Ψ *f*^1.13 𝔐 lat sy sa bo^pt ¦ *txt* 𝔓75 א B D L R 1241 *pc* e bo^pt • **2** ⸀-νηση A L Ψ 𝔐 lat ¦ *txt* 𝔓75 א B D W Θ *f*^1.13 *pc* e • **3** ⸆και 𝔓75 B • **4** ⸀απο 33. 892 *pc* ¦ – A L R W Ψ 𝔐 ¦ *txt* 𝔓75 א B D N Θ 0178 *f*^1.13 1241 *pc* | ⸁†εαυ- א B N P R Ψ 0178 *pc* ¦ *txt* 𝔓75 A D L W Θ *f*^1.13 𝔐 • **6** ⸀καδους D* 1241 lat ¦ καβ- D² *pc* ¦ βαδ- א L W Ψ 0178. 892. 1010 *pc* ¦ *txt* 𝔓75 A B R Θ *f*^1.13 𝔐 q vg^mss | ⸂το -μμα A R W Θ *f*^1.13 𝔐 sa ¦ *txt* 𝔓75 א B D L N Ψ 0178 *pc* bo | ⸋ D bo^ms | ⸉ 𝔓75 B 1424 *pc* e • **7** ⸀ο δε λ. D ¦ λ. δε א *f*^13 892 *pc* ¦ και λ. A W Θ Ψ *f*^1 𝔐 sy^h ¦ *txt* 𝔓75 B L R 565. 1241 *pc* lat sy^c.p | ⸂το γραμμα A W Θ *f*^13 𝔐 sa ¦ *txt* 𝔓75 א B D L N R Ψ *f*^1 *pc* bo • **8** ⸀διο λεγω υμιν D (a r^1)

Hen 63,10 ἐγὼ ὑμῖν λέγω, ⸉ἑαυτοῖς ποιήσατε⸊ φίλους ἐκ τοῦ ⸀μα-
μωνᾶ τῆς ἀδικίας⸌, ἵνα ὅταν ἐκλίπῃ δέξωνται ὑμᾶς εἰς
Ap 13,6 Hen 39,4 τὰς αἰωνίους σκηνάς.
19,17 Mt 25,21 **10** Ὁ πιστὸς ἐν ἐλαχίστῳ καὶ ἐν πολλῷ πιστός ἐστιν,
καὶ ὁ ἐν ἐλαχίστῳ ἄδικος καὶ ἐν πολλῷ ἄδικός ἐστιν.
11 εἰ οὖν ἐν τῷ ἀδίκῳ μαμωνᾷ πιστοὶ οὐκ ἐγένεσθε, τὸ
ἀληθινὸν τίς ὑμῖν πιστεύσει; **12** καὶ εἰ ἐν τῷ ἀλλοτρίῳ
πιστοὶ οὐκ ἐγένεσθε, τὸ ⸂ὑμέτερον τίς ⸉ὑμῖν δώσει⸊;
13: Mt 6,24 **13** Οὐδεὶς οἰκέτης δύναται δυσὶ κυρίοις δουλεύειν· ἢ
γὰρ τὸν ἕνα μισήσει καὶ τὸν ἕτερον ἀγαπήσει, ἢ ἑνὸς
ἀνθέξεται καὶ τοῦ ἑτέρου καταφρονήσει. οὐ δύνασθε θεῷ
δουλεύειν καὶ μαμωνᾷ.
20,47 p **14** Ἤκουον δὲ ⸀ταῦτα πάντα⸌ οἱ Φαρισαῖοι φιλάργυροι
ὑπάρχοντες καὶ ἐξεμυκτήριζον αὐτόν. **15** καὶ εἶπεν αὐτοῖς·
10,29; 18,9-14; 20,20 Mt 23,28 · ὑμεῖς ἐστε οἱ δικαιοῦντες ἑαυτοὺς ἐνώπιον τῶν ἀνθρώ-
Prv 24,12 1Rg 8,39 1Chr 28,9 πων, ὁ δὲ θεὸς γινώσκει τὰς καρδίας ὑμῶν· ὅτι τὸ ἐν ἀνθρώποις ὑψηλὸν βδέλυγμα ἐνώπιον ⸀τοῦ θεοῦ⸌.
Mt 11,12s **16** Ὁ νόμος καὶ οἱ προφῆται ⸂μέχρι Ἰωάννου⸆· ἀπὸ
Act 10,37; 13,24! τότε ἡ βασιλεία τοῦ θεοῦ εὐαγγελίζεται ⸋καὶ πᾶς εἰς αὐτὴν βιάζεται⸌. **17** εὐκοπώτερον δέ ἐστιν τὸν οὐρανὸν καὶ
Mt 5,18 τὴν γῆν παρελθεῖν ἢ ⸀τοῦ νόμου⸌ ⸉μίαν κεραίαν⸊ πεσεῖν.
Mt 5,32; 19,9p **18** Πᾶς ὁ ἀπολύων τὴν γυναῖκα αὐτοῦ καὶ γαμῶν ἑτέ-
ραν μοιχεύει, καὶ ⸆ °ὁ ἀπολελυμένην ⸋ἀπὸ ἀνδρὸς⸌ γα-
μῶν μοιχεύει.
Jc 5,5 **19** ⸆Ἄνθρωπος °δέ τις ἦν πλούσιος⸆, καὶ ἐνεδιδύσκε-
Prv 31,22 Ap 18,12 · 12,19 το πορφύραν καὶ βύσσον εὐφραινόμενος καθ' ἡμέραν
λαμπρῶς. **20** πτωχὸς δέ τις ⸆ ὀνόματι Λάζαρος ⸆ ἐβέβλη-
15,16 το πρὸς τὸν πυλῶνα αὐτοῦ εἱλκωμένος **21** καὶ ἐπιθυμῶν
Mt 15,27p χορτασθῆναι ἀπὸ ⸆ τῶν πιπτόντων ἀπὸ τῆς τραπέζης τοῦ

9 ⸉ ℵ[1] A D W Θ Ψ 0178 *f*[1.13] 𝔐 ¦ *txt* 𝔓[75] ℵ* B L R *pc* | ⸀αδικου μαμ- D a • **12** ⸂† ημ- B L *pc* ¦ εμον 157 e i l; Mcion Tert ¦ αληθινον 33[vid] *pc* ¦ *txt* 𝔓[75] ℵ A D R W Θ Ψ *f*[1.13] 𝔐 sy co | ⸉† ℵ D L R Θ Ψ 33. 892 *pc* ¦ *txt* 𝔓[75] A B W *f*[1.13] 𝔐 • **14** ⸀*1* D i ¦ τ. π. και A W (Γ) Θ *f*[1.13] 𝔐 sy[h] ¦ *txt* 𝔓[75] ℵ(*) B L R Ψ 1241 *pc* lat sy[s.p] co • **15** ⸀κυριου B • **16** ⸂εως A D W Θ Ψ 𝔐 ¦ *txt* 𝔓[75] ℵ B L R *f*[1.13] 892. 1241 *pc* | ⸆επροφητευσαν D (Θ) *pc* | ⸋ ℵ* *pc* • **17** ⸀των λόγων μου Mcion ¦ [του νομ. μου Lipsius *cj*] | ⸉ B • **18** ⸆ πας ℵ A W Θ Ψ *f*[1.13] 𝔐 sy[p.h] ¦ *txt* 𝔓[75] B D L 1241 *pc* sy[s] co; Mcion | ° 𝔓[75] 1241 *pc* | ⸋ D 28 *pc* sy[s.p] bo[ms] • **19** ⸆Ειπεν δε και ετεραν παραβολην D *et* °D Δ* Θ *pc* lat sy[s] | ⸆ ονοματι Νευης 𝔓[75] (sa) ¦ Finees Prisc • **20** ⸆ην *et* ⸆ος A W Θ *f*[1.13] 𝔐 lat sy[h] sa ¦ *txt* 𝔓[75] ℵ B D L (P) Ψ 1241 *al* a e; Mcion • **21** ⸆(Mt 15,27) των ψιχιων ℵ[2] A (D: -χων) W Θ Ψ 063 *f*[(1).13] 𝔐 lat sy[p.h] sa[ms] bo[pt] ¦ *txt* 𝔓[75] ℵ* B L it sy[s] sa[mss] bo[pt]

πλουσίου⸆· ἀλλὰ καὶ οἱ κύνες ἐρχόμενοι ⸀ἐπέλειχον τὰ
ἕλκη αὐτοῦ. **22** ἐγένετο δὲ ἀποθανεῖν τὸν πτωχὸν καὶ ἀπ-
ενεχθῆναι αὐτὸν ὑπὸ τῶν ἀγγέλων εἰς τὸν κόλπον Ἀβρα- J 1,18 · Mt 8,11!
άμ· ἀπέθανεν δὲ καὶ ὁ πλούσιος καὶ ἐτάφη⸂. **23** καὶ ἐν
τῷ ᾅδη⸃ ἐπάρας τοὺς ὀφθαλμοὺς αὐτοῦ, ὑπάρχων ἐν βασά- 4Mcc 13,15
νοις, ὁρᾷ Ἀβραὰμ ἀπὸ μακρόθεν καὶ Λάζαρον ἐν τοῖς
κόλποις αὐτοῦ⸆. **24** καὶ αὐτὸς φωνήσας εἶπεν· πάτερ
Ἀβραάμ, ἐλέησόν με καὶ πέμψον Λάζαρον ἵνα βάψῃ τὸ 3,8!
ἄκρον τοῦ δακτύλου αὐτοῦ ὕδατος καὶ καταψύξῃ τὴν
γλῶσσάν μου, ὅτι ὀδυνῶμαι ἐν τῇ φλογὶ ταύτῃ. **25** εἶπεν
δὲ Ἀβραάμ· τέκνον, μνήσθητι ὅτι ἀπέλαβες τὰ ἀγαθά 6,24
σου ἐν τῇ ζωῇ σου, καὶ Λάζαρος ὁμοίως τὰ κακά· νῦν δὲ
⸀ὧδε παρακαλεῖται, σὺ δὲ ὀδυνᾶσαι. **26** καὶ ⸀ἐν πᾶσι τού- Mt 5,4
τοις μεταξὺ ἡμῶν καὶ ὑμῶν χάσμα μέγα ἐστήρικται, ὅπως Hen 22,9ss 4Esr 7,36
οἱ θέλοντες διαβῆναι ἔνθεν πρὸς ὑμᾶς μὴ δύνωνται, μηδὲ
⸆ ἐκεῖθεν ⸂πρὸς ἡμᾶς διαπερῶσιν⸃. **27** εἶπεν δέ· ἐρωτῶ
⸂σε οὖν⸃, πάτερ⸆, ἵνα πέμψῃς αὐτὸν εἰς τὸν οἶκον τοῦ πατρός μου, **28** ἔχω γὰρ πέντε ἀδελφούς, ὅπως διαμαρτύρη- Act 18,5
ται αὐτοῖς, ἵνα μὴ καὶ αὐτοὶ ἔλθωσιν εἰς τὸν τόπον τοῦτον τῆς βασάνου. **29** λέγει δὲ ⸆ Ἀβραάμ· ἔχουσι Μωϋ-
σέα καὶ τοὺς προφήτας· ἀκουσάτωσαν αὐτῶν. **30** ὁ δὲ εἶ-
πεν· οὐχί, πάτερ Ἀβραάμ, ἀλλ' ἐάν τις ἀπὸ νεκρῶν ⸀πο-
ρευθῇ πρὸς αὐτοὺς μετανοήσουσιν. **31** εἶπεν δὲ αὐτῷ· εἰ
Μωϋσέως καὶ τῶν προφητῶν οὐκ ἀκούουσιν, οὐδ' ἐάν J 5,46
τις ἐκ νεκρῶν ⸀ἀναστῇ ⸁πεισθήσονται. J 11
7 **17** Εἶπεν δὲ πρὸς τοὺς μαθητὰς αὐτοῦ· ἀνένδεκτόν *1–3a:* Mt 18,6s Mc 9,42
ἐστιν τοῦ ⸉τὰ σκάνδαλα μὴ ἐλθεῖν⸊, ⸂πλὴν οὐαὶ⸃
δι' οὗ ἔρχεται· **2** ⸀λυσιτελεῖ αὐτῷ εἰ ⸂λίθος μυλικὸς⸃

21 ⸆(15,16) και ουδεις εδιδου αυτω f^{13} *pc* l vg^cl | ⸀απελ- W f^{13} 𝔐 ¦ περιελ- 157 *pc* ¦ ελ- D f^{1} *pc* ¦ *txt* ℵ A B L Θ Ψ 33. 1241 *pc* ● **22/23** ⸂εν τω αδη. ℵ* lat; Mcion | ⸆αναπαυομενον D Θ it ● **25** ⸀οδε f^{1} *pc*; Mcion ● **26** ⸀επι A D W Θ Ψ 063 $f^{1.13}$ 𝔐 a e ¦ *txt* 𝔓75 ℵ B L *pc* lat | ⸆οι ℵ2 A L W Θ Ψ 063. 0272 f^{1} 𝔐 bo ¦ *txt* 𝔓75 ℵ* B D f^{13} | ⸂ωδε διαπερασαι D lat ● **27** ⸂*2 1* 𝔓75 ℵ L Θ Ψ 063 f^{1} 𝔐 ¦ *1* W *pc* ¦ *txt* A B D f^{13} *pc* | ⸆(30) Αβρααμ D N *pc* ● **29** ⸆αυτω A D W Θ Ψ 063 $f^{1.13}$ 𝔐 lat sy^p.h co ¦ *txt* 𝔓75 ℵ B L 892. 1241 *pc* d λ sy^s bo^mss ● **30** ⸀εγερθη 𝔓75 ¦ αναστη ℵ (*pc*) ● **31** ⸀εγερθη 𝔓75 *pc* ¦ απελθη W it sy^s; Mcion ¦ αναστη και απελθη προς αυτους D r1 | ⸁πιστευσουσιν D lat sy^s.p

¶ **17,1** ⸉A D W Θ Ψ 063 $f^{1.13}$ 𝔐 ¦ *txt* (𝔓75) ℵ B L 892. 1241 *pc* | ⸂†ουαι δε A W(*) Θ 063 𝔐 lat sy^p.h ¦ *txt* 𝔓75 ℵ B D L Ψ $f^{1.13}$ 33. 892. 1241 *pc* it sy^s.hmg co ● **2** ⸀*p)* συμφερει δε D | ⸂λ. ονικος W *pc* ¦ *p)* μυλος ονικος A Ψ 063 𝔐 sy bo^mss ¦ *txt* 𝔓75 ℵ B D L Θ $f^{1.13}$ 892. 1241 *pc* lat co

περίκειται περὶ τὸν τράχηλον αὐτοῦ καὶ ἔρριπται εἰς
τὴν θάλασσαν ἢ ἵνα σκανδαλίσῃ ⸉τῶν μικρῶν τούτων
ἕνα⸊. **3** προσέχετε ἑαυτοῖς.
Mt 18,15! Lv 19,17 Ἐὰν ἁμάρτῃ ⸆ ὁ ἀδελφός σου ἐπιτίμησον αὐτῷ, * καὶ
Mt 18,21 s Ps 119,164 ἐὰν μετανοήσῃ ἄφες αὐτῷ. **4** καὶ ἐὰν ἑπτάκις τῆς ἡμέρας
ἁμαρτήσῃ εἰς σὲ καὶ ⸆ ἑπτάκις ⸆̇ ἐπιστρέψῃ ⸋πρὸς σὲ⸌
λέγων· μετανοῶ, ἀφήσεις αὐτῷ.
22,14 · Mc 9,24 **5** Καὶ εἶπαν οἱ ἀπόστολοι τῷ κυρίῳ· πρόσθες ἡμῖν πί-
Mt 17,20! στιν. **6** εἶπεν δὲ ὁ κύριος· εἰ ἔχετε πίστιν ὡς κόκκον
σινάπεως, ἐλέγετε ἂν ⸆ τῇ συκαμίνῳ °[ταύτῃ]· ⸀ἐκρι-
ζώθητι καὶ φυτεύθητι ἐν τῇ θαλάσσῃ⸁· καὶ ὑπήκουσεν
ἂν ὑμῖν.
7 Τίς δὲ °ἐξ ὑμῶν δοῦλον ἔχων ἀροτριῶντα ἢ ποιμαί-
νοντα, ὃς εἰσελθόντι ἐκ τοῦ ἀγροῦ ⸆ ἐρεῖ αὐτῷ· εὐθέως
παρελθὼν ἀνάπεσε, **8** ⸀ἀλλ᾽ οὐχὶ⸁ ἐρεῖ αὐτῷ· ἑτοίμασον ⸆
12,37 τί δειπνήσω καὶ περιζωσάμενος διακόνει μοι ἕως φάγω
καὶ πίω, καὶ μετὰ ταῦτα φάγεσαι καὶ πίεσαι σύ; **9** μὴ ἔχει
χάριν τῷ δούλῳ ὅτι ἐποίησεν τὰ διαταχθέντα; ⸆ **10** οὕτως καὶ ὑμεῖς, ὅταν ποιήσητε ⸀πάντα τὰ διαταχθέντα
Mt 25,30 2Sm 6,22 ὑμῖν⸁, ⸋λέγετε ὅτι δοῦλοι ἀχρεῖοί ἐσμεν, ὃ ὠφείλομεν
ποιῆσαι πεποιήκαμεν.⸌
9,51! Mc 9,30 **11** Καὶ ἐγένετο ἐν τῷ πορεύεσθαι ⸆ εἰς Ἰερουσαλὴμ καὶ
αὐτὸς διήρχετο ⸀διὰ μέσον⸁ Σαμαρείας καὶ Γαλιλαίας⸆̇.
12 Καὶ εἰσερχομένου αὐτοῦ εἴς τινα κώμην ⸀ἀπήντη-
Mt 8,2! Lv 13,45 s σαν °[αὐτῷ] δέκα λεπροὶ ἄνδρες, ⸀οἳ ἔστησαν πόρρωθεν⸁
5,5! **13** καὶ ⸀αὐτοὶ ἦραν φωνὴν λέγοντες⸁· Ἰησοῦ ἐπιστάτα,

2 ⸉*4 1–3* ℵ^{2} A D W Θ 063 $f^{1.13}$ 𝔐 ¦ *txt* ℵ* B L Ψ 892 *pc* ● **3** ⸆*p)* εις σε D Ψ 063. 0135 f^{13} 𝔐 c e q r^{1} vg^{cl} bo^{mss} ¦ *txt* ℵ A B L W Θ f^{1} 892. 1241 *pc* lat sy co; Cl ● **4** ⸆το D | ⸆̇της ημερας A W Θ 063. 0135 $f^{1.13}$ 𝔐 lat sy$^{p.h}$ sa bo^{pt} ¦ *txt* ℵ B D L Ψ 892. 1241 *pc* it sy$^{s.c}$ bo^{pt}; Cl | ⸋W Θ 063. 0135 f^{13} 𝔐 f i λ ¦ *txt* ℵ A B D L Ψ (f^{1}) 892. 1241 *al* lat sy; Cl ● **6** ⸆*p)* τω ορει τουτω· μεταβα εντευθεν εκει, και μετεβαινεν· και D | ° 𝔓^{75} ℵ D L *pc* s sy^{c} bo ¦ *txt* A B W Θ Ψ 063. 0135 $f^{1.13}$ 𝔐 lat sy$^{s.p.h}$ sa | ⸀μεταφυτευθητι εις την θ-αν D (1424 lat) ● **7** ° 𝔓^{75} (D) L 1241 | ⸆μη D e l bo ● **8** ⸀αλλα D it sy$^{s.c.p}$ | ⸆μοι ℵ it sy bo^{pt} ● **9** ⸆ου δοκω A W Θ Ψ 063. 0135 𝔐 c s sy^{h} ¦ αυτω; ου δοκω D f^{13} (*pc*) lat sy^{p} ¦ *txt* ℵ^{1}(* *h. t.*) B L f^{1} 28. 1241 *pc* e (co) ● **10** ⸀*2–4* ℵ^{1}(* *h. t.*) *pc* it sy$^{s.c}$ ¦ οσα λεγω D | ⸋Mcion ● **11** ⸆αυτον A D W Θ Ψ $f^{1.13}$ 𝔐 ¦ *txt* 𝔓^{75} ℵ B L *pc* | ⸀*2* D ¦ ανα μεσον $f^{1.13}$; Tit ¦ δια μεσου A W Θ Ψ 𝔐 ¦ *txt* 𝔓^{75vid} ℵ B L 1424 *pc* | ⸆̇et Jericho (⸉28) it sy^{c} ● **12** ⸀υπ- ℵ L N Θ 063 $f^{1.13}$ 892. 1241 *al* ¦ οπου ησαν D e λ ¦ et ecce it sy$^{s.c}$ ¦ *txt* 𝔓^{75} A B W Ψ 𝔐 | °† 𝔓^{75} B (D) L *pc* ¦ *txt* ℵ A W Θ Ψ 063 $f^{1.13}$ 𝔐 lat sy$^{p.h}$ | ⸀και ε. π. D bo ¦ ε. it ¦ οι ανε- π. B *pc* ¦ – ℵ* ● **13** ⸀εκραξαν φωνη μεγαλη D (e)

ἐλέησον ἡμᾶς. **14** καὶ ἰδὼν εἶπεν αὐτοῖς· ⸆ πορευθέντες Mt 17,15! | Mt 8,4!
ἐπιδείξατε ἑαυτοὺς τοῖς ἱερεῦσιν. καὶ ἐγένετο ἐν τῷ ὑπά- Lv 13,49; 14,2–4
γειν αὐτοὺς ἐκαθαρίσθησαν. **15** εἷς δὲ ἐξ αὐτῶν, ἰδὼν
ὅτι ⸀ἰάθη, ὑπέστρεψεν μετὰ φωνῆς μεγάλης δοξάζων τὸν 2Rg 5,15 · 2,20!
θεόν, **16** καὶ ἔπεσεν ἐπὶ πρόσωπον παρὰ τοὺς πόδας αὐ- 5,12
τοῦ εὐχαριστῶν αὐτῷ· καὶ αὐτὸς ἦν Σαμαρίτης. **17** ἀπο- 9,52!
κριθεὶς δὲ ὁ Ἰησοῦς εἶπεν· ⸂οὐχὶ οἱ δέκα⸃ ἐκαθαρίσθησαν; οἱ °δὲ ἐννέα ποῦ; **18** ⸂οὐχ εὑρέθησαν ὑποστρέψαντες δοῦναι⸃ δόξαν τῷ θεῷ εἰ μὴ ὁ ἀλλογενὴς οὗτος; **19** καὶ
εἶπεν αὐτῷ· ἀναστὰς πορεύου· ⸋ἡ πίστις σου σέσωκέν σε.⸌ Mt 9,22!

20 Ἐπερωτηθεὶς δὲ ὑπὸ τῶν Φαρισαίων πότε ἔρχεται
ἡ βασιλεία τοῦ θεοῦ ἀπεκρίθη αὐτοῖς καὶ εἶπεν· οὐκ ἔρ- 19,11!
χεται ἡ βασιλεία τοῦ θεοῦ μετὰ παρατηρήσεως, **21** οὐδὲ
ἐροῦσιν· ἰδοὺ ὧδε ⸂ἤ· ἐκεῖ⸃, ⸆ ἰδοὺ γὰρ ἡ βασιλεία τοῦ Mt 24,23p 11,20p
θεοῦ ἐντὸς ὑμῶν ἐστιν. J 1,26

22 Εἶπεν δὲ πρὸς τοὺς μαθητάς· ἐλεύσονται ἡμέραι ὅτε 5,35p
ἐπιθυμήσετε μίαν τῶν ἡμερῶν ⸆ τοῦ υἱοῦ τοῦ ἀνθρώπου
ἰδεῖν καὶ οὐκ ὄψεσθε. **23** καὶ ἐροῦσιν ὑμῖν· ἰδοὺ ⸂ἐκεῖ, *23s:* Mt 24,37-39 Mc 13,21s
[ἤ·] ἰδοὺ ὧδε⸃· ⸄μὴ ἀπέλθητε μηδὲ διώξητε⸅. **24** ὥσπερ
γὰρ ἡ ἀστραπὴ ⸆ ἀστράπτουσα ἐκ τῆς ὑπὸ τὸν οὐρανὸν
⸋εἰς τὴν ὑπ' οὐρανὸν⸌ ⸀λάμπει, οὕτως ἔσται ὁ υἱὸς τοῦ
ἀνθρώπου ⸋¹[ἐν τῇ ἡμέρᾳ αὐτοῦ]⸌. **25** πρῶτον δὲ δεῖ αὐτὸν πολλὰ παθεῖν καὶ ἀποδοκιμασθῆναι ἀπὸ τῆς γενεᾶς 9,22!
ταύτης. **26** καὶ καθὼς ἐγένετο ἐν ταῖς ἡμέραις Νῶε, οὔ- *26s:* Mt 24,37-39
τως ἔσται καὶ ἐν ταῖς ἡμέραις τοῦ υἱοῦ τοῦ ἀνθρώπου·
27 ἤσθιον, ἔπινον, ἐγάμουν, ⸀ἐγαμίζοντο, ἄχρι ἧς ἡμέρας 20,34
εἰσῆλθεν Νῶε εἰς τὴν κιβωτὸν καὶ ⸂ἦλθεν ὁ⸃ κατακλυ- Gn 6,11-13; 7,7.
σμὸς καὶ ἀπώλεσεν ⸁πάντας. **28** ὁμοίως ⸀καθὼς ἐγένετο 17.21s 2P 2,5

14 ⸆τεθεραπευσθε D(*) ¦ θελω καθαρισθητε και ευθεως εκαθαρισθησαν 𝔓^{75mg} ● **15** ⸀εκαθαρισθη D 892. 1424 *pc* lat sy$^{s.c.p}$ sa ● **17** ⸂†ουχ οι δ. B L ¦ ουτοι δ. D it sy$^{s.c}$ ¦ ουχ (-χι A) οι δ. ουτοι A W l sy$^{p.h}$ ¦ *txt* ℵ Θ Ψ $f^{1.13}$ 𝔐 | ° A D *pc* ● **18** ⸂εξ αυτων ουδεις ευρεθη υποστρεφων ος δωσει D (it sy$^{s.c}$) ● **19** ⸋B sa^{mss} ● **21** ⸂η ιδου εκει A D (W) Ψ (063) $f^{1.13}$ 𝔐 lat sy$^{c.p.h}$ ¦ ηκει (*!*) Θ ¦ *txt* 𝔓^{75} ℵ B L 1241 *pc* sy^{s} | ⸆*p)* μη πιστευσητε D ● **22** ⸆τουτων D ● **23** ⸂†εκει, (+ και ℵ) ιδου ωδε ℵ L *pc* (sy$^{s.c}$) ¦ ωδε, ιδου εκει (+ ο Χριστος K *pc*) D K W 063. 28. 33 *al* lat (sy^{p}) ¦ ωδε η ιδου (– f^{13}) εκει (+ ο Χριστ. N) A R Θ Ψ 0272 f^{13} 𝔐 it vg^{mss} sy^{h} ¦ ωδε, μη διωξητε· η ιδ. εκει ο Χριστ., f^{1} ¦ *txt* 𝔓^{75} B | ⸄ *1 4* (𝔓^{75} f^{13} : -ξετε) B sa ¦ μη πιστευσητε f^{1} sy^{hmg} ¦ *ut txt, sed* -ξετε L Δ *al* ● **24** ⸆η A D R 063 𝔐 ¦ *txt* 𝔓^{75} ℵ B L N W Γ Θ Ψ $f^{1.13}$ 892. 1241 *al* | ⸋D 700 *pc* it | ⸀αστραπτει D | ⸋¹ 𝔓^{75} B D it sa ¦ *txt* ℵ A L R W Θ Ψ 063 $f^{1.13}$ 𝔐 lat sy bo ● **27** ⸀εξεγ- A R W Θ $f^{1.13}$ 𝔐 ¦ *txt* 𝔓^{75} ℵ B D L Ψ 063. 28. 892. 1241. 1424 *al* | ⸂εγενετο D e | ⸁απ- ℵ A W Ψ 063 $f^{1.13}$ 𝔐 ¦ *txt* 𝔓^{75} B D L Θ 892 *pc* ● **28** ⸀και ως A D W Θ 063 f^{1} 𝔐 ¦ *txt* 𝔓^{75} ℵ B L R Ψ f^{13} 1241 *pc* lat

Gn 18,20s 2P 2,6s — ἐν ταῖς ἡμέραις Λώτ· ἤσθιον, ἔπινον, ἠγόραζον, ἐπώλουν,
ἐφύτευον, ᾠκοδόμουν· **29** ᾗ δὲ ἡμέρᾳ ἐξῆλθεν Λὼτ ἀπὸ
Gn 19,15.24s — Σοδόμων, ἔβρεξεν ⸂πῦρ καὶ θεῖον⸃ ἀπ᾽ οὐρανοῦ καὶ ἀπώ-
Mt 24,39b 1K 1,7! — λεσεν ⸀πάντας. **30** ⸂κατὰ τὰ αὐτὰ⸃ ἔσται ⸄ᾗ ἡμέρᾳ ὁ υἱὸς
31: Mt 24,17s Mc 13,15s L 21,21 — τοῦ ἀνθρώπου ἀποκαλύπτεται⸅. **31** ἐν ἐκείνῃ τῇ ⸀ἡμέρᾳ ὃς
ἔσται ἐπὶ τοῦ δώματος καὶ τὰ σκεύη αὐτοῦ ἐν τῇ οἰκίᾳ,
9,62! Gn 19,17.26 — μὴ καταβάτω ἆραι αὐτά, καὶ ὁ ἐν ἀγρῷ ὁμοίως μὴ ἐπιστρεψάτω εἰς τὰ ὀπίσω. **32** μνημονεύετε τῆς γυναικὸς Λώτ.
Mt 16,25! — **33** ὃς ⸂ἐὰν ζητήσῃ τὴν ψυχὴν αὐτοῦ περιποιήσασθαι⸃
ἀπολέσει αὐτήν, ⸄ὃς δ᾽⸅ ἂν ⸀ἀπολέσῃ ζῳογονήσει αὐ-
34s: Mt 24,40s — τήν. **34** λέγω ὑμῖν, ταύτῃ τῇ νυκτὶ ἔσονται δύο ἐπὶ κλίνης
°μιᾶς, °¹ὁ εἷς παραλημφθήσεται καὶ ὁ ἕτερος ⸀ἀφεθή-
σεται· **35** ⸋ἔσονται δύο ἀλήθουσαι ἐπὶ τὸ αὐτό, °ἡ μία
παραλημφθήσεται, ⸂ἡ δὲ⸃ ἑτέρα ἀφεθήσεται.⸌ ⸆ **37** καὶ
ἀποκριθέντες λέγουσιν αὐτῷ· ποῦ, κύριε; ὁ δὲ εἶπεν
Mt 24,28! — αὐτοῖς· ὅπου τὸ σῶμα, ἐκεῖ ⸂καὶ οἱ ἀετοὶ ἐπισυναχθή-
σονται⸃.

5,36! — **18** Ἔλεγεν δὲ ⸆ παραβολὴν αὐτοῖς πρὸς τὸ δεῖν πάν-
21,36! R 12,12! — τοτε προσεύχεσθαι °αὐτοὺς καὶ μὴ ἐγκακεῖν, **2** °λέ-
γων· κριτής τις ἦν ἔν ⸀τινι πόλει τὸν θεὸν μὴ φοβούμε-
Ex 22,22 Jc 1,27 · Ap 6,10 — νος καὶ ἄνθρωπον μὴ ἐντρεπόμενος. **3** χήρα δὲ ἦν ἐν τῇ
πόλει ἐκείνῃ καὶ ἤρχετο πρὸς αὐτὸν λέγουσα· ἐκδίκη-
σόν με ἀπὸ τοῦ ἀντιδίκου μου. **4** καὶ οὐκ ἤθελεν ἐπὶ χρό-
16,3! — νον⸆. μετὰ ⸉δὲ ταῦτα⸊ ⸂εἶπεν ἐν ἑαυτῷ⸃· εἰ καὶ τὸν θεὸν

29 ⸂*1* it sy^{c} ¦ *3 2 1* A D K W Θ f^{13} *al* r^{1} sy^{h} ¦ *txt* $\mathfrak{P}^{75}$ ℵ B L R Ψ 063 f^{1} 𝔐 lat sy$^{s.p}$ co | ⸀απ- ℵ A R W Θ Ψ 063 $f^{1.13}$ 𝔐 ¦ *txt* B D L Δ 892 *pc* ● **30** ⸂κ. ταυτα $\mathfrak{P}^{75vid}$ ℵ* A L W Θ 063 $f^{1.13}$ 𝔐 lat ¦ ουτως 1241 sy$^{s.c.p}$ ¦ *txt* ℵ^{2} B D K N (R) Ψ 892 *pc* | ⸄εν τη ημ. του υιου του ανθ. ῃ αποκαλυφθη D it ¦ και η παρουσια τ. υιου τ. ανθ. 28 ● **31** ⸀ωρα lat sy$^{s.c}$ ● **33** ⸂*p)* εαν ζ. τ. ψ. α. σωσαι ℵ A (R) W Θ Ψ 063 $f^{1.13}$ 𝔐 (lat) sy^{h} ¦ (9,24) αν θεληση ζωογονησαι τ. ψ. α. D sy$^{s.c.p}$ sa ¦ *txt* $\mathfrak{P}^{75}$ B L | ⸄†και ος A D R W Θ 063 f^{1} 𝔐 ¦ *txt* $\mathfrak{P}^{75}$ ℵ B L Ψ (f^{13}) 892 *pc* | ⸀†-σει A L N R Γ Δ 063. 1010 *al* ¦ *txt* B D W Θ Ψ $f^{1.13}$ 𝔐 (ℵ *incert.*) ● **34** °B c | °¹A D L R W Ψ 𝔐 ¦ *txt* $\mathfrak{P}^{75}$ ℵ B Θ 063 $f^{1.13}$ 892 *pc* | ⸀*p)* αφιεται D K 063 *pc* ● **35** ⸋*vs* ℵ* *pc* l | °A L W Ψ 063 𝔐 ¦ *txt* $\mathfrak{P}^{75}$ ℵ^{1} B D R Θ $f^{1.13}$ 1241 *pc* | ⸂και η A D W Θ Ψ (063) f^{1} 𝔐 sy ¦ η 1241 ¦ *txt* $\mathfrak{P}^{75vid}$ ℵ^{1} B L R f^{13} 892 *pc* | ⸆[36] *p)* δυο εσονται (– D *pc*) εν τω (– D) αγρω· εις παραλη(μ)φθησεται και ο ετερος (η δε ετερα f^{13}) αφεθησεται D f^{13} 700 *al* lat sy ● **37** ⸂συναχθ- οι αετοι A D R W Θ Ψ 063 $f^{1.(13)}$ 𝔐 ¦ *txt* ℵ B L 892. 1241 *pc*

¶ **18,1** ⸆και A D R W Θ Ψ 063 f^{1} 𝔐 lat sy ¦ *txt* ℵ B L f^{13} 892. 1241 *pc* co | °ℵ^{1} D 063 f^{1} 28. 1424 *pm* ● **2** °D f^{1} *pc* sy$^{s.c.p}$ | ⸀τη D L Ψ 063 *pc* ● **4** ⸆τινα D ¦ multum lat sy$^{p.h}$ sa | ⸉†B L Q 0139. 892 *pc* ¦ *txt* ℵ A D R W Θ Ψ 063 $f^{1.13}$ 𝔐 | ⸂ηλθεν εις εαυτον και λεγει D

οὐ φοβοῦμαι ⸉οὐδὲ ἄνθρωπον⸊ ἐντρέπομαι, **5** διά γε τὸ
παρέχειν μοι κόπον τὴν χήραν ταύτην ⸆ ἐκδικήσω αὐ- 11,7!
τήν, ἵνα μὴ εἰς τέλος ἐρχομένη ὑπωπιάζῃ με. **6** Εἶπεν δὲ
ὁ κύριος· ⸀ἀκούσατε τί ὁ κριτὴς τῆς ἀδικίας λέγει· **7** ὁ δὲ 16,8!
θεὸς οὐ μὴ ποιήσῃ τὴν ἐκδίκησιν τῶν ἐκλεκτῶν αὐτοῦ Jdc 11,36 𝔊
τῶν βοώντων αὐτῷ ἡμέρας καὶ νυκτός, καὶ ⸀μακροθυμεῖ Ps 22,3 · Sir 35,22 2P 3,9
ἐπ' αὐτοῖς; **8** λέγω ὑμῖν ὅτι ποιήσει τὴν ἐκδίκησιν αὐτῶν
ἐν τάχει. πλὴν ὁ υἱὸς τοῦ ἀνθρώπου ἐλθὼν ἆρα εὑρήσει 7,9p
τὴν πίστιν ἐπὶ τῆς γῆς;

9 Εἶπεν δὲ καὶ πρός τινας τοὺς πεποιθότας ἐφ' ἑαυ- 16,15! Ez 33,13
τοῖς ὅτι εἰσὶν δίκαιοι καὶ ⸀ἐξουθενοῦντας τοὺς λοιποὺς R 10,3
⸋τὴν παραβολὴν ταύτην⸌· **10** Ἄνθρωποι δύο ἀνέβησαν Act 3,1
εἰς τὸ ἱερὸν προσεύξασθαι, ⸰ὁ εἷς Φαρισαῖος καὶ ⸂ὁ ἕτε-
ρος⸃ τελώνης. **11** ὁ Φαρισαῖος σταθεὶς ⸂πρὸς ἑαυτὸν ταῦ- 16,15! 2K 2,17
τα⸃ προσηύχετο· ὁ θεός, εὐχαριστῶ σοι ὅτι οὐκ εἰμὶ
⸀ὥσπερ οἱ λοιποὶ τῶν ἀνθρώπων, ἅρπαγες, ἄδικοι, μοιχοί, R 1,29!
ἢ καὶ ὡς οὗτος ὁ τελώνης· **12** νηστεύω δὶς τοῦ σαββάτου, Mt 9,14
⸀ἀποδεκατῶ πάντα ὅσα κτῶμαι. **13** ὁ δὲ τελώνης μα- Mt 23,23 Dt 14,22s
κρόθεν ἑστὼς οὐκ ἤθελεν οὐδὲ τοὺς ὀφθαλμοὺς ἐπᾶραι
εἰς τὸν οὐρανόν, ἀλλ' ἔτυπτεν ⸆ τὸ στῆθος ⸀αὐτοῦ λέ- 23,48
γων· ὁ θεός, ἱλάσθητί μοι τῷ ἁμαρτωλῷ. **14** λέγω ὑμῖν, Ps 78,9 𝔊; 24,11 𝔊 Dn 9,19 Theod
κατέβη οὗτος δεδικαιωμένος εἰς τὸν οἶκον αὐτοῦ ⸂παρ' 2Rg 5,18 𝔊 Mt 21,31
5 ἐκεῖνον⸃· ὅτι πᾶς ὁ ὑψῶν ἑαυτὸν ταπεινωθήσεται, ὁ δὲ 14,11!
ταπεινῶν ἑαυτὸν ὑψωθήσεται.

6 **15** Προσέφερον δὲ αὐτῷ ⸂καὶ τὰ βρέφη⸃ ἵνα αὐτῶν *15–17:* Mt 19,13-15 Mc 10,13-16
ἅπτηται· ἰδόντες δὲ οἱ μαθηταὶ ⸀ἐπετίμων αὐτοῖς. **16** ὁ δὲ 39
Ἰησοῦς ⸀προσεκαλέσατο ⸰αὐτὰ ⸁λέγων· ἄφετε τὰ παιδία
ἔρχεσθαι πρός με καὶ μὴ κωλύετε αὐτά, τῶν γὰρ τοιούτων

4 ⸉και ανθρ. ουκ A D R W Ψ 063 $f^{1.13}$ 𝔐 ¦ *txt* ℵ B L Θ 0139. 892 *pc* ● **5** ⸆απελθων D ● **6** ⸀ηκ- 157 *pc* e ¦ – ℵ* Λ ● **7** ⸀-θυμων W 063. 0135 f^{13} 𝔐 ¦ *txt* ℵ A B D L Q R Θ Ψ 0139 f^{1} 1241 *al* ● **9** ⸀-νουντες $\mathfrak{P}^{75(*)}$ B 0139 *pc* a | ⸋D ● **10** ⸰B D R T *pc* | ⸂εἷς D e q ● **11** ⸂† *3 1 2* $\mathfrak{P}^{75}$ ℵ^{2} B (L) T Θ Ψ f^{1} 892. 1241 *pc* lat ¦ *3* ℵ* it sa ¦ *1 2* sy^{s} ¦ καθ εαυτ. τ. D ¦ *txt* A W 063 f^{13} 𝔐 sy^{h} | ⸀ως D L Q Ψ 28. 892. 1241 *pc* ● **12** ⸀† -τευω $\mathfrak{P}^{75}$ ℵ* B T ¦ *txt* ℵ^{2} A D L W Θ Ψ 063 $f^{1.13}$ 𝔐 ● **13** ⸆εις A W Θ 063. 0135 f^{13} 𝔐 ¦ *txt* ℵ B D K L Q T Ψ f^{1} 1241 *al* | ⸀εαυτ- B Q T *pc* ¦ – f^{1} ● **14** ⸂η γαρ (– W Θ *pc*) εκεινος A W Θ Ψ 063. 0135 f^{13} 𝔐 sy^{h} ¦ ηπερ -νος 157 *pc* ¦ μαλλον παρ εκεινον τον Φαρισαιον D sy^{p} ¦ *txt* ℵ B L (Q) T f^{1} *pc* vg; Or ● **15** ⸂*p)* παιδια D | ⸀-μησαν A W Θ Ψ 078. 0135 𝔐 ¦ *txt* ℵ B D L T $f^{1.13}$ 892. 1241 *pc* bo ● **16** ⸀-λειτο D f^{1} *pc* ¦ προσκαλεσαμενος *et* ⸁ειπεν A W Θ Ψ 078. 0135 (f^{13}) 𝔐 lat sy^{h} ¦ *txt* ℵ B L T 892. 1241 *pc* (a) r^{1} | ⸰B

ἐστὶν ἡ βασιλεία τοῦ θεοῦ. **17** ἀμὴν ⸆ λέγω ὑμῖν, ὃς ἂν 21 II
Mt 18,3p μὴ δέξηται τὴν βασιλείαν τοῦ θεοῦ ὡς παιδίον, οὐ μὴ
εἰσέλθῃ εἰς αὐτήν.
18–23: Mt 19,16-22 Mc 10,17-22 cf L 10,25-28 **18** Καὶ ἐπηρώτησέν τις αὐτὸν ἄρχων λέγων· διδάσκαλε 63 21
ἀγαθέ, τί ποιήσας ζωὴν αἰώνιον κληρονομήσω; **19** εἶπεν II
δὲ αὐτῷ ὁ Ἰησοῦς· τί με λέγεις ἀγαθόν; οὐδεὶς ἀγαθὸς
Ex 20,12-16 Dt 5,16-20 𝔊 εἰ μὴ εἷς °ὁ θεός. **20** τὰς ἐντολὰς οἶδας· ⸂*μὴ μοιχεύσῃς,*
μὴ φονεύσῃς, μὴ κλέψῃς, μὴ ψευδομαρτυρήσῃς⸃, *τίμα τὸν πα-*
τέρα σου καὶ τὴν μητέρα⸆. **21** ὁ δὲ εἶπεν· ταῦτα πάντα ἐφύλαξα ἐκ νεότητος⸆. **22** ἀκούσας δὲ ⸆ ὁ Ἰησοῦς εἶπεν αὐ- 21 II
τῷ· ἔτι ἕν σοι λείπει· πάντα ὅσα ἔχεις πώλησον καὶ ⸀διάδος
12,33 Mt 6,20p πτωχοῖς, καὶ ἕξεις θησαυρὸν ἐν ⸂[τοῖς] οὐρανοῖς⸃, καὶ
δεῦρο ἀκολούθει μοι. **23** ὁ δὲ ἀκούσας ταῦτα περίλυπος 22 II
⸀ἐγενήθη· ἦν γὰρ πλούσιος σφόδρα.
24–30: Mt 19,23-30 Mc 10,23-31 **24** Ἰδὼν δὲ αὐτὸν °ὁ Ἰησοῦς □[περίλυπον γενόμενον]⸌
εἶπεν· πῶς δυσκόλως οἱ τὰ χρήματα ἔχοντες εἰς τὴν βασι-
λείαν τοῦ θεοῦ ⸀εἰσπορεύονται· **25** εὐκοπώτερον γάρ ἐστιν
⸀κάμηλον διὰ ⸁τρήματος ⸀¹βελόνης ⸀²εἰσελθεῖν ἢ πλούσιον εἰς τὴν βασιλείαν τοῦ θεοῦ εἰσελθεῖν. **26** εἶπαν δὲ
οἱ ⸀ἀκούσαντες· καὶ τίς δύναται σωθῆναι; **27** ὁ δὲ εἶπεν·
τὰ ἀδύνατα παρὰ ἀνθρώποις δυνατὰ ⸂παρὰ τῷ θεῷ ἐστιν⸃.
28 Εἶπεν δὲ °ὁ Πέτρος· ἰδοὺ ἡμεῖς ⸂ἀφέντες τὰ ἴδια⸃
ἠκολουθήσαμέν σοι. **29** ὁ δὲ εἶπεν αὐτοῖς· ἀμὴν λέγω 22 II
14,26 ὑμῖν °ὅτι οὐδείς ἐστιν ὃς ἀφῆκεν οἰκίαν ἢ ⸂γυναῖκα ἢ
ἀδελφοὺς ἢ γονεῖς⸃ ἢ τέκνα ⸆ ἕνεκεν τῆς βασιλείας τοῦ

17 ⸆γαρ D N *pc* ¦ αμην 1241 *pc* • **19** °א* B*.² • **20** ⸂*p)* ο δε ειπεν· ποιας; ειπεν δε ο Ιησους· το ου -σεις, ου -σεις (*quater*) D (a e) | ⸆σου א f^{13} 𝔐 a b c sy^s.c.p ¦ *txt* A B D K L P W Θ Ψ 078 f^{1} 33. 892. 1241 *al* lat • **21** ⸆*p)* μου א A L W Θ Ψ $f^{1.13}$ 𝔐 lat sy^p.h ¦ *txt* B D 1 • **22** ⸆ταυτα A W Θ Ψ 078 f^{13} 𝔐 sy^p.h ¦ *txt* א B D L f^{1} 33. 892. 1241 *pc* sy^s.c co | ⸀*p)* δος א A D L N R Δ f^{1} 33. 1241. 1424 *al* | ⸂*2* א A L R 078. 892 *pc* ¦ ουρανω W Θ Ψ $f^{1.13}$ 𝔐 lat ¦ *txt* B D • **23** ⸀εγενετο A D W Θ Ψ 078 $f^{1.13}$ 𝔐 ¦ *txt* א B L *pc* • **24** °B | □† א B L f^{1} 1241 *pc* co ¦ *txt* A (⸉D) R W Θ Ψ 078 f^{13} 𝔐 latt sy | ⸀-ελευσονται א D R Ψ 1241 *pc* (⸉*p.* εχοντες A W Θ 078 $f^{1.13}$ 𝔐) ¦ *txt* B L 892 • **25** ⸀καμιλον S f^{13} 1010. 1424 *al* | ⸁*p)* τρυπηματος L R Θ 1241 *pc* ¦ *p)* τρυμαλιας A W Ψ $f^{1.13}$ 𝔐 ¦ *txt* א B D | ⸀¹*p)* ραφιδος A W Ψ 𝔐; Or ¦ βελ. μαλιας (*!*) ραφ. Θ ¦ *txt* א B D L $f^{1.13}$ 1241 *pc* | ⸀²διελθειν A D P Θ $f^{1.13}$ *al* lat sy^s.c.hmg • **26** ⸀-οντες D L W f^{1} *pc* • **27** ⸂*4 1–3* A (P) R Θ f^{13} 𝔐 lat ¦ *1 3 4* D W ¦ *txt* א B L Ψ f^{1} 28. 892. 1241. 1424 *pc* • **28** °A W 𝔐 ¦ *txt* א B D L N R Θ Ψ $f^{1.13}$ 700. 892. 1241 *al* | ⸂αφ. παντα τα ιδια Θ $f^{(1).13}$ it sy^s.c ¦ *p)* αφηκαμεν παντα και א* A R W Ψ 𝔐 vg sy^p.h ¦ *txt* א² B (⸉D) L 892 *pc* b ff² r¹ sy^hmg sa^mss bo • **29** °א* D Δ lat | ⸂*5 4 3 2 1* A R W Θ $f^{1.13}$ 𝔐 lat sy ¦ *p)* γον. η αδ. η αδελφας η γυν. D Δ Ψ (sa^ms) bo? ¦ *txt* א B L 892. (1241) *pc* sa^mss bo? | ⸆εν τω καιρω τουτω D

θεοῦ, **30** ⸂ὃς οὐχὶ μὴ⸃ ⸀[ἀπο]λάβῃ ⸁πολλαπλασίονα ἐν τῷ
καιρῷ τούτῳ καὶ ἐν τῷ αἰῶνι τῷ ἐρχομένῳ ζωὴν αἰώνιον.
31 Παραλαβὼν δὲ τοὺς δώδεκα εἶπεν πρὸς αὐτούς· *31–34:* Mt 20,17-19 Mc 10,32-34
ἰδοὺ ἀναβαίνομεν εἰς Ἰερουσαλήμ, καὶ τελεσθήσεται 9,51! · 12,50!; 22,37
πάντα τὰ γεγραμμένα διὰ τῶν προφητῶν ⸂τῷ υἱῷ⸃ τοῦ J 5,39
ἀνθρώπου· **32** παραδοθήσεται γὰρ τοῖς ἔθνεσιν καὶ ἐμ- 9,22!
παιχθήσεται ⸋καὶ ὑβρισθήσεται⸌ καὶ ἐμπτυσθήσεται Act 14,5
33 καὶ μαστιγώσαντες ἀποκτενοῦσιν αὐτόν, καὶ τῇ ἡμέρᾳ
τῇ τρίτῃ ἀναστήσεται. **34** καὶ αὐτοὶ οὐδὲν τούτων συν- 2,50!
ῆκαν καὶ ἦν τὸ ῥῆμα ○τοῦτο κεκρυμμένον ἀπ᾽ αὐτῶν καὶ
οὐκ ἐγίνωσκον τὰ λεγόμενα.
35 Ἐγένετο δὲ ἐν τῷ ἐγγίζειν αὐτὸν εἰς Ἰεριχὼ τυφλός *35–43:* Mt 20,29-34 Mc 10,46-52 cf Mt 9,27-31
τις ἐκάθητο παρὰ τὴν ὁδὸν ⸀ἐπαιτῶν. **36** ἀκούσας δὲ ὄχλου
διαπορευομένου ἐπυνθάνετο τί ⸆ εἴη τοῦτο. **37** ἀπήγγειλαν δὲ αὐτῷ ὅτι Ἰησοῦς ὁ ⸀Ναζωραῖος παρέρχεται. **38** καὶ Mt 2,23
ἐβόησεν λέγων· Ἰησοῦ υἱὲ Δαυίδ, ἐλέησόν με. **39** καὶ οἱ
προάγοντες ἐπετίμων αὐτῷ ἵνα ⸀σιγήσῃ, αὐτὸς δὲ ○πολ- 15
λῷ μᾶλλον ἔκραζεν· ⸁υἱὲ Δαυίδ, ἐλέησόν με. **40** σταθεὶς
δὲ ○ὁ Ἰησοῦς ἐκέλευσεν αὐτὸν ἀχθῆναι ⸋πρὸς αὐτόν⸌.
ἐγγίσαντος δὲ αὐτοῦ ἐπηρώτησεν αὐτόν⸆· **41** τί σοι θέλεις
ποιήσω; ὁ δὲ εἶπεν· κύριε, ἵνα ἀναβλέψω. **42** καὶ ὁ Ἰησοῦς εἶπεν αὐτῷ· ἀνάβλεψον· ἡ πίστις σου σέσωκέν σε. Mt 9,22!
43 καὶ παραχρῆμα ἀνέβλεψεν καὶ ⸀ἠκολούθει αὐτῷ δο- 2,20! 19,37
ξάζων τὸν θεόν. καὶ πᾶς ὁ ⸁λαὸς ἰδὼν ἔδωκεν ⸀¹αἶνον
τῷ θεῷ.

19 Καὶ εἰσελθὼν διήρχετο τὴν Ἰεριχώ. **2** Καὶ ἰδοὺ ἀνὴρ
ὀνόματι ○καλούμενος Ζακχαῖος, καὶ αὐτὸς ⸂ἦν ἀρ-
χιτελώνης ⸄καὶ αὐτὸς⸅ πλούσιος⸃· **3** καὶ ἐζήτει ἰδεῖν τὸν J 12,21 Mt 21,31!
Ἰησοῦν τίς ἐστιν καὶ οὐκ ἠδύνατο ἀπὸ τοῦ ὄχλου, ὅτι τῇ

30 ⸂ος ου μη A R W Θ Ψ f^{13} 𝔐 ¦ εαν μη D ¦ *txt* ℵ B L f^{1} 892. 1241 *pc* | ⸀† λαβη B D *pc* ¦ *txt* ℵ A L R W Θ Ψ $f^{1.13}$ 𝔐 | ⸁επταπλ- D it sa^{ms} ¦ *p)* εκατονταπλ- 1241 *pc* $sy^{s.c}$ • 31 ⸂περι του υιου D (Θ) f^{13} *pc* latt • 32 ⸋ *p)* D L 700. 1241 *pc* it • 34 ○D f^{1} *pc* it $sy^{s.c}$ • 35 ⸀*p)* προσαιτων A R W Θ Ψ $f^{1.13}$ 𝔐 ¦ *txt* ℵ B (ʃ D) L T *pc* • 36 ⸆αν D K L Q R Θ Ψ $f^{1.13}$ 892. 1241 *al* ¦ *txt* ℵ A B T W 063 𝔐 • 37 ⸀*p)* Ναζαρηνος D f^{1} (*pc*) lat • 39 ⸀σιωπηση ℵ A R Θ 063 $f^{1.13}$ 𝔐 ¦ *txt* B D L P T W Ψ *pc* | ○D c sa | ⸁*p)* υιος D ¦ Ιησου υιε ℵ(*) 063 $f^{1.13}$ *pc* • 40 ○(A) B D T | ⸋D f^{1} *pc* it $sy^{s.c}$ | ⸆λεγων A R W Θ Ψ 063 f^{1} 𝔐 lat sy ¦ ο Ιησους λ. Q f^{13} *pc* r^{1} ¦ *txt* ℵ B D L T 892. 1241 *pc* e co • 43 ⸀-θησεν W* 565 *pc* | ⸁οχλος Q f^{13} 1424 *pc* | ⸀¹δοξαν D
¶ 19,2 ○D 892. 1241 *pc* lat sa^{ms} bo^{pt} | ⸂αρχων της συναγωγης υπηρχεν Ψ | ⸄κ. α. ην Θ *pc* it ¦ κ. ουτος ην A R (W) 063 𝔐 ¦ κ. ην ℵ L 892. 1241 *pc* bo ¦ – D e sa ¦ *txt* B K 0139 $f^{1.13}$ *al* lat

ἡλικίᾳ μικρὸς ἦν. **4** καὶ ⸀προδραμὼν ⸋εἰς τὸ⸌ ἔμπροσθεν
ἀνέβη ἐπὶ συκομορέαν ἵνα ἴδῃ αὐτὸν ὅτι ἐκείνης ἤμελλεν
διέρχεσθαι. **5** καὶ ⸂ὡς ἦλθεν ἐπὶ τὸν τόπον, ἀναβλέψας
°ὁ Ἰησοῦς⸃ ⸆ εἶπεν πρὸς αὐτόν· Ζακχαῖε, ⸀σπεύσας κατάβηθι, σήμερον γὰρ ἐν τῷ οἴκῳ σου δεῖ με μεῖναι. **6** καὶ
5,29 σπεύσας κατέβη καὶ ὑπεδέξατο αὐτὸν χαίρων. **7** καὶ ἰδόν-
5,30; 15,2 · Mt 9,11! τες πάντες διεγόγγυζον °λέγοντες ὅτι παρὰ ἁμαρτωλῷ
ἀνδρὶ εἰσῆλθεν καταλῦσαι. **8** σταθεὶς δὲ ⸆ Ζακχαῖος εἶπεν πρὸς τὸν κύριον· ἰδοὺ τὰ ⸀ἡμίσιά μου τῶν ὑπαρχόν-
3,14 των, κύριε, ⸂τοῖς πτωχοῖς δίδωμι⸃, καὶ εἴ τινός τι ἐσυκο-
Ex 21,37 Nu 5,6s | φάντησα ἀποδίδωμι τετραπλοῦν. **9** εἶπεν δὲ πρὸς αὐτὸν
J 4,53! °ὁ Ἰησοῦς ὅτι σήμερον σωτηρία ⸆ τῷ οἴκῳ τούτῳ ἐγένετο,
3,8! καθότι καὶ αὐτὸς υἱὸς Ἀβραάμ °¹ἐστιν· **10** ἦλθεν γὰρ ὁ
15,4-7 Ez 34,16 Mt 9,13p J 3,17! υἱὸς τοῦ ἀνθρώπου ζητῆσαι καὶ σῶσαι τὸ ἀπολωλός.
1T 1,15 *11-27:* **11** Ἀκουόντων δὲ αὐτῶν ταῦτα προσθεὶς εἶπεν παρα-
Mt 25,14-30 βολὴν διὰ τὸ ⸄ἐγγὺς εἶναι Ἰερουσαλὴμ αὐτὸν⸅ καὶ δο-
9,27; 17,20; 21,31; 24,21 Act 1,6 κεῖν αὐτοὺς ὅτι παραχρῆμα ⸉μέλλει ἡ βασιλεία τοῦ θεοῦ
ἀναφαίνεσθαι. **12** εἶπεν οὖν· ἄνθρωπός τις εὐγενὴς ἐπο-
Mc 13,34 ρεύθη εἰς χώραν μακρὰν λαβεῖν ἑαυτῷ βασιλείαν καὶ
ὑποστρέψαι. **13** καλέσας δὲ δέκα δούλους ἑαυτοῦ ἔδωκεν
αὐτοῖς δέκα μνᾶς καὶ εἶπεν πρὸς αὐτούς⸀· πραγματεύ-
σασθε ἐν ᾧ ἔρχομαι. **14** οἱ δὲ πολῖται αὐτοῦ ἐμίσουν αὐτὸν καὶ ⸀ἀπέστειλαν πρεσβείαν ὀπίσω αὐτοῦ λέγοντες·
27 οὐ θέλομεν τοῦτον βασιλεῦσαι ἐφ᾽ ἡμᾶς. **15** καὶ ἐγένετο
ἐν τῷ ἐπανελθεῖν αὐτὸν λαβόντα τὴν βασιλείαν καὶ εἶπεν φωνηθῆναι ⸀αὐτῷ τοὺς δούλους ⸁τούτους οἷς ⸀¹δε-
δώκει τὸ ἀργύριον, ἵνα γνοῖ ⸂τί διεπραγματεύσαντο⸃.
16 παρεγένετο δὲ ὁ πρῶτος λέγων· κύριε, ἡ μνᾶ σου

4 ⸀προσδ- L R W Γ Ψ 063. 0139 *pm* ¦ δρ- 1010. 1424 *al* ¦ προλαβων D ¦ *txt* א A B K Q Δ Θ $f^{1.13}$ 28. 565. 700. 892. 1241 *pm* | ⸋A D R W Ψ 063 $f^{1.13}$ 𝔐 sy[c.h] ¦ *txt* א B L Θ 0139. 892. 1241 *pc* e sy[s] ● 5 ⸂εγενετο εν τω διερχεσθαι D it | °B 0139 | ⸆ειδεν αυτον και A (⸄D) W (Ψ) 063 f^{13} 𝔐 latt sy[h] ¦ *txt* א B L Θ 0139 f^{1} 1241 *pc* sy[s.c.p] co | ⸀-σον D *pc* e q ● 7 °D it sy[c] ● 8 ⸆ο א D 063 f^{1} *pc* | ⸀† -ση D[2] Ψ $f^{1.13}$ 𝔐 ¦ -συ A R (W: το -συ) Δ 28. 1241 *al* ¦ *txt* א B[(1)] L Q Θ *pc* (D* *incert.*) | ⸂*2 3* B (⸄1424) *pc* ¦ *3 1 2* A R W 063 f^{13} 𝔐 ¦ *txt* א D L Q Θ Ψ f^{1} 33. 892 *pc* ● 9 °B 1010 | ⸆εν A D sy[s.c] | °¹א* L R *pc* ● 11 ⸄*1 4 2 3* A R W Θ f^{13} (063) 𝔐 ¦ *4 1–3* 1 *pc* ¦ *2 4 1 3* D *pc* ¦ *1 2 4 3* Q Ψ *pc* (*et v. l. al*) ¦ *txt* א B L 1241 *pc* | ⸉*p.* οτι D ¦ *p.* θεου א W ● 13 ⸀-σασθαι א A L R Γ 063 *al* ¦ -εσθαι D W Θ *pc* ¦ -εσθε f^{1} ¦ *txt* B Ψ f^{13} 𝔐 ● 14 ⸀ενεπεμψαν D[(c)] ● 15 ⸀– W Δ lat ¦ αυτου D Γ *et* ⸁ – D f^{1} a r[1] ¦ αυτου Γ Θ (1424) *pc* | ⸀¹εδωκεν A R W Θ Ψ 063 f^{13} 𝔐 ¦ *txt* א B D L 1. (1241) *pc* | ⸂† τις τι δ-σατο A (R, W) Θ 047. 063. 0272 $f^{1.13}$ 𝔐 lat sy[p.h] ¦ *txt* א B D L Ψ (1241: τις) e sy[s.c] co

δέκα προσηργάσατο μνᾶς. **17** καὶ εἶπεν αὐτῷ· ⸀εὖγε,
ἀγαθὲ δοῦλε, ὅτι ἐν ἐλαχίστῳ πιστὸς ἐγένου, ἴσθι ἐξου- 16,10
σίαν ἔχων ἐπάνω δέκα πόλεων. **18** καὶ ⸂ἦλθεν ὁ δεύτερος
λέγων⸃· ⸉ἡ μνᾶ σου, κύριε⸊, ἐποίησεν πέντε μνᾶς. **19** εἶπεν δὲ καὶ τούτῳ· ⸉καὶ σὺ ἐπάνω γίνου⸊ πέντε πόλεων.
20 καὶ °ὁ ἕτερος ἦλθεν λέγων· κύριε, ἰδοὺ ἡ μνᾶ σου ἣν
εἶχον ἀποκειμένην ἐν σουδαρίῳ· **21** ⸂ἐφοβούμην γάρ σε, J 11,44!
ὅτι ἄνθρωπος αὐστηρὸς εἶ⸃, αἴρεις ὃ οὐκ ἔθηκας καὶ θε-
ρίζεις ὃ οὐκ ἔσπειρας. **22** λέγει αὐτῷ· ἐκ τοῦ στόματός Mt 12,37
σου ⸀κρινῶ σε, πονηρὲ δοῦλε. ᾔδεις ὅτι ἐγὼ ἄνθρωπος
αὐστηρός εἰμι, ⸁αἴρων ὃ οὐκ ἔθηκα καὶ ⸁θερίζων ὃ οὐκ
ἔσπειρα; **23** καὶ διὰ τί οὐκ ἔδωκάς ⸉μου τὸ ἀργύριον⸊
ἐπὶ τράπεζαν; κἀγὼ ἐλθὼν σὺν τόκῳ ἂν ⸂αὐτὸ ἔπραξα⸃.
24 καὶ τοῖς παρεστῶσιν εἶπεν· ἄρατε ἀπ᾽ αὐτοῦ ⸋τὴν
μνᾶν⸌ καὶ ⸀δότε τῷ τὰς δέκα μνᾶς ἔχοντι – **25** ⸋καὶ εἶπαν
αὐτῷ· κύριε, ἔχει δέκα μνᾶς⸌ – **26** λέγω ὑμῖν ὅτι παντὶ
τῷ ἔχοντι ⸀δοθήσεται, ἀπὸ δὲ τοῦ μὴ ἔχοντος καὶ ὃ ⸁ἔχει Mt 13,12!
ἀρθήσεται⸆. **27** πλὴν τοὺς ἐχθρούς μου ⸀τούτους τοὺς μὴ 1K 15,25 14
θελήσαντάς με βασιλεῦσαι ἐπ᾽ αὐτοὺς ἀγάγετε ὧδε καὶ
κατασφάξατε αὐτοὺς ἔμπροσθέν μου.⸆ 1Sm 15,33

28 Καὶ εἰπὼν ταῦτα ἐπορεύετο °ἔμπροσθεν ἀναβαί- *28–38:* Mt 21,1-9 Mc 11,1-10
νων ⸆ εἰς Ἱεροσόλυμα. J 12,12-16 · 9,51!
29 Καὶ ἐγένετο ὡς ἤγγισεν εἰς Βηθφαγὴ καὶ ⸀Βηθα-
νία[ν] πρὸς τὸ ὄρος ⸂τὸ καλούμενον Ἐλαιῶν⸃, ἀπέστειλεν
δύο τῶν μαθητῶν **30** ⸀λέγων· ὑπάγετε εἰς τὴν κατέναντι

17 ⸀*p)* ευ ℵ A L R W Θ Ψ 063 *f*$^{1.13}$ 𝔐 ¦ *txt* B D 892 lat ● **18** ⸂ο ετερος ελθων ειπεν D sy^{s} | ⸉*4 1–3* A D W Θ Ψ 063 *f*$^{1.13}$ 𝔐 latt sy ¦ *txt* ℵ B L 892 *pc* ● **19** ⸉*4 1–3* D ¦ *1 2 4 3* A R W Θ Ψ 063. 0182 *f*^{13} 𝔐 lat ¦ *txt* ℵ B L *f*^{1} *pc* ● **20** ° A W Ψ 063. 0182 *f*^{1} 𝔐 ¦ *txt* ℵ B D L R Θ *f*^{13} 1241 *pc* ● **21** ⸂οτι εφοβηθην σε· αν-ος γαρ ει αυστ. D e ● **22** ⸀κρίνω Θ *al* ¦ *txt* Ψ *f*$^{1.13}$ 𝔐 a d (ℵ A B D L W *sine acc.*) | ⸁αιρω *et* θεριζω D 892 *pc* it ● **23** ⸉D R W^{c} 063 *f*$^{1.13}$ 𝔐 ¦ *txt* ℵ A B L W* Θ Ψ 0182. 33. 892. 1241 *pc* | ⸂*2 1* D R W *f*$^{1.13}$ 063 𝔐 ¦ α. ανεπρ- A Θ *pc* ¦ *txt* ℵ B L Ψ 0182. 892. 1241 *pc* ● **24** ⸋D a e s | ⸀απενεγκατε D ● **25** ⸋*vs p)* D W 69 *pc* b e ff^{2} sy$^{s.c}$ bo^{ms} ● **26** ⸀προστιθεται D (sy^{s}) ¦ *p)* δοθ. και περισσευθησεται *f*^{13} *pc* sy^{c} | ⸁δοκει εχειν Θ 69 *pc* sy$^{c.h**}$; Mcion | ⸆*p)* απ αυτου ℵ^{2} A D R W Θ Ψ 063. 0272 *f*$^{1.13}$ 𝔐 lat sy ¦ *txt* ℵ* B L i ● **27** ⸀εκεινους A (⸉D) R W Θ Ψ 063 *f*$^{1.13}$ 𝔐 ¦ *txt* ℵ B K L 1241 *pc* co | ⸆*p)* και τον αχρειον δουλον εκβαλετε εις το σκοτος το εξωτερον· εκει εσται ο κλαυθμος και ο βρυγμος των οδοντων D ● **28** ° *et* ⸆δε D e ● **29** ⸀-νια ℵ* B D* ¦ *txt* ℵ^{2} A D^{2} L R W Θ Ψ 063 *f*$^{1.13}$ 𝔐 | ⸂των Ελ. καλ. D ¦ των ελ. K Π 28. 69 *al* (e) sy^{s} ● **30** ⸀ειπων A R W Ψ 063 *f*^{1} 𝔐 ¦ *txt* ℵ B D L Θ *f*^{13} 892. 1241 *pc* co

κώμην, ἐν ᾗ εἰσπορευόμενοι εὑρήσετε πῶλον °δεδεμέ-
23,53 1Sm 6,7 νον, ἐφ' ὃν οὐδεὶς ⸂πώποτε ἀνθρώπων⸃ ἐκάθισεν, °¹καὶ
λύσαντες αὐτὸν ἀγάγετε. **31** καὶ ἐάν τις ὑμᾶς ἐρωτᾷ·
⸋διὰ τί λύετε;⸌ οὕτως ἐρεῖτε⸆· ὅτι ὁ κύριος αὐτοῦ χρεί-
22,13 αν ἔχει. **32** ⸂ἀπελθόντες δὲ οἱ ἀπεσταλμένοι εὗρον καθ- 2
ὼς εἶπεν αὐτοῖς. **33** λυόντων δὲ αὐτῶν τὸν πῶλον εἶπαν
οἱ κύριοι αὐτοῦ πρὸς αὐτούς· τί λύετε τὸν πῶλον; **34** οἱ
δὲ εἶπαν⸃· ὅτι ὁ κύριος αὐτοῦ χρείαν ἔχει. **35** καὶ ⸂ἤγαγον
αὐτὸν πρὸς τὸν Ἰησοῦν καὶ ἐπιρίψαντες ⸀αὐτῶν τὰ ἱμάτια ἐπὶ τὸν πῶλον⸃ ἐπεβίβασαν τὸν Ἰησοῦν. **36** πορευο-
2Rg 9,13 μένου δὲ αὐτοῦ ὑπεστρώννυον τὰ ἱμάτια ⸀αὐτῶν ⸋ἐν τῇ
ὁδῷ⸌. **37** ⸂ἐγγίζοντος δὲ αὐτοῦ⸃ ἤδη πρὸς τῇ κατα- 2
6,17 βάσει τοῦ ὄρους τῶν ἐλαιῶν ⸀ἤρξαντο ἅπαν τὸ πλῆθος
18,43 ⸋τῶν μαθητῶν⸌ χαίροντες αἰνεῖν τὸν θεὸν φωνῇ με-
J 18,18 γάλῃ περὶ ⸁πασῶν ὧν εἶδον ⸀¹δυνάμεων, **38** λέγοντες·
Ps 118,26 Mt 3,11! *εὐλογημένος ὁ ⸂ἐρχόμενος,*
ὁ βασιλεὺς⸃ *ἐν ὀνόματι κυρίου*⸆·
2,14 ⸉ἐν οὐρανῷ εἰρήνη⸊
καὶ δόξα ἐν ὑψίστοις.
39s: Mt 21,15s cf J 12,16-19 **39** καί τινες τῶν Φαρισαίων ἀπὸ τοῦ ὄχλου εἶπαν πρὸς 23
αὐτόν· διδάσκαλε, ἐπιτίμησον ⸂τοῖς μαθηταῖς σου⸃. **40** καὶ
Hab 2,11 ἀποκριθεὶς εἶπεν· λέγω ὑμῖν, ⸆ ἐὰν οὗτοι ⸀σιωπήσουσιν,
οἱ λίθοι ⸁κράξουσιν.
J 11,35 2Rg 8,11 **41** ⸋Καὶ ὡς ἤγγισεν ἰδὼν τὴν πόλιν ἔκλαυσεν ἐπ' αὐ- 23
Dt 32,28s · Mt 13,13s! · 14,32 · Mt 11,25 | τὴν⸌ **42** λέγων ὅτι εἰ ἔγνως ⸂ἐν τῇ ἡμέρᾳ ταύτῃ καὶ σὺ⸃
τὰ πρὸς εἰρήνην⸆· νῦν δὲ ἐκρύβη ἀπὸ ὀφθαλμῶν σου.

30 °D | ⸂*2 1* M *pc* ¦ *2* D e f r^1 sy$^{s.c}$ | °¹ℵ A R W Θ Ψ 063 *f*$^{1.13}$ 𝔐 lat sy ¦ *txt* B D L 892 *pc* ● **31** ⸋*p)* D it | ⸆ταυτω A W Θ Ψ *f*$^{1.13}$ 𝔐 lat sy ¦ *txt* ℵ B D L R 063. 28. 1241 *pc* it co ● **32–34** ⸂και απελθοντες απεκριθησαν D ● **35** ⸂αγαγοντες τον πωλον επερριψαν τα ιμ. αυτ. επ αυτον και D | ⸀εαυτ- A R W Ψ *f*^{13} 𝔐 ¦ *txt* ℵ B (D) L Δ Θ 063 *f*^{1} 700. (892). 1241 *al* ● **36** ⸀†εαυτ- A B K N R W Θ Ψ *al* ¦ – 1241 *pc* ¦ *txt* ℵ D L 063 *f*$^{1.13}$ 𝔐 | ⸋D *pc* ● **37** ⸂-ζοντων δε -των D sy$^{s.c}$ | ⸀-ξατο D L R W 28. 700. 892. 1241. 1424 *pm* | ⸋063 it sy^c | ⸁παντων B D *pc* r^1 *et* ⸀¹γινομενων D r^1 ¦ γινομενων δυν. Θ *f*^{13} ¦ – it sy$^{s.c}$ ● **38** ⸂*p) 1* (D) W *pc* bo^{ms} ¦ *3* ℵ* 063 *pc* e l ¦ *1 3* ℵ^2 A L Θ Ψ *f*$^{1.13}$ 𝔐 ¦ *txt* B | ⸆ευλογημενος ο βασιλευς D *pc* it (sy^{h**}) | ⸉(A) D R W Θ Ψ 063 *f*$^{1.13}$ 𝔐 ¦ *txt* ℵ$^{(2)}$ B L 1241 *pc* ● **39** ⸂αυτοις it sy^c ● **40** ⸆οτι ℵ A B^1 D L R Ψ 063 *f*^{13} 𝔐 lat ¦ και 1 *pc* ¦ *txt* B* W Θ 69 *pc* it | ⸀-σωσιν Θ Ψ 063 *f*$^{1.13}$ 𝔐 ¦ σιγησουσιν D ¦ *txt* ℵ A B L N R W Δ 1010 *al* | ⸁κεκραξονται A R W Θ Ψ 063 *f*$^{1.13}$ 𝔐; Epiph Did ¦ κραξονται D ¦ *txt* ℵ B L (1241) ● **41** ⸋orthodoxi *apud* Epiph ● **42** ⸂*5 6 1–4* D Θ *pc* it ¦ και συ και γε εν τη ημ. σου (– A Ψ *f*^{1} *al*) ταυτη A R W Ψ 063 *f*$^{1.13}$ 𝔐 vg sy^h ¦ *txt* ℵ B L 892. (1241) *pc* | ⸆σου A R W Ψ 063 *f*^{1} 𝔐 a sy bo ¦ σοι D *f*^{13} *pc* lat ¦ *txt* ℵ B L Θ *pc* sa bo^{ms}

43 ὅτι ἥξουσιν ἡμέραι ⸋ἐπὶ σὲ⸌ καὶ ⸀παρεμβαλοῦσιν οἱ
ἐχθροί σου χάρακά σοι καὶ περικυκλώσουσίν σε καὶ
συνέξουσίν σε πάντοθεν, **44** καὶ ἐδαφιοῦσίν σε καὶ τὰ
7 τέκνα σου ⸋ἐν σοί⸌, * καὶ οὐκ ἀφήσουσιν ⸉λίθον ἐπὶ λίθον ἐν σοί⸊, ἀνθ' ὧν οὐκ ἔγνως ⸉τὸν καιρὸν τῆς⸊ ἐπισκοπῆς σου.
8 **45** Καὶ εἰσελθὼν εἰς τὸ ἱερὸν ἤρξατο ἐκβάλλειν τοὺς
πωλοῦντας ⸆ **46** λέγων αὐτοῖς· γέγραπται·
⸉καὶ *ἔσται*⸊ *ὁ οἶκός μου οἶκος προσευχῆς*⸆,
ὑμεῖς δὲ αὐτὸν ἐποιήσατε *σπήλαιον λῃστῶν.*
9 **47** Καὶ ἦν διδάσκων τὸ καθ' ἡμέραν ἐν τῷ ἱερῷ. οἱ δὲ
ἀρχιερεῖς καὶ οἱ γραμματεῖς ἐζήτουν αὐτὸν ἀπολέσαι καὶ
οἱ πρῶτοι τοῦ λαοῦ, **48** καὶ οὐχ εὕρισκον ⸰τὸ τί ποιή-
σωσιν⸆, ὁ λαὸς γὰρ ἅπας ἐξεκρέματο ⸉αὐτοῦ ἀκούων⸊.
0 **20** Καὶ ἐγένετο ἐν μιᾷ τῶν ἡμερῶν ⸆ διδάσκοντος αὐτοῦ τὸν λαὸν ἐν τῷ ἱερῷ καὶ εὐαγγελιζομένου
ἐπέστησαν οἱ ⸀ἀρχιερεῖς καὶ οἱ γραμματεῖς σὺν τοῖς πρεσβυτέροις **2** καὶ εἶπαν λέγοντες πρὸς αὐτόν· ⸋εἰπὸν ἡμῖν⸌
ἐν ποίᾳ ἐξουσίᾳ ταῦτα ποιεῖς, ⸀ἢ τίς ἐστιν ὁ δούς σοι
τὴν ἐξουσίαν ταύτην; **3** ἀποκριθεὶς δὲ εἶπεν πρὸς αὐ-
τούς· ἐρωτήσω ὑμᾶς κἀγὼ ⸀λόγον, ⸁καὶ εἴπατέ μοι· **4** τὸ
βάπτισμα ⸆ Ἰωάννου ἐξ οὐρανοῦ ἦν ἢ ἐξ ἀνθρώπων; **5** οἱ
δὲ ⸀συνελογίσαντο πρὸς ἑαυτοὺς λέγοντες ὅτι ἐὰν εἴπω-
μεν· ἐξ οὐρανοῦ, ἐρεῖ· διὰ τί ⸆ οὐκ ἐπιστεύσατε αὐτῷ;
6 ἐὰν δὲ εἴπωμεν· ἐξ ἀνθρώπων, ⸉ὁ λαὸς ἅπας⸊ καταλι-

23,29
Is 29,3
Ps 137,9 Hos 10,14; 14,1 Nah 3,10 · 21,6p 2Sm 17,13 Mt 24,2p
1,68 Jr 6,15 Job 10,12 𝔊 Sap 3,7 1P 2,12
45s: Mt 21,12s Mc 11,15-17 J 2,13-16
Is 56,7
Jr 7,11
47s: Mc 11,18 21,37; 22,53p J 7,14; 18,20 · 20,19! · Act 28,17!
21,38 Mc 12,37
1–8: Mt 21,23-27 Mc 11,27-33

43 ⸋D sy$^{s.c}$ | ⸀περιβαλ- A B C^{2} R W 063 *f*$^{1.13}$ 𝔐 ¦ επιβαλ- G *pc* ¦ βαλ- επι σε (*et om.* σοι) D ¦ *txt* ℵ C* L (N) Θ Ψ 33. 1241 *pc* ● **44** ⸋D | ⸉*4 5 1–3* A C R W Ψ *f*^{13} 𝔐 vg sy ¦ λιθ. επι λιθ. εν ολη σοι D (Θ) *f*^{1} it ¦ *txt* ℵ B L 892. 1241 *pc* | ⸉εις καιρ. D ● **45** ⸆*p)* εν αυτω και αγοραζοντας A (C) R W Θ (Ψ, *f*^{13}) 𝔐 vg sy ¦ *p)* εν αυτ. κ. αγορ. και τας τραπεζας των κολλυβιστων εξεχεεν και τας καθεδρας των πωλουντων τας περιστερας D it sy^{h**} ¦ *txt* ℵ B L 1. 1241 *pc* co ● **46** ⸉οτι A C D K N W Ψ 33 *al* lat sy *vl* – ℵ* 𝔐 it *et* ⸆εστιν A C* D W (Θ) Ψ 𝔐 lat *vl* κληθησεται C^{2} 28. 1241. 1424 *al* e r^{1}; Epiph ¦ *txt* ℵ^{1} B L R (Θ) *f*$^{1.13}$ 892 *pc* c (l co) ● **48** ⸰D Γ* Δ *f*^{1} 565. 700 *al* | ⸆ταυτω D Θ *pc* lat sy sa | ⸉ακουειν αυτου D

¶ **20,1** ⸆εκεινων A C R W Θ *f*^{13} 𝔐 sy^{h} ¦ *txt* ℵ B D L Q Ψ *f*^{1} 1241 *pc* lat sy$^{s.c.p}$ (sa) bo | ⸀ιερεις A W 𝔐 ¦ *txt* ℵ B C D L N Q R Θ Ψ *f*$^{1.(13)}$ 33. 892. 1241. 1424 *al* latt sy co ● **2** ⸋ℵ* C *pc* sy^{s} | ⸀και D a e sy^{p} ● **3** ⸀ενα λογον (⸿A K 28 *al*) C D Θ Ψ *f*^{13} 𝔐 f vg$^{cl.ww}$ sy^{h**} ¦ *txt* ℵ B L R W *f*^{1} 33 *al* c q vgst sy$^{s.p}$ | ⸁ον D ● **4** ⸆*p)* το ℵ D L Q R *pc* ● **5** ⸀-ζοντο ℵ C D W Θ 1010 *al* ¦ διελογιζοντο N (*f*^{1}) 1241 *pc* | ⸆*p)* ουν A C D K N Q *f*^{1} 33 *al* lat sy^{h} sa^{mss} ● **6** ⸉πας ο λαος A C (R) W Θ Ψ *f*^{13} (1424) 𝔐 ¦ *txt* ℵ B (⸿D) L *f*^{1} 33. 892. 1241 *pc* lat

1,76! θάσει ἡμᾶς, πεπεισμένος γάρ ἐστιν Ἰωάννην προφήτην
22,68 εἶναι. **7** καὶ ἀπεκρίθησαν μὴ εἰδέναι ⸆ πόθεν. **8** καὶ ὁ Ἰησοῦς εἶπεν αὐτοῖς· οὐδὲ ἐγὼ λέγω ὑμῖν ἐν ποίᾳ ἐξουσίᾳ
ταῦτα ποιῶ.
9-19: Mt 21,33-46 Mc 12,1-12 **9** ⸂Ἤρξατο δὲ πρὸς τὸν λαὸν λέγειν⸃ τὴν παραβολὴν
Is 5,1s ταύτην· ⸄ἄνθρωπός [τις] ἐφύτευσεν ἀμπελῶνα⸅ καὶ ἐξέδετο
αὐτὸν γεωργοῖς καὶ ἀπεδήμησεν χρόνους ἱκανούς. **10** καὶ
⸆ καιρῷ ἀπέστειλεν πρὸς τοὺς γεωργοὺς δοῦλον ἵνα ἀπὸ
τοῦ καρποῦ τοῦ ἀμπελῶνος ⸀δώσουσιν αὐτῷ· ⸂οἱ δὲ γεωργοὶ ἐξαπέστειλαν αὐτὸν δείραντες⸃ κενόν. **11** καὶ ⸂προσ-
έθετο ἕτερον πέμψαι⸃ δοῦλον· οἱ δὲ κἀκεῖνον δείραντες
καὶ ἀτιμάσαντες ἐξαπέστειλαν κενόν. **12** ⸂καὶ προσέθετο
τρίτον πέμψαι· οἱ δὲ⸃ καὶ τοῦτον τραυματίσαντες ⸀ἐξ-
έβαλον. **13** εἶπεν δὲ ὁ κύριος τοῦ ἀμπελῶνος· τί ποιήσω; πέμψω τὸν υἱόν μου τὸν ἀγαπητόν· ⸀ἴσως τοῦτον ⸆
ἐντραπήσονται. **14** ἰδόντες δὲ αὐτὸν οἱ γεωργοὶ διελο-
H 1,2 γίζοντο πρὸς ⸀ἀλλήλους λέγοντες· οὗτός ἐστιν ὁ κληρο-
νόμος· ⸆ ἀποκτείνωμεν αὐτόν, ἵνα ἡμῶν γένηται ἡ κλη-
H 13,12s ρονομία. **15** καὶ ἐκβαλόντες αὐτὸν ἔξω τοῦ ἀμπελῶνος
ἀπέκτειναν. τί οὖν ποιήσει °αὐτοῖς ὁ κύριος τοῦ ἀμπελῶνος; **16** ἐλεύσεται καὶ ἀπολέσει τοὺς γεωργοὺς ⸀τού-
τους καὶ δώσει τὸν ἀμπελῶνα ἄλλοις.
⸂ἀκούσαντες δὲ⸃ εἶπαν· μὴ γένοιτο. **17** ὁ δὲ ἐμβλέψας
αὐτοῖς εἶπεν· τί οὖν ἐστιν τὸ γεγραμμένον τοῦτο·
Ps 118,22 Is 28,16 Mt 21,42! *λίθον ὃν ἀπεδοκίμασαν οἱ οἰκοδομοῦντες,*
οὗτος ἐγενήθη εἰς κεφαλὴν γωνίας;
Is 8,14s Dn 2,34s.44s **18** πᾶς ὁ πεσὼν ἐπ' ἐκεῖνον τὸν λίθον συνθλασθήσεται·
ἐφ' ὃν δ' ἂν πέσῃ, λικμήσει αὐτόν.
19,47sp **19** Καὶ ἐζήτησαν ⸉οἱ γραμματεῖς καὶ οἱ ἀρχιερεῖς⸊

7 ⸆αυτους C *pc* ¦ το f^{13} ¦ αυτ. το D • 9 ⸂ελεγεν δε D (e) | ⸄† *1 3 4* ℵ B L R Ψ f^{1} 𝔐 vg ¦ *4 3 1* D it ¦ *4 1 3* C ¦ *txt* A W Θ f^{13} 1241 *al* vg^{s} sy • 10 ⸆εν A R W Ψ f^{13} 𝔐 ¦ εν τω C N Q Θ (f^{1}) *pc* ¦ *txt* ℵ B D L 33. 1241 *pc* | ⸀δωσιν C D R W Θ Ψ f^{1} 𝔐 ¦ *txt* ℵ A B L Q f^{13} 33. 1241 *al* | ⸂*p) 1-3 6 5 4* A C R W Θ Ψ $f^{1.13}$ 𝔐 it (sy$^{p.h}$) ¦ *6 2 5 4* D (e, sy$^{s.c}$) ¦ *txt* ℵ B L 1241 *pc* • 11 ⸂επεμψεν ετερον D e • 12 ⸂τρ. επεμψεν D e (sy^{s}) | ⸀εξαπεστειλαν κενον D 1241 (f) q sy^{s} • 13 ⸀τυχον D | ⸆ιδοντες A R W Θ f^{13} 𝔐 lat sy$^{p.h}$ ¦ *txt* ℵ B C D L Q Ψ f^{1} 33. 892. 1241 *pc* it sy$^{s.c.hmg}$ co • 14 ⸀εαυτους A C W Θ Ψ f^{13} 𝔐 sy$^{p.h}$ ¦ *txt* ℵ B D L R f^{1} 33. 892. 1241 *pc* sy^{hmg} | ⸆δευτε ℵ C D L R Θ f^{13} 𝔐 e sy sa^{ms} bo ¦ *txt* A B K N Q W Ψ f^{1} *al* lat sa^{mss} • 15 °D N *al* it bo^{mss} • 16 ⸀εκειvους f^{1} 28.69 *pc* bo^{mss} ¦ – D e sy^{s} co | ⸂οι δε ακ- A D • 19 ⸉ ℵ D R Ψ 𝔐 lat sy$^{s.c.p}$ sa ¦ *txt* A B (C) K L W Θ $f^{1.13}$ 33 *al* e sy^{h} bo

ἐπιβαλεῖν ἐπ' αὐτὸν τὰς χεῖρας ἐν αὐτῇ τῇ ὥρᾳ, καὶ ἐφοβήθησαν τὸν λαόν, ἔγνωσαν γὰρ ὅτι πρὸς αὐτοὺς ⸉¹εἶπεν Mt 21,26!
τὴν παραβολὴν ταύτην⸊.
71 **20** Καὶ ⸀παρατηρήσαντες ἀπέστειλαν ἐγκαθέτους ὑπο- *20–26:* Mt 22,15-22 Mc 12,13-17
43 κρινομένους ἑαυτοὺς δικαίους εἶναι, ἵνα ἐπιλάβωνται 6,7!p 2K 11,15 · 16,15!
II αὐτοῦ λόγου, ⸁ὥστε παραδοῦναι αὐτὸν ⸂τῇ ἀρχῇ καὶ τῇ E 1,21!
ἐξουσίᾳ τοῦ ἡγεμόνος⸃. **21** καὶ ἐπηρώτησαν αὐτὸν λέ-
γοντες· διδάσκαλε, οἴδαμεν ὅτι ὀρθῶς λέγεις καὶ διδά- 7,43!
σκεις καὶ ⸀οὐ λαμβάνεις πρόσωπον, ἀλλ' ἐπ' ἀληθείας τὴν R 2,11!
ὁδὸν τοῦ θεοῦ διδάσκεις· **22** ἔξεστιν ⸀ἡμᾶς Καίσαρι
φόρον δοῦναι ἢ οὔ; **23** κατανοήσας δὲ αὐτῶν τὴν ⸀παν-
ουργίαν εἶπεν πρὸς αὐτούς·⸆ **24** δείξατέ μοι ⸀δηνάριον·
⸆ τίνος ἔχει εἰκόνα καὶ ἐπιγραφήν; ⸂οἱ δὲ⸃ εἶπαν· Καίσαρος. **25** ὁ δὲ εἶπεν πρὸς αὐτούς· τοίνυν ἀπόδοτε τὰ
⸆ Καίσαρος ⸆ Καίσαρι καὶ τὰ τοῦ θεοῦ τῷ θεῷ. **26** καὶ 23,2 R 13,1.7
οὐκ ἴσχυσαν ἐπιλαβέσθαι ⸂αὐτοῦ ῥήματος⸃ ἐναντίον τοῦ
λαοῦ καὶ θαυμάσαντες ἐπὶ τῇ ἀποκρίσει αὐτοῦ ἐσίγησαν.
2 **27** Προσελθόντες δέ τινες τῶν Σαδδουκαίων, ⸂οἱ [ἀντι-] *27–40:* Mt 22,23-33 Mc 12,18-27 · Act 23,8
λέγοντες⸃ ἀνάστασιν μὴ εἶναι, ⸀ἐπηρώτησαν αὐτὸν **28** λέ-
γοντες· διδάσκαλε, Μωϋσῆς ἔγραψεν ἡμῖν, *ἐάν τινος*
ἀδελφὸς ἀποθάνῃ ⸂ἔχων γυναῖκα, καὶ οὗτος *ἄτεκνος* ⸀*ᾖ*⸃, ἵνα *Dt 25,5* Gn 38,8
λάβῃ ὁ ἀδελφὸς αὐτοῦ τὴν γυναῖκα καὶ ἐξαναστήσῃ σπέρμα
τῷ ἀδελφῷ αὐτοῦ. **29** ⸂ἑπτὰ οὖν ἀδελφοὶ ἦσαν⸃· καὶ ὁ πρῶτος λαβὼν γυναῖκα ἀπέθανεν ἄτεκνος· **30** ⸂καὶ ὁ δεύτε-
ρος⸃ **31** καὶ ὁ τρίτος ⸋ἔλαβεν αὐτήν⸌, ὡσαύτως ⸋¹δὲ καὶ⸌

19 ⸉¹*2–4 1* A C R W Θ Ψ (0117) f^{1} 𝔐 sy^{h} ¦ *txt* ℵ B (D) L f^{13} 892 *pc* latt • **20** ⸀αποχωρησαντες D Θ it? ¦ υποχωρ- W ¦ μετα ταυτα sy$^{s.c}$ | ⸁εις το A W Ψ 0117 $f^{1.13}$ 𝔐 ¦ *txt* ℵ B C D L Θ 892. 1241 *pc* | ⸂τω ηγεμονι D e sy^{c} • **21** ⸀ουδενος D sy$^{s.c}$ • **22** ⸀ημιν C D W Θ Ψ 0117 f^{1} 𝔐 ¦ – N *pc* bo^{pt} ¦ *txt* ℵ A B L f^{13} 33. 1241 *pc* • **23** ⸀*p)* πονηριαν C* D *pc* it sy$^{s.c.hmg}$ | ⸆*p)* τι με πειραζετε (+ υποκριται C *pc*) A C D W Θ Ψ f^{13} 𝔐 lat sy ¦ *txt* ℵ B L 0266^{vid} f^{1} 892. 1241. 1424 *pc* e co • **24** ⸀*p)* το νομισμα D | ⸆οι δε εδειξαν (+ αυτω ℵ). και ειπεν ℵ C L N(*) 0266^{vid} $f^{1.13}$ 33. 1241 *al* c sy^{h} co ¦ *txt* A B D W Θ Ψ 𝔐 lat sy$^{s.c.p}$ | ⸂αποκριθεντες δε A C Ψ f^{13} 𝔐 f sy^{h} ¦ αποκρ. D W Γ Θ f^{1} *pc* lat ¦ *txt* ℵ B L N 0266^{vid}. 33. 892. 1241 *pc* sy^{p} co • **25** ⸆του ... τω D ¦ – ... τω C* L f^{13} 892. 1241 *pc* • **26** ⸂του ρ. ℵ B L 892. 1241 *pc* ¦ του ρ. αυτου Θ ¦ *txt* A C (D) W Ψ $f^{1.13}$ 𝔐 sy$^{p.h}$ • **27** ⸂*p)* οι λεγοντες ℵ B C D L N Θ f^{1} 33. 565. 892. 1241 *pc* co? ¦ οιτινες λεγουσιν Ψ *pc* ¦ *txt* A W f^{13} 𝔐 a | ⸀*p)* -ρωτων B (f^{13}) *pc* • **28** ⸂ατεκν. εχ. γυν. D e | ⸀αποθανη A W Θ f^{13} 𝔐 c f i sy^{h} ¦ *txt* ℵ$^{(1)}$ B L Ψ f^{1} 33. 892 *pc* co • **29** ⸂*p)* ησαν παρ ημιν επτα αδελφοι (ℵ^{1}) D q sy^{s} • **30** ⸂*p)* και ελαβεν ο δευτ. την γυναικα και ουτος απεθανεν ατεκνος A W (Θ) Ψ $f^{1.13}$ 𝔐 lat sy$^{(c)}$ (bo^{ms}) ¦ *txt* ℵ B D L 0266. 892. 1241 *pc* e co • **31** ⸋ *et* ⸋¹ *et* ⸂ουκ αφηκαν τεκνον D (a) e

οἱ ἑπτὰ ⸂οὐ κατέλιπον τέκνα⸃ καὶ ἀπέθανον. **32** ὕστερον
⸂καὶ ἡ γυνὴ ἀπέθανεν⸃. **33** ⸂ἡ γυνὴ οὖν ἐν τῇ⸃ ἀναστάσει
τίνος αὐτῶν ⸀γίνεται γυνή; οἱ γὰρ ἑπτὰ ἔσχον αὐτὴν γυναῖκα.

16,8 **34** καὶ ⸆ εἶπεν αὐτοῖς ὁ Ἰησοῦς· οἱ υἱοὶ τοῦ αἰῶνος
17,27 | 2Th 1,5 τούτου ⸆ γαμοῦσιν καὶ γαμίσκονται, **35** οἱ δὲ καταξιω-
Ph 3,11 θέντες τοῦ αἰῶνος ἐκείνου τυχεῖν καὶ τῆς ἀναστάσεως τῆς
ἐκ νεκρῶν οὔτε γαμοῦσιν οὔτε ⸀γαμίζονται· **36** ⸀οὐδὲ γὰρ
Gn 6,2 𝔊 Mt 5,9! ἀποθανεῖν ἔτι ⸀δύνανται, ἰσάγγελοι γάρ εἰσιν ⸋καὶ υἱοί
1J 3,1s εἰσιν⸌ ⸀1θεοῦ τῆς ἀναστάσεως υἱοὶ ὄντες. **37** ὅτι δὲ ἐγεί-
Ex 3,2 ρονται οἱ νεκροί, καὶ Μωϋσῆς ⸀ἐμήνυσεν ἐπὶ τῆς βάτου,
Ex 3,6.15s Act 3,13; 7,32 4Mcc 7,19; 16,25 | R 14,8 ὡς λέγει *κύριον τὸν θεὸν Ἀβραὰμ καὶ* ⸆ *θεὸν Ἰσαὰκ* ⸋*καὶ* ⸆
θεὸν Ἰακώβ⸌. **38** θεὸς δὲ οὐκ ἔστιν νεκρῶν ἀλλὰ ζώντων,
πάντες γὰρ αὐτῷ ζῶσιν.

Mc 12,32 **39** Ἀποκριθέντες δέ τινες τῶν γραμματέων εἶπαν· δι-
Mt 22,46 Mc 12,34b δάσκαλε, καλῶς εἶπας. **40** οὐκέτι ⸀γὰρ ἐτόλμων ἐπερω-
τᾶν αὐτὸν οὐδέν.

41–44: Mt 22,41-46 Mc 12,35-37a · J 7,42 **41** Εἶπεν δὲ πρὸς αὐτούς· πῶς λέγουσιν τὸν χριστὸν
⸂εἶναι Δαυὶδ υἱόν⸃; **42** ⸂αὐτὸς γὰρ⸃ Δαυὶδ λέγει ἐν ⸀βίβλῳ
ψαλμῶν·

Ps 110,1 ⸀*εἶπεν* ⸆ *κύριος τῷ κυρίῳ μου·*
κάθου ἐκ δεξιῶν μου,
43 *ἕως ἂν θῶ τοὺς ἐχθρούς σου*
⸀*ὑποπόδιον τῶν ποδῶν σου.*

44 Δαυὶδ οὖν ⸉κύριον αὐτὸν⸊ καλεῖ, καὶ πῶς ⸉1αὐτοῦ
υἱός⸊ ἐστιν;

32 ⸂*p)* δε (– f^{13} *al*) παντων (– *pc*) απεθαν. κ. η γυν. A W Θ Ψ f^{13} 𝔐 f q (vg) sy^{h**} sa^{mss} ¦ *txt* ℵ B D (L 1). 33 *pc* ff^{2} r^{1} $sy^{s.c.p}$ sa^{mss} bo • **33** ⸂*p)* εν τη ουν ℵ(*) A D W Θ Ψ $f^{1.13}$ 𝔐 lat $sy^{(s.c)}$ co ¦ *txt* B L 892. 1241 *pc* a sy^{hmg} | ⸀*p)* εσται ℵ D L Θ Ψ f^{1} 33. 892. 1424 *al* ¦ *txt* A B R W f^{13} 𝔐; Mcion • **34** ⸆ αποκριθεις A R W Θ Ψ $f^{1.13}$ 𝔐 q sy^{h} ¦ *txt* ℵ B D L 892. 1241 *pc* lat $(sy^{c.p})$ co | ⸆ γεννωνται και γεννωσιν D (it $sy^{s.c.hmg}$) • **35** ⸀ -ισκονται B 1241. 1424 *pc* • **36** ⸀ουτε ℵ R W Ψ $f^{1.13}$ 𝔐 ¦ ου 892 *pc* ¦ *txt* A B D L P Θ *pc* | ⸀μελλουσιν D W Θ it sy^{hmg}; Mcion | ⸋D *pc* it sy^{s} | ⸀1του θ. R W Θ Ψ 0117 $f^{1.13}$ 𝔐 ¦ τω θεω D ¦ – sy^{s} ¦ *txt* (⸉ℵ) A B L 892 *pc* • **37** ⸀εδηλωσεν D W | ⸆*bis* τον A (W) Θ Ψ 0117 $f^{1.13}$ 𝔐 sy^{h} ¦ *txt* ℵ B D L R 892 *pc*; Epiph | ⸋W • **40** ⸀δε A D R W Θ 0117 $f^{1.13}$ 𝔐 sy^{h} ¦ *txt* ℵ B L Ψ 33. 1241 *pc* • **41** ⸂*3 2 1* A R W Θ Ψ 0117 $f^{1.(13)}$ 𝔐 lat ¦ *3 2* D ¦ *1 3 2* 565. 1241 *pc* ¦ *txt* ℵ B L *pc* • **42** ⸂και αυτος A D R (Q) W Ψ 0117 f^{13} 𝔐 lat sy ¦ *txt* ℵ B L (Q) Θ f^{1} 33. 892. 1241 *pc* l | ⸀βιβλ. των P W f^{13} *al* ¦ τη β. των D | ⸀λεγει D a c ff^{2} | ⸆ο ℵ A L R W Θ Ψ 0117 $f^{1.13}$ 𝔐 ¦ *txt* B D *pc* • **43** ⸀*p)* υποκατω D it • **44** ⸉† A B K L Q (R) 33. (1241) *al* ¦ *txt* ℵ D W Θ Ψ 063 $f^{1.13}$ 𝔐 | ⸉1ℵ D L R W Ψ 063 f^{13} 𝔐 ¦ *txt* A B K Θ f^{1} *pc*

46 II **45** Ἀκούοντος δὲ παντὸς τοῦ λαοῦ εἶπεν ⸂τοῖς μαθηταῖς *45–47:* Mt 23,1.
[αὐτοῦ]⸃· **46** προσέχετε ἀπὸ τῶν γραμματέων τῶν θελόν- 5-7.14 Mc 12,37b-40 · 12,1
των περιπατεῖν ἐν ⸀στολαῖς καὶ φιλούντων ἀσπασμοὺς
ἐν ταῖς ἀγοραῖς καὶ πρωτοκαθεδρίας ἐν ταῖς συναγωγαῖς 14,7!
47 III καὶ πρωτοκλισίας ἐν τοῖς δείπνοις, **47** οἳ ⸀κατεσθίουσιν
τὰς οἰκίας τῶν χηρῶν °καὶ προφάσει μακρὰ ⸀προσεύχον-
ται· οὗτοι λήμψονται περισσότερον κρίμα.
4 **21** Ἀναβλέψας δὲ εἶδεν τοὺς βάλλοντας εἰς τὸ γαζο- *1–4:*
φυλάκιον τὰ δῶρα αὐτῶν πλουσίους. **2** εἶδεν δέ Mc 12,41-44
τινα χήραν πενιχρὰν βάλλουσαν ἐκεῖ ⸉λεπτὰ δύο⸊⸆,
3 καὶ εἶπεν· ἀληθῶς λέγω ὑμῖν ὅτι ἡ χήρα ⸉αὕτη ἡ πτω- 2K 8,12
χὴ⸊ ⸀πλεῖον πάντων ἔβαλεν· **4** ⸀πάντες γὰρ οὗτοι ἐκ τοῦ
περισσεύοντος αὐτοῖς ἔβαλον εἰς τὰ δῶρα⸆, αὕτη δὲ ἐκ
τοῦ ὑστερήματος αὐτῆς ⸁πάντα τὸν βίον ὃν εἶχεν ἔβαλεν.⸇
5 8 **5** Καί τινων λεγόντων περὶ τοῦ ἱεροῦ ὅτι λίθοις καλοῖς *5s:* Mt 24,1s
καὶ ⸀ἀναθήμασιν κεκόσμηται εἶπεν· **6** ταῦτα °ἃ θεωρεῖτε Mc 13,1s
ἐλεύσονται ἡμέραι ἐν αἷς οὐκ ἀφεθήσεται λίθος ἐπὶ λί- 19,44
θῳ ⸆ ὃς οὐ καταλυθήσεται.
9 **7** Ἐπηρώτησαν δὲ αὐτὸν ⸆ λέγοντες· διδάσκαλε, πότε *7–11:* Mt 24,3-
οὖν ταῦτα ἔσται καὶ τί τὸ σημεῖον ⸂ὅταν μέλλῃ ταῦτα 8 Mc 13,3-8
γίνεσθαι⸃; **8** ὁ δὲ εἶπεν· βλέπετε μὴ πλανηθῆτε· πολλοὶ 1K 15,33!
γὰρ ἐλεύσονται ἐπὶ τῷ ὀνόματί μου λέγοντες· ⸆ ἐγώ εἰμι,
καί· ὁ καιρὸς ἤγγικεν. μὴ ⸇ πορευθῆτε ὀπίσω αὐτῶν. Dn 7,22 Ap 1,3
9 ὅταν δὲ ἀκούσητε πολέμους καὶ ἀκαταστασίας, μὴ ⸀πτο- 1K 14,33
ηθῆτε· δεῖ γὰρ ταῦτα γενέσθαι πρῶτον, ἀλλ᾽ οὐκ εὐθέως Dn 2,28s.45
τὸ τέλος.
10 ⸋Τότε ἔλεγεν αὐτοῖς·⸌ ἐγερθήσεται ⸆ ἔθνος ἐπ᾽ Is 19,2 2Chr 15,6
ἔθνος καὶ βασιλεία ἐπὶ βασιλείαν, **11** σεισμοί τε μεγάλοι Ez 38,19.22

45 ⸂† *1 2* B D l ¦ προς αυτους Q ¦ *txt* ℵ A L R W (Γ) Θ Ψ 063 $f^{1.13}$ 𝔐 lat sy co • **46** ⸀ στοαις $sy^{s.c}$ • **47** ⸀-εσθοντες D (P Ψ *pc*) *et* °D *et* ⸀*p)* -χομενοι D P R Θ f^{13} *pc*
¶ **21,2** ⸉A D W 063 $f^{1.13}$ 𝔐 ¦ *txt* ℵ B L Q Θ Ψ 33. 892. 1241 *pc* | ⸆*p)* ο εστιν κοδραντης D • **3** ⸉A W Θ Ψ f^1 𝔐 ¦ *txt* ℵ B D L Q f^{13} 33. 1241 *pc* | ⸀πλειω D Q W Θ Ψ *pc* • **4** ⸀απ- A L W Θ Ψ 063 $f^{1.13}$ 𝔐 ¦ *txt* ℵ B D Δ *pc* | ⸆του θεου A D W Θ Ψ 063 f^{13} 𝔐 latt $sy^{p.h}$ ¦ *txt* ℵ B L f^1 1241 *pc* $sy^{s.c}$ (co) | ⸁απ- A W Θ Ψ 063. 0102 f^1 𝔐 ¦ *txt* ℵ B D L Q f^{13} 33. 1241 *pc* | ⸇(*ex lect.*) ταυτα λεγων εφωνει· ο εχων ωτα ακουειν ακουετω Γ 063 f^{13} 892^{mg} *al* • **5** ⸀αναθεμ- ℵ A (⸉D) W *pc* • **6** °D L Ψ* *pc* it $sy^{s.c}$ bo^{ms} | ⸆ωδε ℵ B L f^{13} 892 *pc* sa^{mss} bo (⸉f^1 33. 1241 *pc* e sy^c) ¦ εν τοιχω ωδε D a (it) ¦ *txt* A W Θ Ψ 063.0102 𝔐 vg $sy^{p.h}$ sa^{ms} bo^{ms} • **7** ⸆οι μαθηται D | ⸂*p)* της σης ελευσεως D l • **8** ⸆*p)* οτι A D W Θ Ψ 063. 0102 $f^{1.13}$ 𝔐 lat sy^h ¦ *txt* ℵ B L 1241 *pc* c r^1 | ⸇ουν A W Θ 063. 0102 $f^{1.13}$ 𝔐 lat $sy^{p.h}$ ¦ *txt* ℵ B D L Ψ 1241 *pc* it $sy^{s.c}$ • **9** ⸀φοβηθητε D q • **10** ⸋ *et* ⸆*p)* γαρ D (*pc*) it $sy^{s.c.p}$ bo^{ms}

Is 19,17 ⸂καὶ κατὰ τόπους⸃ ⸉λιμοὶ καὶ λοιμοὶ⸊ ἔσονται, φόβητρά
τε ⸂καὶ ἀπ’ οὐρανοῦ σημεῖα μεγάλα ἔσται⸃.
12–16: Mt 10,17-22 Mc 13,9-12 **12** Πρὸ δὲ τούτων πάντων ἐπιβαλοῦσιν ἐφ’ ὑμᾶς τὰς
12,11 Act 8,3; 12,4 χεῖρας αὐτῶν καὶ διώξουσιν, παραδιδόντες εἰς ⸋τὰς συναγωγὰς καὶ φυλακάς, ἀπαγομένους ἐπὶ βασιλεῖς καὶ ἡγε-
Act 9,16 μόνας ἕνεκεν τοῦ ὀνόματός μου· **13** ἀποβήσεται ⸆ ὑμῖν
Mt 8,4! | 9,44! εἰς μαρτύριον. **14** θέτε οὖν ἐν ταῖς καρδίαις ὑμῶν μὴ
12,11 p E 6,19 ⸀προμελετᾶν ἀπολογηθῆναι· **15** ἐγὼ γὰρ δώσω ὑμῖν στό-
Act 6,10 μα καὶ σοφίαν ᾗ οὐ δυνήσονται ⸂ἀντιστῆναι ἢ ἀντειπεῖν⸃
⸀ἅπαντες οἱ ἀντικείμενοι ὑμῖν. **16** παραδοθήσεσθε δὲ καὶ
ὑπὸ γονέων ⸋καὶ ἀδελφῶν⸌ καὶ συγγενῶν καὶ φίλων, καὶ
17–19: Mt 24,9b-13 Mc 13,13 θανατώσουσιν ἐξ ὑμῶν, **17** καὶ ἔσεσθε μισούμενοι ὑπὸ
Mt 10,30! πάντων διὰ τὸ ὄνομά μου. **18** ⸋καὶ θρὶξ ἐκ τῆς κεφαλῆς
8,15! ὑμῶν οὐ μὴ ἀπόληται.⸌ **19** ἐν τῇ ὑπομονῇ ὑμῶν ⸀κτήσασθε
H 10,39 τὰς ψυχὰς ὑμῶν.
20–24: Mt 24,15-22 Mc 13,14-20 **20** Ὅταν δὲ ἴδητε κυκλουμένην ὑπὸ στρατοπέδων ⸆
Ἰερουσαλήμ, τότε ⸀γνῶτε ὅτι ἤγγικεν ἡ ἐρήμωσις αὐτῆς.
21 τότε οἱ ἐν τῇ Ἰουδαίᾳ φευγέτωσαν εἰς τὰ ὄρη καὶ οἱ
ἐν μέσῳ αὐτῆς ⸆ ἐκχωρείτωσαν καὶ οἱ ἐν ταῖς χώραις μὴ
Dt 32,35 Hos 9,7 Jr 46,10 εἰσερχέσθωσαν εἰς αὐτήν, **22** ὅτι ἡμέραι ἐκδικήσεως αὗταί
εἰσιν τοῦ πλησθῆναι πάντα τὰ γεγραμμένα. **23** οὐαὶ ⸆ ταῖς
23,29 ἐν γαστρὶ ἐχούσαις καὶ ταῖς ⸀θηλαζούσαις ἐν ἐκείναις
1 K 7,26.28 ταῖς ἡμέραις· ἔσται γὰρ ἀνάγκη μεγάλη ἐπὶ τῆς γῆς καὶ
Mt 3,7! | Jr 21,7 ὀργὴ ⸆ τῷ λαῷ τούτῳ, **24** καὶ πεσοῦνται στόματι ⸀μαχαίρης
Gn 34,26 Sir 28,18 · Dt 28,64 Ez καὶ αἰχμαλωτισθήσονται εἰς τὰ ἔθνη πάντα, καὶ Ἰερου-
32,9 Esr 9,7 · Zch 12,3 𝔊 PsSal 17,25 σαλὴμ ἔσται πατουμένη ὑπὸ ἐθνῶν, ἄχρι οὗ πληρωθῶσιν ⸆
Ap 11,2 · Tob 14,5 Dn 12,7 R 11,25 | ⸋καιροὶ ἐθνῶν⸌.

11 ⸂ *2 3 1* A D W Θ Ψ $f^{1.13}$ 𝔐 latt $sy^{s.c}$ ¦ *2 3* 0102^{vid}. 892. 1241 *pc* $sy^{p.h}$ ¦ *txt* א B L 33 *pc* sa (bo) | ⸉ †B 1241 *pc* lat $sy^{(s).c}$ ¦ *txt* א A D L W Θ Ψ 063. 0102 $f^{1.13}$ 𝔐 e $sy^{p.h}$ co? | ⸂ *1 4 2 3 5 6* A W Θ Ψ 063. 0102 𝔐 ¦ *1 4 5 2 3 6* א L (f^{13}) 33. 892. 1241 *al* ¦ *2 3 1 4 5* , D e f vg (+ και χειμωνες it $sy^{c.p.hmg}$) ¦ *txt* B 1 ● **12** ⸋A L W Θ Ψ 063. 0102 $f^{1.13}$ 𝔐 ¦ *txt* א B D *pc* ● **13** ⸆δε $א^{2}$ A L R W Θ Ψ 063. 0102 $f^{1.13}$ 𝔐 lat sy ¦ *txt* א* B D *pc* ● **14** ⸀-λετωντες D ● **15** ⸂ *1* D it $sy^{s.c.p}$ bo^{ms} ¦ αντειπ. ουδε (η A R K *al*) αντιστ. A R W Θ 063. 0102 f^{1} 𝔐 sy^{h} ¦ *txt* א B L Ψ f^{13} 892 *pc* e f co | ⸀παντες א A D W Θ Ψ 063. 0102 $f^{1.13}$ 𝔐 ¦ – it ¦ *txt* B L 892 *pc* ● **16** ⸋G *pc* a ● **18** ⸋*vs p)* sy^{c}; Mcion ● **19** ⸀†-σεσθε A B Θ f^{13} 33 *pc* lat sa bo^{pt} ¦ σωσετε Mcion ¦ *txt* א D L R W Ψ 063 f^{1} 𝔐 i ● **20** ⸆την A L Θ Ψ 063 $f^{1.13}$ 𝔐 ¦ *txt* א B (⸉D) R W *pc* | ⸀γινωσκετε R W f^{1}; Eus Did ¦ γνωσεσθε D 1424 *al* e s ● **21** ⸆μη D ● **23** ⸆δε א A C R W Θ Ψ $f^{1.13}$ 𝔐 vg sy ¦ *txt* B D L *pc* it | ⸀-ζομεναις D | ⸆εν W Θ 𝔐 sy^{h} ¦ *txt* א A B C D K L N R Ψ $f^{1.13}$ 33. 892. 1241. 1424 *al* lat ● **24** ⸀ρομφαιας D 1241 | ⸆και εσονται B ¦ καιροι και εσ. L 892. 1241 bo | ⸋D

7 **25** Καὶ ⸀ἔσονται σημεῖα ἐν ἡλίῳ καὶ σελήνῃ καὶ ἄ-
στροις, καὶ ἐπὶ τῆς γῆς συνοχὴ ἐθνῶν ⸂ἐν ἀπορίᾳ⸃ ⸀ἤχους
θαλάσσης καὶ σάλου, **26** ἀποψυχόντων ἀνθρώπων ἀπὸ
φόβου καὶ προσδοκίας τῶν ἐπερχομένων τῇ οἰκουμένῃ,
8 *αἱ* γὰρ *δυνάμεις* ⸂*τῶν οὐρανῶν*⸃ σαλευθήσονται. **27** καὶ τότε
ὄψονται *τὸν υἱὸν τοῦ ἀνθρώπου ἐρχόμενον ἐν νεφέλῃ* ⸂μετὰ
δυνάμεως καὶ δόξης πολλῆς⸃. **28** ⸀ἀρχομένων δὲ τούτων γίνεσθαι ⸀ἀνακύψατε καὶ ἐπάρατε τὰς κεφαλὰς ὑμῶν, διότι
ἐγγίζει ἡ ἀπολύτρωσις ὑμῶν.
29 Καὶ εἶπεν παραβολὴν αὐτοῖς· ἴδετε τὴν συκῆν καὶ
πάντα τὰ δένδρα· **30** ὅταν προβάλωσιν ⸂ἤδη, βλέποντες
ἀφ’ ἑαυτῶν γινώσκετε ὅτι ἤδη ἐγγὺς⸃ τὸ θέρος ἐστίν·
31 οὕτως καὶ ὑμεῖς, ὅταν ἴδητε ταῦτα ⸀γινόμενα, ⸀γινώ-
σκετε ὅτι ἐγγύς ἐστιν ἡ βασιλεία τοῦ θεοῦ. **32** ἀμὴν λέγω
ὑμῖν ὅτι οὐ μὴ παρέλθῃ ἡ γενεὰ αὕτη ἕως °ἂν ⸀πάντα
γένηται. **33** ὁ οὐρανὸς καὶ ἡ γῆ παρελεύσονται, οἱ δὲ
λόγοι μου οὐ μὴ ⸀παρελεύσονται.
9 **34** Προσέχετε °δὲ ἑαυτοῖς μήποτε βαρηθῶσιν ⸉ὑμῶν αἱ
καρδίαι⸊ ἐν κραιπάλῃ καὶ μέθῃ καὶ μερίμναις βιωτικαῖς
καὶ ἐπιστῇ ἐφ’ ὑμᾶς αἰφνίδιος ἡ ἡμέρα ἐκείνη **35** ⸂ὡς
παγίς· ἐπεισελεύσεται γὰρ⸃ ἐπὶ πάντας τοὺς καθημένους
ἐπὶ πρόσωπον πάσης τῆς γῆς. **36** ἀγρυπνεῖτε ⸀δὲ ἐν παντὶ
καιρῷ δεόμενοι ἵνα ⸀κατισχύσητε ἐκφυγεῖν ταῦτα πάντα
τὰ μέλλοντα γίνεσθαι καὶ ⸀¹σταθῆναι ἔμπροσθεν τοῦ υἱοῦ
τοῦ ἀνθρώπου.
37 Ἦν δὲ τὰς ἡμέρας ⸉ἐν τῷ ἱερῷ διδάσκων⸊, ⸋τὰς
δὲ νύκτας ἐξερχόμενος⸌ ηὐλίζετο εἰς τὸ ὄρος τὸ κα-

25–27: Mt 24,29s Mc 13,24-26 · Joel 3,3s · Is 24,19 𝔊 · Ps 65,8; 46,4; 89,10 Sap 5,22 Jon 1,15 |
Is 34,4 Joel 2,10 Hgg 2,6.21 H 12,26s |
Dn 7,13s Mt 24,30!
Hen 51,2
29–33: Mt 24,32-35 Mc 13,28-31
J 4,35
19,11!
Mt 5,18!
Is 40,8 Ps 119,89
Mt 24,49 Mc 4,19 R 13,13 E 5,18
Is 5,11-13 · 12,22 1Th 5,3 |
Is 24,17 Jr 25,29
18,1.7 R 12,12! Mt 26,41p Mc 13,33 · 1P 4,7
19,47!
Mt 21,17p 22,39 J 8,1ss

25 ⸀εσται A C L R W Θ Ψ $f^{1.13}$ 𝔐 ¦ *txt* א B D | ⸂και απορια D $sy^{(s.c).p}$ ¦ και εν α-ριᾳ א | ⸀ηχουσης D (W) 𝔐 ¦ *txt* א A B C L N R Θ Ψ $f^{1.13}$ 33. 1241 *al* sy ● **26** ⸂*p)* αι εν τω ουρανω D(*) it ● **27** ⸂και δυναμει πολλη κ. δοξη D e (r^1, $sy^{s.c}$) ● **28** ⸀ερχ- D 13 *pc* | ⸀-καλυψατε W f^1 ● **30** ⸂τον καρπον αυτων, γινωσκεται ηδη οτι εγγυς ηδη D (892^{txt} *pc* b q $sy^{s.c.hmg}$) ● **31** ⸀παντα γιν. Δ f^{13} *pc* (e) r^1 bo^{ms} ¦ – D a | ⸀-εται B* D (N) W Θ *al* ● **32** °א D 33 *pc* | ⸀ταυτα παν. D f^{13} 892 *pc* l $sy^{s.c.p}$ bo? ¦ παν. ταυτα Ψ 0179 *pc* ● **33** ⸀-ελθωσιν A C R Θ Ψ $f^{1.13}$ 𝔐 ¦ *txt* א B D L W 0139. 0179. 33. 892 *pc* ● **34** °א D $f^{1.13}$ 1241 *pc* l | ⸉A B W 0139 f^{13} 1424 *al* ¦ *txt* א C D L R Θ Ψ 0179 f^1 𝔐 ● **35** ⸂· ως παγις γαρ επελευσεται A C R W Θ Ψ $f^{1.13}$ (1241) 𝔐 lat sy ¦ *txt* א* B D 0179 *pc* (επελ- $א^c$ L) it co ● **36** ⸀*p)* ουν A C L R W Θ Ψ 0179 $f^{1.13}$ 𝔐 lat sy ¦ – *pc* ¦ *txt* א B D a e | ⸀καταξιωθητε A C D R Θ f^{13} 𝔐 latt sy ¦ *txt* א B L (W) Ψ 0113. 0179 f^1 33. 892. 1241 *pc* co | ⸀¹στησεσθε D it sy ● **37** ⸉B K 0139. (0179) *pc* | ⸋D

19,48! λούμενον Ἐλαιῶν· **38** καὶ πᾶς ὁ λαὸς ὤρθριζεν πρὸς αὐτὸν ἐν τῷ ἱερῷ ἀκούειν αὐτοῦ.⸆

1s: Mt 26,2-5 Mc 14,1s **22** ⸀Ἤγγιζεν δὲ ἡ ἑορτὴ τῶν ἀζύμων ἡ λεγομένη πάσχα. **2** καὶ ἐζήτουν οἱ ἀρχιερεῖς καὶ οἱ γραμμα-
Mt 21,26! τεῖς °τὸ πῶς ⸀ἀνέλωσιν αὐτόν, ἐφοβοῦντο γὰρ τὸν λαόν.
3–6: Mt 26,14-16 Mc 14,10s **3** Εἰσῆλθεν δὲ σατανᾶς εἰς Ἰούδαν τὸν ⸀καλούμενον
J 6,70s; 13,2.27 Ἰσκαριώτην, ὄντα ἐκ τοῦ ἀριθμοῦ τῶν δώδεκα· **4** καὶ ἀπ-
Act 4,1! ελθὼν συνελάλησεν τοῖς ἀρχιερεῦσιν ⸆ ⸂καὶ στρατηγοῖς⸃
°τὸ πῶς αὐτοῖς παραδῷ αὐτόν. **5** καὶ ἐχάρησαν καὶ
συνέθεντο αὐτῷ ἀργύριον δοῦναι. **6** ⸋καὶ ἐξωμολόγησεν,⸌
Act 24,18 Mc 14,2 καὶ ἐζήτει εὐκαιρίαν τοῦ παραδοῦναι αὐτὸν ⸂ἄτερ ὄχλου
αὐτοῖς⸃.
7–14: Mt 26,17-20 Mc 14,12-17 **7** Ἦλθεν δὲ ἡ ἡμέρα ⸂τῶν ἀζύμων⸃, °[ἐν] ᾗ ἔδει θύεσθαι
Ex 12,18-20 τὸ πάσχα· **8** καὶ ἀπέστειλεν Πέτρον καὶ Ἰωάννην εἰπών·
πορευθέντες ἑτοιμάσατε ἡμῖν τὸ πάσχα ἵνα φάγωμεν. **9** οἱ
δὲ εἶπαν αὐτῷ· ποῦ θέλεις ἑτοιμάσωμεν⸆; **10** ὁ δὲ εἶπεν αὐ-
1Sm 10,2-7 τοῖς· ἰδοὺ εἰσελθόντων ὑμῶν εἰς τὴν πόλιν ⸀συναντήσει
ὑμῖν ἄνθρωπος κεράμιον ὕδατος βαστάζων· ἀκολουθήσατε αὐτῷ εἰς τὴν οἰκίαν ⸂εἰς ἣν⸃ εἰσπορεύεται, **11** καὶ
ἐρεῖτε τῷ οἰκοδεσπότῃ τῆς οἰκίας⸆· λέγει °σοι ὁ διδά-
2,7 σκαλος· ποῦ ἐστιν τὸ κατάλυμα ὅπου τὸ πάσχα μετὰ τῶν
μαθητῶν μου φάγω; **12** κἀκεῖνος ὑμῖν δείξει ἀνάγαιον
⸀μέγα ἐστρωμένον· ἐκεῖ ἑτοιμάσατε. **13** ἀπελθόντες δὲ
19,32 εὗρον καθὼς εἰρήκει αὐτοῖς καὶ ἡτοίμασαν τὸ πάσχα.
17,5 **14** Καὶ ὅτε ἐγένετο ἡ ὥρα, ἀνέπεσεν καὶ οἱ ⸀ἀπόστολοι
15–20: Mt 26,26-29 Mc 14,22-25 1K 11,23-26 σὺν αὐτῷ. **15** καὶ εἶπεν πρὸς αὐτούς· ἐπιθυμίᾳ ἐπεθύμησα
1K 5,7 τοῦτο τὸ πάσχα φαγεῖν μεθ᾽ ὑμῶν πρὸ τοῦ με παθεῖν·

38 ⸆*hic add.* J 7,53–8,11 f^{13}
¶ **22,1** ⸀-σεν D L ● **2** °D *pc* | ⸀απολεσωσιν D ● **3** ⸀επικ- A C R Θ Ψ $f^{1.13}$ 𝔐; Eus ¦ *txt* א B D K L W 1241 *pc* ● **4** ⸆και (+ τοις C) γραμματευσιν C N 700 *al* (it) sy bo[mss]; Eus | ⸂και στρ. του ιερου (C) P Θ *pc* sy[p.h] ¦ και τοις στρ. W f^{13} 892. 1241 *al*; Eus ¦ *p)* – D it sy[s.c] ¦ *txt* א A B L Ψ f^{1} 𝔐 | °D ● **6** ⸋א* C N it sy[s] | ⸂*3 1 2* W Θ 063 f^{1} 𝔐 ¦ *1 2* D lat ¦ *3* f^{13} ¦ *txt* 𝔓[75vid] א A B C L Ψ 892. 1241 *pc* b i l ● **7** ⸂του πασχα D it sy[s.c] | °†B C D L Ψ 892. 1241 *pc* ¦ *txt* א A W Θ 063. 0135 $f^{1.13}$ 𝔐 ● **9** ⸆σοι D P *pc* c e sa ¦ *p)* σοι φαγειν το πασχα B (ff[2] bo[ms]) ● **10** ⸀υπ- C L 063. 892. 1241 *pc* ¦ απ- D *pc* | ⸂οὗ D W Θ 063 $f^{1.13}$ 𝔐 ¦ οὗ (ε)αν A K N P R 1424 *al* ¦ *txt* א B C L Ψ 892. 1241 *pc* lat ● **11** ⸆λεγοντες א | °D N 063. 1241 *pc* q sy[s.c.p] ● **12** ⸀οικον D ¦ οικ. μεγα Θ ● **14** ⸀*p)* δωδεκα א[1] L 1241 *pc* sa[mss] ¦ δωδ. αποστ. א[2] A C R W Θ Ψ 063. 0135 $f^{1.13}$ 𝔐 lat sy[p.h] bo; Mcion Epiph ¦ μαθηται αυτου sy[s.(c)] ¦ *txt* 𝔓[75] א* B D *pc* it sa[mss]

5 **16** λέγω γὰρ ὑμῖν °ὅτι ⸂οὐ μὴ φάγω⸃ ⸀αὐτὸ ἕως ὅτου ⸁πλη-
ρωθῇ ἐν τῇ βασιλείᾳ τοῦ θεοῦ. **17** ⸂καὶ δεξάμενος ⸆ ποτή- 13,29!
ριον εὐχαριστήσας εἶπεν· λάβετε τοῦτο °καὶ διαμερίσατε 1K 10,16s
⸄εἰς ἑαυτούς⸅· **18** λέγω γὰρ ὑμῖν, °¹[ὅτι] οὐ μὴ πίω ⸂¹ἀπὸ
τοῦ νῦν¹⸃ ἀπὸ τοῦ γενήματος τῆς ἀμπέλου ἕως ⸀οὗ ἡ βα-
6 σιλεία τοῦ θεοῦ ἔλθῃ. **19** καὶ λαβὼν ἄρτον εὐχαριστή- 24,30 Act 27,35
σας ἔκλασεν καὶ ἔδωκεν αὐτοῖς λέγων· τοῦτό ἐστιν τὸ
σῶμά μου □τὸ ὑπὲρ ὑμῶν διδόμενον· τοῦτο ποιεῖτε εἰς
7 τὴν ἐμὴν ἀνάμνησιν. **20** ⸉καὶ τὸ ποτήριον ὡσαύτως⸊ μετὰ Ex 12,14 Dt 16,3
τὸ δειπνῆσαι, λέγων· τοῦτο τὸ ποτήριον ἡ °²καινὴ δια- Jr 31,31 Zch 9, 11 Jr 32,40 Ex
θήκη ἐν τῷ αἵματί μου τὸ ὑπὲρ ὑμῶν ἐκχυννόμενον.⸌⸃ 24,8 2K 3,6! H 7,22! |
8 **21** Πλὴν ἰδοὺ ἡ χεὶρ τοῦ παραδιδόντος με μετ' ἐμοῦ *21–23:* Mt 26,21-25 Mc 14,18-21
ἐπὶ τῆς τραπέζης. **22** ⸂ὅτι ὁ υἱὸς μὲν⸃ τοῦ ἀνθρώπου ⸉κα- J 13,21-26
τὰ τὸ ὡρισμένον πορεύεται⸊, πλὴν οὐαὶ □τῷ ἀνθρώπῳ⸌
9 ἐκείνῳ δι' οὗ παραδίδοται. **23** καὶ αὐτοὶ ἤρξαντο συζητεῖν
πρὸς ἑαυτοὺς τὸ τίς ἄρα εἴη ἐξ αὐτῶν ὁ τοῦτο μέλλων
πράσσειν.

7 0 **24** Ἐγένετο ⸂δὲ καὶ⸃ φιλονεικία ἐν αὐτοῖς, τὸ τίς ⸄αὐ- *24–27:* Mt 20,24-28 Mc 10,41-45 ·
τῶν δοκεῖ εἶναι⸅ μείζων. **25** ὁ δὲ εἶπεν αὐτοῖς· οἱ βασιλεῖς Mt 11,11!
τῶν ἐθνῶν κυριεύουσιν αὐτῶν καὶ οἱ ἐξουσιάζοντες αὐ-
τῶν εὐεργέται καλοῦνται. **26** ὑμεῖς δὲ οὐχ οὕτως, ἀλλ' ὁ
μείζων ἐν ὑμῖν γινέσθω ὡς ⸂ὁ νεώτερος⸃ καὶ ὁ ἡγούμενος 9,48 · H 13,7!
1 ὡς ὁ διακονῶν⸄. **27** τίς γὰρ μείζων, ὁ ἀνακείμενος ἢ ὁ
διακονῶν; οὐχὶ⸅ ὁ ἀνακείμενος; ἐγὼ ⸂¹δὲ ἐν μέσῳ ὑμῶν J 13,4-14
εἰμι⸃ ὡς ὁ διακονῶν.

16 °C* D N *pc* | ⸂† ουκετι ου μη φ. C W Ψ 063 f^{13} 𝔐 ¦ ουκετι μη φαγομαι D ¦ *txt* 𝔓^{75vid} ℵ A B L Θ 1. 1241 *al* a co; Epiph | ⸀εξ αυτου A C^{2} (D) W Θ Ψ 063. 0135 (f^{13}) 𝔐 f sy^{h} ¦ *txt* ℵ B C* L f^{1} 892. 1241 *pc* lat sy$^{s.c.p.hmg}$ co; Epiph | ⸁καινον βρωθη D ● **17-20** ⸂*vss* 17–19a (*usque* σωμα μου) D it (⸉ 19a. 17. 18 b e) ¦ *vss* 19. 17. 18 sy^{c} ¦ *vs* 19 + μετα το δειπνησαι (20a) + *vs* 17 + τουτο μου το αιμα η καινη διαθηκη (20b) + *vs* 18 sy^{s} ¦ *vss* 19. 20 (*om. vss* 17–18) ℓ 32 sy^{p} bo^{ms} | ⸆το A D K W Θ *al* | °D e sy$^{s.c}$ | ⸄εαυτοις A D W Θ Ψ 063. 0135 𝔐 ¦ αλληλοις ℵ* ¦ *txt* ℵ^{2} B C (L) $f^{1.13}$ 1241 *pc* lat | °¹† 𝔓^{75vid} B C D L f^{1} *pc* e ¦ *txt* ℵ A W Θ Ψ 063. 0135 f^{13} 𝔐 lat | ⸂¹ – A C Θ Ψ f^{13} 𝔐 lat sy^{h} ¦ *pon. a.* ου D f^{1} *pc* (e) r^{1} sy$^{s.c}$ ¦ *txt* 𝔓^{75vid} ℵ B K L W 892. 1241 *al* sy^{hmg} co | ⸀οτου A D W(*) Θ Ψ 063. 0135 f^{13} 𝔐 ¦ αν 1241 ¦ *txt* ℵ B C^{vid} L f^{1} 892 *pc* | □D it (*om. vs* 20 sy^{c}) | ⸉*p)* *4 1–3* A W Θ Ψ 063. 0135 $f^{1.13}$ 𝔐 lat (sy$^{p.h}$) ¦ *txt* 𝔓^{75} ℵ B L *pc* r^{1} | °²Mcion ● **22** ⸂και ο μ. υι. A W Θ Ψ 063. 0135 $f^{1.13}$ 𝔐 lat sy$^{(s.c.p)}$ ¦ *txt* 𝔓^{75} ℵ(*) B (⸉D) L T (1241) *pc* | ⸉*4 1–3* A W Θ 063. 0135 f^{1} 𝔐 ¦ *txt* 𝔓^{75} ℵ B D L T Ψ f^{13} 892. 1241 *pc* | □D e sy$^{s.c}$ ● **24** ⸂*2* 𝔓^{75} ¦ *1* ℵ | ⸄(23) αν ειη D a f q ● **26/27** ⸂*2* 𝔓^{75*} *pc* ¦ μικροτερος D | ⸄μαλλον η D | ⸂¹γαρ εν μεσω υμ. ηλθον ουχ ως ο ανακειμενος αλλ' D

28–30: Mt 19,28 H 4,15! 28 ⸂Ὑμεῖς δέ ἐστε⸃ οἱ διαμεμενηκότες μετ' ἐμοῦ ἐν τοῖς
πειρασμοῖς μου· 29 κἀγὼ διατίθεμαι ὑμῖν ⸆ καθὼς διέθετό
12,32 | μοι ὁ πατήρ μου ⸀βασιλείαν, 30 ἵνα ἔσθητε καὶ πίνητε
ἐπὶ τῆς τραπέζης μου ἐν τῇ βασιλείᾳ μου, * καὶ ⸀καθή-
Mt 19,28! σεσθε ἐπὶ ⸆ θρόνων ⸉τὰς δώδεκα φυλὰς κρίνοντες⸊ τοῦ
Ἰσραήλ.
31–34: Mt 26,31-35 Mc 14,27-31 J 13,37s · 2K 2,11 Job 1,6ss · Am 9,9 | J 17,9.11.15 · Ps 51,15 · J 21,15ss | Mt 14,28ss | 31 ⸆Σίμων Σίμων, ἰδοὺ ὁ σατανᾶς ἐξῃτήσατο ὑμᾶς τοῦ
σινιάσαι ὡς τὸν σῖτον· 32 ἐγὼ δὲ ἐδεήθην περὶ σοῦ ἵνα
μὴ ἐκλίπῃ ἡ πίστις σου· ⸂καὶ σύ ποτε ἐπιστρέψας⸃ στή-
ρισον τοὺς ⸀ἀδελφούς σου. 33 ὁ δὲ εἶπεν αὐτῷ· κύριε,
Act 5,18; 12,3 μετὰ σοῦ ἕτοιμός εἰμι καὶ εἰς φυλακὴν καὶ εἰς θάνατον
πορεύεσθαι. 34 ὁ δὲ εἶπεν· λέγω σοι, Πέτρε, οὐ φωνήσει
61 σήμερον ἀλέκτωρ ⸀ἕως τρίς ⸂με ἀπαρνήσῃ εἰδέναι⸃.
10,4! 35 Καὶ εἶπεν αὐτοῖς· ὅτε ἀπέστειλα ὑμᾶς ἄτερ βαλλαν-
τίου καὶ πήρας ⸋καὶ ὑποδημάτων⸌, μή τινος ὑστερήσατε;
οἱ δὲ εἶπαν· οὐθενός. 36 ⸂εἶπεν δὲ⸃ αὐτοῖς· ἀλλὰ νῦν ὁ
ἔχων βαλλάντιον ἀράτω, ὁμοίως καὶ πήραν, καὶ ὁ μὴ
Mt 10,34 ἔχων πωλησάτω τὸ ἱμάτιον αὐτοῦ καὶ ἀγορασάτω μάχαι-
18,31! ραν. 37 λέγω γὰρ ὑμῖν ὅτι ⸆ τοῦτο τὸ γεγραμμένον δεῖ
52 *Is 53,12* PsSal 16,5 τελεσθῆναι ἐν ἐμοί, τό· *καὶ μετὰ ἀνόμων ἐλογίσθη*· καὶ
°γὰρ ⸀τὸ περὶ ἐμοῦ τέλος ἔχει. 38 οἱ δὲ εἶπαν· κύριε, ἰδοὺ
Dt 3,26 μάχαιραι ὧδε δύο. ὁ δὲ εἶπεν αὐτοῖς· ⸂ἱκανόν ἐστιν⸃.
39–46: Mt 26,30.36-41 Mc 14,26.32-38 · 21,37! 39 Καὶ ἐξελθὼν ἐπορεύθη κατὰ τὸ ἔθος εἰς τὸ ὄρος
τῶν ἐλαιῶν, ἠκολούθησαν δὲ αὐτῷ °καὶ οἱ μαθηταί.
40 γενόμενος δὲ ἐπὶ τοῦ τόπου εἶπεν αὐτοῖς· προσεύχεσθε μὴ ⸀εἰσελθεῖν εἰς πειρασμόν. 41 καὶ αὐτὸς ἀπ-
Act 7,60; 9,40 etc εσπάσθη ἀπ' αὐτῶν ὡσεὶ λίθου βολὴν καὶ θεὶς τὰ γόνατα

28 ⸂και υμεις ηυξηθητε εν τη διακονια μου ως ο διακονων D ● **29** ⸆διαθηκην A Θ 579 *pc* sy^{h} | ⸀διαθηκην 579 ● **30** ⸀καθησθε B$^{(1)}$ T Δ (892) *pc* ¦ καθισεσθε K Γ 1424 *pm* ¦ καθισησθε H *al* ¦ καθεζησθε D ¦ *txt* ℵ A B^{2} L N Q W Θ Ψ f^{13} 1. 565. 700. 1010. 1241 *pm* | ⸆δωδεκα ℵ^{2} D (f^{13}) 892^{mg} *al* it sy$^{s.c.h**}$ bo^{ms} | ⸉*4 1–3* ℵ A D L W Θ Ψ $f^{1.13}$ 𝔐 ¦ *txt* 𝔓^{75} B T 892 ● **31** ⸆ειπεν δε ο κυριος ℵ A D W Θ Ψ $f^{1.13}$ 𝔐 latt sy$^{(c.p).h}$ (bo^{mss}) ¦ *txt* 𝔓^{75} B L T 1241 sy^{s} co ● **32** ⸂συ δε επιστρεψον και D e (r^{1} sy$^{s.c.p}$) sa | ⸀οφθαλμους Δ ● **34** ⸀πριν η A (Q) W Θ f^{1} 𝔐 ¦ εως οτου D (*pc*) ¦ εως ου K 1241 *al* ¦ *txt* ℵ B L T Θ f^{13} 892 *pc* | ⸂⸆με απ. μη ειδ. (D) f^{13} ¦ απ. μη ειδ. με A (D) W 𝔐 lat sy$^{p.h}$ ¦ *txt* ℵ B L T Θ (⸉Q Ψ f^{1}) *pc* sy^{s} ● **35** ⸋Γ *pc* ● **36** ⸂ο δε ειπεν ℵ* D Θ e sy^{hmg} ¦ ειπεν ουν A W Ψ f^{1} 𝔐 lat sy^{h} ¦ *txt* 𝔓^{75} ℵ^{c} B L T f^{13} 1241 *pc* ● **37** ⸆ετι Θ Ψ f^{13} 𝔐 lat sy ¦ *txt* ℵ A B D L Q T W f^{1} 892. 1241 *al* b f r^{1} co | °D 1424 it sy$^{s.c}$ | ⸀τα A Θ Ψ f^{13} 𝔐 lat sy^{hmg} ¦ *txt* ℵ B D L Q (T) W f^{1} *pc* sy^{h} ● **38** ⸂αρκει D ● **39** °B* 69 *al* ● **40** ⸀εισελθητε D ¦ εμπεσειν f^{13} ¦ – B*

82 I ⸀προσηύχετο **42** λέγων· πάτερ, ⸂εἰ βούλει ⸀παρένεγκε
τοῦτο τὸ ποτήριον ἀπ' ἐμοῦ· πλὴν μὴ τὸ θέλημά μου
83 X ἀλλὰ τὸ σὸν γινέσθω⸃. ⟦**43** ὤφθη δὲ αὐτῷ ἄγγελος ἀπ' Mt 6,10! 1,11
⸆ οὐρανοῦ ἐνισχύων αὐτόν. **44** καὶ γενόμενος ἐν ἀγωνίᾳ J 12,27
ἐκτενέστερον προσηύχετο· ⸂καὶ ἐγένετο⸃ ὁ ἱδρὼς αὐτοῦ
84 II ὡσεὶ θρόμβοι αἵματος ⸀καταβαίνοντες ἐπὶ τὴν γῆν.⟧ **45** καὶ
ἀναστὰς ἀπὸ τῆς προσευχῆς ⸆ ἐλθὼν πρὸς τοὺς μαθητὰς
εὗρεν κοιμωμένους αὐτοὺς ἀπὸ τῆς λύπης, **46** καὶ εἶπεν
αὐτοῖς· °τί καθεύδετε; ἀναστάντες προσεύχεσθε, ἵνα μὴ
εἰσέλθητε εἰς πειρασμόν.

85 I **47** Ἔτι ⸆ αὐτοῦ λαλοῦντος ἰδοὺ ὄχλος ⸆, καὶ ὁ ⸂λεγόμε- *47–53:* Mt 26,47-56 Mc 14,43-49 J 18,3-11
86 II νος Ἰούδας⸃ εἷς τῶν δώδεκα ⸀προήρχετο αὐτοὺς * καὶ Act 1,16
ἤγγισεν τῷ Ἰησοῦ φιλῆσαι αὐτόν⸆¹. **48** ⸂Ἰησοῦς δὲ⸃
εἶπεν ⸂αὐτῷ· Ἰούδα,⸃ φιλήματι τὸν υἱὸν τοῦ ἀνθρώπου
87 I παραδίδως; **49** ἰδόντες δὲ οἱ περὶ αὐτὸν τὸ ⸀ἐσόμενον
εἶπαν⸀· κύριε, εἰ πατάξομεν ἐν μαχαίρῃ; **50** καὶ ἐπάταξεν 36
εἷς τις ἐξ αὐτῶν ⸉τοῦ ἀρχιερέως τὸν δοῦλον⸊ καὶ ἀφεῖλεν
88 X ⸂τὸ οὖς αὐτοῦ⸃ τὸ δεξιόν. **51** ἀποκριθεὶς δὲ °ὁ Ἰησοῦς
εἶπεν· ἐᾶτε ἕως τούτου· καὶ ⸂ἁψάμενος τοῦ ὠτίου ἰάσατο
αὐτόν⸃.

89 I **52** Εἶπεν δὲ ⸀Ἰησοῦς πρὸς τοὺς παραγενομένους ⸀ἐπ'
αὐτὸν ἀρχιερεῖς καὶ στρατηγοὺς ⸂τοῦ ἱεροῦ⸃ καὶ πρεσ- Act 4,1!
βυτέρους· ὡς ἐπὶ λῃστὴν ⸀¹ἐξήλθατε μετὰ μαχαιρῶν καὶ 37
ξύλων⁚; **53** ⸆καθ' ἡμέραν ὄντος μου μεθ' ὑμῶν ἐν τῷ ἱερῷ 19,47!
οὐκ ἐξετείνατε τὰς χεῖρας ἐπ' ἐμέ, ἀλλ' αὕτη ἐστὶν ὑμῶν J 7,30!
ἡ ὥρα καὶ °ἡ ἐξουσία ⸂τοῦ σκότους⸃. J 19,11 Kol 1,13

41 ⸀προσηυξατο 𝔓^{75} ℵ T Γ 892. 1241 *pc* • **42** ⸂*10–17 1–8* D it | ⸀-έγκαι (ℵ) K L (R) *f*^{13} 892 *al* ¦ -εγκεῖν A W Ψ 𝔐 ¦ *txt* 𝔓^{75} B (D) T Θ *f*^{1} 1241 *al* • ⟦43/44⟧ *om.* 𝔓$^{(69vid).75}$ ℵ^{1} A B N R T W 579. 1071* *pc* f sy^{s} sa bo^{pt}; Hier^{mss} (*f*^{13} *om. hic et pon. p.* Mt 26,39) ¦ *add.* (*pt. c. obel.*) ℵ$^{*.2}$ D L Θ Ψ 0171 *f*^{1} 𝔐 lat sy$^{c.p.h}$ bo^{pt}; Hier^{mss} | ⸆ (απο) του D Θ Ψ *pc* | ⸂εγ. δε D L Θ 0171 𝔐 ¦ *txt* ℵ* Ψ *f*$^{1.(13)}$ *al* | ⸀-νοντος ℵ$^{*.2}$ *pc* lat sy^{p} • **45** ⸆ και 0171 *pc* f sy$^{s.c.p}$ • **46** °D • **47** ⸆δε D Θ 0171 *f*^{13} 𝔐 it ¦ *txt* 𝔓^{75} ℵ A B K L N R T W Ψ *f*^{1} 1241 *al* lat sy^{h} | ⸆*p)* πολυς D sy$^{s.c}$ | ⸂καλουμ- Ι. Ισκαριωθ D 0171^{vid} *f*^{1} *pc* | ⸀προσηρ- 𝔓^{75} Γ *pc* ¦ προηγεν D *f*^{1} *al* | ⸆^{1} *p)* τουτο γαρ σημειον δεδωκει αυτοις· ον αν φιλησω αυτος εστιν. D Θ *f*^{13} 700 *pm* aur b c r^{1} sy$^{p.h}$ • **48** ⸂*p)* ο δε Ι. A D R W Θ Ψ *f*$^{1.13}$ 𝔐 sy^{h**} ¦ *txt* 𝔓^{75} ℵ B L T 892 *pc* | ⸂*1* ℵ* ¦ τω Ιουδα· D • **49** ⸀γενομενον D 0171 *pc* ff^{2} r^{1} sy$^{p.hmg}$ | ⸀τω κυριω· D ¦ – 0171 1 • **50** ⸉ 𝔓^{75} A D R W Θ Ψ 0171 *f*^{1} 𝔐 ¦ *txt* ℵ B L T *f*^{13} 892. 1241 *pc* | ⸂*3 1 2* A L R W Θ Ψ *f*^{1} 𝔐 ¦ *p)* αυτ. το ωτιον D K *pc* ¦ *txt* 𝔓^{75} ℵ B T 0171 *f*^{13} 892 *pc* • **51** °B | ⸂εκτεινας την χειρα ηψατο αυτου και απεκατεσταθη το ους αυτου D it • **52** ⸀ο Ι. L R W Ψ *f*^{13} 𝔐 ¦ – D *f*^{1} *pc* e i l sy$^{s.c}$ ¦ *txt* 𝔓^{75} ℵ A B T Θ | ⸀προς ℵ* R Δ 28. 700. 892 *pm* | ⸂του λαου D ¦ – sy^{s} | ⸀^{1}εξεληλυθατε A W Γ Δ 565. 700. 1010 𝔐 | [⁚ .] • **53** ⸆το D 0171 | °D *pc* | ⸂, το σκοτος D sa^{mss}

(54–62: Mt 26,57s.69-75 Mc 14,53s.66-72 J 18,13-18.25-27) **54** Συλλαβόντες δὲ αὐτὸν ἤγαγον ⸋καὶ εἰσήγαγον⸌ εἰς
τὴν οἰκίαν τοῦ ἀρχιερέως· ὁ δὲ Πέτρος ἠκολούθει ⸆
μακρόθεν. **55** ⸂περιαψάντων δὲ πῦρ ἐν μέσῳ τῆς αὐλῆς καὶ
συγκαθισάντων⸃ ἐκάθητο ⸀ὁ Πέτρος ⸁μέσος αὐτῶν⸆.
56 ἰδοῦσα δὲ αὐτὸν παιδίσκη τις καθήμενον πρὸς τὸ φῶς
(Act 4,13) καὶ ἀτενίσασα αὐτῷ εἶπεν· καὶ οὗτος σὺν αὐτῷ ἦν. **57** ὁ
δὲ ἠρνήσατο ⸆ λέγων· ⸂οὐκ οἶδα αὐτόν, γύναι⸃. **58** καὶ
μετὰ βραχὺ ἕτερος ἰδὼν αὐτὸν ⸂ἔφη· καὶ σὺ ἐξ αὐτῶν εἶ⸃.
ὁ δὲ ⸄Πέτρος ἔφη⸅· ἄνθρωπε, οὐκ εἰμί. **59** καὶ διαστάσης
ὡσεὶ ὥρας μιᾶς ἄλλος τις διϊσχυρίζετο ⸂λέγων· ἐπ' ἀλη-
θείας⸃ καὶ οὗτος μετ' αὐτοῦ ἦν, καὶ γὰρ Γαλιλαῖός ἐστιν.
60 εἶπεν δὲ ὁ Πέτρος· ἄνθρωπε, οὐκ οἶδα ⸀ὃ λέγεις. καὶ
παραχρῆμα ἔτι λαλοῦντος αὐτοῦ ἐφώνησεν ἀλέκτωρ.
61 καὶ στραφεὶς ὁ ⸀κύριος ἐνέβλεψεν ⸂τῷ Πέτρῳ⸃, * ⸁καὶ
ὑπεμνήσθη ⸋ὁ Πέτρος⸌ τοῦ ⸀¹ῥήματος τοῦ κυρίου ὡς
(34) εἶπεν αὐτῷ ὅτι πρὶν ⸆ ἀλέκτορα φωνῆσαι ⸰σήμερον
⸄ἀπαρνήσῃ με τρίς⸅. **62** ⸋καὶ ἐξελθὼν ἔξω ἔκλαυσεν
(Is 22,4) πικρῶς.⸌

(63–65: Mt 26,67s Mc 14,65) **63** Καὶ οἱ ἄνδρες οἱ συνέχοντες αὐτὸν ἐνέπαιζον αὐτῷ
⸰δέροντες, **64** καὶ περικαλύψαντες ⸀αὐτὸν ⸂ἐπηρώτων
λέγοντες⸃· προφήτευσον, τίς ἐστιν ὁ παίσας σε; **65** καὶ
ἕτερα πολλὰ βλασφημοῦντες ἔλεγον εἰς αὐτόν.

(66–71: Mt 27,1; 26,63-65 Mc 15,1; 14,61-64 J 18,19-24) **66** Καὶ ὡς ἐγένετο ἡμέρα, συνήχθη τὸ πρεσβυτέριον
τοῦ λαοῦ, ἀρχιερεῖς τε καὶ γραμματεῖς, καὶ ⸀ἀπήγαγον

54 ⸋D (Γ) Θ f[1] *pc* lat sy[s.c.p] | ⸆*p)* αυτω απο D 063. (0124, 0171) f[13] *pc* it sy[h**] • **55** ⸂αψ. … συγκ. αυτων A W Θ Ψ 063. 0135 f[1.13] 𝔐 ¦ αψ. … περικ- D (*pc*) ¦ *txt* 𝔓[75] ℵ B L T 0124 *pc* | ⸀και ο D it sy[s.c.p] ¦ – 𝔓[75] | ⸁εν μεσω ℵ A R W Θ Ψ 063. 0135 f[13] 𝔐 ¦ μετ D ¦ *txt* 𝔓[75(*)] B L T 0124 f[1] 892 *pc* | ⸆*p)* θερμαινομενος D • **57** ⸆αυτον A D* W Θ Ψ 063. 0135 f[13] 𝔐 lat sy[h] ¦ *txt* 𝔓[75] ℵ B D[2] K L T 0124 f[1] 28. 892. 1424 *al* it sy[s.c.p] co | ⸂*4 1–3* A W Θ 0124 𝔐 lat sy ¦ *1–3* D ¦ *txt* 𝔓[75] ℵ B L T Ψ 1241 *pc* co • **58** ⸂ειπεν το αυτο D sy[c] | ⸄ειπεν 𝔓[69vid] D it sy[s] ¦ Π. ειπεν A W Θ Ψ 063. 0135 f[1] 𝔐 ¦ *txt* 𝔓[75] ℵ B K L T 0124 f[13] 1241 *al* • **59** ⸂. επ αλ. λεγω D • **60** ⸀τι ℵ D *pc* • **61** ⸀Ιησους D 063 f[1] 1241 *pc* sy[s.p.h] bo[pt] ¦ Πετρος *et* ⸂αυτω 𝔓[69vid] | ⸁τοτε 𝔓[69] | ⸋D | ⸀¹†λογου A D W Θ Ψ 063. 0135. 0250 f[1.13] 𝔐 ¦ *txt* 𝔓[69.75] ℵ B L T 0124. 892. 1241 *pc* | ⸆ ἤ B Ψ *pc* | ⸰A D W Θ Ψ 063. 0135. 0250 f[1] 𝔐 lat sy[c.p] sa[mss] ¦ *txt* 𝔓[75] ℵ B K L T 0124 (∫f[13]) 892. 1241 *al* b ff[2] l sy[s.h**] sa[mss] bo | ⸄τρ. απ. με μη ειδεναι με D (a b l) • **62** ⸋*vs* 0171[vid] it • **63** ⸰D 0171 *pc* it • **64** ⸀*p)* αυτον ετυπτον αυτου το προσωπον και A(*) (∫D) W Θ Ψ 0135 f[13] 𝔐 lat sy[h] ¦ αυτου το προσωπον (063). 0124 f[1] *pc* it sy[s.c.p] sa ¦ *txt* 𝔓[75] (ℵ) B K L T 1241 *al* bo | ⸂ελεγον D sy[p] ¦ επηρ. αυτον λεγ. (ℵ) A W Θ Ψ 0135 f[1.13] 𝔐 lat sy[h] ¦ *txt* 𝔓[75] B K L T 063. 0124 *pc* • **66** ⸀ανηγ- A L W Θ Ψ 0250 f[1] 𝔐 sy ¦ ηγ- N 28 *pc* ¦ *txt* 𝔓[75] ℵ B D K T 063 f[13] 892 *pc*

αὐτὸν εἰς τὸ συνέδριον αὐτῶν **67** λέγοντες· εἰ σὺ εἶ ὁ χρι- J 10,24
6 στός⸂, εἰπὸν ἡμῖν. εἶπεν δὲ⸃ αὐτοῖς· ἐὰν ὑμῖν εἴπω, οὐ μὴ Jr 38,15 J 3,12; 8,45
πιστεύσητε· **68** ⸋⸂ἐὰν δὲ⸃ ἐρωτήσω, οὐ μὴ ἀποκριθῆτε⸆.⸌ 20,7
7 **69** ἀπὸ τοῦ νῦν δὲ ἔσται ὁ υἱὸς τοῦ ἀνθρώπου καθήμενος ἐκ Dn 7,13 Ps 110,1 Mt 22,44!
8 δεξιῶν τῆς δυνάμεως τοῦ θεοῦ. **70** εἶπαν δὲ πάντες· σὺ οὖν
εἶ ὁ υἱὸς τοῦ θεοῦ⁚; ὁ δὲ πρὸς αὐτοὺς ἔφη· ὑμεῖς λέγετε
9 ὅτι ἐγώ εἰμι⁚¹. **71** οἱ δὲ εἶπαν· τί ἔτι ⸂ἔχομεν μαρτυρίας
χρείαν⸃; αὐτοὶ γὰρ ἠκούσαμεν ἀπὸ τοῦ στόματος αὐτοῦ.
0 **23** Καὶ ⸀ἀναστὰν ⸋ἅπαν τὸ πλῆθος αὐτῶν⸌ ἤγαγον *1:* Mt 27,2 Mc 15,1 J 18,28
αὐτὸν ἐπὶ τὸν Πιλᾶτον.
1 **2** Ἤρξαντο δὲ κατηγορεῖν αὐτοῦ λέγοντες· τοῦτον εὕ- *2-5:* Mt 27,11-14 Mc 15,2-5 J 18,33-38 · 1Rg 18,17
ραμεν διαστρέφοντα τὸ ἔθνος ⸰ἡμῶν ⸆ καὶ κωλύοντα ⸂φό-
ρους Καίσαρι διδόναι⸃ ⸇ καὶ λέγοντα ἑαυτὸν χριστὸν Act 24,5 · 20,25 · J 19,12!
2 βασιλέα εἶναι. **3** ὁ δὲ Πιλᾶτος ⸀ἠρώτησεν αὐτὸν λέγων·
σὺ εἶ ὁ βασιλεὺς τῶν Ἰουδαίων; ⸂ὁ δὲ ἀποκριθεὶς αὐτῷ
3 ἔφη⸃· σὺ λέγεις⁚. **4** ὁ δὲ Πιλᾶτος εἶπεν πρὸς τοὺς ἀρχιε- 1T 6,13
ρεῖς καὶ τοὺς ὄχλους· οὐδὲν εὑρίσκω αἴτιον ἐν τῷ ἀν- 14s.22
4 θρώπῳ τούτῳ. **5** οἱ δὲ ἐπίσχυον λέγοντες ὅτι ἀνασείει τὸν Mt 27,63!
λαὸν ⸰διδάσκων καθ' ὅλης τῆς ⸀Ἰουδαίας, ⸰¹καὶ ἀρξάμε-
νος ἀπὸ τῆς Γαλιλαίας ἕως ὧδε⸆. 4,44! Act 10,37!
6 Πιλᾶτος δὲ ἀκούσας ⸆ ἐπηρώτησεν εἰ ⸂ὁ ἄνθρωπος Act 23,34
Γαλιλαῖός⸃ ἐστιν, **7** καὶ ἐπιγνοὺς ὅτι ἐκ τῆς ἐξουσίας
Ἡρῴδου ἐστὶν ἀνέπεμψεν αὐτὸν πρὸς ⸆ Ἡρῴδην, ὄντα καὶ 3,1
αὐτὸν ἐν Ἱεροσολύμοις ἐν ταύταις ταῖς ἡμέραις.
8 Ὁ δὲ Ἡρῴδης ἰδὼν τὸν Ἰησοῦν ἐχάρη λίαν, ἦν γὰρ
ἐξ ⸂ἱκανῶν χρόνων⸃ θέλων ἰδεῖν αὐτὸν διὰ τὸ ἀκούειν 9,9 J 12,21

67 ⸂; ο δε ειπεν D ● **68** ⸋*vs* e; Mcion | ⸂εαν δε και A W Θ Ψ 063 *f*$^{1.13}$ 𝔐 vg sy^{h} co ¦ εαν D it ¦ *txt* 𝔓^{75} ℵ B L T 892. 1241 *pc* c l r^{1} bo^{ms} | ⸆μοι Θ *f*^{1} *pc* sa ¦ μοι η απολυσητε A D W Ψ 063 *f*^{13} 𝔐 lat sy ¦ *txt* 𝔓^{75} ℵ B L T 1241 *pc* bo ● **70** [⁚ .] | [⁚¹ ;] ● **71** ⸂ *3 1 2* ℵ A R W Θ 063 *f*$^{1.13}$ 𝔐 sy^{h} ¦ χρ. μαρτυρων εχ. D Ψ 28 *pc* sy^{p} ¦ *txt* 𝔓^{75} B L T 1241 *pc*

¶ **23,1** ⸀-ντες D Θ *et* ⸋ *p)* D ● **2** ⸰A W Θ 063 𝔐 a r^{1}; Mcion ¦ *txt* 𝔓^{75} ℵ B D K L N R T Ψ *f*^{13} 892. 1241 *al* lat sy (1: *h. t.*) | ⸆και καταλυοντα τον ναον και τους προφητας it; Mcion | ⸂*1 3 2* D ¦ *2 1 3* (A K R) W Θ Ψ 063 *f*$^{1.13}$ 𝔐 ¦ *txt* 𝔓^{75} ℵ B L T 892. (1241) *pc* | ⸇και αποστρεφοντα τας γυναικας και τα τεκνα Mcion ● **3** ⸀επηρ- A D L W Θ Ψ 063 *f*$^{1.13}$ 𝔐 ¦ *txt* 𝔓^{75} ℵ B R T | ⸂*1-3 5* 𝔓^{75} lat sa bo^{mss} ¦ αυτος εφη W *et v. l. al* | [⁚ ;] ● **5** ⸰ℵ* *pc* it | ⸀γης D | ⸰¹ 𝔓^{75} A D R W Θ Ψ 063 *f*$^{1.13}$ 𝔐 it vg^{cl} ¦ *txt* ℵ B L T 0124. 1241 *pc* vgst sy | ⸆ (*cf vs* 2) et filios nostros et uxores avertit a nobis, non enim baptizantur sicut et nos nec se mundant (c) e ● **6** ⸆Γαλιλαιαν A (D) R W Θ Ψ 063 *f*$^{1.13}$ 𝔐 latt sy sa ¦ *txt* 𝔓^{75} ℵ B L T 0124. 1241 *pc* bo | ⸂*2 3* B* 700. 1241 *al* ¦ απο της Γαλιλαιας ο ανθ. D it (sy^{c}) ● **7** ⸆τον 𝔓^{75} B T Θ *pc* ● **8** ⸂ικανου (*et pon.* θελ. *p.* γαρ) A R 𝔐 ¦ ικανου χρονου (N W) Ψ *f*$^{(1).13}$ (*al*) sy^{p} ¦ *txt* 𝔓^{75} ℵ B (ʃ D) L T Θ 0124. 892. 1241 *pc* c sa

Mt 12,38! ⸆ περὶ αὐτοῦ καὶ ἤλπιζέν τι σημεῖον ἰδεῖν ὑπ’ αὐτοῦ γινόμενον. **9** ἐπηρώτα δὲ αὐτὸν ἐν λόγοις ἱκανοῖς, αὐτὸς δὲ
Mt 27,12p ⸀οὐδὲν ἀπεκρίνατο αὐτῷ⸆. **10** ⸋εἱστήκεισαν δὲ οἱ ἀρχιερεῖς καὶ οἱ γραμματεῖς εὐτόνως κατηγοροῦντες αὐτοῦ.
11 ἐξουθενήσας δὲ αὐτὸν ⸂[καὶ] ὁ⸃ Ἡρῴδης σὺν τοῖς στρα-
9,22!p τεύμασιν αὐτοῦ καὶ ἐμπαίξας περιβαλὼν ἐσθῆτα λαμπρὰν ⸀ἀνέπεμψεν αὐτὸν τῷ Πιλάτῳ. **12** ⸄ἐγένοντο δὲ φίλοι
ὅ τε Ἡρῴδης καὶ ὁ Πιλᾶτος ἐν ⸀αὐτῇ τῇ ἡμέρᾳ μετ’
ἀλλήλων· προϋπῆρχον γὰρ ἐν ἔχθρᾳ ὄντες πρὸς ⸀¹αὐ-
τούς.⸅⸌

13 Πιλᾶτος δὲ συγκαλεσάμενος τοὺς ἀρχιερεῖς καὶ
τοὺς ἄρχοντας καὶ τὸν λαὸν **14** εἶπεν πρὸς αὐτούς·
Mt 27,63! ⸀προσηνέγκατέ μοι τὸν ἄνθρωπον τοῦτον ὡς ἀποστρέ-
Act 28,18 φοντα τὸν λαόν, καὶ ἰδοὺ ἐγὼ ἐνώπιον ὑμῶν ἀνακρίνας
4! ⸀οὐθὲν εὗρον ἐν τῷ ἀνθρώπῳ τούτῳ αἴτιον ὧν κατηγο-
ρεῖτε ⸰κατ’ αὐτοῦ. **15** ἀλλ’ οὐδὲ Ἡρῴδης, ⸂ἀνέπεμψεν
22 Act 23,29! γὰρ αὐτὸν πρὸς ἡμᾶς⸃, καὶ ἰδοὺ οὐδὲν ἄξιον θανάτου
J 19,1 ἐστὶν πεπραγμένον ⸆ αὐτῷ· **16** παιδεύσας οὖν αὐτὸν ἀπολύσω.⸆

[17]. 18-23: Mt 27,20-23 Mc 15,11-14 J 18,39s · J 19,15! **18** ⸀Ἀνέκραγον δὲ παμπληθεὶ λέγοντες· αἶρε τοῦτον,
ἀπόλυσον δὲ ἡμῖν ⸰τὸν Βαραββᾶν· **19** ὅστις ἦν διὰ στά-
σιν τινὰ γενομένην ἐν τῇ πόλει καὶ φόνον ⸀βληθεὶς ἐν
τῇ φυλακῇ. **20** πάλιν δὲ ὁ Πιλᾶτος προσεφώνησεν ⸀αὐ-
τοῖς θέλων ἀπολῦσαι τὸν Ἰησοῦν. **21** οἱ δὲ ⸂ἐπεφώνουν
J 19,6 λέγοντες⸃· ⸄σταύρου σταύρου⸅ αὐτόν. **22** ὁ δὲ τρίτον εἶ-

8 ⸆πολλα A R W Ψ 063 (ƒ f^{13}) 𝔐 lat sy$^{p.h}$ ¦ *txt* 𝔓^{75} ℵ B D K L T Θ 0124 f^{1} 1241 *al* sy$^{s.c}$ co ● **9** ⸀ουκ ℵ D *et* ⸆ουδεν D ● **10-12** ⸋sy^{s} | ⸂†*2* A B D R Θ 063 f^{1} 𝔐 ¦ – W 1241 *al* ¦ *txt* 𝔓^{75} ℵ L N T Ψ (0124) f^{13} *pc* sy^{hmg} bo^{pt} | ⸀επεμψεν 𝔓^{75} ℵ* L R 0124. 1241 *pc* | ⸄οντες δε εν αηδια ο Π. και ο Η. εγ. φιλοι εν αυτη τη ημερα D c | ⸀εκεινη 𝔓^{75} f^{1} c f r^{1} sy$^{c.p}$ sa^{mss} bo | ⸀¹εαυ- A W Θ Ψ 0124 $f^{1.13}$ 𝔐 ¦ *txt* 𝔓^{75} ℵ B L T ● **14** ⸀κατην- D | ⸀ουδεν A D L W Θ Ψ 063 f^{13} 𝔐 ¦ *txt* 𝔓^{75} ℵ B T 0124 f^{1} 892 *pc* | ⸰ ℵ A (D) L Θ 063. 0124 f^{1} 28. 892. 1241 *al* ¦ *txt* 𝔓^{75} B T W Ψ f^{13} 𝔐 ● **15** ⸂ανεπεμψα γαρ υμας προς αυτον A D W Ψ 063 f^{1} 𝔐 lat sy^{h} ¦ αν-ψε γ. αυτον πρ. υμας f^{13} *pc* vg^{mss} sy^{hmg} ¦ *txt* 𝔓^{75} ℵ B K L T Θ (0124). 892. 1241 *al* aur f co | ⸆εν D N Γ f^{13} *al* ● **16** ⸆*p)* [17] αναγκην δε ειχεν απολυειν αυτοις κατα εορτην ενα ℵ (D sy$^{s.c}$ *add. p.* 19) W (Θ Ψ) 063 $f^{1.13}$ (892^{mg}) 𝔐 lat sy$^{p.h}$ (bo^{pt}) ¦ *txt* 𝔓^{75} A B K L T 0124. 892^{txt}. 1241 *pc* a sa bo^{pt} ● **18** ⸀ανεκραξαν A D W Θ Ψ 063 $f^{1.13}$ 𝔐 ¦ *txt* 𝔓^{75} ℵ B L T 0124. 892. 1241 *pc* | ⸰ A W Θ 063 f^{13} 𝔐 ¦ *txt* 𝔓^{75} ℵ B D L N T Ψ 0124 f^{1} 892. 1241 *al* ● **19** ⸀βεβλημενος ℵ^{1} A D W Θ Ψ 063 $f^{1.13}$ 𝔐 ¦ – ℵ* ¦ *txt* 𝔓^{75} B L T 0124. 892 *pc* ● **20** ⸀αυτους D *pc* ¦ – A W Θ 063. 0250 f^{1} 𝔐 sy^{h} ¦ *txt* 𝔓^{75} ℵ B L T Ψ 0124 f^{13} 892. 1241 *pc* a ● **21** ⸂*p)* εκραξαν D | ⸄-ρωσον -ρωσον A L Θ Ψ 063 $f^{1.13}$ 𝔐 ¦ -ρωσον W 0250 it bo^{ms} ¦ *txt* 𝔓^{75} ℵ B D 0124

πεν πρὸς αὐτούς· τί γὰρ κακὸν ἐποίησεν οὗτος; ⸀οὐδὲν
αἴτιον⸁ θανάτου εὗρον ἐν αὐτῷ· παιδεύσας οὖν αὐτὸν
3 ἀπολύσω. **23** οἱ δὲ ἐπέκειντο φωναῖς μεγάλαις αἰτούμενοι αὐτὸν ⸀σταυρωθῆναι, καὶ κατίσχυον αἱ φωναὶ αὐ-
τῶν⸆.
4 **24** Καὶ Πιλᾶτος ἐπέκρινεν γενέσθαι τὸ αἴτημα αὐ-
τῶν· **25** ἀπέλυσεν δὲ τὸν ⸀διὰ στάσιν καὶ φόνον⸁ βεβλημένον ⸀εἰς φυλακὴν⸁ ὃν ᾐτοῦντο, τὸν δὲ Ἰησοῦν παρέδωκεν τῷ θελήματι αὐτῶν.
15 **26** Καὶ ὡς ⸀ἀπήγαγον αὐτόν, ἐπιλαβόμενοι ⸀Σίμωνά
τινα Κυρηναῖον ἐρχόμενον⸁ ἀπ' ἀγροῦ ἐπέθηκαν αὐτῷ
τὸν σταυρὸν φέρειν ὄπισθεν τοῦ Ἰησοῦ.
16 **27** Ἠκολούθει δὲ αὐτῷ πολὺ πλῆθος τοῦ λαοῦ καὶ
⸀γυναικῶν αἳ ἐκόπτοντο καὶ ἐθρήνουν αὐτόν. **28** στραφεὶς δὲ ⸀πρὸς αὐτὰς [ὁ] Ἰησοῦς⸁ εἶπεν· θυγατέρες Ἰερουσαλήμ, μὴ κλαίετε °ἐπ' ἐμέ⸆· πλὴν °ἐφ' ἑαυτὰς κλαίετε
καὶ °ἐπὶ τὰ τέκνα ὑμῶν, **29** ὅτι °ἰδοὺ ⸀ἔρχονται ἡμέραι⸁
ἐν αἷς ἐροῦσιν· μακάριαι αἱ στεῖραι καὶ αἱ κοιλίαι αἳ
οὐκ ἐγέννησαν καὶ μαστοὶ οἳ οὐκ ⸀ἔθρεψαν. **30** τότε ἄρ-
ξονται *λέγειν τοῖς ὄρεσιν· πέσετε ἐφ' ἡμᾶς, καὶ τοῖς βου-
νοῖς· καλύψατε ἡμᾶς·* **31** ὅτι εἰ ἐν °τῷ ὑγρῷ ξύλῳ ταῦτα
ποιοῦσιν, ἐν τῷ ξηρῷ τί ⸀γένηται;
17 **32** Ἤγοντο δὲ καὶ ἕτεροι ⸉κακοῦργοι δύο⸊ σὺν αὐτῷ
⸆ ἀναιρεθῆναι.
18 **33** Καὶ ὅτε ⸀ἦλθον ἐπὶ τὸν τόπον τὸν καλούμενον Κρα-
19 νίον, ἐκεῖ ἐσταύρωσαν αὐτὸν * καὶ τοὺς κακούργους⸆, ὃν
20 μὲν ἐκ δεξιῶν ὃν δὲ ἐξ ἀριστερῶν. **34** ⸋⟦ὁ δὲ Ἰησοῦς ἔλε-

4!
24s: Mt 27,26 Mc 15,15 J 19,16a · Act 3,13s |
Mt 17,12 Act 24,27
26: Mt 27,31b.32 Mc 15,20b.21
Zch 12,10-14?
7,13! Jr 9,19s · 19,41 | 19,43s
21,23p Is 54,1
Hos 10,8 Ap 6,16
Prv 11,31 1P 4,17s
33s: Mt 27,33-36 Mc 15,22-25 J 19,17s.24

22 ⸀ουδεμιαν αιτιαν D lat • **23** ⸀-ρωσαι B | ⸆και των αρχιερεων A D W Θ Ψ 063. 0250 *f*$^{1.13}$ 𝔐 (c f) sy bo^{ms} ¦ και των αρχοντων κ. τ. αρχιερ. 1424 ¦ *txt* 𝔓^{75} ℵ B L 0124. 1241 *pc* lat co • **25** ⸀ενεκα φονου D | ⸀εις την φ-ην 𝔓^{75} A C L Ψ 063. 0250 *f*$^{1.13}$ 𝔐 ¦ εν τη φ-η W ¦ *txt* ℵ B D K Θ 0124. 28. 1424 *al* • **26** ⸀απηγον B | ⸀*2 1 3 4* C D ¦ -νος τινος -ναιου -μενου A W Θ Ψ 063 *f*^{1} 𝔐 ¦ *txt* 𝔓^{75} ℵ B (L 0124) *f*^{13} 33. 892. 1241 *pc* • **27** ⸀-κες D *pc* c f r^{1} sy$^{s.c.p}$ • **28** ⸀ο Ι. πρ. αυτ. C (D) 0124. 1241 *pc* ¦ †πρ. αυτ. Ι. 𝔓^{75} ℵ$^{*.2}$ B L ¦ *txt* ℵ^{1} A W Θ Ψ 063 *f*$^{1.13}$ 𝔐 | ° *ter* D it | ⸆μηδε πενθειτε D • **29** ° 𝔓^{75} D *f*^{13} *pc* it sy$^{s.c}$ | ⸀*2 1* ℵ C 0124. 1241 *pc* ¦ ελευσονται ημ. D *f*^{13} | ⸀εξ-εθρ- C^{2} D Θ Ψ *f*^{1} 1241 *pc* ¦ εθηλασαν A W 063 *f*^{13} 𝔐 vg ¦ *txt* 𝔓^{75} ℵ B C* L 0124. 892 *pc* • **31** °†B C 0124 ¦ *txt* 𝔓^{75} ℵ A D L W Θ Ψ *f*$^{1.13}$ 𝔐 | ⸀-νησεται D K *al* • **32** ⸉A C D L W Θ Ψ 0117. 0124. 0250 *f*$^{1.13}$ 𝔐 ¦ *txt* 𝔓^{75} ℵ B | ⸆Joathas et Maggatras l • **33** ⸀απηλθον A W 0117. 0250 *f*$^{1.13}$ 𝔐 sy^{h} ¦ *txt* 𝔓^{75} ℵ B C D L Q Θ Ψ 0124. 33. 892. 1241 *al* | ⸆ομου D (b) ¦ δυο 0124 *pc* b^{c} sa • **34** ⸋*p)* 𝔓^{75} ℵ^{1} B D* W Θ 0124. 1241 *pc* a sy^{s} sa bo^{pt} ¦ *txt* ℵ$^{*.2}$ (A) C D^{2} L Ψ 0117. 0250 *f*$^{1.(13)}$ 𝔐 lat sy$^{c.p.h}$ (bo^{pt})

Mt 5,44! Is 53,12 · Act 3,17! 1K 2,8 · *Ps 22,19* · *35–38:* Mt 27, 39-43.37 Mc 15, 29-32a.26 · Ps 22,8s · 4,23 · 9,20 · 9,35 · Is 42,1 · Ps 69,22 · *39:* Mt 27,44 Mc 15,32b · Mt 26,68 · 12,5 Mt 10,28 · Act 25,5 · Gn 40,14 · Mt 16, 28; 20,21 · Ph 1,23 · 2K 12,4! · *44–46:* Mt 27, 45.50s Mc 15,33. 37s · Am 8,9

γεν· πάτερ, ἄφες αὐτοῖς, οὐ γὰρ οἴδασιν τί ποιοῦσιν.⟧⸌
⸀*διαμεριζόμενοι δὲ τὰ ἱμάτια αὐτοῦ ⸁ἔβαλον ⸀¹κλήρους.*
35 Καὶ εἱστήκει ὁ λαὸς θεωρῶν. * ἐξεμυκτήριζον δὲ
⸂καὶ οἱ ἄρχοντες⸃ λέγοντες· ἄλλους ⸄ἔσωσεν, σωσάτω
ἑαυτόν, εἰ οὗτός ἐστιν ὁ χριστὸς τοῦ θεοῦ⸅ ὁ ἐκλεκ-
τός. **36** ⸀ἐνέπαιξαν δὲ αὐτῷ καὶ οἱ στρατιῶται προσερ-
χόμενοι, ⸂ὄξος προσφέροντες αὐτῷ⸃ **37** ⸂καὶ λέγοντες·
εἰ σὺ εἶ⸃ ὁ βασιλεὺς τῶν Ἰουδαίων, ⸄σῶσον σεαυτόν⸅.
38 ἦν δὲ καὶ ἐπιγραφὴ ⸂ἐπ᾽ αὐτῷ⸃·
⸄ὁ βασιλεὺς τῶν Ἰουδαίων οὗτος⸅.
39 Εἷς δὲ τῶν °κρεμασθέντων κακούργων ἐβλασφήμει
αὐτὸν °¹λέγων· ⸋⸀οὐχὶ σὺ εἶ ὁ χριστός; σῶσον σεαυτὸν
καὶ ἡμᾶς.⸌ **40** ἀποκριθεὶς δὲ ὁ ἕτερος ἐπιτιμῶν αὐτῷ
ἔφη· οὐδὲ φοβῇ σὺ τὸν θεόν, ὅτι ἐν τῷ αὐτῷ κρίματι ⸀εἶ;
41 καὶ ἡμεῖς μὲν δικαίως, ἄξια γὰρ ὧν ἐπράξαμεν ἀπο-
λαμβάνομεν· οὗτος δὲ οὐδὲν ⸀ἄτοπον ἔπραξεν. **42** καὶ
⸂ἔλεγεν· Ἰησοῦ, μνήσθητί μου ὅταν ἔλθῃς εἰς τὴν βασιλείαν σου. **43** καὶ εἶπεν αὐτῷ· ἀμήν σοι λέγω⸃, σήμερον μετ᾽ ἐμοῦ ἔσῃ ἐν τῷ παραδείσῳ.
44 ⸂Καὶ ἦν⸃ °ἤδη ὡσεὶ ὥρα ἕκτη καὶ σκότος ἐγένετο

34 ⸀διεμεριζοντο *et* ⸁βαλοντες D (Θ) c | ⸀¹*p)* κληρον 𝔓^{75} א B C D L W 0117. 0124. 0250 *f*^{13} 𝔐 c sy$^{p.hmg}$ ¦ *txt* A N Θ Ψ *f*^{1} 33. 1424 *pc* lat sy^{h} ● **35** ⸂αυτον D ¦ αυτ. οι α. συν αυτοις *f*$^{1.(13)}$ 1424 *pc* vg sy^{s}; Eus ¦ και οι α. συν αυτ. A W Θ 0117 𝔐 ¦ *txt* 𝔓^{75} (א: – κ.) B C L Q Ψ 0124. 33. 892. 1241 *al* | ⸄... ο χρ. ο υιος τ. θ. 𝔓^{75} (0124) *f*^{13} *pc* sy^{h} co ¦ ... ει υιος εστ. ο χρ. τ. θ. B ¦ εσωσας· σεαυτον σωσον, εἰ υιος εἶ τ. θ., εἰ χρ. εἶ D (c) ● **36** ⸀-ζον A C D W Θ Ψ 0135 *f*$^{1.13}$ 𝔐 ¦ *txt* 𝔓^{75} א B L 0124. 1241 bo^{ms} | ⸂και οξ. προσφ. αυτ. C^{3} W Θ 0135 *f*$^{1.13}$ 𝔐 lat ¦ οξ. τε προσεφερον D (it) ¦ *txt* 𝔓^{75} א A B C* L Q Ψ 0124. 1241 *pc* a ● **37** ⸂λεγ.· χαιρε D c (sy$^{s.c}$) | ⸄*p)* περιθεντες αυτω και ακανθινον στεφανον D (c sy$^{s.c}$) ● **38** ⸂*p)* γεγραμμενη (επιγ- A D; – א$^{*.c}$) ε. α. γραμμασιν ελληνικοις και (– א$^{*.c}$ D) ρωμαικοις και (– א$^{*.c}$ D) εβραικοις א$^{*.c}$ A C^{3} D R W Θ (Ψ) 0117. 0135. 0250 *f*$^{1.(13)}$ 𝔐 lat sy$^{(p).h}$ (bo^{pt}) ¦ *txt* 𝔓^{75} א^{1} B L 0124. 1241 sa bo^{pt} (C* a sy$^{s.c}$ sa^{ms}: + γεγρ.) | ⸄*p)* *1–4* C c ¦ ουτ. εστιν ο β. τ. I. A (∫ D) R W Θ Ψ 0117. 0135 *f*^{13} 𝔐 lat sy^{h} co ¦ ουτ. εστ. Ιησους ο β. τ. I. N Q *f*^{1} 28^{vid}. 33 *pc* l ¦ *txt* 𝔓^{75} א B L 0124 *pc* it ● **39** °D bo^{ms} | °¹†B D L 1241 e l ¦ *txt* 𝔓^{75} א A C R W Θ Ψ 0117. 0124. 0135 *f*$^{1.13}$ 𝔐 lat sy co | ⸋D e | ⸀(*vss* 35. 37) εἰ A C^{3} R W Θ Ψ 0117. 0135 *f*$^{1.13}$ 𝔐 lat sy$^{p.h}$ bo^{pt} ¦ *txt* 𝔓^{75} א B C* L 0124. 1241 *pc* it sy$^{s.c}$ sa^{mss} bo^{pt} ● **40** ⸀εσμεν C* W sy$^{s.c}$ co; Epiph ¦ εἶ και ημεις εσμεν D ● **41** ⸀πονηρον D ● **42/43** ⸂ελ. τω Ιησου· μν. μου κυριε οτ. ελ. εν τη β-α σου. και ειπ. αυτ. ο Ιησους· ... A C^{2} R W Θ Ψ (0124). 0135 *f*$^{1.13}$ 𝔐 lat sy (sa^{mss} bo^{pt}) ¦ στραφεις προς τον κυριον ειπεν αυτω· μν. μου εν τη ημερα της ελευσεως σου. αποκριθεις δε ο Ιησους ειπεν αυτω τω ε[πι]πλησσοντι· θαρσει D ¦ *txt* 𝔓^{75} B L sa^{mss} bo^{pt} (א C*: εν τη β-α) ● **44** ⸂ην δε A C^{3} R W Θ Ψ 0117. 0135 *f*$^{1.13}$ 𝔐 lat sy$^{p.h}$ ¦ *txt* 𝔓^{75} א B C* D L (0124). 892. 1241 *pc* sy$^{s.c}$ | °א A C^{3} D R W Θ Ψ 0117. 0135 *f*$^{1.13}$ 𝔐 latt sy$^{s.c.p}$ sa bo^{ms} ¦ *txt* 𝔓^{75} B C* L 0124. 892. 1241 *pc* sy^{h} bo

ἐφ' ὅλην τὴν γῆν ἕως ὥρας ἐνάτης **45** ⸂τοῦ ἡλίου ἐκλι-
8 πόντος⸃, * ⸋ἐσχίσθη δὲ τὸ καταπέτασμα τοῦ ναοῦ μέσον.⸌ Am 8,3 𝔊 Ex 26,31ss
9 **46** καὶ φωνήσας φωνῇ μεγάλῃ ὁ Ἰησοῦς εἶπεν· πάτερ, 2,49
εἰς χεῖράς σου ⸀παρατίθεμαι τὸ πνεῦμά μου. τοῦτο δὲ εἰ- *Ps 31,6* Act 7,59 1P 4,19
πὼν ἐξέπνευσεν.⸆
0 **47** ⸂Ἰδὼν δὲ ὁ ἑκατοντάρχης τὸ γενόμενον⸃ ⸀ἐδόξαζεν *47s:* Mt 27,54 Mc 15,39 · 2,20! ·
τὸν θεὸν λέγων· ὄντως ὁ ἄνθρωπος οὗτος δίκαιος ἦν. Mt 27,19!
1 **48** καὶ πάντες οἱ συμπαραγενόμενοι ὄχλοι ἐπὶ τὴν θεω-
ρίαν ταύτην, θεωρήσαντες τὰ γενόμενα, τύπτοντες τὰ H 10,33
στήθη ⸆ ὑπέστρεφον⸇. 18,13
49 Εἱστήκεισαν δὲ πάντες οἱ γνωστοὶ ⸀αὐτῷ °ἀπὸ μα- *49:* Mt 27,55 Mc 15,40a J 19,
κρόθεν καὶ ⸆ γυναῖκες °¹αἱ συνακολουθοῦσαι αὐτῷ ἀπὸ 25 · Ps 38,12; 88,
τῆς Γαλιλαίας ὁρῶσαι ταῦτα. 9 · 8,2!
2 **50** Καὶ ἰδοὺ ἀνὴρ ὀνόματι Ἰωσὴφ βουλευτὴς ὑπάρχων *50–54:* Mt 27,57-60 Mc 15,42-
⸂[καὶ] ἀνὴρ⸃ ἀγαθὸς °καὶ δίκαιος **51** – οὗτος οὐκ ἦν ⸀συγ- 46 J 19,38-42
κατατεθειμένος τῇ βουλῇ καὶ τῇ πράξει αὐτῶν – ἀπὸ
⸁Ἁριμαθαίας πόλεως τῶν Ἰουδαίων, ὃς ⸀¹προσεδέχετο 2,38!
τὴν βασιλείαν τοῦ θεοῦ, **52** οὗτος προσελθὼν τῷ Πιλάτῳ
3 ᾐτήσατο τὸ σῶμα τοῦ Ἰησοῦ ⸆ **53** καὶ καθελὼν ⸂ἐνετύλι-
ξεν αὐτὸ⸃ σινδόνι καὶ ἔθηκεν ⸀αὐτὸν ἐν ⸄μνήματι λαξευ- Dt 21,22s
4 τῷ⸅ οὗ οὐκ ἦν οὐδεὶς ⸁οὔπω κείμενος⸆. **54** ⸂καὶ ἡμέρα ἦν 19,30
παρασκευῆς καὶ σάββατον ἐπέφωσκεν⸃.

45 ⸂και εσκοτισθη ο ηλιος A C^3 (D) R W Θ Ψ 0117. 0135 $f^{1.13}$ 𝔐 lat sy; Mcion Or^{mss} ¦ – 33. 1424 ¦ *txt* 𝔓^{75*} ℵ C^{*vid} L 0124 *pc* sy^{hmg}; Or^{mss} (𝔓^{75c} B: εκλειπ-; C^2 *ut txt, sed add. v. l.*) | ⸋D (*sed v. vs* 46) • **46** ⸀-τιθημι D R f^1 892 *al* ¦ -θησομαι L 0117. 0135 f^{13} 𝔐 ¦ *txt* 𝔓^{75} ℵ A B C K P Q W Θ Ψ 0124. 33. 1241 *al*; Eus | ⸆(45) και το καταπετασμα του ναου εσχισθη D (Ψ, *sed in* 45) • **47** ⸂και ο εκατ. φωνησας D | ⸀-ασεν 𝔓^{75c} A C W Θ 0135 $f^{1.13}$ 𝔐 ¦ *txt* 𝔓^{75*} ℵ B D L R Ψ 0124. 892. 1241 *pc* • **48** ⸆και τα μετωπα D (c) | ⸇dicentes: vae nobis quae facta sunt hodie propter peccata nostra; appropinquavit enim desolatio Hierusalem g^1 (sy$^{s.c}$) • **49** ⸀αυτου ℵ C D R W Θ Ψ 0135 $f^{1.13}$ 𝔐 ¦ *txt* 𝔓^{75} A B L P 0124. 33. 1241 *al* | °A C R W Θ Ψ 0135 f^{13} 𝔐 ¦ *txt* 𝔓^{75} ℵ B D L 0124 f^1 33. 1241 *al* | ⸆αι 𝔓^{75} B 1241 *pc* | °^{1} 579 *pc* • **50** ⸂†*2* A B R W Θ Ψ 0117. 0124 $f^{1.13}$ 𝔐 vg sy ¦ – D Γ it ¦ *txt* 𝔓^{75} ℵ (C) L 33 *pc* | °B • **51** ⸀-τιθεμενος ℵ C D L Δ Ψ 0124 $f^{1.13}$ 1424 *al* ¦ *txt* 𝔓^{75} A B W Θ 𝔐 | ⸁-θιας D P W Θ 0117 *pc* lat | ⸀^{1}και πρ. Γ 0124 f^{13} *pc* q ¦ *p)* και πρ. και αυτος A W Θ Ψ 0117 𝔐 sy^h ¦ πρ. κ. αυτ. f^1 33. 892. 1424 *al* lat ¦ *txt* 𝔓^{75} ℵ B C D L 1241 *pc* it co • **52** ⸆Pilatus autem cum audisset, quia expiravit, clarificavit dominum et donavit corpus Joseph c • **53** ⸂*2 1* W Γ Θ Ψ f^1 *al* ¦ αυτο ενετ. αυτο A 0117 𝔐 sy ¦ ενετ. το σωμα του Ιησου εν D ¦ *txt* 𝔓^{75} ℵ B C L 0124 f^{13} 33. 1241 *pc* | ⸀αυτο 𝔓^{75} A L W Θ Ψ 0117. 0124 𝔐 c ¦ – $f^{1.13}$ ¦ *txt* ℵ B C D *pc* lat | ⸄μνημειω λελατομημενω D | ⸁ουδεπω ℵ C K P W Θ f^{13} 33. 892 *al* (ʃ Ψ 𝔐) ¦ *txt* 𝔓^{75} A B L f^1 1241 *pc* (ʃ D 0124 *pc*) | ⸆*p)* και προσεκυλισεν λιθον μεγαν επι την θυραν του μνημειου f^{13} 700 *al* bo ¦ και θεντος αυτου επεθηκεν τω μνημειω λιθον ον μογις εικοσι εκυλισον D (0124) c (sa) • **54** ⸂ην δε η ημ. προ σαββατου D (c)

55: Mt 27,61 Mc 15,47 · 49 | **55** Κατακολουθήσασαι δὲ ⸀αἱ γυναῖκες, αἵτινες ἦσαν
συνεληλυθυῖαι ἐκ τῆς Γαλιλαίας ⸉αὐτῷ, ἐθεάσαντο τὸ
⸂μνημεῖον καὶ ὡς ἐτέθη τὸ σῶμα⸃ αὐτοῦ, **56** ὑποστρέ- 33 VI
Ex 12,16; 20,10 Lv 23,8 | ψασαι δὲ ἡτοίμασαν ἀρώματα καὶ μύρα. καὶ τὸ μὲν σάβ-
βατον ἡσύχασαν ⸋κατὰ τὴν ἐντολήν⸌.

1-12: Mt 28,1-8 Mc 16,1-8 J 20,1-13 · 1K 16,2! | **24** Τῇ δὲ μιᾷ τῶν σαββάτων ὄρθρου βαθέως ἐπὶ τὸ 33 I
⸀μνῆμα ἦλθον φέρουσαι ἃ ἡτοίμασαν °ἀρώματα⸆.
2 ⸂εὗρον δὲ⸃ τὸν λίθον ἀποκεκυλισμένον ἀπὸ τοῦ μνη-
Mc 16,19 Act 1,21; 4,33 | μείου, **3** εἰσελθοῦσαι δὲ οὐχ εὗρον τὸ σῶμα ⸂τοῦ κυρί-
ου Ἰησοῦ⸃. **4** καὶ ἐγένετο ἐν τῷ ⸀ἀπορεῖσθαι αὐτὰς περὶ
2,9! · Act 1,10; 10,30 2Mcc 3,26 | ⸂τούτου καὶ⸃ ἰδοὺ ἄνδρες δύο ἐπέστησαν αὐταῖς ἐν
⸄ἐσθῆτι ἀστραπτούσῃ⸅. **5** ἐμφόβων δὲ γενομένων αὐτῶν 33 I
καὶ κλινουσῶν ⸂τὰ πρόσωπα⸃ εἰς τὴν γῆν εἶπαν πρὸς
Ap 1,18! | αὐτάς· τί ζητεῖτε τὸν ζῶντα μετὰ τῶν νεκρῶν· **6** ⸂οὐκ
ἔστιν ὧδε, ἀλλὰ ἠγέρθη.⸃ μνήσθητε ⸀ὡς ἐλάλησεν ὑμῖν
ἔτι ὢν ἐν τῇ Γαλιλαίᾳ **7** λέγων ⸉τὸν υἱὸν τοῦ ἀνθρώπου
9,22! | ὅτι δεῖ⸊ παραδοθῆναι εἰς χεῖρας ἀνθρώπων °ἁμαρτωλῶν
καὶ σταυρωθῆναι καὶ τῇ τρίτῃ ἡμέρᾳ ἀναστῆναι. **8** καὶ
ἐμνήσθησαν τῶν ῥημάτων αὐτοῦ.
22s | **9** Καὶ ὑποστρέψασαι ⸋ἀπὸ τοῦ μνημείου⸌ ἀπήγγειλαν 33 I
Mt 28,16! | ⸉ταῦτα πάντα⸊ τοῖς ἕνδεκα καὶ πᾶσιν τοῖς λοιποῖς. **10** ⸋ἦ- 33 X
8,2s | σαν δὲ⸌ ⸉ἡ Μαγδαληνὴ Μαρία⸊ καὶ Ἰωάννα καὶ Μα-
Mc 15,40 | ρία ἡ Ἰακώβου καὶ αἱ λοιπαὶ σὺν αὐταῖς⁚. ⸆ ἔλεγον πρὸς
τοὺς ἀποστόλους ταῦτα, **11** καὶ ἐφάνησαν ἐνώπιον αὐ-
25.41 Gn 45,26 | τῶν ὡσεὶ λῆρος τὰ ῥήματα ⸀ταῦτα, καὶ ἠπίστουν αὐταῖς.

55 ⸀δυο D it ¦ – א A C W 063 𝔐 ¦ *txt* 𝔓[75] B L P Θ Ψ 0124 *f*[1.13] 33. 892. 1241 *al* | ⸉*p.* συνελ. A C[2] W Θ Ψ *f*[1.13] 𝔐 sy ¦ – D 063 *pc* c ¦ *txt* 𝔓[75] א B C*[vid] L 0124. 1241 *pc* | ⸂μνημα D ● 56 ⸋D
¶ **24,1** ⸀μνημειον 𝔓[75] א C* Δ *al* | °D it sy[s.c] | ⸆και τινες συν αυταις A C[3] W Θ Ψ 063 *f*[1.13] 𝔐 f q r[1] (sy bo[pt]); (Eus) ¦ *ead.* + *p)* ελογιζοντο δε εν εαυταις· τις αρα αποκυλισαι τον λιθον D (0124, c) sa ¦ *txt* 𝔓[75] א B C* L 33 *pc* lat bo[pt] ● **2** ⸂ελθουσαι δε ευρον D 0124 c sa ● **3** ⸂του Ιησου 1241 *pc* sy[s.c.p] ¦ – D it ● **4** ⸀διαπ- A W Θ Ψ 063 *f*[13] 𝔐 ¦ διαπορειν *f*[1] ¦ *txt* 𝔓[75] א B C D L 0124. 33 *pc* | ⸂αυτου, D | ⸄εσθησεσιν αστραπτουσαις A C (L) W Θ Ψ (0124) *f*[1.13] 𝔐 sy[h] ¦ *txt* 𝔓[75] א B D lat sy[s.c.p] ● **5** ⸂το προσωπον A C[3] W Ψ 063 *f*[13] 𝔐 ¦ *txt* 𝔓[75] א B (C*) D L Θ 0124. 1. 33 *al* ● **6** ⸂ηγ. εκ νεκρων c ¦ – D it | ⸀οσα D c sy[s.c]; Mcion ● **7** ⸉*5 6 1–4* א[2] A C[2] D W Θ Ψ 063 *f*[1.13] 𝔐 ¦ *txt* 𝔓[75] א* B C*[vid] L 0124 | °D it ● **9** ⸋D it | ⸉א D K Δ Θ 0124. 28. 565. 1010. 1241. 1424 *pm* ¦ *txt* 𝔓[75] A B L W Ψ 063 *f*[1.13] 33. 700. 892 *pm* sy[p.h] ● **10** ⸋A D W Γ 1010. 1241 *al* sy[s.c] [*et* ⁚ –] | ⸉*3 1 2* D lat | ⸆αἳ א[2] K Θ Ψ 063. 28. 33. 565. 700. 892. 1424[c] *pm* lat sy[h**] bo ¦ και 157 ¦ *txt* 𝔓[75] א* A B D L W Γ Δ 0124 *f*[1.13] 1010. 1241. 1424* *pm* sa ● **11** ⸀αυτων A W Θ 063. 079 *f*[1.13] 𝔐 f sy[h] ¦ *txt* 𝔓[75] א B D L Ψ 0124 *pc* lat sy[s.c.p] co

12 ⸋Ὁ δὲ Πέτρος ἀναστὰς ἔδραμεν ἐπὶ τὸ μνημεῖον καὶ
παρακύψας βλέπει τὰ ὀθόνια ⸆ °μόνα, καὶ ἀπῆλθεν πρὸς
ἑαυτὸν θαυμάζων τὸ γεγονός.⸌
13 ⸂Καὶ ἰδοὺ δύο⸃ ἐξ αὐτῶν ⸉ἐν αὐτῇ τῇ ἡμέρᾳ °ἦσαν — *13–35:* Mc 16,12s
πορευόμενοι⸊ εἰς κώμην ἀπέχουσαν σταδίους ⸆ ἑξήκοντα
ἀπὸ Ἰερουσαλήμ, ⸄ᾗ ὄνομα Ἐμμαοῦς⸅, 14 καὶ αὐτοὶ
ὡμίλουν πρὸς ἀλλήλους περὶ πάντων τῶν συμβεβηκό- — 9.22
των τούτων. 15 καὶ ἐγένετο ἐν τῷ ὁμιλεῖν αὐτοὺς καὶ συζητεῖν ⸂καὶ αὐτὸς⸃ Ἰησοῦς ἐγγίσας συνεπορεύετο αὐτοῖς,
16 οἱ δὲ ὀφθαλμοὶ αὐτῶν ἐκρατοῦντο τοῦ μὴ ἐπιγνῶναι — 31 J 21,4!
αὐτόν. 17 ⸂εἶπεν δὲ πρὸς αὐτούς⸃· τίνες οἱ λόγοι οὗτοι οὓς
ἀντιβάλλετε πρὸς ἀλλήλους περιπατοῦντες⸄; καὶ ἐστά-
θησαν⸅ σκυθρωποί. 18 ἀποκριθεὶς δὲ ⸀εἷς ⸁ὀνόματι Κλεο- — Mt 6,16 | J 19,25?
πᾶς εἶπεν πρὸς αὐτόν· σὺ μόνος παροικεῖς Ἰερουσαλὴμ
καὶ οὐκ ἔγνως τὰ γενόμενα ἐν αὐτῇ ἐν ταῖς ἡμέραις ταύταις; 19 ⸂καὶ εἶπεν αὐτοῖς⸃· ποῖα; ⸋οἱ δὲ εἶπαν αὐτῷ·⸌
τὰ περὶ Ἰησοῦ τοῦ ⸀Ναζαρηνοῦ, ὃς ἐγένετο ἀνὴρ προφή- — 4,34 · Jdc 6,8
της δυνατὸς ἐν ⸉ἔργῳ καὶ λόγῳ⸊ ἐναντίον τοῦ θεοῦ καὶ — Mt 21,11! · Act 7,22; 2,22
παντὸς τοῦ λαοῦ, 20 ⸂ὅπως τε παρέδωκαν αὐτὸν⸃ οἱ ἀρχ-
ιερεῖς καὶ οἱ ἄρχοντες ἡμῶν εἰς κρίμα θανάτου καὶ — 1,68; 2,38; 19,11 Act 1,6 H 9,12
ἐσταύρωσαν αὐτόν. 21 ἡμεῖς δὲ ⸀ἠλπίζομεν ὅτι αὐτός — Is 41,14; 43,14; 44,24
⸁ἐστιν ὁ μέλλων λυτροῦσθαι τὸν Ἰσραήλ· ἀλλά γε καὶ
σὺν πᾶσιν τούτοις τρίτην °ταύτην ἡμέραν ἄγει ⸆ ἀφ' οὗ
ταῦτα ἐγένετο. 22 ἀλλὰ καὶ γυναῖκές τινες ⸋ἐξ ἡμῶν⸌ — 1-11
ἐξέστησαν ἡμᾶς, γενόμεναι ὀρθριναὶ ἐπὶ τὸ μνημεῖον, — Mt 12,23!
23 καὶ μὴ εὑροῦσαι τὸ σῶμα αὐτοῦ ἦλθον λέγουσαι °καὶ
ὀπτασίαν ἀγγέλων ἑωρακέναι, οἳ λέγουσιν αὐτὸν ζῆν.
24 καὶ ἀπῆλθόν τινες τῶν σὺν ἡμῖν ἐπὶ τὸ μνημεῖον καὶ — 12 J 20,3-10

12 ⸋*vs* †D it ¦ *txt* 𝔓^{75} *rell* | ⸆κειμενα A (⸉L) Θ Ψ 063. 079 $f^{1.13}$ 𝔐 lat sy$^{p.h}$ bo^{ms} ¦ *txt* 𝔓^{75} ℵ B W 0124 sy$^{s.c}$ co | °ℵ* A K 063 *al* vg^{ww} sa^{ms} ● 13 ⸂ησαν δε δ. D e ¦ και εφανερωθη δυσιν sy$^{s.c}$ *et* °D e | ⸉ *5 6 1–4* (A, D) L W Θ Ψ 063. 0124 $f^{1.13}$ 𝔐 lat sy^{h} ¦ *txt* 𝔓^{75} (ℵ) B sy$^{s.c.p}$ | ⸆εκατον ℵ K* N Θ 079^{vid} *pc* vg^{mss} | ⸄ονοματι Ουλαμμαους D ● 15 ⸂αυτους B* ¦ και ο D a ¦ – c e sy$^{s.c}$ sa ¦ κ. αυτ. ο W Θ 063 $f^{1.13}$ 𝔐 ¦ *txt* 𝔓^{75} ℵ A B^{1} L Ψ 0124 bo ● 17 ⸂ *1 3 4* 𝔓^{75} *pc* ¦ ο δε ειπεν D | ⸄και εστε A^{c} W Θ Ψ 063 $f^{1.13}$ 𝔐 lat sy^{h} ¦ – D ¦ *txt* 𝔓^{75} ℵ A* B (L) 0124 e co ● 18 ⸀ο εις A W 𝔐 ¦ εις εξ αυτων P Θ f^{13} 28. 33. 1241 *pc* it sy sa bo^{pt} ¦ *txt* 𝔓^{75} ℵ B D L N Ψ 0124 f^{1} *al* bo^{pt} | ⸁ω ονομα A D W Θ Ψ 063 $f^{1.13}$ 𝔐 lat ¦ *txt* 𝔓^{75} ℵ B L N 0124 *pc* b ● 19 ⸂ο δε ειπεν αυτω *et* ⸋D | ⸀-ζωραιου A D W Θ Ψ 063 $f^{1.13}$ 𝔐 (b ff^{2}) l ¦ *txt* 𝔓^{75} ℵ B L 079. 0124 lat | ⸉ℵ D sy^{p} ● 20 ⸂ως τουτον παρεδ. D it ● 21 ⸀ηλπικαμεν 𝔓^{75} ¦ ελπιζομεν ℵ Δ Θ *al* e ff^{2} sa^{mss} bo^{pt} ¦ *txt* A B$^{(*)}$ D L W Ψ 0124 $f^{1.13}$ 𝔐 lat sy^{h} sa^{ms} bo^{pt} | ⸁ην D it | °D *pc et* ⸆σημερον A (⸉D) W Θ Ψ f^{13} 𝔐 lat sy^{h} sa bo^{ms} ¦ *txt* 𝔓^{75} ℵ B L 0124. 1 bo ● 22 ⸋D *pc* ● 23 °D c e sy$^{(s.c).p}$

εὗρον οὕτως ⸂καθὼς καὶ αἱ γυναῖκες εἶπον⸃, αὐτὸν δὲ οὐκ
9,45! G 3,1 εἶδον. 25 καὶ αὐτὸς εἶπεν πρὸς αὐτούς· ὦ ἀνόητοι καὶ
11! Mc 9,19; 16,14 J 20,27 · 46; 9,22! βραδεῖς τῇ καρδίᾳ ⸋τοῦ πιστεύειν⸌ ἐπὶ πᾶσιν οἷς ⸂ἐλά-
J 20,9 1P 1,11 Dt 18,15 Ps 22 Is 53 λησαν οἱ προφῆται⸃· 26 ⸀οὐχὶ ταῦτα ἔδει παθεῖν τὸν χρι-
Act 3,18.21-25; 8, στὸν καὶ εἰσελθεῖν εἰς τὴν ⸁δόξαν αὐτοῦ; 27 καὶ ⸂ἀρξά-
30-35 | 44 Act 26,22! μενος ἀπὸ Μωϋσέως καὶ ἀπὸ πάντων τῶν προφητῶν ⸀δι-
ερμήνευσεν⸃ αὐτοῖς ⸆ ἐν °πάσαις ταῖς γραφαῖς τὰ περὶ
ἑαυτοῦ.

28 Καὶ ⸀ἤγγισαν εἰς °τὴν κώμην οὗ ἐπορεύοντο, καὶ
αὐτὸς ⸁προσεποιήσατο ⸀¹πορρώτερον πορεύεσθαι. 29 καὶ
Act 16,15 παρεβιάσαντο αὐτὸν λέγοντες· μεῖνον μεθ' ἡμῶν, ὅτι πρὸς
Jdc 19,9 ἑσπέραν ⸂ἐστὶν καὶ κέκλικεν⸃ °ἤδη ἡ ἡμέρα. καὶ εἰσῆλθεν τοῦ μεῖναι σὺν αὐτοῖς. 30 καὶ ἐγένετο ἐν τῷ κατακλι-
22,19; 9,16 J 21,13 θῆναι αὐτὸν ⸋μετ' αὐτῶν⸌ λαβὼν °τὸν ἄρτον εὐλόγησεν καὶ °¹κλάσας ⸀ἐπεδίδου αὐτοῖς, 31 ⸂αὐτῶν δὲ διηνοί-
16 2Rg 6,17 χθησαν οἱ ὀφθαλμοὶ⸃ καὶ ἐπέγνωσαν αὐτόν· καὶ αὐτὸς
2Mcc 3,34 | ἄφαντος ἐγένετο ἀπ' αὐτῶν. 32 καὶ εἶπαν πρὸς ἀλλήλους·
Ps 39,4 οὐχὶ ἡ καρδία ⸂ἡμῶν καιομένη ἦν⸃ ⸋[ἐν ἡμῖν]⸌ ὡς ἐλά-
45 Act 17,2s λει ἡμῖν ἐν τῇ ὁδῷ, ⸆ ὡς διήνοιγεν ἡμῖν τὰς γραφάς;
9 33 Καὶ ἀναστάντες ⸆ αὐτῇ τῇ ὥρᾳ ὑπέστρεψαν εἰς Ἰε-
Mt 28,16! ρουσαλὴμ καὶ εὗρον ⸀ἠθροισμένους τοὺς ἕνδεκα καὶ τοὺς
1K 15,4s σὺν αὐτοῖς, 34 ⸀λέγοντας ὅτι ⸉ὄντως ἠγέρθη ὁ κύριος⸊
J 21,15-23 καὶ ὤφθη Σίμωνι. 35 καὶ αὐτοὶ ἐξηγοῦντο τὰ ἐν τῇ ὁδῷ
καὶ ⸀ὡς ἐγνώσθη αὐτοῖς ἐν τῇ κλάσει τοῦ ἄρτου.
36–43: J 20,19-23 cf Mc 16,14 · 36 Ταῦτα δὲ αὐτῶν λαλούντων αὐτὸς ⸆ ἔστη ἐν μέσῳ
1K 15,5 αὐτῶν ⸋καὶ λέγει αὐτοῖς· εἰρήνη ὑμῖν⸌⸇. 37 ⸀πτοηθέντες

24 ⸂ *1 3-5* 𝔓[75] B ¦ ως ειπον αι γυν. D c e • **25** ⸋D | ⸂ελαλησεν προς υμας (*vl* -σα υμιν) Mcion • **26** ⸀οτι D | ⸁βασιλειαν 𝔓[75*] • **27** ⸂ην αρξ. απο M. και παντ. τ. πρ. ερμηνευειν D it | ⸀-ευεν A Θ Ψ f[1.13] 𝔐 bo ¦ (+ και ℵ*) -ευειν ℵ* (D) W sa[mss] ¦ *txt* 𝔓[75] ℵ[2] B L | ⸆τι ην ℵ L Θ f[1] 33. 892 *pc* bo | ○ℵ D bo[ms] • **28** ⸀-ικαν 𝔓[75] B | ○𝔓[75] | ⸁-εποιειτο W Θ Ψ f[13] 𝔐 ¦ *txt* 𝔓[75] ℵ A B D L f[1] 565 *pc* bo | ⸀¹-τερω ℵ D L W Θ Ψ f[1.13] 𝔐 ¦ *txt* 𝔓[75] A B *pc* • **29** ⸂ *3* D it ¦ ην sy[s.c] | ○A D W Θ f[13] 𝔐 c l sy[s.c.h] ¦ *txt* 𝔓[75] ℵ B L Ψ 0139 f[1] 33 *pc* lat sy[p] bo • **30** ⸋D e sy[s.c] | ○D sa | ○¹D | ⸀εδ- ℵ ¦ προσεδ- D • **31** ⸂λαβοντων δε αυτων τον αρτον απ αυτου ηνοιγησαν οι οφθ. αυτων D c e • **32** ⸂ην ημ. κεκαλυμμενη D sa[mss] ¦ ... excaecatum c ¦ ... optusum l ¦ ... exterminatum e ¦ ... gravatum sy sa[ms] | ⸋𝔓[75] B D c e sy[s.c] ¦ *txt rell* | ⸆και A W Θ Ψ 0135 f[1.13] 𝔐 sy[p.h] ¦ *txt* 𝔓[75] ℵ B D L 33 *pc* sy[s.c] • **33** ⸆λυπουμενοι D c e sa | ⸀συνηθρ- A L W Θ Ψ 0135 f[1.13] 𝔐 ¦ *txt* 𝔓[75] ℵ B D 33 • **34** ⸀-οντες D | ⸉ *2-4 1* A W[c] Θ 0135 f[13] 𝔐 vg sy[h] ¦ *txt* 𝔓[75] ℵ B D L P Ψ f[1] *pc* it co (W* *om.* οντ.) • **35** ⸀οτι D c e • **36** ⸆ο Ιησους A W Θ Ψ 0135 f[1.13] 𝔐 f sy[p.h] bo[pt] ¦ *txt* 𝔓[75] ℵ B D L 1241 it sy[s.c] sa bo[mss] | ⸋† D it ¦ *txt* 𝔓[75] *rell* | ⸇εγω ειμι, μη φοβεισθε P (⸉ W, 579). 1241 *pc* vg sy[p.h] bo[pt] • **37** ⸀θροη- 𝔓[75] B 1241 ¦ φοβη- ℵ W ¦ *txt* A (D) L Θ Ψ 0135 f[1.13] 𝔐

δὲ καὶ ἔμφοβοι γενόμενοι ἐδόκουν ⸀πνεῦμα θεωρεῖν. Mt 14,26
38 καὶ εἶπεν αὐτοῖς· τί τεταραγμένοι ἐστὲ καὶ ⸂διὰ τί⸃
διαλογισμοὶ ἀναβαίνουσιν ἐν ⸂·τῇ καρδίᾳ⸃ ὑμῶν; **39** ἴδετε
τὰς χεῖράς μου καὶ τοὺς πόδας °μου ὅτι ⸉ἐγώ εἰμι αὐ- 1J 1,1
τός⸊· ψηλαφήσατέ °¹με καὶ ἴδετε, ὅτι πνεῦμα ⸂σάρκα Act 17,27
καὶ ὀστέα οὐκ ἔχει⸃ καθὼς ἐμὲ θεωρεῖτε ἔχοντα. **40** ⸋καὶ
τοῦτο εἰπὼν ⸀ἔδειξεν αὐτοῖς τὰς χεῖρας καὶ τοὺς πόδας.⸌
41 X **41** ἔτι δὲ ἀπιστούντων αὐτῶν ἀπὸ τῆς χαρᾶς καὶ θαυμα- 11! · Act 12,14
ζόντων εἶπεν αὐτοῖς· ἔχετέ τι βρώσιμον ἐνθάδε; **42** οἱ J 21,5.10
δὲ ἐπέδωκαν αὐτῷ ἰχθύος ὀπτοῦ μέρος⸆· **43** καὶ ⸂λα-
βὼν ἐνώπιον αὐτῶν ἔφαγεν⸃. Act 10,41
42 X **44** Εἶπεν δὲ πρὸς αὐτούς· οὗτοι οἱ λόγοι μου οὓς
ἐλάλησα πρὸς ὑμᾶς ⸂ἔτι ὢν⸃ σὺν ὑμῖν, ὅτι δεῖ πληρωθῆναι πάντα τὰ γεγραμμένα ἐν τῷ νόμῳ Μωϋσέως καὶ 27 J 5,39.46
⸀τοῖς προφήταις καὶ ψαλμοῖς περὶ ἐμοῦ. **45** τότε διήνοι- 9,45!
ξεν αὐτῶν τὸν νοῦν τοῦ συνιέναι τὰς γραφάς· **46** καὶ εἶ- J 20,9; 12,16
πεν αὐτοῖς ὅτι ⸂οὕτως γέγραπται⸃ παθεῖν τὸν χριστὸν 26; 9,22! Act 17,2s
καὶ ἀναστῆναι ⸋ἐκ νεκρῶν⸌ τῇ τρίτῃ ἡμέρᾳ, **47** καὶ κη- Hos 6,2
ρυχθῆναι ἐπὶ τῷ ὀνόματι αὐτοῦ μετάνοιαν ⸀εἰς ἄφεσιν Mc 16,15 · Act 2,
ἁμαρτιῶν ⸀εἰς πάντα τὰ ἔθνη⁚. ⸀¹ἀρξάμενοι ἀπὸ Ἰερου- 38; · 17,30; · 5,31!
σαλὴμ⁚¹ **48** ⸂ὑμεῖς μάρτυρες⸃ τούτων. **49** ⸂καὶ [ἰδοὺ] ἐγὼ⸃ Mt 28,19! · Act 5,32! |
⸀ἀποστέλλω τὴν ἐπαγγελίαν ⸋τοῦ πατρός⸌ μου ἐφ᾽ ὑ- J 16,7! 14,16
μᾶς· ὑμεῖς δὲ καθίσατε ἐν τῇ πόλει ⸆ ἕως οὗ ἐνδύσησθε Act 1,4
⸉ἐξ ὕψους δύναμιν⸊.

37 ⸀φαντασμα D • 38 ⸂τι 𝔓⁷⁵ B sy^p ¦ ινατι D L | ⸂·ταις -ιαις ℵ A L W Θ Ψ 0135 *f*^1.13 𝔐 vg sy bo ¦ *txt* 𝔓⁷⁵ B D it sa • 39 ° 𝔓⁷⁵ L W Θ *f*^13 1. 33 *pc* | ⸉ *3 1 2* A W Θ Ψ 0135 *f*^1.13 𝔐 vg sy^h ¦ *1 3 2* D c e vg^cl ¦ *txt* 𝔓⁷⁵ ℵ B L 33 it co | °¹ D W Θ lat sy^s.c | ⸂ *3–5* Mcion ¦ και σ-κα κ. ο. ουκ ε. B ¦ σαρκας κ. ο. ουκ ε. 𝔓⁷⁵ ℵ* (D) ¦ *txt* ℵ^c A L W Θ Ψ *f*^1.13 𝔐 lat sy • 40 ⸋† *vs* D it sy^s.c ¦ *txt* 𝔓⁷⁵ *rell* | ⸀επεδ- A W Θ Ψ 0135 *f*^13 𝔐 ¦ *txt* 𝔓⁷⁵ ℵ B L N *f*^1 33. 892. 1241 *al* • 42 ⸆και απο μελισσιου κηριου (-ιον Θ *f*^13 *al*) Θ Ψ *f*^1.13 𝔐 lat sy^c.p.h** bo^pt; CyrJ Epiph ¦ *txt* 𝔓⁷⁵ ℵ A B D L W *pc* e sy^s sa bo^pt; Cl • 43 ⸂ *ut txt, sed add.* και τα επιλοιπα εδωκεν αυτοις K *f*^13 *al* (c r^1 sy^c) ¦ φαγων ενωπ. αυτ. λαβ. τα επιλοιπα εδωκεν αυτοις Θ vg sy^h** bo^pt • 44 ⸂εν ω ημην D | ⸀εν τοις ℵ L ¦ – A D W Θ Ψ 063. 0135 *f*^1.13 𝔐 ¦ *txt* 𝔓⁷⁵ B • 46 ⸂ουτ. εδει *pc* sy^s ¦ ουτ. γεγρ. και ουτ. εδει A C^2vid W Θ Ψ 063. 0135 *f*^1.13 𝔐 vg sy^p.h sa^ms ¦ *txt* 𝔓⁷⁵ ℵ B C* D L *pc* it sa^mss bo; Ir^lat Cyp | ⸋D sa ¦ *txt* 𝔓⁷⁵ *rell* • 47 ⸀και A C D L W Θ Ψ 063 *f*^1.13 𝔐 latt sy^s.h; Cyp ¦ *txt* 𝔓⁷⁵ ℵ B sy^p co | ⸀ως επι D | [⁚, *et* ⁚¹. (*cf et v. l. sqq.*)] | ⸀¹-νον 𝔓⁷⁵ A C³ W 063 *f*^1.13 𝔐 sy^h ¦ -νων D Δ^c *pc* lat ¦ -νος Θ Ψ 565 *pc* ¦ *txt* ℵ B C* L N 33 *pc* • 48 ⸂ υμ. εστε μαρ. ℵ (C*) L ¦ υμ. δε εστε μαρ. A (C²) W Θ Ψ 063 *f*^1.13 𝔐 lat sy^h ¦ και υμ. δε μαρ. D ¦ *txt* 𝔓⁷⁵ B (*pc*) • 49 ⸂ *1 3* 𝔓⁷⁵ D (ℵ L 33 *pc*: καγω) lat sy^s.p co ¦ *1 3 2* W 1 *pc* ¦ *txt* A B C Θ Ψ 063 *f*^13 𝔐 f q sy^h | ⸀†εξαποστ- ℵ² B (L) Δ 33. (892) *pc* ¦ *txt* 𝔓⁷⁵ ℵ* A C D W Θ Ψ 063 *f*^1.13 𝔐 | ⸋D e ¦ *txt* 𝔓⁷⁵ *rell* | ⸆Ιερουσαλημ A C² W Θ Ψ 063 *f*^1.13 𝔐 f q sy^p.h bo^pt; CyrJ ¦ *txt* 𝔓⁷⁵ ℵ B C* D L lat sy^s sa bo^pt | ⸉A C² D W Θ Ψ 063 *f*^1.13 𝔐 ¦ *txt* 𝔓⁷⁵ ℵ B C* L 33 *pc*

50–53: Mc 16,19 Act 1,4-14 Sir 50,20s

50 Ἐξήγαγεν δὲ αὐτοὺς ⸂[ἔξω] ἕως⸃ ⸀πρὸς Βηθανίαν,
καὶ ἐπάρας τὰς χεῖρας αὐτοῦ εὐλόγησεν αὐτούς. 51 καὶ
ἐγένετο ἐν τῷ εὐλογεῖν αὐτὸν αὐτοὺς ⸀διέστη ἀπ᾽ αὐτῶν
ᵒκαὶ ἀνεφέρετο εἰς τὸν οὐρανόν⸌.
52 Καὶ αὐτοὶ ᵒπροσκυνήσαντες αὐτὸν⸌ ὑπέστρεψαν
εἰς Ἰερουσαλὴμ μετὰ χαρᾶς °μεγάλης 53 καὶ ἦσαν διὰ
παντὸς ᵒἐν τῷ ἱερῷ⸌ ⸀εὐλογοῦντες τὸν θεόν.⸆

Act 2,46; 3,1; 5,42 · Sir 50,22

50 ⸂ † *2* 𝔓[75] ℵ B C* L 1. 33 *pc* a e sy[s.p] ¦ *1* D lat ¦ *txt* A C[3] W Θ Ψ 063 *f*[13] 𝔐 sy[h] | ⸀εις A C[3] W[c] Θ Ψ 063 *f*[13] 𝔐 ¦ – W* e ¦ *txt* 𝔓[75] ℵ B C* D L 1. 33 *pc* • 51 ⸀απεστη D | ᵒ† ℵ* D it sy[s] ¦ *txt* 𝔓[75] *rell* • 52 ᵒ† D it sy[s] ¦ *txt* 𝔓[75] *rell* | °B* • 53 ᵒA* | ⸀αινουντες D it ¦ αιν. και ευλογ. A C[2] W Θ Ψ 063 *f*[1.13] 𝔐 lat sy[p.h] ¦ *txt* 𝔓[75] ℵ B C* L sy[s] | ⸆αμην A B C[2] Θ Ψ 063 *f*[13] 𝔐 lat sy[p.h] bo[mss] ¦ *txt* 𝔓[75] ℵ C* D L W 1. 33 *pc* it sy[s] co (*hic add.* J 7,53–8,11 1333[c])

⸀ΚΑΤΑ ΙΩΑΝΝΗΝ⸋

1 Ἐν ἀρχῇ ἦν ὁ λόγος, καὶ ὁ λόγος ἦν πρὸς τὸν θεόν, 1J 1,1s; 2,13
καὶ θεὸς ἦν ὁ λόγος. 2 οὗτος ἦν ἐν ἀρχῇ πρὸς τὸν θεόν. Gn 1,1 · Ap 19,13 · 17,5 | Prv 8,22s
3 πάντα δι' αὐτοῦ ἐγένετο, καὶ χωρὶς αὐτοῦ ἐγένετο ⸀οὐδὲ Sap 9,1 Ps 33,6 1K 8,6 Kol 1,
ἕν⸋⁚. ὃ γέγονεν⁚¹ 4 ἐν αὐτῷ ζωὴ ⸂ἦν, καὶ ἡ ζωὴ ἦν τὸ φῶς 16s H 1,2 Ap 3,14 | 5,26 1J 1,
⸋τῶν ἀνθρώπων⸌· 5 καὶ τὸ φῶς ἐν τῇ σκοτίᾳ φαίνει, καὶ 2 · 8,12! | 3,19; 12,35 Is
ἡ σκοτία αὐτὸ οὐ κατέλαβεν. 9,1

6 Ἐγένετο ἄνθρωπος, ἀπεσταλμένος παρὰ ⸂θεοῦ, ⸆ Mc 1,4p
ὄνομα αὐτῷ Ἰωάννης· 7 οὗτος ἦλθεν εἰς μαρτυρίαν ἵνα 5,33
μαρτυρήσῃ περὶ τοῦ φωτός, ἵνα πάντες πιστεύσωσιν δι' Act 19,4
αὐτοῦ. 8 οὐκ ἦν ἐκεῖνος τὸ φῶς, ἀλλ' ἵνα μαρτυρήσῃ περὶ 20; 5,35
τοῦ φωτός.

9 Ἦν τὸ φῶς τὸ ἀληθινόν, ὃ φωτίζει πάντα ἄνθρω- 8,12! Mt 4,16 1J 2,8 · 3,19; 11,27!
πον, ἐρχόμενον εἰς τὸν κόσμον. 10 ἐν τῷ κόσμῳ ἦν, καὶ 3-5; 14,17 1K
ὁ κόσμος δι' αὐτοῦ ἐγένετο, καὶ ὁ κόσμος αὐτὸν οὐκ ἔγνω. 2,8 1J 3,1
11 εἰς τὰ ἴδια ἦλθεν, καὶ οἱ ἴδιοι αὐτὸν οὐ παρέλαβον. 5,43
12 ὅσοι δὲ ἔλαβον αὐτόν, ἔδωκεν αὐτοῖς ἐξουσίαν τέκνα G 3,26 E 1,5 1J 3,1 ·
θεοῦ γενέσθαι, τοῖς πιστεύουσιν εἰς τὸ ὄνομα αὐτοῦ, 20,31 1J 5,13!
13 ⸀οἳ οὐκ⸋ ἐξ αἱμάτων οὐδὲ ἐκ θελήματος σαρκὸς ⸋οὐδὲ 3,5s 1P 1,23
ἐκ θελήματος ἀνδρὸς⸌ ἀλλ' ἐκ θεοῦ ⸂ἐγεννήθησαν. 1J 4,7! Jc 1,18

14 Καὶ ὁ λόγος σὰρξ ἐγένετο καὶ ἐσκήνωσεν ἐν ἡμῖν, 1T 3,16 Kol 1, 22! · PsSal 7,6
καὶ ἐθεασάμεθα τὴν δόξαν αὐτοῦ, δόξαν ὡς μονογενοῦς Ez 37,27 Ap 21, 3 · 2P 1,16s
παρὰ πατρός, πλήρης χάριτος καὶ ἀληθείας. 15 Ἰωάννης 1J 1,1 · 2,11! L 9,
μαρτυρεῖ περὶ αὐτοῦ καὶ κέκραγεν λέγων· ⸀οὗτος ἦν ὃν 32 · 3,16! · 17!
εἶπον·⸋ ὁ ὀπίσω μου ἐρχόμενος ⸆ ἔμπροσθέν μου γέγονεν, 27.30 Mt 3,11!

Inscriptio: ⸀ευαγγελιον κ. Ι. 𝔓66.75 (A) C D L Ws Θ Ψ *f*1 𝔐 ¦ αγιον ευ. κ. Ι. (28) *al* ¦ *txt* (א B)

¶ **1,3** ⸀ουδεν 𝔓66 א* D *f*1 *pc*; Ir | ⁚ † – *et* ⁚1. אc (Θ) Ψ 050c *f*1.13 𝔐 syp.h bo ¦ *txt* 𝔓75c C D L Ws 050* *pc* b vgs syc sa; Ir Tert Cl Or (*sine interp. vl incert.* 𝔓66.75* א* A B Δ 063 *al*) ● **4** ⸂εστιν א D it sa?; Clpt Ormss ¦ – Ws | ⸋B* ● **6** ⸂κυριου D* | ⸆ην א* D* Ws syc ● **13** ⸀ουκ *et* ⸂εγεννηθ- D* ¦ qui (–Tert) non *et* natus est b; Irlat Tert ¦ *txt* 𝔓66 א B2 C Dc L Ws Ψ 063 *f*1.13 𝔐 (*sed* εγενηθ- 𝔓75 A B* Δ Θ 28 *pc*) | ⸋B* ● **15** ⸀ουτ. ην ο ειπων· א1 B* C*; Or ¦ ουτ. ην א* | ⸆ος א* Ws c

6,62 | Kol 1,19 · R 6,14; 10,4 · Ex 34,6 Ps 25,10; 40,11; 85,11 | 5,37; 6,46; 14,9 1 J 4,12 1 T 1,17! · 3,16! · Mt 11,27 1 J 5,20

ὅτι πρῶτός μου ἦν. **16** ⸀ὅτι ἐκ τοῦ πληρώματος αὐτοῦ
ἡμεῖς πάντες ἐλάβομεν καὶ χάριν ἀντὶ χάριτος· **17** ὅτι ὁ
νόμος διὰ Μωϋσέως ἐδόθη, ἡ ⸀χάρις καὶ ἡ ἀλήθεια διὰ
Ἰησοῦ Χριστοῦ ἐγένετο. **18** Θεὸν οὐδεὶς ἑώρακεν
πώποτε⸂· μονογενὴς θεὸς⸃ ὁ ὢν εἰς τὸν κόλπον τοῦ πατρὸς ἐκεῖνος ἐξηγήσατο⸆.

19–23: Mt 3,1-3 Mc 1,2-4 L 3,1-6 · Mt 15,1p · L 3,15sp · 3,28 Act 13,25 | Ml 3,23 Mt 11,14; 17,10 · 4,19; 6,14; 7,40; 9,17 Dt 18,15 | 8,13 · *Is 40,3* 𝔊

19 Καὶ αὕτη ἐστὶν ἡ μαρτυρία τοῦ Ἰωάννου, ὅτε ἀπέστειλαν ⸋[πρὸς αὐτὸν]⸌ οἱ Ἰουδαῖοι ἐξ Ἱεροσολύμων ἱερεῖς καὶ Λευίτας ἵνα ⸀ἐρωτήσωσιν αὐτόν· σὺ τίς εἶ; **20** καὶ
ὡμολόγησεν καὶ οὐκ ἠρνήσατο, ⸂καὶ ὡμολόγησεν⸃ ὅτι
ἐγὼ οὐκ εἰμὶ ὁ χριστός. **21** καὶ ἠρώτησαν αὐτόν⸆· ⸂τί
οὖν; σὺ Ἠλίας εἶ;⸃ °καὶ λέγει· οὐκ εἰμί. ὁ προφήτης εἶ
σύ; καὶ ἀπεκρίθη· οὔ. **22** εἶπαν οὖν αὐτῷ· ⸆τίς εἶ; ἵνα ἀπόκρισιν δῶμεν τοῖς πέμψασιν ἡμᾶς· τί λέγεις περὶ σεαυτοῦ; **23** ἔφη·

ἐγὼ φωνὴ βοῶντος ἐν τῇ ἐρήμῳ·
εὐθύνατε τὴν ὁδὸν κυρίου,

καθὼς εἶπεν Ἠσαΐας ὁ προφήτης.

24–28: Mt 3,11 Mc 1,7s L 3,15s · 9,16 Mt 21,25 · Act 1,5; 19,2ss · 31.33 · L 17,21 · 15 Mt 3,11! · Act 13,25

24 ⸋Καὶ ⸆ ἀπεσταλμένοι ἦσαν ἐκ τῶν Φαρισαίων.⸌
25 ⸋καὶ ἠρώτησαν αὐτὸν⸌ καὶ εἶπαν αὐτῷ· τί οὖν βαπτί-
ζεις εἰ σὺ οὐκ εἶ ὁ χριστὸς οὐδὲ Ἠλίας οὐδὲ ὁ προφήτης;
26 ἀπεκρίθη αὐτοῖς ὁ Ἰωάννης °λέγων· ἐγὼ ⸆ βαπτίζω ἐν
ὕδατι· μέσος ⸆¹ ὑμῶν ⸀ἕστηκεν ὃν ὑμεῖς οὐκ οἴδατε, **27** ⸀ὁ
ὀπίσω μου ἐρχόμενος⸆, οὗ οὐκ εἰμὶ °[ἐγὼ] ⸁ἄξιος ἵνα

16 ⸀και A C^{3} W^{s} Θ Ψ 063 *f*$^{1.13}$ 𝔐 lat sy bo^{ms}; Or ¦ *txt* 𝔓$^{66.75}$ א B C* D L 33 *pc* it co; Did • **17** ⸀χ. δε 𝔓^{66} (⸉ W) it sy^{h**} • **18** ⸂ · ο μ. θεος 𝔓^{75} א^{1} 33 *pc* ¦ · ο μ. υιος A C^{3} Θ Ψ 063 *f*$^{1.13}$ 𝔐 lat sy$^{c.h}$ ¦ ει μη ο μ. υι. W^{s} it ¦ *txt* 𝔓^{66} א* B C* L *pc*; Ir Or Did [μ. θεου Burney *cj*] | ⸆ημιν W^{s} c sy^{c} • **19** ⸋ 𝔓$^{66*.75}$ א C^{3} L W^{s} 063 *f*^{1} 𝔐 ¦ *txt* B C* 33. 892^{c}. 1010 *al* it sy$^{c.p}$ (⸉*p.* Λευ. 𝔓$^{66c\ vid}$ A Θ Ψ *f*^{13} *al* lat sy^{h}) | ⸀-σουσιν 𝔓^{75} W^{s}Δ 33 *pc* ¦ επε--σωσιν א 063 *pc* • **20** ⸂ *2* C^{2} L W^{s} *f*^{1} 33 *pc* it ¦ – א e l sa • **21** ⸆παλιν א W^{s} it sy^{p} | ⸂† *1 2 4 5 3* A C^{3} Θ 063. 0234 *f*$^{1.13}$ 𝔐 lat sy^{h} ¦ *1 2 4 5* א L a ¦ *3 2 1 4 5* B ¦ *4 5 3* b r^{1} co ¦ *txt* (𝔓^{66}: τις) 𝔓^{75} C* (W^{s}) Ψ 33 *pc* (e) ff^{2} l; Or | °א a b r^{1} • **22** ⸆συ 𝔓$^{66c.75}$ *pc* • **24** [⸋*vs* P. Schmiedel *cj*] | ⸆οι א^{2} A^{c} C^{3} W^{s} Θ 063. 0234 *f*$^{1.13}$ 𝔐 bo^{ms} ¦ *txt* 𝔓$^{66.75}$ א* A* B C* L Ψ 086. 0113 *pc* co; Or • **25** ⸋א a e sy^{c} • **26** ° 𝔓^{75} *f*^{1} *pc* e | ⸆μεν *et* ⸆¹δε *f*^{13} *pc* it ¦ ⸆¹δε A C^{2} W^{s} Θ Ψ 063 *f*^{1} 𝔐 latt sy ¦ *txt* 𝔓$^{66.75}$ א B C* L 083 *pc* | ⸀† στηκει B L 083 *f*^{1} *pc* ¦ ειστηκει 𝔓^{75} (א) *pc* ¦ *txt* 𝔓^{66} A C W^{s} Θ Ψ 063 *f*^{13} 𝔐; Or • **27** ⸀αυτος εστιν ο A C^{3} (Ψ) 063 *f*^{13} 𝔐 lat sy$^{p.h}$ ¦ – א* B *pc* ¦ *txt* 𝔓$^{66.75}$ א^{2} C* L N W^{s} Θ 083. 0113 *f*^{1} 33. 1241 *al* a sy$^{s.c}$ | ⸆(1,30) ος εμπροσθεν μου γεγονεν A C^{3} (Θ) *f*^{13} 𝔐 lat sy$^{(p).h}$ bo^{mss} ¦ *txt* 𝔓$^{5.66.75}$ א B C* L N* W^{s} Ψ 083. 0113 *f*^{1} 33 *al* b l sy$^{s.c}$ co | ° 𝔓$^{66*.75}$ א C L 063 *f*^{13} 33. 565 *al* aur q ¦ *txt* B N W^{s} Ψ 083. 0113 *pc* (⸉A Θ *f*^{1} 𝔐 lat) | ⸁*p)* ικανος 𝔓$^{66.75}$ *pc*

λύσω αὐτοῦ τὸν ἱμάντα τοῦ ὑποδήματος⸆. **28** ταῦτα ⸉ἐν
⸀Βηθανίᾳ ἐγένετο⸊ πέραν τοῦ Ἰορδάνου, ὅπου ἦν °ὁ 11,1 · 10,40; 3,26 Mt 3,6.13
Ἰωάννης βαπτίζων.

29 Τῇ ἐπαύριον βλέπει τὸν Ἰησοῦν ἐρχόμενον πρὸς *29–34:* Mt 3,13-17 Mc 1,9-11 L 3,21s · 36
αὐτὸν καὶ λέγει· ἴδε ὁ ἀμνὸς τοῦ θεοῦ ὁ αἴρων τὴν ἁμαρ- Is 53,7 Jr 11,19
τίαν τοῦ κόσμου. **30** οὗτός ἐστιν ⸀ὑπὲρ οὗ ἐγὼ εἶπον· 1P 1,19 Ap 5,6.12 · Mt 8,17 1J 3,5 |
ὀπίσω μου ἔρχεται ἀνὴρ ὃς ἔμπροσθέν μου γέγονεν, ὅτι 15 Mt 3,11! |
πρῶτός μου ἦν. **31** κἀγὼ οὐκ ᾔδειν αὐτόν, ἀλλ' ἵνα φανερωθῇ τῷ Ἰσραὴλ διὰ τοῦτο ἦλθον ἐγὼ ἐν ⸆ ὕδατι βα- 26!
πτίζων. **32** Καὶ ἐμαρτύρησεν Ἰωάννης λέγων ὅτι
τεθέαμαι τὸ πνεῦμα ⸂καταβαῖνον ὡς περιστερὰν⸃ ἐξ οὐ- Is 11,2
ρανοῦ καὶ ἔμεινεν ἐπ' αὐτόν. **33** κἀγὼ οὐκ ᾔδειν αὐτόν, ἀλλ'
ὁ πέμψας με βαπτίζειν ἐν ⸆ ὕδατι ἐκεῖνός μοι εἶπεν· ἐφ' 26!
ὃν ἂν ἴδῃς τὸ πνεῦμα καταβαῖνον καὶ μένον ἐπ' αὐ-
τόν, οὗτός ἐστιν ὁ βαπτίζων ἐν πνεύματι ἁγίῳ⸆. **34** κἀγὼ Mc 1,8p
ἑώρακα καὶ μεμαρτύρηκα ὅτι οὗτός ἐστιν ⸂ὁ υἱὸς⸃ τοῦ 10,36 Mt 16,16! Act 9,20
θεοῦ.

35 Τῇ ἐπαύριον °πάλιν εἱστήκει °¹ὁ Ἰωάννης καὶ ἐκ *35-51:* cf Mt 4,18-22 Mc 1,16-20
τῶν μαθητῶν αὐτοῦ δύο **36** καὶ ἐμβλέψας τῷ Ἰησοῦ περι-
πατοῦντι λέγει· ἴδε ὁ ἀμνὸς τοῦ θεοῦ⸆. **37** °καὶ ἤκουσαν 29!
⸂οἱ δύο μαθηταὶ αὐτοῦ⸃ λαλοῦντος καὶ ἠκολούθησαν 40
τῷ Ἰησοῦ. **38** στραφεὶς °δὲ ὁ Ἰησοῦς καὶ θεασάμενος αὐτοὺς ἀκολουθοῦντας ⸆ λέγει αὐτοῖς· ⸀τί ζητεῖτε; οἱ δὲ
εἶπαν αὐτῷ· ῥαββί, ὃ ⸂λέγεται μεθερμηνευόμενον⸃ διδάσκαλε, ποῦ μένεις; **39** λέγει αὐτοῖς· ἔρχεσθε καὶ ⸀ὄψεσθε.
ἦλθαν °οὖν καὶ εἶδαν ποῦ μένει καὶ παρ' αὐτῷ ἔμει-
ναν τὴν ἡμέραν ἐκείνην· ὥρα ἦν ὡς ⸀δεκάτη. **40** ⸋Ἦν

27 ⸆ (Mt 3,11) εκεινος υμας βαπτιζει εν πνευματι αγιω και πυρι N *pc* • **28** ⸉ 𝔓^{66} ℵ it | ⸀Βηθαβαρα C^{2} K Ψ^{c} 083. 0113 $f^{1.13}$ 33 *pm* sy$^{s.c}$ sa; Or^{mss} ¦ Βηθαραβα (ℵ^{2}) 892^{vl} *pc* (sy^{hmg}) | ° A L Θ Ψ 063. 0113 $f^{1.13}$ 𝔐 ¦ *txt* 𝔓$^{66.75}$ ℵ B C W^{s} *pc* • **30** ⸀περι ℵ^{2} A C^{3} L Θ Ψ 063. 0101 $f^{1.13}$ 𝔐; Epiph^{pt} ¦ *txt* 𝔓$^{5.66.75}$ ℵ* B C* W^{s} *pc* • **31** ⸆τω A 063 f^{13} 𝔐 ¦ *txt* 𝔓$^{55.66.75}$ ℵ B C L P W^{s} Θ Ψ 0113. 0260 f^{1} 33. 892. 1241. 1424 *al* • **32** ⸂ *2 3 1* ℵ ¦ κ. ωσει π. 𝔓^{66} K P Δ 063. 0101 $f^{1.13}$ 28. 700. 892. 1241. 1424 *pm* • **33** ⸆τω 𝔓^{66} ℵ f^{1} *pc*; Or | ⸆ (Mt 3,11) και πυρι C* sa • **34** ⸂ο εκλεκτος 𝔓^{5vid} ℵ* b e ff^{2*} sy$^{s.c}$ ¦ electus filius a ff^{2c} sa • **35** ° 𝔓$^{5vid.75}$ Γ Ψ *pc* b e r^{1} sy$^{s.c.p}$ | °¹ 𝔓^{75} B L 28 *pc* • **36** ⸆ (29) ο αιρων την αμαρτιαν του κοσμου 𝔓^{66*} C (W) 892. 1241 *pc* a aur ff^{2} • **37** ° ℵ* Ψ f^{1} *pc* | ⸂ *1 2 4 3* 𝔓$^{66.75}$ C* L W^{s} Ψ 083 *pc* ¦ *4 1–3* A C^{3} Θ 063 $f^{1.13}$ 𝔐 lat sy^{h} ¦ *txt* 𝔓^{55vid} ℵ B (28, 892) *pc* b • **38** ° ℵ* Γ 083. 28 *al* | ⸆αυτω 𝔓^{66} C* 1241 it vg^{ww} | ⸀τινα Θ *pc* (e) | ⸂λ. ερμη- ℵ* Θ f^{13} 𝔐 ¦ ερμηνευεται f^{1} *pc* it ¦ *txt* 𝔓$^{66.75}$ ℵ^{2} A B C L N W^{s} Ψ 063. 33. 892. 1424 *al* • **39** ⸀ιδετε ℵ A C^{3} Θ 063 f^{13} 𝔐 latt; Or^{pt} ¦ *txt* 𝔓$^{5vid.66.75}$ B C* L W^{s} Ψ^{c} 083 f^{1} 33 *pc* (Ψ* *illeg.*) | ° f^{1} 𝔐 lat ¦ *txt* 𝔓$^{66.75}$ ℵ A B C L N W^{s} Θ Ψ 063 f^{13} 33. 892 *al* | ⸀εκτη A • **40-42** ⸋ Alogi *apud* Epiph

44; 6,8; 12,22 Mc 1,16ssp. 29; Ἀνδρέας ὁ ἀδελφὸς Σίμωνος Πέτρου εἷς ἐκ τῶν δύο
3,16.18p; 13,3 Act 1,13 τῶν ἀκουσάντων παρὰ Ἰωάννου καὶ ἀκολουθησάντων
αὐτῷ·
41 εὑρίσκει οὗτος ⸀πρῶτον τὸν ἀδελφὸν τὸν ἴδιον Σί- 17 I
4,25 1Sm 2,10 Ps 2,2 μωνα καὶ λέγει αὐτῷ· εὑρήκαμεν τὸν Μεσσίαν, ὅ ἐστιν
μεθερμηνευόμενον χριστός. 42 ⸆ ἤγαγεν αὐτὸν πρὸς τὸν
Ἰησοῦν. ⸁ἐμβλέψας αὐτῷ ὁ Ἰησοῦς εἶπεν· σὺ εἶ Σίμων
21,15-17 · ὁ υἱὸς ⸀1Ἰωάννου, σὺ κληθήσῃ Κηφᾶς, ὃ ἑρμηνεύεται
1K 1,12 etc Mt 16,18 Mc 3,16p Πέτρος.⸌
4,3! 43 Τῇ ἐπαύριον ἠθέλησεν ἐξελθεῖν εἰς τὴν Γαλιλαίαν 18 X
1Rg 19,19 · 6,5.7; 12,21s; 14,8s · 21, καὶ εὑρίσκει Φίλιππον. καὶ λέγει αὐτῷ ὁ Ἰησοῦς· ἀκο-
19.22 Mt 8,22!p | λούθει μοι. 44 ἦν δὲ ὁ Φίλιππος ἀπὸ Βηθσαϊδά, ἐκ τῆς
40! | πόλεως Ἀνδρέου καὶ Πέτρου. 45 εὑρίσκει Φίλιππος τὸν
21,2 · L 24,27 Ναθαναὴλ καὶ λέγει αὐτῷ· ὃν ἔγραψεν Μωϋσῆς ἐν τῷ
5,39.46 · L 3,23! νόμῳ καὶ οἱ προφῆται εὑρήκαμεν, Ἰησοῦν ⸆ υἱὸν τοῦ Ἰωσὴφ τὸν ἀπὸ Ναζαρέτ. 46 ⸰καὶ εἶπεν αὐτῷ Ναθαναήλ·
7,41.52 ἐκ Ναζαρὲτ δύναταί τι ἀγαθὸν εἶναι; λέγει αὐτῷ ⸰1[ὁ]
11,34 2Rg 6,13; 10,16 Φίλιππος· ἔρχου καὶ ἴδε. 47 εἶδεν ⸰ὁ Ἰησοῦς τὸν Ναθαναὴλ ἐρχόμενον πρὸς αὐτὸν καὶ λέγει περὶ αὐτοῦ· ἴδε
Zph 3,13 Ps 32,2 ἀληθῶς Ἰσραηλίτης ἐν ᾧ δόλος οὐκ ἔστιν. 48 λέγει αὐτῷ
Ναθαναήλ· πόθεν με γινώσκεις; ἀπεκρίθη Ἰησοῦς καὶ
εἶπεν αὐτῷ· πρὸ τοῦ σε Φίλιππον φωνῆσαι ὄντα ὑπὸ τὴν
συκῆν εἶδόν σε. 49 ἀπεκρίθη ⸂αὐτῷ Ναθαναήλ⸃· ῥαββί,
2Sm 7,14 Ps 2,7 Mt 16,16! · 12,13! σὺ εἶ ⸆ ὁ υἱὸς τοῦ θεοῦ, σὺ ⸉βασιλεὺς εἶ⸊ τοῦ Ἰσραήλ.
Zph 3,15 𝔊 | 50 ἀπεκρίθη Ἰησοῦς καὶ εἶπεν αὐτῷ· ὅτι εἶπόν σοι ⸰ὅτι
20,29 · 14,12! εἶδόν σε ⸂ὑποκάτω τῆς συκῆς⸃, πιστεύεις; ⸀μείζω τούτων
ὄψῃ. 51 καὶ λέγει αὐτῷ· ἀμὴν ἀμὴν λέγω ὑμῖν, ⸆ ὄψεσθε

40-42 ⸀-τος ℵ* L W^{s} 𝔐 ¦ πρωι b e j r^{1} sy^{s} ¦ *txt* 𝔓$^{66.75}$ ℵ^{2} A B Θ Ψ 083 $f^{1.13}$ 892 *al* lat sy$^{p.h}$; Epiph | ⸆και A W^{s} Θ Ψ 063 f^{13} 𝔐 lat sy ¦ ουτος 𝔓^{66c} G f^{1} *pc*; Epiph ¦ *txt* 𝔓$^{66*.75}$ ℵ B L *pc* b | ⸁εμβ. δε 𝔓^{75} Δ Θ 063 f^{13} 33. 892. 1010. 1241. 1424 *pm* lat sy^{h**} ¦ και εμβ. W^{s} *pc* a e q sy$^{c.p}$ ¦ *txt* 𝔓^{66} ℵ A B K L Γ Ψ f^{1} 28. 565. 700 *pm* sy^{s} | ⸀1Ιωνα A B^{2} Ψ 063 $f^{1.13}$ 𝔐 c q vg^{cl} sy bo^{ms}; Epiph ¦ Ιωαννα Θ 1241 *pc* vg ¦ *txt* 𝔓$^{66.75}$ ℵ B* L W^{s} 33 *pc* it co ● **45** ⸆τον A L (W^{s}) Θ Ψ $f^{1.13}$ 𝔐; Or ¦ *txt* 𝔓$^{66.75}$ ℵ B 33 *pc* ● **46** ⸰ℵ *pc* a b e sy$^{s.p}$ | ⸰1 𝔓^{66*} ℵ A W^{s} Θ Ψ $f^{1.13}$ 𝔐 ¦ *txt* 𝔓$^{66c.75vid}$ B L 33 *pc* ● **47** ⸰† B Γ *pc* ¦ *txt* 𝔓$^{66.75}$ ℵ A L W^{s} Θ Ψ $f^{1.13}$ 𝔐 ● **49** ⸂Ναθ. και ειπεν ℵ (Γ Δ Ψ 28 *al* q) ¦ Ναθ. και λεγει αυτω A Θ 063 $f^{1.13}$ 𝔐 r^{1} ¦ *txt* 𝔓$^{66.75}$ B L W^{s} 33. 1241 *pc* aur b (e) | ⸆αληθως 𝔓^{66*} 1241 | ⸉ει ο βασ. 𝔓^{66} ℵ Θ 063 f^{13} 𝔐; Epiph ¦ *txt* 𝔓^{75} A B L W^{s} Ψ f^{1} 33 *pc* ● **50** ⸰Θ 063 f^{1} 𝔐 ¦ *txt* 𝔓$^{66.75}$ ℵ A B L W^{s} Ψ f^{13} *pc* | ⸂υπο την συκην 𝔓^{66} | ⸀-ζονα 𝔓^{66} ℵ *pc*; Epiph ¦ -ζων 𝔓^{75} Δ 063. 28. 1424 *al* ● **51** ⸆(Mt 26,64) απ αρτι A Θ Ψ $f^{1.13}$ 𝔐 e q r^{1} sy$^{p.h}$ ¦ *txt* 𝔓$^{66.75}$ ℵ B L W^{s} *pc* lat; Epiph

τὸν οὐρανὸν ἀνεῳγότα *καὶ τοὺς ἀγγέλους τοῦ θεοῦ ἀναβαί-* Mt 3,16 Act 7,56 · *Gn 28,12* · 3,13s;
νοντας καὶ καταβαίνοντας ἐπὶ τὸν υἱὸν τοῦ ἀνθρώπου. 5,27; 6,27.53.62; 8,28; 9,35; 12,23; 13,31 |

1 **2** Καὶ τῇ ⸀ἡμέρᾳ τῇ τρίτῃ⸁ γάμος ἐγένετο ἐν ⸆ Κανὰ 1,35.43 · 4,46; 21,
τῆς Γαλιλαίας, καὶ ἦν ἡ μήτηρ τοῦ Ἰησοῦ ἐκεῖ· 2 · 4,3!
2 ἐκλήθη δὲ °καὶ ὁ Ἰησοῦς καὶ οἱ μαθηταὶ αὐτοῦ εἰς τὸν γά-
μον. **3** καὶ ⸀ὑστερήσαντος οἴνου⸁ λέγει ἡ μήτηρ τοῦ Ἰησοῦ
πρὸς αὐτόν· ⸂οἶνον οὐκ ἔχουσιν⸃. **4** °[καὶ] λέγει αὐτῇ
ὁ Ἰησοῦς· τί ἐμοὶ καὶ σοί, γύναι; οὔπω ἥκει ἡ ὥρα μου. Mc 1,24! · 19,26; 20,13.15 · 7.30! |
5 λέγει ἡ μήτηρ αὐτοῦ τοῖς διακόνοις· ὅ τι ⸀ἂν λέγῃ ὑμῖν Gn 41,55
ποιήσατε. **6** ἦσαν δὲ ἐκεῖ λίθιναι ὑδρίαι ἓξ κατὰ τὸν καθαρισμὸν τῶν Ἰουδαίων °κείμεναι, χωροῦσαι ἀνὰ μετρητὰς Mc 7,3s
δύο ἢ τρεῖς. **7** ⸆λέγει αὐτοῖς ὁ Ἰησοῦς· γεμίσατε τὰς
ὑδρίας ὕδατος. καὶ ἐγέμισαν αὐτὰς ἕως ἄνω. **8** καὶ λέγει
αὐτοῖς· ἀντλήσατε νῦν καὶ φέρετε τῷ ἀρχιτρικλίνῳ· οἱ
δὲ ἤνεγκαν. **9** ὡς δὲ ἐγεύσατο ὁ ἀρχιτρίκλινος τὸ ὕδωρ
οἶνον γεγενημένον καὶ οὐκ ᾔδει πόθεν ἐστίν, οἱ δὲ διάκονοι ᾔδεισαν οἱ ἠντληκότες τὸ ὕδωρ, φωνεῖ τὸν νυμφίον ὁ ἀρχιτρίκλινος **10** καὶ λέγει αὐτῷ· πᾶς ἄνθρωπος
⸉πρῶτον τὸν καλὸν οἶνον⸊ τίθησιν καὶ ὅταν μεθυσθῶσιν
⸆ τὸν ἐλάσσω· σὺ τετήρηκας τὸν καλὸν οἶνον ἕως ἄρτι.
11 Ταύτην ⸀ἐποίησεν ἀρχὴν⸁ τῶν σημείων ὁ Ἰησοῦς 23! 3,2; 4,54; 6,2.
ἐν Κανὰ τῆς Γαλιλαίας καὶ ἐφανέρωσεν τὴν δόξαν αὐτοῦ, 14.26; 12,18.37; 20,30 · Is 8,23
καὶ ἐπίστευσαν εἰς αὐτὸν οἱ μαθηταὶ αὐτοῦ. [9,1] · 1,14; 11,4. 40 |
19 II **12** Μετὰ τοῦτο κατέβη εἰς Καφαρναοὺμ αὐτὸς καὶ ἡ 4,46; 6,17.24.59 Mt 9,1! · 7,3! Mt
μήτηρ αὐτοῦ καὶ οἱ ἀδελφοὶ ⸀[αὐτοῦ] καὶ οἱ μαθηταὶ αὐ- 13,55! |
τοῦ⸁ καὶ ἐκεῖ ⸀ἔμειναν οὐ πολλὰς ἡμέρας.
2 20 I **13** ⸀Καὶ ἐγγὺς⸁ ἦν τὸ πάσχα τῶν Ἰουδαίων, καὶ ἀνέβη 23; 4,45; 6,4; 11,55; 12,1; 13,1
⸂εἰς Ἱεροσόλυμα ὁ Ἰησοῦς⸃.

¶ **2,1** ⸀τρ. ημ. B Θ f^{13} *pc* | ⸆τη 𝔓^{75} ● **2** ° 𝔓^{66*} *pc* it ● **3** ⸀οινον ουκ ειχον οτι συνετελεσθη ο οινος του γαμου· ειτα א* a j | ⸂οινος ουκ εστιν א* ● **4** ° 𝔓^{75} א$^{*.2}$ Ψ 063 f^{1} 𝔐 a (j) sy^{p} ¦ *txt* 𝔓^{66} א^{1} A B K L W^{s} Δ Θ 0127 f^{13} 33. 892. 1241 *al* sy^{h} ● **5** ⸀(οτι *et*) ο αν א 0127. 892 *pc* ¦ α 33 ● **6** ° א* *pc* a e ● **7** ⸆και א W^{s} *pc* (it) ● **10** ⸉ *2–4 1* 𝔓^{75} 892 a e | ⸆τοτε א^{2} A Θ 063 $f^{1.13}$ 𝔐 lat sy$^{p.h}$ ¦ *txt* 𝔓$^{66.75}$ א* B L W^{s} Ψ 083. 0127. 1010 *pc* a ff^{2} l ● **11** ⸀επ. την αρχ. א^{1} W^{s} f^{13} (⸉ 1241. 1424) 𝔐 ¦ πρωτην αρχ. επ. 𝔓^{66*} f q (א*: *add.* πρ. *p.* Γαλ.) ¦ *txt* 𝔓$^{66c.75vid}$ A B L N Θ Ψ 083 f^{1} 33. 565 *al* ● **12** ⸀† *2–5* 𝔓$^{66*.75}$ B Ψ 0162 *pc* c ¦ *1* א 1010 *pc* it ¦ *2–4* L *pc* ¦ *txt* 𝔓^{66c} A (⸉ K, W^{s}) Θ 063 $f^{1.13}$ 𝔐 lat sy$^{p.h}$ | ⸀-νεν 𝔓^{66c} A f^{1} 565. (1241) *al* b sa^{mss} ac^{2} bo ● **13** ⸀εγ. δε א (1010) ¦ και εγ. δε 𝔓^{66*} | ⸂ *1 2* f^{13} *pc* ¦ *3 4 1 2* 𝔓$^{66.75}$ A L N 1010. 1241. 1424 *al* b j r^{1} vg^{cl}

14–16: Mt 21,12s Mc 11,15-17 L 19,45s **14** Καὶ εὗρεν ἐν τῷ ἱερῷ τοὺς πωλοῦντας ⸆ βόας καὶ 21 I
πρόβατα καὶ περιστερὰς καὶ τοὺς κερματιστὰς καθημέ-
Mc 15,15 νους, **15** καὶ ποιήσας ⸆ φραγέλλιον ἐκ σχοινίων πάντας
ἐξέβαλεν ἐκ τοῦ ἱεροῦ τά τε πρόβατα καὶ τοὺς βόας, καὶ
L 19,23 τῶν κολλυβιστῶν ἐξέχεεν ⸂τὸ κέρμα⸃ καὶ τὰς τραπέζας
⸀ἀνέτρεψεν, **16** καὶ τοῖς τὰς περιστερὰς πωλοῦσιν εἶπεν·
Zch 14,21 ἄρατε ταῦτα ἐντεῦθεν, ⸆ μὴ ποιεῖτε τὸν οἶκον τοῦ πατρός
μου οἶκον ἐμπορίου. **17** ⸀ἐμνήσθησαν οἱ μαθηταὶ αὐτοῦ ὅτι 22 X
Ps 69,10 γεγραμμένον ἐστίν· ⸆ *ὁ ζῆλος τοῦ οἴκου σου καταφάγεταί με.*
18 Ἀπεκρίθησαν οὖν οἱ Ἰουδαῖοι καὶ εἶπαν αὐτῷ· τί 23 IV
4,48; 6,30; 9,16; 11,47; 7,31 1 K 1,22! | σημεῖον δεικνύεις °ἡμῖν ὅτι ταῦτα ποιεῖς; **19** ἀπεκρίθη 24 X
Mt 26,61! Ἰησοῦς καὶ εἶπεν αὐτοῖς· λύσατε τὸν ναὸν τοῦτον καὶ °ἐν
Mt 16,21 τρισὶν ἡμέραις ἐγερῶ αὐτόν. **20** εἶπαν οὖν οἱ Ἰουδαῖοι·
τεσσεράκοντα καὶ ἓξ ἔτεσιν οἰκοδομήθη ὁ ναὸς οὗτος,
καὶ σὺ ἐν τρισὶν ἡμέραις ἐγερεῖς αὐτόν; **21** ἐκεῖνος δὲ
1 K 6,19 ἔλεγεν περὶ τοῦ ναοῦ τοῦ σώματος αὐτοῦ. **22** ὅτε οὖν
12,16; 14,26; 20,9 ⸀ἠγέρθη ἐκ νεκρῶν, ἐμνήσθησαν οἱ μαθηταὶ αὐτοῦ ὅτι
τοῦτο ἔλεγεν, καὶ ἐπίστευσαν τῇ γραφῇ καὶ τῷ λόγῳ ⸀ὃν
εἶπεν ὁ Ἰησοῦς.
13! **23** Ὡς δὲ ἦν ἐν τοῖς Ἱεροσολύμοις ἐν τῷ πάσχα °ἐν τῇ
11! 4,48; 6,30; 7,31; 11,47; 12,37; 20,30s 1 K 1,22! | ἑορτῇ, πολλοὶ ἐπίστευσαν εἰς τὸ ὄνομα αὐτοῦ θεωροῦν-
τες αὐτοῦ τὰ σημεῖα ἃ ἐποίει· **24** αὐτὸς δὲ ⸀Ἰησοῦς οὐκ
ἐπίστευεν ⸀αὐτὸν αὐτοῖς ⸋διὰ τὸ αὐτὸν γινώσκειν πάν-
16,30 τας⸌ **25** καὶ ὅτι οὐ χρείαν εἶχεν ἵνα τις μαρτυρήσῃ περὶ
Mt 9,4! τοῦ ἀνθρώπου· αὐτὸς γὰρ ἐγίνωσκεν τί ἦν ἐν τῷ ἀνθρώπῳ.
7,50; 19,39 **3** Ἦν δὲ ἄνθρωπος ἐκ τῶν Φαρισαίων, Νικόδημος ὄνο- 3
μα αὐτῷ, ἄρχων τῶν Ἰουδαίων· **2** οὗτος ἦλθεν πρὸς
Mt 22,16 αὐτὸν νυκτὸς καὶ εἶπεν αὐτῷ· ῥαββί, οἴδαμεν ὅτι ἀπὸ
θεοῦ ἐλήλυθας διδάσκαλος· οὐδεὶς γὰρ δύναται ταῦτα τὰ
2,11! · Act 2,22 σημεῖα ποιεῖν ἃ σὺ ποιεῖς, ἐὰν μὴ ᾖ ὁ θεὸς μετ᾽ αὐτοῦ.

14 ⸆τας 𝔓^{75} *pc* ● **15** ⸆ως 𝔓$^{66.75}$ L N W^{s} 0162 *f*^{1} 33. 565. 892. 1010. 1241 *al* lat sy^{hmg} ¦ *txt* ℵ A B Θ Ψ *f*^{13} 𝔐 l sy$^{p.h}$ co; Or | ⸂† τα -ματα 𝔓$^{66c.75}$ B L W^{s} 083. 0162. 33 *pc* b q ¦ *txt* 𝔓^{66*} ℵ A Θ Ψ (*f*^{1} 565 *pc*) *f*^{13} 𝔐 sy$^{p.h}$ | ⸀ανεστρ- 𝔓^{75} A L Ψ *f*^{1} 𝔐 ¦ κατεστρ- ℵ *f*^{13} *pc* ¦ *txt* 𝔓^{66} B W^{s} Θ 0162 *pc* ● **16** ⸆και 𝔓^{66} A W^{s} Θ *f*$^{1.13}$ 28. 33. 565. 700. 1010. 1241 *al* it vg^{cl} sy ¦ *txt* 𝔓^{75} ℵ B L Ψ 0162 𝔐 lat ● **17** ⸀εμν. δε A Θ 050 *f*$^{1.13}$ 𝔐 c r^{1} vg sy^{h} ¦ και εμν. W^{s} 1010 *pc* it ¦ τοτε εμν. a (e) ¦ *txt* 𝔓$^{66.75}$ ℵ B L Ψ *pc* | ⸆οτι 𝔓$^{66.75}$ W 050. 1010 *pc* ● **18** ° 𝔓^{75} L ● **19** ° B ● **22** ⸀ηνεστη W | ⸀ω A W^{s} Θ Ψ 063^{vid} *f*$^{1.13}$ 𝔐 ¦ *txt* 𝔓$^{66.75}$ ℵ B L 050. 083 *pc* ● **23** ° B ● **24** ⸀ο Ιησους ℵ A W^{s} Θ Ψ 0273 *f*$^{1.13}$ 𝔐; Or ¦ – 083 e f ¦ *txt* 𝔓$^{66.75}$ B L 050. 1241 *pc* | ⸀εαυτον 𝔓^{66} ℵ^{2} A^{c} W^{s} Θ Ψ 050. 083. 0273 *f*$^{1.13}$ 𝔐; Or^{pt} ¦ – 𝔓^{75} *pc* ¦ *txt* ℵ* A* B L 700 *al* | ⸋ sy^{s}

3 ἀπεκρίθη ⸆ Ἰησοῦς καὶ εἶπεν αὐτῷ· ἀμὴν ἀμὴν λέγω σοι,
ἐὰν μή τις γεννηθῇ ἄνωθεν, οὐ δύναται ἰδεῖν τὴν βασι- Jc 1,17! · 1J 4,7! 1P 1,23 · Mt 18,3
λείαν τοῦ θεοῦ. **4** λέγει πρὸς αὐτὸν °[ὁ] Νικόδημος·
πῶς δύναται ⸀ἄνθρωπος γεννηθῆναι γέρων ὤν⸁; μὴ δύναται εἰς τὴν κοιλίαν τῆς μητρὸς αὐτοῦ δεύτερον εἰσελθεῖν καὶ γεννηθῆναι; **5** ἀπεκρίθη ⸆ Ἰησοῦς· ἀμὴν ἀμὴν
λέγω σοι, ἐὰν μή τις ⸀γεννηθῇ ἐξ ⸋ὕδατος καὶ⸌ πνεύμα- Ez 36,25-27 1K 6.11; 12,13 Tt 3,5!
τος, οὐ δύναται ⸂εἰσελθεῖν εἰς⸃ τὴν βασιλείαν ⸀τοῦ θεοῦ⸃. 2P 1,11
6 τὸ γεγεννημένον ἐκ τῆς σαρκὸς σάρξ ἐστιν, καὶ τὸ γε- 1,13 R 8,5-9 1K 15,50 G 6,8
γεννημένον ἐκ τοῦ πνεύματος πνεῦμά ἐστιν. **7** μὴ θαυμά-
σῃς ὅτι εἶπόν σοι· δεῖ ὑμᾶς γεννηθῆναι ἄνωθεν. **8** τὸ
πνεῦμα ὅπου θέλει πνεῖ καὶ τὴν φωνὴν αὐτοῦ ἀκούεις,
ἀλλ' οὐκ οἶδας πόθεν ἔρχεται καὶ ποῦ ὑπάγει· οὕτως ἐστὶν 8,14; 14,17 Eccl 11,5 Sir 16,21
πᾶς ὁ γεγεννημένος ἐκ ⸆ τοῦ πνεύματος. **9** ἀπεκρίθη
Νικόδημος καὶ εἶπεν αὐτῷ· πῶς δύναται ταῦτα γενέσθαι; L 1,34
10 ἀπεκρίθη Ἰησοῦς καὶ εἶπεν αὐτῷ· σὺ εἶ ὁ διδάσκαλος
τοῦ Ἰσραὴλ καὶ ταῦτα οὐ γινώσκεις; **11** ἀμὴν ἀμὴν λέγω 9,30 R 2,20s
σοι ὅτι ὃ οἴδαμεν λαλοῦμεν καὶ ὃ ἑωράκαμεν μαρτυροῦμεν, 32; 5,19; 8,26.38. 40; 15,15 1J 1,1-3
καὶ τὴν μαρτυρίαν ἡμῶν οὐ λαμβάνετε. **12** εἰ τὰ ἐπίγεια L 22,67! | Sap 9,16
εἶπον ὑμῖν καὶ οὐ πιστεύετε, πῶς ἐὰν εἴπω ὑμῖν τὰ ἐπου- 1K 15,40!
ράνια ⸀πιστεύσετε; **13** καὶ οὐδεὶς ἀναβέβηκεν εἰς τὸν οὐ- 31; 6,62; 20,17 Prv 30,4 Dt 30,
ρανὸν εἰ μὴ ὁ ἐκ τοῦ οὐρανοῦ καταβάς, ὁ υἱὸς τοῦ ἀνθρώ- 12 Bar 3,29 4Esr 4,8 Sap 18,
που⸆. **14** Καὶ καθὼς Μωϋσῆς ὕψωσεν τὸν ὄφιν ἐν 15s E 4,9s · 1,51! R 10,6 · 31; 6,62
τῇ ἐρήμῳ, οὕτως ὑψωθῆναι δεῖ τὸν υἱὸν τοῦ ἀνθρώπου, Nu 21,8s · 8,28; 12,32.34 Is 52,13 ·
15 ἵνα πᾶς ὁ πιστεύων ⸀ἐν αὐτῷ⸁ ⸆ ἔχῃ ζωὴν αἰώνιον. 36
16 οὕτως γὰρ ἠγάπησεν ὁ θεὸς τὸν κόσμον, ὥστε τὸν R 5,8
υἱὸν ⸆ τὸν μονογενῆ ἔδωκεν, ἵνα πᾶς ὁ πιστεύων εἰς αὐ- 18; 1,14.18 R 8, 32 H 11,17 1J 4,9 ·
τὸν μὴ ἀπόληται ἀλλ' ἔχῃ ζωὴν αἰώνιον. **17** οὐ γὰρ ἀπ- 5,24!

¶ **3,3** ⸆ο ℵ A N Δ Θ 063 *f*^{13} 28. 33 *pm* ¦ *txt* 𝔓$^{66.75}$ B K L W^{s} Γ Ψ 050. 083 *f*^{1} 565. 700. 892. 1010. 1241. 1424 *pm* • **4** ° 𝔓$^{66.75}$ B L N W^{s} Θ Ψ 050. 28. 1010 *pm* ¦ *txt* ℵ A K Γ Δ 063 *f*$^{1.13}$ 565. 700. 892. 1241. 1424 *pm* | ⸀ *2 1 3 4* 𝔓^{66} *pc* j ¦ *1 3 4 2* ℵ *pc* ¦ ανθ. γεν. ανωθεν γερ. ων H 28 *pc* aur e f • **5** ⸆ο B L N 063 *f*^{13} 33. 1010. 1424 *al* | ⸀renatus lat; Or^{lat} | ⸋vg^{ms}; Or^{pt}; [Wendt *cj*] | ⸂ (3) ιδειν ℵ* *pc* aur | ⸀ των ουρανων ℵ* 0141 *pc* e; Hipp Or^{lat} • **8** ⸆(5) του υδατος και ℵ it sy$^{s.c}$ • **12** ⸀-ευετε 𝔓^{75} 083 *pc* • **13** ⸆ο ων (ος ην e) εν τω ουρανω A(*) Θ Ψ 050. 063 *f*$^{1.13}$ 𝔐 lat sy$^{(c).p.h}$ bo^{pt}; Or^{lat} Epiph^{pt} ¦ ο ων εκ του ου-νου 0141 *pc* sy^{s} ¦ *txt* 𝔓$^{66.75}$ ℵ B L W^{s} 083. 086. 0113. 33. 1010. 1241 *pc* co • **15** ⸀επ αυτω 𝔓^{66} L *pc* ¦ εις (επ 𝔓^{63} A) αυτον 𝔓^{63vid} ℵ A Θ Ψ 063. 086 *f*$^{1.13}$ 𝔐 ¦ *txt* 𝔓^{75} B W^{s} 083. 0113 *pc* | ⸆(16) μη αποληται αλλ 𝔓^{63} A Θ Ψ 063 *f*^{13} 𝔐 lat sy$^{s.p.h}$ bo^{ms} ¦ *txt* 𝔓$^{36.66.75}$ ℵ B L W^{s} 083. 086. 0113 *f*^{1} 33. 565 *pc* a f^{c} sy^{c} co • **16** ⸆αυτου 𝔓^{63} ℵ^{2} A L Θ Ψ 063. 083. 086. 0113 *f*$^{1.13}$ 𝔐 latt sy; Did ¦ *txt* 𝔓$^{66.75}$ ℵ* B W^{s}

10,36! G 4,4 · 12,47; 8,15; 5,34; 10,9 L 9,56 app; 19,10 Mc 2,17p | 36; 5,24; 12,48 Mc 16,16
16!
1,4s.9-11
7,7 Kol 1,21
Job 24,13-17
E 5,13
Tob 4,6 𝔊 1J 1,6
4,3; 7,3; 11,7
26; 4,1
Mt 4,12p
Mt 15,1ss L 11,37ss
L 7,18
1,26-34
22!
1K 4,7 H 5,4 Ps Sal 5,3s · 6,55; 19,11 Mt 28,18!
1,20
1,30 Mc 1,2!
Mt 9,15p; 25,1-12 2K 11,2 · 1Mcc 9,39 ·

ἔστειλεν ὁ θεὸς τὸν υἱὸν ⸆ εἰς τὸν κόσμον ἵνα κρίνῃ τὸν
κόσμον, ἀλλ’ ἵνα σωθῇ ὁ κόσμος δι’ αὐτοῦ. **18** ὁ πιστεύων
εἰς αὐτὸν οὐ κρίνεται· ὁ ⸋δὲ μὴ πιστεύων ἤδη κέκριται,
ὅτι μὴ πεπίστευκεν εἰς τὸ ὄνομα τοῦ μονογενοῦς υἱοῦ τοῦ
θεοῦ. **19** αὕτη δέ ἐστιν ἡ κρίσις ὅτι ⸋τὸ φῶς ἐλήλυθεν εἰς
τὸν κόσμον καὶ ⸉ἠγάπησαν οἱ ἄνθρωποι μᾶλλον τὸ σκό-
τος⸊ ἢ τὸ φῶς· ἦν γὰρ ⸉¹αὐτῶν πονηρὰ⸊ τὰ ἔργα. **20** πᾶς
γὰρ ὁ φαῦλα πράσσων μισεῖ τὸ φῶς καὶ οὐκ ἔρχεται
πρὸς τὸ φῶς, ἵνα μὴ ἐλεγχθῇ ⸂τὰ ἔργα αὐτοῦ⸃· **21** ὁ δὲ
ποιῶν τὴν ἀλήθειαν ἔρχεται πρὸς τὸ φῶς, ἵνα φανερωθῇ
αὐτοῦ τὰ ἔργα ὅτι ἐν θεῷ ἐστιν εἰργασμένα.

22 Μετὰ ταῦτα ἦλθεν ὁ Ἰησοῦς καὶ οἱ μαθηταὶ αὐτοῦ
εἰς τὴν Ἰουδαίαν γῆν καὶ ἐκεῖ διέτριβεν μετ’ αὐτῶν καὶ
ἐβάπτιζεν.

23 Ἦν δὲ καὶ ⸋ὁ Ἰωάννης βαπτίζων ἐν Αἰνὼν ἐγγὺς
τοῦ Σαλείμ, ὅτι ὕδατα πολλὰ ἦν ἐκεῖ, καὶ παρεγίνοντο καὶ
ἐβαπτίζοντο· **24** οὔπω γὰρ ἦν βεβλημένος εἰς τὴν φυλακὴν
⸋ὁ Ἰωάννης.

25 Ἐγένετο οὖν ζήτησις ἐκ τῶν μαθητῶν Ἰωάννου μετὰ
⸀Ἰουδαίου περὶ καθαρισμοῦ. **26** καὶ ἦλθον πρὸς τὸν Ἰωάννην καὶ εἶπαν αὐτῷ· ῥαββί, ὃς ἦν μετὰ σοῦ πέραν τοῦ
Ἰορδάνου, ᾧ σὺ μεμαρτύρηκας, ἴδε οὗτος βαπτίζει καὶ
πάντες ἔρχονται πρὸς αὐτόν. **27** ἀπεκρίθη Ἰωάννης καὶ
εἶπεν· οὐ δύναται ἄνθρωπος λαμβάνειν ⸂οὐδὲ ἓν⸃ ἐὰν μὴ
ᾖ δεδομένον αὐτῷ ἐκ τοῦ οὐρανοῦ. **28** αὐτοὶ ὑμεῖς ⸋μοι
μαρτυρεῖτε ὅτι εἶπον ⸀[ὅτι] οὐκ εἰμὶ ⸋¹ἐγὼ ὁ χριστός, ἀλλ’
ὅτι ἀπεσταλμένος εἰμὶ ἔμπροσθεν ἐκείνου. **29** ὁ ἔχων τὴν
νύμφην νυμφίος ἐστίν· ὁ δὲ φίλος τοῦ νυμφίου ὁ ἑστηκὼς

17 ⸆ αυτου 𝔓$^{5vid.63}$ A (Θ) Ψ 063. 086 *f*^{13} 𝔐 latt sy ¦ *txt* 𝔓$^{66.75}$ ℵ B L W^{s} 083. 0113 *f*^{1} 565 *pc* • **18** ⸋† ℵ B W^{s} ff^{2} l ¦ *txt* 𝔓$^{36.63.66.75}$ A L Θ Ψ 063. 083. 086 *f*$^{1.13}$ 𝔐 lat sy^{h}; Cl **19** ⸋ 𝔓^{66*} *pc* | ⸉ *1 4 2 3 5 6* 𝔓^{66} *f*^{1} 565 *pc* (e) ¦ *2 3 1 5 6 4* ℵ (*pc*) | ⸉¹ Γ Δ 063. 28. 700. 1424 𝔐 • **20** ⸂ *3 1 2* 𝔓^{75} A K W^{s} 1. 565. 892*. (1241). 1424 *al* ¦ τα ερ. αυτ. οτι πονηρα εστιν 𝔓^{66} (L) N Θ (Ψ) *f*^{13} 33. (892^{c}, 1241). 1010 *al* r^{1} sa ac^{2} bo^{pt} ¦ *txt* ℵ B 050. 063. 083. 086 𝔐 lat • **23** ⸋† 𝔓^{75} ℵ A L Ψ 063. 086 *f*$^{1.13}$ 𝔐 ¦ *txt* 𝔓^{66} B N W^{s} Θ *pc* • **24** ⸋† ℵ* B 0193 *pc* ¦ *txt* 𝔓$^{66.75}$ ℵ^{2} A L W^{s} Θ Ψ 063. 086 *f*$^{1.13}$ 𝔐 • **25** ⸀Ιουδαιων 𝔓^{66} ℵ* Θ *f*$^{1.13}$ 565 *al* latt sy^{c} sa^{mss} bo; Or ¦ [Ιησου Bentley (Baldensperger), των Ιησου O. Holtzmann *cjj*] • **27** ⸂† ουδεν ℵ A W^{s} Ψ 063. 083. 086 *f*$^{1.13}$ 𝔐 ¦ αφ εαυτου ουδεν L Θ 33 *pc* c sy$^{p.h}$ ¦ *txt* 𝔓$^{66.75}$ B *pc* • **28** ⸋ 𝔓^{75} ℵ Γ 28. 1424 *pm* aur sa^{mss} | ⸀εγω · B lat ¦ υμιν · *f*^{13} *pc* a ¦ eis qui missi sunt ab Hierosolymis ad me quia e ¦ † – ℵ A D L W^{s} Θ Ψ 063. 086 *f*^{1} 𝔐 b q vg^{cl} ¦ *txt* 𝔓$^{66.75}$ 700 *pc* aur f ff^{2} l | ⸋¹ D W 086 a sy^{c}

καὶ ἀκούων αὐτοῦ χαρᾷ χαίρει διὰ τὴν φωνὴν τοῦ νυμφίου. αὕτη οὖν ἡ χαρὰ ἡ ἐμὴ πεπλήρωται. **30** ἐκεῖνον δεῖ 15,11!
αὐξάνειν, ἐμὲ δὲ ἐλαττοῦσθαι.
31 Ὁ ἄνωθεν ἐρχόμενος ἐπάνω πάντων ἐστίν· ὁ ὢν ἐκ 3!; 8,23 · R 9,5 ·
τῆς γῆς ἐκ τῆς γῆς ἐστιν καὶ ἐκ τῆς γῆς λαλεῖ. ὁ ἐκ τοῦ 1K 15,47 1J 4,5
οὐρανοῦ ἐρχόμενος ⸋[ἐπάνω πάντων ἐστίν]·⸌ **32** ⸆ὃ ἑώ- 13!
ρακεν καὶ ἤκουσεν ⸰τοῦτο μαρτυρεῖ, καὶ τὴν μαρτυρίαν 11!
αὐτοῦ οὐδεὶς λαμβάνει. **33** ὁ λαβὼν αὐτοῦ τὴν μαρτυρίαν
⸆ ἐσφράγισεν ὅτι ὁ θεὸς ἀληθής ἐστιν. **34** ὃν γὰρ ἀπέστει- 8,26
λεν ὁ θεὸς τὰ ῥήματα τοῦ θεοῦ λαλεῖ, οὐ γὰρ ἐκ μέτρου 7,16; 12,49; 14,24 · 6,63
δίδωσιν ⸂τὸ πνεῦμα⸃. **35** ὁ πατὴρ ἀγαπᾷ τὸν υἱὸν καὶ 5,20; 10,17; 15,9; 17,23ss · Mt 28,
πάντα δέδωκεν ἐν τῇ χειρὶ αὐτοῦ. **36** ὁ πιστεύων εἰς τὸν 18! · Dn 1,2 Theod | 15.18! 1J 5,12 ·
υἱὸν ἔχει ζωὴν αἰώνιον· ὁ ⸰δὲ ἀπειθῶν τῷ υἱῷ οὐκ ὄψε- 5,24!
ται ζωήν, ἀλλ' ἡ ὀργὴ τοῦ θεοῦ μένει ἐπ' αὐτόν.⸆ L 3,7 R 2,8 · 9,41

4 ⸋Ὡς οὖν ἔγνω ὁ ⸀Ἰησοῦς ὅτι ἤκουσαν οἱ Φαρισαῖοι
ὅτι Ἰησοῦς πλείονας μαθητὰς ποιεῖ καὶ βαπτίζει ⸰ἢ 3,22!
Ἰωάννης⸌ **2** – καίτοιγε Ἰησοῦς αὐτὸς οὐκ ἐβάπτιζεν ἀλλ' 1K 1,17
οἱ μαθηταὶ αὐτοῦ – **3** ἀφῆκεν τὴν Ἰουδαίαν ⸆ καὶ ἀπῆλθεν 3,22!
⸰πάλιν εἰς τὴν Γαλιλαίαν. 1,43; 2,1; 4,43.54; 7,1.9 Mt 4,12p
4 Ἔδει δὲ αὐτὸν διέρχεσθαι διὰ τῆς Σαμαρείας. **5** ⸋ἔρ- L 9,52!
χεται οὖν εἰς πόλιν τῆς Σαμαρείας⸌ λεγομένην ⸀Συχὰρ Gn 48,22 Jos 24,32
πλησίον τοῦ χωρίου ⸁ὃ ἔδωκεν Ἰακὼβ ⸰[τῷ] Ἰωσὴφ τῷ
υἱῷ αὐτοῦ· **6** ἦν δὲ ἐκεῖ πηγὴ τοῦ Ἰακώβ. ὁ οὖν Ἰησοῦς
κεκοπιακὼς ἐκ τῆς ὁδοιπορίας ἐκαθέζετο οὕτως ἐπὶ τῇ
πηγῇ· ὥρα ἦν ⸀ὡς ἕκτη. **7** ἔρχεται ⸆ γυνὴ ἐκ τῆς Σαμαρείας ἀντλῆσαι ὕδωρ. λέγει αὐτῇ ὁ Ἰησοῦς· δός μοι πεῖν·

31 ⸋ 𝔓^{75} ℵ* D f^{1} 565 *pc* it sy^{c} sa; Hipp Eus ¦ *txt* 𝔓$^{5vid.66}$ ℵ^{2} A B L W^{s} Θ Ψ 063. 083. 086 f^{13} 𝔐 lat sy$^{s.p.h}$ bo; Or ● **32** ⸆και A Θ 063 f^{13} 𝔐 lat sy$^{s.p.h}$ ¦ *txt* 𝔓$^{66.75}$ ℵ B D L W^{s} Ψ 083. 086 f^{1} 33. 565. 1010 *al* it sy^{c} | ⸰ ℵ D f^{1} 28. 565. 1424 *pc* it sy$^{s.c.p}$; Hipp ¦ *txt* 𝔓$^{5.66.75}$ A B L W^{s} Θ Ψ 063. 083. 086 f^{13} 𝔐 lat sy^{h} ● **33** ⸆τουτος 𝔓^{66c} ● **34** ⸂ο θεος το πν. A C^{2} D Θ Ψ 086 f^{13} 𝔐 lat sy$^{p.h}$ co; Or ¦ – B* *pc* (sy^{c}) ¦ *txt* 𝔓$^{66.75}$ ℵ B^{2} C* L W^{s} 083 f^{1} 33. 565. 1241 *pc* b e f l ● **36** ⸰ ℵ* a e ff^{2} l | ⸆και μετα ταυτα παρεδοθη ο Ιωαννης 2145 *pc* e sy^{hmg}

¶ **4,1** [⸋ comm] | ⸀† κυριος 𝔓$^{66.75}$ A B C L W^{s} Ψ 083 f^{13} 𝔐 f q sy$^{s.hmg}$ sa bo^{ms}; Epiph ¦ *txt* ℵ D Θ 086 f^{1} 565. 1010. 1241 *al* lat sy$^{c.p.h}$ bo | ⸰ A B* L W^{s} Γ Ψ 892. 1424 *al* ● **3** ⸆γην D Θ $f^{1.13}$ 565 *al* it; Epiph | ⸰ A B* Ψ 𝔐 q sy^{h} ¦ *txt* 𝔓$^{66.75}$ ℵ B^{2} C D L W^{s} Θ 083. 086 $f^{1.13}$ 33. 565. 892. 1010 *al* lat sy$^{s.c.p}$; Epiph ● **5** ⸋(*h. t.*) ℵ* | ⸀Σιχαρ 69 vg^{ww} ¦ Συχεμ sy$^{s.c}$ | ⸁ου 𝔓^{66} C* D L N W^{s} Θ 086 f^{1} 28. 33. 565. 700. 1010. 1241 *pm* ¦ *txt* 𝔓^{75} ℵ A B C^{2} K Γ Δ Ψ 083 f^{13} 892. 1424 *pm* | ⸰ A C D L W^{s} Θ Ψ 086 $f^{1.13}$ 𝔐 ¦ *txt* 𝔓$^{66.75}$ ℵ B ● **6** ⸀ωσει ℵ^{1} $f^{1.13}$ 𝔐 ¦ *txt* 𝔓$^{66.75}$ ℵ$^{*.2}$ A B C D L N W^{s} Θ Ψ 086. 33 *al* ● **7** ⸆τις ℵ *pc* sy$^{s.c}$

31 **8** οἱ γὰρ μαθηταὶ αὐτοῦ ἀπεληλύθεισαν εἰς τὴν πόλιν ἵνα
6,5 | τροφὰς ἀγοράσωσιν. **9** λέγει °οὖν αὐτῷ ἡ γυνὴ ἡ Σαμα-
ρῖτις· ⸉πῶς σὺ Ἰουδαῖος ὢν⸊ παρ' ἐμοῦ πεῖν αἰτεῖς γυ-
Esr 4,1-3 Sir 50,25s ναικὸς Σαμαρίτιδος οὔσης; ⸋οὐ γὰρ συγχρῶνται Ἰουδαῖοι Σαμαρίταις.⸌ **10** ἀπεκρίθη Ἰησοῦς καὶ εἶπεν αὐτῇ·
εἰ ᾔδεις τὴν δωρεὰν τοῦ θεοῦ καὶ τίς ἐστιν ὁ λέγων σοι·
7,37s Ap 21,6 Gn 26,19 Jr 2,13 Zch 14,8 δός μοι πεῖν, σὺ ἂν ᾔτησας αὐτὸν καὶ ἔδωκεν ἄν σοι ὕδωρ
ζῶν. **11** λέγει αὐτῷ ⸂[ἡ γυνή]⸃· κύριε, οὔτε ἄντλημα
Gn 21,19 ἔχεις καὶ τὸ φρέαρ ἐστὶν βαθύ· πόθεν °οὖν ἔχεις τὸ ὕδωρ
8,53 Mt 12,41sp τὸ ζῶν; **12** μὴ σὺ μείζων εἶ τοῦ πατρὸς ἡμῶν Ἰακώβ, ὃς
⸀ἔδωκεν ἡμῖν τὸ φρέαρ καὶ αὐτὸς ἐξ αὐτοῦ ἔπιεν καὶ οἱ
υἱοὶ αὐτοῦ καὶ τὰ θρέμματα αὐτοῦ; **13** ἀπεκρίθη Ἰησοῦς καὶ
εἶπεν αὐτῇ· πᾶς ὁ πίνων ἐκ τοῦ ὕδατος τούτου διψήσει
πάλιν· **14** ⸂ὃς δ' ἂν πίῃ⸃ ἐκ τοῦ ὕδατος οὗ ἐγὼ δώσω αὐτῷ,
7,37s; 6,35.27.53s οὐ μὴ ⸀διψήσει εἰς τὸν αἰῶνα, ἀλλὰ τὸ ὕδωρ ὃ ⸆ δώσω
Is 58,11 αὐτῷ γενήσεται ⸉ἐν αὐτῷ πηγὴ⸊ ὕδατος ἁλλομένου εἰς
ζωὴν αἰώνιον. **15** λέγει πρὸς αὐτὸν ἡ γυνή· κύριε, δός
6,34 μοι τοῦτο τὸ ὕδωρ, ἵνα μὴ διψῶ μηδὲ ⸀διέρχωμαι ἐνθάδε
ἀντλεῖν. **16** λέγει αὐτῇ⸆· ὕπαγε φώνησον ⸉τὸν ἄνδρα
σου⸊ καὶ ἐλθὲ ἐνθάδε. **17** ἀπεκρίθη ἡ γυνὴ καὶ εἶπεν
°αὐτῷ· ⸉οὐκ ἔχω ἄνδρα⸊. λέγει αὐτῇ ὁ Ἰησοῦς· καλῶς
εἶπας ὅτι ἄνδρα οὐκ ⸀ἔχω· **18** πέντε γὰρ ἄνδρας ἔσχες
καὶ νῦν ὃν ἔχεις οὐκ ἔστιν σου ἀνήρ· τοῦτο ⸀ἀληθὲς ⸁εἴ-
1,21! L 7,39 | Dt 11,29; 27,12; · 12,5 Ps 122 ρηκας. **19** λέγει αὐτῷ ἡ γυνή· °κύριε, θεωρῶ ὅτι προ-
φήτης εἶ σύ. **20** οἱ πατέρες ἡμῶν ἐν τῷ ὄρει τούτῳ προσ-
εκύνησαν· καὶ ὑμεῖς λέγετε ὅτι ἐν Ἱεροσολύμοις ἐστὶν
⸋ὁ τόπος⸌ ὅπου προσκυνεῖν δεῖ. **21** λέγει αὐτῇ ὁ Ἰησοῦς·
1Rg 8,27 Is 66,1 Ml 1,11 ⸀πίστευέ μοι, γύναι, ὅτι ἔρχεται ὥρα ὅτε οὔτε ἐν τῷ ὄρει

9 °ℵ* f[1] 565. 892. 1010 *al* j sy[s.c.p] | ⸉*2–4 1* D it sy[s.c] | ⸋ℵ* D a b e j ¦ *txt* 𝔓[63.66.75.76] *rell* ● **11** ⸂† – 𝔓[75] B sy[s] ac[2] ¦ εκεινη ℵ* ¦ *txt* 𝔓[66(*)] ℵ[2] A C D L W[s] Θ Ψ 050. 083. 086 f[1.13] 𝔐 latt sy[c.p.h] sa bo | °ℵ D W[s] *pc* it sy[s.c.p] ● **12** ⸀δεδ- 𝔓[66.75] C f[13] *pc* ● **14** ⸂ο δε πινων ℵ* D | ⸀-ση 𝔓[66] C[3] W[s] 086 f[13] 𝔐 ¦ *txt* 𝔓[75] ℵ A B D L N (Δ) Θ Ψ 050. 083 f[1] 28. 33. 1010*. 1241 *al* (C*: *h. t.*) | ⸆εγω ℵ D N W[s] 083. 33. 1010. 1241 *al* it vg[cl] | ⸉ 𝔓[66] ● **15** ⸀-χομαι 𝔓[75] B ¦ ερχωμαι A C D W[s] Γ Δ f[1] 565 *pm*; Cyr ¦ ερχομαι ℵ[2] K L N Θ Ψ 086 f[13] 28. 33. 700. 892. 1010. 1241. 1424 *pm* ¦ *txt* 𝔓[66] ℵ* ● **16** ⸆ο (– ℵ* A Θ f[1.13] *al*) Ιησους ℵ A C[2] D L W[s] Θ Ψ 086 f[1.13] 𝔐 lat sy[(s)] sa[mss] bo ¦ *txt* 𝔓[66.75] B C* *pc* a sa[mss] ac[2] bo[mss] | ⸉*3 1 2* B 086. 1010 *pc*; Or[pt] ● **17** °† ℵ(*) A D K L W[s] Γ Δ Θ Ψ f[1.13] 28. 565. 700. 1010. 1424 *pm* lat sy[h] ¦ *txt* 𝔓[66.75] B C N 086. 33. 892. 1241 *pm* it sy[s.c.p] | ⸉*3 1 2* ℵ C* D L 1241 *pc* j r[1] | ⸀εχεις ℵ D it ● **18** ⸀-θως ℵ *pc* | ⸁ειπας 𝔓[75] ● **19** ° ℵ* *pc* ● **20** ⸋ℵ *pc*; Tert ● **21** ⸀-σον C[3] Ψ 892 *pc* (⸉A Θ 𝔐) ¦ *txt* 𝔓[66.75] ℵ B C* L W[s] 1241 *al* (⸉D f[1.13] 565. 1010 *al*)

τούτῳ οὔτε ἐν Ἱεροσολύμοις προσκυνήσετε τῷ πατρί.
22 ὑμεῖς προσκυνεῖτε ὃ οὐκ οἴδατε· ἡμεῖς προσκυνοῦμεν Act 17,23
ὃ οἴδαμεν, ὅτι ἡ σωτηρία ἐκ τῶν Ἰουδαίων ἐστίν. **23** ἀλλὰ Is 2,3
ἔρχεται ὥρα καὶ νῦν ἐστιν, ὅτε οἱ ἀληθινοὶ προσκυνηταὶ 5,25 R 13,11
προσκυνήσουσιν τῷ πατρὶ ἐν πνεύματι καὶ ἀληθείᾳ· ⸋καὶ E 2,18
γὰρ ὁ πατὴρ τοιούτους ζητεῖ τοὺς προσκυνοῦντας αὐτόν.⸌ R 12,1
24 πνεῦμα ὁ θεός, καὶ τοὺς προσκυνοῦντας ⸰αὐτὸν ἐν 2K 3,17s
πνεύματι ⸀καὶ ἀληθείᾳ⸁ ⸉δεῖ προσκυνεῖν⸊. **25** λέγει αὐτῷ
ἡ γυνή· ⸀οἶδα ὅτι Μεσσίας ἔρχεται ὁ λεγόμενος χριστός· 1,41!
ὅταν ἔλθῃ ἐκεῖνος, ἀναγγελεῖ ἡμῖν ⸂ἅπαντα. **26** λέγει
αὐτῇ ὁ Ἰησοῦς· ἐγώ εἰμι, ὁ λαλῶν σοι. 9,37; 10,25
27 Καὶ ἐπὶ τούτῳ ἦλθαν οἱ μαθηταὶ αὐτοῦ καὶ ἐθαύμαζον ὅτι μετὰ γυναικὸς ἐλάλει· οὐδεὶς μέντοι εἶπεν⸆· τί
ζητεῖς ἢ τί λαλεῖς μετ' αὐτῆς; **28** ἀφῆκεν οὖν τὴν ὑδρίαν
αὐτῆς ἡ γυνὴ καὶ ἀπῆλθεν εἰς τὴν πόλιν καὶ λέγει τοῖς
ἀνθρώποις· **29** δεῦτε ἴδετε ἄνθρωπον ὃς εἶπέν μοι πάντα
⸀ὅσα ἐποίησα, μήτι οὗτός ἐστιν ὁ χριστός; **30** ⸀ἐξῆλθον 39
ἐκ τῆς πόλεως καὶ ἤρχοντο πρὸς αὐτόν.
31 ⸀Ἐν τῷ μεταξὺ ἠρώτων αὐτὸν οἱ μαθηταὶ λέγοντες· 8
ῥαββί, φάγε. **32** ὁ δὲ εἶπεν αὐτοῖς· ἐγὼ βρῶσιν ἔχω φα- 6,27
γεῖν ἣν ὑμεῖς οὐκ οἴδατε. **33** ἔλεγον οὖν ⸀οἱ μαθηταὶ πρὸς
ἀλλήλους⸁· μή τις ἤνεγκεν αὐτῷ φαγεῖν; **34** λέγει αὐτοῖς Mt 16,7
ὁ Ἰησοῦς· ἐμὸν βρῶμά ἐστιν ἵνα ⸀ποιήσω τὸ θέλημα τοῦ 5,30; 6,38 H 10,9s·
πέμψαντός με καὶ τελειώσω αὐτοῦ τὸ ἔργον. **35** οὐχ ὑμεῖς 5,36; 17,4; 19,28. 30
λέγετε ὅτι ⸰ἔτι τετράμηνός ἐστιν καὶ ὁ θερισμὸς ἔρχε-
ται; ἰδοὺ λέγω ὑμῖν, ἐπάρατε τοὺς ὀφθαλμοὺς ὑμῶν καὶ
θεάσασθε τὰς χώρας ὅτι λευκαί εἰσιν πρὸς θερισμόν⁚. Mt 9,37!
ἤδη⁚^{1} **36** ⸆ ὁ θερίζων μισθὸν λαμβάνει καὶ συνάγει καρ-

23 ⸋f^{1} *pc* ● **24** ⸰† ℵ* D* ff^{2} (j) ¦ *txt* 𝔓$^{66.75}$ ℵ^{2} A B C D^{1} L W^{s} Θ Ψ 086. 0273^{vid} $f^{1.13}$ 𝔐 lat sy | ⸀αληθειας ℵ* | ⸉ ℵ* D j r^{1} ● **25** ⸀οιδαμεν 𝔓^{66c} ℵ^{2} L N f^{13} 33. 1241 *al* f sy^{hmg} sa ac^{2} bo; Or^{pt} Cyr ¦ ιδου sy^{s} ¦ *txt* 𝔓$^{66*.75}$ ℵ* A B C D W^{s} Θ Ψ 086. 0273^{vid} f^{1} 𝔐 lat sy$^{c.p.h}$ pbo | ⸂παντα A C^{2} D L Θ Ψ 086 f^{13} 𝔐 ¦ *txt* 𝔓$^{66.75}$ ℵ B C* W^{s} f^{1} 565 *pc* ● **27** ⸆ αυτω ℵ D *pc* it sy$^{s.c}$ ● **29** ⸀† α ℵ B C* ¦ *txt* 𝔓$^{66.75}$ A C^{3} D L W^{s} Θ Ψ 086 $f^{1.13}$ 𝔐 lat sy^{h}; Or ● **30** ⸀εξηλ. ουν 𝔓^{66} ℵ N W^{s} 086. 0273 $f^{1.13}$ 565. 700. 892. 1010. 1424 *pm* it vg^{cl} ¦ και εξηλ. C D b r^{1} sy ¦ εξηρχοντο (+ δε 1241) L 1241 *pc* ¦ *txt* 𝔓^{75} A B K Γ Δ Θ Ψ 28. 33 *pm* a c vgst ● **31** ⸀εν δε 𝔓^{75} A C^{3} Θ 086. 0273 $f^{1.13}$ 𝔐 ¦ και εν W *pc* ¦ *txt* 𝔓^{66} ℵ B C* D L Ψ *pc* lat ● **33** ⸀εν εαυτοις οι μαθ. D ff^{2} q sy^{p} ● **34** ⸀† ποιω ℵ A f^{13} 𝔐 ¦ *txt* 𝔓$^{66.75}$ B C D K L N W^{s} Θ Ψ 083. 1. 33. 565. 1010 *al*; Cl ● **35** ⸰ 𝔓^{75} D L 086^{vid}. 0273 f^{13} 28. 1241 *pm* sy^{c} | ⁚ – *et* ⁚^{1}. 𝔓^{75} C^{3} 083 $f^{1.13}$ 𝔐 lat; Or Cyr (*cf vs* 36⸆) ¦ *txt* ℵ^{c} C* D L (W) Ψ 33 *pc* it (*sine interp. vl incert.* 𝔓^{66} ℵ* A B Θ *al*) *et* **36** ⸆και A C^{3} Θ $f^{1.13}$ 𝔐 lat sy^{h} (*cf vs* 35 ⁚^{1}) ¦ *txt* 𝔓$^{66.75}$ ℵ B C* D L W^{s} Ψ 083. 33 *pc* it

Is 9,2 πὸν εἰς ζωὴν αἰώνιον, ἵνα ⸆ ὁ σπείρων ὁμοῦ χαίρῃ καὶ
°ὁ θερίζων. **37** ⸋ἐν γὰρ τούτῳ ὁ λόγος ἐστὶν ⸆ ἀληθινὸς
Mch 6,15 Job 31,8 ὅτι ἄλλος ἐστὶν ὁ σπείρων καὶ ἄλλος ὁ θερίζων.⸌ **38** ἐγὼ
⸀ἀπέστειλα ὑμᾶς θερίζειν °ὃ οὐχ ὑμεῖς κεκοπιάκατε·
ἄλλοι κεκοπιάκασιν καὶ ὑμεῖς εἰς τὸν κόπον αὐτῶν εἰσ-
εληλύθατε.
7,31! **39** Ἐκ δὲ τῆς πόλεως ἐκείνης πολλοὶ ἐπίστευσαν ⸋εἰς
29 αὐτὸν⸌ τῶν Σαμαριτῶν διὰ τὸν λόγον τῆς γυναικὸς μαρτυ-
ρούσης ὅτι εἶπέν μοι πάντα ⸀ἃ ἐποίησα. **40** ὡς οὖν ἦλθον
L 9,52! · Act 10,48; 18,20 πρὸς αὐτὸν οἱ Σαμαρῖται, ἠρώτων αὐτὸν μεῖναι παρ' αὐ-
τοῖς· καὶ ἔμεινεν ἐκεῖ δύο ἡμέρας. **41** καὶ πολλῷ ⸀πλείους
ἐπίστευσαν διὰ τὸν λόγον αὐτοῦ, **42** τῇ ⸀τε γυναικὶ ἔλεγον
°ὅτι οὐκέτι διὰ τὴν ⸂σὴν λαλιὰν⸃ πιστεύομεν, ⸁αὐτοὶ γὰρ
1J 4,14 ἀκηκόαμεν καὶ οἴδαμεν ὅτι οὗτός ἐστιν ἀληθῶς ὁ σωτὴρ
τοῦ κόσμου⸆.
43 Μετὰ δὲ τὰς δύο ἡμέρας ἐξῆλθεν ἐκεῖθεν ⸆ εἰς τὴν
3! Γαλιλαίαν· **44** αὐτὸς γὰρ Ἰησοῦς ἐμαρτύρησεν ὅτι προ-
Mt 13,57p φήτης ἐν τῇ ἰδίᾳ πατρίδι τιμὴν οὐκ ἔχει. **45** ⸀ὅτε οὖν ἦλ-
2,13! θεν εἰς τὴν Γαλιλαίαν, ⸁ἐδέξαντο αὐτὸν οἱ Γαλιλαῖοι
πάντα ἑωρακότες ⸀¹ὅσα ἐποίησεν ἐν Ἱεροσολύμοις ἐν τῇ
ἑορτῇ, καὶ αὐτοὶ γὰρ ἦλθον εἰς τὴν ἑορτήν.
2,1! **46** Ἦλθεν οὖν πάλιν ⸆ ⸂εἰς τὴν⸃ Κανὰ τῆς Γαλιλαίας,
2,9 ὅπου ἐποίησεν τὸ ὕδωρ οἶνον.
46b–53: Mt 8,5-13 L 7,1-10 ⸉Καὶ ἦν⸊ τις ⸀βασιλικὸς οὗ ὁ υἱὸς ἠσθένει ἐν Καφαρ-
2,12! ναούμ. **47** οὗτος ἀκούσας ὅτι Ἰησοῦς ἥκει ἐκ τῆς Ἰουδαίας
εἰς τὴν Γαλιλαίαν ⸂ἀπῆλθεν πρὸς αὐτὸν⸃ καὶ ἠρώτα ⸆
ἵνα καταβῇ καὶ ἰάσηται αὐτοῦ τὸν υἱόν, ἤμελλεν γὰρ ἀπο-

36 ⸆και ℵ A D Θ f^{13} 𝔐 lat sy^{h}; Ir ¦ *txt* 𝔓$^{66.75}$ B C L N W^{s} Ψ 083 f^{1} 33. 565. 892. 1010. 1241 *al* e r^{1} | ° 𝔓^{66} • **37** ⸋(*h. t.*) 𝔓^{75} | ⸆ο 𝔓^{66} ℵ A C^{3} D Θ f^{13} 𝔐 ¦ *txt* B C* K L N W^{s} Δ Ψ 083 f^{1} 33. 565. 700. 1241 *al* • **38** ⸀απεσταλκα ℵ D | °D* L W (*pc*) e; Ir • **39** ⸋ℵ* *pc* a e | ⸀οσα 𝔓^{66} A C^{3} D W^{s} Θ Ψ $f^{1.13}$ 𝔐 lat sy^{h} ¦ *txt* 𝔓^{75} ℵ B C* L *pc* • **41** ⸀πλειον 𝔓^{75} e r^{1} • **42** ⸀δε 𝔓^{66} D N *pc* it sy^{h} | °B W^{s} *pc* b f r^{1} sy^{c}; Ir Or | ⸂λαλιαν σου 𝔓^{75} B; Or ¦ σην μαρτυριαν ℵ* D b l r^{1} | ⸁-του D a sy^{c} | ⸆ο χριστος A C^{3} D L Θ Ψ $f^{1.13}$ 𝔐 e f q sy$^{p.h}$ ¦ *txt* 𝔓$^{66.75}$ ℵ B C* W^{s} *pc* lat sy^{c}; Or • **43** ⸆και απηλθεν A Θ Ψ f^{1} 𝔐 vg ¦ και ηλθεν L *pc* vg^{mss} ¦ *txt* 𝔓$^{66.75}$ ℵ B C D W^{s} 083^{vid} f^{13} 892. 1010. 1241 *al* it sy^{c}; Or • **45** ⸀ως ℵ* D e | ⸁εξεδ- D | ⸀¹α ℵ* D 𝔐 ¦ *txt* 𝔓$^{66.75}$ ℵ^{2} A B C L N W^{s} Θ Ψ 086 $f^{1.13}$ 33. 565. 892. 1010. 1241 *al* • **46** ⸆ο Ιησους A Θ Ψ 063 $f^{1.13}$ 𝔐 f q sy$^{p.h}$ ¦ *txt* 𝔓$^{66.75}$ ℵ B C D L W^{s} 086. 33. 1241 *al* lat sy^{c} | ⸂εν B N *pc* | ⸉ην δε ℵ D L N 083. 33. 892. 1241 *al* | ⸀-λισκος D a • **47** ⸂*1* 𝔓^{75} ¦ ηλθεν (+ ουν ℵ*) πρ. αυ. ℵ* C $f^{1.13}$ 33. 565. 1241 *pc* it | ⸆αυτον A Θ Ψ 063 $f^{1.13}$ 𝔐 lat ¦ *txt* 𝔓$^{66.75}$ ℵ B C D L W^{s} 083. 086. 33. 892. 1010. 1241 *al* it

θνήσκειν. **48** εἶπεν οὖν ὁ Ἰησοῦς πρὸς αὐτόν· ἐὰν μὴ ση- 2,18! 23! 1 K 1,22!
μεῖα καὶ τέρατα ἴδητε, οὐ μὴ πιστεύσητε. **49** λέγει πρὸς Act 5,12! Sap 8,8
αὐτὸν ὁ ⸀βασιλικός· κύριε, κατάβηθι πρὶν ἀποθανεῖν τὸ
παιδίον μου. **50** λέγει αὐτῷ ὁ Ἰησοῦς· πορεύου, ὁ υἱός
σου ζῇ. ⸀ἐπίστευσεν ὁ ἄνθρωπος τῷ λόγῳ ⸁ὃν εἶπεν 1Rg 17,23
°αὐτῷ ὁ Ἰησοῦς καὶ ἐπορεύετο. **51** ἤδη δὲ αὐτοῦ κατα-
βαίνοντος οἱ δοῦλοι °αὐτοῦ ὑπήντησαν αὐτῷ ⸀λέγοντες Mc 7,30
ὅτι ὁ ⸂παῖς αὐτοῦ⸃ ζῇ. **52** ἐπύθετο οὖν ⸂τὴν ὥραν παρ' αὐ-
τῶν⸃ ἐν ᾗ κομψότερον ἔσχεν· ⸄εἶπαν οὖν⸅ αὐτῷ ὅτι ἐχθὲς
ὥραν ⸀ἑβδόμην ἀφῆκεν αὐτὸν ὁ πυρετός. **53** ἔγνω οὖν ὁ Mt 8,15!p
πατὴρ ⸆ ὅτι °[ἐν] ἐκείνῃ τῇ ὥρᾳ ἐν ᾗ εἶπεν αὐτῷ ⸋ὁ Ἰη-
σοῦς⸌· ὁ υἱός σου ζῇ, καὶ ἐπίστευσεν αὐτὸς καὶ ἡ οἰκία Act 11,14!
αὐτοῦ ὅλη. **54** Τοῦτο °[δὲ] πάλιν ⸉δεύτερον σημεῖον ἐποί- 2,11!
ησεν⸊ ὁ Ἰησοῦς ἐλθὼν ἐκ τῆς Ἰουδαίας εἰς τὴν Γαλιλαίαν. 4,3!
5 Μετὰ ταῦτα ἦν ⸆ ἑορτὴ τῶν ⸀Ἰουδαίων ⸆· καὶ ἀνέβη 6,4; 2,13; 7,2.10
⸆¹ Ἰησοῦς εἰς Ἱεροσόλυμα.
2 Ἔστιν δὲ ἐν τοῖς Ἱεροσολύμοις ⸂ἐπὶ τῇ προβατικῇ Neh 3,1.32; 12,39
κολυμβήθρα ἡ ἐπιλεγομένη⸃ Ἑβραϊστὶ ⸀Βηθζαθὰ πέντε 9,7
στοὰς ἔχουσα. **3** ἐν ταύταις κατέκειτο πλῆθος ⸆ τῶν ἀσθε-

49 ⸀βασιλισκος D*vid • 50 ⸀και επ. A C Θ Ψ *f*1.13 𝔐 it sy ¦ επ. δε L 083. 892 *pc* ¦ *txt* 𝔓66.75 א B D Ws 1010. 1241 *pc* lat | ⸁ω 𝔓66 D Ws *f*1.13 𝔐 ¦ *txt* 𝔓75 א2 A B C L Θ Ψ *pc* (א* *om.* … επορ.) | ° 𝔓75 K *pc* d l • 51 °† א D L Ψ *f*1 565. 892. 1241 *pc* lat ¦ *txt* 𝔓66.75 A B C (Ws) Θ 063 *f*13 𝔐 (d) q sy | ⸀και ηγγειλαν αυτω (– א) א D b ¦ και απηγγ. (+ αυτω *pc*) λεγ. 𝔓66 A C Ws Θ Ψ 063 *f*13 𝔐 lat ¦ και ανηγγ. λεγ. K *f*1 33. 565 *al* ¦ *txt* 𝔓75 B L N 892. 1010. 1241 *pc* bo | ⸂π. σου Θ Ψ 063 *f*1 𝔐 syh ¦ υιος σου (αυτου *pc*) 𝔓66c D K L N 33. 892. 1241 *al* it syc.p.hmg ¦ π. σου ο υιος αυ. *f*13 ¦ *txt* 𝔓66*.75 א A B C Ws *pc* (lat); Or • 52 ⸂*3 4 1 2* L Ψ 𝔐 ¦ τ. ωρ. εκεινην 𝔓75 B ¦ *txt* 𝔓66 א A C D K N Ws Θ 063 *f*1.13 33. 565. 1010 *al* lat | ⸄*1* 𝔓66* 0125 *pc* e syc.p ¦ και ε. א A D Θ 063 *f*13 𝔐 lat syh ¦ *txt* 𝔓66c.75 B C L N Ws Ψ *f*1 33. 565. 1010. 1241 *al* | ⸀tertia c ¦ nona syc • 53 ⸆αυτου 𝔓66 C N 0125 *f*13 1241 *pc* e f sy | °† 𝔓75 א* B C 0125. 1. 892 *al* ¦ *txt* 𝔓66 א2 A D L Ws Θ Ψ 063. 078 *f*13 𝔐 e f | ⸋א* N* • 54 °א A C2 D L Θ Ψ 063 *f*1 𝔐 latt sy ¦ *txt* 𝔓66.75 B C* Ws 0125 *f*13 1010. 1241 *al*; Or | ⸉*1 3 2* א Ws ¦ *3 1 2* 𝔓75 ¦ *2 1 3* 28 *pc*

¶ 5,1 ⸆ἡ א C L Δ Ψ *f*1 33. 892. 1010. 1424 *pm* | ⸀αζυμων Λ | ⸆· η σκηνοπηγια 131 | ⸆1 ο א C Ws Θ 0125 *f*1.13 𝔐 ¦ *txt* 𝔓66.75 A B D K L Ψ 078 *al* • 2 ⸂εν τη … η επιλεγομενη (λεγ. D) א2 A D L Θ *pc* ¦ επι τη … τη επιλ. Ws ¦ πρ-κῇ κολ. το λεγομενον א* aur e vgcl ¦ natatoria quae dicitur l syc.p; Irlat ¦ in inferiore parte natatoria piscina qu. dic. a (b) ff2 ¦ επι τη … η εστιν λεγ. 𝔓66* ¦ *ut txt sed* λεγ. *f*1 33 *pc* ¦ *txt* 𝔓66c.75 B C Ψ 063. 078. 0125 *f*13 𝔐 syh | ⸀Βηθεσδα A C Θ 078 *f*1.13 𝔐 f q syc.p.hmg ¦ (1,44) Βηθσαιδα (𝔓66: Βηδ-,* -δαν) ·75 B Ws (Ψ) 0125 *pc* vg syh; Tert ¦ Βελζεθα D (a) r1 ¦ *txt* א (L) 33 it • 3 ⸆πολυ A Θ Ψ 063. 078 *f*1.13 𝔐 lat syp.h ¦ *txt* 𝔓66.75 א B C D L Ws 0125. 33. 1241 *pc* it syc co

νούντων, τυφλῶν, χωλῶν, ξηρῶν⸆. ⸆^{1} **5** ἦν δέ ⸂τις ἄν-
Dt 2,14 θρωπος ἐκεῖ⸃ ⸂τριάκοντα ⸋[καὶ] ὀκτὼ ἔτη⸃ ἔχων ἐν τῇ
ἀσθενείᾳ αὐτοῦ· **6** τοῦτον ἰδὼν ὁ Ἰησοῦς κατακείμενον
L 8,29! καὶ γνοὺς ὅτι πολὺν ⸂ἤδη χρόνον ἔχει⸃, λέγει αὐτῷ· θέλεις ὑγιὴς γενέσθαι; **7** ⸀ἀπεκρίθη αὐτῷ ὁ ἀσθενῶν· κύριε,
ἄνθρωπον οὐκ ἔχω ἵνα ὅταν ταραχθῇ τὸ ὕδωρ βάλῃ με
εἰς τὴν κολυμβήθραν· ἐν ᾧ δὲ ἔρχομαι ἐγώ, ἄλλος πρὸ
Mt 9,6p ἐμοῦ καταβαίνει⸆. **8** λέγει αὐτῷ ὁ Ἰησοῦς· ἔγειρε ἆρον
τὸν κράβαττόν σου καὶ περιπάτει. **9** ⸂καὶ εὐθέως⸃ ἐγένετο
ὑγιὴς ὁ ἄνθρωπος ⸋καὶ ἦρεν τὸν κράβαττον αὐτοῦ⸌ καὶ
Act 3,7s! περιεπάτει.
9,14 Ἦν δὲ σάββατον ⸋^{1}ἐν ἐκείνῃ τῇ ἡμέρᾳ⸌. **10** ἔλεγον
Jr 17,21 οὖν οἱ Ἰουδαῖοι τῷ τεθεραπευμένῳ· σάββατόν ἐστιν, καὶ
Mt 12,2p οὐκ ἔξεστίν σοι ἆραι τὸν κράβαττόν ⸋σου. **11** ⸂ὁ δὲ⸃
ἀπεκρίθη αὐτοῖς· ὁ ποιήσας με ὑγιῆ ἐκεῖνός μοι εἶπεν·
ἆρον τὸν κράβαττόν σου καὶ περιπάτει. **12** ⸋ἠρώτη-
L 5,21! σαν ⸀αὐτόν· τίς ἐστιν ὁ ἄνθρωπος ὁ εἰπών σοι· ἆρον
⸆ καὶ περιπάτει;⸌ **13** ὁ δὲ ⸀ἰαθεὶς οὐκ ᾔδει τίς ἐστιν, ὁ
⸁γὰρ Ἰησοῦς ⸀^{1}ἐξένευσεν ὄχλου ὄντος ἐν τῷ τόπῳ. **14** μετὰ
ταῦτα εὑρίσκει αὐτὸν ⸋ὁ Ἰησοῦς ἐν τῷ ἱερῷ καὶ εἶπεν
8,11 · Mt 12,45p αὐτῷ· ἴδε ὑγιὴς γέγονας, μηκέτι ἁμάρτανε, ἵνα μὴ χεῖ-
ρόν ⸉σοί τι⸊ γένηται. **15** ⸀ἀπῆλθεν ὁ ἄνθρωπος καὶ ⸁ἀνήγ-

3 ⸆ (, παραλυτικων D it), εκδεχομενων την του υδατος κινησιν A^{c} C^{3} D (W^{s}) Θ Ψ 063. 078 *f*$^{1.13}$ 𝔐 lat sy$^{p.h}$ bo^{pt} ¦ *txt* 𝔓$^{66.75}$ ℵ A* B C* L 0125 *pc* q sy^{c} co | ⸆^{1}[4] αγγελος γαρ (δε L; + κυριου A K L Δ 063 *f*^{13} (1241) *al* it vg^{cl}) κατα καιρον (– a b ff^{2}) κατεβαινεν (ελουετο A K Ψ 1241 r^{1} vg^{mss}) εν τη κολυμβηθρα (– a b ff^{2}) και εταρασσε (-σσετο C^{3} 078 *al* c r^{1} vg^{cl}) το υδωρ· ο ουν πρωτος εμβας μετα την ταραχην του υδατος (*om.* μετα ... υδ. a b ff^{2}) υγιης εγινετο ω (οιω A L 1010 *pc*) δηποτε (δ' αν K *pc*; + ουν A) κατειχετο νοσηματι A C^{3} L Θ Ψ 063. 078^{vid} *f*$^{1.13}$ 𝔐 it vg^{cl} sy$^{p.h**}$ bo^{pt}; Tert ¦ *txt* 𝔓$^{66.75}$ ℵ B C* D W^{s} 0125. 33 *pc* f l q vgst sy^{c} co ● **5** ⸂ *1 3 2* 𝔓^{66} Ψ *pc* ¦ *1 2* ℵ ¦ *2 3* D l (⸉ 1010. 1241 *pc* it) | ⸂ λη' ετ. (– 𝔓^{75*}; ⸉ 𝔓^{66*}) 𝔓$^{66.75}$ ¦ μη' ετ. W^{s} | ⸋B K Γ Θ 063. 892. 1424 *pm* ¦ *txt* ℵ A C D L (W^{s}) Δ Ψ 078. 0125. *f*$^{1.13}$ 28. 33. 565. 700. 1010. 1241 *pm* ● **6** ⸂ *2 1 3* 𝔓^{75} *f*^{1} 565 *pc* ¦ *1 3 2* 𝔓^{66c} ¦ *3 2* 𝔓^{66*} ¦ *2 3* ℵ 2768 *pc* e ● **7** ⸀λεγει A^{c} D sy$^{s.c}$ | ⸆και λαμβανει την ιασιν 64 ¦ εγω δε ασθενων πορευομαι 69 ● **9** ⸂και D W^{s} aur l ¦ – ℵ* | ⸋sy^{c} | ⸋^{1}D e ● **10** ⸋† A B C^{3} *f*^{1} 𝔐 e ¦ *txt* 𝔓$^{66.75}$ ℵ C* D L N W^{s} Θ Ψ *f*^{13} 892. 1010. 1241 *al* lat sy ● **11** ⸂† ος δε 𝔓^{75} A B ¦ – C^{3} D Ψ *f*^{1} 𝔐 lat ¦ *txt* 𝔓^{66} ℵ C* K L N W^{s} Δ Θ *f*^{13} 892. 1010. 1241 *al* ● **12** ⸋(*h. t.?*) A* W Γ 063 *pc* b sy^{s} | ⸀ουν 𝔓^{75} ¦ ουν αυ. A^{c} C L Θ Ψ *f*$^{1.13}$ 𝔐 vg sy^{h} ¦ *txt* 𝔓^{66} ℵ B D *pc* it sy$^{c.p}$ | ⸆τον κραβ(β)ατ(τ)ον σου A^{c} C^{3} D Θ Ψ *f*$^{1.13}$ 𝔐 lat sy sa^{ms} pbo bo ¦ *txt* 𝔓$^{66.75}$ ℵ B C* L sa^{mss} ac^{2} ● **13** ⸀ασθενων D b l (r^{1}) ¦ – q | ⸁δε 𝔓^{75} aur f ff^{2} r^{1} | ⸀^{1}ενευσεν ℵ* D* ● **14** ⸋B | ⸉ ℵ D K W Θ *f*$^{1.13}$ 28. 33. 565. 1010. 1241. 1424 *pm* ● **15** ⸀απ. ουν ℵ^{2} D N Θ Ψ *f*^{13} 1241 *al* ¦ απ. δε W ¦ και απ. A *pc* | ⸁απηγγ. D K Δ *f*^{13} 33. 1010. 1241. 1424 *al* ¦ †ειπεν ℵ C L *pc* it sy$^{s.c.p}$ ¦ *txt* 𝔓$^{66.75}$ A B W Θ Ψ 063 *f*^{1} 𝔐 f sy^{h}

γειλεν τοῖς Ἰουδαίοις ὅτι Ἰησοῦς ἐστιν ὁ ποιήσας αὐτὸν
ὑγιῆ. **16** καὶ διὰ τοῦτο ἐδίωκον ⸂οἱ Ἰουδαῖοι τὸν Ἰησοῦν⸃, 18! Mt 12,14
ὅτι ταῦτα ⸀ἐποίει ἐν σαββάτῳ.
17 Ὁ δὲ °[Ἰησοῦς] ἀπεκρίνατο αὐτοῖς· ὁ πατήρ μου
ἕως ἄρτι ἐργάζεται κἀγὼ ἐργάζομαι· **18** διὰ τοῦτο °οὖν 9,4
μᾶλλον ⸉ἐζήτουν αὐτὸν οἱ Ἰουδαῖοι ἀποκτεῖναι⸊, ὅτι οὐ 16; 7,1.19.25.30; 8,37.40; 11,53 Mt 12,14
μόνον ἔλυεν τὸ σάββατον, ἀλλὰ καὶ πατέρα ἴδιον ἔλεγεν 10,33.36; 19,7 · Sap 2,16
τὸν θεὸν ἴσον ἑαυτὸν ποιῶν τῷ θεῷ.
19 Ἀπεκρίνατο οὖν ⸋ὁ Ἰησοῦς⸌ καὶ ⸀ἔλεγεν αὐτοῖς·
ἀμὴν ἀμὴν λέγω ὑμῖν, οὐ δύναται ὁ υἱὸς ⸆ ποιεῖν ⸆⸁ ἀφ' 30; 8,28! 2K 3,5
ἑαυτοῦ ⸁οὐδὲν ⸀¹ἐὰν μή τι βλέπῃ τὸν πατέρα ποιοῦντα· 3,11!
ἃ γὰρ ἂν ἐκεῖνος ποιῇ, ταῦτα καὶ ὁ υἱὸς ⸂ὁμοίως ποιεῖ⸃.
20 ὁ γὰρ πατὴρ φιλεῖ τὸν υἱὸν καὶ πάντα δείκνυσιν αὐτῷ 3,35!
ἃ αὐτὸς ποιεῖ, καὶ μείζονα τούτων δείξει αὐτῷ ἔργα, ἵνα 14,12!
ὑμεῖς ⸀θαυμάζητε. **21** ὥσπερ γὰρ ὁ πατὴρ ἐγείρει τοὺς Dt 32,39 1Sm 2,6
νεκροὺς καὶ ζῳοποιεῖ, οὕτως καὶ ὁ υἱὸς οὓς θέλει ζῳο- 2Rg 5,7 Hos 6,2
ποιεῖ. **22** οὐδὲ γὰρ ὁ πατὴρ κρίνει οὐδένα, ἀλλὰ τὴν κρί- 27; 8,15 Dn 7,10.13s Hen 69,27 Act
σιν πᾶσαν δέδωκεν τῷ υἱῷ, **23** ἵνα πάντες τιμῶσι τὸν υἱὸν 10,42! |
καθὼς τιμῶσι τὸν πατέρα. ὁ μὴ τιμῶν τὸν υἱὸν οὐ τιμᾷ L 10,16!
τὸν πατέρα τὸν πέμψαντα αὐτόν.
24 Ἀμὴν ἀμὴν λέγω ὑμῖν ὅτι ὁ τὸν λόγον μου ἀκούων 8,51 3,15s.36; 6,40.47;
καὶ πιστεύων τῷ πέμψαντί με ἔχει ζωὴν αἰώνιον καὶ εἰς 10,10.28; 11,25s;
κρίσιν οὐκ ἔρχεται, ἀλλὰ μεταβέβηκεν ἐκ τοῦ θανάτου 20,31; 17,2 · 3,18 R 8,1 · 1J 3,14 |
εἰς τὴν ζωήν. **25** ἀμὴν ἀμὴν λέγω ὑμῖν ὅτι ἔρχεται ὥρα
⸋καὶ νῦν ἐστιν⸌ ὅτε οἱ νεκροὶ ⸀ἀκούσουσιν τῆς φωνῆς 28; 4,23
τοῦ υἱοῦ τοῦ θεοῦ καὶ °οἱ ἀκούσαντες ⸁ζήσουσιν. **26** ⸀ὥσ-
περ γὰρ ὁ πατὴρ ἔχει ζωὴν ἐν ἑαυτῷ, οὕτως ⸉καὶ τῷ υἱῷ 1,4
ἔδωκεν ζωὴν⸊ ἔχειν ἐν ἑαυτῷ. **27** καὶ ἐξουσίαν ἔδωκεν 6,57

16 ⸂τ. Ιη. οι Ιου. και εζητουν αυτον αποκτειναι A Θ Ψ 063 (f^{13}) 𝔐 e q sy$^{p.h}$ ¦ *txt* 𝔓$^{66.75}$ ℵ B C D L W 33. 892. 1010 *al* lat sy$^{s.c}$ (⸉ f^{1} 565. 1241 *pc*) | ⸀εποιησεν 𝔓^{75} 579 • **17** †° 𝔓^{75} ℵ B W 892. 1241 *pc* pbo ¦ *txt* 𝔓^{66} A D L Θ Ψ 063 $f^{1.13}$ 𝔐 latt sy$^{(s)}$ co • **18** °ℵ D *pc* it sy^{p} | ⸉ *3 4 1 2 5* 𝔓^{66} D; Tert Hil ¦ *1 2 5 3 4* W l • **19** ⸋𝔓^{75} B *pc* | ⸀ειπεν A D W Θ Ψ 063 f^{13} 𝔐 ¦ λεγει f^{1} 1241 *pc* j ¦ *txt* 𝔓$^{66.75}$ (ℵ) B L 565. 892. 1010 *al* | ⸆του ανθρωπου D f^{13} *pc* | ⸆τι *et* ⸁ – D ¦ – *et* ουδε εν 𝔓^{66} f^{1} 565 *pc* | ⸀¹† αν ℵ B ¦ *txt* 𝔓$^{66.75}$ A D L W Θ Ψ 063 $f^{1.13}$ 𝔐 | ⸂ *2 1* ℵ D *pc* it ¦ *2* 063 e • **20** ⸀-ζετε ℵ L *pc* ¦ -σητε 𝔓^{75} 1241 • **25** ⸋ℵ* a b; Tert | ⸀-σωσιν 𝔓^{66} ℵ L W Ψ 0124. 1. 33. 565. 892. 1010. 1241 *al* ¦ -σονται A D Θ 063 f^{13} 𝔐 ¦ *txt* 𝔓^{75} B *pc* | ° 𝔓^{66} ℵ* | ⸁ζησονται A Θ Ψ 063 f^{13} 𝔐 ¦ *txt* 𝔓$^{66.75}$ ℵ B D L W 0124 f^{1} 33. 565. 1010 *al* • **26** ⸀ως ℵ* D W; Epiph | ⸉ *4 1–3 5* A D Θ Ψ 063 $f^{1.13}$ 𝔐 lat sy ¦ *1–3 5 4* W *pc* ¦ *txt* 𝔓$^{66.75}$ ℵ^{2} B L 0124. 1010 *al* (ℵ*: *h. t.*)

αὐτῷ ᵀ κρίσιν ποιεῖν, ὅτι υἱὸς °ἀνθρώπου ἐστίν. **28** μὴ
θαυμάζετε τοῦτο, ὅτι ᵔἔρχεται ὥρα ἐν ᾗ\ πάντες οἱ ἐν
τοῖς μνημείοις ⸀ἀκούσουσιν τῆς φωνῆς αὐτοῦ **29** καὶ ἐκ-
πορεύσονται οἱ τὰ ἀγαθὰ ποιήσαντες εἰς ἀνάστασιν ζωῆς,
⸂οἱ δὲ⸃ τὰ φαῦλα πράξαντες εἰς ἀνάστασιν κρίσεως.
30 Οὐ δύναμαι ἐγὼ ποιεῖν ἀπ᾽ ἐμαυτοῦ ⸀οὐδέν· καθὼς
ἀκούω κρίνω, καὶ ἡ κρίσις ἡ ἐμὴ δικαία ἐστίν, * ὅτι οὐ ζητῶ τὸ θέλημα τὸ ἐμὸν ἀλλὰ τὸ θέλημα τοῦ πέμψαντός με ᵀ.
31 Ἐὰν ἐγὼ μαρτυρῶ περὶ ἐμαυτοῦ, ἡ μαρτυρία μου
οὐκ ἔστιν ἀληθής· **32** ἄλλος ἐστὶν ὁ μαρτυρῶν περὶ ἐμοῦ,
καὶ ⸀οἶδα ὅτι ἀληθής ἐστιν ἡ μαρτυρία ἣν μαρτυρεῖ περὶ
ἐμοῦ. **33** ὑμεῖς ἀπεστάλκατε πρὸς Ἰωάννην, καὶ μεμαρτύρηκεν τῇ ἀληθείᾳ· **34** ἐγὼ δὲ οὐ παρὰ ⸀ἀνθρώπου τὴν
μαρτυρίαν λαμβάνω, ἀλλὰ ταῦτα λέγω ἵνα ὑμεῖς σωθῆτε.
35 ἐκεῖνος ἦν ὁ λύχνος ὁ καιόμενος καὶ φαίνων, ὑμεῖς δὲ
ἠθελήσατε ἀγαλλιαθῆναι πρὸς ὥραν ἐν τῷ φωτὶ αὐτοῦ.
36 Ἐγὼ δὲ ἔχω τὴν μαρτυρίαν ⸀μείζω τοῦ Ἰωάννου· τὰ
γὰρ ἔργα ἃ ⸁δέδωκέν μοι ὁ πατὴρ ἵνα τελειώσω αὐτά,
⸀¹αὐτὰ τὰ ἔργα ἃ ποιῶ μαρτυρεῖ περὶ ἐμοῦ ὅτι ὁ πατήρ με
ἀπέσταλκεν. **37** καὶ ὁ πέμψας με πατὴρ ⸀ἐκεῖνος μεμαρτύρηκεν περὶ ἐμοῦ. οὔτε φωνὴν αὐτοῦ πώποτε ἀκηκόατε οὔτε εἶδος αὐτοῦ ἑωράκατε, **38** καὶ τὸν λόγον αὐτοῦ
οὐκ ἔχετε ἐν ὑμῖν μένοντα, ὅτι ὃν ⸀ἀπέστειλεν ἐκεῖνος,
τούτῳ ὑμεῖς οὐ πιστεύετε. **39** ἐραυνᾶτε τὰς γραφάς, ⸂ὅτι
ὑμεῖς δοκεῖτε ἐν αὐταῖς ζωὴν αἰώνιον ἔχειν· καὶ ἐκεῖναί
εἰσιν αἱ μαρτυροῦσαι περὶ ἐμοῦ⸃· **40** καὶ οὐ θέλετε ἐλθεῖν
πρός με ἵνα ζωὴν ᵀ ἔχητε.
41 Δόξαν παρὰ ἀνθρώπων οὐ λαμβάνω, **42** ἀλλὰ ἔγνωκα
ὑμᾶς ὅτι ⸉τὴν ἀγάπην τοῦ θεοῦ οὐκ ἔχετε⸊ ἐν ἑαυτοῖς.

Act 10,42! · 1,51!
25!
Is 26,19 Ez 37,12
Mt 25,46 Act 24,15 2K 5,10 1Th 4,16 Dn 12,2 Ap 20,13
8,28! Nu 16,28
8,16
4,34!
8,13s
36s; 8,18 1J 5,9
1,7.19-34
11,42!
3,17!
1,8 Mt 11,7-11
Ps 132,16s · 2K 7,8 G 2,5 Phm 15
32!
4,34!
10,25.38; 14,11s; 15,24 Mt 9,6p; 11,2-6; 12,28 | 8,18; 12,28!
1,18! Dt 4,12
1J 2,14!
Jr 8,8s R 2,17-20 | 1,45! L 18,31; 24,27.44 2T 3,15-17 1P 1,10 Ap 19,10 ·
1,45! | Mt 23,37
1Th 2,6
L 11,42 2Th 3,5 1J 2,15

27 ᵀκαι D Θ 063 $f^{1.13}$ 𝔐 lat sy$^{p.h}$ ¦ *txt* 𝔓$^{66.75}$ (א) A B L N W Ψ 0124. 33 *al* it vg^{cl} sy^{c}; Or | [°Wendt *cj*] ● **28** ᵔsy^{c} | ⸀ακουσωσιν 𝔓^{66} א L N W Δ 33. 1010 *al* ¦ -σονται A D (Θ) Ψ 063 $f^{1.13}$ 𝔐 ¦ *txt* 𝔓^{75} B 0124 *pc* ● **29** ⸂† οι 𝔓^{66c} B a e ff^{2} ¦ και οι 𝔓^{66*} W ¦ *txt* 𝔓^{75} א A D L Θ Ψ 063. 0124 $f^{1.13}$ 𝔐 lat sy^{h} ● **30** ⸀ουδε εν 𝔓^{66} G *pc* | ᵀπατρος Γ Θ 063 f^{13} 28. 700. 892. 1241. 1424 𝔐 it ● **32** ⸀οιδατε א* D aur e q sy^{c} ¦ οιδαμεν 61 *pc* ● **34** ⸀-πων D *pc* ¦ Ιωαννου *pc* ● **36** ⸀μειζων 𝔓^{66} A B N W Ψ 063 f^{13} 33. 1010. 1241 *al* ¦ μειζονα D 1424 *pc* ¦ *txt* א L Θ f^{1} 𝔐 | ⸁εδωκεν A D K Δ Θ 28. 700 𝔐 | ⸀¹ταυτα 𝔓^{66} ¦ – 33. 1241 *pc* ● **37** ⸀αυτος 𝔓^{66} A Θ Ψ 063 $f^{1.13}$ 𝔐 lat ¦ εκεινος αυτος D ¦ *txt* 𝔓^{75} א B L W 892. (1241) *pc* a ff^{2} j ● **38** ⸀-σταλκεν D Θ *pc* ● **39** ⸂εν αις υμ. δοκ. ζωην εχ.· εκειναι … εμου (it); PEgerton 2 ¦ *id., sed add. p. txt* b (sy^{c}) ● **40** ᵀαιωνιον D Θ 69 *pc* e sy^{p} ● **42** ⸉ *5 6 1–4* (א*) D b e q

43 ἐγὼ ⸆ ἐλήλυθα ἐν τῷ ὀνόματι τοῦ πατρός μου, καὶ οὐ 10,25
λαμβάνετέ με· ἐὰν ἄλλος ἔλθῃ ἐν τῷ ὀνόματι τῷ ἰδίῳ, 1,11 Mt 24,5p |
ἐκεῖνον λήμψεσθε. **44** πῶς δύνασθε ὑμεῖς πιστεῦσαι δόξαν 12,39 · 12,43 Mt
παρὰ ἀλλήλων λαμβάνοντες, καὶ τὴν δόξαν τὴν παρὰ τοῦ 23,5-7p · 7,18! R 2,29
μόνου °θεοῦ οὐ ζητεῖτε; 2Rg 19,15.19 Is 37,20 Dn 3,45 𝔊
45 Μὴ δοκεῖτε ὅτι ἐγὼ κατηγορήσω ⸀ὑμῶν πρὸς τὸν 1T 1,17
πατέρα· ἔστιν ὁ κατηγορῶν ὑμῶν ⸆ Μωϋσῆς, εἰς ὃν
ὑμεῖς ἠλπίκατε. **46** εἰ γὰρ ἐπιστεύετε Μωϋσεῖ, ἐπιστεύετε 7,19! Dt 31,26
ἂν ἐμοί· περὶ γὰρ ἐμοῦ ἐκεῖνος ἔγραψεν. **47** εἰ δὲ τοῖς ἐκεί- 1,45! Dt 18,15
νου γράμμασιν οὐ πιστεύετε, πῶς τοῖς ἐμοῖς ῥήμασιν L 16,31
⸀πιστεύσετε;

6 Μετὰ ταῦτα ἀπῆλθεν ὁ Ἰησοῦς πέραν τῆς θαλάσσης *1–13:* Mt 14,13-21 Mc 6,32-44
⸂τῆς Γαλιλαίας τῆς Τιβεριάδος⸃. **2** ⸂ἠκολούθει δὲ⸃ L 9,10b-17 cf Mt 15,32-39
αὐτῷ ὄχλος πολύς, ὅτι ⸀ἐθεώρουν τὰ σημεῖα ἃ ἐποίει ἐπὶ Mc 8,1-10 · 21,1 | Mt 15,30 · 2,11!
τῶν ἀσθενούντων. **3** ἀνῆλθεν ⸀δὲ εἰς τὸ ὄρος ⸁Ἰησοῦς καὶ 15 Mt 5,1!
⸂ἐκεῖ ἐκάθητο⸃ μετὰ τῶν μαθητῶν αὐτοῦ. **4** ⸋ἦν δὲ ἐγγὺς
τὸ πάσχα, ἡ ἑορτὴ τῶν Ἰουδαίων.⸌ 2,13! 5,1!
5 Ἐπάρας οὖν τοὺς ὀφθαλμοὺς ὁ Ἰησοῦς καὶ θεασάμενος ὅτι ⸉πολὺς ὄχλος⸊ ἔρχεται πρὸς αὐτὸν λέγει πρὸς
⸆ Φίλιππον· πόθεν ⸀ἀγοράσωμεν ἄρτους ἵνα φάγωσιν οὗ- 1,43! · 4,8
τοι; **6** τοῦτο δὲ ἔλεγεν πειράζων αὐτόν· αὐτὸς γὰρ ᾔδει τί 8,6
ἔμελλεν ποιεῖν. **7** ⸂ἀπεκρίθη αὐτῷ⸃ °[ὁ] Φίλιππος· διακοσίων δηναρίων ἄρτοι οὐκ ἀρκοῦσιν αὐτοῖς ἵνα ἕκαστος βραχὺ °¹[τι] λάβῃ. **8** λέγει αὐτῷ εἷς ἐκ τῶν μαθητῶν
αὐτοῦ, Ἀνδρέας ὁ ἀδελφὸς Σίμωνος Πέτρου· **9** ἔστιν παι- 1,40!
δάριον ⸆ ὧδε ὃς ἔχει πέντε ἄρτους κριθίνους καὶ δύο ὀψά- 2Rg 4,42s

43 ⸆δε 𝔓^{66*} ● **44** °𝔓$^{66.75}$ B W a (b) sa ac^{2} pbo bo^{pt} ● **45** ⸀υμας D* 1424 *pc* ¦ υμιν 𝔓^{75*} L 063. 1241 *pc* | ⸆προς τον πατερα B ● **47** ⸀πιστευσητε D W Δ Θ *f*$^{1.13}$ 28. 565. 1010. 1241. 1424 *al* ¦ πιστευετε 𝔓$^{66.75*}$ B *pc* ¦ *txt* 𝔓^{75c} ℵ A L Ψ 𝔐
¶ **6,1** ⸂*1 2* 𝔓^{66*}*pc* ¦ *3 4* N 0210 *pc* ¦ τ. Γαλ. εις τα μερη τ. Τιβ. D Θ 892 *pc* b e j r^{1} ● **2** ⸂και -θει A Θ Ψ 063 𝔐 q vg sy^{h} ¦ και -θησαν (*et* οχλοι -λλοι) 0273. 1010. 1424 *pc* f ¦ *txt* 𝔓$^{66.75}$ ℵ B D L N W *f*$^{1.13}$ 33. 565. 892. 1241 *al* it; Epiph | ⸀-ρουντες (*et om.* οτι) W ¦ †εωρων 𝔓^{66*} ℵ 063. 0273 *f*^{1} 𝔐 ¦ *txt* 𝔓$^{66c.(75)}$ (A) B D L N (Θ) Ψ (*f*^{13}) 33. 892. 1010. 1241 *al* ● **3** ⸀ουν D W *f*$^{1.13}$ 565 *pc* lat | ⸁ο Ι. ℵ^{2} A L Θ Ψ *f*$^{1.13}$ 𝔐 ¦ – Δ ¦ *txt* 𝔓^{66} ℵ* B D W | ⸂*2 1* U *f*^{1} 565 *pc* ¦ *2* 047 *pc* ¦ εκει (– ℵ*) εκαθεζετο 𝔓^{66} ℵ (⸉D) *f*^{13}; Epiph ● **4** ⸋*vs* 472 *pc* ● **5** ⸉ 𝔓^{66*} ℵ D Θ 892 *pc* | ⸆τον A Θ 063 *f*$^{1.13}$ 𝔐 ¦ *txt* 𝔓^{66} ℵ B D L N W Δ Ψ 33. 892 *al* | ⸀-σωσιν 𝔓^{75vid} ● **7** ⸂-θη ουν αυ. 𝔓^{66} (ℵ^{2}) ¦ -νεται ουν ℵ* ¦ -νεται αυτ. D | °𝔓^{75} A B D Θ Ψ *f*$^{1.13}$ 𝔐 ¦ *txt* 𝔓^{66} ℵ L N W 892 *pc* | °¹𝔓^{75} B D 063 it ¦ *txt* 𝔓^{66} ℵ A L W Θ Ψ *f*$^{1.13}$ 𝔐 vg sy^{h} ● **9** ⸆ἓν A K Γ Δ Θ 28. 700. 1424 𝔐 lat sy$^{s.p.h}$

ρια· ἀλλὰ ⸂ταῦτα τί ἐστιν⸃ εἰς τοσούτους; **10** εἶπεν ⸆ ὁ
Ἰησοῦς· ποιήσατε τοὺς ἀνθρώπους ἀναπεσεῖν. ἦν δὲ χόρτος πολὺς ἐν τῷ τόπῳ. ἀνέπεσαν οὖν °οἱ ἄνδρες τὸν ἀριθμὸν ⸂ὡς πεντακισχίλιοι⸃. **11** ἔλαβεν οὖν τοὺς ἄρτους ὁ
L 22,19 Ἰησοῦς καὶ ⸂εὐχαριστήσας διέδωκεν⸃ ⸆ τοῖς ἀνακειμέ-
21,9s.13 νοις ὁμοίως καὶ ἐκ τῶν ὀψαρίων ὅσον ἤθελον. **12** ὡς δὲ
ἐνεπλήσθησαν, λέγει τοῖς μαθηταῖς αὐτοῦ· συναγάγετε
τὰ περισσεύσαντα κλάσματα, ἵνα μή τι ἀπόληται. **13** συνήγαγον οὖν καὶ ἐγέμισαν δώδεκα κοφίνους κλασμάτων ἐκ
τῶν πέντε ἄρτων τῶν κριθίνων ἃ ⸀ἐπερίσσευσαν τοῖς βε-
2,11! βρωκόσιν. **14** Οἱ οὖν ἄνθρωποι ἰδόντες ⸂ὃ ἐποίησεν
1,21! σημεῖον⸃ ἔλεγον ὅτι οὗτός ἐστιν ἀληθῶς ὁ προφήτης ὁ
11,27! Mt 3,11! ⸄ἐρχόμενος εἰς τὸν κόσμον⸅. **15** Ἰησοῦς οὖν γνοὺς
ὅτι μέλλουσιν ἔρχεσθαι καὶ ἁρπάζειν αὐτὸν ⸂ἵνα ποιή-
12,13! · 2,24 · 3! Mt 14,13p σωσιν⸃ βασιλέα, * ⸀ἀνεχώρησεν πάλιν εἰς τὸ ὄρος αὐτὸς
μόνος⸆.

16–21: Mt 14,22-32 Mc 6,45-51 **16** Ὡς δὲ ὀψία ἐγένετο κατέβησαν οἱ μαθηταὶ αὐτοῦ
2,12! ἐπὶ τὴν θάλασσαν **17** καὶ ἐμβάντες εἰς ⸆ πλοῖον ἤρχοντο
πέραν τῆς θαλάσσης εἰς Καφαρναούμ. ⸂καὶ σκοτία ἤδη
ἐγεγόνει⸃ καὶ ⸉οὔπω ἐληλύθει πρὸς αὐτοὺς ὁ Ἰησοῦς⸊,
Mt 8,24p **18** ἥ τε θάλασσα ἀνέμου μεγάλου πνέοντος διεγείρετο.
19 ἐληλακότες οὖν ὡς ⸀σταδίους εἴκοσι πέντε ἢ τριά-
Job 9,8 κοντα θεωροῦσιν τὸν Ἰησοῦν περιπατοῦντα ἐπὶ ⸂τῆς
θαλάσσης⸃ καὶ ἐγγὺς τοῦ πλοίου γινόμενον, καὶ ἐφοβήθησαν. **20** ὁ δὲ λέγει αὐτοῖς· ἐγώ εἰμι· ⸋μὴ φοβεῖσθε.⸌

9 ⸂ *1 3* D* ¦ *2 3 1* 𝔓^{66*} *pc* e ● **10** ⸆δε A W Θ Ψ 063 *f*$^{1.13}$ 𝔐 sy^{h} ¦ ουν 𝔓^{66} D 1241 *pc* lat ¦ *txt* 𝔓^{75vid} ℵ B L *pc* a sy$^{s.c.p}$ | ° 𝔓^{66*} D L N W Ψ *f*^{1} 33. 565. 892. 1010. 1241 *al* | ⸂ωσει π. 𝔓$^{28vid.66}$ A Θ 063 *f*$^{1.13}$ 𝔐 ¦ ως τρισχιλιοι ℵ* ¦ *txt* 𝔓^{75} ℵ^{2} B D L N W Ψ 892 *al* ● **11** ⸂-στησεν και εδ- ℵ D it sy$^{c.(p)}$ | ⸆τοις μαθηταις (+ αυτου *pc*), οι δε μαθηται ℵ^{2} D Θ Ψ *f*^{13} 𝔐 b e j (sy^{s}) ac^{2} bo^{mss} ¦ *txt* 𝔓$^{28vid.66.75vid}$ ℵ* A B L N W 063 *f*^{1} 33. 565. 1010. 1241 *al* lat sy$^{c.h}$ sa pbo bo ● **13** ⸀-σεν ℵ A L Θ Ψ *f*$^{1.13}$ 𝔐 ¦ *txt* 𝔓^{75} B D W 091 *pc* ● **14** ⸂ο επ. σημ. ο Ιησους A L Θ Ψ 063 *f*$^{1.13}$ (1010. 1424) 𝔐 f q vg^{cl} sy$^{p.h}$ (bo) ¦ α επ. σημεια 𝔓^{75} B 091 *pc* (a) ¦ *txt* ℵ D W *pc* it vgst sy$^{s.c}$ co | ⸄ *2–4 1* ℵ D Θ *pc* it ● **15** ⸂και αναδεικνυναι ℵ* (q) ¦ ινα π. αυτον D Θ Ψ 063 *f*^{13} 𝔐 (lat) sy ¦ *txt* 𝔓^{75} ℵ^{2} A B L N* W 1. 28. 33. 565. 892. 1241 *al*; Or | ⸀φευγει ℵ* lat sy^{c} | ⸆(Mc 6,46) κακει προσηυχετο D ● **17** ⸆το A D W Θ Ψ 063 *f*$^{1.13}$ 𝔐 ¦ *txt* 𝔓^{75} ℵ B L Δ 33. 700. 892. 1241 *al* | ⸂κατελαβεν δε αυτους η σκοτια ℵ D | ⸉ *1 2 5* (– ℵ) *6 3 4* ℵ D ¦ *1 3 4 2* (εγεγονει 𝔓^{75}) *5 6* 𝔓$^{28.75}$ B N Ψ *pc* ¦ ουκ ελ. πρ. αυ. ο Ι. (+ εις το πλοιον K *pc*) A Θ *f*^{1} 𝔐 vg sy sa ac^{2} ¦ *txt* (L) W 063. 33 *pc* it pbo bo (*et add.* εις το πλοιον *p.* Ι. *f*^{13}) ● **19** ⸀σταδια ℵ* D *pc* | ⸂την -σσαν 𝔓^{75} ● **20** ⸋sy^{c}

21 ἤθελον οὖν λαβεῖν αὐτὸν εἰς τὸ πλοῖον, καὶ εὐθέως
ʃἐγένετο τὸ πλοῖονˀ ἐπὶ ⸀τῆς γῆς⸁ εἰς ἣν ὑπῆγον. Ps 106,30 𝔊
52 X **22** Τῇ ἐπαύριον ὁ ὄχλος ὁ ἑστηκὼς πέραν τῆς θαλάσ- *22–25:* Mt 14,34-36 Mc 6,53-56
σης ⸀εἶδον ὅτι πλοιάριον ἄλλο οὐκ ἦν ἐκεῖ εἰ μὴ ἓν ⸆ καὶ
ὅτι οὐ συνεισῆλθεν τοῖς μαθηταῖς αὐτοῦ ὁ Ἰησοῦς εἰς τὸ
πλοῖον ἀλλὰ μόνοι οἱ μαθηταὶ αὐτοῦ ἀπῆλθον· **23** ⸂ἄλλα
⸀ἦλθεν ⸀πλοι[άρι]α⸃ ἐκ Τιβεριάδος ἐγγὺς τοῦ τόπου ὅπου
ἔφαγον τὸν ἄρτον ⸋εὐχαριστήσαντος τοῦ κυρίου⸌. **24** ⸂ὅτε 11
οὖν εἶδεν ὁ ὄχλος ὅτι Ἰησοῦς οὐκ ἔστιν ἐκεῖ⸃ οὐδὲ οἱ
μαθηταὶ αὐτοῦ, ⸀ἐνέβησαν ⸂αὐτοὶ εἰς τὰ πλοιάρια⸃ καὶ
ἦλθον εἰς Καφαρναοὺμ ζητοῦντες τὸν Ἰησοῦν. **25** καὶ εὑ- 2,12! Mc 1,37
ρόντες αὐτὸν πέραν τῆς θαλάσσης εἶπον αὐτῷ· ῥαββί,
πότε ὧδε ⸀γέγονας;

26 Ἀπεκρίθη αὐτοῖς ὁ Ἰησοῦς καὶ εἶπεν· ἀμὴν ἀμὴν
λέγω ὑμῖν, ζητεῖτέ με οὐχ ὅτι εἴδετε σημεῖα, ἀλλʼ ὅτι 2,11!
ἐφάγετε ἐκ τῶν ἄρτων καὶ ἐχορτάσθητε. **27** ἐργάζεσθε μὴ
τὴν βρῶσιν τὴν ἀπολλυμένην ἀλλὰ ⸋τὴν βρῶσιν⸌ τὴν 4,32
μένουσαν εἰς ζωὴν αἰώνιον, ἣν ὁ υἱὸς τοῦ ἀνθρώπου ⸂ὑμῖν 4,14! · 1,51!
δώσει⸃· τοῦτον γὰρ ὁ πατὴρ ἐσφράγισεν ὁ θεός. **28** εἶπον 2K 1,22
οὖν πρὸς αὐτόν· τί ⸂ποιῶμεν ἵνα ἐργαζώμεθα⸃ τὰ ἔργα
τοῦ θεοῦ; **29** ἀπεκρίθη ⸰[ὁ] Ἰησοῦς καὶ εἶπεν αὐτοῖς·
τοῦτό ἐστιν τὸ ἔργον τοῦ θεοῦ, ἵνα ⸀πιστεύητε εἰς ὃν ἀπ- 1J 3,23
έστειλεν ἐκεῖνος.
53 V **30** Εἶπον οὖν αὐτῷ· τί οὖν ποιεῖς σὺ σημεῖον, ἵνα ἴδω- 2,18! 23! Mt 12,38!
54 X μεν καὶ πιστεύσωμέν σοι; τί ἐργάζῃ; **31** οἱ πατέρες ἡμῶν
τὸ μάννα ἔφαγον ἐν τῇ ἐρήμῳ, καθώς ἐστιν γεγραμμένον· 49

21 ʃ*2 3 1* ℵ (D) Θ 063 𝔐 ¦ *txt* $\mathfrak{P}^{75}$ A B L N W Ψ $f^{1.13}$ 33. 565. 892. 1241 *al* | ⸀την γην ℵ* 063 f^{13} 28. 1010. 1424 *al*; Or ● **22** ⸀ιδων Ψ 063 $f^{1.13}$ 𝔐 ¦ ειδεν $\mathfrak{P}^{28}$ ℵ D lat ¦ *txt* $\mathfrak{P}^{75}$ A B L N W Θ 33. 1010 *al* it sy^{h} | ⸆εκεινο (– D 33 *pc*) εις ο ενεβησαν οι μαθηται αυτου (του Ιησου ℵ* D^{c} f^{13} *pc*) ℵ* D(*) Θ f^{13} 𝔐 a e sy sa ¦ *txt* $\mathfrak{P}^{75}$ ℵ^{2} A B L N W Ψ 063. 1. 565. 1010. 1241 *al* lat co ● **23** ⸂επελθοντων ουν των πλοιων ℵ ¦ αλλων πλοιαριων ελθοντων D (it) sy^{c}? | ⸀δε -θεν A W Θ (Ψ) 063 f^{13} 𝔐 ¦ δε -θον (K) N Γ f^{1} 565. (1241) *al* ¦ -θον (ʃL) 091. 33 *pc* ¦ *txt* $\mathfrak{P}^{75}$ B *pc* | ⸀πλοια $\mathfrak{P}^{75}$ (ℵ) B W Ψ *pc* lat ¦ *txt* A (D, ʃL) Θ 063. 091 $f^{1.13}$ 𝔐 | ⸋D 091 *pc* a e sy$^{s.c}$ ● **24** ⸂και ιδοντες οτι ουκ ην εκει ο I. ℵ* sy^{c} | ⸀ανεβ. $\mathfrak{P}^{75}$ ℵ* L f^{1} 565 *pc* lat ¦ ελαβον D f^{13} it *et* ⸂εαυτοις πλοιαρ. D it ¦ αυτοι τα πλοιαρ. f^{13} b ¦ εις το πλοιον ℵ* ¦ αυ. (και αυ. Γ 063 f^{1} *pc*) εις τα πλοια A Θ 063 f^{1} 𝔐 q ¦ *txt* $\mathfrak{P}^{75}$ ℵ^{2} B L N W Ψ (33). 892. 1010 *al* ● **25** ⸀εληλυθας D ¦ ηλθες ℵ ● **27** ⸋ℵ 28 *al* lat; Cl Epiph | ⸂*2 1* f^{13} 1424 *al* ¦ διδωσιν υμιν ℵ D e ff^{2} j ● **28** ⸂ποιησωμεν ινα εργ. W Θ f^{13} 1010 *al* ¦ εργασωμεθα ινα ποιησωμεν D(*) ● **29** ⸰† $\mathfrak{P}^{75}$ ℵ W Ψ 𝔐 ¦ *txt* A B D K L N T Θ 063 $f^{1.13}$ 33. 1010 *al*; Or | ⸀-σητε D K W Γ Δ 0145 f^{13} 28. 700. 892. 1241. 1424 𝔐

Ps 78,24 Ex 16,4.15 *ἄρτον ἐκ τοῦ οὐρανοῦ* ⸀*ἔδωκεν αὐτοῖς φαγεῖν*. **32** εἶπεν οὖν
αὐτοῖς ὁ Ἰησοῦς· ἀμὴν ἀμὴν λέγω ὑμῖν, οὐ Μωϋσῆς ⸀δέ-
δωκεν ὑμῖν τὸν ἄρτον ἐκ τοῦ οὐρανοῦ, ἀλλ' ὁ πατήρ μου
δίδωσιν ὑμῖν τὸν ἄρτον ἐκ τοῦ οὐρανοῦ τὸν ἀληθινόν·
51! **33** ὁ γὰρ ἄρτος ⊤ τοῦ θεοῦ ἐστιν ὁ καταβαίνων ἐκ τοῦ
οὐρανοῦ καὶ ζωὴν διδοὺς τῷ κόσμῳ. **34** εἶπον οὖν πρὸς
4,15 Mt 6,11 αὐτόν· κύριε, πάντοτε δὸς ἡμῖν τὸν ἄρτον τοῦτον. **35** εἶ- 55 I
48.51! πεν ⊤ αὐτοῖς ὁ Ἰησοῦς· ἐγώ εἰμι ὁ ἄρτος τῆς ζωῆς· * ὁ ἐρ- 56 X
4,14! Sir 24,21s Mt 5,6!p χόμενος πρὸς ⸀ἐμὲ οὐ μὴ πεινάσῃ ⸆, καὶ ὁ πιστεύων εἰς
ἐμὲ οὐ μὴ ⸂διψήσει πώποτε.
64! 15,24 **36** Ἀλλ' εἶπον ὑμῖν ὅτι καὶ ἑωράκατέ ⸋[με] καὶ οὐ πι-
39; 10,29; 17,2.6-9.12.24; 18,9 · 44.65 στεύετε. **37** πᾶν ὃ δίδωσίν μοι ὁ πατὴρ πρὸς ἐμὲ ἥξει, καὶ
τὸν ἐρχόμενον πρὸς ⸀ἐμὲ οὐ μὴ ἐκβάλω ⸋ἔξω, **38** ὅτι 57 I
4,34! Mt 26,39p.42 καταβέβηκα ⸀ἀπὸ τοῦ οὐρανοῦ οὐχ ἵνα ⸂ποιῶ τὸ θέλημα
τὸ ἐμὸν ἀλλὰ τὸ θέλημα τοῦ πέμψαντός με ⊤. **39** ⸋τοῦτο 58 X
37! δέ ἐστιν τὸ θέλημα τοῦ πέμψαντός με ⊤,⸌ ἵνα πᾶν ὃ ⸀δέ-
10,28s; 17,12; 18,9 · 44.54; 11,24; 12,48 | δωκέν μοι μὴ ἀπολέσω ⸉ἐξ αὐτοῦ⸊, ἀλλὰ ἀναστήσω ⸂αὐτὸ
⸋[ἐν] τῇ ἐσχάτῃ ἡμέρᾳ. **40** ⸋τοῦτο γάρ ἐστιν τὸ θέλημα⸌
12,45! · 5,24!s τοῦ πατρός μου, ἵνα πᾶς ὁ θεωρῶν τὸν υἱὸν καὶ πιστεύων
39! εἰς αὐτὸν ἔχῃ ζωὴν αἰώνιον, καὶ ἀναστήσω αὐτὸν ⸋ἐγὼ
⸋¹[ἐν] τῇ ἐσχάτῃ ἡμέρᾳ.
43.61; 7,32 **41** Ἐγόγγυζον οὖν οἱ Ἰουδαῖοι περὶ αὐτοῦ ὅτι εἶπεν· 59 I
51! ἐγώ εἰμι ὁ ἄρτος ὁ καταβὰς ἐκ τοῦ οὐρανοῦ, **42** καὶ ἔλε-
7,27 L 3,23! γον· ⸀οὐχ οὗτός ἐστιν Ἰησοῦς ὁ υἱὸς Ἰωσήφ, οὗ ἡμεῖς
Mt 13,55!p οἴδαμεν τὸν πατέρα ⸋καὶ τὴν μητέρα⸌; πῶς ⸂νῦν λέγει ⊤

31 ⸀δεδ- ℵ W Θ *f*^{13} *pc* ● **32** ⸀εδ- B D L W *al*; Cl ¦ *txt* 𝔓^{75} ℵ A T Θ Ψ *f*$^{1.13}$ 𝔐; Or ● **33** ⊤ο ℵ D Θ ● **35** ⊤ουν ℵ D N Γ Θ Ψ *f*^{13} 33. 1241 *al* sy^{h} ¦ δε A *f*^{1} 𝔐 sy^{hmg} ¦ *txt* 𝔓^{75vid} B L T W *pc* it sy$^{s.c.p}$ | ⸀με A D L W Θ Ψ *f*$^{1.13}$ 𝔐 ¦ *txt* 𝔓^{75} ℵ B T | ⸆ πωποτε D | ⸂-σῃ B^{2} K Γ Ψ 565. 700. 892. 1010. 1241 𝔐 ● **36** ⸋ℵ A *pc* a b e q sy$^{s.c}$ ¦ *txt* 𝔓$^{66.75vid}$ *rell* ● **37** ⸀† με A B D L W Ψ *f*$^{1.13}$ 𝔐 ¦ *txt* 𝔓$^{66.75}$ ℵ K T Δ Θ *al* | ⸋ℵ* D *pc* a b e sy$^{s.c}$ ● **38** ⸀εκ ℵ D Ψ *f*^{1} 𝔐 ¦ *txt* 𝔓^{66} A B L T W Θ *f*^{13} 33. 1241 *al*; Or Did | ⸂ποιησω ℵ D L* W 1010 *pc* | ⊤πατρος D 700. 892. 1010*. 1424 *al* it sy$^{(s).c}$ ● **39** ⸋(*h. t.?*) ℵ$^{*.2}$ C 565 *al* sa^{ms} bo^{mss} | ⊤πατρος Θ *f*^{13} 𝔐 lat sy^{h} ¦ *txt* 𝔓^{66} ℵ^{1} A B D L T W Ψ *f*^{1} 700. 892 *al* b e f q sy$^{s.c.p}$ | ⸀εδ- 𝔓^{75} | ⸉μηδεν D (ff^{2}) | ⸂αυτον L* N W Γ Δ 28. 1241. 1424* *pm* lat | ⸋𝔓$^{66.75}$ B C L T W Γ Δ Θ Ψ *f*^{1} 565. 700. 892 *pm* ¦ *txt* ℵ A D K N *f*^{13} 28. 33. 1241. 1424 *pm* ● **40** ⸋𝔓^{66*} | ⸋𝔓^{66} A D *f*^{1} *pc* aur b; Cl | ⸋¹ 𝔓^{75} B C T W Θ 1 𝔐 ¦ *txt* 𝔓^{66} ℵ A D K L N Ψ *f*^{13} 33. 1010. 1241 *al* lat ● **42** ⸀ουχι 𝔓^{75} B T ¦ οτι 𝔓^{66*} sa^{ms} | ⸋ℵ* W b sy$^{s.c}$ | ⸂ουν 𝔓^{66} ℵ A D L Ψ *f*$^{1.13}$ 𝔐 lat sy^{h} sa^{mss} ¦ – 579 *pc* a e sy$^{s.c}$ sa^{mss} ac^{2} ¦ *txt* 𝔓^{75} B C T W Θ 1241 *pc* bo^{pt} | ⊤ουτος (ℵ) A (Ψ) *f*^{13} 𝔐 lat sy$^{p.h}$ ¦ *txt* 𝔓$^{66.75}$ B C D L T W Θ *f*^{1} 33. 565. 892. 1241 *al* a ff^{2} q sy$^{s.c}$

60 X ⸀1ὅτι ἐκ τοῦ οὐρανοῦ καταβέβηκα; **43** ἀπεκρίθη ⸆ Ἰησοῦς
καὶ εἶπεν αὐτοῖς· μὴ γογγύζετε μετ' ἀλλήλων. **44** οὐ- 41!
δεὶς δύναται ἐλθεῖν πρός ⸀με ἐὰν μὴ ὁ πατὴρ ⸆ ὁ πέμψας 37!
με ἑλκύσῃ αὐτόν, κἀγὼ ἀναστήσω αὐτὸν °ἐν τῇ ἐσχά- 39!
τῃ ἡμέρᾳ. **45** ἔστιν γεγραμμένον ἐν τοῖς προφήταις· καὶ *Is 54,13* Jr 31,
ἔσονται *πάντες διδακτοὶ θεοῦ*· πᾶς ⸆ ὁ ⸀ἀκούσας παρὰ τοῦ 33s 1Th 4,9 1J 2,
61 III πατρὸς καὶ μαθὼν ἔρχεται πρὸς ⸁ἐμέ. **46** οὐχ ὅτι τὸν 27 · 8,38
πατέρα ἑώρακέν τις εἰ μὴ ὁ ὢν παρὰ ⸂τοῦ θεοῦ⸃, οὗτος ἑώ- 1,18! · 7,29; 9,16. 33; 17,7
62 X ρακεν τὸν ⸀πατέρα. **47** ἀμὴν ἀμὴν λέγω ὑμῖν, ὁ πιστεύων 5,24!
64 X ⸆ ἔχει ζωὴν αἰώνιον. **48** Ἐγώ εἰμι ὁ ἄρτος τῆς ζωῆς. **49** οἱ 35.51!
πατέρες ὑμῶν ἔφαγον ⸂ἐν τῇ ἐρήμῳ τὸ μάννα⸃ καὶ ἀπ- 31s · 58 1K 10,
έθανον· **50** οὗτός ἐστιν ὁ ἄρτος ὁ ἐκ τοῦ οὐρανοῦ κατα- 3.5 Nu 14,23 Dt 1,35
65 I βαίνων, ἵνα τις ἐξ αὐτοῦ φάγῃ καὶ μὴ ⸀ἀποθάνῃ. **51** ἐγώ
εἰμι ὁ ἄρτος ὁ ζῶν ὁ ἐκ τοῦ οὐρανοῦ καταβάς· ἐάν τις 33.38.41.35.48
φάγῃ ἐκ ⸂τούτου τοῦ ἄρτου⸃ ⸀ζήσει εἰς τὸν αἰῶνα, καὶ ὁ 58; 4,14
ἄρτος °δὲ ὃν ἐγὼ δώσω ⸉ἡ σάρξ μού ἐστιν ⸆ ὑπὲρ τῆς Mc 14,24p
τοῦ κόσμου ζωῆς⸊.
66 X **52** Ἐμάχοντο οὖν ⸉πρὸς ἀλλήλους οἱ Ἰουδαῖοι⸊ λέγον-
τες· πῶς δύναται ⸉1οὗτος ἡμῖν δοῦναι τὴν σάρκα⸊ °[αὐτοῦ]
φαγεῖν; **53** εἶπεν οὖν αὐτοῖς °ὁ Ἰησοῦς· ἀμὴν ἀμὴν λέγω
ὑμῖν, ἐὰν μὴ ⸀φάγητε τὴν σάρκα τοῦ υἱοῦ τοῦ ἀνθρώπου 1,51!
καὶ ⸉πίητε αὐτοῦ τὸ αἷμα⸊, οὐκ ἔχετε ζωὴν ἐν ἑαυτοῖς. 4,14! Lv 17,10-14
54 ὁ τρώγων ⸀μου τὴν σάρκα καὶ πίνων ⸀μου τὸ αἷμα ἔχει Mt 26,26-28
ζωὴν αἰώνιον, κἀγὼ ἀναστήσω αὐτὸν ⸆ τῇ ἐσχάτῃ ἡμέρᾳ. 39!

42 ⸀1εγω ℵ Θ *pc* ¦ εμαυτον (*et* … καταβεβηκεναι) D • **43** ⸆ουν ℵ *pc* ¦ ο 𝔓^{66} C K f^{13} *pc* ¦ ουν ο A D W Θ Ψ 1 𝔐 sy^{h} ¦ *txt* 𝔓^{75} B L T 28. 33. 892. 1241 *al* • **44** ⸀εμε B Δ Θ *al* | ⸆μου 𝔓^{66} *pc* | ° 𝔓$^{66c.75}$ ℵ Δ Θ *pc* aur e vgst • **45** ⸆ουν A Θ Ψ f^{1} 𝔐 q sy$^{c.p.h}$ ¦ *txt* 𝔓$^{66.75}$ ℵ B C D L N T W f^{13} 33. 1241 *al* lat sy^{s}; Or | ⸀ακουων D Δ Γ 28. 700. 1010. 1424 𝔐 it sy^{hmg} | ⸁με 𝔓^{66} A C D L W Ψ $f^{1.13}$ 𝔐 ¦ *txt* 𝔓^{75} ℵ B T Θ *pc* • **46** ⸂ *2* B ¦ τ. πατρος ℵ | ⸀θεον ℵ* D a b e r^{1} ¦ θεον πατερα sy^{s} • **47** ⸆εις εμε A C^{2} D Ψ $f^{1.13}$ 𝔐 lat sy$^{p.h}$ sa pbo bo; Did ¦ εις θεον sy$^{s.c}$ ¦ *txt* 𝔓^{66} ℵ B C* L T W Θ 892 *pc* j ac^{2} • **49** ⸂ *4 5 1–3* 𝔓^{66} ℵ A L Ψ $f^{1.13}$ 𝔐 (f) q vg^{cl}; Cyr ¦ τον αρτον εν τη ερ., το μ., D (a) b e r^{1} (sy^{c}) ¦ *txt* B C T W Θ (aur) c ff^{2} vgst • **50** ⸀-θνησκη B • **51** ⸂ *2 3 1* D 1424 *pc* ¦ του εμου αρ. ℵ a e r^{1} sy^{s} | ⸀ζησεται 𝔓^{66} B C T $f^{1.13}$ 𝔐 ¦ *txt* ℵ D L W Θ Ψ 33. 1241 *al* | ° ℵ D W Γ 28 *pc* it sy$^{s.c.p}$ | ⸉ *5–9 1–4* ℵ; Tert | ⸆ην εγω δωσω Θ $f^{1.13}$ 𝔐 f q sy$^{p.h}$ bo ¦ *txt* 𝔓$^{66.75}$ (ℵ) B C D L T W Ψ 33 *al* lat sy$^{s.c}$ sa ac^{2} pbo; Cl • **52** ⸉ 𝔓^{75} C D Θ $f^{1.13}$ 33. 565. 1241 *al* | ⸉1 *2 1 3–5* ℵ C f^{1} 565 *pc*; Or Cyr ¦ *1 3 2 4 5* 𝔓$^{66(*)}$ 1241 *pc* ¦ *1 2 4 5 3* D K Θ f^{13} 1010 *al* vgst ¦ *txt* B L T W Ψ 𝔐 | °† ℵ C D L W Θ Ψ $f^{1.13}$ 𝔐 ff^{2} ¦ *txt* 𝔓^{66} B T 892. 1424 *pc* lat sy • **53** ° 𝔓^{66} B | ⸀λαβητε D a | ⸉ *3 4 2 1* 𝔓^{66} D a ¦ *1 3 4 2* ℵ 0250 • **54** ⸀*bis* αυτου D e sy^{s} ac^{2} | ⸆εν C K T Δ 0250 f^{13} 28. 700. 892. 1241 *pm*; Or

55 ἡ γὰρ σάρξ μου ⸀ἀληθής ἐστιν βρῶσις, □καὶ τὸ αἷμά 67 I
μου ⸀ἀληθής ἐστιν πόσις.⸌ 56 ὁ τρώγων μου τὴν σάρκα 68 X
14,20; 15,4-7; 17, 23 1J 3,6.24 καὶ πίνων μου τὸ αἷμα ἐν ἐμοὶ μένει κἀγὼ ἐν αὐτῷ⸆.
5,26 57 καθὼς ⸀ἀπέστειλέν με ὁ ζῶν πατὴρ κἀγὼ ζῶ διὰ τὸν
πατέρα⸆, καὶ ὁ ⸁τρώγων με κἀκεῖνος ⸀¹ζήσει δι’ ἐμέ.
58 οὗτός ἐστιν ὁ ἄρτος ὁ ⸀ἐξ οὐρανοῦ ⸁καταβάς, οὐ καθὼς
49 · 51! ἔφαγον οἱ πατέρες ⸆ καὶ ἀπέθανον· ὁ τρώγων τοῦτον τὸν
ἄρτον ⸀¹ζήσει εἰς τὸν αἰῶνα.
2,12! 59 Ταῦτα εἶπεν ἐν συναγωγῇ διδάσκων ἐν Καφαρ-
ναοὺμ⸆.
L 6,17 60 Πολλοὶ οὖν ἀκούσαντες ἐκ τῶν μαθητῶν αὐτοῦ εἶ-
52 · 8,43! παν· σκληρός ἐστιν ⸉ὁ λόγος οὗτος⸊· τίς δύναται αὐτοῦ
Mc 4,33 | 41! ἀκούειν; 61 εἰδὼς δὲ ὁ Ἰησοῦς ἐν ἑαυτῷ ὅτι γογγύζουσιν
Mt 11,6! | περὶ τούτου οἱ μαθηταὶ αὐτοῦ εἶπεν αὐτοῖς⸆· τοῦτο ὑμᾶς
1,51! · 3,13! σκανδαλίζει; 62 ἐὰν οὖν ⸀θεωρῆτε τὸν υἱὸν τοῦ ἀνθρώ- 69 I
1,15 1K 15,45! που ἀναβαίνοντα ⸁ὅπου ἦν τὸ πρότερον; 63 τὸ πνεῦμά 70 IV
G 6,8 1P 3,18 · ἐστιν τὸ ζῳοποιοῦν, ἡ σὰρξ οὐκ ὠφελεῖ οὐδέν· τὰ ῥή- 71 X
68; 5,24; 15,3; 3,34 | ματα ἃ ἐγὼ λελάληκα ὑμῖν πνεῦμά ἐστιν καὶ ζωή ἐστιν.
36; 5,38; 8,45; 10, 26 · 2,25; 18,4 64 ἀλλ’ ⸉εἰσὶν ἐξ ὑμῶν τινες⸊ οἳ ⸂οὐ πιστεύουσιν⸃. * ᾔδει 72 IV
γὰρ ⸀ἐξ ἀρχῆς ὁ ⸁Ἰησοῦς □τίνες εἰσὶν οἱ °μὴ πιστεύοντες
71; 12,4; 13,11; 18,2.5; 21,20 καὶ⸌ τίς ⸂ἐστιν ὁ παραδώσων αὐτόν⸃. 65 καὶ ἔλεγεν· διὰ 73 X
37! τοῦτο εἴρηκα ὑμῖν ὅτι οὐδεὶς δύναται ἐλθεῖν πρός ⸀με ἐὰν
3,27! μὴ ᾖ δεδομένον αὐτῷ ἐκ τοῦ πατρός⸆.
66 Ἐκ τούτου ⸆ πολλοὶ °[ἐκ] τῶν μαθητῶν αὐτοῦ ἀπῆλθον εἰς τὰ ὀπίσω καὶ οὐκέτι μετ’ αὐτοῦ περιεπάτουν.

55 ⸀*bis* -θως 𝔓[66*] (D) Θ 0250 𝔐 lat sy ¦ -θης *et* -θως א[2] f^{13} *pc* (א*: *h. t.*) ¦ *txt* 𝔓[66c.75] (א[1]) B C K L T W Ψ f^{1} 565. 892. 1010. 1241. 1424 *al* q co; Cl Or | □D • **56** ⸆καθως εν εμοι ο πατηρ καγω εν τω πατρι. αμην αμην λεγω υμιν, εαν μη λαβητε το σωμα του υιου του ανθρωπου ως τον αρτον της ζωης, ουκ εχετε ζωην εν αυτω D (a ff[2]) • **57** ⸀-σταλκεν 𝔓[66] D f^{13} 1241. 1424 *al* | ⸆μου 𝔓[75] sy[s] | ⸁λαμβανων D | ⸀¹ζησεται 𝔓[66] W 0250 f^{1} 𝔐 ¦ ζη D ¦ *txt* 𝔓[75] א B C K L N T Θ Ψ f^{13} 33. 1010. 1241 *al* • **58** ⸀εκ του 𝔓[66] א D L W Θ Ψ 0250 $f^{1.13}$ 𝔐 ¦ *txt* 𝔓[75] B C T 892. 1241 *pc* | ⸁-βαινων 𝔓[66*] א* | ⸆υμων D 33 e sa ac[2] pbo bo[mss] ¦ υμ. το μαννα (⸉ *pc*) Θ Ψ 0250 $f^{1.13}$ 𝔐 lat sy[p.h] ¦ *txt* 𝔓[66.75] א B C L T W *pc* bo[pt] | ⸀¹-σεται 𝔓[66] D K Γ 0250 f^{13} 28. 700. 1241. 1424 *pm* • **59** ⸆σαββατω D a (aur ff[2] r[1]); Aug • **60** ⸉ *3 1 2* 𝔓[75] Γ Δ Θ f^{13} 28. 700. 1010 𝔐 • **61** ⸆Ιησους 𝔓[66] • **62** ⸀-ρησητε 𝔓[66] *pc* ¦ ιδητε W 28; Epiph | ⸁ου 𝔓[66] D Θ • **64** ⸉ *1 4 2 3* 𝔓[66] T 0250. 28. 1010. 1424 *al* vg ¦ *2 3 1 4* א D *pc* it | ⸂μη -σουσιν 𝔓[66*] | ⸀απ 𝔓[66] א | ⸁σωτηρ א | □ 𝔓[66*] *pc* e sy[s.c] | °א *pc* vg[st] | ⸂ην ο μελλων αυτον παραδιδοναι 𝔓[66] א(*) • **65** ⸀εμε א C | ⸆μου C[3] Ψ 0250 $f^{1.13}$ 𝔐 lat sy[p.h] sa[mss] ac[2] ¦ *txt* 𝔓[66] א B C* D L T W Θ 892 *al* it sy[s.c] sa[mss] mf pbo bo • **66** ⸆ουν 𝔓[66] א D Θ f^{13} 892 *pc* it | °† א C D L W Θ Ψ 0250 f^{13} 𝔐 ¦ *txt* 𝔓[66] B T f^{1} 33. 565 *pc*

67 εἶπεν οὖν ὁ Ἰησοῦς τοῖς δώδεκα· μὴ καὶ ὑμεῖς θέλετε *67–69:* Mt 16,15s Mc 8,29 L
74 I ὑπάγειν; **68** ⸀ἀπεκρίθη αὐτῷ Σίμων Πέτρος· κύριε, πρὸς 9,20 · 70s; 20,24
τίνα ἀπελευσόμεθα; ῥήματα ζωῆς αἰωνίου ἔχεις, **69** καὶ 63 Act 5,20
ἡμεῖς πεπιστεύκαμεν καὶ ἐγνώκαμεν ὅτι σὺ εἶ ⸂ὁ ἅγιος 1J 4,16 · Mc 1,24! 1J 2,20
75 X τοῦ θεοῦ⸃. **70** ἀπεκρίθη ⸂αὐτοῖς ὁ Ἰησοῦς⸃· οὐκ ἐγὼ ὑμᾶς
τοὺς δώδεκα ἐξελεξάμην; καὶ ἐξ ὑμῶν ⸉εἷς διάβολός 13,18! L 6,13!p; · 22,3!
ἐστιν. **71** ἔλεγεν δὲ ⸋τὸν Ἰούδαν Σίμωνος ⸀Ἰσκαριώτου·
οὗτος γὰρ ἔμελλεν ⸉παραδιδόναι αὐτόν⸊, εἷς ⸆ ἐκ τῶν 64! · Mt 26,14p
δώδεκα.

7 ⸋Καὶ μετὰ ταῦτα περιεπάτει ⸋[1]ὁ Ἰησοῦς ἐν τῇ Γαλι- 4,3! Mc 9,30p
λαίᾳ· οὐ γὰρ ⸀ἤθελεν ἐν τῇ Ἰουδαίᾳ περιπατεῖν, ὅτι
ἐζήτουν αὐτὸν οἱ Ἰουδαῖοι ἀποκτεῖναι. 5,18!
2 Ἦν δὲ ἐγγὺς ἡ ἑορτὴ τῶν Ἰουδαίων ἡ σκηνοπηγία. 5,1! Lv 23,34 Dt 16,16 etc
3 εἶπον οὖν ⸉πρὸς αὐτὸν οἱ ἀδελφοὶ αὐτοῦ⸊· μετάβηθι 5.10; 2,12 1K 9,5 Mt 13,55!
ἐντεῦθεν καὶ ὕπαγε εἰς τὴν ⸀Ἰουδαίαν, ἵνα καὶ οἱ μαθηταί 3,22!
σου ⸀θεωρήσουσιν ⸂σοῦ τὰ ἔργα ἃ⸃ ποιεῖς· **4** οὐδεὶς γάρ 2,23! Mt 11,2
⸉τι ἐν κρυπτῷ⸊ ποιεῖ καὶ ζητεῖ ⸀αὐτὸς ἐν παρρησίᾳ εἶναι. 11,54; 18,20
εἰ ταῦτα ποιεῖς, φανέρωσον σεαυτὸν τῷ κόσμῳ. **5** οὐδὲ 14,22 Mt 12,16
γὰρ οἱ ἀδελφοὶ αὐτοῦ ἐπίστευον εἰς αὐτόν⸆. **6** λέγει ⸋οὖν 3!
αὐτοῖς ὁ Ἰησοῦς· ὁ καιρὸς ὁ ἐμὸς οὔπω πάρεστιν, ὁ δὲ 30!
καιρὸς ὁ ὑμέτερος πάντοτέ ἐστιν ἕτοιμος. **7** οὐ δύναται
ὁ κόσμος μισεῖν ὑμᾶς, ἐμὲ δὲ μισεῖ, ὅτι ἐγὼ μαρτυρῶ περὶ 15,18!
αὐτοῦ ὅτι τὰ ἔργα αὐτοῦ πονηρά ἐστιν. **8** ὑμεῖς ἀνάβητε 3,19!s
εἰς τὴν ἑορτήν· ἐγὼ ⸀οὐκ ἀναβαίνω εἰς τὴν ἑορτὴν ταύ-

68 ⸀απ. ουν Γ Δ 0250. 28. 700. 1424 *pm* lat sy^{h} ¦ ειπεν δε D it ● **69** ⸂ο χριστος Tert ¦ ο χρ. ο αγ. του θ. 𝔓^{66} sa^{mss} ac^{2} bo ¦ ο χρ. (– b sy^{c}) ο υιος τ. θ. του ζωντος (– C^{3} Θ* *f*^{1} 33. 565. 1010 *pc* lat sy$^{s.c}$) C^{3} Θ Ψ 0250 *f*$^{1.13}$ 𝔐 lat sy bo^{mss} ¦ *txt* 𝔓^{75} ℵ B C* D L W sa^{ms} pbo ● **70** ⸂*1* Γ Δ 28. 1424 *pm* sy^{s} ¦ *1 3* 𝔓^{66} ¦ αυτω ο Ι. 69 *pc* aur q vg^{mss} ¦ Ι. και ειπεν αυτοις ℵ (N) *pc* a ¦ ο Ι. λεγων D j | ⸉*p.* και ℵ^{2} (– ℵ*) D ● **71** ⸋ℵ* D K *f*^{1} 565 *pc* | ⸀-την *f*^{1} 𝔐 vg^{cl} ¦ απο Καρυωτου ℵ* Θ *f*^{13} sy^{hmg} ¦ Σκαριωθ D it ¦ *txt* 𝔓$^{66.75}$ ℵ^{2} B C L W Ψ 33. 892. 1010. 1241 *al* vgst | ⸉ 𝔓^{66} ℵ *f*^{1} 𝔐 ¦ *txt* 𝔓^{75} B C D L N W Θ Ψ *f*^{13} 1010. 1241 *al* | ⸆ων 𝔓^{66} ℵ C^{2} W Θ Ψ 0105 *f*$^{1.13}$ 𝔐 sy^{h} ¦ *txt* 𝔓^{75} B C* D L *pc*
¶ **7,1** ⸋𝔓^{66} ℵ$^{*.2}$ C^{2} D 892. 1010 *pc* lat sy$^{s.c.p}$ | ⸋[1]B | ⸀ειχεν εξουσιαν W it sy^{c}; Chr ● **3** ⸉*3–5 1 2* 𝔓^{66} ℵ 28 *pc* | ⸀Γαλιλαιαν D | ⸀-ρησωσιν 𝔓^{66} B^{2} Θ Ψ 0180 *f*$^{1.13}$ 𝔐 ¦ -ρουσιν ℵ* ¦ *txt* 𝔓^{75} ℵ^{2} B* D L N W Δ 0105. 0250. 33. 1424 *al* | ⸂† *2 3 1 4* ℵ^{2} L W Ψ 0105. 0180. 0250 *f*^{13} 𝔐 ¦ *2 3 4* ℵ* D 1241 *al* it sy$^{s.c.p}$ ¦ τα εργ. α συ Θ *f*^{1} 565 *pc* ¦ *txt* 𝔓$^{66.75(*)}$ B ● **4** ⸉ 𝔓^{66} D W Θ (Ψ) 0105. 0250 *f*$^{1.13}$ 𝔐 lat sy^{h} ¦ *txt* 𝔓^{75} ℵ B K L N 0180 *al* | ⸀αυτο 𝔓^{66*} B (D*) W *pc* ¦ αυτον E* *pc* r^{1} ¦ – b e pbo ● **5** ⸆τοτε D (it sy$^{s.c}$) ● **6** ⸋ℵ* D W *pc* e sy$^{s.c.p}$ ● **8** ⸀ουπω 𝔓$^{66.75}$ B L T W Θ Ψ 0105. 0180. 0250 *f*$^{1.13}$ 𝔐 f q sy$^{p.h}$ sa ac^{2} pbo ¦ *txt* ℵ D K 1241 *al* lat sy$^{s.c}$ bo

30! Mc 1,15! την, ὅτι ὁ ἐμὸς καιρὸς ⸀οὔπω πεπλήρωται. 9 ταῦτα °δὲ
4,3! εἰπὼν ⸀αὐτὸς ἔμεινεν ἐν τῇ Γαλιλαίᾳ.
3! · 5,1! 10 Ὡς δὲ ἀνέβησαν οἱ ἀδελφοὶ αὐτοῦ ⸉εἰς τὴν ἑορτήν,
τότε καὶ αὐτὸς ἀνέβη⸊ οὐ φανερῶς ἀλλὰ °[ὡς] ἐν κρυπτῷ.
11 οἱ οὖν Ἰουδαῖοι ἐζήτουν αὐτὸν ἐν τῇ ἑορτῇ καὶ ἔλεγον·
11,56 ποῦ ἐστιν ἐκεῖνος; 12 καὶ γογγυσμὸς ⸂περὶ αὐτοῦ ἦν πο-
Mt 12,35 L 23,50 λὺς⸃ ἐν ⸄τοῖς ὄχλοις⸅· οἱ μὲν ἔλεγον ὅτι ἀγαθός ἐστιν,
Mt 27,63! ἄλλοι °[δὲ] ἔλεγον· ⸀οὔ, ἀλλὰ πλανᾷ τὸν ὄχλον. 13 οὐδεὶς
9,22! μέντοι παρρησίᾳ ⸂ἐλάλει περὶ αὐτοῦ⸃ διὰ τὸν φόβον τῶν
Ἰουδαίων.
14 Ἤδη δὲ τῆς ἑορτῆς ⸀μεσούσης ἀνέβη Ἰησοῦς εἰς τὸ
L 19,47! | Mt 8,27! ἱερὸν καὶ ἐδίδασκεν. 15 ἐθαύμαζον οὖν οἱ Ἰουδαῖοι λέ-
Mt 13,54p Act 4,13 γοντες· πῶς οὗτος γράμματα οἶδεν μὴ μεμαθηκώς; 16 ἀπ-
8,28!s εκρίθη οὖν αὐτοῖς °[ὁ] Ἰησοῦς καὶ εἶπεν· ἡ ἐμὴ διδαχὴ
3,34! οὐκ ἔστιν ἐμὴ ἀλλὰ τοῦ πέμψαντός με· 17 ἐάν τις θέλῃ
τὸ θέλημα αὐτοῦ ποιεῖν, γνώσεται περὶ τῆς διδαχῆς πό-
8,28! Nu 16,28 τερον ἐκ °τοῦ θεοῦ ἐστιν ἢ ἐγὼ ἀπ' ἐμαυτοῦ λαλῶ. 18 ὁ
8,50.54; 5,41.44 ἀφ' ἑαυτοῦ λαλῶν τὴν δόξαν τὴν ἰδίαν ζητεῖ· ὁ δὲ ζητῶν
τὴν δόξαν τοῦ πέμψαντος αὐτὸν οὗτος ἀληθής ἐστιν καὶ
8,46! Ps 92,16 ἀδικία ἐν αὐτῷ οὐκ ἔστιν.
5,45.47 Act 7,53 R 2,17-23 · 19 Οὐ Μωϋσῆς ⸀δέδωκεν ὑμῖν τὸν νόμον; καὶ οὐδεὶς
5,18! ἐξ ὑμῶν ποιεῖ τὸν νόμον. τί με ζητεῖτε ἀποκτεῖναι; 20 ἀπ-
10,20! εκρίθη ὁ ὄχλος⸆· δαιμόνιον ἔχεις· τίς σε ζητεῖ ἀποκτεῖ-
5,16 ναι; 21 ἀπεκρίθη ⸆ Ἰησοῦς καὶ εἶπεν αὐτοῖς· ἓν ἔργον
ἐποίησα καὶ ⸀πάντες θαυμάζετε⁚. 22 ⸂διὰ τοῦτο⸃⁚¹ Μωϋσῆς
Gn 17,10-12 Lv 12,3 Act 7,8 R 4,11 δέδωκεν ὑμῖν τὴν περιτομήν – οὐχ ὅτι ἐκ τοῦ Μωϋσέως
Mt 12,5 ἐστὶν ἀλλ' ἐκ τῶν πατέρων – καὶ °ἐν σαββάτῳ περιτέμ-

8 ⸀ουδεπω 𝔓^{66} • 9 °א D K Θ 0180 f^1 33. 565. 1010. 1424 *al* lat ¦ *txt* 𝔓$^{66.75}$ B L T W Ψ 0105. 0250 f^{13} 𝔐 f sy^h | ⸀† αυτοις 𝔓^{75} B D^1 T Θ Ψ 0105. 0250 f^{13} 𝔐 f q r^1 sy^h ¦ – *pc* e sy$^{s.c.p}$ ¦ *txt* 𝔓^{66} א D* K L N W 0180 f^1 565. 1241 *al* lat co • 10 ⸉ *4-7 1-3* D Θ 0105. 0250 $f^{1.13}$ 𝔐 lat sy$^{(s).c.h}$ ¦ *txt* 𝔓$^{66.75}$ א B K L N T W Ψ (0180). 0238. 33. 892. 1241 *al* sy^p | °א D 1424 *pc* it sy$^{s.c}$ sa ac^2 mf pbo ¦ *txt* 𝔓$^{66.75}$ B L T W Θ Ψ 0105. 0180. 0250 $f^{1.13}$ 𝔐 lat sy$^{p.h}$ bo • 12 ⸂ *4 3 1 2* א N Ψ 892. 1010 *al* ¦ *3 1 2 4* 𝔓^{66c} 0180^{vid}. 33 *pc* ¦ *4 1-3* 0105. 0250 $f^{1.13}$ 𝔐 lat ¦ *3 1 2* 𝔓^{66*} D (⸉ Θ it) ¦ *txt* 𝔓^{75} B L T W 1241 *pc* b q | ⸄τω -λω 𝔓^{66} א D 33 sa^{mss} pbo bo | °𝔓^{66} א D L Ψ 0105 𝔐 b e q r^1 ¦ *txt* 𝔓^{75} B N T W Θ 0250 $f^{1.13}$ 33. 565. 892 *al* lat sy^h | ⸀ουκ 𝔓^{75} ¦ ουχι T *pc* • 13 ⸂ *2 3 1* 𝔓^{66} א *pc* q ¦ *1* L • 14 ⸀μεσαζουσης 𝔓^{66} D Θ $f^{1.13}$ 565 *pc* ¦ μεσης ουσης W it • 16 °† א B 33 ¦ *txt* 𝔓^{66} D L T W Θ Ψ 0105. 0250 $f^{1.13}$ 𝔐 • 17 °𝔓^{66} א D • 19 ⸀† εδ- B D H *pc* ¦ *txt* 𝔓$^{66.75}$ א L T W Θ Ψ 0105. 0250 $f^{1.13}$ 𝔐 • 20 ⸆και ειπεν D Θ Ψ 0105. 0250 $f^{1.13}$ 𝔐 latt sy$^{p.h}$ ¦ *txt* 𝔓$^{66.75}$ א B L T W 33. 1241 *pc* co • 21/22 ⸆ο D K L N T W (Θ) 0250. 1010 *al* | ⸀υμεις D | [⁚ – *et* ⁚¹.] | ⸂ο א* | °B b e r^1

νετε ἄνθρωπον. **23** εἰ περιτομὴν λαμβάνει ⸆ ἄνθρωπος ἐν
σαββάτῳ ἵνα μὴ λυθῇ ὁ νόμος ⸆ Μωϋσέως, ⸆^{1} ἐμοὶ χολᾶτε 10,35
ὅτι ⸉ὅλον ἄνθρωπον⸊ ὑγιῆ ἐποίησα ἐν σαββάτῳ; **24** μὴ 5,8s
κρίνετε κατ' ὄψιν, ἀλλὰ τὴν δικαίαν κρίσιν ⸀κρίνετε. 8,15 Is 11,3 1Sm 16,7
25 Ἔλεγον οὖν τινες ἐκ τῶν Ἱεροσολυμιτῶν· οὐχ οὗ-
τός ἐστιν ὃν ζητοῦσιν ἀποκτεῖναι; **26** καὶ ἴδε παρρησίᾳ 5,18! | 18,20
λαλεῖ καὶ οὐδὲν αὐτῷ λέγουσιν. μήποτε ἀληθῶς ἔγνω-
σαν οἱ ἄρχοντες ὅτι οὗτός ἐστιν ὁ χριστός; **27** ἀλλὰ τοῦτον οἴδαμεν πόθεν ἐστίν· ⸉ὁ δὲ χριστὸς⸊ ὅταν ⸀ἔρχηται 41; 6,42
76/III οὐδεὶς γινώσκει πόθεν ἐστίν. **28** ἔκραξεν ⸀οὖν ἐν τῷ ἱερῷ 9,29! | 37; 12,44
διδάσκων ⸉ὁ Ἰησοῦς⸊ καὶ λέγων· κἀμὲ οἴδατε καὶ οἴδατε
πόθεν εἰμί· καὶ ἀπ' ἐμαυτοῦ οὐκ ἐλήλυθα, ἀλλ' ἔστιν 8,28! 42
⸂ἀληθινὸς ὁ πέμψας με, ὃν ὑμεῖς οὐκ οἴδατε· **29** ἐγὼ ⸆ 8,19!
οἶδα αὐτόν, ὅτι παρ' αὐτοῦ εἰμι κἀκεῖνός με ⸀ἀπέστειλεν. Mt 11,27
77/I **30** ⸉Ἐζήτουν οὖν⸊ αὐτὸν πιάσαι, καὶ οὐδεὶς ⸀ἐπέβα- 32.44; 8,20; 10, 39; 11,57; 5,18!
λεν ἐπ' αὐτὸν τὴν χεῖρα, ὅτι ⸂οὔπω ἐληλύθει ἡ ὥρα αὐτοῦ. L 22,53 · 6.8; 2,4; 13,1!
78/X **31** ⸋Ἐκ τοῦ ὄχλου ⸀δὲ πολλοὶ ἐπίστευσαν⸌ εἰς αὐτὸν 23! 4,39; 8,30; 10, 42; 11,45; 12,11.
καὶ ἔλεγον· ὁ χριστὸς ὅταν ἔλθῃ μὴ πλείονα σημεῖα ποι- 42 · 2,18!
ήσει ὧν οὗτος ⸂ἐποίησεν; **32** ⸀ἤκουσαν οἱ Φαρισαῖοι
79/I τοῦ ὄχλου γογγύζοντος ⸉περὶ αὐτοῦ ταῦτα⸊, * καὶ ἀπέστει- 6,41!
λαν ⸉^{1}οἱ ἀρχιερεῖς καὶ οἱ Φαρισαῖοι ὑπηρέτας⸊^{1} ἵνα πιά- 45; 11,47.57; 18,3 · 30!
80/X σωσιν αὐτόν. **33** εἶπεν οὖν ⸰ὁ Ἰησοῦς· ἔτι ⸋χρόνον μι- 12,35; 13,33; 14,19; 16,16-19
κρὸν⸌ μεθ' ὑμῶν εἰμι καὶ ὑπάγω πρὸς τὸν πέμψαντά με.
81/X **34** ζητήσετέ με καὶ οὐχ εὑρήσετέ ⸰[με], καὶ ὅπου εἰμὶ ἐγὼ 8,21; 13,33.36; 16,10 Prv 1,28
ὑμεῖς οὐ δύνασθε ἐλθεῖν. **35** εἶπον οὖν οἱ Ἰουδαῖοι πρὸς
ἑαυτούς· ποῦ ⸋οὗτος μέλλει⸌ πορεύεσθαι ὅτι ⸰ἡμεῖς οὐχ 8,22

23 ⸆† ο B N Θ (0250). 33 *pc* ¦ *txt* 𝔓^{66} ℵ D L T W Ψ 0105 *f*$^{1.13}$ 𝔐 | ⸆ ο 𝔓^{66} ℵ Θ | ⸆^{1} πως D (f) sa | ⸉ *2 1* 𝔓^{75} • **24** ⸀† κρινατε ℵ Θ 0105. 0250 *f*$^{1.13}$ 𝔐 ¦ *txt* 𝔓$^{66.75}$ B D L N T W Ψ 700 *al* • **27** ⸉ *1 3 2* 𝔓^{66} ¦ *1 3* ℵ(*$^{.2}$ *add. hic vs* 31b) e | ⸀(31) ελθη 𝔓^{66} (ℵ^{2}) *pc* • **28** ⸀δε 𝔓^{66} | ⸉ *2* 𝔓^{75} B^{2} (⸋T) W *pc* ¦ – Δ *f*^{13} *al* ¦ (*pon.* ο Ι. *p.* ουν ℵ D N Ψ *f*^{1} 565 it) ¦ *txt* 𝔓^{66} B* L Θ 0105 𝔐 lat | ⸂-θης 𝔓^{66} ℵ *pc* • **29** ⸆δε 𝔓^{66} ℵ D N *f*^{1} 33. 565. 1241 *al* it sy | ⸀-σταλκεν 𝔓^{66} ℵ D *pc* • **30** ⸉οι δε εζ. 𝔓^{66*} ℵ | ⸀-λλεν 𝔓^{66} 1010. 1424 *pc*; Or ¦ εβαλεν T lat | ⸂ουδεπω 𝔓^{66} • **31** ⸋ *5 4 6 1–3* 𝔓^{66} ℵ D *pc* ¦ *5 (4) 1–3 6* Ψ 𝔐 q ¦ *txt* 𝔓^{75} B K L N T W Θ 0105 *f*$^{1.13}$ 33. 565. 892. 1010. 1241 *al* lat *sed* ⸀ουν K N W 0105 *f*^{1} 28. 565. 1010 *al* ¦ – *f*^{13} *pc* | ⸂ποιει ℵ* D Θ *f*^{13} *pc* lat sy^{p} • **32** ⸀ηκ. δε 𝔓^{66} ℵ D c e ¦ ηκ. ουν K N 0105 *f*^{1} 28. 565. 892. 1241 *al* a f ff^{2} ¦ και ηκ. Θ *f*^{13} *pc* sy ¦ *txt* 𝔓^{75} B L T W Ψ 𝔐 lat | ⸉ *3 1 2* 𝔓^{66} ℵ Θ ¦ *1 2* D L* *f*^{1} 565 *pc* it sy^{c} | ⸉^{1} *6 1–5* 𝔓^{66} (ℵ) D 892 *al* ¦ *6 4 5 3 1 2* 𝔐 a q r^{1} sy^{h} ¦ *6* 118 *pc* (b e) sy^{s} ¦ *om. 6* *pc* sy^{c} ¦ *txt* 𝔓^{75} B K L N T W Θ Ψ 0105 *f*^{13} 1. 33. 565. 1241 *al* lat • **33** ⸰ 𝔓^{75} | ⸋ D Ψ 0105 *f*^{1} 𝔐 ¦ *txt* 𝔓$^{66.75}$ ℵ B L T W Θ *f*^{13} 892 *al* • **34** ⸰† 𝔓^{66} ℵ D L W Θ Ψ *f*$^{1.13}$ 𝔐 latt ¦ *txt* 𝔓^{75} B N T 0105. 565. 1010 *al* sy • **35** ⸋ 𝔓^{66} D L *pc* | ⸰ ℵ D *pc* lat

Jc 1,1 1P 1,1 εὑρήσομεν αὐτόν; μὴ εἰς τὴν διασπορὰν τῶν Ἑλλήνων
12,20 μέλλει πορεύεσθαι καὶ διδάσκειν τοὺς Ἕλληνας; **36** τίς
ἐστιν ὁ λόγος οὗτος ὃν εἶπεν· ⸆ ζητήσετέ με καὶ οὐχ εὑρήσετέ °[με], καὶ ὅπου εἰμὶ ἐγὼ °1ὑμεῖς οὐ δύνασθε ἐλθεῖν; ⸇
2; 19,31 Lv 23,36 · **37** Ἐν δὲ τῇ ἐσχάτῃ ἡμέρᾳ τῇ μεγάλῃ τῆς ἑορτῆς εἱ-
28! · 4,10.14 Is 55,1; 12,3; 49,10 στήκει ὁ Ἰησοῦς καὶ ⸀ἔκραξεν λέγων· ἐάν τις διψᾷ ἐρχέσθω
Mt 11,25 Ap 21,6! | unde? Is 43,19s ⸂πρός με⸃ καὶ πινέτω⁚. **38** ὁ πιστεύων εἰς ἐμέ⁚, καθὼς εἶπεν
Ez 47,1-12 Joel 4,18 Zch 14,8 ἡ γραφή, ποταμοὶ ἐκ τῆς κοιλίας αὐτοῦ ῥεύσουσιν ὕδατος
Prv 18,4 Ct 4,15 ζῶντος. **39** τοῦτο δὲ ⸀εἶπεν περὶ τοῦ πνεύματος ⸁ὃ ⸂ἔμελ-
Sir 24,40.43 [30s] J 19,34 | λον λαμβάνειν⸃ οἱ ⸀1πιστεύσαντες εἰς αὐτόν· οὔπω γὰρ
14,16s! 20,22 ἦν ⸀2πνεῦμα, ὅτι Ἰησοῦς ⸀3οὐδέπω ἐδοξάσθη.
Act 5,32 · 12,16. 23.28; 13,31s; **40** ⸂Ἐκ τοῦ ὄχλου οὖν⸃ ἀκούσαντες ⸆ τῶν λόγων τού- 82 VI
17,1.5 | 1,21! των ἔλεγον· ⸇ οὗτός ἐστιν ἀληθῶς ὁ προφήτης· **41** ἄλλοι
ἔλεγον· ⸆ οὗτός ἐστιν ὁ χριστός, * ⸂οἱ δὲ⸃ ἔλεγον· μὴ γὰρ 83 VI
1,46! ἐκ τῆς Γαλιλαίας ὁ χριστὸς ἔρχεται; **42** ⸀οὐχ ἡ γραφὴ
R 1,3! Mt 2,5s; 22,42p Act 13,23 εἶπεν ὅτι ἐκ °τοῦ σπέρματος Δαυὶδ καὶ ἀπὸ Βηθλέεμ τῆς
2Sm 7,12 Mch 5,1 Ps 89,4s Jr κώμης ὅπου ἦν Δαυὶδ ⸉ἔρχεται ὁ χριστός⸊; **43** σχίσμα οὖν 84 X
23,5 PsSal 17,21 ἐγένετο ἐν τῷ ὄχλῳ δι' αὐτόν· **44** τινὲς δὲ ἤθελον ἐξ αὐτῶν 85 I
9,16; 10,19 πιάσαι αὐτόν, ἀλλ' οὐδεὶς ⸀ἐπέβαλεν ἐπ' αὐτὸν τὰς χεῖρας.
30! **45** Ἦλθον οὖν οἱ ὑπηρέται πρὸς τοὺς ἀρχιερεῖς καὶ 86 X
32! Φαρισαίους, καὶ ⸀εἶπον αὐτοῖς ἐκεῖνοι· διὰ τί οὐκ ἠγάγετε αὐτόν; **46** ἀπεκρίθησαν οἱ ὑπηρέται· οὐδέποτε ⸂ἐλά-
18,6 Mt 7,28s λησεν οὕτως ἄνθρωπος⸃. **47** ἀπεκρίθησαν °οὖν °1αὐ-

36 ⸆οτι 𝔓66 *pc* | ° † 𝔓66 ℵ D L W Θ Ψ 0105 *f*13 𝔐 lat ¦ *txt* 𝔓75 B T *f*1 565. 892 *pc* vgms sy | °1 𝔓66 Θ *f*13 e vgst | ⸇ *hic* 7,53–8,11 *add.* 225 • **37/38** ⸀-ζεν 𝔓66* ℵ D Θ *f*1 *al* | ⸂προς εμε 𝔓75 B ¦ – 𝔓66* ℵ* D b e | [⁚ – *et* ⁚1 ·] • **39** ⸀ελεγεν 𝔓66 ℵ *pc* | ⸁ † οὗ 𝔓66 ℵ D L N T W Γ Δ Θ Ψ *f*1.13 28. 33. 565. 892. 1010. 1241. 1424 *pm* ¦ *txt* 𝔓75vid B K 0105. 700 *pm* | ⸂ελαμβανον W | ⸀1-ευοντες ℵ D Θ Ψ 0105 *f*1.13 𝔐 l q syc.p.h samss ac2 bo ¦ *txt* 𝔓66 B L T W *pc* sys samss pbo | ⸀2πν. αγιον 𝔓66* L W 0105 *f*1.13 𝔐 ¦ το πν. το αγ. επ αυτους D(*) f ¦ πν. αγ. δεδομενον B *pc* e q syh** ¦ *txt* 𝔓66c.75 ℵ K N* T Θ Ψ *pc* vgst sys.c.p | ⸀3ουπω ℵ B D Θ *pc*; Orpt • **40** ⸂πολλοι εκ τ. οχ. οι 𝔓66* ¦ πολλοι ουν εκ τ. οχ. (Θ) Ψ 0105 *f*13 𝔐 (f) q sy(p).h ¦ *txt* 𝔓66c.75 ℵ B D L T W *f*1 565 *pc* lat (co) | ⸆αυτου 𝔓66* ℵ* D (W) Θ (*f*13) *pc* lat syc.p.h | ⸇ † οτι B D *pc* ¦ *txt* 𝔓66.75 ℵ L T W Θ Ψ 0105 *f*1.13 𝔐 • **41** ⸆οτι D L W (1010). 1241 *al* | ⸂αλλοι 𝔓66* ℵ D Ψ 0105 *f*13 𝔐 r1 sy ¦ *txt* 𝔓66c.75 B L N T W Θ *f*1 33. 565. 1241 *al* lat • **42** ⸀ουχι ℵ D W 0105 *f*1.13 𝔐 ¦ *txt* 𝔓66 B(*) L (N) T Θ Ψ *pc* | ° 𝔓66 D *f*1.13 565. 1010. 1241 *al* | ⸉ 𝔓66 ℵ (D) Θ 0105 *f*1.13 𝔐 ¦ *txt* 𝔓75 B L T W Ψ 33 *pc* • **44** ⸀-λλεν 𝔓66* 1424 e ¦ εβαλεν 𝔓75 B L T *pc* lat ¦ *txt* 𝔓66c ℵ D W Θ Ψ 0105 *f*1.13 𝔐 • **45** ⸀λεγουσιν 𝔓66 ℵ e r1 • **46** ⸂ † ελ. ουτ. ανθ. ως ουτος λαλει ο ανθρωπος *sine test.?* ¦ ουτ. ελ. ανθ. (⸉ N Ψ 33. 1241 *pc*; – ουτ. 28. 700 *pc*) ως ουτος ο ανθ. Θ Ψ *f*1.13 𝔐 lat syh sa ac2 pbo ¦ ουτ. ανθ. ελ. ως ουτος λαλ. ο ανθ. (– D) 𝔓66* ℵ* D ¦ *txt* 𝔓66c.75 ℵ2 B L T W *pc* bo; Or • **47** ° ℵ D *f*1 33. 1424 *al* it sys.c.p | °1 B K Θ *f*13 *pc* aur l r1

τοῖς οἱ Φαρισαῖοι· μὴ καὶ ὑμεῖς πεπλάνησθε; **48** μή τις ἐκ Mt 27,63!
τῶν ἀρχόντων ἐπίστευσεν εἰς αὐτὸν ἢ ἐκ τῶν Φαρισαίων; 12,42 Mt 21,32
49 ἀλλὰ ὁ ὄχλος οὗτος ὁ μὴ γινώσκων τὸν νόμον ἐπάρα- Dt 27,26
τοί εἰσιν. **50** ⸀λέγει Νικόδημος πρὸς αὐτούς, ⸂ὁ ἐλθὼν 3,1!s
πρὸς αὐτὸν [τὸ] πρότερον,⸃ εἷς ὢν ἐξ αὐτῶν· **51** μὴ ὁ νόμος
ἡμῶν κρίνει τὸν ἄνθρωπον ἐὰν μὴ ἀκούσῃ πρῶτον παρ' Dt 1,16s; 19,18
αὐτοῦ καὶ ⸂γνῷ τί ποιεῖ⸃; **52** ἀπεκρίθησαν καὶ εἶπαν αὐτῷ·
μὴ καὶ σὺ ἐκ τῆς Γαλιλαίας εἶ; ἐραύνησον καὶ ἴδε ⸆ ὅτι
⸉ἐκ τῆς Γαλιλαίας προφήτης⸊ οὐκ ἐγείρεται.⸇ 1,46! sed 2Rg 14,25

⟦**53** □Καὶ ⸀ἐπορεύθησαν ἕκαστος εἰς τὸν ⸁οἶκον αὐτοῦ,⸌
8 Ἰησοῦς δὲ ἐπορεύθη εἰς τὸ ὄρος τῶν ἐλαιῶν. **2** Ὄρ- L 21,37s
θρου δὲ πάλιν ⸀παρεγένετο εἰς τὸ ἱερὸν □καὶ πᾶς ὁ
λαὸς ἤρχετο πρὸς αὐτόν, καὶ καθίσας ἐδίδασκεν αὐ- Mc 2,13
τούς⸌. **3** Ἄγουσιν δὲ οἱ γραμματεῖς καὶ οἱ Φαρισαῖοι
⸂γυναῖκα ἐπὶ μοιχείᾳ⸃ κατειλημμένην καὶ στήσαντες αὐ- Nu 5,12ss
τὴν ἐν μέσῳ **4** ⸀λέγουσιν αὐτῷ⸆· διδάσκαλε, ⸂αὕτη ἡ γυνὴ
κατείληπται ἐπ' αὐτοφώρῳ μοιχευομένη⸃· **5** ⸂ἐν δὲ τῷ
νόμῳ ⸀ἡμῖν Μωϋσῆς ἐνετείλατο⸃ τὰς τοιαύτας ⸁λιθάζειν. Lv 20,10 Dt 22,22-24
σὺ ⸀¹οὖν τί λέγεις⸆; **6** □τοῦτο δὲ ἔλεγον πειράζοντες αὐ- 6,6
τόν, ἵνα ⸀ἔχωσιν ⸂κατηγορεῖν αὐτοῦ⸃.⸌ ὁ δὲ Ἰησοῦς κάτω Mt 22,15 L 6,7
κύψας τῷ δακτύλῳ ⸁κατέγραφεν εἰς τὴν γῆν⸆. **7** ὡς δὲ

50 ⸀ειπεν δε 𝔓^{66} ℵ f | ⸂† *1–4 6* 𝔓^{75} ℵ^{2} B T ¦ ο ελθ. νυκτος πρ. αυ. (⸉K N Δ Ψ 0250 *al*) Ψ 0250 𝔐 lat sy ¦ ο ελθ. νυκ. πρ. αυ. το προτ. Θ $f^{1.13}$ (33). 565. 892. (1241) *al* r^{1} sy^{h**} ¦ ο ελθ. πρ. αυ. νυκ. το πρωτον (*sed pon. p.* αυτων) D ¦ – ℵ* ¦ *txt* 𝔓^{66} L W ● **51** ⸂επιγνωσθη τι εποιησεν D ● **52** ⸆τας γραφας D (⸉W it vg^{cl}) | ⸉*4 1–3* 𝔓^{66}(*: ο πρ.) ℵ D W Θ $f^{1.13}$ 𝔐 lat ¦ *txt* 𝔓^{75vid} B L N T Ψ 892. 1424 *al* vg^{cl} | ⸇⟦7,53–8,11⟧ *add. hic* D 𝔐 lat bo^{pt}; Hier^{mss} (*cum obel.* S *al*, *cum obel. ab* 8,2 *vl* 8,3 E Λ *al*) ¦ *add.* 7,53 *vl* 8,3sqq *p.* 7,36 225, *p.* 21,25 f^{1}, *p.* L 21,38 f^{13}, *p.* L 24,53 1333^{c} ¦ *om.* 𝔓$^{66.75}$ ℵ A^{vid} B C^{vid} L N T W Δ Θ Ψ 0141. 0211. 33. 565. 1241. 1333*. 2768 *al* a f l q sy sa ac^{2} pbo bo^{pt}; Tert Or Hier^{mss}

Ad ⟦**7,53–8,11**⟧: **53** □ff^{2} | ⸀-θη K *pm* ¦ απηλθεν f^{13}*pm* ¦ απηλθον Λ 700 *al* ¦ *txt* D Γ 1. 28. 892. 1010 *pm* | ⸁τοπον 1. 892 *pc* ● **8,2** ⸀παραγινεται D ¦ ηλθεν Λ f^{13}*pc* ¦ ηλ. ο Ιησους U 700 *al* r^{1} | □f^{13}*pc* ¦ *om.* και^{2} … αυτους D *pc* ● **3** ⸂επι αμαρτια γυν. D (⸉*pc*) ¦ προς αυτον γυν. εν μοιχ. K Π *pm* c ff^{2} ● **4** ⸀ειπον U *al* e | ⸆(6) εκπειραζοντες αυτον οι ιερεις ινα εχωσιν κατηγοριαν αυτου D *pc* ¦ πειραζοντες K Π *pm* | ⸂… ειληπται … Λ f^{13} 28. 892 *pm* ¦ … κατεληφθη … K Π 1010 *pm* ¦ ταυτην ευρομεν επ αυτοφ. μοιχευομενην U 700 *al* ¦ *txt* D 1 *pc* lat ● **5** ⸂M. δε (+ υμιν 1071) εν τ. ν. εκελευσεν (διακελευει 1071) D 1071 | ⸀ημων Γ 28. 1010 *pm* ¦ – (D) 118. 209 *pc* ¦ *txt* Λ f^{13} 1 *al* (⸉K Π 892 *pm*, U 700 *al*) lat | ⸁λιθοβολεισθαι K Π *pm* | ⸀¹δε νυν D ¦ δε c ff^{2} r^{1} ¦ – 1071 | ⸆περι αυτης U Λ f^{13} 28. 700. 1010 *pm* c ff^{2} ● **6** □(*cf* 4. 11 *v. l.*) D M *pc* | ⸀σχωσιν Γ 28. 892. 1010 *al* ¦ ευρωσιν 1 *pc* | ⸂-ρησαι αυ. Γ 1010 *pc* ¦ κατηγοριαν κατ αυ. U Λ f^{13} 28. 700 *pm* c ff^{2} | ⸁εγρ- K U Γ Λ f^{1} 28. 700. 1010 *pm* ¦ εγραψεν f^{13}*pc* | ⸆(8 *v. l.*) ενος εκαστου αυτων τας αμαρτιας 264 ¦ μη προσποιουμενος K *pm*

ἐπέμενον ἐρωτῶντες ○αὐτόν, ⸂ἀνέκυψεν καὶ⸃ εἶπεν ⸀αὐ-
Dt 17,7 R 2,1.22 τοῖς· ὁ ἀναμάρτητος ὑμῶν πρῶτος ⸄ἐπ᾽ αὐτὴν βαλέτω λί-
θον⸅. **8** καὶ πάλιν ⸀κατακύψας ⸆ ⸁ἔγραφεν εἰς τὴν γῆν⸇.
Mt 22,22 **9** ⸂οἱ δὲ ἀκούσαντες⸃ ⸄ἐξήρχοντο εἷς καθ᾽ εἷς⸅ ἀρξάμε-
νοι ἀπὸ τῶν πρεσβυτέρων ⸆ καὶ κατελείφθη ⸀μόνος καὶ ἡ
γυνὴ ἐν μέσῳ ⸁οὖσα. **10** ⸀ἀνακύψας δὲ ὁ Ἰησοῦς ⸆ εἶπεν
⸂αὐτῇ· γύναι,⸃ ⸄ποῦ εἰσιν⸅; οὐδείς σε κατέκρινεν; **11** ⸂ἡ
δὲ εἶπεν⸃· οὐδείς, κύριε. ⸄εἶπεν δὲ ὁ Ἰησοῦς⸅· οὐδὲ ἐγώ
5,14 σε κατακρίνω· ⸀πορεύου, ⸂¹[καὶ] ἀπὸ τοῦ νῦν⸃ μηκέτι
ἁμάρτανε⸆.]]

1,4s.9; 9,5; 11,10; 12,35.46 Is 9,1; 42,8; 49,6; 60,1.3 1J 2,1.11 · Mt 5,14 Ph 2,15 1Th 5,5 **12** Πάλιν οὖν αὐτοῖς ἐλάλησεν ○ὁ Ἰησοῦς λέγων· ἐγώ
εἰμι τὸ φῶς τοῦ κόσμου· ὁ ἀκολουθῶν ⸀ἐμοὶ οὐ μὴ περι-
πατήσῃ ἐν τῇ σκοτίᾳ, ἀλλ᾽ ἕξει τὸ φῶς τῆς ζωῆς. **13** εἶ-
5,31s! πον οὖν αὐτῷ οἱ Φαρισαῖοι· σὺ περὶ σεαυτοῦ μαρτυρεῖς·
ἡ μαρτυρία σου οὐκ ἔστιν ἀληθής. **14** ἀπεκρίθη Ἰησοῦς
καὶ εἶπεν αὐτοῖς· κἂν ἐγὼ μαρτυρῶ περὶ ἐμαυτοῦ, ⸉ἀλη-
9,29! · 21-23 θής ἐστιν ἡ μαρτυρία μου⸊, ὅτι οἶδα πόθεν ἦλθον καὶ ποῦ
ὑπάγω· ὑμεῖς ○δὲ οὐκ οἴδατε πόθεν ἔρχομαι ⸀ἢ ποῦ ὑπάγω.
7,24 · 3,17! 5,22! **15** ὑμεῖς κατὰ τὴν σάρκα κρίνετε, ἐγὼ ⸆ οὐ κρίνω οὐδένα.

7 ○D *pc* | ⸂ανακυψας K Γ *pm* ¦ αναβλεψας U Λ f^{13} 700 *al* | ⸀προς αυτους K *pm* ¦ – M | ⸄επ αυ. τον (– Γ *al*) λ. βαλ. (⸉M) 𝔐 ¦ *4 3 1 2* U Λ f^{13} 700. (892) *al* ¦ *txt* D (f^{1}) *pc* ● **8** ⸀κατω κυψας f^{13} 𝔐 ¦ κυψας Γ *pc* ¦ *txt* D 1. 892 *pc* | ⸆τω δακτυλω D *pc* ff² | ⸁κατεγρ- D 28 *pc* ¦ εγραψεν M *pc* | ⸇ενος εκαστου αυτων τας αμαρτιας U 700 *al* (*cf* 6 *v. l.*) ● **9** ⸂ακ. δε 1. 892 *pc* ¦ – D Λ f^{13}*pc et* ⸄εκαστος δε των Ιουδαιων εξηρ. D *pc* ¦ εξηρ. εις εκαστος 1 *pc* ¦ και εξηλθεν (-θον f^{13}) εις καθ εις Λ f^{13} *al* ¦ εις καθ εις ανεχωρησαν M *pc* (⸉c ff²) ¦ και υπο της συνειδησεως ελεγχομενοι εξηρ. ε. κ. ε. K *pm* bo^{pt} ¦ *txt* U Γ 28. 700. (892). 1010 *pm* | ⸆εως των εσχατων U Λ f^{13} 28. 1010 *pm* ¦ ωστε παντας εξελθειν D *pc* | ⸀ο Ιησους f^{13} *al* ¦ μον. ο Ι. (⸉U Γ 700 *al*) 𝔐 it vg^{cl} bo^{pt} ¦ *txt* D 1. 892 *pc* c vgst | ⸁εστωσα 1. 892 *al* lat ¦ – e ● **10** ⸀αναβλεψας Λ f^{13} 700 *al* | ⸆ειδεν αυτην και U Λ f^{13} 700 *al* ¦ και μηδενα θεασαμενος πλην της γυναικος K *pm* ¦ *txt* D Γ 1. 28. 892. 1010 *pm* latt bo^{pt} | ⸂*1* K *pm* ¦ *2* U Λ f^{13} 700 *al* ¦ τη γυναικι· D *pc* c ¦ *txt* Γ 1. 28. 892. 1010 *pm* lat bo^{pt} | ⸄π. εισ. (+ εκεινοι K *pm*) οι κατηγοροι σου f^{13} 𝔐 aur r¹ vg^{cl} bo^{pt} ¦ – 118. 209 *al* ¦ *txt* D Γ 1. 892. 1010 *al* c e vgst bo^{ms} ● **11** ⸂κακεινη ειπεν αυτω D (*pc*) | ⸄*3 2 1* D ¦ ειπ. δε αυτη ο Ι. U Γ 700 *al* it ¦ ο δε (και ο f^{13}) Ι. ειπ. αυ. Λ f^{13} *al* ¦ *txt* 1 𝔐 vg | ⸀υπαγε D | ⸂¹† *2–4* D *pc* ff² ¦ *1* K 28 *pm* aur e ¦ – f^{13} ¦ *txt* U Γ 1. 700. 892. 1010 *pm* it | ⸆(6) τουτο δε ειπαν πειραζοντες αυτον ινα εχωσιν κατηγοριαν κατ αυτου M

¶ **8,12** ○𝔓^{75} B | ⸀† μοι B T; Or ¦ *txt* 𝔓^{66} ℵ D L W Θ Ψ 0250 $f^{1.13}$ 𝔐 ● **14** ⸉*3–5 1 2* 𝔓$^{39vid.75}$ B W 047. 0141. 1424 *pc* b; Epiph ¦ *1 5 2–4* D | ○ℵ F (1010) *al* a | ⸀και 𝔓^{75*} ℵ L W Θ f^{13} 𝔐 it ¦ *txt* 𝔓$^{66.75c}$ B D K N T Ψ 0110. 0250 f^{1} 700$^{v.l.}$ *al* lat sy^{h} ● **15** ⸆δε 𝔓^{75}*pc* d f

16 καὶ ἐὰν κρίνω δὲ ἐγώ, ἡ κρίσις ἡ ἐμὴ ⸀ἀληθινή ἐστιν, 5,30
ὅτι μόνος οὐκ εἰμί, ἀλλ’ ἐγὼ καὶ ὁ πέμψας με °πατήρ. 29; 16,32
17 καὶ ἐν τῷ νόμῳ δὲ τῷ ὑμετέρῳ ⸀γέγραπται ὅτι δύο ἀν- Dt 17,6; 19,15 Mt 18,16; 25,60 H 6,18
θρώπων ἡ μαρτυρία ἀληθής ἐστιν. **18** ἐγώ εἰμι ὁ μαρτυ- Ap 11,3 1J 5,7-9 5,32!
ρῶν περὶ ἐμαυτοῦ καὶ μαρτυρεῖ περὶ ἐμοῦ ὁ πέμψας με 5,37
7 II πατήρ. **19** ἔλεγον οὖν αὐτῷ· ποῦ ἐστιν ὁ πατήρ σου; * ἀπ-
εκρίθη ⸆ Ἰησοῦς· οὔτε ἐμὲ οἴδατε οὔτε τὸν πατέρα μου· 55; 7,28s; 14,7; 15,21; 16,3 Mt 11,27
8 I εἰ ἐμὲ ᾔδειτε, καὶ τὸν πατέρα μου ἂν ᾔδειτε. **20** Ταῦ-
τα τὰ ῥήματα ἐλάλησεν ἐν τῷ γαζοφυλακίῳ διδάσκων ἐν Mc 12,41p
τῷ ἱερῷ· καὶ οὐδεὶς ἐπίασεν αὐτόν, ὅτι οὔπω ἐληλύθει ἡ 7,30!
ὥρα αὐτοῦ.

9 X **21** Εἶπεν οὖν πάλιν αὐτοῖς⸆· ἐγὼ ὑπάγω καὶ ζητήσετέ 7,34!
με, καὶ ἐν τῇ ἁμαρτίᾳ ὑμῶν ἀποθανεῖσθε· ὅπου ἐγὼ ὑπάγω 24; 16,9 Dt 24,16
ὑμεῖς οὐ δύνασθε ἐλθεῖν. **22** ἔλεγον οὖν οἱ Ἰουδαῖοι· μήτι
ἀποκτενεῖ ἑαυτόν, ὅτι λέγει· ὅπου °ἐγὼ ὑπάγω ὑμεῖς οὐ 7,35
δύνασθε ἐλθεῖν; **23** ⸂καὶ ἔλεγεν⸃ αὐτοῖς· ὑμεῖς ἐκ τῶν κάτω
ἐστέ, ἐγὼ ἐκ τῶν ἄνω εἰμί· ὑμεῖς ἐκ ⸉τούτου τοῦ κόσμου⸊ 3,31
ἐστέ, ἐγὼ οὐκ εἰμὶ ἐκ τοῦ κόσμου τούτου. **24** εἶπον °οὖν 17,16
ὑμῖν ὅτι ἀποθανεῖσθε ἐν ταῖς ἁμαρτίαις ὑμῶν· ἐὰν γὰρ μὴ 21!
πιστεύσητε ⸆ ὅτι ἐγώ εἰμι, ἀποθανεῖσθε ἐν ταῖς ἁμαρτίαις 28.58; 13,19 Is 43,10
ὑμῶν. **25** ⸂ἔλεγον οὖν⸃ αὐτῷ· σὺ τίς εἶ; εἶπεν αὐτοῖς ⸄ὁ 1,19
Ἰησοῦς⸅· ⸆ τὴν ἀρχὴν ⸂¹ὅ τι⸃ καὶ λαλῶ ὑμῖν⁚; **26** πολλὰ
⸀ἔχω περὶ ὑμῶν λαλεῖν καὶ κρίνειν, ἀλλ’ ὁ πέμψας με 3,34!
ἀληθής ἐστιν, κἀγὼ ἃ ἤκουσα παρ’ αὐτοῦ ταῦτα λαλῶ εἰς 3,33 · 3,11!
τὸν κόσμον. **27** οὐκ ἔγνωσαν ὅτι τὸν πατέρα αὐτοῖς ἔλε-
γεν⸆. **28** εἶπεν οὖν °[αὐτοῖς] ὁ Ἰησοῦς⸆· ὅταν ὑψώσητε 3,14!
τὸν υἱὸν τοῦ ἀνθρώπου, τότε γνώσεσθε ὅτι ἐγώ εἰμι, καὶ 1,51! · 24! · 42; 5,19.30; 7,17.28; 14,10 ·
ἀπ’ ἐμαυτοῦ ποιῶ ⸀οὐδέν, ἀλλὰ καθὼς ἐδίδαξέν με ὁ πατὴρ 3,11!

16 ⸀αληθης 𝔓^{66} ℵ Θ Ψ 0250 $f^{1.13}$ 𝔐 ¦ δικαια 544 *pc* vg^{mss} sy^{hmg} ¦ *txt* 𝔓^{75} B D L T W 33. 892. 1241 *pc* | °† ℵ* D sy$^{s.c}$ ¦ *txt* 𝔓$^{39.66.75}$ *rell* ● **17** ⸀γεγραμμενον εστιν ℵ ● **19** ⸆ο ℵ N W Θ f^{13} 33. 1010. 1241 *al*; Or ¦ *txt* 𝔓$^{66.75}$ B D L T Ψ 0110. 0250 f^{1} 𝔐 ● **21** ⸆ο Ιησους 𝔓^{66c} Θ Ψ 0110. 0250 $f^{1.13}$ 𝔐 lat sy sa bo ¦ *txt* 𝔓$^{39vid.66*.75}$ ℵ B D L T W *pc* b e ac^{2} pbo ● **22** ° 𝔓^{75} *pc* ● **23** ⸂ελ. ουν 𝔓^{66} ℵ* *pc* (r^{1}) ¦ και ειπεν Ψ 0250 f^{1} 𝔐 ¦ *txt* 𝔓^{75} ℵ^{2} B D L N T W Θ f^{13} 892. 1241 *al* | ⸉ *2 3 1* ℵ D L Θ Ψ 0250 $f^{1.13}$ 𝔐 ¦ *txt* 𝔓$^{66.75}$ B T W 892. 1010 *pc* ● **24** ° 𝔓^{66} ℵ *pc* a e sy$^{s.p}$ | ⸆μοι ℵ D Θ f^{13} *pc* e ● **25** ⸂και ελ. 𝔓^{66} ¦ ελ. ℵ Γ sy$^{s.p}$ ¦ ειπον ουν W *pc* | ⸄ *2* 𝔓$^{66*.75}$ B *pc* ¦ – 0250 *pc* ¦ *txt* 𝔓^{66c} ℵ D L W T Θ Ψ $f^{1.13}$ 𝔐 sy^{h} | ⸆ειπον υμιν 𝔓^{66c} | ⸂¹ ὅτι (quia) b (d) vgst ¦ qui e vg^{cl} ¦ [ετι Torrey, ουκ εχω οτι Holwerda *cjj*] | [⁚ .] ● **26** ⸀εχων 𝔓^{66} e ● **27** ⸆τον θεον ℵ* D *pc* it vg^{cl} ● **28** °† 𝔓^{66*} B L T W f^{1} 565. 892. 1241 *pc* a ¦ *txt* 𝔓$^{66c.75}$ ℵ D Θ Ψ 0250 f^{13} 𝔐 lat sy co | ⸆παλιν ℵ (⸉ D 28) sy ¦ οτι 𝔓$^{66.75}$ B | ⸀ουδε εν 𝔓^{66}

⸆· ταῦτα λαλῶ. **29** καὶ ὁ πέμψας με μετ’ ἐμοῦ ἐστιν· οὐκ
16! ἀφῆκέν με μόνον⸆, ὅτι ἐγὼ τὰ ἀρεστὰ αὐτῷ ποιῶ πάντοτε.
7,31! **30** Ταῦτα αὐτοῦ λαλοῦντος πολλοὶ ἐπίστευσαν εἰς αὐτόν. **31** ἔλεγεν οὖν ὁ Ἰησοῦς πρὸς τοὺς πεπιστευκότας
15,7.14 2J 9 Act 11,23! αὐτῷ Ἰουδαίους· ἐὰν ὑμεῖς μείνητε ἐν τῷ λόγῳ τῷ ἐμῷ,
ἀληθῶς μαθηταί μού ἐστε **32** καὶ γνώσεσθε τὴν ἀλήθειαν,
36! καὶ ἡ ἀλήθεια ἐλευθερώσει ὑμᾶς. **33** ἀπεκρίθησαν πρὸς
L 3,8! αὐτόν· σπέρμα Ἀβραάμ ἐσμεν καὶ ⸂οὐδενὶ δεδουλεύκα-
1J 2,21 μεν⸃ πώποτε· ⸆ πῶς σὺ λέγεις ὅτι ἐλεύθεροι γενήσεσθε;
34 ἀπεκρίθη °αὐτοῖς °¹ὁ Ἰησοῦς· ἀμὴν ἀμὴν λέγω ὑμῖν
R 6,16.20 2P 2,19 1J 3,8 Gn 4,7 | G 4,30 ὅτι πᾶς ὁ ποιῶν τὴν ἁμαρτίαν δοῦλός ἐστιν ⸋τῆς ἁμαρ-
τίας⸌. **35** ὁ δὲ δοῦλος οὐ μένει ἐν τῇ οἰκίᾳ εἰς τὸν αἰῶνα,
12,34 ⸋ὁ ⸆ υἱὸς μένει εἰς τὸν αἰῶνα.⸌ **36** ἐὰν °οὖν ὁ υἱὸς ὑμᾶς
32 R 6,18.22; 8,2 1K 7,23 ἐλευθερώσῃ, ὄντως ἐλεύθεροι ⸀ἔσεσθε.
2K 3,17 G 5,1 | 5,18! **37** Οἶδα ὅτι σπέρμα Ἀβραάμ ἐστε· ἀλλὰ ζητεῖτέ με
ἀποκτεῖναι, ὅτι ὁ λόγος ὁ ἐμὸς οὐ χωρεῖ ἐν ὑμῖν. **38** ⸂ἃ
3,11! ἐγὼ⸃ ἑώρακα παρὰ τῷ πατρὶ ⸆ λαλῶ· καὶ ὑμεῖς οὖν ⸀ἃ
⸁ἠκούσατε παρὰ ⸂·τοῦ πατρὸς ποιεῖτε⸃·. **39** ἀπεκρίθη-
L 3,8! R 4,12 G 3,14 σαν καὶ εἶπαν αὐτῷ· ὁ πατὴρ ἡμῶν Ἀβραάμ ἐστιν. λέγει
⸆ αὐτοῖς °ὁ Ἰησοῦς· εἰ τέκνα τοῦ Ἀβραάμ ⸀ἐστε, τὰ ἔργα
5,18! τοῦ Ἀβραὰμ ⸁ἐποιεῖτε· **40** νῦν δὲ ζητεῖτέ με ἀποκτεῖναι
3,11 Ps 15,2 ἄνθρωπον ὃς τὴν ἀλήθειαν ὑμῖν λελάληκα ἣν ἤκουσα
παρὰ τοῦ θεοῦ· τοῦτο Ἀβραὰμ οὐκ ἐποίησεν. **41** ὑμεῖς
⸆ ποιεῖτε τὰ ἔργα τοῦ πατρὸς ὑμῶν. εἶπαν °[οὖν] αὐτῷ·

28 ⸆· μου B 0250 f^{1} 𝔐 f q sy$^{p.h}$ co ¦ *txt* 𝔓$^{66.75}$ ℵ D L N T (W) Θ Ψ f^{13} 892. 1241 *al* lat sy^{s} bo^{mss} ● **29** ⸆ο πατηρ 0250 𝔐 f q sy$^{(p).h}$ (bo^{pt}) ¦ *txt* 𝔓$^{66.75}$ ℵ B D L N* T W Θ Ψ f^{13} 1. 565. 1241 *al* lat sy^{s} co ● **33** ⸂ου δεδ. ουδενι D | ⸆και 𝔓^{66} N *pc* ● **34** ° 𝔓^{75} *pc* b e | °¹ 𝔓$^{66.75}$ B *pc* ¦ *txt* ℵ D L W Θ Ψ 070. 0250 $f^{1.13}$ 𝔐 sy^{h} | ⸋D b sy^{s}; Cl ● **35** ⸋ℵ W Γ 33. 1241 *al* vg^{ms} bo^{ms} | ⸆δε 𝔓^{66} D 070. 0250 *pc* a (b) r^{1} vg^{cl} sy ● **36** ° 𝔓^{75} f^{13} 1241 *pc* it | ⸀εστε 𝔓^{66} ¦ γενησεσθε 1241 ● **38** ⸂εγω ὃ Ψ 070. 0250 (∫ f^{1}) 𝔐 lat ¦ εγ. (+ δε f^{13}) ἃ D L N Θ f^{13} 33. 892 *al* f ¦ *txt* 𝔓$^{66.75}$ ℵ B C W 565 *pc* (1241 *h. t.*) | ⸆μου ℵ Θ Ψ 0250 $f^{1.13}$ 𝔐 it vg^{cl} sy ¦ μου, ταυτα D (W) 33. 892 *pc* (b c q) ¦ *txt* 𝔓$^{66.75}$ B C L 070 *pc* l vgst | ⸀ὃ ℵ^{2} L Ψ 070. 0250 𝔐 a c ff^{2} q ¦ *txt* 𝔓$^{66.75}$ ℵ* B C D K N W Θ f^{13} 1. 33. 565. 1010 *al* lat; Or | ⸁εωρακατε 𝔓^{66} ℵ* D Ψ 070. 0250 𝔐 lat sy sa ac^{2} pbo bo^{ms} ¦ *txt* 𝔓^{75} ℵ^{2} B C K L W Θ f^{13} 1. 33. 565. 892 *al* f sy^{hmg} bo; Or | ⸂· του πατ. υμων ποι. ℵ C K Θ $f^{1.13}$ 33. 565. 892 *al* f sy^{hmg} ¦ του πατ. λαλειτε 𝔓^{75} (*pc*) ¦ τω πατρι υμων (+ ταυτα D) ποι. D Ψ 0250 𝔐 lat sy ¦ *txt* 𝔓^{66} B L W 070 *pc*; Or ● **39** ⸆ουν 𝔓^{66} D (b) e | °B | ⸀ητε C W Θ Ψ 0250 $f^{1.13}$ 𝔐 it sy$^{p.h}$; Epiph ¦ *txt* 𝔓$^{66.75}$ ℵ B D L 070 *pc* lat; Did | ⸁† ποιειτε 𝔓^{66} B* (700) ff^{2} vg; Did ¦ εποι- αν ℵ^{2} C K L N Δ Ψ $f^{1.13}$ 33. 565. 892. 1010 *pm* b ¦ *txt* 𝔓^{75} ℵ* B^{2} D W Γ Θ 070. 0250. 28. 1424 *pm*; Epiph ● **41** ⸆δε ℵ^{c} D 565 *al* it sy$^{(s).p}$ | °† ℵ B L W 070. 1 it sy$^{s.p}$ ¦ *txt* 𝔓$^{66.75}$ C D Θ Ψ 0250 f^{13} 𝔐 vg sy^{h**}

ἡμεῖς ἐκ πορνείας ⸂οὐ γεγεννήμεθα⸃, ἕνα πατέρα ἔχομεν — Gn 38,24 · Is 63,16
τὸν θεόν. **42** εἶπεν ⸆ αὐτοῖς °ὁ Ἰησοῦς· εἰ ὁ θεὸς πατὴρ — Ml 2,10
ὑμῶν ἦν ἠγαπᾶτε ἂν ἐμέ, ⸂ἐγὼ γὰρ ἐκ τοῦ θεοῦ ἐξῆλθον⸃ — 14,15! 1J 5,1 ·
καὶ ἥκω· ⸀οὐδὲ γὰρ ἀπ᾽ ἐμαυτοῦ ἐλήλυθα, ἀλλ᾽ ἐκεῖνός — 16,27! · 28!
με ⸁ἀπέστειλεν. **43** διὰ τί τὴν ⸀λαλιὰν τὴν ἐμὴν οὐ γι- — 5,44; 6,60; 12,39
νώσκετε; ὅτι οὐ δύνασθε ἀκούειν τὸν λόγον τὸν ἐμόν. — Mt 12,34 R 8,7 1K 2,14
44 ὑμεῖς ἐκ ⸋τοῦ πατρὸς⸌ τοῦ διαβόλου ἐστὲ καὶ τὰς — 1J 3,8.10.15 Act
ἐπιθυμίας τοῦ πατρὸς ὑμῶν θέλετε ποιεῖν. ἐκεῖνος ἀνθρω- — 13,10 ·
ποκτόνος ἦν ἀπ᾽ ἀρχῆς καὶ ἐν τῇ ἀληθείᾳ ⸂οὐκ ἔστηκεν⸃, — Sap 2,24 1P 5,8
ὅτι ⸉οὐκ ἔστιν ἀλήθεια⸊ ἐν αὐτῷ. ⸀ὅταν λαλῇ τὸ ψεῦδος,
ἐκ τῶν ἰδίων λαλεῖ, ὅτι ψεύστης ἐστὶν καὶ ὁ πατὴρ αὐτοῦ.
45 ἐγὼ δὲ ὅτι τὴν ἀλήθειαν λέγω, οὐ πιστεύετέ μοι. **46** ⸋τίς — 40 G 4,16 · 6,64! L 22,67!
ἐξ ὑμῶν ἐλέγχει με περὶ ἁμαρτίας; εἰ ἀλήθειαν λέγω, διὰ — 7,18 2K 5,21 H 4,
τί ὑμεῖς οὐ πιστεύετέ °μοι;⸌ **47** ὁ ὢν ἐκ τοῦ θεοῦ τὰ ῥή- — 15! 1P 2,22! 3,18 1J 3,5 · 18,37! |
ματα τοῦ θεοῦ ἀκούει· διὰ τοῦτο ὑμεῖς οὐκ ἀκούετε, ⸋ὅτι — 1J 4,4.6; 5,19
ἐκ τοῦ θεοῦ οὐκ ἐστέ.⸌ — 1J 2,16; 3,10; 4,3
48 Ἀπεκρίθησαν ⸆ οἱ Ἰουδαῖοι καὶ εἶπαν αὐτῷ· οὐ καλῶς ⸉λέγομεν ἡμεῖς⸊ ὅτι Σαμαρίτης εἶ σὺ καὶ δαιμόνιον — 4,9 · 10,20!
ἔχεις; **49** ἀπεκρίθη ⸆ Ἰησοῦς· ἐγὼ δαιμόνιον οὐκ ἔχω,
ἀλλὰ τιμῶ τὸν πατέρα μου, καὶ ὑμεῖς ἀτιμάζετέ με. **50** ἐγὼ — Ml 1,6
δὲ οὐ ζητῶ τὴν δόξαν μου· ἔστιν ὁ ζητῶν καὶ κρίνων. — 7,18! · 5,45 1P 2,23 ·
51 ἀμὴν ἀμὴν λέγω ὑμῖν, ⸂ἐάν τις⸃ ⸄τὸν ἐμὸν λόγον⸅ τηρή- — 14,23; 15,20; 17,6
σῃ, θάνατον οὐ μὴ ⸀θεωρήσῃ εἰς τὸν αἰῶνα. **52** εἶπον — 1J 2,5 Ap 3,8.10 · 5,24! L 2,26 H 11,5
°[οὖν] αὐτῷ οἱ Ἰουδαῖοι· νῦν ἐγνώκαμεν ὅτι δαιμόνιον — 10,20!
ἔχεις. Ἀβραὰμ ἀπέθανεν καὶ οἱ προφῆται, καὶ σὺ λέγεις·⸆ — Act 2,29 Zch 1,5
ἐάν τις ⸉τὸν λόγον μου⸊ τηρήσῃ, οὐ μὴ γεύσηται θανάτου — Mt 16,28!p
εἰς τὸν αἰῶνα. **53** μὴ σὺ μείζων εἶ τοῦ ⸋πατρὸς ἡμῶν⸌ — 4,12 Sir 44,19
Ἀβραάμ, ⸀ὅστις ἀπέθανεν; καὶ οἱ προφῆται ἀπέθανον.

41 ⸂† ουκ εγεννηθημεν B D$^{*.2}$ ¦ ου γεγενημεθα 𝔓^{66} N W 0250 *f*^{13} 28. 565. 1010 *al* ¦ *txt* 𝔓^{75} א^{2} C D^{1} Θ Ψ *f*^{1} 𝔐 (א* L 070: ουκ εγ-); Or • **42** ⸆ουν א D Δ 070 *f*^{13} 28. 700. 892. 1424 𝔐 vg | ° 𝔓^{66} B *pc* | ⸂εκ γ. του θ. εξεληλυθα 𝔓^{66} | ⸀ου 𝔓^{66} D Θ *pc* it | ⸁-σταλκεν 𝔓^{66} • **43** ⸀αληθειαν D* *pc* • **44** ⸋K sy^{s} | ⸂ουχ ἕστηκεν 𝔓^{75} B^{2} *f*^{1} 𝔐; Cl Or ¦ *txt* 𝔓^{66} א B* C D L N W Δ Θ Ψ 0124. 0250 *f*^{13} 33. 892. 1010. 1241. 1424 *al* | ⸉ *3 1 2* 𝔓^{66} D Γ 0250 *pc* | ⸀qui (*i. e.* ος αν) aur c e; Lcf • **46** ⸋(*h. t.*) D | ° 𝔓^{66*} (l) • **47** ⸋D G 579 (sy^{s}) • **48** ⸆ουν K Γ Δ Ψ 28. 700. 1010. 1424 𝔐 lat sy^{h} | ⸉ 𝔓^{66}(*ελ-) D L 0124. 892. 1241 *pc* • **49** ⸆ο D N Θ 0124 *f*^{13} *pc* • **51** ⸂ος αν D sy | ⸄τ. λ. τον εμ. 𝔓^{66} Θ *f*$^{1.13}$ 𝔐 ¦ *txt* 𝔓^{75} א B C D L W Ψ 0124. 33. 892. 1241 *al* | ⸀-σει א Γ 1. 28; Or^{pt} ¦ ιδη 𝔓^{66} *pc* • **52** °† 𝔓^{66} א B C W Θ *pc* it sy$^{s.p}$ ¦ *txt* 𝔓^{75} D L Ψ 0124 *f*$^{1.13}$ 𝔐 lat sy^{h} | ⸆οτι 𝔓^{75} 0124 | ⸉ *3 1 2* 𝔓^{66} (D) L *pc* ¦ τον εμον λογον 33 • **53** ⸋D W it sy^{s} pbo | ⸀οτι 𝔓^{66*} D a

τίνα σεαυτὸν ποιεῖς; **54** ἀπεκρίθη ⸆ Ἰησοῦς· ἐὰν ἐγὼ δο-
7,18! 13,32; 16,14; 17,5 ξάσω ἐμαυτόν, ἡ δόξα μου οὐδέν ἐστιν· ἔστιν ὁ πατήρ
μου ὁ δοξάζων με, ὃν ὑμεῖς λέγετε ὅτι ⸂θεὸς ἡμῶν⸃ ἐστιν,
8,19! **55** καὶ οὐκ ἐγνώκατε αὐτόν, ἐγὼ δὲ οἶδα αὐτόν. κἂν εἴπω
ὅτι οὐκ οἶδα αὐτόν, ⸂ἔσομαι ὅμοιος ὑμῖν⸃ ψεύστης· ἀλλὰ
οἶδα αὐτὸν καὶ τὸν λόγον αὐτοῦ τηρῶ. **56** Ἀβραὰμ ὁ πα-
1P 1,8 · Mt 13,17p H 11,13 · 12,41 τὴρ ὑμῶν ἠγαλλιάσατο ἵνα ⸀ἴδῃ τὴν ἡμέραν τὴν ἐμήν,
L 17,22 καὶ εἶδεν καὶ ἐχάρη. **57** εἶπον οὖν οἱ Ἰουδαῖοι πρὸς αὐ-
τόν· ⸀πεντήκοντα ἔτη οὔπω ἔχεις καὶ Ἀβραὰμ ⸁ἑώρακας;
24! Is 43,10.13 | **58** εἶπεν αὐτοῖς ⸆ Ἰησοῦς· ἀμὴν ἀμὴν λέγω ὑμῖν, πρὶν
10,31; 11,8 · 10,39; 12,36 L Ἀβραὰμ °γενέσθαι ἐγὼ εἰμί. **59** ἦραν οὖν λίθους ἵνα
4,29s βάλωσιν ἐπ' αὐτόν. Ἰησοῦς °δὲ ἐκρύβη καὶ ἐξῆλθεν ἐκ
τοῦ ἱεροῦ.⸆

9 Καὶ παράγων εἶδεν ἄνθρωπον τυφλὸν ἐκ γενετῆς⸆. ¶
2 καὶ ἠρώτησαν αὐτὸν οἱ μαθηταὶ ⸋αὐτοῦ λέγοντες⸌·
34 Ex 20,5 ῥαββί, τίς ἥμαρτεν, οὗτος ἢ οἱ γονεῖς αὐτοῦ, ἵνα τυφλὸς
L 13,2-5 γεννηθῇ; **3** ἀπεκρίθη Ἰησοῦς· οὔτε οὗτος ἥμαρτεν οὔτε
11,4 οἱ γονεῖς αὐτοῦ, ἀλλ' ἵνα φανερωθῇ τὰ ἔργα τοῦ θεοῦ ἐν
5,17 αὐτῷ. **4** ⸀ἡμᾶς δεῖ ἐργάζεσθαι τὰ ἔργα τοῦ πέμψαντός ⸁με
11,9 Jr 13,16 ⸀^{1}ἕως ἡμέρα ἐστίν· ἔρχεται νὺξ ὅτε οὐδεὶς δύναται ἐργά-
8,12! ζεσθαι⸂. **5** ὅταν ἐν τῷ κόσμῳ ὦ, φῶς⸃ εἰμι τοῦ κόσμου.
Mc 8,23! **6** ταῦτα εἰπὼν ἔπτυσεν χαμαὶ καὶ ἐποίησεν πηλὸν ἐκ τοῦ
πτύσματος καὶ ⸀ἐπέχρισεν αὐτοῦ τὸν πηλὸν ἐπὶ τοὺς
2Rg 5,10 ὀφθαλμοὺς ⸆ **7** καὶ εἶπεν αὐτῷ· ὕπαγε νίψαι εἰς τὴν κο-
5,2 L 13,4 Is 8,6 λυμβήθραν τοῦ Σιλωάμ (ὃ ἑρμηνεύεται ἀπεσταλμένος).
ἀπῆλθεν οὖν καὶ ἐνίψατο καὶ ἦλθεν βλέπων.

54 ⸆ο ℵ D Δ* Θ f^{13} *pc* | ⸂θ. υμων ℵ B* D Ψ 700. 1010. 1424 *al* it vg^{cl} bo^{ms} ¦ ο θ. ημων 𝔓^{66}(*: υμ-) L *pc* ¦ *txt* 𝔓^{75} A B^{2} C W Θ 0124 $f^{1.13}$ 𝔐 sy sa pbo bo • **55** ⸂*2 1 3* D W *pc* ¦ εσ. ομ. υμων (ʃ 𝔓^{66} f^{13}) 𝔓^{66} ℵ C L Ψ 0124 f^{13} 𝔐 ¦ *txt* 𝔓^{75} A B Θ f^{1} 565 *pc* • **56** ⸀ειδη ℵ A B* D^{2} W 0124 *al* • **57** ⸀τεσσερακοντα (Λ*) *pc*; Chr | ⸁εωρακεν σε 𝔓^{75} ℵ* 0124 sy^{s} sa ac^{2} pbo • **58** ⸆ο 𝔓^{66} ℵ A D L W Θ Ψ 0124 $f^{1.13}$ 𝔐 ¦ *txt* 𝔓^{75} B C *pc* | °D it • **59** °B W | ⸆(*cf* L 4,30) και διελθων δια μεσου αυτων επορευετο και παρηγεν ουτως ℵ^{1}(^{2} *om.* επ. … ουτ.) C L N Ψ 0124. 33. 892. 1010. 1241 *al* (sy^{h**}) bo ¦ διελθ. δια μεσ. αυ. και παρηγεν ουτ. A Θ^{c} $f^{1.13}$ 𝔐 (f) q (sy^{p}) ¦ *txt* 𝔓$^{66.75}$ ℵ* B D W Θ* *pc* lat sy^{s} sa ac^{2} pbo bo^{ms}

¶ **9,1** ⸆καθημενον D • **2** ⸋D e • **4/5** ⸀εμε ℵ^{1} A C Θ Ψ $f^{1.13}$ 𝔐 lat sy ac^{2} bo^{mss} ¦ *txt* 𝔓$^{66.75}$ ℵ* B (ʃ D) L W 0124 *pc* sa pbo bo | ⸁ημας 𝔓$^{66.75}$ ℵ* L W *pc* pbo bo | ⸀^{1}ως C* L W 0124. 33 *pc* b d | ⸂, … ἤ. φως γαρ sy^{s} • **6** ⸀† επεθηκεν B *pc* ¦ *txt* 𝔓$^{66.75}$ ℵ A C D L W Θ Ψ 0124. 0216 $f^{1.13}$ 𝔐 latt sy; Ir^{lat} | ⸆του τυφλου A C W Ψ f^{13} 𝔐 b e f sy (bo) ¦ αυτου D N 892. 1241 *pc* lat ¦ *txt* 𝔓$^{66.75}$ ℵ B L Θ 0124. 0216^{vid} f^{1} 33. 565 *pc*

8 Οἱ οὖν γείτονες ⸆ καὶ οἱ θεωροῦντες αὐτὸν τὸ πρότερον ὅτι ⸂προσαίτης ἦν⸃ ἔλεγον· οὐχ οὗτός ἐστιν ὁ καθήμενος καὶ προσαιτῶν; **9** ἄλλοι ἔλεγον °ὅτι οὗτός ἐστιν,
ἄλλοι ⸂ἔλεγον· οὐχί, ἀλλὰ⸃ ὅμοιος αὐτῷ ἐστιν. ἐκεῖνος
⸆ ἔλεγεν °¹ὅτι ἐγώ εἰμι. **10** ⸀ἔλεγον οὖν αὐτῷ· πῶς °[οὖν] 15
ἠνεῴχθησάν σου οἱ ὀφθαλμοί; **11** ἀπεκρίθη ἐκεῖνος⸂· ὁ
ἄνθρωπος ὁ⸃ λεγόμενος Ἰησοῦς πηλὸν ἐποίησεν καὶ ἐπ-
έχρισέν μου τοὺς ὀφθαλμοὺς καὶ εἶπέν μοι °ὅτι ὕπαγε εἰς
⸀τὸν Σιλωὰμ καὶ νίψαι· ἀπελθὼν οὖν καὶ νιψάμενος ἀνέ-
βλεψα. **12** ⸂καὶ εἶπαν⸃ αὐτῷ· ποῦ ἐστιν ἐκεῖνος; λέγει·
οὐκ οἶδα.

13 Ἄγουσιν αὐτὸν πρὸς τοὺς Φαρισαίους τόν ποτε
τυφλόν. **14** ἦν δὲ σάββατον ⸂ἐν ᾗ ἡμέρᾳ⸃ τὸν πηλὸν ἐποί- 5,9
ησεν ὁ Ἰησοῦς καὶ ἀνέῳξεν αὐτοῦ τοὺς ὀφθαλμούς. **15** πάλιν οὖν ἠρώτων αὐτὸν °καὶ οἱ Φαρισαῖοι πῶς ἀνέβλε- 10
ψεν. ὁ δὲ εἶπεν αὐτοῖς· πηλὸν ἐπέθηκέν μου ἐπὶ τοὺς
ὀφθαλμοὺς καὶ ἐνιψάμην καὶ βλέπω. **16** ἔλεγον οὖν ἐκ
τῶν Φαρισαίων τινές· οὐκ ἔστιν οὗτος παρὰ θεοῦ ὁ ἄν- 1,24 6,46!
θρωπος, ὅτι τὸ σάββατον οὐ τηρεῖ. ἄλλοι °[δὲ] ἔλεγον·
πῶς δύναται ἄνθρωπος ἁμαρτωλὸς τοιαῦτα σημεῖα ποιεῖν; 2,18!
καὶ σχίσμα ἦν ἐν αὐτοῖς. **17** λέγουσιν οὖν τῷ τυφλῷ πά- 7,43!
λιν· ⸉τί σὺ⸊ λέγεις περὶ αὐτοῦ, ὅτι ἠνέῳξέν σου τοὺς
ὀφθαλμούς; ὁ δὲ εἶπεν ὅτι προφήτης ἐστίν. 1,21!

18 Οὐκ ἐπίστευσαν οὖν οἱ Ἰουδαῖοι περὶ αὐτοῦ ⸂ὅτι ἦν
τυφλὸς καὶ ἀνέβλεψεν⸃ ἕως ⸀ὅτου ἐφώνησαν τοὺς γονεῖς
αὐτοῦ ⸋τοῦ ἀναβλέψαντος⸌ **19** καὶ ⸀ἠρώτησαν αὐτοὺς

8 ⸆ταυτου 𝔓^{66*} it sy$^{s.p}$ | ⸂τυφλος ην C^{3} Γ Δ 28. 700. 892. 1241. 1424 𝔐 ¦ τυφ. ην και προσαιτ. 69 (*pc*) it • **9** ° 𝔓^{66} ℵ W Θ *pc* it | ⸂δε οτι A D Ψ *f*^{13} 𝔐 f l sy^{h} ¦ δε· ου., αλ. 0124 *f*^{1} 565 *pc* vg ¦ δε ελ.· ου., αλ. ℵ (Θ) *pc* vg^{mss} sy^{hmg} ¦ *txt* 𝔓$^{66.75}$ B C W *pc* b sy^{p} (L 33. 892. 1241 *al*: *h. t.*) | ⸆δε 𝔓^{66} ℵ$^{*.2}$ A C^{2} K N Γ 0124 *f*^{13} 33. 892. 1010. 1241 *al* it vg^{cl} sy$^{p.h**}$ ¦ *txt* 𝔓^{75} ℵ^{1} B C* D L W Θ Ψ *f*^{1} 𝔐 vgst sy^{s} | °^{1} 𝔓^{66} ℵ^{2} L it sy^{s} • **10** ⸀ειπαν 𝔓^{66} D | ° 𝔓^{75} A B W *f*$^{1.13}$ 𝔐 lat sy$^{s.p}$ ¦ *txt* 𝔓^{66} ℵ C D L N Θ Ψ 0124 *al* it sy^{h**} • **11** ⸂*2* D W *pc* ¦ *2 3* 𝔓^{75} C Θ 565 *pc* ¦ και ειπεν· ανθρωπος A Ψ *f*^{13} 𝔐 it pbo (bo) ¦ *txt* 𝔓^{66} ℵ B L 0124 *f*^{1} 33 *pc* sa ac^{2} | ° 𝔓^{75} A D W Θ Ψ *f*$^{1.13}$ 𝔐 ¦ *txt* 𝔓^{66} ℵ B L 0124 *pc* | ⸀την κολυμβηθραν του A Ψ *f*^{13} 𝔐 lat (sy) ¦ *txt* 𝔓$^{66.75}$ ℵ B D L W Θ 0124 *f*^{1} 565. 1241 *al* it • **12** ⸂*2* A *pc* (e) j vgst sy$^{s.p}$ ¦ ει. ουν 𝔓^{66} D Θ Ψ 0250 *f*^{13} 𝔐 it sy^{h} ¦ *txt* 𝔓^{75} ℵ B L W 0124 *f*^{1} 33. 565. 1241 *al* l vg^{cl} • **14** ⸂οτε A D Θ Ψ 0250 *f*$^{1.13}$ 𝔐 lat sy$^{p.h}$ ¦ εν τη ημ. οτε 0141 sy^{hmg} ¦ *txt* 𝔓$^{66.75}$ ℵ B L W (0124). 33 *pc* it • **15** ° 𝔓^{66*} 892. 1241 *al* lat sy$^{s.p}$ • **16** ° 𝔓$^{66.75}$ A L Θ Ψ 0250 𝔐 lat sy^{h} ¦ *txt* ℵ B D W 0124 *f*$^{1.13}$ 565 *al* c vg^{cl} sy$^{s.p}$ • **17** ⸉ 𝔓^{75} A D W Θ 0124. 0250 *f*$^{1.13}$ 𝔐 ¦ *txt* ℵ B L Ψ *pc* • **18** ⸂*1–3* 28 *pc* b sy^{s} ¦ – D l | ⸀οὗ 𝔓^{66*} D *pc* | ⸋ 𝔓^{66*} *f*^{1} 565 *al* it sy^{s} bo • **19** ⸀επηρ- 𝔓^{66} D *pc*

λέγοντες· οὗτός ἐστιν ὁ υἱὸς ὑμῶν, ὃν ὑμεῖς λέγετε ὅτι
τυφλὸς ἐγεννήθη; πῶς οὖν ⸉βλέπει ἄρτι⸊; **20** ἀπεκρίθησαν ⸀οὖν οἱ γονεῖς αὐτοῦ καὶ εἶπαν· οἴδαμεν ὅτι οὗτός
ἐστιν ὁ υἱὸς ἡμῶν καὶ ὅτι τυφλὸς ἐγεννήθη· **21** πῶς δὲ
νῦν βλέπει οὐκ οἴδαμεν, ἢ τίς ἤνοιξεν αὐτοῦ τοὺς ὀφθαλμοὺς ἡμεῖς οὐκ οἴδαμεν· ⸂αὐτὸν ἐρωτήσατε, ἡλικίαν ἔχει,
αὐτὸς⸃ περὶ ἑαυτοῦ λαλήσει. **22** ταῦτα εἶπαν οἱ γονεῖς
7,13; 19,38; 20,19 αὐτοῦ ὅτι ἐφοβοῦντο τοὺς Ἰουδαίους· ἤδη γὰρ συνετέ-
θειντο οἱ Ἰουδαῖοι ἵνα ἐάν τις ⸂αὐτὸν ὁμολογήσῃ χριστόν⸃,
34; 12,42; 16,2 L 6,22 ! ἀποσυνάγωγος γένηται. **23** διὰ τοῦτο οἱ γονεῖς αὐτοῦ εἶπαν
ὅτι ἡλικίαν ἔχει, ⸆ αὐτὸν ⸀ἐπερωτήσατε.

24 Ἐφώνησαν οὖν τὸν ἄνθρωπον ἐκ δευτέρου ὃς ἦν
Jos 7,19 Ps 68,35 L 17,18 Ap 14,7 etc τυφλὸς καὶ εἶπαν αὐτῷ· δὸς δόξαν τῷ θεῷ· ἡμεῖς οἴδαμεν
ὅτι ⸉οὗτος ὁ ἄνθρωπος⸊ ἁμαρτωλός ἐστιν. **25** ἀπεκρίθη
οὖν ἐκεῖνος· εἰ ἁμαρτωλός ἐστιν οὐκ οἶδα· ἓν οἶδα ὅτι
τυφλὸς ὢν ἄρτι βλέπω. **26** εἶπον οὖν αὐτῷ⸆· τί ἐποίησέν
σοι; πῶς ἤνοιξέν σου τοὺς ὀφθαλμούς; **27** ἀπεκρίθη αὐ-
τοῖς· εἶπον ὑμῖν ἤδη καὶ ⸋οὐκ ἠκούσατε· τί ⸆ ⸉πάλιν
θέλετε⸊ ἀκούειν; μὴ καὶ ὑμεῖς θέλετε ⸉¹αὐτοῦ μαθηταὶ⸊
γενέσθαι; **28** ⸂καὶ ἐλοιδόρησαν⸃ αὐτὸν καὶ εἶπον· σὺ ⸂μα-
θητὴς εἶ ἐκείνου⸃, ἡμεῖς ⸀δὲ ⸋τοῦ Μωϋσέως ἐσμὲν μα-
Nu 12,2.8 θηταί· **29** ἡμεῖς ⸆ οἴδαμεν ὅτι Μωϋσεῖ λελάληκεν ὁ θεός⸆,
8,14; 7,27s; 19,9 τοῦτον δὲ οὐκ οἴδαμεν πόθεν ἐστίν. **30** ἀπεκρίθη ⸂ὁ ἄνθρωπος καὶ εἶπεν αὐτοῖς⸃· ⸂ἐν τούτῳ⸃ γὰρ ⸋τὸ θαυμαστόν
3,10 ἐστιν, ὅτι ὑμεῖς οὐκ οἴδατε πόθεν ἐστίν, καὶ ἤνοιξέν μου

19 ⸉ 𝔓^{66} A Ψ 0250 *f*$^{1.13}$ 𝔐 lat sy$^{p.h}$ ¦ *txt* 𝔓^{75} ℵ B D L W Θ 0124. 33. 892 *pc* it sy^{s} • **20** ⸀ δε αυτοις A Ψ 0250 𝔐 sy^{h} ¦ αυτοις D Θ *f*^{1} 565. 1010 *pc* lat ¦ – L W 0124 *f*^{13} 33. 892. 1241 *al* a e ff^{2} r^{1} ¦ *txt* 𝔓$^{66.75}$ ℵ B *pc* • **21** ⸂αυτος ηλικ. εχ., αυτον ερωτ., αυτος A 0250 *f*^{13} (⸉ 1241) 𝔐 (l) q (sy) ¦ αυτος ηλικ. εχ., αυτος (– ℵ*) 𝔓^{75} ℵ* 0124 ¦ *3–5* W b sa ac^{2} ¦ *txt* 𝔓^{66} ℵ^{2} B (D) L Θ Ψ *f*^{1} 33 *pc* lat bo • **22** ⸂*1 3 2* N *pc* ¦ *2 1 3* 𝔓$^{66.75}$ K *f*^{13} *al* ¦ ομ. αυ. χρ. ειναι D e (vg^{cl}) ¦ *txt* ℵ A B L W Θ Ψ 0124. 0250 *f*^{1} 𝔐 lat • **23** ⸆και 𝔓^{66} A | ⸀ερ- A L Θ Ψ 0250 *f*$^{1.13}$ 𝔐 ¦ ερωτατε D ¦ *txt* 𝔓$^{66.75}$ ℵ B W 0124 *pc* • **24** ⸉ *2 3 1* A D Ψ 0250 *f*$^{1.13}$ 𝔐 ¦ *txt* 𝔓$^{66.75}$ ℵ B L W Θ 0124. 1241 *pc* • **26** ⸆παλιν 𝔓^{66} ℵ^{2} A L Θ Ψ 0124. 0250 *f*$^{1.13}$ 𝔐 f q sy$^{p.h}$ ¦ *txt* 𝔓^{75} ℵ* B D W *pc* lat sy^{s} co • **27** ⸋ 𝔓^{66vid} *pc* lat sy^{s} | ⸆ουν 𝔓^{75} B | ⸉ 𝔓^{66} D Θ *pc* a e r^{1} | ⸉¹ 𝔓^{66} ℵ D L Γ Δ Ψ 0124. 28. 33. 892. 1010. 1424 *al* ¦ *txt* 𝔓^{75} A B W Θ 0250 *f*$^{1.13}$ 𝔐 • **28** ⸂ *2* (+ ουν *f*^{13} *al*) 𝔓^{66} A *f*^{13} 𝔐 lat ¦ οι δε ελ. ℵ^{2} D L N Θ Ψ 0250 *f*^{1} 33. 565. 1241 *al* a f sy ¦ *txt* 𝔓^{75} ℵ* B W 0124 *pc* | ⸂ *2 1 3* 0250 *f*^{13} 𝔐 it ¦ *1 3 2* 𝔓^{66} D Θ *pc* lat ¦ *1 3* L 1010 *pc* ¦ *txt* 𝔓^{75} ℵ A B N W Ψ 0124 *f*^{1} 33 *al* | ⸀γαρ 𝔓^{66} *pc* sy^{p} ¦ – D it | ⸋ 𝔓^{66} • **29** ⸆δε 𝔓^{66} *pc* | ⸆ (31) και οτι θεος αμαρτωλων ουκ ακουει D$^{(1)}$ • **30** ⸂ *3 4 1 2* 𝔓^{66*} (it) | ⸂τουτο 𝔓^{66} e | ⸋ A D W Θ 0250 *f*^{13} 𝔐 ¦ *txt* 𝔓$^{66.75}$ ℵ B L N Ψ 0124. 1. 33. 1241 *al*

τοὺς ὀφθαλμούς. **31** οἴδαμεν ⸆ ὅτι ⸂ἁμαρτωλῶν ὁ θεὸς⸃ Is 1,15 Ps 66,18 · Prv 15,8.29
οὐκ ἀκούει, ἀλλ' ἐάν τις θεοσεβὴς ᾖ καὶ τὸ θέλημα αὐ- Ps 145,19
τοῦ ποιῇ τούτου ἀκούει. **32** ἐκ τοῦ αἰῶνος οὐκ ἠκούσθη
ὅτι ἠνέῳξέν τις ὀφθαλμοὺς τυφλοῦ γεγεννημένου· **33** εἰ μὴ
ἦν ⸂οὗτος παρὰ θεοῦ,⸃ οὐκ ἠδύνατο ποιεῖν οὐδέν. **34** ἀπ- 6,46!
εκρίθησαν καὶ εἶπαν αὐτῷ· ἐν ἁμαρτίαις σὺ ἐγεννήθης 2 Ps 51,7
ὅλος καὶ σὺ διδάσκεις ἡμᾶς; καὶ ἐξέβαλον αὐτὸν ἔξω. 22! 3J 10
35 ῎Ηκουσεν ⸆ Ἰησοῦς ὅτι ἐξέβαλον αὐτὸν ἔξω καὶ 1,41 · 1,51!
εὑρὼν αὐτὸν εἶπεν⸇· σὺ πιστεύεις εἰς τὸν υἱὸν τοῦ ⸀ἀν-
θρώπου; **36** ⸂ἀπεκρίθη ἐκεῖνος καὶ εἶπεν· καὶ τίς ἐστιν,
κύριε,⸃ ἵνα πιστεύσω εἰς αὐτόν; **37** ⸀εἶπεν αὐτῷ ⸰ὁ Ἰη-
σοῦς· καὶ ἑώρακας αὐτὸν καὶ ὁ λαλῶν μετὰ σοῦ ⸁ἐκεῖνός 4,26!
ἐστιν. **38** ⸋ὁ δὲ ἔφη· πιστεύω, κύριε· καὶ προσεκύνησεν
αὐτῷ.
39 Καὶ εἶπεν ὁ Ἰησοῦς·⸌ εἰς κρίμα ἐγὼ ⸂εἰς τὸν κόσ- 3,19; 5,24
μον τοῦτον ἦλθον⸃, ἵνα οἱ μὴ βλέποντες βλέπωσιν καὶ Mt 11,25; 13,13-15
οἱ βλέποντες τυφλοὶ γένωνται. **40** ⸀ἤκουσαν ἐκ τῶν Φαρισαίων ⸰ταῦτα οἱ μετ' αὐτοῦ ὄντες καὶ εἶπον αὐτῷ· μὴ καὶ
ἡμεῖς τυφλοί ἐσμεν; **41** εἶπεν αὐτοῖς ⸰ὁ Ἰησοῦς· εἰ τυφλοὶ ἦτε, οὐκ ἂν εἴχετε ἁμαρτίαν· νῦν δὲ λέγετε ὅτι βλέ- 15,22.24
πομεν, ⸂ἡ ἁμαρτία ὑμῶν μένει⸃. 3,36

10 Ἀμὴν ἀμὴν λέγω ὑμῖν, ὁ μὴ εἰσερχόμενος διὰ τῆς
θύρας εἰς τὴν αὐλὴν τῶν προβάτων ἀλλὰ ἀναβαίνων ἀλλαχόθεν ἐκεῖνος κλέπτης ἐστὶν καὶ λῃστής· **2** ὁ
δὲ ⸀εἰσερχόμενος διὰ τῆς θύρας ⸂ποιμήν ἐστιν⸃ τῶν προ-

31 ⸆δε A W Ψ 0250 *f*[13] 𝔐 vg sy[p.h] ¦ γαρ 69 q ¦ *txt* 𝔓[66.75] ℵ B D L Θ 0124. 1. 33. 1010 *al* it | ⸂† *2 3 1* B D Θ Ψ 0124 *pc* a e ¦ *txt* 𝔓[66.75] ℵ A L W 0250 *f*[1.13] 𝔐 lat (Γ 28. 565. 1241 *al*: -λον) • **33** ⸂ουτος (– Θ) π. θ. ο ανθρωπος 𝔓[66] N Θ (ʃ 1241) *pc* • **35** ⸆ο 𝔓[66] ℵ[2] A D L W Θ Ψ 0124. 0250 *f*[1.13] 𝔐 ¦ *txt* 𝔓[75] ℵ* B *pc* | ⸇αυτω 𝔓[66] ℵ[2] A L Θ Ψ 0124. 0250 *f*[1.13] 𝔐 lat sy co ¦ *txt* 𝔓[75] ℵ* B D W *pc* e bo[ms] | ⸀θεου A L Θ Ψ 0124. 0250 *f*[1.13] 𝔐 lat sy[p.h] bo ¦ *txt* 𝔓[66.75] ℵ B D W *pc* sy[s] co • **36** ⸂*1–4 6–8* (ʃ ℵ*) L Θ *pc* lat ¦ και τις εστιν, εφη, κυριε 𝔓[75] B W (ʃ 0124) ¦ απ. εκ.· (+ και 𝔓[66]) τις εστιν (+ εφη 𝔓[66*]) κυριε 𝔓[66] A 1241 *pc* ¦ *txt* (ʃ ℵ[1]) D Ψ (0250) *f*[1.13] 𝔐 sy[(p).h] • **37** ⸀ει. δε A L 0250 *f*[1.13] 𝔐 ¦ και ει. 1241 *pc* ¦ *txt* 𝔓[66.75] (ℵ) B (D) W Θ Ψ 0124. 33 *al* b e sy | ⸰𝔓[66] A | ⸁αυτος 𝔓[66] • **38/39** ⸋𝔓[75] ℵ* W b (l) | ⸂*5 1–3* 𝔓[66*] (1241) *pc*; Did ¦ *5 1–4* 𝔓[66c] D *pc* ¦ *ut txt, sed* εληλυθα 𝔓[75] 892 *pc* • **40** ⸀και ηκ. A 0250 *f*[13] 𝔐 lat sy[p.h] ¦ ηκ. δε D ¦ ηκ. ουν *f*[1] 565. 1241 *pc* ¦ *txt* 𝔓[66.75] ℵ B L W Θ Ψ 33 *al* | ⸰ℵ[*.2] D 1010 *al* lat sy[s] sa[mss] ac[2] mf bo • **41** ⸰𝔓[66.75] B 0250. 1010* ¦ *txt* ℵ A D L W Θ Ψ *f*[1.13] 𝔐 | ⸂αι αμαρτιαι υμων μενουσιν ℵ[1] D L W 33. (1241) *al* (sy[s.hmg]) ¦ *ut txt, sed* και η 𝔓[75] (1241) *pc*, η ουν A 0250 *f*[13] 𝔐 (a) j l r[1] sy[h] ¦ *txt* 𝔓[66] ℵ* B K Θ Ψ 1. 565 *al* lat (sy[p])
¶ **10,2** ⸀ερχ- 𝔓[75] | ⸂αυτος εστ. ο ποι. D (W it)

βάτων. **3** τούτῳ ὁ θυρωρὸς ἀνοίγει καὶ τὰ πρόβατα τῆς
16.27; 18,37 Ap 3,20 Ps 95,7 φωνῆς αὐτοῦ ἀκούει καὶ τὰ ἴδια ⸀πρόβατα ⸁φωνεῖ κατ'
ὄνομα καὶ ἐξάγει αὐτά. **4** ὅταν τὰ ἴδια ⸀πάντα ἐκβάλῃ,
Ps 80,2 ἔμπροσθεν αὐτῶν πορεύεται καὶ τὰ πρόβατα αὐτῷ ἀκολουθεῖ, ὅτι οἴδασιν ⸉τὴν φωνὴν αὐτοῦ⸊· **5** ἀλλοτρίῳ δὲ
οὐ μὴ ⸀ἀκολουθήσουσιν, ἀλλὰ φεύξονται ἀπ' αὐτοῦ, ὅτι
οὐκ οἴδασιν τῶν ἀλλοτρίων τὴν φωνήν. **6** Ταύτην τὴν
16,25 παροιμίαν εἶπεν αὐτοῖς ὁ Ἰησοῦς, ἐκεῖνοι δὲ οὐκ ἔγνωσαν ⸂τίνα ἦν ἃ⸃ ἐλάλει αὐτοῖς.

7 Εἶπεν °οὖν ⸀πάλιν ⸂ὁ Ἰησοῦς⸃· ἀμὴν ἀμὴν λέγω ὑμῖν
14,6 °¹ὅτι ἐγώ εἰμι ⸄ἡ θύρα⸅ τῶν προβάτων. **8** °πάντες ὅσοι
⸂ἦλθον [πρὸ ἐμοῦ]⸃ κλέπται εἰσὶν καὶ λῃσταί, ἀλλ' οὐκ
Ps 118,20 ἤκουσαν αὐτῶν τὰ πρόβατα. **9** ἐγώ εἰμι ἡ θύρα· δι' ἐμοῦ
Nu 27,17 ἐάν τις εἰσέλθῃ σωθήσεται καὶ εἰσελεύσεται καὶ ἐξελεύσεται καὶ νομὴν εὑρήσει. **10** ὁ κλέπτης οὐκ ἔρχεται εἰ
μὴ ἵνα κλέψῃ καὶ θύσῃ καὶ ἀπολέσῃ· ἐγὼ ἦλθον ἵνα ζωὴν
5,24s ἔχωσιν ⸋καὶ ⸀περισσὸν ἔχωσιν⸌.

Ez 34,11-16.23; 37, 24 H 13,20 **11** Ἐγώ εἰμι ὁ ποιμὴν ὁ καλός. ὁ ποιμὴν ὁ καλὸς τὴν
15,13! | ψυχὴν αὐτοῦ ⸀τίθησιν ὑπὲρ τῶν προβάτων· **12** ὁ ⸀μισθω-
τὸς καὶ οὐκ ὢν ποιμήν, οὗ οὐκ ἔστιν τὰ πρόβατα ἴδια,
Act 20,29! θεωρεῖ τὸν λύκον ἐρχόμενον καὶ ἀφίησιν τὰ πρόβατα καὶ
φεύγει – καὶ ὁ λύκος ἁρπάζει αὐτὰ καὶ σκορπίζει ⸆ –
12,6 **13**⸆ὅτι μισθωτός ἐστιν καὶ οὐ μέλει αὐτῷ περὶ τῶν προβάτων.

14 Ἐγώ εἰμι ὁ ποιμὴν ὁ καλὸς καὶ γινώσκω τὰ ἐμὰ καὶ
27 1K 13,20! | Mt 11,27p 17,25 · ⸂γινώσκουσί με τὰ ἐμά⸃, **15** ⸆καθὼς γινώσκει με ὁ πατὴρ

3 ⸀-τια 𝔓^{66} b q | ⸁καλει Θ 0250 *f*$^{1.13}$ 𝔐 ¦ *txt* 𝔓$^{66.75}$ א A B D L W Ψ *f*^{1} 33. 565. 1241 *al* ● **4** ⸀προβατα A 0250 *f*^{13} 𝔐 lat sy$^{p.h}$ ¦ – א$^{*.2}$ ¦ *txt* 𝔓$^{66(*: ⸉).75}$ א^{1} B D L W Θ Ψ 1. 33. 565. 1241 *al* a e | ⸉ *3 1 2* 𝔓^{66} D Θ *pc* ● **5** ⸀-σωσιν 𝔓$^{6vid.66.75}$ א L W Θ Ψ 0250 *f*$^{1.13}$ 𝔐 ¦ *txt* A B D Δ 700 *al* ● **6** ⸂τι 𝔓^{66*} *pc* lat ¦ τι ην α 𝔓^{6} ● **7** ° 𝔓^{66*} e | ⸀αυτοις 𝔓$^{45.66}$ א^{*vid} W 1. 565. 1241 *al* it ¦ π. αυ. D L Θ Ψ 𝔐 a sy co (⸉ א^{c} A K 0250, *f*^{13} 33. 1424 lat) ¦ *txt* 𝔓$^{6vid.75}$ B | ⸂ *2* B *pc* ¦ – 0250 *pc* | °¹ 𝔓^{75} B K L Ψ 33. 700. 1241. 1424 *al* a ¦ *txt* 𝔓^{66} א A D W Θ 0250 *f*$^{1.13}$ 𝔐 lat | ⸄ο ποιμην 𝔓^{75} sa ac mf ● **8** ° D b | ⸂ *1* 𝔓$^{45vid.75}$ א* Γ Δ 28. 892^{s}. 1010. 1424 *pm* lat sy$^{s.p}$ sa ac^{2} pbo; Aug ¦ *2 3 1* Θ *f*^{1} 565 *pc* ¦ *txt* 𝔓^{66} א^{2} A B D K L W Ψ (0250) *f*^{13} 33. 700. 1241 *pm* sy^{h**}; Cl Lcf ● **10** ⸋ 𝔓^{66*} D *pc* ff^{2} | ⸀-σσοτερον 𝔓^{75} Γ Ψ 1010 *pc* ● **11** ⸀διδωσιν 𝔓^{45} א* D lat sy^{s} pbo bo ● **12** ⸀δε μ. 𝔓^{66} א D Δ Θ Ψ *f*^{13} 33. 1241 *pc* (⸉A 0250 𝔐) it vg^{cl} sy ¦ *txt* 𝔓^{75} B L W 1 *pc* vgst | ⸆τα προβατα A Ψ 0250 *f*^{13} 𝔐 lat sy$^{p.h}$ ¦ *txt* 𝔓$^{45.66.75}$ א B D L W Θ 1. 33. 565. 1241 *al* sy^{s} co ● **13** ⸆ο δε μισθωτος φευγει A^{c} Ψ *f*^{13} 𝔐 lat sy$^{p.h}$ ¦ *txt* 𝔓$^{45.66.75}$ א A^{*vid} B D L (W) Θ 1. 33. 1241 *al* e sy^{s} co ● **14** ⸂γινωσκομαι υπο των εμων A Θ Ψ 0250 *f*$^{1.13}$ 𝔐 sy$^{p.h}$ ¦ *txt* 𝔓$^{45(c).66.75vid}$ א B D L W *pc* latt sy^{s} ● **15** ⸆και 𝔓^{45}

κἀγὼ γινώσκω τὸν πατέρα, * καὶ τὴν ψυχήν μου ⸀τίθημι 15,13!
ὑπὲρ τῶν προβάτων. **16** καὶ ἄλλα ⸆ πρόβατα ἔχω ἃ οὐκ
ἔστιν ἐκ τῆς αὐλῆς ταύτης· κἀκεῖνα δεῖ με ⸀ἀγαγεῖν καὶ 11,52; 17,20
τῆς φωνῆς μου ⸁ἀκούσουσιν, καὶ ⸀¹γενήσονται μία ποί- Ez 34,23; 37,24 E 2,14-18
μνη, εἷς ποιμήν.
17 Διὰ τοῦτό με ὁ πατὴρ ἀγαπᾷ ὅτι ἐγὼ τίθημι τὴν ψυ- 3,35! · 15,13!
χήν μου, ἵνα πάλιν λάβω αὐτήν. **18** οὐδεὶς ⸀αἴρει αὐτὴν Ph 2,8s
ἀπ᾽ ἐμοῦ, ⸋ἀλλ᾽ ἐγὼ τίθημι αὐτὴν ἀπ᾽ ἐμαυτοῦ⸌. ἐξουσίαν
ἔχω θεῖναι αὐτήν, καὶ ἐξουσίαν ἔχω πάλιν λαβεῖν αὐτήν·
ταύτην τὴν ἐντολὴν ἔλαβον παρὰ τοῦ πατρός μου. 14,31
19 Σχίσμα ⸆ πάλιν ἐγένετο ἐν τοῖς Ἰουδαίοις διὰ τοὺς 7,43!
λόγους τούτους. **20** ἔλεγον ⸀δὲ πολλοὶ ἐξ αὐτῶν· ⸆ δαι- 7,20; 8,48.52 Mc 3,21s Mt 11,18p
μόνιον ἔχει καὶ μαίνεται· τί αὐτοῦ ἀκούετε; **21** ἄλλοι ⸆ Act 26,24 Sap 5,4
ἔλεγον· ταῦτα τὰ ῥήματα οὐκ ἔστιν δαιμονιζομένου· μὴ
δαιμόνιον δύναται τυφλῶν ὀφθαλμοὺς ἀνοῖξαι; 9,16
22 Ἐγένετο ⸀τότε τὰ ἐγκαίνια ἐν °τοῖς Ἱεροσολύμοις, 1Mcc 4,59
⸁χειμὼν ἦν, **23** καὶ περιεπάτει °ὁ Ἰησοῦς ἐν τῷ ἱερῷ ἐν τῇ
στοᾷ °¹τοῦ Σολομῶνος. **24** ⸀ἐκύκλωσαν οὖν αὐτὸν οἱ Ἰου- Act 3,11!
δαῖοι καὶ ἔλεγον αὐτῷ· ἕως πότε τὴν ψυχὴν ἡμῶν αἴρεις;
εἰ σὺ εἶ ὁ χριστός, εἰπὲ ἡμῖν παρρησίᾳ. **25** ἀπεκρίθη Mt 26,63p; 16,16! · 16,25.29 Mc 8,32
⸂αὐτοῖς ὁ Ἰησοῦς⸃· εἶπον ὑμῖν καὶ ⸄οὐ πιστεύετε⸅· τὰ 4,26!
ἔργα ἃ ἐγὼ ποιῶ ἐν τῷ ὀνόματι τοῦ πατρός μου ταῦτα 5,36! · 5,43
μαρτυρεῖ περὶ ἐμοῦ· **26** ἀλλὰ ὑμεῖς οὐ πιστεύετε, ὅτι οὐκ 6,64!
ἐστὲ ἐκ τῶν προβάτων τῶν ἐμῶν⸆. **27** τὰ πρόβατα τὰ ἐμὰ 3!
τῆς φωνῆς μου ⸀ἀκούουσιν, κἀγὼ γινώσκω αὐτὰ καὶ ἀκο- 14
λουθοῦσίν μοι, **28** κἀγὼ ⸉δίδωμι αὐτοῖς ζωὴν αἰώνιον⸊ 5,24!

15 ⸀διδωμι 𝔓$^{45.66}$ ℵ* D W pbo ● **16** ⸆δε 𝔓^{66} D *pc* a (r^{1}) sy$^{p.h}$ | ⸀συναγ- 𝔓^{66}; Cl^{pt} | ⸁-σωσιν ℵ A W Δ Θ *f*^{13} 28. 33. 565. 892^{s}. 1010. 1241. 1424 *al* a l ¦ *txt* 𝔓$^{66.75}$ B D L (Ψ) *f*^{1} 𝔐 lat | ⸀¹† -σεται 𝔓^{66} ℵ* A *f*^{13} 𝔐 lat sy ¦ *txt* 𝔓^{45} ℵ^{2} B D L W Θ Ψ 1. 33. 565. (1424) *al* f sy^{hmg}; Cl ● **18** ⸀† ηρεν 𝔓^{45} ℵ* B sy^{p} ¦ *txt* 𝔓^{66} *rell* | ⸋D l ● **19** ⸆ουν 𝔓^{66} A (D) Θ Ψ *f*$^{1.13}$ 𝔐 sy^{h} ¦ *txt* 𝔓$^{45vid.75}$ ℵ B L W *pc* lat sy$^{s.p}$ ● **20** ⸀ουν ℵ$^{*.2}$ D *f*^{1} 565. 700 *pc* r^{1} | ⸆οτι 𝔓^{45} D ● **21** ⸆δε 𝔓^{66} ℵ (W) Θ *f*^{13} *pc* d sy$^{s.p}$ ● **22** ⸀δε 𝔓^{66*} ℵ A D Θ *f*^{13} 𝔐 lat sy$^{p.h}$ ¦ – *f*^{1} 565. 1010 *pc* a b sy^{s} ¦ *txt* 𝔓$^{66c.75}$ B L W Ψ 33 *pc* | ° 𝔓^{45} ℵ D *f*^{13} 1 𝔐 ¦ *txt* 𝔓^{66} A B L W Θ Ψ 33 *al* | ⸁χ. δε 𝔓^{45} ¦ και χ. A *f*^{13} 𝔐 lat sy ¦ *txt* 𝔓$^{66.75}$ ℵ B D L W Θ Ψ 1. 33. 565 *pc* ff^{2} r^{1} ● **23** ° B | °¹ ℵ A D *f*^{13} 1 𝔐 ¦ *txt* 𝔓$^{45vid.66.75}$ B L W Θ Ψ 892^{s} *al* ● **24** ⸀-λευσαν B ● **25** ⸂ *2 3* 𝔓^{66} ℵ* D r^{1} sa^{ms} bo^{mss} ¦ *1 3* B* ¦ *2 3 1* Θ | ⸄ου π. μοι D Θ *f*^{13} *pc* ¦ ουκ επιστευσατε B 1424 *pc* ● **26/27** ⸆καθως ειπον υμιν (+ οτι 𝔓^{66*}) 𝔓^{66*} A D Ψ *f*$^{1.13}$ 𝔐 it sy pbo bo^{pt} ¦ *txt* 𝔓$^{66c.75}$ ℵ B K L W Θ 33. 1241 *pc* vg sa ac ac^{2} bo^{pt} | ⸀ακουει 𝔓^{75} A D Ψ *f*^{1} 𝔐 ¦ *txt* 𝔓^{66} ℵ B L W Θ *f*^{13} 33. 1241 *pc* ● **28** ⸉ *3 4 1 2* 𝔓^{66*} A D Θ Ψ *f*$^{1.13}$ 𝔐; Or ¦ *txt* 𝔓$^{66c.75}$ ℵ B L W 33. 1010. 1241 *pc*; Did

6,39! καὶ οὐ μὴ ἀπόλωνται εἰς τὸν αἰῶνα καὶ ⸂οὐχ ἁρπάσει⸃ τις
6,37! αὐτὰ ἐκ τῆς χειρός μου. **29** ὁ πατήρ °μου ⸂ὃ δέδωκέν μοι
πάντων μεῖζόν⸃ ἐστιν, καὶ οὐδεὶς δύναται ἁρπάζειν ἐκ τῆς
17,11! χειρὸς τοῦ πατρός⸆. **30** ἐγὼ καὶ ὁ πατὴρ ⸆ ἕν ἐσμεν.
8,59! **31** Ἐβάστασαν ⸀πάλιν λίθους οἱ Ἰουδαῖοι ἵνα ⸉λιθά-
σωσιν αὐτόν⸊. **32** ἀπεκρίθη αὐτοῖς ὁ Ἰησοῦς· πολλὰ ⸂ἔργα
7,19.23; 9,3 καλὰ ἔδειξα ὑμῖν⸃ ἐκ τοῦ πατρός⸆· διὰ ποῖον ⸀αὐτῶν ἔργον ⸉ἐμὲ λιθάζετε⸊; **33** ἀπεκρίθησαν αὐτῷ οἱ Ἰουδαῖοι⸆·
36 Mt 9,3!p Lv 24,16 · περὶ καλοῦ ἔργου οὐ λιθάζομέν σε ἀλλὰ περὶ βλασφη-
5,18! μίας, καὶ ὅτι σὺ ἄνθρωπος ὢν ποιεῖς σεαυτὸν ⸆¹ θεόν.
34 ἀπεκρίθη ⸂αὐτοῖς [ὁ] Ἰησοῦς⸃· οὐκ ἔστιν γεγραμμένον
Ps 82,6 Ex 7,1; 22,28 𝔊 ἐν τῷ νόμῳ °ὑμῶν ὅτι *ἐγὼ εἶπα· θεοί ἐστε;* **35** εἰ ἐκείνους
εἶπεν θεοὺς □πρὸς οὓς ὁ λόγος ⸉τοῦ θεοῦ ἐγένετο⸊⸌, καὶ
7,23 Mt 5,17s L 16,17 | Jr 1,5 · 3,17; 17,18.21 οὐ δύναται λυθῆναι □ἡ γραφή⸌, **36** ὃν ὁ πατὴρ ἡγίασεν
καὶ ἀπέστειλεν εἰς τὸν κόσμον ὑμεῖς λέγετε ὅτι βλασφη-
5,18! 1,34 μεῖς, ὅτι εἶπον· ⸆ υἱὸς °τοῦ θεοῦ εἰμι; **37** εἰ οὐ ποιῶ τὰ
5,36! ἔργα τοῦ πατρός μου, μὴ πιστεύετέ μοι· **38** εἰ δὲ ποιῶ, κἂν
ἐμοὶ μὴ ⸀πιστεύητε, τοῖς ἔργοις ⸁πιστεύετε, ἵνα γνῶτε ⸂καὶ
14,10s.20; 17,21.23 γινώσκητε⸃ ὅτι ἐν ἐμοὶ ὁ πατὴρ κἀγὼ ἐν ⸂¹τῷ πατρί⸃¹.
7,30! **39** ⸂Ἐζήτουν [οὖν]⸃ ⸂¹αὐτὸν πάλιν πιάσαι⸃¹, καὶ ἐξῆλθεν 93 IV
8,59! ἐκ τῆς χειρὸς αὐτῶν.

28 ⸂ου μη -ση א D L *pc* ● **29** ° א* 892^{s}. 1424 *pc* it sy^{s} | ⸂ος δεδ- (εδ- 𝔓^{66}*pc*) μοι (– 𝔓^{66*}; + αυτα *f*^{13}*pc*) μειζων π. 𝔓^{66} *f*$^{1.13}$ 𝔐 ¦ ος δεδ- μ. μειζον π. A (⸉B^{2}) Θ *al* ¦ ο δεδ- (δεδωκως D) μ. π. μειζων א D L W Ψ *pc* ¦ *txt* B* (lat) bo | ⸆μου A D W Θ Ψ *f*$^{1.13}$ 𝔐 latt sy$^{p.h}$ sa ac^{2} bo ¦ *txt* 𝔓$^{66.75vid}$ א B L *pc* sy^{s} pbo ● **30** ⸆μου W* Δ *pc* e sy$^{s.p}$ co ● **31** ⸀ουν D 28 *pc* it vg^{cl} sa^{ms} bo ¦ ουν π. 𝔓^{66} A Ψ *f*$^{1.13}$ (1241) 𝔐 f sy^{h} sa^{ms} ¦ – 𝔓^{45} Θ ff^{2} vgst pbo ¦ *txt* א B L W 33 *pc* sy^{p} sa^{mss} ac ac^{2} | ⸉ 𝔓^{66} ● **32** ⸂† *1 3 4 2* B *pc* ¦ *1 3 4* W b ¦ *3 4 1 2* 𝔓^{75vid} ¦ *2 1 3 4* 𝔓^{66} D L *f*^{13} 𝔐 vg^{cl} ¦ *txt* 𝔓^{45vid} א A K (Θ) Ψ *f*^{1} 33. 565. 1010. 1241 *al* lat | ⸆μου 𝔓^{66} א^{2} A L W Ψ *f*$^{1.13}$ 𝔐 lat sy$^{p.h}$ sa pbo bo ¦ *txt* 𝔓^{45vid} א* B D Θ *pc* e sy^{s} | ⸀ουν W bo ¦ ουν αυ. 𝔓^{66}; Epiph | ⸉ 𝔓^{66} A D W *f*$^{1.13}$ 𝔐 ¦ *txt* 𝔓^{45vid} א B L Θ Ψ 33. 1241 *pc* ● **33** ⸆λεγοντες D Γ Δ 28. 700. 892^{s}. 1010. 1424 𝔐 e bo^{mss} | ⸆¹τον 𝔓^{66*} ● **34** ⸂*1 3* 𝔓^{45} B W ¦ I. και ειπεν αυτοις 𝔓^{66} ¦ αυ. ο I. κ. ειπ. D ¦ *txt* 𝔓^{75} א A L Θ Ψ *f*$^{1.13}$ 𝔐 | ° 𝔓^{45} א* D Θ *pc* it sy^{s}; Cyp ● **35** □*bis* 𝔓^{45}; Cyp | ⸉D *pc* it ● **36** ⸆ο 𝔓^{45} | ° 𝔓^{66*} א D W 28. 1424 *al*; Epiph ● **38** ⸀-ετε א A W Δ Θ *f*^{13} 1. 28. 33. 565. 1010. 1241. 1424 *pm* ¦ -σητε 𝔓^{66*}*pc* ¦ θελετε πιστευειν D latt ¦ *txt* 𝔓$^{45.66c.75}$ B K L Γ Ψ 118. 209. 700 *pm* | ⸁-σατε 𝔓$^{45.66}$ A Ψ *f*^{13} 𝔐 ¦ -σετε Δ ¦ *txt* 𝔓^{75} א B D K L W Θ 1. 33. 1241 *al* | ⸂κ. πιστευσητε A Ψ *f*^{13} 𝔐 ¦ κ. πιστευητε א 1010. (1241) *pc* ¦ – D (it) sy^{s} ¦ *txt* 𝔓$^{45.66.75}$ B L (W) Θ 1. 33. 565 *al* co | ⸂¹αυτω 𝔓^{45} A Θ Ψ *f*$^{1.13}$ 𝔐 it sy^{h} sa^{mss} ac^{2} ¦ *txt* 𝔓$^{66.75}$ א B D L W 33. 1241 *pc* lat sy$^{s.(p).hmg}$ (sa^{mss} pbo bo); Or^{lat} Epiph ● **39** ⸂*1* 𝔓^{75vid} B Γ Θ 28. 700 *pm* ¦ εζ. δε 𝔓^{45} f ¦ και εζ. D sy^{p} ¦ *txt* 𝔓^{66} א A L W Ψ *f*$^{1.13}$ 𝔐 lat sy^{h} | ⸂¹*2 1 3* (*2 3 1 pm*) 𝔓^{66} B Θ *f*^{13} 𝔐 ¦ *1 3* 𝔓^{45vid} א* D 1241 *al* lat ¦ *txt* א^{2} A K L W Δ Ψ *f*^{1} 33. 565. 1424 *al* f

40 Καὶ ἀπῆλθεν ⸋πάλιν πέραν τοῦ Ἰορδάνου ⸋εἰς τὸν
τόπον⸌ ⸀ὅπου ἦν Ἰωάννης τὸ ⸁πρῶτον βαπτίζων καὶ 1,28
⸀¹ἔμεινεν ἐκεῖ. **41** καὶ πολλοὶ ἦλθον πρὸς αὐτὸν καὶ ἔλεγον ⸰ὅτι Ἰωάννης μὲν ⸉σημεῖον ἐποίησεν⸊ ⸀οὐδέν, πάντα
δὲ ὅσα ⸂εἶπεν Ἰωάννης⸃ περὶ τούτου ἀληθῆ ἦν. **42** καὶ 1,7s.34
⸂πολλοὶ ἐπίστευσαν εἰς αὐτὸν ἐκεῖ⸃. 7,31!
11 Ἦν δέ τις ⸆ ἀσθενῶν, Λάζαρος ἀπὸ Βηθανίας, ⸂ἐκ
τῆς κώμης ⸇ Μαρίας καὶ Μάρθας τῆς ἀδελφῆς αὐ- L 10,38s
τῆς⸃. **2** ἦν δὲ ⸆ ⸀Μαριὰμ ἡ ἀλείψασα τὸν κύριον μύρῳ καὶ 12,3
ἐκμάξασα τοὺς πόδας αὐτοῦ ταῖς θριξὶν αὐτῆς, ἧς ⸁ὁ ἀδελφὸς ⸇ Λάζαρος ἠσθένει. **3** ⸂ἀπέστειλαν οὖν αἱ ἀδελφαὶ
πρὸς αὐτὸν λέγουσαι⸃· κύριε, ἴδε ὃν φιλεῖς ἀσθενεῖ.
4 ἀκούσας δὲ ὁ Ἰησοῦς εἶπεν· αὕτη ἡ ἀσθένεια οὐκ ἔστιν
πρὸς θάνατον ἀλλ᾽ ὑπὲρ τῆς δόξης τοῦ θεοῦ, ἵνα δοξασθῇ 2,11! 13,31; 9,3
ὁ υἱὸς ⸂τοῦ θεοῦ⸃ δι᾽ αὐτῆς. **5** ⸀ἠγάπα δὲ ὁ Ἰησοῦς τὴν Μάρ- Mc 10,21
θαν καὶ τὴν ἀδελφὴν ⸰αὐτῆς καὶ τὸν Λάζαρον. **6** ὡς
οὖν ἤκουσεν ὅτι ἀσθενεῖ, τότε μὲν ἔμεινεν ⸂ἐν ᾧ ἦν⸃ τόπῳ
δύο ἡμέρας, **7** ⸀ἔπειτα μετὰ τοῦτο λέγει ⸂τοῖς μαθηταῖς⸃·
ἄγωμεν εἰς τὴν Ἰουδαίαν πάλιν. **8** λέγουσιν αὐτῷ οἱ μαθη- 3,22!
ταί· ῥαββί, νῦν ἐζήτουν σε λιθάσαι οἱ Ἰουδαῖοι, καὶ πάλιν 8,59!
ὑπάγεις ἐκεῖ; **9** ἀπεκρίθη ⸆ Ἰησοῦς· οὐχὶ δώδεκα ⸂ὧραί
εἰσιν τῆς ἡμέρας⸃; ἐάν τις περιπατῇ ἐν τῇ ἡμέρᾳ, οὐ 9,4s! Jr 13,16
προσκόπτει, ὅτι τὸ φῶς τοῦ κόσμου τούτου βλέπει· **10** ἐὰν 8,12!
δέ τις περιπατῇ ἐν τῇ νυκτί, προσκόπτει, ὅτι τὸ φῶς οὐκ 12,35!
ἔστιν ἐν ⸀αὐτῷ.
11 Ταῦτα εἶπεν, καὶ μετὰ τοῦτο λέγει αὐτοῖς· Λάζαρος
ὁ φίλος ἡμῶν ⸀κεκοίμηται· ἀλλὰ πορεύομαι ἵνα ἐξ-

40 ⸰ 𝔓^{66} Γ 047 *pc* e sy$^{s.p}$ | ⸋ ℵ* *pc*; Chr | ⸀οὗ 𝔓^{66} 047 | ⸁προτερον 𝔓^{45} ℵ Δ Θ f^{13} *pc* it | ⸀¹† εμενεν B ¦ *txt* 𝔓$^{45.66.75}$ *rell* ● **41** ⸰ ℵ D *pc* c e | ⸉ K L W Ψ 0250 $f^{1.13}$ 33. 565. 1010. 1241 *al*; Or | ⸀ουδε εν 𝔓^{45} W Θ $f^{1.13}$ 565 *pc* | ⸂ *2 1* 𝔓^{45} D ¦ *1* W sy^{s} ● **42** ⸂ *2 1 3–5* A K Θ 0250 f^{13} 1010 *al* sy^{h} (*2 1 5 3 4* 𝔐) ¦ *1–4* 𝔓^{45vid} 1241 *pc* lat sy$^{s.p}$ ac^{2} bo^{mss} ¦ *txt* 𝔓$^{66.75}$ ℵ B D L (W) Ψ 1. 33. 565 *al*

¶ **11,1** ⸆εκει 𝔓^{6} | ⸂αδελφος Μαριας κ. Μαρθας sy$^{s.(p)}$ | ⸇της ℵ D ● **2** ⸆αυτη η 𝔓^{45} (*pc*) e sy$^{s.p}$ | ⸀Μαρια 𝔓^{66} ℵ A D L W Θ Ψ 0250 $f^{1.13}$ 𝔐 ¦ *txt* 𝔓^{6vid} B 33 | ⸁και 𝔓^{66*} ¦ και ο D | ⸇ην 𝔓^{66*} ● **3** ⸂και εστειλεν ουν Μαρια π. α. λεγουσα 𝔓^{66*vid} ● **4** ⸂αυτου 𝔓^{45} c ff^{2} l sy^{s} sa ac^{2} ¦ του ανθρωπου 0250 ¦ – 𝔓^{66} ● **5** ⸀εφιλει D a e | ⸰ 𝔓^{66*} ● **6** ⸂επι τω 𝔓^{45} D sy^{s} ● **7** ⸀ειτα 𝔓^{66} D *pc* | ⸂τ. μ. αυτου A D K Γ Δ f^{13} 28. 1010 *al* lat sy co ¦ αυτοις 𝔓^{66*} ¦ – 𝔓^{45} e l ¦ *txt* 𝔓$^{6vid. 66c. 75}$ ℵ B L W Θ Ψ 0250 f^{1} 𝔐 ● **9** ⸆ο 𝔓^{45} Θ 0250 $f^{1.13}$ 565 *al* | ⸂ωρας εχει η ημερα D ● **10** ⸀αυτη D* aur sa^{mss} ac^{2} ● **11/12** ⸀ *bis* κοιμαται D

υπνίσω αὐτόν. **12** εἶπαν οὖν ⸀οἱ μαθηταὶ αὐτῷ⸁· κύριε, εἰ
⸀κεκοίμηται ⸂σωθήσεται. **13** εἰρήκει δὲ ὁ Ἰησοῦς περὶ
τοῦ θανάτου αὐτοῦ, ἐκεῖνοι δὲ ἔδοξαν ὅτι περὶ τῆς κοι-
μήσεως τοῦ ὕπνου λέγει. **14** τότε οὖν εἶπεν αὐτοῖς ⸀ὁ Ἰη-
σοῦς⸁ παρρησίᾳ· Λάζαρος ⸆ ἀπέθανεν, **15** καὶ χαίρω δι’
42! ὑμᾶς ἵνα πιστεύσητε, ὅτι οὐκ ἤμην ἐκεῖ· ἀλλὰ ἄγωμεν
14,5; 20,24-28; 21,2 πρὸς αὐτόν. **16** εἶπεν οὖν Θωμᾶς ὁ λεγόμενος Δίδυμος τοῖς
συμμαθηταῖς· ἄγωμεν καὶ ἡμεῖς ἵνα ἀποθάνωμεν μετ’
Mc 14,31 αὐτοῦ.
39 **17** Ἐλθὼν οὖν ὁ Ἰησοῦς ⸆ εὗρεν αὐτὸν ⸀τέσσαρας ἤδη
ἡμέρας⸁ ⸉ἔχοντα ἐν τῷ μνημείῳ⸊. **18** ἦν δὲ °ἡ Βηθανία
ἐγγὺς τῶν Ἱεροσολύμων °¹ὡς ἀπὸ σταδίων δεκαπέντε.
19 πολλοὶ δὲ ἐκ τῶν ⸀Ἰουδαίων ἐληλύθεισαν πρὸς ⸂τὴν
Μάρθαν ⸀καὶ Μαριὰμ⸁ ἵνα παραμυθήσωνται αὐτὰς περὶ
τοῦ ἀδελφοῦ⸆. **20** ἡ οὖν Μάρθα ὡς ἤκουσεν ὅτι Ἰησοῦς ἔρχεται ὑπήντησεν αὐτῷ· ⸀Μαριὰμ δὲ ἐν τῷ οἴκῳ ⸆
ἐκαθέζετο. **21** εἶπεν οὖν °ἡ Μάρθα πρὸς °¹τὸν Ἰησοῦν·
32 °²κύριε, εἰ ἦς ὧδε ⸉οὐκ ἂν ⸀ἀπέθανεν ὁ ἀδελφός μου⸊·
16,30 **22** °[ἀλλὰ] καὶ νῦν οἶδα ὅτι ὅσα ἂν ⸀αἰτήσῃ τὸν θεὸν δώσει
σοι ὁ θεός. **23** λέγει αὐτῇ ὁ Ἰησοῦς· ἀναστήσεται ὁ ἀδελφός σου. **24** λέγει αὐτῷ °ἡ Μάρθα· οἶδα ὅτι ἀναστήσεται
6,39!s ἐν τῇ ἀναστάσει ἐν τῇ ἐσχάτῃ ἡμέρᾳ. **25** εἶπεν ⸆ αὐτῇ ὁ
14,6 1J 5,20 Ἰησοῦς· ἐγώ εἰμι ἡ ἀνάστασις ⸋καὶ ἡ ζωή⸌· ὁ πιστεύων
εἰς ἐμὲ κἂν ἀποθάνῃ ⸀ζήσεται, **26** καὶ πᾶς ὁ ζῶν καὶ πι-
5,24! στεύων ⸋εἰς ἐμὲ⸌ οὐ μὴ ἀποθάνῃ εἰς τὸν αἰῶνα. πιστεύεις

11/12 ⸀*3 1 2* ℵ D K W *al* b ff² ¦ οι μ. αυτου C² L Ψ 0250 *f*¹·¹³ 𝔐 lat syʰ ¦ *3* A *pc* syˢ ¦ *txt* 𝔓⁶⁶·⁷⁵ B C* Θ 33. 1241 *pc* | ⸂εγερθησεται 𝔓⁷⁵ • **14** ⸀Ιησους 𝔓⁶⁶ ℵ* *pc* ¦ – 33. 892ˢ a e r¹ | ⸆(11) ο φιλος ημων D p • **17** ⸆εις Βηθανιαν ℵ² Aᶜ C² D *f*¹³ 33. 1010 *al* syˢ·ᵖ boᵖᵗ | ⸀*1 3 2* ℵ Aᶜ C² L W Ψ 0250 *f*¹ 𝔐 ¦ *2 1 3* 𝔓⁶⁶ ¦ *1 3* A* ᵛⁱᵈ D e syᵖ ¦ *txt* 𝔓⁷⁵ B C* Θ *f*¹³ *pc* | ⸉*2–4 1* 𝔓⁶⁶ D L W Ψ *pc* lat • **18** °† ℵ* B 1346 ¦ *txt* 𝔓⁶⁶ *rell* | °¹D W* syˢ • **19** ⸀Ιεροσολυμων D | ⸂τας περι 𝔓⁴⁵ᵛⁱᵈ A C³ Θ Ψ 0250 *f*¹·¹³ 𝔐 syʰ ¦ – D ¦ *txt* 𝔓⁶⁶·⁷⁵ᵛⁱᵈ ℵ B C* L W 33. 1010. 1241 *al* latt | ⸀κ. -ιαν 𝔓⁶⁶ ℵ A (W) Ψ 0250 *f*¹·¹³ 𝔐 ¦ – 28 ¦ *txt* 𝔓⁷⁵ B C D L Δ Θ *pc* | ⸆αυτων A C Ψ 0250 *f*¹·¹³ 𝔐 lat syᵖ·ʰ ¦ *txt* 𝔓⁴⁵·⁶⁶·⁷⁵ ℵ B D L W Θ *al* ff² l • **20** ⸀-ια 𝔓⁴⁵·⁶⁶ᵛⁱᵈ·⁷⁵ ℵ A B C D L W Ψ 0250 *f*¹·¹³ 𝔐 ¦ *txt* Θ 33. 565 *pc* | ⸆εαυτης 𝔓⁶⁶ (*pc*) • **21** °A Γ Δ 0250. 28. 1424 *pm* | °¹† ℵ B C* 213 ¦ *txt* 𝔓⁴⁵·⁶⁶·⁷⁵ᵛⁱᵈ *rell* | °²B syˢ | ⸉*4–6 1–3* 𝔓⁴⁵·⁶⁶ C³ Θ 0250 *f*¹³ 𝔐 ¦ *1 2 4–6* (Ψ: *6 4 5*) *3* A D Ψ 1010 *pc* ¦ *txt* 𝔓⁷⁵ ℵ B C* L W (*f*¹ 33. 565. 1241: *6 4 5*) *pc* a l p *sed* ⸀ετεθνηκει A C² Θ Ψ *f*¹³ 𝔐 ¦ *txt* 𝔓⁴⁵·⁶⁶·⁷⁵ ℵ B C* D K L W 0250. 1. 33. 565. 1241 *al* • **22** °† 𝔓⁷⁵ ℵ* B C* 1. 33. 1241 *pc* boᵐˢˢ ¦ *txt* 𝔓⁴⁵·⁶⁶ ℵ² A C³ D L W Θ Ψ 0250 *f*¹³ 𝔐 lat sy co | ⸀-σης 𝔓⁴⁵·⁶⁶ W *pc* • **24** °𝔓⁴⁵·⁷⁵ ℵ A C³ W 0250 *f*¹·¹³ 𝔐 ¦ *txt* 𝔓⁶⁶ B C* D K L Θ Ψ 1010. 1241 *al* • **25** ⸆δε ℵ* Θ *f*¹ 565. 892ˢ. 1010 *al* b ¦ ουν 𝔓⁷⁵ Ψ 1424 *pc* | ⸋𝔓⁴⁵ l syˢ; Cyp Or | ⸀-σει 𝔓⁴⁵ • **26** ⸋W

τοῦτο; **27** λέγει αὐτῷ· ναὶ κύριε⸆, ἐγὼ πεπίστευκα ὅτι σὺ Mt 16,16!
εἶ ὁ χριστὸς ὁ υἱὸς τοῦ θεοῦ ὁ εἰς τὸν κόσμον ἐρχόμενος. 1,9; 6,14; 12,46; 16,28; 18,37 Mt 3,11!
28 Καὶ ⸀τοῦτο εἰποῦσα ἀπῆλθεν καὶ ἐφώνησεν ⸁Μα-
ριὰμ τὴν ἀδελφὴν αὐτῆς ⸀¹λάθρᾳ εἰποῦσα· ⸆ ὁ διδάσκαλος πάρεστιν καὶ φωνεῖ σε. **29** ἐκείνη °δὲ ὡς ἤκουσεν
⸀ἠγέρθη ταχὺ καὶ ⸁ἤρχετο πρὸς αὐτόν. **30** ⸂οὔπω δὲ ἐληλύθει ὁ Ἰησοῦς⸃ εἰς τὴν κώμην, ἀλλ’ ἦν °ἔτι ⸀ἐν τῷ τόπῳ
ὅπου ὑπήντησεν αὐτῷ °¹ἡ Μάρθα. **31** οἱ οὖν Ἰουδαῖοι οἱ 20
ὄντες μετ’ αὐτῆς ἐν τῇ οἰκίᾳ καὶ παραμυθούμενοι αὐτήν,
ἰδόντες τὴν ⸀Μαριὰμ ὅτι ⸉ταχέως ἀνέστη⸊ καὶ ἐξῆλθεν,
ἠκολούθησαν αὐτῇ ⸁δόξαντες ὅτι ὑπάγει εἰς τὸ μνημεῖον ἵνα κλαύσῃ ἐκεῖ.

32 Ἡ οὖν ⸀Μαριὰμ ὡς ἦλθεν ὅπου ἦν ⸆ Ἰησοῦς ⸇ ἰδοῦσα αὐτὸν ἔπεσεν αὐτοῦ ⸁πρὸς τοὺς πόδας λέγουσα °αὐτῷ·
κύριε, εἰ ἦς ὧδε οὐκ ἄν μου ἀπέθανεν ὁ ἀδελφός. **33** Ἰη- 21
σοῦς οὖν ὡς εἶδεν αὐτὴν κλαίουσαν καὶ τοὺς ⸂συνελθόν-
τας αὐτῇ Ἰουδαίους κλαίοντας⸃, ⸄ἐνεβριμήσατο τῷ πνεύ- Mt 9,30!
ματι καὶ ἐτάραξεν ἑαυτὸν⸅ **34** καὶ εἶπεν· ποῦ τεθείκατε 12,27; 13,21
αὐτόν; λέγουσιν αὐτῷ· κύριε, ἔρχου καὶ ἴδε. **35** ⸆ἐδάκρυ- 1,46! | L 19,41
σεν ὁ Ἰησοῦς. **36** ἔλεγον οὖν οἱ Ἰουδαῖοι· ἴδε πῶς ἐφίλει
αὐτόν. **37** τινὲς δὲ ⸉ἐξ αὐτῶν εἶπαν⸊· οὐκ ἐδύνατο οὗτος
ὁ ἀνοίξας τοὺς ὀφθαλμοὺς τοῦ τυφλοῦ ποιῆσαι ἵνα καὶ 9,1ss
οὗτος μὴ ἀποθάνῃ;

38 Ἰησοῦς οὖν πάλιν ⸀ἐμβριμώμενος ἐν ἑαυτῷ ἔρχεται Mt 9,30!
εἰς τὸ μνημεῖον· ἦν δὲ σπήλαιον καὶ λίθος ἐπέκειτο ἐπ’ Mt 27,60

27 ⸆πιστευω 𝔓^{66} • **28** ⸀ταυτα 𝔓^{66} A D Θ Ψ 0250 $f^{1.13}$ 𝔐 lat ¦ *txt* 𝔓^{75vid} א B C L W 1241 *pc* | ⸁-ιαν 𝔓$^{45.66}$ א W Ψ 0250 $f^{1.13}$ 𝔐 ¦ *txt* 𝔓^{75vid} A B C D K L Δ Θ 33 *al* | ⸀¹σιωπη D lat sy^{s} | ⸆οτι 𝔓^{66} D W 1010 *pc* • **29** ° 𝔓^{66*} A C^{2} D Ψ 0250 f^{1} 𝔐 lat ¦ *txt* 𝔓$^{66c.75}$ א B C* L W Θ f^{13} 33. 1241 *pc* it sy^{h**} | ⸀† εγειρεται 𝔓$^{45.66}$ A C^{3} Θ 0250 $f^{1.13}$ 𝔐 vg sy^{h} ¦ *txt* 𝔓^{75} א B C* D L W Ψ 33. 1241 *al* it vg^{s} sy$^{s.p.hmg}$ | ⸁ερχεται 𝔓$^{45.66}$ A C^{3} D Θ 0250 $f^{1.13}$ 𝔐 sy^{h} ¦ *txt* א B C* L W Ψ 1241 *pc* it sy$^{s.p}$ • **30** ⸂ *1 2 5 3* 𝔓^{66} 0250 ¦ ου γαρ Ι. ελ. D | ° 𝔓^{45} A D L Θ 0250 𝔐 l sy ¦ *txt* 𝔓$^{66.75}$ א B C W Ψ $f^{1.13}$ 33. 1241 *pc* lat | ⸀επι 𝔓$^{45.66}$ Θ f^{13} *pc* | °¹D W *pc* • **31** ⸀-ιαν 𝔓^{66} א A C^{3} W Ψ 0250 $f^{1.13}$ 𝔐 ¦ *txt* 𝔓^{75} B C* D K L Δ Θ 33 *pc* | ⸉ 𝔓^{66} | ⸁δοξαζοντες 𝔓^{75} 33 ¦ λεγοντες 𝔓^{66} A C^{2} Θ Ψ 0250 𝔐 sy^{h} sa ac^{2} ¦ *txt* א B C* D L W $f^{1.13}$ 700. 1241 *al* sy$^{s.p.hmg}$ • **32** ⸀-ια 𝔓$^{45.66*}$ א A C^{3} D W Θ Ψ 0250 $f^{1.13}$ 𝔐 ¦ *txt* 𝔓$^{66c.75}$ B C* L 33 *pc* | ⸆ο 𝔓^{45} א^{2} C^{3} L W Θ 0250 $f^{1.13}$ 𝔐 ¦ *txt* 𝔓$^{66.75}$ א* A B C$^{(*).2}$ D K Ψ 33. 1010 *pc* | ⸇και 𝔓$^{45vid.66}$ | ⸁εις 𝔓^{66} A C^{3} Θ 0250 f^{13} 𝔐 ¦ *txt* א B C* D L W Ψ f^{1} 33. 1010. 1241 *al* | ° 𝔓^{66} D 28 *pc* • **33** ⸂ Ιουδ. κλ. τους -ληλυθοτας μετ αυτης (𝔓^{45vid}) D it ¦ -ληλυθοτας συν αυτ. Ιουδ. κλ. 𝔓^{66} | ⸄ (13,21) εταραχθη τω πν. ως εμβριμουμενος 𝔓$^{45vid.66c}$ D (Θ) 1 *pc* p sa ac? ac^{2} • **35** ⸆και א* D Θ f^{13} 1010 *pc* latt sy$^{s.p}$ • **37** ⸉ 𝔓^{66} D lat • **38** ⸀-μησαμενος C* 892^{s}. 1241. 1424 *pc* ¦ -μων W

αὐτῷ. **39** λέγει ὁ Ἰησοῦς· ἄρατε τὸν λίθον. λέγει αὐτῷ ⸋ἡ
ἀδελφὴ τοῦ τετελευτηκότος⸌ Μάρθα· °κύριε, ἤδη ὄζει,
17 | τεταρταῖος γάρ ἐστιν. **40** λέγει αὐτῇ °ὁ Ἰησοῦς· οὐκ εἶ-
23.25s · 2,11! πόν σοι °¹ὅτι ἐὰν πιστεύσῃς ὄψῃ τὴν δόξαν τοῦ θεοῦ;
Mt 14,19!p **41** ἦραν οὖν τὸν λίθον⸆. ὁ δὲ Ἰησοῦς ἦρεν τοὺς ὀφθαλ-
Mt 11,25 μοὺς ⸆¹ ἄνω καὶ εἶπεν· πάτερ, εὐχαριστῶ σοι ὅτι ἤκουσάς
μου. **42** ἐγὼ δὲ ᾔδειν ὅτι πάντοτέ μου ἀκούεις, ἀλλὰ διὰ
15; 5,34; 12,30 · 17,8! τὸν ὄχλον τὸν περιεστῶτα εἶπον, ἵνα πιστεύσωσιν ὅτι σύ
με ἀπέστειλας. **43** καὶ ταῦτα εἰπὼν φωνῇ μεγάλῃ ἐκραύ-
γασεν· Λάζαρε, δεῦρο ἔξω. **44** ⸆ἐξῆλθεν ὁ τεθνηκὼς δεδεμένος τοὺς πόδας καὶ τὰς χεῖρας κειρίαις καὶ ἡ ὄψις
20,7 L 19,20 Act 19,12 αὐτοῦ σουδαρίῳ περιεδέδετο. λέγει ⸂αὐτοῖς ὁ Ἰησοῦς⸃·
λύσατε αὐτὸν καὶ ἄφετε °αὐτὸν ὑπάγειν.

45 Πολλοὶ οὖν ἐκ τῶν Ἰουδαίων ⸂οἱ ἐλθόντες πρὸς τὴν
7,31! Μαριὰμ⸃ ⸂¹καὶ θεασάμενοι⸃¹ ⸀ἃ ἐποίησεν ἐπίστευσαν εἰς
αὐτόν· **46** τινὲς δὲ ἐξ αὐτῶν ἀπῆλθον πρὸς τοὺς Φαρισαίους καὶ εἶπαν αὐτοῖς ⸀ἃ ἐποίησεν ⸆ Ἰησοῦς.

Mt 26,3-5p **47** Συνήγαγον οὖν οἱ ἀρχιερεῖς καὶ οἱ Φαρισαῖοι συν-
Act 4,16 έδριον καὶ ἔλεγον· τί ποιοῦμεν ὅτι οὗτος ὁ ἄνθρωπος
2,18! 23! | ⸂πολλὰ ποιεῖ σημεῖα⸃; **48** ἐὰν ἀφῶμεν αὐτὸν οὕτως,
12,19 πάντες ⸀πιστεύσουσιν εἰς αὐτόν, καὶ ἐλεύσονται οἱ Ῥω-
4,20 Act 6,13s μαῖοι καὶ ἀροῦσιν ἡμῶν καὶ τὸν τόπον καὶ τὸ ἔθνος.
Mt 26,3! **49** εἷς δέ °τις ἐξ αὐτῶν ⸀Καϊάφας, ἀρχιερεὺς ὢν τοῦ
ἐνιαυτοῦ ἐκείνου, εἶπεν αὐτοῖς· ὑμεῖς οὐκ οἴδατε οὐδέν,
18,14 Jon 1,12-15 **50** οὐδὲ λογίζεσθε ὅτι συμφέρει ⸀ὑμῖν ἵνα εἷς ἄνθρωπος
2K 5,14 ἀποθάνῃ ὑπὲρ τοῦ λαοῦ καὶ μὴ ὅλον τὸ ἔθνος ἀπόληται.

39 ⸋Θ it sy^{s} ac^{2} | ° 𝔓^{66} • **40** ° 𝔓^{66} A 1 *pc* | °¹ 𝔓^{66} 69 • **41** ⸆οὗ ην A 1. 1010 *al* f sy^{h} ¦ οὗ ην ο τεθνηκως κειμενος C^{3} *f*^{13} 28. 700. 892^{s}. 1424 𝔐 | ⸆¹αυτου 𝔓^{66c} D 28. 33. 1241. 1424 *al* ff^{2} r^{1} sy$^{p.h}$ ¦ αυτου εις τον ουρανον K 892^{s} *al* (b π) sy$^{s.hmg}$ • **44** ⸆και ℵ A C^{3} W Θ 0250 *f*$^{1.13}$ 𝔐 it sy$^{p.h}$ ¦ και ευθυς D lat sy^{s} sa^{ms} ¦ *txt* 𝔓$^{45.66.75}$ B C* L Ψ | ⸂*2 3 1* L W ¦ *3 1* 𝔓^{75} B C* ¦ *2 3* 700 aur r^{1} (sy^{s}) ¦ *txt* 𝔓$^{45.66}$ ℵ A C^{2} D Θ Ψ 0250 *f*$^{1.13}$ 𝔐 it | ° ℵ A C^{2} D W Ψ 0250 *f*$^{1.13}$ 𝔐 lat sy; Ir^{lat} ¦ *txt* 𝔓$^{45.59vid.66.75}$ B C* L Θ 33 *pc* ff^{2} • **45** ⸂οι ε. π. τ. -ιαν 𝔓$^{45.66}$ ℵ A C^{3} W Θ Ψ 0250 *f*$^{1.13}$ 𝔐 ¦ των ελθοντων π. τ. -ιαμ D ¦ οι ε. μετα -ιας Δ ¦ *txt* 𝔓$^{6.59vid}$ B C* L 33 *pc* | ⸂¹εωρακοτες 𝔓$^{45.66}$ D | ⸀† ο 𝔓^{66*} A^{c} B C$^{(2)}$ D 1. 1010 *pc* e ¦ οσα 𝔓^{66c} 0141 *pc* ¦ *txt* 𝔓$^{6.45}$ ℵ A* L W Θ Ψ 0250 *f*^{13} 𝔐 lat • **46** ⸀ο C D *pc* it ¦ οσα A K *f*^{13} *al* | ⸆ο ℵ A W Θ Ψ *f*$^{1.13}$ 𝔐 ¦ *txt* 𝔓$^{6.66}$ B C D L • **47** ⸂*1 3 2* 0250 *f*$^{1.13}$ 𝔐 lat ¦ τοιαυτα ση. π. D it ¦ *txt* 𝔓$^{45vid.66}$ ℵ A B L W Θ Ψ 33 *pc* • **48** ⸀-σωσιν 𝔓^{66} L Γ Δ 0250 *f*^{13} 1. 33. 700. 1241 *al* ¦ -ουσιν ℵ* 1424 *pc* ¦ *txt* ℵ^{2} A B D W Θ Ψ 𝔐 • **49** ° 𝔓^{66} 1241 *pc* | ⸀Καϊφας 𝔓$^{45.75vid}$ D it vg^{cl} sa ac^{2} • **50** ⸀ημιν A W Θ Ψ 065. 0250 *f*$^{1.13}$ 𝔐 vg sy sa^{mss} ac^{2}; Or^{lat} ¦ – ℵ sa^{ms} pbo ¦ *txt* 𝔓$^{45.66}$ B D L Γ 1010. 1241. 1424 *al* it vg^{cl} bo

51 τοῦτο δὲ ἀφ' ἑαυτοῦ οὐκ εἶπεν, ἀλλὰ ⸀ἀρχιερεὺς ὢν Ex 28,30 Nu
⸂τοῦ ἐνιαυτοῦ ἐκείνου⸃ ἐπροφήτευσεν ὅτι ⸁ἔμελλεν Ἰη- 27,21
σοῦς ἀποθνῄσκειν ὑπὲρ τοῦ ἔθνους, **52** καὶ οὐχ ὑπὲρ
τοῦ ἔθνους ⸆ μόνον ἀλλ' ἵνα καὶ τὰ τέκνα τοῦ θεοῦ τὰ 1J 2,2
⸀διεσκορπισμένα συναγάγῃ εἰς ἕν. **53** ἀπ' ἐκείνης οὖν τῆς 10,16!
ἡμέρας ⸀ἐβουλεύσαντο ἵνα ἀποκτείνωσιν αὐτόν. 5,18! Mt 26,4p
54 ⸂Ὁ οὖν Ἰησοῦς⸃ οὐκέτι παρρησίᾳ περιεπάτει ἐν τοῖς 7,4!
Ἰουδαίοις, ἀλλὰ ἀπῆλθεν °ἐκεῖθεν εἰς τὴν χώραν ⸆ ἐγγὺς τῆς ἐρήμου, °¹εἰς Ἐφραὶμ λεγομένην °²πόλιν, κἀκεῖ 2Sm 13,23?
⸀ἔμεινεν μετὰ ⸉τῶν μαθητῶν⸊.

55 Ἦν δὲ ἐγγὺς τὸ πάσχα τῶν Ἰουδαίων, καὶ ἀνέβησαν 2,13! Mt 26,2p
πολλοὶ εἰς Ἱεροσόλυμα ἐκ τῆς χώρας πρὸ τοῦ πάσχα ἵνα
ἁγνίσωσιν ἑαυτούς. **56** ἐζήτουν οὖν τὸν Ἰησοῦν καὶ ἔλε- 2Chr 30,17 Act 21,24.26 | 7,11; 12,9
γον μετ' ἀλλήλων ἐν τῷ ἱερῷ ἑστηκότες· τί δοκεῖ ὑμῖν;
ὅτι οὐ μὴ ἔλθῃ εἰς τὴν ἑορτήν; **57** δεδώκεισαν δὲ ⸆ οἱ ἀρχιερεῖς καὶ οἱ ⸀Φαρισαῖοι ⸁ἐντολὰς ἵνα ἐάν τις γνῷ ποῦ 7,32!
ἐστιν μηνύσῃ, ὅπως πιάσωσιν αὐτόν. 7,30!
12 Ὁ οὖν Ἰησοῦς πρὸ ⸀ἓξ ἡμερῶν τοῦ πάσχα ἦλθεν εἰς *1–8:* Mt 26,6-13 Mc 14,3-9
Βηθανίαν, ὅπου ἦν Λάζαρος⸆, ὃν ἤγειρεν ἐκ νε- 2,13! · 11,1.43
κρῶν ⸁Ἰησοῦς. **2** ἐποίησαν οὖν αὐτῷ δεῖπνον ἐκεῖ, καὶ °ἡ
Μάρθα διηκόνει, ὁ δὲ Λάζαρος εἷς ἦν °¹ἐκ τῶν ἀνακει- L 10,40
μένων σὺν αὐτῷ.
3 Ἡ οὖν ⸀Μαριὰμ λαβοῦσα λίτραν μύρου °νάρδου 11,2 L 7,38
πιστικῆς πολυτίμου ἤλειψεν τοὺς πόδας °¹τοῦ Ἰησοῦ καὶ
ἐξέμαξεν ταῖς θριξὶν αὐτῆς τοὺς πόδας αὐτοῦ· ἡ δὲ οἰκία

51 ⸀αρχων W d | ⸂*1 2* 𝔓66 D ¦ – 𝔓45 e l sys | ⸁μελλει 𝔓59vid 1241. 1424 *pc* b ff2 ● **52** ⸆ δε ℵ2 Ψ 0124. 33 *pc* | ⸀εσκορπ- 𝔓45.66 D 700 ¦ διεσπαρμενα 0250 ● **53** ⸀συνεβ- A L Ψ 065 *f*1 𝔐; Or ¦ *txt* 𝔓45.66.75vid ℵ B D W Θ *f*13 *pc* ● **54** ⸂*3 2* A D Ψ 065. 0250 *f*13 𝔐 syh ¦ ο δε Ιησ. 𝔓66 *pc* syp ¦ *txt* 𝔓75 ℵ B L W Θ *f*1 565. 1241 *pc* | ° 𝔓45vid D Γ 0250 *al* lat sys ac2; Orpt | ⸆Σαμφουριν D | °1 𝔓66 d sys | °2 𝔓66* sys | ⸀διετριβεν 𝔓45.66c A D Θ Ψ 065. 0250 *f*1.13 𝔐 lat ¦ *txt* 𝔓66*.75 ℵ B L W 1241 *pc* r1 | ⸉τ. μ. αυτου A Θ *f*1.13 𝔐 it vgww sy co ¦ αυτων και εβαπτιζεν 33 ¦ *txt* 𝔓66 ℵ B D L W Γ Δ Ψ 065. 0250. 565 *al* vgst ● **57** ⸆και D Γ 065. 28. 1424 *al* | ⸀πρεσβυτεροι 𝔓45vid | ⸁εντολην 𝔓66 A D L Θ Ψ *f*13 𝔐 latt syh sa ac ac2 ¦ *txt* ℵ B W 065. 0250 *f*1 (*ς* 28). 565 *pc* syhmg mf pbo

¶ **12,1** ⸀πεντε 𝔓66* | ⸆ο τεθνηκως 𝔓66 A D Θ Ψ 065. 0217vid. 0250 *f*1.13 𝔐 lat sys.h ac ac2 bo ¦ *txt.* ℵ B L W *pc* it syp sa pbo | ⸁ο Ιησ. (ℵ2) A D L W Δ 065. 0250 *f*13 1424* *al* ¦ – Θ Ψ *f*1 𝔐 it sys ¦ *txt* 𝔓66 (ℵ*) B *pc* ● **2** ° 𝔓66 (D Θ) 0218vid | °1 A D W Θ Ψ 065. 0250 *f*1.13 𝔐 ¦ *txt* 𝔓66 ℵ B L; Or ● **3** ⸀-ια 𝔓66 ℵ A D L W Θ Ψ 065. 0250 *f*13 𝔐 ¦ *txt* B 1. 33. 565 *pc* | ° 𝔓66* D it | °1 B

ἐπληρώθη ἐκ τῆς ὀσμῆς τοῦ μύρου. **4** λέγει ⸀δὲ ⸂Ἰού-
δας ὁ Ἰσκαριώτης εἷς [ἐκ] τῶν μαθητῶν αὐτοῦ⸃, ὁ μέλλων
6,64! αὐτὸν παραδιδόναι· **5** διὰ τί τοῦτο τὸ μύρον οὐκ ἐπράθη
⸀τριακοσίων δηναρίων καὶ ἐδόθη πτωχοῖς; **6** εἶπεν δὲ
10,13 τοῦτο οὐχ ὅτι περὶ τῶν πτωχῶν ἔμελεν αὐτῷ, ἀλλ' ὅτι
13,29 κλέπτης ἦν καὶ τὸ γλωσσόκομον ἔχων τὰ βαλλόμενα ἐ-
βάσταζεν. **7** εἶπεν οὖν ὁ Ἰησοῦς· ἄφες αὐτήν, °ἵνα εἰς τὴν
ἡμέραν τοῦ ἐνταφιασμοῦ μου ⸀τηρήσῃ αὐτό· **8** ⸋τοὺς πτω-
Dt 15,11 χοὺς γὰρ πάντοτε ἔχετε μεθ' ἑαυτῶν, ἐμὲ δὲ οὐ πάντοτε
ἔχετε.⸌

9 ⸂Ἔγνω οὖν [ὁ] ὄχλος πολὺς ἐκ τῶν Ἰουδαίων⸃ ὅτι
11,56 ἐκεῖ ἐστιν καὶ ἦλθον οὐ διὰ τὸν Ἰησοῦν °μόνον, ἀλλ'
11,43 ἵνα καὶ τὸν Λάζαρον ἴδωσιν ὃν ἤγειρεν ⸉ἐκ νεκρῶν⸊.
10 ἐβουλεύσαντο δὲ οἱ ἀρχιερεῖς ἵνα καὶ τὸν Λάζαρον
ἀποκτείνωσιν, **11** ὅτι πολλοὶ ⸂δι' αὐτὸν ὑπῆγον τῶν Ἰου-
7,31! δαίων καὶ ἐπίστευον⸃ εἰς τὸν Ἰησοῦν.

12–16: Mt 21,1-9 Mc 11,1-10 **12** Τῇ ἐπαύριον ⸂ὁ ὄχλος⸃ πολὺς ὁ ἐλθὼν εἰς τὴν ἑορ-
L 19,28-38 τήν, ἀκούσαντες ὅτι ἔρχεται °ὁ Ἰησοῦς εἰς Ἱεροσόλυμα
Lv 23,40 **13** ἔλαβον τὰ βαΐα τῶν φοινίκων καὶ ἐξῆλθον εἰς ὑπάντη-
σιν αὐτῷ καὶ ⸀ἐκραύγαζον⸆·
Ps 118,25s *ὡσαννά·*
Mt 23,39 *εὐλογημένος ὁ ἐρχόμενος ἐν ὀνόματι κυρίου,*
1,49; 6,15; 18,33. 37.39; 19,3.12 ⸂[καὶ] ὁ⸃ *βασιλεὺς* τοῦ *Ἰσραήλ.*
Zph 3,15 𝔊 **14** εὑρὼν δὲ ὁ Ἰησοῦς ὀνάριον ἐκάθισεν ἐπ' αὐτό, καθώς
ἐστιν γεγραμμένον·

4 ⸀ουν A D Θ Ψ 065 $f^{1.13}$ 𝔐 sy^{h} ¦ – L 33. 1241 *pc* e r^{1} ¦ *txt* 𝔓^{66} א B W *pc* | ⸂εις (– K) εκ (– Q) των μαθ. αυτ. Ιουδ. Σιμωνος (– D; ο f^{1} 565) Ισκαριωτης (-του Ψ, απο Καρυωτου D) A D Θ Ψ 065 $f^{1.13}$ 𝔐 latt sy^{h} (bo) ¦ *txt* א 1241 *pc* sy$^{(s).p}$ sa ac^{2} (𝔓$^{66.75vid}$ B L W 33 *pc*: *om.* εκ) ● **5** ⸀διακ- f^{13} 1424 *pc* ● **7** ° *et* ⸀τετηρηκεν A 065 $f^{1.13}$ 𝔐 f sy$^{p.h}$ ¦ [⸀ποιηση P. Schmiedel *cj*] ¦ *txt* 𝔓^{66} א B D K L Q W Θ Ψ 33. 1241 *al* lat sy^{hmg} co ● **8** ⸋*vs* D sy^{s} (𝔓^{75} 892^{s*} *pc*: *om.* μεθ ... εχετε^{2}) ● **9** ⸂*1 2 4–8* 𝔓^{75} A B^{2} Θ Ψ 065 $f^{1.(13)}$ 𝔐 (sa ac pbo bo) ¦ *1–4 3 5 7 8* 𝔓$^{66(*)}$ W (0250) *pc* ¦ οχλος δε πολ. εκ τ. Ιου. ηκουσαν D (it) ac^{2} ¦ *txt* א B* L 28. 892^{s}. 1241 *pc* lat bo^{ms} | °D *pc* b e sy^{s} | ⸉Ιησους εκ των νεκ. D (A 33 *pc*) ¦ – W ● **11** ⸂*4 5 1–3 6 7* D ¦ δι αυ. των Ιου. επιστευσαν 𝔓^{66} ● **12** ⸂*2* א(*) A D W Ψ f^{1} 𝔐 ¦ ουν (– 𝔓^{66c}) ο οχλ. ο 𝔓^{66c} Θ ¦ *txt* 𝔓^{66*} B L f^{13} 892^{s} *al* | °† א D W Ψ f^{1} 𝔐 (A L 33. 1241 *al*) ¦ *txt* 𝔓$^{66.75}$ B Γ Θ f^{13} 892^{s}. 1010. 1424 *al* ● **13** ⸀-γασαν 𝔓^{66} B* ¦ εκραζον A Θ Ψ $f^{1.13}$ 𝔐; Or ¦ *txt* 𝔓^{75} א B^{2} D L Q W 1010 *pc* | ⸆λεγοντες 𝔓^{66} א A D K $f^{1.13}$ 565. 892^{s}. 1010 *al* a ff^{2} sy$^{s.p}$ bo ¦ *txt* 𝔓$^{2vid.75}$ B L W Θ Ψ 𝔐 lat sy^{h} sa ac ac^{2} pbo | ⸂*2* 𝔓^{66} א^{1} D K Θ f^{1} 565 *al* ¦ – A f^{13} 𝔐 ¦ *txt* א$^{*.2}$ B L Q W Ψ *pc* bo

15 *μὴ φοβοῦ, ⸀θυγάτηρ Σιών·* *Zch 9,9 Is 35,4; 40,9* Zph 3,14s
ἰδοὺ ὁ βασιλεύς σου ἔρχεται,
καθήμενος ἐπὶ πῶλον ὄνου.
2 **16** ταῦτα ⸆ οὐκ ἔγνωσαν ⸂αὐτοῦ οἱ μαθηταὶ⸃ τὸ πρῶτον, ἀλλ' ὅτε ἐδοξάσθη ⸆¹ Ἰησοῦς °τότε ἐμνήσθησαν ὅτι 2,22!
ταῦτα ἦν ἐπ' αὐτῷ γεγραμμένα καὶ ταῦτα ἐποίησαν αὐτῷ.
17 ἐμαρτύρει οὖν ὁ ὄχλος ὁ ὢν μετ' αὐτοῦ ⸀ὅτε τὸν Λάζαρον ἐφώνησεν ἐκ τοῦ μνημείου καὶ ἤγειρεν αὐτὸν ἐκ 9
νεκρῶν. **18** διὰ τοῦτο ⸂[καὶ] ὑπήντησεν αὐτῷ ὁ ὄχλος⸃,
ὅτι ἤκουσαν ⸉τοῦτο αὐτὸν⸊ πεποιηκέναι τὸ σημεῖον. 2,11!
19 οἱ οὖν Φαρισαῖοι εἶπαν πρὸς ⸀ἑαυτούς· θεωρεῖτε
ὅτι οὐκ ὠφελεῖτε οὐδέν· ἴδε ὁ κόσμος ⸆ ὀπίσω αὐτοῦ 11,48 L 19,48 Act 5,28
ἀπῆλθεν.

20 Ἦσαν δὲ Ἕλληνές τινες ἐκ τῶν ἀναβαινόντων ἵνα 7,35
προσκυνήσωσιν ἐν τῇ ἑορτῇ· **21** οὗτοι οὖν προσῆλθον
Φιλίππῳ τῷ ἀπὸ ⸀Βηθσαϊδὰ τῆς Γαλιλαίας καὶ ἠρώτων 1,43!
αὐτὸν λέγοντες· κύριε, θέλομεν τὸν Ἰησοῦν ἰδεῖν. **22** ἔρ- L 8,20; 23,8
χεται °ὁ Φίλιππος καὶ λέγει τῷ Ἀνδρέᾳ, ⸂ἔρχεται Ἀν- 1,40!
3 δρέας καὶ Φίλιππος καὶ⸃ λέγουσιν τῷ Ἰησοῦ. **23** ὁ δὲ
Ἰησοῦς ⸀ἀποκρίνεται αὐτοῖς λέγων· ἐλήλυθεν ἡ ὥρα ἵνα 13,1!
4 δοξασθῇ ὁ υἱὸς τοῦ ἀνθρώπου. **24** ἀμὴν ἀμὴν λέγω ὑμῖν, 7,39! · 1,51!
ἐὰν μὴ ὁ κόκκος τοῦ σίτου πεσὼν εἰς τὴν γῆν ἀποθάνῃ, 1K 15,36s
αὐτὸς μόνος μένει· ἐὰν δὲ ἀποθάνῃ, πολὺν καρπὸν φέρει.
5 **25** ὁ φιλῶν τὴν ψυχὴν αὐτοῦ ⸀ἀπολλύει αὐτήν, καὶ ὁ μι- Mt 16,25!p
σῶν τὴν ψυχὴν αὐτοῦ ἐν τῷ κόσμῳ τούτῳ εἰς ζωὴν αἰώ-
5 νιον φυλάξει αὐτήν. **26** ἐὰν ⸉ἐμοί τις διακονῇ⸊, ἐμοὶ ἀκο- Mt 16,24p
λουθείτω, καὶ ὅπου ⸉¹εἰμὶ ἐγὼ⸊ ἐκεῖ καὶ ὁ διάκονος ὁ 14,3; 17,24

15 ⸀-τερ ℵ Θ Ψ $f^{1.13}$ 𝔐 ¦ η -τηρ 𝔓^{75vid} B^{2} ¦ *txt* 𝔓^{66} A B* D K L Q W Δ 0218. 0250. 565 *al* • **16** ⸆δε A D Ψ 0250 $f^{1.13}$ 𝔐 it sy$^{p.h}$ ¦ *txt* 𝔓^{66} ℵ B L Q W Θ *pc* sy^{s} | ⸂*2 3 1* 𝔓^{66} A D L W Ψ 0250 $f^{1.13}$ 𝔐 ¦ *2 3* K *pc* ¦ *txt* 𝔓^{75} ℵ B Θ *pc* | ⸆¹ο 𝔓^{66c} D W Θ f^{13} 33. 1241 *al* | ° 𝔓^{66*} W it sy$^{s.p}$ • **17** ⸀οτι 𝔓^{66} D K L *al* it sy^{p} co • **18** ⸂*2 3 1 4 5* B* ¦ *2–5* 𝔓^{66*} Δ *al* it ¦ *1–3 5* 𝔓^{75*} ℵ W *pc* ¦ κ. υπηντησαν αυ. οχλοι D (c) ¦ *txt* 𝔓$^{66c.75c}$ A B^{2} L Θ Ψ 0250 $f^{1.13}$ 𝔐 vg sy^{h} | ⸉ 𝔓^{66} ℵ • **19** ⸀αυτους 𝔓^{66*} D 1010. 1241 *pc* a c e | ⸆ολος D L Q Θ Ψ f^{13} 892. 1241. 1424 *al* latt sy ac bo • **21** ⸀Βηδ- 𝔓^{66} D K W 0250 *pc* a • **22** ° ℵ A D W Θ Ψ 0250 $f^{1.13}$ 𝔐 ¦ *txt* 𝔓$^{66.75}$ B L 33. 892. 1241 *pc* | ⸂και (– D) παλιν A. κ. Φ. (D, W) Ψ 0250 $f^{1.13}$ 𝔐 (vg) sy$^{(p).h}$ ¦ και παλιν ο A. δε κ. ο Φ. 𝔓^{66*} b ff^{2} ¦ A. δε κ. Φ. 𝔓^{66c} (Θ) c l ¦ κ. παλιν ερχ. A. κ. Φ. και ℵ ¦ *txt* 𝔓^{75vid} A B L *pc* a (sy^{s}) • **23** ⸀απεκρινατο A D Ψ 0250 f^{1} 𝔐 ¦ απεκριθη Θ f^{13} *pc* ¦ *txt* 𝔓$^{66.75}$ ℵ B L W 33 • **25** ⸀απολεσει A D Θ $f^{1.13}$ 𝔐 lat ¦ *txt* 𝔓$^{66.75}$ ℵ B L W Ψ 33 *pc* • **26** ⸉ *1 3 2* 𝔐 ¦ *2 1 3* D Θ $f^{1.13}$ 33. 565 *al* ¦ *txt* 𝔓$^{66.75vid}$ ℵ A B K L W Ψ 0250. 892. 1241. 1424 *al* | ⸉¹ 𝔓^{66} D W *pc*

4Mcc 17,20 ἐμὸς ἔσται· ⸀ἐάν τις ἐμοὶ διακονῇ τιμήσει αὐτὸν ὁ
πατήρ⸆.
Ps 6,4s; 31,10 Mt 26,38sp **27** Νῦν *ἡ ψυχή μου τετάρακται,* καὶ τί εἴπω; πάτερ, *σῶσόν*
με ἐκ τῆς ὥρας ταύτης; ἀλλὰ διὰ τοῦτο ἦλθον εἰς τὴν
5,37 Mt 3,17! ὥραν ταύτην. **28** πάτερ, δόξασόν ⸂σου τὸ ὄνομα⸃⸄. ἦλθεν
8,54; 17,4 οὖν⸅ φωνὴ ἐκ τοῦ οὐρανοῦ⸆· καὶ ἐδόξασα καὶ πάλιν δο-
ξάσω. **29** ὁ ⸀οὖν ὄχλος ὁ ⸁ἑστὼς °καὶ ἀκούσας ⸀¹ἔλε-
Job 37,5 · Gn 21,17 γεν βροντὴν γεγονέναι, ἄλλοι ἔλεγον· ἄγγελος αὐτῷ ⸀²λε-
11,42! λάληκεν. **30** ἀπεκρίθη ⸂Ἰησοῦς καὶ εἶπεν⸃· οὐ δι' ἐμὲ ἡ
14,30; 16,11 1K φωνὴ αὕτη ⸀γέγονεν ἀλλὰ δι' ὑμᾶς. **31** νῦν κρίσις ἐστὶν τοῦ
2,6 2K 4,4 E 2,2 · κόσμου °τούτου, νῦν ὁ ἄρχων τοῦ κόσμου τούτου ⸂ἐκ-
L 10,18! 3,14! βληθήσεται ἔξω⸃· **32** κἀγὼ ⸀ἐὰν ὑψωθῶ ἐκ τῆς γῆς, ⸁πάν-
14,3 τας ἑλκύσω πρὸς ἐμαυτόν. **33** τοῦτο δὲ ἔλεγεν σημαίνων
21,19! ποίῳ θανάτῳ ἤμελλεν ἀποθνῄσκειν.
34 Ἀπεκρίθη °οὖν αὐτῷ ὁ ὄχλος· ἡμεῖς ἠκούσαμεν ἐκ
8,35 Ps 89,37 Ez 37,25 · 32 τοῦ νόμου ὅτι ὁ χριστὸς μένει εἰς τὸν αἰῶνα, καὶ πῶς ⸉λέ-
γεις σὺ⸊ °¹ὅτι δεῖ ὑψωθῆναι τὸν υἱὸν τοῦ ἀνθρώπου; ⸋τίς
1,51! ἐστιν οὗτος ὁ υἱὸς τοῦ ἀνθρώπου;⸌ **35** εἶπεν οὖν αὐτοῖς ὁ
7,33! Ἰησοῦς· ἔτι μικρὸν χρόνον τὸ φῶς ⸂ἐν ὑμῖν⸃ ἐστιν. περι-
11,10; 8,12! 1J 2,11 πατεῖτε ⸀ὡς τὸ φῶς ἔχετε, ἵνα μὴ ⸆σκοτία ὑμᾶς καταλάβῃ·
καὶ ὁ περιπατῶν ἐν τῇ σκοτίᾳ οὐκ οἶδεν ποῦ ὑπάγει.
L 16,8 E 5,8 1Th 5,5 **36** ⸀ὡς τὸ φῶς ἔχετε, πιστεύετε εἰς τὸ φῶς, ἵνα υἱοὶ φωτὸς
8,59! γένησθε. ταῦτα ἐλάλησεν ⸆ Ἰησοῦς, καὶ ἀπελθὼν ἐκρύβη
ἀπ' αὐτῶν.
2,11! 23! **37** ⸀Τοσαῦτα δὲ αὐτοῦ σημεῖα πεποιηκότος ἔμπροσθεν

26 ⸀εαν δε 𝔓^{66c} *pc* ¦ και εαν A 0250 𝔐 f sy$^{s.h}$ ¦ *txt* 𝔓$^{66*.75}$ ℵ B D L W Θ Ψ *f*$^{1.13}$ 33. 565. 892. 1241 *al* sy^{p} | ⸆μου 𝔓^{66c} Θ 28. 700^{c} *pc* lat ¦ μου ο εν τοις ουρανοις *f*^{13} *pc* vg^{ms} ● **28** ⸂μου το ον. B ¦ (17,1) σου τον υιον L X *f*$^{1.13}$ 33. 1241 *pc* vg^{mss} sy^{hmg} bo | ⸄(17,5) εν τη δοξη η ειχον παρα σοι προ του τον κοσμον γενεσθαι. και εγενετο D | ⸆λεγουσα D 1241 *pc* it vg^{s} sy$^{s.h}$ bo ● **29** ⸀δε W r^{1} ¦ – B a | ⸁εστηκως 𝔓^{59vid} A D K W Θ Ψ *f*^{13} 33. 1241 *al* | °ℵ D *f*^{1} 565. 892 *pc* l r^{1} | ⸀¹ελεγον 𝔓^{66} L 28 *pc* e l | ⸀²ελαλησεν 𝔓^{66} 1241 ● **30** ⸂*2 3 1* 𝔓^{75vid} B (L) *pc* ¦ *1* ℵ | ⸀ηλθεν 𝔓^{66} D ¦ εληλυθεν Θ *pc* ● **31** °𝔓^{66*} D W *pc* lat sy^{s} | ⸂βληθ- εξω 𝔓^{66} D a aur c ¦ βληθ- κατω Θ it sy^{s} sa; Epiph ● **32** ⸀αν B *pc* ¦ οταν 1241 *pc* a e ff^{2}; Or^{pt} | ⸁παντα 𝔓^{66} ℵ* (⸉D) *pc* latt ● **34** °A D Θ 0250 *f*$^{1.13}$ 𝔐 latt sy ¦ *txt* 𝔓$^{66.75}$ ℵ B L W Ψ 892. 1241 *pc* sy^{hmg} | ⸉𝔓^{66} ℵ A D Θ Ψ *f*$^{1.13}$ 𝔐 ¦ *txt* 𝔓^{75vid} B L W 0250 *al* | °¹𝔓^{75} Γ Δ 28. 700. 1424 *pm* vg | ⸋𝔓^{75} 28* *al* ● **35** ⸂μεθ υμων A Γ Δ(*) 700. 1010^{s}. 1424 *pm* sy$^{s.p}$ sa ac^{2} pbo | ⸀εως 𝔓^{66} ℵ Θ 0250 *f*^{13} 𝔐 lat ¦ *txt* A B D K L W Ψ 1. 565 *al* | ⸆η L Θ *f*^{1} 565 *al* ● **36** ⸀εως 𝔓^{66} 0250 *f*$^{1.13}$ 𝔐 lat ¦ *txt* 𝔓^{75} ℵ A B D L W Θ Ψ 33 *pc* e | ⸆ο 𝔓^{75} ℵ A W Θ *f*$^{1.13}$ 𝔐 ¦ *txt* 𝔓^{66} B D L Ψ ● **37** ⸀ταυτα 𝔓^{66*}

αὐτῶν οὐκ ⸀ἐπίστευον εἰς αὐτόν, **38** ἵνα ὁ λόγος Ἠσαΐου
τοῦ προφήτου πληρωθῇ ⸋ὃν εἶπεν⸌·
κύριε, τίς ἐπίστευσεν τῇ ἀκοῇ ἡμῶν; *Is 53,1* ⊛ R 10,16
καὶ ὁ βραχίων κυρίου τίνι ἀπεκαλύφθη;
39 διὰ τοῦτο οὐκ ἠδύναντο πιστεύειν, ⸂ὅτι πάλιν⸃ εἶπεν 5,44; 8,43
Ἠσαΐας·
40 τετύφλωκεν *αὐτῶν* ⸋*τοὺς ὀφθαλμοὺς* *Is 6,10* Mt 13,14s! · Mc 3,5!
καὶ ⸀ἐπώρωσεν αὐτῶν⸌ *τὴν καρδίαν,*
ἵνα μὴ ἴδωσιν τοῖς ὀφθαλμοῖς
καὶ ⸆ *νοήσωσιν τῇ καρδίᾳ*
καὶ ⸀*στραφῶσιν, καὶ ἰάσομαι αὐτούς.*
41 ταῦτα εἶπεν Ἠσαΐας ⸀ὅτι εἶδεν τὴν δόξαν ⸀αὐτοῦ, καὶ Is 6,1
ἐλάλησεν περὶ αὐτοῦ. **42** ὅμως μέντοι καὶ ἐκ τῶν ἀρχόντων πολλοὶ ἐπίστευσαν εἰς αὐτόν, ἀλλὰ διὰ τοὺς Φαρισαί- 7,31!
ους οὐχ ὡμολόγουν ἵνα μὴ ἀποσυνάγωγοι γένωνται· 9,22!
43 ἠγάπησαν γὰρ τὴν δόξαν τῶν ἀνθρώπων μᾶλλον ⸀ἤπερ 5,44
τὴν δόξαν τοῦ θεοῦ.

44 Ἰησοῦς δὲ ἔκραξεν καὶ εἶπεν· ὁ πιστεύων εἰς ἐμὲ οὐ 7,28! · Mt 10,40!p
πιστεύει εἰς ἐμὲ ἀλλὰ εἰς τὸν πέμψαντά με, **45** καὶ ὁ θεωρῶν ἐμὲ θεωρεῖ ⸆ τὸν πέμψαντά με. **46** ἐγὼ φῶς εἰς τὸν 6,40; 14,9!
κόσμον ἐλήλυθα, ἵνα °πᾶς ὁ πιστεύων εἰς ἐμὲ ἐν τῇ σκο- 11,27!
τίᾳ μὴ μείνῃ. **47** καὶ ἐάν τίς μου ἀκούσῃ τῶν ῥημάτων ⸂καὶ 8,12!
μὴ φυλάξῃ⸃⸆, ἐγὼ οὐ κρίνω αὐτόν· οὐ γὰρ ἦλθον ἵνα 3,17!
κρίνω τὸν κόσμον, ἀλλʼ ἵνα σώσω τὸν κόσμον. **48** ὁ ἀθετῶν ἐμὲ καὶ μὴ λαμβάνων τὰ ῥήματά μου ἔχει τὸν κρί- L 10,16!
νοντα αὐτόν· ὁ λόγος ὃν ἐλάλησα ἐκεῖνος κρινεῖ αὐτὸν 3,18 H 4,12!
°ἐν τῇ ἐσχάτῃ ἡμέρᾳ. **49** ὅτι ἐγὼ ἐξ ἐμαυτοῦ οὐκ ἐλάλησα, 6,39! | 8,28!
ἀλλʼ ὁ πέμψας με πατὴρ αὐτός μοι ἐντολὴν ⸀δέδωκεν τί 3,34! · 15,10
εἴπω καὶ τί λαλήσω. **50** καὶ οἶδα ὅτι ἡ ἐντολὴ αὐτοῦ ζωὴ

37 ⸀επιστευσαν 𝔓^{66} f^{13} *pc* • **38** ⸋ 𝔓^{75} • **39** ⸂και γαρ D • **40** ⸋ D | ⸀επηρ- 𝔓$^{66.75}$ ℵ K W *pc* ¦ πεπωρωκεν B^{2} f^{1} 𝔐 ¦ *txt* A B* L Θ Ψ f^{13} 33 *al* | ⸆μη 𝔓^{66*} D a e f vg^{cl} | ⸀επιστρεψωσιν K L W Θ (f^{13}) 1424 *al*; Eus ¦ επιστραφωσιν A D^{c} f^{1} 𝔐 ¦ *txt* 𝔓$^{66.75vid}$ ℵ B D* Ψ 33 *pc* • **41** ⸀οτε D f^{13} 𝔐 sy; Eus ¦ επει W ¦ *txt* 𝔓$^{66.75}$ ℵ A B L Θ Ψ 1. 33 *al* e co | ⸀του θεου Θ f^{13} l sy^{h} sa (pbo) bo ¦ τ. θ. αυτου D • **43** ⸀υπερ 𝔓^{66c} ℵ L W f^{1} 33. 565 *al* ¦ ειπερ Ψ *pc* ¦ η 1241 *pc* ¦ *txt* 𝔓$^{66*.75}$ A B D Θ f^{13} 𝔐 • **45** ⸆και 𝔓^{66*} e • **46** ° 𝔓^{66*} B *pc* sy^{s} • **47** ⸂ *1 3* 𝔓^{66c} D Θ 0124. 1241 *pc* it ¦ μηδε φυλ. W ¦ και μη πιστευση 0250 𝔐 q sy^{hmg} ¦ – e ¦ *txt* 𝔓$^{66*.75}$ ℵ A B K L Ψ $f^{1.13}$ 33. 565 *al* vg sy | ⸆ταυτα 𝔓^{66} *pc* c r^{1} sy$^{s.p}$ • **48** ° 𝔓^{66} 1241 • **49** ⸀εδ- D L Θ 0250 𝔐 ¦ *txt* 𝔓^{66} ℵ A B W Ψ 0124 $f^{1.13}$ 33. 565. 1241 *al*

6,40; 17,2 αἰώνιός ἐστιν. ἃ οὖν ⸂ἐγὼ λαλῶ⸃, καθὼς εἴρηκέν μοι ὁ
πατήρ, οὕτως λαλῶ.

2,13! · 18,4! **13** Πρὸ δὲ τῆς ἑορτῆς τοῦ πάσχα εἰδὼς ὁ Ἰησοῦς ὅτι
12,23; 17,1 7,30! · 16,28! ⸀ἦλθεν αὐτοῦ ἡ ὥρα ἵνα μεταβῇ ἐκ ⸉τοῦ κόσμου
τούτου⸊ πρὸς τὸν πατέρα, ἀγαπήσας τοὺς ἰδίους τοὺς ἐν
17,11s τῷ κόσμῳ εἰς τέλος ἠγάπησεν αὐτούς. **2** καὶ δείπνου
27 L 22,3 Act 5,3 ⸀γινομένου, τοῦ ⸆ διαβόλου ἤδη βεβληκότος εἰς τὴν καρδίαν ⸂ἵνα παραδοῖ αὐτὸν⸃ ⸄Ἰούδας Σίμωνος Ἰσκαριώτου⸅,
18,4! · 3,35 **3** εἰδὼς ⸆ ὅτι πάντα ⸀ἔδωκεν αὐτῷ ὁ πατὴρ εἰς τὰς χεῖρας
16,27! 28! * καὶ ὅτι ἀπὸ θεοῦ ἐξῆλθεν καὶ πρὸς τὸν θεὸν ὑπάγει,
L 12,37 **4** ἐγείρεται ἐκ τοῦ δείπνου καὶ τίθησιν τὰ ἱμάτια καὶ λαβὼν
λέντιον διέζωσεν ἑαυτόν· **5** εἶτα βάλλει ὕδωρ εἰς τὸν ⸀νι-
πτῆρα καὶ ἤρξατο νίπτειν τοὺς πόδας τῶν μαθητῶν καὶ
ἐκμάσσειν τῷ λεντίῳ ᾧ ἦν διεζωσμένος. **6** ἔρχεται οὖν
Mt 3,14 πρὸς Σίμωνα Πέτρον· ⸆ λέγει αὐτῷ⸆· κύριε, σύ μου νί-
πτεις τοὺς πόδας; **7** ἀπεκρίθη Ἰησοῦς καὶ εἶπεν αὐτῷ· ὃ
12 ἐγὼ ποιῶ σὺ οὐκ οἶδας ⸀ἄρτι, γνώσῃ δὲ μετὰ ταῦτα. **8** λέγει αὐτῷ Πέτρος· οὐ μὴ νίψῃς ⸉μου τοὺς πόδας εἰς τὸν
αἰῶνα. ἀπεκρίθη ⸂Ἰησοῦς αὐτῷ⸃· ἐὰν μὴ νίψω σε, οὐκ ἔ-
χεις μέρος μετ᾽ ἐμοῦ. **9** λέγει αὐτῷ ⸂Σίμων Πέτρος⸃· κύριε,
μὴ ⸄τοὺς πόδας μου μόνον⸅ ἀλλὰ καὶ τὰς χεῖρας καὶ τὴν
κεφαλήν. **10** λέγει αὐτῷ ⸂ὁ Ἰησοῦς⸃· ὁ λελουμένος οὐκ
⸉ἔχει χρείαν⸊ ⸄εἰ μὴ τοὺς πόδας νίψασθαι⸅, ἀλλ᾽ ἔστιν

50 ⸂ *2 1* Θ 𝔐 ¦ *2* D Γ 1241 *pc* a bo^{ms} ¦ *txt* 𝔓^{66} ℵ A B L W Ψ 0124 $f^{1.13}$ 565. 892 *al*
¶ **13,1** ⸀εληλυθεν 𝔐 ¦ ηκει 𝔓^{66} ¦ παρην D ¦ *txt* ℵ A B K L W Θ Ψ 0124 $f^{1.13}$ 33. 565. 892. 1241 *al* | ⸉ *3 1 2* 𝔓^{66} • **2** ⸀γεν- 𝔓^{66} ℵ^{2} A D Θ $f^{1.13}$ 𝔐 ¦ *txt* ℵ* B L W Ψ 0124. 1241 *pc* d r^{1} | ⸆τε 𝔓^{66} A | ⸂ινα -δω αυ. 𝔓^{66} ℵ^{2} L W Ψ 0124. 1241 *pc* (⸉*et pon. p.* Ισκ. A Θ $f^{1.13}$ 𝔐 e f q sy) ¦ *txt* ℵ* B (D, *sed p.* Καρ.) | ⸄-δα Σ. -του A Θ f^{1} 𝔐 f q ¦ Σ. -του f^{13} c pbo ¦ -δα Σ. απο Καρυωτου D e ¦ † -δας Σ. -της 𝔓^{66} ℵ B (W) ¦ *txt* L Ψ 0124. 1241 *pc* (*sed cf* ⸂) • **3** ⸆ο Ιησους A Θ Ψ 0124 f^{1} 𝔐 it sy^{s} ¦ ο δε I. f^{13} *al* b sy$^{p.h**}$ ¦ *txt* 𝔓^{66} ℵ B D L W 1241 *pc* lat pbo | ⸀δεδ- 𝔓^{66} A D Θ Ψ f^{13} 𝔐 ¦ *txt* ℵ B K L W 0124. 1 *pc* • **5** ⸀ποδονιπτηρα 𝔓^{66} • **6** ⸆και ℵ A W Θ Ψ $f^{1.13}$ 𝔐 ¦ *txt* 𝔓^{66} B D L it | ⸆εκεινος ℵ^{2} A D L W Θ Ψ $f^{1.13}$ 𝔐 (lat) sy^{h} sa ac^{2} ¦ Simon sy$^{s.p}$ ¦ *txt* 𝔓^{66} ℵ* B b pbo • **7** ⸀αρ (*!*) 𝔓^{66*} ¦ γαρ 𝔓^{66c1} ¦ τι W ¦ *txt* 𝔓^{66c2} *rell* • **8** ⸉*p.* ποδας ℵ A Θ 𝔐 ¦ *p.* μη D $f^{1.13}$ 1241 *pc* ¦ *txt* 𝔓^{66} B C L W Ψ 892 *pc* | ⸂ *2 1* 𝔓^{66} K W Δ Θ 1010^{s} *al* (*sed* ο I. ℵ $f^{1.13}$ 𝔐) ¦ *1* C^{3} D Ψ 1241 *pc* ¦ *txt* A B C* L *pc* • **9** ⸂ *2 1* B W ¦ *2* D *pc* | ⸄ *1 2 4* 𝔓^{66} 1010^{s} *al* e ¦ *4 1 2* D it • **10** ⸂† *2* B *pc* ¦ – Ψ ¦ *txt* 𝔓^{66} *rell* | ⸉ C^{3} D L Θ $f^{1.13}$ 𝔐 ¦ *txt* 𝔓^{66} ℵ A B C* W Ψ 1424 | ⸄ *5* ℵ vgst ¦ την κεφαλην νιψ. ει μη τ. π. μονον D ¦ ει μη τ. π. μονον νιψ. 𝔓^{66} Θ (1424) *pc* sy$^{s.p}$ ¦ η τ. π. νιψ. A C^{3} f^{1} 𝔐 sy^{h} ¦ *txt* B C* (K) L W Ψ f^{13} 892 *al* it vg^{cl}

καθαρὸς ὅλος· καὶ ὑμεῖς καθαροί ἐστε, ἀλλ᾽ οὐχὶ πάντες. 15,3
11 ᾔδει γὰρ τὸν παραδιδόντα αὐτόν· ⸋διὰ τοῦτο εἶπεν 6,64!
°ὅτι οὐχὶ πάντες καθαροί ἐστε.⸌
12 Ὅτε οὖν ἔνιψεν τοὺς πόδας αὐτῶν °[καὶ] ἔλαβεν τὰ
ἱμάτια αὐτοῦ ⸂καὶ ἀνέπεσεν⸃⁚ πάλιν⁚¹, εἶπεν αὐτοῖς· γινώσκετε τί πεποίηκα ὑμῖν; **13** ὑμεῖς φωνεῖτέ με· ὁ διδά- 7
σκαλος, καί· ὁ κύριος, καὶ καλῶς λέγετε· εἰμὶ γάρ. **14** εἰ Mt 23,8.10
οὖν ἐγὼ ἔνιψα ὑμῶν τοὺς πόδας ὁ κύριος καὶ ὁ διδάσκα- 1T 5,10
λος, ⸆ καὶ ὑμεῖς ὀφείλετε ἀλλήλων νίπτειν τοὺς πόδας· 1J 2,6; 3,16
15 ὑπόδειγμα °γὰρ ⸀ἔδωκα ὑμῖν ἵνα καθὼς ἐγὼ ἐποίησα
ὑμῖν καὶ ὑμεῖς ποιῆτε. **16** ἀμὴν ἀμὴν λέγω ὑμῖν, οὐκ ἔστιν
δοῦλος ⸋μείζων τοῦ κυρίου αὐτοῦ οὐδὲ ἀπόστολος⸌ °μεί- Mt 10,24!p
ζων τοῦ πέμψαντος αὐτόν. **17** εἰ ταῦτα οἴδατε, μακάριοί Jc 1,25
ἐστε ἐὰν ποιῆτε αὐτά. L 10,28.37
18 Οὐ περὶ πάντων ὑμῶν λέγω· ἐγὼ οἶδα ⸀τίνας ἐξελε- 6,70; 15,16.19 E 1,4
ξάμην· ἀλλ᾽ ἵνα ἡ γραφὴ πληρωθῇ· *ὁ τρώγων* ⸉*μου τὸν* *Ps 41,10*
ἄρτον ⸁ἐπῆρεν °*ἐπ᾽ ἐμὲ τὴν πτέρναν* αὐτοῦ. **19** ἀπ᾽ ἄρτι λέγω Is 46,10; 43,10 ·
ὑμῖν πρὸ τοῦ γενέσθαι, ἵνα ⸂πιστεύσητε ὅταν γένηται⸃ ὅτι 14,29; 16,1.4
ἐγώ εἰμι. **20** ἀμὴν ἀμὴν λέγω ὑμῖν, ὁ λαμβάνων ἄν τινα Mt 24,25p · 8,24! | Mt 10,40!
πέμψω ἐμὲ λαμβάνει, ὁ δὲ ἐμὲ λαμβάνων λαμβάνει ⸆ τὸν
πέμψαντά με.
21 Ταῦτα εἰπὼν °[ὁ] Ἰησοῦς ἐταράχθη τῷ πνεύματι καὶ *21–30:* Mt 26,21-25 Mc 14,18-21 L 22,21-23
ἐμαρτύρησεν καὶ εἶπεν· ἀμὴν ἀμὴν λέγω ὑμῖν ὅτι εἷς ἐξ 11,33!
ὑμῶν παραδώσει με. **22** ἔβλεπον ⸆ εἰς ἀλλήλους οἱ μαθηταὶ ⸇ ἀπορούμενοι περὶ τίνος λέγει. **23** ἦν ⸆ ἀνακείμενος
εἷς ἐκ τῶν μαθητῶν αὐτοῦ ἐν τῷ κόλπῳ τοῦ Ἰησοῦ, ὃν
ἠγάπα °ὁ Ἰησοῦς. **24** νεύει οὖν τούτῳ Σίμων Πέτρος 19,26; 20,2; 21,7.20

11 ⸋ D | ° ℵ A Θ $f^{1.13}$ 𝔐 e vg ¦ *txt* 𝔓^{66} B C L W Ψ *pc* it • **12** ° 𝔓^{66} ℵ A C^{2} L Ψ 33. 1241 *al* it vg^{s} sy$^{s.p}$ ¦ *txt* B C$^{*.3}$ D W Θ $f^{1.13}$ 𝔐 lat sy^{h} | ⸂αναπεσων C^{3} D Θ $f^{1.13}$ 𝔐 vg sy^{h} ¦ και αναπ. 𝔓^{66} ℵ^{2} A(*h. t.*) L Ψ 33. 1241 *al* it vg^{s} ¦ *txt* ℵ* B C* W *pc* e ρ sy$^{s.p}$ | [⁚, *et* ⁚1 –] • **14** ⸆ποσω μαλλον D Θ it (sy$^{s.p}$) • **15** ° 𝔓^{66*} 700 *pc* d | ⸀δεδ- 𝔓^{66} ℵ A K Ψ $f^{1.13}$ 28. 33. 700. 892. 1241 *pm* ¦ *txt* B C D L W Γ Δ Θ 1010^{s}. 1424 *pm* • **16** ⸋ Θ bo^{ms} | ° 𝔓^{66*} • **18** ⸀ους 𝔓^{66} A D W Θ Ψ $f^{1.13}$ 𝔐; Eus ¦ *txt* ℵ B C L 33. 892. 1241 *pc*; Or | ⸉μετ εμου 𝔓^{66} ℵ A D W Θ Ψ $f^{1.13}$ 𝔐 lat sy bo; Eus Epiph ¦ *txt* B C L 892 *pc* (q) sa; Or | ⸁επηρκεν ℵ A Θ W *pc* | ° 𝔓^{66*} B • **19** ⸂ *2 3 1* A D W Θ Ψ $f^{1.13}$ 𝔐 it vg^{cl} ¦ † -ευητε οτ. γεν. B (⸉C) ¦ *txt* 𝔓^{66} ℵ L *pc* • **20** ⸆και 𝔓^{66*} • **21** °† 𝔓^{66*} ℵ B L ¦ *txt* 𝔓^{66c} A C D W Θ Ψ $f^{1.13}$ 𝔐; Or • **22** ⸆ουν 𝔓^{66} ℵ* A D L W Θ $f^{1.13}$ 𝔐 sy^{h} ¦ δε *pc* a sy$^{s.p}$ ¦ *txt* ℵ^{c} B C Ψ *pc* e | ⸇αυτου 𝔓^{66} f^{13} 1241 *pc* a r^{1} sy^{s} bo • **23** ⸆δε 𝔓^{66} ℵ A C^{2} D W Θ $f^{1.13}$ 𝔐 latt sy$^{p.h**}$ ¦ *txt* B C* L Ψ 892. 1424 *pc* sy^{s} | ° 𝔓^{66*} B

⸂πυθέσθαι τίς ἂν εἴη⸃ περὶ ⸄οὗ λέγει⸅. 25 ⸂ἀναπεσὼν οὖν⸃
ἐκεῖνος °οὕτως ἐπὶ τὸ στῆθος τοῦ Ἰησοῦ λέγει αὐτῷ· κύριε, τίς ἐστιν; 26 ἀποκρίνεται ⸂[ὁ] Ἰησοῦς⸃ ⸆· ἐκεῖνός
ἐστιν ᾧ ἐγὼ ⸄βάψω τὸ ψωμίον καὶ δώσω αὐτῷ⸅. ⸂¹βάψας
οὖν τὸ ψωμίον [λαμβάνει καὶ]⸃ δίδωσιν Ἰούδᾳ Σίμωνος
⸀Ἰσκαριώτου. 27 καὶ ⸋μετὰ τὸ ψωμίον⸌ °τότε εἰσῆλθεν
2! εἰς ἐκεῖνον ὁ σατανᾶς. * λέγει οὖν αὐτῷ °¹ὁ Ἰησοῦς· ὃ
ποιεῖς ποίησον τάχιον. 28 τοῦτο °[δὲ] οὐδεὶς ἔγνω τῶν
12,6 ἀνακειμένων πρὸς τί εἶπεν αὐτῷ· 29 τινὲς ⸀γὰρ ἐδόκουν,
ἐπεὶ τὸ γλωσσόκομον εἶχεν ⸆ Ἰούδας, ὅτι λέγει αὐτῷ ⸂[ὁ]
Ἰησοῦς⸃· ἀγόρασον ὧν χρείαν ἔχομεν εἰς τὴν ἑορτήν, ἢ
τοῖς πτωχοῖς ἵνα τι δῷ. 30 λαβὼν οὖν τὸ ψωμίον ἐκεῖνος
⸉ἐξῆλθεν εὐθύς⸊. ἦν δὲ νύξ.
7,39! 8,54! · 1,51! 31 Ὅτε οὖν ἐξῆλθεν, λέγει ⸆ Ἰησοῦς· νῦν ἐδοξάσθη ὁ
υἱὸς τοῦ ἀνθρώπου καὶ ὁ θεὸς ἐδοξάσθη ἐν αὐτῷ· 32 ⸋[εἰ ὁ
θεὸς ἐδοξάσθη ἐν αὐτῷ],⸌ καὶ ὁ θεὸς δοξάσει αὐτὸν ἐν
7,33! ⸀αὐτῷ, καὶ εὐθὺς δοξάσει αὐτόν. 33 τεκνία, ἔτι μικρὸν ⸆
μεθ’ ὑμῶν εἰμι· ζητήσετέ με, καὶ καθὼς εἶπον τοῖς Ἰου-
7,34! δαίοις °ὅτι ὅπου °¹ἐγὼ ὑπάγω ὑμεῖς οὐ δύνασθε ἐλθεῖν,
15,12s.17 1J 2,7s 2J 5 G 6,2 1P 1, καὶ ὑμῖν ⸂λέγω ἄρτι. 34 Ἐντολὴν⸃ καινὴν δίδωμι
22 · 1J 3,11.23; 4,7.11s · 15,9 ὑμῖν, ἵνα ἀγαπᾶτε ἀλλήλους, καθὼς ⸇ ἠγάπησα ὑμᾶς ἵνα

24 ⸂ *1* Ψ (c e) sy^{s} co ¦ † και λεγει αυτω· ειπε τις εστιν B C L 068. 33. 892 *pc* (lat) ¦ πυθ. τις αν ειη περι ου ελεγεν, και λεγει αυτω· ειπε τις εστιν ℵ ¦ *txt* 𝔓^{66c}(* illeg.) A (D: ειη ουτος) W (Θ) *f*$^{1.13}$ 𝔐 r^{1} sy$^{p.h}$ | ⸄ τινος λ. Ψ ¦ ου ειπεν 𝔓^{66c} e ● **25** ⸂† *1* B C e sy^{s} ¦ επιπ. δε A Θ 𝔐 ¦ επιπ. ουν 𝔓^{66c} ℵ* D W Δ *f*$^{1.13}$ 565. 1241 *al* ¦ αναπ. δε K Ψ *pc* ¦ *txt* 𝔓^{66*} ℵ^{2} L 33. 892 *pc* | ° ℵ A D W Θ Ψ *f*^{1} 565. 700. 892. 1241 *pm* lat sy sa pbo bo ● **26** ⸂† ουν ο Ι. ℵ^{2} C* L 892 *al* ¦ ουν Ι. B *pc* ¦ Ι. 𝔓^{66} W*pc* ¦ αυτω ο Ι. D *f*^{13} 1424 *pc* e ¦ *txt* ℵ* A C^{3} Θ Ψ *f*^{1} 𝔐 | ⸆ και λεγει ℵ D *f*^{13} (1241) *pc* sy^{p} pbo bo | ⸄ βαψας (εμβ- A D K *f*$^{1.13}$ 565 *pc*) το ψ. επιδ- (+ αυτω 33) 𝔓^{66} ℵ A D Θ Ψ *f*$^{1.13}$ 𝔐 e sy^{h} ¦ δωσω ενβαψας τ. ψ. W ¦ *txt* B C (L) 1241 *pc* | ⸂¹ † *1–4* ℵ*$^{.2}$ ¦ και εμβ- (β- D) το ψ. 𝔓$^{66(*)}$ A D W Θ Ψ *f*$^{1.13}$ 𝔐 lat sy; (Or) ¦ *txt* ℵ^{1} (B: *om.* το) C L 33. 892. 1241 *pc* sy^{hmg} | ⸀ -τη 𝔓^{66} A W *f*^{1} 𝔐 (τω -τη *f*^{13}) ¦ απο Καρυωτου D ¦ *txt* ℵ B C L Θ Ψ 068. 33. 1010 *al* vgst ● **27** ⸋ D e | ° ℵ D L 565 *pc* it sy^{s} sa ac^{2} mf pbo bo^{pt}; Did | °¹ † B L ¦ *txt* 𝔓^{66} *rell* ● **28** ° B W Ψ *pc* ¦ *txt* 𝔓^{66} ℵ A C D L Θ *f*$^{1.13}$ 𝔐 latt sy$^{p.h}$ ● **29** ⸀ δε 𝔓^{66}*pc* | ⸆ ο 𝔓^{66} C D Θ Ψ 𝔐 ¦ *txt* ℵ A B L W *f*$^{1.13}$ 28. 33. 565. 700. 892. 1010 *al* | ⸂† *2* ℵ B *pc* ¦ – *f*^{1} 565 *pc* e sy$^{s.p}$ pbo ¦ *txt* 𝔓^{66} A C D L W Θ Ψ *f*^{13} 𝔐 ● **30** ⸉ A Θ *f*^{1} 𝔐 ¦ *txt* 𝔓^{66} ℵ B C D L W Ψ *f*^{13} 33 *pc* ● **31** ⸆ ο A C D W Θ (Ψ: ουν ο) *f*$^{1.13}$ 𝔐 ¦ *txt* 𝔓^{66} ℵ B L Δ 28 *al* ● **32** ⸋ 𝔓^{66} ℵ* B C* D L W 1 *al* it sy$^{s.h}$ ac^{2} mf bo^{pt} ¦ *txt* ℵ^{2} A C^{2} Θ Ψ *f*^{13} 𝔐 lat sy^{p} sa bo^{pt}; Or | ⸀ εαυτω ℵ^{1} A D L W Θ Ψ *f*$^{1.13}$ 𝔐 ¦ *txt* 𝔓^{66} ℵ*$^{.2}$ B *pc* (C *illeg.*) ● **33/34** ⸆ χρονον ℵ L Γ Θ Ψ *f*^{13} 28. 892. 1010 *al* c f l ¦ *txt* 𝔓^{66} A B C D W *f*^{1} 𝔐 lat; Cl Or | ° 𝔓^{66} ℵ* D W (1241) *pc* lat | °¹ 𝔓^{66} W*pc* | ⸂ λεγω· πλην αρτι ε. 𝔓^{66} sy^{s} ¦ λεγω αρτι· πλην ε. 1. 565 *pc* | ⸇ εγω 𝔓^{66} *pc* it ¦ καγω D

καὶ ὑμεῖς ἀγαπᾶτε ἀλλήλους. **35** ἐν τούτῳ γνώσονται 1J 2,5
πάντες ὅτι ⸀ἐμοὶ μαθηταί ἐστε⸁, ἐὰν ἀγάπην ἔχητε ⸂ἐν 1Th 4,9!
ἀλλήλοις⸃. *36–38:* Mt 26,33-35 Mc 14,29-31 L 22,31-34
126 I **36** Λέγει αὐτῷ Σίμων Πέτρος· κύριε, ποῦ ὑπάγεις; ἀπεκρίθη ⸀[αὐτῷ] Ἰησοῦς· ὅπου ⸆ ὑπάγω οὐ δύνασαί μοι ⸀νῦν 14,5; 16,5 · 7,34!
ἀκολουθῆσαι⸁, ⸂ἀκολουθήσεις δὲ ὕστερον⸃. **37** λέγει αὐ- 21,18s! 12,26
τῷ ⸀ὁ Πέτρος⸁· °κύριε, διὰ τί οὐ δύναμαί σοι ⸂ἀκολου-
θῆσαι ἄρτι⸃; ⸉τὴν ψυχήν μου ὑπὲρ σοῦ⸊ θήσω. **38** ⸀ἀπο-
κρίνεται Ἰησοῦς⸁· τὴν ψυχήν σου ὑπὲρ ἐμοῦ θήσεις;
ἀμὴν ἀμὴν λέγω σοι, οὐ μὴ ἀλέκτωρ ⸀φωνήσῃ ἕως οὗ 18,27
⸀ἀρνήσῃ με τρίς.

27 X **14** ⸆ Μὴ ταρασσέσθω ὑμῶν ἡ καρδία· πιστεύετε εἰς τὸν 27 · 12,44 Ex 14,21
θεὸν καὶ εἰς ἐμὲ πιστεύετε. **2** ἐν τῇ οἰκίᾳ τοῦ πα-
τρός μου μοναὶ πολλαί εἰσιν· εἰ δὲ μή, ⸀εἶπον ἂν⸁ ὑμῖν 2K 5,1
°ὅτι πορεύομαι ἑτοιμάσαι ⸉τόπον ὑμῖν⸊·; **3** καὶ ἐὰν πορευθῶ ⸀καὶ ἑτοιμάσω⸁ ⸉τόπον ὑμῖν⸊, πάλιν ἔρχομαι καὶ 18.28; 21,22 ·
παραλήμψομαι ὑμᾶς πρὸς ἐμαυτόν, ἵνα ὅπου εἰμὶ ἐγὼ καὶ 12,32 · 12,26! 1Th 4,17
ὑμεῖς ἦτε. **4** καὶ ὅπου °[ἐγὼ] ὑπάγω οἴδατε ⸀τὴν ὁδόν⸁.
5 Λέγει αὐτῷ Θωμᾶς⸆· κύριε, οὐκ οἴδαμεν ποῦ ὑπά- 11,16! · 13,36!
γεις· ⸆ πῶς ⸀δυνάμεθα τὴν ὁδὸν εἰδέναι⸁; **6** λέγει αὐτῷ
°[ὁ] Ἰησοῦς· ἐγώ εἰμι ἡ ὁδὸς καὶ ἡ ἀλήθεια καὶ ἡ ζωή· H 10,20 · 11,25!

35 ⸀εμου ε. μ. 𝔓66 | ⸂εν αλλοις C ¦ μετ αλληλων ℵ *pc* • **36** ⸀αυτω ο ℵ C3 D W Ψ *f*1.13 𝔐 ¦ † – B C* L *pc* lat sams pbo bo ¦ *txt* 𝔓66 A K Θ *pc* | ⸆εγω ℵ D Ψ *f*13 33. 700. 1241 *pm*; Or | ⸀συνακ- αρτι D* ¦ συ νυν ακ- αρτι D2 c e | ⸂*3 2 1* A Θ 892**pc* ¦ υστ. δε ακ. μοι C3 (⸉D) Ψ *f*13 𝔐 sys ¦ *txt* 𝔓66 ℵ B C* L W 1. 33. 565. 1010 *al* • **37** ⸀*2* ℵ A C L Θ Ψ 𝔐 ¦ – D ac2 ¦ *txt* 𝔓66 B W *f*13 1. 28. 33. 1241 *al* | °ℵ* 33. 565 *pc* vg sys sams pbo bo | ⸂ακ. νυν C3 (⸉L) ¦ νυν ακ. αρτι D W*pc* ¦ ακολουθειν αρτι B (C*: νυν ακ.) ¦ *txt* 𝔓66 ℵ A Θ Ψ *f*1.13 𝔐 | ⸉*4 5 1–3* 𝔓66 ℵ W*pc* • **38** ⸀απεκριθη (αποκρινεται *f*1 565) αυτω ο I. C3 *f*1 𝔐 b f q vgcl sa bopt ¦ αποκρινεται ο I. W Ψ *f*13 33. 1241 *pc* ¦ απεκριθη I. και ειπεν αυτω D c pbo ¦ *txt* 𝔓66 ℵ A B C* L Θ 1010 *pc* | ⸀φωνησει C D L Θ Ψ *f*13 1. 28. 1010. 1241 *pm* | ⸀απαρ- ℵ A C W Θ Ψ *f*13 𝔐 a aur r1 ¦ *txt* 𝔓66 B D L 1. 565 *pc* lat; Or

¶ **14,1** ⸆και ειπεν τοις μαθηταις αυτου D a aur c (sys) • **2** ⸀*2 1* 𝔓66* ¦ *1* ℵ W*pc* | °𝔓66* C2 Θ 𝔐 a e f q ¦ *txt* 𝔓66c ℵ A B C* D K L W Ψ *f*13 33. 565. 892 *al* lat (*f*1 *h. t.*) | ⸉𝔓66 1424 *pc* lat | [· .] • **3** ⸀, ετοιμασω A K W Γ Δ Θ 565. 1241 *pm* syp ¦ ετοιμασαι D 700. 892. 1424 *al* f ¦ *txt* 𝔓66 ℵ B C L N Ψ *f*1.13 28. 33 *pm* lat (1010: *h. t.*) | ⸉𝔓66 A C W Θ 𝔐 lat ¦ *txt* ℵ B D K L N Γ Ψ *f*13 1. 33. 565 *al* • **4** °𝔓66 D L W Θ *f*13 1. 565. 1424 *pc* it pbo boms ¦ *txt* ℵ A B C Ψ 𝔐 vg sa ac2 bo | ⸀και τ. οδ. οιδατε 𝔓66* A C3 D Θ Ψ *f*1.13 𝔐 lat sy ¦ *txt* 𝔓66c ℵ B C* L Q W 33 *pc* a • **5** ⸆ο λεγομενος Διδυμος D *pc* | ⸆και ℵ A C2 D Θ Ψ *f*1.13 𝔐 lat syp.h ¦ *txt* 𝔓66 B C*vid L W a b sys | ⸀† οιδαμεν τ. οδ. B C* (⸉D) a b e (pbo) ¦ *txt* 𝔓66(⸉ℵ, K) A C2 L W Θ Ψ *f*1.13 𝔐 lat sy sa ac2 bo • **6** °† 𝔓66 ℵ C* L ¦ *txt* A B C3 D W Θ Ψ *f*1.13 𝔐

Mt 11,27 R 5,2 E 3,12! οὐδεὶς ἔρχεται πρὸς τὸν πατέρα εἰ μὴ δι᾽ ἐμοῦ. **7** εἰ ⸂ἐγνώ-
8,19! κατέ με⸃, καὶ τὸν πατέρα μου ⸀γνώσεσθε. °καὶ ἀπ᾽ ἄρτι
12,45 γινώσκετε αὐτὸν καὶ ἑωράκατε °¹αὐτόν.
1,43! **8** Λέγει αὐτῷ Φίλιππος· κύριε, δεῖξον ἡμῖν τὸν πατέρα,
Mt 17,17p καὶ ἀρκεῖ ἡμῖν. **9** λέγει αὐτῷ °ὁ Ἰησοῦς· ⸂τοσούτῳ χρό-
1,18!; 12,45 νῳ⸃ μεθ᾽ ὑμῶν εἰμι καὶ οὐκ ἔγνωκάς με, Φίλιππε; ὁ ἑωρακὼς ἐμὲ ἑώρακεν ⸆ τὸν πατέρα· ⸇ πῶς σὺ λέγεις· δεῖ-
10,38! ξον ἡμῖν τὸν πατέρα; **10** οὐ πιστεύεις ὅτι ἐγὼ ἐν τῷ πατρὶ
καὶ ὁ πατὴρ ἐν ἐμοί ἐστιν; τὰ ῥήματα ἃ ἐγὼ ⸀λέγω ὑμῖν
8,28! ἀπ᾽ ἐμαυτοῦ οὐ λαλῶ, ὁ δὲ πατὴρ ⸆ ἐν ἐμοὶ μένων ποιεῖ
τὰ ἔργα ⸁αὐτοῦ. **11** πιστεύετέ μοι ὅτι ἐγὼ ἐν τῷ πατρὶ καὶ
5,36! ὁ πατὴρ ἐν ἐμοί· εἰ δὲ μή, διὰ τὰ ἔργα ⸀αὐτὰ πιστεύετε⸆.
12 Ἀμὴν ἀμὴν λέγω ὑμῖν, ὁ πιστεύων εἰς ἐμὲ τὰ ἔργα
1,50; 5,20 ἃ ἐγὼ ποιῶ κἀκεῖνος ποιήσει καὶ μείζονα °τούτων ποιή-
16,28! σει, ὅτι ἐγὼ πρὸς τὸν πατέρα ⸀πορεύομαι· **13** καὶ ὅ ⸂τι ἂν⸃ 12 IV
15,16; 16,23s. 26; 15,7 1J 3,22; ⸀αἰτήσητε ⸆ ἐν τῷ ὀνόματί μου τοῦτο ⸁ποιήσω, ἵνα δοξα-
5,14s · 17,1.4 σθῇ ὁ πατὴρ ἐν τῷ υἱῷ. **14** ⸋ἐάν τι αἰτήσητέ °με ἐν τῷ
ὀνόματί μου ⸀ἐγὼ ποιήσω.⸌
21.23; 15,10 1J 2,5; 5,3 Sap 6,18 **15** Ἐὰν ἀγαπᾶτέ με, τὰς ἐντολὰς τὰς ἐμὰς ⸀τηρήσετε·
26; 15,26; 16,7; 7,39 1J 2,1 L 24, **16** κἀγὼ ἐρωτήσω τὸν πατέρα καὶ ἄλλον παράκλητον δώ-
49 | σει ὑμῖν, ἵνα ⸂μεθ᾽ ὑμῶν εἰς τὸν αἰῶνα ᾖ⸃, **17** τὸ πνεῦμα
15,26; 16,13 1J 4,6; 5,6 1K 2,11.14 τῆς ἀληθείας, ὃ ὁ κόσμος οὐ δύναται λαβεῖν, ὅτι οὐ θεωρεῖ ⸀αὐτὸ οὐδὲ γινώσκει⸆· ὑμεῖς ⸇ γινώσκετε ⸀αὐτό, ὅτι

7 ⸂† -κειτε (ε)με (– A) A B C D[1] L Θ Ψ f[1.13] 𝔐 vg ¦ *txt* 𝔓[66] (א D*,W) *pc* it | ⸀† αν ηδειτε B C* (L) Q Ψ 1. 33. 565 *al* ¦ εγνωκειτε αν A C[3] Θ f[13] 𝔐 vg ¦ *txt* 𝔓[66] א D W *pc* sa ac[2] bo | °† B C* L Q Ψ 1. 33. 565 *pc* a ¦ *txt* 𝔓[66] א A C[3] D W Θ f[13] 𝔐 lat sy | °¹† B C* (33) r[1] ¦ *txt* 𝔓[66] *rell* • 9 ° 𝔓[66] A L *pc* | ⸂† -τον -νον 𝔓[66] א[1] A B Θ Ψ f[1.13] 𝔐 ¦ *txt* א*.[2] D L Q W *pc* | ⸆ και 𝔓[75] lat ac[2] bo[mss] | ⸇ και A D L Θ Ψ f[1.13] 𝔐 f q sy ¦ *txt* 𝔓[66] א B Q W *pc* lat; Or Epiph • 10 ⸀ λαλω 𝔓[66] א A W Θ f[1.(13)] 𝔐 ¦ λελαληκα D Ψ *pc* ¦ *txt* 𝔓[75] B(*) L N 1010* *pc* e q | ⸆ ο א A D W Θ f[1.13] 𝔐 ¦ *txt* 𝔓[66.75] B L Ψ *pc* | ⸁ αυτος 𝔓[75] L W 33 (*sed a.* ποι. A Θ Ψ f[1.13] 𝔐 lat) ¦ *txt* 𝔓[66] א B D *pc* • 11 ⸀ αυτου 𝔓[66*.75] B | ⸆ μοι A B Θ Ψ f[1.13] 𝔐 it sy[h] bo ¦ *txt* 𝔓[66.75] א D L W 33 *al* lat sy[c.p] sa ac[2] pbo • 12 ° 𝔓[66*] | ⸀ -ευσομαι 𝔓[75] Q *pc* co? • 13 ⸂ εαν 𝔓[66] 1. 565 *pc* | ⸀ αιτητε 𝔓[75vid] B Q *pc* | ⸆ τον πατερα 33 *pc* vg[cl]; Non *et* ⸁ -σει *pc* [Blass *cj*] • 14 ⸋ *vs* X f[1] 565 *pc* b vg[ms] sy[s]; Non (*pon. p.* ποι. *vs.* 13 1010) | ° A D K L Q Ψ 1010. 1241. 1424 *pm* it co | ⸀ τουτο 𝔓[75] A B L Γ Ψ 060. 33 *al* vg sa ac[2] bo ¦ τ. εγω 𝔓[66c] 1241 • 15 ⸀ -σατε A D W Θ f[1.13] 𝔐; Or ¦ -σητε 𝔓[66] א 060. 33 *pc* ¦ *txt* B L Ψ 1010 *pc* co; Epiph • 16 ⸂† *6 1–5* L Q Ψ *pc* e ¦ *1 2 6 3–5* א it ¦ μενη μ. υ. εις τ. αι 𝔓[66] A (⟲ D) W Θ f[1.13] 𝔐 vg sy[h] ¦ *txt* 𝔓[75] B 060 b • 17 ⸀ *bis* αυτον 𝔓[66*] D* L (W) 1010 *al* | ⸀ αυτο 𝔓[66c] A D[c] Θ Ψ f[1.13] 𝔐 ¦ αυτον D* L 1010 *al* ¦ *txt* 𝔓[66*.75] א B W *pc* | ⸇ δε A D L Θ f[1.13] 𝔐 lat sy ¦ *txt* 𝔓[66.75] א B Q W Ψ *pc* a b

παρ’ ὑμῖν ⸀μένει καὶ ἐν ὑμῖν ⸀^{1}ἔσται. **18** Οὐκ ἀφήσω
ὑμᾶς ὀρφανούς, ἔρχομαι πρὸς ὑμᾶς. **19** ἔτι μικρὸν καὶ ὁ 3; 20,19.26 | 7,33!
κόσμος με οὐκέτι θεωρεῖ, ὑμεῖς °δὲ θεωρεῖτέ με, ὅτι ἐγὼ 6,57
ζῶ καὶ ὑμεῖς ⸀ζήσετε. **20** ἐν ἐκείνῃ τῇ ἡμέρᾳ ⸂γνώσεσθε 16,23!
ὑμεῖς⸃ ὅτι ἐγὼ ἐν τῷ πατρί μου καὶ ὑμεῖς ἐν ἐμοὶ κἀγὼ 10,38! · 6,56!
ἐν ὑμῖν. **21** ὁ ἔχων τὰς ἐντολάς μου καὶ τηρῶν αὐτὰς ἐκεῖ- 15!
29 I νός ἐστιν ὁ ἀγαπῶν με· ὁ δὲ ἀγαπῶν με ⸀ἀγαπηθήσεται
ὑπὸ τοῦ πατρός μου, κἀγὼ ἀγαπήσω αὐτὸν καὶ ἐμφανίσω 23; 16,27; 17,23
αὐτῷ ἐμαυτόν.
30 X **22** Λέγει αὐτῷ ⸂Ἰούδας, οὐχ ὁ Ἰσκαριώτης⸃· κύριε,
°[καὶ] τί ⸀γέγονεν ὅτι ἡμῖν μέλλεις ἐμφανίζειν σεαυτὸν 7,4 Act 10,41
καὶ οὐχὶ τῷ κόσμῳ; **23** ἀπεκρίθη Ἰησοῦς καὶ εἶπεν αὐτῷ·
ἐάν τις ἀγαπᾷ με τὸν λόγον μου τηρήσει, καὶ ὁ πατήρ μου 15!; 8,51! · 21! Prv 8,17
ἀγαπήσει αὐτὸν καὶ πρὸς αὐτὸν ⸀ἐλευσόμεθα καὶ μονὴν 2 Ez 37,27 2K 6,16 E 3,17 Ap 3,20
παρ’ αὐτῷ ⸁ποιησόμεθα. **24** ὁ μὴ ἀγαπῶν με τοὺς λόγους
31 μου οὐ ⸀τηρεῖ· καὶ ὁ λόγος ⸆ ὃν ἀκούετε οὐκ ἔστιν ἐμὸς
ἀλλὰ τοῦ πέμψαντός με πατρός. 3,34!
32 **25** Ταῦτα λελάληκα ὑμῖν παρ’ ὑμῖν μένων· **26** * ὁ δὲ 16!
παράκλητος, τὸ πνεῦμα τὸ ἅγιον, ὃ πέμψει ⸆ ὁ πατὴρ ἐν
τῷ ὀνόματί μου, ἐκεῖνος ὑμᾶς διδάξει πάντα καὶ ὑπομνή- 1K 2,13 1J 2,20.27 · 2,22! 16,13
σει ὑμᾶς πάντα ἃ εἶπον ὑμῖν °[ἐγώ]. Mt 10,19sp
27 Εἰρήνην ἀφίημι ὑμῖν, εἰρήνην τὴν ἐμὴν δίδωμι ὑμῖν· 16,33; 20,19.21.26 R 5,1 Kol 3,15
οὐ καθὼς ὁ κόσμος δίδωσιν ἐγὼ δίδωμι ὑμῖν. μὴ ταρασ- 2Th 3,16 Hgg 2,
σέσθω ὑμῶν ἡ καρδία μηδὲ δειλιάτω. **28** ἠκούσατε ὅτι 9 𝔊 · 1 2T 1,7!
ἐγὼ εἶπον ὑμῖν· ὑπάγω καὶ ἔρχομαι πρὸς ὑμᾶς. εἰ ⸀ἠγα- 3!
πᾶτέ με ἐχάρητε ἂν ὅτι ⸆ πορεύομαι πρὸς τὸν πατέρα, 16,28!
ὅτι ὁ πατὴρ ⸇ μείζων μού ἐστιν. **29** καὶ νῦν εἴρηκα ὑμῖν

17 ⸀μενεῖ *pc* vg sa ac^{2} pbo ¦ *txt* B^{2} $f^{1.13}$ 𝔐 it bo (*sine acc.* 𝔓$^{66.75}$ ℵ A B* D L Q W Δ Θ Ψ) | ⸀^{1}εστιν 𝔓^{66*} B D* W 1. 565 *pc* it ● **19** ° 𝔓^{66} a | ⸀-σεσθε 𝔓^{66} ℵ A D W Θ Ψ $f^{1.13}$ 𝔐 ¦ *txt* 𝔓^{75} B L *pc* ● **20** ⸂ *2 1* 𝔓^{75} B L Q 060 *pc* ¦ *1* A Θ *pc* ● **21** ⸀τηρηθησεται 𝔓^{75} ● **22** ⸂Ι. ουχ ο απο Καρυωτου D ¦ Ι. (ο) Κανανιτης sa ac^{2} ¦ Thomas sy$^{s.(c)}$ | ° 𝔓$^{66*.75}$ A B D L Θ 33. 700. 1241 *al* lat sy$^{s.c.p}$ ¦ *txt* 𝔓^{66c} ℵ W Ψ 0250 $f^{1.13}$ 𝔐 q sy^{h} | ⸀εστιν D ● **23** ⸀εισελ- 𝔓^{66*} ¦ απελ- 1010 *pc* ¦ ελευσομαι D e sy^{c} | ⸁-σομαι D e sy^{c} ac^{2} ¦ -σομεν A Θ Ψ 0250 𝔐 ¦ *txt* 𝔓$^{66.75}$ ℵ B L W 060 f^{13} 1. 33. 565. 1010 *al* ● **24** ⸀-ρησει D *pc* sa^{ms} ac^{2} bo | ⸆ο εμος D *pc* a e sy^{h} ac^{2} mf pbo ● **26** ⸆υμιν 𝔓^{66c} sy^{s} | ° ℵ A D Θ Ψ $f^{1.13}$ 𝔐 ¦ *txt* B L 060 (⸉ 33. 1010) ● **28** ⸀αγαπατε D* L f^{13} 33. 892^{s}. 1424 *al* ¦ ηγαπησατε 0250 | ⸆ειπον 𝔐 ¦ εγω f^{13} e q ¦ *txt* ℵ A B D K* L Θ Ψ 060^{vid}. 0250. 1. 33. 565. 1010. 1241 *al* lat | ⸇μου ℵ$^{*.2}$ D^{2} Θ 0250 f^{13} 𝔐 a f q sy$^{p.h}$ sa^{mss} ac^{2} bo ¦ *txt* ℵ^{1} A B D* L Ψ 1. 33. 565. 1010 *pc* lat sa^{ms} pbo

13,19! πρὶν γενέσθαι, ἵνα ὅταν γένηται πιστεύσητε. **30** οὐκέτι
12,31! πολλὰ λαλήσω μεθ' ὑμῶν, ἔρχεται γὰρ ὁ τοῦ κόσμου ἄρ-
χων· καὶ ἐν ἐμοὶ ⸂οὐκ ἔχει οὐδέν⸃, **31** ἀλλ' ἵνα γνῷ ὁ κόσ-
10,18 μος ὅτι ἀγαπῶ τὸν πατέρα, καὶ καθὼς ⸂ἐνετείλατό μοι
18,1 Mt 26,46p ὁ πατήρ⸃, οὕτως ποιῶ. ἐγείρεσθε, ἄγωμεν ἐντεῦθεν.
Jr 2,21 Ps 80,9-20 **15** Ἐγώ εἰμι ἡ ἄμπελος ἡ ἀληθινὴ καὶ ὁ πατήρ μου ὁ
Mt 15,13 γεωργός ἐστιν. **2** πᾶν κλῆμα ἐν ἐμοὶ μὴ φέρον καρ-
Mt 3,8p πὸν αἴρει αὐτό, καὶ πᾶν τὸ ⸂καρπὸν φέρον⸃ καθαίρει αὐτὸ
13,10 Act 15,9 ἵνα ⸉καρπὸν πλείονα⸊ φέρῃ. **3** ⸋ἤδη ὑμεῖς καθαροί ἐστε
6,63 | 6,56! διὰ τὸν λόγον ὃν λελάληκα ⸆ὑμῖν· **4** μείνατε ἐν ἐμοί,
κἀγὼ ἐν ὑμῖν. καθὼς τὸ κλῆμα οὐ δύναται καρπὸν φέρειν⸌
2K 3,5! ἀφ' ἑαυτοῦ ἐὰν μὴ ⸀μένῃ ἐν τῇ ἀμπέλῳ, οὕτως ⸂οὐδὲ ὑμεῖς
R 12,4s! ἐὰν μὴ ἐν ἐμοὶ ⸁μένητε⸃. **5** ἐγώ εἰμι ἡ ἄμπελος, ὑμεῖς τὰ
κλήματα. ὁ μένων ἐν ἐμοὶ κἀγὼ ἐν αὐτῷ οὗτος φέρει καρπὸν πολύν, ὅτι χωρὶς ἐμοῦ οὐ δύνασθε ποιεῖν ⸀οὐδέν.
Ez 15,1-8 Mt 3, **6** ἐὰν μή τις ⸀μένῃ ἐν ἐμοί, ἐβλήθη ἔξω ὡς τὸ κλῆμα καὶ
10!p ἐξηράνθη καὶ συνάγουσιν ⸁αὐτὰ καὶ εἰς τὸ πῦρ βάλλου-
8,31! σιν ⸆ καὶ καίεται. **7** ἐὰν μείνητε ἐν ἐμοὶ καὶ τὰ ῥήματά
14,13! μου ἐν ὑμῖν ⸀μείνῃ, ὃ ἐὰν θέλητε ⸁αἰτήσασθε, καὶ γενή-
13,31s · Mt 5,16! · σεται ○ὑμῖν. **8** ἐν τούτῳ ἐδοξάσθη ὁ πατήρ μου, ἵνα ⸂καρ-
13,35 πὸν πολὺν⸃ φέρητε καὶ ⸀γένησθε ⸁ἐμοὶ μαθηταί.
3,35! **9** Καθὼς ἠγάπησέν με ὁ πατήρ, κἀγὼ ⸉ὑμᾶς ἠγάπη-
Sap 3,9 σα⸊· μείνατε ἐν τῇ ἀγάπῃ τῇ ἐμῇ. **10** ἐὰν τὰς ἐντολάς
14,15! μου τηρήσητε, μενεῖτε ἐν τῇ ἀγάπῃ ○μου, καθὼς ⸀ἐγὼ
8,29; 14,31 ⸂τὰς ἐντολὰς τοῦ πατρός μου⸃ τετήρηκα καὶ μένω αὐτοῦ ἐν
τῇ ἀγάπῃ. **11** Ταῦτα λελάληκα ὑμῖν ἵνα ἡ χαρὰ ἡ ἐμὴ

30 ⸂ευρησει ουδεν K *al* f sy^{hmg} ac^{2} pbo ¦ ουκ εχει ουδεν ευρειν D a ● **31** ⸂*1 2* D e l ¦ εντολην εδωκεν (δεδ- 33) μοι ο π. B L 0250. 33 (⸉1, 565) *al* lat ¦ *txt* ℵ A Θ Ψ *f*^{13} 𝔐 sy$^{(s.p).h}$

¶ **15,2** ⸂καρποφορον D a q; (Cl) | ⸉A D Θ 0250 *f*$^{1.13}$ 𝔐; Did ¦ *txt* (ℵ) B L Ψ 33. 1010 *al*; Cl ● **3/4** ⸋D* | ⸆εν 𝔓^{66*} | ⸀μεινη 𝔓^{66vid} A D Θ Ψ 0250 *f*$^{1.13}$ 𝔐 ¦ *txt* ℵ B L *pc* | ⸂και ο εν εμ. μενων 𝔓^{66} (it) | ⸁μεινητε D Θ^{c} Ψ 0250 *f*$^{1.13}$ (⸉33) 𝔐 ¦ *txt* ℵ A B L Θ* *pc* ● **5** ⸀ουδε εν B ¦ – D* *pc* ● **6** ⸀μεινη ℵ^{2} L Ψ *f*$^{1.13}$ 𝔐 ¦ *txt* 𝔓^{66} ℵ* A B D Θ 0250 *pc* | ⸁αυτο ℵ D L Δ Ψ 0250 *f*$^{1.13}$ 33. 565 *pm* it vg^{cl} ¦ *txt* A B K Γ Θ 28. 700. 892^{s}. 1010. 1241. 1424 *pm* lat | ⸆αυτα 𝔓^{66} ● **7** ⸀μενει 𝔓^{66*} L *pc* | ⸁αιτησεσθε (-σεσθαι Δ Θ *al*) ℵ Θ Ψ 0250 𝔐 vg ¦ *txt* B L *f*^{13} 1. 28. 565. 1010 *al* it (-σασθαι A D Γ *al*) | ○𝔓^{66} D* e ● **8** ⸂*2 1* D *pc* ¦ καρπ. πλειονα 𝔓^{66} | ⸀† γενησεσθε ℵ A Ψ *f*^{13} 𝔐 ¦ *txt* 𝔓^{66vid} B D L Θ 0250. 1. 565 *al* | ⸁μου 𝔓^{66} D* *pc* ● **9** ⸉𝔓^{66} ℵ A D^{2} Θ 0250 *f*^{13} 𝔐 ¦ *txt* B D* L Ψ 1. 33 *pc* ● **10** ○𝔓^{66*} e | ⸀καγω ℵ D lat co | ⸂† *3–5 1 2* (+ μου ℵ*) ℵ vg ¦ *3 4 1 2* 𝔓^{66} B it ¦ *txt* A D L Θ Ψ 0250 *f*$^{1.13}$ 𝔐 e f

ἐν ὑμῖν ⸀ᾖ καὶ ἡ χαρὰ ὑμῶν πληρωθῇ. **12** Αὕτη ἐστὶν 3,29; 16,24; 17,13 1J 1,4 2J 12 |
ἡ ἐντολὴ ἡ ἐμή, ἵνα ἀγαπᾶτε ἀλλήλους ⸀καθὼς ἠγάπησα 13,34! Mc 12, 31p
135 IV ὑμᾶς. **13** μείζονα ταύτης ἀγάπην οὐδεὶς ἔχει, ἵνα °τις τὴν
136 X ψυχὴν ⸀αὐτοῦ θῇ ὑπὲρ τῶν φίλων αὐτοῦ. **14** ὑμεῖς ⸆φίλοι 10,11.15.17s 1J 3,16 Mc 10,45p |
μού ἐστε ἐὰν ποιῆτε ⸀ἃ ἐγὼ ἐντέλλομαι ὑμῖν. **15** οὐκέτι L 12,4! · 8,31! Mt 12,50
⸉λέγω ὑμᾶς⸊ δούλους, ὅτι ὁ δοῦλος οὐκ οἶδεν τί ποιεῖ
αὐτοῦ ὁ κύριος· ὑμᾶς δὲ ⸀εἴρηκα φίλους, ὅτι πάντα ἃ Ex 33,11 Jc 2,23 · 3,11!
ἤκουσα παρὰ τοῦ πατρός μου ἐγνώρισα ὑμῖν. **16** οὐχ
ὑμεῖς με ἐξελέξασθε, ἀλλ' ἐγὼ ἐξελεξάμην ὑμᾶς ⸂καὶ ἔθη- 13,18!
κα ὑμᾶς⸃ ἵνα ὑμεῖς ὑπάγητε καὶ καρπὸν φέρητε καὶ ὁ R 1,13 Ph 1,22
137 IV καρπὸς ὑμῶν μένῃ, * ⸀ἵνα ὅ τι ἂν ⸁αἰτήσητε τὸν πατέρα 14,13!
138 X ἐν τῷ ὀνόματί μου ⸄δῷ ὑμῖν⸅. **17** ταῦτα ἐντέλλομαι ὑμῖν,
°ἵνα ἀγαπᾶτε ἀλλήλους. 13,34!

18 Εἰ ὁ κόσμος ὑμᾶς ⸀μισεῖ, γινώσκετε ὅτι ἐμὲ πρῶτον 19; 7,7; 17,14 1J 3,13 Mt 10,22! |
°ὑμῶν μεμίσηκεν. **19** εἰ ἐκ τοῦ κόσμου ἦτε, ὁ κόσμος ἂν 8,23; 17,14.16 1J 4.5
⸀τὸ ἴδιον ἐφίλει· ὅτι δὲ ⸂ἐκ τοῦ κόσμου οὐκ⸃ ἐστέ, ἀλλ'
ἐγὼ ἐξελεξάμην ὑμᾶς ἐκ τοῦ κόσμου, διὰ τοῦτο ⸉μισεῖ 18!
139 III ὑμᾶς ὁ κόσμος⸊. **20** μνημονεύετε ⸂τοῦ λόγου οὗ⸃ ἐγὼ εἶπον
140 X ὑμῖν· οὐκ ἔστιν δοῦλος μείζων τοῦ κυρίου αὐτοῦ. * εἰ ἐμὲ Mt 10,24!
ἐδίωξαν, καὶ ὑμᾶς διώξουσιν· εἰ τὸν λόγον μου ⸆ἐτήρησαν, 8,51!
141 I καὶ τὸν ὑμέτερον ⸆ τηρήσουσιν. **21** ἀλλὰ ταῦτα °πάντα
142 III ⸀ποιήσουσιν ⸂εἰς ὑμᾶς⸃ διὰ τὸ ὄνομά μου, * ὅτι οὐκ Mt 5,11; 10,22! · 8,19!
143 X οἴδασιν τὸν πέμψαντά με. **22** εἰ μὴ ἦλθον καὶ ἐλάλησα
αὐτοῖς, ἁμαρτίαν οὐκ εἴχοσαν· νῦν δὲ πρόφασιν οὐκ ἔχου- 9,41 · R 1,20s
144 I σιν περὶ τῆς ἁμαρτίας °αὐτῶν. **23** ὁ ἐμὲ μισῶν καὶ τὸν L 10,16!
145 X πατέρα μου μισεῖ. **24** εἰ τὰ ἔργα μὴ ἐποίησα ἐν αὐτοῖς ἃ 5,36!
⸀οὐδεὶς ἄλλος ἐποίησεν, ἁμαρτίαν οὐκ εἴχοσαν· νῦν δὲ 7,31; 11,47 · 9,41
καὶ ἑωράκασιν καὶ μεμισήκασιν °καὶ ἐμὲ καὶ τὸν πα- 6,36

11 ⸀μεινη ℵ L (⸉ 0250) f^{13} 𝔐 f ¦ *txt* A B D Θ Ψ 1. (⸉ 33). 565. 1241 *pc* lat sy ● **12** ⸀ως 𝔓^{66} ● **13** ° 𝔓^{66} ℵ* D* Θ it | ⸀την εαυτου 𝔓^{66} (*pc*) ● **14** ⸆γαρ ℵ* D* *pc* | ⸀† ο B *pc* e q ¦ οσα A Θ Ψ 065. 0250 𝔐 sy^{hmg} ¦ *txt* 𝔓^{66} ℵ D L f^{13} 1. 565 *al* ● **15** ⸉ D Θ 065. 0250 $f^{1.13}$ 𝔐 q ¦ *txt* 𝔓^{66} ℵ A B L Ψ 33. 1424 *pc* | ⸀λεγω 𝔓^{66vid} ● **16** ⸂ *1 2* 𝔓^{66} ¦ – Δ 565. 1424 *pc* | ⸀και f^{13} 1 ¦ – ℵ* *et* ⸄ δωσει υμ. ℵ* Θ 892^{s} *al* ¦ τουτο ποιησω, ινα δοξασθη ο πατηρ εν τω υιω f^{13} | ⸁-τητε B L Ψ *pc* ● **17** ° 𝔓^{66*} D e; Non ● **18** ⸀εμισει (-σησε 𝔓^{66*}) 𝔓^{66} | ° ℵ* D *pc* it bo ● **19** ⸀τον 𝔓^{66} 1241 | ⸂ουκ εκ τουτου (– 𝔓^{66c}) τ. κ. 𝔓^{66} it | ⸉ *2 1 3 4* 𝔓^{66} ¦ *3 4 1 2* ℵ *pc* ● **20** ⸂τους -γους ους D ¦ τον -γον ον ℵ *pc* ¦ οτι sy^{s} | [⸆ *bis* ου(κ) Pallis *cj*] ● **21** ° D *pc* | ⸀-σωσιν Δ 33. 1241 *pc* ¦ ποιουσιν 𝔓^{66} it | ⸂ *2* 565 *pc* ¦ υμιν A D^{1} Ψ 065 f^{13} 𝔐 lat sy^{h} ¦ – ℵ* ¦ *txt* 𝔓^{66} ℵ^{2} B D* L Θ 1. 33 *al* it sy^{hmg} ● **22** ° 𝔓^{66} ● **24** ⸀μηδεις 𝔓^{66} | ° 𝔓^{66} D it

τέρα μου. **25** ἀλλ' ἵνα πληρωθῇ ὁ λόγος ὁ ⸂ἐν τῷ νόμῳ
Ps 35,19; 69,5 PsSal 7,1 αὐτῶν γεγραμμένος⸃ ὅτι *ἐμίσησάν με δωρεάν.*
14,16! · 16,7! **26** Ὅταν ⸆ ἔλθῃ ὁ παράκλητος ὃν ἐγὼ ⸀πέμψω ὑμῖν *1*
14,17! 1J 5,6 παρὰ τοῦ πατρός, τὸ πνεῦμα τῆς ἀληθείας ὃ παρὰ τοῦ πατρὸς ἐκπορεύεται, ἐκεῖνος μαρτυρήσει περὶ ἐμοῦ· **27** καὶ
21,24! L 1,2 Act 5,32! ὑμεῖς δὲ μαρτυρεῖτε, ὅτι ἀπ' ἀρχῆς μετ' ἐμοῦ ἐστε.
13,19! · Mt 11,6! **16** Ταῦτα λελάληκα ὑμῖν ἵνα °μὴ σκανδαλισθῆτε.
9,22! Mt 10,21! **2** ἀποσυναγώγους ποιήσουσιν ὑμᾶς· * ἀλλ' ἔρχεται 14 I
G 1,13s Act 17, 5ss; 18,12ss | ὥρα ἵνα πᾶς ὁ ἀποκτείνας °ὑμᾶς δόξῃ λατρείαν προσφέ-
8,19! Act 13,27 1J 3,1 1K 2,8 ρειν τῷ θεῷ. **3** ⸋καὶ ταῦτα ⸀ποιήσουσιν ὅτι οὐκ ἔγνωσαν
13,19! τὸν πατέρα οὐδὲ ἐμέ.⸌ **4** ἀλλὰ ταῦτα λελάληκα ὑμῖν ἵνα
ὅταν ἔλθῃ ἡ ὥρα °αὐτῶν μνημονεύητε °¹αὐτῶν ὅτι ἐγὼ
εἶπον ὑμῖν. Ταῦτα δὲ ὑμῖν ἐξ ἀρχῆς οὐκ εἶπον, ὅτι 14 X
17,12 μεθ' ὑμῶν ἤμην.
28! 7,33; 13,36; 14,5 Mc 9,32p **5** Νῦν δὲ ὑπάγω πρὸς τὸν πέμψαντά με, καὶ οὐδεὶς ἐξ
ὑμῶν ἐρωτᾷ με· ποῦ ὑπάγεις; **6** ἀλλ' ὅτι ταῦτα λελάληκα
Mt 17,23p ὑμῖν ἡ λύπη πεπλήρωκεν ὑμῶν τὴν καρδίαν. **7** ἀλλ' ἐγὼ
τὴν ἀλήθειαν λέγω ὑμῖν, συμφέρει ὑμῖν ἵνα ἐγὼ ἀπέλ-
14,16! θω. ἐὰν γὰρ ⸆ μὴ ἀπέλθω, ὁ παράκλητος ⸂οὐκ ἐλεύσεται⸃
15,26 1J 3,24; 4,13 Mc 1,8 L 24,49 Act 2,33 πρὸς ὑμᾶς· ⸋ἐὰν δὲ πορευθῶ, πέμψω αὐτὸν πρὸς ὑμᾶς.⸌
8 καὶ ἐλθὼν ἐκεῖνος ἐλέγξει τὸν κόσμον περὶ ἁμαρτίας
καὶ περὶ δικαιοσύνης καὶ περὶ κρίσεως· **9** περὶ ἁμαρτίας
3,18; 8,24; 15,22 μέν, ὅτι οὐ πιστεύουσιν εἰς ἐμέ· **10** περὶ δικαιοσύνης δέ,
5. 28! · 16-19; 20,29 ὅτι πρὸς τὸν πατέρα ⸆ ὑπάγω καὶ οὐκέτι θεωρεῖτέ με·
12,31! **11** περὶ δὲ κρίσεως, ὅτι ὁ ἄρχων τοῦ κόσμου τούτου κέκριται.
12 Ἔτι πολλὰ ἔχω ⸉ὑμῖν λέγειν⸊, ἀλλ' οὐ δύνασθε βα-
14,17! 26! στάζειν ἄρτι· **13** ὅταν δὲ ἔλθῃ ἐκεῖνος, τὸ πνεῦμα τῆς
Ps 25,5 ἀληθείας, ⸂ὁδηγήσει ὑμᾶς⸃ ⸄ἐν τῇ ἀληθείᾳ πάσῃ⸅· οὐ

25 ⸂ *5 1–4* A Θ f^{13} 𝔐 ¦ *1–3 5* 𝔓^{66*vid} ¦ *txt* 𝔓$^{66c\,vid}$ ℵ(*) B D L Ψ 1. 33. 565 *pc* ● **26** ⸆ δε A D L Θ Ψ 065 $f^{1.13}$ 𝔐 sy ¦ ergo it ¦ *txt* ℵ B Δ *pc* e l; Epiph | ⸀πεμπω D aur ff^{2} ¶ **16,1** ° ℵ* 1424* ● **2** ° B ● **3** ⸋ *vs* sy^{s} | ⸀π. (-σωσιν ℵ) υμιν ℵ D L Ψ $f^{1.13}$ (33). 565 *al* it vg^{cl} sy^{h**} co ¦ ποιουσιν Θ q ¦ *txt* A B 𝔐 lat sy^{p} ● **4** ° ℵ* D Ψ 054. 1 𝔐 a ff^{2} sy^{s} co ¦ *txt* 𝔓^{66vid} ℵ^{1} A B L Θ f^{13} 33. 118 *al* e sy$^{p.h}$ bo^{ms} | °¹ ℵ^{1} D L f^{13} *al* a e sy^{s} co ¦ *txt* 𝔓^{66vid} ℵ$^{*.2}$ A B Θ Ψ 054 f^{1} 𝔐 ff^{2} sy$^{p.h}$ bo^{pt} ● **7** ⸆εγω A f^{13} 𝔐 it vg^{mss} ¦ *txt* ℵ B D L Θ Ψ 054. 1 *pc* lat co | ⸂† ου μη ελθη B L Ψ 33 *pc* ¦ *txt* ℵ A D Θ 054 $f^{1.13}$ 𝔐 | ⸋ 𝔓^{66*vid} ● **10** ⸆μου A Θ 054 f^{13} 𝔐 c f q sy sa^{mss} ac^{2} pbo ¦ *txt* ℵ B D L W (⸉ Ψ) 1. 33 *al* lat sa^{mss} bo ● **12** ⸉ A D W Θ 068 f^{13} 1 𝔐 ¦ *txt* ℵ B L Ψ 054. 33 *pc* ● **13** ⸂εκεινος υμας οδηγ. D a ¦ διηγησεται υμιν *et* ⸄την -αν -σαν vg^{ww} ¦ † εις την -αν -σαν A B 054 *pc* vgst; Or (⸉ Ψ 068 f^{13} 𝔐) ¦ *txt* ℵ(*: *om.* παση) D L W(⸉ Θ) 1. 33. 565 *al* it

γὰρ λαλήσει ἀφ’ ἑαυτοῦ, ἀλλ’ ὅσα ⸆ ⸀ἀκούσει λαλήσει 14,10
καὶ τὰ ἐρχόμενα ἀναγγελεῖ ὑμῖν. **14** ἐκεῖνος ἐμὲ δοξάσει, 8,54!
148 III ὅτι ἐκ τοῦ ἐμοῦ λήμψεται καὶ ἀναγγελεῖ ὑμῖν. **15** ⸋πάντα
149 X ὅσα ἔχει ὁ πατὴρ ἐμά ἐστιν· διὰ τοῦτο εἶπον ⸆ ὅτι ἐκ τοῦ 17,10
ἐμοῦ λαμβάνει καὶ ἀναγγελεῖ ὑμῖν.⸌

16 Μικρὸν καὶ ⸀οὐκέτι θεωρεῖτέ με, καὶ πάλιν μικρὸν 7,33!
καὶ ὄψεσθέ με⸆. **17** εἶπαν οὖν ἐκ τῶν μαθητῶν αὐτοῦ πρὸς
ἀλλήλους· τί ἐστιν τοῦτο ὃ λέγει ἡμῖν· μικρὸν καὶ ⸀οὐ
θεωρεῖτέ με, καὶ πάλιν μικρὸν καὶ ὄψεσθέ με; καί· ὅτι ⸆
ὑπάγω πρὸς τὸν πατέρα; **18** ⸋ἔλεγον οὖν·⸌ ⸉τί ἐστιν τοῦ-
το⸊ ⸋^{1}[ὃ λέγει]⸌^{1} °τὸ μικρόν; οὐκ οἴδαμεν ⸂τί λαλεῖ⸃.

19 Ἔγνω ⸀[ὁ] Ἰησοῦς ὅτι ⸁ἤθελον αὐτὸν ⸀^{1}ἐρωτᾶν, καὶ L 9,45
εἶπεν αὐτοῖς· περὶ τούτου ζητεῖτε μετ’ ἀλλήλων ὅτι εἶ-
πον· μικρὸν καὶ ⸀^{2}οὐ θεωρεῖτέ με, καὶ πάλιν μικρὸν καὶ
ὄψεσθέ με; **20** ἀμὴν ἀμὴν λέγω ὑμῖν ὅτι κλαύσετε καὶ θρη- L 5,35p
νήσετε ὑμεῖς, ὁ δὲ κόσμος χαρήσεται· ὑμεῖς ⸆ λυπηθή- Ap 11,10
σεσθε, ἀλλ’ ἡ λύπη ὑμῶν εἰς χαρὰν γενήσεται. **21** ἡ γυνὴ L 6,21 1P 1,6
ὅταν τίκτῃ λύπην ἔχει, ὅτι ἦλθεν ἡ ⸀ὥρα αὐτῆς· ὅταν δὲ Is 26,17
γεννήσῃ τὸ παιδίον, οὐκέτι μνημονεύει τῆς ⸁θλίψεως διὰ
τὴν χαρὰν ὅτι ἐγεννήθη ἄνθρωπος εἰς τὸν κόσμον. **22** καὶ
ὑμεῖς ⸉οὖν νῦν μὲν λύπην⸊ ⸀ἔχετε· πάλιν δὲ ὄψομαι ὑμᾶς, 2K 4,17
καὶ χαρήσεται ὑμῶν ἡ καρδία, καὶ τὴν χαρὰν ὑμῶν οὐδ- Is 66,14 𝔊 20,20 L 24,52
εὶς ⸁αἴρει ἀφ’ ὑμῶν.

23 Καὶ ἐν ἐκείνῃ τῇ ἡμέρᾳ ἐμὲ οὐκ ἐρωτήσετε οὐδέν. 26; 14,20

13 ⸆(ε)αν A D^{1} Θ 054. 0250 f^{13} 𝔐 ¦ *txt* ℵ B D* L W Ψ 1 *pc et* ⸀† -ουει ℵ L 33 b e ¦ -ση A 0250 f^{13} 𝔐 ¦ *txt* B D W Θ Ψ 054. 1. 1010* *al* vg; Epiph • **15** ⸋(*h. t.*) 𝔓^{66} ℵ* bo^{mss} | ⸆υμιν ℵ^{2} L N Θ *pc* it sy ac^{2} bo^{pt} • **16** ⸀ου A 054 f^{13} 𝔐 a d e sy$^{s.p}$ ¦ *txt* 𝔓^{66vid} ℵ B D L N W Θ Ψ 068. 0250. 1. 33 *al* lat sy^{h} | ⸆(17) οτι (+ εγω 054. 33 *al*) υπαγω προς τον πατερα (+ μου *pc* sy^{s}) A Θ (Ψ) 054. 068 $f^{1.13}$ 𝔐 lat sy pbo bo^{pt} ¦ *txt* 𝔓$^{5.66}$ ℵ B D L W 0250 *pc* it sa ac^{2} bo^{pt} • **17** ⸀(16) ουκετι D W Ψ 33 *pc* | ⸆εγω D W Θ 054 𝔐 (f) sa ac^{2} bo ¦ *txt* 𝔓$^{5vid.66vid}$ ℵ A B L N Ψ 0250 f^{13} 33. 118. 565. 700 *al* lat pbo • **18** ⸋D* it sy^{s} | ⸉† *3 1 2* A D^{2} Θ 0250 𝔐 ¦ *txt* 𝔓^{66} ℵ B D* L W Ψ 054 f^{13} 1. 33. 565 *al*; Or | ⸋^{1} 𝔓$^{5.66}$ ℵ* D* W f^{13} 1. 565 *al* it sa ¦ *txt* ℵ^{2} A B D^{2} L Θ Ψ 054. 068. 0250 𝔐 lat sy ac^{2} pbo bo | ° ℵ^{2} B L Ψ 054. 33. 892^{s} *pc* | ⸂ο λεγει D* (Θ) a r^{1} ¦ – B *pc* • **19** ⸀† – 𝔓^{5} B L W *pc* ¦ ουν ο A (Θ) Ψ 054 f^{13} 𝔐 ¦ *txt* ℵ D 1. 33. 565 *pc* | ⸁ημελλον 𝔓^{66}(*: + και ηθ.) ℵ W *pc* c ff^{2} | ⸀^{1}επερωτησαι περι τουτου D (Θ) | ⸀^{2}(16) ουκετι Θ 565 *pc* • **20** ⸆δε ℵ^{2} A L W Θ Ψ 054 f^{13} 𝔐 vg sy^{h} ¦ *txt* 𝔓^{5} ℵ* B D 1 *pc* it sy^{s} • **21** ⸀ημερα 𝔓$^{5vid.66}$ D it sy$^{s.p}$ ac^{2} | ⸁λυπης D *pc* c • **22** ⸉ *2 3 1 4* ℵ* ¦ *1 4 3 2* A C^{3} Θ 𝔐 ¦ *3 1 4 2* f^{13} ¦ *txt* 𝔓$^{5.22vid.66}$ ℵ^{2} B C* D L W Ψ 054. 1. 33. 565. 1424 *pc* | ⸀εξετε 𝔓^{66} ℵ^{2} A D (L) N W* Θ Ψ 33 *al* it vg^{mss} ¦ *txt* 𝔓^{22} ℵ* B C W$^{v.l.}$ 054 $f^{1.13}$ 𝔐 lat | ⸁αρει 𝔓^{5} B D* Γ *pc* it ¦ αφαιρει W

14,13!s * ἀμὴν ἀμὴν λέγω ὑμῖν, ⸂ἄν τι⸃ αἰτήσητε τὸν πατέρα ⸉ἐν 150 IV
τῷ ὀνόματί μου δώσει ὑμῖν⸊. **24** ἕως ἄρτι οὐκ ᾐτήσατε οὐδὲν ἐν τῷ ὀνόματί μου· ⸀αἰτεῖτε καὶ λήμψεσθε, ἵνα ἡ
15,11! χαρὰ ὑμῶν ᾖ πεπληρωμένη.
29; 10,6 **25** Ταῦτα ἐν παροιμίαις λελάληκα ὑμῖν· ⸆ ἔρχεται ὥρα 151 X
7,26; 11,14; 18,20 ὅτε οὐκέτι ἐν παροιμίαις λαλήσω ὑμῖν, ἀλλὰ παρρησίᾳ
23! περὶ τοῦ πατρὸς ⸀ἀπαγγελῶ ὑμῖν. **26** ἐν ἐκείνῃ τῇ ἡμέρᾳ
14,13!s ἐν τῷ ὀνόματί μου αἰτήσεσθε, καὶ οὐ λέγω ὑμῖν ὅτι ἐγὼ
ἐρωτήσω τὸν πατέρα ⸋περὶ ὑμῶν⸌· **27** αὐτὸς γὰρ ὁ πατὴρ
14,21! φιλεῖ ὑμᾶς, ὅτι ὑμεῖς ἐμὲ πεφιλήκατε καὶ πεπιστεύκατε
30; 8,42; 13,3; 17,8 | 11,27! ὅτι ἐγὼ παρὰ ⸂[τοῦ] θεοῦ⸃ ἐξῆλθον. **28** ⸋ἐξῆλθον ⸀παρὰ
τοῦ πατρὸς⸌ καὶ ἐλήλυθα εἰς τὸν κόσμον· πάλιν ἀφίημι
5.10.17; 13,1.3; 14,12.28; 17,13; 20,17 τὸν κόσμον καὶ πορεύομαι πρὸς τὸν πατέρα.
29 Λέγουσιν ⸆ οἱ μαθηταὶ αὐτοῦ· ἴδε νῦν ⸰ἐν παρρησίᾳ
25! λαλεῖς καὶ παροιμίαν οὐδεμίαν λέγεις. **30** νῦν οἴδαμεν ὅτι
21,17 · 2,25 οἶδας πάντα καὶ οὐ χρείαν ἔχεις ἵνα τίς σε ἐρωτᾷ· ἐν
27! τούτῳ πιστεύομεν ὅτι ἀπὸ θεοῦ ἐξῆλθες. **31** ἀπεκρίθη αὐ- 152 IV
τοῖς ⸆ Ἰησοῦς· ἄρτι πιστεύετε⁚; **32** ἰδοὺ ἔρχεται ὥρα καὶ
Zch 13,7 Mt 26,31p ⸀ἐλήλυθεν ἵνα σκορπισθῆτε ⸆ ἕκαστος εἰς τὰ ἴδια κἀμὲ
8,16! μόνον ἀφῆτε· καὶ οὐκ εἰμὶ μόνος, ὅτι ὁ πατὴρ μετ’ ἐμοῦ
14,27! ἐστιν. **33** ταῦτα ⸆ λελάληκα ὑμῖν ἵνα ἐν ἐμοὶ εἰρήνην 15. X
ἔχητε. ⸋ἐν τῷ κόσμῳ θλῖψιν ⸀ἔχετε·⸌ ἀλλὰ θαρσεῖτε, ἐγὼ
1J 5,4 νενίκηκα τὸν κόσμον.
Mt 14,19! **17** Ταῦτα ἐλάλησεν ⸆ Ἰησοῦς καὶ ⸀ἐπάρας τοὺς ὀφθαλ-
13,1! μοὺς αὐτοῦ εἰς τὸν οὐρανὸν ⸆ εἶπεν· πάτερ, ἐλήλυθεν
7,39! ἡ ὥρα· δόξασόν σου τὸν υἱόν, ἵνα ⸂ὁ υἱὸς⸃ δοξάσῃ σέ,

23 ⸂οτι ο (ε)αν א Θ 33. 1241 *pc* ¦ ο τι (οτι?) (ε)αν 𝔓^{22vid} A D^{2} (N) W *pc* ¦ οτι οσα (ε)αν *f*$^{1.13}$ 𝔐 ¦ *txt* 𝔓^{5vid} B C (D*) L (Ψ) 054$^{(c)}$ *pc*; (Or^{pt}) | ⸉† *5 6 1–4* 𝔓^{5vid} א B C* L Δ 054 *pc* ¦ *5 6* 118 *pc* ¦ *txt* 𝔓^{22vid} A C^{3} D W Θ Ψ *f*^{13} 1. (33) 𝔐 lat sy pbo bo ● **24** ⸀ -τησασθε 𝔓^{66vid} א* W *pc* ● **25** ⸆αλλ(α) A C^{3} D^{2} Θ Ψ *f*^{13} 𝔐 it sy^{h} ac^{2} ¦ *txt* 𝔓$^{5vid.66}$ א B C* D* L W 054. 1. 33 *pc* lat sa pbo bo; Or | ⸀αναγγ- C^{2} Ψ *f*$^{1.13}$ 𝔐 ¦ απαγγελλω א ¦ *txt* 𝔓$^{66(*)}$ A B C* D K L W Θ 054. 28. 33 *al* ● **26** ⸋ 𝔓$^{5vid.66vid}$ *pc* b c e ac^{2} ● **27** ⸂*2* 𝔓^{5} א$^{*.2}$ A N Θ 33 *al* ¦ του (– א^{1}) πατρος א^{1} B C* D L *pc* (ff^{2}) co ¦ *txt* C^{3} W Ψ 054 *f*$^{1.13}$ 𝔐; Epiph ● **28** ⸋D W b ff^{2} sy^{s} ac^{2} pbo | ⸀† εκ B C* L Ψ 33 *pc* ¦ *txt* 𝔓$^{5.22}$ א A C^{2} Θ 054 *f*$^{1.13}$ 𝔐 ● **29** ⸆αυτω 𝔓$^{5c\,vid}$ (א*) A C^{3} D L W 054 *f*^{13} 𝔐 lat sy$^{s.p.hmg}$ co ¦ *txt* 𝔓^{5*} א^{2} B C* N Θ Ψ 0250. 1. 565 *pc* e q vg^{mss} sy^{h} | ⸰א^{2} A C^{2vid} L Θ Ψ 054. 0250 *f*$^{1.13}$ 𝔐 ¦ *txt* א* B C* D W *pc* ● **31** ⸆ο א A D L Ψ 054 *f*$^{1.13}$ 𝔐 ¦ *txt* 𝔓$^{22.66}$ B C W Θ 0109. 0250 *pc* | [⁚ ·] ● **32** ⸀νυν ελ. C^{3} D^{1} Θ Ψ 054. 0250 *f*$^{1.13}$ 𝔐 f q sy$^{p.h}$ ¦ ελ. η ωρα א* ¦ *txt* 𝔓$^{22vid.66}$ א^{2} A B C* D* L W 0109. 33 *pc* sy^{s} | ⸆παντες 𝔓^{66*vid} ● **33** ⸆δε 𝔓^{66} | ⸋𝔓^{66vid} Δ | ⸀εξ- D *f*$^{1.13}$ 892^{s} *pc* it vg^{ww}

¶ **17,1** ⸆ο 𝔓^{60} A C D L W Ψ 054 *f*$^{1.13}$ 𝔐 ¦ *txt* א B Θ 0109. 0250 *pc* | ⸀επηρεν *et* ⸆και A C^{3} K N Γ Δ Ψ 054. 0250. 28. 209. 700. 1010 *pm* | ⸂ο υι. σου A D Θ 0250. 1 *pc* lat sy ¦ και ο υι. σου C$^{(2).3}$ L Ψ 054 *f*^{13} 𝔐 q ¦ *txt* 𝔓^{60vid} א B C* W 0109 *pc* d e ff^{2} pbo; Or

2 καθὼς ἔδωκας αὐτῷ ἐξουσίαν πάσης σαρκός, ἵνα πᾶν ὃ Mt 28,18!
δέδωκας αὐτῷ ⸂δώσῃ αὐτοῖς⸃ ζωὴν αἰώνιον. **3** αὕτη δέ 5,24!
ἐστιν ἡ αἰώνιος ζωὴ ἵνα ⸀γινώσκωσιν σὲ τὸν μόνον ἀλη- Sap 15,3 · 1Th 1,
θινὸν θεὸν καὶ ὃν ⸁ἀπέστειλας Ἰησοῦν Χριστόν⸆. **4** ἐγώ 9 1J 5,20
σε ἐδόξασα ἐπὶ τῆς γῆς ⸂τὸ ἔργον τελειώσας⸃ ὃ δέδωκάς 4,34! H 5,9
μοι ἵνα ποιήσω· **5** καὶ νῦν δόξασόν με σύ, ⸀πάτερ, πα- 8,54! 7,39!
ρὰ σεαυτῷ τῇ δόξῃ ⸁ᾗ εἶχον ⸂πρὸ τοῦ τὸν κόσμον εἶναι 24; 1,1
παρὰ σοί.⸃

6 Ἐφανέρωσά σου τὸ ὄνομα τοῖς ἀνθρώποις οὓς ⸀ἔδω- 6,37! H 2,12
κάς μοι ἐκ τοῦ κόσμου. σοὶ ἦσαν κἀμοὶ αὐτοὺς ἔδωκας
καὶ τὸν λόγον σου ⸁τετήρηκαν. **7** νῦν ⸀ἔγνωκαν ὅτι πάντα 8,51!
ὅσα ⸁δέδωκάς μοι παρὰ σοῦ ⸀[1]εἰσιν· **8** ὅτι τὰ ῥήματα ἃ 6,46!
⸀ἔδωκάς μοι δέδωκα αὐτοῖς, καὶ αὐτοὶ ἔλαβον □καὶ ἔγνω-
σαν⸌ ἀληθῶς ὅτι παρὰ σοῦ ἐξῆλθον, καὶ ἐπίστευσαν ὅτι 16,27! · 21.23.25;
σύ με ἀπέστειλας. 11,42

9 Ἐγὼ περὶ αὐτῶν ἐρωτῶ, οὐ περὶ τοῦ κόσμου ἐρωτῶ 20
ἀλλὰ περὶ ὧν δέδωκάς μοι, ὅτι σοί εἰσιν, **10** καὶ ⸂τὰ ἐμὰ 6,37!
πάντα σά ἐστιν καὶ τὰ σὰ ἐμά⸃, καὶ ⸀δεδόξασμαι ἐν αὐ- 16,15
τοῖς. **11** καὶ οὐκέτι εἰμὶ ἐν τῷ κόσμῳ, καὶ ⸀αὐτοὶ ἐν τῷ κόσμῳ εἰσίν, κἀγὼ πρὸς σὲ ἔρχομαι⸆. πάτερ ἅγιε, τήρησον
αὐτοὺς ἐν τῷ ὀνόματί σου ⸇ ⸂ᾧ δέδωκάς⸃ μοι, □ἵνα ὦσιν
ἓν καθὼς ⸆[1] ἡμεῖς⸌. **12** ὅτε ἤμην μετ' αὐτῶν ⸆ ἐγὼ ἐτή- 21-23; 10,30
ρουν αὐτοὺς ἐν τῷ ὀνόματί ⸀σου ⸂ᾧ δέδωκάς μοι, καὶ⸃ 6,37!
ἐφύλαξα, καὶ οὐδεὶς °ἐξ αὐτῶν ἀπώλετο εἰ μὴ ὁ υἱὸς τῆς 2Th 2,3 Is 57,4 𝔊
ἀπωλείας, ἵνα ἡ γραφὴ πληρωθῇ. **13** νῦν δὲ πρὸς σὲ ἔρχο- Prv 24,22a 𝔊 |

2 ⸂-σει -τοις B Ψ 054 *f*^{13} (1) 𝔐 ¦ -σω -τω ℵ* 0109 *pc* ¦ δως -τω W (L: -τοις) ¦ εχη D ¦ *txt* ℵ^{2} A C K 0250. 33 *al* • **3** ⸀-κουσιν A D L N W Δ 054. 0109. 33. 1241 *al* | ⸁απεπεμψας 𝔓^{66vid} | ⸆εις τουτον τον κοσμον D • **4** ⸂(+ και D) το εργ. ετελειωσα D Θ Ψ 054 *f*^{13} 𝔐 ¦ *txt* 𝔓^{66} ℵ A B C L N (W) 0109. 1. 33 *pc* • **5** ⸀πατηρ D* N 0109 | ⸁ην ℵ* | ⸂*6 7 1–5* 𝔓^{66*} a f ¦ π. σοι προ του γενεσθαι τ. κ. D* (⸉ D^{2}; Epiph) • **6** ⸀δεδ- 𝔓^{60vid} C L Ψ 054. 0109 *f*$^{1.13}$ 𝔐 ¦ *txt* ℵ A B D K N W Θ *al* | ⸁ετηρησαν ℵ N 33 • **7** ⸀εγνων ℵ ¦ -ωκα W *pc* ¦ -ωσαν C Ψ *f*^{13} 33. 700. 1241 *al* ¦ *txt* A^{vid} B D L Θ 054. 0109 *f*^{1} 𝔐 | ⸁εδ- A (B) 0109. 1 *pc* | ⸀^{1}εστιν A D Θ *f*$^{1.13}$ 𝔐 ¦ *txt* ℵ B C L N W Ψ 054. 0109. 33. 565^{s} *al* • **8** ⸀δεδ- ℵ L Θ Ψ 054. 0109 *f*$^{1.13}$ 𝔐 ¦ *txt* A (B) C D W *al* | □ℵ* A D W *pc* a e q ac^{2} pbo • **10** ⸂εμοι αυτους εδωκας ℵ | ⸀εδοξασας με D • **11** ⸀ουτοι A C D L W Θ Ψ 054 *f*$^{1.13}$ 𝔐 lat ¦ – 𝔓^{66vid} ¦ *txt* ℵ B 1241 *pc* d f | ⸆· ουκετι ειμι εν τω κοσμω, και εν τω κοσμω ειμι D a (c) r^{1} | ⸇και οτε ημην μετ αυτων εγω (+ εν τω κοσμω D^{1}) ετηρουν αυτους εν τω ονοματι σου D | ⸂ο δεδ- D* 1424 *pc* ¦ ους δεδ- D^{1} (N) 209. 892^{s} *al* vg ¦ ω εδ- 𝔓^{66vid} ℵ L W *pc* ¦ *txt* 𝔓^{60} A B C Θ Ψ 054 *f*^{13} 1 𝔐 | □𝔓^{66*} it ac^{2} | ⸆^{1}και B Θ 054. 700. 1010 *al* lat (sy^{h}) • **12** ⸆εν τω κοσμω A C^{3} Θ Ψ 054 *f*^{13} 𝔐 (a) f q sy bo^{ms} ¦ *txt* 𝔓$^{60.66}$ ℵ B C* D L W 1 *pc* lat co | ⸀μου 𝔓^{66*} ¦ – 565 | ⸂ους δεδ- μοι A (C^{3}) D Θ Ψ 054 *f*$^{1.13}$ 𝔐 lat sy$^{p.h}$ ¦ και 𝔓^{66*} ℵ* (sy^{s}) ¦ *txt* (ℵ^{2}) B (C*) L W 33 *pc* co (𝔓^{66c} *incert.*) | ° 𝔓^{66*}

16,28! 15,11! μαι καὶ ταῦτα λαλῶ ἐν τῷ κόσμῳ ἵνα ἔχωσιν τὴν χαρὰν
τὴν ἐμὴν πεπληρωμένην ἐν ⸀ἑαυτοῖς. **14** ἐγὼ δέδωκα αὐ-
15,18! τοῖς τὸν λόγον σου καὶ ὁ κόσμος ἐμίσησεν αὐτούς, ὅτι
15,19! οὐκ εἰσὶν ἐκ τοῦ κόσμου ⸋καθὼς ἐγὼ οὐκ εἰμὶ ἐκ τοῦ
κόσμου⸌. **15** ⸋οὐκ ἐρωτῶ ἵνα ἄρῃς αὐτοὺς ἐκ τοῦ κόσμου,
Mt 6,13 1J 5,18 | ἀλλ᾽ ἵνα τηρήσῃς αὐτοὺς ἐκ τοῦ πονηροῦ.⸌ **16** ⸋ἐκ τοῦ
15,19! · 8,23 κόσμου οὐκ εἰσὶν καθὼς ἐγὼ ⸉οὐκ εἰμὶ ἐκ τοῦ κόσμου⸊.⸌
Ps 119,142.160 **17** ἁγίασον αὐτοὺς ἐν τῇ ἀληθείᾳ⸆· ὁ λόγος ὁ σὸς ἀλή-
10,36! θειά ἐστιν. **18** καθὼς ἐμὲ ἀπέστειλας εἰς τὸν κόσμον,
20,21 | 1K 11,24 Mc 14,24 · H 2,11! ⸋κἀγὼ ⸀ἀπέστειλα αὐτοὺς εἰς τὸν κόσμον⸌· **19** καὶ ὑπὲρ
αὐτῶν °ἐγὼ ἁγιάζω ἐμαυτόν, ἵνα ⸂ὦσιν καὶ αὐτοὶ⸃ ἡγια-
σμένοι ἐν ἀληθείᾳ.

9 · 10,16! 20,29 **20** Οὐ περὶ τούτων δὲ ἐρωτῶ μόνον, ἀλλὰ καὶ περὶ τῶν
11! G 3,28 ⸀πιστευόντων διὰ τοῦ λόγου αὐτῶν εἰς ἐμέ, **21** ἵνα πάντες
10,38! ἓν ὦσιν, καθὼς σύ, ⸀πάτερ, ἐν ἐμοὶ κἀγὼ ἐν σοί, ἵνα καὶ
αὐτοὶ ἐν ἡμῖν ⸆ ὦσιν, ἵνα ὁ κόσμος ⸁πιστεύῃ ὅτι σύ με
8! ἀπέστειλας. **22** κἀγὼ τὴν δόξαν ἣν ⸀δέδωκάς μοι ⸁δέ-
R 8,10! δωκα αὐτοῖς, ἵνα ὦσιν ἓν καθὼς ἡμεῖς ἕν⸆· **23** ἐγὼ ἐν αὐτοῖς καὶ σὺ ἐν ἐμοί, ἵνα ὦσιν τετελειωμένοι εἰς ἕν, ⸀ἵνα
14,21! γινώσκῃ ὁ κόσμος ὅτι σύ με ἀπέστειλας καὶ ⸁ἠγάπησας
3,35! αὐτοὺς καθὼς ἐμὲ ἠγάπησας.

6,37! · 12,26! **24** ⸀Πάτερ, ⸁ὃ δέδωκάς μοι, θέλω ἵνα ὅπου εἰμὶ ἐγὼ
1J 3,2 κἀκεῖνοι ὦσιν μετ᾽ ἐμοῦ, ἵνα θεωρῶσιν τὴν δόξαν ⸋τὴν
5 ἐμήν⸌, ἣν ⸀¹δέδωκάς μοι ὅτι ἠγάπησάς με πρὸ καταβο-
Mt 11,27! λῆς κόσμου. **25** ⸀πάτερ δίκαιε, καὶ ὁ κόσμος σε οὐκ ἔγνω,
ἐγὼ δέ σε ἔγνων, * καὶ οὗτοι ἔγνωσαν ὅτι σύ με ἀπέστει-

13 ⸀αυτοις 𝔓^{66} ℵ* C^{3} D L Θ 054 *f*$^{1.(13)}$ 𝔐 ¦ ταις καρδιαις εαυτων C*^{vid} ¦ *txt* ℵ^{2} A B N W Ψ *al* ● **14** ⸋ 𝔓^{66*} D *f*^{13} *pc* it sy^{s} ● **15** ⸋ *vs* 33 *pc* bo^{mss}; Non *et* **16** ⸋ *vs* 𝔓^{66c} 33 *pc* bo^{mss} | ⸉ *3–5 1 2* 𝔓^{66*} Θ Ψ 054 *f*$^{1.13}$ 𝔐 sy^{h} ¦ *txt* ℵ A B C D L W *al* ● **17** ⸆σου ℵ^{2} C^{3} Ψ 054 *f*^{13} 𝔐 q sy bo^{pt}; Cl ¦ *txt* 𝔓^{66} (ℵ*: *h. t.*) A B C* D L W Θ 1 *pc* lat co ● **18** ⸋ 𝔓^{66vid} | ⸀αποστελλω *f*^{13} ● **19** ° ℵ A W 700 *pc* it sa ac^{2} pbo bo^{ms} | ⸂ *1 3* 𝔓^{66*} a b c e ¦ *2 3 1* C^{3} Γ Δ 28. 209. 700. 892^{s}. 1010. 1424 *pm* sy^{h} ● **20** ⸀-σοντων D^{2} lat sa (ac^{2}) pbo ● **21** ⸀† πατηρ B D N W *pc* ¦ *txt* ℵ A C L Θ Ψ 054 *f*$^{1.13}$ 𝔐; Cl | ⸆ἓν ℵ A C^{3} L Θ Ψ 054 *f*$^{1.13}$ 𝔐 vg sy$^{p.h}$ bo; Cl Or ¦ *txt* 𝔓^{66vid} B C* D W it sa ac^{2} pbo bo^{ms} | ⸁-ση 𝔓^{60} ℵ^{2} A C^{3} D L Θ Ψ 054 *f*$^{1.13}$ 𝔐; Or ¦ *txt* 𝔓^{66} ℵ* B C* W *pc*; Cl ● **22** ⸀εδ- A D N Θ Ψ *al* | ⸁εδ- ℵ A K N Θ *f*^{13} *al* | ⸆εσμεν ℵ^{2} A C^{3} Θ Ψ 054 *f*^{13} 𝔐 lat ¦ *txt* 𝔓$^{60.66}$ (ℵ*) B C* D L W 1. 33 *pc* e; Cl ● **23** ⸀και 𝔓^{66} ℵ W 1 *pc* lat ¦ και ινα A Θ Ψ 054 *f*^{13} 𝔐 f q sy$^{p.h}$ ¦ *txt* B C D L 33 *pc* a e sy^{s} | ⸁-σα D 0141 *pc* it sy ● **24** ⸀† πατηρ A B N *pc* ¦ *txt* ℵ C D L W Θ Ψ 054 *f*$^{1.13}$ 𝔐 | ⸁ους A C L (Θ) Ψ 054 *f*$^{1.13}$ 𝔐 lat sy$^{p.h}$; Cl ¦ *txt* 𝔓^{60} ℵ B D W *pc* sy^{s} | ⸋ D sy^{s} | ⸀¹εδ- B K N Γ Θ 054. 209 *al* ● **25** ⸀† πατηρ A B N *pc* ¦ *txt* 𝔓^{59vid} ℵ C D L W Θ Ψ 054 *f*$^{1.13}$ 𝔐

λας· **26** καὶ ἐγνώρισα αὐτοῖς τὸ ὄνομά σου καὶ γνωρίσω,
ἵνα ἡ ἀγάπη ἣν ἠγάπησάς με ἐν αὐτοῖς ᾖ κἀγὼ ἐν αὐτοῖς. 15,9

18 Ταῦτα εἰπὼν ⸆ Ἰησοῦς ἐξῆλθεν σὺν τοῖς μαθηταῖς *1:* Mt 26,30.36 Mc 14,26.32
αὐτοῦ πέραν τοῦ χειμάρρου ⸂τοῦ Κεδρὼν⸃ ὅπου ἦν L 22,39 · 14,31
κῆπος, εἰς ὃν εἰσῆλθεν αὐτὸς καὶ οἱ μαθηταὶ αὐτοῦ.
2 Ἤιδει δὲ καὶ Ἰούδας ὁ παραδιδοὺς αὐτὸν τὸν τόπον, 6,64!
ὅτι πολλάκις συνήχθη ⸆ Ἰησοῦς ⸂ἐκεῖ μετὰ τῶν μαθητῶν L 21,37
αὐτοῦ⸃. **3** ὁ οὖν Ἰούδας λαβὼν τὴν σπεῖραν καὶ ἐκ τῶν *3–12:* Mt 26,47-56 Mc 14,43-
ἀρχιερέων καὶ ⸂ἐκ τῶν⸃ Φαρισαίων ὑπηρέτας ἔρχεται 50 L 22,47-53
ἐκεῖ μετὰ φανῶν καὶ λαμπάδων καὶ ὅπλων. **4** Ἰησοῦς ⸀οὖν
εἰδὼς πάντα τὰ ἐρχόμενα ἐπ᾽ αὐτὸν ⸂ἐξῆλθεν καὶ λέγει⸃ 13,1.3; 19,28
αὐτοῖς· τίνα ζητεῖτε; **5** ἀπεκρίθησαν αὐτῷ· Ἰησοῦν τὸν
⸀Ναζωραῖον. λέγει αὐτοῖς⸆· ἐγώ εἰμι⸇. εἱστήκει δὲ καὶ 19,19!
Ἰούδας ⸋ὁ παραδιδοὺς αὐτὸν⸌ μετ᾽ αὐτῶν. **6** ὡς οὖν εἶπεν 6,64!
αὐτοῖς⸆· ἐγώ εἰμι, ἀπῆλθον εἰς τὰ ὀπίσω καὶ ἔπεσαν χα-
μαί. **7** πάλιν οὖν ⸉ἐπηρώτησεν αὐτούς⸊· τίνα ζητεῖτε;
οἱ δὲ εἶπαν· Ἰησοῦν τὸν Ναζωραῖον. **8** ἀπεκρίθη Ἰησοῦς· 19,19!
εἶπον ὑμῖν ὅτι ἐγώ εἰμι. εἰ οὖν ἐμὲ ζητεῖτε, ἄφετε τούτους
ὑπάγειν· **9** ἵνα πληρωθῇ ὁ λόγος ὃν εἶπεν ὅτι οὓς ⸀δέ-
δωκάς μοι οὐκ ἀπώλεσα ἐξ αὐτῶν οὐδένα. **10** Σίμων 6,39!
οὖν Πέτρος ἔχων μάχαιραν εἵλκυσεν αὐτὴν καὶ ἔπαισεν
τὸν ⸉τοῦ ἀρχιερέως δοῦλον⸊ καὶ ἀπέκοψεν ⸂αὐτοῦ τὸ ὠτά-
ριον⸃ τὸ δεξιόν· ἦν δὲ ὄνομα τῷ δούλῳ Μάλχος. **11** εἶπεν οὖν ὁ Ἰησοῦς τῷ Πέτρῳ· βάλε τὴν μάχαιραν εἰς τὴν
θήκην⸆· τὸ ποτήριον ὃ δέδωκέν μοι ὁ πατὴρ ⸇ οὐ μὴ Mt 26,39p
πίω αὐτό;
12 Ἡ οὖν σπεῖρα καὶ ὁ χιλίαρχος καὶ οἱ ὑπηρέται τῶν

¶ **18,1** ⸆ο 𝔓^{60vid} A C D L^{c} W Θ Ψ 054. 0250 *f*$^{1.13}$ 𝔐 ¦ *txt* ℵ B L* | ⸂του -ρου ℵ* D W it ¦ των -ρων ℵ^{2} B C L Θ Ψ 054 *f*$^{1.13}$ 𝔐; Or ¦ *txt* A Δ 0250 *pc* vg sy • **2** ⸆ο A C D W Θ Ψ 0250 *f*$^{1.13}$ 𝔐 ¦ και ο Γ Δ 054. 28. 1010 *al* ¦ *txt* ℵ B L *pc* | ⸂ *2–5 1* B ¦ *1–4* 𝔓^{66*} • **3** ⸂των B 0141 ¦ – ℵ^{1} A C W Θ Ψ 054. 0250 *f*$^{1.13}$ 𝔐 ¦ *txt* ℵ$^{*.2}$ D L *pc* • **4** ⸀δε ℵ D L W *f*$^{1.(13)}$ 33. 565 *pc* it sy^{p} ¦ *txt* 𝔓^{60vid} A B C Θ Ψ 054. 0250 𝔐 e vg sy^{h} | ⸂εξελθων ειπεν ℵ A C^{3} L W Θ Ψ (054). 0250 *f*^{13} 𝔐 ¦ εξηλθεν εξω και λεγει 𝔓^{60vid} ¦ *txt* B C* D *f*^{1} 565 *pc* • **5** ⸀Ναζαρηνον D lat | ⸆ο (– ℵ) Ιησους ℵ A C L W Θ Ψ 054. 0250 *f*$^{1.13}$ 𝔐 lat sy$^{p.h}$ sa ac^{2} bo ¦ *txt* 𝔓^{60} B D *pc* it sy^{s} pbo | ⸇Ιησους B (a) | ⸋ 𝔓^{66*vid} sy^{s} • **6** ⸆ οτι C 054 *f*^{13} 𝔐 sy^{h} ¦ *txt* ℵ A B D L N W Θ Ψ 0250 *f*^{1} 33. 565 *al* latt • **7** ⸉ 𝔓^{66vid} ℵ D W Θ 0250 *f*^{1} 𝔐 ¦ *txt* 𝔓^{60vid} A B C L Ψ 054 *f*^{13} (33) *al* • **9** ⸀εδωκας 𝔓^{66} D Θ 0250 *pc* • **10** ⸉ 𝔓^{66vid} ℵ D 1424 *pc* | ⸂αυ. το ωτιον (⸉ 𝔓^{66vid} *pc*) A C^{2} D Θ Ψ 054 *f*$^{1.13}$ 𝔐 ¦ *txt* 𝔓^{60} ℵ B C* L W *pc* • **11** ⸆(Mt 26,52) παντες γαρ οι λαβοντες μαχαιραν εν μαχαιρα απολουνται Θ | ⸇μου 𝔓^{66vid} 700 *pc* sy$^{s.p}$ co

13–24: Mt 26, 57-68 Mc 14,53-65 L 22,54-71 Ἰουδαίων συνέλαβον τὸν Ἰησοῦν καὶ ἔδησαν αὐτὸν
13 ⸂καὶ ⸀ἤγαγον πρὸς ⸃Ἄνναν πρῶτον· ἦν γὰρ πεν-
24 Mt 26,3! θερὸς τοῦ ⸁Καϊάφα, ὃς ἦν ἀρχιερεὺς ⸋τοῦ ἐνιαυτοῦ ἐκεί-
νου⸌· **14** ἦν δὲ Καϊάφας °ὁ συμβουλεύσας τοῖς Ἰουδαίοις
11,49s ὅτι συμφέρει ἕνα ἄνθρωπον ⸀ἀποθανεῖν ὑπὲρ τοῦ λαοῦ.
20,2-4 **15** Ἠκολούθει δὲ τῷ Ἰησοῦ Σίμων Πέτρος καὶ ⸆ ἄλλος
μαθητής. ⸋ὁ δὲ μαθητὴς ἐκεῖνος ⸂1ἦν γνωστὸς⸃ τῷ ἀρ-
χιερεῖ⸌ καὶ συνεισῆλθεν τῷ Ἰησοῦ εἰς τὴν αὐλὴν τοῦ
ἀρχιερέως, **16** ὁ δὲ Πέτρος εἱστήκει πρὸς τῇ θύρᾳ ἔξω.
ἐξῆλθεν οὖν ὁ μαθητὴς ⸢ὁ ἄλλος ὁ γνωστὸς τοῦ ἀρχιε-
ρέως⸣ καὶ εἶπεν τῇ θυρωρῷ καὶ ⸀εἰσήγαγεν τὸν Πέτρον.
17 λέγει οὖν ⸂1τῷ Πέτρῳ ἡ παιδίσκη ἡ θυρωρός⸃· μὴ
καὶ σὺ ἐκ τῶν μαθητῶν °εἶ τοῦ ἀνθρώπου τούτου; λέγει
ἐκεῖνος· οὐκ εἰμί. **18** εἱστήκεισαν δὲ οἱ δοῦλοι καὶ οἱ
21,9 ὑπηρέται ἀνθρακιὰν πεποιηκότες, ὅτι ψῦχος ἦν, καὶ
25 ἐθερμαίνοντο· ἦν δὲ ⸢καὶ ὁ Πέτρος μετ' αὐτῶν⸣ ἑστὼς καὶ
θερμαινόμενος.
19 Ὁ οὖν ἀρχιερεὺς ἠρώτησεν τὸν Ἰησοῦν περὶ τῶν
μαθητῶν αὐτοῦ καὶ περὶ τῆς διδαχῆς αὐτοῦ. **20** ἀπεκρίθη
16,25! Act 26,26 αὐτῷ ⸆ Ἰησοῦς· ἐγὼ παρρησίᾳ ⸀λελάληκα τῷ κόσμῳ,
6,27ss · 5,14ss; 7,14ss.37ss; 10, 22 L 19,47! · Is 45,19 ἐγὼ πάντοτε ἐδίδαξα ἐν συναγωγῇ καὶ ἐν τῷ ἱερῷ, ὅπου
⸁πάντες οἱ Ἰουδαῖοι συνέρχονται, καὶ ἐν κρυπτῷ ἐλάλησα
οὐδέν. **21** τί με ⸀ἐρωτᾷς; ⸁ἐρώτησον τοὺς ἀκηκοότας τί
ἐλάλησα αὐτοῖς· ἴδε οὗτοι οἴδασιν ἃ εἶπον ἐγώ. **22** ταῦτα
δὲ αὐτοῦ εἰπόντος εἷς ⸢παρεστηκὼς τῶν ὑπηρετῶν⸣ ἔδω-

13-24 ⸂ *vss* 13. 24. 14. 15. 19–23. 16–18 sy^{s} ¦ *vss* 13. 24. 14–23. 24 (*!*) 1195 sy^{hmg} ¦ *vss* 13a. 24. 13b. 14–23. 24 225 (*pc*) • **13** ⸀απηγ- 𝔓^{60} C* N Δ *al* ¦ απηγ- αυτον ℵ^{2} A C^{3} L Θ Ψ 054. 0250 *f*$^{1.13}$ 𝔐 lat sy ¦ *txt* 𝔓^{66vid} ℵ* B D W *pc* it | ⸁Καϊφα C D it vg^{cl} | ⸋ 𝔓^{60} • **14** ° 𝔓^{60} | ⸀απολεσθαι A C^{2} Ψ 054. 0250 𝔐 sy^{h} ¦ *txt* 𝔓^{66vid} ℵ B C* D^{s} L W Θ *f*$^{1.13}$ 33. 565 *al* latt sy$^{s.p.hmg}$ • **15** ⸆ο ℵ^{2} C L Θ 054 *f*$^{1.13}$ 𝔐 ac^{2} ¦ *txt* 𝔓$^{60.66}$ ℵ* A B D^{s} W Ψ *pc* sy$^{s.p}$ sa pbo bo | ⸋ 𝔓^{66*} | ⸂1 B W *pc* • **16** ⸢ο αλ. (εκεινος Ψ *f*^{13} 1241 *al*; – 𝔓^{66vid} 054) ος ην γν. τω -ρει (του -ρεως 𝔓^{66vid}) 𝔓^{66vid} ℵ A C^{2} D^{s} W Θ Ψ 054 *f*$^{1.13}$ 𝔐 lat sy$^{p.h}$ co ¦ εκεινος 1424 ¦ *txt* B C^{*vid} L *pc* | ⸀εισηνεγκεν ℵ W *pc* • **17** ⸂1 *3–6 1 2* 𝔓^{66} ℵ A C^{3} D^{s} (W) Θ Ψ 054 *f*$^{1.13}$ 𝔐 ¦ *txt* 𝔓^{59vid} B C* L 33 *pc* | ° 𝔓^{66*} (⸂ *pc*) • **18** ⸢ *4 5 2 3* A D^{s} Θ Ψ 054. 0250 (*f*^{13}) 𝔐 ¦ *txt* 𝔓$^{60.66vid}$ ℵ B C L (W) *f*^{1} 33. (565) *pc* • **20** ⸆ο A C W Ψ 054. 0250 *f*$^{1.13}$ 𝔐 ¦ *txt* 𝔓^{66} ℵ B D^{s} L Θ *pc* | ⸀ελαλησα 𝔓^{66} C^{3} D^{s} W Θ 0250 *f*^{13} 𝔐 ¦ *txt* ℵ A B C* L N Δ Ψ 054 *f*^{1} 33. 565 *al* | ⸁παντοτε C^{3} D^{s} Ψ 054. 0250 𝔐 q sy^{h} ¦ *txt* ℵ A B C* L N W Θ *f*$^{1.13}$ 33. 565 *al* lat sy$^{s.p}$; Or^{lat} • **21** ⸀επερ- D^{s} *f*$^{1.13}$ 𝔐 ¦ *txt* ℵ A B C L W Θ Ψ 054. 0250. 33. 1424 *al* | ⸁επερ- A C^{3} D^{s} Θ 054 𝔐 ¦ *txt* 𝔓^{66} ℵ B C* L W Ψ 0250 *f*$^{1.13}$ 33. 565. 1424 *al* • **22** ⸢ *2 3 1* A C^{3} D^{s} (Θ) 0250 *f*$^{1.13}$ 𝔐 q ¦ τ. παρεστωτων υπηρ. (ℵ^{2}) C* L Ψ (054). 33. (700) *al* b f sy^{s} bo ¦ *txt* 𝔓^{59vid} ℵ* B W *pc* lat

κεν ῥάπισμα τῷ Ἰησοῦ εἰπών· οὕτως ἀποκρίνῃ τῷ ἀρχιε- 19,3 Ex 22,28
ρεῖ; **23** ⸀ἀπεκρίθη αὐτῷ Ἰησοῦς⸁· εἰ κακῶς ἐλάλησα,
μαρτύρησον περὶ τοῦ κακοῦ· εἰ δὲ καλῶς, τί με δέρεις; 8,46
24 ἀπέστειλεν ⸀οὖν αὐτὸν ὁ Ἅννας δεδεμένον πρὸς Καϊά- 13 Mt 26,3!
φαν τὸν ἀρχιερέα.⸆

25 Ἦν δὲ Σίμων Πέτρος ἑστὼς καὶ θερμαινόμενος. εἶ- *25–27:* Mt 26,69-75 Mc 14,66-72 L 22,56-62
πον οὖν αὐτῷ· μὴ καὶ σὺ ἐκ τῶν μαθητῶν αὐτοῦ εἶ; ἠρνή- 18 |
σατο ἐκεῖνος καὶ εἶπεν· οὐκ εἰμί. **26** λέγει εἷς ἐκ τῶν δούλων τοῦ ἀρχιερέως, συγγενὴς ὢν οὗ ἀπέκοψεν Πέτρος τὸ
ὠτίον· οὐκ ἐγώ σε εἶδον ἐν τῷ κήπῳ μετ' αὐτοῦ; **27** πάλιν
οὖν ἠρνήσατο ⸀Πέτρος, καὶ εὐθέως ἀλέκτωρ ἐφώνησεν. 13,38

28 Ἄγουσιν οὖν τὸν Ἰησοῦν ἀπὸ τοῦ Καϊάφα εἰς τὸ *28:* Mt 27,2 Mc 15,1 L 23,1
πραιτώριον· ἦν δὲ πρωΐ· * καὶ αὐτοὶ οὐκ εἰσῆλθον εἰς τὸ
πραιτώριον, ἵνα μὴ μιανθῶσιν ⸀ἀλλὰ φάγωσιν τὸ πάσχα. 19,14

29 ἐξῆλθεν οὖν ⸂ὁ Πιλᾶτος ἔξω πρὸς αὐτοὺς⸃ καὶ ⸀φη- *29–38:* Mt 27,11-14 Mc 15,2-5 L 23,2-5
σίν· τίνα κατηγορίαν φέρετε °[κατὰ] τοῦ ἀνθρώπου τού-
του; **30** ἀπεκρίθησαν καὶ εἶπαν αὐτῷ· εἰ μὴ ἦν οὗτος ⸂κα-
κὸν ποιῶν⸃, οὐκ ἄν ⸉σοι παρεδώκαμεν⸊ αὐτόν. **31** εἶπεν
οὖν αὐτοῖς °ὁ Πιλᾶτος· λάβετε ⸆ αὐτὸν ὑμεῖς καὶ κατὰ
τὸν νόμον ⸀ὑμῶν κρίνατε °¹αὐτόν. εἶπον ⸆ αὐτῷ οἱ Ἰου- 19,6s Act 18,15
δαῖοι· ἡμῖν οὐκ ἔξεστιν ἀποκτεῖναι οὐδένα· **32** ἵνα ὁ λόγος τοῦ Ἰησοῦ πληρωθῇ ὃν εἶπεν σημαίνων ποίῳ θανάτῳ 3,14! · 21,19!
ἤμελλεν ἀποθνῄσκειν.

33 Εἰσῆλθεν οὖν ⸂πάλιν εἰς τὸ πραιτώριον⸃ ⸋ὁ Πιλᾶτος καὶ ἐφώνησεν τὸν Ἰησοῦν⸌ καὶ εἶπεν αὐτῷ· σὺ
εἶ ὁ βασιλεὺς τῶν Ἰουδαίων; **34** ⸀ἀπεκρίθη ⸆ Ἰησοῦς· 12,13!

23 ⸂απ. αυ. ο Ιησ. A C^{3} D^{s} Ψ 054. 0250 *f*^{1} 𝔐 sy^{h} ¦ ο δε Ιησ. ειπεν αυτω ℵ W *f*^{13} *pc* (r^{1}) ¦ *txt* B C* L Θ 1241 *pc* • **24** ⸀δε ℵ *f*^{13} *pc* lat sy$^{s.p}$ ¦ – A C^{3} D^{s} 054 𝔐 q ¦ *txt* 𝔓^{60} B C* L N W Θ Ψ 0250 *f*^{1} 33. 565. 700 *al* it sy^{h} | [*ad* ⸆ *v.* 13] • **27** ⸀ο Π. 𝔓^{60vid} ℵ C^{2} N Θ (⸉*f*^{13}) 33. 209. 1241 *al* ¦ – 565 a b e ac^{2} ¦ *txt* A B C* D^{s} L W Ψ 054. 1 𝔐 • **28** ⸀αλλ ινα C^{2} L Ψ 054 *f*$^{1.13}$ 𝔐 it vg^{cl} sy^{h} ¦ *txt* 𝔓^{60vid} ℵ A B C* D^{s} N W Δ Θ 0250. 565 *pc* lat • **29** ⸂ *1 2 4 5* A C^{3} D^{s} Ψ 054. 0250 𝔐 q sy^{s} ¦ *1 2 4 5 3* N *f*^{13} ¦ *4 5 1–3* ℵ W ff^{2} ¦ *1 2* Θ ¦ *txt* 𝔓^{60vid} B C* L *f*^{1} 33. 565. 700 *pc* sy$^{p.h**}$ | ⸀ειπεν A D^{s} Θ 054. 0250 *f*^{13} 𝔐 ¦ *txt* 𝔓^{66} ℵ B C L W Ψ *f*^{1} 33. 565 *pc* | °† ℵ* B 087^{vid} *pc* e ¦ *txt* 𝔓^{66} ℵ^{2} A C D^{s} L W Θ Ψ 054 *f*$^{1.13}$ 𝔐 lat • **30** ⸂κακον ποιησας ℵ* ¦ κακοποιων C* Ψ 33 *pc* a ¦ κακοποιος A C^{3} D^{s} Θ 054 *f*$^{1.13}$ 𝔐 lat ¦ *txt* ℵ^{2} B L W | ⸉ 𝔓^{66} • **31** ° B C* | ⸆ουν 𝔓^{66} a r^{1} | ⸀ημων 𝔓^{60} | °¹ ℵ* W 087^{vid} *f*^{1} 28. 565. 892^{s} *al* c | ⸆ουν 𝔓^{60} ℵ L W Ψ 054. 0109. 0250 *f*^{13} 𝔐 lat ¦ δε A D^{s} K N Θ 087 *f*^{1} 565. 700. 1241 *al* sy^{h} ¦ *txt* 𝔓^{66vid} B C e q sy$^{s.p}$ • **33** ⸂ *2–4 1* 𝔓^{60vid} ℵ A C^{2} Θ (N Ψ) 087 *f*^{1} 𝔐 ¦ *2–4* 33. 1424 ¦ *txt* 𝔓$^{52.66vid}$ B C* D^{s} L W Δ 054. 0109 *f*^{13} *pc* | ⸋ 𝔓^{60} • **34** ⸀-νατο 𝔓^{66} A N Θ Ψ 087 *f*^{1} 33. 565. 700. 1241 *al* ¦ και -νατο D^{s} W lat ¦ *txt* 𝔓^{60} ℵ B C L 054. 0109 *f*^{13} 𝔐 | ⸆αυτω ο ℵ C^{3} *f*^{13} 𝔐 c sy^{p} sa^{ms} bo^{ms} ¦ ο A C* D^{s} N W Θ Ψ 054. 087. 33. 565. 700. 1241 *al* ¦ *txt* B L 0109. 1 *pc* sy^{h}

⸂ἀπὸ σεαυτοῦ⸃ °σὺ τοῦτο λέγεις ἢ ἄλλοι ⸉εἶπόν σοι⸊ περὶ
ἐμοῦ; **35** ἀπεκρίθη ὁ Πιλᾶτος· ⸀μήτι ἐγὼ Ἰουδαῖός εἰμι; τὸ
ἔθνος τὸ σὸν καὶ ⸂οἱ ἀρχιερεῖς⸃ ⸁παρέδωκάν σε ἐμοί· τί
ἐποίησας; **36** ἀπεκρίθη Ἰησοῦς· ἡ ⸂βασιλεία ἡ ἐμὴ⸃ οὐκ
3,3.5; 8,23 ἔστιν ἐκ τοῦ κόσμου τούτου· εἰ ἐκ τοῦ κόσμου τούτου
Mt 26,53 ἦν ἡ ⸂βασιλεία ἡ ἐμή⸃, οἱ ὑπηρέται ⸄οἱ ἐμοὶ ἠγωνίζοντο
[ἂν]⸅ ἵνα μὴ παραδοθῶ τοῖς Ἰουδαίοις· νῦν δὲ ἡ ⸂βασι-
λεία ἡ ἐμὴ⸃ οὐκ ἔστιν ἐντεῦθεν. **37** εἶπεν οὖν αὐτῷ ὁ Πι-
12,13! λᾶτος· οὐκοῦν βασιλεὺς εἶ σύ; ἀπεκρίθη °ὁ Ἰησοῦς· σὺ
λέγεις ὅτι βασιλεύς εἰμι⸆ :. ἐγὼ εἰς τοῦτο γεγέννημαι καὶ
11,27! 5,33; 8,40.45; εἰς τοῦτο ἐλήλυθα εἰς τὸν κόσμον, ἵνα μαρτυρήσω τῇ ἀ-
16,7 1J 2,21; 3,19 · 8,47; 10,3! | ληθείᾳ· πᾶς ὁ ὢν ἐκ τῆς ἀληθείας ἀκούει μου τῆς φωνῆς.
38 λέγει ⸆ αὐτῷ °ὁ Πιλᾶτος· τί ἐστιν ἀλήθεια;

Καὶ τοῦτο εἰπὼν πάλιν ἐξῆλθεν πρὸς τοὺς Ἰουδαίους
καὶ λέγει αὐτοῖς· ἐγὼ οὐδεμίαν ⸉εὑρίσκω ἐν αὐτῷ αἰτίαν⸊.
39 ἔστιν δὲ συνήθεια ὑμῖν ἵνα ἕνα ⸂ἀπολύσω ὑμῖν⸃ °ἐν
39s: Mt 27,15-23 Mc 15,6-14 L 23,17-23 · 12,13! τῷ πάσχα· βούλεσθε οὖν ἀπολύσω ὑμῖν τὸν βασιλέα τῶν
Ἰουδαίων; **40** ἐκραύγασαν οὖν ⸀πάλιν °λέγοντες· μὴ τοῦ-
Act 3,14 τον ἀλλὰ τὸν Βαραββᾶν. ἦν δὲ ὁ Βαραββᾶς λῃστής.

1-3: Mt 27,28s Mc 15,17s · Mt 20,19 **19** Τότε οὖν ⸂ἔλαβεν ὁ Πιλᾶτος τὸν Ἰησοῦν καὶ⸃ ἐμα-
στίγωσεν. **2** καὶ οἱ στρατιῶται πλέξαντες ⸉στέφα-
νον ἐξ ἀκανθῶν⸊ ἐπέθηκαν αὐτοῦ τῇ κεφαλῇ καὶ ἱμάτιον
πορφυροῦν περιέβαλον αὐτὸν **3** ⸋καὶ ἤρχοντο πρὸς αὐ-
12,13! τὸν⸌ καὶ ἔλεγον· χαῖρε ⸂ὁ βασιλεὺς⸃ τῶν Ἰουδαίων· καὶ
18,22 ἐδίδοσαν αὐτῷ ῥαπίσματα. **4** ⸂Καὶ ἐξῆλθεν⸃ πάλιν
⸄ἔξω ὁ Πιλᾶτος⸅ καὶ λέγει αὐτοῖς· ἴδε ἄγω ὑμῖν αὐτὸν

34 ⸂† αφ εαυ- A C2 Ds W Θ 054. 087 *f*1.13 𝔐 ¦ *txt* 𝔓66 ℵ B C* L N Ψ 0109 *pc* | ° 𝔓60.66* ℵ* Ds *pc* | ⸉ 𝔓60 ℵ A C3 (N) Θ Ψ 054. 087. 0109 *f*1.13 𝔐 ¦ *txt* (𝔓66) B C* Ds L W *pc* • **35** ⸀μη ℵ* W *f*1 565 *pc* ¦ μη γαρ 𝔓66 | ⸂ο -ευς ℵ* b e *et* ⸁-κεν e • **36** ⸂ *ter* εμη βασ. ℵ (2° *loco:* Ds N Θ 0250 *pc*) | ⸄† *4 1-3* A Ds Θ 054. 0250 𝔐 ¦ *1-3* B* ¦ *txt* 𝔓60vid ℵ B2 L W Ψ 0109 *f*13 1. 33 *al*; Or • **37** ° 𝔓60.66vid L W Γ Δ Ψ 0109. 0250. 28. 33. 565. 1241 *pm* | ⸆εγω A Θ 0109. 0250 𝔐 lat ¦ *txt* 𝔓60vid ℵ B Ds L W Ψ 054 *f*1.13 33 *al* it | [: ;] • **38** ⸆ουν 𝔓66 | ° 𝔓66 28* | ⸉ *4 1-3* ℵ A W Θ Ψ 054(*: *– 2 3*) *f*1.13 𝔐 q ¦ *4 2 3 1* Ds *pc* ¦ *1 4 2 3* 𝔓66vid f ¦ *txt* B L 0109 *pc* lat • **39** ⸂ *2 1* A Θ 054(*) *f*13 𝔐 ¦ *1* Ψ 0250 *pc* it ¦ *txt* 𝔓66vid ℵ B Ds K L (W) Δ 0109(*) *f*1 33. 565 *al* | ° B 0109* • **40** ⸀παντες K N Ψ *f*1.13 28. 33. 565. 700 *al* it syp sa pbo bo ¦ παλιν παντες 𝔓66vid A (⸉ Ds) Θ 054. 0250 𝔐 vg syh ¦ – 1241 *pc* ac2 ¦ *txt* 𝔓60 ℵ B L W 0109 *pc* | ° 𝔓66* it

¶ **19,1** ⸂ *2 3 1 4-6* 𝔓66vid Ψ 054 *pc* ¦ λαβων ο Π. τ. Ιησ. ℵ W (⸉ L 33 *pc*) ¦ *txt* A B Ds Θ *f*1.13 𝔐 • **2** ⸉ *2 3 1* 𝔓66 • **3** ⸋ A Ds Ψ 054 *f*1 𝔐 f q syp ¦ *txt* 𝔓66 ℵ B L N W Θ *f*13 33. 565. 700 *pc* lat syh co | ⸂ βασιλευ 𝔓66 ℵ • **4** ⸂εξηλθεν ℵ Ds Γ *f*1 565 *al* lat syh ¦ εξ. ουν 𝔓66c W Θ Ψ 054. 0250 *f*13 𝔐 vgcl ¦ *txt* 𝔓66*vid A B K L 33 *al* syp | ⸄ *2 3 1* ℵ L W *f*13 892s *pc* ¦ *2 3* 28 *al* ¦ *txt* 𝔓66 A B Ds Θ Ψ (054) *f*1 𝔐

ἔξω, ἵνα γνῶτε ὅτι ⸂¹οὐδεμίαν αἰτίαν εὑρίσκω ἐν αὐτῷ⸃.
7 **5** ἐξῆλθεν οὖν °ὁ Ἰησοῦς ἔξω, ⸀φορῶν τὸν ἀκάνθινον
στέφανον καὶ τὸ πορφυροῦν ἱμάτιον. ⸋καὶ λέγει αὐτοῖς·
ἰδοὺ °¹ὁ ἄνθρωπος.⸌
8 **6** ῞Οτε οὖν εἶδον αὐτὸν οἱ ἀρχιερεῖς καὶ οἱ ὑπηρέται
9 ἐκραύγασαν °λέγοντες· σταύρωσον °¹σταύρωσον⸆. λέγει
αὐτοῖς ὁ Πιλᾶτος· λάβετε ⸂αὐτὸν ὑμεῖς καὶ⸃ σταυρώσατε· 18,31
91 * ἐγὼ γὰρ οὐχ εὑρίσκω ἐν αὐτῷ αἰτίαν. **7** ἀπεκρίθησαν
°αὐτῷ οἱ Ἰουδαῖοι· ἡμεῖς νόμον ἔχομεν καὶ κατὰ τὸν Lv 24,16
νόμον ⸆ ὀφείλει ἀποθανεῖν, ὅτι ⸉υἱὸν θεοῦ ἑαυτὸν⸊ ἐ- 5,18!
2 ποίησεν. **8** ῞Οτε οὖν ἤκουσεν ὁ Πιλᾶτος τοῦτον τὸν
λόγον, μᾶλλον ἐφοβήθη, **9** καὶ εἰσῆλθεν εἰς τὸ πραιτώριον πάλιν καὶ λέγει τῷ Ἰησοῦ· πόθεν εἶ σύ; ὁ δὲ Ἰησοῦς 9,29!
3 ἀπόκρισιν οὐκ ἔδωκεν αὐτῷ. **10** λέγει °οὖν αὐτῷ ὁ Πιλᾶ- L 23,9p
τος· ἐμοὶ οὐ λαλεῖς; οὐκ οἶδας ὅτι ἐξουσίαν ἔχω ⸉ἀπολῦ-
σαί σε καὶ ἐξουσίαν ἔχω σταυρῶσαί⸊ σε; **11** ⸂ἀπεκρίθη 10,18
[αὐτῷ]⸃ ⸆Ἰησοῦς· οὐκ ⸀εἶχες ἐξουσίαν κατ᾽ ἐμοῦ οὐδεμίαν R 13,1
εἰ μὴ ἦν δεδομένον σοι ἄνωθεν· διὰ τοῦτο ὁ ⸁παραδούς 3,27! Act 2,23 · 18,30
μέ σοι μείζονα ἁμαρτίαν ἔχει. **12** ἐκ τούτου ὁ Πιλᾶτος
ἐζήτει ⸉ἀπολῦσαι αὐτόν⸊· οἱ δὲ Ἰουδαῖοι ⸂ἐκραύγασαν
λέγοντες⸃· ἐὰν τοῦτον ἀπολύσῃς, οὐκ εἶ φίλος τοῦ Καί-
σαρος· πᾶς ὁ βασιλέα ἑαυτὸν ποιῶν ἀντιλέγει τῷ Καί- 12,13! · L 23,2 Act 17,7
σαρι. **13** ὁ οὖν Πιλᾶτος ἀκούσας τῶν λόγων τούτων
ἤγαγεν ἔξω τὸν Ἰησοῦν καὶ ἐκάθισεν ἐπὶ ⸆ βήματος ⸋εἰς Mt 27,19
τόπον λεγόμενον⸌ Λιθόστρωτον, Ἑβραϊστὶ δὲ Γαββαθα.

4 ⸂¹ (*cf* 18,38) *4 5 1–3* Ds Θ 𝔐 vg syh ¦ *2 4 5 1 3* L 054 *pc* ¦ *1 4 5 2 3* A ¦ *1 2 4 5 3* Ψ 892s aur ¦ αιτιαν (+ εν αυτω 𝔓66vid) ουχ ευρ. 𝔓66vid א* W (*f*13) *pc* r1 ¦ *txt* (א1) B *f*1 33. 565 *pc* it • **5** °B | ⸀εχων 𝔓66 1. 565 *pc* it | ⸋ 𝔓66* it ac2 | °1 B • **6** °א 054 *pc* it | °1 𝔓66* 054c. 1010 *pc* it | ⸆αυτον א Ds Θ 054 *f*13 𝔐 it vgcl sy ¦ *txt* 𝔓66 A B L W Ψ *f*1 *al* vg | ⸂ *2 1 3* Ds L W Ψ 054 *pc* ¦ *2 1* 𝔓66vid • **7** ° 𝔓66 א W *f*1 565 *pc* it ac2 pbo boms; Or | ⸆ημων 𝔓60vid A Θ 054 *f*1.13 𝔐 q sy co ¦ *txt* 𝔓66vid א B Ds L N W Δ Ψ *pc* lat boms; Orlat | ⸉ *3 1 2* A Ds Θ 𝔐 ¦ *3 2 1* Γ Δ (28). 700. 892s. 1010 *al* ¦ *txt* 𝔓60vid.(66) א B L (W: του θ.) Ψ 054 *f*1.13 33. 565 *al* lat • **10** °א* A *f*13 28 *al* q r1 syp | ⸉ *6 2–5 1* Ds L W Θ (Ψ) 054 *f*1.13 𝔐 lat syh co ¦ *txt* 𝔓60 א A B N *pc* e syp • **11** ⸂ † απ. 𝔓66c A 054 (*f*13) 𝔐 lat ¦ και απ. 𝔓66* Θ ¦ *txt* 𝔓60vid א B Ds L Nc W Ψ *f*1 33. 565 *al* c j syh | ⸆ο 𝔓60 א A L N W Δ Θ 054c *f*1.13 33. 565 *al* ¦ *txt* B Ds Ψ 054* 𝔐 | ⸀εχεις א A Ds L N Ψ 054. 33. 565. 1241 *al* ¦ *txt* B W Θ *f*1.13 𝔐 latt sy; Orlat | ⸁ -διδους A Ds L W Ψ 054. 065 *f*1.13 𝔐 ¦ *txt* א B Δ Θ 1424 *pc* • **12** ⸉ 𝔓66 W 33 *pc* | ⸂ -γαζον λεγ. A L N W Θ 054. 065 *f*1.13 565. 1241 *al*; Or ¦ εκραζον λεγ. א2 𝔐 syh ¦ ελεγον א* ¦ *txt* 𝔓66vid B Ds Ψ 33. 700. 892s *al* • **13** ⸆του W Θ 054 *f*13 𝔐 ¦ *txt* 𝔓66 א A B Ds L N Ψ 065 *f*1 33 *al* | ⸋ 𝔓66*vid

Mc 15,42 **14** ἦν δὲ παρασκευὴ τοῦ πάσχα, ὥρα ⸂ἦν ὡς⸃ ⸀ἕκτη. καὶ
λέγει τοῖς Ἰουδαίοις· ἴδε ὁ βασιλεὺς ὑμῶν. **15** ⸂ἐκραύγα-
L 23,18 Act 21,36; 22,23; 28,19 v l σαν οὖν ἐκεῖνοι⸃· ἆρον ἆρον, σταύρωσον αὐτόν. * λέγει
αὐτοῖς ὁ Πιλᾶτος· τὸν βασιλέα ὑμῶν σταυρώσω; ἀπεκρί-
θησαν οἱ ἀρχιερεῖς· οὐκ ἔχομεν βασιλέα εἰ μὴ Καίσαρα.
Mt 27,26bp **16** Τότε οὖν παρέδωκεν αὐτὸν αὐτοῖς ἵνα σταυρωθῇ.
16b–27: Mt 27,31-37 Mc 15,20-26 L 23,26.33s ⸂Παρέλαβον οὖν τὸν Ἰησοῦν⸃⸆, **17** ⸋καὶ βαστάζων
⸂ἑαυτῷ τὸν σταυρὸν⸃ ἐξῆλθεν⸌ εἰς ⸂τὸν λεγόμενον Κρα-
νίου Τόπον⸃, ⸂¹ὃ λέγεται Ἑβραϊστὶ⸃ ⸀Γολγοθα, **18** ὅπου
αὐτὸν ἐσταύρωσαν, καὶ μετ᾽ αὐτοῦ ἄλλους δύο ἐντεῦθεν
καὶ ἐντεῦθεν, μέσον δὲ τὸν Ἰησοῦν. **19** ἔγραψεν δὲ καὶ
τίτλον ὁ Πιλᾶτος καὶ ἔθηκεν ἐπὶ τοῦ σταυροῦ· ἦν δὲ γε-
γραμμένον·
18,5.7 Act 2,22! · 3.21; 18,33.39 Ἰησοῦς ὁ Ναζωραῖος ὁ βασιλεὺς τῶν Ἰουδαίων.
20 τοῦτον οὖν τὸν τίτλον πολλοὶ ἀνέγνωσαν τῶν Ἰουδαί-
ων, ὅτι ἐγγὺς ἦν ὁ τόπος τῆς πόλεως ὅπου ἐσταυρώθη ὁ
Ἰησοῦς· ⸂καὶ ἦν γεγραμμένον Ἑβραϊστί, Ῥωμαϊστί, Ἑλ-
ληνιστί⸃. **21** ἔλεγον οὖν τῷ Πιλάτῳ οἱ ἀρχιερεῖς τῶν
Ἰουδαίων· μὴ γράφε· ὁ βασιλεὺς τῶν Ἰουδαίων, ἀλλ᾽ ὅτι
ἐκεῖνος εἶπεν· βασιλεύς ⸉εἰμι τῶν Ἰουδαίων⸊. **22** ἀπεκρίθη ὁ Πιλᾶτος· ὃ γέγραφα, γέγραφα.
23 Οἱ οὖν στρατιῶται, ὅτε ἐσταύρωσαν τὸν Ἰησοῦν,
ἔλαβον τὰ ἱμάτια αὐτοῦ καὶ ἐποίησαν τέσσαρα μέρη,
ἑκάστῳ στρατιώτῃ μέρος, ⸋καὶ τὸν χιτῶνα⸌. ἦν δὲ ὁ χι-
τὼν ἄραφος, ἐκ τῶν ἄνωθεν ὑφαντὸς δι᾽ ὅλου. **24** εἶπαν
οὖν πρὸς ἀλλήλους· μὴ σχίσωμεν αὐτόν, ἀλλὰ λάχω-

14 ⸂δε ως Θ 054. 065 𝔐 sy^{h} ¦ δε ην ως K *pc* ¦ – 𝔓^{66*} ¦ *txt* 𝔓^{66c} ℵ A B (D^{s}) L (N) W Δ Ψ (*f*$^{1.13}$) 33. (565. 1241) *al* c j | ⸀τριτη ℵ^{2} D^{s} L Δ Ψ *pc* ● **15** ⸂οι δε -σαν (-ζον A D^{s} K N Θ 054 *al*; + λεγοντες N *f*^{13} 700 *pc*) A D^{s} Θ 054 *f*$^{1.13}$ 𝔐 lat sy ¦ οι δε ελεγον ℵ* W ¦ *txt* ℵ^{2} B L Ψ (33) *pc* it ● **16** ⸂π. δε τ. Ι. A Θ (054). 065 𝔐 vg sy^{h} ¦ παραλαβοντες ουν τ. Ι. ℵ^{2} (700) *pc* ¦ οι δε παραλαβοντες (λαβ- ℵ*) τ. Ι. (αυτον *f*$^{1.13}$ *pc*) 𝔓^{60vid} ℵ* N W *f*$^{1.13}$ 565 *al* ¦ *txt* B D^{s} (L) Ψ 33. (892^{s}) *pc* it | ⸆και ηγαγον (απη- A *al*) A D^{s} Θ 054. 065 𝔐 lat sy ¦ απηγαγον (+ αυτον ℵ) 𝔓^{66vid} ℵ N W *f*^{1} 565 *al* ¦ απηγ- εις το πραιτωριον (Γ) 700 *al* ¦ ηγ- και επεθηκαν αυτω τον σταυρον *f*^{13} ¦ *txt* B L Ψ 33 *pc* it bo ● **17** ⸋𝔓^{66*} | ⸂τ. στ. (ε)αυτου A (⸉D) Θ 054. 065 𝔐 q sy^{h} co ¦ αυτον *f*^{13} ¦ *txt* 𝔓$^{60.66c}$ ℵ (B) L W Ψ (33) *pc* lat (⸉*f*^{1} 565 *pc*) | ⸂τοπον λεγ. Κ. 𝔓^{66vid} Γ *pc* aur c ff^{2} ¦ τοπ. λεγ. Κ. Τ. *f*^{13} 28^{s}. 700. 892^{s}. 1010. 1424 *pm* it | ⸂^{1}ος λ. Ε. D^{s} Θ 054. 065 *f*$^{1.13}$ 𝔐 ¦ Ε. δε L Ψ 33 *pc* ¦ *txt* 𝔓^{66} ℵ A B K W *pc* | ⸀Γολγοθ B sa^{mss} ● **20** ⸂*1–4 6 5* A D^{s} Θ 054. 065 *f*^{1} 𝔐 lat sy ¦ *1–5 4* (*!*) W ¦ – (*sed add. 4–6 p.* γεγρ. *vs* 19) *f*^{13} ¦ *txt* 𝔓^{66vid} ℵ^{1} B L N Ψ 33 *al* e ff^{2} co (ℵ* 565: *h. t.*) ● **21** ⸉B L Ψ 33 *pc* ● **23** ⸋ℵ* it sy^{p} sa^{ms}

μεν περὶ αὐτοῦ τίνος ἔσται· ἵνα ἡ γραφὴ πληρωθῇ
⸋[ἡ λέγουσα]⸌·
διεμερίσαντο τὰ ἱμάτιά μου ἑαυτοῖς Ps 22,19
καὶ ἐπὶ τὸν ἱματισμόν μου ἔβαλον κλῆρον.
2 Οἱ μὲν οὖν στρατιῶται ταῦτα ἐποίησαν.
25 Εἱστήκεισαν δὲ παρὰ τῷ σταυρῷ ⸋τοῦ Ἰησοῦ⸌ ἡ
μήτηρ αὐτοῦ καὶ ἡ ἀδελφὴ τῆς μητρὸς αὐτοῦ, ⸋¹⸀Μαρία Mc 15,40p
ἡ τοῦ Κλωπᾶ καὶ⸌ ⸀Μαρία ἡ Μαγδαληνή. **26** Ἰησοῦς
οὖν ἰδὼν τὴν μητέρα καὶ τὸν μαθητὴν παρεστῶτα ὃν ἠγά- 13,23!
πα, λέγει τῇ μητρί⸆· γύναι, ⸀ἴδε ὁ υἱός σου. **27** εἶτα λέγει 2,4!
τῷ μαθητῇ· ⸀ἴδε ἡ μήτηρ σου. καὶ ἀπ' ἐκείνης τῆς ὥρας
ἔλαβεν ⸉ὁ μαθητὴς αὐτὴν⸊ εἰς τὰ ἴδια. *28–30:* Mt 27,48-50 Mc 15,36s L 23,36.46
3 **28** Μετὰ τοῦτο ⸂εἰδὼς ὁ Ἰησοῦς⸃ ὅτι ⸂¹ἤδη πάντα⸃¹ τε-
τέλεσται, ⸋ἵνα ⸀τελειωθῇ ἡ γραφή,⸌ λέγει· διψῶ. **29** σκεῦ- 18,4! · 4,34! · Ps 69,22; 63,2 |
ος ⸆ ἔκειτο ὄξους μεστόν· ⸂σπόγγον οὖν μεστὸν τοῦ
ὄξους ὑσσώπῳ περιθέντες⸃ προσήνεγκαν αὐτοῦ τῷ στό-
ματι. **30** ὅτε οὖν ἔλαβεν τὸ ὄξος ⸂[ὁ] Ἰησοῦς⸃ εἶπεν· τε- 4,34! L 12,50!
4 τέλεσται, καὶ κλίνας τὴν κεφαλὴν παρέδωκεν τὸ πνεῦμα. Job 19,26s 𝔊 · 10,18
5 **31** Οἱ οὖν Ἰουδαῖοι, ⸉ἐπεὶ παρασκευὴ ἦν, ἵνα μὴ μείνῃ
ἐπὶ τοῦ σταυροῦ τὰ σώματα ἐν τῷ σαββάτῳ⸊, ἦν γὰρ με- Dt 21,23
γάλη ἡ ἡμέρα ⸀ἐκείνου τοῦ σαββάτου, ἠρώτησαν τὸν 7,37
Πιλᾶτον ἵνα κατεαγῶσιν αὐτῶν τὰ σκέλη καὶ ἀρθῶσιν.
32 ἦλθον οὖν οἱ στρατιῶται καὶ τοῦ μὲν πρώτου κατέαξαν
τὰ σκέλη καὶ τοῦ ἄλλου τοῦ συσταυρωθέντος αὐτῷ·
33 ἐπὶ δὲ τὸν Ἰησοῦν ἐλθόντες, ὡς εἶδον ⸉ἤδη αὐτὸν⸊
τεθνηκότα, οὐ κατέαξαν αὐτοῦ τὰ σκέλη, **34** ἀλλ' εἷς τῶν

24 ⸋† א B it sa^{mss} ac^{2} pbo ¦ *txt* A D^{s} L W Θ Ψ 054. 065 $f^{1.13}$ 𝔐 lat sy sa^{mss} bo ● **25** ⸋ W | ⸋¹ 𝔓^{60vid} | ⸀*bis* -ιαμ א (L) Ψ 1. 33. 565 *pc* ● **26** ⸆αυτου A D^{s} Θ 054 f^{13} 𝔐 lat sy ¦ *txt* 𝔓^{66vid} א B L W Ψ 1. 565 *pc* b e | ⸀ιδου א A L W Θ Ψ 054 f^{13} 𝔐 ¦ *txt* B D^{s} N 28^{s}. 209. 892^{s} *al* ● **27** ⸀ιδου A D^{s} 054 f^{1} 𝔐 ¦ *txt* א B L N W Θ Ψ f^{13} 33. 1241 *al* | ⸉ א D^{s} W Γ $f^{1.13}$ 28^{s}. 565. 1241. 1424 *pm* ● **28** ⸂ *3 1* B it ¦ ιδων ο Ιησ. K Γ Ψ 054 f^{13} 28^{s}. (892^{s}). 1010. 1424 *pm* a bo ¦ *txt* א A D^{s} L N W Θ f^{1} 33. 565. 700. 1241 *pm* vg | ⸂¹ *2 1* א Θ f^{13} 𝔐 ¦ *2* W f^{1} 565. 700. 1424 *pc* it vg^{cl} sy^{p} sa ac^{2} pbo ¦ *txt* 𝔓^{66} A B D^{s} L Ψ 054. 33 *al* | ⸋ 𝔓^{66*} | ⸀πληρωθη א D^{s} Θ $f^{1.13}$ (⸉ 565) *al* it ● **29** ⸆ουν D^{s} Θ 054 $f^{1.13}$ 𝔐 lat sy^{h} ¦ δε א ¦ *txt* A B L W Ψ *pc* it | ⸂οι δε πλησαντες σπ. οξους (+ μετα χολης f^{13} q sy^{h**}) και υσσωπω περιθ. A D^{s} 054 f^{13} 𝔐 f q sy bo ¦ οι δε πλ. σπ. του οξ. μετα χολ. και υσσωπου, και περιθ. καλαμω Θ 892^{s} *pc* ¦ *txt* 𝔓^{66vid} א(*: – του) B L W Ψ 1. 33. 565 *pc* lat sa^{mss} ac^{2} pbo [υσσω (*cf* it) Camerarius *cj*] ● **30** ⸂ *2* B W ¦ – א* a pbo ¦ *txt* 𝔓^{66vid} *rell* ● **31** ⸉ *4–14 1–3* A D^{s} Θ 𝔐 q sy^{h} ¦ *txt* 𝔓^{66} א B L W Ψ 054 $f^{1.13}$ 33. 565 *pc* lat co | ⸀-νη B* 33. 892^{s} *al* vg sy ● **33** ⸉ א A D^{s} Θ Ψ 054. 0250 $f^{1.13}$ 𝔐 lat ¦ *txt* 𝔓^{66} B L W *pc*

20,20! στρατιωτῶν λόγχῃ αὐτοῦ τὴν πλευρὰν ⸀ἔνυξεν, καὶ ⸉ἐξ-
1J 5,6 ῆλθεν εὐθὺς⸊ αἷμα καὶ ὕδωρ. **35** ⸋καὶ ὁ ἑωρακὼς μεμαρ-
21,24 3J 12 τύρηκεν, καὶ ἀληθινὴ αὐτοῦ ἐστιν ἡ μαρτυρία, καὶ ἐκεῖ-
20,31 νος οἶδεν ὅτι ἀληθῆ λέγει, ἵνα °καὶ ὑμεῖς ⸀πιστεύ[σ]ητε.⸌
Ex 12,10.46 𝔊 *Ps 34,21* Nu 9,12 **36** ἐγένετο γὰρ ταῦτα ἵνα ἡ γραφὴ πληρωθῇ· *ὀστοῦν
οὐ συντριβήσεται αὐτοῦ.* **37** καὶ πάλιν ἑτέρα γραφὴ λέγει·
Zch 12,10 Ap 1,7 *ὄψονται εἰς ὃν ἐξεκέντησαν.*
38–42: Mt 27,57-60 Mc 15,42-46 L 23,50-54 **38** Μετὰ δὲ ταῦτα ἠρώτησεν τὸν Πιλᾶτον ⸆ Ἰωσὴφ °[ὁ] 18
ἀπὸ Ἁριμαθαίας, ὢν μαθητὴς °¹τοῦ Ἰησοῦ κεκρυμμένος 20 I
9,22! 1Rg 13,29s δὲ διὰ τὸν φόβον τῶν Ἰουδαίων, ἵνα ἄρῃ τὸ σῶμα τοῦ
Ἰησοῦ· ⸋καὶ ἐπέτρεψεν ὁ Πιλᾶτος.⸌ ⸀ἦλθεν οὖν καὶ ⸀ἦρεν
3,1!s ⸂τὸ σῶμα αὐτοῦ⸃. **39** ἦλθεν δὲ καὶ Νικόδημος, ὁ ἐλθὼν 20 X
⸂πρὸς αὐτὸν νυκτὸς τὸ⸃ πρῶτον, ⸀φέρων ⸁μίγμα σμύρνης
12,3 καὶ ἀλόης ὡς λίτρας ἑκατόν. **40** ἔλαβον οὖν τὸ σῶμα 20 I
20,5-7 L 24,12 τοῦ Ἰησοῦ καὶ ἔδησαν αὐτὸ ⸆ ὀθονίοις μετὰ τῶν ἀρωμά-
των, καθὼς ἔθος ἐστὶν τοῖς Ἰουδαίοις ἐνταφιάζειν. **41** ἦν
δὲ ἐν τῷ τόπῳ ὅπου ἐσταυρώθη κῆπος, καὶ ἐν τῷ κήπῳ
μνημεῖον ⸀καινὸν ἐν ᾧ οὐδέπω οὐδεὶς ⸂ἦν τεθειμένος⸃·
42 ἐκεῖ οὖν διὰ τὴν παρασκευὴν ⸋τῶν Ἰουδαίων⸌, ὅτι
ἐγγὺς ἦν τὸ μνημεῖον, ἔθηκαν τὸν Ἰησοῦν.
1–10: Mt 28,1-8 Mc 16,1-8 L 24,1-9 **20** Τῇ δὲ μιᾷ τῶν σαββάτων ⸀Μαρία ἡ Μαγδαληνὴ 20 I
ἔρχεται πρωῒ σκοτίας ἔτι οὔσης εἰς τὸ μνημεῖον
καὶ βλέπει τὸν λίθον ἠρμένον ⸆ ἐκ τοῦ μνημείου. **2** τρέχει 21 X
18,15! οὖν καὶ ἔρχεται πρὸς ⸆ Σίμωνα Πέτρον καὶ πρὸς τὸν ἄλ-
13,23! λον μαθητὴν ὃν ἐφίλει ὁ Ἰησοῦς καὶ λέγει αὐτοῖς· ἦραν
τὸν κύριον ἐκ τοῦ μνημείου καὶ οὐκ οἴδαμεν ποῦ ἔθηκαν
18,15! αὐτόν. **3** Ἐξῆλθεν οὖν ὁ Πέτρος καὶ ὁ ἄλλος μαθητὴς

34 ⸀(*ex itac.*) ηνοιξεν *pc* f r^{1} vg sy^{h} | ⸉A D^{s} Θ 0250 *f*$^{1.13}$ 𝔐 lat ¦ *txt* 𝔓^{66vid} ℵ B L N W Ψ 054. 33 *pc* it • **35** ⸋*vs* e vg^{ms} | °054 𝔐 bo^{pt} ¦ *txt* 𝔓^{66} ℵ A B D^{s} K L N W Θ Ψ *f*$^{1.13}$ 33. 565. 1241 *al* lat sy co | ⸀† -ητε ℵ* B Ψ; Or ¦ *txt* ℵ^{2} A D^{s} L W Θ 054 *f*$^{1.13}$ 𝔐 • **38** ⸆ο A Γ Δ Θ 054. 1010. 1424 *pm* | °† 𝔓^{66vid} A B D^{s} L Ψ *pc* ¦ *txt* ℵ W Θ 054 *f*$^{1.13}$ 𝔐 sy | °¹B | ⸋𝔓^{66vid} | ⸀ηλθον *et* ⸀ηραν ℵ* N W *pc* it sa^{mss} | ⸂το σ. του Ιησου (A) D^{s} Θ 054 *f*$^{(1).13}$ 𝔐 lat sy bo ¦ αυτον ℵ* W *pc* it ¦ *txt* 𝔓^{66} ℵ^{2} B L Ψ 33 *al* sa (pbo) • **39** ⸂*1–3* 𝔓^{66*} ¦ πρ. τον Ιησουν νυκτ. το ℵ D^{s} W Θ *f*$^{1.13}$ 𝔐 lat sy ¦ *txt* 𝔓^{66c} A B L Ψ 054 *pc* | ⸀εχων ℵ* | ⸁ελιγμα ℵ* B W ¦ σμιγμα Ψ 892^{s} *pc* ¦ (*ex itac.?*) σμηγμα *pc* ¦ *txt* 𝔓^{66vid} ℵ^{c} A D^{s} L Θ 054 *f*$^{1.13}$ 𝔐 sy • **40** ⸆εν A D^{s} Θ 𝔐 q r^{1} ¦ *txt* 𝔓^{66} ℵ B K L N W Ψ 054 *f*$^{1.13}$ 33. 565 *al* lat • **41** ⸀(*ex itac.?*) κενον D^{s} N *pc* | ⸂ετεθη A D^{s} L Θ Ψ *f*$^{1.13}$ 𝔐; Or ¦ *txt* 𝔓^{66vid} ℵ B W *pc* • **42** ⸋it sy$^{s.p}$

¶ **20,1** ⸀-ιαμ ℵ A L W 1. (⸉33). 565 *pc* | ⸆απο της θυρας ℵ W (*f*^{1} 565) *al* it sy^{s} pbo bo • **2** ⸆τον ℵ 209

⸂καὶ ἤρχοντο εἰς τὸ μνημεῖον. **4** ἔτρεχον δὲ⸃ οἱ δύο L 24,24
ὁμοῦ· ⸋καὶ ὁ ἄλλος μαθητὴς⸌ προέδραμεν τάχιον τοῦ
Πέτρου καὶ ἦλθεν πρῶτος εἰς τὸ μνημεῖον, **5** καὶ παρακύψας βλέπει ⸉κείμενα τὰ ὀθόνια⸊, ⸋οὐ μέντοι ⸆ εἰσῆλθεν. 19,40
6 ἔρχεται οὖν °καὶ Σίμων Πέτρος ἀκολουθῶν αὐτῷ καὶ
εἰσῆλθεν εἰς τὸ μνημεῖον, καὶ θεωρεῖ τὰ ὀθόνια κείμενα,⸌
7 καὶ τὸ σουδάριον, ὃ ἦν ἐπὶ τῆς κεφαλῆς αὐτοῦ, οὐ μετὰ 11,44!
τῶν ὀθονίων κείμενον ἀλλὰ χωρὶς ἐντετυλιγμένον εἰς
ἕνα τόπον. **8** τότε οὖν εἰσῆλθεν καὶ ὁ ἄλλος μαθητὴς ὁ
ἐλθὼν πρῶτος εἰς τὸ μνημεῖον καὶ εἶδεν καὶ ἐπίστευσεν·
9 οὐδέπω γὰρ ᾔδεισαν ⸋τὴν γραφὴν⸌ ὅτι δεῖ αὐτὸν ἐκ 2,22! 1K 15,4
νεκρῶν ἀναστῆναι. **10** ἀπῆλθον οὖν πάλιν πρὸς ⸀αὐτοὺς
οἱ μαθηταί.
11 ⸀Μαρία δὲ εἱστήκει ⸁πρὸς τῷ μνημείῳ ⸂ἔξω κλαί- *11–18:* Mc 16,9s
ουσα⸃. ὡς οὖν ἔκλαιεν, παρέκυψεν εἰς τὸ μνημεῖον **12** καὶ
θεωρεῖ °δύο ἀγγέλους ⸂ἐν λευκοῖς καθεζομένους⸃, ἕνα L 24,4 · Mc 16,5p
πρὸς τῇ κεφαλῇ καὶ ἕνα πρὸς τοῖς ποσίν, ὅπου ἔκειτο τὸ
σῶμα τοῦ Ἰησοῦ. **13** °καὶ λέγουσιν αὐτῇ ἐκεῖνοι· γύναι, 2,4!
τί κλαίεις; ⸆ λέγει αὐτοῖς ὅτι ἦραν τὸν κύριόν μου, καὶ
οὐκ οἶδα ποῦ ἔθηκαν αὐτόν. **14** ⸆ταῦτα εἰποῦσα ἐστρά- Mc 16,6
φη εἰς τὰ ὀπίσω καὶ θεωρεῖ τὸν Ἰησοῦν ἑστῶτα καὶ οὐκ
ᾔδει ὅτι Ἰησοῦς ἐστιν. **15** λέγει αὐτῇ ⸆ Ἰησοῦς· γύναι, 21,4!
τί κλαίεις; τίνα ζητεῖς; ἐκείνη δοκοῦσα ὅτι ὁ κηπουρός
ἐστιν λέγει αὐτῷ· κύριε, εἰ σὺ ἐβάστασας αὐτόν, εἰπέ μοι
ποῦ ἔθηκας αὐτόν, κἀγὼ αὐτὸν ἀρῶ. **16** λέγει αὐτῇ ⸆ Ἰη-
σοῦς· ⸀Μαριάμ. στραφεῖσα ⸇ ἐκείνη λέγει αὐτῷ Ἑβραϊ- 10,3
στί· ⸁ραββουνί (ὃ λέγεται ⸆[1] διδάσκαλε)⸆[2]. **17** λέγει αὐτῇ Mc 10,51
⸆ Ἰησοῦς· ⸂μή μου ἅπτου⸃, οὔπω γὰρ ἀναβέβηκα πρὸς 3,13!

3/4 ⸂και ετρ. ℵ* | ⸋ ℵ* • **5/6** ⸉ ℵ A N (Ψ) 0114 f^{1} *pc* | ⸋ ℵ* | ⸆γε L Ψ 0114. 1. 33. 565 *pc* | ° A D^{s} Θ $f^{1.13}$ 𝔐 lat sy^{h} ¦ *txt* 𝔓^{66} ℵ^{2} B L W Ψ 0114. 33 *pc* (a) r^{1} co • **9** ⸋ vg^{ms}; Chr Non • **10** ⸀εαυ- ℵ^{2} A D^{s} W Θ Ψ 050. 0114 $f^{1.13}$ 𝔐 ¦ *txt* ℵ* B L *pc* • **11** ⸀-ιαμ 𝔓^{66c} ℵ Ψ 050 f^{1} 33. 565 *pc* | ⸁εν ℵ *et* ⸂ *2* ℵ* A it sy$^{s.p}$ ¦ *2 1* D^{s} Θ Ψ f^{13} 𝔐 q sy^{h} ¦ *txt* ℵ^{2} B L N W Δ 050. 1. 33. 565 *pc* vg co • **12** ° ℵ* e | ⸂ *3 1 2* ℵ ¦ – D^{s} • **13** ° ℵ lat sy^{s} | ⸆τινα ζητεις; D 1424 *pc* sy^{s} ¦ και B • **14** ⸆και 𝔐 sy^{s} ¦ *txt* 𝔓^{5vid} ℵ A B D (L) W Θ Ψ 0250 $f^{1.13}$ 33. 565 *al* sy$^{p.h}$ • **15** ⸆ο A D Θ Ψ 050 $f^{1.13}$ 𝔐 ¦ *txt* 𝔓^{66} ℵ B L W 0250. (28^{s}) *pc* • **16** ⸆ο ℵ A W Ψ 0250 $f^{1.13}$ 𝔐 ¦ *txt* B D L Θ 050 *pc* | ⸀-ια A D Θ Ψ 0250 f^{13} 𝔐 ¦ *txt* ℵ B L N W 050. 1. 33. 565 *pc* | ⸇δε ℵ D N Θ 0250 *pc* it | ⸁-ββωνι D Θ latt | ⸆[1]κυριε D (it) | ⸆[2]και προσεδραμεν αψασθαι αυτου ℵ^{1} Θ Ψ (f^{13}) *pc* vg^{mss} sy$^{(s).h}$ • **17** ⸆ο ℵ A W Θ 050 $f^{1.13}$ 𝔐 ¦ *txt* B D L Ψ *pc* | ⸂ *1 3 2* B ¦ [*3 2* Lepsius *cj*]

Ps 22,23 Mt 12, 48sp; 25,40; 28, 10 R 8,29 H 2, 11s · 16,28! τὸν πατέρα⸆· πορεύου ⸀δὲ πρὸς τοὺς ἀδελφούς °μου καὶ
εἰπὲ αὐτοῖς· ἀναβαίνω πρὸς τὸν πατέρα μου καὶ πατέρα
ὑμῶν καὶ θεόν μου καὶ θεὸν ὑμῶν. **18** ἔρχεται ⸀Μαριὰμ
25! 1K 9,1 ἡ Μαγδαληνὴ ⸁ἀγγέλλουσα τοῖς μαθηταῖς ὅτι ⸀¹ἑώρακα
20.28; 21,7.12 τὸν κύριον, καὶ ⸂ταῦτα εἶπεν αὐτῇ⸃.
19–23: L 24,36-43 **19** Οὔσης οὖν ὀψίας τῇ ἡμέρᾳ ἐκείνῃ ⸂τῇ μιᾷ⸃ σαββάτων καὶ τῶν θυρῶν κεκλεισμένων ὅπου ἦσαν οἱ μαθηταὶ
9,22! ⸆ διὰ τὸν φόβον τῶν Ἰουδαίων, ἦλθεν °ὁ Ἰησοῦς καὶ ἔστη
21.26; 14,27 εἰς τὸ μέσον καὶ λέγει αὐτοῖς· εἰρήνη ὑμῖν. **20** καὶ τοῦτο
25; 19,34 · 16,22 · εἰπὼν ἔδειξεν ⸆ τὰς χεῖρας καὶ τὴν πλευρὰν ⸀αὐτοῖς. ἐχά-
18! ρησαν οὖν οἱ μαθηταὶ ἰδόντες τὸν κύριον. **21** εἶπεν οὖν
19! · 17,18 αὐτοῖς ⸋[ὁ Ἰησοῦς]⸌ πάλιν· εἰρήνη ὑμῖν· καθὼς ἀπέσταλκέν με ὁ πατήρ, κἀγὼ ⸀πέμπω ὑμᾶς. **22** καὶ τοῦτο εἰπὼν
Gn 2,7 Ez 37,9 Sap 15, 11 · 7,39! L 24,49 | ἐνεφύσησεν καὶ λέγει αὐτοῖς· λάβετε πνεῦμα ἅγιον· **23** ἄν
Mt 18,18! ⸀τινων ἀφῆτε τὰς ἁμαρτίας ⸁ἀφέωνται αὐτοῖς, ἄν ⸀τινων
κρατῆτε κεκράτηνται.
11,16! **24** Θωμᾶς δὲ εἷς ἐκ τῶν δώδεκα, ὁ λεγόμενος Δίδυμος,
οὐκ ἦν μετ' αὐτῶν ὅτε ἦλθεν ⸆ Ἰησοῦς. **25** ἔλεγον οὖν
18! 1J 1,1 αὐτῷ οἱ ἄλλοι μαθηταί· ἑωράκαμεν τὸν κύριον. ὁ δὲ εἶπεν
20! αὐτοῖς· ἐὰν μὴ ἴδω ἐν ταῖς χερσὶν αὐτοῦ ⸂τὸν τύπον⸃ τῶν
ἥλων καὶ βάλω ⸉τὸν δάκτυλόν μου⸊ εἰς ⸄τὸν τύπον τῶν
ἥλων⸅ καὶ βάλω ⸂¹μου τὴν χεῖρα⸃ εἰς τὴν πλευρὰν αὐτοῦ,
οὐ μὴ πιστεύσω. **26** Καὶ μεθ' ἡμέρας ὀκτὼ ⸆ πάλιν ἦσαν

17 ⸆μου 𝔓[66] A L Θ Ψ 050 *f*[1.13] 𝔐 lat sy co; Or Eus Epiph ¦ *txt* ℵ B D W *pc* b e; Ir[lat] | ⸀ουν ℵ[2] D L 050 *pc* ¦ – A | °ℵ* D W *pc* e; Ir ● 18 ⸀-ια A D W Θ Ψ 0250 *f*[13] 𝔐 ¦ *txt* 𝔓[66] ℵ B L 1. 33. 565 *pc* | ⸁απαγγ- 𝔓[66c] ℵ[2] D L Θ *f*[1.13] 𝔐 ¦ αναγγ- W Δ Ψ 33. 1010 *al* ¦ *txt* 𝔓[66*] ℵ* A B 078. 0250 *pc* | ⸀¹-κεν A D L Θ Ψ 078. 0250 *f*[1.13] 𝔐 it sy[p.h] bo[ms] ¦ -καμεν 33 *pc* ¦ *txt* 𝔓[66] ℵ B N W 892[s] *pc* a vg sy[s] co | ⸂τ. ει. μοι lat sa ac[2] bo[mss] ¦ α ει. αυτη εμηνυσεν αυτοις D (c e) sy[s] ● 19 ⸂μια ℵ* ¦ μιας W ¦ τη μια των D Θ Ψ *f*[1.13] 𝔐 ¦ *txt* ℵ[2] A B L 078. 0250. 33 *pc* | ⸆συνηγμενοι ℵ[2] Θ 0250 *f*[1.13] 𝔐 it vg[cl] sy[h**] bo ¦ αυτου συνηγμ. L Δ Ψ 33 *al* f sa ¦ *txt* ℵ* A B D W 078 *pc* lat sy[s.p] ac[2] pbo | °D 078. 0250 *pc* ● 20 ⸆† και A B ¦ αυτοις L Θ Ψ *f*[1.13] 𝔐 lat sy ¦ *txt* ℵ D W 078. 0250 *pc* q *et* ⸀αυτου 𝔓[66vid] L Θ Ψ *f*[13] 𝔐 b c r[1] sy ¦ – N 1. 565 *pc* lat ¦ *txt* ℵ A B D W 078. 0250. 28[s] *pc* q ● 21 ⸋ℵ D L W Ψ 050 *pc* lat sy[s] co ¦ *txt* A B Θ *f*[(1).13] (565) 𝔐 it sy[p.h] | ⸀πεμψω ℵ* *f*[13] *pc* c bo[mss] ¦ αποστελλω ℵ[1] D* L 050. 33 *pc* ¦ *txt* ℵ[2] A B D[1] W Θ Ψ *f*[1] 𝔐 ● 23 ⸀*bis* τινος B it sy[s.p] | ⸁αφιενται B[2] W Θ 078 𝔐 sy ¦ αφιονται B* Ψ *pc* ¦ αφεθησεται ℵ* q sa ac[2] pbo ¦ *txt* ℵ[2] A D (L) 050 *f*[1.13] 33[vid]. 565 *al* ● 24 ⸆ο A L W Θ Ψ 050. 078 *f*[1.13] 𝔐 ¦ *txt* 𝔓[5] ℵ B D *pc* ● 25 ⸂τον τοπον N f q (sy[p]) ¦ τους τυπους 𝔓[66vid] 565 *pc*; Epiph[pt] | ⸉ℵ D L W 33 *pc* | ⸄† τον τοπον τ. ηλ. A Θ 078. 0250 *pc* lat sy[(s).h] ¦ την χειραν αυτου ℵ* ¦ *txt* ℵ[2] B D L W Ψ *f*[1.13] 𝔐 | ⸂¹ *2 3 1* A Θ Ψ 078. 0250 *f*[13] 𝔐 ¦ *2 3* *f*[1] ¦ μου τας χειρας D ¦ *txt* ℵ B L W *pc* ● 26 ⸆τη μια ετερων σαββατων sy[s]

ἔσω οἱ μαθηταὶ αὐτοῦ καὶ Θωμᾶς μετ' αὐτῶν. ἔρχεται ὁ
Ἰησοῦς τῶν θυρῶν κεκλεισμένων καὶ ἔστη εἰς τὸ μέσον
καὶ εἶπεν· εἰρήνη ὑμῖν. **27** εἶτα λέγει τῷ Θωμᾷ· φέρε τὸν 19!
δάκτυλόν σου ὧδε καὶ ἴδε τὰς χεῖράς μου καὶ φέρε τὴν
χεῖρά σου καὶ βάλε εἰς τὴν πλευράν μου, καὶ μὴ ⸀γίνου L 24,39
8 ἄπιστος ἀλλὰ πιστός. **28** ⸆ἀπεκρίθη ⸇ Θωμᾶς καὶ εἶπεν
αὐτῷ· ὁ κύριός μου καὶ ὁ θεός μου. **29** ⸀λέγει αὐτῷ °ὁ 18! Ps 35,23
Ἰησοῦς· ὅτι ἑώρακάς με πεπίστευκας; μακάριοι οἱ μὴ 1,50 · 1P 1,8!
ἰδόντες ⸆ καὶ πιστεύσαντες.

30 Πολλὰ μὲν οὖν καὶ ἄλλα σημεῖα ἐποίησεν ὁ Ἰησοῦς 12,37; 2,11!
ἐνώπιον τῶν μαθητῶν °[αὐτοῦ], ἃ οὐκ ἔστιν γεγραμμένα 21,25
ἐν °¹τῷ βιβλίῳ τούτῳ· **31** ταῦτα δὲ γέγραπται ἵνα ⸀πιστεύ- 19,35; 2,23!
[σ]ητε ὅτι Ἰησοῦς ⸂ἐστιν ὁ χριστὸς ὁ υἱὸς⸃ τοῦ θεοῦ, καὶ Mt 16,16!
ἵνα πιστεύοντες ζωὴν ⸆ ἔχητε ἐν τῷ ὀνόματι αὐτοῦ. 5,24! 1J 5,13

9 **21** Μετὰ ταῦτα ⸂ἐφανέρωσεν ἑαυτὸν πάλιν ὁ Ἰησοῦς⸃
τοῖς μαθηταῖς ⸆ ἐπὶ τῆς θαλάσσης τῆς Τιβεριάδος· 6,1
ἐφανέρωσεν δὲ οὕτως. **2** ἦσαν ὁμοῦ Σίμων Πέτρος
καὶ Θωμᾶς ὁ λεγόμενος Δίδυμος καὶ Ναθαναὴλ ὁ ἀπὸ 11,16! · 1,45-49 ·
Κανὰ τῆς Γαλιλαίας καὶ οἱ ⸂τοῦ Ζεβεδαίου⸃ καὶ ἄλλοι ἐκ 2,1 · Mt 4,21!
τῶν μαθητῶν αὐτοῦ δύο. **3** λέγει αὐτοῖς Σίμων Πέτρος·
ὑπάγω ἁλιεύειν. λέγουσιν αὐτῷ· ἐρχόμεθα καὶ ἡμεῖς σὺν
σοί. ⸀ἐξῆλθον καὶ ἐνέβησαν εἰς τὸ πλοῖον⸆, καὶ ἐν ἐκείνῃ
τῇ νυκτὶ ἐπίασαν οὐδέν. **4** πρωΐας δὲ ἤδη ⸀γενομένης L 5,5
ἔστη ⸆ Ἰησοῦς ⸋⸁εἰς τὸν αἰγιαλόν, οὐ μέντοι ⸀¹ᾔδεισαν 20,14 L 24,16
οἱ μαθηταὶ ὅτι Ἰησοῦς ἐστιν⸌. **5** λέγει οὖν αὐτοῖς ⸂[ὁ] Ἰη-
σοῦς⸃· παιδία, μή τι προσφάγιον ἔχετε; ἀπεκρίθησαν αὐ- L 24,41

27 ⸀ισθι D ● **28** ⸆και A C^{3} 0250 𝔐 q sy$^{p.h}$ ¦ *txt* ℵ B C* D L W Θ Ψ *f*$^{1.13}$ *al* lat | ⸇ο ℵ L *pc* ● **29** ⸀ειπεν (λεγει ℵ^{2}) δε ℵ W *f*^{13} | ° 𝔓^{66} B | ⸆με ℵ* 0250 *f*^{13} 209 *pc* vg^{ms} sy ● **30** °† A B K Δ 0250. 1010 *al* f ¦ *txt* 𝔓^{66} ℵ C D L W Θ Ψ *f*$^{1.13}$ 𝔐 lat sy | °¹ 𝔓^{66*} ● **31** ⸀† -ευητε 𝔓^{66vid} ℵ* B Θ 0250. 892^{s} ¦ *txt* ℵ^{2} A C D L W Ψ 0100 *f*$^{1.13}$ 𝔐 | ⸂*3 5 1* D ¦ *2 3 1 4 5* W | ⸆αιωνιον ℵ C(*) D L Ψ 0100 *f*^{13} *al* it vg^{mss} sy$^{p.h**}$ sa bo
¶ **21,1** ⸂† *1–3 5* B C ¦ *3 1 2* D *pc* ¦ *1 3 2 4 5* ℵ ¦ *1 2 4 5 3* W Ψ *pc* ¦ *1 2 4 5* 1424 *pc* sy^{s} sa pbo bo^{ms} ¦ *txt* A L Θ 0250 *f*$^{1.13}$ 𝔐 | ⸆αυτου C^{3} D Ψ 700 *al* it sy$^{s.p}$ co ¦ αυτου εγερθεις εκ νεκρων Γ *f*^{13} 1241. 1424 *al* ● **2** ⸂υιοι Z. ℵ D *pc* ¦ του Z. υιοι C Θ 700. (1010^{c}) *al* ● **3** ⸀και εξ. A (P) Ψ *pc* lat sy^{h**} ¦ εξ. ουν ℵ L N Θ 33. 209. 1241 *al* ¦ *txt* B C D W *f*^{13} 1 𝔐 a e q | ⸆ευθυς A C^{3} 𝔐 sy^{h} ¦ *txt* ℵ B C* D L N W Δ Θ Ψ *f*$^{1.13}$ 33. 565 *pc* latt sy$^{s.p}$ co ● **4** ⸀† γινομενης A B C L 1010 *al* ¦ *txt* ℵ D W Θ Ψ *f*$^{1.13}$ 𝔐 | ⸆ο L Θ *f*$^{1.13}$ 𝔐 ¦ *txt* ℵ A B C D P W Ψ *al* | ⸋ W | ⸁επι ℵ A D L Θ Ψ 33. 209. 700. 892^{s} *al* ¦ *txt* B C *f*^{13} 1 𝔐 sy^{h} | ⸀¹εγνωσαν 𝔓^{66} ℵ L Ψ 33 *pc* lat sy^{s} ● **5** ⸂† *2* ℵ B ¦ – W a sy^{s} ¦ *txt* A C D L Θ Ψ *f*$^{1.13}$ 𝔐

τῷ· οὔ. 6 ⸂ὁ δὲ εἶπεν⸃ αὐτοῖς· βάλετε εἰς τὰ δεξιὰ μέρη
L 5,4-7 τοῦ πλοίου τὸ δίκτυον, καὶ εὑρήσετε. ⸆ ⸄ἔβαλον οὖν⸅, καὶ
οὐκέτι αὐτὸ ἑλκύσαι ⸀ἴσχυον ἀπὸ τοῦ πλήθους τῶν ἰχθύ-
13,23s! ων. 7 λέγει οὖν ὁ μαθητὴς ἐκεῖνος ὃν ἠγάπα ὁ Ἰησοῦς τῷ
20,18! Πέτρῳ· ὁ κύριός ἐστιν ⸆. Σίμων οὖν Πέτρος ἀκούσας ὅτι ὁ
κύριός ἐστιν τὸν ἐπενδύτην διεζώσατο, ἦν γὰρ γυμνός, καὶ
ἔβαλεν ἑαυτὸν εἰς τὴν θάλασσαν, 8 οἱ δὲ ἄλλοι μαθηταὶ
τῷ πλοιαρίῳ ἦλθον, οὐ γὰρ ἦσαν μακρὰν ἀπὸ τῆς γῆς
ἀλλὰ ὡς ἀπὸ πηχῶν διακοσίων, σύροντες τὸ δίκτυον τῶν
ἰχθύων. 9 ὡς οὖν ἀπέβησαν εἰς τὴν γῆν βλέπουσιν
18,18 ἀνθρακιὰν ⸀κειμένην καὶ ὀψάριον ἐπικείμενον καὶ ἄρτον.
10 λέγει αὐτοῖς °ὁ Ἰησοῦς· ἐνέγκατε ἀπὸ τῶν ὀψαρίων
ὧν ἐπιάσατε νῦν. 11 ἀνέβη °οὖν Σίμων Πέτρος καὶ εἵλ-
L 5,6 κυσεν τὸ δίκτυον ⸂εἰς τὴν γῆν⸃ μεστὸν ἰχθύων μεγάλων
ἑκατὸν πεντήκοντα τριῶν· καὶ τοσούτων ὄντων οὐκ ἐσχίσθη τὸ δίκτυον. 12 λέγει αὐτοῖς °ὁ Ἰησοῦς· δεῦτε
ἀριστήσατε. οὐδεὶς °¹δὲ ἐτόλμα τῶν μαθητῶν ἐξετάσαι
20,18! αὐτόν· σὺ τίς εἶ; εἰδότες ὅτι ὁ κύριός ἐστιν. 13 ἔρχεται ⸆
6,11 L 24,30 Act 10,41 Ἰησοῦς καὶ λαμβάνει τὸν ἄρτον ⸂καὶ δίδωσιν⸃ αὐτοῖς, καὶ
20,19.26 τὸ ὀψάριον ὁμοίως. 14 τοῦτο ⸆ ἤδη τρίτον ἐφανερώθη
⸀Ἰησοῦς τοῖς μαθηταῖς ⸇ ἐγερθεὶς ἐκ νεκρῶν.
15 Ὅτε οὖν ἠρίστησαν λέγει τῷ Σίμωνι Πέτρῳ ὁ Ἰη-
1,42 Mt 16,17 σοῦς· Σίμων ⸀Ἰωάννου, ἀγαπᾷς με πλέον τούτων; λέγει
αὐτῷ· ναὶ κύριε, σὺ οἶδας ὅτι φιλῶ σε. * λέγει αὐτῷ· βόσ-
L22,32 κε τὰ ⸁ἀρνία μου. 16 ⸂λέγει αὐτῷ πάλιν⸃ ⸀δεύτερον· Σίμων
⸁Ἰωάννου, ἀγαπᾷς με; λέγει αὐτῷ· ναὶ κύριε, σὺ οἶδας ὅτι
2Sm 5,2 Ps 78,71s 1P 5,2 φιλῶ σε. * λέγει αὐτῷ· ποίμαινε τὰ ⸀¹πρόβατά μου. 17 λέ-

6 ⸂λεγει ℵ$^{*.2}$ W *pc* it vg^{cl} | ⸆(Lc 5,5) οι δε ειπον· δι ολης (+ της ℵ^{1}) νυκτος εκοπιασαμεν και (κοπιασαντες Ψ) ουδεν ελαβομεν· επι δε τω σω ρηματι (ονοματι 𝔓^{66vid}) βαλουμεν. 𝔓^{66} ℵ^{1} Ψ vg^{mss} sa | ⸄εβ. ουν αυτο Θ ¦ οι δε εβ. ℵ* D W pbo bo | ⸀ισχυσαν A (⸉ W) f^{13} 𝔐 ¦ *txt* ℵ B C D L N Θ Ψ 1. 33. 565 *al* • 7 ⸆ημων D sy$^{s.p}$ • 9 ⸀incensos (*i. e.* καιομενην) it • 10 °B • 11 °† A D f^{13} 𝔐 lat ¦ *txt* ℵ B C L N W Θ Ψ 1. 33. 565 *al* r^{1} sy^{h} | ⸂επι την γην D $f^{1.13}$ 565. 1424 *pc* ¦ επι της γης 𝔐 ¦ *txt* ℵ A B C L N P W Θ Ψ 33. 1241 *al* • 12 °B | °¹† B C 28^{s} ¦ *txt* ℵ A D L W Θ Ψ $f^{1.13}$ 𝔐 latt sy$^{p.h}$ • 13 ⸆ο ℵ C L Ψ 1. 33. 565. 700. 892^{s} *al* ¦ ουν ο A Θ f^{13} 𝔐 f ff^{2} sy^{h} ¦ *txt* B D W | ⸂ευχαριστησας εδωκεν D f r^{1} (sy^{s}) • 14 ⸆δε ℵ L N Θ 33. 700 *pc* | ⸀ο Ιησ. ℵ A (⸉ L) Θ Ψ $f^{1.13}$ 𝔐 ¦ – W ¦ *txt* B C D | ⸇αυτου D Ψ f^{13} 𝔐 it vg^{cl} sy co ¦ *txt* ℵ A B C L N W Θ 1. 33 *al* lat • 15 ⸀Ιωνα A C^{2} Θ Ψ $f^{1.13}$ 𝔐 (c) sy ¦ – ℵ* ¦ *txt* ℵ^{1} B C* D L W lat co | ⸁προβατα C* D it • 16 ⸂*3 1 2* ℵ C W Θ *pc* ¦ *1 2* D | ⸀το δευτ. ℵ^{1} 1. 565 *pc* ¦ δευτ. ο κυριος D ¦ – ℵ* *pc* sy^{s} | ⸁Ιωνα A C^{2} Θ Ψ $f^{1.13}$ 𝔐 (c) sy ¦ *txt* ℵ B C* D W lat co | ⸀¹† -βατια B C 565 *pc* b ¦ *txt* ℵ A D W Θ Ψ f^{13} 𝔐 sy (f^{1} *om.* λεγ. … μου)

γει αὐτῷ τὸ τρίτον· Σίμων ⸀Ἰωάννου, φιλεῖς με; ἐλυπήθη 13,38
ὁ Πέτρος ὅτι εἶπεν αὐτῷ τὸ τρίτον· φιλεῖς με; καὶ ⸂λέ-
γει αὐτῷ· κύριε, πάντα σὺ οἶδας, σὺ γινώσκεις ὅτι φιλῶ 16,30
31 X σε. * λέγει αὐτῷ ⸋[ὁ Ἰησοῦς]⸌· βόσκε τὰ ⸀¹πρόβατά μου.
32 X **18** ἀμὴν ἀμὴν λέγω σοι, ὅτε ἦς νεώτερος, ἐζώννυες σεαυ- Act 21,11.14
τὸν καὶ περιεπάτεις ὅπου ἤθελες· ὅταν δὲ γηράσῃς, ἐκ- 2P 1,14
τενεῖς τὰς χεῖράς σου, καὶ ⸋ἄλλος σε ζώσει⸌ καὶ ⸋·οἴσει
ὅπου⸌· οὐ θέλεις. **19** τοῦτο δὲ εἶπεν σημαίνων ποίῳ θανά- 12,33; 18,32; 13,36 ·
τῳ δοξάσει τὸν θεόν. καὶ τοῦτο εἰπὼν λέγει αὐτῷ· ἀκο- 1P 4,16 · 1,43!
λούθει μοι.

20 Ἐπιστραφεὶς ⸆ ὁ Πέτρος βλέπει τὸν μαθητὴν ὃν
ἠγάπα ὁ Ἰησοῦς °ἀκολουθοῦντα, ὃς καὶ ἀνέπεσεν ἐν τῷ 13,23 ! 25
δείπνῳ ἐπὶ τὸ στῆθος αὐτοῦ καὶ εἶπεν· κύριε, τίς ἐστιν
ὁ παραδιδούς σε; **21** τοῦτον °οὖν ἰδὼν ὁ Πέτρος ⸀λέγει 6,64!
τῷ Ἰησοῦ· κύριε, οὗτος δὲ τί; **22** λέγει αὐτῷ ὁ Ἰησοῦς·
ἐὰν αὐτὸν θέλω μένειν ⸆ ἕως ἔρχομαι, τί πρὸς σέ; σύ 1K 15,6 Ph 1,25 ·
⸉μοι ἀκολούθει⸊. **23** ἐξῆλθεν οὖν οὗτος ὁ λόγος εἰς τοὺς 1,43!
ἀδελφοὺς ⸆ ὅτι ὁ μαθητὴς ἐκεῖνος οὐκ ἀποθνῄσκει· ⸋οὐκ Act 1,15 etc
εἶπεν δὲ⸌ αὐτῷ ὁ Ἰησοῦς ⸋·ὅτι οὐκ ἀποθνῄσκει⸌· ἀλλ’·
ἐὰν αὐτὸν θέλω μένειν ἕως ἔρχομαι ⸋¹[, τί πρὸς σέ];⸌

24 Οὗτός ἐστιν ὁ μαθητὴς ὁ ⸆ μαρτυρῶν περὶ τούτων
⸋καὶ ὁ⸌ γράψας ταῦτα, καὶ οἴδαμεν ὅτι ἀληθὴς ⸉αὐτοῦ 19,35!
ἡ μαρτυρία ἐστίν⸊. **25** ⸋Ἔστιν δὲ καὶ ἄλλα πολλὰ ⸀ἃ
ἐποίησεν ὁ Ἰησοῦς, ἅτινα ἐὰν γράφηται καθ’ ἕν, οὐδ’ 20,30
αὐτὸν οἶμαι τὸν κόσμον ⸂χωρῆσαι τὰ γραφόμενα βιβλία.⸆ ⸆·⸌

17 ⸀Ιωνα A C^{2} Θ Ψ $f^{1.13}$ 𝔐 (c) sy; Or ¦ *txt* 𝔓^{59vid} ℵ B C* D W lat co | ⸂† ειπεν B C f^{13} 𝔐 r^{1} vg^{cl} ¦ *txt* ℵ A D W Θ Ψ f^{1} 33. 565 *al* lat | ⸋† *2* B C ¦ – ℵ D W f^{1} 565 *al* lat sy^{s} pbo bo ¦ *txt* A Θ Ψ f^{13} 𝔐 | ⸀¹† -βατια A B C 565 *pc* ¦ *txt* ℵ D W Θ Ψ $f^{1.13}$ 𝔐 sy ● **18** ⸋† *1 3 2* B C*^{vid} ¦ αλλοι σε ζωσουσιν (⸉ ℵ C^{2}) ℵ C^{2} D W 1. 33. 565 *pc* sy^{hmg} pbo ¦ *txt* A Θ Ψ f^{13} 𝔐 lat | ⸋· αποισουσιν (οισ- C^{2}; απαγ- D) σε (– C^{2} 1 *pc*) οπ. ℵ^{1} C^{2} D W 1. 33. 565 *pc* ¦ ποιησουσιν σοι οσα ℵ* ¦ *txt* (A) B C*^{vid} (Θ) Ψ f^{13} (892^{s}) 𝔐 lat ● **20** ⸆ δε ℵ D Θ Ψ $f^{1.13}$ 𝔐 f sy^{h} ¦ *txt* A B C W 33 *pc* lat sy^{s} | ° ℵ* W ff^{2} ● **21** ° A W Θ Ψ $f^{1.13}$ 𝔐 sy$^{s.p}$ ¦ *txt* ℵ B C D 33 *pc* lat sy^{h**} | ⸀ειπεν ℵ W *pc* f r^{1} vg^{cl} ● **22** ⸆ουτως D (⸉ lat) | ⸉ C^{2} Θ Ψ f^{13} 𝔐 ¦ *txt* ℵ A B C* D W 1. 33 *pc* ● **23** ⸆και εδοξαν D | ⸋και ουκ ειπεν A D Θ Ψ $f^{1.13}$ 𝔐 lat sy^{h} ¦ *txt* 𝔓^{59vid} ℵ B C W 33 *pc* (c sy$^{s.p}$) | ⸋· ουκ -εις D e r^{1} | ⸋¹ *2 3* D ¦ – ℵ* C^{2vid} 1. 565 *pc* a e sy^{s} ¦ *txt* ℵ^{1} A B C* W Θ Ψ f^{13} 𝔐 lat ● **24** ⸆και B C W; Or | ⸋ *2 1* ℵ^{1} Θ f^{13} 33 *pc* c sy^{h**} ¦ *1* ℵ* A C W Ψ f^{1} 𝔐 ¦ *txt* B D | ⸉ *4 2 3 1* ℵ A C^{3} Θ Ψ $f^{1.13}$ 𝔐 ¦ *4 1–3* D ¦ *txt* B C* W (33) ● **25** ⸋ *vs* ℵ* | ⸀οσα A C^{3} D W Θ $f^{1.13}$ 𝔐 ¦ *txt* ℵ^{1} B C* Ψ 33 *pc*; Or | ⸂† -σειν ℵ^{1} B C* ¦ *txt* A C^{2} D W Θ Ψ $f^{1.13}$ 𝔐 | ⸆αμην C^{2} Θ Ψ f^{13} 𝔐 lat sy^{h} ¦ *txt* ℵ A B C*$^{.3}$ D W 1. 33 *pc* it sy$^{s.p}$ | ⸆· *hic* 7,53–8,11 *add* f^{1}

⸂ΠΡΑΞΕΙΣ ΑΠΟΣΤΟΛΩΝ⸃

L 1,3; · 3,23! **1** Τὸν μὲν πρῶτον λόγον ἐποιησάμην περὶ πάντων, ὦ
Θεόφιλε, ὧν ἤρξατο ˚ὁ Ἰησοῦς ποιεῖν τε καὶ διδά-
Mt 28,20 σκειν, **2** ἄχρι ἧς ἡμέρας ⸆ ἐντειλάμενος τοῖς ἀπο-
L 6,13! · 1T 3,16! στόλοις διὰ πνεύματος ἁγίου οὓς ἐξελέξατο ⸀ἀνελήμ-
2Rg 2,11 φθη. **3** οἷς καὶ παρέστησεν ἑαυτὸν ζῶντα μετὰ τὸ
13,31 παθεῖν αὐτὸν ἐν πολλοῖς τεκμηρίοις, δι᾽ ἡμερῶν τεσσερά-
28,31 κοντα ὀπτανόμενος αὐτοῖς καὶ λέγων τὰ περὶ τῆς βασι-
4–14: Mc 16,19 L 24,50-53 λείας τοῦ θεοῦ· **4** καὶ ⸀συναλιζόμενος ⸆ παρήγγειλεν
10,41 · L 24,49 · 2,33.39 J 14,16! αὐτοῖς ἀπὸ Ἱεροσολύμων μὴ χωρίζεσθαι ἀλλὰ περιμέ-
νειν τὴν ἐπαγγελίαν τοῦ πατρὸς ἣν ἠκούσατέ ⸆′ μου,
11,16 L 3,16p **5** ὅτι Ἰωάννης μὲν ἐβάπτισεν ὕδατι, ὑμεῖς δὲ ⸉ἐν πνεύματι βαπτισθήσεσθε ἁγίῳ⸊ ⸆ οὐ μετὰ πολλὰς ταύτας
ἡμέρας⸆′. **6** Οἱ μὲν οὖν συνελθόντες ἠρώτων αὐτὸν λέ-
L 19,11! · 3,21 Mt 17,11p Ml 3,23 𝔊 γοντες· κύριε, εἰ ἐν τῷ χρόνῳ τούτῳ ἀποκαθιστάνεις
τὴν βασιλείαν τῷ Ἰσραήλ; **7** ⸂εἶπεν δὲ⸃ πρὸς αὐτούς·
Mt 24,36!p οὐχ ὑμῶν ἐστιν γνῶναι χρόνους ἢ καιροὺς οὓς ὁ πατὴρ
1Th 1,5! · Is 32,15 ἔθετο ἐν τῇ ἰδίᾳ ἐξουσίᾳ, **8** ἀλλὰ λήμψεσθε δύναμιν ἐπελ-
θόντος τοῦ ἁγίου πνεύματος ἐφ᾽ ὑμᾶς καὶ ἔσεσθέ μου
5,32! · 5,28; 10,39 · 8,1! · μάρτυρες ἔν τε Ἰερουσαλὴμ καὶ ˚[ἐν] πάσῃ τῇ Ἰουδαίᾳ
PsSal 8,15 Is 49,6 καὶ Σαμαρείᾳ καὶ ἕως ἐσχάτου τῆς γῆς.
J 6,62 **9** Καὶ ταῦτα ⸀εἰπὼν βλεπόντων αὐτῶν ἐπήρθη καὶ

Inscriptio: ⸂*1* 1175 *pc* ¦ αι π. των απ. 323^{s}. 945. (1241). 1739^{s} *al* ¦ π. των αγιων απ. 453. (614. 1704). 1884 *pm* ¦ Λουκα ευαγγελιστου π. τ. αγ. απ. 33. 189. 1891. 2344 *al* ¦ *txt* (א B, D) Ψ *pc*

¶ **1,1** ˚B D • **2** ⸆ανεληµφθη *et* ⸀και εκελευσε κηρυσσειν το ευαγγελιον D (gig t) sy$^{(p).hmg}$ (sa mae) • **4** ⸀συναλισκ- D ¦ συναυλιζ- 323^{s}. 614. 1241*. 1739^{s}. 2495 *pm* | ⸆μετ αυτων D it sy | ⸆′φησιν δια του στοματος D* *pc* vg^{cl} • **5** ⸉*3 1 2 4* 𝔓^{74} א^{c} A C E Ψ 𝔐 vg; Or Cyr ¦ *1 2 4 3* D it ¦ *txt* א* B 81 *pc* | ⸆και ο μελλετε λαμβανειν D it; Aug^{pt} | ⸆′εως της πεντηκοστης D* sa mae; Aug^{pt} • **7** ⸂† *1* B* sy^{p} ¦ και ειπ. D it ¦ ο δε αποκριθεις ειπ. αυτοις (C^{vid}) E ¦ *txt* א A B^{2} Ψ 𝔐 vg sy^{h} • **8** ˚A C* D 81. 323 *pc* ¦ *txt* 𝔓^{74} א B C^{3} E Ψ 𝔐 lat; Cyr • **9** ⸀*1 3 2 4–8* B ¦ ειποντος αυτου νεφ. υπεβαλ- (*pro* υπελ.) αυ. κ. απηρθη D sa

νεφέλη ὑπέλαβεν αὐτὸν⸌ ἀπὸ τῶν ὀφθαλμῶν αὐτῶν. 1Th 4,17 Ap 11,12
10 καὶ ὡς ἀτενίζοντες ἦσαν εἰς τὸν οὐρανὸν πορευομέ- 1P 3,22
νου αὐτοῦ, καὶ ἰδοὺ ἄνδρες δύο παρειστήκεισαν αὐτοῖς L 24,4 2Mcc 3,26
ἐν ⸀ἐσθήσεσι λευκαῖς⸌, **11** οἳ καὶ εἶπαν· ἄνδρες Γαλιλαῖ- 2,7; 13,31
οι, τί ἑστήκατε ⸀[ἐμ]βλέποντες εἰς τὸν οὐρανόν; οὗτος
ὁ Ἰησοῦς ὁ ἀναλημφθεὶς ἀφ᾽ ὑμῶν ⸋εἰς τὸν οὐρανὸν⸌ 1T 3,16!
οὕτως ἐλεύσεται ὃν τρόπον ἐθεάσασθε αὐτὸν πορευό- L 21,27
μενον εἰς τὸν οὐρανόν.
12 Τότε ὑπέστρεψαν εἰς Ἰερουσαλὴμ ἀπὸ ὄρους τοῦ
καλουμένου Ἐλαιῶνος, ὅ ἐστιν ἐγγὺς Ἰερουσαλὴμ σαββάτου ⸀ἔχον ὁδόν. **13** καὶ ὅτε εἰσῆλθον, εἰς τὸ ὑπερῷον 20,8
ἀνέβησαν οὗ ἦσαν καταμένοντες, ὅ τε Πέτρος καὶ ⸉Ἰω- Mt 10,2-4p
άννης καὶ Ἰάκωβος καὶ Ἀνδρέας⸊, Φίλιππος καὶ Θωμᾶς, Βαρθολομαῖος καὶ Μαθθαῖος, Ἰάκωβος Ἁλφαίου Mt 9,9!
καὶ Σίμων ὁ ζηλωτὴς καὶ Ἰούδας Ἰακώβου. **14** οὗτοι
πάντες ἦσαν προσκαρτεροῦντες ὁμοθυμαδὸν τῇ προσ- 2,46; 4,24; 5,12 · 2,42! ·
ευχῇ ⸆ σὺν γυναιξὶν ⸆ καὶ ⸀Μαριὰμ τῇ μητρὶ °τοῦ Ἰη- L 8,2s! · Mt 13,
σοῦ καὶ ⸆¹ τοῖς ἀδελφοῖς αὐτοῦ. 55! J 7,3!

15 Καὶ ἐν ταῖς ἡμέραις ταύταις ἀναστὰς Πέτρος ἐν
μέσῳ τῶν ⸀ἀδελφῶν εἶπεν· ἦν τε ὄχλος ὀνομάτων ἐπὶ 1K 11,20
τὸ αὐτὸ ⸀ὡσεὶ ἑκατὸν εἴκοσι· **16** ἄνδρες ἀδελφοί, ⸀ἔδει
πληρωθῆναι τὴν γραφὴν ⸆ ἣν προεῖπεν τὸ πνεῦμα τὸ 20 Ps 41,10
ἅγιον διὰ στόματος Δαυὶδ περὶ Ἰούδα τοῦ γενομένου L 22,47
ὁδηγοῦ τοῖς συλλαβοῦσιν ⸆ Ἰησοῦν, **17** ὅτι κατηριθμη- L 22,3
μένος ἦν ἐν ἡμῖν ⸀καὶ ἔλαχεν τὸν κλῆρον τῆς διακονίας 25
ταύτης. **18** οὗτος μὲν οὖν ἐκτήσατο χωρίον ἐκ μισθοῦ Mt 27,3-10 2P 2,15
τῆς ἀδικίας ⸆ καὶ ⸀πρηνὴς γενόμενος⸌ ἐλάκησεν μέσος Sap 4,19

10 ⸀-ητι -κη 𝔓56* D E 𝔐 gig sy ¦ *txt* 𝔓56c ℵ A B C Ψ 81. 323. 945. 1175. 1739s *pc* lat; Eus ● **11** ⸀† βλεπ- 𝔓74 ℵ* B E 33. 81. 323. 945. 1241. 1739s. 2495 *al* ¦ *txt* 𝔓56 ℵc A C D Ψ 𝔐; Eus | ⸋D 2495 *pc* gig vgmss bomss ● **12** [⸀απεχον Holwerda *cj*] ● **13** ⸉*5 4 3 2 1* E ¦ *3 2 1 4 5* 𝔐 syh ¦ *3 1 4 5* Ψ 945. 1704. 1891 *pc* ¦ *txt* ℵ A B C (D) 81. 104 *pc* (lat) syp ● **14** ⸆και τη δεησει C3 𝔐 ¦ *txt* 𝔓74 ℵ A B C* D E Ψ 81. 104. 1175 *pc* latt sy | ⸆και τεκνοις D | ⸀-ρια ℵ A C D Ψ 𝔐 ¦ *txt* B E 81. 323. 945. 1891 *pc* | °B | ⸆¹† συν B C3 E Ψ 𝔐 ¦ *txt* ℵ A C* D 104. 1175 *pc* lat ● **15** ⸀μαθητων (C3) D E Ψ 𝔐 it sy mae; Cyp ¦ αποστολων 𝔓74 ¦ *txt* ℵ A B C* 33vid. 104. 945. 1175 *pc* vg sa bo | ⸀ως B D E 𝔐 ¦ *txt* ℵ A C Ψ 104. 1175 *pc* ● **16** ⸀δει D* lat | ⸆ταυτην C3 D E Ψ 𝔐 it syh; Irlat ¦ *txt* ℵ A B C* 81. 104. 323. 945. 1175 *al* vg syp; Eus | ⸆τον C3 D E Ψ 𝔐 ¦ *txt* ℵ A B C*; Eus ● **17** ⸀ος D*; Aug ● **18** ⸆ταυτου D t syh**; Eus | [⸀πεπρησμενος Eb. Nestle *cj*]

καὶ ἐξεχύθη πάντα τὰ σπλάγχνα αὐτοῦ· **19** ⸆ καὶ γνω-
4,16; 9.42; 19,17 στὸν ἐγένετο πᾶσι τοῖς κατοικοῦσιν Ἰερουσαλήμ, ὥστε
κληθῆναι τὸ χωρίον ἐκεῖνο τῇ ⸰ἰδίᾳ διαλέκτῳ αὐτῶν
⸀Ἁκελδαμάχ, τοῦτ᾽ ἔστιν χωρίον αἵματος. **20** γέγραπται
γὰρ ἐν βίβλῳ ψαλμῶν·
Ps 69,26 Mt 23,39 *γενηθήτω ἡ ἔπαυλις ⸀αὐτοῦ ἔρημος*
καὶ μὴ ἔστω ὁ κατοικῶν ἐν αὐτῇ,
καί·
Ps 109,8 *τὴν ἐπισκοπὴν αὐτοῦ λαβέτω ἕτερος.*
J 15,27 **21** δεῖ οὖν τῶν συνελθόντων ἡμῖν ἀνδρῶν ἐν παντὶ χρόνῳ
4,33; 11,20; 16,31; 20,21.24.35 *cf* J 15,27 | 10,37! ᾧ εἰσῆλθεν καὶ ἐξῆλθεν ἐφ᾽ ἡμᾶς ὁ κύριος Ἰησοῦς⸆,
22 ἀρξάμενος ἀπὸ τοῦ βαπτίσματος Ἰωάννου ⸀ἕως τῆς
2,32; 3,15; 4,33; 5,32; 10,41; 13,31 1K 15,15 | ἡμέρας ἧς ἀνελήμφθη ἀφ᾽ ἡμῶν, μάρτυρα τῆς ἀναστά-
σεως αὐτοῦ σὺν ἡμῖν γενέσθαι ἕνα τούτων. **23** Καὶ ⸆
⸀ἔστησαν δύο, Ἰωσὴφ τὸν καλούμενον ⸁Βαρσαββᾶν ὃς
ἐπεκλήθη Ἰοῦστος, καὶ Μαθθίαν. **24** καὶ προσευξάμενοι
15,8 L 16,15 εἶπαν· σὺ κύριε καρδιογνῶστα πάντων, ἀνάδειξον ὃν ἐξ-
17 ελέξω ἐκ τούτων τῶν δύο ἕνα **25** λαβεῖν τὸν ⸀τόπον τῆς
Dt 9,16 𝔊; 17,20 διακονίας ταύτης καὶ ἀποστολῆς ἀφ᾽ ἧς παρέβη Ἰούδας
πορευθῆναι εἰς τὸν τόπον τὸν ἴδιον. **26** καὶ ἔδωκαν κλή-
cf Prv 16,33 ρους ⸀αὐτοῖς καὶ ἔπεσεν ὁ κλῆρος ἐπὶ Μαθθίαν καὶ
Mt 28,16! ⸁συγκατεψηφίσθη μετὰ τῶν ⸀¹ἕνδεκα ἀποστόλων.

L 9,51 · Lv 23,15-21 **2** Καὶ ⸂ἐν τῷ συμπληροῦσθαι ⸄τὴν ἡμέραν⸅ τῆς πεντηκοστῆς ἦσαν ⸀πάντες ⸁ὁμοῦ⸃ ἐπὶ τὸ αὐτό. **2** καὶ ⸆
1P 1,12 ἐγένετο ἄφνω ἐκ τοῦ οὐρανοῦ ἦχος ὥσπερ φερομένης
Prv 1,23 𝔊 πνοῆς βιαίας καὶ ἐπλήρωσεν ⸀ὅλον τὸν οἶκον οὗ ἦσαν
⸁καθήμενοι **3** καὶ ὤφθησαν αὐτοῖς διαμεριζόμεναι γλῶσ-

19 ⸆ ὅ ℵ* D sy^{p} | ⸰ ℵ B* D latt | ⸀ Αχελ- 𝔓^{74} ℵ A 81 *pc* lat ¦ Ακελδαιμ- D ¦ Ακελδαμα C Ψ 𝔐 vg^{cl} ¦ -δαμακ E ¦ *txt* B 1175 *pc*; Eus ● **20** ⸀(Ps 69,26) αυτων 81. 326. 2495 *pc* d vg^{ww} sy^{hmg} ● **21** ⸆χριστος D *pc* sy^{h} mae ● **22** ⸀αχρι ℵ A 81. 323. 945. 1175. 1739^{s} *al* ● **23** ⸆τουτων λεχθεντων E | ⸀-σεν D* gig; Aug | ⸁-σαβαν C 323. 614. 1241. 1739^{s*}. 2495 *pm* vg^{cl} ¦ -ναβαν D 6^{s} *pc* it ¦ *txt* ℵ A B E Ψ 81. 945. 1175. 1739$^{s.c}$ *pm* vgst ● **25** ⸀κληρον ℵ C^{3} E 𝔐 sy ¦ *txt* 𝔓^{74} A B C* D Ψ *pc* lat sy^{hmg} co ● **26** ⸀αυτων D* E Ψ 𝔐 it sy^{h} ¦ *txt* ℵ A B C D^{c} 33. 81. 945. 1175. 1704. 1891 *pc* vg co | ⸁συνεψ- D ¦ κατεψ- ℵ* | ⸀¹ ιβ´ D

¶ **2,1** ⸂εγενετο εν ταις ημεραις εκειναις του συμπλ. την ημ. της πεντ. οντων αυτων παντων D | ⸄τας ημερας latt sy^{p} | ⸀π. οι αποστολοι 326. (614). 2495 *al* p t ¦ – ℵ* E | ⸁ομοθυμαδον C^{3} E Ψ 𝔐 ¦ *txt* ℵ A B C* 81. 323. 945. 1704 *pc* latt sy co ● **2** ⸆ιδου D | ⸀παντα D | ⸁καθεζομ- C D

σαι ὡσεὶ πυρὸς ⸂καὶ ἐκάθισεν⸃ ἐφ’ ἕνα ἕκαστον αὐτῶν, Mt 3,11 · Nu 11,25
4 καὶ ἐπλήσθησαν ⸀πάντες πνεύματος ἁγίου καὶ ἤρξαντο 4,8.31; 9,17; 13,9.
λαλεῖν ἑτέραις γλώσσαις καθὼς τὸ πνεῦμα ἐδίδου ἀπο- 52 Sir 48,12 · 19,6! 1K 14,21
φθέγγεσθαι αὐτοῖς.
5 ⸂Ἦσαν δὲ ⸀εἰς Ἰερουσαλὴμ κατοικοῦντες Ἰουδαῖοι, 14!
ἄνδρες εὐλαβεῖς⸃ ἀπὸ παντὸς ἔθνους τῶν ὑπὸ τὸν οὐρα- 8,2; 22,12 · Dt 2,25
νόν. 6 γενομένης δὲ τῆς φωνῆς ταύτης συνῆλθεν τὸ
πλῆθος καὶ συνεχύθη, ⸀ὅτι ⸁ἤκουον εἷς ἕκαστος ⸂τῇ ἰδίᾳ
διαλέκτῳ λαλούντων⸃ αὐτῶν. 7 ἐξίσταντο δὲ ⸆ καὶ ἐθαύμαζον λέγοντες⸇· ⸀οὐχ ἰδοὺ ⸁ἅπαντες οὗτοί εἰσιν οἱ λαλοῦντες Γαλιλαῖοι; 8 καὶ πῶς ἡμεῖς ἀκούομεν ἕκαστος 1,11!
⸂τῇ ἰδίᾳ διαλέκτῳ⸃ ἡμῶν ἐν ᾗ ἐγεννήθημεν; 9 Πάρθοι
καὶ Μῆδοι καὶ Ἐλαμῖται καὶ οἱ κατοικοῦντες τὴν Μεσο-
ποταμίαν, ⸀Ἰουδαίαν °τε καὶ Καππαδοκίαν, Πόντον καὶ 1P 1,1 · 18,2
τὴν Ἀσίαν, 10 Φρυγίαν τε καὶ Παμφυλίαν, Αἴγυπτον καὶ 18,24
τὰ μέρη τῆς Λιβύης τῆς κατὰ Κυρήνην, καὶ οἱ ἐπιδη- 13,1!
μοῦντες Ῥωμαῖοι, 11 Ἰουδαῖοί τε καὶ προσήλυτοι, Κρῆ- 13,43!
τες καὶ ⸀Ἄραβες, ἀκούομεν λαλούντων αὐτῶν ταῖς ἡμε- 4
τέραις γλώσσαις τὰ μεγαλεῖα τοῦ θεοῦ. 12 ἐξίσταντο δὲ 10,46 Sir 36,7
πάντες καὶ ⸀διηπόρουν, ἄλλος πρὸς ἄλλον ⸆ λέγοντες· 5,24!
τί θέλει τοῦτο εἶναι; 13 ἕτεροι δὲ διαχλευάζοντες ἔλεγον
ὅτι γλεύκους ⸆ μεμεστωμένοι εἰσίν. Job 32,18s 𝔊
14 ⸆ Σταθεὶς δὲ ὁ Πέτρος σὺν τοῖς ⸀ἕνδεκα ἐπῆρεν Mt 28,16!
⸇τὴν φωνὴν αὐτοῦ καὶ ⸂ἀπεφθέγξατο αὐτοῖς⸃· ἄνδρες 26,25
Ἰουδαῖοι καὶ οἱ κατοικοῦντες Ἰερουσαλὴμ πάντες, τοῦτο 5; 1,19; 4,16; 13,27 L 24,18
ὑμῖν γνωστὸν ἔστω καὶ ⸁ἐνωτίσασθε τὰ ῥήματά μου. 4,10; 13,38; 28,28 ·
15 οὐ γὰρ ὡς ὑμεῖς ὑπολαμβάνετε οὗτοι μεθύουσιν, ⸂ἔστιν Job 32,11 𝔊

3 ⸂εκαθ. τε 𝔓[74vid] A C(*) E Ψ 𝔐 ¦ κ. εκαθισαν ℵ* (D) sy ¦ *txt* ℵ[c] B 81. 453. 1175 *pc*; Dion CyrJ • 4 ⸀απ- C Ψ 𝔐 ¦ *txt* ℵ A B D E 81 *pc* • 5 ⸂ *1–5 7 8* ℵ* vg[ms] sy[p] ¦ *1–4 6 5 7 8* E ¦ *1 2 5 3 4 7 6 8* C[(3)] ¦ *3 4 1 5 6 8 7* D *et* ⸀εν ℵ[c] B C D E Ψ 𝔐 ¦ *txt* (ℵ*) A 1175 *pc* • 6 ⸀και D (2495) | ⸁-εν C 81. 453 *pc* ¦ -σεν ℵ B 36 *pc* ¦ *txt* A D E Ψ 𝔐 | ⸂λαλουντας ταις γλωσσαις D sy[p.hmg]; Aug[pt] • 7 ⸆παντες ℵ(*) A C E Ψ 096. 33. 81. 323. 945. 1175. 2495 *pm* lat sy sa bo ¦ *txt* B D 614. 1241. 1739 *pm* gig r mae | ⸇προς αλληλους C[3] D E 096 𝔐 sy (⸉Ψ *pc* it) ¦ *txt* 𝔓[74] ℵ A B C* 81. 1175 *pc* r vg | ⸀† ουχι B ¦ ουκ 𝔓[74] A C Ψ 𝔐 ¦ *txt* ℵ D E 81. 1175. 1891 *al* | ⸁† παν- B* E Ψ 096 𝔐 ¦ *txt* 𝔓[74] ℵ A B[2] C D 323. 945. 1739 *al* • 8 ⸂την διαλεκτον D* vg • 9 ⸀Iudaei sy[p] ¦ Armeniam Tert Aug[pt] ¦ in Syria Hier ¦ Ινδιαν Chr | °D* it vg[cl] • 11 ⸀-βοι D* • 12 ⸀† -ρουντο ℵ A B 076 *pc*; Bas ¦ *txt* C D E Ψ 096 𝔐 | ⸆επι τω γεγονοτι και D (sy[hmg]) • 13 ⸆ουτοι D (⸉vg) sy[p] bo • 14 ⸆τοτε D sy[p] mae | ⸀δεκα αποστολοις D* | ⸇πρωτος D* (E: ⸉προτερον) vg[mss] mae | ⸂ειπεν D it (sy) | ⸁-ισατε D* • 15 ⸂ουσης ωρας της ημ. γ′ D* lat; Ir

γὰρ ὥρα τρίτη τῆς ἡμέρας⸃, **16** ἀλλὰ τοῦτό ἐστιν τὸ εἰρημένον διὰ τοῦ προφήτου °Ἰωήλ·
Joel 3,1-5 𝔊 Is 2,2 33; 10,45 R 5,5 Tt 3,6 **17** *καὶ ἔσται* ⸂ἐν ταῖς ἐσχάταις ἡμέραις⸃, λέγει ⸄ὁ θεός⸅,
ἐκχεῶ ἀπὸ τοῦ πνεύματός μου ἐπὶ ⸂¹*πᾶσαν σάρκα*⸃,
21,9 *καὶ προφητεύσουσιν οἱ υἱοὶ* ⸀*ὑμῶν καὶ αἱ θυγατέρες*
⸀*ὑμῶν*
καὶ οἱ νεανίσκοι °*ὑμῶν ὁράσεις ὄψονται*
καὶ οἱ πρεσβύτεροι °*ὑμῶν ἐνυπνίοις ἐνυπνιασθήσονται·*
18 *καί γε ἐπὶ τοὺς δούλους μου καὶ ἐπὶ τὰς δούλας μου* ⸋*ἐν*
ταῖς ἡμέραις ἐκείναις⸌
Nu 11,29 *ἐκχεῶ ἀπὸ τοῦ πνεύματός μου,* ⸋¹καὶ προφητεύσουσιν⸌.
19 *καὶ δώσω τέρατα ἐν τῷ οὐρανῷ* ἄνω
5,12! *καὶ* σημεῖα *ἐπὶ τῆς γῆς* κάτω,
⸋*αἷμα καὶ πῦρ καὶ ἀτμίδα καπνοῦ*⸌.
20 *ὁ ἥλιος μεταστραφήσεται εἰς σκότος*
Ap 6,12 *καὶ ἡ σελήνη εἰς αἷμα,*
1K 1,8! *πρὶν* ⸆ *ἐλθεῖν* ⸇ *ἡμέραν κυρίου τὴν μεγάλην* ⸋*καὶ ἐπιφανῆ*⸌.
1K 1,2! · 47; 4,12 **21** *καὶ ἔσται πᾶς ὃς ἂν ἐπικαλέσηται τὸ ὄνομα κυρίου σωθή-*
σεται.
22 Ἄνδρες Ἰσραηλῖται, ἀκούσατε τοὺς λόγους τούτους·
3,6; 4,10 etc L 18,37 J 19,19! Ἰησοῦν τὸν Ναζωραῖον, ἄνδρα ⸀ἀποδεδειγμένον ἀπὸ τοῦ
L 24,19 · 5,12! θεοῦ εἰς ⸁ὑμᾶς δυνάμεσι καὶ τέρασι καὶ σημείοις οἷς
J 5,36! ἐποίησεν δι᾽ αὐτοῦ ὁ θεὸς ἐν μέσῳ ὑμῶν καθὼς αὐτοὶ
4,28 L 22,22 · 1P 1,20 οἴδατε, **23** τοῦτον τῇ ὡρισμένῃ βουλῇ καὶ προγνώσει τοῦ
10,39; 13,28 θεοῦ ἔκδοτον ⸆ διὰ χειρὸς ἀνόμων προσπήξαντες ἀνεί-
32; 13,34; 17,31; 3,15! · Ps 17,6; 114,3 𝔊 2Sm 22,6 𝔊 λατε, **24** ὃν ὁ θεὸς ἀνέστησεν λύσας ⸆ τὰς ὠδῖνας τοῦ
⸀θανάτου, καθότι οὐκ ἦν δυνατὸν κρατεῖσθαι αὐτὸν ὑπ᾽
αὐτοῦ. **25** Δαυὶδ γὰρ λέγει εἰς αὐτόν·
Ps 15,8-11 𝔊 *προορώμην τὸν κύριον* ⸆ *ἐνώπιόν μου διὰ παντός,*
ὅτι ἐκ δεξιῶν μού ἐστιν ἵνα μὴ σαλευθῶ.
26 *διὰ τοῦτο ηὐφράνθη* ⸉*ἡ καρδία μου*⸊
καὶ ἠγαλλιάσατο ἡ γλῶσσά μου,

16 °D r; Ir^{lat} Aug^{pt} ● **17** ⸂(Joel 3,1) μετα ταυτα B 076 (C *pc*) sa^{mss} | ⸄κυριος D E latt; Ir^{lat} GrNy | ⸂¹-σας -κας D* | ⸀*bis* αυτων D gig r | °*bis* D r ● **18** ⸋D gig r | ⸋¹D p* ● **19** ⸋D it ● **20** ⸆ἤ B 076 𝔐 ¦ *txt* ℵ A C D E Ψ 33. 81. 1175. 2495* *al* | ⸇την 𝔓^{74} ℵ^{c} A C E Ψ 𝔐 ¦ *txt* ℵ* B D 81. 104 *pc*; GrNy Cyr | ⸋ℵ D gig r ● **22** ⸀δεδοκιμασμ- D* lat; Ir^{lat} | ⸁ημ- D* 6^{s}. 1241 *pc* ● **23** ⸆λαβοντες ℵ^{2} D E Ψ 𝔐 sy^{h}; Eus ¦ *txt* 𝔓^{74} ℵ* A B C 33. 81. 323. 1739 *pc* lat; Ir^{lat} Ath ● **24** ⸆δι αυτου E | ⸀αδου D latt sy^{p} mae bo; Ir^{lat} ● **25** ⸆μου ℵ D 614 *pc* sy^{p} ● **26** ⸉† ℵ* B; Cl ¦ *txt* 𝔓^{74} ℵ^{c} A C D E Ψ 0123 𝔐

ἔτι δὲ καὶ ἡ σάρξ μου κατασκηνώσει ἐπ' ἐλπίδι,
27 *ὅτι οὐκ ἐγκαταλείψεις τὴν ψυχήν μου εἰς ᾅδην*
οὐδὲ δώσεις τὸν ὅσιόν σου ἰδεῖν διαφθοράν. 13,35
28 *ἐγνώρισάς μοι ὁδοὺς ζωῆς,*
πληρώσεις με εὐφροσύνης μετὰ τοῦ προσώπου σου.
29 Ἄνδρες ἀδελφοί, ἐξὸν εἰπεῖν μετὰ παρρησίας πρὸς 4,13.29.31; 28,31 E 6,19
ὑμᾶς περὶ τοῦ πατριάρχου Δαυὶδ ὅτι καὶ ἐτελεύτησεν καὶ 13,36 1Rg 2,10
ἐτάφη, καὶ τὸ μνῆμα αὐτοῦ ἔστιν ⸀ἐν ἡμῖν ἄχρι τῆς ἡμέρας ταύτης. **30** προφήτης οὖν ὑπάρχων καὶ εἰδὼς ὅτι
ὅρκῳ ὤμοσεν αὐτῷ ὁ θεὸς ἐκ καρποῦ τῆς ⸀ὀσφύος αὐτοῦ ⸆ Ps 132,11; 89,4
καθίσαι ἐπὶ τὸν θρόνον αὐτοῦ, **31** ⸀προϊδὼν ἐλάλησεν
περὶ τῆς ἀναστάσεως τοῦ Χριστοῦ ὅτι οὔτε ἐγκατελείφθη Ps 16,10
⸆ εἰς ⸀ᾅδην ⸀¹οὔτε ἡ σὰρξ αὐτοῦ εἶδεν διαφθοράν. **32** τοῦτον τὸν Ἰησοῦν ἀνέστησεν ὁ θεός, οὗ πάντες ἡμεῖς ἐσμεν 24! · 1,22!
μάρτυρες· **33** τῇ δεξιᾷ οὖν τοῦ θεοῦ ὑψωθείς, τήν τε ἐπαγ- 5,31 Ph 2,9 · 1,4!
γελίαν τοῦ πνεύματος τοῦ ἁγίου λαβὼν παρὰ τοῦ πατρός,
ἐξέχεεν ⸂τοῦτο ὃ ὑμεῖς [καὶ]⸃ βλέπετε καὶ ἀκούετε. **34** οὐ 17!
γὰρ Δαυὶδ ἀνέβη εἰς τοὺς οὐρανούς, λέγει δὲ αὐτός·
εἶπεν °[ὁ] κύριος τῷ κυρίῳ μου· κάθου ἐκ δεξιῶν μου, *Ps 109,1* 𝔊 Mt 22,44!
35 *ἕως ἂν θῶ τοὺς ἐχθρούς σου ὑποπόδιον τῶν ποδῶν σου.*
36 ἀσφαλῶς οὖν γινωσκέτω πᾶς οἶκος Ἰσραὴλ ὅτι καὶ
κύριον αὐτὸν καὶ χριστὸν ⸉ἐποίησεν ὁ θεός⸊, τοῦτον τὸν Ps 20,7
Ἰησοῦν ὃν ὑμεῖς ἐσταυρώσατε. 4,10
37 ⸂Ἀκούσαντες δὲ⸃ κατενύγησαν τὴν καρδίαν ⸄εἶπόν Ps 108,16 𝔊
τε⸅ πρὸς τὸν Πέτρον καὶ τοὺς °λοιποὺς ἀποστόλους· τί
⸆ ποιήσωμεν, ἄνδρες ἀδελφοί⸆; **38** Πέτρος δὲ ⸂πρὸς αὐ- 16,30; 22,10 L 3,10

29 ⸀παρ D Ψ sy[p] ● **30** ⸀καρδιας D* ¦ κοιλιας *pc* gig p r sy[p]; Ir[lat] | ⸆αναστησαι (-σειν 1739. 1891) τον χριστον (+ και E *pc*) E 1739. 1891 *pc* ¦ κατα σαρκα α-σαι τ. χρ. και D* (36 *pc*) mae ¦ το κατα σ. αναστησειν τ. χρ. (+ και Ψ 104. (323) *pc*) Ψ (33) 𝔐 sy[h]; Or ¦ *txt* ℵ A B C (D[c]) 81. 1175 *pc* lat sy[p] sa bo; Ir[lat] ● **31** ⸀προειδως D[2] 104. 945. 1739 *al* sa; Cyr[pt] (D* *om.* πρ. ελ. π. τ.) | ⸆τη ψυχη αυτου C[3] E Ψ 𝔐 sy[h] ¦ *txt* 𝔓[74] ℵ A B C* D 81. 1175 *pc* lat sy[p] co; Ir[lat] Or | ⸀αδου A C[vid] D E Ψ 𝔐 ¦ *txt* ℵ B 81. 323. 945. 1739[c]. 2495 *al* | ⸀¹ουδε B E Ψ 𝔐 ¦ *txt* ℵ A C D 81. 945. 1739. 2495 *al*; Or Eus ● **33** ⸂ *1–3* 𝔓[74] ℵ A C D[c] 81. 323. 1175. 1739. 2495 *al* vg; Did Cyr ¦ τουτο ο νυν υμ. (Ψ) 𝔐 ¦ τ. το δωρον ο νυν υμ. E (it) sy[(p)] sa mae; Ir[lat] ¦ υμιν ο και D* ¦ *txt* B ● **34** °† ℵ* B* D ¦ *txt* 𝔓[74] ℵ[c] A B[2] C E Ψ 𝔐 ● **36** ⸉ 𝔓[74] A C D E 𝔐 ¦ *txt* ℵ B Ψ 81 *pc* ● **37** ⸂ακ. ουν E ¦ τοτε παντες οι συνελθοντες και ακ. D sy[hmg] | ⸄ειπ. δε Ψ 81 *pc* ¦ και ειπ. E ¦ και τινες εξ αυτων ειπ. D* mae ¦ ειποντες ℵ (D[c]) 614 *pc* sy[h] ¦ *txt* A B C 𝔐 | °D *pc* gig r bo[mss]; Aug | ⸆ουν D gig; Ir[lat] | ⸆υποδειξατε ημιν D E it sy[hmg] ● **38** ⸂† *1–3* B *pc*; Aug[pt] ¦ *1 2 4 3* D p r ¦ εφη πρ. αυ.· μεταν. E Ψ 𝔐 gig; Ir[lat] ¦ *txt* 𝔓[74vid] ℵ A C 81. 945. 1739. 1891 *pc*; vg

3,19 · Mc 16,16 τούς· μετανοήσατε, [φησίν,]⸃ καὶ βαπτισθήτω ἕκαστος
8,16; 19,5; 10,48 · 5,31! ὑμῶν ⸀ἐπὶ τῷ ὀνόματι ⸆ Ἰησοῦ Χριστοῦ εἰς ἄφεσιν °τῶν
8,15! ἁμαρτιῶν °ὑμῶν καὶ λήμψεσθε τὴν δωρεὰν τοῦ ἁγίου
1,4! πνεύματος. **39** ⸀ὑμῖν γάρ ἐστιν ἡ ἐπαγγελία καὶ τοῖς τέ-
22,21 Sir 24,32 Is 57,19 · Joel 3,5 κνοις ⸀ὑμῶν καὶ πᾶσιν τοῖς εἰς μακράν, ὅσους ἂν προσ-
καλέσηται κύριος ὁ θεὸς ἡμῶν. **40** ἑτέροις τε λόγοις
πλείοσιν διεμαρτύρατο καὶ παρεκάλει αὐτοὺς λέγων· σώ-
Dt 32,5 Ps 78,8 Ph 2,15 θητε ἀπὸ τῆς γενεᾶς τῆς σκολιᾶς ταύτης. **41** οἱ μὲν οὖν
8,12! · 47! 5,14; 11,24 ⸀ἀποδεξάμενοι τὸν λόγον αὐτοῦ ἐβαπτίσθησαν καὶ προσ-
4,4 ετέθησαν ἐν τῇ ἡμέρᾳ ἐκείνῃ ψυχαὶ ὡσεὶ τρισχίλιαι.

5,21! **42** Ἦσαν δὲ προσκαρτεροῦντες τῇ διδαχῇ τῶν ἀποστό-
4,32! · 46; 20,7; 27,35 λων ⸆ καὶ τῇ κοινωνίᾳ, ⸇ τῇ κλάσει τοῦ ἄρτου καὶ ταῖς
1,14; 6,4 R 12,12! Kol 4,2 · 5,5.11; προσευχαῖς. **43** ἐγίνετο δὲ πάσῃ ψυχῇ φόβος, πολλά ⸀τε
19,17 · 5,12! τέρατα καὶ σημεῖα διὰ τῶν ἀποστόλων ἐγίνετο⸆. **44** πάν-
τες δὲ οἱ ⸁πιστεύοντες ⸂ἦσαν ἐπὶ τὸ αὐτὸ καὶ⸃ εἶχον ἅπαν-
4,32! | 4,34.37 L 8,3; 12,33 τα κοινὰ **45** καὶ ⸂τὰ κτήματα καὶ τὰς⸃ ὑπάρξεις ἐπίπρα-
4,35 σκον καὶ διεμέριζον αὐτὰ ⸆ πᾶσιν καθότι ἄν τις χρείαν
1,14! εἶχεν· **46** ⸂καθ' ἡμέραν ⸀τε προσκαρτεροῦντες ὁμοθυμαδὸν ἐν τῷ ἱερῷ, κλῶντές τε κατ' οἶκον⸃ ἄρτον, μετελάμ-
Eccl 9,7 βανον τροφῆς ἐν ἀγαλλιάσει καὶ ἀφελότητι καρδίας
3,8s L 19,37 **47** αἰνοῦντες τὸν θεὸν καὶ ἔχοντες χάριν πρὸς ὅλον τὸν
41! 6,7; 9,31; 11,21; 12,24; 14,1; ⸀λαόν. ὁ δὲ κύριος προσετίθει τοὺς σῳζομένους καθ'
16,5; 19,20 ἡμέραν ⸂ἐπὶ τὸ αὐτό.

11; 4,13.19; 8,14 L 22,8 **3** Πέτρος δὲ⸃ καὶ Ἰωάννης ἀνέβαινον εἰς τὸ ἱερὸν ⸆ ἐπὶ
10,3.9.30 Dn 9,21 τὴν ὥραν τῆς προσευχῆς τὴν ἐνάτην. **2** καί ⸆ τις ἀνὴρ
14,8 χωλὸς ἐκ κοιλίας μητρὸς αὐτοῦ °ὑπάρχων ἐβαστάζετο,

38 ⸀εν B D 945. 1739. 1891 *pc*; Did | ⸆του κυριου D E 614. 945. 1739. 1891 *al* r (p) sy (sa mae); Cyp Bas | °*bis* D E Ψ 𝔐 it sy; Ir^lat Cyp ¦ *txt* ℵ A B (C) 81 *pc* vg • **39** ⸀*bis* ημ- D (p) mae; Aug • **41** ⸀ασμενως αποδ- E Ψ 𝔐 sy^p.h ¦ πιστευσαντες D (p r) ¦ *txt* 𝔓^74 ℵ A B C 81. 1175. 1739 *pc* lat; Or • **42** ⸆εν Ιερουσαλημ D (t) | ⸇και ℵ^c E Ψ 𝔐 sy ¦ *txt* ℵ* A B C D 81 *pc* lat • **43/44** ⸀† δε ℵ B 81 *pc* ¦ – D* *pc* ¦ *txt* A C D^c E Ψ 𝔐 lat | ⸆εν Ιερουσαλημ E 33. 104 *pc* sy^p ¦ εν Ιερ., φοβος τε ην μεγας επι παντας (+ αυτους Ψ *pc*). και 𝔓^74 ℵ (A C) Ψ (326). 1175. (2495) *pc* lat mae bo ¦ *txt* B D 𝔐 it sy^h sa | ⸁† -σαντες ℵ B 36. 104. 2495 *pc* co ¦ *txt* 𝔓^74vid A C D E Ψ 𝔐; Bas | ⸂† *2–4* B (2495) (it; Spec) ¦ *txt* 𝔓^74 ℵ A C D E Ψ 𝔐 sy^h; Bas • **45** ⸂οσοι κτηματα ειχον η D (sy^p) | ⸆καθ ημεραν D it; Spec • **46** ⸂παντες τε προσεκαρτερουν εν τω ιερω και κατοικουσαν επι το αυτο κλωντες τε D* | ⸀δε 𝔓^74 *pc* • **47/3,1** ⸀κοσμον D | ⸂τη εκκλησια. Επι το αυ. δε Π. E Ψ 𝔐 sy ¦ τη εκκλ. επι τ. αυ.. Π. δε 945. 1739. (2495) *pc* ¦ επι τ. αυ. εν τη εκκλ.. Εν δε ταις ημεραις ταυταις Π. D (p) mae ¦ *txt* 𝔓^74vid ℵ A B C 095. 81. 1175 *pc* lat sa bo | ⸆το δειλινον D

¶ **3,2** ⸆ιδου D* sy^p mae | °D it; Lcf

ὃν ἐτίθουν καθ’ ἡμέραν πρὸς τὴν θύραν τοῦ ἱεροῦ τὴν
λεγομένην Ὡραίαν τοῦ αἰτεῖν ἐλεημοσύνην παρὰ τῶν
εἰσπορευομένων εἰς τὸ ἱερόν· **3** ⸀ὃς ἰδὼν Πέτρον καὶ
Ἰωάννην μέλλοντας εἰσιέναι εἰς τὸ ἱερόν, ἠρώτα ἐλεημοσύνην °λαβεῖν. **4** ⸀ἀτενίσας δὲ Πέτρος εἰς αὐτὸν σὺν 13,9; 14,9
τῷ Ἰωάννῃ εἶπεν· ⸁βλέψον εἰς ἡμᾶς. **5** ὁ δὲ ⸀ἐπεῖχεν αὐτοῖς προσδοκῶν τι παρ’ αὐτῶν λαβεῖν. **6** ⸉εἶπεν δὲ Πέ-
τρος⸊· ἀργύριον καὶ χρυσίον οὐχ ὑπάρχει μοι, ὃ δὲ ἔχω
τοῦτό σοι δίδωμι· ἐν τῷ ὀνόματι Ἰησοῦ Χριστοῦ τοῦ 16; 4,7.10
Ναζωραίου ⸋[ἔγειρε καὶ]⸌ περιπάτει. **7** καὶ πιάσας αὐτὸν 2,22! · J 5,8 Mt 8,15p
τῆς δεξιᾶς χειρὸς ἤγειρεν °αὐτόν· παραχρῆμα δὲ ⸆ ἐ- L 4,39
στερεώθησαν αἱ βάσεις αὐτοῦ καὶ τὰ ⸀σφυδρά, **8** ⸋καὶ
ἐξαλλόμενος ἔστη⸌ καὶ περιεπάτει ⸆ καὶ εἰσῆλθεν σὺν
αὐτοῖς εἰς τὸ ἱερὸν ⸋¹περιπατῶν καὶ ἁλλόμενος °καὶ⸌ J 5,14 · 14,10 Is 35,6 𝔊
αἰνῶν τὸν θεόν. **9** καὶ εἶδεν πᾶς ὁ λαὸς αὐτὸν περιπα- 2,47
τοῦντα καὶ αἰνοῦντα τὸν θεόν· **10** ἐπεγίνωσκον δὲ αὐτὸν
ὅτι ⸀αὐτὸς ἦν ὁ πρὸς τὴν ἐλεημοσύνην ⸁καθήμενος ἐπὶ
τῇ ὡραίᾳ πύλῃ τοῦ ἱεροῦ καὶ ἐπλήσθησαν θάμβους καὶ L 5,9.26
ἐκστάσεως ἐπὶ τῷ ⸀¹συμβεβηκότι αὐτῷ.

11 ⸂Κρατοῦντος ⸀δὲ αὐτοῦ τὸν Πέτρον καὶ τὸν Ἰωάννην συνέδραμεν πᾶς ὁ λαὸς πρὸς αὐτοὺς⸃ ⸁ἐπὶ τῇ στοᾷ τῇ 5,12 J 10,23
καλουμένῃ Σολομῶντος ἔκθαμβοι. **12** ⸂ἰδὼν δὲ ὁ Πέτρος
ἀπεκρίνατο πρὸς τὸν λαόν⸃· ἄνδρες Ἰσραηλῖται, τί θαυμάζετε ἐπὶ τούτῳ ἢ ἡμῖν τί ἀτενίζετε ὡς ⸆ ἰδίᾳ δυνάμει ἢ cf 14,15
⸀εὐσεβείᾳ ⸁πεποιηκόσιν τοῦ περιπατεῖν αὐτόν; **13** *ὁ θεὸς* *Ex 3,6*.15s L 20,37!
Ἀβραὰμ καὶ ⸋*[ὁ θεὸς]*⸌ *Ἰσαὰκ καὶ* ⸋*[ὁ θεὸς]*⸌ *Ἰακώβ, ὁ θεὸς*
τῶν πατέρων ἡμῶν, ἐδόξασεν τὸν παῖδα αὐτοῦ Ἰησοῦν ὃν 26! Is 52,13; 53,11
ὑμεῖς °μὲν παρεδώκατε ⸆ καὶ ἠρνήσασθε κατὰ πρόσω-

3 ⸀ουτος ατενισας τοις οφθαλμοις αυτου και D h mae | °D 𝔐 it sy^{h}; Lcf ¦ *txt* 𝔓^{74} ℵ A B C E Ψ 095. 33. 81. 614. 945. 1175. 1739 *al* vg ● **4** ⸀εμβλεψας D | ⸁ατενισον D ● **5** ⸀ατενισας D h ● **6** ⸉ 𝔓^{74} A C 095. 36. 1175 *pc* vg | ⸋† ℵ B D sa ¦ *txt* A C E Ψ 095^{vid} 𝔐 lat sy mae bo; Ir^{lat} Cyp Eus Lcf ● **7** °D E Ψ 𝔐 ¦ *txt* 𝔓^{74vid} ℵ A B C 095^{vid}. 36. 81 *pc* lat sy; Cyp Lcf | ⸆εσταθη και D h mae | ⸀σφυρα ℵ^{2} B^{2} D E Ψ 𝔐 ¦ *txt* ℵ* A B* C^{vid} *pc* ● **8** ⸋ h; Ir^{lat} | ⸆χαιρων E ¦ -ρομενος *et* ⸋¹ D h mae | ° 𝔓^{74} A r; Lcf ● **10** ⸀† ουτος B D E Ψ 𝔐 ¦ *txt* 𝔓^{74} ℵ A C 36. 81 *pc* lat; Lcf | ⸁καθεζομ- D | ⸀¹γεγενημενω D sy^{p} ● **11** ⸂εκπορευομενου δε του Πετρου και Ιωανου συνεξεπορευετο κρατων αυτους· οι δε θαμβηθεντες εστησαν D (h mae) | ⸀τε 𝔓^{74vid} A | ⸁εν D 104 *pc* ● **12** ⸂αποκριθεις δε ο Π. ειπεν προς αυτους D (gig mae) | ⸆ημων τη D p r | ⸀potestate h vg^{cl} sy^{p} | ⸁τουτο π-κοτων D gig (p) r ● **13** ⸋† *bis* B E Ψ (0236) 𝔐 gig h sy sa^{mss} ¦ *txt* 𝔓^{74} ℵ C (A D: *bis om.* o) 36. 104. 1175 *pc* lat sa^{ms} mae bo; Ir^{lat} | °D 6 *pc* | ⸆εις κρισιν D (E: κριτηριον) h p* sy^{hmg} mae; Ir^{lat}

L 23,16 πον Πιλάτου, κρίναντος ἐκείνου ⸀ἀπολύειν· 14 ὑμεῖς δὲ
4,27.30 · 7,52; 22,14 Mt 27,19 L 23,47 1P 3,18 1J 2,1! · L 23,18.25 | 5,31 H 2,10; 12,2 · 7,52 · 4,10; 5,30; 10,40; 13,30.37; 2,24! · 1,22! | τὸν ἅγιον καὶ δίκαιον ⸀ἠρνήσασθε καὶ ⸆ ᾐτήσασθε ἄν-
δρα φονέα ⸆′ χαρισθῆναι ὑμῖν, 15 τὸν δὲ ἀρχηγὸν τῆς
ζωῆς ἀπεκτείνατε ὃν ὁ θεὸς ἤγειρεν ἐκ νεκρῶν, οὗ ἡμεῖς
μάρτυρές ἐσμεν. 16 καὶ °ἐπὶ τῇ πίστει τοῦ ὀνόματος αὐτοῦ τοῦτον ⸂ὃν θεωρεῖτε καὶ οἴδατε,⸃ ἐστερέωσεν τὸ ὄνο-
14,9 μα αὐτοῦ, καὶ ἡ πίστις ἡ δι' αὐτοῦ ἔδωκεν αὐτῷ τὴν ὁλο-
κληρίαν ταύτην ἀπέναντι πάντων ὑμῶν. 17 Καὶ νῦν,
13,27; 17,30 L 23,34 1T 1,13 ⸂ἀδελφοί, οἶδα ὅτι⸃ κατὰ ἄγνοιαν ἐπράξατε ⸆ ὥσπερ καὶ
οἱ ἄρχοντες ὑμῶν· 18 ὁ δὲ θεός, ⸀ἃ προκατήγγειλεν διὰ
26,22! · L 24,23! στόματος πάντων τῶν προφητῶν παθεῖν τὸν χριστὸν αὐ-
2,28; 26,20 τοῦ, ἐπλήρωσεν οὕτως. 19 μετανοήσατε οὖν καὶ ἐπιστρέ-
Kol 2,14 ψατε ⸀εἰς τὸ ἐξαλειφθῆναι ὑμῶν τὰς ἁμαρτίας, 20 ὅπως
cf 2P 3,12 ἂν ⸀ἔλθωσιν καιροὶ ἀναψύξεως ἀπὸ προσώπου τοῦ κυ-
2,36 ρίου καὶ ἀποστείλῃ τὸν προκεχειρισμένον ὑμῖν ⸉χριστὸν
Ἰησοῦν⸊, 21 ὃν δεῖ οὐρανὸν μὲν δέξασθαι ἄχρι χρόνων
1,6! · L 1,70 ἀποκαταστάσεως πάντων ὧν ἐλάλησεν ὁ θεὸς διὰ στόματος ⸆ τῶν ἁγίων ⸂ἀπ' αἰῶνος αὐτοῦ προφητῶν⸃. 22 Μωϋ-
7,37 *Dt 18,15-20* σῆς μὲν ⸀εἶπεν ὅτι *προφήτην ὑμῖν ἀναστήσει κύριος ὁ θεὸς*
Mc 9,7p ⸁*ὑμῶν ἐκ τῶν ἀδελφῶν ὑμῶν ὡς ἐμέ· αὐτοῦ ἀκούσεσθε κα-*
Lv 23,29 *τὰ πάντα ὅσα ἂν* ⸀¹*λαλήσῃ* πρὸς ὑμᾶς. 23 *ἔσται δὲ πᾶσα ψυχὴ*
ἥτις ἐὰν μὴ ἀκούσῃ τοῦ προφήτου ἐκείνου ἐξολεθρευθήσε-
10,43 L 24,27 *ται ἐκ τοῦ λαοῦ.* 24 καὶ πάντες δὲ οἱ προφῆται ἀπὸ Σα-
μουὴλ καὶ τῶν καθεξῆς ὅσοι ἐλάλησαν καὶ κατήγγειλαν
τὰς ἡμέρας ταύτας. 25 ὑμεῖς ἐστε οἱ υἱοὶ τῶν προφητῶν
L 1,72 καὶ τῆς διαθήκης ἧς ⸉διέθετο ὁ θεὸς⸊ πρὸς τοὺς πατέρας
Gn 22,18; 26,4; 12,3; 18,18 ⸀ὑμῶν λέγων πρὸς Ἀβραάμ· *καὶ ἐν τῷ σπέρματί σου* ⸁*[ἐν-]*

13 ⸀απ. αυτον θελοντος D$^{(c)}$ h; Ir^{lat} ● **14** ⸀εβαρυνατε D; Ir^{lat} (Aug) | ⸆μαλλον E sy^{hmg} mae | ⸆′ζην και E h ● **16** ° ℵ* B 0236^{vid}. 81. 1175 *pc* ¦ *txt* ℵ^{c} A C D E Ψ 𝔐 lat; Ir^{lat} | ⸂θεωρ. κ. οιδ. οτι D* ● **17** ⸂ανδρες αδ., επισταμεθα οτι υμεις μεν D (E, h) mae | ⸆πονηρον D$^{(c)}$ it sy^{hmg} (mae); Ir^{lat} ● **18** ⸀ὃ D h ¦ ος gig vg^{s} ● **19** ⸀† προς ℵ B ¦ *txt* 𝔓^{74} A C D E Ψ 𝔐 ● **20** ⸀επελ- D h; Tert | ⸉ 𝔓^{74} A C Ψ 33. 81. 323. 614. 945. 1739. 2495 *pm* lat; Ir^{lat} ¦ *txt* ℵ B D E 1241 *pm* p ● **21** ⸆παντων E 𝔐 vg^{mss} sy^{h} *et* ⸂*3 4 1 2* (104, 614) 𝔐 vg^{mss} (sy^{p}) ¦ αυ. των πρ. D (*pc*) it; Tert ¦ αυτ. πρ. των απ αι. Ψ *pc* sy^{h} ¦ των απ αι. αυ. πρ. ℵ^{2} B^{2} E 945 *pc* ¦ *txt* 𝔓^{74} ℵ* A B* C 81. 1739 *pc* (vg); Or ● **22** ⸀γαρ προς τους πατερας ειπεν 𝔐 ¦ ειπεν πρ. τ. πατ. ημων (υμ- E) D E 33^{vid}. (2495) *pc* it; Ir^{lat} ¦ ειπ. πρ. τ. πατ. Ψ 945. 1739 *pc* sy^{h} ¦ *txt* 𝔓^{74vid} ℵ A B C 36. 81. 1175 *pc* vg bo | ⸁ημ- ℵ* C E Ψ 33. 614. 1241. 2495 *pm* sy^{h} ¦ † – B h p; Tert Eus ¦ *txt* ℵ^{c} A D 36. 81. 323. 945. 1175. 1739 *pm* lat; Ir^{lat} | ⸀¹ -σει C 33. 81. 1241. 2495 *al* ● **25** ⸉† B D 0165 *pc* h p; Ir^{lat} ¦ *txt* 𝔓^{74} ℵ A C E Ψ 𝔐 lat | ⸀ημ- ℵ* C^{vid} D Ψ 0165 𝔐 it vg^{cl} sy co; Ir^{lat} ¦ *txt* 𝔓^{74} ℵ^{c} A B E 81. 945. 1739 *al* vgst sa^{ms} bo^{mss} | ⸁ευλ- A* B Ψ 323. 945 *pc* ¦ επευλ- C ¦ *txt* 𝔓^{74} ℵ A^{c} D E 0165 𝔐

εὐλογηθήσονται πᾶσαι αἱ πατριαὶ τῆς γῆς. **26** ὑμῖν πρῶτον 13,46 R 1,16; 2,9 ·
⸉ἀναστήσας ὁ θεὸς⸊ τὸν παῖδα αὐτοῦ ἀπέστειλεν °αὐτὸν 13! 4,27.30 Mt 12,18
εὐλογοῦντα ὑμᾶς ἐν τῷ ἀποστρέφειν ἕκαστον ἀπὸ τῶν
πονηριῶν °¹ὑμῶν.

4 Λαλούντων δὲ αὐτῶν πρὸς τὸν λαὸν ⸆ ἐπέστησαν αὐτοῖς οἱ ⸀ἱερεῖς ⸋καὶ ὁ στρατηγὸς τοῦ ἱεροῦ⸌ καὶ οἱ 5,24.26 L 22,4.52 ·
Σαδδουκαῖοι, **2** ⸀διαπονούμενοι διὰ τὸ διδάσκειν αὐτοὺς 5,17 Mt 22,23 | 5,21!
τὸν λαὸν καὶ ⸁καταγγέλλειν ⸂ἐν τῷ Ἰησοῦ τὴν ἀνάστα- 17,32
σιν τὴν ἐκ⸃ νεκρῶν, **3** καὶ ⸀ἐπέβαλον αὐτοῖς τὰς χεῖρας ⸆ 5,18; 12,1 L 21,12
°καὶ ἔθεντο εἰς τήρησιν εἰς τὴν ⸁αὔριον· ἦν γὰρ ἑσπέρα
ἤδη. **4** πολλοὶ δὲ τῶν ἀκουσάντων τὸν λόγον ἐπίστευσαν καὶ ἐγενήθη °[ὁ] ἀριθμὸς τῶν ἀνδρῶν ⸀[ὡς] χιλι- 2,41
άδες πέντε.

5 Ἐγένετο δὲ ἐπὶ τὴν αὔριον ⸂συναχθῆναι αὐτῶν τοὺς
ἄρχοντας καὶ τοὺς πρεσβυτέρους καὶ τοὺς⸃ γραμματεῖς L 23,13; 24,20
⸄ἐν Ἰερουσαλήμ⸅, **6** καὶ Ἅννας ὁ ἀρχιερεὺς καὶ ⸀Καϊά- L 3,2 Mt 26,3p
φας καὶ ⸁Ἰωάννης καὶ Ἀλέξανδρος καὶ ὅσοι ἦσαν ἐκ γέ-
νους ἀρχιερατικοῦ, **7** καὶ στήσαντες αὐτοὺς ἐν τῷ μέσῳ
ἐπυνθάνοντο· ἐν ποίᾳ δυνάμει ἢ ἐν ποίῳ ὀνόματι ⸉ἐποι- Mt 21,23! · 3,6!
ήσατε τοῦτο ὑμεῖς⸊; **8** Τότε Πέτρος πλησθεὶς πνεύ- 2,4! Mt 10,19s!p
ματος ἁγίου εἶπεν πρὸς αὐτούς· ἄρχοντες τοῦ λαοῦ καὶ
πρεσβύτεροι⸆, **9** εἰ ἡμεῖς σήμερον ἀνακρινόμεθα ⸆ ἐπὶ 12,19; 24,8; 28,18
εὐεργεσίᾳ ἀνθρώπου ἀσθενοῦς ἐν τίνι οὗτος ⸀σέσωται,
10 γνωστὸν ἔστω πᾶσιν ὑμῖν καὶ παντὶ τῷ λαῷ Ἰσραὴλ 2,14!
ὅτι ἐν τῷ ὀνόματι Ἰησοῦ Χριστοῦ τοῦ Ναζωραίου ὃν 3,6! · 2,22!
ὑμεῖς ἐσταυρώσατε, ὃν ὁ θεὸς ἤγειρεν ἐκ νεκρῶν, ἐν τού- 2,36 · 3,15!
τῳ οὗτος παρέστηκεν ἐνώπιον ὑμῶν ⸀ὑγιής. **11** οὗτός
ἐστιν ὁ λίθος, ὁ ἐξουθενηθεὶς ὑφ᾿ ὑμῶν τῶν οἰκοδόμων, Ps 118,22 Mt 21,42!p
ὁ γενόμενος εἰς κεφαλὴν γωνίας. **12** ⸋καὶ οὐκ ἔστιν ἐν

26 ⸉ 𝔓74 A D E Ψ 𝔐 lat ¦ *txt* א B C 0165. 36. 323. 1175 *pc* | ° D 945 *pc* it sy^{h}; Ir^{lat} | °¹ B ¶ **4,1** ⸆τα ρηματα ταυτα D (⸉ E) *pc* it $sy^{p.hmg}$; Lcf | ⸀αρχιε- B C | ⸋ D • **2** ⸀καταπον- D | ⸁αναγγ- D Ψ | ⸂τον Ιησουν εν τη αναστασει των D • **3** ⸀επιβαλοντες *et* ° D(*), *et* ⸆ εκρατησαν αυτους h | ⸁επαυ- D 0165 *pc* • **4** °† א B D ¦ *txt* 𝔓74 A E Ψ 0165 𝔐 | ⸀ωσει E Ψ 𝔐 ¦ – 𝔓74 א A 81. 1175 *pc* vg ¦ *txt* B D 0165. 33 *pc* • **5** ⸂ημεραν συνηχθησαν οι αρχοντες κ. οι πρ-οι και $D^{(c)}$ (h) | ⸄εις Ι. א 614. 945. 1241. 2495 *pm* ¦ – *pc* h sy^{p} ¦ *txt* 𝔓74 A B D E Ψ 0165. 33. 81. 323. 1175. 1739 *pm* • **6** ⸀Καιφας D lat | ⸁Ιωναθας D it • **7** ⸉ *2 1 3* א E ¦ *1 3 2* 0165 *pc* • **8** ⸆του Ισραηλ D E Ψ 𝔐 it $sy^{(p)}$ mae: Ir^{lat} Cyp ¦ *txt* 𝔓74 א A B 0165. 1175 *pc* vg sa bo; Cyr • **9** ⸆αφ υμων D E it sy mae; Ir^{lat} Cyp | ⸀† -σωσται B D E Ψ 0165 𝔐 ¦ *txt* 𝔓74 א A; Cyr • **10** ⸀σημερον υγ. και εν αλλω ουδενι E (h, sy^{hmg}; Cyp) • **12** ⸋ h; Ir^{lat} Cyp

2,21 ἄλλῳ οὐδενὶ ⸋¹ἡ σωτηρία⸌, οὐδὲ γὰρ ὄνομά ἐστιν ἕτερον ὑπὸ τὸν οὐρανὸν τὸ δεδομένον °ἐν ἀνθρώποις ἐν ᾧ
δεῖ σωθῆναι ⸀ἡμᾶς.
3,1! · 2,29! **13** Θεωροῦντες δὲ τὴν τοῦ Πέτρου παρρησίαν καὶ Ἰω-
J 7,15 άννου καὶ καταλαβόμενοι ὅτι ἄνθρωποι ἀγράμματοί εἰσιν
1K 14,23s ⸋καὶ ἰδιῶται⸌, ἐθαύμαζον ἐπεγίνωσκόν ⸀τε αὐτοὺς ὅτι
L 22,56 Mt 26,71 σὺν τῷ Ἰησοῦ ἦσαν, **14** τόν τε ἄνθρωπον βλέποντες σὺν
L 21,15 αὐτοῖς ἑστῶτα τὸν τεθεραπευμένον οὐδὲν εἶχον ⸆ ἀντει-
5,34 πεῖν. **15** κελεύσαντες δὲ αὐτοὺς ἔξω τοῦ συνεδρίου ἀπελ-
J 11,47 θεῖν συνέβαλλον πρὸς ἀλλήλους **16** λέγοντες· τί ποιήσωμεν τοῖς ἀνθρώποις τούτοις; ὅτι μὲν γὰρ γνωστὸν ση-
2,14! μεῖον γέγονεν δι' αὐτῶν πᾶσιν τοῖς κατοικοῦσιν ⸆ Ἰερουσαλὴμ ⸀φανερὸν καὶ οὐ δυνάμεθα ἀρνεῖσθαι· **17** ἀλλ' ἵνα
μὴ ἐπὶ πλεῖον διανεμηθῇ εἰς τὸν λαὸν ⸆ ἀπειλησώμεθα
5,28.40 αὐτοῖς μηκέτι λαλεῖν ἐπὶ τῷ ὀνόματι τούτῳ μηδενὶ ἀνθρώπων. **18** ⸂Καὶ καλέσαντες αὐτοὺς παρήγγειλαν
5,28.21! °τὸ καθόλου⸃ μὴ φθέγγεσθαι μηδὲ διδάσκειν ἐπὶ τῷ ὀνό-
3,1! ματι °¹τοῦ Ἰησοῦ. **19** ⸂ὁ δὲ Πέτρος καὶ Ἰωάννης ἀπο-
κριθέντες⸃ εἶπον πρὸς αὐτούς· εἰ δίκαιόν ἐστιν ἐνώπιον
5,29 τοῦ θεοῦ ὑμῶν ἀκούειν μᾶλλον ἢ τοῦ θεοῦ, κρίνατε·
2K 13,8 · 22,15 1J 1,1.3 **20** οὐ δυνάμεθα γὰρ ἡμεῖς ἃ εἴδαμεν καὶ ἠκούσαμεν °μὴ
5,40 λαλεῖν. **21** οἱ δὲ προσαπειλησάμενοι ἀπέλυσαν αὐτούς,
⸂μηδὲν εὑρίσκοντες⸃ τὸ πῶς κολάσωνται αὐτούς, διὰ τὸν
λαόν, ὅτι πάντες ἐδόξαζον τὸν θεὸν ἐπὶ τῷ γεγονότι·
22 ἐτῶν γὰρ ἦν πλειόνων τεσσεράκοντα ὁ ἄνθρωπος ἐφ'
ὃν ⸀γεγόνει τὸ σημεῖον °τοῦτο τῆς ἰάσεως.

23 Ἀπολυθέντες δὲ ἦλθον πρὸς τοὺς ἰδίους καὶ ἀπήγ-
23,14; 25,15.2; 9, 21; 22,30 γειλαν ὅσα πρὸς αὐτοὺς οἱ ἀρχιερεῖς καὶ οἱ πρεσβύτεροι
1,14! εἶπαν. **24** οἱ δὲ ἀκούσαντες ⸆ ὁμοθυμαδὸν ἦραν φωνὴν
L 2,29 Jdth 9,12 Jd 4 · *2Rg 19,15* πρὸς τὸν θεὸν καὶ εἶπαν· δέσποτα, *σὺ* ⸆ *ὁ ποιήσας τὸν*
Is 37,16 Neh 9,6 Ex 20,11 Ps 146,6 Act 14,15; 17,24 Ap 10,6; 14,7 | *οὐρανὸν καὶ τὴν γῆν καὶ τὴν θάλασσαν καὶ πάντα τὰ ἐν αὐτοῖς,*

12 ⸋¹ D p* | ° D lat; Ir[lat] | ⸀υμ- B 1704 *pc* ¦ – sy[p] ● **13** ⸋ D | ⸀δε 𝔓[74] D Ψ 0165*. 36 *pc* ● **14** ⸆ποιησαι ἤ D h ● **16** ⸆εν 𝔓[74] Ψ 2495 *pc* | ⸀-ρωτερον εστιν D ● **17** ⸆ απειλη Ψ 𝔐 sy[h] ¦ τα ρηματα ταυτα, απειλη E (it) ¦ *txt* 𝔓[74vid] ℵ A B D 33. 323. 614. 945. 1739 *pc* lat ● **18** ⸂συγκατατιθεμενων δε αυτων τη γνωμη φωνησαντες αυ. παρηγγειλαντο κατα το D (gig h sy[hmg]; Lcf) | °† ℵ* B ¦ *txt* 𝔓[74] ℵ[1] A E Ψ 𝔐 | °¹B* 36. 614 *pc* ● **19** ⸂αποκριθεις δε Π. κ. Ι. D ● **20** ° D* ● **21** ⸂μη ευ. αιτιαν D p sy[p] mae bo ● **22** ⸀εγεγ- ℵ A E Ψ 𝔐 ¦ *txt* B D *pc* | ° D gig p; Ir[lat] ● **24** ⸆και επιγνοντες την του θεου ενεργειαν D mae | ⸆ο θεος D E Ψ 𝔐 gig p sy sa mae; Ir[lat] Lcf ¦ *txt* 𝔓[74] ℵ A B 2495 *pc* vg bo

25 ⸂ὁ τοῦ πατρὸς ἡμῶν διὰ πνεύματος ἁγίου στόματος
Δαυὶδ παιδός σου εἰπών⸃·

ἱνατί ἐφρύαξαν ἔθνη Ps 2,1s 𝔊
καὶ λαοὶ ἐμελέτησαν κενά;
26 *παρέστησαν οἱ βασιλεῖς τῆς γῆς*
καὶ οἱ ἄρχοντες συνήχθησαν ἐπὶ τὸ αὐτὸ
κατὰ τοῦ κυρίου καὶ κατὰ τοῦ χριστοῦ αὐτοῦ.

27 συνήχθησαν γὰρ ἐπ' ἀληθείας ἐν τῇ πόλει ταύτῃ ἐπὶ
τὸν ἅγιον παῖδά σου Ἰησοῦν ὃν ἔχρισας, Ἡρῴδης τε καὶ 3,14! · 3,26! · 10,38! Is 61,1 · L 23,12
Πόντιος Πιλᾶτος σὺν ἔθνεσιν καὶ ⸀λαοῖς Ἰσραήλ, **28** ποι-
ῆσαι ὅσα ἡ χείρ σου καὶ ἡ βουλή °[σου] προώρισεν γε- 2,23!
νέσθαι. **29** καὶ τὰ νῦν, κύριε, ἔπιδε ἐπὶ τὰς ⸀ἀπειλὰς αὐτῶν καὶ δὸς τοῖς δούλοις σου μετὰ παρρησίας πάσης λα- 2,29! · 8,25!
λεῖν τὸν λόγον σου, **30** ἐν τῷ ⸂τὴν χεῖρά [σου] ἐκτείνειν
σε⸃ εἰς ἴασιν καὶ σημεῖα καὶ τέρατα γίνεσθαι διὰ τοῦ ὀνό- 5,12!
ματος τοῦ ἁγίου παιδός σου Ἰησοῦ. **31** καὶ δεηθέντων αὐ- cf 27!
τῶν ἐσαλεύθη ὁ τόπος ἐν ᾧ ἦσαν συνηγμένοι, καὶ ἐπλή- 16,26 · 2,4! ·
σθησαν ἅπαντες τοῦ ἁγίου πνεύματος καὶ ἐλάλουν τὸν cf 29!
λόγον τοῦ θεοῦ μετὰ παρρησίας⸆.

32 Τοῦ δὲ πλήθους τῶν πιστευσάντων ἦν ⸆ καρδία καὶ
⸆ ψυχὴ μία⸇, καὶ οὐδὲ εἷς °τι τῶν ὑπαρχόντων ⸀αὐτῷ 2,45!
⸁ἔλεγεν ἴδιον εἶναι ἀλλ' ἦν αὐτοῖς ⸀1ἅπαντα κοινά. **33** καὶ 2,42.44
δυνάμει μεγάλῃ ἀπεδίδουν τὸ μαρτύριον οἱ ἀπόστολοι 1,22!
⸂τῆς ἀναστάσεως τοῦ κυρίου Ἰησοῦ⸃, χάρις τε μεγάλη 1,21! · L 2,40
ἦν ἐπὶ πάντας αὐτούς. **34** οὐδὲ γὰρ ἐνδεής τις ⸀ἦν ἐν αὐ- Dt 15,4
τοῖς· ὅσοι γὰρ κτήτορες ⸆ χωρίων ἢ οἰκιῶν °ὑπῆρχον,
πωλοῦντες ἔφερον τὰς τιμὰς τῶν πιπρασκομένων **35** καὶ 2,45!

25 ⸂*1 5 8–12* 𝔐 (του παιδ. 326. 2495 *al*) ¦ ος δια πν. αγ. δια του στ. λαλησας Δ. παι. σου D (sy^{p}) ¦ ο πνευματι αγ. δια στ. τ. πατρ. ημ. Δ. τ. παι. σου ειπ. 629 *pc* lat ¦ *txt* 𝔓^{74} ℵ A B E Ψ 33. 323. (945). 1739 *al* • **27** ⸀λαος E Ψ 326 *pc* sy • **28** °† A* B E* 323. 945. 1739 *pc* gig vgst; Lcf ¦ *txt* ℵ A^{c} D E^{c} Ψ 𝔐 sy; Ir^{lat} • **29** ⸀αγιας (*!*) D* • **30** ⸂† *1 2 4 5* B ¦ *1 2 5 4* 𝔓^{74} A 1175 *pc* ¦ *4 1–3* 𝔓^{45} ¦ *1–4* ℵ^{c} D E Ψ 𝔐 ¦ *txt* ℵ* 36. 104. 614. 2495 *al* • **31** ⸆παντι τω θελοντι πιστευειν D E r vg^{mss} mae; Ir • **32** ⸆ *bis* η (D^{c}) E Ψ 𝔐; Or Cyr ¦ *txt* 𝔓^{8} ℵ A B D* 1175 *pc* | ⸇και ουκ ην διακρισις εν αυτοις ουδεμια D; Cyp ¦ κ. ουκ ην χωρισμος εν αυ. τις E r | ° D 2495* *pc* | ⸀-του 𝔓^{8} D *pc* ¦ -των P 104. 1241 *pm* ¦ – 36. 945 *pc* | ⸁-γον 𝔓^{74} B*^{vid} 945. 1241 *pc* | ⸀1† παν- 𝔓^{8} B D *pc* ¦ *txt* ℵ A E Ψ 𝔐 • **33** ⸂† *3–5 1 2* B ¦ τ. αν. Ι. Χριστου τ. κυ. (+ ημων 36 *pc*) ℵ A 36. 1175 *pc* vg ¦ τ. αν. τ. κυ. Ι. Χ. D E 323. 945. 1739. 2495 *al* r ¦ *txt* 𝔓^{8} Ψ 𝔐 it sy^{h} sa; Ir^{lat} • **34** ⸀υπηρχεν 𝔓^{8} D E Ψ 𝔐 ¦ *txt* 𝔓^{74} ℵ A B 323. 945. 1175. 1739 *al* | ⸆ησαν D *et* ° ℵ* D^{2}

37; 5,2 ἐτίθουν παρὰ τοὺς πόδας τῶν ἀποστόλων, διεδίδετο δὲ ⸆
2,45 ἑκάστῳ καθότι ἄν τις χρείαν εἶχεν. **36** ⸀Ἰωσὴφ δὲ ὁ
9,27; 11,22.30; 12, 25; c. 13–15 1K 9,6 G 2,1-13 Kol 4,10 ἐπικληθεὶς ⸂Βαρναβᾶς ⸀¹ἀπὸ τῶν ἀποστόλων, ὅ ἐστιν
μεθερμηνευόμενον υἱὸς παρακλήσεως, Λευίτης, Κύπριος
2,45! τῷ γένει, **37** ὑπάρχοντος αὐτῷ ⸀ἀγροῦ πωλήσας ἤνεγκεν
35! τὸ χρῆμα καὶ ἔθηκεν ⸂πρὸς τοὺς πόδας τῶν ἀποστόλων.
5 Ἀνὴρ δέ τις Ἁνανίας ὀνόματι σὺν Σαπφίρῃ τῇ γυναι-
Tit 2,10 Jos 7,1ss 2Mcc 4,32 κὶ αὐτοῦ ἐπώλησεν κτῆμα **2** καὶ ἐνοσφίσατο ⸀ἀπὸ τῆς
τιμῆς, συνειδυίης καὶ τῆς γυναικός, καὶ ἐνέγκας μέρος
4,35! τι παρὰ τοὺς πόδας τῶν ἀποστόλων ⸂ἔθηκεν. **3** εἶπεν δὲ
J 13,2! ⸉ὁ Πέτρος· Ἁνανία,⸊ διὰ τί ⸀ἐπλήρωσεν ὁ σατανᾶς τὴν
καρδίαν σου, ψεύσασθαί σε τὸ πνεῦμα τὸ ἅγιον καὶ νο-
σφίσασθαι ⸆ ἀπὸ τῆς τιμῆς τοῦ χωρίου; **4** οὐχὶ μένον σοὶ
Dt 23,21ss ἔμενεν καὶ πραθὲν ἐν τῇ σῇ ἐξουσίᾳ ὑπῆρχεν; τί ⸀ὅτι
ἔθου ἐν τῇ καρδίᾳ σου ⸉τὸ πρᾶγμα⸊ τοῦτο; οὐκ ἐψεύσω
ἀνθρώποις ἀλλὰ τῷ θεῷ. **5** ἀκούων δὲ ὁ Ἁνανίας τοὺς
10; 12,23 · 2,43! λόγους τούτους ⸆ πεσὼν ἐξέψυξεν, καὶ ἐγένετο φόβος
μέγας ἐπὶ πάντας τοὺς ἀκούοντας. **6** ἀναστάντες δὲ ⸆ οἱ
Lv 10,4s νεώτεροι συνέστειλαν αὐτὸν καὶ ἐξενέγκαντες ἔθαψαν.
3Mcc 4,17 **7** Ἐγένετο δὲ ὡς ὡρῶν τριῶν διάστημα καὶ ἡ γυνὴ
αὐτοῦ μὴ εἰδυῖα τὸ γεγονὸς εἰσῆλθεν. **8** ⸉ἀπεκρίθη δὲ
πρὸς αὐτὴν Πέτρος⸊· ⸉¹εἰπέ μοι, εἰ⸊¹ τοσούτου τὸ χωρίον ἀπέδοσθε; ἡ δὲ εἶπεν· ναί, τοσούτου. **9** ὁ δὲ Πέτρος
πρὸς αὐτήν· τί ὅτι ⸀συνεφωνήθη ὑμῖν πειράσαι τὸ πνεῦμα
⸂κυρίου; ἰδοὺ οἱ πόδες τῶν θαψάντων τὸν ἄνδρα σου ἐπὶ
⸉τῇ θύρᾳ⸊ καὶ ἐξοίσουσίν σε. **10** ἔπεσεν δὲ παραχρῆμα
5! ⸀πρὸς τοὺς πόδας αὐτοῦ καὶ ἐξέψυξεν· εἰσελθόντες δὲ
Lv 10,4s οἱ νεανίσκοι εὗρον αὐτὴν νεκρὰν καὶ ⸂ἐξενέγκαντες ἔθα-

35 ⸆ενι D ● 36 ⸀Ιωσης Ψ 𝔐 sy^{h} ¦ *txt* 𝔓$^{8vid.74}$ ℵ A B D E 323. 945. 1175. 1739. 2495 *al* latt sy^{p} | ⸂Βαρσαββας 181 *pc* (w) | ⸀¹υπο D 33. 323. 2495 *al* ● 37 ⸀χωριου D e p | ⸂παρα 𝔓$^{57.74}$ A B D Ψ 𝔐 ¦ *txt* ℵ E 36 *pc* p
¶ 5,2 ⸀εκ D | ⸂εθετο D ● 3 ⸉ο (– D) Π. προς Αν.· D Ψ *pc* vg^{mss} ¦ προς αυτον ο Π.· Αν., E *pc* p r sy^{h**} | ⸀επηρ- ℵ* *pc* ¦ επειρασεν 𝔓^{74} vg ¦ επωρ- 2492 | ⸆σε D Ψ 𝔐 ¦ *txt* 𝔓$^{8.74}$ ℵ A B E 323. 614. 945. 1175. 1739 *al* ● 4 ⸀τουτο 𝔓^{74} sa | ⸉ποιησαι το πονηρον (πραγμα 𝔓^{74}) 𝔓^{74} D(*, sy^{p}) sa mae ● 5 ⸆παραχρημα D p (*cf vs* 6) ● 6 ⸆παραχρημα E ● 8 ⸉ειπεν δε πρ. αυ. ο Π. D it vg^{cl}; Lcf ¦ πρ. ἣν ο Π. εφη E ¦ *ut txt, sed* ο Π. 𝔐 ¦ *txt* 𝔓^{74} ℵ A B Ψ 0189. (36). 1175 *pc* | ⸉¹επερωτησω σε, ει αρα D (mae) ● 9 ⸀-ωνησεν D | ⸂το αγιον 𝔓^{74} 1838 *pc* | ⸉ταις θυραις 𝔓^{74} A 1175 bo ● 10 ⸀παρα E Ψ 𝔐 ¦ *txt* 𝔓^{74} ℵ A B D 0189. 1175 *pc* | ⸂συστειλαντες εξηνεγκαν και D (sy^{p})

ψαν πρὸς τὸν ἄνδρα αὐτῆς, **11** καὶ ἐγένετο φόβος μέγας 2,43!
ἐφ' ὅλην τὴν ἐκκλησίαν καὶ ἐπὶ πάντας τοὺς ἀκούοντας
ταῦτα.
12 Διὰ δὲ τῶν χειρῶν τῶν ἀποστόλων ἐγίνετο σημεῖα 2,19.22.43; 4,30; 6,8; 7,36; 14.3; 15.12 2K 12,12! ·
καὶ τέρατα πολλὰ ἐν τῷ λαῷ. καὶ ἦσαν ὁμοθυμαδὸν ⸀ἅ- 1,14! ·
παντες ⸆ ἐν τῇ στοᾷ Σολομῶντος, **13** ⸂τῶν δὲ λοιπῶν οὐδ- 3,11!
εὶς⸃ ἐτόλμα κολλᾶσθαι αὐτοῖς, ἀλλ' ἐμεγάλυνεν αὐτοὺς ὁ
λαός. **14** μᾶλλον δὲ προσετίθεντο πιστεύοντες τῷ κυρίῳ, 2,41! 11,24 · 18,8!
πλήθη ἀνδρῶν τε καὶ γυναικῶν, **15** ὥστε καὶ εἰς τὰς πλατείας ἐκφέρειν τοὺς ἀσθενεῖς ⸆ καὶ τιθέναι ἐπὶ κλιναρίων cf 19,12 Mc 6,56
καὶ κραβάττων, ἵνα ἐρχομένου Πέτρου κἂν ἡ σκιὰ ⸀ἐπι-
σκιάσῃ τινὶ αὐτῶν⸆. **16** συνήρχετο δὲ καὶ τὸ πλῆθος τῶν
πέριξ πόλεων ⸆ Ἰερουσαλὴμ φέροντες ἀσθενεῖς καὶ ὀ-
χλουμένους ⸀ὑπὸ πνευμάτων ἀκαθάρτων, ⸂οἵτινες ἐθερα- 8,7!
πεύοντο ἅπαντες⸃.
17 ⸂Ἀναστὰς δὲ⸃ ὁ ἀρχιερεὺς καὶ πάντες οἱ σὺν αὐτῷ, 4,6
ἡ οὖσα αἵρεσις τῶν Σαδδουκαίων, ἐπλήσθησαν ⸀ζήλου 4,1; 23,6ss · 13,45; 17,5 |
18 καὶ ἐπέβαλον τὰς χεῖρας ⸆ ἐπὶ τοὺς ἀποστόλους καὶ 4,3! *18–23:* 12,4-10
ἔθεντο αὐτοὺς ἐν τηρήσει δημοσίᾳ⸆. **19** ⸂Ἄγγελος δὲ 16,37 |
κυρίου διὰ νυκτὸς⸃ ⸀ἀνοίξας τὰς θύρας τῆς φυλακῆς ἐξ- 16,26s
αγαγών ⸀τε αὐτοὺς εἶπεν· **20** πορεύεσθε καὶ σταθέντες
λαλεῖτε ἐν ⸋τῷ ἱερῷ⸌ τῷ λαῷ πάντα τὰ ῥήματα τῆς ζωῆς J 6,68 cf Ph 2,16 Act 13,26
ταύτης. **21** ἀκούσαντες δὲ εἰσῆλθον ὑπὸ τὸν ὄρθρον εἰς
τὸ ἱερὸν καὶ ἐδίδασκον. Παραγενόμενος δὲ ὁ ἀρχ- 2,42; 4,2.18; 5,25. 28.42
ιερεὺς καὶ οἱ σὺν αὐτῷ ⸀συνεκάλεσαν τὸ συνέδριον καὶ
πᾶσαν τὴν γερουσίαν τῶν υἱῶν Ἰσραὴλ καὶ ἀπέστειλαν Ex 12,21 1Mcc 12,6 2Mcc 1,10
εἰς τὸ δεσμωτήριον ἀχθῆναι αὐτούς. **22** οἱ δὲ ⸉παρα-
γενόμενοι ὑπηρέται⸊ ⸂οὐχ εὗρον αὐτοὺς ἐν τῇ φυλα-
κῇ⸃· ἀναστρέψαντες δὲ ἀπήγγειλαν **23** λέγοντες ὅτι τὸ

12 ⸀† παν- A B E 0189 *pc* ¦ *txt* $\mathfrak{P}^{74\text{vid}}$ ℵ D Ψ 𝔐 | ⸆εν τω ιερω D sa^{mss} mae ¦ εν τω ναω συνηγμενοι E ● **13** ⸂και ουδ. τ. λ. D t (sy) ● **15** ⸆αυτων D p | ⸀-σει B 33. 614. 1241. 2495 *al* | ⸆απηλλασσοντο γαρ απο πασης ασθενειας ως ειχεν εκαστος αυτων D (mae) ¦ και ρυσθωσιν απο π. ασθ. ης ειχον. διο E (it vg^{cl}; Lcf) ● **16** ⸆εις D E Ψ 𝔐 vg^{mss} ¦ *txt* $\mathfrak{P}^{74}$ ℵ A B 0189 *pc* lat sy | ⸀απο D | ⸂και ιωντο παντες D it sy^{p}; Lcf ● **17** ⸂ Αννας δε p mae; [Blass *cj*] ¦ και ταυτα βλεπων αναστας E | ⸀-ους B* ● **18** ⸆αυτων E 𝔐 sy^{h} ¦ *txt* $\mathfrak{P}^{45}$ ℵ A B D Ψ 0189. 36. 1175 *pc* lat sy^{p}; Lcf | ⸆και επορευθη εις εκαστος εις τα ιδια D mae ● **19** ⸂Τοτε δια νυκ. αγγ. κυ. D sy^{p} | ⸀† ηνοιξε B (D) E Ψ 0189 𝔐 ¦ *txt* $\mathfrak{P}^{74}$ ℵ A 36. 453. 1175 *pc* | ⸀δε B Ψ 0189 ● **20** ⸋$\mathfrak{P}^{74}$ ● **21** ⸀εγερθεντες τω πρωι και συγκαλεσαμενοι D mae ● **22** ⸉D E Ψ 𝔐 ¦ *txt* $\mathfrak{P}^{74}$ ℵ A B 36. 945. 1175. 1739 *al* | ⸂και ανοιξαντες την φυλακην ουκ ευρ. αυ. εσω D lat (sy^{h**}) mae

ᵀ δεσμωτήριον εὕρομεν κεκλεισμένον ἐν πάσῃ ἀσφαλείᾳ
καὶ τοὺς φύλακας ἑστῶτας ἐπὶ τῶν θυρῶν, ἀνοίξαντες δὲ
ἔσω οὐδένα εὕρομεν. **24** ὡς δὲ ἤκουσαν τοὺς λόγους τού-
4,1! · 2,12; 10,17 L 9,7 τους ὅ τε ᵀ στρατηγὸς τοῦ ἱεροῦ καὶ οἱ ἀρχιερεῖς ⸆, διηπό-
ρουν περὶ αὐτῶν τί ἂν γένοιτο τοῦτο. **25** παραγενόμενος
δέ τις ἀπήγγειλεν αὐτοῖς ὅτι ἰδοὺ οἱ ἄνδρες οὓς ἔθεσθε
21! ἐν τῇ φυλακῇ εἰσὶν ἐν τῷ ἱερῷ ἑστῶτες καὶ διδάσκοντες
4,1! τὸν λαόν. **26** Τότε ἀπελθὼν ὁ στρατηγὸς σὺν τοῖς ὑπηρέ-
16,39 · Mt 21,26! ταις ⸀ἦγεν αὐτοὺς °οὐ μετὰ βίας, ⸁ἐφοβοῦντο γὰρ τὸν
λαὸν ᵀ μὴ λιθασθῶσιν.
27 Ἀγαγόντες δὲ αὐτοὺς ἔστησαν ἐν τῷ συνεδρίῳ. καὶ
ἐπηρώτησεν αὐτοὺς ὁ ⸀ἀρχιερεὺς **28** λέγων· °[οὐ] παρ-
4,17s! αγγελίᾳ παρηγγείλαμεν ὑμῖν μὴ διδάσκειν ἐπὶ τῷ ὀνόματι τούτῳ, καὶ ἰδοὺ ⸀πεπληρώκατε τὴν Ἰερουσαλὴμ τῆς
Mt 27,25! διδαχῆς ὑμῶν καὶ βούλεσθε ἐπαγαγεῖν ἐφ' ἡμᾶς τὸ αἷμα
τοῦ ἀνθρώπου ⸁τούτου. **29** ⸂ἀποκριθεὶς δὲ Πέτρος καὶ
4,19 οἱ ἀπόστολοι εἶπαν⸃· πειθαρχεῖν δεῖ θεῷ μᾶλλον ἢ ἀν-
Ex 3,15 Dn 3,26 𝔊 · 52 𝔊 · 3,15! · θρώποις. **30** ὁ ᵀ θεὸς τῶν πατέρων ἡμῶν ἤγειρεν Ἰησοῦν
10,39 Dt 21,22 G 3,13 ὃν ὑμεῖς διεχειρίσασθε κρεμάσαντες ἐπὶ ξύλου· **31** τοῦ-
3,14! · 2,33 · τον ὁ θεὸς ἀρχηγὸν καὶ σωτῆρα ὕψωσεν τῇ ⸀δεξιᾷ αὐ-
11,18! · 2,38; 10,43; 13,38 L 24,47 | τοῦ °[τοῦ] δοῦναι μετάνοιαν τῷ Ἰσραὴλ καὶ ἄφεσιν ἁμαρ-
1,8.22! L 24,48 J τιῶν ᵀ. **32** καὶ ἡμεῖς ⸀ἐσμεν μάρτυρες τῶν ῥημάτων τού-
15,26s 1P 5,1 · των καὶ τὸ πνεῦμα τὸ ἅγιον °ὃ ἔδωκεν ὁ θεὸς τοῖς πειθ-
15,28 · J 7,39! αρχοῦσιν αὐτῷ.
7,54 **33** Οἱ δὲ ἀκούσαντες διεπρίοντο καὶ ⸀ἐβούλοντο ἀνελεῖν αὐτούς. **34** ἀναστὰς δέ τις ⸂ἐν τῷ συνεδρίῳ⸃ Φαρι-
22,3 σαῖος ὀνόματι Γαμαλιήλ, νομοδιδάσκαλος τίμιος παντὶ
4,15 τῷ λαῷ, ἐκέλευσεν ⸄ἔξω βραχὺ τοὺς ἀνθρώπους⸅ ποι-

23 ᵀμεν E Ψ 𝔐 lat; Lcf ¦ *txt* 𝔓^{74vid} ℵ A B D 2495 *pc* e h • **24** ᵀιερευς και ο (E) Ψ 𝔐 (gig) sy$^{(p)}$ ¦ *txt* 𝔓^{74} ℵ A B D 945. 1175. 1739 *al* lat (sa bo) | ⸆εθαυμαζον και E (sy^{p}) • **26** ⸀ηγαγεν A E Ψ 𝔐 ¦ ηγαγον D* 2495 *pc* sy^{p} ¦ *txt* 𝔓^{74vid} ℵ B D^{c} | ° D* | ⸁φοβουμενοι D | ᵀτινα A Ψ 𝔐 ¦ *txt* ℵ B D E 33. 1175 *pc* • **27** ⸀ιερευς D* gig; Lcf ¦ praetor h • **28** °† 𝔓^{74} ℵ* A B 1175 *pc* lat bo; Lcf Cyr ¦ *txt* ℵ^{c} D E (Ψ) 𝔐 h p w sy sa mae | ⸀επληρωσατε 𝔓^{74} ℵ A 36. 1175 *pc* ¦ *txt* B D E Ψ 𝔐 | ⸁εκεινου D* sa • **29** ⸂ο δε Π. ειπεν προς αυτους D (h sy^{p}) • **30** ᵀδε 𝔓^{74} ℵ A ¦ *txt* B D E Ψ 𝔐 latt sy • **31** ⸀δοξη D* gig p sa; Ir^{lat} | ° 𝔓^{74} ℵ^{c} A D E Ψ 𝔐 ¦ *txt* ℵ* B | ᵀεν αυτω D* h p sa mae • **32** ⸀εσμ. αυτου (-τω 69 *pc*) D^{c} E (Ψ) 𝔐 p* ¦ εν αυτω B *pc*; Ir^{lat} ¦ εν αυ. εσμεν (6). 945. 1739. (1891) *pc* bo^{ms} ¦ *txt* 𝔓^{74vid} ℵ (∫A) D* 104. 614. 1175 *pc* lat sy co | ° B *pc*; CyrJ • **33** ⸀-λευοντο ℵ D (1175. 1241) 𝔐 ¦ *txt* A B E Ψ 36. 104. 614 *pc* co • **34** ⸂εκ του -ιου (+ αυτων E) D E h p (sy^{p}) bo | ⸄ *2–4* 𝔓^{74} (*pc*) ¦ εξω βρ. τ. αποστολους (∫D) E Ψ 0140 𝔐 (gig h) sy sa mae ¦ *txt* 𝔓^{45vid} ℵ A B 614 *pc* p vg bo

ἦσαι **35** εἶπέν τε πρὸς ⸀αὐτούς· ἄνδρες Ἰσραηλῖται, προσέχετε ⸁ἑαυτοῖς ἐπὶ τοῖς ἀνθρώποις τούτοις τί μέλλετε
πράσσειν. **36** πρὸ γὰρ τούτων τῶν ἡμερῶν ἀνέστη Θευ-
δᾶς λέγων εἶναί τινα ⸆ ἑαυτόν, ᾧ προσεκλίθη ἀνδρῶν 8,9 G 2,6; 6,3
ἀριθμὸς ὡς τετρακοσίων· ὃς ⸀ἀνῃρέθη, καὶ πάντες ὅσοι cf 21,38
ἐπείθοντο αὐτῷ °διελύθησαν καὶ ἐγένοντο εἰς οὐδέν.
37 μετὰ τοῦτον ἀνέστη Ἰούδας ὁ Γαλιλαῖος ἐν ταῖς ἡμέ- ? L 13,1
ραις τῆς ἀπογραφῆς καὶ ἀπέστησεν λαὸν ⸆ ὀπίσω αὐ- L 2,2
τοῦ· κἀκεῖνος ἀπώλετο καὶ °πάντες ὅσοι ἐπείθοντο αὐτῷ
διεσκορπίσθησαν. **38** καὶ °τὰ νῦν ⸆ λέγω ὑμῖν, ἀπόστητε
ἀπὸ τῶν ἀνθρώπων τούτων καὶ ⸀ἄφετε αὐτούς⸇· ὅτι ἐὰν
ᾖ ἐξ ἀνθρώπων ἡ βουλὴ αὕτη ἢ τὸ ἔργον τοῦτο, καταλυθήσεται, **39** εἰ δὲ ἐκ θεοῦ ἐστιν, οὐ δυνήσεσθε κατα- cf 23,9
λῦσαι ⸀αὐτούς⸆, μήποτε °καὶ θεομάχοι εὑρεθῆτε. ἐπεί- 2Mcc 7,19
σθησαν δὲ αὐτῷ **40** καὶ προσκαλεσάμενοι τοὺς ἀποστό- 4,18
λους δείραντες παρήγγειλαν μὴ λαλεῖν ἐπὶ τῷ ὀνόματι 22,19 Mc 13,9 2K 11,24
τοῦ Ἰησοῦ καὶ ἀπέλυσαν⸆. **41** Οἱ μὲν οὖν ⸆ ἐπορεύ- 4,21 |
οντο χαίροντες ἀπὸ προσώπου τοῦ συνεδρίου, ὅτι κατ- Mt 5,12p 1P 4,13 · 2Th 1,4!
ηξιώθησαν ὑπὲρ τοῦ ὀνόματος ⸇ ἀτιμασθῆναι, **42** πᾶσάν 9,16; 15,26; 21,13 3J 7 |
τε ἡμέραν ἐν τῷ ἱερῷ καὶ κατ' οἶκον οὐκ ἐπαύοντο δι- 21! · 15,35 L 20,1 ·
δάσκοντες καὶ εὐαγγελιζόμενοι τὸν χριστὸν Ἰησοῦν. 2,36; 9,22!

7 **6** Ἐν δὲ ταῖς ἡμέραις ταύταις πληθυνόντων τῶν μαθητῶν ἐγένετο γογγυσμὸς τῶν Ἑλληνιστῶν πρὸς τοὺς 9,29; 11,20
Ἑβραίους, ὅτι παρεθεωροῦντο ἐν τῇ διακονίᾳ τῇ καθ- cf 4,35
ημερινῇ αἱ χῆραι αὐτῶν⸆. **2** προσκαλεσάμενοι δὲ οἱ δώδεκα τὸ πλῆθος τῶν μαθητῶν εἶπαν ⸆· οὐκ ἀρεστόν ἐστιν Ex 18,17-23

35 ⸀τους αρχοντας και τους συνεδριους D (sa, mae) ¦ totum consilium h | ⸁αυ- 𝔓[45.74] 0140* *pc* ● **36** ⸆μεγαν D (⸉E 36. 614. 2495 *pc* h) gig sy[p] mae; Cyr | ⸀διελυθη αυτος δι αυτου *et* ° D[(c)] (p) ● **37** ⸆ικανον A[c] (⸉E Ψ 33. 614 *pc*) 0140 𝔐 ¦ πολυν C[vid] D it ¦ *txt* 𝔓[74] ℵ A* B 1175. 1241 *pc* d vg; Cyr | ° 𝔓[45] D it ● **38** ° B* E | ⸆εισιν αδελφοι, D(c) (h) mae | ⸀εασατε D E 0140 𝔐 ¦ *txt* 𝔓[74] ℵ A B C Ψ 1175 *pc* | ⸇μη μιαναντες (μολυνοντες E) τας χειρας (+ υμων E) D E (h) mae ● **39** ⸀αυτο C*[vid] 𝔐 vg[cl] sy[p] sa[mss] bo[ms] ¦ *txt* 𝔓[74] ℵ A B C[2] D E Ψ 323. 614. 945. 1175. 1739* *al* lat sy[h] co | ⸆ουτε υμεις ουτε οι αρχοντες υμων E gig ¦ αποσχεσθε ουν απο των ανδρων τουτων 614*pc* ¦ ουτ. υμ. ουτ. βασιλεις ουτ. τυραννοι· απεχεσθε ουν απο τ. ανθρωπων τουτ. D h sy[h**] mae | ° D* 2495 *pc* p sy ● **40** ⸆αυτους D E Ψ 𝔐 lat sy; Lcf ¦ *txt* 𝔓[74] ℵ A B C 1175 *pc* ● **41** ⸆αποστολοι D 614 *pc* p sy[h] mae | ⸇αυτου 945. 1175 *pc* ¦ Ιησου (*et* ⸉κατηξ. *a.* ατ.) Ψ 𝔐 (lat) ¦ του κυριου Ι. (*et* ⸉) E 614. 1241 *al* sy[h] ¦ *txt* 𝔓[74] ℵ A B C (⸉D 2495). 323. 1739 *pc*; Lcf
¶ **6,1** ⸆εν τη διακονια των Εβραιων D* (h mae) ● **2** ⸆προς αυτους D sa mae bo[mss]

ἡμᾶς καταλείψαντας τὸν λόγον τοῦ θεοῦ διακονεῖν τρα-
πέζαις. **3** ⸂ἐπισκέψασθε ⸀δέ, ἀδελφοί, ἄνδρας ἐξ ὑμῶν⸃
μαρτυρουμένους ἑπτά, πλήρεις πνεύματος ⸆ καὶ σοφίας,
οὓς καταστήσομεν ἐπὶ τῆς χρείας ταύτης, **4** ἡμεῖς δὲ ⸆ τῇ
προσευχῇ καὶ τῇ διακονίᾳ τοῦ λόγου ⸀προσκαρτερήσο-
μεν. **5** καὶ ἤρεσεν ὁ λόγος ἐνώπιον παντὸς τοῦ πλήθους ⸆
καὶ ἐξελέξαντο Στέφανον, ἄνδρα ⸀πλήρης πίστεως καὶ
πνεύματος ἁγίου, καὶ Φίλιππον καὶ Πρόχορον καὶ Νικά-
νορα καὶ Τίμωνα καὶ Παρμενᾶν καὶ Νικόλαον προσήλυτον Ἀντιοχέα, **6** ⸂οὓς ἔστησαν⸃ ἐνώπιον τῶν ἀποστόλων,
⸀καὶ προσευξάμενοι ἐπέθηκαν αὐτοῖς τὰς χεῖρας.
7 Καὶ ὁ λόγος τοῦ ⸀θεοῦ ηὔξανεν καὶ ἐπληθύνετο ὁ ἀριθμὸς τῶν μαθητῶν ἐν Ἰερουσαλὴμ σφόδρα, πολύς τε ὄχλος τῶν ⸁ἱερέων ὑπήκουον τῇ πίστει.
8 Στέφανος δὲ πλήρης ⸀χάριτος καὶ δυνάμεως ἐποίει
τέρατα καὶ σημεῖα μεγάλα ἐν τῷ λαῷ ⸆. **9** ἀνέστησαν δέ τινες τῶν ἐκ τῆς συναγωγῆς ⸂τῆς λεγομένης⸃ ⸀Λιβερτίνων
καὶ Κυρηναίων καὶ Ἀλεξανδρέων καὶ τῶν ἀπὸ Κιλικίας
⸋καὶ Ἀσίας⸌ συζητοῦντες τῷ Στεφάνῳ, **10** ⸀καὶ οὐκ ἴ-
σχυον ἀντιστῆναι τῇ σοφίᾳ ⸆ καὶ τῷ πνεύματι ⸂ᾧ ἐλάλει.⸃
11 τότε ὑπέβαλον ἄνδρας λέγοντας ὅτι ἀκηκόαμεν αὐτοῦ
⸁λαλοῦντος ῥήματα ⸀¹βλάσφημα εἰς Μωϋσῆν καὶ τὸν
θεόν. **12** συνεκίνησάν τε τὸν λαὸν καὶ τοὺς πρεσβυτέρους καὶ τοὺς γραμματεῖς καὶ ἐπιστάντες συνήρπασαν
αὐτὸν καὶ ἤγαγον εἰς τὸ συνέδριον, **13** ἔστησάν τε μάρ-
τυρας ψευδεῖς ⸆ λέγοντας· ὁ ἄνθρωπος οὗτος οὐ παύεται

Nu 27,16 𝔊 16,2; 22,12 1T 3, 7s · 21,8 · 7,55! Ex 31,3; 35,31 |
2,42! · L 1,2
8s; 7,59; 8,2; 11, 19s; 22,20 · 7,55! · 8,5-40; 21,8
? Ap 2,6.15 · 13,43!
8,17-19; 9,12.17; 13,3; 19,6; 28,8 Mt 9,18! 1T 4,14; 5,22 2T 1,6 H 6,2 Nu 27,18.23 Dt 34,9 | 12,20 · 2,47
R 16,26!
5,12!
cf 9,29; 24,12
13,1! Mt 27,32 · 21,39! ·
19,10!
L 21,15
cf Mt 26,59-66p
Mt 10,17 · Prv 14, 5; 24,28 𝔊 Ex 20,16

3 ⸂τι ουν εστιν, αδ.· επισκ. εξ υμ. αυτων ανδ. D h p mae; Marc | ⸀δη A ¦ ουν C E Ψ 𝔐 lat sy ¦ – 𝔓74 (D) ¦ δε ουν 1175 ¦ *txt* ℵ B | ⸆αγιου C* E Ψ 𝔐 h t vg^{cl} sa mae ¦ *txt* 𝔓8.74 ℵ A B C^{2} D 614. 1175 *pc* gig p vgst sy^{h} bo ● **4** ⸆εσομεθα *et* ⸀-ρουντες D (lat) ● **5** ⸆των μαθητων D h mae | ⸀† -ρη B 323. 945. 1739. 2495 *pm* ¦ *txt* 𝔓74 ℵ A C D E Ψ 33. 614. 1175. 1241 *pm* ● **6** ⸂ουτοι εσταθησαν D p sy^{p} | ⸀οιτινες D ● **7** ⸀κυριου D E Ψ 614 *pc* it vg^{cl} sy^{h} | ⸁Ιουδαιων ℵ* *pc* sy^{p} ● **8** ⸀πιστεως 𝔐 sy^{h}; GrNy ¦ χαρ. κ. πιστ. E ¦ πιστ. χαρ. πνευματος Ψ ¦ *txt* 𝔓8vid.45vid.74 ℵ A B D 0175. 33. 323. 614. 945. 1175. 1739. 2495 *al* lat sy^{p} co | ⸆δια του ονοματος (εν τω -τι E; + του 33. 614 *pc*) κυριου Ιησου Χριστου D E 33. 614 *al* it (sy^{h**}) sa mae ● **9** ⸂των -νων ℵ A 0175. 33. 326. 2495 *pc* gig ¦ – 945 *pc* | [⸀Λιβυστινων Beza *cj*] | ⸋A D* ● **10/11** ⸀οιτινες D h t | ⸆τη ουση εν αυτω D E h mae | ⸂τω αγιω ω ελ. δια το ελεγχεσθαι αυτους επ αυτου (διοτι ηλεγχοντο υπ αυτου E) μετα πασης παρρησιας· μη δυναμενοι ουν αντοφθαλμειν (επειδη ουκ ηδυναντο αντιλεγειν E) τη αληθεια D E h t w (sy^{hmg} mae) | ⸁λεγοντος 𝔓74 ℵ* 36 *pc* | ⸀¹-μιας ℵ* D 614 lat ● **13** ⸆κατ αυτου D (h) mae

⸂λαλῶν ῥήματα⸃ κατὰ τοῦ τόπου τοῦ ἁγίου °[τούτου] καὶ 21,28; 25,8 Mt 24,15 ·
τοῦ νόμου· **14** ἀκηκόαμεν γὰρ αὐτοῦ λέγοντος ὅτι Ἰη- 18,13! |
σοῦς ὁ Ναζωραῖος οὗτος καταλύσει τὸν τόπον τοῦτον καὶ 24,6 Mt 24,2; 26,61 J 11,48 ·
ἀλλάξει τὰ ἔθη ἃ παρέδωκεν ἡμῖν Μωϋσῆς. **15** καὶ ⸂ἀτε- 21,21! | L 4,20
νίσαντες εἰς αὐτὸν πάντες οἱ καθεζόμενοι⸃ ἐν τῷ συν-
εδρίῳ ⸆ εἶδον τὸ πρόσωπον αὐτοῦ ὡσεὶ πρόσωπον ἀγ-
γέλου⸇.

7 Εἶπεν δὲ ὁ ἀρχιερεύς⸆· εἰ ⸇ ⸀ταῦτα οὕτως ἔχει; **2** ὁ 17,11; 24,9
δὲ ἔφη· Ἄνδρες ἀδελφοὶ καὶ πατέρες, ἀκούσατε. Ὁ 22,1 · Ps 29,3
θεὸς τῆς δόξης ὤφθη τῷ πατρὶ ἡμῶν Ἀβραὰμ ὄντι ἐν τῇ
Μεσοποταμίᾳ πρὶν ἢ κατοικῆσαι αὐτὸν ἐν Χαρρὰν **3** καὶ Gn 11,31; 15,7
εἶπεν πρὸς αὐτόν· *ἔξελθε ἐκ τῆς γῆς σου καὶ °[ἐκ] τῆς συγ-* *Gn 12,1*
γενείας σου, καὶ δεῦρο εἰς °¹τὴν γῆν ἣν ἄν σοι δείξω. **4** τότε
ἐξελθὼν ἐκ γῆς Χαλδαίων κατῴκησεν ἐν Χαρράν. κἀκεῖθεν μετὰ τὸ ἀποθανεῖν τὸν πατέρα αὐτοῦ μετῴκισεν Gn 11,32; 12,5
αὐτὸν εἰς τὴν γῆν ταύτην εἰς ἣν ὑμεῖς νῦν κατοικεῖτε⸆,
5 καὶ οὐκ ἔδωκεν αὐτῷ κληρονομίαν ἐν αὐτῇ οὐδὲ βῆμα Dt 2,5
ποδὸς καὶ ἐπηγγείλατο *δοῦναι ⸄αὐτῷ εἰς κατάσχεσιν αὐ-* *Gn 48,4;* 13,15; 17,8
τὴν⸅ καὶ τῷ σπέρματι αὐτοῦ μετ' αὐτόν, οὐκ ὄντος αὐτῷ Gn 16,1
τέκνου. **6** ἐλάλησεν δὲ ⸀οὕτως ὁ θεὸς ⸆ ὅτι *ἔσται τὸ σπέρμα* *Gn 15,13s Ex 2,22*
αὐτοῦ πάροικον ἐν γῇ ἀλλοτρίᾳ καὶ δουλώσουσιν ⸁αὐτὸ καὶ
κακώσουσιν ἔτη τετρακόσια· **7** *καὶ τὸ ἔθνος ᾧ ἐὰν ⸀δουλεύ-*
σουσιν κρινῶ ἐγώ, ⸄ὁ θεὸς εἶπεν⸅, *καὶ μετὰ ταῦτα ἐξελεύ-*
σονται καὶ λατρεύσουσίν μοι ἐν τῷ τόπῳ τούτῳ. **8** καὶ Ex 3,12
ἔδωκεν αὐτῷ διαθήκην περιτομῆς· καὶ οὕτως ἐγέννησεν Gn 17,10.13 · 1 Chr 1,34
τὸν Ἰσαὰκ καὶ περιέτεμεν αὐτὸν τῇ ἡμέρᾳ τῇ ὀγδόῃ, καὶ Gn 21,4
Ἰσαὰκ τὸν Ἰακώβ, καὶ Ἰακὼβ τοὺς δώδεκα πατριάρχας. Gn 25,26; 29,31–30,24; 35,16-18 |
9 Καὶ οἱ πατριάρχαι ζηλώσαντες τὸν Ἰωσὴφ ἀπέ- Gn 37,11.28; 45,4

13 ⸂(11) ρημ. βλασφημα λαλ. E Ψ (⸄36. 2495 *pc*) 𝔐 (t vg^{mss}) mae ¦ *txt* 𝔓$^{8vid.45vid.74}$ ℵ B C (⸄A D) 0175. 323. 945. 1175*. 1739 *al* lat sy sa bo; GrNy | ° 𝔓^{74} ℵ A D E Ψ 0175 𝔐 lat ¦ *txt* B C 33. 36. 323. 945. 1739. 2495 *al* h p t sy; GrNy (⸄ 𝔓^{8} 104 *pc*) • **15** ⸂ ητενιζον δε αυτω π. οι καθημ- *et* ⸆και D* | ⸇ εστωτος εν μεσω αυτων D h t mae ¶ **7,1** ⸆τω Στεφανω D E it mae | ⸇αρα D E Ψ 𝔐 sy^{h} ¦ *txt* 𝔓^{74vid} ℵ A B C 36. 323. 945. 1175*. 1739. 2495 *pc* | ⸀τουτο D • **3** °† B D ¦ *txt* 𝔓^{74} ℵ A C E Ψ 𝔐 lat sy; Ir^{lat} | °¹ 𝔐 ¦ *txt* 𝔓^{74} ℵ A B C D E Ψ 1175 *pc* • **4** ⸆και οι πατερες υμων (ημων οι προ ημων D) D E *pc* sy^{h**} mae • **5** ⸄ *4 2 3 1* 𝔓^{74} ℵ A E Ψ 33. 323. 945. 1175. 1739. 2495 *pm* ¦ *txt* B C D 36. 104. 614. 1241 *pm* sy • **6** ⸀αυτω 𝔓^{74} ℵ Ψ 104 *pc* gig r vg^{cl} sy^{p} | ⸆προς αυτον D; Ir^{lat} | ⸁-τω 𝔓^{33} 6. 33. 1175. 2495* *pc* ¦ -τους D lat • **7** ⸀ -σωσιν 𝔓^{33} ℵ B E Ψ 𝔐 ¦ *txt* 𝔓^{74} A C D *pc* | ⸄ D E Ψ 𝔐 latt; Ir^{lat} ¦ *txt* 𝔓^{74} ℵ A B C 1175 *pc*

Gn 39,2s.21.23 δοντο εἰς Αἴγυπτον. καὶ ἦν ὁ θεὸς μετ' αὐτοῦ **10** καὶ ἐξ-
Gn 39,21 είλατο αὐτὸν ἐκ πασῶν τῶν θλίψεων αὐτοῦ καὶ ἔδωκεν
Gn 41,46 ⸂αὐτῷ χάριν⸃ καὶ σοφίαν ⸀ἐναντίον Φαραὼ βασιλέως
Gn 41,43; Αἰγύπτου καὶ κατέστησεν αὐτὸν ἡγούμενον ἐπ' Αἴγυ-
45,8 Ps 105,21 | πτον καὶ °[ἐφ'] ὅλον τὸν οἶκον αὐτοῦ. **11** ἦλθεν δὲ λιμὸς
Gn 41,54; 42,5 ἐφ' ⸂ὅλην τὴν Αἴγυπτον⸃ καὶ Χανάαν καὶ θλῖψις μεγάλη,
καὶ οὐχ ηὕρισκον χορτάσματα οἱ πατέρες ἡμῶν. **12** ἀ-
Gn 42,2 κούσας δὲ Ἰακὼβ ὄντα ⸀σιτία ⸂εἰς Αἴγυπτον⸃ ἐξαπέστει-
λεν τοὺς πατέρας ἡμῶν πρῶτον. **13** καὶ ⸀ἐν τῷ δευτέρῳ
Gn 45,1; · 45,2.16 ⸁ἀνεγνωρίσθη Ἰωσὴφ τοῖς ἀδελφοῖς αὐτοῦ καὶ φανερὸν
ἐγένετο °τῷ Φαραὼ τὸ γένος ⸂[τοῦ] Ἰωσήφ⸃. **14** ἀποστεί-
Gn 45,9-11.23s λας δὲ Ἰωσὴφ μετεκαλέσατο Ἰακὼβ τὸν πατέρα αὐτοῦ
Gn 46,27 𝔊 Ex 1,5 𝔊 καὶ πᾶσαν τὴν συγγένειαν ἐν ψυχαῖς ἑβδομήκοντα πέντε.
Gn 46,3s.6 Dt 26,5 · Gn 49,33 **15** ⸂καὶ κατέβη⸃ Ἰακὼβ ⸋εἰς Αἴγυπτον⸌ καὶ ἐτελεύτησεν
Ex 1,6 | αὐτὸς καὶ οἱ πατέρες ἡμῶν, **16** καὶ ⸀μετετέθησαν εἰς Συ-
Gn 33,19; 50,13 χὲμ καὶ ἐτέθησαν ἐν τῷ μνήματι ᾧ ὠνήσατο Ἀβραὰμ τιμῆς
ἀργυρίου παρὰ τῶν υἱῶν Ἑμμὼρ ⸂ἐν Συχέμ⸃. **17** Καθ-
ὼς δὲ ἤγγιζεν ὁ χρόνος τῆς ἐπαγγελίας ἧς ⸀ὡμολόγη-
Gn 47,27 Ex 1,7.20 Ps 105,24 | σεν ὁ θεὸς τῷ Ἀβραάμ, ηὔξησεν ὁ λαὸς καὶ ἐπληθύνθη
Ex 1,8 𝔊 ἐν Αἰγύπτῳ **18** ἄχρι οὗ *ἀνέστη βασιλεὺς ἕτερος* ⸋*[ἐπ'*
Ex 1,9-11 *Αἴγυπτον]*⸌ *ὃς οὐκ* ⸂*ᾔδει τὸν*⸃ *Ἰωσήφ.* **19** ⸀οὗτος κατασοφι-
σάμενος τὸ γένος ἡμῶν ἐκάκωσεν τοὺς πατέρας °[ἡμῶν]
Ex 1,17s.22 τοῦ ποιεῖν ⸉τὰ βρέφη ἔκθετα⸊ αὐτῶν εἰς τὸ μὴ ζῳογο-
Ex 2,2 H 11,23 νεῖσθαι⸆. **20** Ἐν ᾧ καιρῷ ἐγεννήθη Μωϋσῆς καὶ ἦν ἀ-
στεῖος τῷ θεῷ· ὃς ἀνετράφη μῆνας τρεῖς ἐν τῷ οἴκῳ τοῦ
Ex 2,3.5.10 πατρός, **21** ἐκτεθέντος δὲ αὐτοῦ ⸆ ἀνείλατο αὐτὸν ἡ θυ-

10 ⸂*2 1* D ¦ *2* 𝔓[74] A | ⸀εναντι 𝔓[74] ℵ 323. 614. 945. 1175. 1739 *al* | °† B D Ψ 𝔐 e gig r ¦ *txt* 𝔓[74] ℵ A C E 104. 323. 945. 1175. 1739 *al* p vg ● **11** ⸂ολης της -του D[(c)] ¦ ολην την γην -του E (945. 1739) 𝔐 gig p sy[h] ¦ *txt* 𝔓[45.74] ℵ A B C Ψ 1175 *pc* ● **12** ⸀σιτα Ψ 𝔐 ¦ *txt* 𝔓[74] ℵ A B C D E 945. 1175. 1739 *al* | ⸂εν -τω D Ψ 𝔐 ¦ *txt* 𝔓[74] ℵ A B C E 453. 1175 *pc* ● **13** ⸀επι D | ⸁† εγν- A B p vg ¦ *txt* 𝔓[74] ℵ C D E Ψ 𝔐 gig | ° 𝔓[33.74] ℵ 1175 *pc* ¦ *txt* A B C D E Ψ 𝔐 | ⸂† *2* 𝔓[33] B C *pc* ¦ αυτου 𝔓[74] ℵ A E vg ¦ *txt* 𝔓[45] D Ψ 𝔐 ● **15** ⸂*2* D Ψ *pc* gig p sy[h] ¦ κατεβ. δε B 𝔐 ¦ *txt* 𝔓[33.74] ℵ A C E 36. 945. 1175. 1739 *al* vg | ⸋ B ● **16** ⸀μετηχθησαν D | ⸂του Σ. 𝔓[74] D Ψ 𝔐 vg ¦ του εν Σ. ℵ[c] A E *pc* ¦ – sy[p] ¦ *txt* ℵ* B C 36. 323. 945. 1175. 1739 *al* (2495: *h. t.*) ● **17** ⸀επηγγειλατο 𝔓[45] D E p vg[mss] mae ¦ ωμοσεν Ψ 𝔐 gig sy[(p)] bo ¦ *txt* 𝔓[74] ℵ A B C 36. 453. 1175 *pc* vg sy[hmg] sa ● **18** ⸋ 𝔓[45vid] D E 𝔐 gig p sy[h] ¦ *txt* 𝔓[33vid.74] ℵ A B C Ψ 36. 104. 323. 945. 1175. 1739 *al* vg[st] sy[p.hmg] co | ⸂εμνησθη του D E gig p ● **19** ⸀και D sy[p] ¦ – d | °† 𝔓[74] ℵ B D 1175 *pc* vg[st] ¦ *txt* A C E Ψ 𝔐 it sy | ⸉*3 1 2* 𝔓[45] D E Ψ 𝔐 ¦ *txt* 𝔓[74] ℵ A B C (81. 1175). 1241 *pc* | ⸆τα αρρενα E gig ● **21** ⸆παρα (εις E) τον ποταμον D E w sy[h**] mae

γάτηρ Φαραὼ καὶ ἀνεθρέψατο αὐτὸν ἑαυτῇ εἰς υἱόν.
22 καὶ ἐπαιδεύθη Μωϋσῆς ⸂[ἐν] πάσῃ σοφίᾳ⸃ Αἰγυπτίων, 1Rg 5,10
ἦν δὲ δυνατὸς ἐν λόγοις καὶ ἔργοις αὐτοῦ. **23** Ὡς δὲ cf L 24,19
ἐπληροῦτο αὐτῷ τεσσερακονταετὴς χρόνος, ἀνέβη ἐπὶ cf 1K 2,9
τὴν καρδίαν αὐτοῦ ἐπισκέψασθαι τοὺς ἀδελφοὺς αὐτοῦ Ex 2,11
τοὺς υἱοὺς Ἰσραήλ. **24** καὶ ἰδών τινα ἀδικούμενον ⸆ ἠμύ-
νατο καὶ ἐποίησεν ἐκδίκησιν τῷ καταπονουμένῳ πατάξας Ex 2,12
τὸν Αἰγύπτιον⸆. **25** ἐνόμιζεν δὲ συνιέναι τοὺς ἀδελφοὺς
°[αὐτοῦ] ὅτι ὁ θεὸς διὰ χειρὸς αὐτοῦ δίδωσιν σωτηρίαν
αὐτοῖς· οἱ δὲ οὐ συνῆκαν. **26** τῇ τε ἐπιούσῃ ἡμέρᾳ ὤφθη Ex 2,13
αὐτοῖς μαχομένοις ⸆ καὶ ⸀συνήλλασσεν αὐτοὺς εἰς εἰρήνην εἰπών· ⸂ἄνδρες, ἀδελφοί ἐστε·⸃ ἱνατί ἀδικεῖτε ἀλλήλους; **27** ὁ δὲ ἀδικῶν τὸν πλησίον ἀπώσατο αὐτὸν εἰ-
πών· *τίς σε κατέστησεν ἄρχοντα καὶ δικαστὴν ἐφ' ἡμῶν;* 39 *Ex 2,14*
28 *μὴ ἀνελεῖν με σὺ θέλεις ὃν τρόπον ἀνεῖλες ἐχθὲς τὸν*
Αἰγύπτιον; **29** ⸂ἔφυγεν δὲ⸃ Μωϋσῆς ἐν τῷ λόγῳ τούτῳ Ex 2,15
καὶ ἐγένετο πάροικος ἐν γῇ Μαδιάμ, οὗ ἐγέννησεν υἱοὺς Ex 2,22; 18,3s
δύο. **30** Καὶ ⸂πληρωθέντων ἐτῶν⸃ τεσσεράκοντα ὤφθη
αὐτῷ ἐν τῇ ἐρήμῳ τοῦ ὄρους Σινᾶ ἄγγελος ⸆ ἐν ⸉φλογὶ Ex 3,2
πυρὸς⸊ βάτου. **31** ὁ δὲ Μωϋσῆς ἰδὼν ⸀ἐθαύμαζεν ⸋τὸ Ex 3,3s
ὅραμα⸌, προσερχομένου δὲ αὐτοῦ κατανοῆσαι ⸂ἐγένετο
φωνὴ κυρίου⸃· **32** *ἐγὼ ὁ θεὸς τῶν πατέρων σου, ὁ θεὸς Ἀβρα-* 3,13 *Ex 3,6.15s*
ὰμ καὶ ⸆ *Ἰσαὰκ καὶ* ⸆ *Ἰακώβ.* ἔντρομος δὲ γενόμενος Μωϋ-
σῆς οὐκ ἐτόλμα κατανοῆσαι. **33** ⸂εἶπεν δὲ αὐτῷ ὁ κύρι-
ος⸃· *λῦσον τὸ ὑπόδημα τῶν ποδῶν σου, ὁ γὰρ τόπος ἐφ' ᾧ ἕ-* *Ex 3,5*
στηκας γῆ ἁγία ἐστίν. **34** *ἰδὼν εἶδον τὴν κάκωσιν τοῦ λαοῦ μου* *Ex 3,7s.10*
τοῦ ἐν Αἰγύπτῳ καὶ τοῦ στεναγμοῦ ⸀*αὐτῶν* ⸁*ἤκουσα, καὶ κατέ-*
βην ἐξελέσθαι αὐτούς· καὶ νῦν δεῦρο ⸀¹*ἀποστείλω σε εἰς Αἴ-*

22 ⸂† *2 3* B Ψ 𝔐 d vg; Eus Did ¦ πασαν την -ιαν D^(c) ¦ *txt* 𝔓^74vid ℵ A C E gig p ● 24 ⸆ εκ του γενους αυτου (– D) D E gig sy^p.h** mae | ⸆ και εκρυψεν αυτον εν τη αμμω D w ● 25 °† 𝔓^74 ℵ B 6 *pc* gig vg ¦ *txt* A C D E Ψ 𝔐 p sy^(p) ● 26 ⸆ και ειδεν αυτους αδικουντας D* | ⸀-ηλασεν A E Ψ 𝔐 ¦ *txt* 𝔓^74 ℵ B C D 81. 326*. 945^(c). 1739 *al* | ⸂τι ποιειτε, ανδ. αδ.; D ● 29 ⸂ουτως και εφυγαδευσεν D* (E gig p mae) ● 30 ⸂ μετα ταυτα πλησθεντων αυτω ετη D^(c) | ⸆ κυριου D E Ψ 𝔐 p w sy mae bo^ms ¦ *txt* 𝔓^74 ℵ A B C 81. 1175 *pc* gig vg sa bo | ⸉ πυρι φλογος 𝔓^74 A C E 36. 323. 945. 1739 *al* vg sy^p ¦ *txt* ℵ B D Ψ 𝔐 gig p sy^h ● 31 ⸀-σεν A B C Ψ 326. 1175 *pc* ¦ *txt* 𝔓^74 ℵ D E 𝔐 | ⸋ A | ⸂ο κυριος ειπεν αυτω λεγων D (sy^p) ● 32 ⸆ *bis* ο (– D) θεος D E 𝔐 lat co ¦ *txt* 𝔓^74 ℵ A B C Ψ 36. 81. 614. 1175 *al* vg^mss sy sa^mss ● 33 ⸂και εγενετο φωνη προς αυτον D ● 34 ⸀† -του B D ¦ *txt* 𝔓^74 ℵ A C E Ψ 𝔐 | ⸁ακηκοα D 1175 *pc* | ⸀¹-στελω Ψ 𝔐 ¦ *txt* 𝔓^74 ℵ A B C D E 81. 614. 945. 1175. 1739 *al*

27 *Ex 2,14* · Ps 19,15; 78,35 · Dt 33,16 · 5,12! Ex 7,3 Ps 105,27 · Ex 15,4 · Nu 14,33s AssMos 3,11 · 3,22 *Dt 18,15* · Dt 4,10 etc · 53! · Ex 31,18 Dt 9,10 · Dt 32,47; 33,3 𝔊 · Nu 14,3 · *Ex 32,1.23* · Ex 32,4.8 · Ex 32,6 · Ps 115,4 Jr 1,16 Dt 4,28 | R 1,24! · Jr 7,18; 8,2; 19,13 𝔊 · *Am 5,25-27* 𝔊

γυπτον. **35** Τοῦτον τὸν Μωϋσῆν ὃν ἠρνήσαντο εἰπόν-
τες· *τίς σε κατέστησεν ἄρχοντα καὶ δικαστήν*⸆*;* τοῦτον ὁ
θεὸς °[καὶ] ἄρχοντα καὶ λυτρωτὴν ἀπέσταλκεν σὺν χειρὶ
ἀγγέλου τοῦ ὀφθέντος αὐτῷ ἐν τῇ βάτῳ. **36** οὗτος ἐξήγαγεν αὐτοὺς ποιήσας τέρατα καὶ σημεῖα ἐν ⸂γῇ Αἰγύπτῳ⸃
καὶ ἐν ἐρυθρᾷ θαλάσσῃ καὶ ἐν τῇ ἐρήμῳ ἔτη τεσσεράκοντα. **37** οὗτός ἐστιν °ὁ Μωϋσῆς ὁ εἴπας τοῖς υἱοῖς Ἰσραήλ·
προφήτην ὑμῖν ἀναστήσει ὁ θεὸς ἐκ τῶν ἀδελφῶν ὑμῶν ὡς ἐ-
μέ⸆. **38** οὗτός ἐστιν ὁ γενόμενος ἐν τῇ ἐκκλησίᾳ ἐν τῇ ἐ-
ρήμῳ μετὰ τοῦ ἀγγέλου τοῦ λαλοῦντος αὐτῷ ἐν τῷ ὄρει Σινᾶ καὶ τῶν πατέρων ἡμῶν, ὃς ἐδέξατο λόγια ζῶντα δοῦναι
⸀ἡμῖν, **39** ⸀ᾧ οὐκ ἠθέλησαν ὑπήκοοι γενέσθαι οἱ πατέρες
⸀ἡμῶν, ἀλλὰ ἀπώσαντο καὶ ⸀1ἐστράφησαν ⸂ἐν ταῖς καρδίαις αὐτῶν⸃ εἰς Αἴγυπτον **40** εἰπόντες τῷ Ἀαρών· *ποίησον*
ἡμῖν θεοὺς οἳ προπορεύσονται ἡμῶν· ὁ γὰρ Μωϋσῆς οὗτος,
ὃς ἐξήγαγεν ἡμᾶς ἐκ γῆς Αἰγύπτου, οὐκ οἴδαμεν τί ⸀ἐγένετο
αὐτῷ. **41** καὶ ἐμοσχοποίησαν ἐν ταῖς ἡμέραις ἐκείναις
καὶ ἀνήγαγον θυσίαν τῷ εἰδώλῳ καὶ εὐφραίνοντο ἐν τοῖς
ἔργοις τῶν χειρῶν αὐτῶν. **42** ἔστρεψεν δὲ ὁ θεὸς καὶ παρέδωκεν αὐτοὺς λατρεύειν τῇ στρατιᾷ τοῦ οὐρανοῦ καθὼς
γέγραπται ἐν βίβλῳ τῶν προφητῶν·

μὴ σφάγια καὶ θυσίας προσηνέγκατέ μοι
ἔτη τεσσεράκοντα ἐν τῇ ἐρήμῳ, οἶκος Ἰσραήλ;
43 *καὶ ἀνελάβετε τὴν σκηνὴν τοῦ Μόλοχ*
καὶ τὸ ἄστρον τοῦ θεοῦ °[ὑμῶν] ⸀†Ραιφάν,
τοὺς τύπους οὓς ἐποιήσατε προσκυνεῖν αὐτοῖς,
καὶ μετοικιῶ ὑμᾶς ⸀ἐπέκεινα Βαβυλῶνος.

35 ⸆ εφ ημων ℵ C D Ψ 36. 81. 453. 1175 *pc* co ¦ εφ ημας E 33. 945. 1739 *pm* ¦ *txt* 𝔓$^{45.74}$ A B P 6. 104. 614. 1241. 2495 *pm* vg | ° 𝔓$^{45.74}$ ℵ* A C 𝔐 lat sy^{p} ¦ *txt* ℵ^{1} B D E Ψ 36. 81. 323. 614. 1175 *al* sy^{h} ● 36 ⸂τη -τω B C 36. 453 *pc* d ¦ γη -του 𝔓^{74} D Ψ 614. 945. 1739 *al* lat ¦ *txt* ℵ A E 𝔐 ● 37 ° 𝔓^{74} D 323. 614. 945. 1175. 1739. 2495 *pm* | ⸆(Dt 18,15) αυτου ακουσεσθε C D(*) E 33. 36. 323. 614. 945. (1175). 1241. 1739 *al* gig sy mae bo ¦ *txt* 𝔓^{45vid} ℵ A B Ψ 𝔐 vgst sa ● 38 ⸀† υμ- 𝔓^{74} ℵ B 36. 453. 2495 *al* p co; Ir^{lat} ¦ *txt* A C D E Ψ 𝔐 lat sy ● 39 ⸀οτι D | ⸀υμ- Ψ 81 *pc* sa^{ms} mae | ⸀1απεστρ- D *pc* | ⸂*2–4* E 81. 323. 945. 1739 *al* ¦ *2 3* D ¦ τη καρδια αυ. Ψ 𝔐 sy^{h} ¦ *txt* 𝔓^{74} ℵ A B C 453. 1175 *pc* ● 40 ⸀γεγονεν D E Ψ 𝔐; Cyr ¦ *txt* 𝔓^{74} ℵ A B C 36. 945. 1175. 1739 *pc* ● 43 °† B D 36. 453 *pc* gig sy^{p} sa; Ir^{lat} Or ¦ *txt* 𝔓^{74} ℵ A C E Ψ (614) 𝔐 h vg sy^{h} mae bo; Cyr | ⸀† Ρομφα (ℵ*: -φαν) B; Or ¦ Ρεμφαν (D: -αμ) 323. 945. 1739. (1241. 2495: -φφαν) *pm* lat; Ir^{lat} ¦ Ρεφα (81: -μφα). 104 *pc* ¦ *txt* 𝔓^{74} ℵ^{c} A 453. 1175 *pc* (C E Ψ 33. 36 *pm*: Ρε-) sy | ⸀επι τα μερη D* gig (e p)

44 Ἡ σκηνὴ τοῦ μαρτυρίου ἦν τοῖς πατράσιν °ἡμῶν ἐν Ex 27,21 etc
τῇ ἐρήμῳ καθὼς διετάξατο ὁ λαλῶν τῷ Μωϋσῇ ποιῆσαι
αὐτὴν κατὰ τὸν τύπον ὃν ἑωράκει· **45** ἣν καὶ εἰσήγαγον Ex 25,40 H 8,5 Jos 3,14; 18,1
διαδεξάμενοι οἱ πατέρες ἡμῶν μετὰ Ἰησοῦ ἐν τῇ κατα- Gn 48,4; 17,8 Dt 32,49 ·
σχέσει τῶν ἐθνῶν, ὧν ⸀ἐξῶσεν ὁ θεὸς ἀπὸ προσώπου τῶν Jos 23,9; 24,18
πατέρων ἡμῶν ἕως τῶν ἡμερῶν Δαυίδ, **46** ὃς εὗρεν χάριν
ἐνώπιον τοῦ θεοῦ καὶ ᾐτήσατο εὑρεῖν σκήνωμα τῷ ⸀οἴκῳ Ps 132,5
Ἰακώβ. **47** Σολομὼν δὲ οἰκοδόμησεν αὐτῷ οἶκον. **48** ⸂ἀλλ' 1 Rg 6,2; 8,20 1 Chr 22,6
οὐχ ⸆ ὁ ὕψιστος ἐν χειροποιήτοις κατοικεῖ⸃, καθὼς ὁ 17,24 Is 16,12 Ⓖ
προφήτης λέγει·

49 *ὁ οὐρανός ⸀μοι θρόνος,* Is 66,1s Mt 5,34s
⸂ἡ δὲ⸃ γῆ ὑποπόδιον τῶν ποδῶν μου·
ποῖον οἶκον οἰκοδομήσετέ μοι, λέγει κύριος,
ἢ ⸁τίς τόπος τῆς καταπαύσεώς μου;
50 οὐχὶ *ἡ χείρ μου ἐποίησεν ⸉ταῦτα πάντα⸊;*

51 Σκληροτράχηλοι καὶ ἀπερίτμητοι ⸀καρδίαις καὶ τοῖς Ex 33,3.5 etc · Lv 26,41 Jr 6,10 etc ·
ὠσίν, ὑμεῖς ἀεὶ τῷ πνεύματι τῷ ἁγίῳ ἀντιπίπτετε ὡς οἱ Is 63,10 Nu 27,14
πατέρες ὑμῶν καὶ ὑμεῖς. **52** τίνα τῶν προφητῶν οὐκ ἐδί- 1 Rg 19,10.14 Neh 9,26 2 Chr 36,16
ωξαν ⸂οἱ πατέρες ὑμῶν⸃; καὶ ἀπέκτειναν τοὺς προκαταγ- Mt 5,12!
γείλαντας περὶ τῆς ἐλεύσεως τοῦ δικαίου, οὗ νῦν ὑμεῖς Mt 27,19
προδόται καὶ φονεῖς ἐγένεσθε, **53** οἵτινες ἐλάβετε τὸν J 7,19
νόμον εἰς διαταγὰς ἀγγέλων καὶ οὐκ ἐφυλάξατε. 38 Dt 33,2 Ⓖ G 3,19 H 2,2

54 Ἀκούοντες δὲ ταῦτα διεπρίοντο ταῖς καρδίαις αὐ- 5,33
τῶν καὶ ἔβρυχον τοὺς ὀδόντας ἐπ' αὐτόν. **55** ὑπάρχων δὲ Ps 35,36; 37,12; 112,10 Job 16,9 |
πλήρης πνεύματος ἁγίου ἀτενίσας εἰς τὸν οὐρανὸν εἶδεν 6,3.5; 11,24; 13,52
δόξαν θεοῦ καὶ Ἰησοῦν ⸆ ἑστῶτα ἐκ δεξιῶν τοῦ θεοῦ L 4,1 · Ps 63,3 Is 6,1 J 12,41 ·
56 καὶ εἶπεν· ἰδοὺ θεωρῶ τοὺς οὐρανοὺς ⸀διηνοιγμένους Mt 26,64!p | 10,11! ·
καὶ τὸν υἱὸν τοῦ ⸁ἀνθρώπου ἐκ δεξιῶν ἑστῶτα τοῦ θεοῦ. L 22,69
57 κράξαντες δὲ φωνῇ μεγάλῃ συνέσχον τὰ ὦτα αὐτῶν
καὶ ὥρμησαν ὁμοθυμαδὸν ἐπ' αὐτὸν **58** καὶ ἐκβαλόντες 19,29 Job 16,10 Ⓖ | L 4,29
ἔξω τῆς πόλεως ἐλιθοβόλουν. καὶ οἱ μάρτυρες ἀπέθεντο H 13,12s Lv 24,14 Nu 15,35s · Dt 17,7

44 ° 𝔓74 33. 326 *pc* ● **45** ⸀εξεωσεν ℵ* E 33 *pc* ● **46** ⸀(Ps 132,5) θεω ℵc A C E Ψ 𝔐 lat sy co ¦ *txt* 𝔓74 ℵ* B D H 049 *pc* sams ● **48** ⸂ο δε υψ. ου κατ. εν χ. D (syp) | ⸆ως 𝔓74 ● **49** ⸀μου 𝔓74 D* | ⸂και η B h | ⸁ποιος D h ● **50** ⸉ 𝔓74 A C D E *pm* h ¦ *txt* ℵ B Ψ 33. 81. 323. 614. 945. 1175. 1241. 1739. 2495 *pm* lat ● **51** ⸀ταις κ. υμων ℵ (Ψ) 945. (1175). 1739. 1891 *pc* ¦ καρδιας B ¦ τη καρδια E 𝔐 it vgmss syp; Lcf GrNy ¦ *txt* 𝔓74 A C D *pc* p vg; Cyr ● **52** ⸂εκεινοι D* (h t) sy ● **55** ⸆τον κυριον D h p (samss) mae ● **56** ⸀ανεωγ- 𝔓74 D E Ψ 𝔐 ¦ *txt* ℵ A B C 81. 323. 945. 1175. 1739 *pc* | ⸁θεου 𝔓74vid 614 bomss

22,20 τὰ ἱμάτια ⸀αὐτῶν παρὰ τοὺς πόδας νεανίου ⸆ καλουμένου
Σαύλου, 59 καὶ ἐλιθοβόλουν τὸν Στέφανον ἐπικαλούμε-
cf L 23,46! νον καὶ λέγοντα· κύριε Ἰησοῦ, δέξαι τὸ πνεῦμά μου.
20,36 · L 23,34 60 θεὶς δὲ τὰ γόνατα ἔκραξεν φωνῇ μεγάλῃ· κύριε, μὴ
στήσῃς αὐτοῖς ⸉ταύτην τὴν ἁμαρτίαν⸊. καὶ τοῦτο εἰπὼν
ἐκοιμήθη.
22,20 L 11,48 R 1,32 8 Σαῦλος δὲ ἦν συνευδοκῶν τῇ ἀναιρέσει αὐτοῦ.
Ἐγένετο δὲ ἐν ἐκείνῃ τῇ ἡμέρᾳ διωγμὸς μέγας ⸆ ἐπὶ
4! τὴν ἐκκλησίαν τὴν ἐν Ἱεροσολύμοις, ⸂πάντες δὲ⸃ διεσπά-
1,8; 9,31; 11,29; 26,20; 28,21; 8,5.9. ρησαν κατὰ τὰς χώρας τῆς Ἰουδαίας καὶ Σαμαρείας πλὴν
14; 15,3 L 9,52 | Mt 14,12 · τῶν ἀποστόλων⸆. 2 συνεκόμισαν δὲ τὸν Στέφανον ἄν-
2,5! δρες εὐλαβεῖς καὶ ἐποίησαν κοπετὸν μέγαν ἐπ’ αὐτῷ.
9,1.21; 22,4.19; 26,10s 1K 15,9 Ph 3,6 G 1,13.23 3 Σαῦλος δὲ ἐλυμαίνετο τὴν ἐκκλησίαν κατὰ τοὺς οἴκους
εἰσπορευόμενος, σύρων τε ἄνδρας καὶ γυναῖκας παρεδί-
δου εἰς φυλακήν.

1; 11,19 · 40; 9,32 4 Οἱ μὲν οὖν διασπαρέντες διῆλθον εὐαγγελιζόμενοι
6,5! τὸν λόγον⸆. 5 Φίλιππος δὲ κατελθὼν εἰς ⸋[τὴν] πόλιν
1,8 · 17,3; 18,5.28 | τῆς Σαμαρείας ἐκήρυσσεν αὐτοῖς τὸν Χριστόν. 6 ⸂προσ-
10s; 16,14 H 2,1 εῖχον δὲ οἱ ὄχλοι⸃ τοῖς λεγομένοις ὑπὸ ⸋τοῦ Φιλίππου
Mc 16,17 ὁμοθυμαδὸν ἐν τῷ ἀκούειν αὐτοὺς καὶ βλέπειν τὰ ση-
5,16 L 6,18 μεῖα ἃ ἐποίει. 7 ⸀πολλοὶ γὰρ τῶν ἐχόντων πνεύματα ἀκά-
Mc 1,26p; 5,7p · θαρτα βοῶντα φωνῇ μεγάλῃ ⸀ἐξήρχοντο, πολλοὶ δὲ παρα-
9,33 L 5,18.24 · λελυμένοι καὶ χωλοὶ ἐθεραπεύθησαν· 8 ἐγένετο δὲ πολ-
λὴ χαρὰ ἐν τῇ πόλει ἐκείνῃ.
9 Ἀνὴρ δέ τις ὀνόματι Σίμων ⸀προϋπῆρχεν ἐν τῇ πόλει
μαγεύων ⸋καὶ ⸀ἐξιστάνων τὸ ἔθνος τῆς Σαμαρείας, λέ-
5,36! | 6! γων εἶναί τινα ἑαυτὸν μέγαν, 10 ᾧ προσεῖχον πάντες ἀπὸ
μικροῦ ἕως μεγάλου λέγοντες· οὗτός ἐστιν ἡ δύναμις τοῦ
θεοῦ ἡ ⸀καλουμένη μεγάλη. 11 προσεῖχον δὲ αὐτῷ διὰ τὸ

58 ⸀εαυ- B *pc* ¦ – Ψ 𝔐 gig ¦ *txt* ℵ A C D E 81. 323. 614. 945. 1175. 1241. 1739 *al* | ⸆τι-νος D gig p syp • 60 ⸉ *2 3 1* 𝔓74 ℵ E Ψ 𝔐; Or ¦ *txt* 𝔓45vid A B C D
¶ 8,1 ⸆και θλιψις D (h samss mae) | ⸂ *1* ℵ* ¦ και π. ℵc 33. 326 *pc* (A: π. τε) | ⸆ (+ μονοι 1175) οι εμειναν εν Ιερουσαλημ D* 1175 it samss mae • 4 ⸆του θεου E t w vgcl syp bomss • 5 ⸋ C D E Ψ 𝔐 ¦ *txt* 𝔓74 ℵ A B 1175 *pc* • 6 ⸂ως δε ηκουον παν(!) οι οχ. πρ. D* (syp mae) | ⸋ D Ψ 36. 453. 945. 1739. 1891 *pc* • 7 ⸀πολλων *et* ⸀-χετο (614. 945. 1739mg: -χοντο) 𝔐 ¦ απο πολλοις(!) *et* -χοντο D* ¦ [πολλα Lachmann *cj*] ¦ *txt* 𝔓74 ℵ A B C Dc E Ψ 81. 1175 *pc* • 9 ⸀-παρχων *et* ⸋ *et* ⸀εξεστανε (!) D*vid ¦ ⸀εξι-στων E Ψ 𝔐 ¦ *txt* 𝔓74 ℵ A B C Dc 81. 1175 *pc* • 10 ⸀λεγομ- L 614 *pc* ¦ – Ψ 𝔐 syp sa mae ¦ *txt* 𝔓74 ℵ A B C D E 33. 81. 323. 945. 1175. 1739 *al*

ἱκανῷ χρόνῳ ταῖς μαγείαις ἐξεστακέναι αὐτούς. **12** ὅτε 14,3
δὲ ἐπίστευσαν τῷ Φιλίππῳ εὐαγγελιζομένῳ περὶ τῆς βα- 19,8!
σιλείας τοῦ θεοῦ καὶ τοῦ ὀνόματος Ἰησοῦ Χριστοῦ, ἐβα- 16; 2,41; 18,8 Mt 28,19
πτίζοντο ἄνδρες τε καὶ γυναῖκες. **13** ὁ δὲ Σίμων καὶ αὐ-
τὸς ἐπίστευσεν καὶ βαπτισθεὶς ἦν προσκαρτερῶν τῷ Φιλίππῳ, θεωρῶν τε σημεῖα καὶ δυνάμεις μεγάλας γινομένας
ἐξίστατο.

14 Ἀκούσαντες δὲ οἱ ἐν ⸀Ἱεροσολύμοις ἀπόστολοι ὅτι 11,1.22
δέδεκται ○ἡ Σαμάρεια τὸν λόγον τοῦ θεοῦ, ἀπέστειλαν 8,1! · 17,11 1Th 1,6; 2,13 Jc 1,21
πρὸς αὐτοὺς Πέτρον καὶ Ἰωάννην, **15** οἵτινες καταβάντες 3,1!
προσηύξαντο περὶ αὐτῶν ὅπως λάβωσιν πνεῦμα ἅγιον· 17.19; 2,38; 10,47; 19,2-7
16 οὐδέπω γὰρ ἦν ⸂ἐπ᾽ οὐδενὶ⸃ αὐτῶν ἐπιπεπτωκός, μό-
νον δὲ βεβαπτισμένοι ὑπῆρχον εἰς τὸ ὄνομα τοῦ ⸄κυρίου 2,38!
Ἰησοῦ⸅. **17** τότε ⸀ἐπετίθεσαν τὰς χεῖρας ἐπ᾽ αὐτοὺς καὶ 6,6!
ἐλάμβανον πνεῦμα ἅγιον. **18** Ἰδὼν δὲ ○ὁ Σίμων ὅτι 15!
διὰ τῆς ἐπιθέσεως τῶν χειρῶν τῶν ἀποστόλων δίδοται τὸ
πνεῦμα⸆, προσήνεγκεν αὐτοῖς χρήματα **19** ⸆ λέγων· δότε
κἀμοὶ τὴν ἐξουσίαν ταύτην ἵνα ᾧ ἐὰν ἐπιθῶ ⸇ τὰς χεῖρας 6,6!
1 λαμβάνῃ πνεῦμα ἅγιον. **20** Πέτρος δὲ εἶπεν πρὸς αὐτόν· 15!
τὸ ἀργύριόν σου σὺν σοὶ εἴη εἰς ἀπώλειαν ὅτι τὴν δω- Dn 2,5; 3,96 Theod · Mt 10,8
ρεὰν τοῦ θεοῦ ἐνόμισας διὰ χρημάτων κτᾶσθαι· **21** οὐκ
ἔστιν σοι μερὶς οὐδὲ κλῆρος ἐν τῷ λόγῳ τούτῳ, ἡ γὰρ Dt 12,12; 14,27.29
καρδία σου οὐκ ἔστιν εὐθεῖα ἔναντι τοῦ θεοῦ. **22** μετα- Ps 78,37
νόησον οὖν ἀπὸ τῆς κακίας σου ταύτης καὶ δεήθητι τοῦ
κυρίου, εἰ ἄρα ἀφεθήσεταί σοι ἡ ἐπίνοια τῆς καρδίας
σου, **23** ⸂εἰς γὰρ χολὴν πικρίας καὶ σύνδεσμον⸃ ἀδικίας Dt 29,17 𝔊 Thr 3,15 · Is 58,6
⸀ὁρῶ σε ὄντα. **24** ἀποκριθεὶς δὲ ὁ Σίμων εἶπεν⸆· ⸇ δεή- Ex 8,4.24; 9,28; 10,17
θητε ὑμεῖς ⸀ὑπὲρ ἐμοῦ πρὸς τὸν ⸁κύριον ὅπως μηδὲν
ἐπέλθῃ ⸂ἐπ᾽ ἐμὲ ὧν εἰρήκατε⸃. **25** Οἱ μὲν οὖν δια-
μαρτυράμενοι καὶ λαλήσαντες τὸν λόγον τοῦ ⸀κυρίου 4,29.31; 11,19; 13,46; 14,25; 16,6.32
ὑπέστρεφον εἰς Ἱεροσόλυμα, πολλάς τε κώμας τῶν Σαμα- Ph 1,14 H 13,7 · 1!
ριτῶν εὐηγγελίζοντο.

14 ⸀Ιερουσαλημ D | ○ 614 *pc* ● **16** ⸂επι ουδενα D* | ⸄κ. Ι. Χριστου D mae ¦ Ι. Χρ. L *al* ● **17** ⸀-θουν ($\mathfrak{P}^{45}$) D* E Ψ 𝔐 ¦ *txt* $\mathfrak{P}^{74}$ ℵ A B (C) D^{c} 323. 945. 1175. 1739 *al* ● **18** ○ Ψ 614 *pc* | ⸆το αγιον $\mathfrak{P}^{45.74}$ A C D E Ψ 𝔐 latt sy bo ¦ *txt* ℵ B sa mae ● **19** ⸆ παρακαλων και D gig p mae | ⸇καγω D (p) ● **23** ⸂εν γ. πικριας χολη και συνδεσμω D* | ⸀θεωρω D E 614 *pc* ● **24** ⸆προς αυτους D mae | ⸇παρακαλω D 614 *pc* gig r sy^{h**} mae | ⸀περι D* *pc* | ⸁θεον D 33. 614. 2495 *pc* p vg^{mss} $sy^{p.h}$ mae | ⸂μοι τουτων των κακων ων ειρ. μοι· ος πολλα κλαιων ου διελιμπανεν D* (sy^{hmg}) mae ● **25** ⸀θεου $\mathfrak{P}^{74}$ A Ψ 326 *pc* t sy^{p} bo ¦ *txt* ℵ B C D E 𝔐 lat sy^{h} sa mae

26 ᾿Άγγελος δὲ κυρίου ἐλάλησεν πρὸς Φίλιππον λέ- 12
22,6 Dn 8,4.9 ⓖ γων· ⸂ἀνάστηθι καὶ πορεύου⸃ κατὰ μεσημβρίαν ἐπὶ τὴν
ὁδὸν τὴν καταβαίνουσαν ἀπὸ Ἰερουσαλὴμ εἰς Γάζαν,
⸋αὕτη ἐστὶν ἔρημος.⸌ **27** καὶ ἀναστὰς ἐπορεύθη. καὶ ἰδοὺ
Ps 68,32 Zph 3,10 1 Rg 8,41s Is 56,3-7 · Dt 23,1 · Jr 41,19 ⓖ ἀνὴρ Αἰθίοψ εὐνοῦχος δυνάστης Κανδάκης ⸀βασιλίσ-
σης Αἰθιόπων, ὃς ἦν ἐπὶ πάσης τῆς γάζης αὐτῆς, °ὃς
24,11 J 12,20 ἐληλύθει προσκυνήσων εἰς Ἰερουσαλήμ, **28** ἦν ⸀τε ὑπο-
στρέφων καὶ καθήμενος ἐπὶ τοῦ ἅρματος αὐτοῦ ⸂καὶ
10,19! ἀνεγίνωσκεν⸃ τὸν προφήτην Ἠσαΐαν. **29** εἶπεν δὲ τὸ
πνεῦμα τῷ Φιλίππῳ· πρόσελθε καὶ κολλήθητι τῷ ἅρματι
τούτῳ. **30** ⸀προσδραμὼν δὲ ὁ Φίλιππος ἤκουσεν αὐτοῦ
ἀναγινώσκοντος Ἠσαΐαν τὸν προφήτην καὶ εἶπεν· ἆρά
γε γινώσκεις ἃ ἀναγινώσκεις; **31** ὁ δὲ εἶπεν· πῶς γὰρ ἂν
J 16,13 L 24,27 δυναίμην ἐὰν μή τις ⸀ὁδηγήσει με; παρεκάλεσέν τε τὸν
Φίλιππον ἀναβάντα ⸁καθίσαι σὺν αὐτῷ. **32** ἡ δὲ περιοχὴ
τῆς γραφῆς ἣν ἀνεγίνωσκεν ἦν αὕτη·
Is 53,7s *ὡς πρόβατον ἐπὶ σφαγὴν ἤχθη*
καὶ ὡς ἀμνὸς ἐναντίον τοῦ ⸀κείραντος αὐτὸν ἄ-
φωνος,
οὕτως οὐκ ἀνοίγει τὸ στόμα αὐτοῦ.
33 *Ἐν τῇ ταπεινώσει °[αὐτοῦ] ἡ κρίσις αὐτοῦ*
ἤρθη·
τὴν ⸆ γενεὰν αὐτοῦ τίς διηγήσεται;
ὅτι αἴρεται ἀπὸ τῆς γῆς ἡ ζωὴ αὐτοῦ.
34 ἀποκριθεὶς δὲ ὁ εὐνοῦχος τῷ Φιλίππῳ εἶπεν· δέομαί
σου, περὶ τίνος ὁ προφήτης λέγει °τοῦτο; περὶ ἑαυτοῦ ἢ
περὶ ἑτέρου τινός; **35** ἀνοίξας δὲ ὁ Φίλιππος τὸ στόμα
17,2.11; 18,24.28 1 K 15,3 · 5,42; 11,20; 17,18 αὐτοῦ καὶ ἀρξάμενος ἀπὸ τῆς γραφῆς ταύτης εὐηγγελίσατο αὐτῷ τὸν Ἰησοῦν. **36** ὡς δὲ ἐπορεύοντο κατὰ τὴν
ὁδόν, ἦλθον ἐπί ⸀τι ὕδωρ, καί φησιν ὁ εὐνοῦχος· ἰδοὺ

26 ⸂αν. κ. -ευθητι C 181 *pc* ¦ αναστας -ευθητι 𝔓^{50} D | [⸋ Beza *cj*] ● **27** ⸀της β. Ψ 𝔐 ¦ β. τινος D* (t) ¦ *txt* 𝔓^{50} ℵ A B C D^{c} E 36. 81. 453. 1175 *pc* | ° 𝔓^{74vid} ℵ* A C* D* p vg ¦ *txt* 𝔓^{50} ℵ^{c} B C^{2} D^{c} E (Ψ) 𝔐 (it) ● **28** ⸀† δε B C 614 *pc* e p sy^{h} ¦ *txt* ℵ A D E Ψ 𝔐 | ⸂ *2* 𝔓^{74} ℵ* A 33. 323. 945. 1175. 1739. 2495 *al* r ¦ αναγινωσκων D lat ¦ *txt* 𝔓^{50} ℵ^{c} B C E Ψ 𝔐 ● **30** ⸀προσελθων 𝔓^{50} *pc* ● **31** ⸀-ση 𝔓^{74} A B^{2} Ψ 𝔐 ¦ *txt* 𝔓^{50} ℵ (B*) C E L 6. 614. 1175 *al* | ⸁συνκαθ- 𝔓^{74} ● **32** ⸀†-ροντος B 𝔐 ¦ *txt* 𝔓$^{50vid.74}$ ℵ A C E L Ψ 36. 104. 323. 614. 1175. 2495 *al* ● **33** °† 𝔓^{74} ℵ A B 1739 *pc* lat; Ir^{lat} ¦ *txt* C E Ψ 𝔐 sy | ⸆ δε 𝔓^{74} E (Ψ) 𝔐 it; Ir^{lat} ¦ *txt* ℵ A B C *pc* vg; Eus ● **34** ° B* *pc*; Cyr ● **36** ⸀το 𝔓^{74} 326 *pc*

ὕδωρ, τί κωλύει με βαπτισθῆναι; ⸆ 38 καὶ ἐκέλευσεν στῆναι τὸ ἅρμα καὶ κατέβησαν ἀμφότεροι εἰς τὸ ὕδωρ, ὅ τε
Φίλιππος καὶ ὁ εὐνοῦχος, καὶ ἐβάπτισεν αὐτόν. 39 ὅτε
δὲ ἀνέβησαν ἐκ τοῦ ὕδατος, πνεῦμα ⸆ κυρίου ἥρπασεν
τὸν Φίλιππον⸆¹ καὶ οὐκ εἶδεν αὐτὸν οὐκέτι ὁ εὐνοῦχος,
ἐπορεύετο γὰρ ⸉τὴν ὁδὸν αὐτοῦ⸊ χαίρων. 40 Φίλιππος
δὲ εὑρέθη εἰς Ἄζωτον· καὶ διερχόμενος εὐηγγελίζετο τὰς
πόλεις πάσας ἕως τοῦ ἐλθεῖν αὐτὸν εἰς Καισάρειαν.

9 Ὁ δὲ Σαῦλος ἔτι ἐμπνέων ἀπειλῆς καὶ φόνου εἰς τοὺς
μαθητὰς τοῦ κυρίου, προσελθὼν τῷ ἀρχιερεῖ 2 ᾐτήσατο παρ᾽ αὐτοῦ ἐπιστολὰς εἰς Δαμασκὸν πρὸς τὰς συν-
αγωγάς, ὅπως ἐάν τινας εὕρῃ ⸂τῆς ὁδοῦ ὄντας⸃, ἄνδρας
τε καὶ γυναῖκας, δεδεμένους ἀγάγῃ εἰς Ἰερουσαλήμ.
3 Ἐν δὲ τῷ πορεύεσθαι ἐγένετο αὐτὸν ἐγγίζειν τῇ Δαμασκῷ, ἐξαίφνης τε αὐτὸν περιήστραψεν φῶς ἐκ τοῦ οὐρανοῦ 4 καὶ πεσὼν ἐπὶ τὴν γῆν ἤκουσεν φωνὴν λέγουσαν
αὐτῷ· Σαοὺλ Σαούλ, τί με διώκεις; ⸆ 5 εἶπεν δέ· τίς εἶ,
κύριε; ὁ δέ· ἐγώ εἰμι Ἰησοῦς ⸆ ὃν σὺ διώκεις· 6 ⸀ἀλλὰ
ἀνάστηθι καὶ εἴσελθε εἰς τὴν πόλιν καὶ λαληθήσεταί σοι
⸂ὅ τί⸃ σε δεῖ ποιεῖν. 7 οἱ δὲ ἄνδρες οἱ συνοδεύοντες αὐτῷ
εἱστήκεισαν ἐνεοί, ἀκούοντες μὲν τῆς φωνῆς μηδένα δὲ
θεωροῦντες. 8 ⸂ἠγέρθη δὲ Σαῦλος ἀπὸ τῆς γῆς,⸃ ἀνεῳγ-
μένων °δὲ τῶν ὀφθαλμῶν αὐτοῦ ⸀οὐδὲν ἔβλεπεν· χειρ-
αγωγοῦντες δὲ αὐτὸν εἰσήγαγον εἰς Δαμασκόν. 9 καὶ ⸀ἦν
ἡμέρας τρεῖς μὴ βλέπων καὶ οὐκ ἔφαγεν οὐδὲ ἔπιεν.
10 Ἦν δέ τις μαθητὴς ἐν Δαμασκῷ ὀνόματι Ἁνανίας,

10,47; 11,17 Mt 3, 14 Mc 10,14p
Ez 11,24 1Rg 18, 12 2Rg 2,16 2K 12,2.4 1Th 4,17
6,5!
4!
21,8!
1–29: 22,3-21; 26, 9-20 cf 2Mcc 3, 24-40 4Mcc 4, 1-14 · 8,3! 4,29
14.21
19,2.23; 22,4; 24, 14.22
cf 1Mcc 15,21
1K 15,8!
Gn 46,2 Ex 2,4 1Sm 3,4
Ez 3,22
Sap 18,1 Dt 4,12 Dn 10,7
13,11

36 ⸆ [37] ειπεν δε αυτω (+ ο Φιλιππος E) · ει (εαν E) πιστευεις εξ ολης της καρδιας σου (– 323 *pc*) εξεστιν (σωθησει E). αποκριθεις δε ειπεν · πιστευω τον υιον του θεου ειναι τον Ιησουν Χριστον (εις τον Χριστον τον υιον του θεου E) E 36. 323. 453. 945. 1739. 1891 *pc* (it vg^{cl} sy^{h**} mae; Ir Cyp) ● **39** ⸆αγιον επεσεν επι τον ευνουχον, αγγελος δε A 36. 323. 453.945. 1739. 1891 *pc* l p (w sy^{h**}) mae | ⸆¹απ αυτου p sy^{hmg} mae | ⸉ *3 1 2* B

¶ **9,2** ⸂ *3 1 2* 𝔓⁷⁴ א A 81. 323. 453. 945. 1739 *pc* ¦ *1 2* 33. 1175. 1891 *pc* ¦ *txt* B C E Ψ 𝔐 ● **4** ⸆(26,14) σκληρον σοι προς κεντρα λακτιζειν E 431 sy$^{p.h**}$ mae (*cf* 6 *app*) ● **5** ⸆(22,8) ο Ναζωραιος A C E 104 *pc* h p t sy$^{p.h**}$ ● **6** ⸀(*cf* 4 *app*) σκλ. σοι πρ. κεντ. λακ. · τρεμων τε και θαμβων ειπε · κυριε, τι με θελεις ποιησαι; ο δε κυριος προς αυτον · (629 it: *om.* τρεμ. *etc.*) h vg^{cl} (sy^{h**}: *om.* σκλ. ... λακ.) (mae) | ⸂τι E Ψ 𝔐 ¦ *txt* (*vl* οτι) 𝔓⁷⁴ א A B C 36. 81. 323. 453. 945. 1175. 1739 *pc* ● **8** ⸂sed ait ad eos: Levate me de terra. Et cum levassent illum, *et* ° h (p w) mae | ⸀ουδενα A^{c} C E Ψ 𝔐 ¦ *txt* 𝔓⁷⁴ א A* B 6^{s} *pc* latt sy ● **9** ⸀sic mansit h

10,3.17.19; 11,5; 12,9; 16,9s; 18,9; καὶ εἶπεν πρὸς αὐτὸν ἐν ὁράματι ⸋ὁ κύριος· Ἁνανία. ὁ
22,17s; 23,11; 27,23 Mt 17,9 | δὲ εἶπεν· ἰδοὺ ἐγώ, κύριε. **11** ὁ δὲ κύριος πρὸς αὐτόν·
⸀ἀναστὰς πορεύθητι ἐπὶ τὴν ῥύμην τὴν καλουμένην Εὐ-
30; 11,25; 21,39; 22,3 θεῖαν καὶ ζήτησον ἐν οἰκίᾳ Ἰούδα Σαῦλον ὀνόματι Ταρ-
σέα· ἰδοὺ γὰρ προσεύχεται **12** ⸋καὶ εἶδεν ⸂ἄνδρα [ἐν
6,6! ὁράματι]⸃ Ἁνανίαν ὀνόματι εἰσελθόντα καὶ ἐπιθέντα αὐτῷ ⸂[τὰς] χεῖρας⸃ ὅπως ἀναβλέψῃ.⸌ **13** ἀπεκρίθη δὲ Ἁνα-
νίας· κύριε, ⸀ἤκουσα ἀπὸ πολλῶν περὶ τοῦ ἀνδρὸς τούτου ὅσα κακὰ τοῖς ἁγίοις σου ἐποίησεν ἐν Ἰερουσαλήμ·
2 **14** καὶ ὧδε ἔχει ἐξουσίαν παρὰ τῶν ἀρχιερέων δῆσαι
1 K 1,2! πάντας τοὺς ἐπικαλουμένους τὸ ὄνομά σου. **15** εἶπεν δὲ
cf Jr 50,25 R 9,21-23 πρὸς αὐτὸν ὁ κύριος· πορεύου, ὅτι σκεῦος ἐκλογῆς ἐστίν
G 1,16 R 1,5 μοι οὗτος τοῦ βαστάσαι τὸ ὄνομά μου ἐνώπιον ⸆ ἐθνῶν
25,13.23; 26,1; 27,24 τε καὶ βασιλέων υἱῶν τε Ἰσραήλ· **16** ἐγὼ γὰρ ὑποδείξω
5,41! Ph 1,29 αὐτῷ ὅσα δεῖ αὐτὸν ὑπὲρ τοῦ ὀνόματός μου παθεῖν.
17 ⸂Ἀπῆλθεν δὲ Ἁνανίας⸃ καὶ εἰσῆλθεν εἰς τὴν οἰκίαν
6,6! καὶ ἐπιθεὶς ἐπ' αὐτὸν τὰς χεῖρας εἶπεν· Σαοὺλ ἀδελφέ, ὁ
κύριος ἀπέσταλκέν με, ⸋Ἰησοῦς ὁ ὀφθείς σοι ἐν τῇ ὁδῷ
2,4! ᾗ ἤρχου, ὅπως ἀναβλέψῃς καὶ πλησθῇς πνεύματος ἁγίου.
18 καὶ εὐθέως ἀπέπεσαν ⸉αὐτοῦ ἀπὸ τῶν ὀφθαλμῶν⸊ ⸀ὡς
27,36 λεπίδες, ἀνέβλεψέν τε ⸆ καὶ ἀναστὰς ἐβαπτίσθη **19** καὶ
λαβὼν τροφὴν ⸀ἐνίσχυσεν.
Ἐγένετο δὲ μετὰ τῶν ἐν Δαμασκῷ μαθητῶν ἡμέρας
13,14! ⸁τινὰς **20** καὶ εὐθέως ἐν ταῖς συναγωγαῖς ἐκήρυσσεν ⸆ τὸν
13,33 L 22,70 Ἰησοῦν ὅτι οὗτός ἐστιν ὁ υἱὸς τοῦ θεοῦ. **21** ἐξίσταντο δὲ
πάντες ⸋οἱ ἀκούοντες⸌ καὶ ἔλεγον· οὐχ οὗτός ἐστιν ὁ
8,3! · 1 K 1,2! πορθήσας ⸀εἰς Ἰερουσαλὴμ τοὺς ἐπικαλουμένους τὸ ὄνομα τοῦτο, καὶ ὧδε εἰς τοῦτο ἐληλύθει ἵνα δεδεμένους αὐ-
4,23! τοὺς ἀγάγῃ ἐπὶ τοὺς ἀρχιερεῖς; **22** Σαῦλος δὲ μᾶλλον

10 ⸋ $\mathfrak{P}^{74}$ • **11** ⸀αναστα B *pc* • **12** ⸋ *vs* h | ⸂ *1* $\mathfrak{P}^{74}$ ℵ A 81 *pc* lat sa bo ¦ *2 3* Ψ *pc* ¦ *2 3 1* E 𝔐 ¦ *txt* B C 1175 | ⸂ † *2* $\mathfrak{P}^{74vid}$ ℵ* A C 81. 945. 1739. 2495 *pc* ¦ χειρα Ψ 𝔐 it sy ¦ *txt* ℵ^{c} B E *pc* • **13** ⸀ακηκοα Ψ 𝔐 ¦ *txt* $\mathfrak{P}^{74}$ ℵ A B C E 36. 81. 453. 1175 *pc* • **15** ⸆ † των B C* *pc* ¦ *txt* $\mathfrak{P}^{74}$ ℵ A C^{2} E Ψ 𝔐 • **17** ⸂Τοτε εγερθεις Αν. απηλ. 614 *pc* (h) p (sy^{p}) mae | ⸋ 𝔐 sa^{ms} ¦ *txt* $\mathfrak{P}^{74}$ ℵ A B C E Ψ 33. 81. 323. 614. 945. 1175. 1739 *al* sy • **18** ⸉ $\mathfrak{P}^{74}$ ℵ C E Ψ 𝔐 ¦ *txt* $\mathfrak{P}^{45vid}$ A B 1175 *pc* | ⸀ωσει ℵ^{c} C E 𝔐 ¦ *txt* $\mathfrak{P}^{45.74}$ ℵ* A B Ψ 81. 1175 *pc* | ⸆παραχρημα C^{2} E 33. 323. 614. 945. 1241. 1739. 2495 *pm* (h) p sy^{h} • **19** ⸀ενισχυθη ($\mathfrak{P}^{45}$) B C* 323. 945. 1175. 1739 *pc* ¦ *txt* $\mathfrak{P}^{74}$ ℵ A C^{2} E Ψ 𝔐 | ⸁ικανας $\mathfrak{P}^{45}$ ¦ plurimos h • **20** ⸆μετα πασης παρρησιας h (l mae); Ir • **21** ⸋ $\mathfrak{P}^{45vid.74}$ Ψ* *pc* | ⸀εν B C E Ψ 𝔐 ¦ *txt* $\mathfrak{P}^{74}$ ℵ A *pc*

ἐνεδυναμοῦτο ⸆ καὶ συνέχυννεν °[τοὺς] Ἰουδαίους τοὺς
κατοικοῦντας ἐν Δαμασκῷ συμβιβάζων ὅτι οὗτός ἐστιν 5,42; 17,3; 18,5. 28 1J 5,1
ὁ χριστός⸋.
23 Ὡς δὲ ἐπληροῦντο ἡμέραι ἱκαναί, συνεβουλεύσαντο 23,12-29
οἱ Ἰουδαῖοι ἀνελεῖν αὐτόν· **24** ἐγνώσθη δὲ τῷ Σαύλῳ ἡ
ἐπιβουλὴ αὐτῶν. παρετηροῦντο δὲ καὶ τὰς πύλας ⸂ἡμέ- 20,3! · 2K 11,32
ρας τε καὶ νυκτὸς ὅπως αὐτὸν ἀνέλωσιν⸃· **25** λαβόντες
δὲ ⸂οἱ μαθηταὶ αὐτοῦ⸃ νυκτὸς ⸉διὰ τοῦ τείχους καθῆκαν 17,10; 23,23.31 · 2K 11,33 Jos 2,15
αὐτὸν⸊ χαλάσαντες ἐν σπυρίδι.
26 Παραγενόμενος δὲ εἰς Ἰερουσαλὴμ ἐπείραζεν κολ- cf G 1,17s
λᾶσθαι τοῖς μαθηταῖς, καὶ πάντες ἐφοβοῦντο αὐτὸν μὴ
πιστεύοντες ὅτι ἐστὶν μαθητής. **27** Βαρναβᾶς δὲ ἐπιλαβό- 4,36!
μενος αὐτὸν ἤγαγεν πρὸς τοὺς ἀποστόλους καὶ διηγήσατο αὐτοῖς πῶς ἐν τῇ ὁδῷ εἶδεν °τὸν κύριον καὶ ⸀ὅτι
ἐλάλησεν αὐτῷ καὶ πῶς ἐν Δαμασκῷ ἐπαρρησιάσατο ἐν 20
τῷ ὀνόματι ⸂τοῦ Ἰησοῦ⸃. **28** καὶ ἦν μετ᾽ αὐτῶν εἰσπορευ- cf G 1,22
όμενος ⸋καὶ ἐκπορευόμενος⸌ εἰς Ἰερουσαλήμ, παρρησιαζόμενος ἐν τῷ ὀνόματι τοῦ κυρίου, **29** ἐλάλει τε καὶ συν-
εζήτει πρὸς τοὺς ⸀Ἑλληνιστάς, οἱ δὲ ἐπεχείρουν ἀνελεῖν 6,1.9
αὐτόν. **30** ἐπιγνόντες δὲ οἱ ἀδελφοὶ κατήγαγον αὐτὸν εἰς
Καισάρειαν ⸆ καὶ ἐξαπέστειλαν °αὐτὸν εἰς Ταρσόν. 21,8! · 11! G 1,21

31 ⸂Ἡ μὲν οὖν ἐκκλησία καθ᾽ ὅλης τῆς Ἰουδαίας καὶ 20,28
Γαλιλαίας καὶ Σαμαρείας εἶχεν εἰρήνην οἰκοδομουμένη 8,1! · 1K 14,3
καὶ πορευομένη τῷ φόβῳ τοῦ κυρίου καὶ τῇ παρακλήσει
τοῦ ἁγίου πνεύματος ἐπληθύνετο.⸃ 2,47!
32 Ἐγένετο δὲ Πέτρον ⸀διερχόμενον διὰ πάντων κατ- 8,4!
ελθεῖν καὶ πρὸς τοὺς ἁγίους τοὺς κατοικοῦντας ⸁Λύδδα. 41
33 εὗρεν δὲ ἐκεῖ ἄνθρωπόν τινα ὀνόματι Αἰνέαν ἐξ ἐτῶν

22 ⸆εν (– C) τω λογω C E *pc* h l p (mae) | °† ℵ* B 36. 453. 1175 *pc* ¦ *txt* ℵ^{c} A C E Ψ 𝔐 | ⸋in quo deus bene sensit gig (h l p) • **24** ⸂οπως πιασωσιν αυ. ημ. κ. νυκ. A *pc* • **25** ⸂*1 2* 36. 453 *pc* ¦ αυτον οι μαθ. E Ψ (⸉ 6. 81^{c}, 1175) 𝔐 gig vg^{cl} sy ¦ *txt* 𝔓^{74} ℵ A B C 81* *pc* vgst | ⸉*4 1–3* Ψ 𝔐 gig ¦ *4 5 1–3* 36. 453 *pc* ¦ *1–4* E 945 *pc* p ¦ *txt* 𝔓^{74} ℵ A B C 81. 1175. 1739 *pc* vg • **27** ° 𝔓^{74} | ⸀ο τι 945. 1704 *al* | ⸂† *2* B C 81. 323 *pc* ¦ κυριου A *pc* ¦ του κυρ. Ιη. (104). 326. 1241 *al* p ¦ τ. Ιη. Χρ. Ψ *pc* ¦ *txt* 𝔓^{74} ℵ E 𝔐 • **28** ⸋ 𝔓^{74} 𝔐 ¦ *txt* ℵ A B C E Ψ (⸉ 81). 323. 614. 945. 1175. 1241. 1739 *al* latt sy co • **29** ⸀Ελληνας A 104. 424 *pc* • **30** ⸆δια νυκτος E (614 *pc*) it sy$^{p.h**}$ sa mae | ° 𝔓^{74} A E 323. 945. 1739 *pm* latt • **31** ⸂Αι ... -σιαι ... ειχον ... -μεναι κ. -μεναι ... -θυνοντο (E, Ψ) 𝔐 it sy^{h} bo^{mss} ¦ *txt* 𝔓^{74} ℵ A B C (Ψ) 81. 323. 453. 945. 1175. 1739 *pc* vg (sy^{p}) co; Dion • **32** ⸀ερχ- 𝔓^{74vid} | ⸁-δαν C E 𝔐 ¦ *txt* ℵ A B Ψ 326 *pc* gig

8,7! ὀκτὼ κατακείμενον ἐπὶ κραβάττου, ὃς ἦν παραλελυμένος.
34 καὶ εἶπεν αὐτῷ ὁ Πέτρος· Αἰνέα, ἰᾶταί σε ⸂Ἰησοῦς
14,10 Mt 9,6p Χριστός⸃· ἀνάστηθι καὶ στρῶσον σεαυτῷ. καὶ εὐθέως
ἀνέστη. **35** καὶ εἶδαν αὐτὸν πάντες οἱ κατοικοῦντες ⸀Λύδ-
11,21 δα καὶ ⸂τὸν Σαρῶνα⸃, οἵτινες ἐπέστρεψαν ἐπὶ τὸν κύριον.
36 Ἐν Ἰόππῃ δέ τις ἦν μαθήτρια ὀνόματι Ταβιθά, ἣ
διερμηνευομένη λέγεται Δορκάς· αὕτη ἦν πλήρης ⸉ἔρ-
γων ἀγαθῶν⸊ καὶ ἐλεημοσυνῶν ὧν ἐποίει. **37** ἐγένετο δὲ
ἐν ταῖς ἡμέραις ἐκείναις ἀσθενήσασαν αὐτὴν ἀποθανεῖν·
1Rg 17,19 λούσαντες δὲ ⸂ἔθηκαν [αὐτὴν]⸃ ἐν ⸆ ὑπερῴῳ. **38** ἐγγὺς δὲ
οὔσης Λύδδας τῇ Ἰόππῃ οἱ μαθηταὶ ἀκούσαντες ὅτι Πέ-
τρος ἐστὶν ἐν αὐτῇ ἀπέστειλαν ⸋δύο ἄνδρας⸌ πρὸς αὐτὸν
Nu 22,16 παρακαλοῦντες· μὴ ὀκνήσῃς διελθεῖν ἕως ἡμῶν. **39** ἀναστὰς δὲ Πέτρος συνῆλθεν αὐτοῖς· ὃν παραγενόμενον ἀνήγαγον εἰς τὸ ὑπερῷον καὶ παρέστησαν αὐτῷ πᾶσαι αἱ
χῆραι κλαίουσαι καὶ ἐπιδεικνύμεναι χιτῶνας καὶ ἱμάτια
Mc 5,40s ὅσα ἐποίει μετ' αὐτῶν οὖσα ἡ Δορκάς. **40** ἐκβαλὼν δὲ
2Rg 4,33 ἔξω πάντας ὁ Πέτρος καὶ θεὶς τὰ γόνατα προσηύξατο καὶ
cf L 8,54 Mc 5,41 ἐπιστρέψας πρὸς τὸ σῶμα εἶπεν· Ταβιθά, ἀνάστηθι⸆. ἡ
2Rg 4,35 δὲ ἤνοιξεν τοὺς ὀφθαλμοὺς αὐτῆς, καὶ ἰδοῦσα τὸν Πέ-
L 7,15 τρον ἀνεκάθισεν. **41** δοὺς ⸀δὲ αὐτῇ χεῖρα ἀνέστησεν αὐ-
32 τήν· φωνήσας δὲ τοὺς ἁγίους καὶ τὰς χήρας παρέστησεν
1,19! αὐτὴν ζῶσαν. **42** γνωστὸν δὲ ἐγένετο καθ' ὅλης °τῆς
Ἰόππης καὶ ἐπίστευσαν πολλοὶ ἐπὶ τὸν κύριον. **43** Ἐγέ-
10,6 νετο δὲ ⸆ ἡμέρας ἱκανὰς μεῖναι ἐν Ἰόππῃ παρά τινι Σίμωνι βυρσεῖ.

10

Ἀνὴρ δέ τις ⸆ ἐν Καισαρείᾳ ὀνόματι Κορνήλιος, 1
27,1 Mt 8,5; 27,54p ἑκατοντάρχης ἐκ σπείρης τῆς καλουμένης Ἰταλι-
35! κῆς, **2** εὐσεβὴς καὶ φοβούμενος τὸν θεὸν σὺν παντὶ τῷ

34 ⸂Ιη. ο Χρ. B[c] E (⸉1241) 𝔐 ¦ ο κυριος Ιη. (+ ο A) Χρ. A 36. 1175 *pc* it vg[cl] ¦ ο χριστος 614. 2495 ¦ *txt* 𝔓[74] ℵ B* C Ψ *pc*; Did ● **35** ⸀-δαν 𝔓[53.74] C E 𝔐 ¦ *txt* ℵ A B Ψ 326 *pc* gig | ⸂*2* 𝔓[53] (ℵ*: -ρρ-) ¦ τ. -ρωναν 𝔓[45] 36. 81. 323. 614. 945. 1175. 1739 *al* ¦ τ. Ασσαρωνα 𝔐 ¦ *txt* 𝔓[74] (ℵ[c] A: -ρρ-) B C E Ψ 6. 2495 *al* gig ● **36** ⸉ 𝔓[53.74] ℵ A Ψ 𝔐 ¦ *txt* 𝔓[45] B C E 36. 104. 453. 1175 *al* ● **37** ⸂† *1* B 36. 453. 614 *pc* ¦ *2 1* 𝔓[45.53] ℵ[c] C E Ψ 𝔐 ¦ *txt* 𝔓[74] ℵ* A 81. 1175 *pc* p vg | ⸆τω 𝔓[53.74] A C E 36. 323. 945. 1175. 1739[mg] *al* ¦ *txt* 𝔓[45] ℵ B Ψ 𝔐 ● **38** ⸋ 𝔐 ¦ *txt* 𝔓[45.74] ℵ A B C E Ψ 36. 323. 614. 945. 1175. 1739 *al* latt sy co ● **40** ⸆εν τω ονοματι του κυριου ημων Ιησου Χριστου it sy[h**]; (Cyp) Spec ● **41** ⸀τε 𝔓[74] A *pc* it ● **42** ° 𝔓[53] B C* ● **43** ⸆αυτον 𝔓[74] ℵ[c] A E 81. 323. 945. 1175. 1739 *al* (⸉*p.* μειν. C Ψ 𝔐) ¦ *txt* 𝔓[53] ℵ* B 104 *pc*
¶ **10,1** ⸆ην 𝔐 gig vg sy ¦ *txt* 𝔓[53.74] ℵ A B C E Ψ 33. 81. 945. 1175. 1241. 1739 *al* p

οἴκῳ αὐτοῦ, ποιῶν ἐλεημοσύνας πολλὰς τῷ λαῷ καὶ δεό- Tob 12,8 Mt 6,2.5
μενος τοῦ θεοῦ διὰ παντός, **3** εἶδεν ἐν ὁράματι φανερῶς 9,10!
ὡσεὶ °περὶ ὥραν ἐνάτην τῆς ἡμέρας ἄγγελον τοῦ θεοῦ 3,1! · L 1,11
εἰσελθόντα πρὸς αὐτὸν καὶ εἰπόντα αὐτῷ· Κορνήλιε.
4 ὁ δὲ ἀτενίσας αὐτῷ καὶ ἔμφοβος γενόμενος εἶπεν· τί 24,25
ἐστιν, κύριε; εἶπεν δὲ αὐτῷ· αἱ προσευχαί σου καὶ 31
αἱ ἐλεημοσύναι σου ἀνέβησαν εἰς μνημόσυνον ἔμπροσθεν τοῦ θεοῦ. **5** καὶ νῦν πέμψον ἄνδρας εἰς Ἰόππην
καὶ μετάπεμψαι Σίμωνά °τινα ⸂ὃς ἐπικαλεῖται Πέτρος⸃·
6 οὗτος ξενίζεται παρά τινι Σίμωνι βυρσεῖ, ᾧ ἐστιν οἰκία 9,43
παρὰ θάλασσαν⸆. **7** ὡς δὲ ἀπῆλθεν ὁ ἄγγελος ὁ λαλῶν
αὐτῷ, φωνήσας δύο τῶν οἰκετῶν καὶ στρατιώτην εὐσεβῆ Mt 8,9p
τῶν προσκαρτερούντων αὐτῷ **8** καὶ ἐξηγησάμενος ἅπαντα αὐτοῖς ἀπέστειλεν αὐτοὺς εἰς τὴν Ἰόππην. **9** Τῇ *9–48:* 11,5-17
δὲ ἐπαύριον, ὁδοιπορούντων ⸀ἐκείνων καὶ τῇ πόλει ἐγ-
γιζόντων, ἀνέβη Πέτρος ἐπὶ τὸ δῶμα προσεύξασθαι περὶ
ὥραν ⸁ἕκτην. **10** ἐγένετο δὲ πρόσπεινος καὶ ἤθελεν γεύ- 3,1!
σασθαι. παρασκευαζόντων δὲ αὐτῶν ⸀ἐγένετο ἐπ᾽ αὐτὸν
ἔκστασις **11** καὶ θεωρεῖ τὸν οὐρανὸν ἀνεῳγμένον καὶ ⸂κα- 11,5; 22,17 Gn 15,12 | 7,56 Mt 3,16p
ταβαῖνον ⸆ σκεῦός τι ὡς ὀθόνην μεγάλην τέσσαρσιν ἀρ- J 1,51 Ap 19,11
χαῖς⸆·⸃ καθιέμενον ἐπὶ τῆς γῆς, **12** ἐν ᾧ ὑπῆρχεν πάντα τὰ
τετράποδα ⸂καὶ ἑρπετὰ τῆς γῆς⸃ καὶ πετεινὰ τοῦ οὐρα- Gn 1,24 R 1,23
νοῦ. **13** καὶ ἐγένετο φωνὴ πρὸς αὐτόν· ἀναστάς, °Πέτρε,
θῦσον καὶ φάγε. **14** ὁ δὲ Πέτρος εἶπεν· μηδαμῶς, κύριε, Ez 21,5 𝔊
ὅτι οὐδέποτε ἔφαγον πᾶν κοινὸν καὶ ἀκάθαρτον. **15** καὶ Ez 4,14 Lv 11
φωνὴ πάλιν ἐκ δευτέρου πρὸς αὐτόν· ἃ ὁ θεὸς ἐκαθάρι- Mt 15,11!p R 14,14
σεν, σὺ μὴ κοίνου. **16** τοῦτο δὲ ἐγένετο ἐπὶ τρὶς καὶ ⸀εὐ-

3 ° 𝔐 latt ¦ *txt* 𝔓^{74} ℵ A B C E Ψ 33. 81. 323. 614. 945. 1175. 1739. 2495 *al* sy ● 5 ° ℵ E Ψ 𝔐 it sy^{h}; Ir^{lat} ¦ *txt* A B C 36. 81. 453. 945. 1175. 1739 *al* vg sy^{hmg} bo | ⸂τον -λουμενον -ον E Ψ 𝔐 ¦ *txt* 𝔓^{74vid} ℵ A B C 36. 81. 945. 1175. 1739 *al* ● 6 ⸆(*cf* 11,14) ουτος λαλησει σοι τι σε δει ποιειν 69^{mg} *pc* vg^{cl} ¦ *hic add* 11,14 436 *pc* (bo^{mss}) ● 9 ⸀αυτων 𝔓^{74} ℵ A E L Ψ 33. 36. 81. 323. 614. 945. 1175. 1739. 2495 *pm* sy ¦ *txt* B C P 6. 1241 *pm* latt | ⸁εκ. της ημερας A gig l ¦ ενατην ℵ^{c} 36 *pc* ● 10 ⸀επεπεσεν (επεσ- *pc*) E Ψ 𝔐 latt sy; (Cl) ¦ ηλθεν 𝔓^{45} ¦ *txt* 𝔓^{74} ℵ A B C 36. 81. 323. 453. 945. 1175. 1739 *pc*; Or ● 11 ⸂*7 8* + δεδεμενον *2 3* 𝔓^{45vid} | ⸆επ αυτον *et* ⸆·δεδεμενον και 𝔐 ¦ ⸆·δεδεμενον και (⸉Ψ 33). 81. 945. 1739 *pc* (it sy) ¦ *txt* 𝔓^{74} ℵ A B C(*)^{vid} E 1175 *pc* vg ● 12 ⸂της γης και τα θηρια κ. τα ερπετα (⸉E) Ψ 𝔐 sy^{h} ¦ κ. τ. θη. κ. τα ερ. τ. γης C*^{vid} L 33. (36). 104 *pc* ¦ *txt* 𝔓^{74} ℵ A B C^{2vid} 81. (945). 1175. (1739) *pc* lat co; Cl Or ● 13 ° 𝔓^{45} gig; Cl Ambr ● 16 ⸀παλιν (⸉D) Ψ 𝔐 p sy^{h} sa^{mss} mae ¦ – 𝔓^{45} 36. 453. 1175 *pc* d sy^{p} sa^{mss} bo^{ms} ¦ *txt* 𝔓^{74} ℵ A B C E 81 *pc* vg sy^{hmg} bo

θὺς ἀνελήμφθη τὸ σκεῦος εἰς τὸν οὐρανόν. **17** Ὡς
5,24! · 9,10! δὲ ἐν ⸀ἑαυτῷ ⸆ διηπόρει ὁ Πέτρος τί ἂν εἴη τὸ ὅραμα ὃ
εἶδεν, ⸆¹ ἰδοὺ οἱ ἄνδρες οἱ ἀπεσταλμένοι ὑπὸ τοῦ Κορνη-
λίου διερωτήσαντες τὴν οἰκίαν τοῦ Σίμωνος ἐπέστησαν
ἐπὶ τὸν πυλῶνα, **18** καὶ φωνήσαντες ⸀ἐπυνθάνοντο εἰ Σίμων ὁ ἐπικαλούμενος Πέτρος ἐνθάδε ξενίζεται. **19** Τοῦ δὲ
9,10! · 8,29; 11,12; 13,2; 21,11; 11,28; Πέτρου διενθυμουμένου περὶ τοῦ ὁράματος εἶπεν ⸋[αὐτῷ]
15,28; 20,23; 21,4 τὸ πνεῦμα· ἰδοὺ ἄνδρες ⸀τρεῖς ⸀¹ζητοῦντές σε, **20** ἀλλὰ
ἀναστὰς κατάβηθι καὶ πορεύου σὺν αὐτοῖς μηδὲν δια-
κρινόμενος ὅτι ἐγὼ ἀπέσταλκα αὐτούς. **21** καταβὰς δὲ
Πέτρος πρὸς τοὺς ἄνδρας ⸆ εἶπεν· ἰδοὺ ἐγώ εἰμι ὃν ζη-
τεῖτε· ⸆¹ τίς ἡ αἰτία δι' ἣν πάρεστε; **22** οἱ δὲ εἶπαν⸆·
35! Κορνήλιος ⸆¹ ἑκατοντάρχης, ἀνὴρ δίκαιος καὶ φοβούμε-
L 7,5 · 1Mcc 10,25; 11,30.33 etc νος τὸν θεόν, μαρτυρούμενός τε ὑπὸ ὅλου τοῦ ἔθνους τῶν
Mt 2,12 Ἰουδαίων, ἐχρηματίσθη ὑπὸ ἀγγέλου ἁγίου μεταπέμψα-
σθαί σε εἰς τὸν οἶκον αὐτοῦ καὶ ἀκοῦσαι ῥήματα παρὰ
σοῦ. **23** ⸂εἰσκαλεσάμενος οὖν αὐτοὺς ἐξένισεν.⸃
Τῇ δὲ ἐπαύριον ἀναστὰς ἐξῆλθεν σὺν αὐτοῖς καί τινες
τῶν ἀδελφῶν τῶν ἀπὸ Ἰόππης συνῆλθον αὐτῷ. **24** τῇ δὲ
ἐπαύριον ⸀εἰσῆλθεν εἰς τὴν Καισάρειαν. ὁ δὲ Κορνήλιος
ἦν ⸂προσδοκῶν αὐτοὺς⸃ συγκαλεσάμενος τοὺς συγγενεῖς
αὐτοῦ καὶ τοὺς ἀναγκαίους φίλους⸆. **25** ⸂Ὡς δὲ ἐγένετο
τοῦ εἰσελθεῖν τὸν Πέτρον, συναντήσας αὐτῷ ὁ Κορνή-
λιος⸃ πεσὼν ⸀ἐπὶ τοὺς πόδας προσεκύνησεν. **26** ὁ δὲ Πέ-
14,15 L 5,8 Ap 19,10 Sap 7,1 τρος ἤγειρεν αὐτὸν λέγων· ⸀ἀνάστηθι· καὶ ἐγὼ αὐτὸς
ἄνθρωπός εἰμι⸆. **27** καὶ συνομιλῶν αὐτῷ εἰσῆλθεν καὶ
εὑρίσκει συνεληλυθότας πολλούς, **28** ἔφη τε πρὸς αὐ-
G 2,12 τούς· ὑμεῖς ⸆ ἐπίστασθε ὡς ἀθέμιτόν ἐστιν ἀνδρὶ Ἰου-

17 ⸀αυ- B 323 *pc* | ⸆εγενετο D p | ⸆¹και C D E Ψ 𝔐 p sy[h] ¦ *txt* 𝔓[45.75] ℵ A B 36. 81. 945. 1175. 1739 *pc* lat sy[p] ● **18** ⸀επυθοντο B C ● **19** ⸋† B ¦ *txt* 𝔓[45] D E Ψ 𝔐 it sy (⸉*p*. πνα.: 𝔓[74] ℵ A C 6. 36. 81. 1175 *pc* vg) | ⸀† δυο B ¦ – D Ψ 𝔐 l p* sy[h]; Spec ¦ *txt* 𝔓[74] ℵ A C E 33. 81. 323. 453. 945. 1175. 1739 *al* lat sy[p.hmg] co | ⸀¹-ουσιν 𝔓[45] A C D E(*) Ψ 𝔐 ¦ *txt* 𝔓[74] ℵ B 81 *pc* ● **21** ⸆τους απεσταλμενους απο (+ του *pc*) Κορνηλιου προς αυτον H 2495 *pc* (w) | ⸆¹τι θελετε η D (sy[h]) ● **22** ⸆προς αυτον D sy[p] sa mae | ⸆¹τις D (sy[p]) ● **23** ⸂τοτε προσκ. αυτ. εξεν. E ¦ τοτε εισαγαγων ο Πετρος εξεν. αυτ. D (p sy[p]) ● **24** ⸀-θον 𝔓[74] ℵ A C E 𝔐 gig sy[hmg] ¦ συνηλθον 1175 *pc* ¦ *txt* B D Ψ 049. 81. 614 *pc* lat sy | ⸂-δεχομενος αυτ. και *et* ⸆ περιεμεινεν D (p* sy[hmg]) ● **25** ⸂προσεγγιζοντος δε του Π. εις την Καισαρειαν προδραμων εις των δουλων διεσαφησεν παραγεγονεναι αυτον. ο δε Κ. εκπηδησας και συναντ. αυ. D (gig, sy[hmg], mae) | ⸀προς D ● **26** ⸀τι ποιεις D ¦ τι ποι.; αναστ. p (w) sy[hmg] | ⸆ως και συ D* E it mae bo[mss] ● **28** ⸆βελτιον D mae

δαίῳ κολλᾶσθαι ἢ προσέρχεσθαι ⸆ ἀλλοφύλῳ· κἀμοὶ ⸉ὁ
θεὸς ἔδειξεν⸊ μηδένα κοινὸν ἢ ἀκάθαρτον λέγειν ἄνθρω-
πον· **29** διὸ καὶ ἀναντιρρήτως ἦλθον μεταπεμφθείς. πυν-
θάνομαι οὖν τίνι λόγῳ μετεπέμψασθέ με; **30** καὶ ὁ Κορνήλιος ἔφη· ⸀ἀπὸ τετάρτης ἡμέρας μέχρι ταύτης τῆς ὥρας⸁
ἤμην ⸀̇τὴν ἐνάτην προσευχόμενος⸁̇ ἐν τῷ οἴκῳ μου, καὶ 3,1!
ἰδοὺ ἀνὴρ ἔστη ἐνώπιόν μου ἐν ἐσθῆτι λαμπρᾷ **31** καὶ 1,10 2Mcc 11,8
φησίν· Κορνήλιε, εἰσηκούσθη σου ἡ προσευχὴ καὶ αἱ 4 L 1,13
ἐλεημοσύναι σου ἐμνήσθησαν ἐνώπιον τοῦ θεοῦ. **32** πέμψον οὖν εἰς Ἰόππην καὶ μετακάλεσαι Σίμωνα ὃς ἐπικαλεῖται Πέτρος, οὗτος ξενίζεται ἐν οἰκίᾳ Σίμωνος βυρ-
σέως παρὰ θάλασσαν⸆. **33** ἐξαυτῆς οὖν ἔπεμψα πρὸς
σέ⸆, σύ τε καλῶς ἐποίησας ⸆̇ παραγενόμενος. νῦν ⸀οὖν
πάντες ἡμεῖς ⸀ἐνώπιον τοῦ θεοῦ⸁ ⸀̇πάρεσμεν ἀκοῦσαι
πάντα⸁̇ τὰ προστεταγμένα σοι ⸀̇ὑπὸ τοῦ ⸀¹κυρίου.

34 Ἀνοίξας δὲ Πέτρος τὸ στόμα εἶπεν· ἐπ' ἀληθείας Dn 2,8 𝔊
καταλαμβάνομαι ὅτι οὐκ ἔστιν προσωπολήμπτης ὁ θεός, Dt 10,17 Sir 35, 12s R 2,11! |
35 ἀλλ' ἐν παντὶ ἔθνει ὁ φοβούμενος αὐτὸν καὶ ἐργαζό- 2.22; 13,16.26 · Ps 15,2
μενος δικαιοσύνην δεκτὸς αὐτῷ ἐστιν. **36** τὸν ⸆ λόγον 13,26 Ps 107,20; 147,18s
°[ὃν] ἀπέστειλεν τοῖς υἱοῖς Ἰσραὴλ εὐαγγελιζόμενος εἰ- Is 52,7 Nah 2,1
ρήνην διὰ Ἰησοῦ Χριστοῦ, ⸋οὗτός ἐστιν πάντων κύριος⸌, E 2,17; 6,15 · R 10,12 Mt 28,18
37 ὑμεῖς οἴδατε τὸ γενόμενον °ῥῆμα καθ' ὅλης τῆς Ἰου- Sap 6,7; 8,3 etc
δαίας, ⸀ἀρξάμενος ⸆ ἀπὸ τῆς Γαλιλαίας μετὰ τὸ βά- 1,22; 13,23s L 3, 21sp.23; 16,16;
πτισμα ὃ ἐκήρυξεν Ἰωάννης, **38** Ἰησοῦν τὸν ἀπὸ Ναζα- 23,5
ρέθ, ⸀ὡς ἔχρισεν αὐτὸν⸁ ὁ θεὸς πνεύματι ἁγίῳ καὶ δυνά- 4,27 L 4,18 Is 61,1 1Sm 16,13 1J 2,27!
μει, ὃς ⸀διῆλθεν εὐεργετῶν καὶ ἰώμενος πάντας τοὺς · 9,34 Mt 4,23!p ·
καταδυναστευομένους ὑπὸ τοῦ ⸀̇διαβόλου, ὅτι ὁ θεὸς ἦν Is 58,11 J 3,2; 8,29 |
μετ' αὐτοῦ. **39** καὶ ἡμεῖς μάρτυρες ⸀πάντων ὧν ἐποίησεν 1,8!

28 ⸆̇ανδρι 𝔓[50] D sy[p] | ⸉ 𝔓[74] ℵ A E 945. 1739. 1891 *pc* ¦ *txt* 𝔓[50] B C (D) Ψ 𝔐 ● **30** ⸀ απο της τριτης ημ. μ. της αρτι ωρας D | ⸀̇ νηστευων και την εν. ωραν (– 𝔓[50] A[c] *pc*) πρ. 𝔓[50] A[c] D(*) Ψ 𝔐 it sy sa mae ¦ νηστ. κ. πρ. απο εκτης ωρας εως ενατης E ¦ *txt* 𝔓[74] ℵ A* B C 81. 323. 945. 1739 *pc* vg bo ● **32** ⸆ος παραγενομενος λαλησει σοι C D E Ψ 𝔐 it sy (sa mae) ¦ *txt* 𝔓[45.74] ℵ A B 36. 81. 453 *pc* vg bo ● **33** ⸆παρακαλων ελθειν σε προς ημας D(*) p sy[h**] mae | ⸆̇εν ταχει D | ⸀ιδου D[1] sy[p] (sa mae) | ⸀εν. σου D* *pc* lat sy[p] sa mae | ⸀̇ακ. βουλομενοι παρα σου D* (it sy[p]) | ⸀̇απο 𝔓[45.74] ℵ[c] A C D *pc* ¦ παρα E ¦ *txt* ℵ* B Ψ 𝔐 | ⸀¹θεου 𝔓[74] D 𝔐 p sy[p] sa mae bo[ms] ¦ *txt* 𝔓[45] ℵ A B C E Ψ 81*. 323. 614. 945. 1175. 1739 *al* lat sy[h] bo ● **36** ⸆γαρ C* D 614 *pc* l p t sy[p.h**] | ° ℵ[1] A B 81. 614. 1739 *pc* latt co; Cyr ¦ *txt* 𝔓[74] ℵ* C D E Ψ 𝔐 | [⸋ van Manen *cj*] ● **37** ° D | ⸀-νον 𝔓[45] 𝔐; Did ¦ *txt* 𝔓[74] ℵ A B C D E H Ψ 81. 1739 *pc* | ⸆γαρ 𝔓[74] A D lat; Ir[lat] ● **38** ⸀ον εχρ. D* it sy mae | ⸀περιηλθεν 𝔓[45vid] sin; Ir[lat] | ⸀̇σατανα E ● **39** ⸀αυτου D (sy[p])

ἔν τε τῇ χώρᾳ τῶν Ἰουδαίων καὶ °[ἐν] Ἰερουσαλήμ. ὃν
5,30! καὶ ἀνεῖλαν κρεμάσαντες ἐπὶ ξύλου, **40** τοῦτον ὁ θεὸς ἤ-
3,15! · 1K 15,4-7 Hos 6,2 | γειρεν ⸂[ἐν] τῇ τρίτῃ ἡμέρᾳ⸃ καὶ ἔδωκεν αὐτὸν ἐμφανῆ
1,22! J 14,19.22 · γενέσθαι, **41** οὐ παντὶ τῷ λαῷ, ἀλλὰ μάρτυσιν τοῖς προ-
L 24,30.43 J 21,13 · κεχειροτονημένοις ὑπὸ τοῦ θεοῦ, ἡμῖν, οἵτινες συνεφά-
2,24! γομεν καὶ συνεπίομεν αὐτῷ ⸆ μετὰ τὸ ἀναστῆναι αὐτὸν
ἐκ νεκρῶν⸇· **42** καὶ ⸀παρήγγειλεν ἡμῖν κηρύξαι τῷ λαῷ
17,31 καὶ διαμαρτύρασθαι ὅτι ⸁οὗτός ἐστιν ὁ ὡρισμένος ὑπὸ
R 2,16; 14,9s 2T 4,1 1P 4,5 | 3,24! · τοῦ θεοῦ κριτὴς ζώντων καὶ νεκρῶν. **43** τούτῳ πάντες οἱ
5,31! Is 33,24 προφῆται μαρτυροῦσιν ἄφεσιν ἁμαρτιῶν λαβεῖν διὰ τοῦ
⸀ὀνόματος αὐτοῦ πάντα τὸν πιστεύοντα εἰς αὐτόν.

44 Ἔτι λαλοῦντος τοῦ Πέτρου τὰ ῥήματα ταῦτα ἐπέπεσεν τὸ πνεῦμα τὸ ἅγιον ἐπὶ πάντας τοὺς ἀκούοντας τὸν
11,2 G 2,12 λόγον. **45** καὶ ἐξέστησαν οἱ ἐκ περιτομῆς πιστοὶ ⸀ὅσοι
2,17! 11,1.18; 13,48; 14,27; 15,7.12 | συνῆλθαν τῷ Πέτρῳ, ὅτι καὶ ἐπὶ τὰ ἔθνη ἡ δωρεὰ τοῦ
19,6! · 2,11 ⸂ἁγίου πνεύματος⸃ ἐκκέχυται· **46** ἤκουον γὰρ αὐτῶν λαλούντων γλώσσαις καὶ μεγαλυνόντων τὸν θεόν. ⸂τότε
8,36! ἀπεκρίθη⸃ ⸆ Πέτρος· **47** μήτι τὸ ὕδωρ ⸉δύναται κωλῦ-
8,15! σαί τις⸊ τοῦ μὴ βαπτισθῆναι τούτους, οἵτινες τὸ πνεῦμα
11,17! τὸ ἅγιον ἔλαβον ὡς καὶ ἡμεῖς; **48** ⸂προσέταξεν δὲ⸃ ⸀αὐ-
2,38! τοὺς ἐν τῷ ὀνόματι ⸄Ἰησοῦ Χριστοῦ⸅ βαπτισθῆναι. τό-
J 4,40 τε ⸂¹ἠρώτησαν αὐτὸν ἐπιμεῖναι⸃ ἡμέρας τινάς.

8,14! · 29 **11** ⸂Ἤκουσαν δὲ οἱ ἀπόστολοι καὶ οἱ ἀδελφοὶ οἱ ὄντες
10,45! κατὰ τὴν Ἰουδαίαν⸃ ὅτι καὶ τὰ ἔθνη ⸀ἐδέξαντο τὸν
λόγον τοῦ θεοῦ. **2** ⸂Ὅτε δὲ ἀνέβη Πέτρος εἰς ⸀Ἰερουσα-

39 °† B D Ψ 2495 *pc* lat sy^{p} ¦ *txt* $\mathfrak{P}^{74}$ א A C E 𝔐 sy^{h}; Ir^{lat} ● **40** ⸂*2–4* $\mathfrak{P}^{74}$ א^{c} A B D^{2} E Ψ 𝔐 ¦ μετα την -ην -αν D* l t ¦ *txt* א* C 6 *pc* ● **41** ⸆και συνεστραφημεν D$^{(c)}$ it sy^{h} mae *et* ⸇ ημερας μ′ D E it sa mae ● **42** ⸀ενετειλατο D | ⸁αυτος $\mathfrak{P}^{74}$ א A Ψ 𝔐 ¦ *txt* B C D E 33. 323. 614. 945. 1739 *al* ● **43** ⸀αιματος 36. 453 ● **45** ⸀οι B | ⸂πν. του αγ. B D(*) Ψ 6. 1175 *pc* ¦ *txt* $\mathfrak{P}^{74}$ א A E 𝔐 ● **46** ⸂ειπεν δε D | ⸆ο D E Ψ 𝔐 ¦ *txt* $\mathfrak{P}^{74}$ א A B 36. 81. 104. 453. 1175 *al* ● **47** ⸉*2 1 3* Ψ 𝔐 ¦ *2 3 1* D* p ¦ *1 3 2* D^{c} E(*) 36. 323. 453. 945. 1175. 1739 *al* ¦ *txt* $\mathfrak{P}^{74}$ א A B 81. 326 *pc* ● **48** ⸂πρ. τε $\mathfrak{P}^{74}$ A 𝔐 ¦ τοτε πρ. D p sy^{p} ¦ *txt* א B E Ψ 33. 36. 81. 453. 614. 1175. 2495 *al* | ⸀-τοις $\mathfrak{P}^{74}$ א A 326 ¦ *txt* B D E Ψ 𝔐 latt sy^{h} | ⸄*1* 1175 ¦ του κυριου H L P 104. 2495 *pm* ¦ τ. κυρ. Ιησ. 436. 1241 *pm* ¦ τ. κυρ. Ιησ. Χρ. D 81* p vg^{cl} (sy^{p}) ¦ *txt* $\mathfrak{P}^{74}$ א A B E (Ψ) 33. 81^{c}. 614. 945. 1739 *al* gig vgst sy^{h} co | ⸂¹παρεκαλεσαν αυ. προς αυτους διαμειναι D (it vg^{cl} sy)

¶ **11,1** ⸂Ακουστον δε εγενετο τοις -λοις κ. τοις -φοις τοις (οι D*) εν τη Ιουδαια D (sy^{p}) | ⸀-ξατο D* ● **2** ⸂Ο μεν ουν Π. δια ικανου χρονου ηθελησε πορευθηναι εις Ιεροσολυμα· και προσφωνησας τους αδελφους και επιστηριξας αυτους πολυν λογον ποιουμενος δια των χωρων διδασκων αυτους· ος και κατηντησεν αυτοις και απηγγειλεν αυτοις την χαριν του θεου. οι δε εκ περιτ. αδελφοι διεκρ. πρ. αυ. D (p w mae) | ⸀Ιεροσολυμα (D) E Ψ 𝔐 lat ¦ *txt* $\mathfrak{P}^{45.74}$ א A B 81 *pc*

λήμ, διεκρίνοντο πρὸς αὐτὸν οἱ ἐκ περιτομῆς⸃ 3 λέγοντες ὅτι ⸀εἰσῆλθες πρὸς ἄνδρας ἀκροβυστίαν ἔχοντας καὶ
⸀συνέφαγες αὐτοῖς. 4 Ἀρξάμενος δὲ Πέτρος ἐξετίθε- G 2,12 |
το αὐτοῖς καθεξῆς λέγων· 5 ἐγὼ ἤμην ἐν πόλει Ἰόππῃ L 1,3 | *5–17:* 10, 9-48
προσευχόμενος καὶ εἶδον ἐν ἐκστάσει ὅραμα, καταβαῖνον 9,10!
σκεῦός τι ὡς ὀθόνην μεγάλην τέσσαρσιν ἀρχαῖς καθιε-
μένην ἐκ τοῦ οὐρανοῦ, καὶ ἦλθεν ἄχρι ἐμοῦ. 6 εἰς ἣν ἀτενίσας κατενόουν καὶ εἶδον ⸂τὰ τετράποδα τῆς γῆς καὶ τὰ Gn 1,24.30
θηρία καὶ τὰ ἑρπετὰ καὶ τὰ⸃ πετεινὰ τοῦ οὐρανοῦ. 7 ἤκουσα δὲ καὶ φωνῆς λεγούσης μοι· ἀναστάς, Πέτρε, θῦσον
καὶ φάγε. 8 εἶπον δέ· μηδαμῶς, κύριε, ὅτι κοινὸν ἢ ἀκά- Mt 15,11
θαρτον οὐδέποτε εἰσῆλθεν εἰς τὸ στόμα μου. 9 ⸂ἀπεκρίθη
δὲ φωνὴ ἐκ δευτέρου ἐκ τοῦ οὐρανοῦ⸃· ἃ ὁ θεὸς ἐκα-
θάρισεν, σὺ μὴ κοίνου. 10 τοῦτο δὲ ἐγένετο ἐπὶ τρίς, καὶ
ἀνεσπάσθη πάλιν ἅπαντα εἰς τὸν οὐρανόν. 11 καὶ ἰδοὺ
ἐξαυτῆς τρεῖς ἄνδρες ἐπέστησαν ἐπὶ τὴν οἰκίαν ἐν ᾗ
⸀ἦμεν, ἀπεσταλμένοι ἀπὸ Καισαρείας πρός με. 12 εἶπεν 10,19!
δὲ ⸉τὸ πνεῦμά μοι⸊ συνελθεῖν αὐτοῖς ⸂μηδὲν διακρί- 15,9
ναντα⸃. ἦλθον δὲ σὺν ἐμοὶ καὶ οἱ ἓξ ἀδελφοὶ οὗτοι καὶ
εἰσήλθομεν εἰς τὸν οἶκον τοῦ ἀνδρός. 13 ⸀ἀπήγγειλεν δὲ
ἡμῖν πῶς εἶδεν °[τὸν] ἄγγελον ἐν τῷ οἴκῳ αὐτοῦ στα-
θέντα καὶ εἰπόντα⸆· ἀπόστειλον εἰς Ἰόππην καὶ μετάπεμψαι Σίμωνα τὸν ἐπικαλούμενον Πέτρον, 14 ὃς λαλή-
σει ῥήματα πρὸς σὲ ἐν οἷς σωθήσῃ σὺ καὶ πᾶς ὁ οἶκός 16,15.31s; 18,8 J 4,53 1K 1,16
σου. 15 ⸂ἐν δὲ⸃ τῷ ἄρξασθαί με λαλεῖν ἐπέπεσεν τὸ
πνεῦμα τὸ ἅγιον ἐπ᾽ αὐτοὺς ὥσπερ καὶ ἐφ᾽ ἡμᾶς ἐν ἀρχῇ.
16 ἐμνήσθην δὲ τοῦ ῥήματος τοῦ κυρίου ὡς ἔλεγεν· Ἰωάννης μὲν ἐβάπτισεν ὕδατι, ὑμεῖς δὲ βαπτισθήσεσθε ἐν 1,5 Mt 3,11p
πνεύματι ἁγίῳ. 17 εἰ οὖν τὴν ἴσην δωρεὰν ἔδωκεν αὐ- 2P 1,1
τοῖς ⸋ὁ θεὸς⸌ ὡς καὶ ἡμῖν πιστεύσασιν ἐπὶ τὸν κύριον 15; 10,47; 15,8
Ἰησοῦν Χριστόν, ἐγὼ τίς ἤμην δυνατὸς κωλῦσαι τὸν 8,36!

3 ⸀*bis* -εν 𝔓^{45} B (⸉L) 33. 36. 81. 453. 614. 1175 *al* sy$^{p.h}$ ¦ *txt* 𝔓^{74vid} ℵ A D 945. 1739 *pc* latt sy^{hmg} co (⸉E Ψ 𝔐) • 6 ⸂*2–8 10 11* D* • 9 ⸂†... εκ δευ. φ. ... B 36. 453 *pc* ¦ απ. δε μοι εκ δευ. φ. ... E Ψ ¦ απ. δε μοι φ. εκ δευ. ... (33) 𝔐 ¦ εγενετο φωνη εκ τ. ου. προς με D$^{(2)}$ ¦ *txt* 𝔓$^{45.74}$ ℵ A 81. 945. 1739 *pc* • 11 ⸀ημην 𝔓^{45} E Ψ 𝔐 lat sy co ¦ *txt* 𝔓^{74} ℵ A B D 6 *pc* • 12 ⸉*3 1 2* E Ψ 𝔐 ¦ *txt* 𝔓$^{45.74}$ ℵ A B D 81. 1175 *pc* | ⸂μηδ. -νομενον 𝔐 ¦ μηδ. ανακριναντα 𝔓^{74} ¦ – 𝔓^{45vid} D l p* sy^{h} ¦ *txt* ℵ(*) A B (E Ψ) 33. 81. 945. 1175. 1739 *al* • 13 ⸀-γγελη 𝔓^{74} | ° 𝔓^{45} D Ψ ¦ *txt* 𝔓^{74} ℵ A B E 𝔐 co | ⸆ταυτω D E Ψ 𝔐 latt sy ¦ *txt* 𝔓^{74} ℵ A B 6. 81 *pc* • 15 ⸂και εν 𝔓^{74vid} • 17 ⸋ D vg^{ms}

21,14 · L 2,20! θεόν ⸆; **18** Ἀκούσαντες δὲ ταῦτα ἡσύχασαν καὶ ⸀ἐδό-
10,45! ξασαν τὸν θεὸν λέγοντες· ἄρα καὶ τοῖς ἔθνεσιν ὁ θεὸς
5,31; 26,20 2T 2,25 Sap 12,19 τὴν μετάνοιαν εἰς ζωὴν ἔδωκεν.
8,4! **19** Οἱ μὲν οὖν διασπαρέντες ἀπὸ τῆς θλίψεως τῆς γενο-
15,3; 21,2; 27,3 · 13,4 μένης ⸂ἐπὶ Στεφάνῳ⸃ διῆλθον ἕως Φοινίκης καὶ Κύπρου
14,26! · 8,25! καὶ Ἀντιοχείας μηδενὶ λαλοῦντες τὸν λόγον εἰ μὴ ⸀μό-
νον Ἰουδαίοις. **20** Ἦσαν δέ τινες ἐξ αὐτῶν ἄνδρες Κύ-
13,1! πριοι καὶ Κυρηναῖοι, οἵτινες ἐλθόντες εἰς Ἀντιόχειαν
6,1! · 8,35! · ἐλάλουν καὶ πρὸς τοὺς ⸀Ἑλληνιστὰς εὐαγγελιζόμενοι
1,21! | L 1,66 2Sm 3,12 𝔊 · τὸν κύριον Ἰησοῦν ⸆. **21** καὶ ἦν χεὶρ κυρίου μετ᾽ αὐτῶν,
2,47! · 9,35 πολύς τε ἀριθμὸς ⸋ὁ πιστεύσας ἐπέστρεψεν ἐπὶ τὸν κύ-
8,14! Is 5,9 𝔊 ριον. **22** Ἠκούσθη δὲ ὁ λόγος εἰς τὰ ὦτα τῆς ἐκκλησίας τῆς ⸋οὔσης ἐν Ἰερουσαλὴμ περὶ αὐτῶν καὶ ἐξαπέ-
4,36! στειλαν Βαρναβᾶν ⸋¹[διελθεῖν] ἕως Ἀντιοχείας. **23** ὃς ⸆
παραγενόμενος καὶ ἰδὼν τὴν χάριν ⸋[τὴν] τοῦ θεοῦ, ἐχά-
Ps 9,38 𝔊 · 13,43; 14,22 ρη καὶ παρεκάλει πάντας τῇ προθέσει τῆς καρδίας προσ-
L 23,50 · 7,55! μένειν ⸆ τῷ κυρίῳ, **24** ὅτι ἦν ἀνὴρ ἀγαθὸς καὶ πλήρης
2,47! πνεύματος ἁγίου καὶ πίστεως. καὶ προσετέθη ὄχλος ἱκα-
9,11! G 2,1 νὸς τῷ κυρίῳ. **25** ⸂ἐξῆλθεν δὲ εἰς Ταρσὸν ἀναζητῆ-
G 2,11 σαι Σαῦλον, **26** καὶ εὑρὼν ἤγαγεν⸃ εἰς Ἀντιόχειαν. ⸄ἐγέ-
νετο δὲ αὐτοῖς καὶ ἐνιαυτὸν ὅλον συναχθῆναι ἐν τῇ ἐκκλησίᾳ καὶ διδάξαι ὄχλον ἱκανόν, χρηματίσαι τε ⸀πρώ-
14,26! · 26,28 1P 4,16 τως ἐν Ἀντιοχείᾳ τοὺς μαθητὰς ⸁Χριστιανούς.⸅
27 Ἐν ταύταις δὲ ταῖς ἡμέραις κατῆλθον ἀπὸ Ἱεροσο-
13,1; 15,32 λύμων προφῆται εἰς Ἀντιόχειαν. **28** ⸂ἀναστὰς δὲ⸃ εἷς ἐξ
21,10 · 10,19! αὐτῶν ὀνόματι Ἄγαβος ⸀ἐσήμανεν διὰ τοῦ πνεύματος
λιμὸν μεγάλην ⸋μέλλειν ἔσεσθαι ἐφ᾽ ὅλην τὴν οἰκουμέ-

17 ⸆του μη δουναι αυτοις πνευμα αγιον πιστευσασιν επ αυτω D w (p sy^{h**} mae) ● **18** ⸀-ξαζον A E Ψ 𝔐 ¦ -ξαν D* ¦ *txt* 𝔓^{74} ℵ B D^{c} 81. 614. 945. 1175. 1241. 1739 *al* ● **19** ⸂επι Σ-ου 𝔓^{74} A E Ψ 6. 33^{vid} *pc* ¦ απο του Στ. D ¦ *txt* ℵ B 𝔐 | ⸀μονοις D 33. 614. 945. 1739 *pc* lat ● **20** ⸀† -νας 𝔓^{74} ℵ^{c} A D* ¦ ευαγγελιστας ℵ* ¦ *txt* B D^{c} E Ψ 𝔐 | ⸆Χριστον D 33^{vid} *pc* w mae ● **21** ⸋ D E Ψ 𝔐 ¦ *txt* 𝔓^{74} ℵ A B 36. 81. 453. 1175 *pc* ● **22** ⸋A D 𝔐 ¦ *txt* 𝔓^{74} ℵ B E Ψ 33. 36. 81. 453. 614. 1175. 1739 *pc* sy^{h} | ⸋¹† 𝔓^{74} ℵ A B 81. 1739 *pc* vg sy^{p} bo ¦ *txt* D E Ψ 𝔐 gig p sy^{h} sa mae ● **23** ⸆και D (gig) sy^{p} | ⸋𝔓^{74} D E Ψ 𝔐 ¦ *txt* ℵ A B *pc* | ⸆εν B Ψ *pc* ● **25/26** ⸂ακουσας δε οτι Σαυλος εστιν εις Θαρσον εξηλθεν αναζητων αυτον, και ως συντυχων παρεκαλεσεν (+ αυτον D^{2}) ελθειν D$^{(2)}$ (gig p*, sy^{hmg}) mae | ⸄οιτινες παραγενομενοι ενιαυτ. ολ. συνεχυθησαν οχ. ικ.· και τοτε πρωτον εχρηματισαν εν A. οι μαθηται Χρ-νοι D$^{(2)}$ (gig p, sy^{hmg}) | ⸀-τον 𝔓^{74} A (D^{c}) E Ψ 𝔐 ¦ *txt* 𝔓^{45} ℵ B (D*) 36. 323. 453. 1739 *pc* | ⸁Χρηστ- ℵ* 81 ● **28** ⸂ην δε πολλη αγαλλιασις· συνεστραμμενων δε ημων εφη D (p w mae) *et* ⸀σημαινων D ¦ ⸀† εσημαινεν B (Ψ) d vg ¦ *txt* 𝔓^{74} ℵ A E 𝔐 gig | ⸋ 𝔓$^{45.74}$ 36. 323. 453. 614. 945. 1739 *pc*

νην, ἥτις ἐγένετο ἐπὶ Κλαυδίου. **29** ⸂τῶν δὲ μαθητῶν, 18,2
καθὼς εὐπορεῖτό τις⸃, ὥρισαν ἕκαστος αὐτῶν εἰς διακο- 12,25; 24,17 R 15, 25-28.31 1K 16,1
νίαν πέμψαι τοῖς κατοικοῦσιν ἐν τῇ Ἰουδαίᾳ ἀδελφοῖς· 2K 8,3-6 G 2,10 |
30 ὃ καὶ ἐποίησαν ἀποστείλαντες πρὸς τοὺς πρεσβυτέ- 14,23; 20,17; 21, 18 · 15,2! ·
ρους διὰ χειρὸς Βαρναβᾶ καὶ Σαύλου. 4,36!

12 Κατ' ἐκεῖνον δὲ τὸν καιρὸν ἐπέβαλεν ⸉Ἡρῴδης ὁ 4,3!
βασιλεὺς⸊ τὰς χεῖρας κακῶσαί τινας τῶν ἀπὸ τῆς
ἐκκλησίας⸆. **2** ἀνεῖλεν δὲ Ἰάκωβον τὸν ἀδελφὸν Ἰωάν- Mt 4,21! 20,23p
νου μαχαίρῃ. **3** Ἰδὼν δὲ ὅτι ἀρεστόν ἐστιν τοῖς Ἰουδαί- 24,27!
οις⸆, προσέθετο συλλαβεῖν καὶ Πέτρον, — ἦσαν δὲ °[αἱ] L 3,20
ἡμέραι τῶν ἀζύμων — **4** ⸂ὃν καὶ⸃ πιάσας ἔθετο εἰς φυλα- *4–10:* 5,18-23
κὴν παραδοὺς τέσσαρσιν τετραδίοις °στρατιωτῶν ⸋φυ-
λάσσειν αὐτόν⸌, βουλόμενος μετὰ τὸ πάσχα ἀναγαγεῖν
αὐτὸν τῷ λαῷ. **5** ὁ μὲν οὖν Πέτρος ἐτηρεῖτο ἐν τῇ φυλα-
κῇ⸆· ⸂προσευχὴ δὲ ἦν ⸀ἐκτενῶς γινομένη ὑπὸ⸃ τῆς ἐκ- Jdth 4,9
κλησίας πρὸς τὸν θεὸν περὶ αὐτοῦ.
6 Ὅτε δὲ ἤμελλεν ⸀προαγαγεῖν αὐτὸν ὁ Ἡρῴδης, τῇ
νυκτὶ ἐκείνῃ ἦν °ὁ Πέτρος κοιμώμενος μεταξὺ δύο στρατιωτῶν δεδεμένος ἁλύσεσιν δυσὶν φύλακές τε πρὸ τῆς θύρας ἐτήρουν τὴν φυλακήν. **7** καὶ ἰδοὺ ἄγγελος κυρίου
ἐπέστη ⸆ καὶ φῶς ⸂ἔλαμψεν ἐν⸃ τῷ οἰκήματι· ⸀πατάξας 27,23 L 2,9!
δὲ τὴν πλευρὰν τοῦ Πέτρου ἤγειρεν αὐτὸν λέγων· ἀνά- 1Rg 19,5
στα ἐν τάχει. καὶ ἐξέπεσαν αὐτοῦ αἱ ἁλύσεις ἐκ τῶν χειρῶν. **8** εἶπεν ⸀δὲ ὁ ἄγγελος πρὸς αὐτόν· ζῶσαι καὶ ὑπό-
δησαι τὰ σανδάλιά σου. ἐποίησεν δὲ οὕτως. καὶ λέγει
αὐτῷ· περιβαλοῦ τὸ ἱμάτιόν σου καὶ ἀκολούθει μοι.
9 καὶ ἐξελθὼν ἠκολούθει καὶ οὐκ ᾔδει ὅτι ἀληθές ἐστιν
τὸ γινόμενον ⸀διὰ τοῦ ἀγγέλου· ἐδόκει δὲ ὅραμα βλέ- 9,10!
πειν. **10** διελθόντες δὲ πρώτην φυλακὴν καὶ δευτέραν ἦλ- 16,24
θαν ἐπὶ τὴν πύλην τὴν σιδηρᾶν τὴν φέρουσαν εἰς τὴν

29 ⸂οι δε μαθηται καθως ευπορουντο D
¶ **12,1** ⸉ א Ψ 81. 614. 1241 *pc* | ⸆εν τη Ιουδαια D p w sy[h**] mae ● **3** ⸆η επιχειρησις αυτου επι τους πιστους D p* sy[hmg] (mae) | °† 𝔓[45vid] א B L 0244. 6. 1175. 1241. 1739 *al* ¦ *txt* A D E Ψ 𝔐 ● **4** ⸂τουτον D gig; Lcf | ° 0244 | ⸋ 𝔓[74] *pc* ● **5** ⸆a cohorte regis p* sy[h**] (mae) | ⸂πολλη δε πρ. ην εν εκτενεια περι αυτου απο D (p) | ⸀-νης A[c] E Ψ 𝔐 ¦ *txt* 𝔓[74] א A* B 33 ● **6** ⸀προσαγαγ- B 33 *pc* ¦ προσαγειν א Ψ 6. (⸉ 1241. 2495) *pc* ¦ προαγειν D E 𝔐 ¦ *txt* 𝔓[74] A 36. 81. 453. 945 *al* | ° 𝔓[74] ● **7** ⸆τω Πετρω D p sy[(p).h**] sa mae | ⸂επελαμψεν D | ⸀νυξας D gig; Lcf ● **8** ⸀τε 𝔓[74] א A 𝔐 ¦ *txt* B D E Ψ 36. 81*. 453. 614. 945. 1175. 1739 *al* lat ● **9** ⸀υπο A H 104 *al*

πόλιν, ἥτις αὐτομάτη ἠνοίγη αὐτοῖς καὶ ἐξελθόντες ⸆
προῆλθον ῥύμην μίαν, καὶ εὐθέως ⸀ἀπέστη ὁ ἄγγελος ἀπ’
αὐτοῦ. **11** Καὶ ὁ Πέτρος ἐν ⸀ἑαυτῷ γενόμενος εἶπεν·
Dn 3,95 Theod; 6,23 Theod — νῦν οἶδα ἀληθῶς ὅτι ἐξαπέστειλεν ⸂[ὁ] κύριος⸃ τὸν ἄγγε-
Ex 18,4 𝔊 — λον αὐτοῦ καὶ ἐξείλατό με ἐκ χειρὸς Ἡρῴδου καὶ πάσης
14,6 — τῆς προσδοκίας τοῦ λαοῦ τῶν Ἰουδαίων. **12** συνιδών τε
25; 13,5.13; 15,37. 39 Mc inscr. Kol 4,10 2T 4,11 Phm 24 1P 5,13 — ἦλθεν ἐπὶ τὴν οἰκίαν ⸋τῆς Μαρίας τῆς μητρὸς Ἰωάννου
τοῦ ἐπικαλουμένου Μάρκου, οὗ ἦσαν ἱκανοὶ συνηθροι-
σμένοι καὶ προσευχόμενοι. **13** κρούσαντος δὲ αὐτοῦ τὴν
θύραν τοῦ πυλῶνος ⸀προσῆλθεν παιδίσκη ⸁ὑπακοῦσαι
ὀνόματι Ῥόδη, **14** καὶ ἐπιγνοῦσα τὴν φωνὴν τοῦ Πέτρου
L 24,41 — ἀπὸ τῆς χαρᾶς οὐκ ἤνοιξεν ⸂τὸν πυλῶνα⸃, εἰσδραμοῦσα
δὲ ἀπήγγειλεν ἑστάναι τὸν Πέτρον πρὸ τοῦ πυλῶνος.
26,24 — **15** οἱ δὲ πρὸς αὐτὴν εἶπαν· μαίνῃ. ἡ δὲ διϊσχυρίζετο
οὕτως ἔχειν. οἱ δὲ ⸀ἔλεγον· ὁ ἄγγελός ⸉ἐστιν αὐτοῦ⸊.
16 ὁ δὲ Πέτρος ἐπέμενεν κρούων· ⸂ἀνοίξαντες δὲ εἶδαν⸃
13,16! — αὐτὸν ⸋καὶ ἐξέστησαν. **17** κατασείσας δὲ αὐτοῖς τῇ χειρὶ
⸀σιγᾶν διηγήσατο ⸋[αὐτοῖς] πῶς ὁ κύριος αὐτὸν ἐξήγα-
15,13; 21,18 Mt 13,55p 1K 15,7 G 1,19; 2,9.12 Jc 1,1 Jd 1 — γεν ἐκ τῆς φυλακῆς εἶπέν τε· ἀπαγγείλατε Ἰακώβῳ καὶ
τοῖς ἀδελφοῖς ταῦτα. καὶ ἐξελθὼν ἐπορεύθη εἰς ἕτερον
τόπον.
5,21-24 — **18** Γενομένης δὲ ἡμέρας ἦν τάραχος ⸂οὐκ ὀλίγος⸃ ἐν
τοῖς στρατιώταις τί ἄρα ὁ Πέτρος ἐγένετο. **19** Ἡρῴδης
4,9! — δὲ ἐπιζητήσας αὐτὸν καὶ μὴ εὑρών, ἀνακρίνας τοὺς φύλακας ἐκέλευσεν ⸀ἀπαχθῆναι, καὶ κατελθὼν ἀπὸ τῆς Ἰουδαίας εἰς Καισάρειαν διέτριβεν.
20 Ἦν δὲ θυμομαχῶν Τυρίοις καὶ Σιδωνίοις· ⸂ὁμοθυ-
μαδὸν δὲ παρῆσαν πρὸς αὐτὸν⸃ καὶ πείσαντες Βλάστον,
τὸν ἐπὶ τοῦ κοιτῶνος τοῦ βασιλέως, ᾐτοῦντο εἰρήνην
1Rg 5,25 Ez 27,17 — διὰ τὸ τρέφεσθαι ⸄αὐτῶν τὴν χώραν⸅ ⸀ἀπὸ τῆς βασιλι-

10 ⸆κατεβησαν τους ζ′ βαθμους και D (p mae) | ⸀απηλθεν 𝔓^{74vid} A ● **11** ⸀αυ- B* | ⸂*2* ℵ A D E 𝔐 ¦ ο θεος 36. 323. 453. 945. 1739 *pc* p ¦ κυρ. ο θ. 1241 ¦ *txt* B Ψ 614 *pc* ● **12** ⸋ E Ψ 𝔐 ¦ *txt* 𝔓^{74} ℵ A B D 81 *pc* ● **13** ⸀προηλ- ℵ B^{2} *pc* lat | ⸁υπαντησαι 𝔓^{74} ● **14** ⸂αυτω την θυραν E ● **15** ⸀ελ. προς αυτην· τυχον D sy^{p} ¦ ειπαν B | ⸉ ℵ^{c} D E Ψ 𝔐 ¦ *txt* 𝔓^{74} ℵ* A B ● **16** ⸂εξανοι- δε και ιδοντες *et* ⸋ D(*) ● **17** ⸀ινα σιγωσιν, εισηλθεν και D$^{(c)}$ (p sy$^{p.h**}$) | ⸋ 𝔓^{74vid} ℵ A 33. 81. 945. 1739 *pc* p vg ¦ *txt* B D E Ψ 𝔐 gig (r) sy ● **18** ⸂μεγας 36. 453. 1175 *pc* (sy^{p}) sa mae bo^{mss} ¦ – D gig p; Lcf ● **19** ⸀αποκτανθηναι D* sy bo ● **20** ⸂οι δε ομ. εξ αμφοτερων των πολεων (τ. μερων 614) παρ. πρ. τον βασιλεα D 614 (sy^{hmg}) mae | ⸄τας χωρας αυ. D lat | ⸀εκ 𝔓^{74} D *pc*

κῆς. **21** τακτῇ δὲ ἡμέρᾳ °ὁ Ἡρῴδης ἐνδυσάμενος ἐσθῆτα βασιλικὴν °¹[καὶ] καθίσας ἐπὶ τοῦ βήματος ἐδημηγό-
ρει πρὸς αὐτούς, **22** ⸆ ὁ δὲ δῆμος ἐπεφώνει· θεοῦ ⸀φωνὴ Ez 28,2.6.9
καὶ οὐκ ⸁ἀνθρώπου. **23** παραχρῆμα δὲ ἐπάταξεν αὐτὸν 2Rg 19,35 1Mcc 7,41 Sir 48,21
ἄγγελος κυρίου ἀνθ' ὧν οὐκ ἔδωκεν τὴν δόξαν τῷ θεῷ,
καὶ ⸂γενόμενος σκωληκόβρωτος⸃ ἐξέψυξεν. Jdth 16,17 2Mcc 9,9
24 Ὁ δὲ λόγος τοῦ ⸀θεοῦ ηὔξανεν καὶ ἐπληθύνετο. 2,47!
25 Βαρναβᾶς δὲ καὶ Σαῦλος ⸆ ὑπέστρεψαν ⸀εἰς Ἰερου- 4,36!
σαλὴμ ⸇ πληρώσαντες τὴν διακονίαν, συμπαραλαβόντες 11,29!
Ἰωάννην τὸν ⸁ἐπικληθέντα Μᾶρκον. 12!

9 **13** Ἦσαν δὲ ⸆ ἐν Ἀντιοχείᾳ κατὰ τὴν οὖσαν ἐκκλη- 14,26!
σίαν προφῆται καὶ διδάσκαλοι ⸂ὅ τε⸃ Βαρναβᾶς 11,27! · 4,36!
καὶ Συμεὼν ὁ ⸀καλούμενος Νίγερ καὶ Λούκιος ὁ Κυρη- ? R 16,21 · 2,10; 11,20; 6,9
ναῖος, Μαναήν τε Ἡρῴδου τοῦ τετραάρχου σύντροφος
καὶ Σαῦλος. **2** Λειτουργούντων δὲ αὐτῶν τῷ κυρίῳ καὶ
νηστευόντων εἶπεν τὸ πνεῦμα τὸ ἅγιον· ἀφορίσατε δή 10,19! · G 1,15!
μοι τὸν Βαρναβᾶν καὶ Σαῦλον εἰς τὸ ἔργον ὃ προσκέ- 14,26
κλημαι αὐτούς. **3** τότε νηστεύσαντες καὶ προσευξάμενοι 14,23
⸆ καὶ ἐπιθέντες τὰς χεῖρας αὐτοῖς ⸀ἀπέλυσαν. 6,6!
4 ⸀Αὐτοὶ μὲν οὖν ἐκπεμφθέντες ὑπὸ τοῦ ἁγίου πνεύματος ⸁κατῆλθον εἰς Σελεύκειαν, ἐκεῖθέν ⸀¹τε ἀπέπλευσαν
εἰς Κύπρον **5** καὶ γενόμενοι ἐν Σαλαμῖνι κατήγγελλον 4,36; 15,39; 11,19
τὸν λόγον τοῦ ⸀θεοῦ ἐν ταῖς συναγωγαῖς τῶν Ἰουδαίων. 14!
εἶχον δὲ καὶ Ἰωάννην ⸁ὑπηρέτην. **6** ⸂Διελθόντες δὲ⸃ 12,12!
ὅλην τὴν νῆσον ἄχρι Πάφου εὗρον ἄνδρα τινὰ μάγον
ψευδοπροφήτην Ἰουδαῖον ⸄ᾧ ὄνομα Βαριησοῦ⸅ **7** ὃς ἦν Mt 24,24!

21 ° B 945. 1175. 1739 *pc* | °¹ † ℵ B 81. 1175 *pc* p vg; Lcf ¦ *txt* $\mathfrak{P}^{74}$ A D E Ψ 𝔐 gig sy^{h} ● **22** ⸆καταλλαγεντος δε αυτου τοις Τυριοις D (p^{c} w sy^{h**}) | ⸀-ναι D* lat sy^{p}; Lcf | ⸁-πων ℵ* sy^{p} ● **23** ⸂καταβας απο του βηματος γεν. σκω. ετι ζων και ουτως D (mae) ● **24** ⸀† κυριου B vg bo^{mss} ¦ *txt* $\mathfrak{P}^{74}$ ℵ A D E Ψ 𝔐 gig p sy co ● **25** ⸆ος επεκληθη Παυλος 614 p* sy^{h**} mae | ⸀† εξ $\mathfrak{P}^{74}$ A 33. 945. 1739 *al* ¦ απο D E Ψ 36. 323. 453. 614. 1175 *al* ¦ *txt* ℵ B 𝔐 sa^{ms} | ⸇εις Αντιοχειαν E 104. 323. 945. 1175. 1739 *pc* p w sy^{p} sa | ⸁επικαλουμενον $\mathfrak{P}^{74}$ ℵ A 33. 81. 1175. 2495 *al* ¦ *txt* B D E Ψ 𝔐
¶ **13,1** ⸆τινες E Ψ 𝔐 sy^{h} ¦ *txt* $\mathfrak{P}^{74}$ ℵ A B D 6. 33. 81. 945. 1175. 1739 *pc* lat sy^{p} | ⸂εν οις D* vg | ⸀επικ- D 424 *pc* ● **3** ⸆παντες D | ⸀α. αυτους E lat sy; Lcf ¦ – D ● **4** ⸀ουτοι E Ψ 𝔐 ¦ οι D p ¦ *txt* $\mathfrak{P}^{74}$ ℵ A B C(*) 36. 81. 453. 945. 1175. 1739 *al* | ⸁απ- $\mathfrak{P}^{74}$ A ¦ καταβαντες δε D (gig; Lcf) | ⸀¹ – D 614 ¦ δε 𝔐 d ¦ *txt* $\mathfrak{P}^{74}$ ℵ A B C E Ψ 36. 81. 323. 945. 1175. 1739 *al* lat ● **5** ⸀κυριου D gig sy^{p} sa^{ms}; Lcf | ⸁υπηρετουντα αυτοις D 614 p sy^{hmg} sa mae ¦ εις διακονιαν E (vg) ● **6** ⸂και περιελθοντων δε αυτων D* | ⸄† ω ον. B-ους B C 33. 323. 945. 1175. 1739 *al* ¦ *id.*, *sed* + ο μεθερμηνευεται Ελυμας E, ... Ετοι-

12; 18,12; 19,38 σὺν τῷ ἀνθυπάτῳ Σεργίῳ Παύλῳ, ἀνδρὶ συνετῷ. οὗτος
⸀προσκαλεσάμενος Βαρναβᾶν καὶ Σαῦλον ⸁ἐπεζήτησεν
2T 3,8 ἀκοῦσαι τὸν λόγον τοῦ θεοῦ. **8** ἀνθίστατο δὲ αὐτοῖς ⸀Ἐλύ-
μας ὁ μάγος, οὕτως γὰρ μεθερμηνεύεται τὸ ὄνομα αὐτοῦ,
ζητῶν διαστρέψαι τὸν ἀνθύπατον ἀπὸ τῆς πίστεως⸆.
2,4! **9** Σαῦλος δέ, ὁ καὶ Παῦλος, πλησθεὶς πνεύματος ἁγίου
Sir 1,30; 19,26 Jr 5,27 𝔊 · J 8,44 ἀτενίσας εἰς αὐτὸν **10** εἶπεν· ὦ πλήρης παντὸς δόλου
καὶ °πάσης ῥᾳδιουργίας, υἱὲ διαβόλου, ἐχθρὲ πάσης δι-
Prv 10,9 Hos 14,10 καιοσύνης, οὐ παύσῃ διαστρέφων τὰς ὁδοὺς °¹[τοῦ] κυ-
Jdc 2,15 1Sm 12,15 ρίου τὰς ⸆ εὐθείας; **11** καὶ νῦν ἰδοὺ χεὶρ κυρίου ἐπὶ σὲ
L 4,13 καὶ ἔσῃ τυφλὸς μὴ βλέπων τὸν ἥλιον ἄχρι καιροῦ. ⸂πα-
9,8sp ραχρῆμά τε⸃ ⸀ἔπεσεν ἐπ' αὐτὸν ἀχλὺς καὶ σκότος καὶ
22,11 | 6! περιάγων ἐζήτει χειραγωγούς. **12** τότε ἰδὼν ὁ ἀνθύπατος
Mt 7,28! τὸ γεγονὸς ⸆ ἐπίστευσεν ⸇ ἐκπλησσόμενος ἐπὶ τῇ διδαχῇ
τοῦ κυρίου.

13 Ἀναχθέντες δὲ ἀπὸ τῆς Πάφου οἱ περὶ Παῦλον ἦλ-
12,12! 15,38 θον εἰς Πέργην τῆς Παμφυλίας, Ἰωάννης δὲ ἀποχωρή-
σας ἀπ' αὐτῶν ὑπέστρεψεν εἰς Ἱεροσόλυμα. **14** Αὐτοὶ δὲ
14,19.21 2T 3,11 · 5.42s; 9,20; 14,1; 16,13; 17,1s.10.17; 18,4.19.26; 19,8 | 15,21! διελθόντες ἀπὸ τῆς Πέργης ⸀παρεγένοντο εἰς Ἀντιόχειαν
⸂τὴν Πισιδίαν⸃, καὶ ⸁[εἰσ]ελθόντες εἰς τὴν συναγωγὴν τῇ
ἡμέρᾳ τῶν σαββάτων ἐκάθισαν. **15** μετὰ δὲ τὴν ἀνάγνω-
σιν τοῦ νόμου καὶ τῶν προφητῶν ἀπέστειλαν οἱ ἀρχισυν-
άγωγοι πρὸς αὐτοὺς λέγοντες· * ἄνδρες ἀδελφοί, εἴ τίς
15,32 H 13,22 ἐστιν ἐν ὑμῖν λόγος παρακλήσεως πρὸς τὸν λαόν, λέγε-
12,17; 21,40; 26,1 τε. **16** Ἀναστὰς δὲ Παῦλος καὶ κατασείσας τῇ χειρὶ
10,35! εἶπεν· ἄνδρες Ἰσραηλῖται καὶ οἱ φοβούμενοι τὸν θεόν,
Dt 4,37; 10,15 ἀκούσατε. **17** ὁ θεὸς τοῦ λαοῦ τούτου Ἰσραὴλ ἐξελέξατο
Is 1,2 · Sap 19,10 · τοὺς πατέρας ἡμῶν ⸂καὶ τὸν λαὸν⸃ ὕψωσεν ἐν τῇ παροι-
Dt 4,34; 5,15; 9,26.29 Ex 6,1.6; 12,42 | Ex 16,35 Nu 14,33s Dt 1,31 κίᾳ ἐν γῇ ⸀Αἰγύπτου καὶ μετὰ βραχίονος ὑψηλοῦ ἐξήγαγεν
αὐτοὺς ἐξ αὐτῆς, **18** καὶ °ὡς τεσσερακονταετῆ χρόνον

μος (paratus) gig w; Lcf (*cf vs* 8) ¦ ω ον. Β-ουν A D^{2} (Ψ: -ουμ) 𝔐 ¦ ονοματι καλουμενον Βαρισουαν D*; (Lcf) ¦ ον-τι Β-ουν 𝔓^{45vid} 36. 453 *pc* (Βαρσουμα sy^{p}) ¦ *txt* 𝔓^{74} ℵ *pc* vg ● **7** ⸀συγκ- *et* ⸁και εζητησεν D$^{(c)}$ ● **8** ⸀Ετοιμας D*; (Lcf) (*cf vs* 6 *app*) | ⸆επειδη ηδιστα ηκουεν αυτων D* (E) sy^{h**} mae ● **10** ° D**pc* gig; Lcf | °¹ 𝔓^{74} ℵ^{c} A C D E Ψ 𝔐; Did Tit ¦ *txt* ℵ* B *pc* | ⸆ουσας D* ● **11** ⸂† π. δε 𝔓^{74} A B E 𝔐 ¦ και ευθεως D ¦ *txt* 𝔓^{45} ℵ C Ψ 81. 1175 *pc* | ⸀επεπ- 𝔓$^{45vid.74}$ C E 𝔐 ¦ *txt* ℵ A B D Ψ 33. 81. 2495 *pc* ● **12** ⸆εθαυμασεν και D E (gig) sy^{p} | ⸇τω θεω D ● **14** ⸀εγ- 𝔓^{74} A | ⸂της -ιας D E Ψ 𝔐 lat sy ¦ *txt* 𝔓$^{45.74}$ ℵ A B C 453. 1175 *pc* | ⸁† ελθ- ℵ* B C 81. 1175 *pc* ¦ *txt* 𝔓^{74} ℵ^{c} A D E Ψ 𝔐 latt sy ● **17** ⸂δια τ. λ. D (614 gig sy^{h}: + και) | ⸀-πτω C D E (Ψ) 𝔐 ¦ *txt* ℵ A B 33. 81. 453. 614. 945. 1175. 1739 *al* ● **18** ° D E gig vg sy^{p}

⸀ἐτροποφόρησεν αὐτοὺς ἐν τῇ ἐρήμῳ 19 ○καὶ καθελὼν Dt 7,1 Jos 14,1s Jr 3,18
ἔθνη ἑπτὰ ἐν γῇ Χανάαν κατεκληρονόμησεν ⸂τὴν γῆν
αὐτῶν⸃ 20 ⸂ὡς ἔτεσιν τετρακοσίοις καὶ πεντήκοντα. καὶ 3Rg 6,1 𝔊
μετὰ ταῦτα⸃ ἔδωκεν κριτὰς ἕως Σαμουὴλ ○[τοῦ] προφή- Jdc 2,16 · 1Sm 3,20 |
του. 21 κἀκεῖθεν ᾐτήσαντο βασιλέα καὶ ἔδωκεν αὐτοῖς 1Sm 8,5.10
ὁ θεὸς τὸν Σαοὺλ υἱὸν Κίς, ἄνδρα ἐκ φυλῆς Βενιαμίν, 1Sm 10,21.24
ἔτη τεσσεράκοντα, 22 καὶ μεταστήσας αὐτὸν ἤγειρεν 1Sm 15,23; 16,1.12s
⸉τὸν Δαυὶδ αὐτοῖς⸊ εἰς βασιλέα ᾧ καὶ εἶπεν μαρτυρήσας·
εὗρον Δαυὶδ τὸν τοῦ Ἰεσσαί, ○ἄνδρα κατὰ τὴν καρδίαν Ps 89,21 · 1Sm 13,14
μου, ὃς ποιήσει πάντα τὰ θελήματά μου. 23 ⸂τούτου ὁ Is 44,28 |
θεὸς ἀπὸ τοῦ σπέρματος⸃ κατ' ἐπαγγελίαν ⸀ἤγαγεν τῷ 2Sm 7,12; 22,51 𝔊 R 1,3
Ἰσραὴλ ⸂¹σωτῆρα Ἰησοῦν⸃¹, 24 προκηρύξαντος Ἰωάννου 10,37!
πρὸ προσώπου τῆς εἰσόδου αὐτοῦ βάπτισμα μετανοίας 19,4 Mt 3,11p
παντὶ τῷ λαῷ Ἰσραήλ. 25 ὡς δὲ ἐπλήρου Ἰωάννης τὸν
δρόμον, ἔλεγεν· ⸂τί ἐμὲ⸃ ὑπονοεῖτε εἶναι; οὐκ εἰμὶ ἐγώ· 20,24! · J 1,20 ·
ἀλλ' ἰδοὺ ἔρχεται μετ' ἐμὲ οὗ οὐκ εἰμὶ ἄξιος τὸ ὑπόδημα Mc 1,7p J 1,27
τῶν ποδῶν λῦσαι. 26 Ἄνδρες ἀδελφοί, υἱοὶ γένους
Ἀβραὰμ ○καὶ οἱ ἐν ὑμῖν φοβούμενοι τὸν θεόν, ⸀ἡμῖν ὁ 10,35!
λόγος τῆς σωτηρίας ταύτης ἐξαπεστάλη. 27 οἱ γὰρ κατ- 10,36 Ps 107,20; 147,18 |
οικοῦντες ἐν Ἰερουσαλὴμ καὶ οἱ ἄρχοντες αὐτῶν ⸂τοῦ- 2,14!
τον ἀγνοήσαντες καὶ τὰς φωνὰς⸃ τῶν προφητῶν τὰς 3,17! J 16,3!
κατὰ πᾶν σάββατον ἀναγινωσκομένας ⸆ κρίναντες ⸀ἐ- 15,21!
πλήρωσαν, 28 καὶ μηδεμίαν αἰτίαν θανάτου εὑρόντες ⸆ Mt 27,22sp
⸂ᾐτήσαντο Πιλᾶτον ἀναιρεθῆναι αὐτόν⸃. 29 ὡς δὲ ἐτέ- 2,23! |
λεσαν πάντα τὰ ⸉περὶ αὐτοῦ γεγραμμένα⸊ ⸆, καθελόντες L 18,31 · Mt 27,59sp |
ἀπὸ τοῦ ξύλου ⸆¹ ἔθηκαν εἰς μνημεῖον. 30 ⸂ὁ δὲ θεὸς ἤγει- 3,15!

18 ⸀ετροφοφορ- 𝔓[74] A[c] C* E Ψ 33[vid]. 1175 *pc* d gig sy co ¦ *txt* א A*[vid] B C[2] D 𝔐 vg ● **19** ○ B 6. 81 *pc* | ⸂αυτοις τ. γ. αυτων A C D[2] E 𝔐 lat sy[p] ¦ τ. γ. των αλλοφυλων D* sy[h**] mae ¦ *txt* 𝔓[74] א B Ψ 33. 81. 1175 *pc* ● **20** ⸂*6–8 1–5* D[2] E Ψ 𝔐 ¦ *2–6* 614 *pc* ¦ και εως ετ. υ' και ν' D* gig ¦ *txt* 𝔓[74] א A B C 33. 36. 81. 453. 1175 *pc* vg | ○† 𝔓[74] א A B 81 *pc* ¦ *txt* C D E Ψ 𝔐 ● **22** ⸉ C E Ψ 𝔐 ¦ *txt* 𝔓[74] א A B (D) 1175 *pc* | ○ B (E: *om.* ανδ. … ος) ● **23** ⸂ο θ. ουν απο τ. σπ. αυτου D | ⸀ηγειρε C D 33. 36. 323. 453. 614. 945. 1241 *al* gig sy sa mae; Th'ret ¦ – 1739 ¦ *txt* 𝔓[74] א A B E Ψ 𝔐 vg bo | ⸂¹(+ εις 6 *pc*) σωτηριαν 𝔓[74] E 𝔐 ¦ *txt* א A B C (D) Ψ 81. 453. 614. 945. 1175. 1739 *al* vg sy sa bo; Ath Th'ret ● **25** ⸂τινα με 𝔓[45] C D Ψ 𝔐 latt sy[p] ¦ *txt* 𝔓[74] א A B E 33. 81. 1175 *pc* ● **26** ○ 𝔓[45] B | ⸀υμ- 𝔓[45] C E 𝔐 lat sy bo ¦ *txt* 𝔓[74] א A B D Ψ 33. 81. 614 *pc* sin w sy[hmg] sa mae ● **27** ⸂τουτ. … τας γραφας E sy[p] ¦ μη συνιεντες τας γραφας D* | ⸆και D | ⸀reprobaverunt p ● **28** ⸆εν αυτω D 614 lat sy[h**] co | ⸂ητησαν τον Π. … א* ¦ κριναντες αυτον παρεδωκαν Πιλατω ινα (*!*) εις αναιρεσιν D* ● **29** ⸉ B | ⸆εισιν, ητουντο τον Πιλατον τουτον μεν σταυρωσαι και επιτυχοντες παλιν και D* (sy[hmg]) | ⸆¹και D* ● **30/31** ⸂ον ο θ. ηγειρεν, ουτος ωφθη τοις συναναβαινουσιν αυ. απο τ. Γ. εις Ι. εφ ημ. πλειονας D

1,3 1K 15,5s ρεν αὐτὸν ἐκ νεκρῶν, **31** ὃς ὤφθη ἐπὶ ἡμέρας πλείους
τοῖς συναναβᾶσιν αὐτῷ ἀπὸ τῆς Γαλιλαίας εἰς Ἰερουσα-
1,22! 1J 1,1ss λὴμ⸃, οἵτινες ⸀[νῦν] εἰσιν μάρτυρες αὐτοῦ πρὸς τὸν λα-
26,6 όν. **32** Καὶ ἡμεῖς ὑμᾶς εὐαγγελιζόμεθα τὴν πρὸς τοὺς
πατέρας ⸆ ἐπαγγελίαν γενομένην, **33** ὅτι ταύτην ὁ θεὸς
2,24! R 1,4 ἐκπεπλήρωκεν ⸂τοῖς τέκνοις [αὐτῶν] ἡμῖν⸃ ἀναστήσας
⸀Ἰησοῦν ⸂ὡς καὶ⸃ ἐν ⸂¹τῷ ψαλμῷ γέγραπται τῷ δευτέρῳ⸃·
Ps 2,7 H 1,5! *υἱός μου εἶ σύ,*
ἐγὼ σήμερον γεγέννηκά σε⸆.
34 ⸀ὅτι δὲ ἀνέστησεν αὐτὸν ἐκ νεκρῶν μηκέτι μέλλοντα
ὑποστρέφειν εἰς διαφθοράν, οὕτως εἴρηκεν ὅτι δώσω
Is 55,3 𝔊 *ὑμῖν τὰ ὅσια Δαυὶδ τὰ πιστά.* **35** ⸀διότι καὶ ⸂ἐν ἑτέρῳ⸃ λέγει·
2,27 *Ps 16,10* *οὐ δώσεις τὸν ὅσιόν σου ἰδεῖν διαφθοράν.* **36** Δαυὶδ μὲν γὰρ
2,29 1Rg 2,10 Jdc 2,10 ἰδίᾳ γενεᾷ ὑπηρετήσας τῇ τοῦ θεοῦ βουλῇ ἐκοιμήθη καὶ
προσετέθη πρὸς τοὺς πατέρας αὐτοῦ καὶ εἶδεν διαφθο-
3,15! ράν· **37** ὃν δὲ ὁ θεὸς ἤγειρεν, οὐκ εἶδεν διαφθοράν.
2,14! **38** γνωστὸν οὖν ἔστω ὑμῖν, ἄνδρες ἀδελφοί, ὅτι ⸂διὰ τού-
5,31! του⸃ ὑμῖν ἄφεσις ἁμαρτιῶν καταγγέλλεται⸆, °[καὶ] ἀπὸ
R 8,3 G 2,16! πάντων ὧν οὐκ ἠδυνήθητε ἐν νόμῳ Μωϋσέως δικαιωθῆ-
ναι, **39** ἐν τούτῳ ⸆ πᾶς ὁ πιστεύων δικαιοῦται⸆. **40** βλέπετε οὖν μὴ ἐπέλθῃ ⸆ τὸ εἰρημένον ἐν τοῖς προφήταις·
Hab 1,5 𝔊 **41** *ἴδετε, οἱ καταφρονηταί,*
καὶ θαυμάσατε καὶ ἀφανίσθητε,
ὅτι ἔργον ἐργάζομαι ἐγὼ ἐν ταῖς ἡμέραις ὑμῶν,
°*ἔργον ὃ οὐ μὴ πιστεύσητε ἐάν τις ἐκδιηγῆται*
ὑμῖν.⸆

31 ⸀αχρι νυν D 614 lat sy^{h} ¦ – B E 𝔐 ¦ συν(-εισιν) Ψ ¦ *txt* 𝔓$^{45.74}$ (⸉ א) A C (⸉ 36). 81. 323. 453. 945. 1175. 1739 *al* gig sy^{p} co ● **32** ⸆ημων D E *pc* lat sy^{p} ● **33** ⸂ † *1 2 4* *pc* ¦ *1 2 3* 1175 *pc* gig ¦ τ. τ. ημων 𝔓^{74} א A B C* D (Ψ *pc* p) lat ¦ *txt* C^{3} E 𝔐 sy | ⸀τον κυριον Ι. Χριστον D (614) (sy^{h**}) ¦ αυτον εκ νεκρων A^{2} gig | ⸂ουτως γαρ D | ⸂¹*1 2 4 5 3* E 𝔐 ¦ τω πρωτω (– 1175) ψ. γεγ. D 1175 gig ¦ τοις ψαλμοις γεγ. 𝔓^{45vid} t ¦ *txt* 𝔓^{74} א A B C Ψ 33. 81. 945. 1739 *al* | ⸆(Ps 2,8) αιτησαι παρ εμου και δωσω σοι εθνη την κληρονομιαν σου και την κατασχεσιν σου τα περατα της γης D sy^{hmg} mae ● **34** ⸀οτε D 614. 1175 *pc* gig ● **35** ⸀διο C E Ψ 𝔐 ¦ – D ¦ *txt* 𝔓^{74} א A B 81*. 104. 1175 *pc* | ⸂ετερως D lat ● **38** ⸂δι αυτου E 2495 *pc* ¦ δια τουτο 𝔓^{74} B* 36. (1175) *al* | ⸆και μετανοιαν D *pc* (⸉sy^{h**}) mae | ° 𝔓^{74} א A C* D *pc* t w vgst ¦ *txt* B C^{2} E Ψ 𝔐 gig vg^{cl} sy ● **39** ⸆ουν D 614 sy^{hmg} | ⸆παρα θεω D (614, t, sy^{hmg}) ● **40** ⸆εφ υμας A C E Ψ 097 𝔐 gig vg sy co; Bas ¦ *txt* 𝔓^{74} א B D 33. 36. 453. 614 *pc* vgst ● **41** ° D E 𝔐 gig p ¦ *txt* 𝔓^{74} א A B C Ψ 33. 36. 81. 453. 945. 1175. 1739 *al* vg | ⸆και εσιγησαν D (614 sy^{h**}) mae

42 Ἐξιόντων δὲ ⸀αὐτῶν ⸂παρεκάλουν εἰς τὸ μεταξὺ 14!
σάββατον⸃ λαληθῆναι αὐτοῖς τὰ ῥήματα ταῦτα. **43** λυθεί-
σης δὲ τῆς συναγωγῆς ἠκολούθησαν πολλοὶ τῶν Ἰουδαί-
ων καὶ τῶν σεβομένων προσηλύτων τῷ Παύλῳ καὶ τῷ 16,14; 17,4.17; 18,7 · 2,11; 6,5
Βαρναβᾷ⸆, οἵτινες προσλαλοῦντες αὐτοῖς ἔπειθον αὐ- Mt 23,15
τοὺς προσμένειν τῇ χάριτι τοῦ θεοῦ. ⸇ **44** Τῷ ⸀δὲ 11,23!
⸁ἐρχομένῳ σαββάτῳ σχεδὸν ⸀¹πᾶσα ἡ πόλις συνήχθη 14!
ἀκοῦσαι ⸂τὸν λόγον τοῦ κυρίου⸃. **45** ἰδόντες δὲ οἱ Ἰου-
δαῖοι ⸂τοὺς ὄχλους⸃ ἐπλήσθησαν ζήλου καὶ ἀντέλεγον 5,17! · 28,19.22 R 10,21 ·
τοῖς ⸆ ὑπὸ ⸇ Παύλου ⸀λαλουμένοις ⸆¹ βλασφημοῦντες. 18,6
46 παρρησιασάμενοί τε ὁ Παῦλος καὶ ὁ Βαρναβᾶς εἶ-
παν· ὑμῖν ⸂ἦν ἀναγκαῖον πρῶτον⸃ λαληθῆναι τὸν λόγον 3,26! · 8,25!
τοῦ θεοῦ· ⸀ἐπειδὴ ἀπωθεῖσθε αὐτὸν καὶ οὐκ ἀξίους κρί- L 7,30 Mt 22,8
νετε ἑαυτοὺς τῆς αἰωνίου ζωῆς, ἰδοὺ στρεφόμεθα εἰς τὰ
ἔθνη. **47** οὕτως γὰρ ⸀ἐντέταλται ἡμῖν ὁ κύριος· 18,6! Mt 21,46

τέθεικά σε εἰς φῶς ἐθνῶν *Is 49,6* L 2,32
τοῦ εἶναί σε εἰς σωτηρίαν ἕως ἐσχάτου τῆς γῆς.

48 Ἀκούοντα δὲ τὰ ἔθνη ἔχαιρον καὶ ⸀ἐδόξαζον ⸂τὸν 10,45!
λόγον τοῦ κυρίου⸃ καὶ ἐπίστευσαν ὅσοι ἦσαν τεταγμέ- R 8,29s
νοι εἰς ζωὴν αἰώνιον· **49** διεφέρετο δὲ ὁ λόγος □τοῦ κυ- 2,47!
ρίου⸌ ⸀δι' ὅλης τῆς χώρας. **50** οἱ δὲ Ἰουδαῖοι παρώτρυ-
ναν τὰς σεβομένας γυναῖκας ⸆ τὰς εὐσχήμονας καὶ τοὺς
πρώτους τῆς πόλεως καὶ ἐπήγειραν ⸇ διωγμὸν ἐπὶ τὸν 14,2

42 ⸀αυ. (– P 6. 2495 *pm*) εκ της συναγωγης των Ιουδαιων 𝔐 ¦ *txt* 𝔓^{74} ℵ A B C D E Ψ 097. 36. 81. 323. 614. 945. 1175. 1739 *al* latt sy co | ⸂*2–5* E ¦ εις το μ. σ. ηξιουν B ¦ παρ. τα εθνη εις το μ. σ. 𝔐 ¦ παρ. εις το εξης σ. D ¦ *txt* 𝔓^{74} ℵ A C Ψ 097. 33. (⸉ 36). 81. 614. 945. 1175. 1739 *al* ● **43** ⸆αξιουντες βαπτισθηναι 614 sy^{h**} | ⸇εγενετο δε καθ ολης της πολεως διελθειν τον λογον του θεου D (sy^{hmg}) ¦ εγ. δε κατα πασαν πολιν φημισθηναι τον λ. E vg^{mss} (mae) ● **44** ⸀τε B E 𝔐 sy^{h} ¦ *txt* 𝔓^{74} ℵ A C D Ψ 33. 81. 323. 614. 945. 1175. 1739 *al* latt | ⸁εχομενω 𝔓^{74} A E* 33 *pc* | ⸀¹ολη D | ⸂† τ. λ. τ. θεου B* C E Ψ 𝔐 vg^{cl} sy bo ¦ Παυλου πολυν τε λογον ποιησαμενου περι του κυριου D (mae) ¦ *txt* 𝔓^{74} ℵ A B^{2} 33. 81. 323. 945. 1175. 1739 *al* gig vgst sa ● **45** ⸂το πληθος D | ⸆λογοις τοις (– D) D E gig (sy^{p}) | ⸇του C D E 097 𝔐 ¦ *txt* 𝔓^{74} ℵ A B Ψ 614 *pc* | ⸀λεγομ- 𝔓^{74} C D 097 𝔐 ¦ *txt* ℵ A B E Ψ 33. 81. 326 *pc* | ⸆¹αντιλεγοντες και D 097 𝔐 p* sy^{h} ¦ εναντιουμενοι και E gig ¦ *txt* 𝔓^{74} ℵ A B C L Ψ 33. 36. 81. 323. 945. 1175. 1739. 2495 *al* vg sy^{p} ● **46** ⸂πρ. ην D; Cyp | ⸀επει δε 𝔓$^{45.74}$ C E^{c} 81. 326 *pc* ¦ επειδη δε ℵ^{c} A D^{c} E* Ψ 𝔐; Cyr ¦ *txt* ℵ* B D* 36 *pc* ● **47** ⸀εντεταλκεν D* *pc*; Cyr ¦ εντελλεται 81. 1175 *pc* ● **48** ⸀εδεξαντο D gig mae | ⸂τ. λ. τ. θεου B D E 049. 323. 453 *pc* sa^{ms} bo ¦ τον θεον 614 *pc* sy ¦ *txt* 𝔓$^{45.74}$ ℵ A C Ψ 𝔐 gig vg sa^{mss} mae ● **49** □𝔓^{45} *pc* | ⸀καθ 𝔓^{74} ℵ A 33. 326. 945. 1739 *pc* ● **50** ⸆και ℵ* E 𝔐 vg sy^{h} ¦ *txt* 𝔓^{74} ℵ^{c} A B C D Ψ 33. 81. 323. 453. 1175. 1739 *al* gig | ⸇θλιψιν μεγαλην (– E) και D E (mae)

16,37 Παῦλον καὶ Βαρναβᾶν καὶ ἐξέβαλον αὐτοὺς ἀπὸ τῶν ὁρί-
18,6 Mt 10,14p ων αὐτῶν. **51** οἱ δὲ ἐκτιναξάμενοι τὸν κονιορτὸν τῶν ποδῶν ἐπ᾽ αὐτοὺς ⸀ἦλθον εἰς Ἰκόνιον, **52** οἵ ⸀τε μαθηταὶ
7,55! ἐπληροῦντο χαρᾶς καὶ πνεύματος ἁγίου.
16,2 2T 3,11 **14** Ἐγένετο δὲ ἐν Ἰκονίῳ κατὰ τὸ αὐτὸ εἰσελθεῖν ⸀αὐ- 21
13,14! τοὺς εἰς τὴν συναγωγὴν τῶν Ἰουδαίων καὶ λαλῆσαι
18,4; 19,10.17; 20,21 · 2,47! | οὕτως ⸆ ὥστε πιστεῦσαι Ἰουδαίων τε καὶ Ἑλλήνων πολὺ
13,50 πλῆθος. **2** οἱ δὲ ⸂ἀπειθήσαντες Ἰουδαῖοι ἐπήγειραν⸃ καὶ
ἐκάκωσαν τὰς ψυχὰς τῶν ἐθνῶν κατὰ τῶν ἀδελφῶν⸆.
8,11 **3** ἱκανὸν μὲν οὖν χρόνον ⸀διέτριψαν παρρησιαζόμενοι
H 2,4 · 20,32 ἐπὶ τῷ κυρίῳ τῷ μαρτυροῦντι °[ἐπὶ] τῷ λόγῳ τῆς χάριτος
5,12! · 9,11 αὐτοῦ, ⸁διδόντι σημεῖα καὶ τέρατα γίνεσθαι διὰ τῶν χει-
23,7 ρῶν αὐτῶν. **4** ⸂ἐσχίσθη δὲ⸃ τὸ πλῆθος τῆς πόλεως, καὶ
14 οἱ μὲν ἦσαν σὺν τοῖς Ἰουδαίοις, οἱ δὲ σὺν τοῖς ἀποστό-
19 2T 3,11 λοις⸆. **5** ὡς δὲ ἐγένετο ὁρμὴ τῶν ἐθνῶν τε καὶ Ἰουδαίων
σὺν τοῖς ἄρχουσιν αὐτῶν ὑβρίσαι καὶ λιθοβολῆσαι αὐ-
12,12 · Mt 10,23 τούς, **6** συνιδόντες κατέφυγον εἰς τὰς πόλεις τῆς Λυ-
21; 16,1 2T 3,11 καονίας ⸆ Λύστραν καὶ Δέρβην καὶ τὴν περίχωρον⸇,
15.21 **7** κἀκεῖ εὐαγγελιζόμενοι ἦσαν⸆.
8 Καί τις ἀνὴρ ⸂ἀδύνατος ἐν Λύστροις⸃ τοῖς ποσὶν 22
3,2! ἐκάθητο, °χωλὸς ἐκ κοιλίας μητρὸς αὐτοῦ ὃς οὐδέποτε
περιεπάτησεν. **9** οὗτος ⸀ἤκουσεν τοῦ Παύλου λαλοῦν-
3,4 · L 5,20 τος⸂· ὃς ἀτενίσας αὐτῷ⸃ καὶ ἰδὼν ὅτι ἔχει πίστιν τοῦ
9,34 Ez 2,1 σωθῆναι, **10** εἶπεν μεγάλῃ ⸆ φωνῇ· ⸇ ἀνάστηθι ἐπὶ τοὺς

51 ⸀κατηντησαν D • **52** ⸀δε 𝔓[74] ℵ C D E Ψ 𝔐 gig ¦ γε 𝔓[45] ¦ *txt* A B 33. 36. 453. 945. 1739 *al* vg

¶ **14,1** ⸀αυτον D | ⸆προς αυτους D (∫ E) sy[p] mae • **2** ⸂-θουντες Ι. επηγ. διωγμον E 614 *pc* gig sy[h] ¦ αρχισυναγωγοι των Ιουδαιων και οι αρχοντες της συναγωγης επηγαγον αυτοις διωγμον κατα των δικαιων D (sy[hmg]) | ⸆ο δε κυριος εδωκεν ταχυ ειρηνην D gig p w sy[hmg] mae ¦ ο δε κ. ειρ. εποιησεν E • **3** ⸀διατριψαντες D gig | ° 𝔓[74] ℵ[c] B C D E Ψ 𝔐 latt ¦ *txt* ℵ* A sy | ⸁-τος ℵ 81. 2495 ¦ και διδοντι 104. 323. 945. 1175. 1739 *pc* • **4** ⸂ην δε εσχισμενον D | ⸆κολλωμενοι δια τον λογον του θεου D (sy[hmg]) • **6** ⸆εις C* D* ¦ (*cf* L 10,10) sicut Iesus dixerat eis LXXII, in h[vid] | ⸇ολην D E lat (mae) • **7** ⸆και εκινηθη ολον το πληθος επι τη διδαχη· ο δε Παυλος και Βαρναβας διετριβον εν Λυστροις D h w vg[s] (mae) ¦ τον λογον του θεου. και εξεπλησσετο πασα η πολυπληθεια επι τη διδ. αυτων. ο δε Π. κ. Β. διετ. εν Λ. E • **8** ⸂*1* D E h mae ¦ *2 3 1* 𝔓[74] ℵ[c] A C Ψ 𝔐 ¦ *txt* ℵ* B 1175 | ° D gig • **9** ⸀† ηκουεν B C P 6. 323. 1241 *pm* ¦ *txt* 𝔓[74] ℵ A D E L Ψ 33. 81. 614. 945. 1175. 1739. 2495 *pm* | ⸂υπαρχων εν φοβω· ατεν. δε αυ. ο Παυλος D (h) • **10** ⸆τη 𝔓[74] A D[c] E Ψ 𝔐 ¦ *txt* ℵ B C D* 81. 1175 *pc* co | ⸇(3,6) σοι λεγω εν τω ονοματι του κυριου Ιησου Χριστου C D (E Ψ 6. 33. 36. 323. 614. 945. 1175. 1739 *al* h t sy[p.hmg] co; Ir[lat]) ¦ *txt* 𝔓[74] ℵ A B 𝔐 gig vg sy[h] bo[pt]

πόδας σου ὀρθός⸆1. καὶ ⸀ἥλατο καὶ περιεπάτει. **11** οἵ ⸀τε 3,8
ὄχλοι ἰδόντες ὃ ἐποίησεν Παῦλος ἐπῆραν τὴν φωνὴν
αὐτῶν Λυκαονιστὶ λέγοντες· οἱ θεοὶ ὁμοιωθέντες ἀνθρώ- 28,6
ποις κατέβησαν πρὸς ἡμᾶς, **12** ἐκάλουν τε τὸν Βαρναβᾶν ⸀Δία, τὸν δὲ Παῦλον Ἑρμῆν, ἐπειδὴ αὐτὸς ἦν ὁ ἡγούμενος τοῦ λόγου. **13** ⸂ὅ τε ἱερεὺς τοῦ Διὸς τοῦ ὄντος πρὸ
τῆς πόλεως⸃ ταύρους καὶ στέμματα ἐπὶ τοὺς πυλῶνας
⸄ἐνέγκας σὺν τοῖς ὄχλοις ἤθελεν θύειν⸅. **14** ⸂Ἀκού-
σαντες δὲ οἱ ἀπόστολοι⸃ Βαρναβᾶς καὶ Παῦλος διαρρή- 4 Mt 26,65
ξαντες τὰ ἱμάτια ⸀αὐτῶν ἐξεπήδησαν εἰς τὸν ὄχλον κρά- Jdth 14,16s
ζοντες **15** καὶ ⸀λέγοντες· ἄνδρες, τί ταῦτα ποιεῖτε; ○καὶ 3,12
ἡμεῖς ὁμοιοπαθεῖς ἐσμεν ὑμῖν ἄνθρωποι εὐαγγελιζόμενοι Jc 5,17 Sap 7,3 4 Mcc 12,13 · 10,
⸁ὑμᾶς ἀπὸ τούτων τῶν ματαίων ⸀1ἐπιστρέφειν ἐπὶ θεὸν 26! · 7! · Jr 2,5 𝔊 R 1,21 · 1 Th 1,9 ·
ζῶντα, ⸂*ὃς ἐποίησεν*⸃ *τὸν οὐρανὸν καὶ τὴν γῆν καὶ τὴν θάλασ-* 15,19! · 4,24! *Ex 20,11 Ps 146,6*
σαν καὶ πάντα τὰ ἐν αὐτοῖς· **16** ὃς ἐν ταῖς παρῳχημέναις γε-
νεαῖς εἴασεν πάντα τὰ ἔθνη πορεύεσθαι ταῖς ὁδοῖς αὐτῶν·
17 καίτοι οὐκ ἀμάρτυρον ⸀αὐτὸν ἀφῆκεν ἀγαθουργῶν, R 1,20
οὐρανόθεν ὑμῖν ⸉ὑετοὺς διδοὺς⸊ καὶ καιροὺς καρποφό- Jr 5,24 Ps 147,8 Lv 26,4 ·
ρους, ἐμπιπλῶν τροφῆς καὶ εὐφροσύνης τὰς καρδίας Ps 145,16
ὑμῶν. **18** καὶ ταῦτα λέγοντες ⸀μόλις κατέπαυσαν τοὺς
ὄχλους τοῦ μὴ θύειν αὐτοῖς⸆.
19 ⸂Ἐπῆλθαν δὲ⸃ ⸄ἀπὸ Ἀντιοχείας καὶ Ἰκονίου Ἰου- 13,14! · 17,13 2 T 3,11
δαῖοι⸅ ⸂1καὶ ⸀πείσαντες τοὺς ὄχλους⸃ καὶ λιθάσαντες 5 2 K 11,25
τὸν Παῦλον ἔσυρον ἔξω τῆς πόλεως νομίζοντες αὐτὸν
τεθνηκέναι. **20** κυκλωσάντων δὲ τῶν μαθητῶν ⸀αὐτὸν ⸆
ἀναστὰς εἰσῆλθεν εἰς τὴν πόλιν. Καὶ τῇ ἐπαύριον

10 ⸆1και περιπατει D sy^{hmg} mae | ⸀ευθεως παραχρημα ανηλ- D$^{(c)}$ sy^{hmg} mae ¦ παραχρημα εξηλλ- E • **11** ⸀δε C D E Ψ 𝔐 gig vg sy^{h} ¦ *txt* 𝔓^{74} ℵ A B 36. 453 *pc* • **12** ⸀Διαν 𝔓^{74} D E H L 81. 1175. 1739 *al* • **13** ⸂οι δε ιερεις τ. οντ. Δ. προ πολ. *et* ⸄ενεγκαντες συν τ. οχ. ηθελον επιθυειν D (gig) • **14** ⸂ακουσας δε D (gig h sy^{p}) | ⸀† εαυ- ℵ^{c} A B 33. 36. 453 *pc* ¦ *txt* 𝔓^{74} ℵ* C D E Ψ 𝔐 • **15** ⸀φωνουντες D* | ○ (𝔓^{45}) D 1175 gig^{c} h | ⸁υμιν τον θεον οπως D it? mae; Ir^{lat} ¦ υμας ινα E it? ¦ υμας αποστηναι 𝔓^{45} | ⸀1και επ-φειν 𝔓^{45} ¦ -εψητε D (E: -φητε) it; Ir^{lat} | ⸂τον ποιησαντα D • **17** ⸀εαυτον 𝔓^{74} ℵ^{c} C (⸉ D) Ψ 𝔐 ¦ *txt* 𝔓^{45} ℵ* A B E 6 *pc* | ⸉ 𝔓^{74} ℵ A Ψ 81. 945. 1739 *al* lat; Ir^{lat} Lcf ¦ *txt* 𝔓^{45} B C D E 𝔐 • **18** ⸀μογις D 1175 *pc* | ⸆αλλα πορευεσθαι εκαστον εις τα ιδια C 6. 33. 36. 81. 104. 453. 614. 1175 *al* (h) sy^{hmg} • **19** ⸂διατριβοντων δε (– D*) αυτων και (– C) διδασκοντων επηλθον C D(*, E) 6. 33. 36. 81. 323. 453. 945. 1175. 1739 *al* h sy^{hmg} mae | ⸄τινες Ιουδ. απο Ι. κ. Α. D (⸉ E) h (sy$^{p.hmg}$) mae | ⸂1και διαλεγομενων αυτων παρρησια (αν)επεισαν τους οχλους αποστηναι απ αυτων λεγοντες οτι ουδεν αληθες λεγουσιν αλλα παντα ψευδονται (C) 6. 36. 81. (104. 326.) 453. 945. 1175. 1739 *al* (h) sy^{hmg} mae | ⸀επισεισαντες D • **20** ⸀αυτου (𝔓^{45}) D (E) | ⸆εσπερας γενομενης (h) sa mae

7! ἐξῆλθεν σὺν τῷ Βαρναβᾷ εἰς Δέρβην. **21** ⸀εὐαγγελισά-
Mt 28,19 μενοί τε ⸂τὴν πόλιν ἐκείνην⸃ καὶ μαθητεύσαντες ⸁ἱκα-
νοὺς ὑπέστρεψαν εἰς τὴν Λύστραν καὶ εἰς Ἰκόνιον καὶ
15,32.41; 16,5! 18,23 · °εἰς Ἀντιόχειαν **22** ἐπιστηρίζοντες τὰς ψυχὰς τῶν μα-
11,23! θητῶν, παρακαλοῦντες ἐμμένειν τῇ πίστει καὶ ὅτι διὰ
E 3,13 1Th 3,3 2Th 1,5s πολλῶν θλίψεων δεῖ ἡμᾶς εἰσελθεῖν εἰς τὴν βασιλείαν
2K 8,19 τοῦ θεοῦ. **23** χειροτονήσαντες δὲ αὐτοῖς κατ' ἐκκλησίαν
11,30! Tt 1,5 · 13,3 · 20,32 πρεσβυτέρους, προσευξάμενοι μετὰ νηστειῶν παρέθεντο
αὐτοὺς τῷ κυρίῳ εἰς ὃν πεπιστεύκεισαν. **24** Καὶ
διελθόντες τὴν Πισιδίαν ἦλθον εἰς τὴν Παμφυλίαν **25** καὶ
8,25! λαλήσαντες ⸂ἐν Πέργῃ⸃ τὸν λόγον ⸆ κατέβησαν εἰς Ἀττά-
11,19-27; 13,1; 15,22-35; 18,22 G 2,11 · 13,1s; 15,40 λειαν ⸆· **26** κἀκεῖθεν ἀπέπλευσαν εἰς Ἀντιόχειαν, ὅθεν
ἦσαν παραδεδομένοι τῇ χάριτι τοῦ θεοῦ εἰς τὸ ἔργον ὃ
ἐπλήρωσαν. **27** παραγενόμενοι δὲ καὶ ⸀συναγαγόντες τὴν
15,4! ἐκκλησίαν ἀνήγγελλον ὅσα ⸂ἐποίησεν ὁ θεὸς μετ' αὐ-
10,45! 1K 16,9 2K 2,12 Kol 4,3 Ap 3,8 | τῶν⸃ καὶ ὅτι ἤνοιξεν τοῖς ἔθνεσιν θύραν πίστεως. **28** διέ-
τριβον δὲ χρόνον οὐκ ὀλίγον σὺν τοῖς μαθηταῖς.

24; 21,20s **15** Καί τινες κατελθόντες ἀπὸ τῆς Ἰουδαίας ⸆ ἐδίδασκον τοὺς ἀδελφοὺς ὅτι, ἐὰν μὴ περιτμηθῆτε ⸂τῷ
ἔθει τῷ Μωϋσέως⸃, οὐ δύνασθε σωθῆναι. **2** γενομένης
19,40; 23,7.10; 24,5 · 2T 2,23! · G 2,1 ⸀δὲ στάσεως ⸋καὶ ζητήσεως⸌ οὐκ ὀλίγης τῷ Παύλῳ καὶ
⸂τῷ Βαρναβᾷ πρὸς αὐτούς⸃, ⸄ἔταξαν ἀναβαίνειν Παῦλον
καὶ Βαρναβᾶν καί τινας ἄλλους ἐξ αὐτῶν⸅ πρὸς τοὺς
4.6.22s; 16,4; 11,30! ἀποστόλους καὶ πρεσβυτέρους εἰς Ἰερουσαλὴμ ⸆ περὶ
20,38; 21,5 τοῦ ζητήματος τούτου. **3** Οἱ μὲν οὖν προπεμφθέντες ὑπὸ
11,19! 8,1! τῆς ἐκκλησίας διήρχοντο τήν °τε Φοινίκην καὶ Σαμά-

21 ⸀† -λιζομενοι 𝔓74 A D E H P *pc* ¦ *txt* ℵc(*: *h. t.*) B C Ψ 𝔐 | ⸂τους εν τη πολει D (gig) h (syp) | ⸁πολλους D | ° B D 𝔐 ¦ *txt* 𝔓74 ℵ A C E Ψ 33. 36. 81. 945. 1175. 1739 *al* ● **25** ⸂† εις την (– A) -ην ℵ* A 81 ¦ *txt* (𝔓74: + τη) ℵc B C D E Ψ 𝔐 | ⸆του κυριου ℵ A C Ψ 33. 81. 326. 614 *al* vg syp.h** ¦ τ. θεου 𝔓74 E gig boms ¦ *txt* B D 𝔐 co | ⸆· ευαγγελιζομενοι αυτους D (614 *pc*) syh** mae ● **27** ⸀συναξαντες D | ⸂*2 3 1 4 5* 𝔓74 ℵ 36. 104. 453. 614. 945. 1739. 2495 *al* ¦ ο θ. επ. μετα των ψυχων αυτων D(*) gig ¦ *txt* A B C E Ψ 𝔐 vg

¶ **15,1** ⸆(5) των πεπιστευκοτων απο της αιρεσεως των Φαρισαιων Ψ 614 *pc* syhmg | ⸂και τω εθ. Μ. περιπατητε D (syp) sa mae ● **2** ⸀ουν 𝔓74 A E 𝔐 d l vg syh ¦ *txt* ℵ B C D L Ψ 36. 81. 453. 945. 1175. 1739 *al* gig p | ⸋ 𝔓74 E vg bo | ⸂Β. συν αυτοις D | ⸄ελεγεν γαρ ο Π. μενειν ουτως καθως επιστευσαν διισχυριζομενος· οι δε εληλυθοτες απο Ιερουσαλημ παρηγγειλαν αυτοις τω Παυλω και Βαρναβα και τισιν αλλοις αναβαινειν D (gig w, syhmg mae) | ⸆οπως κριθωσιν επ αυτοις D(c) (⸉ 614 *pc* syh**) ● **3** ° 𝔓74 A E 𝔐 ¦ *txt* 𝔓45 ℵ B C D Ψ 36. 81. 453. 1175 *pc*

ρειαν ἐκδιηγούμενοι τὴν ἐπιστροφὴν τῶν ἐθνῶν καὶ ἐ-
ποίουν χαρὰν μεγάλην πᾶσιν τοῖς ἀδελφοῖς. **4** παραγενόμενοι δὲ εἰς ⸀Ἱερουσαλὴμ ⸁παρεδέχθησαν ⸀¹ἀπὸ τῆς ἐκκλησίας καὶ τῶν ἀποστόλων καὶ τῶν πρεσβυτέρων, ἀν- 2!
ήγγειλάν τε ὅσα ⸉ὁ θεὸς ἐποίησεν⸊ μετ' αὐτῶν. **5** ⸂Ἐξ- 12; 14,27; 21,19 Jdth 8,26 |
ανέστησαν δέ τινες τῶν⸃ ἀπὸ τῆς αἱρέσεως τῶν Φαρι- 1!
σαίων πεπιστευκότες °λέγοντες ὅτι δεῖ περιτέμνειν αὐ- 11,2
τοὺς παραγγέλλειν τε τηρεῖν τὸν νόμον Μωϋσέως.
6 Συνήχθησάν ⸀τε οἱ ἀπόστολοι καὶ οἱ πρεσβύτεροι ⸆ 2!
ἰδεῖν περὶ τοῦ ⸁λόγου τούτου. **7** Πολλῆς δὲ ζητήσεως γενομένης ⸆ ⸂ἀναστὰς Πέτρος⸃ εἶπεν πρὸς αὐτούς· ἄνδρες
ἀδελφοί, ὑμεῖς ἐπίστασθε ὅτι ἀφ' ἡμερῶν ἀρχαίων ⸄ἐν
ὑμῖν ἐξελέξατο ὁ θεὸς⸅ διὰ τοῦ στόματός μου ἀκοῦσαι τὰ 10,1–11,15
ἔθνη τὸν λόγον τοῦ εὐαγγελίου καὶ πιστεῦσαι. **8** καὶ ὁ 10,45!
καρδιογνώστης θεὸς ἐμαρτύρησεν αὐτοῖς δοὺς ⸆ τὸ 1,24
πνεῦμα τὸ ἅγιον καθὼς καὶ ἡμῖν **9** καὶ ⸀οὐθὲν ⸁διέκρινεν 11,17! | 11,12 R 10,12
μεταξὺ ἡμῶν τε καὶ αὐτῶν τῇ πίστει καθαρίσας τὰς καρ-
δίας αὐτῶν. **10** νῦν οὖν τί πειράζετε τὸν θεὸν ἐπιθεῖναι Ex 17,2 · 28 G 5,1 Mt 23,4
ζυγὸν ἐπὶ τὸν τράχηλον τῶν μαθητῶν ὃν οὔτε οἱ πατέρες
ἡμῶν οὔτε ἡμεῖς ἰσχύσαμεν βαστάσαι; **11** ἀλλὰ διὰ τῆς G 2,15s E 2,5.8
χάριτος τοῦ κυρίου Ἰησοῦ ⸆ πιστεύομεν σωθῆναι καθ'
ὃν τρόπον κἀκεῖνοι. **12** ⸂Ἐσίγησεν δὲ⸃ πᾶν τὸ πλῆθος καὶ ἤκουον Βαρναβᾶ καὶ Παύλου ἐξηγουμένων ὅσα 4! c 13.14
ἐποίησεν ὁ θεὸς σημεῖα καὶ τέρατα ἐν τοῖς ἔθνεσιν δι' 5,12! R 15,19 · 10,45! |
αὐτῶν. **13** Μετὰ δὲ τὸ σιγῆσαι αὐτοὺς ⸂ἀπεκρίθη Ἰάκω- 12,17! G 2,9

4 ⸀† Ιεροσολυμα 𝔓⁴⁵·⁷⁴ A B Ψ 81. 614. 1175. 2495 *pc* gig vg ¦ *txt* א C D E 𝔐 | ⸁απεδ- E 𝔐 ¦ υπεδ- 36. 453 *pc* ¦ απεδ- μεγαλως C 6. 614. 1704 *pc* syʰ** sa ¦ παρεδεχθησαν μεγαλως D(*) ¦ *txt* 𝔓⁷⁴ א A B Ψ 33. 81. 326. 1175 *pc* | ⸀¹υπο 𝔓⁷⁴ א A D E Ψ 𝔐 ¦ *txt* B C 36. 453. 1175 *pc* | ⸉ 𝔓⁴⁵ D 33. 614. 945 *pc* gig ● **5** ⸂οι δε παραγγειλαντες αυτοις αναβαινειν προς τους πρεσβυτερους εξανεστησαν λεγοντες τινες *et* ° D (syʰᵐᵍ) ● **6** ⸀δε א A D E 𝔐 gig sy ¦ *txt* 𝔓⁷⁴ B C Ψ 33. 81. 1175. 2495 *pc* vg | ⸆συν τω πληθει 614 *pc* syʰ | ⸁ζητηματος E 614 *pc* gig syʰ ● **7** ⸆(15,2) τω Παυλω και τω Βαρναβα προς αυ[τους εταξαν αναβαι]νειν Παυλον και Βαρναβαν και τινας [αλλους εξ αυτων προς] τους αποστολους και πρεσβυτερους γεν[ομενης 𝔓⁴⁵⁽ᵛⁱᵈ⁾ | ⸂ανεστησεν τω πνευματι Π. και D* (614 syʰᵐᵍ) l | ⸄ο θ. εν ημ- εξελ- (⸉ Dᶜ) E (⸉ Ψ) 𝔐 (lat) syʰ ¦ ημ- ο θ. εξελ- D* 614 *pc* ¦ ο θ. εξελ- 189 *pc* syᵖ sa ¦ *txt* 𝔓⁷⁴ א A B C 33. 36. 81. 945. 1175. 1739 *al* bo; Irˡᵃᵗ ● **8** ⸆αυτοις C E (Ψ) 𝔐 l; Irˡᵃᵗ ¦ επ αυτους D ¦ *txt* 𝔓⁷⁴ א A B 33. 81. 1175 *pc* ● **9** ⸀-δεν 𝔓⁷⁴ א A C D E Ψ 𝔐 ¦ *txt* B H L P 323. 1241. 2495 *al* | ⸁διεκριναμεν 𝔓⁷⁴ ● **11** ⸆Χριστου C D Ψ 33. 36. 453. 945. 1175. 1739 *pc* it syᵖ boᵖᵗ; Irˡᵃᵗ ¦ *txt* א A B E 𝔐 vgˢᵗ syʰ sa boᵖᵗ ● **12** ⸂συγκατατιθεμενων δε των πρεσβυτερων τοις υπο του Πετρου ειρημενοις εσιγ. D (l) syʰ** ● **13** ⸂αναστας I. ειπεν D syᵖ

7-9 βος λέγων⸌· ἄνδρες ἀδελφοί, ἀκούσατέ μου. **14** Συμεὼν
L 1,68 Dt 14,2 𝔊 ἐξηγήσατο καθὼς πρῶτον ὁ θεὸς ἐπεσκέψατο λαβεῖν ἐξ
ἐθνῶν λαὸν τῷ ὀνόματι αὐτοῦ. **15** καὶ ⸀τούτῳ συμφω-
νοῦσιν οἱ λόγοι τῶν προφητῶν καθὼς γέγραπται·

Jr 12,15 **16** *μετὰ ταῦτα ⸀ἀναστρέψω*
Am 9,11s 𝔊 *καὶ ἀνοικοδομήσω τὴν σκηνὴν Δαυὶδ τὴν πεπτω-*
κυῖαν
καὶ τὰ ⸂κατεσκαμμένα αὐτῆς ἀνοικοδομήσω
καὶ ἀνορθώσω αὐτήν,
17 *ὅπως ἂν ἐκζητήσωσιν οἱ κατάλοιποι τῶν ἀνθρώπων τὸν*
κύριον
καὶ πάντα τὰ ἔθνη ἐφ' οὓς ἐπικέκληται τὸ ὄνομά μου
ἐπ' αὐτούς,
Is 45,21 *λέγει κύριος ⸀ποιῶν ⸉ταῦτα* **18** *γνωστὰ ἀπ' αἰῶνος⸊.*

19 διὸ ἐγὼ κρίνω μὴ παρενοχλεῖν τοῖς ἀπὸ τῶν ἐθνῶν
14,15; 26,20 | ἐπιστρέφουσιν ἐπὶ τὸν θεόν, **20** ἀλλὰ ἐπιστεῖλαι αὐτοῖς
16,4 · 29! 1K 10, 7.14 Ex 34,15s · τοῦ ἀπέχεσθαι ⸆ τῶν ἀλισγημάτων τῶν εἰδώλων ⸋καὶ
Lv 18,6-18.26 1K 6,18! 1T 4,3 · Lv τῆς πορνείας⸌ ⸉καὶ τοῦ πνικτοῦ⸊ καὶ τοῦ αἵματος⸆.
17,10-14 Gn 9,4 | **21** Μωϋσῆς γὰρ ἐκ γενεῶν ἀρχαίων κατὰ πόλιν τοὺς κη-
ρύσσοντας αὐτὸν ἔχει ἐν ταῖς συναγωγαῖς κατὰ πᾶν σάβ-
13,15.27 βατον ἀναγινωσκόμενος.

2! **22** Τότε ἔδοξε τοῖς ἀποστόλοις καὶ τοῖς πρεσβυτέροις
σὺν ὅλῃ τῇ ἐκκλησίᾳ ⸀ἐκλεξαμένους ἄνδρας ἐξ αὐτῶν
14,26! πέμψαι εἰς Ἀντιόχειαν σὺν τῷ Παύλῳ καὶ Βαρναβᾷ,
27! Ἰούδαν τὸν καλούμενον ⸂Βαρσαββᾶν καὶ Σιλᾶν, ἄνδρας
H 13,7! ἡγουμένους ἐν τοῖς ἀδελφοῖς, **23** γράψαντες ⸉διὰ χειρὸς
αὐτῶν⸊·

15 ⸀ουτως D* gig sa; Ir[lat] ● **16** ⸀επιστ- D | ⸂† κατεστρα- ℵ (B) Ψ 33. 326 *pc* ¦ ανεσκα- E ¦ *txt* 𝔓[74] A C D 𝔐 ● **17/18** ⸀ο -ων ℵ[c] A C D[2] E 𝔐 sy[h]; Cyr ¦ ποιησει D* ¦ *txt* 𝔓[74] ℵ* B Ψ *pc* | ⸉τ. (+ παντα E 𝔐) · γνωστον (-στα E 𝔐) απ αιω. εστιν (– 𝔓[74] A) τω κυριω (θεω E 𝔐) το εργον (παντα τα -γα E 𝔐) αυτου 𝔓[74] A D E 𝔐 lat (sy); Ir ¦ τ. παντα ἅ εστ. γνωστα αυτω απ αιω. 945 *pc* ¦ παντα τα εργα αυτου 2127 ¦ *txt* ℵ B C Ψ 33. 81. 323. (1175). 1739. 2495 *al* co ● **20** ⸆απο 𝔓[74] A C E Ψ 𝔐 lat ¦ *txt* 𝔓[45] ℵ B D 81. 1175 *pc* e p* | ⸋ 𝔓[45] | ⸉ – D gig; Ir[lat] (*cf* 29; 21,25) ¦ † *1 3* 𝔓[74] A B Ψ 33. 81 *pc* ¦ *txt* 𝔓[45] ℵ C E 𝔐 lat sy | ⸆και οσα αν μη θελωσιν (ο. μ. -λουσιν D) αυτοις (εαυ- D) γινεσθαι ετεροις μη ποιειν (-ειτε D) D 323. 945. 1739. 1891 *pc* sa; Ir[lat] ● **22** ⸀-νοις (𝔓[74]) 33. 323. 614. 945. 1739 *pc* (sy[p]) | ⸂Βαραββ- D ● **23** ⸉δ. χ. αυ. ταδε ℵ[c] E (33) 𝔐 sy[h] ¦ επιστολην δ. χ. αυ. περιεχουσαν ταδε (⟲C) D gig w (sy[p]) (sa) ¦ δ. χ. αυ. επιστ. και πεμψαντες περιεχ. ταδε 614 *pc* sy[hmg] ¦ επιστ. δ. χ. αυ. εχουσαν τον τυπον τουτον Ψ ¦ *txt* 𝔓[45vid.74] ℵ* A B *pc* bo

Οἱ ἀπόστολοι καὶ οἱ πρεσβύτεροι ⸀ἀδελφοὶ τοῖς κατὰ τὴν 2!
Ἀντιόχειαν καὶ Συρίαν καὶ Κιλικίαν ἀδελφοῖς τοῖς ἐξ 14,26! · 41 ·
ἐθνῶν χαίρειν. **24** Ἐπειδὴ ἠκούσαμεν ὅτι τινὲς ἐξ ἡμῶν 23,26 Jc 1,1 Mt 26,49 | G 1,7
°[ἐξελθόντες] ⸀ἐτάραξαν ὑμᾶς λόγοις ἀνασκευάζοντες
τὰς ψυχὰς ὑμῶν ⊤ οἷς οὐ διεστειλάμεθα, **25** ἔδοξεν ἡμῖν
γενομένοις ὁμοθυμαδὸν ⸀ἐκλεξαμένοις ἄνδρας πέμψαι
πρὸς ὑμᾶς σὺν τοῖς ἀγαπητοῖς ⸁ἡμῶν Βαρναβᾷ καὶ Παύλῳ, **26** ἀνθρώποις παραδεδωκόσι ⸂τὰς ψυχὰς⸃ αὐτῶν ὑπὲρ R 16,4
τοῦ ὀνόματος τοῦ κυρίου ἡμῶν Ἰησοῦ Χριστοῦ ⊤. **27** ἀπ- 5,41!
εστάλκαμεν οὖν Ἰούδαν καὶ Σιλᾶν καὶ αὐτοὺς διὰ λόγου 22.32.34; 15,40–18,5 (2K 1,19 1Th 1,1 2Th 1,1 1P 5,12) | 10,19!
⸀ἀπαγγέλλοντας τὰ αὐτά. **28** ἔδοξεν γὰρ τῷ πνεύματι τῷ
ἁγίῳ καὶ ἡμῖν μηδὲν πλέον ἐπιτίθεσθαι ὑμῖν βάρος πλὴν 5,32 · 10!
⸂τούτων τῶν ἐπάναγκες⸃, **29** ἀπέχεσθαι εἰδωλοθύτων καὶ 20! 21,25 1K 8,1-10 Ap 2,14.20 4Mcc 5,2
αἵματος ⸂καὶ πνικτῶν⸃ ⸋καὶ πορνείας⸌ ⊤, ἐξ ὧν διατη-
ροῦντες ἑαυτοὺς εὖ ⸀πράξετε. Ἔρρωσθε.

30 Οἱ μὲν οὖν ἀπολυθέντες ⊤ κατῆλθον εἰς Ἀντιόχειαν, καὶ συναγαγόντες τὸ πλῆθος ἐπέδωκαν τὴν ἐπιστο-
λήν. **31** ἀναγνόντες δὲ ἐχάρησαν ἐπὶ τῇ παρακλήσει.
32 Ἰούδας τε καὶ Σιλᾶς καὶ αὐτοὶ προφῆται ὄντες ⊤ διὰ 27! · 11,27!
λόγου °πολλοῦ παρεκάλεσαν τοὺς ἀδελφοὺς καὶ ἐπε- 13,15!
στήριξαν, **33** ποιήσαντες δὲ χρόνον ἀπελύθησαν μετ' 14,22!
εἰρήνης ἀπὸ τῶν ἀδελφῶν πρὸς τοὺς ἀποστείλαντας αὐ-
τούς. ⊤ **35** Παῦλος δὲ καὶ Βαρναβᾶς διέτριβον ἐν Ἀντιο- 4,36! · 14,26!
χείᾳ διδάσκοντες καὶ εὐαγγελιζόμενοι μετὰ καὶ ἑτέρων 5,42!
πολλῶν τὸν λόγον τοῦ κυρίου.

23 ⸀και οι αδ. ℵ[c] E Ψ 𝔐 sy bo[mss] ¦ – *pc* vg[ms] sa; Or[lat] ¦ *txt* 𝔓[33.74] ℵ* A B C D 33. 81 *pc* lat; Ir[lat] ● **24** °† ℵ* B 1175 *pc* ¦ *txt* 𝔓[33.74] ℵ[c] A C D E Ψ 𝔐 latt sy (sa) bo; Ir[lat] | ⸀εξετ- D* | ⊤λεγοντες περιτεμνεσθαι (+ δει E) και τηρειν τον νομον C E Ψ 𝔐 (gig) sy ¦ *txt* 𝔓[33.45vid.74] ℵ A B D 33. 81. (1175) *pc* vg co ● **25** ⸀† -νους ℵ C D E H P 36. 323. 1241. 2495 *pm* ¦ *txt* 𝔓[45vid] A B L Ψ 33. 81. 614. 945. 1175. 1739 *pm* | ⸁υμ- D* ● **26** ⸂την -χην D bo[mss]; Ir[lat] | ⊤εις παντα πειρασμον D E 614 *pc* l sy[hmg] ● **27** ⸀-ελουντας D ● **28** ⸂*2 3* (𝔓[74]: εξαν-) A 36. 453. 1241 *pc*; Cl ¦ *2 3 1* 𝔓[33vid] E 𝔐 ¦ *1 3* ℵ* D 33 *pc* ¦ *txt* ℵ[2] B C Ψ 81. 614. 945. 1175. 1739. 2495 *al* ● **29** ⸂κ. -του 𝔓[74] ℵ[c] A[c] E Ψ 𝔐 (lat) sy; CyrJ ¦ – D l; Ir[lat] Tert Hier[mss] ¦ *txt* ℵ* A* B C 81. 614. 1175 *pc* (co); Cl Hier[mss] | ⸋ vg[ms] | ⊤και οσα μη θελετε εαυτοις γινεσθαι, ετερω (-ροις 945. 1739 *al*) μη ποιειν (-ειτε D[2] 614 *pc*) D 323. 614. 945. 1739. 1891 *pc* l p w sy[h**] sa; Ir[lat] Cyp | ⸀-ξατε φερομενοι εν τω αγιω πνευματι D (l; Ir) ● **30** ⊤εν ημεραις ολιγαις D* (l) ● **32** ⊤πληρεις πνευματος αγιου D | ° D ● **33** ⊤[34] εδοξε δε τω Σιλα επιμειναι αυτου (C) 33. 36. 323. 453. 614 (945). 1175. 1739. 1891 *al* sy[h**] sa bo[mss] ¦ εδ. δε τω Σ. (-λεα D*) επιμ. προς (– D*) αυτους, μονος δε Ιουδας επορευθη (+ εις Ιερουσαλημ w vg[cl]) D gig l w vg[cl] ¦ *txt* 𝔓[74] ℵ A B E Ψ 𝔐 vg[st] sy[p] bo

36 Μετὰ δέ τινας ἡμέρας εἶπεν πρὸς Βαρναβᾶν Παῦ-
λος· ἐπιστρέψαντες δὴ ἐπισκεψώμεθα τοὺς ἀδελφοὺς κατὰ πόλιν πᾶσαν ἐν αἷς κατηγγείλαμεν τὸν λόγον τοῦ κυρίου πῶς ἔχουσιν. **37** Βαρναβᾶς δὲ ἐβούλετο ⸀συμπαρα-
12,12! λαβεῖν ⸉καὶ τὸν⸊ Ἰωάννην τὸν ⸂καλούμενον Μᾶρκον·
13,13 **38** Παῦλος δὲ ⸀ἠξίου, τὸν ἀποστάντα ἀπ' αὐτῶν ἀπὸ
Παμφυλίας καὶ μὴ συνελθόντα °αὐτοῖς εἰς τὸ ἔργον ⸆
17,16 ⸉μὴ συμπαραλαμβάνειν τοῦτον⸊. **39** ἐγένετο δὲ παροξυ-
σμὸς ὥστε ἀποχωρισθῆναι αὐτοὺς ἀπ' ἀλλήλων, ⸉τόν τε
4,36! · 13,4! Βαρναβᾶν παραλαβόντα τὸν Μᾶρκον ἐκπλεῦσαι⸊ εἰς Κύ-
27! προν, **40** Παῦλος δὲ ⸀ἐπιλεξάμενος Σιλᾶν ἐξῆλθεν παρα-
14,26! δοθεὶς τῇ χάριτι τοῦ ⸂κυρίου ὑπὸ τῶν ἀδελφῶν. **41** διήρ-
23 · 14,22! χετο δὲ ⸉τὴν Συρίαν καὶ [τὴν] Κιλικίαν⸊ ἐπιστηρίζων τὰς
ἐκκλησίας ⸆.

17,14s; 18,5; 19,22; 20,4 R 16,21 1K 4,17; 16,10 H 13, 23 2T 1,5; 3,15 Ph 2,19-22 etc **16** ⸉Κατήντησεν δὲ⸊ °[καὶ] εἰς Δέρβην καὶ εἰς Λύστραν. καὶ ἰδοὺ μαθητής τις ἦν ἐκεῖ ὀνόματι Τιμό-
θεος, υἱὸς γυναικὸς ⸀Ἰουδαίας πιστῆς, πατρὸς δὲ Ἕλλη-
6,3! νος, **2** ὃς ἐμαρτυρεῖτο ὑπὸ τῶν ἐν Λύστροις καὶ Ἰκονίῳ
ἀδελφῶν. **3** τοῦτον ἠθέλησεν ὁ Παῦλος σὺν αὐτῷ ἐξελθεῖν, καὶ λαβὼν περιέτεμεν αὐτὸν διὰ τοὺς Ἰουδαίους
τοὺς ὄντας ἐν τοῖς τόποις ἐκείνοις· ᾔδεισαν γὰρ ⸉ἅπαν-
τες ὅτι Ἕλλην ὁ πατὴρ αὐτοῦ⸊ ὑπῆρχεν. **4** ⸉Ὡς δὲ
διεπορεύοντο τὰς πόλεις, παρεδίδοσαν αὐτοῖς φυλάσ-
15,20.23-29; 21, 25 · 15,2! σειν τὰ δόγματα τὰ κεκριμένα ὑπὸ τῶν⸊ ἀποστόλων καὶ
πρεσβυτέρων τῶν ἐν Ἱεροσολύμοις. **5** Αἱ μὲν οὖν ἐκ-
14,22! Kol 2,5 1P 5,9 κλησίαι ἐστερεοῦντο ⸋τῇ πίστει⸌ καὶ ἐπερίσσευον τῷ
2,47! ἀριθμῷ καθ' ἡμέραν.

37 ⸀-λαμβανειν $\mathfrak{P}^{74}$ A 1175 *pc* ¦ λαβειν 614 *pc* | ⸉ *1* $\mathfrak{P}^{74}$ A C E Ψ 36. 945. 1175. 1241. 2495 *pm* ¦ *2* L 424 *pm* ¦ – D 323. 1739. 1891 *al* l ¦ *txt* ℵ B 81. 614 *pc* | ⸂επικ- ℵ^{2} C D Ψ 81. 614. 1175. 1241. 1739 *al* ¦ *txt* $\mathfrak{P}^{74}$ ℵ* A B E 𝔐 ● **38** ⸀ουκ εβουλετο λεγων D (l) | ° D | ⸆ εις ο επεμφθησαν D w | ⸉μη συμπ. $\mathfrak{P}^{45}$ gig vg^{cl} ¦ τουτον μη ειναι συν αυτοις D ● **39** ⸉τοτε B-ας παραλαβων τ. M. επλευσεν D (gig p^{c}) ● **40** ⸀επιδεξ- D | ⸂θεου $\mathfrak{P}^{45}$ C E Ψ 𝔐 gig w vg^{cl} sy bo ¦ *txt* $\mathfrak{P}^{74}$ ℵ A B D(*) 33. 81 *pc* d vgst sa ● **41** ⸉ † *1–3 5* ℵ A C E 𝔐 ¦ δια της -ας κ. της -ας $\mathfrak{P}^{45}$ ¦ *txt* B D Ψ 36. 453 *pc* | ⸆παραδιδους τας εντολας των πρεσβυτερων D (gig w vg^{cl} sy^{hmg})

¶ **16,1** ⸉διελθων δε τα εθνη ταυτα κατηντ. D (gig sy^{hmg}) | ° ℵ C D E 𝔐 latt sy$^{p.hmg}$ ($\mathfrak{P}^{74}$: *h. t.*) ¦ *txt* $\mathfrak{P}^{45}$ A B Ψ 33. 453. 614. 1175. 1739. 2495 *al* sy^{h} | ⸀χηρας gig p vg^{mss} ¦ χηρας I. 104 (*pc*) ¦ – E ● **3** ⸉απ. τον πατερα αυ. (⸬ 614. 2495 *pc*) οτι E. $\mathfrak{P}^{45vid}$ D E 𝔐 (gig) sy ¦ *txt* $\mathfrak{P}^{74}$ ℵ A B C Ψ 33. 36. 81. 945. 1175. 1739 *al* vg co ● **4** ⸉διερχομενοι δε τας πολεις εκηρυσσον και παρεδιδοσαν αυτοις μετα πασης παρρησιας τον κυριον Ιησουν Χριστον, αμα παραδιδοντες και τας εντολας D$^{(c)}$ (sy^{hmg}) ● **5** ⸋ D

6 ⸀Διῆλθον δὲ τὴν Φρυγίαν καὶ Γαλατικὴν χώραν κω- 18,23 · R 15,22!
λυθέντες ὑπὸ τοῦ ἁγίου πνεύματος ⸆ λαλῆσαι τὸν λόγον 8,25!
⸇ ἐν τῇ Ἀσίᾳ· **7** ἐλθόντες δὲ κατὰ τὴν Μυσίαν ⸀ἐπείρα- 19,10!
ζον εἰς τὴν Βιθυνίαν πορευθῆναι, καὶ οὐκ εἴασεν αὐτοὺς 1P 1,1
τὸ πνεῦμα ⸁Ἰησοῦ· **8** ⸀παρελθόντες δὲ τὴν Μυσίαν ⸁κατ-
έβησαν εἰς Τρῳάδα. **9** Καὶ ⸀ὅραμα διὰ °[τῆς] νυκτὸς 20,5s 2K 2,12 2T 4,18 | 9,10!
τῷ Παύλῳ ὤφθη, ⸆ ἀνὴρ Μακεδών τις °1ἦν ἑστὼς ⸁καὶ
παρακαλῶν αὐτὸν καὶ λέγων· διαβὰς εἰς Μακεδονίαν βο- Jos 10,6
ήθησον ἡμῖν. **10** ⸂ὡς δὲ τὸ ὅραμα εἶδεν, εὐθέως ἐζητήσα- 10-17; 20,5-15; 21,1-18; 27,1–28,16
μεν ἐξελθεῖν εἰς Μακεδονίαν συμβιβάζοντες⸃ ὅτι προσ- (11,28 v. l.) · 18,5; 19,21s; 20,1! 3
κέκληται ἡμᾶς ὁ ⸀θεὸς εὐαγγελίσασθαι ⸁αὐτούς.
11 ⸂Ἀναχθέντες δὲ⸃ ἀπὸ Τρῳάδος εὐθυδρομήσαμεν εἰς
Σαμοθρᾴκην, ⸄τῇ δὲ ἐπιούσῃ⸅ εἰς ⸂1Νέαν πόλιν⸃ **12** κἀκεῖθεν εἰς Φιλίππους, ἥτις ἐστὶν ⸂πρώτη[ς] μερίδος τῆς⸃ 20,6 Ph 1,1 1Th 2,2
Μακεδονίας πόλις, κολωνία. Ἦμεν δὲ ἐν ταύτῃ τῇ πόλει
διατρίβοντες ἡμέρας τινάς. **13** τῇ τε ἡμέρᾳ τῶν σαββά- 13,14!
των ἐξήλθομεν ἔξω τῆς πύλης παρὰ ⸆ ποταμὸν οὗ ⸂ἐνο-
μίζομεν προσευχὴν⸃ εἶναι, καὶ καθίσαντες ἐλαλοῦμεν L 4,20
ταῖς συνελθούσαις γυναιξίν. **14** καί τις γυνὴ ὀνόματι Λυ- 40
δία, πορφυρόπωλις πόλεως Θυατείρων σεβομένη τὸν Ap 1,11; 2,18.24 · 13,43!
⸀θεόν, ἤκουεν, ἧς ὁ κύριος διήνοιξεν τὴν καρδίαν προσ- 2Mcc 1,4 · 8,6!
έχειν τοῖς λαλουμένοις ὑπὸ °τοῦ Παύλου. **15** ὡς δὲ ἐβαπτίσθη καὶ ⸆ ὁ οἶκος αὐτῆς, παρεκάλεσεν λέγουσα· εἰ 11,14!
κεκρίκατέ με πιστὴν τῷ ⸀κυρίῳ εἶναι, εἰσελθόντες εἰς 18,8!
τὸν οἶκόν μου ⸁μένετε· καὶ παρεβιάσατο ἡμᾶς. 18,20 L 24,29

6 ⸀διελθοντες 𝔐 vg ¦ *txt* 𝔓^{74} א A B C D E Ψ 33. 81. 323. 614. 945. 1175. 1739. 2495 *al* gig | ⸆μηδενι D | ⸇του θεου D gig vg^{cl} sy^{p} bo; Spec ● **7** ⸀ηθελαν D sy^{p} | ⸁κυριου C* gig bo^{mss} ¦ – 𝔐 sa ¦ *txt* 𝔓^{74} א A B C^{2} D E (Ψ) 33. 81*. 453. 1175. 1739 *al* vg sy bo; Cyr ● **8** ⸀διελ- D | ⸁κατηντησαν D ¦ nos venimus Ir^{lat} ● **9** ⸀εν οραματι D e sy^{p} | °† A B D 6. 36. 1175 *pc* ¦ *txt* 𝔓^{74} א (C) E Ψ 𝔐 | ⸆ωσει D sy^{p} sa | °1 D* E *pc* | ⸁κατα προσωπον αυτου D 614 *pc* (sy^{h**}) sa ● **10** ⸂διεγερθεις ουν διηγησατο το οραμα ημιν και ενοησαμεν D | ⸀κυριος D 𝔐 gig sy sa; Ir^{lat} ¦ *txt* 𝔓^{74} א A B C E Ψ 33. 36. 81. 945. 1175. 1739 *al* vg bo | ⸁τους εν τη Μακεδονια D ● **11** ⸂αν. ουν B C 𝔐 gig sy^{h} ¦ τη δε επαυριον αν. D(*) 614 sy^{hmg} ¦ *txt* 𝔓^{74} א A E Ψ 6. 33. 81. 326. 1175 *pc* vg | ⸄και τη επ. ημερα D | ⸂1Νεαπολιν C D* E Ψ 𝔐 ¦ *txt* 𝔓^{74vid} א A B D^{c} 1175. 1739 *pc* ● **12** ⸂† -τη της μ. 𝔓^{74} א A C Ψ 33. 36. 81. 323. 945. 1175. 1891 *pc* ¦ -τη της (– B) μ. της B 𝔐 ¦ -τη μερις E sa^{mss} ¦ -τη της 614. 1241. 1739. 2495 *pc* sy^{h} ¦ κεφαλη της D sy^{p} ¦ *txt* [Clericus *cj*] vg^{mss} ● **13** ⸆του D | ⸂-ζομεν -χη B *pc* ¦ -ζετο (-ζεν 𝔓^{74vid}) -χη 𝔓^{74} A*^{vid} E 𝔐 ¦ εδοκει -χη D ¦ *txt* (א: -ζεν) A^{c} C Ψ 33. 81 *pc* bo ● **14** ⸀κυριον D* | °† 𝔓^{74} B D ¦ *txt* א A C E Ψ 𝔐 ● **15** ⸆πας D *pc* (gig) w sa^{ms} bo^{mss} | ⸀θεω D | ⸁μεινατε C Ψ 𝔐 ¦ *txt* 𝔓$^{45.74}$ א A B D E 33. 81. 1175 *pc*

16 Ἐγένετο δὲ πορευομένων ἡμῶν εἰς τὴν προσευχὴν
12,13 παιδίσκην τινὰ ἔχουσαν πνεῦμα ⸀πύθωνα ⸁ὑπαντῆσαι ἡ-
19; 19,24s μῖν, ἥτις ἐργασίαν πολλὴν παρεῖχεν τοῖς κυρίοις ⸀1αὐ-
τῆς μαντευομένη. 17 αὕτη ⸀κατακολουθοῦσα °τῷ Παύ-
Mt 15,23 λῳ καὶ ἡμῖν ⸁ἔκραζεν λέγουσα· οὗτοι οἱ °1ἄνθρωποι
Mc 1,24; 5,7p δοῦλοι τοῦ θεοῦ °2τοῦ ὑψίστου εἰσίν, οἵτινες ⸀1καταγ-
L 4,41! γέλλουσιν ⸀2ὑμῖν ὁδὸν σωτηρίας. 18 τοῦτο δὲ ἐποίει ἐπὶ
πολλὰς ἡμέρας. ⸂διαπονηθεὶς δὲ ⸆ Παῦλος καὶ ἐπιστρέ-
19,13 Mc 16,17 ψας τῷ πνεύματι⸃ εἶπεν· παραγγέλλω σοι ἐν ὀνόματι Ἰησοῦ Χριστοῦ ⸀ἐξελθεῖν ἀπ' αὐτῆς· καὶ ⸄ἐξῆλθεν αὐτῇ
τῇ ὥρᾳ⸅. 19 ⸂Ἰδόντες δὲ οἱ κύριοι αὐτῆς⸃ ὅτι ⸄ἐξ-
19,25 ῆλθεν ἡ ἐλπὶς τῆς ἐργασίας αὐτῶν⸅, ἐπιλαβόμενοι τὸν
Παῦλον καὶ τὸν Σιλᾶν ⸀εἵλκυσαν εἰς τὴν ἀγορὰν ἐπὶ τοὺς
ἄρχοντας 20 καὶ προσαγαγόντες αὐτοὺς τοῖς στρατη-
17,6! Am 7,10 γοῖς εἶπαν· οὗτοι οἱ ἄνθρωποι ἐκταράσσουσιν ἡμῶν τὴν
1Rg 18,17 πόλιν, Ἰουδαῖοι ὑπάρχοντες, 21 καὶ καταγγέλλουσιν ⸀ἔθη
ἃ οὐκ ἔξεστιν ⸂ἡμῖν παραδέχεσθαι οὐδὲ ποιεῖν Ῥωμαί-
1Th 2,2 οις οὖσιν⸃. 22 ⸂καὶ συνεπέστη ὁ ὄχλος κατ' αὐτῶν⸃ καὶ
οἱ στρατηγοὶ περιρήξαντες αὐτῶν τὰ ἱμάτια ἐκέλευον
2K 11,25 | 12,4 ῥαβδίζειν, 23 πολλάς ⸀τε ἐπιθέντες αὐτοῖς πληγὰς ἔβαλον
Test Jos 8,5 εἰς φυλακὴν παραγγείλαντες τῷ δεσμοφύλακι ἀσφαλῶς
⸁τηρεῖν αὐτούς. 24 ⸀ὃς παραγγελίαν τοιαύτην λαβὼν ἔβα-
12,6.10 λεν αὐτοὺς εἰς τὴν ἐσωτέραν φυλακὴν καὶ τοὺς πόδας
⸉ἠσφαλίσατο αὐτῶν⸊ ⸂εἰς τὸ ξύλον⸃. 25 Κατὰ δὲ
Mt 26,30p E 5,19 ⸂τὸ μεσονύκτιον⸃ Παῦλος καὶ Σιλᾶς προσευχόμενοι ὕ-
Kol 3,16 H 2,12 Jc 5,13 Test Jos 8,5 | μνουν τὸν θεόν, ἐπηκροῶντο δὲ αὐτῶν οἱ δέσμιοι. 26 ἄ-
4,31 φνω δὲ σεισμὸς ἐγένετο μέγας ὥστε σαλευθῆναι τὰ θε-
5,19; 12,6s μέλια τοῦ δεσμωτηρίου· ἠνεῴχθησαν δὲ °παραχρῆμα αἱ

16 ⸀-νος 𝔓45 C2 D1 E Ψ 𝔐 ¦ *txt* 𝔓74 ℵ A B C* D* 81. 326 *pc* | ⸁απαν- A D 𝔐 ¦ *txt* 𝔓45.74 ℵ B C E Ψ 33. 36. 81. 453. 1175 *pc* | ⸀1δια τουτου D* ¦ – Dc ● **17** ⸀-θησασα A C E Ψ 𝔐 co ¦ *txt* 𝔓45(*).74 ℵ B D 36. 453 *pc* | ° B 1891 *pc* | ⸁-ξεν 36. 1175. 2495 *pc* | °1 D* gig; Lcf | °2 *pc* | ⸀1ευαγγελιζονται D(*) | ⸀2ημ- A C Ψ 𝔐 e sa ¦ *txt* 𝔓74 ℵ B D E 36. 104. 453. 1175. 1739 *pc* gig vg sy bo ● **18** ⸂επιστρ. δε ο Π. τω πν. και διαπ. D | ⸆ο C (D) E Ψ 𝔐 ¦ *txt* 𝔓45.74 ℵ A B | ⸀ινα εξελθης D e gig; Lcf | ⸄ευθεως εξ. D ● **19** ⸂και ιδ. … B ¦ ως δε ειδαν οι κ. της παιδισκης D | ⸄απεστερησθαι της ερ. αυ., ης ειχον δι αυτης D | ⸀εσυραν E ● **21** ⸀τα εθνη D* | ⸂ημας παραδεξασθαι ουτε π. Ρ. υπαρχουσιν D ● **22** ⸂και πολυς οχ. συνεπεστησαν κ. αυ. κραζοντες D ● **23** ⸀† δε B 6. 81. 1175 *pc* e ¦ *txt* 𝔓74 ℵ A C D E Ψ 𝔐 | ⸁τηρεισθαι D ● **24** ⸀ο δε D sa | ⸉ C3 D(*) E Ψ 𝔐 ¦ *txt* 𝔓74 ℵ A B C* 33. 81 *pc* | ⸂εν τω -λω D *pc* ● **25** ⸂μεσον της νυκτος ο D* ● **26** ° B gig; Lcf

θύραι πᾶσαι καὶ πάντων τὰ δεσμὰ ⸀ἀνέθη. **27** ἔξυπνος δὲ
γενόμενος ὁ δεσμοφύλαξ ⸆ καὶ ἰδὼν ἀνεῳγμένας τὰς θύρας τῆς φυλακῆς, σπασάμενος ⸋[τὴν] μάχαιραν ἤμελλεν 12,19; 27,42
ἑαυτὸν ἀναιρεῖν νομίζων ἐκπεφευγέναι τοὺς δεσμίους.
28 ἐφώνησεν δὲ ⸂μεγάλῃ φωνῇ [ὁ] Παῦλος⸃ λέγων· μηδὲν πράξῃς σεαυτῷ κακόν, ἅπαντες γάρ ἐσμεν ἐνθάδε.
29 αἰτήσας δὲ φῶτα εἰσεπήδησεν καὶ ἔντρομος ⸀γενόμε-
νος προσέπεσεν ⸆ τῷ Παύλῳ καὶ ⸋[τῷ] Σιλᾷ **30** καὶ ⸀προ-
αγαγὼν αὐτοὺς ἔξω ⸁ἔφη· κύριοι, τί με δεῖ ποιεῖν ἵνα 2,37!
σωθῶ; **31** οἱ δὲ εἶπαν· πίστευσον ἐπὶ τὸν κύριον Ἰησοῦν Mt 9,22 Mc 16,16
⸆ καὶ σωθήσῃ σὺ καὶ ὁ οἶκός σου. **32** καὶ ἐλάλησαν αὐ- J 4,53! • 1,21! • 11,14 | 8,25!
τῷ τὸν λόγον τοῦ ⸀κυρίου σὺν πᾶσιν τοῖς ἐν τῇ οἰκίᾳ αὐ-
τοῦ. **33** καὶ παραλαβὼν αὐτοὺς ἐν ἐκείνῃ τῇ ὥρᾳ τῆς νυκτὸς ἔλουσεν ἀπὸ τῶν πληγῶν, καὶ ἐβαπτίσθη αὐτὸς καὶ
⸂οἱ αὐτοῦ πάντες⸃ παραχρῆμα, **34** ἀναγαγών τε αὐτοὺς εἰς
τὸν οἶκον παρέθηκεν τράπεζαν καὶ ⸂ἠγαλλιάσατο παν-
οικεὶ πεπιστευκὼς τῷ θεῷ⸃. **35** Ἡμέρας δὲ γενομέ- 18,8!
νης ⸂ἀπέστειλαν οἱ στρατηγοὶ⸃ τοὺς ῥαβδούχους λέγον-
τες· ἀπόλυσον τοὺς ἀνθρώπους ἐκείνους⸆. **36** ⸂ἀπήγγει-
λεν δὲ ὁ δεσμοφύλαξ⸃ τοὺς λόγους ⸋[τούτους] πρὸς τὸν
Παῦλον ὅτι ἀπέσταλκαν οἱ στρατηγοὶ ἵνα ἀπολυθῆτε·
νῦν οὖν ἐξελθόντες πορεύεσθε ⸋ἐν εἰρήνῃ⸌. **37** ὁ δὲ Παῦ- Mc 5,34! Jdc 18,6
λος ἔφη πρὸς αὐτούς· ⸆ δείραντες ἡμᾶς δημοσίᾳ ἀκατα- 5,18
κρίτους, ἀνθρώπους Ῥωμαίους ὑπάρχοντας, ἔβαλαν εἰς 22,25!
φυλακήν, καὶ νῦν λάθρᾳ ἡμᾶς ἐκβάλλουσιν; οὐ γάρ, ἀλλὰ 13,50
ἐλθόντες αὐτοὶ ἡμᾶς ἐξαγαγέτωσαν. **38** ἀπήγγειλαν ⸀δὲ
τοῖς στρατηγοῖς οἱ ῥαβδοῦχοι τὰ ῥήματα ταῦτα⸂. ἐφοβή- 22,29

26 ⸀ανελυθη ℵ* D* • **27** ⸆ο πιστος Στεφανας 614 *pc* | ⸋ 𝔓^{74} ℵ A E Ψ 𝔐 ¦ *txt* B C D 81. 1175 *pc* • **28** ⸂† *4 1 2* B *pc* ¦ *2 1* (⸉ 𝔓^{74} Ψ) *4* 𝔓^{74} ℵ C* Ψ 33 *pc* ¦ *2 1 3 4* C^{3} D E 𝔐 ¦ *3 4 2 1* 36 *pc* ¦ *txt* A • **29** ⸀υπαρχων C* D Ψ 614. 2495 *pc* | ⸆προς τους ποδας D* gig sy | ⸋† B C* D *pc* ¦ *txt* 𝔓^{74} ℵ A C^{3} E Ψ 𝔐 • **30** ⸀προηγαγεν *et* ⸁τους λοιπους ασφαλισαμενος και ειπεν αυτοις D$^{(c)}$ (sy$^{p.h**}$) • **31** ⸆Χριστον C D E Ψ 0120 𝔐 sy sa ¦ *txt* 𝔓^{74vid} ℵ A B 33. 81 *pc* gig vg bo • **32** ⸀† θεου ℵ* B *pc* ¦ *txt* 𝔓$^{45.74}$ ℵ^{c} A C (D) E Ψ 0120 𝔐 lat sy co • **33** ⸂ο οικος αυτου ολος 𝔓^{45} vg^{cl} bo^{ms} ¦ οι οικιοι αυτ. παντ. A ¦ *txt rell* († απαν- ℵ B 614. 1891. 2495 *pc*) • **34** ⸂ηγαλλιατο συν τω οικω αυτου πεπ. επι τον θεον D • **35** ⸂συνηλθον οι στρατηγοι επι το αυτο εις την αγοραν και αναμνησθεντες τον σεισμον τον γεγονοτα εφοβηθησαν και απεστ. D sy^{hmg} | ⸆ους εχθες παρελαβες D 614 sy^{h} • **36** ⸂απ. δε ο αρχιδεσμ. 𝔓^{74} ¦ και εισελθων ο δεσμ. απ. D (sy^{p}) | ⸋ B C D 36. 453. 1891 *pc* ¦ *txt* 𝔓^{74} ℵ A E Ψ 0120 𝔐 | ⸋ D gig • **37** ⸆αναιτιους D (sy^{p}) • **38** ⸀τε ℵ E 104 *pc* | ⸂τα ρηθεντα προς τους στρατηγους· οι δε ακ. οτι Ρ. εισ. εφοβ. D (sy^{p})

θησαν δὲ ἀκούσαντες ὅτι Ῥωμαῖοί εἰσιν⸃, **39** καὶ ⸂ἐλ-
5,26 · Mt 8,34 θόντες παρεκάλεσαν αὐτοὺς καὶ ἐξαγαγόντες ἠρώτων ἀπελθεῖν ἀπὸ τῆς πόλεως.⸃ **40** ἐξελθόντες δὲ ⸀ἀπὸ τῆς φυ-
14 λακῆς ⸁εἰσῆλθον πρὸς τὴν Λυδίαν καὶ ἰδόντες ⸂παρεκά-
λεσαν τοὺς ἀδελφοὺς⸃ καὶ ἐξῆλθαν.

17 Διοδεύσαντες δὲ τὴν Ἀμφίπολιν καὶ ⸂τὴν Ἀπολλω-
1Th 2,2 νίαν ἦλθον⸃ εἰς Θεσσαλονίκην ὅπου ἦν ⸆ συναγω-
L 4,16! γὴ τῶν Ἰουδαίων. **2** κατὰ δὲ τὸ εἰωθὸς ⸂τῷ Παύλῳ⸃ εἰσ-
13,14! · 17! · ἦλθεν πρὸς αὐτοὺς καὶ ἐπὶ σάββατα τρία διελέξατο αὐ-
8,35! τοῖς ⸀ἀπὸ τῶν γραφῶν, **3** διανοίγων καὶ παρατιθέμενος
26,23! L 24,26s! ὅτι τὸν χριστὸν ἔδει παθεῖν καὶ ἀναστῆναι ἐκ νεκρῶν
9,22! καὶ ὅτι οὗτός ἐστιν ⸂ὁ χριστὸς [ὁ] Ἰησοῦς⸃ ὃν ἐγὼ καταγ-
28,24 γέλλω ὑμῖν. **4** καί τινες ἐξ αὐτῶν ἐπείσθησαν ⸋καὶ προσ-
13,43! εκληρώθησαν⸌ τῷ Παύλῳ καὶ °τῷ ⸂Σιλᾷ, τῶν τε⸃ σεβο-
12 μένων ⸆ Ἑλλήνων πλῆθος πολύ, ⸄γυναικῶν τε⸅ τῶν πρώ-
5,17! των οὐκ ὀλίγαι. **5** ⸂Ζηλώσαντες δὲ οἱ Ἰουδαῖοι καὶ
1Th 2,14-16 προσλαβόμενοι τῶν ἀγοραίων ἄνδρας τινὰς πονηροὺς
καὶ ὀχλοποιήσαντες ἐθορύβουν⸃ τὴν πόλιν καὶ ἐπιστάν-
7 R 16,21 τες τῇ οἰκίᾳ Ἰάσονος ἐζήτουν αὐτοὺς προαγαγεῖν εἰς τὸν
δῆμον· **6** μὴ εὑρόντες δὲ αὐτοὺς ἔσυρον Ἰάσονα καί τινας
ἀδελφοὺς ἐπὶ τοὺς πολιτάρχας βοῶντες ⸆ ὅτι οἱ τὴν οἰ-
16,20; 24,5.12 κουμένην ἀναστατώσαντες οὗτοι ⸇ καὶ ἐνθάδε πάρεισιν,
7 οὓς ὑποδέδεκται Ἰάσων· καὶ οὗτοι πάντες ἀπέναντι τῶν
L 2,1 · J 19,12! δογμάτων Καίσαρος πράσσουσιν βασιλέα ἕτερον λέγοντες εἶναι Ἰησοῦν. **8** ἐτάραξαν δὲ ⸉τὸν ὄχλον καὶ τοὺς

39 ⸂παραγενομενοι μετα φιλων πολλων εις την φυλακην παρεκ. αυ. εξελθειν ειποντες· ηγνοησαμεν τα καθ υμας οτι εστε ανδρες δικαιοι, και εξαγ. παρεκαλεσαν αυτους λεγοντες· εκ της πολ. ταυτης εξελθατε, μηποτε παλιν συστραφωσιν ημιν επικραζοντες καθ υμων D (614 *pc* syh**) ● **40** ⸀εκ 𝔓74 A D E Ψ 0120 𝔐 ¦ *txt* ℵ B 33. 945. 1739. 1891 *pc* | ⸁ηλθον D e gig | ⸂τους αδ. διηγησαντο οσα εποιησεν κυριος αυτοις παρακαλεσαντες αυτους D ¦ τους αδ. παρεκ. αυτους E Ψ 𝔐 ¦ *txt* 𝔓74 ℵ A B 33. 81. 1175 *pc* co

¶ **17,1** ⸂κατηλθον εις Α-νιδα, κακειθεν D | ⸆η E 𝔐 ¦ *txt* 𝔓74 ℵ A B D Ψ 0120. 33. 81. 945. 1175. 1739. 2495 *al* co ● **2** ⸂ο Παυλος D latt syp | ⸀εκ D ● **3** ⸂*1 2 4* Ψ 𝔐 ¦ *2 4* 𝔓74 A D 33. 81 *pc* gig vgst (⸉ ℵ 614. 2495 *pc* vgcl) ¦ *4 3 2* E 36. 453 *pc* ¦ *txt* B ● **4** ⸋ 𝔓74 | ° B | ⸂Σιλεα τη διδαχη, πολλοι των D | ⸆και 𝔓74 A D 33 *pc* lat bo ¦ *txt* ℵ B E Ψ 0120 𝔐 vgmss sy bomss | ⸄και γυναικες D lat ● **5** ⸂οι δε απειθουντες Ι. συστρεψαντες τινας ανδ. των αγ. πον. εθορυβουσαν D ¦ προσλ. δε οι Ιου. οι απειθ. των αγορ. τιν. ανδ. πον. κ. οχ. εθορ. 𝔐 ¦ *txt* 𝔓74 (ℵ Ψ: τιν. ανδ.) A B 33. 81. 945. 1175. 1739 *al* vg (sy) co (0120. 614. 1241. 2495: Ιου. + οι απειθουντες, E: πον. + απειθησαντες) ● **6** ⸆ και λεγοντες D gig w | ⸇ εισιν D* Ψ gig w ● **8** ⸉ D gig syp

πολιτάρχας⸃ ἀκούοντας ταῦτα, 9 ⸀καὶ λαβόντες τὸ ἱκανὸν παρὰ τοῦ Ἰάσονος καὶ τῶν λοιπῶν ἀπέλυσαν αὐτούς.
10 Οἱ δὲ ἀδελφοὶ εὐθέως διὰ νυκτὸς ἐξέπεμψαν τόν τε 9,25!
Παῦλον καὶ τὸν Σιλᾶν εἰς Βέροιαν, οἵτινες παραγενόμε- 13; 20,4
νοι εἰς τὴν συναγωγὴν τῶν Ἰουδαίων ἀπῄεσαν. 11 οὗτοι 13,14!
δὲ ἦσαν ⸀εὐγενέστεροι τῶν ἐν Θεσσαλονίκῃ, οἵτινες ἐδέξαντο τὸν λόγον ⸂μετὰ πάσης προθυμίας⸃ ⸆ καθ᾽ ἡμέραν 8,14!
ἀνακρίνοντες τὰς γραφὰς εἰ ⸁ἔχοι ταῦτα οὕτως⸇. 12 ⸀πολ- 8,35! · 7,1!
λοὶ μὲν οὖν ἐξ αὐτῶν ἐπίστευσαν ⸆ καὶ τῶν ⸂Ἑλληνί-
δων γυναικῶν τῶν εὐσχημόνων καὶ ἀνδρῶν οὐκ ὀλί- 4
γοι⸃. 13 Ὡς δὲ ἔγνωσαν οἱ ἀπὸ °τῆς Θεσσαλονίκης
Ἰουδαῖοι ὅτι ⸂καὶ ἐν τῇ Βεροίᾳ κατηγγέλη ὑπὸ τοῦ Παύλου 10!
ὁ λόγος τοῦ θεοῦ, ἦλθον⸃ κἀκεῖ σαλεύοντες ⸋καὶ ταράσ- 14,19 1Th 2,14
σοντες⸌ τοὺς ὄχλους⸆. 14 ⸂εὐθέως δὲ τότε τὸν Παῦλον
ἐξαπέστειλαν οἱ ἀδελφοὶ πορεύεσθαι⸃ ⸀ἕως ἐπὶ τὴν ⸁θά-
λασσαν, ὑπέμεινάν τε ὅ °τε Σιλᾶς καὶ ὁ Τιμόθεος ἐκεῖ. 18,5 · 16,1!
15 οἱ δὲ καθιστάνοντες τὸν Παῦλον ἤγαγον ἕως Ἀθηνῶν, 18,1 1Th 3,1s
⸂καὶ λαβόντες⸃ ἐντολὴν ⸆ πρὸς τὸν Σιλᾶν καὶ τὸν Τιμόθεον ⸄ἵνα ὡς τάχιστα⸅ ἔλθωσιν πρὸς αὐτὸν ἐξῄεσαν.
16 Ἐν δὲ ταῖς Ἀθήναις ἐκδεχομένου ⸂αὐτοὺς τοῦ Παύ-
λου⸃ παρωξύνετο τὸ πνεῦμα αὐτοῦ ἐν αὐτῷ ⸀θεωροῦντος 15,39
κατείδωλον οὖσαν τὴν πόλιν. 17 διελέγετο μὲν οὖν ἐν τῇ 2; 18,4.19; 19,8s; 20,7.9; 24,25 ·
συναγωγῇ τοῖς Ἰουδαίοις καὶ τοῖς σεβομένοις καὶ ⸆ ἐν 13,14! · 13,43!
τῇ ἀγορᾷ κατὰ πᾶσαν ἡμέραν πρὸς τοὺς ⸀παρατυγχάνον-
τας. 18 τινὲς δὲ καὶ τῶν Ἐπικουρείων καὶ Στοϊκῶν φιλο- 1K 1,22
σόφων συνέβαλλον αὐτῷ, καί τινες ἔλεγον· τί ἂν θέλοι ὁ
σπερμολόγος οὗτος λέγειν; οἱ δέ· ξένων δαιμονίων δοκεῖ

9 ⸀οι μεν ουν πολιταρχαι sy^hmg ● 11 ⸀ευγενεις D p* | ⸂του θεου μετα παρρησιας E | ⸆† το B H L P 6. 1175 *pm* ¦ *txt* 𝔓^45.74 ℵ D E Ψ 0120. 33. 81. 323. 614. 945. 1739. 2495 *pm* (A *illeg.*) | ⸁εχει D* E (0120). 36. 453. 2495 *al* | ⸇καθως Παυλος απαγγελλει 614 *pc* gig sy^h** ● 12 ⸀τινες D | ⸆τινες δε ηπιστησαν D 614 | ⸂Ελληνων και των ευσχ. ανδρες και γυναικες ικανοι επιστευσαν D* ● 13 ° 𝔓^74 D E 614. 945. 2495 *pc* | ⸂λογος θεου κατηγγ. εις Β-αν και επιστευσαν και ηλθον εις αυτην D^(c) | ⸋ 𝔓^45 E 0120 𝔐 ¦ *txt* 𝔓^74 ℵ A B D(*) (ʃ Ψ) 33. 36. 81. 323. 614. 945. 1175. 1739. 2495 *al* lat sy sa (bo) | ⸆ου διελιμπανον D (sy^p) ● 14 ⸂τον μεν ουν Π. οι αδ. εξαπ. απελθειν D (sy^p) | ⸀ως Ψ 0120 𝔐 sy^h ¦ – D 049 *pc* gig sy^p ¦ *txt* 𝔓^74 ℵ A B E 33. 81. 323. 945. 1175. 1739 *al* lat | [⸁ Θεσσαλιαν Markland *cj*] | ° 𝔓^74 D 6. 326 *pc* ● 15 ⸂παρηλθεν δε την Θεσσαλιαν· εκωλυθη γαρ εις αυτους κηρυξαι τον λογον. λαβ. δε D | ⸆παρα Παυλου D ¦ απ αυτου E vg sy^p sa | ⸄οπως εν ταχει D ● 16 ⸂αυτου ℵ* ¦ αυτου του Π. D* | ⸀-ντι D Ψ 0120 𝔐 ¦ *txt* ℵ A B E 33. 81. 323. (614). 945. 1175. 1739 *al* ● 17 ⸆τοις D 614 *pc* sy^hmg sa | ⸀-τυχοντας D*

καταγγελεὺς εἶναι, ⸋ὅτι τὸν Ἰησοῦν καὶ τὴν ἀνάστασιν
εὐηγγελίζετο⸆⸌. **19** ⸂ἐπιλαβόμενοί ⸀τε αὐτοῦ ἐπὶ τὸν
28,22 Ἄρειον πάγον ἤγαγον⸃ λέγοντες· δυνάμεθα γνῶναι τίς ἡ
καινὴ αὕτη °ἡ ὑπὸ σοῦ ⸁λαλουμένη διδαχή; **20** ξενί-
ζοντα γάρ τινα ⸀εἰσφέρεις εἰς τὰς ἀκοὰς ἡμῶν· βουλό-
μεθα οὖν γνῶναι ⸂τίνα θέλει⸃ ταῦτα εἶναι. **21** Ἀθηναῖοι
δὲ πάντες καὶ οἱ ἐπιδημοῦντες ⸆ ξένοι εἰς οὐδὲν ἕτερον
ηὐκαίρουν ἢ λέγειν τι ⸀ἢ ἀκούειν °τι καινότερον.
22 Σταθεὶς δὲ °[ὁ] Παῦλος ἐν μέσῳ τοῦ Ἀρείου πάγου
25,19 ἔφη· ἄνδρες Ἀθηναῖοι, κατὰ πάντα ὡς δεισιδαιμονεστέ-
ρους ὑμᾶς θεωρῶ. **23** διερχόμενος γὰρ καὶ ⸀ἀναθεωρῶν
Sap 14,20; 15,17 τὰ σεβάσματα ὑμῶν εὗρον καὶ βωμὸν ἐν ᾧ ⸁ἐπεγέγραπτο·
14,17! Ἀγνώστῳ θεῷ.
⸂ὃ οὖν ἀγνοοῦντες εὐσεβεῖτε, τοῦτο⸃ ἐγὼ καταγγέλλω
4,24! Is 42,5 Sap 9,1.9 Ex 20,11 Ps ὑμῖν. **24** ὁ θεὸς ὁ ποιήσας τὸν κόσμον καὶ πάντα τὰ ἐν
146,5s · Tob 7,17 Mt 11,25 · 7,48! | αὐτῷ, οὗτος οὐρανοῦ καὶ γῆς ὑπάρχων κύριος οὐκ ἐν χει-
ροποιήτοις ναοῖς κατοικεῖ **25** οὐδὲ ὑπὸ χειρῶν ἀνθρωπί-
Is 42,5; 57,15s Sap 9,1 νων θεραπεύεται προσδεόμενός ⸂τινος, αὐτὸς διδοὺς⸃ πᾶ-
Gn 1,28; c10 Dt σι ζωὴν καὶ πνοὴν καὶ τὰ πάντα· **26** ἐποίησέν τε ἐξ ἑνὸς
32,8 ⸆ πᾶν ἔθνος ἀνθρώπων κατοικεῖν ἐπὶ ⸂παντὸς προσώπου⸃
Gn 1,14 Sap 7,18 · τῆς γῆς, ὁρίσας ⸀προστεταγμένους καιροὺς ⸄καὶ τὰς ὁρο-
Ps 74,17 Dt 32,8 | Dt 4,29 Is 55,6 θεσίας⸅ τῆς κατοικίας αὐτῶν **27** ⸂ζητεῖν τὸν θεόν⸃, εἰ
Sap 13,6 · L 24,39 1J 1,1 · ἄρα γε ψηλαφήσειαν ⸀αὐτὸν ⸁καὶ εὕροιεν, ⸄καί γε⸅ οὐ
Ps 145,18 Jr 23,23 μακρὰν ⸂¹ἀπὸ ἑνὸς ἑκάστου ἡμῶν ὑπάρχοντα⸃.

18 ⸋ D gig | ⸆ταυτοις 𝔓⁷⁴ אᶜ A E 𝔐 vg syᵖ bo ¦ *txt* א* B L P Ψ 6. 36. 453. 1175 *al* syʰ sa • **19** ⸂μετα δε ημερας τινας επιλ. αυ. ηγ. αυτον επι Α. παγ. πυνθανομενοι και D (614 *pc* syʰ**) | ⸀† δε B Ψ 33. 36. 81. 453. 1241 *al* ¦ – E ¦ *txt* א A 𝔐 | ° B D *pc* | ⸁καταγγελομ- D syᵖ ¦ λεγομ- E 81 • **20** ⸀ρηματα εισφ. E ¦ -ρει א* (Ψ) *pc* ¦ φερεις ρηματα D co | ⸂τι αν θελοι D E 𝔐 ¦ *txt* 𝔓⁷⁴ א A B Ψ 33. 36. 81. 945. 1175. 1739 *al* • **21** ⸆εις αυτους D | ⸀και E (Ψ) 𝔐 syᵖ bo ¦ *txt* 𝔓⁷⁴ א A B D 81. 104 *pc* lat syʰ sa | ° D E 𝔐 ¦ *txt* 𝔓⁷⁴ א A B Ψ 104 *pc* sy • **22** °† א A B 326 *pc* ¦ *txt* 𝔓⁷⁴ D E Ψ 𝔐 • **23** ⸀διιστορων D*; (Clᵖᵗ) | ⸁ην γεγραμμενον D | ⸂ον … τουτον אᶜ Aᶜ E Ψ 𝔐 sy; Cl ¦ *txt* 𝔓⁷⁴ א* A* B D (81). 1175 *pc* lat • **25** ⸂οτι ουτος ο δους D⁽ᶜ⁾ • **26** ⸆αιματος D E 𝔐 gig sy; Irˡᵃᵗ ¦ στοματος Ψ ¦ *txt* 𝔓⁷⁴ א A B 33. 81. 323. 1175. 1739 *pc* vg co; Cl | ⸂παν το πρ-πον E Ψ 𝔐 ¦ *txt* 𝔓⁷⁴ א A B D 33. 36. 81. 453. 1175 *pc*; Cl | ⸀προτετ- D* *pc* bo ¦ τετ- 323. 945. 1739. 1891 *pc* | ⸄κατα οροθεσιαν D*; Irˡᵃᵗ • **27** ⸂ζ. τ. κυριον E 𝔐 ¦ μαλιστα ζ. το θειον εστιν D (gig); (Irˡᵃᵗ) ¦ *txt* 𝔓⁷⁴ א A B Ψ 36. 81. 614. 945. 1175. 1241. 1739. (2495) *al* vg syʰ co | ⸀-το D* (gig); Irˡᵃᵗ ¦ – Cl | ⸁ἢ 𝔓⁷⁴ A D Ψ 36. 323. 453. 945. 1175. 1739. 1891 *pc* lat saᵐˢˢ ¦ *txt* א B E 𝔐 bo | ⸄καιτοι 𝔓⁷⁴ A E 945. 1739. 1891 *pc*; Cl ¦ καιτοι γε א 323 *pc* ¦ *txt* B D Ψ 0120 𝔐 | ⸂¹… υμων … A*(Ψ) *pc* ¦ ον αφ εν. εκ. ημ. D(ᶜ: ων … ημ. υπαρχων)

28 ἐν αὐτῷ γὰρ ζῶμεν καὶ κινούμεθα καὶ ἐσμέν⸂,
ὡς καί τινες τῶν καθ’ ὑμᾶς ποιητῶν⸃ εἰρήκασιν· Aratus, Phaenomena 5
τοῦ γὰρ καὶ γένος ἐσμέν.
29 γένος οὖν ὑπάρχοντες τοῦ θεοῦ οὐκ ὀφείλομεν νομί- Gn 1,27
ζειν ⸀χρυσῷ ἢ ⸁ἀργύρῳ ἢ λίθῳ, χαράγματι τέχνης ⸋καὶ 19,26 Dt 4,28 Is 40,18; 44,9-20 Sap
ἐνθυμήσεως ἀνθρώπου⸌, τὸ θεῖον εἶναι ὅμοιον. **30** τοὺς 13,10 R 1,23
μὲν °οὖν χρόνους τῆς ἀγνοίας ⸀ὑπεριδὼν ὁ θεός, τὰ νῦν 3,17! Sir 28,7 𝔊
⸁παραγγέλλει τοῖς ἀνθρώποις πάντας πανταχοῦ μετανο- L 24,47
εῖν, **31** καθότι ἔστησεν ἡμέραν ⸋ἐν ᾗ μέλλει⸌ κρίνειν 10,42! Ps 9,9; 96, 13; 98,9
τὴν οἰκουμένην ἐν δικαιοσύνῃ, ⸂ἐν ἀνδρὶ⸃ ᾧ ὥρισεν, πί-
στιν ⸀παρασχὼν πᾶσιν ἀναστήσας αὐτὸν ἐκ νεκρῶν. 2,24! 1Th 1,10
32 Ἀκούσαντες δὲ ἀνάστασιν νεκρῶν οἱ μὲν ἐχλεύαζον, 18 · 2,13 cf 4,2 1K 1,23
οἱ δὲ εἶπαν· ἀκουσόμεθά σου περὶ τούτου καὶ πάλιν.
33 οὕτως ὁ Παῦλος ἐξῆλθεν ἐκ μέσου αὐτῶν. **34** τινὲς δὲ
ἄνδρες ⸀κολληθέντες αὐτῷ ἐπίστευσαν, ἐν οἷς καὶ Διονύ-
σιος ⸁ὁ Ἀρεοπαγίτης ⸂καὶ γυνὴ ὀνόματι Δάμαρις⸃ καὶ
ἕτεροι σὺν αὐτοῖς.
18 ⸂Μετὰ ταῦτα χωρισθεὶς ἐκ⸃ τῶν Ἀθηνῶν ἦλθεν
εἰς Κόρινθον. **2** καὶ εὑρών τινα Ἰουδαῖον ὀνόματι
Ἀκύλαν, Ποντικὸν τῷ γένει προσφάτως ἐληλυθότα ἀπὸ 18.26 R 16,3-5 1K 16,19 2T 4,19
τῆς Ἰταλίας καὶ Πρίσκιλλαν γυναῖκα αὐτοῦ, διὰ τὸ ⸀δια-
τεταχέναι °Κλαύδιον χωρίζεσθαι πάντας τοὺς Ἰουδαίους 11,28
ἀπὸ τῆς Ῥώμης, ⸆ προσῆλθεν ⸁αὐτοῖς **3** καὶ διὰ τὸ ὁμό- 1K 4,12!
τεχνον °εἶναι ἔμενεν ⸂παρ’ αὐτοῖς⸃, καὶ ⸀ἠργάζετο· ⸋ἦ-
σαν γὰρ σκηνοποιοὶ τῇ τέχνῃ⸌. **4** ⸂διελέγετο δὲ ἐν 17,17!
τῇ συναγωγῇ κατὰ πᾶν σάββατον ἔπειθέν τε Ἰουδαίους 13,14! · 14,1!
καὶ Ἕλληνας.⸃ **5** ⸂Ὡς δὲ κατῆλθον⸃ ἀπὸ τῆς Μακεδονίας

28 ⸂... ημας ... 𝔓[74] B 049. 326. 614 *pc* ¦ το καθ ημεραν ωσπερ και των καθ υμ. τινες D (gig); (Ir[lat]) ● **29** ⸀-ιω 𝔓[41.74] ℵ A E 104. 326 *pc* | ⸁-ιω 𝔓[41.74] A E 36. 104. 453 *pc* | ⸋ 𝔓[74] ● **30** ° 𝔓[74vid] *pc* | ⸀ταυτης παριδ- D[(c)] vg | ⸁† απαγγ- ℵ* B ¦ *txt* 𝔓[41.74] ℵ[c] A D E Ψ 𝔐 sy[h]; Ath Cyr ● **31** ⸋ D; Ir[lat] Spec | ⸂αν. Ιησου D; Ir[lat] | ⸀παρεσχειν (*!*) D gig ● **34** ⸀εκολληθησαν D* | ⸁τις D h ¦ – B | ⸂ευσχημων D ¦ κ. γυν. τιμια ον. Δ. E ¶ **18,1** ⸂μ. (+ δε E Ψ 𝔐) τ. χ. ο Παυλος εκ A E Ψ 𝔐 sy[(p)] bo[ms] ¦ αναχωρησας δε απο D h ¦ *txt* 𝔓[(41).74] ℵ B 33 *pc* gig vg co ● **2** ⸀τετ- (ℵ*) D E L P 6. 33. 104. 323. (1175. 1241) *pm* | ° B | ⸆οι και κατωκησαν εις την Αχαιαν. D ¦ *id.* + Paulus autem agnitus est Aquilae h (sy[hmg]) | ⸁αυτω ο Παυλος D[(c)] ● **3** ° D | ⸂προς αυτους D 36. 453 *pc* | ⸀† -ζοντο ℵ* B[(2)] sa[mss] bo ¦ *txt* 𝔓[74] ℵ[c] A D E Ψ 𝔐 lat sy sa[mss] | ⸋ D gig ● **4** ⸂εισπορευομενος δε εις την σ-γην κ. π. σαβ. διελ. και εντιθεις το ονομα του κυριου Ιησου και επ. δε ου μονον Ι. αλλα και Ε. D[(c)] h (gig sy[hmg]) ¦ – vg[st] ● **5** ⸂παρεγενοντο δε D (h)

17,14s; 15,27! · 16,1! 1T 3,6 · 1K 1,6 · 9,22! — 13,45 — 13,51! — Mt 27,25! Ez 33,4 · 20,26 · 13,46; 28,28 R 1, 16; 11,11 ! — 13,43! — 1K 1,14 — 5,14; 16,15.34 · 11,14! — 8,12! — 9,10! — Jos 1,9 Is 41,10; 43,5 Jr 1,8.19 1K 2,3 Mt 28,20 — 19,10 — 13,7! · 27; 19,21 R 15,26 — 6,13; 21,28; 25,8 — *14s:* 23,29; 25, 18-20 — J 18,31

ὅ τε Σιλᾶς καὶ ὁ Τιμόθεος, συνείχετο τῷ ⸀λόγῳ ὁ Παῦλος διαμαρτυρόμενος τοῖς Ἰουδαίοις εἶναι τὸν χριστὸν
Ἰησοῦν. **6** ⸆ ἀντιτασσομένων δὲ αὐτῶν ⸋καὶ βλασφη-
μούντων⸌ ἐκτιναξάμενος ⸂τὰ ἱμάτια⸃ εἶπεν πρὸς αὐτούς·
τὸ αἷμα ὑμῶν ἐπὶ τὴν κεφαλὴν ὑμῶν· καθαρὸς ἐγὼ
⸄ἀπὸ τοῦ⸅ νῦν εἰς τὰ ἔθνη πορεύσομαι. **7** ⸂καὶ μεταβὰς
ἐκεῖθεν⸃ ⸀εἰσῆλθεν εἰς οἰκίαν τινὸς °ὀνόματι ⸁Τιτίου
Ἰούστου σεβομένου τὸν θεόν, οὗ ἡ οἰκία ἦν συνομο-
ροῦσα τῇ συναγωγῇ. **8** Κρίσπος δὲ ὁ ἀρχισυνάγωγος
ἐπίστευσεν ⸂τῷ κυρίῳ⸃ σὺν ὅλῳ τῷ οἴκῳ αὐτοῦ, καὶ πολλοὶ τῶν Κορινθίων ⸀ἀκούοντες ἐπίστευον ⸆ καὶ ἐβαπτί-
ζοντο⸆. **9** Εἶπεν δὲ ὁ κύριος ἐν νυκτὶ δι' ὁράματος
τῷ Παύλῳ· μὴ φοβοῦ, ἀλλὰ λάλει καὶ μὴ σιωπήσῃς,
10 διότι ἐγώ εἰμι μετὰ σοῦ καὶ οὐδεὶς ἐπιθήσεταί σοι τοῦ
κακῶσαί σε, διότι λαός ἐστί μοι πολὺς ἐν τῇ πόλει ταύτῃ.
11 ⸂Ἐκάθισεν δὲ⸃ ἐνιαυτὸν ⸆ καὶ μῆνας ἓξ διδάσκων ⸄ἐν
αὐτοῖς⸅ τὸν λόγον τοῦ θεοῦ.

12 Γαλλίωνος δὲ ἀνθυπάτου ὄντος τῆς Ἀχαΐας κατ-
επέστησαν ⸉ὁμοθυμαδὸν οἱ Ἰουδαῖοι⸊ ⸂τῷ Παύλῳ καὶ⸃
ἤγαγον αὐτὸν ἐπὶ τὸ βῆμα **13** ⸆ λέγοντες ὅτι παρὰ τὸν
νόμον ἀναπείθει οὗτος τοὺς ἀνθρώπους σέβεσθαι τὸν
θεόν. **14** μέλλοντος δὲ τοῦ Παύλου ἀνοίγειν τὸ στόμα
εἶπεν ὁ Γαλλίων πρὸς τοὺς Ἰουδαίους· εἰ μὲν ἦν ἀδίκημά
τι ἢ ῥᾳδιούργημα πονηρόν, ὦ ⸆ Ἰουδαῖοι, κατὰ λόγον ἂν
ἀνεσχόμην ὑμῶν, **15** εἰ δὲ ⸀ζητήματά ⸁ἐστιν περὶ λόγου
καὶ ὀνομάτων καὶ νόμου τοῦ καθ' ὑμᾶς, ὄψεσθε αὐτοί·
κριτὴς ⸆ ἐγὼ τούτων οὐ ⸀¹βούλομαι εἶναι. **16** καὶ ⸀ἀπ-

5 ⸀πνευματι 𝔐 sy^{hmg} ¦ *txt* 𝔓^{74} ℵ A B D E Ψ 33. 614. 2495 *pc* lat sy co; Th'ret ● **6** ⸆ πολλου δε λογου γινομενου και γραφων διερμηνευομενων D h (sy^{hmg}) | ⸋ 𝔓^{74} | ⸂ο Παυλος τα ιμ. αυτου D (⸉ h vg^{mss}) ¦ αυ. τα ιμ. 36. 323. 945. 1175. 1739 *al* gig vg^{cl} | ⸄αφ υμων D*^{vid} h ● **7** ⸂μ. δε απο Ακυλα D*^{vid} h | ⸀† ηλθεν B D^{c} E Ψ 𝔐 sy^{h} ¦ – 6 *pc* ¦ *txt* 𝔓^{74} ℵ A D* 33. 104. 323. 945. 1175. 1739 *pc* lat sy$^{p.hmg}$ | ° A *pc* h | ⸁ Τιτου ℵ E 36. 453. 945. 1175. 1739. 1891 *pc* sy^{p} co ¦ – A B^{2} D* Ψ 𝔐 p ¦ *txt* B* D^{2} sy^{h} ● **8** ⸂εις τον κυριον D | ⸀-σαντες 𝔓^{74} L 614. 1241. 2495 *pm* | ⸆δια του ονοματος του κυριου Ιησου Χριστου 614 sy^{h**} *vl* ⸆πιστευοντες τω θεω δια του ον. τ. κυ. ημων Ι. Χ. D (h) ● **11** ⸂και εκ. εν Κορινθω D h (sy$^{p.h**}$) | ⸆ενα ℵ sy | ⸄αυτους D ● **12** ⸉ B 2495 | ⸂συλλαλησαντες μεθ εαυτων επι τον Παυλον και επιθεντες τας χειρας D h (sy^{h**} sa) ● **13** ⸆καταβοωντες και D h ● **14** ⸆ανδρες D h vg ● **15** ⸀-ημα 𝔓^{74} D* Ψ 0120 𝔐 e ¦ *txt* ℵ A B D^{c} E 33. 323. 614. 945. 1175. 1739. 2495 *al* lat sy co | ⸁εχετε D gig | ⸆γαρ E Ψ 𝔐 sy sa ¦ *txt* 𝔓^{74} ℵ A B D 33. 945. 1704 *pc* lat bo | ⸀¹θελω D ● **16** ⸀απελυσεν D* h

ἤλασεν αὐτοὺς ἀπὸ τοῦ βήματος. **17** ⸀ἐπιλαβόμενοι δὲ
πάντες ⸆ Σωσθένην τὸν ἀρχισυνάγωγον ἔτυπτον ἔμπρο- 1K 1,1
σθεν τοῦ βήματος· καὶ οὐδὲν τούτων τῷ Γαλλίωνι ἔμελεν.
18 Ὁ δὲ Παῦλος ἔτι προσμείνας ἡμέρας ἱκανὰς τοῖς
ἀδελφοῖς ἀποταξάμενος ⸀ἐξέπλει εἰς τὴν Συρίαν, καὶ σὺν 20,3!
αὐτῷ Πρίσκιλλα καὶ Ἀκύλας, κειράμενος ἐν Κεγχρεαῖς 2! · R 16,1 ·
τὴν κεφαλήν, εἶχεν γὰρ ⸁εὐχήν. **19** ⸀κατήντησαν δὲ εἰς 21,23s Nu 6,2.9.18 |
Ἔφεσον ⸁κἀκείνους κατέλιπεν ⸀1αὐτοῦ, αὐτὸς δὲ εἰσελ-
θὼν εἰς τὴν συναγωγὴν ⸀2διελέξατο τοῖς Ἰουδαίοις. **20** ἐ- 13,14!
ρωτώντων δὲ αὐτῶν ἐπὶ πλείονα χρόνον μεῖναι ⸆ οὐκ J 4,40!
ἐπένευσεν, **21** ἀλλὰ ἀποταξάμενος καὶ εἰπών· ⸆ ⸀πάλιν 20,16
ἀνακάμψω πρὸς ὑμᾶς τοῦ θεοῦ θέλοντος, ἀνήχθη ἀπὸ R 1,10; 15,32 1K 4,19; 16,7 H 6,3
τῆς Ἐφέσου, **22** ⸂καὶ κατελθὼν⸃ εἰς Καισάρειαν, ἀναβὰς Jc 4,15 | 21,8! · 21,15
καὶ ἀσπασάμενος τὴν ἐκκλησίαν κατέβη εἰς Ἀντιόχειαν. 14,26!

23 Καὶ ποιήσας χρόνον τινὰ ἐξῆλθεν διερχόμενος
καθεξῆς τὴν Γαλατικὴν χώραν καὶ Φρυγίαν, ⸀ἐπιστηρί- 16,6 · 14,22!
ζων πάντας τοὺς μαθητάς.
24 Ἰουδαῖος δέ τις ⸂Ἀπολλῶς ὀνόματι⸃, ⸄Ἀλεξαν- 19,1 1K 1,12; 3,4-6.22; 4,6; 16,12
δρεὺς τῷ γένει⸅, ἀνὴρ λόγιος, κατήντησεν εἰς Ἔφεσον, Tt 3,13 ·
δυνατὸς ὢν ἐν ταῖς γραφαῖς. **25** ⸂οὗτος ἦν κατηχημένος 8,35!
τὴν ὁδὸν⸃ °τοῦ κυρίου καὶ ζέων τῷ πνεύματι ⸀ἐλάλει καὶ R 12,11
ἐδίδασκεν ἀκριβῶς τὰ περὶ ⸄τοῦ Ἰησοῦ⸅, ἐπιστάμενος
μόνον τὸ βάπτισμα Ἰωάννου· **26** οὗτός τε ἤρξατο παρρη- 19,3
σιάζεσθαι ἐν τῇ συναγωγῇ. ἀκούσαντες δὲ αὐτοῦ ⸉Πρί- 13,14! · 2!
σκιλλα καὶ Ἀκύλας⸊ προσελάβοντο αὐτὸν καὶ ἀκριβέ-

17 ⸀απολ- D* | ⸆οι Ελληνες D E Ψ 0120 𝔐 gig h sy sa ¦ οι Ιουδαιοι 36. 453 *pc* ¦ *txt* 𝔓[74] ℵ A B *pc* vg bo ● **18** ⸀επλευσεν D (E[c]: εξεπ-) | ⸁προσευ- D* ● **19** ⸀-σεν 𝔓[74] Ψ 0120 𝔐 lat sy[h] ¦ καταντησας D h ¦ *txt* ℵ A B E 33 *pc* d vg[mss] sy[p] sa | ⸁και τω επιοντι σαββατω εκεινους D (614 h sy[h**]) | ⸀1εκει 𝔓[74vid] ℵ A D E 33. 104. 326. 1241 *al* ¦ *txt* B Ψ 0120 𝔐 | ⸀2-λεγετο D *pc* bo ¦ -λεχθη E Ψ 0120 𝔐 ¦ *txt* 𝔓[74] ℵ A B 33. 1739. 1891 *pc* ● **20** ⸆παρ αυτοις D E 𝔐 w sy sa[ms] bo ¦ *txt* 𝔓[74] ℵ A B Ψ 33. 36. 453. 945. 1175. 1739. 2495 *al* ● **21** ⸆δει με παντως την εορτην την (ημεραν D) ερχομενην ποιησαι εις Ιεροσολυμα D(*) Ψ 𝔐 gig w sy | ⸀πα. δε Ψ 𝔐 gig sy ¦ – D sa bo[pt] ¦ *txt* 𝔓[74] ℵ A B E 33. 36. 945. 1739. 1891 *al* vg ● **22** ⸂τον δε Ακυλαν ειασεν εν Εφεσω· αυτος δε ανενεχθεις ηλθεν 614 (sy[p.hmg]) ● **23** ⸀† στηρ- 𝔓[74] ℵ A B 33. 1891 *pc* ¦ *txt* D E Ψ 0120 𝔐 ● **24** ⸂Απελλης ον. ℵ* 36. 453. 1175 *pc* bo ¦ ον. Απολλωνιος D | ⸄γενει Αλ. D ● **25** ⸂ος ην κατη- εν τη πατριδι τον λογον D (gig) | ° 𝔓[41] B 614 *pc* | ⸀απελ- D* gig | ⸄ 2 D 33 *pc* ¦ του κυριου 𝔐 ¦ *txt* 𝔓[41vid.74vid] ℵ A B E Ψ 0120. 614. 945. 1175. 1241. 1739. 2495 *al* ● **26** ⸉ D Ψ 0120 𝔐 gig sy sa[mss] ¦ *txt* 𝔓[74] ℵ A B E 33 *pc* vg bo

στερον αὐτῷ ἐξέθεντο ⸂τὴν ὁδὸν [τοῦ θεοῦ]⸃. **27** ⸂βουλο-
12! μένου δὲ αὐτοῦ διελθεῖν εἰς τὴν Ἀχαΐαν, προτρεψάμενοι
R 16,1s 2K 3,1 Kol 4,10 οἱ ἀδελφοὶ ἔγραψαν τοῖς μαθηταῖς ἀποδέξασθαι αὐτόν⸃,
⸉ὃς παραγενόμενος συνεβάλετο πολὺ τοῖς πεπιστευκόσιν
L 23,10 διὰ τῆς χάριτος⸊· **28** εὐτόνως γὰρ τοῖς Ἰουδαίοις διακατ-
20,20 · 8,35! ηλέγχετο δημοσίᾳ ⸆ ἐπιδεικνὺς διὰ τῶν γραφῶν ⸂εἶναι
9,22! τὸν χριστὸν Ἰησοῦν⸃.
18,24! **19** ⸂Ἐγένετο δὲ ἐν τῷ τὸν ⸀Ἀπολλῶ εἶναι ἐν Κορίνθῳ
Παῦλον διελθόντα τὰ ⸁ἀνωτερικὰ μέρη ⸀1[κατ]ελ-
θεῖν εἰς Ἔφεσον⸃ ⸉καὶ εὑρεῖν τινας μαθητὰς **2** εἶπέν τε
8,15s! πρός αὐτούς⸊· εἰ πνεῦμα ἅγιον ἐλάβετε πιστεύσαντες; οἱ
δὲ πρὸς αὐτόν· ἀλλ' οὐδ' εἰ πνεῦμα ἅγιον ⸀2ἔστιν ἠκούσαμεν. **3** ⸂εἶπέν τε⸃· εἰς τί οὖν ἐβαπτίσθητε; οἱ δὲ ⸀εἶπαν·
18,25 εἰς τὸ Ἰωάννου βάπτισμα. **4** εἶπεν δὲ Παῦλος· Ἰωάννης
13,24 · Mt 3,11! ἐβάπτισεν βάπτισμα μετανοίας τῷ λαῷ λέγων εἰς τὸν ἐρχόμενον μετ' αὐτὸν ἵνα πιστεύσωσιν, τοῦτ' ἔστιν εἰς ⸂τὸν
2,38! Ἰησοῦν⸃. **5** ἀκούσαντες δὲ ἐβαπτίσθησαν εἰς τὸ ὄνομα
6,6! τοῦ κυρίου Ἰησοῦ⸆, **6** καὶ ἐπιθέντος αὐτοῖς τοῦ Παύλου
8,15! °[τὰς] χεῖρας ⸀ἦλθε τὸ πνεῦμα τὸ ἅγιον ἐπ' αὐτούς, ἐλά-
2,4.11; 10,46 Mc 16,17 1K 14 λουν τε γλώσσαις καὶ ἐπροφήτευον. **7** ἦσαν δὲ οἱ πάντες ἄνδρες ὡσεὶ δώδεκα.
13,14! **8** Εἰσελθὼν δὲ εἰς τὴν συναγωγὴν ⸆ ἐπαρρησιάζετο

26 ⸂*1 2* D gig ¦ *1 3 4 2* Ψ 𝔐 ¦ τον λογον τ. κυριου 323. 945. 1739. 1891 *pc* ¦ *txt* 𝔓^{74} ℵ A B 33. 614. 1175 *al* vg (*sed* τ. κυρ. E 36. 2495 *al* vg^{cl} sy^{p}) • **27** ⸂εν δε τη Εφεσω επιδημουντες τινες Κορινθιοι και ακουσαντες αυτου παρεκαλουν διελθειν συν αυτοις εις την πατριδα αυτων· συγκατανευσαντος δε αυτου οι Εφεσιοι εγρ. τοις εν Κορινθω μαθ. οπως αποδεξωνται τον ανδρα· D (sy^{hmg}) *et* ⸉ος επιδημησας εις την Αχαιαν πολυν συνεβαλλ- εν ταις εκκλησιαις 𝔓^{38vid} D • **28** ⸆διαλεγομενος και (– 𝔓^{38}) D 614 ¦ και κατ οικον E | ⸂*2 4 1 3* D ¦ *3 1 4* 𝔓^{38vid}
¶ **19,1/2** ⸂θελοντος δε του Παυλου κατα την ιδιαν βουλην πορευεσθαι εις Ιεροσολυμα ειπεν αυτω το πνευμα υποστρεφειν εις την Ασιαν· διελθων δε τα αν. μερη ερχεται εις Εφ. 𝔓^{38vid} D sy^{hmg} | ⸀-λων 𝔓^{74} A^{c} L 33 *pc* ¦ Απελλην ℵ* 36. 453. 1175 *pc* bo | ⸁ανατολικα 104 *pc* | ⸀1† ελθειν B 𝔐 lat ¦ *txt* 𝔓^{74vid} ℵ A E Ψ 33. 945. 1739. 1891 *pc* | ⸉· και ευρων τιν. μαθ. ειπ. πρ. αυ. D E Ψ 𝔐 gig sy^{h} bo^{ms} ¦ και ειπεν τοις μαθ. 𝔓^{38vid} ¦ *txt* 𝔓^{74vid} ℵ A B 33. 36. 453. 945. 1175. 1739. 1891 *al* vg co | ⸀2λαμβανουσιν τινες 𝔓$^{38.41}$ D* sy^{hmg} sa • **3** ⸂ει. τε προς αυτους 𝔐 vg^{mss} (sy^{p} sa) ¦ ο δε ει. 𝔓$^{41vid.74}$ ℵ A E 33 *pc* bo ¦ ει. δε D Ψ 945. 1739. 1891. (2495) *pc* ¦ ο δε Παυλος πρ. αυ. 𝔓^{38} ¦ *txt* B 36. 453. 614. 1175 *pc* d | ⸀ελεγον 𝔓^{38} D • **4** ⸂Χριστον D r ¦ τ. χρ. Ιησ. 𝔐 ¦ τ. Ιησ. Χρ. Ψ 945. 1175. 1739. 1891 *pc* gig sy^{p} sa^{mss} ¦ *txt* 𝔓$^{38.74}$ ℵ A B E 614. 2495 *pc* vg sy^{h} sa^{mss} bo • **5** ⸆Χριστου εις αφεσιν αμαρτιων (𝔓^{38vid}) D 614 sy^{h**} • **6** °† 𝔓^{74} ℵ A B D 326. 1241 *al* ¦ *txt* E Ψ 𝔐 | ⸀ευθεως επεπεσεν 𝔓^{38vid} D (vg^{mss}) • **8** ⸆εν δυναμει μεγαλη D sy^{hmg}

ἐπὶ μῆνας τρεῖς διαλεγόμενος καὶ πείθων ᴼ[τὰ] περὶ τῆς 17,17!
βασιλείας τοῦ θεοῦ. **9** ⸂ὡς δέ τινες⸃ ἐσκληρύνοντο καὶ 8,12; 20,25; 28,23. 31 L 4,43!
ἠπείθουν κακολογοῦντες τὴν ὁδὸν ἐνώπιον τοῦ πλήθους ⸆, 9,2!
ἀποστὰς ἀπ' αὐτῶν ἀφώρισεν τοὺς μαθητὰς καθ' ἡμέραν 2K 6,17 R 16,17!
διαλεγόμενος ἐν τῇ σχολῇ Τυράννου ⸆. **10** τοῦτο δὲ ἐγένετο ἐπὶ ἔτη δύο, ⸂ὥστε πάντας τοὺς κατοικοῦντας τὴν 18,11; 20,31 1K 16,8
Ἀσίαν ἀκοῦσαι τὸν λόγον τοῦ κυρίου, Ἰουδαίους τε καὶ 1.22.26s; 6,9; 16,6; 20,4.16.18; 21,27! ·
Ἕλληνας⸃. **11** Δυνάμεις τε οὐ τὰς τυχούσας ὁ θεὸς 14,1! |
ἐποίει διὰ τῶν χειρῶν Παύλου, **12** ὥστε καὶ ἐπὶ τοὺς ἀσθε- 5,15 Mc 6,56p!
νοῦντας ἀποφέρεσθαι ἀπὸ τοῦ χρωτὸς ᴼαὐτοῦ σουδάρια J 11,44!
ἢ σιμικίνθια καὶ ἀπαλλάσσεσθαι ᴼ¹ἀπ' αὐτῶν τὰς νόσους, τά τε πνεύματα τὰ πονηρὰ ἐκπορεύεσθαι.

13 Ἐπεχείρησαν δέ τινες καὶ τῶν περιερχομένων Ἰουδαίων ἐξορκιστῶν ὀνομάζειν ἐπὶ τοὺς ἔχοντας τὰ πνεύ- L 9,49p
ματα τὰ πονηρὰ τὸ ὄνομα τοῦ κυρίου Ἰησοῦ λέγοντες· 16,18
⸀ὁρκίζω ὑμᾶς τὸν Ἰησοῦν ὃν Παῦλος κηρύσσει. **14** ⸂ἦσαν
δέ ⸀τινος Σκευᾶ Ἰουδαίου ἀρχιερέως ἑπτὰ υἱοὶ ⸆ τοῦτο
ποιοῦντες.⸃ **15** ⸂ἀποκριθὲν δὲ⸃ τὸ πνεῦμα τὸ πονηρὸν ⸆ εἶπεν αὐτοῖς· τὸν ᴼ[μὲν] Ἰησοῦν γινώσκω καὶ τὸν Παῦλον L 4,41p · 16,17
ἐπίσταμαι, ὑμεῖς δὲ τίνες ἐστέ; **16** καὶ ⸀ἐφαλόμενος ⸂ὁ
ἄνθρωπος ἐπ' αὐτοὺς⸃ ἐν ᾧ ἦν τὸ πνεῦμα τὸ πονηρόν,
⸀κατακυριεύσας ⸀¹ἀμφοτέρων ἴσχυσεν κατ' αὐτῶν ὥστε
γυμνοὺς καὶ τετραυματισμένους ἐκφυγεῖν ἐκ τοῦ οἴκου
ἐκείνου. **17** τοῦτο δὲ ἐγένετο γνωστὸν πᾶσιν Ἰουδαίοις τε 1,19! · 14,1!

8 ᴼ† B D Ψ 1175. 1891^{c} *pc* ¦ *txt* ℵ A E 𝔐 ● **9** ⸂τινες μεν ουν αυτων D | ⸆των εθνων. Τοτε D (E) sy$^{p.h**}$ | ⸆τινος E Ψ 𝔐 vg^{cl} (sy^{p}) ¦ τιν. απο ωρας ε' εως δεκατης D (614 *pc*) gig w sy^{h**} ¦ *txt* 𝔓^{74} ℵ A B 323. 945. 1739 *pc* r vgst ● **10** ⸂εως παντες οι κ-τες τ. Α. ηκουσαν τους λογους τ. κ., Ι-οι και Ε-νες D* (e sy^{p}) ● **12** ᴼ 𝔓^{38} | ᴼ¹ 𝔓^{74} *pc* ● **13** ⸀-ζομεν 𝔐 ¦ εξορκιζομεν 36. 453. 614. 945. 1739. 1891 *pc* ¦ *txt* 𝔓^{74} ℵ A B D E Ψ 33. 1175 *pc* sa^{ms} bo ● **14** ⸂εν οις και υι. (+ επτα sy^{hmg}) Σ. (+ Ιουδαιου 𝔓^{38}) τινος ιερεως ηθελησαν το αυτο ποιησαι. εθος ειχαν τους τοιουτους εξορκιζειν· και εισελθοντες προς τον δαιμονιζομενον ηρξαντο επικαλεισθαι το ονομα λεγοντες· παραγγελλομεν σοι εν Ιησου ον Παυλος κηρυσσει εξελθειν (𝔓^{38}) D (w sy^{hmg}) | ⸀τινες 𝔓^{74} ℵ A Ψ 𝔐 lat sy^{h} ¦ *txt* 𝔓^{41} B (D) E 36. 453. 1175. 1739. 1891 *pc* p* sy^{p} | ⸆οι E Ψ 𝔐 ¦ *txt* 𝔓$^{41.74vid}$ ℵ A B 33. 945. 1175. 1739. 1891 *pc* ● **15** ⸂τοτε απεκριθη *et* ⸆και D(*) | ᴼ 𝔓$^{38vid.74}$ ℵ* A D 𝔐 latt co ¦ *txt* 𝔓^{41} ℵ^{c} B E Ψ 614. 2495 *pc* ● **16** ⸀εφαλλ- 𝔓^{41} ℵ^{c} E Ψ 𝔐 ¦ εναλλ- D ¦ *txt* 𝔓^{74} ℵ* A B 1175 *pc* | ⸂*3 4 1 2* 𝔓^{74} (D) 𝔐 ¦ *1 2* (E, *sed pon. 3 4 p.* πον.) 945. 1739. 1891 *pc* ¦ *txt* 𝔓^{41} ℵ A B Ψ 33. 36. 614. 1175. 2495 *al* | ⸀και κατακ- ℵ* (Ψ) 104. 323. 453. 1241 *al* ¦ κ. (– A *pc*) κατακ-σαν A 𝔐 ¦ κυριευσας ℵ^{c} D *pc* ¦ κατεκ-σεν 1739. 1891 *pc* ¦ *txt* 𝔓^{74} B E 33. 614. 1175. 2495 *al* | ⸀¹αυτων (Ψ) 𝔐 ¦ – E ¦ *txt* 𝔓^{74} ℵ A B D 33. 36. 104. 614. 1175. 2495 *pc*

καὶ Ἕλλησιν τοῖς κατοικοῦσιν τὴν Ἔφεσον καὶ ἐπέπε-
2,43! σεν φόβος ἐπὶ πάντας αὐτοὺς καὶ ἐμεγαλύνετο τὸ ὄνομα
τοῦ κυρίου Ἰησοῦ. **18** Πολλοί τε τῶν ⸀πεπιστευκό-
των ἤρχοντο ἐξομολογούμενοι καὶ ἀναγγέλλοντες τὰς
Dt 18,10-14 πράξεις αὐτῶν. **19** ἱκανοὶ δὲ τῶν τὰ περίεργα πραξάντων
συνενέγκαντες τὰς βίβλους κατέκαιον ἐνώπιον πάντων,
καὶ συνεψήφισαν τὰς τιμὰς αὐτῶν καὶ εὗρον ἀργυρίου
μυριάδας πέντε. **20** Οὕτως κατὰ κράτος ⸂τοῦ κυρίου ὁ
2,47! λόγος ηὔξανεν καὶ ἴσχυεν⸃.

21 ⸂Ὡς δὲ ἐπληρώθη ταῦτα,⸃ ἔθετο ὁ Παῦλος ἐν τῷ
16,10! 1K 16,5 · 18,12! πνεύματι διελθὼν τὴν Μακεδονίαν καὶ ⸆ Ἀχαΐαν πορεύ-
24,17 R 15,25 2K 1,15s · εσθαι εἰς Ἱεροσόλυμα εἰπὼν ὅτι μετὰ τὸ γενέσθαι με ἐκεῖ
23,11! R 1,10.15 2K 10,16 | δεῖ με καὶ Ῥώμην ἰδεῖν. **22** ἀποστείλας δὲ εἰς °τὴν Μα-
16,1! · R 16,23 2T 4,20 · 10! κεδονίαν δύο τῶν διακονούντων αὐτῷ, Τιμόθεον καὶ Ἔρα-
στον, αὐτὸς ἐπέσχεν χρόνον ⸂εἰς τὴν Ἀσίαν⸃.

1K 15,32 2K 1,8s · **23** Ἐγένετο δὲ κατὰ τὸν καιρὸν ἐκεῖνον τάραχος οὐκ
9,2! ὀλίγος περὶ τῆς ὁδοῦ. **24** Δημήτριος γάρ τις ⸀ὀνόματι,
ἀργυροκόπος, ποιῶν ⸆ ναοὺς °ἀργυροῦς Ἀρτέμιδος ⸁παρ-
16,16! είχετο τοῖς τεχνίταις οὐκ ὀλίγην ἐργασίαν, **25** ⸂οὓς συν-
αθροίσας καὶ⸃ τοὺς περὶ τὰ τοιαῦτα ⸄ἐργάτας εἶπεν·
ἄνδρες⸅, ἐπίστασθε ὅτι ἐκ ταύτης τῆς ἐργασίας ἡ εὐπο-
ρία ἡμῖν ἐστιν **26** καὶ θεωρεῖτε καὶ ἀκούετε ὅτι οὐ μόνον
⸀Ἐφέσου ἀλλὰ σχεδὸν πάσης τῆς Ἀσίας ὁ Παῦλος οὗτος
17,24.29 πείσας μετέστησεν ἱκανὸν ὄχλον λέγων ὅτι οὐκ εἰσὶν
θεοὶ οἱ διὰ χειρῶν γινόμενοι. **27** οὐ μόνον δὲ τοῦτο κιν-
δυνεύει ἡμῖν τὸ μέρος εἰς ἀπελεγμὸν ἐλθεῖν ἀλλὰ καὶ τὸ
Is 40,17 Sap 3,17 τῆς μεγάλης θεᾶς ⸉Ἀρτέμιδος ἱερὸν⸊ εἰς οὐθὲν λογισθῆναι, ⸀μέλλειν τε καὶ καθαιρεῖσθαι τῆς μεγαλειότητος αὐτῆς ἣν ὅλη °ἡ Ἀσία καὶ °ἡ οἰκουμένη σέβεται.
L 4,28 **28** ⸂Ἀκούσαντες δὲ⸃ καὶ γενόμενοι πλήρεις θυμοῦ ⸆

18 ⸀πιστευοντων D Ψ 614. 2495 *pc* ¦ -σαντων E • **20** ⸂*3 4 1 2 5–7* 𝔓74 ℵc (E, Ψ) 𝔐 lat syh ¦ ενισχυσεν και η πιστις του θεου ηυξ. κ. επληθυνετο D(*) ¦ *txt* ℵ* A B • **21** ⸂τοτε D | ⸆την 𝔓74 A D E 33. 945. 1739 *pc* ¦ *txt* ℵ B Ψ 𝔐 • **22** °τ ℵ E 36. 323. 614. 1175. 1891 *al* ¦ *txt* 𝔓74 A B D Ψ 𝔐 | ⸂ολιγον εν τη Ασια D • **24** ⸀ην D ¦ – d gig | ⸆ισως κιβωρια μικρα 1739v.l. *pc*; Chr | ° B gig | ⸁ος (– A* E) παρειχε A* E D *pc* • **25** ⸂ουτος συν- D 614. (2495) *pc* gig sy sa | ⸄τεχνιτας εφη προς αυτους· αν. συντεχνιται D (syp.h**) sa • **26** ⸀εως Εφεσιου D • **27** ⸉ D E H P (Ψ) 323. 1241 *pm* ¦ *txt* 𝔓74 ℵ A B L 33. 36. 614. 945. 1175. 1739. 2495 *pm* | ⸀-λλει A* D* 36. 323. 945. 1175. 1739 *al* | °*bis* B • **28** ⸂ταυτα δε ακ. D (lat) syp | ⸆δραμοντες εις το αμφοδον D (614) syhmg

ἔκραζον λέγοντες· μεγάλη °ἡ Ἄρτεμις Ἐφεσίων. **29** ⸂καὶ cf Bel 18.41 𝔊
ἐπλήσθη ἡ πόλις τῆς συγχύσεως⸃, ὥρμησάν τε ὁμοθυμα- 7,57
δὸν εἰς τὸ θέατρον συναρπάσαντες Γάϊον καὶ Ἀρίσταρ- 20,4 R 16,23 1K 1,14 3J 1 · 27,2!
χον ⸀Μακεδόνας, συνεκδήμους Παύλου. **30** ⸂Παύλου δὲ⸃
βουλομένου εἰσελθεῖν εἰς τὸν δῆμον ⸉οὐκ εἴων αὐτὸν οἱ
μαθηταί⸊· **31** τινὲς δὲ καὶ τῶν Ἀσιαρχῶν, ⸀ὄντες αὐτῷ
φίλοι, πέμψαντες πρὸς αὐτὸν παρεκάλουν μὴ δοῦναι ἑαυτὸν εἰς τὸ θέατρον. **32** ἄλλοι μὲν οὖν ἄλλο τι ἔκραζον· 21,34
ἦν γὰρ ἡ ἐκκλησία συγκεχυμένη καὶ οἱ ⸀πλείους οὐκ ᾔ- 39s
δεισαν τίνος ἕνεκα συνεληλύθεισαν. **33** ἐκ δὲ τοῦ ὄχλου
⸀συνεβίβασαν Ἀλέξανδρον, προβαλόντων αὐτὸν τῶν Ἰου- ? 1T 1,20!
δαίων· ὁ δὲ Ἀλέξανδρος κατασείσας τὴν χεῖρα ἤθελεν
ἀπολογεῖσθαι τῷ δήμῳ. **34** ἐπιγνόντες δὲ ὅτι Ἰουδαῖός
ἐστιν, φωνὴ ἐγένετο μία °ἐκ πάντων ⸀ὡς ἐπὶ ὥρας δύο
⸁κραζόντων· μεγάλη °¹ἡ Ἄρτεμις Ἐφεσίων ⸆.
35 ⸀Καταστείλας δὲ ⸉ὁ γραμματεὺς τὸν ὄχλον⸊ φησίν·
ἄνδρες Ἐφέσιοι, τίς γάρ ἐστιν ἀνθρώπων ὃς οὐ γινώσκει
τὴν ⸁Ἐφεσίων πόλιν νεωκόρον ⸀¹οὖσαν τῆς μεγάλης
Ἀρτέμιδος καὶ τοῦ ⸀²διοπετοῦς; **36** ἀναντιρρήτων οὖν
ὄντων τούτων δέον ἐστὶν ὑμᾶς κατεσταλμένους ὑπάρχειν
καὶ μηδὲν προπετὲς πράσσειν. **37** ἠγάγετε γὰρ τοὺς ἄνδρας τούτους ⸆ οὔτε ἱεροσύλους οὔτε βλασφημοῦντας R 2,22
τὴν ⸀θεὸν ⸁ἡμῶν. **38** εἰ μὲν οὖν Δημήτριος καὶ οἱ σὺν αὐτῷ τεχνῖται ἔχουσι πρός ⸆ τινα λόγον, ἀγοραῖοι ἄγονται
καὶ ἀνθύπατοί εἰσιν, ἐγκαλείτωσαν ἀλλήλοις. **39** εἰ δέ τι 13,7!
⸀περαιτέρω ⸁ἐπιζητεῖτε, ἐν ⸂τῇ ἐννόμῳ⸃ ἐκκλησίᾳ ἐπιλυ- 32
θήσεται. **40** καὶ γὰρ κινδυνεύομεν ἐγκαλεῖσθαι στάσεως 15,2!
περὶ τῆς σήμερον, μηδενὸς ⸂αἰτίου ὑπάρχοντος⸃ περὶ 15,27

28 ° D* *pc* • **29** ⸂και συνεχυθη ολη η πολις αισχυνης D* (gig sy^p) | ⸀-να 36. 453 *pc* ¦ -νιας 2495 *pc* • **30** ⸂του δε Π. (⸉ א^c, D) E Ψ 𝔐 ¦ *txt* 𝔓^74 א* A B 6. 33 *pc* | ⸉οι μαθ. εκωλυον D (sy^p) • **31** ⸀υπαρχοντες D • **32** ⸀πλειστοι D • **33** ⸀προεβ- D^c Ψ 𝔐 vg^mss sy^h ¦ κατεβ- D* lat ¦ *txt* 𝔓^74 א A B E 33. 323. 945. 1739. 1891 *pc* • **34** ° D lat | ⸀ωσει 𝔓^74 B 33 *pc* | ⸁† -ζοντες א A ¦ – Ψ ¦ *txt* 𝔓^74 B D E 𝔐 | °¹ D* | ⸆μεγ. η Αρτ. Εφ. B • **35** ⸀κατασεισας D E Ψ 614 *pc* | ⸉ B 1175 *pc* | ⸁ημετεραν D | ⸀¹ειναι D | ⸀²διοσπ- D • **37** ⸆ενθαδε D 614 sy^hmg co | ⸀θεαν D* E^c P 614. 1241. 2495 *al* | ⸁υμ- E* 𝔐 vg sy^h bo ¦ *txt* 𝔓^74 א A B D E^c Ψ 36. 945. 1175. 1739. 1891 *al* e gig sy^p sa bo^ms • **38** ⸆αυτους D (gig) sa^mss • **39** ⸀περι ετερων א A D (E) Ψ 𝔐 (vg) sy^h co ¦ *txt* 𝔓^74 B 33. 36. 453. 945. 1739. 1891 *pc* d gig | ⸁ζη- 𝔓^74 E 36. 453. 945. 1739. 1891 *pc* | ⸂τω νομω D* • **40** ⸂αι. οντος D ¦ [αιτιοι υπ-ντες Hort *cj*]

L 16,2! οὗ °[οὐ] δυνησόμεθα ἀποδοῦναι λόγον °¹περὶ τῆς συ-
32 στροφῆς ταύτης. καὶ ταῦτα εἰπὼν ἀπέλυσεν τὴν ἐκκλησίαν.

20 Μετὰ δὲ τὸ παύσασθαι τὸν θόρυβον ⸀μεταπεμψά- *29*
μενος ὁ Παῦλος τοὺς μαθητὰς καὶ ⸂παρακαλέσας,
16,10! 2K 2,13; 7,5 1T 1,3 ἀσπασάμενος ἐξῆλθεν °πορεύεσθαι εἰς Μακεδονίαν. **2** διελθὼν δὲ ⸆ τὰ μέρη ἐκεῖνα καὶ ⸉παρακαλέσας αὐτοὺς⸊
cf R 15,22-29 λόγῳ πολλῷ ἦλθεν εἰς τὴν Ἑλλάδα **3** ποιήσας τε μῆνας
19; 9,24; 23,16.30 2K 11,26 · τρεῖς· γενομένης ἐπιβουλῆς αὐτῷ ὑπὸ τῶν Ἰουδαίων
18,18; 21,3 ⸉μέλλοντι ἀνάγεσθαι εἰς τὴν Συρίαν, ἐγένετο γνώμης τοῦ⸊
ὑποστρέφειν διὰ Μακεδονίας. **4** ⸉συνείπετο δὲ αὐτῷ⸊ ⸆
17,10 · 27,2! · ⸀Σώπατρος °Πύρρου Βεροιαῖος, Θεσσαλονικέων δὲ Ἀρί-
19,29! · 16,1! · σταρχος καὶ Σεκοῦνδος, καὶ Γάϊος ⸂Δερβαῖος καὶ Τιμό-
E 6,21! · 21,29! θεος, ⸀¹Ἀσιανοὶ δὲ ⸀²Τύχικος καὶ Τρόφιμος. **5** οὗτοι δὲ
5-15: 16,10! · 16,8 ⸀προελθόντες ἔμενον ⸂ἡμᾶς ἐν Τρῳάδι, **6** ἡμεῖς δὲ ἐξ-
Mc 14,1 επλεύσαμεν μετὰ τὰς ἡμέρας τῶν ἀζύμων ἀπὸ Φιλίππων
καὶ ἤλθομεν πρὸς αὐτοὺς εἰς τὴν Τρῳάδα ⸉ἄχρι ἡμερῶν
21,4; 28,14 πέντε⸊, ⸀ὅπου διετρίψαμεν ἡμέρας ἑπτά.

1K 16,2! · 2,42! · **7** Ἐν δὲ τῇ μιᾷ τῶν σαββάτων συνηγμένων ἡμῶν κλά-
17,17! σαι ἄρτον, ὁ Παῦλος διελέγετο αὐτοῖς μέλλων ἐξιέναι
τῇ ἐπαύριον, παρέτεινέν τε τὸν λόγον μέχρι μεσονυκτίου.
1,13 **8** ἦσαν δὲ ⸀λαμπάδες ἱκαναὶ ἐν τῷ ὑπερῴῳ οὗ ⸂ἦμεν συνηγμένοι. **9** καθεζόμενος δέ τις νεανίας ὀνόματι Εὔτυχος
ἐπὶ ⸉τῆς θυρίδος, καταφερόμενος ὕπνῳ βαθεῖ⸊ διαλεγομένου τοῦ Παύλου ἐπὶ πλεῖον, ⸋κατενεχθεὶς ἀπὸ τοῦ ὕ-
πνου⸌ ἔπεσεν ἀπὸ τοῦ τριστέγου κάτω καὶ ⸆ ἤρθη νε-
1Rg 17,21 κρός. **10** καταβὰς δὲ ὁ Παῦλος ἐπέπεσεν αὐτῷ καὶ συμ-

40 ° 𝔓^{74} D E 33. 36. 453. 945. 1175. 1891 *al* gig vg sa bo^{mss} ¦ *txt* א A B Ψ 𝔐 p* sy bo | °¹ D Ψ 𝔐 vg sy^{h} ¦ *txt* 𝔓^{74} א A B E 36. 614. 1175. 2495 *al* d gig sy^{p}
¶ **20,1** ⸀προσκαλεσα- A D Ψ 𝔐 latt sy ¦ μεταστειλα- 945. 1739. 1891 *pc* ¦ *txt* 𝔓^{74} א B E 33. 36. 453. 1175 *pc* | ⸂πολλα παρακελευσας D*^{vid} | ° D E 323. 945. 1739. 2495 *pc* gig bo^{mss} ● **2** ⸆παντα D | ⸉χρησαμενος D^{vid} ● **3** ⸉ηθελησεν αναχθηναι εις Σ.· ειπεν δε το πνευμα αυτω D (gig) sy^{hmg} ● **4** ⸉μελλοντος ουν εξιεναι αυτου D ¦ *id.* + συνειποντο αυτω sy^{hmg} | ⸆αχρι της Ασιας A (D) E Ψ 𝔐 gig vg^{mss} sy ¦ *txt* 𝔓^{74} א B 33 *pc* vg co | ⸀Σωσιπ- 104. (1175) *pc* gig p^{c} vg^{s} co | ° 𝔐 sy ¦ *txt* 𝔓^{74} א A B D E Ψ 33. 36. 323. 945. 1175. 1739. 1891 *al* latt sy^{hmg} co | ⸂ο Δ. A B* 33 ¦ Δουβ(ε)ριος D* (gig) | ⸀¹Εφεσιοι D (sy^{hmg}) sa | ⸀² Ευτυχος D ● **5** ⸀προσελ- א A^{vid} B* E H L P Ψ 945. 1175. 1241. 1739. 2495 *pm* ¦ *txt* 𝔓^{74} B^{2} D 36. 104. 323. 614. 1891 *pm* latt | ⸂αυτον D ● **6** ⸉απο ημ. π. 𝔓^{74} א E 33 ¦ πεμπταιοι D | ⸀οὗ B (Ψ) 𝔐 ¦ εν η και D ¦ *txt* 𝔓^{74} א A E 33 ● **8** ⸀υπολαμ- D | ⸂ησαν 1 *pc* bo ● **9** ⸉τη θυριδι κατεχομ- υπ. βαρει D | ⸋ 1891 *pc* p | ⸆ος D*

περιλαβὼν εἶπεν⸂· μὴ θορυβεῖσθε⸃, ἡ γὰρ ψυχὴ αὐτοῦ Mc 5,39
ἐν αὐτῷ ἐστιν. **11** ἀναβὰς δὲ °καὶ κλάσας τὸν ἄρτον καὶ
γευσάμενος ἐφ᾿ ἱκανόν τε ὁμιλήσας ἄχρι αὐγῆς, οὕτως 28,23
ἐξῆλθεν. **12** ⸂ἤγαγον δὲ τὸν παῖδα⸃ ζῶντα καὶ παρεκλή-
θησαν οὐ μετρίως.

13 Ἡμεῖς δὲ ⸀προελθόντες ἐπὶ τὸ πλοῖον ἀνήχθημεν
ἐπὶ τὴν Ἄσσον ἐκεῖθεν μέλλοντες ἀναλαμβάνειν τὸν
Παῦλον· οὕτως γὰρ διατεταγμένος ἦν μέλλων αὐτὸς πε-
ζεύειν. **14** ὡς δὲ ⸀συνέβαλλεν ἡμῖν εἰς τὴν Ἄσσον, ἀναλαβόντες αὐτὸν ἤλθομεν εἰς Μιτυλήνην, **15** κἀκεῖθεν
ἀποπλεύσαντες τῇ ἐπιούσῃ κατηντήσαμεν ἄντικρυς Χίου,
τῇ δὲ ⸀ἑτέρᾳ παρεβάλομεν εἰς Σάμον⸆, τῇ °δὲ ⸁ἐχομένῃ
ἤλθομεν εἰς Μίλητον. **16** κεκρίκει γὰρ ὁ Παῦλος παρα- 17 2T 4,20
πλεῦσαι τὴν Ἔφεσον, ⸂ὅπως μὴ γένηται αὐτῷ χρονοτρι- 18,21
βῆσαι⸃ ἐν τῇ Ἀσίᾳ· ἔσπευδεν γὰρ ⸋εἰ δυνατὸν εἴη αὐ- 19,10!
τῷ⸌ ⸆ τὴν ἡμέραν τῆς πεντηκοστῆς γενέσθαι εἰς ⸀Ἱε-
ροσόλυμα.

17 Ἀπὸ δὲ τῆς Μιλήτου πέμψας εἰς Ἔφεσον ⸀μετεκα-
λέσατο τοὺς πρεσβυτέρους τῆς ἐκκλησίας. **18** ὡς δὲ παρ- 11,30!
εγένοντο πρὸς αὐτὸν ⸆ εἶπεν αὐτοῖς·
ὑμεῖς ἐπίστασθε⸇, ἀπὸ πρώτης ἡμέρας ἀφ᾿ ἧς ἐπέβην εἰς 18,19
τὴν Ἀσίαν, ⸂πῶς μεθ᾿ ὑμῶν τὸν πάντα χρόνον ἐγενόμην⸃, 19,10! · 1Th 1,5!
19 δουλεύων τῷ κυρίῳ μετὰ πάσης ταπεινοφροσύνης καὶ R 12,11!
δακρύων καὶ πειρασμῶν τῶν συμβάντων μοι ἐν ταῖς ἐπι- 31 · 3! 1Th 2,15s
βουλαῖς τῶν Ἰουδαίων, **20** ὡς οὐδὲν ὑπεστειλάμην τῶν 27
συμφερόντων τοῦ °μὴ ἀναγγεῖλαι ὑμῖν καὶ διδάξαι °[1]ὑ-
μᾶς δημοσίᾳ καὶ κατ᾿ οἴκους, **21** διαμαρτυρόμενος Ἰου- 18,28 | 14,1!
δαίοις τε καὶ Ἕλλησιν τὴν εἰς ⸆ θεὸν μετάνοιαν καὶ 17,30; 26,18.20

10 ⸂(*ex itac.?*) μη -σθαι B* C D 1175 *pc* ● **11** ° B ● **12** ⸂ασπαζομενων δε αυτων ηγαγεν τον νεανισκον D ● **13** ⸀προσελ- A B* E 𝔐 ¦ κατελ- D gig sy^{p} ¦ *txt* 𝔓$^{41vid.74}$ ℵ B^{2} C L Ψ 33. 36. 323. 614. 945. 1739. 2495 *al* ● **14** ⸀-βαλεν C D 𝔐 ¦ *txt* ℵ(*) A B E Ψ 1175 *pc* ● **15** ⸀εσπερα B 36. 453. 1175. 1241 *pc* bo^{pt} | ⸆και μειναντες εν Τρωγυ(λ)λιω *et* °D (Ψ) 𝔐 gig sy sa ¦ *txt* 𝔓^{74} ℵ A B C E 33. 36. 453. 1175. 1739. 1891 *pc* vg bo | ⸁ερχο- D* 614. 1175. 1891 *al* ● **16** ⸂μηποτε γενηθη αυτω κατασχεσις τις D (gig) vg | ⸋ D H | ⸆εις D | ⸀Ιερουσαλημ 𝔓^{74} ℵ A E Ψ 1704. 1739. 2495 *pc* ¦ *txt* B C D 𝔐 latt ● **17** ⸀μετεπεμψατο D ● **18** ⸆ομοσε οντων αυτων 𝔓^{74} (A) D lat ¦ ομοθυμαδον E 2464 *pc* ¦ *txt* ℵ B C Ψ 𝔐 vg^{mss} sy co | ⸇αδελφοι D 2464 *pc* sa | ⸂ως τριετιαν η και πλειον ποταπως μεθ υμων ην (ημην?) παντος χρονου D ● **20** ° D | °[1] D sy^{p}; Lcf ● **21** ⸆ τον 𝔓^{74} A D Ψ 𝔐 ¦ *txt* ℵ B C E 1175. 1241 *al*

1,21! πίστιν ⸂εἰς τὸν κύριον ἡμῶν Ἰησοῦν⸃. **22** Καὶ νῦν
cf 19,21 ἰδοὺ δεδεμένος ἐγὼ τῷ πνεύματι πορεύομαι εἰς Ἰερουσαλὴμ τὰ ἐν αὐτῇ συναντήσοντά μοι μὴ ⸀εἰδώς, **23** πλὴν
10,19! ὅτι τὸ πνεῦμα τὸ ἅγιον κατὰ ⸆ πόλιν διαμαρτύρεταί μοι
9,16; 21,11.33 λέγον ὅτι δεσμὰ καὶ θλίψεις ⸂με μένουσιν⸃. **24** ἀλλ᾽ ⸂οὐ-
cf 21,13! δενὸς λόγου ποιοῦμαι τὴν ψυχὴν⸃ τιμίαν ἐμαυτῷ ⸀ὡς
13,25 2T 4,7 · 2K 5,18 · ⸁τελειῶσαι τὸν δρόμον μου ⸆ καὶ τὴν διακονίαν ⸉ἣν ἔλα-
1,21! βον⸊ παρὰ τοῦ κυρίου Ἰησοῦ, διαμαρτύρασθαι ⸇ τὸ εὐαγ-
32 | γέλιον τῆς χάριτος τοῦ θεοῦ. **25** Καὶ νῦν ἰδοὺ ἐγὼ
38 οἶδα ὅτι οὐκέτι ὄψεσθε τὸ πρόσωπόν μου ὑμεῖς πάντες
19,8! ἐν οἷς διῆλθον κηρύσσων ⸂τὴν βασιλείαν⸃. **26** ⸂διότι μαρ-
18,6 Sus 46 Theod τύρομαι ὑμῖν ἐν τῇ σήμερον ἡμέρᾳ ὅτι⸃ καθαρός εἰμι ἀπὸ
20 τοῦ αἵματος πάντων· **27** οὐ γὰρ ὑπεστειλάμην τοῦ °μὴ
ἀναγγεῖλαι πᾶσαν τὴν βουλὴν τοῦ θεοῦ ὑμῖν. **28** προσ-
1T 4,16 · L 12,32! ἔχετε ἑαυτοῖς καὶ παντὶ τῷ ποιμνίῳ, ἐν ᾧ ὑμᾶς τὸ πνεῦμα
Ph 1,1 1T 3,1s Tt 1,7 · 9,31 1T 3,5! · Ps 74,2 · H 9,12 τὸ ἅγιον ἔθετο ἐπισκόπους ποιμαίνειν τὴν ἐκκλησίαν
τοῦ ⸀θεοῦ, ἣν περιεποιήσατο ⸆ διὰ τοῦ ⸂αἵματος τοῦ
ἰδίου⸃. **29** ⸆ ἐγὼ ⸀οἶδα ὅτι εἰσελεύσονται μετὰ τὴν ἄφι-
Mt 7,15; 10,16 J 10,12 ξίν μου λύκοι βαρεῖς εἰς ὑμᾶς μὴ φειδόμενοι τοῦ ποι-
1J 2,19 μνίου, **30** καὶ ἐξ ὑμῶν °αὐτῶν ἀναστήσονται ἄνδρες λα-
13,10 λοῦντες διεστραμμένα τοῦ ⸀ἀποσπᾶν τοὺς μαθητὰς ὀπί-
Mc 13,37! · 19,10 σω ⸁αὐτῶν. **31** διὸ γρηγορεῖτε μνημονεύοντες ὅτι τριε-
19 2K 2,4 τίαν νύκτα καὶ ἡμέραν οὐκ ἐπαυσάμην μετὰ δακρύων
1Th 2,11 | 14,23 νουθετῶν ἕνα ἕκαστον⸆. **32** Καὶ τὰ νῦν παρατίθεμαι

21 ⸂εις τ. κ. ημ. (– E) Ι. Χριστον 𝔓^{74} א A C E 33. 36. 323. 945. 1175. 1241. 1739. 2495 *pm* vg sy^{p} bo^{pt} ¦ δια του κ-ου ημ. Ι-ου Χ-ου D ¦ *txt* B H L P Ψ 614 *pm* gig sy^{h}; Lcf • **22** ⸀γινωσκων 𝔓^{41} D • **23** ⸆πασαν D gig (vg) sy; Lcf | ⸂σε μ. εν Ιερουσαλημ 𝔓^{41} (D, 614 gig vg^{cl} sy^{h**}) sa • **24** ⸂ουδ. λ-γον εχω (+ μοι D) ουδε ποι. τ. ψ. 𝔓^{74} א^{c} A D$^{(c)}$ 33 *pc* ¦ ουδ. (+ τουτων 1891 *pc*) λ-γον ποι. ουδε εχω τ. ψ. μου E Ψ 𝔐 (sy^{h}) ¦ *txt* 𝔓^{41} א* B C 1175 *pc* (gig, sy^{p}) | ⸀εως א^{2} B^{2} vg ¦ ωστε E 33. 323. 614. 945. 1739. 2495 *al* ¦ του D gig; Lcf ¦ *txt* 𝔓$^{41.74vid}$ א* A B* C Ψ 𝔐 | ⸁ † -ωσω א B *pc* vg ¦ *txt* 𝔓^{41vid} A (C) D E Ψ 𝔐 gig; Lcf | ⸆μετα χαρας C E Ψ 𝔐 sy^{h} ¦ *txt* 𝔓^{41} א A B D 33 *pc* lat sy^{p} co | ⸉ην παρελ- 𝔓$^{41vid.74vid}$ 614. 2495 *pc* ¦ του λογου ον παρελ- D$^{(c)}$ gig vg^{cl} | ⸇Ιουδαιοις και Ελλησιν 𝔓^{41vid} D gig sa^{mss}; Lcf • **25** ⸂τ. β. του (+ κυρ. gig) Ιησου D gig sa; Lcf ¦ τ. β. τ. θεου E 𝔐 vg bo^{pt}; Th'ret ¦ το ευαγγελιον τ. θ. 323. 1891 *pc* ¦ *txt* 𝔓^{74} א A B C Ψ 33. 36. 453 *pc* sy bo^{pt} • **26** ⸂αχρι ουν της σημ. ημερας D* • **27** ° D* *pc* • **28** ⸀κυριου 𝔓^{74} A C* D E Ψ 33. 36. 453. 945. 1739. 1891 *al* gig p sy^{hmg} co; Ir^{lat} Lcf ¦ κυ. και (του *pm*) θεου C^{3} 𝔐 ¦ *txt* א B 614. 1175. 2495 *al* vg sy bo^{ms}; Cyr | ⸆εαυτω D; Ir^{lat} | ⸂ιδ. αι. 𝔐 ¦ [αι. τ. ιδ. υιου Knapp *cj*] ¦ *txt* 𝔓^{74} א A B C D E Ψ 33. 36. 945. 1175. 1739. 1891 *al*; Cyr • **29** ⸆οτι B | ⸀γαρ οιδα τουτο C^{3} E Ψ 𝔐 p sy^{h} ¦ *txt* 𝔓^{74} א A B C* D 33. 36. 453. 1175. 1739. 1891 *pc* lat sy^{p}; Ir^{lat} • **30** ° B | ⸀αποστρεφειν D | ⸁ † εαυ- א A B ¦ *txt* 𝔓^{74} C D E Ψ 𝔐 • **31** ⸆υμων D E 323. 614. 945. 1739. 1891. 2495 *al* latt sy

ὑμᾶς τῷ ⸀θεῷ καὶ τῷ λόγῳ τῆς χάριτος αὐτοῦ, τῷ δυνα- 24; 14,3 · R 16,25 ·
μένῳ οἰκοδομῆσαι καὶ δοῦναι τὴν κληρονομίαν ἐν τοῖς 26,18 E 1,18! Kol 1,12 Dt 33,3s Sap
ἡγιασμένοις ⸀πᾶσιν⸆. 33 ἀργυρίου ἢ χρυσίου ἢ ἱματι- 5,5 | Mt 10,8 1K 9,12.15 2K 7,2
σμοῦ ⸀οὐδενὸς ἐπεθύμησα· 34 αὐτοὶ γινώσκετε ὅτι ταῖς 1Sm 12,3
χρείαις μου καὶ τοῖς οὖσιν μετ' ἐμοῦ ὑπηρέτησαν αἱ χεῖ- 1K 4,12!
ρες αὗται. 35 ⸀πάντα ὑπέδειξα ὑμῖν ὅτι οὕτως κοπιῶντας 1Th 4,11
δεῖ ἀντιλαμβάνεσθαι τῶν ἀσθενούντων, μνημονεύειν τε
τῶν λόγων τοῦ κυρίου Ἰησοῦ ὅτι αὐτὸς εἶπεν· ⸀μακά- 1,21! · Thukyd II 97,4 cf Mt 14,19p
ριόν ἐστιν ⸂μᾶλλον διδόναι ἢ λαμβάνειν⸃. 36 Καὶ Sir 4,31
ταῦτα εἰπὼν θεὶς τὰ γόνατα αὐτοῦ σὺν πᾶσιν αὐτοῖς προσ- 21,5
ηύξατο. 37 ἱκανὸς δὲ κλαυθμὸς ἐγένετο πάντων καὶ ἐπι-
πεσόντες ἐπὶ τὸν τράχηλον τοῦ Παύλου κατεφίλουν αὐ- cf Gn 33,4; 45,14 ·
τόν, 38 ὀδυνώμενοι μάλιστα ἐπὶ τῷ λόγῳ ᾧ εἰρήκει, ὅτι R 16,16! |
οὐκέτι μέλλουσιν τὸ πρόσωπον αὐτοῦ θεωρεῖν. προέπεμ- 25 · 15,3!
πον δὲ αὐτὸν εἰς τὸ πλοῖον.

21 ⸂Ὡς δὲ ἐγένετο ἀναχθῆναι ἡμᾶς ἀποσπασθέντας⸃ *1-18:* 16,10!
ἀπ' αὐτῶν, εὐθυδρομήσαντες ἤλθομεν εἰς τὴν Κῶ,
τῇ δὲ ἑξῆς εἰς τὴν Ῥόδον κἀκεῖθεν εἰς ⸀Πάταρα, 2 καὶ
εὑρόντες πλοῖον διαπερῶν εἰς Φοινίκην ἐπιβάντες ἀνήχ- 11,19!
θημεν. 3 ⸀ἀναφάναντες δὲ τὴν Κύπρον καὶ καταλιπόν-
τες αὐτὴν εὐώνυμον ἐπλέομεν εἰς Συρίαν καὶ ⸀κατήλθο- 20,3!
μεν εἰς Τύρον· ἐκεῖσε γὰρ τὸ πλοῖον ἦν ἀποφορτιζόμε- 7
νον τὸν γόμον. 4 ἀνευρόντες δὲ τοὺς μαθητὰς ἐπεμείνα- cf 11,19
μεν αὐτοῦ ἡμέρας ἑπτά, οἵτινες τῷ Παύλῳ ἔλεγον διὰ τοῦ 20,6! · 10,19!
πνεύματος μὴ ἐπιβαίνειν εἰς Ἱεροσόλυμα. 5 ὅτε δὲ ἐγέ- 12
νετο ⸉ἡμᾶς ἐξαρτίσαι⸊ τὰς ἡμέρας, ἐξελθόντες ἐπορευ-
όμεθα προπεμπόντων ἡμᾶς πάντων σὺν γυναιξὶ καὶ τέ- 15,3!
κνοις ἕως ἔξω τῆς πόλεως, καὶ θέντες τὰ γόνατα ἐπὶ 20,36
τὸν αἰγιαλὸν προσευξάμενοι 6 ἀπησπασάμεθα ἀλλήλους
καὶ ⸀ἀνέβημεν εἰς τὸ πλοῖον, ἐκεῖνοι δὲ ὑπέστρεψαν εἰς
τὰ ἴδια.

32 ⸀† κυριω B 326 *pc* gig sa^{ms} bo ¦ *txt* 𝔓^{74} ℵ A C D E Ψ 𝔐 vg sy sa^{mss} | ⸀των παντων D | ⸆αυτω η δοξα εις τους αιωνας· αμην 614 *pc* sy^{h**} ● **33** ⸀ουθ- 𝔓^{74} A E ● **35** ⸀πασι D; Spec | ⸀-ριος D* sy^{p} *et* ⸂ο διδους μαλλον η ο λαμβανων sy^{p}
¶ **21,1** ⸂και επιβαντες ανηχθημεν· αποσπασθεντων δε ημων D* sa | ⸀(27,5) Π. και Μυρα 𝔓^{41vid} D (gig vg^{mss} sa) ¦ Πατερα 𝔓^{74} A C ¦ *txt* ℵ B E Ψ 𝔐 vg sy ● **3** ⸀-νεντες A B^{2} C E Ψ 𝔐 ¦ *txt* 𝔓^{74} ℵ B* 614. 1704. 1739 *pc* d | ⸀κατηχθημεν C Ψ 𝔐 ¦ *txt* 𝔓^{74} ℵ A B E 33. 326. 1175 *pc* lat sy ● **5** ⸉† A B* E *pc* ¦ *txt* 𝔓^{74} ℵ B^{2} C Ψ 𝔐 ● **6** ⸀† ενεβ- ℵ^{c} B E (Ψ) 945. 1739. 1891 *pc* ¦ επεβ- 𝔐 ¦ *txt* 𝔓^{74} ℵ* A C 36. 453. 614. 1175. 2495 *pc*

3 **7** Ἡμεῖς δὲ τὸν πλοῦν διανύσαντες ἀπὸ Τύρου ⸀κατην-
τήσαμεν εἰς Πτολεμαΐδα καὶ ἀσπασάμενοι τοὺς ἀδελφοὺς
ἐμείναμεν ἡμέραν μίαν παρ᾽ αὐτοῖς. **8** τῇ δὲ ἐπαύριον ἐξ-
16; 8,40; 9,30; 18,22 · ελθόντες ⸀ἤλθομεν εἰς Καισάρειαν καὶ εἰσελθόντες εἰς
6,5! · E 4,11 2T 4,5 τὸν οἶκον Φιλίππου τοῦ εὐαγγελιστοῦ, ὄντος ἐκ τῶν ἑπτά,
2,17 ἐμείναμεν παρ᾽ αὐτῷ. **9** τούτῳ δὲ ἦσαν θυγατέρες τέσσαρες παρθένοι προφητεύουσαι. **10** Ἐπιμενόντων δὲ
⸆ ἡμέρας πλείους κατῆλθέν τις ἀπὸ τῆς Ἰουδαίας προ-
11,28 φήτης ὀνόματι Ἅγαβος, **11** ⸂καὶ ἐλθὼν⸃ πρὸς ἡμᾶς καὶ
ἄρας τὴν ζώνην τοῦ Παύλου, δήσας ἑαυτοῦ τοὺς πόδας
10,19! καὶ τὰς χεῖρας εἶπεν· τάδε λέγει τὸ πνεῦμα τὸ ἅγιον· τὸν
20,23! cf J 21,18 ἄνδρα οὗ ἐστιν ἡ ζώνη αὕτη, οὕτως δήσουσιν ⸀ἐν Ἰερου-
28,17 Mc 10,33 L 24,7 σαλὴμ οἱ Ἰουδαῖοι καὶ παραδώσουσιν εἰς χεῖρας ἐθνῶν.
12 ὡς δὲ ἠκούσαμεν ταῦτα, ⸀παρεκαλοῦμεν ἡμεῖς τε καὶ
4 οἱ ἐντόπιοι ⸂τοῦ μὴ ἀναβαίνειν⸃ αὐτὸν εἰς Ἰερουσαλήμ.
13 ⸂τότε ἀπεκρίθη ὁ Παῦλος⸃· τί ποιεῖτε κλαίοντες καὶ
⸀συνθρύπτοντές μου τὴν καρδίαν; ἐγὼ γὰρ οὐ μόνον
20,24 cf R 15,30s δεθῆναι ⸆ ἀλλὰ καὶ ἀποθανεῖν εἰς Ἰερουσαλὴμ ἑτοίμως
5,41! ἔχω ὑπὲρ τοῦ ὀνόματος τοῦ κυρίου Ἰησοῦ. **14** μὴ πειθο-
11,18 · Mt 26,42p μένου δὲ αὐτοῦ ἡσυχάσαμεν εἰπόντες⸆· τοῦ κυρίου τὸ
θέλημα γινέσθω.

15 Μετὰ δὲ ⸂τὰς ἡμέρας ταύτας ἐπισκευασάμενοι⸃ ⸀ἀν-
18,22 εβαίνομεν εἰς Ἱεροσόλυμα· **16** συνῆλθον δὲ καὶ τῶν μα-
8! θητῶν ἀπὸ Καισαρείας σὺν ἡμῖν, ⸀ἄγοντες παρ᾽ ᾧ ξενι-
σθῶμεν ⸆ ⸁Μνάσωνί τινι Κυπρίῳ, ἀρχαίῳ μαθητῇ. **17** ⸂Γε-
νομένων δὲ ἡμῶν⸃ εἰς Ἱεροσόλυμα ἀσμένως ἀπεδέξαντο
ἡμᾶς οἱ ἀδελφοί.

7 ⸀κατεβημεν 𝔓^{74} א^{2} A E ¦ *txt* א* B C Ψ 𝔐 • **8** ⸀οι περι τον Παυλον ηλθον 𝔐 ¦ *txt* 𝔓^{74} א A B C E Ψ 33. 36. 323. 614. 945. 1175. 1739. 2495 *al* latt sy co • **10** ⸆ημων א^{c} E 𝔐 gig sy^{hmg} ¦ αυτων א* 1175 ¦ *txt* 𝔓^{74} A B C H Ψ 33. 36. 453. 2495 *al*; Bas • **11** ⸂ανελ- δε D* | ⸀εις 𝔓^{74} D • **12** ⸀παρακ- D* | ⸂τον Παυλον τ. μη επιβ- D gig • **13** ⸂απεκ. δε (τε 𝔐) ο Π. Ψ 𝔐 sy^{h} ¦ απεκ. δε ο Π. και ειπεν (323). 945. 1739. 1891 *pc* ¦ ειπεν δε προς ημας ο Π. D (gig) ¦ τοτε απεκ. ο (– 𝔓^{74}) Π. και ειπεν 𝔓^{74} א A E (33) *pc* vg sy^{p} sa bo^{mss} ¦ *txt* B(* *om.* ο) C(* + δε) 36 *pc* bo | ⸀θορυβουντες D* gig p; Tert^{pt} | ⸆βουλομαι D (sy^{p}) • **14** ⸆προς αλληλους D • **15** ⸂τινας ημ. αποταξαμενοι D | ⸀αναβ- C D L* 36 *pc* • **16** ⸀ουτοι δε ηγαγον ημας D^{vid} | ⸆και παραγενομενοι εις τινα κωμην εγενομεθα παρα D^{vid} (sy^{hmg}) | ⸁Ιασονι א gig vg^{mss} bo^{pt} • **17** ⸂κακειθεν εξιοντες ηλθομεν D^{vid} (sy^{hmg})

18 Τῇ ⸀δὲ ἐπιούσῃ εἰσῄει ὁ Παῦλος σὺν ἡμῖν πρὸς
Ἰάκωβον, ⸂πάντες τε παρεγένοντο οἱ πρεσβύτεροι. 12,17! · 11,30
19 καὶ ἀσπασάμενος αὐτοὺς ἐξηγεῖτο καθ᾽ ἓν ἕκαστον,
ὧν⸃ ἐποίησεν ὁ θεὸς ἐν τοῖς ἔθνεσιν διὰ τῆς διακονίας 15,4!
αὐτοῦ. **20** Οἱ δὲ ἀκούσαντες ἐδόξαζον τὸν ⸀θεὸν 11,18
⸂εἶπόν τε⸃ °αὐτῷ· θεωρεῖς, ἀδελφέ, πόσαι μυριάδες εἰσὶν 2,41; 4,4
⸉ἐν τοῖς Ἰουδαίοις⸊ τῶν πεπιστευκότων καὶ πάντες ⸆ ζη-
λωταὶ τοῦ νόμου ὑπάρχουσιν· **21** ⸀κατηχήθησαν δὲ περὶ 22,3
σοῦ ὅτι ἀποστασίαν διδάσκεις ἀπὸ Μωϋσέως τοὺς κατὰ cf G 3,25
⸂τὰ ἔθνη πάντας⸃ Ἰουδαίους λέγων μὴ περιτέμνειν αὐ- 28,17
τοὺς τὰ τέκνα ⸉μηδὲ τοῖς ἔθεσιν⸊ περιπατεῖν. **22** τί οὖν
ἐστιν; πάντως ⸀ἀκούσονται ὅτι ἐλήλυθας. **23** τοῦτο οὖν
ποίησον ὅ σοι λέγομεν· εἰσὶν ἡμῖν ἄνδρες τέσσαρες εὐ- 18,18
χὴν ἔχοντες ⸀ἐφ᾽ ἑαυτῶν. **24** τούτους παραλαβὼν ἁγνί-
σθητι σὺν αὐτοῖς καὶ δαπάνησον ⸂ἐπ᾽ αὐτοῖς⸃ ἵνα ⸀ξυρή- J 11,55
σονται τὴν κεφαλήν, καὶ γνώσονται πάντες ὅτι ὧν κατ- Nu 6,9.18
ήχηνται περὶ σοῦ οὐδέν ἐστιν ⸉ἀλλὰ στοιχεῖς καὶ⸊ αὐτὸς
φυλάσσων τὸν νόμον. **25** περὶ δὲ τῶν πεπιστευκότων
ἐθνῶν ⸀ἡμεῖς ⸁ἐπεστείλαμεν ⸀¹κρίναντες φυλάσσεσθαι
αὐτοὺς ⸂τό τε⸃ εἰδωλόθυτον καὶ αἷμα ⸋καὶ πνικτὸν⸌ καὶ 15,20!
πορνείαν. **26** Τότε ὁ Παῦλος παραλαβὼν τοὺς ἄνδρας τῇ ⸀ἐχομένῃ ἡμέρᾳ σὺν αὐτοῖς ἁγνισθείς, ⸁εἰσῄει
εἰς τὸ ἱερὸν διαγγέλλων τὴν ἐκπλήρωσιν τῶν ἡμερῶν 1 Mcc 3,49 Nu 6,1-21
τοῦ ἁγνισμοῦ ⸂ἕως οὗ⸃ ⸀¹προσηνέχθη ὑπὲρ ἑνὸς ἑκάστου
αὐτῶν ἡ προσφορά. 24,17

18/19 ⸀τε ℵ A E 945. 1739. 1891 *pc* gig | ⸂ησαν δε παρ αυτω οι πρ. συνηγμενοι· ους ασπ. διηγειτο ενα εκαστον ως D (sa) ● **20** ⸀κυριον D Ψ 𝔐 gig vg^{mss} sy^{h} sa ¦ *txt* 𝔓^{74} ℵ A B C E L 33. 36. 323. 945. 1175. 1739. 1891 *al* vg sy^{p} bo | ⸂*1* 1241. 1739 *pc* ¦ ειποντες C D 𝔐 sy^{h} ¦ *txt* 𝔓^{74} ℵ A B E L Ψ 36. 453. 945 *al* | ° D | ⸉*2 3* 𝔓^{74} ¦ Ι-αιων Ψ 𝔐 sy^{h} ¦ εν τη Ι-αια D gig p sy^{p} sa ¦ – ℵ *pc* ¦ *txt* A B C E 33. 36. 945. 1175. 1739. 1891 *al* vg bo | ⸆ουτοι D gig vg^{mss} sy^{p} ● **21** ⸀κατηχησαν D* 104 gig | ⸂*1 2* 𝔓^{74} A E 33 *pc* latt bo ¦ τα εθη παντ. D^{c} | ⸉μητε εν τ. εθνεσιν (*!*) αυτου D* ● **22** ⸀δει συνελθειν πληθος (⸉D Ψ 𝔐)· ακ. γαρ 𝔓^{74} ℵ(*) A (C^{2}) D E Ψ 𝔐 latt ¦ *txt* B C*^{vid} 36. 453. 614. 1175. 1739*. 2495 *pc* sy$^{(p)}$ co ● **23** ⸀αφ ℵ B *pc* bo; Or ● **24** ⸂επ (εις D) αυτους A D 33. 323. 945. 1739 *pc* | ⸀-σωνται A B^{2} C (D*) Ψ 𝔐 ¦ *txt* 𝔓^{74} ℵ B* D^{c} E 33. 614. 1175. 1891. 2495 *al* | ⸉αλλ᾽ οτι πορευου D* ● **25** ⸀ουδεν εχουσιν λεγειν προς σε· ημ. γαρ D gig sa | ⸁απεστ- B C* (D) Ψ 049. 614. 2495 *pc* bo | ⸀¹κρ. (-νοντες D* *pc*) μηδεν τοιουτον τηρειν αυτους ει μη D 𝔐 gig sy^{h} ¦ κρ. (-νοντες 945) μηδ. τοιουτο τηρ. αυ. ει μη (αλλα 945. 1739. 1891 *pc*) C E Ψ 453. 945. 1739. 1891. 2495 *al* ¦ *txt* 𝔓^{74} ℵ A B 33. 1175 *pc* vg sy^{p} co | ⸂*1* 𝔓^{74} D Ψ 36. 614 *pc* ¦ απο (*et* -των, -ματος, -του, -ειας) E vg sy | ⸋ D gig ● **26** ⸀ερχ- 2464^{1} *pc* e sy^{h} ¦ επιουση D | ⸁εισηλθεν D | ⸂οπως D | ⸀¹-ενεχθῆ 323. 945. 1739. 1891 *pc*

27 ⸂Ὡς δὲ ἔμελλον °αἱ ἑπτὰ ἡμέραι συντελεῖσθαι⸃, οἱ
19; 24,19; 19,10! ⸆ ἀπὸ τῆς Ἀσίας Ἰουδαῖοι ⸇ θεασάμενοι αὐτὸν ἐν τῷ ἱε-
31 ρῷ συνέχεον πάντα τὸν ὄχλον καὶ ⸀ἐπέβαλον ἐπ’ αὐτὸν
τὰς χεῖρας **28** κράζοντες· ἄνδρες Ἰσραηλῖται, βοηθεῖτε·
28,17 · 18,13! οὗτός ἐστιν ὁ ἄνθρωπος ὁ κατὰ τοῦ λαοῦ καὶ τοῦ νόμου
6,13! καὶ τοῦ τόπου τούτου πάντας πανταχῇ διδάσκων, ἔτι τε
24,6 Ez 44,7 καὶ Ἕλληνας εἰσήγαγεν εἰς τὸ ἱερὸν καὶ κεκοίνωκεν τὸν
20,4 2T 4,20 ἅγιον τόπον τοῦτον. **29** ἦσαν γὰρ προεωρακότες Τρόφιμον τὸν Ἐφέσιον ἐν τῇ πόλει σὺν αὐτῷ, ὃν ⸀ἐνόμιζον ὅτι
Mt 21,10 εἰς τὸ ἱερὸν εἰσήγαγεν ὁ Παῦλος. **30** ἐκινήθη τε ἡ πόλις
26,21 ὅλη καὶ ἐγένετο συνδρομὴ τοῦ λαοῦ, καὶ ἐπιλαβόμενοι
τοῦ Παύλου εἷλκον αὐτὸν ἔξω τοῦ ἱεροῦ καὶ εὐθέως ἐ-
κλείσθησαν αἱ θύραι. **31** Ζητούντων ⸀τε αὐτὸν
23,27 ἀποκτεῖναι ἀνέβη ⸆ φάσις τῷ χιλιάρχῳ τῆς σπείρης ὅτι
27 ὅλη ⸁συγχύννεται Ἰερουσαλήμ. **32** ὃς ἐξαυτῆς ⸀παραλα-
βὼν στρατιώτας καὶ ἑκατοντάρχας κατέδραμεν ἐπ’ αὐτούς, οἱ δὲ ἰδόντες τὸν χιλίαρχον καὶ τοὺς στρατιώτας
ἐπαύσαντο τύπτοντες τὸν Παῦλον. **33** τότε ἐγγίσας ὁ χιλίαρχος ἐπελάβετο αὐτοῦ καὶ ἐκέλευσεν δεθῆναι ἁλύ-
20,23! 12,6 σεσι δυσί, καὶ ἐπυνθάνετο τίς εἴη καὶ τί ἐστιν πεποιη-
19,32 κώς. **34** ἄλλοι δὲ ἄλλο τι ἐπεφώνουν ἐν τῷ ὄχλῳ. μὴ δυ-
22,30.24; 23,28 ναμένου δὲ αὐτοῦ γνῶναι τὸ ἀσφαλὲς διὰ τὸν θόρυβον
23,10! ἐκέλευσεν ⸀ἄγεσθαι αὐτὸν εἰς τὴν παρεμβολήν. **35** ὅτε δὲ
ἐγένετο ⸀ἐπὶ τοὺς ἀναβαθμούς, συνέβη βαστάζεσθαι αὐτὸν ὑπὸ τῶν στρατιωτῶν διὰ τὴν βίαν τοῦ ⸁ὄχλου, **36** ἠ-
J 19,15! κολούθει γὰρ τὸ πλῆθος ⸂τοῦ λαοῦ⸃ κράζοντες⸀· αἶρε
αὐτόν.

37 Μέλλων τε εἰσάγεσθαι εἰς τὴν παρεμβολὴν ⸂ὁ Παῦλος λέγει τῷ χιλιάρχῳ⸃· εἰ ἔξεστίν μοι ⸄εἰπεῖν τι⸅ πρὸς
σέ; ὁ δὲ ἔφη· Ἑλληνιστὶ γινώσκεις; **38** ⸂οὐκ ἄρα⸃ σὺ εἶ
ὁ Αἰγύπτιος ὁ πρὸ τούτων τῶν ἡμερῶν ⸀ἀναστατώσας καὶ
5,36s ἐξαγαγὼν εἰς τὴν ἔρημον τοὺς τετρακισχιλίους ἄνδρας

27 ⸂συντελουμενης δε της εβδομης ημερας D gig (sy^{p}) | ° 𝔓^{74} E Ψ *pc* | ⸆δε *et* ⸇ε-ληλυθοτες D | ⸀επιβαλλουσιν D • **29** ⸀-μισαμεν D • **31** ⸀δε D^{c} Ψ 𝔐 lat sy^{h} ¦ – 𝔓^{74} (D*) p ¦ *txt* ℵ A B E 945. 1739. 1891. 2464 *pc* | ⸆δε 𝔓^{74} | ⸁συγκεχυται 𝔓^{74} ℵ^{c} E Ψ 𝔐 d gig ¦ *txt* ℵ* A B D 33. (1175) *pc* vg • **32** ⸀λαβων B d • **34** ⸀αναγ- 𝔓^{74} • **35** ⸀εις D | ⸁λαου D latt sy^{p} • **36** ⸂τ. οχλου 614 *pc* sy^{h} ¦ – D gig | ⸀αναι-ρεισθαι D • **37** ⸂τω χ. αποκριθεις ειπεν D | ⸄λαλησαι D gig • **38** ⸂ου D | ⸀εξ-αναστ- E

τῶν σικαρίων; **39** εἶπεν δὲ ὁ Παῦλος· ἐγὼ ἄνθρωπος μέν
εἰμι Ἰουδαῖος, ⸂Ταρσεὺς τῆς Κιλικίας, οὐκ ἀσήμου πό- Ph 3,5 · 9,11 · 6,9;
λεως πολίτης⸃· δέομαι °δέ σου, ⸀ἐπίτρεψόν μοι λαλῆσαι 22,3; 23,34 G 1,21
πρὸς τὸν λαόν. **40** ἐπιτρέψαντος δὲ αὐτοῦ ὁ Παῦλος
ἑστὼς ἐπὶ τῶν ἀναβαθμῶν ⸀κατέσεισεν τῇ χειρὶ ⸂τῷ λαῷ⸃. 13,16!
πολλῆς δὲ ⸉σιγῆς γενομένης⸊ προσεφώνησεν τῇ ⸁Ἑβρα- 22,2!
ΐδι διαλέκτῳ λέγων·

22 Ἄνδρες ἀδελφοὶ καὶ πατέρες, ἀκούσατέ μου τῆς 7,2
πρὸς ὑμᾶς νυνὶ ἀπολογίας. **2** ἀκούσαντες δὲ 24,10; 25,8; 26,1s. 24 1K 9,3 |
ὅτι τῇ Ἑβραΐδι διαλέκτῳ ⸀προσεφώνει °αὐτοῖς, μᾶλλον 21,40; 26,14
⸂παρέσχον ἡσυχίαν⸃. καὶ φησίν· **3** ἐγώ ⸆ εἰμι ἀνὴρ *3–21:* 9,1-29; 26,9-20
Ἰουδαῖος, γεγεννημένος ἐν Ταρσῷ τῆς Κιλικίας, ἀνατε- 21,39!
θραμμένος δὲ ἐν τῇ πόλει ταύτῃ, παρὰ τοὺς πόδας Γαμα- 5,34
λιὴλ ⸀πεπαιδευμένος κατὰ ἀκρίβειαν τοῦ πατρῴου νόμου, ζηλωτὴς °ὑπάρχων ⸂τοῦ θεοῦ⸃ καθὼς ⸉πάντες ὑ- G 1,14 R 10,2
μεῖς⸊ ἐστε σήμερον· **4** ὃς ταύτην τὴν ὁδὸν ἐδίωξα ἄχρι 9,2!
θανάτου δεσμεύων καὶ παραδιδοὺς εἰς φυλακὰς ἄνδρας 8,3!
°τε καὶ γυναῖκας, **5** ὡς καὶ ὁ ἀρχιερεὺς ⸆ μαρτυρεῖ μοι
καὶ ⸀πᾶν τὸ πρεσβυτέριον, παρ᾽ ὧν καὶ ἐπιστολὰς δεξά- L 22,66
μενος ⸂πρὸς τοὺς ἀδελφοὺς⸃ εἰς Δαμασκὸν ἐπορευόμην,
ἄξων καὶ τοὺς ἐκεῖσε ὄντας δεδεμένους εἰς Ἰερουσαλὴμ
ἵνα τιμωρηθῶσιν. **6** ⸂Ἐγένετο δέ μοι πορευομένῳ
καὶ ἐγγίζοντι τῇ Δαμασκῷ περὶ μεσημβρίαν ἐξαίφνης ἐκ 8,26
τοῦ οὐρανοῦ περιαστράψαι φῶς ἱκανὸν περὶ ἐμέ, **7** ἔπε-
σά τε⸃ εἰς τὸ ἔδαφος καὶ ἤκουσα φωνῆς λεγούσης μοι·
Σαοὺλ Σαούλ, τί με διώκεις; ⸆ **8** ἐγὼ δὲ ἀπεκρίθην· τίς
εἶ, κύριε; εἶπέν τε πρός με· ἐγώ εἰμι Ἰησοῦς ὁ Ναζωραῖ- 2,22!
ος, ὃν σὺ διώκεις. **9** οἱ δὲ σὺν ἐμοὶ ὄντες τὸ μὲν φῶς ἐθε- Sap 18,1
άσαντο ⸆ τὴν δὲ φωνὴν οὐκ ἤκουσαν τοῦ λαλοῦντός

39 ⸂(22,3) εν Ταρσω δε της Κ. γεγεννημενος D (w, sy^{p}) | ° $\mathfrak{P}^{74}$ L 6 *pc* | ⸀-ψαι Ψ ¦ συγχωρησαι D gig ● **40** ⸀και σεισας D | ⸂προς αυτους D sy^{p} | ⸉*2 1* B 945. 1739. 1891 *pc* ¦ ησυχιας γεν. D | ⸁ιδια $\mathfrak{P}^{74}$ A
¶ **22,2** ⸀-νησεν $\mathfrak{P}^{74}$ L 36. 614. 945. 1739. 1891. 2495 *al* ¦ προσφωνει D E Ψ 1241. 2464 *pc* vg ¦ *txt* ℵ A B 𝔐 | ° D gig | ⸂ησυχασαν D ● **3** ⸆μεν Ψ 𝔐 bo ¦ *txt* $\mathfrak{P}^{74vid}$ ℵ A B D E 33. 36. 453. 945. 1739. 1891 *pc* | ⸀παιδευομενος D | ° D lat | ⸂τ. νομου 88 vg ¦ των πατρικων μου παραδοσεων sy^{h**} ¦ – Ψ 614. 2495 *pc* vg^{mss} | ⸉*1* $\mathfrak{P}^{74}$ ¦ *2 1* D ● **4** ° $\mathfrak{P}^{74}$ ● **5** ⸆Ανανιας 614 *pc* sy^{h**} | ⸀ολον D | ⸂παρα των -φων D ● **6/7** ⸂εγγιζοντι δε μοι μεσημβριας Δ. εξαιφ. απο του ουρ. περιηστραψε με φως και επεσον D* | ⸆(26,14) σκληρον σοι προς κεντρα λακτιζειν. E gig vg^{mss} sy^{hmg} ● **9** ⸆και εμφοβοι εγενοντο D E Ψ 𝔐 gig sy^{h} sa ¦ *txt* $\mathfrak{P}^{74}$ ℵ(*) A B H 049. 33. 326. 1175. 1241. 2464 *pc* vg sy^{p} bo

2,37! μοι. **10** εἶπον δέ· τί ποιήσω, κύριε; ὁ δὲ κύριος εἶπεν
πρός με· ἀναστὰς πορεύου εἰς Δαμασκὸν κἀκεῖ σοι λαληθήσεται περὶ πάντων ὧν τέτακταί σοι ποιῆσαι. **11** ⸀ὡς δὲ
Dt 28,28s · 13,11 ⸂οὐκ ἐνέβλεπον⸃ ἀπὸ τῆς δόξης τοῦ φωτὸς ἐκείνου, χειρ-
αγωγούμενος ὑπὸ τῶν συνόντων μοι ἦλθον εἰς Δαμα-
2,5! σκόν. **12** Ἁνανίας δέ τις, ἀνὴρ °εὐλαβὴς κατὰ τὸν
6,3! νόμον, μαρτυρούμενος ὑπὸ πάντων τῶν ⸀κατοικούντων
Ἰουδαίων, **13** ἐλθὼν πρός με καὶ ἐπιστὰς εἶπέν μοι·
Σαοὺλ ἀδελφέ, ἀνάβλεψον. κἀγὼ αὐτῇ τῇ ὥρᾳ ⸀ἀνέβλε-
Ex 3,15s ψα ⸋εἰς αὐτόν⸌. **14** ὁ δὲ εἶπεν⸆· ὁ θεὸς τῶν πατέρων
G 1,15s · L 12,47! · ἡμῶν προεχειρίσατό σε γνῶναι τὸ θέλημα αὐτοῦ καὶ ἰδεῖν
3,14! τὸν δίκαιον καὶ ἀκοῦσαι φωνὴν ἐκ °τοῦ στόματος αὐ-
τοῦ, **15** ὅτι ἔσῃ μάρτυς αὐτῷ πρὸς πάντας ἀνθρώπους ὧν
4,20! ἑώρακας καὶ ἤκουσας. **16** καὶ νῦν τί μέλλεις; ἀναστὰς
1K 6,11!; · 1,2! βάπτισαι καὶ ἀπόλουσαι τὰς ἁμαρτίας σου ⸀ἐπικαλεσά-
9,26; 11,30 G 1,18 μενος τὸ ὄνομα αὐτοῦ. **17** Ἐγένετο δέ μοι ⸀ὑποστρέ-
ψαντι εἰς Ἰερουσαλὴμ καὶ προσευχομένου μου ἐν τῷ ἱε-
10,10! | 9,10! ρῷ γενέσθαι με ἐν ἐκστάσει **18** καὶ ⸀ἰδεῖν αὐτὸν λέγοντά
μοι· σπεῦσον καὶ ἔξελθε ἐν τάχει ἐξ Ἰερουσαλήμ, διότι οὐ
παραδέξονταί σου μαρτυρίαν περὶ ἐμοῦ. **19** κἀγὼ εἶπον·
8,3! κύριε, αὐτοὶ ἐπίστανται ὅτι ἐγὼ ἤμην φυλακίζων καὶ
δέρων κατὰ τὰς συναγωγὰς τοὺς πιστεύοντας ἐπὶ σέ,
7,58 **20** καὶ ὅτε ἐξεχύννετο τὸ αἷμα Στεφάνου τοῦ ⸀μάρτυρός
8,1! σου, καὶ αὐτὸς ἤμην ἐφεστὼς καὶ συνευδοκῶν ⸆ καὶ φυλάσσων τὰ ἱμάτια τῶν ἀναιρούντων αὐτόν. **21** καὶ εἶπεν
9,15; 13,2 πρός με· πορεύου, ὅτι ἐγὼ εἰς ἔθνη μακρὰν ⸀ἐξαποστε-
λῶ σε.

22 Ἤκουον δὲ αὐτοῦ ἄχρι τούτου τοῦ λόγου καὶ ἐπῆ-
J 19,15! ραν ⸉τὴν φωνὴν αὐτῶν⸊ λέγοντες· αἶρε ἀπὸ τῆς γῆς τὸν
25,24 τοιοῦτον, οὐ γὰρ καθῆκεν αὐτὸν ζῆν. **23** κραυγαζόντων
⸀τε αὐτῶν καὶ ῥιπτούντων τὰ ἱμάτια καὶ κονιορτὸν βαλ-

11 ⸀αναστας d gig sy^{hmg} sa | ⸂ουδεν εβλ- B ¦ ουκ εβλ- E 2464 *pc* • **12** ° $\mathfrak{P}^{74}$ A vg | ⸀κατοι. (– 2495 *pc*) εν (+ τη $\mathfrak{P}^{41}$) Δαμασκω $\mathfrak{P}^{41}$ Ψ $\mathfrak{M}$ vg^{mss} sy^{h} sa ¦ κατοι. εκει gig (sy^{p}) ¦ – 629 *pc* d ¦ *txt* $\mathfrak{P}^{74}$ ℵ A B E 36. 323 *al* vg • **13** ⸀ενεβ- 104. 1739. 1891 *pc* ¦ εβ- $\mathfrak{P}^{74}$ A | ⸋ $\mathfrak{P}^{41}$ *pc* d sa • **14** ⸆μοι $\mathfrak{P}^{41}$ *pc* d sy^{p} sa bo^{mss} | ° $\mathfrak{P}^{74}$ A 33. 36. 453 *pc* • **16** ⸀επικαλουμ- $\mathfrak{P}^{74}$ • **17** ⸀-εφοντι $\mathfrak{P}^{74}$ 33 *pc* • **18** ⸀ειδον ℵ 36. 453 *pc* d co • **20** ⸀πρωτομ- L 614. 945. 1739$^{v.l.}$ 1891. 2495 *al* sy^{h} | ⸆τη αναιρεσει αυτου Ψ $\mathfrak{M}$ sy$^{(p)}$ ¦ *txt* ℵ A B E *pc* latt co • **21** ⸀-λλω D (E: αποστ-) ¦ αποστελω B • **22** ⸉ $\mathfrak{P}^{74}$ 33. 36. 104. 453. 2464 *pc* • **23** ⸀δε $\mathfrak{P}^{74}$ ℵ D E Ψ $\mathfrak{M}$ ¦ *txt* A B C

λόντων εἰς τὸν ⸀ἀέρα, **24** ἐκέλευσεν ὁ χιλίαρχος εἰσά- 23,10!
γεσθαι αὐτὸν εἰς τὴν παρεμβολήν, εἴπας μάστιξιν ⸀ἀνετά-
ζεσθαι αὐτὸν ἵνα ⸀ἐπιγνῷ δι᾿ ἣν αἰτίαν οὕτως ⸀¹ἐπεφώ- 21,34!
νουν ⸀²αὐτῷ. **25** ὡς δὲ προέτειναν αὐτὸν τοῖς ἱμᾶσιν, εἶπεν πρὸς τὸν ἑστῶτα ἑκατόνταρχον ὁ Παῦλος· εἰ ἄνθρω-
πον Ῥωμαῖον καὶ ἀκατάκριτον ἔξεστιν ὑμῖν μαστίζειν; 29; 23,27; 16,37 · 21,37
26 ⸂ἀκούσας δὲ⸃ ὁ ἑκατοντάρχης ⸆ προσελθὼν τῷ χιλι-
άρχῳ ἀπήγγειλεν λέγων· ⸇ τί μέλλεις ποιεῖν; ὁ γὰρ ἄνθρωπος οὗτος Ῥωμαῖός ἐστιν. **27** ⸂προσελθὼν δὲ ὁ χιλίαρχος εἶπεν αὐτῷ⸃· λέγε μοι, σὺ Ῥωμαῖος εἶ; ὁ δὲ ⸄ἔφη·
ναί⸅. **28** ⸂ἀπεκρίθη δὲ ὁ χιλίαρχος· ἐγὼ πολλοῦ⸃ κε-
φαλαίου τὴν πολιτείαν ταύτην ἐκτησάμην. ὁ δὲ Παῦλος
ἔφη· ἐγὼ δὲ καὶ γεγέννημαι. **29** ⸂εὐθέως οὖν⸃ ἀπέστησαν
ἀπ᾿ αὐτοῦ οἱ μέλλοντες αὐτὸν ἀνετάζειν, καὶ ὁ χιλίαρχος
δὲ ἐφοβήθη ἐπιγνοὺς ὅτι Ῥωμαῖός ἐστιν καὶ ὅτι αὐτὸν 16,38 · 25!
ἦν δεδεκώς⸆.

30 Τῇ δὲ ⸀ἐπαύριον βουλόμενος γνῶναι τὸ ἀσφα- 21,34!
λές, τὸ τί κατηγορεῖται ὑπὸ τῶν Ἰουδαίων, ⸆ ἔλυσεν αὐτὸν ⸇ καὶ ἐκέλευσεν συνελθεῖν τοὺς ἀρχιερεῖς καὶ πᾶν 4,23! · 23,28
τὸ συνέδριον, καὶ καταγαγὼν τὸν Παῦλον ἔστησεν εἰς
αὐτούς.

23 Ἀτενίσας δὲ ⸂ὁ Παῦλος τῷ συνεδρίῳ⸃ εἶπεν· ἄν-
δρες ἀδελφοί, ἐγὼ πάσῃ συνειδήσει ἀγαθῇ πεπολί- 24,16 2K 1,12 1T 3,9! 1P 3,16.21
τευμαι τῷ θεῷ ἄχρι ταύτης τῆς ἡμέρας. **2** ὁ δὲ ἀρχιερεὺς 24,1
Ἁνανίας ⸀ἐπέταξεν τοῖς παρεστῶσιν αὐτῷ τύπτειν αὐτοῦ J 18,22s
τὸ στόμα. **3** τότε ὁ Παῦλος πρὸς αὐτὸν εἶπεν· τύπτειν Dt 28,22
σε μέλλει ὁ θεός, τοῖχε κεκονιαμένε· καὶ σὺ κάθῃ κρί- Ez 13,10-15 Mt 23,27 · Lv 19,15 J 7,51!
νων με κατὰ τὸν νόμον καὶ παρανομῶν κελεύεις με τύ-
πτεσθαι; **4** οἱ δὲ παρεστῶτες εἶπαν· τὸν ἀρχιερέα τοῦ

23 ⸀ουρανον D gig sy^{p} ● **24** ⸀-ζειν D* *pc* | ⸀γνω 𝔓^{74} A 6. 33. 36 *pc* | ⸀¹κατεφ- D Ψ 614 *pc* | ⸀²αυτου Ψ 614 *pc* ¦ περι αυτου D gig ● **26** ⸂τουτο ακ. D lat | ⸆οτι Ρωμαιον εαυτον λεγει D gig vg^{mss} | ⸇ορα D 𝔐 gig p sa ¦ *txt* 𝔓^{74} ℵ A B C E Ψ 33. 36. 614. 945*. 1739. 2495 *al* vg sy bo ● **27** ⸂τοτε πρ. ο χ. επηρωτησεν αυτον D (sa) | ⸄ειπεν αυτω· ναι 𝔓^{74} ¦ ειπεν· ειμι D gig ● **28** ⸂και αποκριθεις ο χ. ειπεν· εγω οιδα ποσου D(*) ● **29** ⸂τοτε D | ⸆και παραχρημα ελυσεν αυτον 614 sy^{h**} sa ● **30** ⸀επιουση 1241. 2495 *pc* ¦ επιουση επαυρ. 614 | ⸆πεμψας 614 *pc* sy^{h**} | ⸇απο των δεσμων 𝔐 ¦ *txt* 𝔓^{74} ℵ A B C E Ψ 36. 945. 1175. 1739. 1891. 2495 *al* latt sy

¶ **23,1** ⸂*3 4 1 2* ℵ A C E 33. 945. 1739. 1891 *pc* latt ¦ *2 3 4* B 36. 453. 614. 2495 *pc* ¦ *txt* 𝔓^{74} Ψ 𝔐 ● **2** ⸀παρηγγειλεν 𝔓^{74} ¦ εκελευσεν C 36. 453. 945. 1739. 1891 *pc*

θεοῦ λοιδορεῖς; **5** ἔφη τε ὁ Παῦλος· οὐκ ᾔδειν, ἀδελφοί,
Ex 22,27 ὅτι ἐστὶν ἀρχιερεύς· γέγραπται γὰρ ὅτι *ἄρχοντα τοῦ λαοῦ*
σου οὐκ ἐρεῖς κακῶς. **6** Γνοὺς δὲ ὁ Παῦλος ὅτι τὸ ἓν
5,17! · 5,34 μέρος ἐστὶν Σαδδουκαίων τὸ δὲ ἕτερον Φαρισαίων ἔκρα-
26,5 Ph 3,5-9 ζεν ἐν τῷ συνεδρίῳ· ἄνδρες ἀδελφοί, ἐγὼ Φαρισαῖός εἰμι,
28,20! · 4,2! 24,21 υἱὸς ⸀Φαρισαίων, περὶ ἐλπίδος καὶ ἀναστάσεως νεκρῶν
°[ἐγὼ] κρίνομαι. **7** τοῦτο δὲ αὐτοῦ ⸀εἰπόντος ⸂ἐγένετο
15,2! στάσις τῶν Φαρισαίων καὶ Σαδδουκαίων καὶ ἐσχίσθη τὸ
Mt 22,23!p πλῆθος. **8** Σαδδουκαῖοι °μὲν γὰρ λέγουσιν μὴ εἶναι ἀνάστασιν ⸀μήτε ἄγγελον μήτε πνεῦμα, Φαρισαῖοι δὲ ὁμολογοῦσιν τὰ ἀμφότερα. **9** ἐγένετο δὲ κραυγὴ μεγάλη, καὶ
ἀναστάντες ⸂τινὲς τῶν γραμματέων τοῦ μέρους τῶν⸃
5,34.39 Φαρισαίων διεμάχοντο λέγοντες· οὐδὲν κακὸν εὑρίσκο-
μεν ἐν τῷ ἀνθρώπῳ τούτῳ· εἰ δὲ πνεῦμα ἐλάλησεν αὐτῷ
15,2! ἢ ἄγγελος⸆; **10** Πολλῆς δὲ ⸀γινομένης στάσεως
φοβηθεὶς ὁ χιλίαρχος μὴ διασπασθῇ ὁ Παῦλος ὑπ' αὐ-
21,34; 22,24 τῶν ἐκέλευσεν τὸ στράτευμα καταβὰν ἁρπάσαι αὐτὸν ἐκ
μέσου αὐτῶν ἄγειν °τε εἰς τὴν παρεμβολήν. **11** Τῇ δὲ
9,10! ἐπιούσῃ νυκτὶ ἐπιστὰς αὐτῷ ὁ κύριος εἶπεν· θάρσει⸆·
ὡς γὰρ διεμαρτύρω τὰ περὶ ἐμοῦ εἰς Ἰερουσαλήμ, οὕτω
19,21; 27,24; 28,23 σε δεῖ καὶ εἰς Ῥώμην μαρτυρῆσαι.

12 Γενομένης ⸀δὲ ἡμέρας ⸂ποιήσαντες συστροφὴν οἱ
Ἰουδαῖοι⸃ ἀνεθεμάτισαν ἑαυτοὺς λέγοντες ⸀μήτε φαγεῖν
9,23.29 J 16,2 μήτε πιεῖν ἕως οὗ ⸀¹ἀποκτείνωσιν τὸν Παῦλον. **13** ἦσαν
δὲ πλείους τεσσεράκοντα οἱ ⸂ταύτην τὴν συνωμοσίαν
4,23! ποιησάμενοι⸃, **14** οἵτινες προσελθόντες ⸋τοῖς ἀρχιερεῦσιν καὶ τοῖς πρεσβυτέροις εἶπαν· ἀναθέματι ἀνεθεματί-

6 ⸀-αιου E 𝔐 sy^{h} ¦ *txt* $\mathfrak{P}^{74}$ ℵ A B C Ψ 33. 36. 945. 1175 *pc* lat sy^{p} | °† B gig sa ¦ *txt* $\mathfrak{P}^{74}$ ℵ A C(*) E Ψ 𝔐 vg bo • **7** ⸀† λαλουντος B *pc* ¦ λαλησαντος C Ψ 𝔐 ¦ *txt* $\mathfrak{P}^{74}$ ℵ A E 33. 323. 945. 1739. 1891. 2464 *pc* | ⸂επεσεν B(*: επεπ-) 2138 *pc* sy • **8** °† B *pc* latt; Cyr ¦ *txt* $\mathfrak{P}^{74}$ ℵ A C E Ψ 𝔐 sy^{h} | ⸀μηδε $\mathfrak{P}^{74}$ L 104. 323. 1241 *pm* • **9** ⸂οι (– L *al*) γρ-τεις τ. μ. των 𝔐 ¦ τινες των $\mathfrak{P}^{74}$ A E 33. 104 *pc* vg bo ¦ *txt* ℵ B C (Ψ) 36. (945). 1175. 1739. 1891. 2495 *al* gig (h) sy sa; Did | ⸆μη θεομαχωμεν 𝔐 sa ¦ *txt* $\mathfrak{P}^{74}$ ℵ A B C E Ψ 33. 81. 945*. 1175. 1739 *al* latt sy • **10** ⸀γεν- $\mathfrak{P}^{74}$ (∫A) E Ψ 𝔐 ¦ *txt* ℵ B (∫C) 1175 *pc* | ° B 69 • **11** ⸆Παυλε C^{3} 𝔐 h vg^{mss} ¦ *txt* $\mathfrak{P}^{74}$ ℵ A B C* E Ψ 33. 36. 614. 1175. 1739. 1891. 2495 *al* lat sy co • **12** ⸀τε B Ψ 614. 2464. 2495 *pc* h | ⸂*1 3 4 2* Ψ 614. (2495) *pc* ¦ π. τινες των I-αιων συστ. 𝔐 lat sy^{p} sa^{mss} ¦ [...] βοηθειαν συστραφεντες τιν. τ. I-αιων $\mathfrak{P}^{48}$ ¦ *txt* $\mathfrak{P}^{74}$ ℵ A B C E 33. 36. 81. 323. 945. 1175. 1739. 1891 *al* sy^{h} | ⸂μη $\mathfrak{P}^{48}$ *pc* | ⸀¹ανελωσιν A *pc* • **13** ⸂ανθεματισαντες εαυτους $\mathfrak{P}^{48}$ h

σαμεν ἑαυτοὺς μηδενὸς γεύσασθαι ⸆ ἕως ⸀οὗ ἀποκτείνωμεν τὸν Παῦλον. **15** νῦν οὖν ⸀ὑμεῖς ἐμφανίσατε τῷ χιλι- 25,2
άρχῳ ⸋σὺν τῷ συνεδρίῳ⸌ ὅπως ⸆ καταγάγῃ αὐτὸν ⸀εἰς 25,3
ὑμᾶς ὡς μέλλοντας διαγινώσκειν ἀκριβέστερον τὰ περὶ 20
αὐτοῦ· ἡμεῖς δὲ πρὸ τοῦ ἐγγίσαι ⸇ αὐτὸν ἕτοιμοί ἐσμεν
τοῦ ἀνελεῖν αὐτόν⸆^{1}. **16** Ἀκούσας δὲ ὁ υἱὸς τῆς 21.27; 9,23.29 |
ἀδελφῆς Παύλου τὴν ἐνέδραν, παραγενόμενος καὶ εἰσελ- 20,3!
θὼν εἰς τὴν παρεμβολὴν ἀπήγγειλεν τῷ Παύλῳ. **17** προσκαλεσάμενος δὲ ὁ Παῦλος ἕνα τῶν ἑκατονταρχῶν ἔφη·
τὸν νεανίαν τοῦτον ⸀ἀπάγαγε πρὸς τὸν χιλίαρχον, ἔχει
γὰρ ⸉ἀπαγγεῖλαί τι⸊ αὐτῷ. **18** ὁ μὲν οὖν παραλαβὼν αὐτὸν ἤγαγεν πρὸς τὸν χιλίαρχον καὶ φησίν· ὁ δέσμιος 25,14.27; 28,17
Παῦλος προσκαλεσάμενός με ἠρώτησεν τοῦτον τὸν ⸀νεα-
νίσκον ἀγαγεῖν πρὸς σὲ ἔχοντά τι λαλῆσαί σοι. **19** ἐπιλαβόμενος δὲ τῆς χειρὸς αὐτοῦ ὁ χιλίαρχος καὶ ἀναχω-
ρήσας κατ' ἰδίαν ἐπυνθάνετο, τί ἐστιν ὃ ἔχεις ἀπαγγεῖλαί
μοι; **20** εἶπεν δὲ ὅτι οἱ Ἰουδαῖοι συνέθεντο τοῦ ἐρωτῆσαί
σε ὅπως αὔριον τὸν Παῦλον καταγάγῃς εἰς τὸ συνέδριον
ὡς ⸀μέλλον τι ἀκριβέστερον πυνθάνεσθαι περὶ αὐτοῦ. 15
21 σὺ οὖν μὴ πεισθῇς αὐτοῖς· ἐνεδρεύουσιν γὰρ αὐτὸν ἐξ
αὐτῶν ἄνδρες πλείους τεσσεράκοντα, οἵτινες ἀνεθεμάτισαν ἑαυτοὺς μήτε φαγεῖν μήτε πιεῖν ἕως οὗ ἀνέλωσιν αὐ- 15!
τόν, καὶ νῦν εἰσιν ἕτοιμοι προσδεχόμενοι τὴν ἀπὸ σοῦ
ἐπαγγελίαν. **22** ὁ μὲν οὖν χιλίαρχος ἀπέλυσε τὸν νεανίσκον παραγγείλας μηδενὶ ἐκλαλῆσαι ὅτι ταῦτα ἐνεφάνι-
σας πρός με.

23 Καὶ προσκαλεσάμενος ⸂δύο [τινὰς]⸃ τῶν ἑκατον- 33; 25,1.4.6.13
ταρχῶν εἶπεν· ἑτοιμάσατε στρατιώτας διακοσίους, ὅπως 9,25!
πορευθῶσιν ἕως Καισαρείας, καὶ ἱππεῖς ⸀ἑβδομήκοντα
καὶ ⸁δεξιολάβους διακοσίους ἀπὸ τρίτης ὥρας τῆς νυ-

14 ⸆το συνολον 𝔓^{48} gig h; Lcf | ⸀οτου 𝔓^{48} ¦ αν Ψ 104. 1175. 2464 *pc* ¦ – 33 ● **15** ⸀ παρακαλουμεν υμας ποιησατε ημιν τουτο· συναγαγοντες το συνεδριον *et* ⸋ (𝔓^{48} gig) h sy^{hmg} sa; (Lcf) | ⸆αυριον 𝔐 ¦ *txt* 𝔓$^{48vid.74}$ א A B C E Ψ 33. 36. 81. 945. 1175. 1739. 1891 *al* latt sy co | ⸀προς 𝔓^{74} C Ψ 𝔐 ¦ *txt* 𝔓^{48} א A B E 81. 945. 1739 *pc* | ⸇υμιν 𝔓^{48} vg^{mss} sy | ⸆^{1}εαν δεη και αποθανειν 614 h sy^{hmg} ● **17** ⸀† απαγε א B 81 *pc* ¦ *txt* 𝔓^{74} A C E Ψ 𝔐 | ⸉ 𝔓^{74} א C 𝔐 ¦ *txt* A B E Ψ 33. 81 *pc* ● **18** ⸀-ιαν B Ψ 𝔐 ¦ *txt* 𝔓^{74} א A E 33. 81. 323. 453. 945. 1175. 1739. 1891 *al* ● **20** ⸀-λλων 𝔓^{74} A B E 81. 453 *pc* ¦ -οντα 𝔐 ¦ -οντας 2127 *pc* ¦ -οντες 630 *al* lat sy ¦ -οντων א^{2} Ψ 36. 614. 945. 1175. 1739. 2495 *al* ¦ *txt* א* 33. 1891 *pc* ● **23** ⸂† *2 1* א B 33. 81 *pc* ¦ *1* 𝔓^{74}*pc* lat sy^{p} ¦ *txt* A E Ψ 𝔐 | ⸀ε-κατον 614. 1241. 2495 *pc* h sy^{hmg} sa | ⸁-βολους A 33

κτός, **24** κτήνη τε παραστῆσαι ἵνα ἐπιβιβάσαντες τὸν
26; 24,3 etc Παῦλον ⸆ διασώσωσι ⸇ πρὸς Φήλικα τὸν ἡγεμόνα,
25 ⸆ ⸂γράψας ἐπιστολὴν ἔχουσαν τὸν τύπον τοῦτον⸃·
24,22 · 24,3! · 15,23 | **26** Κλαύδιος Λυσίας ⸂τῷ κρατίστῳ ἡγεμόνι Φήλικι⸃ χαί-
ρειν. **27** Τὸν ἄνδρα τοῦτον συλλημφθέντα ὑπὸ τῶν Ἰου-
15! δαίων καὶ μέλλοντα ἀναιρεῖσθαι ὑπ᾽ αὐτῶν ἐπιστὰς σὺν
21,33 · 22,25! τῷ στρατεύματι ⸀ἐξειλάμην ⸂μαθὼν ὅτι Ῥωμαῖός ἐστιν⸃.
21,34! **28** βουλόμενός ⸀τε ἐπιγνῶναι τὴν αἰτίαν δι᾽ ἣν ἐνεκά-
22,30 λουν αὐτῷ, ⸋κατήγαγον ⸆ εἰς τὸ συνέδριον αὐτῶν⸌ **29** ὃν
18,14s! εὗρον ἐγκαλούμενον περὶ ζητημάτων τοῦ νόμου αὐτῶν⸆,
9; 25,11.18.25; 26,31s; 28,18 L 23,15.22 | 20,3! μηδὲν δὲ ἄξιον θανάτου ἢ δεσμῶν ἔχοντα ἔγκλημα⸇.
30 μηνυθείσης δέ μοι ἐπιβουλῆς εἰς τὸν ἄνδρα ⸂ἔσεσθαι
24,2.8 etc ἐξαυτῆς⸃ ἔπεμψα πρὸς σὲ παραγγείλας καὶ τοῖς κατηγό-
ροις λέγειν ⸄[τὰ] πρὸς αὐτὸν⸅ ἐπὶ σοῦ⸆.

31 Οἱ μὲν οὖν στρατιῶται κατὰ τὸ διατεταγμένον αὐ-
9,25! τοῖς ἀναλαβόντες τὸν Παῦλον ἤγαγον ⸂διὰ νυκτὸς⸃ εἰς
τὴν Ἀντιπατρίδα, **32** τῇ δὲ ἐπαύριον ἐάσαντες τοὺς ἱππεῖς ⸀ἀπέρχεσθαι σὺν αὐτῷ ὑπέστρεψαν εἰς τὴν παρεμβο-
23! λήν· **33** οἵτινες εἰσελθόντες εἰς τὴν Καισάρειαν καὶ ἀνα-
δόντες τὴν ἐπιστολὴν τῷ ἡγεμόνι παρέστησαν καὶ τὸν
Παῦλον αὐτῷ. **34** ἀναγνοὺς δὲ ⸂καὶ ἐπερωτήσας ἐκ ποί-
21,39! ας ἐπαρχείας ἐστίν, καὶ πυθόμενος ὅτι ἀπὸ Κιλικίας,
25,16 **35** διακούσομαί σου, ἔφη, ὅταν καὶ⸃ οἱ κατήγοροί σου

24 ⸆νυκτος 614 h | ⸇εις Καισαρειαν 614. 2147 h (sy^{h**}) ● **25** ⸆εφοβηθη γαρ μηποτε εξαρπασαντες (αρ- 614) αυτον οι Ιουδαιοι αποκτεινωσιν και αυτος μεταξυ εγκλημα (-σιν 614) εχη ως ειληφως αργυρια (⸉ 614) 𝔓^{48} (614, *sed add. vs 25 ut txt ante* εφ.) 2147 *pc* gig vg^{cl} (sy^{h**}) | ⸂εγραψε δε αυτοις επ. εν η εγεγραπτο 𝔓^{48} ¦ εγραψε δε επ. περιεχ. ταδε 614. (2147) (vg) sy^{hmg} ¦ *ut txt sed* περιεχ. A 𝔐 ¦ *txt* 𝔓^{74} ℵ B E Ψ 33. 81. 323. 945. 1175. 1739. 1891. 2495 *al* sy^{h} ● **26** ⸂*4 1–3* 𝔓^{48} gig ¦ *2 3 4* 614. 2495 *pc* ¦ *1–3* 1838 ● **27** ⸀ερυσαμην 𝔓^{48} | ⸂κραζοντα και λεγοντα εαυτον ειναι Ρωμαιον 𝔓^{48vid} gig ● **28** ⸀δε 𝔐 e gig sy^{h} ¦ *txt* 𝔓$^{48.74}$ ℵ A B E Ψ 453. 945*. 1175 *pc* vg | ⸋ B* 81 | ⸆αυτον 𝔓^{48vid} B^{2} E Ψ 𝔐 lat sy ¦ *txt* 𝔓^{74} ℵ A 33. 614. 945. 1739. 1891. 2464 *pc* ● **29** ⸆Μωυσεως και Ιησου τινος *et* ⸇εξηγαγον αυτον μολις τη βια 614. 2147 gig sy^{hmg} ● **30** ⸂εσ. εξ αυτων ℵ A E (33). 81. (945). 1175. 1739. 1891. 2495 *pc* (vg) sy^{h} ¦ μελλειν εσ. υπο των Ιουδαιων, εξαυτης 𝔐 (gig sy^{p}) sa ¦ *txt* 𝔓^{74} B Ψ 36. 453. 614. 2464 *pc* bo | ⸄† *2 3* B 1175 ¦ αυτους ℵ A 33 *pc* ¦ *txt* E Ψ 𝔐 sy^{h} | ⸆ · ερρωσο (-σθε P 1241 *pm*) ℵ E Ψ 𝔐 vg^{cl} sy ¦ *txt* A B 33 gig vgst co ● **31** ⸂δ. της ν. 𝔐 ¦ – 𝔓^{74} ¦ *txt* ℵ A B E Ψ 33. 36. 81. 614. 945. 1175. 1739. 2495 *al* ● **32** ⸀πορευ- Ψ 𝔐 ¦ *txt* 𝔓^{74} ℵ A B E 33. 81. 323 *pc* ● **34/35** ⸂την επιστολην και επηρωτησε τον Παυλον· εκ π. επ. ει; εφη· Κιλιξ. και πυθ. εφη· ακουσομαι σου οταν 614. 2147 sy^{hmg}

παραγένωνται· κελεύσας ἐν τῷ πραιτωρίῳ ⸀τοῦ Ἡρῴδου Ph 1,13
φυλάσσεσθαι αὐτόν.
24 Μετὰ δὲ ⸉πέντε ἡμέρας⸊ κατέβη ὁ ἀρχιερεὺς Ἁνα- 23,2
νίας μετὰ ⸂πρεσβυτέρων τινῶν⸃ καὶ ῥήτορος Τερ-
τύλλου τινός, οἵτινες ἐνεφάνισαν τῷ ἡγεμόνι κατὰ τοῦ 25,2.15
Παύλου. **2** κληθέντος δὲ °αὐτοῦ ἤρξατο κατηγορεῖν ὁ 23,30! Mt 27,12p
Τέρτυλλος λέγων· πολλῆς εἰρήνης τυγχάνοντες διὰ σοῦ 2Mcc 4,6
καὶ ⸀διορθωμάτων γινομένων τῷ ἔθνει τούτῳ διὰ τῆς σῆς
προνοίας, **3** πάντῃ τε καὶ πανταχοῦ ἀποδεχόμεθα, κρά- 23,26; 26,25 L 1,3 ·
τιστε Φῆλιξ, μετὰ πάσης εὐχαριστίας. **4** ἵνα δὲ μὴ ἐπὶ 23,24!
πλεῖόν σε ⸀ἐγκόπτω, παρακαλῶ ἀκοῦσαί σε ἡμῶν συντόμως τῇ σῇ ἐπιεικείᾳ. **5** εὑρόντες γὰρ τὸν ἄνδρα τοῦτον L 23,2
λοιμὸν καὶ κινοῦντα ⸀στάσεις °πᾶσιν τοῖς Ἰουδαίοις τοῖς 1Sm 25,25 Ps 1,1 𝔊 Prv 22,10; 29,8 𝔊 ·
κατὰ τὴν οἰκουμένην πρωτοστάτην τε ⸉τῆς τῶν⸊ Ναζω- 15,2! · 17,6! cf L 23,2 · 2,22! · 14! |
ραίων αἱρέσεως, **6** ὃς καὶ τὸ ἱερὸν ἐπείρασεν βεβηλῶσαι 6,13!
ὃν καὶ ἐκρατήσαμεν⸆, **8** παρ' οὗ δυνήσῃ αὐτὸς ἀνακρί- 4,9!
νας περὶ πάντων τούτων ἐπιγνῶναι ὧν ἡμεῖς κατηγοροῦ- 23,30!
μεν αὐτοῦ. **9** ⸉συνεπέθεντο δὲ⸊ καὶ οἱ Ἰουδαῖοι φάσκοντες ταῦτα οὕτως ἔχειν. 7,1!
10 Ἀπεκρίθη τε ὁ Παῦλος νεύσαντος αὐτῷ τοῦ ἡγεμόνος ⸀λέγειν· ἐκ πολλῶν ἐτῶν ὄντα σε κριτὴν ⸆ τῷ
ἔθνει τούτῳ ἐπιστάμενος ⸁εὐθύμως τὰ περὶ ἐμαυτοῦ ἀπο- 22,1!
λογοῦμαι, **11** δυναμένου σου ἐπιγνῶναι ὅτι οὐ πλείους
εἰσίν μοι ἡμέραι δώδεκα ἀφ' ἧς ἀνέβην προσκυνήσων 8,27!
εἰς Ἰερουσαλήμ. **12** καὶ οὔτε ἐν τῷ ἱερῷ εὗρόν με πρός
τινα διαλεγόμενον ἢ ⸀ἐπίστασιν ποιοῦντα ὄχλου οὔτε ἐν

35 ⸀τω B 1175 ¦ – 𝔓^{74} Ψ 𝔐 ¦ *txt* ℵ A E 33. 81. 453. 945. 1739. 1891. 2464 *al*
¶ **24,1** ⸉*2 1* 𝔓^{74} ¦ τινας ημ. A | ⸂των πρ. 𝔐 sy^{p} ¦ *txt* 𝔓^{74} ℵ A B E Ψ 33. 36. 81. 326. 614. 945. 1175. 1739. 2495 *al* latt sy^{h} co • **2** ° B | ⸀κατορ- 𝔐 ¦ διορ. πολλων 36. 453 *pc* gig sy^{p} ¦ *txt* 𝔓^{74} ℵ A B E Ψ 33. 81. 614. 1739. 1891. 2464 *pc* • **4** ⸀κοπτω 𝔓^{74} A^{*vid} (Ψ) 33. 1175. 1241. 1891 *pc* ¦ *txt* ℵ A^{c} B E L 𝔐 co • **5** ⸀στασιν 𝔐 sy sa ¦ *txt* 𝔓^{74} ℵ A B E Ψ 33. 36. 81. 945. 1175. 1739. 1891. 2464 *al* lat bo | ° 𝔓^{74} | ⸉των κατα την (*!*) 𝔓^{74} • **6** ⸆και κατα τον ημετερον νομον ηθελησαμεν κριναι (-νειν 614. 2495 *pc*). [7] παρελθων δε Λυσιας ο χιλιαρχος μετα πολλης βιας εκ των χειρων ημων απηγαγεν [8] κελευσας τους κατηγορους αυτου ερχεσθαι επι (προς E 2464 *pc*) σε E Ψ 33. (323. 614.) 945. 1739. (2495) *pm* gig vg^{cl} sy$^{(p)}$ ¦ *txt* 𝔓^{74} ℵ A B H L P 049. 81. 1175. 1241 *pm* p* s vgst co • **9** ⸉ειποντος δε αυτου ταυτα συνεπεθ. 614. 2147 sy^{h**} • **10** ⸀defensionem habere pro se. statum autem assumens divinum dixit sy^{hmg} | ⸆δικαιον E Ψ 323. 614. 945. 1175. 1739. 2495 *pm* sy^{h} ¦ *txt* 𝔓^{74} ℵ A B L 33. 81. 1241 *pm* lat sy^{p} | ⸁-μοτερον 𝔐 ¦ *txt* 𝔓^{74} ℵ A B E Ψ 33. 36. 81. 614. 945. 1175. 1739. 2495 *al* lat • **12** ⸀επισυστασιν 𝔐 ¦ *txt* 𝔓^{74} ℵ A B E Ψ 33. 81. (1175). 1739 *pc*

17,6! ταῖς συναγωγαῖς οὔτε κατὰ τὴν πόλιν, **13** ⸀οὐδὲ παραστῆσαι δύνανταί σοι περὶ ὧν ⸁νυνὶ κατηγοροῦσίν μου.
9,2! **14** ὁμολογῶ δὲ τοῦτό σοι ὅτι κατὰ τὴν ὁδὸν ἣν λέγουσιν
5; 28,22 · 4Mcc 12,17 · αἵρεσιν, οὕτως λατρεύω τῷ πατρῴῳ θεῷ πιστεύων πᾶσι
26,22! τοῖς κατὰ τὸν νόμον καὶ τοῖς ⸋ἐν τοῖς⸌ προφήταις γεγραμμένοις, **15** ἐλπίδα ἔχων ⸀εἰς τὸν θεὸν ἣν καὶ αὐτοὶ
Dn 12,2 L 14,14 οὗτοι προσδέχονται, ἀνάστασιν μέλλειν ἔσεσθαι ⸆ δικαί-
Ph 1,10 ων τε καὶ ἀδίκων. **16** ἐν τούτῳ καὶ αὐτὸς ἀσκῶ ἀπρόσκο-
23,1! · Prv 3,4 πον συνείδησιν ⸀ἔχειν ⸂πρὸς τὸν θεὸν καὶ τοὺς ἀνθρώ-
11,29! πους διὰ παντός⸃. **17** δι᾽ ἐτῶν δὲ πλειόνων ἐλεημοσύνας
21,26 ποιήσων εἰς τὸ ἔθνος μου παρεγενόμην καὶ προσφοράς,
21,27 **18** ἐν ⸀αἷς εὗρόν με ἡγνισμένον ἐν τῷ ἱερῷ οὐ μετὰ ὄ-
χλου οὐδὲ μετὰ θορύβου, **19** τινὲς δὲ ἀπὸ τῆς Ἀσίας Ἰουδαῖοι, οὓς ⸀ἔδει ἐπὶ σοῦ παρεῖναι καὶ κατηγορεῖν εἴ τι
ἔχοιεν πρὸς ἐμέ. **20** ⸀ἢ αὐτοὶ οὗτοι εἰπάτωσαν τί εὗρον
⸆ ἀδίκημα στάντος μου ἐπὶ τοῦ συνεδρίου, **21** ἢ περὶ μιᾶς
23,6 ταύτης φωνῆς ἧς ἐκέκραξα ἐν αὐτοῖς ἑστὼς ὅτι περὶ ἀναστάσεως νεκρῶν ἐγὼ κρίνομαι σήμερον ⸀ἐφ᾽ ὑμῶν.
23,24! **22** ⸂Ἀνεβάλετο δὲ αὐτοὺς ὁ Φῆλιξ⸃, ἀκριβέστερον εἰ-
9,2! · 23,26 δὼς τὰ περὶ τῆς ὁδοῦ εἴπας· ⸆ ὅταν Λυσίας ὁ χιλίαρχος
καταβῇ, διαγνώσομαι τὰ καθ᾽ ὑμᾶς· **23** διαταξάμενος τῷ
27,3! ἑκατοντάρχῃ τηρεῖσθαι αὐτὸν ἔχειν τε ἄνεσιν καὶ μηδένα κωλύειν τῶν ἰδίων αὐτοῦ ὑπηρετεῖν ⸆ αὐτῷ.
24 Μετὰ δὲ ⸂ἡμέρας τινὰς⸃ παραγενόμενος ὁ Φῆλιξ
26 σὺν Δρουσίλλῃ τῇ ⸄ἰδίᾳ γυναικὶ⸅ οὔσῃ Ἰουδαίᾳ ⸆ μετε-
Mc 6,20 πέμψατο τὸν Παῦλον καὶ ἤκουσεν αὐτοῦ περὶ τῆς εἰς

13 ⸀ουτε 𝔓[74] A E Ψ 𝔐 ¦ *txt* ℵ B 81 *pc* | ⸁νυν 𝔓[74] E (⸉ *al*) 𝔐 ¦ *txt* ℵ A B Ψ 33. 81. 323. 614. 945. 1175. 1739. 1891. 2464 *al* ● **14** ⸋ A 𝔐 ¦ *txt* 𝔓[74vid] ℵ B E Ψ 36. 81. 323. 614. 945. 1175. 1739. 1891. 2464 *al* ● **15** ⸀προς ℵ C *pc* | ⸆νεκρων E Ψ 𝔐 sy ¦ *txt* 𝔓[74] ℵ A B C 33. 81. 945. 1175. 1739. 1891 *pc* lat co ● **16** ⸀εχων 𝔐 gig ¦ *txt* (𝔓[74]) ℵ A B C E Ψ 33. 81. 945. 1175. 1241. 1739. 1891 *al* lat | ⸂δια παν. πρ. τε (– E) τ. θ. κ. πρ. α. E Ψ 614. 1739[v.l.]. 2495 *pc* gig ● **18** ⸀οις L 323. 326. 1241 *pm* ● **19** ⸀δει L 1241 *pm* sa ● **20** ⸀ (*ex itac.?*) ει 𝔓[74] A C *pc* | ⸆εν εμοι C E Ψ (⸉ 945. 1739. 1891) 𝔐 latt sy bo ¦ *txt* 𝔓[74] ℵ A B 33. 81. 1175 *pc* ● **21** ⸀υφ ℵ E 𝔐 lat sy[h] ¦ *txt* A B C Ψ 33. 81. 104. 2464 *pc* s sy[p] ● **22** ⸂ακουσας δε ταυτα ο Φ. αν. αυ. 093[vid] 𝔐 sa ¦ *txt* 𝔓[74] ℵ (A) B C E (⸉ Ψ 2495). 33. (81). 945. 1175. 1739. 1891. 2464 *pc* latt sy bo | ⸆οτι 𝔓[74] E Ψ 614. (1241). 2495 *pc* ● **23** ⸆ η προσερχεσθαι 093 𝔐 sa ¦ *txt* 𝔓[74] ℵ A B C E Ψ 33. 81. 945. 1175. 1739. 1891. 2495 *al* latt sy bo ● **24** ⸂ *2 1* A E Ψ 614. 1241. 2495 *pc* ¦ ολιγας ημ. 𝔓[74] ¦ *txt* ℵ B C 093 𝔐 sy[h] | ⸄ *2* C* 093 𝔐 ¦ γ. αυτου 𝔓[74] ℵ[*.2] E Ψ 945. 1739. 1891. 2464 *al* ¦ ιδ. γ. αυτ. ℵ[1] A *al* ¦ *txt* B C[2] 33. 36. 81. 1175 *pc* | ⸆quae petebat ut videret Paulum et audiret verbum; volens igitur satisfacere ei sy[hmg] (bo[ms])

Χριστὸν °Ἰησοῦν πίστεως. **25** διαλεγομένου δὲ αὐτοῦ 17,17!
περὶ δικαιοσύνης καὶ ἐγκρατείας καὶ τοῦ ⸉κρίματος τοῦ J 16,8 · 2P 1,6! ·
μέλλοντος⸊, ἔμφοβος γενόμενος ὁ Φῆλιξ ἀπεκρίθη· τὸ 10,4
νῦν ἔχον πορεύου, ⸉¹καιρὸν δὲ μεταλαβὼν⸊¹ μετακαλέσο-
μαί σε, **26** ἅμα καὶ ἐλπίζων ὅτι χρήματα δοθήσεται °αὐ-
τῷ ὑπὸ τοῦ Παύλου⸆· διὸ καὶ πυκνότερον αὐτὸν μετα- 24!
36 πεμπόμενος ⸀ὡμίλει αὐτῷ. **27** Διετίας δὲ πληρωθεί-
σης ἔλαβεν διάδοχον ὁ Φῆλιξ Πόρκιον Φῆστον, ⸉θέλων 23,24! · c 25–26 ·
τε ⸀χάριτα καταθέσθαι τοῖς Ἰουδαίοις ὁ Φῆλιξ ⸁κατέλιπε 12,3; 25,9
τὸν Παῦλον δεδεμένον⸊.

25 Φῆστος ⸀οὖν ἐπιβὰς τῇ ⸁ἐπαρχείᾳ μετὰ τρεῖς ἡμέρας ἀνέβη εἰς Ἱεροσόλυμα ἀπὸ Καισαρείας, **2** ἐν- 23,23!
εφάνισάν τε °αὐτῷ ⸉οἱ ἀρχιερεῖς⸊ καὶ οἱ πρῶτοι τῶν 24,1! · 4,23! · 28,17!
Ἰουδαίων κατὰ τοῦ Παύλου καὶ παρεκάλουν αὐτὸν **3** αἰτούμενοι χάριν κατ᾽ αὐτοῦ ὅπως μεταπέμψηται αὐτὸν εἰς
Ἰερουσαλήμ, ἐνέδραν ποιοῦντες ἀνελεῖν αὐτὸν κατὰ τὴν 23,16.15
ὁδόν. **4** ὁ μὲν οὖν Φῆστος ἀπεκρίθη τηρεῖσθαι τὸν Παῦλον εἰς Καισάρειαν, ἑαυτὸν δὲ μέλλειν ἐν τάχει ἐκπο- 23,23!
ρεύεσθαι· **5** οἱ οὖν ἐν ὑμῖν, φησίν, δυνατοὶ συγκαταβάν-
τες εἴ τί ἐστιν ἐν τῷ ἀνδρὶ ⸀ἄτοπον κατηγορείτωσαν
αὐτοῦ.

6 Διατρίψας δὲ ⸋ἐν αὐτοῖς⸌ ἡμέρας ⸉οὐ πλείους ὀ-
κτὼ⸊ ἢ δέκα, καταβὰς εἰς Καισάρειαν, τῇ ἐπαύριον καθίσας ἐπὶ τοῦ βήματος ἐκέλευσεν τὸν Παῦλον ἀχθῆναι. 22,30
7 παραγενομένου δὲ αὐτοῦ περιέστησαν αὐτὸν οἱ ἀπὸ
Ἱεροσολύμων καταβεβηκότες Ἰουδαῖοι πολλὰ καὶ βαρέα
αἰτιώματα καταφέροντες ἃ οὐκ ⸀ἴσχυον ἀποδεῖξαι, **8** τοῦ

24 ° ℵ^{c} A C^{vid} H P 614. 1241 *pm* sy^{p} sa^{ms} ¦ *txt* 𝔓^{74} ℵ* B E L (Ψ) 049. 093. 33. 81. 323. 945. 1175. 1739. 2495 *pm* latt sy^{h} sa^{ms} bo • **25** ⸉κρ. τ. μελ. εσεσθαι 𝔐 ¦ μελ. κρ. C 36. 1175 *pc* ¦ *txt* 𝔓^{74} ℵ A B E Ψ 33. 81. 323. 614. 945. 1739. 2495 *al* | ⸉¹κ. δ. ευρων 𝔓^{74} ¦ καιρω δε επιτηδειω E latt • **26** ° B p* vgst | ⸆οπως λυση αυτον 𝔐 co ¦ *txt* ℵ A B C E Ψ 33. 81. 945*. 1175. 1739. 2495 *al* latt sy | ⸀διελεγετο C 36. 453 *pc* • **27** ⸉τον δε Π. ειασεν εν τηρησει δια Δρουσιλλαν 614. 2147 sy^{hmg} | ⸀-τας 𝔐 ¦ χαριν ℵ^{c} E L Ψ 323. 945. 1739. 1891. 2495 *al* ¦ *txt* ℵ* A B C 33. 104. 1175 *pc* | ⸁-λειπε 𝔓^{74} A L 81. 104. 453. 1175. 2464 *pc*

¶ **25,1** ⸀δε 𝔓^{74} *pc* | ⸁† -χ(ε)ιω 𝔓^{74} ℵ* A ¦ *txt* ℵ^{c} B C E Ψ 𝔐 • **2** ° 𝔓^{74} | ⸉ο -χευς H P 049. 189. 326 *pm* • **5** ⸀τουτω 𝔐 ¦ τουτω ατ. Ψ 36. 453. 614. 2495 *al* sy^{h} sa? bo ¦ *txt* ℵ A B C E 33. 81. 945. 1175. (∫1739. 1891). 2464 *al* lat • **6** ⸋ 𝔓^{74} | ⸉*2* Ψ 𝔐 ¦ οκτω 2147 *pc* sy ¦ πλ. οκ. E 104. 614. 2495 *al* bo^{ms} ¦ *txt* (𝔓^{74} B, ℵ) A C 33. 36. 81. 453. 945. 1175. 1739. 1891 *pc* latt bo • **7** ⸀-υσαν 𝔓^{74} ℵ*

22,1! · 18,13! · Παύλου ἀπολογουμένου ὅτι οὔτε εἰς τὸν νόμον τῶν Ἰου-
6,13! δαίων οὔτε εἰς τὸ ἱερὸν οὔτε εἰς Καίσαρά τι ἥμαρτον.
24,27! **9** Ὁ Φῆστος δὲ θέλων τοῖς Ἰουδαίοις χάριν καταθέσθαι
20 ἀποκριθεὶς τῷ Παύλῳ εἶπεν· θέλεις εἰς Ἱεροσόλυμα ἀναβὰς ἐκεῖ περὶ τούτων κριθῆναι ⸆ ἐπ' ἐμοῦ; **10** εἶπεν δὲ ὁ
Παῦλος· ⸉ἐπὶ τοῦ βήματος Καίσαρός ἑστώς⸊ εἰμι, οὗ με
δεῖ κρίνεσθαι. Ἰουδαίους οὐδὲν ⸀ἠδίκησα ὡς καὶ σὺ κάλ-
23,29! λιον ἐπιγινώσκεις. **11** εἰ μὲν οὖν ἀδικῶ καὶ ἄξιον ⸉θανά-
του πέπραχά τι⸊, οὐ παραιτοῦμαι τὸ ἀποθανεῖν· εἰ δὲ
οὐδέν ἐστιν ὧν οὗτοι κατηγοροῦσίν μου, οὐδείς με δύ-
16 · 21; 26,32; 28,19 ναται αὐτοῖς χαρίσασθαι· Καίσαρα ἐπικαλοῦμαι. **12** τότε ὁ Φῆστος συλλαλήσας μετὰ τοῦ συμβουλίου ἀπεκρί-
27,1 θη· Καίσαρα ἐπικέκλησαι, ἐπὶ Καίσαρα πορεύσῃ.
9,15! **13** Ἡμερῶν δὲ διαγενομένων τινῶν Ἀγρίππας ὁ βασι- 3
23,23! λεὺς καὶ ⸀Βερνίκη κατήντησαν εἰς Καισάρειαν ⸂ἀσπα-
σάμενοι τὸν Φῆστον. **14** ὡς δὲ πλείους ἡμέρας διέτριβον
ἐκεῖ, ὁ Φῆστος τῷ βασιλεῖ ἀνέθετο τὰ κατὰ τὸν Παῦλον
24,27 λέγων· ἀνήρ τίς ἐστιν καταλελειμμένος ὑπὸ Φήλικος
23,18! | 24,1! δέσμιος, **15** περὶ οὗ γενομένου μου εἰς Ἱεροσόλυμα ἐνε-
4,23! φάνισαν οἱ ἀρχιερεῖς καὶ οἱ πρεσβύτεροι τῶν Ἰουδαίων
3 αἰτούμενοι κατ' αὐτοῦ ⸀καταδίκην. **16** πρὸς οὓς ἀπεκρί-
11 θην ὅτι οὐκ ἔστιν ἔθος Ῥωμαίοις χαρίζεσθαί ⸀τινα ἄνθρω-
23,35 πον ⸆ πρὶν ἢ ὁ κατηγορούμενος κατὰ πρόσωπον ἔχοι
τοὺς κατηγόρους τόπον ⸂τε ἀπολογίας λάβοι περὶ τοῦ
ἐγκλήματος. **17** συνελθόντων οὖν ⸋[αὐτῶν] ἐνθάδε ἀνα-
βολὴν μηδεμίαν ποιησάμενος τῇ ἑξῆς καθίσας ἐπὶ τοῦ
7 βήματος ἐκέλευσα ἀχθῆναι τὸν ἄνδρα· **18** περὶ οὗ στα-
23,29! 18,14s! θέντες οἱ κατήγοροι οὐδεμίαν αἰτίαν ⸀ἔφερον ὧν ἐγὼ
ὑπενόουν ⸂πονηρῶν, **19** ζητήματα δέ τινα περὶ τῆς ἰδίας
17,22 δεισιδαιμονίας ⸆ εἶχον πρὸς αὐτὸν καὶ περί τινος Ἰησοῦ

9 ⸆ ἤ 33 *pc* • **10** ⸉ † *5 1–4* א* (B) 453. 1175 *pc* ¦ *txt* 𝔓74 אc (B) A C E Ψ 𝔐 | ⸀ † -κηκα א B (81) ¦ *txt* A C E Ψ 𝔐 • **11** ⸉ *3 2 1* 𝔓74 • **13** ⸀(*rectius*) Βερε- 1175 *pc* sa ¦ Βερη- C*vid | ⸂-σομενοι Ψ 36. 81. 323. 1739. 1891. 2495 *pm* latt sy sa ¦ *txt* 𝔓74 א A B C(* *illeg.*) E H L P 049. 33. 614. 1175. 1241. 2464 *pm* • **15** ⸀δικην E Ψ 𝔐 ¦ *txt* 𝔓74 א A B C 33. 323. 945. 1175. 1739. 1891. 2464 *pc* • **16** ⸀τινι C 945. 1739. 1891 *pc* | ⸆εις απωλειαν 𝔐 gig sy sa ¦ *txt* 𝔓74 א A B C E Ψ 33. 81. 323. 945. 1175. 1739. 1891. 2495 *al* vg bo | ⸂δε B E 614. 2464. 2495 *pc* • **17** ⸋ † B *pc* ¦ *txt* 𝔓74 א A (⸉C) E Ψ (⸉ 36. 614) 𝔐 • **18** ⸀επεφ- 6. 104. 1241 𝔐 | ⸂-ραν 𝔓74 A C* Ψ 36. 614. 945. 1175. 1739. 1891. 2495 *al* gig vgww (sy) ¦ -ρα א* C2 w ¦ – 𝔐 ¦ *txt* אc B E 81. 104 *pc* • **19** ⸆ ἦν 𝔓74vid sa

τεθνηκότος ὃν ἔφασκεν ὁ Παῦλος ζῆν. **20** ἀπορούμενος
δὲ ἐγὼ ⸆ τὴν περὶ ⸀τούτων ζήτησιν ἔλεγον εἰ βούλοιτο
πορεύεσθαι εἰς Ἱεροσόλυμα κἀκεῖ κρίνεσθαι περὶ τού- 9
των. **21** τοῦ δὲ Παύλου ⸀ἐπικαλεσαμένου τηρηθῆναι αὐ- 11!
τὸν εἰς τὴν τοῦ Σεβαστοῦ διάγνωσιν, ἐκέλευσα τηρεῖσθαι 25
αὐτὸν ἕως οὗ ⸁ἀναπέμψω αὐτὸν πρὸς Καίσαρα. **22** Ἀ-
γρίππας δὲ πρὸς τὸν Φῆστον⸆· ἐβουλόμην καὶ αὐτὸς τοῦ L 23,8
ἀνθρώπου ἀκοῦσαι. ⸇ αὔριον, φησίν, ἀκούσῃ αὐτοῦ.
23 Τῇ οὖν ἐπαύριον ἐλθόντος τοῦ Ἀγρίππα καὶ τῆς Mt 10,18
Βερνίκης μετὰ πολλῆς φαντασίας καὶ ⸀εἰσελθόντων εἰς
τὸ ἀκροατήριον σύν τε χιλιάρχοις καὶ ἀνδράσιν τοῖς
κατ' ἐξοχὴν τῆς πόλεως καὶ κελεύσαντος τοῦ Φήστου
ἤχθη ὁ Παῦλος. **24** καί φησιν ὁ Φῆστος· Ἀγρίππα βασιλεῦ καὶ πάντες οἱ συμπαρόντες ἡμῖν ἄνδρες, θεωρεῖτε
τοῦτον περὶ οὗ ἅπαν τὸ πλῆθος τῶν Ἰουδαίων ⸀ἐνέτυχόν 21,36
μοι ἔν τε Ἱεροσολύμοις καὶ ἐνθάδε ⸁βοῶντες μὴ δεῖν αὐ- 22,22
τὸν ζῆν μηκέτι. **25** ἐγὼ δὲ ⸀κατελαβόμην μηδὲν ἄξιον 23,29!
αὐτὸν θανάτου πεπραχέναι, ⸆ αὐτοῦ δὲ τούτου ⸁ἐπικαλε-
σαμένου τὸν Σεβαστὸν ἔκρινα πέμπειν. **26** περὶ οὗ ἀσφα- 21
λές τι γράψαι τῷ κυρίῳ οὐκ ἔχω, διὸ προήγαγον αὐτὸν
ἐφ' ὑμῶν καὶ μάλιστα ἐπὶ σοῦ, βασιλεῦ Ἀγρίππα, ὅπως
τῆς ἀνακρίσεως γενομένης ⸀σχῶ τί ⸁γράψω· **27** ἄλογον
γάρ μοι δοκεῖ πέμποντα δέσμιον μὴ καὶ τὰς κατ' αὐτοῦ 23,18!
αἰτίας σημᾶναι.
19,40

26 Ἀγρίππας δὲ πρὸς τὸν Παῦλον ἔφη· ἐπιτρέπεταί
σοι ⸀περὶ σεαυτοῦ λέγειν. τότε ὁ Παῦλος ⸆ ἐκτεί- 13,16!
νας τὴν χεῖρα ἀπελογεῖτο· **2** Περὶ πάντων ὧν ἐγκαλοῦ- 22,1!
μαι ⸀ὑπὸ Ἰουδαίων, βασιλεῦ Ἀγρίππα, ἥγημαι ἐμαυτὸν
μακάριον ἐπὶ σοῦ μέλλων σήμερον ἀπολογεῖσθαι **3** μά-

20 ⸆εις C E L Ψ 33. 36. 323. 614. 945. 1175. 1739. 1891. 2495 *al* ¦ *txt* ℵ A B 𝔐 | ⸀τουτου H P 049. 323. 1241 *pm* ● **21** ⸀-λουμενου 𝔓^{74} Ψ 1739* *pc* | ⸁πεμψω H L P 049. 323 *pm* ● **22** ⸆εφη 𝔓^{74} C E Ψ 𝔐 gig vg^{cl} sy ¦ *txt* ℵ A B 33 *pc* vgst | ⸇ο δε· C E Ψ 𝔐 (w) sy^{h} ¦ *txt* 𝔓^{74vid} ℵ A B 1175 *pc* lat co ● **23** ⸀ελ- 𝔓^{74} *pc* ● **24** ⸀-χεν B H Ψ 104. 945 *al* | ⸁επιβ- C E Ψ 𝔐 ¦ *txt* 𝔓^{74} ℵ A B 81 *pc* ● **25** ⸀καταλ-μενος ℵ* Ψ 𝔐 gig s sy^{h} *et* ⸆και Ψ 𝔐 gig sy^{h} ¦ *txt* 𝔓^{74} ℵ^{c} A B C E 33. 81. 945. 1175. 1739. 1891 *pc* vg | ⸁-λουμενου 𝔓^{74} 2464 *pc* ● **26** ⸀εχω 𝔓^{74} A E Ψ 81. 614. 945. 1891. 2495 *al* ¦ *txt* ℵ B C 𝔐 | ⸁-ψαι E 𝔐 ¦ *txt* 𝔓^{74} ℵ A B C Ψ 33. 81. 614. 945. 1175. 1739. 2495 *al*

¶ **26,1** ⸀† υπερ B (Ψ) 𝔐 ¦ *txt* 𝔓^{74} ℵ A C E 33. 36. 81. (ϛ 453. 614. 945. 1891. 2495). 1739 *al* | ⸆confidens et in spiritu sancto consolationem accipiens sy^{hmg} ● **2** ⸀παρα 𝔓^{74} 945. 1739. 1891 *pc*

λιστα γνώστην ⸉ὄντα σε⸊ πάντων τῶν κατὰ Ἰουδαίους
ἐθῶν τε καὶ ζητημάτων⸆, διὸ δέομαι ⸆ μακροθύμως ἀ-
22,3 G 1,13 κοῦσαί μου. **4** Τὴν μὲν οὖν βίωσίν μου °[τὴν] ἐκ νεότητος ⸀τὴν ἀπ' ἀρχῆς γενομένην ἐν τῷ ἔθνει μου ἔν τε
Ἱεροσολύμοις ἴσασι πάντες °¹[οἱ] Ἰουδαῖοι **5** προγινώ-
σκοντές με ἄνωθεν, ἐὰν θέλωσι μαρτυρεῖν, ὅτι κατὰ τὴν
23,6! ἀκριβεστάτην αἵρεσιν τῆς ἡμετέρας θρησκείας ἔζησα
28,20! · 13,32 Φαρισαῖος. **6** καὶ νῦν ἐπ' ἐλπίδι τῆς ⸀εἰς τοὺς πατέρας
°ἡμῶν ἐπαγγελίας γενομένης ὑπὸ τοῦ θεοῦ ἕστηκα κρι-
νόμενος, **7** εἰς ἣν τὸ δωδεκάφυλον ἡμῶν ἐν ἐκτενείᾳ
24,15 νύκτα καὶ ἡμέραν λατρεῦον ἐλπίζει ⸀καταντῆσαι, περὶ ἧς
ἐλπίδος ἐγκαλοῦμαι ὑπὸ Ἰουδαίων, ⸁βασιλεῦ. **8** τί ἄπι-
4,2 στον κρίνεται παρ' ὑμῖν εἰ ὁ θεὸς νεκροὺς ἐγείρει;
9–20: 9,1-29; 22,3-21 **9** Ἐγὼ μὲν οὖν ἔδοξα ἐμαυτῷ πρὸς τὸ ὄνομα ⸆ Ἰησοῦ τοῦ
Ναζωραίου δεῖν πολλὰ ἐναντία πρᾶξαι, **10** ὃ καὶ ἐποίησα
8,3! Ap 2,10 ἐν Ἱεροσολύμοις, καὶ πολλούς ⸀τε τῶν ἁγίων ἐγὼ ἐν φυλακαῖς κατέκλεισα τὴν παρὰ τῶν ἀρχιερέων ἐξουσίαν
λαβὼν ἀναιρουμένων τε αὐτῶν κατήνεγκα ψῆφον. **11** καὶ
κατὰ πάσας τὰς συναγωγὰς πολλάκις τιμωρῶν αὐτοὺς
ἠνάγκαζον βλασφημεῖν περισσῶς τε ἐμμαινόμενος αὐτοῖς ἐδίωκον ἕως καὶ εἰς τὰς ἔξω πόλεις. **12** Ἐν οἷς
⸆ πορευόμενος εἰς τὴν Δαμασκὸν μετ' ἐξουσίας καὶ ἐπι-
τροπῆς °τῆς ⸆ τῶν ἀρχιερέων **13** ἡμέρας μέσης κατὰ τὴν
ὁδὸν εἶδον, βασιλεῦ, °οὐρανόθεν ὑπὲρ τὴν λαμπρότητα
L 2,9 τοῦ ἡλίου περιλάμψαν με φῶς καὶ τοὺς σὺν ἐμοὶ πορευο-
μένους. **14** πάντων τε καταπεσόντων ἡμῶν εἰς τὴν γῆν ⸆
22,2! ἤκουσα φωνὴν ⸂λέγουσαν πρός με⸃ τῇ Ἑβραΐδι διαλέκτῳ·
cf Euripides, Bakchae 794 Julian Or 8,246b Σαοὺλ Σαούλ, τί με διώκεις; σκληρόν σοι πρὸς κέντρα

3 ⸉ ℵ* C 6. 36. 453. 1175 *pc* | ⸆επισταμενος (𝔓^{74}) ℵ^{c} A C 33. (⸉ 36). 614. 945. 1891 *al* sy^{p} ¦ *txt* ℵ* B E Ψ 𝔐 sy^{h} co | ⸆σου C 𝔐 sy^{p} co? ¦ *txt* 𝔓^{74} ℵ A B E Ψ 33. 36. 81. 945. 1175. 1739. 1891 *al* lat sy^{h} ● **4** ° † B C* H 36 *pc* ¦ *txt* 𝔓^{74} ℵ A C^{2} (E) Ψ 𝔐 | ⸀μου 𝔓^{74}*pc* | °¹ † 𝔓^{74} B C* E Ψ 33. 81. 323. 614. 945. 1175. 1739. 2495 *al* ¦ *txt* ℵ A C^{2} 𝔐 ● **6** ⸀προς C 𝔐 ¦ *txt* ℵ A B E Ψ 048. 33. 81. 104. 1175 *pc* | ° H L P 049. 1241 𝔐 ● **7** ⸀-σειν B *pc* | ⸁β. Αγριππα 104. 945. 1739. 1891 *al* sy (⸉ 𝔐) ¦ – A Ψ 36. 453 *pc* gig ¦ *txt* ℵ B C E 096. 33. 81. 1175. 2464 *pc* vg co ● **9** ⸆του 𝔓^{74} ℵ* *pc* ● **10** ⸀δε 36. 453 *pc* ¦ – B Ψ 𝔐 ¦ *txt* 𝔓^{74} ℵ A C E 048. 33. 81. 1241. 2495 *pc* ● **12** ⸆και H L P 049. 6. 104. 323. 1241 𝔐 | ° 𝔓^{74vid} A E 36. 1704 *pc* | ⸆παρα C Ψ 𝔐 ¦ *txt* 𝔓^{74vid} ℵ A B E 048^{vid}. 81. 614. 1175. 2495 *pc* latt ● **13** ° 𝔓^{74} ● **14** ⸆δια τον φοβον εγω μονος 614. 2147 *pc* (gig, sy^{hmg} sa bo^{mss}) | ⸂λαλουσαν πρ. με H 323 *al* e vg ¦ λαλ. πρ. με και λεγ. Ψ 𝔐 (gig) ¦ *txt* 𝔓^{74} ℵ A B C (E) 048. 096. 36. 81. 945. (1175). 1739. 1891 *al*

λακτίζειν. **15** ἐγὼ δὲ εἶπα· τίς εἶ, κύριε; ὁ δὲ °κύριος εἶ-
πεν· ἐγώ εἰμι Ἰησοῦς ⸆ ὃν σὺ διώκεις. **16** ἀλλὰ ἀνάστηθι
καὶ στῆθι ἐπὶ τοὺς πόδας σου· εἰς τοῦτο γὰρ ὤφθην σοι, Ez 2,1
προχειρίσασθαί σε ὑπηρέτην καὶ μάρτυρα ὧν τε εἶδές
°[με] ὧν τε ὀφθήσομαί σοι, **17** ἐξαιρούμενός σε ἐκ τοῦ Jr 1,8.19.7 1Chr 16,35 •
λαοῦ καὶ ἐκ τῶν ἐθνῶν εἰς οὓς ἐγὼ ⸀ἀποστέλλω σε
18 ἀνοῖξαι ὀφθαλμοὺς ⸀αὐτῶν, τοῦ ἐπιστρέψαι ἀπὸ σκό- Is 42,7.16 1P 2,9 •
τους εἰς φῶς καὶ τῆς ἐξουσίας τοῦ σατανᾶ ἐπὶ τὸν θεόν, E 2,2!
τοῦ λαβεῖν αὐτοὺς ἄφεσιν ἁμαρτιῶν καὶ κλῆρον ἐν τοῖς 5,31! • 20,32! Sap
ἡγιασμένοις πίστει τῇ εἰς ἐμέ. **19** Ὅθεν, βασιλεῦ 5,5 • 20,21
Ἀγρίππα, οὐκ ἐγενόμην ἀπειθὴς τῇ οὐρανίῳ ὀπτασίᾳ
20 ἀλλὰ τοῖς ἐν Δαμασκῷ πρῶτόν τε καὶ Ἱεροσολύμοις, R 15,19
⸆ πᾶσάν τε τὴν χώραν ⸂τῆς Ἰουδαίας⸃ καὶ τοῖς ἔθνεσιν
ἀπήγγελλον μετανοεῖν καὶ ἐπιστρέφειν ἐπὶ τὸν θεόν, ἄξια 11,18! • 15,19! 3,19 •
τῆς μετανοίας ἔργα πράσσοντας. **21** ἕνεκα ⸀τούτων με Mt 3,8p |
Ἰουδαῖοι συλλαβόμενοι °[ὄντα] ἐν τῷ ἱερῷ ἐπειρῶντο 21,30s
διαχειρίσασθαι. **22** ἐπικουρίας οὖν τυχὼν τῆς ἀπὸ τοῦ
θεοῦ ἄχρι τῆς ἡμέρας ταύτης ἕστηκα μαρτυρόμενος μι-
κρῷ τε καὶ μεγάλῳ οὐδὲν ἐκτὸς λέγων ὧν τε οἱ προφῆται 3,18; 24,14; 28,23 L 24,27!
ἐλάλησαν μελλόντων γίνεσθαι καὶ Μωϋσῆς⸆, **23** εἰ πα-
θητὸς ὁ χριστός, εἰ πρῶτος ἐξ ἀναστάσεως νεκρῶν φῶς 17,3 L 24,26! 1K 15,20 Kol 1,18 •
μέλλει καταγγέλλειν τῷ τε λαῷ καὶ τοῖς ἔθνεσιν. Mt 4,16 2T 1,10 • 13,47 L 2,32 |

24 Ταῦτα δὲ αὐτοῦ ἀπολογουμένου ὁ Φῆστος μεγάλῃ 22,1!
τῇ φωνῇ φησιν· μαίνῃ, Παῦλε· τὰ πολλά σε γράμματα ⸆ 12,15 J 10,20!
εἰς μανίαν περιτρέπει. **25** ὁ δὲ Παῦλος· οὐ μαίνομαι, φησίν, κράτιστε Φῆστε, ἀλλὰ ἀληθείας καὶ σωφροσύνης 24,3! • Jdth 10,13
ῥήματα ἀποφθέγγομαι. **26** ἐπίσταται γὰρ περὶ τούτων ὁ
βασιλεὺς πρὸς ὃν °καὶ παρρησιαζόμενος λαλῶ, λανθά- J 18,20!
νειν γὰρ αὐτόν ⸀[τι] τούτων οὐ πείθομαι °¹οὐθέν· οὐ γάρ
ἐστιν ἐν γωνίᾳ πεπραγμένον τοῦτο. **27** πιστεύεις, βασιλεῦ
Ἀγρίππα, τοῖς προφήταις; οἶδα ὅτι πιστεύεις. **28** ὁ δὲ

15 ° H P 049. 323. 1241 𝔐 | ⸆ (22,8) ο Ναζωραιος 048. 6. 104. 614. 1175 *pc* gig vgmss syp.h** • **16** ° 𝔓74 ℵ A C2 E Ψ 096 𝔐 latt bo ¦ *txt* B C*vid 614. 945. 1175. 1739. 1891. 2464. 2495 *pc* sy sa • **17** ⸀-ελω Ψ 096. 6. 81. 104. 614. 945. 1241. 2495 *al* co ¦ εξαποστελλω 𝔓74vid C (-ελω 36. 323. 453. 1175. 1739. 1891. 2464 *al*) ¦ *txt* ℵ A B E 048vid 𝔐 • **18** ⸀ τυφλων E 096 vgmss • **20** ⸆εις E Ψ 𝔐 lat ¦ *txt* 𝔓74 ℵ A B vgmss | ⸂των -αιων 𝔓74 *pc* • **21** ⸀τουτου 𝔓74 *pc* | °† A B 048 𝔐 ¦ *txt* 𝔓74 ℵ E Ψ 33. 36. 81. 614. 945. 1175. 1739. 1891. 2495 *al* latt • **22** [⸆ *hic add.* 22,8 Eb. Nestle *cj*] • **24** ⸆επιστασθαι A • **26** ° B 104. 1175 *pc* h vgmss | ⸀† – B Ψ 36. 614. 1175. 2495 *pc* syh ¦ εγω 945. 1739. 1891 *pc* ¦ *txt* 𝔓74 ℵ A E 𝔐 syp | °¹ 𝔓74 ℵc A E 33. 81 *al*

Ἀγρίππας πρὸς τὸν Παῦλον· ἐν ὀλίγῳ ⸂με πείθεις⸃
11,26! · 3Rg 20,7 𝔊 ⸀Χριστιανὸν ⸁ποιῆσαι. **29** ὁ δὲ Παῦλος· ⸀εὐξαίμην ἂν
τῷ θεῷ καὶ ἐν ὀλίγῳ καὶ ἐν ⸁μεγάλῳ οὐ μόνον σὲ ἀλλὰ
καὶ πάντας τοὺς ἀκούοντάς μου σήμερον γενέσθαι τοιούτους ὁποῖος καὶ ἐγώ εἰμι παρεκτὸς τῶν δεσμῶν τούτων. **30** ⸂Ἀνέστη τε⸃ ὁ βασιλεὺς καὶ ὁ ἡγεμὼν ἥ
τε Βερνίκη καὶ οἱ συγκαθήμενοι αὐτοῖς, **31** καὶ ἀναχω-
ρήσαντες ἐλάλουν πρὸς ἀλλήλους λέγοντες °ὅτι οὐδὲν
23,29! θανάτου ἢ δεσμῶν ἄξιόν °¹[τι] πράσσει ὁ ἄνθρωπος οὗτος. **32** ⸂Ἀγρίππας δὲ τῷ Φήστῳ ἔφη· ἀπολελύσθαι ἐδύ-
25,11!s νατο ὁ ἄνθρωπος οὗτος⸃ εἰ μὴ ἐπεκέκλητο Καίσαρα.⸆

1–28,16: 16,10! **27** ⸋Ὡς δὲ ἐκρίθη τοῦ ἀποπλεῖν ⸀ἡμᾶς εἰς τὴν Ἰτα-
25,12 λίαν,⸌ παρεδίδουν ⸂τόν τε⸃ Παῦλον καί τινας ἑτέ-
10,1! ρους δεσμώτας ἑκατοντάρχῃ ὀνόματι Ἰουλίῳ σπείρης
Σεβαστῆς. **2** ἐπιβάντες δὲ ⸆ πλοίῳ ⸀Ἀδραμυττηνῷ μέλλοντι πλεῖν εἰς τοὺς κατὰ τὴν Ἀσίαν τόπους ἀνήχθημεν
19,29; 20,4 Kol 4,10 Phm 24 | 11,19 · 43; 24,23; 28,2.7.16 ὄντος σὺν ἡμῖν Ἀριστάρχου Μακεδόνος ⸁Θεσσαλονικέ-
ως. **3** τῇ τε ἑτέρᾳ κατήχθημεν εἰς Σιδῶνα, φιλανθρώπως
τε ὁ ⸀Ἰούλιος τῷ Παύλῳ χρησάμενος ἐπέτρεψεν πρὸς
L 12,4! τοὺς φίλους πορευθέντι ἐπιμελείας τυχεῖν. **4** κἀκεῖθεν
ἀναχθέντες ὑπεπλεύσαμεν τὴν Κύπρον διὰ τὸ τοὺς ἀνέμους εἶναι ἐναντίους, **5** τό τε πέλαγος τὸ κατὰ τὴν Κιλικίαν καὶ Παμφυλίαν διαπλεύσαντες ⸆ κατήλθομεν εἰς
⸀Μύρα τῆς Λυκίας. **6** ⸀Κἀκεῖ εὑρὼν ὁ ἑκατοντάρχης
28,11 πλοῖον Ἀλεξανδρῖνον πλέον εἰς τὴν Ἰταλίαν ἐνεβίβασεν
ἡμᾶς εἰς αὐτό. **7** ἐν ἱκαναῖς δὲ ἡμέραις βραδυπλοοῦντες

28 ⸂με πειθη A | ⸀(*ex itac.?*) Χρη- ℵ* | ⸁γενεσθαι E Ψ 𝔐 latt sy; CyrJ ¦ *txt* 𝔓^{74} ℵ A B 048. 33. 81. 1175 *pc* sy^{hmg} ● **29** ⸀-ξαμην ℵ* A H L P 049. 81. 326. 1241 *al* | ⸁πολλω 𝔐 sy ¦ *txt* 𝔓^{74} ℵ A B Ψ 33. 81. 945*. 1739* *pc* latt ● **30** ⸂και ταυτα ειποντος αυτου αν. (614) 𝔐 h (sy^{h**}) sa ¦ αν. δε 33. 945. 1739. 1891. 2495 *al* ¦ *txt* ℵ A B Ψ 81. 1175. 2464 *pc* ● **31** ° 𝔓^{74} *pc* | °¹† B 𝔐 it sy ¦ *txt* 𝔓^{74} ℵ A Ψ 33. 81. 104. 945. 1175. 1739. 1891 *pc* vg ● **32** ⸂απολελ. εδ. 𝔓^{74} ¦ (*h. t.?*) – 326. 2464 | ⸆και ουτως εκρινεν αυτον ο ηγεμων αναπεμψαι Καισαρι 97 *pc* h w (sy$^{p.hmg}$) *et*

¶ **27,1** ⸋ h sy$^{p.hmg}$ | ⸀τους περι τον Παυλον P 6. 326. 2495* *pc* | ⸂*2 1* 𝔓^{74}*pc* ¦ *1* 945. 1739. 1891. 2495 *pc* ● **2** ⸆τω 𝔓^{74} ¦ εν 614. 2495 *pc* | ⸀-μυντ- 𝔓^{74vid} A B* 33 *pc* ¦ *txt* (*vl* -τ-) ℵ B^{c} Ψ (1739) 𝔐 | ⸁Θεσσ-εων δε Αρισταρχος και Σεκουνδος 614. (2147). 2495 *pc* sy^{h} ● **3** ⸀-λιανος A ● **5** ⸆δι ημερων δεκαπεντε 614. 2147 *pc* h vg^{mss} sy^{h**} | ⸀-ρρ- B 1175 ¦ Σμυρναν 69 ¦ Λυστραν 𝔓^{74} ℵ (A) lat bo ¦ *txt* Ψ 𝔐 h ● **6** ⸀-ειθεν 𝔓^{74} A *pc* ¦ -εισε 36. 104. 453. 1175 *pc*

καὶ μόλις γενόμενοι κατὰ τὴν Κνίδον, μὴ προσεῶντος
ἡμᾶς τοῦ ἀνέμου ὑπεπλεύσαμεν τὴν Κρήτην ⸋κατὰ Σαλ-
μώνην⸌, **8** μόλις τε παραλεγόμενοι αὐτὴν ἤλθομεν εἰς
τόπον τινὰ καλούμενον Καλοὺς λιμένας ᾧ ἐγγὺς ⸉πόλις
ἦν⸊ ⸀Λασαία.
9 Ἱκανοῦ δὲ χρόνου διαγενομένου καὶ ὄντος ἤδη ἐπι- 2K 11,25s
σφαλοῦς τοῦ πλοὸς διὰ τὸ καὶ τὴν νηστείαν ἤδη παρελη- Lv 16,29 etc
λυθέναι παρῄνει ὁ Παῦλος **10** λέγων αὐτοῖς· ἄνδρες,
θεωρῶ ὅτι μετὰ ὕβρεως καὶ πολλῆς ζημίας οὐ μόνον τοῦ
φορτίου καὶ τοῦ πλοίου ἀλλὰ καὶ τῶν ψυχῶν ἡμῶν μέλλειν ἔσεσθαι τὸν πλοῦν. **11** ὁ δὲ ἑκατοντάρχης τῷ κυβερ-
νήτῃ καὶ τῷ ναυκλήρῳ μᾶλλον ἐπείθετο ἢ τοῖς ὑπὸ ⸆
Παύλου λεγομένοις. **12** ἀνευθέτου δὲ τοῦ λιμένος ὑπάρχοντος πρὸς παραχειμασίαν οἱ πλείονες ἔθεντο βουλὴν 28,11
ἀναχθῆναι ἐκεῖθεν, εἴ πως δύναιντο καταντήσαντες εἰς
Φοίνικα παραχειμάσαι λιμένα τῆς Κρήτης βλέποντα κατὰ λίβα καὶ κατὰ χῶρον.
13 Ὑποπνεύσαντος δὲ νότου δόξαντες τῆς προθέσεως
κεκρατηκέναι, ἄραντες ⸀ἆσσον παρελέγοντο τὴν Κρήτην.
14 μετ᾽ οὐ πολὺ δὲ ἔβαλεν κατ᾽ αὐτῆς ἄνεμος τυφωνικὸς
°ὁ καλούμενος ⸀εὐρακύλων· **15** συναρπασθέντος δὲ τοῦ
πλοίου καὶ μὴ δυναμένου ἀντοφθαλμεῖν τῷ ἀνέμῳ ἐπι-
δόντες ⸆ ἐφερόμεθα. **16** νησίον δέ τι ὑποδραμόντες καλούμενον ⸀Καῦδα ἰσχύσαμεν μόλις περικρατεῖς γενέσθαι
τῆς σκάφης, **17** ἣν ἄραντες ⸀βοηθείαις ἐχρῶντο ὑπο- 30 |
ζωννύντες τὸ πλοῖον, φοβούμενοί ⸀τε μὴ εἰς τὴν Σύρτιν
ἐκπέσωσιν, χαλάσαντες ⸂τὸ σκεῦος⸃, οὕτως ⸀¹ἐφέροντο.
18 σφοδρῶς ⸀δὲ χειμαζομένων ἡμῶν τῇ ἑξῆς ἐκβολὴν
ἐποιοῦντο **19** καὶ τῇ τρίτῃ αὐτόχειρες τὴν σκευὴν τοῦ Jon 1,5
πλοίου ⸀ἔρριψαν⸆. **20** μήτε δὲ ἡλίου μήτε ἄστρων ἐπι-

7 □ 614. 2147. 2495 *pc* (h) • **8** ⸉ † B Ψ 𝔐 ¦ *txt* ℵ A 33 *pc* | ⸀(*ex itac.?*) -σεα B 33. 1175. 1739. 1891. 2464 *al* ¦ -σια 36. 81. 453. 945 *pc* ¦ Λαισσα ℵ^{2} ¦ Αλασσα A sy^{hmg} sa ¦ Thalassa lat ¦ *txt* (ℵ*) Ψ 𝔐 • **11** ⸆του Ψ 𝔐 ¦ *txt* 𝔓^{74} ℵ A B 81. 1241 *pc* • **13** ⸀de Asso(n) lat • **14** ° 𝔓^{74} | ⸀ευροκλυδων (B^{2}: ευρυ-) Ψ 𝔐 sy ¦ *txt* 𝔓^{74} ℵ A B* latt (co) • **15** ⸆τω πλεοντι και συστειλαντες τα ιστια 614. 2147 *pc* (sy^{h**}) • **16** ⸀† Κλαυδα ℵ* A^{vid} 33. 81. 614. 945. 1739. 2495 *pc* vg^{mss} sy^{h} ¦ Κλαυδην 𝔐 ¦ *txt* 𝔓^{74} ℵ^{2} B (Ψ: Γαυδην) 1175 lat sy^{p} • **17** ⸀-ειαν ℵ* gig ¦ -ειας 6. 36. 81. 453. 614. 1241. 2464 *pc* | ⸀δε 𝔓^{74} 1739 | ⸂τα ιστια 2495 *pc* s (sy^{p}) | ⸀¹-ρομεθα 36. 453 *pc* sy^{p} bo • **18** ⸀τε 𝔓^{74} A 104 *pc* • **19** ⸀-ψαμεν Ψ 𝔐 sy ¦ *txt* 𝔓^{74} ℵ A B C 33. 36. 81. 323. 453. 945. 1175. 1739. 1891 *al* latt co | ⸆εις την θαλασσαν 614. 2147 (*pc*) it vg^{mss} sy^{h**} sa

φαινόντων ἐπὶ πλείονας ἡμέρας, χειμῶνός τε οὐκ ὀλίγου
ἐπικειμένου, λοιπὸν περιῃρεῖτο ἐλπὶς πᾶσα τοῦ σῴζε-
σθαι ἡμᾶς.

33 **21** Πολλῆς τε ἀσιτίας ὑπαρχούσης τότε σταθεὶς ὁ Παῦλος ἐν μέσῳ αὐτῶν εἶπεν· ἔδει μέν, ὦ ἄνδρες, πειθαρχή-
σαντάς μοι μὴ ἀνάγεσθαι ἀπὸ τῆς Κρήτης κερδῆσαί τε
τὴν ὕβριν ταύτην καὶ τὴν ζημίαν. **22** καὶ τὰ νῦν παραινῶ
36 ὑμᾶς εὐθυμεῖν· ἀποβολὴ γὰρ ψυχῆς οὐδεμία ἔσται ἐξ
9,10! ὑμῶν πλὴν τοῦ πλοίου. **23** παρέστη γάρ μοι ταύτῃ τῇ
12,7 νυκτὶ τοῦ θεοῦ, οὗ εἰμι ○[ἐγὼ] ᾧ καὶ λατρεύω, ἄγγελος
9,15! 23,11 Mt 10,18p **24** λέγων· μὴ φοβοῦ, Παῦλε, Καίσαρί σε δεῖ παραστῆναι,
καὶ ἰδοὺ κεχάρισταί σοι ὁ θεὸς πάντας τοὺς πλέοντας
μετὰ σοῦ. **25** διὸ εὐθυμεῖτε, ἄνδρες· πιστεύω γὰρ τῷ θεῷ
ὅτι οὕτως ἔσται καθ' ὃν τρόπον λελάληταί μοι. **26** εἰς
28,1 νῆσον δέ τινα δεῖ ἡμᾶς ἐκπεσεῖν.

33 **27** Ὡς δὲ τεσσαρεσκαιδεκάτη νὺξ ⸀ἐγένετο διαφερο-
μένων ἡμῶν ἐν τῷ Ἀδρίᾳ, κατὰ μέσον τῆς νυκτὸς ὑπενόουν οἱ ναῦται ⸁προσάγειν τινὰ αὐτοῖς χώραν. **28** καὶ βολίσαντες εὗρον ὀργυιὰς εἴκοσι, βραχὺ δὲ διαστήσαντες καὶ
πάλιν βολίσαντες εὗρον ὀργυιὰς δεκαπέντε· **29** φοβούμενοί ⸀τε μή που κατὰ ⸁τραχεῖς τόπους ⸀1ἐκπέσωμεν, ἐκ
πρύμνης ῥίψαντες ἀγκύρας τέσσαρας ηὔχοντο ἡμέραν γενέσθαι. **30** Τῶν δὲ ναυτῶν ζητούντων ⸀φυγεῖν ἐκ τοῦ
16 πλοίου καὶ χαλασάντων τὴν σκάφην εἰς τὴν θάλασσαν
○προφάσει ὡς ἐκ πρῴρης ἀγκύρας μελλόντων ἐκτείνειν,
31 εἶπεν ὁ Παῦλος τῷ ἑκατοντάρχῃ καὶ τοῖς στρατιώ-
ταις· ἐὰν μὴ οὗτοι μείνωσιν ἐν τῷ πλοίῳ, ὑμεῖς σωθῆναι
οὐ δύνασθε. **32** τότε ἀπέκοψαν οἱ στρατιῶται τὰ σχοινία
τῆς σκάφης καὶ εἴασαν αὐτὴν ἐκπεσεῖν.

33 Ἄχρι δὲ οὗ ἡμέρα ἤμελλεν γίνεσθαι, παρεκάλει ὁ
27 Παῦλος ἅπαντας μεταλαβεῖν τροφῆς λέγων· τεσσαρεσ-
21 καιδεκάτην σήμερον ἡμέραν προσδοκῶντες ἄσιτοι δια-
τελεῖτε μηθὲν προσλαβόμενοι. **34** διὸ παρακαλῶ ὑμᾶς

23 ○† B C* Ψ 𝔐 s ¦ *txt* 𝔓74 ℵ A C2 (36 *pc*) vg • **27** ⸀επεγ- A 81 *pc* vg | ⸁προσηχειν (B*: -αχ-) gig s ¦ προσανεχειν B2 ¦ προαγαγειν ℵ* (*pc*) ¦ προσεγγιζειν 614. 2147. 2495 (sy) ¦ *txt* ℵc A C Ψ 𝔐 • **29** ⸀δε 𝔓74 ℵ Ψ 33. 81. 614. 1175. 2495 *al* syh ¦ *txt* A B C 𝔐 | ⸁βραχεις 𝔓74 104. 2495 *pc* | ⸀1-σωσιν 81. 326. 945. 1739. 1891 *al* • **30** ⸀εκφ- A 614. 2147. 2495 *pc* | ○ 614 *pc*

⸀μεταλαβεῖν τροφῆς· τοῦτο γὰρ πρὸς τῆς ⸁ὑμετέρας σωτηρίας ὑπάρχει, οὐδενὸς γὰρ ὑμῶν θρὶξ ἀπὸ τῆς κεφαλῆς Mt 10,30!
⸀1ἀπολεῖται. **35** εἴπας δὲ ταῦτα καὶ λαβὼν ἄρτον εὐχα- L 22,19p J 6,11p
ρίστησεν τῷ θεῷ ἐνώπιον πάντων καὶ κλάσας ἤρξατο 2,42!
ἐσθίειν⸆. **36** εὔθυμοι δὲ γενόμενοι πάντες καὶ αὐτοὶ 22
⸀προσελάβοντο τροφῆς. **37** ἤμεθα δὲ αἱ πᾶσαι ψυχαὶ ἐν 9,19
τῷ πλοίῳ ⸀διακόσιαι ἑβδομήκοντα ⸁ἕξ. **38** κορεσθέντες
δὲ τροφῆς ἐκούφιζον τὸ πλοῖον ἐκβαλλόμενοι τὸν ⸀σῖ-
τον εἰς τὴν θάλασσαν.
39 Ὅτε δὲ ἡμέρα ἐγένετο, τὴν γῆν οὐκ ἐπεγίνωσκον,
κόλπον δέ τινα κατενόουν ἔχοντα αἰγιαλὸν εἰς ὃν ἐβου-
λεύοντο εἰ ⸀δύναιντο ⸁ἐξῶσαι τὸ πλοῖον. **40** καὶ τὰς ἀγκύρας περιελόντες εἴων εἰς τὴν θάλασσαν, ἅμα ἀνέντες
τὰς ζευκτηρίας τῶν πηδαλίων καὶ ἐπάραντες τὸν ἀρτέ-
μωνα τῇ ⸀πνεούσῃ κατεῖχον εἰς τὸν αἰγιαλόν. **41** περι-
πεσόντες δὲ εἰς τόπον διθάλασσον ⸀ἐπέκειλαν τὴν ναῦν
καὶ ἡ μὲν πρῷρα ἐρείσασα ἔμεινεν ἀσάλευτος, ἡ δὲ πρύ-
μνα ⸁ἐλύετο ὑπὸ ⸂τῆς βίας [τῶν κυμάτων]⸃. **42** Τῶν δὲ
στρατιωτῶν βουλὴ ἐγένετο ἵνα τοὺς δεσμώτας ἀποκτείνωσιν, μή τις ἐκκολυμβήσας διαφύγῃ. **43** ὁ δὲ ἑκατοντάρχης βουλόμενος ⸉διασῶσαι τὸν Παῦλον⸊ ἐκώλυσεν 3 · 28,1!
αὐτοὺς τοῦ βουλήματος, ἐκέλευσέν τε τοὺς δυναμένους
κολυμβᾶν ἀπορίψαντας πρώτους ἐπὶ τὴν γῆν ἐξιέναι
44 καὶ τοὺς λοιποὺς οὓς μὲν ἐπὶ σανίσιν, οὓς δὲ ἐπί τινων τῶν ἀπὸ τοῦ πλοίου. καὶ οὕτως ἐγένετο πάντας δια- 22-25
σωθῆναι ἐπὶ ⸂τὴν γῆν⸃.
28 Καὶ διασωθέντες τότε ἐπέγνωμεν ὅτι ⸀Μελίτη ἡ 4; 27,43s
νῆσος καλεῖται. **2** οἵ τε βάρβαροι παρεῖχον οὐ τὴν
τυχοῦσαν φιλανθρωπίαν ἡμῖν, ⸀ἅψαντες γὰρ πυρὰν 27,3!

34 ⸀προσλ- H L P Ψ 049. 326. 1241. 2495 𝔐 | ⸁ημ- A L P 326. 614. 1241 *pm* w sy^{h} | ⸀1 πεσειται Ψ 𝔐 gig sy^{h} sa ¦ *txt* 𝔓^{74} ℵ A B C 33. 36. 81. 326. 453. 1175 *pc* vg sy^{p} bo ● **35** ⸆ επιδιδους και ημιν 614. 2147 *pc* sy^{h**} sa ● **36** ⸀-λαβον A Ψ 1175 *pc* ¦ -λαμβανον 2495 ¦ μετελαμβανον 614. 2147 *pc* ¦ μεταλαβαν(*!*) ℵ 1241 ¦ *txt* B C 𝔐 ● **37** ⸀ως B (*pc*) sa | ⸁πεντε A sa^{ms} ¦ – 69 ● **38** [⸀ιστον Naber *cj*] ● **39** ⸀δυνατον C 𝔐 co ¦ *txt* ℵ A B Ψ 33. 81. 323. (614). 945. 1175. 1739. 2495 *al* latt | ⸁εκσωσαι B* C *pc* ● **40** ⸀πνοη 𝔓^{74} ● **41** ⸀επωκ- B^{2} 𝔐 ¦ *txt* ℵ A B* C Ψ 33. 81. 104. 1175 *pc* | ⸁διελ- L 614. 1175. 2495 *pc* | ⸂† *1 2* ℵ* A B ¦ *3 4* Ψ 2464 ¦ vi maris gig vg ¦ *txt* 𝔓^{74} ℵ^{c} C 𝔐 sy ● **43** ⸉ 𝔓^{74} A 33 ● **44** ⸂της γης 614
¶ **28,1** ⸀Μελιτηνη B* lat sy^{h} bo ● **2** ⸀αναψ- 𝔐 ¦ *txt* 𝔓^{74vid} ℵ A B C Ψ 33. 81. 614. 945. 1175. 1739. 2495 *al*

⸀προσελάβοντο ⸂πάντας ἡμᾶς⸃ διὰ τὸν ὑετὸν τὸν ἐφε-
2K 11,27 στῶτα καὶ διὰ τὸ ψῦχος. **3** Συστρέψαντος δὲ τοῦ Παύλου φρυγάνων τι πλῆθος καὶ ἐπιθέντος ἐπὶ τὴν πυράν,
ἔχιδνα ἀπὸ τῆς θέρμης ⸀ἐξελθοῦσα ⸁καθῆψεν τῆς χειρὸς
αὐτοῦ. **4** ὡς δὲ εἶδον οἱ βάρβαροι κρεμάμενον τὸ θηρίον
ἐκ τῆς χειρὸς αὐτοῦ, πρὸς ἀλλήλους ἔλεγον· πάντως φο-
1! νεύς ἐστιν ὁ ἄνθρωπος οὗτος ὃν διασωθέντα ἐκ τῆς θαλάσσης ἡ δίκη ζῆν οὐκ εἴασεν. **5** ὁ μὲν οὖν ⸀ἀποτινάξας
Mc 16,18 L 10,19 τὸ θηρίον εἰς τὸ πῦρ ἔπαθεν οὐδὲν κακόν, **6** οἱ δὲ προσ-
εδόκων αὐτὸν μέλλειν ⸀πίμπρασθαι ἢ καταπίπτειν ἄφνω
νεκρόν. ἐπὶ πολὺ δὲ αὐτῶν προσδοκώντων καὶ θεωρούν-
των μηδὲν ἄτοπον εἰς αὐτὸν γινόμενον ⸁μεταβαλόμενοι
14,11 ἔλεγον αὐτὸν εἶναι θεόν.

7 Ἐν δὲ τοῖς περὶ τὸν τόπον ἐκεῖνον ὑπῆρχεν χωρία
τῷ πρώτῳ τῆς νήσου ὀνόματι ⸀Ποπλίῳ, ὃς ἀναδεξάμενος
27,3! ἡμᾶς ⸉τρεῖς ἡμέρας⸊ φιλοφρόνως ἐξένισεν. **8** ἐγένετο δὲ
L 4,38 τὸν πατέρα τοῦ Ποπλίου ⸀πυρετοῖς καὶ δυσεντερίῳ συνε-
χόμενον κατακεῖσθαι, πρὸς ὃν ὁ Παῦλος εἰσελθὼν καὶ
9,40 · 6,6! προσευξάμενος ἐπιθεὶς τὰς χεῖρας αὐτῷ ἰάσατο αὐτόν.
9 τούτου δὲ γενομένου ⸆ °καὶ οἱ λοιποὶ οἱ ἐν τῇ νήσῳ
L 8,2s Mt 10,8 ἔχοντες ἀσθενείας προσήρχοντο καὶ ἐθεραπεύοντο, **10** οἳ
καὶ πολλαῖς τιμαῖς ἐτίμησαν ἡμᾶς ⸆ καὶ ἀναγομένοις
ἐπέθεντο τὰ πρὸς ⸂τὰς χρείας⸃.

27,12.6 **11** Μετὰ δὲ τρεῖς μῆνας ⸀ἀνήχθημεν ἐν πλοίῳ παρακε-
χειμακότι ἐν τῇ νήσῳ, Ἀλεξανδρίνῳ, παρασήμῳ ⸁Διοσκού-
ροις. **12** καὶ καταχθέντες εἰς Συρακούσας ἐπεμείναμεν
⸂ἡμέρας τρεῖς⸃, **13** ὅθεν ⸀περιελόντες κατηντήσαμεν εἰς
Ῥήγιον. καὶ μετὰ μίαν ἡμέραν ἐπιγενομένου νότου δευτε-
ραῖοι ἤλθομεν εἰς Ποτιόλους, **14** οὗ εὑρόντες ἀδελφοὺς

2 ⸀προσανελαμβανον ℵ* Ψ 614. 2495 *pc* lat | ⸂*2 1* 𝔓74 33 ¦ *2* A gig co ¦ *1* 181 • **3** ⸀διεξ- H L P Ψ 049. 323. 614. 945. 1241 𝔐 | ⸁-ψατο C 36. 453. 614. 1891. 2495 *pm* • **5** ⸀-ξαμενος A H L 048. 33. 36. 81. 323. 614. 945. 1175. 1739. 2495 *pm* ¦ *txt* ℵ B P Ψ 049. 326. 1241. 1891. 2464 *pm* • **6** ⸀εμπιπρ- ℵ* 323. 945 *pc* | ⸁-λλ- ℵ 048 𝔐 ¦ *txt* A B Ψ 81. 323. 945. 2495 *al* • **7** ⸀Πουπλιω 𝔓74vid 81. 104. 945. 1739 *pc* | ⸉† B 6. 104. 323. 614. 1175. 2495 *pc* ¦ *txt* 𝔓74 ℵ A Ψ 048 𝔐 • **8** ⸀-τω 𝔓74 • **9** ⸆υγιους H | ° B gig vgcl • **10** ⸆οσον χρονον επεδημουμεν 1611 *pc* | ⸂την χρειαν 𝔐 ¦ *txt* 𝔓74 ℵ A B Ψ 048. 066. 33. 104. 614. 945. 1175. 1739. 2495 *pc* syh • **11** ⸀ηχ- H 049. 6. 326. 1891. 2464 *pm* | ⸁-κορ- 𝔓74 P* Ψ 81c. 104. 326. 453. 2464 *al* • **12** ⸂-ραις τρισιν B • **13** ⸀† -ελθοντες 𝔓74 ℵc A 066 𝔐 lat sy ¦ *txt* ℵ* B Ψ (gig)

παρεκλήθημεν ⸀παρ’ αὐτοῖς ⸁ἐπιμεῖναι ἡμέρας ἑπτά· καὶ 20,6!
οὕτως ⸉εἰς τὴν Ῥώμην ἤλθαμεν⸊. **15** κἀκεῖθεν °οἱ ἀδελφοὶ ἀκούσαντες τὰ περὶ ἡμῶν ⸀ἦλθαν εἰς ἀπάντησιν ἡμῖν
ἄχρι Ἀππίου φόρου καὶ Τριῶν ταβερνῶν, οὓς ἰδὼν ὁ
Παῦλος εὐχαριστήσας τῷ θεῷ ἔλαβε θάρσος.
16 Ὅτε δὲ εἰσήλθομεν εἰς ⸆ Ῥώμην, ⸂ἐπετράπη τῷ Παύ- 27,3!
λῳ⸃ μένειν καθ’ ⸀ἑαυτὸν ⸇ σὺν τῷ φυλάσσοντι αὐτὸν
στρατιώτῃ.
17 Ἐγένετο δὲ μετὰ ἡμέρας τρεῖς συγκαλέσασθαι αὐτὸν τοὺς ὄντας τῶν Ἰουδαίων πρώτους· συνελθόντων δὲ 25,2 L 19,47
αὐτῶν ἔλεγεν πρὸς αὐτούς· ἐγώ, ἄνδρες ἀδελφοί, οὐδὲν
ἐναντίον ποιήσας τῷ λαῷ ἢ τοῖς ἔθεσι τοῖς πατρῴοις δέ- 21,28 · 23,18! ·
σμιος ἐξ Ἱεροσολύμων παρεδόθην εἰς τὰς χεῖρας τῶν 21,21! cf 21,32s
Ῥωμαίων, **18** οἵτινες ⸆ ἀνακρίναντές με ἐβούλοντο ἀπο- 4,9! · 25,9; 26,32 ·
λῦσαι διὰ τὸ μηδεμίαν αἰτίαν θανάτου ὑπάρχειν ἐν ἐμοί. 23,29!
19 ἀντιλεγόντων δὲ τῶν Ἰουδαίων ⸆ ἠναγκάσθην ἐπικα- 13,45!
λέσασθαι Καίσαρα οὐχ ὡς τοῦ ἔθνους μου ἔχων τι ⸀κα- 25,11!
τηγορεῖν⸇. **20** διὰ ταύτην οὖν τὴν αἰτίαν παρεκάλεσα
ὑμᾶς ἰδεῖν καὶ προσλαλῆσαι, ἕνεκεν γὰρ τῆς ἐλπίδος τοῦ 23,6; 24,15; 26,6s
Ἰσραὴλ τὴν ἅλυσιν ταύτην περίκειμαι. **21** οἱ δὲ πρὸς αὐτὸν εἶπαν· ἡμεῖς ⸀οὔτε γράμματα ⸉περὶ σοῦ ἐδεξάμεθα⸊
ἀπὸ τῆς Ἰουδαίας οὔτε παραγενόμενός τις τῶν ἀδελφῶν
ἀπήγγειλεν ἢ ἐλάλησέν τι περὶ σοῦ πονηρόν. **22** ἀξιοῦ-
μεν δὲ ⸉παρὰ σοῦ ἀκοῦσαι⸊ ἃ φρονεῖς, περὶ °μὲν γὰρ 17,19s
τῆς αἱρέσεως ταύτης γνωστὸν ἡμῖν ἐστιν ὅτι πανταχοῦ 24,14!
ἀντιλέγεται. 13,45! L 2,34 H 12,3
23 Ταξάμενοι δὲ αὐτῷ ἡμέραν ⸀ἦλθον πρὸς αὐτὸν εἰς
τὴν ξενίαν πλείονες οἷς ⸁ἐξετίθετο ⸀¹διαμαρτυρόμενος 23,11!

14 ⸀επ Ψ 𝔐 ¦ *txt* 𝔓[74] ℵ A B 048. 066. 33. 36. 81. 453. 945. 1175. 1739 *pc* | ⸁επιμειναντες H Ψ 049. 326. 614. 2464. 2495 *al* | ⸉ 𝔓[74vid] A 048. 066. 33. 81. 104. 945. 1739. 2464 *al* vg ¦ *txt* ℵ B Ψ 𝔐 gig • **15** ° B | ⸀εξηλ- Ψ 𝔐 ¦ *txt* ℵ A B 066. 81. 104 *pc* • **16** ⸆ την ℵ* L Ψ 048. 614. 1175. 2495 *al* ¦ *txt* ℵ[c] A B 066 𝔐 | ⸂ο εκατονταρχος παρεδωκεν τους δεσμιους τω στρατοπεδαρχω, τω δε Π. επετρ. 𝔐 gig p (sy[h**]) sa ¦ *txt* 𝔓[74vid] ℵ A B Ψ 048[vid]. 066. 81. 1175. 1739. 2464. 2495 *pc* vg (sy[p]) bo | ⸀αυ- B | ⸇εξω της παρεμβολης 614. 2147 *pc* it (sy[h**]) • **18** ⸆πολλα 614 *pc* sy[h**] • **19** ⸆(22,22) και επικραζοντων· αιρε τον εχθρον ημων 614. 2147 *pc* sy[h**] | ⸀-ρησαι Ψ 𝔐 ¦ *txt* ℵ A B 33. 81. 104. 453. 945. 1175. 1739. 2464 *pc* | ⸇αλλ ινα λυτρωσωμαι την ψυχην μου εκ θανατου 614. 2147 *pc* gig p vg[mss] sy[h**] • **21** ⸀ουδε 𝔓[74] 81*. 104 *pc* | ⸉ 𝔓[74] A 33. 104. 945. 1739 *al* ¦ *txt* (ℵ) B (Ψ) 048 𝔐 it • **22** ⸉ 𝔓[74] ℵ L 36 *pc* | ° 104 *pc* • **23** ⸀ηκον Ψ 𝔐 ¦ *txt* 𝔓[74] ℵ A B 048. 33. 36. 81. 453. 945. 1175. 1739. 2464 *pc* | ⸁εξεθετο 𝔓[74vid] A*[vid] *pc* | ⸀¹-ραμενος ℵ(*) ¦ παρατιθεμενος A

19,8! · 31 τὴν βασιλείαν τοῦ θεοῦ, πείθων τε αὐτοὺς περὶ τοῦ Ἰησοῦ
26,22! ἀπό τε τοῦ νόμου °Μωϋσέως καὶ τῶν προφητῶν, ἀπὸ
20,7.11 | 17,4 πρωῒ ἕως ἑσπέρας. **24** καὶ οἱ μὲν ⸆ ἐπείθοντο τοῖς λεγο-
μένοις, οἱ δὲ ἠπίστουν· **25** ἀσύμφωνοι ⸀δὲ ὄντες πρὸς
ἀλλήλους ἀπελύοντο εἰπόντος τοῦ Παύλου ῥῆμα ἕν, ὅτι
καλῶς τὸ πνεῦμα τὸ ἅγιον ἐλάλησεν διὰ Ἠσαΐου τοῦ
προφήτου πρὸς τοὺς πατέρας ⸂ὑμῶν **26** λέγων·
Is 6,9s 𝔊 Mt 13, 14s!p *πορεύθητι πρὸς τὸν λαὸν τοῦτον καὶ εἰπόν·*
ἀκοῇ ἀκούσετε καὶ οὐ μὴ συνῆτε
καὶ βλέποντες βλέψετε καὶ οὐ μὴ ⸀ἴδητε·
2K 3,14 **27** *⸀ἐπαχύνθη γὰρ ἡ καρδία τοῦ λαοῦ τούτου*
καὶ τοῖς ὠσὶν βαρέως ἤκουσαν
καὶ τοὺς ὀφθαλμοὺς αὐτῶν ἐκάμμυσαν·
μήποτε ἴδωσιν τοῖς ὀφθαλμοῖς
καὶ τοῖς ὠσὶν ἀκούσωσιν
καὶ τῇ καρδίᾳ συνῶσιν
καὶ ⸂ἐπιστρέψωσιν, καὶ ⸀¹ἰάσομαι αὐτούς.
2,14! · Ps 67,3; 98,3 · 18,6! **28** γνωστὸν οὖν ⸉ἔστω ὑμῖν⸊ ὅτι τοῖς ἔθνεσιν ἀπεστάλη
Is 40,5 𝔊 L 3,6 τοῦτο τὸ σωτήριον τοῦ θεοῦ· αὐτοὶ καὶ ἀκούσονται. ⸆
30 Ἐνέμεινεν δὲ διετίαν ὅλην ἐν ἰδίῳ μισθώματι καὶ
2T 1,17 ἀπεδέχετο πάντας τοὺς εἰσπορευομένους πρὸς αὐτόν⸆,
19,8! **31** κηρύσσων τὴν βασιλείαν τοῦ θεοῦ καὶ διδάσκων ⸋τὰ
23; 1,3 · 2,29! Ph 1,14 2T 2,9 περὶ ⸢τοῦ κυρίου⸣ Ἰησοῦ °Χριστοῦ⸌ μετὰ πάσης ⸀παρ-
ρησίας ἀκωλύτως⸆. ⸆

23 ° 𝔓^{74} ● **24** ⸆ουν ℵ* ● **25** ⸀τε ℵ* 36. 453. 1175 *pc* | ⸂ημ- 𝔐 gig vg ¦ – sy^{h} ¦ *txt* 𝔓^{74} ℵ A B Ψ 049. 33. 81. 323. 945. 1175. 1739. 2464 *al* p s sy^{p}; CyrJ ● **26** ⸀(*ex itac.?*) ειδητε 𝔓^{74vid} E 104 *pc* sy^{h} ● **27** ⸀εβαρυνθη ℵ* (gig) | ⸂-ψουσιν A E Ψ 048. 81 *pc* vg^{mss} | ⸀¹-σωμαι E 33. 81. 2464 *pm* gig vg ● **28** ⸉ B 6. 81. 453. 1175 *pc* | ⸆**29** και ταυτα αυτου ειποντος απηλθον οι Ιουδαιοι πολλην εχοντες εν εαυτοις συζητησιν (ζητ- 104 *pc*) 𝔐 it vg^{cl} sy^{h**} ¦ *txt* 𝔓^{74} ℵ A B E Ψ 048. 33. 81. 1175. 1739. 2464 *pc* s vgst sy^{p} co ● **30** ⸆ Ιουδαιους τε και Ελληνας 614. 2147 *pc* (gig p) vg^{mss} sy^{h**} ● **31** ⸋ p *et* ⸆dicens quia hic est Christus Jesus filius dei per quem incipiet totus mundus iudicari p vg^{mss} sy^{h} | ⸢της βασιλειας 𝔓^{74} | ° ℵ* 326. 614. 2147. 2495 *pc* sy^{h} | ⸀σωτηριας 𝔓^{74} | ⸆αμην Ψ 36. 453. 614. 1175. 2495 *al* vg^{ww} sy^{h}

ΠΡΟΣ ΡΩΜΑΙΟΥΣ

1 Παῦλος δοῦλος ⸉Χριστοῦ Ἰησοῦ⸊, κλητὸς ἀπόστολος
ἀφωρισμένος εἰς εὐαγγέλιον θεοῦ, **2** ὃ προεπηγγείλατο
διὰ τῶν προφητῶν αὐτοῦ ἐν γραφαῖς ἁγίαις **3** περὶ τοῦ
υἱοῦ αὐτοῦ τοῦ ⸀γενομένου ἐκ σπέρματος Δαυὶδ κατὰ
σάρκα, **4** τοῦ ⸀ὁρισθέντος υἱοῦ θεοῦ ἐν δυνάμει κατὰ
πνεῦμα ἁγιωσύνης ἐξ ἀναστάσεως νεκρῶν, Ἰησοῦ Χριστοῦ τοῦ κυρίου ἡμῶν, **5** δι' οὗ ἐλάβομεν χάριν καὶ ἀποστολὴν εἰς ὑπακοὴν πίστεως ἐν πᾶσιν τοῖς ἔθνεσιν ὑπὲρ
τοῦ ὀνόματος αὐτοῦ, **6** ἐν οἷς ἐστε καὶ ὑμεῖς κλητοὶ Ἰησοῦ Χριστοῦ, **7** πᾶσιν τοῖς οὖσιν ⸋ἐν Ῥώμῃ⸌ ⸂ἀγαπη-
τοῖς θεοῦ⸃, κλητοῖς ἁγίοις, ⸉χάρις ὑμῖν καὶ εἰρήνη⸊ ἀπὸ
θεοῦ πατρὸς ἡμῶν καὶ κυρίου Ἰησοῦ Χριστοῦ.

8 Πρῶτον μὲν εὐχαριστῶ τῷ θεῷ μου ⸋διὰ Ἰησοῦ Χρι-
στοῦ⸌ ⸀περὶ πάντων ὑμῶν ὅτι ἡ πίστις ὑμῶν καταγγέλλεται ἐν ὅλῳ τῷ κόσμῳ. **9** μάρτυς γάρ ⸀μού ἐστιν ὁ θεός,
ᾧ λατρεύω ἐν τῷ πνεύματί μου ἐν τῷ εὐαγγελίῳ τοῦ υἱοῦ
αὐτοῦ, ὡς ἀδιαλείπτως μνείαν ὑμῶν ποιοῦμαι **10** πάντοτε
ἐπὶ τῶν προσευχῶν μου δεόμενος εἴ πως ἤδη ποτὲ εὐοδω-
θήσομαι ἐν τῷ θελήματι τοῦ θεοῦ ἐλθεῖν πρὸς ὑμᾶς.
11 ἐπιποθῶ γὰρ ἰδεῖν ὑμᾶς, ἵνα τι μεταδῶ χάρισμα ὑμῖν
πνευματικὸν εἰς τὸ στηριχθῆναι ὑμᾶς, **12** τοῦτο δέ ἐστιν
συμπαρακληθῆναι ⸀ἐν ὑμῖν διὰ τῆς ἐν ἀλλήλοις πίστεως
ὑμῶν τε καὶ ἐμοῦ. **13** ⸂οὐ θέλω⸃ δὲ ὑμᾶς ἀγνοεῖν, ἀδελφοί,
ὅτι πολλάκις προεθέμην ἐλθεῖν πρὸς ὑμᾶς, καὶ ἐκωλύθην
ἄχρι τοῦ δεῦρο, ἵνα τινὰ καρπὸν σχῶ καὶ ἐν ὑμῖν καθὼς
καὶ ἐν τοῖς λοιποῖς ἔθνεσιν. **14** Ἕλλησίν τε καὶ βαρβά-

2P 3,16
Act 19,21; 23,11; 28,14.16 2T 1,17
Ph 1,1 G 1,10 Jc 1,1! Ps 105,26; 78,70 etc · 1K 1,1 · G 1,15! · 1Th 2,2! | Tt 1,2 · 16,25s
L 1,70 |
Mt 1,1 J 7,42! 2T 2,8 Ap 22,16 · Kol 1,22! | Act 13,33 · Ph 3,10 1T 3,16 TestLev 18,7 |
15,15! G 2,7s · 16,26! · Act 9,15!p
8,28; 9,24 1K 1,9 etc |
Act 28,15
1K 1,2; · 1,3 2K 1,2 G 1,3 E 1,2 Ph 1,2 2Th 1,2 Phm 3 Kol 1,2
1Th 1,1 Tt 1,4 | 1K 1,4 etc
16,19 1Th 1,8
2K 1,23 Ph 1,8 1Th 2,5 1Sm 12,5s · H 9,14; 12,28 Dt 11,13 · Ph 3,3 · 1Th 1,2 2T 1,3 · E 1,16 | 15,23 Act 19,21 Act 18,21!
1Th 2,17; 3,6 2T 1,4 · 12,6!
11,25 1K 10,1; 12,1 2K 1,8 1Th 4,13 · 15,22!
J 15,16!

¶ **1,1** ⸉ 𝔓^{26} ℵ A G Ψ 𝔐 b d vg^{cl} sy; Ir^{lat} Ambst ¦ *txt* 𝔓^{10} B 81 *pc* a m vgst ● **3** ⸀γεννωμ- 61* *pc* sy^{p}; Or ● **4** ⸀προορ- latt ● **7** ⸋ G 1739^{mg} *pc et* ⸂εν αγαπη θεου G it vg^{mss}; Ambst | ⸉ *4 3 1.2* sy^{p} ● **8** ⸋ ℵ* | ⸀υπερ D^{c} G Ψ 𝔐 ¦ *txt* ℵ A B C D* K 33. 81. 1506. 1739. 1881 *al* ● **9** ⸀μοι D* G Ψ 424. 2495 *pc* ● **12** [⸀εμε Michelsen *cj*] ● **13** ⸂ουκ οιομαι D(²) G b*; Ambst

ροις, σοφοῖς τε καὶ ἀνοήτοις ὀφειλέτης εἰμί, **15** οὕτως τὸ
κατ' ἐμὲ ⸀πρόθυμον καὶ ⸆ ὑμῖν ⸋τοῖς ἐν Ῥώμῃ⸌ εὐαγγελίσασθαι.
16 Οὐ γὰρ ἐπαισχύνομαι τὸ εὐαγγέλιον⸆, δύναμις γὰρ
θεοῦ ἐστιν ⸋εἰς σωτηρίαν⸌ παντὶ τῷ πιστεύοντι, Ἰου-
δαίῳ τε °πρῶτον καὶ Ἕλληνι. **17** δικαιοσύνη γὰρ θεοῦ ἐν
αὐτῷ ἀποκαλύπτεται ἐκ πίστεως εἰς πίστιν, καθὼς γέ-
γραπται· *ὁ δὲ δίκαιος* ⸆ *ἐκ πίστεως ζήσεται.*

18 Ἀποκαλύπτεται γὰρ ὀργὴ °θεοῦ ἀπ' οὐρανοῦ ἐπὶ
πᾶσαν ἀσέβειαν καὶ ἀδικίαν ἀνθρώπων τῶν τὴν ἀλήθειαν
⸆ ἐν ἀδικίᾳ κατεχόντων, **19** διότι τὸ γνωστὸν τοῦ θεοῦ
φανερόν ἐστιν ἐν αὐτοῖς· ὁ θεὸς γὰρ αὐτοῖς ἐφανέρωσεν.
20 τὰ γὰρ ἀόρατα αὐτοῦ ἀπὸ κτίσεως κόσμου τοῖς ποιή-
μασιν νοούμενα καθορᾶται, ἥ τε °ἀΐδιος αὐτοῦ δύναμις
καὶ θειότης, εἰς τὸ εἶναι αὐτοὺς ἀναπολογήτους, **21** διότι
γνόντες τὸν θεὸν οὐχ ὡς θεὸν ἐδόξασαν ἢ ηὐχαρίστη-
σαν, ἀλλ' ἐματαιώθησαν ἐν τοῖς διαλογισμοῖς αὐτῶν καὶ
ἐσκοτίσθη ἡ ἀσύνετος αὐτῶν καρδία. **22** φάσκοντες εἶναι
σοφοὶ ἐμωράνθησαν **23** καὶ ⸀ἤλλαξαν τὴν δόξαν τοῦ ἀ-
φθάρτου θεοῦ ἐν ὁμοιώματι εἰκόνος φθαρτοῦ ἀνθρώπου
καὶ πετεινῶν καὶ τετραπόδων καὶ ἑρπετῶν. **24** Διὸ ⸆
παρέδωκεν αὐτοὺς ὁ θεὸς ἐν ταῖς ἐπιθυμίαις τῶν καρδιῶν
αὐτῶν εἰς ἀκαθαρσίαν τοῦ ἀτιμάζεσθαι τὰ σώματα αὐτῶν ἐν ⸀αὐτοῖς· **25** οἵτινες μετήλλαξαν τὴν ἀλήθειαν
τοῦ θεοῦ ἐν τῷ ψεύδει καὶ ἐσεβάσθησαν καὶ ἐλάτρευσαν
τῇ κτίσει παρὰ τὸν κτίσαντα, ὅς ἐστιν εὐλογητὸς εἰς τοὺς
αἰῶνας, ἀμήν. **26** Διὰ τοῦτο παρέδωκεν αὐτοὺς ὁ
θεὸς εἰς πάθη ἀτιμίας, αἵ τε γὰρ θήλειαι αὐτῶν μετήλλαξαν τὴν φυσικὴν ⸀χρῆσιν εἰς τὴν παρὰ φύσιν⸆, **27** ὁ-
μοίως ⸀τε καὶ οἱ ἄρσενες ἀφέντες τὴν φυσικὴν χρῆσιν
τῆς θηλείας ἐξεκαύθησαν ἐν τῇ ὀρέξει αὐτῶν εἰς ἀλλή-

1K 1,26ss · 8,12; 15,27 G 5,3 1K 9,16

Ps 119,46 L 9,26! · 1K 1,18.24 2K 12,9 · 10,9; 5,9s 1Th 5,9s · Act 3,26!; 18,6! | 3,5.21-26; 10,3 2K 5,21 Ph 3,9 Mt 6,33 Ps 98,2 Is 51,5s.8 · *Hab 2,4* G 3,11 H 10,38

4,15; 5,9 Mt 3,7! 1Th 2,16 Hen 91,7 · Ps 73,6 Prv 11,5 · 2Th 2,12

19–32: Sap 13–15 Act 14,15-17; 17,24-28 · BarAp 54,17s

1T 1,17 · Job 12,7-9 Mt 6,26-30p Ps 8,4; 19,2 Is 40,26.28 Act 14,17! J 15,22 |

Mt 23,3 4Esr 8,60 · E 4,17s 2Rg 17,15 Jr 2,5 Ps 94,11 Sap 13,1 Ps 75,6 𝔊 Hen 99,8 | Jr 10,14 1K 1,20 | Ps 106,20 Jr 2,11 · Dt 4,15-18 Sap 12,24; 11,15 |

26.28 Act 7,41s ·

6,19 G 5,19

AssMos 5,4

9,5!

24!

TestJos 7,8

15 ⸀-μος d vg[mss]; Ambst | ⸆εν D* b vg[mss] ¦ επ G | ⸋ G (*cf vs* 7) ● **16** ⸆του Χριστου D[c] Ψ 𝔐 ¦ *txt* 𝔓[26vid] ℵ A B C D* G 33. 81. 1506. 1739. 1881. 2495 *pc* lat sy co | ⸋ G | ° B G sa; Mcion ● **17** ⸆μου C* ● **18** ° 1908 *pc* | ⸆του θεου a vg[cl] sa; Ambst ● **20** ° L 1506* *pc* ● **23** ⸀-ξαντο K 6. 630 *al* ● **24** ⸆και D G Ψ 𝔐 b sy[h] ¦ *txt* ℵ A B C 33. 81. 104. 1739. 1881 *al* lat sy[p] co; Spec | ⸀εαυ- G 𝔐 ¦ *txt* 𝔓[40vid] ℵ A B C D Ψ 81. 1881* *al* ● **26** ⸀κτισιν D* *et* ⸆χρησιν D* G ● **27** ⸀δε A D* G P Ψ 33. 104. 630. 1739. 1881 *pm* lat sy[h]; Cl ¦ – C *al* ¦ *txt* ℵ B D[c] K L 81. 365. 1175. 1241. 2464 *pm*

λους, ἄρσενες ἐν ἄρσεσιν τὴν ἀσχημοσύνην κατεργαζό- Lv 18,22; 20,13
μενοι καὶ τὴν ἀντιμισθίαν ἣν ἔδει τῆς πλάνης αὐτῶν ἐν 1K 6,9
⸀ἑαυτοῖς ⸀¹ἀπολαμβάνοντες. **28** Καὶ καθὼς οὐκ ἐδο-
κίμασαν τὸν θεὸν ἔχειν ἐν ἐπιγνώσει, παρέδωκεν αὐτοὺς 24!
⸋ὁ θεὸς⸌ εἰς ἀδόκιμον νοῦν, ποιεῖν τὰ μὴ καθήκοντα, 2Mcc 6,4 3Mcc 4,16
29 πεπληρωμένους πάσῃ ἀδικίᾳ ⸉πονηρίᾳ πλεονεξίᾳ κα- *29-31:*
κίᾳ⸊, μεστοὺς φθόνου φόνου ἔριδος ⸰δόλου κακοηθείας, 13,13 Mt 15,19p
ψιθυριστὰς **30** ⸀καταλάλους θεοστυγεῖς ὑβριστὰς ὑπερη- L 18,11 1K 5,10s; 6,9s 2K 12,20 G
φάνους ἀλαζόνας, ἐφευρετὰς κακῶν, γονεῦσιν ἀπειθεῖς, 5,19-21 E 4,31; 5, 3-5 Kol 3,5.8 1T
31 ἀσυνέτους ἀσυνθέτους ἀστόργους ⸆ ἀνελεήμονας· 1,9s; 6,4s 2T 3,2-4 Tt 3,3 1P 4,3 Ap
32 οἵτινες τὸ δικαίωμα τοῦ θεοῦ ⸀ἐπιγνόντες ⸆ ὅτι οἱ τὰ 9,21; 21,8; 22,15 4Mcc 1,26; 2,15 |
τοιαῦτα πράσσοντες ἄξιοι θανάτου εἰσίν, οὐ μόνον ⸆
⸉αὐτὰ ποιοῦσιν ἀλλὰ καὶ συνευδοκοῦσιν⸊ τοῖς πράσ- Act 8,1! 2Th 2,12
σουσιν.

2 Διὸ ἀναπολόγητος εἶ, ὦ ἄνθρωπε πᾶς ὁ κρίνων· ἐν Mt 7,1s!
ᾧ γὰρ ⸆ κρίνεις τὸν ἕτερον, σεαυτὸν κατακρίνεις, τὰ
γὰρ αὐτὰ πράσσεις ὁ κρίνων. **2** οἴδαμεν ⸀δὲ ὅτι τὸ κρίμα
τοῦ θεοῦ ἐστιν κατὰ ἀλήθειαν ἐπὶ τοὺς τὰ τοιαῦτα πράσ-
σοντας. **3** ⸉λογίζῃ δὲ τοῦτο, ὦ ἄνθρωπε ὁ κρίνων τοὺς τὰ
τοιαῦτα πράσσοντας⸊ καὶ ποιῶν αὐτά, ὅτι σὺ ἐκφεύξῃ τὸ PsSal 15,8
κρίμα τοῦ θεοῦ; **4** ἢ τοῦ πλούτου τῆς χρηστότητος αὐτοῦ
καὶ τῆς ἀνοχῆς καὶ τῆς μακροθυμίας καταφρονεῖς, ἀγνο- 9,22 2P 3,9.15
ῶν ὅτι τὸ χρηστὸν τοῦ θεοῦ εἰς μετάνοιάν ⸉σε ἄγει⸊; **5** κα- Sap 11,23
τὰ δὲ τὴν σκληρότητά σου καὶ ἀμετανόητον καρδίαν θη- Dt 9,27
σαυρίζεις σεαυτῷ ὀργὴν ἐν ἡμέρᾳ ὀργῆς καὶ ⸀ἀποκαλύ- Ap 6,17 Zph 1,14s etc Ps 110,5 ·
ψεως ⸆ δικαιοκρισίας τοῦ θεοῦ **6** ὃς *ἀποδώσει ἑκάστῳ κατὰ* TestLev 3,2 PsSal
τὰ ἔργα αὐτοῦ· **7** τοῖς μὲν καθ' ὑπομονὴν ἔργου ἀγαθοῦ δό- 9,5 | *Prv 24,12 Ps 62,13* Mt 16,27
ξαν καὶ τιμὴν καὶ ἀφθαρσίαν ζητοῦσιν ζωὴν αἰώνιον, 2K 11,15 2T 4,14 1P 1,17 Ap 2,23! |
8 τοῖς δὲ ἐξ ἐριθείας καὶ ἀπειθοῦσι ⸆ τῇ ἀληθείᾳ πειθομέ- 10 1P 1,7 · Mt 19, 16 | Ph 1,17

27 ⸀αυ- B K 104*. 1506 *pc* | ⸀¹αντιλ- G ● **28** ⸋ ℵ* A 0172* ● **29** ⸉ *3 1 2* C D^s.c 33. 81. 1506 *pc* ¦ *2 3* K ¦ *1 3 2* ℵ A ¦ κακ. πορνεια πλ. D^s* G (P) (vg) ¦ πορν. πον. πλ. κακ. Ψ 𝔐 ¦ *txt* B 0172^vid. 1739. 1881 *pc* | ⸰A ● **30** ⸀κακολαλ- D^s ● **31** ⸆(2T 3,3) ασπονδους ℵ² C Ψ (ʃ 33) 𝔐 vg sy ¦ *txt* ℵ* A B D G 6. 1506. 1739 *pc* it bo; Lcf Ambst ● **32** ⸀ επιγινωσκοντες B 1506 *pc* | ⸆ουκ ενοησαν (εγνωσαν G) D* G (*pc*) latt | ⸆ δε 1175 *pc* b m ¦ γαρ D* | ⸉αυ. ποιουντες αλ. κ. συν-κουντες B b vg^cl; Lcf ¦ οι ποιουντες αυ. αλ. κ. οι συν-κουντες a m; Ambst

¶ **2,1** ⸆κριματι C*^vid 104 *pc* sy^h** sa? ● **2** ⸀γαρ ℵ C 33 *pc* d vg ¦ – 1906 ● **3** ⸉νομιζεις ουν ο ταυτα πρασσων P ● **4** ⸉εναγει 33 ● **5** ⸀ανταποδοσεως A | ⸆και ℵ² D^c Ψ 𝔐 sy^h ¦ *txt* ℵ* A B D* G 81. 1506 *pc* latt sy^p co ● **8** ⸆μεν ℵ² A D^c Ψ 𝔐 sy^h ¦ *txt* ℵ* B D* G 1739. 1881 *pc* latt

1,18! J 3,36 | 8,25 Is 28,22 𝔊 Dt 28, 53 · Act 3,26! | 7! | Act 10,34! G 2,6 E 6,9 Kol 3,25 1P 1,17 Jc 2,1 2Chr 19,7 Sir 35,12s 𝔊 · 3,19 · Mt 7,21! 1J 3,7 Jc 4,11 · Act 10,35 · Jr 31,33 Is 51,7 BarAp 57,2 · 9,1 · Sap 17,11 Test Rub 4,3 · L 8,17! 1K 4,5 · 16,25 2T 2,8 · Act 10,42! · Mch 3,11 𝔊 BarAp 48,22 · PsSal 17,1 | 12,2! L 12,47! · L 18,9 · Mt 15,14! · J 3,10 · 2T 3,5 · Ps 50,16-21 Mt 23,3s · TetLev 14,4 Act 19,37 · *Is 52,5* Ez 36,20 2P 2,2 · G 5,3 · 1K 7,19! · Lv 18,5 Dt 30,16

νοις δὲ τῇ ἀδικίᾳ ὀργὴ καὶ θυμός. **9** θλῖψις καὶ στενοχωρία ἐπὶ πᾶσαν ψυχὴν ἀνθρώπου τοῦ κατεργαζομένου τὸ
κακόν, Ἰουδαίου τε πρῶτον καὶ Ἕλληνος· **10** δόξα δὲ καὶ
τιμὴ καὶ εἰρήνη παντὶ τῷ ἐργαζομένῳ τὸ ἀγαθόν, Ἰου-
δαίῳ τε πρῶτον καὶ Ἕλληνι· **11** οὐ γάρ ἐστιν προσωπο-
λημψία παρὰ τῷ θεῷ.
12 Ὅσοι γὰρ ἀνόμως ἥμαρτον, ἀνόμως καὶ ἀπολοῦν- 2
ται, καὶ ὅσοι ⸂ἐν νόμῳ⸃ ἥμαρτον, διὰ νόμου κριθήσονται·
13 οὐ γὰρ οἱ ἀκροαταὶ νόμου δίκαιοι παρὰ °[τῷ] θεῷ,
ἀλλ' οἱ ποιηταὶ νόμου δικαιωθήσονται⸆. **14** ὅταν γὰρ
ἔθνη τὰ μὴ νόμον ἔχοντα φύσει τὰ τοῦ νόμου ποιῶσιν,
⸀οὗτοι νόμον μὴ ἔχοντες ἑαυτοῖς εἰσιν νόμος· **15** οἵτινες
ἐνδείκνυνται τὸ ἔργον τοῦ νόμου γραπτὸν ἐν ταῖς καρδίαις αὐτῶν, συμμαρτυρούσης αὐτῶν τῆς συνειδήσεως
καὶ μεταξὺ ἀλλήλων τῶν ⸀λογισμῶν κατηγορούντων ἢ
καὶ ἀπολογουμένων, **16** ⸆ ἐν ⸂ἡμέρᾳ ὅτε⸃ ⸀κρίνει ὁ θεὸς
τὰ κρυπτὰ τῶν ἀνθρώπων κατὰ τὸ εὐαγγέλιόν °μου διὰ
⸉Χριστοῦ Ἰησοῦ⸊.
17 ⸂Εἰ δὲ⸃ σὺ Ἰουδαῖος ἐπονομάζῃ καὶ ἐπαναπαύῃ νόμῳ καὶ καυχᾶσαι ἐν θεῷ **18** καὶ γινώσκεις τὸ θέλημα καὶ
δοκιμάζεις τὰ διαφέροντα κατηχούμενος ἐκ τοῦ νόμου,
19 πέποιθάς τε σεαυτὸν ὁδηγὸν εἶναι τυφλῶν, φῶς τῶν ἐν
σκότει, **20** παιδευτὴν ἀφρόνων, διδάσκαλον νηπίων, ἔχοντα τὴν μόρφωσιν τῆς γνώσεως καὶ τῆς ἀληθείας ἐν τῷ
νόμῳ· **21** ὁ οὖν διδάσκων ἕτερον σεαυτὸν οὐ διδάσκεις;
ὁ κηρύσσων μὴ κλέπτειν κλέπτεις; **22** ὁ λέγων μὴ μοι-
χεύειν μοιχεύεις; ὁ βδελυσσόμενος τὰ εἴδωλα ἱεροσυλεῖς;
23 ὃς ἐν νόμῳ καυχᾶσαι, διὰ τῆς παραβάσεως τοῦ νόμου
τὸν θεὸν ἀτιμάζεις· **24** *τὸ γὰρ ὄνομα τοῦ θεοῦ δι' ὑμᾶς βλασ-*
φημεῖται ἐν τοῖς ἔθνεσιν, καθὼς γέγραπται.
25 Περιτομὴ μὲν γὰρ ὠφελεῖ ἐὰν νόμον ⸀πράσσῃς·
ἐὰν δὲ παραβάτης νόμου ᾖς, ἡ περιτομή σου ἀκροβυστία γέγονεν. **26** ἐὰν οὖν ἡ ἀκροβυστία τὰ δικαιώματα

12 ⸂εννομως *l* 44 ● **13** ° B D* ¦ *txt* ℵ A D[c] G Ψ 𝔐 (P: *h. t.*) | ⸆παρα θεω G vg[mss]; Spec ● **14** ⸀οι τοιουτοι G ● **15** ⸀διαλογ- G ● **16** [⸆και δικαιωθησονται Pohlenz *cj*] | ⸂† ἧ ημ. B ¦ ημ. ἧ A 1506 *pc* ¦ *txt* ℵ D G Ψ 𝔐 lat sy[h]; Spec | ⸀-νεῖ D[2] 𝔐 latt co ¦ *txt* B[2] Ψ 6. 1241 *pc* (ℵ A B* D* G *sine acc.*) | ° 69 d* sa[mss]; Mcion | ⸉ ℵ[1] A D Ψ 𝔐 latt sy ¦ *txt* (ℵ[*vid]) B ● **17** ⸂(*ex itac.?*) ιδε 𝔐 sy[h] ¦ *txt* ℵ A B D K Ψ 81. 104. 630. 1506 *al* latt sy[p] co ● **25** ⸀φυλασσης D* latt

τοῦ νόμου φυλάσσῃ, ⸀οὐχ ἡ ἀκροβυστία αὐτοῦ εἰς περιτομὴν λογισθήσεται; **27** καὶ κρινεῖ ⸋ἡ ἐκ φύσεως ἀκρο- Mt 12,41sp
βυστία⸌ τὸν νόμον τελοῦσα σὲ τὸν διὰ γράμματος καὶ 7,6!
περιτομῆς παραβάτην νόμου. **28** οὐ γὰρ ὁ ἐν τῷ φανερῷ
Ἰουδαῖός ἐστιν οὐδὲ ἡ ἐν τῷ φανερῷ ἐν σαρκὶ περιτο-
μή, **29** ἀλλ' ὁ ἐν τῷ κρυπτῷ Ἰουδαῖος, καὶ περιτομὴ καρ- 1K 4,5 · Dt 30,6
δίας ἐν πνεύματι οὐ γράμματι, οὗ ὁ ἔπαινος οὐκ ἐξ ἀν- Jr 4,4; 9,25s Act 7,51 Jub 1,23 ·
θρώπων ἀλλ' ἐκ τοῦ θεοῦ. 7,6! · J 5,44

3 Τί οὖν τὸ περισσὸν τοῦ Ἰουδαίου ἢ τίς °ἡ ὠφέλεια
τῆς περιτομῆς; **2** πολὺ κατὰ πάντα τρόπον. ⸂πρῶτον 9,4 Dt 4,7s Ps 147,19s; 103,7 · Act 3,
μὲν [γὰρ] ὅτι⸃ ἐπιστεύθησαν τὰ λόγια τοῦ θεοῦ. **3** τί γάρ; 26! 1Th 2,4 · 1P 4,11 |
εἰ ἠπίστησάν τινες, μὴ ἡ ἀπιστία αὐτῶν τὴν πίστιν τοῦ 9,6 2T 2,13 · Ps
θεοῦ καταργήσει; **4** μὴ γένοιτο· ⸀γινέσθω δὲ ὁ θεὸς ἀλη- Sal 8,28 |
θής, πᾶς δὲ ἄνθρωπος ψεύστης, ⸁καθὼς γέγραπται· Ps 115,2 Ⓖ
ὅπως ἂν δικαιωθῇς ἐν τοῖς λόγοις σου *Ps 50,6* Ⓖ
καὶ ⸀^{1}νικήσεις ἐν τῷ κρίνεσθαί σε.
5 εἰ δὲ ἡ ἀδικία ἡμῶν θεοῦ δικαιοσύνην συνίστησιν, τί 1,17!
ἐροῦμεν; μὴ ἄδικος ὁ θεὸς ὁ ἐπιφέρων τὴν ὀργήν⸂; κα- 6,19 1K 9,8; 15,32
τὰ ἄνθρωπον λέγω⸃. **6** μὴ γένοιτο· ἐπεὶ πῶς ⸀κρινεῖ ὁ G 3,15 1P 4,6
θεὸς τὸν κόσμον; **7** εἰ ⸀δὲ ἡ ἀλήθεια τοῦ θεοῦ ἐν τῷ ἐμῷ
ψεύσματι ἐπερίσσευσεν εἰς τὴν δόξαν αὐτοῦ, τί ἔτι κἀγὼ
ὡς ἁμαρτωλὸς κρίνομαι; **8** καὶ μὴ καθὼς βλασφημού-
μεθα °καὶ καθώς φασίν τινες ἡμᾶς λέγειν ὅτι ποιήσωμεν °^{1}τὰ κακά, ἵνα ἔλθῃ ⸆ τὰ ἀγαθά; ὧν τὸ κρίμα ἔνδι- 6,1s
κόν ἐστιν.
9 Τί οὖν; ⸂προεχόμεθα; οὐ πάντως⸃· ⸀προῃτιασάμε-
θα °γὰρ Ἰουδαίους τε ⸆ καὶ Ἕλληνας πάντας ὑφ' ἁμαρ- 23!
τίαν εἶναι, **10** καθὼς γέγραπται ὅτι
οὐκ ἔστιν δίκαιος οὐδὲ εἷς, *Eccl 7,20*
11 *οὐκ ἔστιν °ὁ συνίων,* *Ps 14,1-3 (= 53,2-4)*

26 ⸀ουχι D G 𝔐 ¦ *txt* ℵ B Ψ 945. 1506 *pc* ● **27** ⸋ G
¶ **3,1** ° ℵ* G 1241. 2495 *pc* ¦ *txt* ℵ^{c} A B D Ψ 𝔐 ● **2** ⸂ *1 2 4* B D* G Ψ 81. 365. 1506. 2464* *pc* latt sy^{p} bo^{mss} ¦ πρωτοι γαρ 6. 1739 ¦ *txt* ℵ A D^{c} 𝔐 sy^{h} co ● **4** ⸀εστω G | ⸁† καθαπερ ℵ B Ψ ¦ *txt* A D G 𝔐 | ⸀^{1} -σης B G L Ψ 365. 1175. 1739. 1881 *pm* ¦ *txt* ℵ A D K 81. 2464 *pm* (33. 1506 *incert.*) ● **5** ⸂κατα των ανθρωπων sa; Or^{mss} ¦ – Cl ● **6** ⸀κρίνει B^{2} D^{2} K* 365. 629 *pc* ¦ *txt* Ψ 𝔐 latt co (ℵ A B* D* G *sine acc.*) ● **7** ⸀γαρ B D G Ψ 𝔐 lat sy sa ¦ *txt* ℵ A 81. 365. 1506 *pc* vg^{mss} bo ● **8** ° B K 326. 629* *pc* | °^{1} D* | ⸆εφ ημας 0219. 81 *pc* a bo ● **9** ⸂ *1* P ¦ -χωμεθα; ου π. A L ¦ προκατεχομεν περισσον; D* G (Ψ) 104. (2495) *pc* it sy$^{p.h**}$ bo?; Ambst ¦ *txt* ℵ B (D^{c}) 0219^{vid} 𝔐 (vg) sy^{hmg} co? | ⸀ητι- D* G 104. 614. 2495 *pc* latt | ° D* | ⸆πρωτον A ● **11** ° A B G 81. 1241 *pc* sa ¦ *txt* ℵ A D Ψ 𝔐

οὐκ ἔστιν ⸋¹ὁ ⸀ἐκζητῶν τὸν θεόν.
12 *πάντες ἐξέκλιναν ἅμα ἠχρεώθησαν·*
οὐκ ἔστιν ⸋ὁ ποιῶν χρηστότητα,
⸋[οὐκ ἔστιν]⸌ ἕως ἑνός.
Ps 5,10 𝔊 13 *τάφος ἀνεῳγμένος ὁ λάρυγξ αὐτῶν,*
ταῖς γλώσσαις αὐτῶν ἐδολιοῦσαν,
Ps 139,4 𝔊 *ἰὸς ἀσπίδων ὑπὸ τὰ χείλη αὐτῶν·*
Ps 10,7 14 *ὧν τὸ στόμα ⸆ ἀρᾶς καὶ πικρίας γέμει,*
Is 59,7 s Prv 1,16 15 *ὀξεῖς οἱ πόδες αὐτῶν ἐκχέαι αἷμα,*
16 *σύντριμμα καὶ ταλαιπωρία ἐν ταῖς ὁδοῖς αὐτῶν,*
L 1,79 17 *καὶ ὁδὸν εἰρήνης οὐκ ἔγνωσαν.*
Ps 35,2 𝔊 18 *οὐκ ἔστιν φόβος θεοῦ ἀπέναντι τῶν ὀφθαλμῶν*
αὐτῶν.

2,12 19 οἴδαμεν δὲ ὅτι ὅσα ὁ νόμος λέγει τοῖς ἐν τῷ νόμῳ λα-
G 3,22 λεῖ, ἵνα πᾶν στόμα φραγῇ καὶ ὑπόδικος γένηται πᾶς ὁ
Ps 143,2 G 2,16! κόσμος τῷ θεῷ· 20 διότι ἐξ ἔργων νόμου οὐ δικαιωθή-
Gn 6,12 · 7,7 σεται πᾶσα σὰρξ ἐνώπιον αὐτοῦ, διὰ γὰρ νόμου ἐπίγνω-
σις ἁμαρτίας.

28 · 1,17! Dn 9,16 𝔊 Ps 71,2.15 s. 18.24 Is 51,5 s. 8 · 1 J 1,2! · Act 10,43 | 21 Νυνὶ δὲ χωρὶς νόμου δικαιοσύνη θεοῦ πεφανέρω-
ται μαρτυρουμένη ὑπὸ τοῦ νόμου καὶ τῶν προφητῶν,
22 δικαιοσύνη δὲ θεοῦ διὰ πίστεως ⸋Ἰησοῦ Χριστοῦ ⸂εἰς
10,12 | 9; 5,12 πάντας⸃ τοὺς πιστεύοντας. οὐ γάρ ἐστιν διαστολή, 23 πάν-
τες γὰρ ἥμαρτον καὶ ὑστεροῦνται τῆς δόξης τοῦ θεοῦ
5,1 · E 2,8 Tt 3,7 · 8,23 1 K 1,30 Kol 1,14 E 1,7.14; 4,30 Ps 130,7 | Lv 16,13-15 H 9,5 1 J 2,2! · 5,9 E 1,7! 1 K 11,25 · 1,17! 24 δικαιούμενοι δωρεὰν τῇ αὐτοῦ χάριτι διὰ τῆς ἀπολυ-
τρώσεως τῆς ἐν Χριστῷ Ἰησοῦ· 25 ὃν προέθετο ὁ θεὸς
ἱλαστήριον ⸂διὰ [τῆς] πίστεως⸃ ἐν τῷ αὐτοῦ αἵματι εἰς
ἔνδειξιν τῆς δικαιοσύνης αὐτοῦ ⸂¹διὰ τὴν πάρεσιν⸃¹ τῶν
προγεγονότων ἁμαρτημάτων 26 ἐν τῇ ἀνοχῇ τοῦ θεοῦ,
πρὸς τὴν ἔνδειξιν τῆς δικαιοσύνης αὐτοῦ ἐν τῷ νῦν καιρῷ, εἰς τὸ εἶναι αὐτὸν δίκαιον ⸋καὶ δικαιοῦντα τὸν ἐκ
πίστεως ⸀Ἰησοῦ.

11 ⸋¹ B G | ⸀ζητ- B ● 12 ⸋ A B G Ψ 𝔐 ¦ *txt* ℵ D 81. 326 *pc* | ⸋ B 6. 1739 *pc* ¦ *txt* ℵ A D G Ψ 𝔐 latt co ● 14 ⸆ αυτων B 33 ● 22 ⸋ B; Mcion ¦ *txt* 𝔓^{40} *rell* | ⸂επι π. vgst ¦ εις π. και επι π. ℵ^{2} D F G 𝔐 it vg^{cl} sy^{h}; Ambst ¦ *txt* 𝔓^{40} ℵ* A B C P Ψ 81. 104. 630. 1506. 1739. 1881. 2464 *al*; Cl ● 25 ⸂† *1 3* 𝔓^{40vid} ℵ C* D* F G 0219^{vid}. 365. 1506. 1739. 1881. 2495 *al* ¦ – A *pc* ¦ *txt* B C^{3} D^{2} Ψ 𝔐 | ⸂¹δ. τ. π. εν τω νυν αιωνι 1908 ¦ εν τω νυν καιρω δια την πωρωσιν 1875 ● 26 ⸋ F G it; Ambst | ⸀Ι. Χριστου 629 *pc* it vg^{cl} sy^{p} bo ¦ Ιησουν D L Ψ 33. 614. 945. 1506. 2464 *al*; Cl ¦ – F G *pc* ¦ *txt* ℵ A B C 𝔐 vgst sy^{h} sa bo^{mss}

27 Ποῦ οὖν ἡ καύχησις⊤; ἐξεκλείσθη. διὰ ποίου νό- 1K 1,29.31; 3,21 E 2,9 ·
μου; τῶν ἔργων; οὐχί, ἀλλὰ διὰ νόμου πίστεως. **28** ⸀λογι- 8,2
ζόμεθα ⸁γὰρ δικαιοῦσθαι ⸉πίστει ἄνθρωπον⸊ χωρὶς ἔργων G 2,16! · 21
νόμου. **29** ἢ Ἰουδαίων ὁ θεὸς ⸀μόνον; οὐχὶ καὶ ἐθνῶν; ναὶ 10,12
καὶ ἐθνῶν, **30** ⸀εἴπερ εἷς ὁ θεὸς ὃς δικαιώσει περιτομὴν 1K 8,6! · 4,11s
ἐκ πίστεως καὶ ἀκροβυστίαν διὰ τῆς πίστεως. **31** νόμον
οὖν καταργοῦμεν διὰ τῆς πίστεως; μὴ γένοιτο· ἀλλὰ νό- Mt 5,17!
μον ἱστάνομεν.

4 Τί οὖν ἐροῦμεν ⸉εὑρηκέναι Ἀβραὰμ τὸν προπάτορα
ἡμῶν⸊ κατὰ σάρκα; **2** εἰ γὰρ Ἀβραὰμ ἐξ ἔργων ἐδικαιώθη, ἔχει καύχημα, ἀλλ᾽ οὐ πρὸς θεόν. **3** τί γὰρ ἡ
γραφὴ λέγει; *ἐπίστευσεν δὲ Ἀβραὰμ τῷ θεῷ καὶ ἐλογίσθη* *Gn 15,6* G 3,6 Jc 2,23
αὐτῷ εἰς δικαιοσύνην. **4** τῷ δὲ ἐργαζομένῳ ὁ μισθὸς οὐ
λογίζεται κατὰ χάριν ἀλλὰ κατὰ ὀφείλημα, **5** τῷ δὲ μὴ 11,6
ἐργαζομένῳ πιστεύοντι δὲ ἐπὶ τὸν δικαιοῦντα τὸν ἀσεβῆ G 2,16! · 5,6
λογίζεται ἡ πίστις αὐτοῦ εἰς δικαιοσύνην· **6** ⸀καθάπερ
καὶ Δαυὶδ λέγει τὸν μακαρισμὸν τοῦ ἀνθρώπου ᾧ ὁ θεὸς
λογίζεται δικαιοσύνην χωρὶς ἔργων·

7 *μακάριοι ὧν ἀφέθησαν αἱ ἀνομίαι* *Ps 31,1s*𝔊
καὶ ὧν ἐπεκαλύφθησαν αἱ ἁμαρτίαι·
8 *μακάριος ἀνὴρ ⸀οὗ οὐ μὴ λογίσηται κύριος ἁμαρ-*
τίαν.

9 Ὁ μακαρισμὸς οὖν οὗτος ἐπὶ τὴν περιτομὴν ⊤ ἢ καὶ
ἐπὶ τὴν ἀκροβυστίαν; λέγομεν γάρ· ⸆ ἐλογίσθη τῷ Ἀβρα- 3! Gn 15,6
ὰμ ἡ πίστις εἰς δικαιοσύνην. **10** πῶς οὖν ἐλογίσθη; ἐν περιτομῇ ὄντι ἢ ἐν ἀκροβυστίᾳ; οὐκ ἐν περιτομῇ ἀλλ᾽ ἐν ἀ- Gn 17,10s
κροβυστίᾳ· **11** καὶ σημεῖον ἔλαβεν ⸀περιτομῆς σφραγῖδα E 1,13!
⊤ τῆς δικαιοσύνης τῆς πίστεως τῆς ἐν τῇ ἀκροβυστίᾳ, εἰς
τὸ εἶναι αὐτὸν πατέρα πάντων τῶν πιστευόντων δι᾽ ἀκρο-

27 ⊤σου F G *pc* it vg[ww] ● **28** ⸀-ζωμ- K P 1175. 1739[c]. 2464 *al* | ⸁ουν B C D[c] 𝔐 ¦ *txt* ℵ A D* F G Ψ 81. 630. 1506. 1739. 1881 *al* | ⸉ανθ. δια πιστεως F G lat ● **29** ⸀-νος D ¦ -νων B 945 *pc*; Cl ● **30** ⸀επειπερ ℵ[2] D* F G (K) Ψ 𝔐 ¦ *txt* ℵ* A B C D[1] 6. 365. 1506. 1739 *pc*

¶ **4,1** ⸉ *2–5* B 6. (1739) *pc* ¦ Α. τ. πατερα ημ. ευρ. 𝔐 ¦ *ut txt, sed* πατερα ℵ[1] C[3] D F G Ψ 629 *pc* latt ¦ *txt* ℵ* A C* 81. 365. 1506 sa bo? ● **6** ⸀καθως D F G ● **8** ⸀ῷ ℵ[2] A D[c] F Ψ 𝔐 ¦ *txt* ℵ* B C D* G 1506(*). 1739 *pc* ● **9** ⊤μονον D it vg[cl]; Ambst | ⸆οτι A C D[c] F G Ψ 𝔐 ¦ *txt* ℵ B D* 630. 1739. 1881 *pc* ● **11** ⸀-μην A C* 6. 1506. 1881 *pc* sy | ⊤δια F G

βυστίας, εἰς τὸ λογισθῆναι °[καὶ] αὐτοῖς ⸀[τὴν] δικαιοσύνην, **12** καὶ πατέρα περιτομῆς τοῖς οὐκ ἐκ περιτομῆς
2K 12,18 1P 2,21 μόνον ἀλλὰ καὶ ⸀τοῖς στοιχοῦσιν τοῖς ἴχνεσιν τῆς ἐν ἀ-
Mt 3,9 κροβυστίᾳ πίστεως τοῦ πατρὸς ἡμῶν Ἀβραάμ.
Gn 18,18; 22,17s Sir 44,21 BarAp 14,13; 51,3 Jub 19,21 etc H 11,7 **13** Οὐ γὰρ διὰ νόμου ἡ ἐπαγγελία τῷ Ἀβραὰμ ἢ τῷ
σπέρματι αὐτοῦ, τὸ κληρονόμον αὐτὸν εἶναι κόσμου, ἀλ-
λὰ διὰ δικαιοσύνης πίστεως. **14** εἰ γὰρ οἱ ἐκ νόμου κληρονόμοι, κεκένωται ἡ πίστις καὶ κατήργηται ἡ ἐπαγγε-
1,18! · 3.20; 5,13.20; 7,8.10s.13 G 3,19 λία· **15** ὁ γὰρ νόμος ὀργὴν κατεργάζεται· οὗ ⸀δὲ οὐκ
ἔστιν νόμος οὐδὲ παράβασις. **16** Διὰ τοῦτο ἐκ πί-
2P 1,19! στεως, ἵνα ⸆ κατὰ χάριν, εἰς τὸ εἶναι βεβαίαν τὴν ἐπαγ-
G 2,29 γελίαν παντὶ τῷ σπέρματι, οὐ τῷ ἐκ τοῦ νόμου μόνον
ἀλλὰ καὶ τῷ ἐκ πίστεως Ἀβραάμ, ὅς ἐστιν πατὴρ πάν-
Gn 17,5 𝔊 Sir 44,19 των ἡμῶν, **17** καθὼς γέγραπται ὅτι *πατέρα πολλῶν ἐθνῶν*
H 11,19 2K 1,9 *τέθεικά σε*, κατέναντι οὗ ἐπίστευσεν θεοῦ τοῦ ζῳοποι-
Is 48,13 BarAp 48,8 1K 1,28 οῦντος τοὺς νεκροὺς καὶ καλοῦντος τὰ μὴ ὄντα ὡς ὄν-
τα· **18** Ὃς παρ' ἐλπίδα ἐπ' ἐλπίδι ἐπίστευσεν εἰς τὸ
γενέσθαι αὐτὸν πατέρα πολλῶν ἐθνῶν κατὰ τὸ εἰρημένον·
Gn 15,5 𝔊 *οὕτως ἔσται τὸ σπέρμα σου*⸆, **19** καὶ μὴ ἀσθενήσας ⸆ τῇ
πίστει ⸇ κατενόησεν τὸ ἑαυτοῦ σῶμα °[ἤδη] νενεκρωμέ-
Gn 17,17 H 11,11 νον, ἑκατονταετής που ὑπάρχων, καὶ τὴν νέκρωσιν τῆς
μήτρας Σάρρας· **20** εἰς δὲ τὴν ἐπαγγελίαν τοῦ θεοῦ οὐ
H 6,13.15 · Mt 21,21p · H 11,34 · L 17,18 | 14,5 Kol 4,12 διεκρίθη τῇ ἀπιστίᾳ ἀλλ' ἐνεδυναμώθη τῇ πίστει, δοὺς
δόξαν τῷ θεῷ **21** °καὶ πληροφορηθεὶς ὅτι ὃ ἐπήγγελται
3! δυνατός ἐστιν καὶ ποιῆσαι. **22** διὸ °[καὶ] ἐλογίσθη αὐτῷ
1K 9,10! εἰς δικαιοσύνην. **23** Οὐκ ἐγράφη δὲ δι' αὐτὸν μόνον
ὅτι *ἐλογίσθη αὐτῷ* ⸆ **24** ἀλλὰ καὶ δι' ἡμᾶς, οἷς μέλλει λο-
8,11! 10,9 E 1,20 1P 1,21 γίζεσθαι, τοῖς πιστεύουσιν ἐπὶ τὸν ἐγείραντα Ἰησοῦν τὸν
8,32 Is 53,12.5 κύριον ἡμῶν ἐκ νεκρῶν, **25** ὃς παρεδόθη διὰ τὰ παρα-
5,18; 8,10 J 16,10 πτώματα ἡμῶν καὶ ἠγέρθη διὰ τὴν δικαίωσιν ἡμῶν.

11 °† ℵ* A B Ψ 6. 81. 630. 1506. 1739. 1881. 2464 *al* vg[mss] bo ¦ *txt* ℵ[2] C D F G 𝔐 lat sy sa | ⸀εις A 424*. 1881 *pc* lat ¦ – ℵ D* C[2] 6. 365. 424[c]. 1506. 1739 *pc* ¦ *txt* B C* D[c] F G Ψ 𝔐 • **12** [⸀αυτοις Hort; – Beza *cjj*] • **15** ⸀γαρ ℵ[2] D F G Ψ 𝔐 sy ¦ *txt* ℵ* A B C 81. 104. 945. 1506 *pc* sy[hmg] • **16** ⸆ ἡ A 2495 *pc* • **18** ⸆ως οι αστερες του ουρανου και το αμμον της θαλασσης F G a • **19** ⸆εν D* F G | ⸇ου D F G Ψ 𝔐 it vg[cl] sy[h]; Epiph Ambst ¦ *txt* ℵ A B C 6. 81. 365. 1506. 1739 *pc* m vg[st] sy[p] co | °† B F G 630. 1739. 1881 *pc* lat sy[p] sa; Epiph Ambst ¦ *txt* ℵ A C D Ψ 𝔐 m sy[h**] bo • **21** ° F G latt • **22** ° B D* F G *pc* b m sy[p] co ¦ *txt* ℵ A C D[c] Ψ 𝔐 lat sy[h] • **23** ⸆εις δικαιοσυνην D[2] 1241 *pc* vg[cl] sy[p]

5 Δικαιωθέντες οὖν ἐκ πίστεως εἰρήνην ⸀ἔχομεν πρὸς G 2,16! · Is 32,17; 53,5 J 16,33 1J
τὸν θεὸν διὰ τοῦ κυρίου ἡμῶν Ἰησοῦ Χριστοῦ 2 δι' 3,21 |
οὗ καὶ τὴν προσαγωγὴν ἐσχήκαμεν ⸂[τῇ πίστει]⸃ εἰς τὴν E 3,12!
χάριν ταύτην ἐν ᾗ ἑστήκαμεν καὶ καυχώμεθα ἐπ' ἐλπίδι 1P 5,12 · Kol 1,27
τῆς δόξης ⸆ τοῦ θεοῦ. 3 οὐ μόνον δέ⸆, ἀλλὰ καὶ ⸀καυχώ- Tt 2,13 · 8,18.30 | Jc 1,2-4 1P 1,6s
μεθα ἐν ταῖς θλίψεσιν, εἰδότες ὅτι ἡ θλῖψις ὑπομονὴν 2K 12,9 · TestJos 10,1 2K 4,17 |
κατεργάζεται, 4 ἡ δὲ ὑπομονὴ δοκιμήν, ἡ δὲ δοκιμὴ ἐλ-
πίδα. 5 ἡ δὲ ἐλπὶς οὐ καταισχύνει, ὅτι ἡ ἀγάπη τοῦ θεοῦ Ps 22,6; 25,20 H 6,18s · Sir 18,11 ·
ἐκκέχυται ἐν ταῖς καρδίαις ἡμῶν διὰ πνεύματος ἁγίου τοῦ Act 2,17! 1J 4,13 |
δοθέντος ἡμῖν. 6 ⸂Ἔτι γὰρ⸃ Χριστὸς ὄντων ἡμῶν
ἀσθενῶν °ἔτι κατὰ καιρὸν ὑπὲρ ἀσεβῶν ἀπέθανεν. 4,5
7 ⸋⸀μόλις γὰρ ὑπὲρ δικαίου τις ἀποθανεῖται· ὑπὲρ γὰρ
τοῦ ἀγαθοῦ τάχα τις καὶ τολμᾷ ἀποθανεῖν·⸌ 8 συνίστη-
σιν δὲ τὴν ἑαυτοῦ ἀγάπην ⸂εἰς ἡμᾶς ὁ θεός⸃, ὅτι ⸆ ἔτι J 3,16 1J 4,10 · 1P 3,18 ·
ἁμαρτωλῶν ὄντων ἡμῶν Χριστὸς ὑπὲρ ἡμῶν ἀπέθανεν. 14,15 1K 8,11 1Th 5,10 |
9 πολλῷ °οὖν μᾶλλον δικαιωθέντες νῦν ἐν τῷ αἵματι αὐ- 3,25! 1K 11,25 ·
τοῦ σωθησόμεθα δι' αὐτοῦ ἀπὸ τῆς ὀργῆς. 10 εἰ γὰρ 1,18! 1Th 1,10! |
ἐχθροὶ ὄντες κατηλλάγημεν τῷ θεῷ διὰ τοῦ θανάτου τοῦ 8,7! · 2K 5,18 Kol 1,21s
υἱοῦ αὐτοῦ, πολλῷ μᾶλλον καταλλαγέντες σωθησόμεθα
ἐν τῇ ζωῇ αὐτοῦ· 11 οὐ μόνον δέ⸆, ἀλλὰ καὶ ⸀καυχώ- 2K 4,10s |
μενοι ἐν τῷ θεῷ διὰ τοῦ κυρίου ἡμῶν Ἰησοῦ °Χριστοῦ 1K 1,31!
δι' οὗ νῦν τὴν καταλλαγὴν ἐλάβομεν.
12 Διὰ τοῦτο ὥσπερ δι' ἑνὸς ἀνθρώπου ἡ ἁμαρτία εἰς Gn 2,17; 3,19 Bar Ap 54,15; 23,4
τὸν κόσμον εἰσῆλθεν καὶ διὰ τῆς ἁμαρτίας ὁ θάνατος, 4Esr 3,21s.26 · 6,23 Sap 2,24
καὶ οὕτως εἰς πάντας ἀνθρώπους ⸋ὁ θάνατος⸌ διῆλθεν,
ἐφ' ᾧ πάντες ἥμαρτον· 13 ἄχρι γὰρ νόμου ἁμαρτία ἦν ἐν 3,23!
κόσμῳ, ἁμαρτία δὲ οὐκ ⸀ἐλλογεῖται μὴ ὄντος νόμου, 4,15! · Phm 18
14 ἀλλὰ ἐβασίλευσεν ὁ θάνατος ἀπὸ Ἀδὰμ μέχρι Μωϋ- 1K 15,21s.45
σέως καὶ ἐπὶ τοὺς °μὴ ἁμαρτήσαντας ⸀ἐπὶ τῷ ὁμοιώ-

¶ **5,1** ⸀-χωμεν ℵ* A B* C D K L 33. 81. 630. 1175 *pm* lat bo; Mcion ¦ *txt* ℵ[1] B[2] F G P Ψ 0220[vid]. 104. 365. 1241. 1506. 1739. 1881. 2464. 2495 *pm* vg[mss] ● **2** ⸂ – B D F G 0220 sa; Ambst ¦ εν τη π. ℵ[1] A *pc* vg[mss] sy ¦ *txt* ℵ* C Ψ 𝔐 lat | ⸆filiorum lat ● **3** ⸆τουτο D* a | ⸀-χωμενοι B C 0220. 365 *pc* ● **6** ⸂† ει γε (δε sy[p]) B 945 sy[p] ¦ ει γαρ γε 1852 vg[mss] ¦ εις τι γαρ D[2] F G lat (*it. sed* °D[1]); Ir[lat] ¦ *txt* ℵ A C D* 81. 104. 365. 1241. 1506 *pc* sy[h]; Epiph ¦ *ut txt, sed* ° Ψ 𝔐 (sy[p]) ● **7** ⸋ Ir[lat] | ⸀μογις ℵ* 1739 *pc* ● **8** ⸂ *1 2* B ¦ *3 4 1 2* D F G L 629. 1241 *pc* lat ¦ *txt* ℵ A C Ψ 𝔐 | ⸆ει D[1] F G it sy[p]; Cyp Ambst ● **9** ° D* F G it; Ir[lat] Cyp Ambst ● **11** ⸆τουτο D* F G it; Ambst | ⸀-χωμεθα (-μεν F G) L 104. 365. 630. 1241. 2464 *al* latt | ° B 1739. 1881[c] *pc* ¦ *txt* ℵ A C D F G Ψ 𝔐 lat sy ● **12** ⸋ D F G 2495 *pc* it; Ambst ● **13** ⸀-γατο (-ται ℵ[1]) A *pc* ¦ ενελογειτο ℵ*(²: -ται) it vg[cl] sy ● **14** ° 614. 1739*. 2495* *pc* d* m; Or[mss] Ambst | ⸀εν B 2495[c] *pc*; Or

ματι τῆς παραβάσεως Ἀδὰμ ὅς ἐστιν τύπος τοῦ μέλλοντος. **15** Ἀλλ᾽ οὐχ ὡς τὸ παράπτωμα, οὕτως ⸋καὶ τὸ
χάρισμα· εἰ γὰρ τῷ τοῦ ἑνὸς παραπτώματι οἱ πολλοὶ ἀπέθανον, πολλῷ μᾶλλον ἡ χάρις τοῦ θεοῦ καὶ ἡ δωρεὰ ⸋¹ἐν
1T 2,5 χάριτι τῇ τοῦ ἑνὸς ἀνθρώπου Ἰησοῦ Χριστοῦ εἰς τοὺς
Is 53,11s πολλοὺς ἐπερίσσευσεν. **16** καὶ οὐχ ὡς δι᾽ ἑνὸς ⸀ἁμαρτή-
4Esr 7,118s σαντος τὸ δώρημα· τὸ μὲν γὰρ κρίμα ἐξ ἑνὸς εἰς κατάκριμα, τὸ δὲ χάρισμα ἐκ πολλῶν παραπτωμάτων εἰς δι-
καίωμα⸆. **17** εἰ γὰρ ⸂τῷ τοῦ ἑνὸς⸃ παραπτώματι ὁ θάνατος ἐβασίλευσεν διὰ τοῦ ἑνός, πολλῷ μᾶλλον οἱ τὴν περισσείαν τῆς χάριτος καὶ ⸄τῆς δωρεᾶς⸅ ⸋τῆς δικαιο-
Ap 20,4 1K 6,2 σύνης⸌ λαμβάνοντες ἐν ζωῇ βασιλεύσουσιν διὰ τοῦ ἑνὸς
1K 15,21s ⸉Ἰησοῦ Χριστοῦ⸊. **18** Ἄρα οὖν ὡς δι᾽ ἑνὸς ⸆ ⸀παρα-
πτώματος εἰς πάντας ἀνθρώπους εἰς κατάκριμα, οὕτως καὶ
δι᾽ ἑνὸς ⸁δικαιώματος εἰς πάντας ἀνθρώπους εἰς δικαίωσιν ζωῆς· **19** ὥσπερ γὰρ διὰ τῆς παρακοῆς τοῦ ἑνὸς ἀνθρώπου ἁμαρτωλοὶ κατεστάθησαν οἱ πολλοί, οὕτως καὶ
Is 53,11 διὰ τῆς ὑπακοῆς τοῦ ἑνὸς ⸆ δίκαιοι κατασταθήσονται οἱ
4,15! πολλοί. **20** νόμος δὲ παρεισῆλθεν, ἵνα πλεονάσῃ τὸ παρά-
1T 1,14 πτωμα· οὗ δὲ ἐπλεόνασεν ἡ ἁμαρτία, ὑπερεπερίσσευσεν
6,23 ἡ χάρις, **21** ἵνα ὥσπερ ἐβασίλευσεν ἡ ἁμαρτία ἐν τῷ θανάτῳ, οὕτως καὶ ἡ χάρις βασιλεύσῃ διὰ δικαιοσύνης εἰς
ζωὴν αἰώνιον διὰ Ἰησοῦ Χριστοῦ τοῦ κυρίου ἡμῶν.
3,5-8 **6** Τί οὖν ἐροῦμεν; ⸀ἐπιμένωμεν τῇ ἁμαρτίᾳ, ἵνα ἡ χάρις
Kol 3,3 1P 4,1 πλεονάσῃ; **2** μὴ γένοιτο. οἵτινες ἀπεθάνομεν τῇ ἁμαρ-
7,1 · G 3,27 τίᾳ, πῶς ἔτι ⸀ζήσομεν ἐν αὐτῇ; **3** ἢ ἀγνοεῖτε ὅτι, ὅσοι ἐβα-
Mc 10,38! πτίσθημεν εἰς Χριστὸν ⸋Ἰησοῦν, εἰς τὸν θάνατον αὐτοῦ
Kol 2,12 ἐβαπτίσθημεν; **4** συνετάφημεν ⸀οὖν αὐτῷ διὰ τοῦ βαπτί-
1P 1,3 σματος εἰς τὸν θάνατον, ἵνα ὥσπερ ἠγέρθη Χριστὸς ἐκ
νεκρῶν ⸋διὰ τῆς δόξης τοῦ πατρός⸌, οὕτως καὶ ἡμεῖς ἐν
7,6 2K 5,17! | Ph 3,10s καινότητι ζωῆς περιπατήσωμεν. **5** εἰ γὰρ σύμφυτοι γε-

15 ⸋ B sy^{p} | ⸋¹ F G • **16** ⸀-ματος D F G m vg^{cl} sy^{p} | ⸆ζωης D* vg^{mss} • **17** ⸂εν ενος 1739. 1881 *pc* m vgst ¦ εν (+ τω D) ενι A D F G | ⸄την -αν 6. 104 *pc* ¦ της -ας και Ψ 0221. 365. 2495 *pc* lat sy ¦ – B sa; Ir^{lat} Ambst | ⸋ C | ⸉ B • **18** ⸆ανθρωπου א* *pc* | ⸀το -μα F G co? *et* ⸁το -μα D F G co? • **19** ⸆ανθρωπου D* F G; Ir
¶ **6,1** ⸀-νουμεν 614. 945. 2495 *al* lat ¦ -νομεν א K P 0221^{vid}. (365). 1175. (1739). 1881. 2464 *pm* bo^{ms}; Tert ¦ *txt* A B C D F G (L) Ψ 33. 81. 104. (630). 1506 *pm* a sa; Ambst • **2** ⸀-σωμεν 𝔓^{46} C F G L Ψ 33. 81. 1241. 2464 *al* ¦ *txt* א A B D 𝔐 latt; Cl • **3** ⸋ B 104^{c}. 326 *pc*; Tert^{pt} • **4** ⸀γαρ lat; Or ¦ – sy^{p} | ⸋ Ir^{lat} Tert Spec

γόναμεν τῷ ὁμοιώματι τοῦ θανάτου αὐτοῦ, ⸀ἀλλὰ καὶ τῆς
ἀναστάσεως ἐσόμεθα· **6** ⸆ τοῦτο γινώσκοντες ὅτι ὁ πα- E 4,22!
λαιὸς ἡμῶν ἄνθρωπος συνεσταυρώθη, ἵνα καταργηθῇ τὸ G 2,19; 5,24!
σῶμα τῆς ἁμαρτίας, τοῦ μηκέτι δουλεύειν ἡμᾶς τῇ ἁμαρ-
τίᾳ· **7** ὁ γὰρ ἀποθανὼν δεδικαίωται ἀπὸ τῆς ἁμαρτίας. Act 13,39 · 1P 4,1
8 εἰ ⸀δὲ ἀπεθάνομεν σὺν Χριστῷ, πιστεύομεν ὅτι καὶ 1Th 4,17! ·
⸂συζήσομεν ⸀[1]αὐτῷ, **9** εἰδότες ὅτι Χριστὸς ἐγερθεὶς ἐκ 2T 2,11
νεκρῶν οὐκέτι ἀποθνῄσκει, θάνατος αὐτοῦ οὐκέτι κυριεύει. **10** ὃ γὰρ ἀπέθανεν, τῇ ἁμαρτίᾳ ἀπέθανεν ἐφάπαξ· 1P 3,18!
ὃ δὲ ζῇ, ζῇ τῷ θεῷ. **11** οὕτως καὶ ὑμεῖς λογίζεσθε ἑαυ- G 2,19
τοὺς °[εἶναι] νεκροὺς μὲν τῇ ἁμαρτίᾳ ζῶντας δὲ τῷ θεῷ 2K 5,15 1P 2,24
ἐν Χριστῷ Ἰησοῦ⸆. 1K 15,19

12 Μὴ οὖν βασιλευέτω ἡ ἁμαρτία ἐν τῷ θνητῷ ὑμῶν
σώματι εἰς τὸ ὑπακούειν ⸉ταῖς ἐπιθυμίαις αὐτοῦ⸊, **13** μηδὲ παριστάνετε τὰ μέλη ὑμῶν ὅπλα ἀδικίας τῇ ἁμαρτίᾳ, 19; 12,1 · 13,12!
ἀλλὰ παραστήσατε ἑαυτοὺς τῷ θεῷ ὡσεὶ ἐκ νεκρῶν ⸀ζῶν-
τας καὶ τὰ μέλη ὑμῶν ὅπλα δικαιοσύνης τῷ θεῷ. **14** ἁμαρ- 13,12! | 5,21
τία γὰρ ὑμῶν οὐ κυριεύσει· οὐ γάρ ἐστε ὑπὸ νόμον ἀλλὰ J 1,17 G 5,18
ὑπὸ χάριν. **15** Τί οὖν; ⸀ἁμαρτήσωμεν, ὅτι οὐκ ἐ-
σμὲν ὑπὸ νόμον ἀλλὰ ὑπὸ χάριν; μὴ γένοιτο. **16** ⸆ οὐκ
οἴδατε ὅτι ᾧ παριστάνετε ἑαυτοὺς δούλους εἰς ὑπακοήν,
δοῦλοί ἐστε ᾧ ὑπακούετε, ἤτοι ἁμαρτίας ⸋εἰς θάνατον⸌ J 8,34!
ἢ ὑπακοῆς εἰς δικαιοσύνην; **17** χάρις δὲ τῷ θεῷ ὅτι ἦτε 7,25!
δοῦλοι τῆς ἁμαρτίας ὑπηκούσατε δὲ ἐκ ⸆ καρδίας εἰς ὃν
παρεδόθητε τύπον διδαχῆς, **18** ἐλευθερωθέντες ⸀δὲ ἀπὸ 16,17 | 22 J 8,36!
τῆς ἁμαρτίας ἐδουλώθητε τῇ δικαιοσύνῃ. **19** Ἀνθρώ- 1P 2,24 | 3,5!
πινον λέγω διὰ τὴν ἀσθένειαν τῆς σαρκὸς ὑμῶν. ὥσπερ
γὰρ παρεστήσατε τὰ μέλη ὑμῶν ⸀δοῦλα τῇ ἀκαθαρσίᾳ
καὶ τῇ ἀνομίᾳ ⸋εἰς τὴν ἀνομίαν⸌, οὕτως νῦν παραστή- 12,1 · 1Th 4,3.7
σατε τὰ μέλη ὑμῶν ⸂δοῦλα τῇ δικαιοσύνῃ εἰς ἁγιασμόν. 2Th 2,13 H 12,14

5 ⸀αμα F G latt ● 6 ⸆και B ● 8 ⸀γαρ 𝔓[46] F G 945 *pc* vg[mss] | ⸂-σωμεν C K P 104. 326. 614 *al* | ⸀[1] τω Χριστω D* F G b vg[st] (sy[p]) ● 11 ° 𝔓[46vid] A D F G *pc*; Tert ¦ *pon. p.* νεκ. μεν Ψ 𝔐 lat ¦ *txt* ℵ B C 81. 365. 1506. 1739. 1881 *pc* | ⸆τω κυριω ημων ℵ C 𝔐 vg[cl] (sy[p]) bo; Ambst ¦ *txt* 𝔓[46] A B D F G Ψ 629. 630. 1739* *pc* it vg[st] sy[h] sa; Tert Spec ● 12 ⸉αυτη 𝔓[46] D F G b; Ir[lat] Tert Ambst ¦ αυτη εν τ. επιθ. αυτου C[3] Ψ 𝔐 sy[h] ¦ *txt* ℵ A B C* 81. 365. 630. 1506. 1739. 1881 *al* lat sy[p] co ● 13 ⸀-ντες 𝔓[46] D* F G ● 15 ⸀-σομεν 6. 614. 629. 630. 945. 1881. 2495 *pm* a t vg[cl] ¦ ημαρτησαμεν F G lat; Ambst ● 16 ⸆ἢ D* F G vg[mss] sa[ms] bo | ⸋ D 1739* r vg[st] sy[p] sa; Ambst ● 17 ⸆καθαρας A ● 18 ⸀ουν ℵ* C 81 *pc* t ● 19 ⸀δουλευειν F G latt (sy[p]) | ⸋ B *pc* sy[p] | ⸂δουλευειν F G latt (sy[p]) ¦ οπλα A; (Epiph)

J 8,34! **20** ὅτε γὰρ δοῦλοι ἦτε τῆς ἁμαρτίας, ἐλεύθεροι ἦτε τῇ
7,5 δικαιοσύνῃ. **21** τίνα οὖν καρπὸν εἴχετε τότε; ἐφ᾽ οἷς νῦν
8,6.13 ἐπαισχύνεσθε, τὸ ⸆ γὰρ τέλος ἐκείνων θάνατος. **22** νυνὶ
18 δὲ ἐλευθερωθέντες ἀπὸ τῆς ἁμαρτίας δουλωθέντες δὲ τῷ
1P 1,9 θεῷ ἔχετε τὸν καρπὸν ὑμῶν εἰς ἁγιασμόν, τὸ δὲ τέλος
5,12.21 ζωὴν αἰώνιον. **23** τὰ γὰρ ὀψώνια τῆς ἁμαρτίας θάνατος,
τὸ δὲ χάρισμα τοῦ θεοῦ ζωὴ αἰώνιος ἐν Χριστῷ Ἰησοῦ
τῷ κυρίῳ ἡμῶν.

6,3 **7** Ἢ ἀγνοεῖτε, ἀδελφοί, γινώσκουσιν γὰρ νόμον λαλῶ,
ὅτι ὁ νόμος κυριεύει τοῦ ἀνθρώπου ἐφ᾽ ὅσον χρόνον
1K 7,39 ζῇ; **2** ἡ γὰρ ὕπανδρος γυνὴ τῷ ζῶντι ἀνδρὶ δέδεται νό-
μῳ· ἐὰν δὲ ἀποθάνῃ ὁ ἀνήρ, κατήργηται ἀπὸ τοῦ νόμου
τοῦ ἀνδρός. **3** ἄρα οὖν ζῶντος τοῦ ἀνδρὸς μοιχαλὶς χρη-
ματίσει ἐὰν γένηται ἀνδρὶ ἑτέρῳ· ἐὰν δὲ ἀποθάνῃ ὁ ἀνήρ,
ἐλευθέρα ἐστὶν ἀπὸ τοῦ νόμου⸆, τοῦ μὴ εἶναι αὐτὴν
μοιχαλίδα γενομένην ἀνδρὶ ἑτέρῳ. **4** ὥστε, ἀδελφοί
Kol 2,14 · 1K 10,16 · μου, καὶ ὑμεῖς ἐθανατώθητε τῷ νόμῳ διὰ τοῦ σώματος
2K 5,15 τοῦ Χριστοῦ, εἰς τὸ γενέσθαι ὑμᾶς ἑτέρῳ, τῷ ἐκ νεκρῶν
Kol 1,10 ἐγερθέντι, ἵνα καρποφορήσωμεν τῷ θεῷ. **5** ὅτε γὰρ
7-25 1K 15,56 ἦμεν ἐν τῇ σαρκί, τὰ παθήματα τῶν ἁμαρτιῶν τὰ διὰ
6,21 τοῦ νόμου ἐνηργεῖτο ἐν τοῖς μέλεσιν ἡμῶν, εἰς τὸ καρ-
8,1s; 6,2 ποφορῆσαι τῷ θανάτῳ· **6** νυνὶ δὲ κατηργήθημεν ἀπὸ τοῦ
G 3,23 νόμου ⸀ἀποθανόντες ἐν ᾧ κατειχόμεθα, ὥστε δουλεύειν
6,4! · 2,27.29 2K 3,6 ⸁ἡμᾶς ἐν καινότητι πνεύματος καὶ οὐ παλαιότητι γράμματος.

7 Τί οὖν ἐροῦμεν; ⸆ ὁ νόμος ἁμαρτία; μὴ γένοιτο· ἀλλὰ
3,20 τὴν ἁμαρτίαν οὐκ ἔγνων εἰ μὴ διὰ νόμου· τήν τε γὰρ ἐπι-
Ex 20,17 Dt 5,21 𝔊 4Mcc 2,5s | θυμίαν οὐκ ᾔδειν εἰ μὴ ὁ νόμος ἔλεγεν· *οὐκ ἐπιθυμήσεις.*
4,15! **8** ἀφορμὴν δὲ λαβοῦσα ἡ ἁμαρτία διὰ τῆς ἐντολῆς κατ-
Jc 1,14 ειργάσατο ἐν ἐμοὶ πᾶσαν ἐπιθυμίαν· χωρὶς γὰρ νόμου
ἁμαρτία νεκρά⸆. **9** ἐγὼ δὲ ἔζων χωρὶς νόμου ποτέ, ἐλ-
Jc 1,15 θούσης δὲ τῆς ἐντολῆς ἡ ἁμαρτία ἀνέζησεν, **10** ἐγὼ δὲ
Lv 18,5 PsSal 14,1 · Gn 2,17 | ἀπέθανον καὶ εὑρέθη μοι ἡ ἐντολὴ ἡ εἰς ζωήν, ⸀αὕτη εἰς
θάνατον· **11** ἡ γὰρ ἁμαρτία ἀφορμὴν λαβοῦσα διὰ τῆς

21 ⸆μεν ℵ^2 B D* F G 2495 *pc* sy^h ¦ *txt* ℵ* A C D^2 Ψ 𝔐
¶ **7,3** ⸆του ανδρος 33. 629 *pc* m vg^{ww} • **6** ⸀του θανατου D F G it vg^{cl}; Or^{mss} Ambst | ⸁ – B F G 629 ¦ υμας 2495 *pc* ¦ *txt* ℵ A C D Ψ 𝔐 • **7** ⸆οτι 33. 1175 *al*; Mcion • **8** ⸆ην F G (∫ K) latt sy^p bo • **10** [⸀αὐτὴ Griesbach *cj*]

ἐντολῆς ἐξηπάτησέν με καὶ δι' αὐτῆς ἀπέκτεινεν. **12** ὥστε Gn 3,13 2K 11,3 H 3,13 |
ὁ μὲν νόμος ἅγιος καὶ ἡ ἐντολὴ ἁγία καὶ δικαία καὶ ⸀ἀγα- 16 1T 1,8 4Esr
θή. **13** Τὸ οὖν ἀγαθὸν ἐμοὶ ἐγένετο θάνατος; μὴ γέ- 9,37
νοιτο· ἀλλὰ ἡ ἁμαρτία, ἵνα φανῇ ἁμαρτία, διὰ τοῦ ἀγα- 1K 15,56
θοῦ μοι κατεργαζομένη θάνατον, ἵνα γένηται καθ' ὑπερβολὴν ἁμαρτωλὸς ἡ ἁμαρτία διὰ τῆς ἐντολῆς. 4,15!
14 ⸀Οἴδαμεν γὰρ ὅτι ὁ νόμος πνευματικός ἐστιν, ἐγὼ
δὲ ⸂σάρκινός εἰμι πεπραμένος ὑπὸ τὴν ἁμαρτίαν. **15** ὃ 18; 8,7 2K 10,3 J 3,6 · Ps 51,7 |
γὰρ κατεργάζομαι οὐ γινώσκω· οὐ γὰρ ὃ θέλω °τοῦτο
πράσσω, ἀλλ' ὃ μισῶ τοῦτο ποιῶ. **16** εἰ δὲ ὃ οὐ θέλω τοῦτο ποιῶ, σύμφημι τῷ νόμῳ ὅτι ⸀καλός. **17** νυνὶ δὲ οὐκέτι 12
ἐγὼ κατεργάζομαι αὐτὸ ἀλλὰ ἡ ⸀οἰκοῦσα ἐν ἐμοὶ ἁμαρτία. **18** Οἶδα γὰρ ὅτι οὐκ οἰκεῖ ἐν ἐμοί, τοῦτ' ἔστιν
ἐν τῇ σαρκί μου, ⸆ ἀγαθόν· τὸ γὰρ θέλειν παράκειταί
μοι, τὸ δὲ κατεργάζεσθαι τὸ καλὸν ⸀οὔ· **19** οὐ γὰρ ὃ θέλω
ποιῶ ἀγαθόν, ἀλλὰ ὃ ⸉οὐ θέλω⸊ κακὸν τοῦτο πράσσω.
20 εἰ δὲ ὃ οὐ θέλω °[ἐγὼ] τοῦτο ποιῶ, οὐκέτι ἐγὼ κατεργάζομαι αὐτὸ ἀλλὰ ἡ οἰκοῦσα ἐν ἐμοὶ ἁμαρτία. **21** εὑρίσκω ἄρα τὸν νόμον, τῷ θέλοντι ἐμοὶ ποιεῖν τὸ καλόν,
ὅτι ἐμοὶ τὸ κακὸν παράκειται· **22** συνήδομαι γὰρ τῷ
νόμῳ τοῦ ⸀θεοῦ κατὰ τὸν ἔσω ἄνθρωπον, **23** βλέπω δὲ E 3,16!
ἕτερον νόμον ἐν τοῖς μέλεσίν μου ἀντιστρατευόμενον G 5,17! 4Esr 7,72
τῷ νόμῳ τοῦ νοός μου καὶ αἰχμαλωτίζοντά με °ἐν τῷ
νόμῳ τῆς ἁμαρτίας τῷ ὄντι ἐν τοῖς μέλεσίν μου. ⸆ **24** Τα- 25; 8,2 | Ap 3,17
λαίπωρος ἐγὼ ἄνθρωπος· τίς με ῥύσεται ἐκ τοῦ σώμα- 8,10
τος τοῦ θανάτου τούτου; **25** ⸉χάρις δὲ τῷ θεῷ⸊ διὰ Ἰησοῦ 6,17 1K 15,57 2K 2,14; 8,16; 9,15
Χριστοῦ τοῦ κυρίου ἡμῶν. ⸋Ἄρα οὖν αὐτὸς ἐγὼ τῷ
°μὲν νοῒ δουλεύω νόμῳ θεοῦ τῇ δὲ σαρκὶ νόμῳ ἁμαρ- 23!
τίας.⸌

12 ⸀θαυμαστη 1908 ● **14** ⸀οἶδα μὲν 33 *pc* | ⸂-ικος ℵ^{2} 𝔐 ¦ *txt* ℵ* A B C D F G P Ψ 33. 81. 1506. 1739. 1881 *al*; Epiph ● **15** ° D F G m ● **16** ⸀καλον εστιν F G t ● **17** ⸀ † ενοικ- ℵ B vg^{mss}; Ambst ¦ *txt* A C D F G Ψ 𝔐 lat; Cl (630: *h. t.*) ● **18** ⸆το F G | ⸀ουχ ευρισκω D F G Ψ 𝔐 latt sy ¦ ου γινωσκω 2127 *pc* ¦ *txt* ℵ A B C 6. 81. 1739. 1881 *pc* co; Epiph ● **19** ⸉μισω F *pc* vg^{s} ¦ – G ● **20** ° B C D F G 104. 1241. 1506. 2464 *pc* latt sa; Cl Epiph ¦ *txt* ℵ A Ψ 𝔐 bo ● **22** ⸀νοος B ● **23** ° A C L 81. 104. 630. 1241. 1506. 1739. 2464. 2495 *pm* sy^{p} ¦ *txt* ℵ B D F G K P Ψ 33. 365. 1175. 1881 *pm* latt sy^{h}; Cl | [⸆ *huc pon.* 25b Venema *cj*] ● **25** ⸉ † *1 3 4* B; Epiph ¦ η χ. του θεου D (F G: η χ. κυριου) lat ¦ ευχαριστω τ. θεω ℵ* A 𝔐 sy ¦ *txt* ℵ^{1} Ψ 33. 81. 104. 365. 1506 *pc* (C *illeg. usque* 8,3) | [⸋ Michelsen *cj*] | ° ℵ* F G latt

8 Οὐδὲν ἄρα ᴼνῦν κατάκριμα τοῖς ἐν Χριστῷ Ἰησοῦ ᵀ.
2 ὁ γὰρ νόμος τοῦ πνεύματος τῆς ζωῆς ἐν Χριστῷ
Ἰησοῦ ἠλευθέρωσέν ⸀σε ἀπὸ τοῦ νόμου τῆς ἁμαρτίας καὶ
τοῦ θανάτου. **3** Τὸ γὰρ ἀδύνατον τοῦ νόμου ἐν ᾧ
ἠσθένει διὰ τῆς σαρκός, ὁ θεὸς τὸν ἑαυτοῦ υἱὸν πέμψας
ἐν ὁμοιώματι σαρκὸς ἁμαρτίας ⸋καὶ περὶ ἁμαρτίας⸌ κατέκρινεν τὴν ἁμαρτίαν ἐν τῇ σαρκί, **4** ἵνα τὸ δικαίωμα τοῦ
νόμου πληρωθῇ ἐν ἡμῖν τοῖς μὴ κατὰ σάρκα περιπατοῦσιν ἀλλὰ κατὰ πνεῦμα. **5** οἱ γὰρ κατὰ σάρκα ὄντες τὰ τῆς
σαρκὸς φρονοῦσιν, οἱ δὲ κατὰ πνεῦμα τὰ τοῦ πνεύματος.
6 τὸ γὰρ φρόνημα τῆς σαρκὸς θάνατος, τὸ δὲ φρόνημα
τοῦ πνεύματος ζωὴ καὶ εἰρήνη· **7** διότι τὸ φρόνημα τῆς
σαρκὸς ἔχθρα εἰς θεόν, τῷ γὰρ νόμῳ τοῦ θεοῦ οὐχ ὑποτάσσεται, οὐδὲ γὰρ δύναται· **8** οἱ δὲ ἐν σαρκὶ ὄντες θεῷ
ἀρέσαι οὐ δύνανται. **9** Ὑμεῖς δὲ οὐκ ἐστὲ ἐν σαρκὶ
ἀλλὰ ἐν πνεύματι, εἴπερ πνεῦμα θεοῦ οἰκεῖ ἐν ὑμῖν. εἰ δέ
τις πνεῦμα Χριστοῦ οὐκ ἔχει, οὗτος οὐκ ἔστιν αὐτοῦ.
10 εἰ δὲ Χριστὸς ἐν ὑμῖν, τὸ μὲν σῶμα ᵀ νεκρὸν διὰ ἁμαρτίαν τὸ δὲ πνεῦμα ζωὴ διὰ δικαιοσύνην. **11** εἰ δὲ τὸ πνεῦμα τοῦ ἐγείραντος ᴼτὸν Ἰησοῦν ἐκ νεκρῶν οἰκεῖ ἐν ὑμῖν,
ὁ ἐγείρας ⸂Χριστὸν ἐκ νεκρῶν⸃ ζῳοποιήσει ᴼ¹καὶ τὰ θνη-
τὰ σώματα ὑμῶν διὰ ⸂τοῦ ἐνοικοῦντος αὐτοῦ πνεύματος⸃
ἐν ὑμῖν.

12 Ἄρα οὖν, ἀδελφοί, ὀφειλέται ἐσμὲν οὐ τῇ σαρκὶ
τοῦ κατὰ σάρκα ζῆν, **13** εἰ γὰρ κατὰ σάρκα ζῆτε, μέλλετε ἀποθνῄσκειν· εἰ δὲ πνεύματι τὰς πράξεις ⸂τοῦ σώ-
ματος⸃ θανατοῦτε, ζήσεσθε. **14** ὅσοι γὰρ πνεύματι θεοῦ
ἄγονται, οὗτοι ⸉υἱοὶ θεοῦ εἰσιν⸊. **15** οὐ γὰρ ἐλάβετε
πνεῦμα δουλείας πάλιν εἰς φόβον ἀλλὰ ἐλάβετε πνεῦμα

31-39; 5,16 J 5,24 | 3,27 Jc 1,25 G 3,21 · 2K 3,17! 7,23!s
Act 13,38; 15,10 ·
H 7,18 · 32 G 4,4 · Ph 2,7 H 2,17; 4,15 · Kol 1,22! · 2K 5,21 · H 13,11 Lv 16 · 5,16 | Mt 5,17! · G 5,16.18.25 | 13 J 3,6
6,21 G 6,8
5,10 Jc 4,4
J 8,43! | 7,14!
1K 3,16; 12,3! 1J 3,24 · 1K 3,23; 15,23 G 5,24 |
G 2,20 Kol 1,27 2K 13,5 J 17,23 · 1P 4,6
4,24 1K 6,14!; 15,45!
2T 1,14
5s G 6,8 E 4,22-24
Kol 3,9 ·
G 5,24! | G 5,18
G 4,6s Dt 14,1 |
2T 1,7! 1J 4,18 ·

¶ **8,1** ᴼ D* sy^{p} | ᵀ(4) μη κατα σαρκα περιπατουσιν A D^{1} Ψ 81. 365. 629 *pc* vg (sy^{p}); Spec (+ αλλα κατα πνευμα ℵ^{2} D^{2} 𝔐 a sy^{h}) ¦ *txt* ℵ* B D* F G 6. 1506. 1739. 1881 *pc* b m co; Ambst ● **2** ⸀με A D 𝔐 lat sy^{h} sa; Cl ¦ ημας Ψ bo; Epiph ¦ – Or^{pt} ¦ *txt* ℵ B F G 1506*. 1739* a b sy^{p}; Tert Ambst ● **3** ⸋ 1912 *pc*; Epiph^{pt} ● **10** ᵀεστιν F G (⸉ 629 *pc*) lat; Ambst Spec ● **11** ᴼ ℵ^{2} C D F G Ψ 𝔐; Cl Epiph ¦ *txt* ℵ* A B 6. 630. 1739. 1881. 2495 *pc* | ⸂† εκ ν. Χ. Ιησουν ℵ* A (C 81: Ι. Χ.) 630. 1506. 1739. 1881 *pc* ¦ Χ. Ιησ. εκ ν. D* (104 lat sy^{p}: Ι. Χ.) bo ¦ τον Χ. εκ ν. ℵ^{2} Ψ 𝔐 ¦ *txt* B D^{2} F G *pc* m sy^{h} sa; Mcion Ir^{lat} Spec | ᴼ¹ ℵ A 326. 630. 1739. 1881 *pc*; Epiph^{pt} | ⸂το ενοικουν αυ. πνευμα B D F G Ψ 𝔐 lat sy^{p} ¦ *txt* ℵ A C(*) P^{c} 81. 104. 1506. 2495 *al* f m sy^{h} ● **13** ⸂της σαρκος D F G 630 *pc* latt ● **14** ⸉† *1 3 2* B F G m vgst; Or Pel ¦ *3 1 2* Ψ 𝔐 vg^{cl}; Ir^{lat} Cyp ¦ *txt* ℵ A C D 81. 630. 1506. 1739 *pc* a b; Ambst Spec

υἱοθεσίας ἐν ᾧ κράζομεν· αββα ⸋ὁ πατήρ⸌. **16** ⸆ αὐτὸ 23 G 4,5s E 1,5 · Mc 14,36 |
τὸ πνεῦμα συμμαρτυρεῖ τῷ πνεύματι ἡμῶν ὅτι ἐσμὲν τέ- 1J 5,10 · 1J 3,1 |
κνα θεοῦ. **17** εἰ δὲ τέκνα, καὶ κληρονόμοι· κληρονόμοι G 3,26.29; 4,7 Ap 21,7 ·
μὲν θεοῦ, συγκληρονόμοι δὲ Χριστοῦ, εἴπερ συμπάσχο- Mc 12,7 H 1,2 · 2T 2,3.12 1P 4,13;
μεν ἵνα °καὶ συνδοξασθῶμεν. 5,1 2K 4,10! |
12 **18** Λογίζομαι γὰρ ὅτι οὐκ ἄξια τὰ παθήματα τοῦ νῦν Mc 13,5ss L 22, 28-30 2K 4,10s.17
καιροῦ πρὸς τὴν μέλλουσαν δόξαν ἀποκαλυφθῆναι εἰς Bar Ap 15,8; 32,6 · 5,2 | Ph 1,20 · Kol
ἡμᾶς. **19** ἡ γὰρ ἀποκαραδοκία τῆς ⸀κτίσεως τὴν ἀποκά- 1,23 4Esr 7,11.75 · G 5,5! | 1,21 E 4,
λυψιν τῶν υἱῶν τοῦ θεοῦ ἀπεκδέχεται. **20** τῇ γὰρ ματαιό- 17 Eccl 1,2 etc ·
τητι ἡ κτίσις ὑπετάγη, ⸂οὐχ ἑκοῦσα⸃ ἀλλὰ διὰ τὸν ὑπο- Gn 3,17-19
τάξαντα, ⸉ἐφ' ἑλπίδι⸊ **21** ⸀ὅτι καὶ αὐτὴ ἡ κτίσις ⸁ἐλευ-
θερωθήσεται ἀπὸ τῆς δουλείας τῆς φθορᾶς εἰς τὴν ἐλευθερίαν τῆς δόξης τῶν τέκνων τοῦ θεοῦ. **22** οἴδαμεν γὰρ 1J 3,2!
ὅτι πᾶσα ἡ κτίσις συστενάζει καὶ ⸀συνωδίνει ἄχρι τοῦ 2K 5,2.4 · 4Esr 10,9 |
νῦν· **23** οὐ μόνον δέ, ἀλλὰ ⸂καὶ αὐτοὶ⸃ τὴν ἀπαρχὴν τοῦ 2K 1,22!
πνεύματος ἔχοντες, ⸉ἡμεῖς καὶ αὐτοὶ⸊ ἐν ἑαυτοῖς στενάζομεν °υἱοθεσίαν ἀπεκδεχόμενοι, τὴν ἀπολύτρωσιν τοῦ 15! · 3,24! ·
σώματος ἡμῶν. **24** τῇ γὰρ ἐλπίδι ἐσώθημεν· ἐλπὶς δὲ 2K 5,6s; 4,18 · H 11,1
βλεπομένη οὐκ ἔστιν ἐλπίς· ὃ γὰρ βλέπει ⸀τίς ⸁ἐλπίζει;
25 εἰ δὲ ὃ οὐ βλέπομεν ἐλπίζομεν, δι' ὑπομονῆς ἀπεκδεχό- G 5,5!
μεθα. **26** Ὡσαύτως δὲ καὶ τὸ πνεῦμα συναντιλαμβά-
νεται ⸂τῇ ἀσθενείᾳ⸃ ἡμῶν· τὸ γὰρ τί προσευξώμεθα καθὸ E 6,16 Jud 20 Ap 22,17 1K 14,15 Is
δεῖ οὐκ οἴδαμεν, ἀλλὰ αὐτὸ τὸ πνεῦμα ὑπερεντυγχάνει ⸆ 28,11 · 34 H 7,25 · Mc 8,12! · 2K 12,
στεναγμοῖς ἀλαλήτοις· **27** ὁ δὲ ἐραυνῶν τὰς καρδίας οἶ- 4 | Ap 2,23 Ps 139,
δεν τί τὸ φρόνημα τοῦ πνεύματος, ὅτι κατὰ θεὸν ἐντυγ- 1 1K 4,5; · 2,10
χάνει ὑπὲρ ⸀ἁγίων. **28** Οἴδαμεν δὲ ὅτι τοῖς ἀγαπῶσιν PsSal 4,25 etc 1K
τὸν θεὸν ⸀πάντα συνεργεῖ ⸆ εἰς ⸆ ἀγαθόν, τοῖς κατὰ πρό- 2,9; 8,3 Jc 1,12; 2,5 · E 1,11! |
θεσιν κλητοῖς οὖσιν. **29** ὅτι οὓς προέγνω, καὶ προώρισεν 1P 1,2 · E 1,5 ·

15 [⸋ Beza *cj*] ● **16** ⸆ωστε D (sy^{p}) ● **17** ° 𝔓^{46} vg^{ms} sa^{ms} ● **19** ⸀πιστεως 2464 *pc* ● **20** ⸂ου θελουσα D*(?) F G | ⸉επ ἐλ- 𝔓^{27} A B^{2} C D^{2} 𝔐 ¦ *txt* 𝔓^{46} ℵ B* D* F G Ψ ● **21** ⸀† διοτι ℵ D* F G 945 *pc* ¦ *txt* 𝔓^{46} A B C D^{2} Ψ 𝔐; Cl Or | ⸁-ρουται 𝔓$^{27c\ vid}$ vg^{ms} ● **22** ⸀οδυνει F G a ● **23** ⸂κ. ημ. αυ. D F G lat ¦ κ. αυ. ημ. οι 104. (630) ¦ – 𝔓^{46} | ⸉κ. ημ. αυ. 𝔐 (sy^{h}) ¦ κ. αυ. B 104 *pc* lat; Epiph ¦ ημ. αυ. Ψ d* g; Ambst ¦ αυ. D F G *pc* vg^{ms} ¦ *txt* 𝔓^{46} ℵ A C 81. 1506. 1739. 1881 *pc* | ° 𝔓^{46vid} D F G 614 t; Ambst ● **24** ⸀† τις, τι και ℵ^{2} A C Ψ 𝔐 b sy^{h} sa; Cl ¦ τις, τι B^{2} D F G *pc* lat sy^{p}; Cyp ¦ τις και ℵ* 1739* ¦ *txt* 𝔓^{46vid} B* 1739^{mg} m* bo | ⸁υπομενει ℵ* A 1739^{mg} sy^{p} co ● **26** ⸂ταις -νειαις Ψ 𝔐 sy^{h} ¦ της δεησεως F G ¦ τη ασθ. της δεησ. it; Ambst ¦ *txt* ℵ A B C D(*) 81. 104. 630. 1739. 1881 *pc* vg sy^{p} co | ⸆υπερ ημων ℵ^{2} C Ψ 𝔐 lat sy co ¦ *txt* ℵ* A B D F G 6. 81. 945. 1506. 1739. 1881 *pc* b ● **27** ⸀ημων 33 *pc* ● **28** ⸀παν 𝔓^{46} | ⸆† ο θεος 𝔓^{46} A B 81 sa ¦ *txt* ℵ C D F G Ψ 𝔐 latt sy bo; Cl | ⸆το L 945 *pm*; Cl

Ph 3,21! · 2K 4,4! Gn 1,27 · Kol 1,18! · H 2,10 · J 20,17! | 2Th 2,13s
1K 6,11
2K 3,18
Ps 118,6 Mt 1,23 | 8,3! J 3,16! Gn 22,16 · 4,25!
H 7,25
Is 50,8 | Job 34,29 1P 3,13 E 1,20
Ps 110,1 Kol 3,1 · H 7,25; 9,24 | 37. 39; 5,5 2K 5,14 · 2,9; 5,3 2K 12,10; 11,26s
Ps 43,23 𝔊 1K 4,9; 15,30s 2K 4,10s · Mt 10,16 Zch 11,4 |
J 16,33! Ap 12,11 · 14,14; 15,14 · 1K 3,22 · E 1,21!
35! J 17,26

συμμόρφους τῆς εἰκόνος τοῦ υἱοῦ αὐτοῦ, εἰς τὸ εἶναι αὐτὸν πρωτότοκον ἐν πολλοῖς ἀδελφοῖς· **30** οὓς δὲ ⸀προ-
ώρισεν, τούτους καὶ ἐκάλεσεν· καὶ οὓς ἐκάλεσεν, τούτους καὶ ἐδικαίωσεν· οὓς δὲ ἐδικαίωσεν, τούτους καὶ
ἐδόξασεν.
31 Τί οὖν ἐροῦμεν πρὸς ταῦτα; εἰ ὁ θεὸς ὑπὲρ ἡμῶν,
τίς καθ' ἡμῶν; **32** ὅς ⸂γε τοῦ ἰδίου υἱοῦ οὐκ⸃ ἐφείσατο
ἀλλὰ ὑπὲρ ἡμῶν πάντων παρέδωκεν αὐτόν, πῶς οὐχὶ καὶ
σὺν αὐτῷ τὰ πάντα ἡμῖν χαρίσεται; **33** τίς ἐγκαλέσει κατὰ ἐκλεκτῶν θεοῦ; θεὸς ὁ δικαιῶν· **34** τίς ὁ ⸀κατακρι-
νῶν; ⸁Χριστὸς °[Ἰησοῦς] ὁ ἀποθανών, μᾶλλον δὲ ἐγερ-
θείς⸆, ὃς °¹καί ἐστιν ἐν δεξιᾷ τοῦ θεοῦ, ὃς καὶ ἐντυγχάνει ὑπὲρ ἡμῶν. **35** τίς ἡμᾶς χωρίσει ἀπὸ τῆς ἀγάπης 13
τοῦ ⸀Χριστοῦ; θλῖψις ἢ στενοχωρία °ἢ διωγμὸς ἢ λιμὸς
ἢ γυμνότης ἢ κίνδυνος ἢ μάχαιρα; **36** καθὼς γέγραπται ὅτι
ἕνεκεν σοῦ θανατούμεθα ὅλην τὴν ἡμέραν,
ἐλογίσθημεν ὡς πρόβατα σφαγῆς.
37 ἀλλ' ἐν τούτοις πᾶσιν ὑπερνικῶμεν διὰ ⸂τοῦ ἀγαπή-
σαντος⸃ ἡμᾶς. **38** πέπεισμαι γὰρ ὅτι οὔτε θάνατος οὔτε
ζωὴ οὔτε ⸀ἄγγελοι οὔτε ⸁ἀρχαὶ οὔτε ἐνεστῶτα οὔτε μέλλοντα οὔτε δυνάμεις **39** οὔτε ὕψωμα οὔτε βάθος οὔτε °τις
κτίσις ἑτέρα δυνήσεται ἡμᾶς χωρίσαι ἀπὸ τῆς ἀγάπης
τοῦ θεοῦ τῆς ἐν Χριστῷ Ἰησοῦ τῷ κυρίῳ ἡμῶν.

1T 2,7 · 2K 11,31! · 2,15
1K 16,22! Ex 32,32 1J 3,16 · 16,7.11.21 |
Ex 4,22 2K 11,22 Dt 14,1 Hos 11,1 ·

9 Ἀλήθειαν λέγω ἐν Χριστῷ⸆, οὐ ψεύδομαι, συμμαρτυ- 1
ρούσης μοι τῆς συνειδήσεώς μου ἐν πνεύματι ἁγίῳ,
2 ὅτι λύπη μοί ἐστιν μεγάλη καὶ ἀδιάλειπτος ὀδύνη τῇ
καρδίᾳ μου. **3** ηὐχόμην γὰρ ἀνάθεμα εἶναι αὐτὸς ἐγὼ
⸀ἀπὸ τοῦ Χριστοῦ ὑπὲρ ⸂τῶν ἀδελφῶν μου⸃ τῶν συγγενῶν μου κατὰ σάρκα, **4** οἵτινές εἰσιν Ἰσραηλῖται, ὧν ἡ

30 ⸀προεγνω A ● **32** ⸂ουδε τ. ιδ. υι. D (F G) (sy[p]) ● **34** ⸀-κρίνων *rell* ¦ *txt* 1506 *pc* (𝔓[45] ℵ A B* C D F G *sine acc.*) | ⸁αμα δε X. 𝔓[46] a d* | ° B D 𝔐 a m sy sa; Ir[lat] Ambst ¦ *txt* ℵ A C F G L Ψ 6. 33. 81. 104. 365. 2495 *al* lat bo | ⸆εκ νεκρων ℵ* A C Ψ 33. 81. 104. 1506 *pc* co ¦ *txt* 𝔓[27vid.46] ℵ[2] B D F G 𝔐 latt sy | °¹† ℵ* A C 81. 629. 945. 1506 *pc* it vg[ww] bo; Epiph (1739. 1881: *h. t.*) ¦ *txt* 𝔓[27.46] ℵ[2] B D F G Ψ 𝔐 b vg[st] sy[h] sa ● **35** ⸀θεου ℵ (B: + της εν Χριστω Ιησου) 365. 1506 *pc* t sa ¦ *txt* C D F G Ψ 𝔐 lat sy bo; Tert Or (A *illeg.*) | ° 𝔓[46] D* F G ¦ *txt* ℵ A B C D[2] Ψ 𝔐 lat sy co; Cyp ● **37** ⸂τον -σαντα D F G latt ● **38** ⸀-λος D F G b; Ambst | ⸁εξουσια ο. α. D ¦ α. ο. εξουσιαι C 81. 104 *al* sy[h**] bo[mss] ● **39** ° 𝔓[46] D F G lat sy ¦ *txt* ℵ A B C Ψ 𝔐 (t)
¶ **9,1** ⸆Ιησου D* F G a vg[s] ● **3** ⸀υπο D G ¦ υπερ Ψ | ⸂*1 2* 𝔓[46] ¦ – B*

υἱοθεσία καὶ ἡ δόξα καὶ ⸀αἱ διαθῆκαι⸁ καὶ ἡ νομοθεσία Ex 16,10 2K 3,7 · Sir 44,12.18 etc ·
καὶ ἡ λατρεία καὶ ⸂αἱ ἐπαγγελίαι⸃, 5 ὧν οἱ πατέρες καὶ 2Mcc 6,23 · 8!s | Ex 13,5 etc · 1,3
ἐξ ὧν ὁ Χριστὸς τὸ κατὰ σάρκα, ⸀ὁ ὢν⸁ ἐπὶ πάντων Mt 1 L 3,23ss · J 3,31 E 4,6 · 1,25
θεὸς εὐλογητὸς εἰς τοὺς αἰῶνας, ἀμήν. 2K 11,31 Ps 41,14
6 Οὐχ οἷον δὲ °ὅτι ἐκπέπτωκεν ὁ λόγος τοῦ θεοῦ. οὐ 3,2
γὰρ πάντες οἱ ἐξ Ἰσραὴλ οὗτοι ⸀Ἰσραήλ· 7 οὐδ' ⸀ὅτι εἰ- 2.28
σὶν σπέρμα Ἀβραὰμ πάντες τέκνα, ἀλλ'· *ἐν Ἰσαὰκ κληθή-* Gn 21,12 𝔊 H 11,18
σεταί σοι σπέρμα. 8 τοῦτ' ἔστιν, ⸆ οὐ τὰ τέκνα τῆς σαρ- G 4,23
κὸς ταῦτα τέκνα τοῦ θεοῦ ἀλλὰ τὰ τέκνα τῆς ἐπαγγελίας 4; 4,13; 15,8
λογίζεται εἰς σπέρμα. 9 ἐπαγγελίας γὰρ ὁ λόγος οὗτος·
κατὰ τὸν καιρὸν τοῦτον ἐλεύσομαι καὶ ἔσται τῇ Σάρρᾳ υἱός. Gn 18,10.14
10 Οὐ μόνον δέ, ἀλλὰ καὶ Ῥεβέκκα ἐξ ἑνὸς κοίτην ἔ-
χουσα, Ἰσαὰκ τοῦ πατρὸς ἡμῶν· 11 μήπω γὰρ γεννηθέν-
των μηδὲ πραξάντων τι ἀγαθὸν ἢ ⸀φαῦλον, ἵνα ἡ κατ' ἐκ- 11,5.28
λογὴν πρόθεσις τοῦ θεοῦ μένῃ, 12 οὐκ ἐξ ἔργων ἀλλ' ἐκ E 1,11! | 11,6
τοῦ καλοῦντος, ἐρρέθη °αὐτῇ ὅτι *ὁ μείζων δουλεύσει τῷ* 4,17 · Gn 25,23 𝔊
ἐλάσσονι, 13 ⸀καθὼς γέγραπται· *τὸν Ἰακὼβ ἠγάπησα, τὸν δὲ* Ml 1,2s 𝔊
Ἠσαῦ ἐμίσησα.
14 Τί οὖν ἐροῦμεν; μὴ ἀδικία παρὰ τῷ θεῷ; μὴ γένοιτο. Mt 20,13 Dt 32,4 |
15 τῷ Μωϋσεῖ γὰρ λέγει· *ἐλεήσω ὃν ἂν ἐλεῶ καὶ οἰκτιρή-* Ex 33,19 𝔊
σω ὃν ἂν οἰκτίρω. 16 ἄρα οὖν οὐ τοῦ θέλοντος οὐδὲ τοῦ
τρέχοντος ἀλλὰ τοῦ ⸀ἐλεῶντος θεοῦ. 17 λέγει γὰρ ἡ γρα- Tt 3,5 Is 49,10 AssMos 12,7 |
φὴ τῷ Φαραὼ ὅτι *εἰς αὐτὸ τοῦτο ἐξήγειρά σε ὅπως ἐνδείξωμαι* Ex 9,16
ἐν σοὶ τὴν δύναμίν μου καὶ ὅπως διαγγελῇ τὸ ὄνομά μου ἐν
πάσῃ τῇ γῇ. 18 ἄρα οὖν ὃν θέλει ⸆ ἐλεεῖ, ὃν δὲ θέλει σκλη- Ex 4,21; 7,3 etc
ρύνει. 19 Ἐρεῖς μοι οὖν· τί °[οὖν] ἔτι μέμφεται; τῷ
γὰρ βουλήματι αὐτοῦ τίς ἀνθέστηκεν; 20 ⸉ὦ ἄνθρωπε, μεν- Sap 12,12
οῦνγε⸊ σὺ τίς εἶ ὁ ἀνταποκρινόμενος τῷ θεῷ; *μὴ ἐρεῖ τὸ* Is 29,16 𝔊; 45,9
πλάσμα τῷ πλάσαντι· τί με ⸀ἐποίησας οὕτως; 21 ἢ οὐκ Job 9,12
ἔχει ἐξουσίαν ὁ κεραμεὺς τοῦ πηλοῦ ἐκ τοῦ αὐτοῦ φυρά- Jr 18,6 Sap 15,7
ματος ποιῆσαι ὃ μὲν εἰς τιμὴν σκεῦος ὃ δὲ εἰς ἀτιμίαν; 2T 2,20

4 ⸀η -κη 𝔓[46] B D F G b vg[cl] sa bo[mss]; Cyp ¦ *txt* ℵ C Ψ 𝔐 it vg[st] sy bo (A: *h. t.*) | ⸂(+ η D) -λια 𝔓[46] D F G a bo[mss] ● **5** [⸀ῶν ο Schlichting *cj*] ● **6** ° 𝔓[46] it sy[p]; Ambst | ⸀-λιται D F G 614 629. 1881[c] *pc* vg[ww] ● **7** ⸀qui a b vg[cl] ● **8** ⸆οτι ℵ[2] B[2] Ψ 104. 365. 614. 1506. 2495 *pc* sy[h] ● **11** ⸀κακον 𝔓[46] D F G Ψ 𝔐 ¦ *txt* ℵ A B 6. 81. 365. 630. 945. 1506. 1739. 1881 *al* ● **12** ° 𝔓[46] D* vg[mss] sy[p]; Ambst ● **13** ⸀† καθαπερ B ¦ *txt* 𝔓[46] ℵ A D F G Ψ 𝔐 ● **16** ⸀ευδοκουντος L ● **18** ⸆ο θεος D *pc* a m vg[ms]; Ambst ● **19** °† ℵ A Ψ 𝔐 vg sy ¦ *txt* 𝔓[46] B D F G it vg[mss] ● **20** ⸉ *1 2* 𝔓[46] D* F G 629 latt ¦ *3 1 2* ℵ[2] D[2] Ψ 𝔐 (sy[h]) ¦ *txt* ℵ* A (B) 81. 630. 1506. 1739. 1881 *pc* | ⸀επλασας D sy[p]

Jr 50,25 · 2,4 Bar 22 εἰ δὲ θέλων ὁ θεὸς ἐνδείξασθαι τὴν ὀργὴν καὶ γνωρί-
Ap 59,6 · σαι τὸ δυνατὸν αὐτοῦ °ἤνεγκεν ἐν πολλῇ μακροθυμίᾳ ⸆
Is 13,5 Symm; 54, 16 | σκεύη ὀργῆς κατηρτισμένα εἰς ἀπώλειαν, 23 °καὶ ἵνα
10,12; 11,33 E 1, 18; 3,16 Kol 1,27 γνωρίσῃ τὸν πλοῦτον τῆς ⸀δόξης αὐτοῦ ἐπὶ σκεύη ἐλέους
Ph 4,19 · Act 9,15 | 1,6! · ἃ προητοίμασεν εἰς δόξαν; 24 Οὓς καὶ ἐκάλεσεν ἡ-
Jub 2,19 1 P 2,10 μᾶς οὐ μόνον ἐξ Ἰουδαίων ἀλλὰ καὶ ἐξ ἐθνῶν, 25 ὡς καὶ
°ἐν τῷ Ὡσηὲ λέγει·

Hos 2,25 *καλέσω τὸν οὐ λαόν μου λαόν μου*
καὶ τὴν οὐκ ἠγαπημένην ἠγαπημένην·
Hos 2,1 𝔊 **26** *καὶ ἔσται ἐν τῷ τόπῳ ⸀οὗ ⸂ἐρρέθη αὐτοῖς⸃·*
οὐ λαός μου °ὑμεῖς,
ἐκεῖ κληθήσονται υἱοὶ θεοῦ ζῶντος.

27 Ἠσαΐας δὲ κράζει ὑπὲρ τοῦ Ἰσραήλ·

Is 10,22s Hos 2,1 𝔊 *ἐὰν ᾖ ὁ ἀριθμὸς τῶν υἱῶν Ἰσραὴλ ὡς ἡ ἄμμος τῆς θαλάσσης,*
11,5 *τὸ ⸀ὑπόλειμμα σωθήσεται·*
Is 28,22 Dn 5,28 𝔊 **28** *λόγον γὰρ συντελῶν καὶ συντέμνων ⸆ ποιήσει κύριος ἐπὶ τῆς γῆς.*

29 καὶ καθὼς προείρηκεν Ἠσαΐας·

Is 1,9 𝔊 *εἰ μὴ κύριος σαβαὼθ ἐγκατέλιπεν ἡμῖν σπέρμα,*
Mt 10,15! *ὡς Σόδομα ἂν ἐγενήθημεν καὶ ὡς Γόμορρα ἂν ὡμοιώθημεν.*

10,20 30 Τί οὖν ἐροῦμεν; ὅτι ἔθνη τὰ μὴ διώκοντα δικαιοσύ- *1.*
νην κατέλαβεν ⸆ δικαιοσύνην, δικαιοσύνην δὲ τὴν ἐκ
10,2s; 11,7 Sap 2, 11 Is 51,1 Dt 16,20 πίστεως, 31 Ἰσραὴλ δὲ διώκων νόμον δικαιοσύνης εἰς
Prv 15,9 Sir 27,8 | ⸀νόμον οὐκ ἔφθασεν. 32 διὰ τί; ὅτι οὐκ ἐκ πίστεως ἀλλ᾽
Is 8,14 1 P 2,8 ὡς ἐξ ἔργων⸆· προσέκοψαν τῷ λίθῳ τοῦ προσκόμματος,
33 καθὼς γέγραπται·

Is 28,16; 8,14 Mt 21,42! 1 P 2,6 *ἰδοὺ τίθημι ἐν Σιὼν λίθον προσκόμματος καὶ πέτραν σκανδάλου,*
10,11 *καὶ ⸆ ὁ πιστεύων ἐπ᾽ αὐτῷ οὐ ⸀καταισχυνθήσεται.*

22 ° *et* ⸆εις F G it (sy^{p}); Ambst • **23** ° B 326. 1739^{mg} *pc* lat | ⸀χρηστοτητος P (sy^{p}) • **25** ° 𝔓^{46vid} B • **26** ⸀ω א* | ⸂ *1* B ¦ (ε)αν κληθησονται 𝔓^{46} F G a b d* sy^{p} ¦ *txt* א A D Ψ 𝔐 vg sy^{h} co | ° 𝔓^{46} it sy^{p} • **27** ⸀καταλ- 𝔓^{46} א^{1} D F G Ψ 𝔐; Eus^{pt} ¦ *txt* א* A B 81. 1739$^{v.l.}$; Eus^{pt} • **28** ⸆(Is 10,23) εν δικαιοσυνη οτι λογον συντετμημενον א^{2} D F G Ψ 𝔐 lat sy^{h} ¦ εν δικ. 81 *pc* ¦ *txt* 𝔓^{46} א* A B 6. 1506. 1739. 1881 *pc* m* sy^{p} co • **30** ⸆ την 𝔓^{46} G • **31** ⸀ν. δικαιοσυνης א^{2} Ψ 𝔐 lat sy ¦ [δικαιοσυνην P. Schmiedel *cj*] ¦ *txt* 𝔓^{46vid} א* A B D F G 6. 81. 945. 1506. 1739. 1881. 2464 *pc* b m co; Ambst • **32** ⸆ νομου א^{2} D Ψ 𝔐 vg^{ms} sy ¦ *txt* א* A B F G 6. 629. 630. 1739. 1881 *pc* lat co • **33** ⸆πας Ψ 𝔐 lat sy^{h} ¦ *txt* א A B D F G 81. 1506. 1881 *pc* b m sy^{p} co; Ambst | ⸀μη κατ-νθη D F G

10 Ἀδελφοί, ἡ μὲν εὐδοκία τῆς ἐμῆς καρδίας καὶ ἡ
δέησις πρὸς τὸν θεὸν ὑπὲρ ⸀αὐτῶν εἰς σωτηρίαν.
2 μαρτυρῶ γὰρ αὐτοῖς ὅτι ζῆλον θεοῦ ἔχουσιν ἀλλ᾽ οὐ Act 22,3!
κατ᾽ ἐπίγνωσιν· **3** ἀγνοοῦντες γὰρ τὴν τοῦ θεοῦ δικαιο- 1,17!
σύνην καὶ τὴν ἰδίαν °[δικαιοσύνην] ζητοῦντες στῆ- L 16,15; 18,9 Ph 3,9 |
σαι, τῇ δικαιοσύνῃ τοῦ θεοῦ οὐχ ὑπετάγησαν. **4** τέλος 3,21s; 8,2s; 9,31s J
γὰρ νόμου Χριστὸς εἰς δικαιοσύνην παντὶ τῷ πιστεύον- 1,17 H 8,13 · 1K 1,30s · 1,16 Act
τι. **5** Μωϋσῆς γὰρ γράφει ⸂τὴν δικαιοσύνην τὴν ἐκ 13,39 |
[τοῦ] νόμου ὅτι⸃ *ὁ ποιήσας °αὐτὰ °¹ἄνθρωπος ζήσεται ἐν* 2,13 *Lv 18,5*
⸀*αὐτοῖς*. **6** ἡ δὲ ἐκ πίστεως δικαιοσύνη οὕτως λέγει· *μὴ* *Dt 9,4*
εἴπῃς ἐν τῇ καρδίᾳ σου· τίς ἀναβήσεται εἰς τὸν οὐρανόν; *Dt 30,12* Bar 3,29 4Esr 4,8 J 3,13! |
τοῦτ᾽ ἔστιν Χριστὸν καταγαγεῖν· **7** ἤ· *τίς καταβήσεται* *Ps 107,26*
εἰς τὴν ἄβυσσον; τοῦτ᾽ ἔστιν Χριστὸν ἐκ νεκρῶν ἀναγα- Dt 30,13 Prv 30,4 Ps 71,20 Sap 16,13
γεῖν. **8** ἀλλὰ τί λέγει⸆; *ἐγγύς σου τὸ ῥῆμά ἐστιν ἐν τῷ στό-* 1P 3,19! | *Dt 30,14*
ματί σου καὶ ἐν τῇ καρδίᾳ σου, τοῦτ᾽ ἔστιν τὸ ῥῆμα τῆς πί-
στεως ὃ κηρύσσομεν. **9** ὅτι ἐὰν ὁμολογήσῃς ⸂ἐν τῷ στό-
ματί σου κύριον Ἰησοῦν⸃ καὶ πιστεύσῃς ἐν τῇ καρδίᾳ σου 1K 12,3 2K 4,5 Ph 2,11 Kol 2,6 ·
ὅτι ὁ θεὸς αὐτὸν ἤγειρεν ἐκ νεκρῶν, σωθήσῃ· **10** καρ- 4,24!
δίᾳ γὰρ πιστεύεται εἰς δικαιοσύνην, στόματι δὲ ὁμολο-
γεῖται εἰς σωτηρίαν. **11** λέγει γὰρ ἡ γραφή· ⸆ *πᾶς ὁ πι-* 9,33 *Is 28,16*
στεύων ἐπ᾽ αὐτῷ οὐ καταισχυνθήσεται. **12** οὐ γάρ ἐστιν
διαστολὴ Ἰουδαίου τε καὶ Ἕλληνος, ὁ γὰρ αὐτὸς κύριος 3,22.29 Act 15,9. 11 G 3,28! · 9,5
πάντων, πλουτῶν εἰς πάντας τοὺς ἐπικαλουμένους αὐτόν· Ph 2,9ss Act 10,36 · 9,23! |
13 *πᾶς γὰρ ὃς ἂν ἐπικαλέσηται τὸ ὄνομα κυρίου σωθήσεται.* *Joel 3,5* 𝔊 1K 1,2!
14 Πῶς οὖν ἐπικαλέσωνται εἰς ὃν οὐκ ἐπίστευσαν;
πῶς δὲ πιστεύσωσιν οὗ οὐκ ἤκουσαν; πῶς δὲ ⸀ἀκούσω-
σιν χωρὶς κηρύσσοντος; **15** πῶς δὲ κηρύξωσιν ἐὰν μὴ
ἀποσταλῶσιν; ⸀καθὼς γέγραπται· *ὡς ὡραῖοι οἱ πόδες* ⸆ *Is 52,7 Nah 2,1*

¶ **10,1** ⸀του Ισραηλ εστιν (– 629 *pc*) 𝔐 ¦ αυτ. εστιν ℵ[2] P Ψ 33. 2495 *pc* ¦ *txt* 𝔓[46] ℵ* A B D F G 6. 365. 1506. 1739. 1881 *pc* m sy; Ambst • **3** °† A B D P 81. 365. 629. 630. 1506. 1739. 1881 *pc* a vg co; Cl ¦ *txt* 𝔓[46] ℵ F G Ψ 𝔐 (b) d*; Mcion Ir[lat] • **5** ⸂† *7 1–4 6 et* ° ℵ* ¦ *7 1–6 et* ° (A: *sed* εκ πιστεως) (D*) (33*). 81. 630. 1506. 1739. (1881) *pc* co ¦ *ut txt*, *sed* – του ℵ[2] B Ψ 945 *al* ¦ *txt* 𝔓[46] D[2] F G 𝔐 sy[(p)] | °¹ F G a sy[p] | ⸀† αυτη ℵ* A B 33. 81. 630. 1506. 1739. 1881 *pc* vg co ¦ *txt* 𝔓[46] ℵ[2] D F G Ψ 𝔐 it sy • **8** ⸆η γραφη D (⸉ F G) 33. 104. 365. 629 *al* (a vg[cl]) bo; (Ambst) • **9** ⸂εν ... κυρ. Ιησ. Χριστον 𝔓[46] A t ¦ το ρημα εν τ. στ. σ. οτι κυριος Ιησους B (81) sa; Cl ¦ *txt* ℵ D F G Ψ 𝔐 lat sy bo • **11** ⸆οτι 42 *pc* • **14** ⸀-σονται (𝔓[46]: -σων-) ℵ* D F G K P 6. 104. 365. 1506. 1739. 1881 *al* ¦ -σουσιν 𝔐 ¦ *txt* ℵ[2] A B Ψ 33. 81. 614. 1241. 2464 *al* • **15** ⸀† καθαπερ B 81 ¦ *txt* 𝔓[46] ℵ A C D F G Ψ 𝔐 | ⸆των ευαγγελιζομενων ειρηνην ℵ[2] D F G Ψ 𝔐 lat sy ¦ *txt* 𝔓[46] ℵ* A B C 81. 630. 1506. 1739. 1881 *pc* a co; Cl

τῶν εὐαγγελιζομένων ⁰*[τὰ] ἀγαθά.* **16** Ἀλλ' οὐ πάντες
Is 53,1 𝔊 J 12,38 ὑπήκουσαν τῷ εὐαγγελίῳ. Ἠσαΐας γὰρ λέγει· *κύριε, τίς*
G 3,2.5 *ἐπίστευσεν τῇ ἀκοῇ ἡμῶν;* **17** ἄρα ἡ πίστις ἐξ ἀκοῆς, ἡ
J 17,8 δὲ ἀκοὴ διὰ ῥήματος ⸀Χριστοῦ. **18** ἀλλὰ λέγω, μὴ οὐκ
ἤκουσαν; μενοῦνγε·
Ps 18,5 𝔊 *εἰς πᾶσαν τὴν γῆν ἐξῆλθεν ὁ φθόγγος αὐτῶν*
Mc 13,10 Mt 24,14 *καὶ εἰς τὰ πέρατα τῆς οἰκουμένης τὰ ῥήματα αὐτῶν.*
19 ἀλλὰ λέγω, μὴ Ἰσραὴλ οὐκ ἔγνω; πρῶτος Μωϋσῆς
λέγει·
11,11.14 Dt 32,21 𝔊 *ἐγὼ παραζηλώσω ὑμᾶς ἐπ' οὐκ ἔθνει,*
ἐπ' ἔθνει ἀσυνέτῳ παροργιῶ ὑμᾶς.
20 Ἠσαΐας δὲ ⸋ἀποτολμᾷ καὶ⸌ λέγει·
Is 65,1 𝔊 *εὑρέθην* ⁰*[ἐν] τοῖς ἐμὲ μὴ ζητοῦσιν,*
9,30 *ἐμφανὴς ἐγενόμην* ⸆ *τοῖς ἐμὲ μὴ ἐπερωτῶσιν.*
21 πρὸς δὲ τὸν Ἰσραὴλ λέγει·
Is 65,2 𝔊 *ὅλην τὴν ἡμέραν ἐξεπέτασα τὰς χεῖράς μου*
Act 13,45! 28,22 ⸀*πρὸς λαὸν ἀπειθοῦντα* ⸋*καὶ ἀντιλέγοντα*⸌.
11 Λέγω οὖν, μὴ ἀπώσατο ὁ θεὸς ⸂τὸν λαὸν⸃ αὐτοῦ⸆;
2K 11,22 μὴ γένοιτο· καὶ γὰρ ἐγὼ Ἰσραηλίτης εἰμί, ἐκ σπέρ-
Ph 3,5 | 1Sm 12,22 Ps 94,14 Jr 31,37 ματος Ἀβραάμ, φυλῆς Βενιαμίν. **2** *οὐκ ἀπώσατο ὁ θεὸς τὸν*
λαὸν αὐτοῦ ὃν προέγνω. ἢ οὐκ οἴδατε ἐν Ἠλίᾳ τί λέγει ἡ
γραφή, ὡς ἐντυγχάνει τῷ θεῷ κατὰ τοῦ Ἰσραήλ⸆; **3** *κύριε,*
1Rg 19,10.14 *τοὺς προφήτας σου ἀπέκτειναν, τὰ θυσιαστήριά σου κατέ-*
σκαψαν, κἀγὼ ὑπελείφθην μόνος καὶ ζητοῦσιν τὴν ψυχήν μου.
2Mcc 2,4 **4** ἀλλὰ τί λέγει αὐτῷ ὁ χρηματισμός; ⸀*κατέλιπον* ἐμαυτῷ
ἑπτακισχιλίους ἄνδρας, οἵτινες οὐκ ἔκαμψαν γόνυ τῇ Βάαλ.
9,27.11! **5** οὕτως οὖν καὶ ἐν τῷ νῦν καιρῷ λεῖμμα κατ' ἐκλογὴν
4,4.6 G 2,16! 3,18 χάριτος γέγονεν· **6** εἰ δὲ χάριτι, ⸀οὐκέτι ἐξ ἔργων, ἐπεὶ
ἡ χάρις οὐκέτι γίνεται χάρις⸆. **7** Τί οὖν; ὃ ⸀ἐπιζη-

15 ⁰† ℵ^{2} A B C D F G P 81. 1506. 1739. 1881. 2495 *pc* ¦ *txt* 𝔓^{46} ℵ* Ψ 𝔐; Cl ● **17** ⸀θεου ℵ^{1} A D^{1} Ψ 𝔐 sy; Cl ¦ – F G; Ambst ¦ *txt* 𝔓^{46vid} ℵ* B C D* 6. 81. 629. 1506. 1739 *pc* lat co ● **20** ⸋ D(*) F G | ⁰† ℵ A C D^{1} Ψ 𝔐 vgst sy ¦ *txt* 𝔓^{46} B D* F G 1506^{vid} (it vg^{cl}) | ⸆εν B D* 1506^{vid} ¦ *txt* 𝔓^{46} ℵ A C D^{1} F G Ψ 𝔐 lat sy ● **21** ⸀επι D | ⸋ F G; Ambst

¶ **11,1** ⸂την κληρονομιαν 𝔓^{46} F G b; Ambst | ⸆(2) ον προεγνω 𝔓^{46} ℵ^{2} A D* ● **2** ⸆λεγων ℵ* 𝔐 sy^{p} ¦ *txt* ℵ^{2} A B C D F G P Ψ 6. 81. 365. 1175. 1506. 1739. 1881 *al* latt sy^{h}; Eus ● **4** ⸀(*ex itac.?*) -λειπον 𝔓^{46} A C F G L P 104. 1175. 1739. 2464 *al* ¦ -λειψα 81. 1506 *pc* ¦ *txt* ℵ B D Ψ 𝔐; Did ● **6** ⸀ουκ 𝔓^{46} 614. 1881 *pc* d vgst sy^{p} | ⸆ει δε εξ εργων ουκετι εστι (– B) χαρις, επει το εργον ουκετι εστιν εργον (χαρις B) ℵ^{2} B Ψ (365, 2127) 𝔐 vg^{ms} (sy) ¦ *txt* 𝔓^{46} ℵ* A C D F G P (81). 629. 630. 1739. 1881 *pc* lat co ● **7** ⸀επεζητει F G 104 *pc* latt sy

τεῖ Ἰσραήλ, τοῦτο οὐκ ἐπέτυχεν, ἡ δὲ ἐκλογὴ ἐπέτυχεν· 9,31
οἱ δὲ λοιποὶ ἐπωρώθησαν, **8** ⸀καθὼς γέγραπται· Mc 3,5!
ἔδωκεν αὐτοῖς ὁ θεὸς πνεῦμα κατανύξεως, Dt 29,3 Is 29,10; 6,9s
ὀφθαλμοὺς τοῦ μὴ βλέπειν καὶ ὦτα τοῦ μὴ ἀκούειν,
ἕως τῆς σήμερον ἡμέρας.
9 καὶ Δαυὶδ λέγει·
γενηθήτω ἡ τράπεζα αὐτῶν εἰς παγίδα καὶ εἰς θήραν Ps 68,23s 𝔊; 35,8
καὶ εἰς σκάνδαλον καὶ εἰς ἀνταπόδομα αὐτοῖς,
10 *σκοτισθήτωσαν οἱ ὀφθαλμοὶ αὐτῶν τοῦ μὴ βλέπειν*
καὶ τὸν νῶτον αὐτῶν διὰ παντὸς σύγκαμψον.
11 Λέγω οὖν, μὴ ἔπταισαν ἵνα πέσωσιν; μὴ γένοιτο· Act 18,6!
ἀλλὰ τῷ αὐτῶν παραπτώματι ἡ σωτηρία τοῖς ἔθνεσιν εἰς
τὸ παραζηλῶσαι αὐτούς. **12** εἰ δὲ τὸ παράπτωμα αὐτῶν 10,19! |
πλοῦτος κόσμου καὶ τὸ ἥττημα αὐτῶν πλοῦτος ἐθνῶν,
πόσῳ μᾶλλον τὸ πλήρωμα αὐτῶν. **13** Ὑμῖν ⸀δὲ λέγω 25! |
τοῖς ἔθνεσιν· ἐφ᾽ ὅσον ⸂μὲν οὖν⸃ εἰμι ἐγὼ ἐθνῶν ἀπόστο- 1,5
λος, τὴν διακονίαν μου ⸁δοξάζω, **14** εἴ πως παραζηλώσω 10,19!
μου τὴν σάρκα καὶ σώσω τινὰς ἐξ αὐτῶν. **15** εἰ γὰρ ἡ 1K 9,22 1T 4,16 |
ἀποβολὴ αὐτῶν καταλλαγὴ κόσμου, τίς ἡ πρόσλημψις εἰ 2K 5,19! Sir 10,20s 𝔊 ·
μὴ ζωὴ ἐκ νεκρῶν; **16** εἰ ⸀δὲ ἡ ἀπαρχὴ ἁγία, καὶ τὸ φύ- J 5,25 | Nu 15,17-21
ραμα· καὶ °εἰ ἡ ῥίζα ἁγία, καὶ οἱ κλάδοι. **17** Εἰ δέ
τινες τῶν κλάδων ἐξεκλάσθησαν, σὺ δὲ ἀγριέλαιος ὢν E 2,11-14.19
ἐνεκεντρίσθης ἐν αὐτοῖς καὶ συγκοινωνὸς ⸂τῆς ῥίζης⸃ τῆς
πιότητος τῆς ἐλαίας ἐγένου, **18** μὴ κατακαυχῶ τῶν κλά- Jdc 9,9 𝔊
δων· εἰ δὲ ⸀κατακαυχᾶσαι οὐ σὺ τὴν ῥίζαν βαστάζεις ἀλλὰ ἡ ῥίζα σέ. **19** ἐρεῖς οὖν· ἐξεκλάσθησαν ⸆ κλάδοι ἵνα
ἐγὼ ἐγκεντρισθῶ. **20** καλῶς· τῇ ἀπιστίᾳ ⸀ἐξεκλάσθησαν,
σὺ δὲ τῇ πίστει ἕστηκας. μὴ ⸂ὑψηλὰ φρόνει⸃ ἀλλὰ φο- 1K 10,12; 15,1; 16,13 2K 1,24 1Th 3,8 · 12,16! · Ph 2,12 |
βοῦ· **21** εἰ γὰρ ὁ θεὸς τῶν κατὰ φύσιν κλάδων οὐκ ἐφεί-
σατο, ⸋[μή πως]⸌ οὐδὲ σοῦ φείσεται. **22** ἴδε οὖν χρηστότητα καὶ ἀποτομίαν ⸆ θεοῦ· ἐπὶ μὲν τοὺς πεσόντας ⸀ἀπο-

8 ⸀† καθαπερ ℵ B 81. 945 *pc* ¦ *txt* 𝔓[46] A C D F G Ψ 𝔐 • **13** ⸀γαρ D F G Ψ 𝔐 latt ¦ ουν C ¦ *txt* ℵ A B P 81. 104. 630. 1506. 1739. 1881 *pc* sy | ⸂μεν Ψ 𝔐 lat sy[h] ¦ – D F G 326. 365 *pc* sy[p]; Pel ¦ *txt* 𝔓[46] ℵ A B C P 81. 104. 1506 *pc* | ⸁-ασω 𝔓[46] F G Ψ 33. 1175 *pc* latt • **16** ⸀γαρ A; Cl | ° 𝔓[46] F G P* 6. 1241. 1506. 1881. 2464 *al* ¦ *txt* ℵ A B C D Ψ 𝔐 lat sy co; Ambst • **17** ⸂τ. ρ. και ℵ[2] A D[2] 𝔐 vg sy ¦ – 𝔓[46] D* F G bo[ms]; Ir[lat] ¦ *txt* ℵ* B C Ψ 1175. 1506 *pc* b • **18** ⸀συ καυχασαι 𝔓[46] D* F G it; Ambst ¦ *txt* ℵ A B C D[2] Ψ 𝔐 vg • **19** ⸆οι D* 630. 2495 *al* • **20** ⸀εκλασ- B D* F G | ⸂υψηλοφρονει C D F G Ψ 𝔐 ¦ *txt* 𝔓[46] ℵ A[vid] B 81 *pc* • **21** ⸋† ℵ A B C P 6. 81. 365. 630. 1506. 1739. 1881 *pc* co ¦ *txt* 𝔓[46] D F G Ψ 𝔐 latt sy • **22** ⸆του 𝔓[46] B | ⸀-μιαν ℵ[2] D F G Ψ 𝔐 latt; Cl ¦ *txt* ℵ* A B C 6. 81. 630. 1506. 1739 *pc*

J 15,2.4 H 3,14 τομία, ἐπὶ δὲ σὲ ⸁χρηστότης °θεοῦ, ἐὰν ⸀¹ἐπιμένῃς τῇ
χρηστότητι, ἐπεὶ καὶ σὺ ἐκκοπήσῃ. **23** κἀκεῖνοι δέ, ἐὰν
2K 3,16 μὴ ⸀ἐπιμένωσιν τῇ ἀπιστίᾳ, ἐγκεντρισθήσονται· δυνατὸς
γάρ ἐστιν ὁ θεὸς πάλιν ἐγκεντρίσαι αὐτούς. **24** εἰ γὰρ σὺ
ἐκ τῆς κατὰ φύσιν ἐξεκόπης ἀγριελαίου καὶ παρὰ φύσιν
ἐνεκεντρίσθης εἰς καλλιέλαιον, πόσῳ μᾶλλον οὗτοι οἱ
κατὰ φύσιν ἐγκεντρισθήσονται τῇ ἰδίᾳ ἐλαίᾳ.

1,13! · 1K 14,2! · **25** Οὐ γὰρ θέλω ὑμᾶς ἀγνοεῖν, ἀδελφοί, τὸ μυστήριον
12,16 · Mc 3,5! · τοῦτο, ἵνα μὴ ἦτε ⸀[παρ'] ἑαυτοῖς φρόνιμοι, ὅτι ⸁πώρω-
12 L 21,24 Kol 1, 25ss J 10,16 4Esr σις ἀπὸ μέρους τῷ Ἰσραὴλ γέγονεν ἄχρι οὗ τὸ πλήρωμα
4,35s TestSeb 9fin τῶν ἐθνῶν εἰσέλθῃ **26** καὶ οὕτως πᾶς Ἰσραὴλ σωθήσεται, καθὼς γέγραπται·

Is 59,20s Ps 14,7 *ἥξει ἐκ Σιὼν ὁ ῥυόμενος,*
ἀποστρέψει ἀσεβείας ἀπὸ Ἰακώβ.
Jr 31,33s **27** *καὶ αὕτη αὐτοῖς ⸉ἡ παρ' ἐμοῦ⸊ διαθήκη,*
Is 27,9 *ὅταν ἀφέλωμαι τὰς ἁμαρτίας αὐτῶν.*

28 κατὰ μὲν τὸ εὐαγγέλιον ἐχθροὶ δι' ὑμᾶς, κατὰ δὲ τὴν
9,11 · 9,25 | Ps 110,4 ἐκλογὴν ἀγαπητοὶ διὰ τοὺς πατέρας· **29** ἀμεταμέλητα
15,8 γὰρ τὰ χαρίσματα καὶ ἡ κλῆσις τοῦ θεοῦ. **30** ὥσπερ γὰρ
2,8 · 15,9 · ⸆ ὑμεῖς ποτε ἠπειθήσατε τῷ θεῷ, ⸀νῦν δὲ ἠλεήθητε τῇ
10,21 | τούτων ἀπειθείᾳ, **31** οὕτως καὶ οὗτοι νῦν ἠπείθησαν τῷ
G 3,22 ὑμετέρῳ ἐλέει, ἵνα καὶ αὐτοὶ ⸀[νῦν] ἐλεηθῶσιν. **32** συν-
1T 2,4 έκλεισεν γὰρ ὁ θεὸς ⸂τοὺς πάντας⸃ εἰς ἀπείθειαν, ἵνα τοὺς
πάντας ἐλεήσῃ.

1K 2,10 BarAp 14,8ss · 9,23! · 1K 1,21; 2,7 E 3,10 Kol 2,3 · E 3,5 · Sap 17,1 · Job 5,9; 9,10 E 3,8 Ps 76,20 𝔊 | **33** Ὦ βάθος πλούτου
°καὶ σοφίας καὶ γνώσεως θεοῦ·
ὡς ἀνεξεραύνητα τὰ κρίματα αὐτοῦ
καὶ ἀνεξιχνίαστοι αἱ ὁδοὶ αὐτοῦ.
Is 40,13 𝔊 Job 15,8 Jr 23,18 1K 2,16 **34** *τίς γὰρ ἔγνω νοῦν κυρίου;*
ἢ τίς σύμβουλος αὐτοῦ ἐγένετο;

22 ⸁-τητα D² F G Ψ 𝔐 latt; Cl ¦ *txt* 𝔓⁴⁶ (א) A B C D* 6. 81. 630. 1506. 1739. 1881 *pc* | ° D² F G Ψ 𝔐 it sy; Ambst ¦ *txt* 𝔓⁴⁶ א A B C D* 81. 365. 630. 1506. 1739. 1881 *pc* vg co | ⸀¹-μεινης 𝔓⁴⁶ᵛⁱᵈ A C D² F G 𝔐; Cl ¦ *txt* א B D* Ψ 81. 630. 1739ᵛ·ˡ· *pc* ● **23** ⸀ -μεινωσιν א² A C D² F G 𝔐 ¦ *txt* א* B D* Ψ 81. 1739. 1881. 2464 *pc* ● **25** ⸀† εν A B 630 sy ¦ – 𝔓⁴⁶ F G Ψ 6. 1506. 1739 *pc* lat ¦ *txt* א C D 𝔐 b | ⸁caecitas latt sy ● **27** ⸉ *2 3 1* 𝔓⁴⁶ ● **30** ⸆και א² Ψ 𝔐 lat sy ¦ *txt* 𝔓⁴⁶ א¹(*: *h. t.*) A B C D F G 81. 365. 945. 1506. 1739. 1881 *al* co | ⸀νυνι B 2495 ● **31** ⸀υστερον 33. 365 *pc* sa ¦ – 𝔓⁴⁶ A D² F G Ψ 𝔐 latt sy ¦ *txt* א B D* 1506 *pc* bo ● **32** ⸂τα παντα 𝔓⁴⁶ᵛⁱᵈ D* (F G: – τα) latt ● **33** ° 321 lat

35 *ἢ τίς προέδωκεν αὐτῷ,*
καὶ ἀνταποδοθήσεται αὐτῷ;
36 ὅτι ἐξ αὐτοῦ καὶ δι' αὐτοῦ καὶ εἰς αὐτὸν τὰ
πάντα·
αὐτῷ ἡ δόξα εἰς τοὺς αἰῶνας, ἀμήν.

12 Παρακαλῶ οὖν ὑμᾶς, ἀδελφοί, διὰ τῶν οἰκτιρμῶν
τοῦ θεοῦ παραστῆσαι τὰ σώματα ὑμῶν θυσίαν ζῶσαν ἁγίαν ⸉εὐάρεστον τῷ θεῷ⸊, τὴν λογικὴν λατρείαν
ὑμῶν· 2 καὶ μὴ ⸀συσχηματίζεσθε τῷ αἰῶνι τούτῳ, ἀλλὰ
⸀μεταμορφοῦσθε τῇ ἀνακαινώσει τοῦ νοὸς ⸆ εἰς τὸ δοκιμάζειν ὑμᾶς τί τὸ θέλημα τοῦ θεοῦ, τὸ ἀγαθὸν καὶ εὐάρεστον καὶ τέλειον.
3 Λέγω γὰρ διὰ τῆς χάριτος ⸆ τῆς δοθείσης μοι παντὶ
τῷ ὄντι ⸇ ἐν ὑμῖν μὴ ὑπερφρονεῖν παρ' ὃ δεῖ φρονεῖν ἀλλὰ φρονεῖν εἰς τὸ σωφρονεῖν, ἑκάστῳ ὡς ὁ θεὸς ἐμέρισεν
μέτρον πίστεως. 4 καθάπερ γὰρ ἐν ἑνὶ σώματι ⸉πολλὰ
μέλη⸊ ἔχομεν, τὰ δὲ μέλη πάντα οὐ τὴν αὐτὴν ἔχει πρᾶ-
ξιν, 5 οὕτως οἱ πολλοὶ ἓν σῶμά °ἐσμεν ἐν Χριστῷ, ⸀τὸ
δὲ καθ' εἷς ἀλλήλων μέλη. 6 ἔχοντες δὲ χαρίσματα κατὰ
τὴν χάριν τὴν δοθεῖσαν ἡμῖν διάφορα, εἴτε προφητείαν
κατὰ τὴν ἀναλογίαν τῆς πίστεως, 7 εἴτε ⸀διακονίαν ἐν τῇ
διακονίᾳ, εἴτε ⸂ὁ διδάσκων⸃ ἐν τῇ διδασκαλίᾳ, 8 °εἴτε ὁ
παρακαλῶν ἐν τῇ παρακλήσει· ὁ μεταδιδοὺς ἐν ἁπλότητι, ὁ ⸀προϊστάμενος ἐν σπουδῇ, ὁ ἐλεῶν ἐν ἱλαρότητι.
9 Ἡ ἀγάπη ἀνυπόκριτος. ⸀ἀποστυγοῦντες τὸ πονηρόν,
κολλώμενοι τῷ ἀγαθῷ, 10 τῇ φιλαδελφίᾳ εἰς ἀλλήλους
φιλόστοργοι, τῇ τιμῇ ἀλλήλους προηγούμενοι, 11 τῇ
σπουδῇ μὴ ὀκνηροί, τῷ πνεύματι ζέοντες, τῷ ⸀κυρίῳ δουλεύοντες, 12 τῇ ἐλπίδι χαίροντες, τῇ θλίψει ὑπομένον-
τες, τῇ προσευχῇ προσκαρτεροῦντες, 13 ταῖς ⸀χρείαις

Job 41,3
1K 8,6 Kol 1,16s H 2,10
16,27!

Dn 2,18 Theod · 2K 1,3 · 6,13.19 L 2,22 · E 5,2 · 1P 2,2.5. 9 TestLev 3,6 | 1P 1,14 Ph 2,6s; 3,21 · G 1,4 · Ph 3,21! · Kol 3,10 Tt 3,5 2K 5,17 · E 4,23 · 2,18 E 5,10.17 Ph 1,10
15,15!
1K 4,6
Mt 25,15 1K 12, 11 E 4,7 2K 10,13 | 1K 12,12s.27; 6, 15; 10,17
E 1,23; 4,4 Kol 3,15 ·
E 4,25; 5,30 1K 12,25 | 1,11 1K 7, 7; 12,4 1T 4,14 1P 4,10 · 15,15! |
1P 4,10s
1T 4,13
1K 14,3 Ph 2,1 H 13,22 · E 4,28 · 2K 8,2! · 1Th 5,12 1T 5,17 · Mt 6,3 · 2K 9,7 | 2K 6,6! 1K 13,6 · Am 5,15 Ps 97,10 | 1Th 4,9! 1P 2,17 · 13,7 Ph 2,3 |
Act 18,25; · 20,19 Kol 3,24 | 5,2s
Act 2,42 Ph 4,6 Kol 4,2 E 6,18 1Th 5,17 1T 2,1 | Act 6,3; 28,10 Ph 4,14 ·

¶ **12,1** ⸉⸊ ℵ* A P 81. 1506 *pc* lat; Spec ¦ *txt* (𝔓^{46}) ℵ^{2} B D F G Ψ 𝔐; Ir Tert ● **2** ⸀ *bis* -σθαι A B^{2} D* F G Ψ 81. 630. 1175. 1506. 2495 *pm* (*1º loco* 33 *al*; *2º loco* ℵ D^{2} 6. 1881 *pc*) ¦ *txt* 𝔓^{46} B* L P 104. 365. 1241. 1739 *pm* | ⸆υμων ℵ D^{1} Ψ 𝔐 latt sy ¦ *txt* 𝔓^{46} A B D* F G 6. 630. 1739. 1881 *pc*; Cl Cyp ● **3** ⸆του θεου L 81. 323. 945. 1241. 1506 *al* t vg^{ms} sy^{h} | [⸇τι Venema *cj*] ● **4** ⸉ A Ψ 𝔐 ¦ *txt* 𝔓$^{31.46}$ ℵ B D F G 629. 1241 *pc* latt ● **5** ° F G | ⸀ο D^{2} Ψ 𝔐 ¦ *txt* 𝔓$^{31.46}$ ℵ A B D* F G P 6. 81. 365. 1506. 1739 *pc* ● **7** ⸀ο διακονων ℵ^{2} 1241. 1506 *pc* | ⸂ διδασκαλιαν A ● **8** ° 𝔓^{46vid} D* F G latt | ⸀-στανομενος 𝔓^{31} ℵ ● **9** ⸀μισουντες F G lat sy ● **11** ⸀καιρω D* F G *pc*; Hier^{mss} ● **13** ⸀ μνειαις D* F G t vg^{mss}; Ambst

τῶν ἁγίων κοινωνοῦντες, τὴν φιλοξενίαν διώκοντες. **14** εὐ-
λογεῖτε τοὺς διώκοντας °[ὑμᾶς], °¹εὐλογεῖτε καὶ μὴ κατ-
αρᾶσθε. **15** χαίρειν μετὰ χαιρόντων, ⸆ κλαίειν μετὰ κλαι-
όντων. **16** τὸ αὐτὸ εἰς ἀλλήλους φρονοῦντες⸆, μὴ τὰ ὑ-
ψηλὰ φρονοῦντες ἀλλὰ τοῖς ταπεινοῖς συναπαγόμενοι.
μὴ γίνεσθε φρόνιμοι παρ' ἑαυτοῖς. **17** μηδενὶ κακὸν ἀντὶ
κακοῦ ἀποδιδόντες, προνοούμενοι καλὰ ⸆ ἐνώπιον ⸀πάν-
των ἀνθρώπων· **18** εἰ δυνατὸν τὸ ἐξ ὑμῶν, μετὰ πάντων ἀνθρώπων εἰρηνεύοντες· **19** μὴ ἑαυτοὺς ἐκδικοῦντες, ἀγαπητοί, ἀλλὰ δότε τόπον τῇ ὀργῇ, γέγραπται γάρ· *ἐμοὶ ἐκ-*
δίκησις, ἐγὼ ἀνταποδώσω, λέγει κύριος. **20** ⸂ἀλλὰ *ἐὰν*⸃
πεινᾷ ὁ ἐχθρός σου, ψώμιζε αὐτόν· ⸀*ἐὰν διψᾷ, πότιζε αὐτόν·*
τοῦτο γὰρ ποιῶν ἄνθρακας πυρὸς σωρεύσεις ἐπὶ ⸄*τὴν κεφα-*
λὴν⸅ *αὐτοῦ.* **21** μὴ νικῶ ὑπὸ τοῦ κακοῦ ἀλλὰ νίκα ἐν τῷ
ἀγαθῷ τὸ κακόν.

13 ⸂Πᾶσα ψυχὴ ἐξουσίαις ὑπερεχούσαις ὑποτασσέ-
σθω⸃. οὐ γὰρ ἔστιν ἐξουσία εἰ μὴ ⸀ὑπὸ θεοῦ, αἱ
δὲ οὖσαι ⸆ ὑπὸ ⸇ θεοῦ τεταγμέναι εἰσίν. **2** ὥστε ὁ ἀντι-
τασσόμενος τῇ ἐξουσίᾳ τῇ τοῦ θεοῦ διαταγῇ ἀνθέστηκεν, οἱ δὲ ἀνθεστηκότες ἑαυτοῖς κρίμα λήμψονται. **3** οἱ
γὰρ ἄρχοντες οὐκ εἰσὶν φόβος ⸂τῷ ἀγαθῷ ἔργῳ⸃ ἀλλὰ
⸄τῷ κακῷ⸅. θέλεις δὲ μὴ φοβεῖσθαι τὴν ἐξουσίαν· τὸ ἀγαθὸν ποίει, καὶ ἕξεις ἔπαινον ἐξ αὐτῆς· **4** θεοῦ γὰρ διάκο-
νός ἐστιν °σοὶ εἰς °¹τὸ ἀγαθόν. ἐὰν δὲ τὸ κακὸν ποιῇς,
φοβοῦ· οὐ γὰρ εἰκῇ τὴν μάχαιραν φορεῖ· θεοῦ γὰρ διά-
κονός ἐστιν ⸂ἔκδικος εἰς ὀργὴν⸃ τῷ τὸ κακὸν πράσσοντι.
5 διὸ ⸂ἀνάγκη ὑποτάσσεσθαι⸃, οὐ μόνον διὰ τὴν ὀργὴν

1T 3,2; 5,10 Tt 1,8 H 13,2 1P 4,9 | Mt 5,44! · L 1,58 · Sir 7,34 | 15,5! · 11,20 1T 6,17 · 11,25 Prv 3,7 Is 5,21 | 1Th 5,15! 1P 3,9 · Prv 3,4 𝔊 2K 8,21 · H 12,14! | Lv 19,18 · 13,4 1Th 2,16 *Dt 32,35* H 10,30 L 18,3 2Th 1,6-8 | *Prv 25,21s* 𝔊 Mt 5,44; 25,35 2Rg 6,22 · Mt 5,39 TestBenj 4,3s · 1P 2,13-17 Tt 3,1 J 19,11 Prv 8,15s Sir 4,27 Sap 6,3s · 1P 3,13

14 °† 𝔓46 B 6. 1739 *pc* vgst; Cl ¦ *txt* ℵ A D Ψ 𝔐 t vgcl sy co (F G: *h. t.*) | °¹ 𝔓46 Ψc boms • **15** ⸆και A D2 𝔐 syp; Tert ¦ *txt* 𝔓46 ℵ B D* F G 6. 1739. 1881. 2495 *pc* latt syh (Ψ: *h. t.*) • **16** ⸆αγαπητοι P* • **17** ⸆(2K 8,21) ενωπιον του θεου και A1 ¦ ου μονον εν. τ. θ. αλλα και F G 629(*) lat | ⸀των 𝔓46 A1 D* F G it; Lcf Ambst ¦ – 436 *pc* • **20** ⸂εαν ουν D2 𝔐 syh ¦ εαν 𝔓46vid D* F G Ψ 323 *pc* it; Ambst Spec ¦ *txt* ℵ A B P 6. 81. 365. 630. 1506. 1739. 1881 *pc* lat | ⸀και εαν D* ¦ εαν δε D2 Ψ 2495 *pc* syh | ⸄της -λης B

¶ **13,1** ⸂πασαις εξου. υπερεχ. υποτασσεσθε 𝔓46 D* F G it; Irlat Ambst ¦ *txt* ℵ A B D2 Ψ 𝔐 lat sy co | ⸀απο D* F G 629. 945 *pc* | ⸆εξουσιαι D2 Ψ 𝔐 sy ¦ *txt* ℵ A B D* F G 6. 81. 1506. 1739. 1881 *al* latt co; Or | ⸇του ℵc Ψ 𝔐 ¦ *txt* ℵ* A B D F G P 81. 104. 365. 1506. 1739. 1881 *al*; Or • **3** ⸂τω αγαθοεργῳ F*vid ¦ των -θων εργων *et* ⸄των κακων D2 Ψ 𝔐 (sy) ¦ *txt* 𝔓46 ℵ A B D* F(c) G P 6. 630. 1506. 1739. 1881 *pc* (lat) co; Irlat • **4** ° F G boms | °¹ B *pc* | ⸂*1* D* F G ¦ *2 3 1* ℵ* D2 33. 945. 1175. 1241 *pm* ¦ *txt* 𝔓46 ℵc A B L P Ψ 048. 81. 104. 365. 630. 1506. 1739. 1881 *pm* • **5** ⸂(+ και 𝔓46) υποτασσεσθε 𝔓46 D F G it; Irlat Ambst ¦ *txt* ℵ A B Ψ 048 𝔐 (vg) sy co

ἀλλὰ καὶ διὰ τὴν συνείδησιν. **6** διὰ τοῦτο γὰρ καὶ φό- 1P 2,19
ρους τελεῖτε· λειτουργοὶ γὰρ θεοῦ εἰσιν εἰς αὐτὸ τοῦτο
προσκαρτεροῦντες. **7** ἀπόδοτε πᾶσιν τὰς ὀφειλάς, τῷ τὸν Mt 22,21p
φόρον τὸν φόρον, τῷ τὸ τέλος τὸ τέλος, τῷ τὸν φόβον τὸν
φόβον, τῷ τὴν τιμὴν τὴν τιμήν. 12,10

8 Μηδενὶ μηδὲν ⸀ὀφείλετε εἰ μὴ τὸ ἀλλήλους ἀγαπᾶν· 1J 4,11
ὁ γὰρ ἀγαπῶν τὸν ἕτερον νόμον πεπλήρωκεν. **9** ⸀τὸ γὰρ G 5,14 Kol 3,14 1T 1,5
οὐ μοιχεύσεις, οὐ φονεύσεις, οὐ κλέψεις, ⸆ *οὐκ ἐπιθυμήσεις,* *Dt 5,17-21*𝔊 *Ex 20,13-17*𝔊 4Mcc 2,6 ·
καὶ εἴ τις ἑτέρα ἐντολή, ἐν ⸉τῷ λόγῳ τούτῳ⸊ ἀνακεφαλαι- E 1,10
οῦται ⸋[ἐν τῷ]⸌· *ἀγαπήσεις τὸν πλησίον σου ὡς* ⸀*σεαυτόν.* *Lv 19,18* Mt 22,39!p
10 ἡ ἀγάπη τῷ πλησίον κακὸν ⸂οὐκ ἐργάζεται⸃· πλήρωμα 1K 13,4 · Sap 6,18
οὖν νόμου ἡ ἀγάπη. **11** Καὶ τοῦτο εἰδότες τὸν και- 1T 1,5 1K 7,29
ρόν, ὅτι ὥρα ἤδη ⸀ὑμᾶς ἐξ ὕπνου ἐγερθῆναι, νῦν γὰρ Mt 26,45s J 4,23! ·
ἐγγύτερον ἡμῶν ἡ σωτηρία ἢ ὅτε ἐπιστεύσαμεν. **12** ἡ E 5,14 1Th 5,6 · Act 19,2 | 1J 2,8
νὺξ προέκοψεν, ἡ δὲ ἡμέρα ἤγγικεν. ⸀ἀποθώμεθα οὖν τὰ
ἔργα τοῦ σκότους, ⸂ἐνδυσώμεθα [δὲ]⸃ τὰ ⸀ὅπλα τοῦ E 5,11 6,13 2K 6,7; 10,4
φωτός. **13** ὡς ἐν ἡμέρᾳ εὐσχημόνως περιπατήσωμεν, E 6,11.13-17 | 1Th 4,12! · 1,29!
μὴ κώμοις καὶ μέθαις, μὴ κοίταις καὶ ἀσελγείαις, μὴ L 21,34!
⸂ἔριδι καὶ ζήλῳ⸃, **14** ἀλλὰ ἐνδύσασθε ⸂τὸν κύριον Ἰη- G 3,27!
σοῦν Χριστὸν⸃ καὶ τῆς σαρκὸς πρόνοιαν μὴ ποιεῖσθε εἰς G 5,16
⸀ἐπιθυμίας.

14 Τὸν δὲ ἀσθενοῦντα τῇ πίστει προσλαμβάνεσθε, μὴ 15,1 1K 8,9; 9,22 1Th 5,14 · 15,7! |
εἰς διακρίσεις ⸀διαλογισμῶν. **2** ὃς μὲν πιστεύει φα-
γεῖν πάντα, ὁ δὲ ἀσθενῶν λάχανα ⸀ἐσθίει. **3** ὁ ἐσθίων τὸν 1K 10,25-27
μὴ ἐσθίοντα μὴ ἐξουθενείτω, ⸂ὁ δὲ⸃ μὴ ἐσθίων τὸν ἐσθί- 10
οντα μὴ κρινέτω, ὁ θεὸς γὰρ αὐτὸν προσελάβετο. **4** σὺ Kol 2,16 Mt 7,1!
τίς εἶ ὁ κρίνων ἀλλότριον οἰκέτην; τῷ ἰδίῳ κυρίῳ στή- 1K 10,12!

8 ⸀-λητε ℵ[2] ¦ -λοντες ℵ* Ψ 945 *pc* ● **9** ⸀γεγραπται F G b | ⸆ου ψευδομαρτυρησεις ℵ (P) 048. 81. 104. 365. 1506. (⸉ 2495) *pm* a b vg[cl] (sy[h]) bo ¦ *txt* 𝔓[46] A B D F G L Ψ 6. 33. 630. 1175. 1241. 1739. 1881 *pm* vg[st] sy[p] sa; Ambst | ⸉A Ψ 048 𝔐 lat ¦ *txt* 𝔓[46] ℵ B D F G 81. 104. 365. 630. 1506. 1739. 1881. 2495 *al* a | ⸋ B F G ¦ *txt* ℵ A D Ψ 048 𝔐 sy[h] co | ⸀εαυ- F G L P Ψ 33. 104. 365. 1175. 1506. 1881 *pm* ¦ *txt* 𝔓[46] ℵ A B D 048. 6. 81. 1739. 2495 *pm* ● **10** ⸂ου κατεργαζεται D* 33. 365. 1881. 2495 *al* ● **11** ⸀ημ- 𝔓[46vid] ℵ[c] D F G Ψ 𝔐 latt sy[p] sa ¦ *txt* ℵ* A B C P 81. 365. 1881 *al* sy[h] bo ● **12** ⸀αποβαλωμεθα 𝔓[46] D* F G ¦ *txt* ℵ A B C D[2] Ψ 048 𝔐 | ⸂*1* 𝔓[46c] ℵ* 6 ¦ και ενδ. ℵ[c] C[3] D[2] F G Ψ 𝔐 latt sy ¦ ενδ. ουν 𝔓[46*] ¦ *txt* A B C* D* P 048. 630. 1506. 1739. 1881 *pc*; Cl | ⸀εργα A D *pc* ● **13** ⸂ερισι κ. ζηλοις B sy[h] sa; (Cyp) ● **14** ⸂τ. χρ. Ι. B ¦ τ. κ. Ι. 323. 630. 1739. 1881 *pc*; Cl ¦ Ι. Χρ. τ. κ. ημων 𝔓[46] (629) a t ¦ *txt* ℵ A C D F G Ψ 𝔐 lat sy | ⸀-ιαν 𝔓[46*] A C *pc*

¶ **14,1** ⸀λογ- 81. 1175 *pc* ● **2** ⸀-θιετω 𝔓[46] D F G it vg[ww]; Ambst ¦ *txt* ℵ A B C Ψ 048 𝔐 vg[st] sy co; Tert ● **3** ⸂και ο ℵ[c] D[2] Ψ 𝔐 lat sy[h] ¦ ουδε ο F G ¦ *txt* 𝔓[46] ℵ* A B C D* 048[vid]. 1506 *pc*; Cl

κει ἢ πίπτει· σταθήσεται δέ, ⸂δυνατεῖ γὰρ⸃ ὁ ⸀κύριος
G 4,10! στῆσαι αὐτόν. **5** Ὃς μὲν °[γὰρ] κρίνει ἡμέραν παρ’
ἡμέραν, ὃς δὲ κρίνει πᾶσαν ἡμέραν· ἕκαστος ἐν τῷ ἰδίῳ
4,21 | νοῒ πληροφορείσθω. **6** ὁ φρονῶν τὴν ἡμέραν κυρίῳ φρο-
1K 10,30 νεῖ⸆· °καὶ ὁ ἐσθίων κυρίῳ ἐσθίει, εὐχαριστεῖ γὰρ τῷ
θεῷ· καὶ ὁ μὴ ἐσθίων κυρίῳ οὐκ ἐσθίει καὶ εὐχαριστεῖ
τῷ θεῷ. **7** οὐδεὶς γὰρ ἡμῶν ἑαυτῷ ζῇ καὶ οὐδεὶς ἑαυτῷ
2K 5,15 G 2,20 ἀποθνῄσκει· **8** ἐάν τε γὰρ ζῶμεν, τῷ κυρίῳ ζῶμεν, ἐάν τε
1Th 4,14; 5,10 ⸀ἀποθνῄσκωμεν, τῷ κυρίῳ ⸁ἀποθνῄσκομεν. ἐάν τε οὖν
L 20,38 · 1K 3,23! ζῶμεν ἐάν τε ἀποθνῄσκωμεν, τοῦ κυρίου ἐσμέν. **9** εἰς
J 12,24 τοῦτο γὰρ Χριστὸς ⸆ ἀπέθανεν καὶ ⸀ἔζησεν, ἵνα καὶ νεκρῶν καὶ ζώντων κυριεύσῃ. **10** Σὺ δὲ τί κρίνεις τὸν
3 ἀδελφόν σου; ἢ καὶ σὺ τί ἐξουθενεῖς τὸν ἀδελφόν σου;
2K 5,10 Mt 25, 31s Act 17,31; 10, 42! | πάντες γὰρ παραστησόμεθα τῷ βήματι τοῦ ⸀θεοῦ, **11** γέ-
γραπται γάρ·
Is 49,18 Jr 22,24 Ez 5,11 etc Is 45, 23 𝔊 Ph 2,10s *ζῶ ἐγώ, λέγει κύριος, ⸀ὅτι ἐμοὶ κάμψει πᾶν γόνυ*
καὶ πᾶσα γλῶσσα ἐξομολογήσεται τῷ θεῷ.
L 16,2! **12** ἄρα °[οὖν] ἕκαστος ἡμῶν περὶ ἑαυτοῦ λόγον ⸀δώσει
⸋[τῷ θεῷ]⸌.

13 Μηκέτι οὖν ἀλλήλους κρίνωμεν· ἀλλὰ τοῦτο κρί-
20 Mt 17,27 1K 8, 9.13; 10,32 1J 2,10 | νατε μᾶλλον, τὸ μὴ τιθέναι °πρόσκομμα τῷ ἀδελφῷ °ἢ
G 5,10 Ph 1,14; 2, 24 2Th 3,4 · Mt 15,11!p Tt 1,15 · σκάνδαλον. **14** οἶδα καὶ πέπεισμαι ἐν κυρίῳ Ἰησοῦ ὅτι
1K 10,25-27 | οὐδὲν κοινὸν δι’ ⸀ἑαυτοῦ, εἰ μὴ τῷ λογιζομένῳ τι κοινὸν
1K 8,1.11-13 εἶναι, ἐκείνῳ κοινόν. **15** εἰ γὰρ διὰ βρῶμα ὁ ἀδελφός σου
λυπεῖται, οὐκέτι κατὰ ἀγάπην περιπατεῖς· μὴ τῷ βρώματί
σου ἐκεῖνον ἀπόλλυε ὑπὲρ οὗ Χριστὸς ἀπέθανεν. **16** μὴ

4 ⸂δυνατος γαρ εστιν (– 𝔓^{46} D^{1} P Ψ 365. 1739. 2495 *pc*) 𝔓^{46} D^{1} Ψ 𝔐 ¦ *txt* ℵ A B C D* F G | ⸀θεος D F G 048 𝔐 latt sy^{h} ¦ *txt* 𝔓^{46} ℵ A B C P Ψ *pc* sy^{p} co ● **5** ° 𝔓^{46} ℵ^{c} B D F G Ψ 048 𝔐 sy ¦ *txt* ℵ* A P 104. 326. 365. 1506 *pc* latt (C *illeg.*) ● **6** ⸆και ο μη φρονων την ημεραν κυριω ου φρονει Ψ 𝔐 sy ¦ *txt* ℵ A B D F G 6. 630. 1739. 1881 *pc* latt | ° 𝔓^{46}*pc* ● **8** ⸀-θανωμεν C L 6. 33. 945. 1175. 1241 *pm* | ⸁-σκωμεν ℵ C L 33. 81. 365. 1175. 1506 *pm* ¦ *txt* A B D F G P Ψ 048. 6. 630. 1241. 1739. 1881. 2495 *pm* ● **9** ⸆και ℵ^{c} 𝔐 vgst (sy^{h}); Ir^{lat} ¦ *txt* ℵ* A B C^{vid} D F G P Ψ 33. 365. 630. 1506. 1739 *al* vg^{cl}; Or | ⸀ανεστη F G 629 vg^{ww}; Or ¦ αν. και εζ. (ανεζ. *pc*) ℵ^{c} (⸉ D*) Ψ 0209 𝔐 (a) sy$^{(p)}$; (Ir^{lat}) ¦ *txt* ℵ* A B C 365. 1506. 1739. (1881) *pc* vgst co ● **10** ⸀Χριστου ℵ^{c} C^{2} Ψ 048. 0209 𝔐 r vg^{cl} sy; Mcion Ambst ¦ *txt* ℵ* A B C* D F G 630. 1506. 1739 *pc* lat co ● **11** ⸀ει μη F G ● **12** ° B D* F G P 6. 630. 1739. 1881 *pc* lat ¦ *txt* ℵ A C D^{2} Ψ 0209 𝔐 sy^{h} | ⸀αποδ- B D* F G 326 *pc* ¦ *txt* ℵ A C D^{2} Ψ 𝔐 | ⸋ B F G 6. 630. 1739. 1881 *pc* r; Cyp ¦ *txt* ℵ A C D Ψ 0209 𝔐 lat sy co ● **13** ° *bis* B (365) ● **14** ⸀αυ- A C* D F G Ψ 0209 𝔐 ¦ *txt* ℵ B C^{2} 048. 6. 81. 104. 365. 1506. 1739. 2495 *al*

βλασφημείσθω ○οὖν ⸀ὑμῶν τὸ ἀγαθόν. **17** οὐ γάρ ἐστιν Tt 2,5
ἡ βασιλεία τοῦ θεοῦ βρῶσις καὶ πόσις ἀλλὰ δικαιοσύνη 1K 4,20; 8,8 Mt 6,33
καὶ εἰρήνη καὶ χαρὰ ἐν πνεύματι ἁγίῳ· **18** ὁ γὰρ ἐν 15,13
⸀τούτῳ δουλεύων τῷ Χριστῷ εὐάρεστος τῷ θεῷ καὶ ⸁δόκι- 2K 5,9! H 12,28 · L 2,52! 2K 10,18 |
μος τοῖς ἀνθρώποις. **19** Ἄρα οὖν τὰ τῆς εἰρήνης H 12,14! 1K 7,15 ·
⸀διώκωμεν καὶ τὰ τῆς οἰκοδομῆς τῆς εἰς ἀλλήλους⸆. 15,2 1K 10,23; 14,12.26 2K 12,19
20 μὴ ἕνεκεν βρώματος ⸀κατάλυε τὸ ἔργον τοῦ θεοῦ. 1Th 5,11 |
πάντα μὲν καθαρά⸆, ἀλλὰ κακὸν τῷ ἀνθρώπῳ τῷ διὰ Mt 15,11!p Tt 1,15
προσκόμματος ἐσθίοντι. **21** καλὸν τὸ μὴ φαγεῖν κρέα 13!
μηδὲ πιεῖν οἶνον μηδὲ ⸀ἐν ᾧ ὁ ἀδελφός σου ⸁προσκό- 1K 8,13
πτει⸆. **22** σὺ πίστιν ○[ἣν] ἔχεις κατὰ σεαυτὸν ἔχε ⸋ἐνώ-
πιον τοῦ θεοῦ⸌. μακάριος ὁ μὴ κρίνων ἑαυτὸν ἐν ᾧ δοκι- 1K 10,25-27
μάζει· **23** ὁ δὲ διακρινόμενος ἐὰν φάγῃ κατακέκριται, ὅτι
οὐκ ἐκ πίστεως· πᾶν δὲ ὃ οὐκ ἐκ πίστεως ἁμαρτία ἐστίν.⸆ Jc 4,17
15 Ὀφείλομεν δὲ ἡμεῖς οἱ δυνατοὶ τὰ ἀσθενήματα τῶν 14,1!
ἀδυνάτων βαστάζειν καὶ μὴ ἑαυτοῖς ἀρέσκειν. **2** ἕ- G 6,2
καστος ⸀ἡμῶν τῷ πλησίον ἀρεσκέτω εἰς τὸ ἀγαθὸν πρὸς 1K 9,19; 10,24.33
οἰκοδομήν· **3** καὶ γὰρ ὁ Χριστὸς οὐχ ἑαυτῷ ἤρεσεν, ἀλ- 14,19! |
λὰ καθὼς γέγραπται· *οἱ ὀνειδισμοὶ τῶν ὀνειδιζόντων σε* *Ps 68,10* Ⓖ
ἐπέπεσαν ἐπ' ἐμέ. **4** ὅσα γὰρ ⸀προεγράφη, ⸆ εἰς τὴν ἡμε- 1K 9,10! 2T 3,16
τέραν διδασκαλίαν ⸁ἐγράφη, ἵνα διὰ τῆς ὑπομονῆς καὶ
○διὰ τῆς παρακλήσεως τῶν γραφῶν τὴν ἐλπίδα ἔχωμεν⸇. 1Mcc 12,9 H 3,6
5 ὁ δὲ θεὸς τῆς ὑπομονῆς καὶ τῆς παρακλήσεως δῴη 2K 1,3
ὑμῖν τὸ αὐτὸ φρονεῖν ἐν ἀλλήλοις κατὰ ⸉Χριστὸν Ἰη- 12,16 2K 13,11 Ph 2,2; 4,2 1K 1,
σοῦν⸊, **6** ἵνα ὁμοθυμαδὸν ἐν ἑνὶ στόματι δοξάζητε τὸν 10 1P 3,8 |
θεὸν καὶ πατέρα τοῦ κυρίου ἡμῶν Ἰησοῦ Χριστοῦ.

16 ○ F G sy^{p} ¦ *txt* 𝔓^{46} א A B C D Ψ 048 𝔐 lat sy^{h} co; Ambst | ⸀ημ- D F G Ψ 1506 *pc* lat sy^{p} sa; Cl Ambst ● **18** ⸀-τοις א^{1} D^{2} Ψ 𝔐 b vg^{mss} sy; Tert ¦ *txt* א* A B C D* F G P 048. 0209. 81. 1506. 1739. 1881 *pc* lat | ⸁-μοις B G* (*pc*) ● **19** ⸀-κομεν א A B F G P 048. 0209. 6. 326. 629 *al* ¦ *txt* C D Ψ 𝔐 latt co | ⸆φυλαξωμεν D* F G (629) it vg^{ww} ● **20** ⸀ απολλυε א* | ⸆τοις καθαροις א^{2} ● **21** [⸀ἕν Hofmann, ἕν, εν Mangey *cjj*] | ⸁λυπειται א* P | ⸆η σκανδαλιζεται η ασθενει 𝔓^{46vid} א^{2} B D F G Ψ 0209 𝔐 lat sy^{h} sa ¦ *txt* א* A C 048. 81. 945. 1506. 1739 *pc* r sy^{p} bo ● **22** ○D F G Ψ 𝔐 lat co ¦ *txt* א A B C 048 *pc* r vg^{mss} | ⸋ א* *pc* ● **23** ⸆*hic* [16,25-27] *add.* Ψ 0209^{vid} 𝔐 sy^{h}; Or^{mss} ¦ *et p.* 16,23 *et hic* [16,25-27] *add.* A P 33. 104 *pc* ¦ *et p.* 15,33 *et hic* [16,25-27] *add.* 1506 ¦ *txt* א B C D 048^{vid}. 81. 365. 630. 1739 *pc* lat sy^{p} co; Or^{mss} (𝔓^{46}: *pon.* [16,25-27] *p.* 15,33; F G 629 Hier^{mss}: *om.* [16,25-27] *totaliter*)

¶ **15,2** ⸀υμ- F G P 048. 0209^{vid}. 104. 365. 614. 630. 1506. 1881. 2495 *al* lat bo ¦ *txt* א A B C D Ψ 𝔐 r sy sa bo^{ms} ● **4** ⸀εγρ- B lat; Cl | ⸆παντα B P Ψ 33 *pc* sy | ⸁προεγρ- A Ψ 048 𝔐 sy^{h} ¦ *txt* א B C D F G 6. 81. 630. 1506. 1739. 1881 *pc* latt sy^{p}; Cl | ○D F G P Ψ 6. 33. 81. 104. 365. 630. 1175. 1506. 1881. 2495 *pm* lat; Cl ¦ *txt* א A B C L 048. 1241. 1739 *pm* d* | ⸇της παρακλησεως B vg^{ms}; Cl ● **5** ⸉ א A C F 048. 33. 104. 629. 2495 *al* lat sy ¦ *txt* B D G Ψ 𝔐 vg^{mss}; Ambst

14,1 Phm 17 **7** Διὸ προσλαμβάνεσθε ἀλλήλους, καθὼς καὶ ὁ Χρι-
Mt 15,24 · Ps 88,3 𝔊 Mch 7,20 · 11,29 Act 3,25 2P 1,19! Sir 36,20 | στὸς προσελάβετο ⸀ὑμᾶς εἰς δόξαν τοῦ θεοῦ. **8** λέγω γὰρ
Χριστὸν διάκονον ⸀γεγενῆσθαι περιτομῆς ὑπὲρ ἀληθείας
θεοῦ, εἰς τὸ βεβαιῶσαι τὰς ἐπαγγελίας τῶν πατέρων, **9** τὰ
11,30 δὲ ἔθνη ὑπὲρ ἐλέους δοξάσαι τὸν θεόν, καθὼς γέγραπται·
Ps 17,50 𝔊 *2Sm 22,50* *διὰ τοῦτο ἐξομολογήσομαί σοι ἐν ἔθνεσιν* ⸆
καὶ τῷ ὀνόματί σου ψαλῶ.
10 καὶ πάλιν λέγει·
Dt 32,43 𝔊 *εὐφράνθητε, ἔθνη, μετὰ τοῦ λαοῦ αὐτοῦ.*
11 καὶ πάλιν⸆·
Ps 117,1 *αἰνεῖτε, πάντα τὰ ἔθνη, τὸν κύριον*
καὶ ⸀ἐπαινεσάτωσαν αὐτὸν πάντες οἱ λαοί.
12 καὶ πάλιν Ἠσαΐας λέγει·
Is 11,10 𝔊 Ap 5,5; 22,16 *ἔσται ἡ ῥίζα τοῦ Ἰεσσαὶ*
καὶ ὁ ἀνιστάμενος ἄρχειν ἐθνῶν,
ἐπ' αὐτῷ ἔθνη ἐλπιοῦσιν.
14,17 **13** Ὁ δὲ θεὸς τῆς ἐλπίδος ⸂πληρώσαι ὑμᾶς πάσης χαρᾶς
καὶ εἰρήνης⸃ ⸋ἐν τῷ πιστεύειν⸌, ⸋[1]εἰς τὸ περισσεύειν⸌
ὑμᾶς ἐν τῇ ἐλπίδι ἐν δυνάμει πνεύματος ἁγίου.

14 Πέπεισμαι δέ, ἀδελφοί ⸰μου, καὶ αὐτὸς ἐγὼ περὶ
ὑμῶν ὅτι ⸋καὶ αὐτοὶ⸌ μεστοί ἐστε ⸀ἀγαθωσύνης, πεπλη-
1K 1,5 Ph 1,9 ρωμένοι πάσης ⸰[1][τῆς] γνώσεως, δυνάμενοι καὶ ⸁ἀλλή-
λους νουθετεῖν. **15** ⸀τολμηρότερον δὲ ἔγραψα ὑμῖν ⸆ ἀπὸ
2P 1,12 · 1,5; 12,3.6 1K 3,10 G 2,9 E 3,2.7s Kol 1,25 | μέρους ὡς ἐπαναμιμνήσκων ὑμᾶς διὰ τὴν χάριν τὴν δο-
θεῖσάν μοι ⸁ὑπὸ τοῦ θεοῦ **16** ⸀εἰς τὸ εἶναί με λειτουργὸν
11,13 Ph 2,17 · Χριστοῦ Ἰησοῦ ⸋εἰς τὰ ἔθνη⸌, ἱερουργοῦντα τὸ εὐαγγέ-
4Mcc 7,8 vl · 1Th 2,2! · 12,1 Is 66,20 λιον τοῦ θεοῦ, ἵνα ⸁γένηται ἡ προσφορὰ τῶν ἐθνῶν ⸰εὐ-

7 ⸀† ημ- B D* P 048. 104. 614. 629. 1506 *al* b r sa ¦ *txt* ℵ A C D^2 F G Ψ 𝔐 lat sy bo ● **8** ⸀γενεσθαι B C* D* F G Ψ 630. 1739. 1881 *pc* ¦ *txt* ℵ A C^2 D^1 048 𝔐; Epiph ● **9** ⸆ (Ps 18,50) κυριε ℵ^2 33. 104. 2495 *al* a gue t vg^{cl} sy^h bo ● **11** ⸆λεγει B D F G 2495 *pc* it sy; Ambst ¦ *txt* ℵ A C Ψ 𝔐 a t vg | ⸀-νεσατε F G 𝔐 latt sy ¦ *txt* 𝔓^{46} ℵ A B C D Ψ 81. 365. 1506. 1739. 1881. 2495 *pc* ● **13** ⸂πληροφορησαι υμας εν (– F G) παση χαρα και ειρηνη B F G | ⸋ D F G b m; Spec | ⸋[1] B 945. 2495 *pc* ● **14** ⸰ 𝔓^{46} D* F G 1739. 1881 *pc* it; Ambst ¦ *txt* ℵ A B C D^2 Ψ 𝔐 m vg sy | ⸋ 𝔓^{46} D F G it; Spec | ⸀αγαπης F G latt ¦ αγιωσυνης 629 *pc* | ⸰[1] 𝔓^{46} A C D F G 𝔐 ¦ *txt* ℵ B P Ψ 6. 1506. 1881 *pc*; Cl | ⸁αλλους Ψ 𝔐 sy^p ¦ *txt* 𝔓^{46} ℵ A B C D F G P 630. 1175. 1506. 1739. 1881. 2495 *al* latt sy^h ● **15** ⸀† -ροτερως A B 629. 1506 *pc* ¦ *txt* 𝔓^{46} ℵ C D F G Ψ 𝔐 | ⸆αδελφοι 𝔓^{46} ℵ^2 D F G Ψ 𝔐 lat sy ¦ *txt* ℵ* A B C 81. 630. 1739. 1881. 2495 *al* a b | ⸁† απο ℵ* B F ¦ *txt* 𝔓^{46} ℵ^2 A C D G Ψ 𝔐 ● **16** ⸀δια 𝔓^{46} | ⸋ B | ⸁γενηθη B | ⸰ F G

πρόσδεκτος, ἡγιασμένη ἐν πνεύματι ἁγίῳ. **17** ⸀ἔχω οὖν
[τὴν]⸀ καύχησιν ἐν Χριστῷ °Ἰησοῦ τὰ πρὸς τὸν θεόν· H 2,17!
18 οὐ γὰρ ⸀τολμήσω ⸀τι λαλεῖν⸀ ὧν οὐ κατειργάσατο
Χριστὸς δι' ἐμοῦ ⸆ εἰς ⸂ὑπακοὴν ἐθνῶν, λόγῳ καὶ ἔργῳ, 2K 13,3; 3,5 · 16,26!
19 ἐν δυνάμει ⸆ σημείων ⸆ καὶ τεράτων, ἐν δυνάμει πνεύ- 2K 12,12! Mc 16,17 · 1K 2,4 1Th 1,5!
ματος ⸀[θεοῦ]· ὥστε ⸀με ἀπὸ Ἰερουσαλὴμ καὶ κύκλῳ μέχρι
τοῦ Ἰλλυρικοῦ πεπληρωκέναι⸀ τὸ εὐαγγέλιον τοῦ Χριστοῦ, **20** οὕτως δὲ ⸀φιλοτιμούμενον εὐαγγελίζεσθαι οὐχ
ὅπου ὠνομάσθη Χριστός, ἵνα μὴ ἐπ' ἀλλότριον θεμέλιον 1K 3,10 2K 10,15s
οἰκοδομῶ, **21** ἀλλὰ καθὼς γέγραπται·

⸉οἷς οὐκ ἀνηγγέλη περὶ αὐτοῦ ὄψονται⸊, *Is 52,15* 𝔊
καὶ οἳ οὐκ ἀκηκόασιν συνήσουσιν.

22 Διὸ καὶ ἐνεκοπτόμην ⸀τὰ πολλὰ⸀ τοῦ ἐλθεῖν πρὸς 1,13 1Th 2,18 Act 16,6
ὑμᾶς· **23** νυνὶ δὲ μηκέτι τόπον ἔχων ἐν τοῖς κλίμασι τούτοις, ἐπιποθίαν δὲ ⸀ἔχων τοῦ ἐλθεῖν πρὸς ὑμᾶς ἀπὸ ⸂πολ- 1,10! 11!
λῶν ἐτῶν, **24** ὡς ἂν πορεύωμαι εἰς τὴν Σπανίαν⸆· ἐλπίζω γὰρ ⸀διαπορευόμενος θεάσασθαι ὑμᾶς καὶ ⸂ὑφ' ὑ-
μῶν προπεμφθῆναι ἐκεῖ ἐὰν ὑμῶν πρῶτον ἀπὸ μέρους 1K 16,6
ἐμπλησθῶ. **25** Νυνὶ δὲ πορεύομαι εἰς Ἰερουσαλὴμ Act 19,21; 20,22; · 11,29! | 2K 8,1-4; 9,2.12 · 2K 8,4!
⸀διακονῶν τοῖς ἁγίοις. **26** ⸀εὐδόκησαν γὰρ ⸂Μακεδονία
καὶ Ἀχαΐα κοινωνίαν τινὰ ποιήσασθαι εἰς τοὺς πτωχοὺς
τῶν ἁγίων τῶν ἐν Ἰερουσαλήμ. **27** ⸀εὐδόκησαν γὰρ καὶ
ὀφειλέται⸀ εἰσὶν αὐτῶν· εἰ γὰρ τοῖς πνευματικοῖς αὐτῶν 1K 9,11
ἐκοινώνησαν τὰ ἔθνη, ὀφείλουσιν καὶ ἐν τοῖς σαρκικοῖς 1K 16,3 2K 9,12-14 G 6,6 | 2K 8,6 ·
λειτουργῆσαι αὐτοῖς. **28** τοῦτο οὖν ⸆ ἐπιτελέσας καὶ
σφραγισάμενος °αὐτοῖς τὸν καρπὸν τοῦτον, ἀπελεύσο- Ph 4,17

17 ⸀*1 2* א A Ψ 𝔐 ¦ ην εχ. 𝔓[46] ¦ *txt* B C D F G 81. 365 *pc* | ° 𝔓[46] 323**pc*; Ambst • **18** ⸀τολμω א[2] B | ⸀*2* 𝔓[46] ¦ *2 1* Ψ 𝔐 b ¦ τι ειπειν D F G; Spec ¦ τι λαλησαι 1881 (⸉ 2495) *pc* ¦ *txt* א A B C P 81. 365. 629. 630. 1506. 1739 *pc* lat | ⸆λογων B | ⸂ακοην B • **19** ⸆αυτου 𝔓[46] D* F G m; Spec ¦ *txt* א A B C Ψ 𝔐 lat sy co; Ambst | ⸆τε 𝔓[46] | ⸀† – B ¦ αγιου A D*.[2] F G 33. 81. 104. 365. 630. 1739. 1881 *pc* lat sy[hmg] co ¦ *txt* 𝔓[46] א D[1] Ψ 𝔐 b sy (C *illeg.*) | ⸀πεπληρωσθαι απο Ι. μ. τ. Ιλ. κ. κυκ. D F G m • **20** ⸀-μουμαι 𝔓[46] B D* F G b ¦ *txt* א A C D[2] Ψ 𝔐 (sy) • **21** ⸉† *6 1–5* B *pc*; Ambst ¦ *txt* 𝔓[46] א A C D F G Ψ 𝔐 latt sy • **22** ⸀πολλακις 𝔓[46] B D F G ¦ *txt* א A C Ψ 𝔐 • **23** ⸀εχω D* F G 614 *pc* it | ⸂† ικανων B C P 81. 326. 365. 1175. 1506 *pc* ¦ *txt* 𝔓[46] א A D (F) G Ψ 𝔐 • **24** ⸆ελευσομαι προς υμας א[2] 𝔐 sy[h] ¦ *txt* 𝔓[46] א* A B C D F G P Ψ 81. 1506. 1739. 1881 *pc* latt sy[p] | ⸀πορ- 𝔓[46] A 630. 1506. 1739. 1881 *pc* | ⸂απο (αφ) 𝔓[46] B D F G 629. 630 *pc* • **25** ⸀-νησαι 𝔓[46] D F G latt ¦ -νησων א* ¦ *txt* א[c] A B C Ψ 𝔐 • **26** ⸀-ησεν 𝔓[46] B 1241 *pc*; Spec | ⸂-δονες F G it sy[p]; Ambst • **27** ⸀οφειλεται γαρ (– D) 𝔓[46] D F G it; Ambst Spec ¦ *txt* א A B C Ψ 𝔐 a vg sy co • **28** ⸆αρα F G | ° 𝔓[46] B *pc* vg[mss]; Ambst

μαι δι' ὑμῶν εἰς Σπανίαν· **29** ⸂οἶδα δὲ⸃ ὅτι ἐρχόμενος πρὸς
1,11 ὑμᾶς ἐν ⸀πληρώματι εὐλογίας ⸆ Χριστοῦ ἐλεύσομαι.
30 Παρακαλῶ δὲ ὑμᾶς ° [, ἀδελφοί,] διὰ τοῦ ⸆ κυρίου
Kol 1,8; · 4,12 Ph 1,27; 4,3 2K 1,11 · E 6,18s Kol 4,3 1Th 5,25 2Th 3,1 H 13,18 | 2Th 3,2 1Th 2,15 Act 21,13 · 11,30s ἡμῶν Ἰησοῦ Χριστοῦ καὶ διὰ τῆς ἀγάπης τοῦ πνεύματος
συναγωνίσασθαί μοι ἐν ταῖς προσευχαῖς ⸂ὑπὲρ ἐμοῦ⸃
πρὸς τὸν θεόν, **31** ἵνα ῥυσθῶ ἀπὸ τῶν ἀπειθούντων ἐν τῇ
Ἰουδαίᾳ καὶ ⸆ ἡ ⸀διακονία μου ἡ ⸁εἰς Ἰερουσαλὴμ εὐπρόσδεκτος τοῖς ἁγίοις γένηται, **32** ἵνα ⸂ἐν χαρᾷ ἐλ-
Act 18,21! | 16,20 1K 14,33 2K 13,11 Ph 4,9 1Th 5,23 H 13,20 2Th 3,16 TestDan 5,2 θὼν⸃ πρὸς ὑμᾶς διὰ θελήματος ⸀θεοῦ ⸄συναναπαύσωμαι
ὑμῖν⸅. **33** Ὁ δὲ θεὸς τῆς εἰρήνης μετὰ πάντων ὑ-
μῶν, °ἀμήν. ⸆

Act 18,27! **16** Συνίστημι °δὲ ὑμῖν Φοίβην τὴν ἀδελφὴν ⸀ἡμῶν,
Ph 1,1! · Act 18,18 οὖσαν °¹[καὶ] διάκονον τῆς ἐκκλησίας τῆς ἐν Κεγχρεαῖς, **2** ἵνα ⸉αὐτὴν προσδέξησθε⸊ ἐν κυρίῳ ἀξίως τῶν
1K 6,1! ἁγίων καὶ παραστῆτε αὐτῇ ἐν ᾧ ἂν ὑμῶν χρῄζῃ πράγ-
ματι· καὶ γὰρ ⸀αὐτὴ ⸂προστάτις πολλῶν ἐγενήθη καὶ
ἐμοῦ αὐτοῦ⸃.
Act 18,2! **3** Ἀσπάσασθε ⸀Πρίσκαν καὶ Ἀκύλαν τοὺς συνεργούς
Act 15,26 μου ἐν Χριστῷ Ἰησοῦ⸆, **4** οἵτινες ὑπὲρ τῆς ψυχῆς μου
τὸν ἑαυτῶν τράχηλον ὑπέθηκαν, οἷς οὐκ ἐγὼ μόνος εὐχαριστῶ ἀλλὰ καὶ πᾶσαι αἱ ἐκκλησίαι τῶν ἐθνῶν, **5** ⸋καὶ
1K 16,19 Kol 4,15 Phm 2 τὴν κατ' οἶκον αὐτῶν ἐκκλησίαν⸌. ἀσπάσασθε Ἐπαίνε-

29 ⸂γινωσκω γαρ F G m vg^{mss}; Ambst | ⸀πληροφορια (D*) F G | ⸆του ευαγγελιου του ℵ^{2} Ψ 𝔐 vg^{cl} sy ¦ *txt* 𝔓^{46} ℵ* A B C D F G P 6. 81. 629. 630. 1506. 1739. 1881 *pc* lat co; Cl ● **30** ° 𝔓^{46} B ¦ *txt* ℵ A C D F G Ψ 𝔐 lat sy co | ⸆ονοματος του L 1881 *pc* | ⸂υμων F G d* m vg^{cl} ¦ υμ. υπ. εμου D ● **31** ⸆ινα ℵ^{2} D^{1} Ψ 𝔐 f g sy^{h}; Ambst ¦ *txt* 𝔓^{46} ℵ* A B C D* F G 6. 81. 630. 1506. 1739. 1881 *pc* lat | ⸀δωροφορια B D* F G it; Ambst ¦ *txt* 𝔓^{46} ℵ A C D^{1} Ψ 𝔐 f g vg^{mss} sy co | ⸁εν B D* F G 2495 *pc* ¦ *txt* 𝔓^{46} ℵ A C D^{2} Ψ 𝔐 ● **32** ⸂εν χ. ελθω 𝔓^{46} B ¦*it.* ℵ^{2} D F G Ψ 𝔐 *sed* ⸄και συναναπ. υμ. ℵ^{2} Ψ 𝔐 ¦ και αναψυξω (-χω F G) μεθ υμων D F G ¦ – 𝔓^{46} B ¦ *txt* (ℵ*: ελ. εν χ.) A C 6. (33*). 81. 365. 630. 1506. 1739. (1881). 2495 *pc* | ⸀κυριου Ιησου B ¦ Χριστου Ιησ. D* F G it; Ambst ¦ Ιησ. Χρ. ℵ* *pc* (b) ¦ *txt* 𝔓^{46} ℵ^{2} A C D^{2} Ψ 𝔐 vg sy ● **33** ° 𝔓^{46} A F G 630. 1739. 1881 *pc* m t; Ambst ¦ *txt* ℵ B C D Ψ 𝔐 lat sy co | ⸆*hic* [16,25-27] *add.* 𝔓^{46} ¦ *et p.* 14,23 *et hic* [16,25-27] *add., sed om.* 16,1-24: 1506
¶ **16,1** ° D* F G m | ⸀υμ- 𝔓^{46} A F G P *pc* it bo^{ms}; Pel ¦ *txt* ℵ B C D Ψ 𝔐 f vg sy; Ambst | °¹ ℵ* A C^{2} D F G Ψ 𝔐 latt sy sa ¦ *txt* 𝔓^{46} ℵ^{2} B C* 81 *pc* bo ● **2** ⸉B C D F G a m ¦ *txt* 𝔓^{46} ℵ A Ψ 𝔐 b vg; Ambst | ⸀αὕτη B^{2} L Ψ 104. 614. 629. 630. 1175. 1739. 2495 *al* | ⸂και εμου και αλλων (+ πολλων D^{2}) προστατ. (παραστ- F G) εγενετο D F G ¦ ...] και αλλων πολλων εγεν[... 𝔓^{46} ¦ *txt* ℵ A B Ψ 𝔐 vg sy co; Ambst ● **3-5** ⸀-κιλλαν 81. 365. 614. 629. 630. 945. 2495 *al* a m vg^{mss} sy (bo^{pt}); Ambst | ⸆και την κατ οικον αυτων εκκλησιαν D* F G a m *et* ⸋ D* F G P a

τον τὸν ἀγαπητόν μου, ὅς ἐστιν ⸁ἀπαρχὴ τῆς ⸀¹Ἀσίας 1K 16,15
⸂εἰς Χριστόν⸃. **6** ἀσπάσασθε ⸀Μαρίαν, ἥτις πολλὰ ἐκοπίασεν ⸂εἰς ὑμᾶς⸃. **7** ἀσπάσασθε Ἀνδρόνικον καὶ ⸀Ἰου-
νιᾶν τοὺς συγγενεῖς μου καὶ ⸆ συναιχμαλώτους μου, οἵ- 9,3! · Kol 4,10!
τινές εἰσιν ἐπίσημοι ἐν τοῖς ἀποστόλοις⸂, οἳ καὶ πρὸ 2K 8,23
ἐμοῦ γέγοναν⸃ ἐν Χριστῷ. **8** ἀσπάσασθε ⸀Ἀμπλιᾶτον τὸν
ἀγαπητόν °μου ἐν κυρίῳ. **9** ἀσπάσασθε Οὐρβανὸν τὸν
συνεργὸν ἡμῶν ἐν ⸀Χριστῷ καὶ Στάχυν τὸν ἀγαπητόν
μου. **10** ἀσπάσασθε Ἀπελλῆν τὸν δόκιμον ἐν Χριστῷ.
ἀσπάσασθε τοὺς ἐκ τῶν Ἀριστοβούλου. **11** ἀσπάσασθε
Ἡρῳδίωνα τὸν συγγενῆ μου. ἀσπάσασθε τοὺς ἐκ τῶν 9,3!
Ναρκίσσου τοὺς ὄντας ἐν κυρίῳ. **12** ἀσπάσασθε Τρύφαι-
ναν καὶ Τρυφῶσαν τὰς κοπιώσας ἐν κυρίῳ. ἀσπάσασθε
Περσίδα τὴν ἀγαπητήν, ἥτις πολλὰ ἐκοπίασεν ἐν κυρίῳ.
13 ἀσπάσασθε Ῥοῦφον τὸν ἐκλεκτὸν ἐν κυρίῳ καὶ τὴν ? Mc 15,21
μητέρα αὐτοῦ καὶ ἐμοῦ. **14** ἀσπάσασθε Ἀσύγκριτον,
Φλέγοντα, Ἑρμῆν, Πατροβᾶν, Ἑρμᾶν καὶ τοὺς σὺν αὐτοῖς ἀδελφούς. **15** ἀσπάσασθε Φιλόλογον καὶ ⸂Ἰουλίαν,
Νηρέα⸃ καὶ τὴν ἀδελφὴν αὐτοῦ, καὶ ⸀Ὀλυμπᾶν καὶ τοὺς
σὺν αὐτοῖς πάντας ἁγίους. **16** ἀσπάσασθε ἀλλήλους ἐν
φιλήματι ἁγίῳ. ⸋ἀσπάζονται ὑμᾶς αἱ ἐκκλησίαι πᾶσαι 1K 16,20 2K 13,12 1Th 5,26 1P 5,14
τοῦ Χριστοῦ.⸌

17 ⸀Παρακαλῶ δὲ ὑμᾶς, ἀδελφοί, ⸁σκοπεῖν τοὺς τὰς
διχοστασίας καὶ τὰ σκάνδαλα παρὰ τὴν διδαχὴν ἣν ὑ- G 5,20 · 6,17
μεῖς ἐμάθετε ⸆ ποιοῦντας, °καὶ ⸀¹ἐκκλίνετε ἀπ᾽ αὐτῶν· 1K 5,9.11 2Th 3,6.14 2T 3,5 Tt 3,10s
18 οἱ γὰρ τοιοῦτοι τῷ κυρίῳ ἡμῶν Χριστῷ οὐ δουλεύου- Act 9,9 Mt 18,17 | Ph 3,18s
σιν ἀλλὰ τῇ ἑαυτῶν κοιλίᾳ, καὶ διὰ τῆς χρηστολογίας

5 ⸁απ αρχης 𝔓46 D* g m | ⸀¹(1K 16,15) Αχαιας D1 Ψ 𝔐 sy ¦ *txt* 𝔓46 א A B C D* F G P 6. 81. 365. 630. 1739 *pc* latt | ⸂εν Χριστω D F G 1881. 2495 *pc* • **6** ⸀-ιαμ 𝔓46 א D F G 𝔐 ¦ *txt* A B C P Ψ 104. 365. 1739. 2495 *pc* co | ⸂εις ημ- C2 𝔐 a vgs ¦ εν υμιν D F G ¦ *txt* 𝔓46 א A B C* P Ψ 6. 81. 365. 1739. 1881. 2495 *al* • **7** ⸀-λιαν 𝔓46 6 a b vgmss bo | ⸆τους 𝔓46 B | ⸂τοις προ εμου D F G it vgmss; Ambst ¦ ος κ. πρ. εμ. γεγονεν 𝔓46 ¦ *txt* א(*) A B 630. 1739. 1881 *pc* f vg sy (*sed* γεγονασιν C Ψ 𝔐) • **8** ⸀-πλιαν B2 D Ψ (365. 2495) 𝔐 vgms sy sa ¦ *txt* 𝔓46 א A B* C F G 6. 1739 *pc* lat bo | ° 𝔓46 B F bomss • **9** ⸀κυριω C D F G Ψ 81. 326. 365. 630 *al* it boms ¦ *txt* 𝔓46 א A B 𝔐 b vg sy sams bo; Ambst • **15** ⸂-νιαν, Ν. C* F G ¦ Βηρεα και Αουλιαν 𝔓46 ¦ *txt* א A B C2 D Ψ 𝔐 latt sy co | ⸀-πιδα F G ¦ -piadem latt • **16** ⸋ D F G m (*sed cf* 21⸆) • **17** ⸀ερωτω D* latt | ⸁ασφαλως σκοπειτε D F G (a) m; Spec | ⸆(+ ἢ 𝔓46) λεγοντας ἢ 𝔓46 D F G (a) m; Spec ¦ *txt* א A B C Ψ 𝔐 lat sy co; Ambst | ° 𝔓46 1175 *pc*; Spec | ⸀¹-νατε 𝔓46 א2 A D F G 𝔐 ¦ *txt* א* B C Ψ 6. 630. 1739. 1881. 2464. 2495 *pc*

E 5,6 Kol 2,4 2P 2,3 Tt 1,10 1,8! H 5,14 1K 14,20 Ph 2,15 Mt 10,16 | 15,33! 1K 16,23 1Th 5,28 2Th 3,18 | Act 16,1! ? Act 17,5s; 20,4 · 9,3! ? Act 19,29! ? Act 19,22!

⸂καὶ εὐλογίας⸃ ἐξαπατῶσιν τὰς καρδίας τῶν ἀκάκων.
19 ἡ γὰρ ὑμῶν ὑπακοὴ εἰς πάντας ἀφίκετο· ⸂ἐφ' ὑμῖν
οὖν χαίρω⸃, ⸄θέλω δὲ⸅ ὑμᾶς σοφοὺς ⸆ εἶναι εἰς τὸ ἀγαθόν, ἀκεραίους δὲ εἰς τὸ κακόν. **20** ὁ δὲ θεὸς τῆς εἰρήνης ⸀συντρίψει τὸν σατανᾶν ὑπὸ τοὺς πόδας ὑμῶν ἐν τάχει. ⸋Ἡ χάρις τοῦ κυρίου ἡμῶν Ἰησοῦ ⸆ μεθ' ὑμῶν.⸌
21 ⸀Ἀσπάζεται ὑμᾶς Τιμόθεος ὁ συνεργός °μου καὶ
Λούκιος καὶ Ἰάσων καὶ Σωσίπατρος οἱ συγγενεῖς μου⸆.
22 ἀσπάζομαι ὑμᾶς ἐγὼ ⸀Τέρτιος ὁ γράψας τὴν ἐπιστολὴν ἐν κυρίῳ. **23** ἀσπάζεται ὑμᾶς Γάϊος ὁ ξένος μου καὶ
⸂ὅλης τῆς ἐκκλησίας⸃. ἀσπάζεται ὑμᾶς Ἔραστος ὁ οἰκονόμος τῆς πόλεως καὶ Κούαρτος ὁ ἀδελφός. ⸆

E 3,20 Jd 24 · 2,16! 1,17 G 1,16; 3,23 E 3,5 · 1K 14,2! E 1,9; 3,3s. 9 Kol 1,26s; 2,2 · 1P 1,20 | 3,21 2T 1,9s · 1,2! · 1,5; 15,18 Act 6,7 G 3,2 2K 10,5 1P 1,22 · Act 9,15! | 11,36 4Mcc 18,24 G 1,5 E 3,21 Ph 4,20 1T 1,17 2T 4,18 H 13,21 1P 4,11 2P 3,18 Jd 25 Ap 1,6; 4,11!

[**25** Τῷ δὲ δυναμένῳ ὑμᾶς στηρίξαι κατὰ τὸ εὐαγγέλιόν μου καὶ τὸ κήρυγμα Ἰησοῦ Χριστοῦ, κατὰ ἀποκάλυψιν μυστηρίου χρόνοις αἰωνίοις σεσιγημένου, **26** φανερωθέντος δὲ νῦν διά τε γραφῶν προφητικῶν ⸆ κατ' ἐπιταγὴν τοῦ αἰωνίου θεοῦ εἰς ὑπακοὴν πίστεως εἰς πάντα
τὰ ἔθνη γνωρισθέντος, **27** μόνῳ σοφῷ θεῷ, διὰ Ἰησοῦ
Χριστοῦ, ⸀ᾧ ἡ δόξα εἰς τοὺς αἰῶνας⸆, ἀμήν.⸇]

18 ⸂κ. ευγλωττιας 460 ¦ – D F G 33. 81 *pc* m ● **19** ⸂*4 3 1 2* 𝔓^{46} D* F G 33. 323. 1881 *pc* latt ¦ χ. ουν το εφ υμ. ℵ^{2} D^{2} Ψ 𝔐 sy^{h} ¦ *txt* ℵ* A B C P 81. 365 *pc* | ⸄και θ. D* F G m vg^{mss}; Spec ¦ και θ. δε 𝔓^{46} | ⸆μεν ℵ A C 𝔐 sy^{h}; Cl ¦ *txt* 𝔓^{46} B D F G L Ψ 6. 365. 2495 *al* latt ● **20** ⸀-ψαι A 365. 630 *pc* f g t vg^{cl}; Spec | ⸋ D F G m vg^{ms} (*sed cf* 23⸆) | ⸆Χριστου A C Ψ 𝔐 lat sy co ¦ *txt* 𝔓^{46} ℵ B 1881 *pc* ● **21** ⸀-ζονται D^{2} 𝔐 vg^{ms} sy^{p} ¦ *txt* 𝔓^{46} ℵ A B C D* F G P Ψ 81. 365. 630. 1739. 1881. 2495 *al* lat sy^{h} | ° B 6. 1739 *pc* | ⸆και αι εκκλησιαι πασαι του Χριστου D* F G a m; Pel (*cf* 16 ⸋) ● **22** ⸀Τερεντιος 7 ● **23** ⸂ολαι αι εκκλησιαι F G (a b vg^{cl}; Pel) | ⸆(2Th 3,18) **24** η χαρις του κυριου ημων Ιησου Χριστου μετα παντων υμων. αμην (*sed pon.* [25-27] *p.* 14,23) Ψ 𝔐 sy^{h} ¦ *id.* (*sed* – Ιησ. Χρ.) *et om.* [25-27] *totaliter* F G (629) ¦ *id. et add.* [25-27] *hic* D (630) *al* a vg^{cl} ¦ *id., sed p.* [25-27] *add.* P 33. 104. 365 *pc* sy^{p} bo^{ms}; Ambst ¦ *txt* (*sed add.* 25-27 *hic*) (𝔓^{46}, *sed add.* [25-27] *p.* 15,33) 𝔓^{61} ℵ (A) B C 81. 1739. 2464 *pc* b vgst co

Ad [25-27]: *om.* F G 629; Hier^{mss} ¦ *add. p.* 14,23 Ψ 0209^{vid} 𝔐 m^{vid} sy^{h}; Or^{mss} ¦ *add. p.* 15,33 𝔓^{46} ¦ *add. et p.* 14,23 *et p.* 15,33 (*sed om.* 16,1-24) 1506 ¦ *add. hic et p.* 14,23 A P 33. 104 *pc* ¦ *add. hic* 𝔓^{61} ℵ B C D 81. 365. 630. 1739. 2464 *al* a b vg sy^{p} co; Or^{mss} Ambst ● **26** ⸆και της επιφανειας του κυριου ημων Ιησου Χριστου Or Hier^{mss} ● **27** ⸀αυτω P 81. 104 *pc* ¦ – B 630 f sy^{p} | ⸆† των αιωνων 𝔓^{61} ℵ A D P 81. (104). 2464 *pc* lat sy^{p} bo^{pt}; Cl ¦ *txt* 𝔓^{46} B C Ψ (104) 𝔐 sy^{h} sa; Ambst | ⸇η χαρις ... παντων υμων. αμην (*cf* 23⸆) *add. hic* P 33. 104. 365 *pc* sy^{p} bo^{ms}; Ambst

Subscriptio: προς Ρωμαιους ℵ A B* C D* (G) Ψ 33. 2464 *pc* ¦ πρ. Ρ. εγραφη απο Κορινθου B^{1} D^{2} ¦ (+ του αγιου Παυλου *etc* L *pm*) επιστολη πρ. Ρ. εγρ. δια Φοιβης (+ της *al*) διακονου (+ της εν Κεγχρειαις εκκλησιας 424 *pc*) 𝔐 ¦ ... εγραφη δια Τερτιου επεμφθη δε δια Φοιβ. ... 337 *et v. l. al* ¦ – F 365. 629. 630. 2495 *pc*

ΠΡΟΣ ΚΟΡΙΝΘΙΟΥΣ Α′

Act 18,1-11; 19,1 2T 4,20

1 Παῦλος °κλητὸς ἀπόστολος ⸉Χριστοῦ Ἰησοῦ⸊ διὰ
θελήματος θεοῦ καὶ Σωσθένης ὁ ἀδελφὸς 2 τῇ ἐκκλησίᾳ τοῦ θεοῦ ⸉τῇ οὔσῃ ἐν Κορίνθῳ, ἡγιασμένοις ἐν Χριστῷ Ἰησοῦ⸊, κλητοῖς ἁγίοις, ⸋σὺν πᾶσιν τοῖς ἐπικαλου-
μένοις τὸ ὄνομα τοῦ κυρίου ἡμῶν Ἰησοῦ Χριστοῦ ἐν
παντὶ τόπῳ, αὐτῶν ⸆ καὶ ἡμῶν⸌· 3 χάρις ὑμῖν καὶ εἰρήνη
ἀπὸ θεοῦ πατρὸς ἡμῶν καὶ κυρίου Ἰησοῦ Χριστοῦ.

R 1,1 · 2K 1,1 E 1,1 Kol 1,1 2T 1,1 | 1Th 2,14
6,11
R 1,7 · Act 2,21; 9,14.21; 22,16 R 10,12s Ps 99,6 Joel 3,5 2T 2,22 |
R 1,7!

4 Εὐχαριστῶ τῷ θεῷ ⸀μου πάντοτε περὶ ὑμῶν ἐπὶ τῇ
χάριτι τοῦ θεοῦ τῇ δοθείσῃ ὑμῖν ἐν Χριστῷ Ἰησοῦ, 5 ὅτι
ἐν παντὶ ἐπλουτίσθητε ἐν αὐτῷ, ἐν παντὶ λόγῳ καὶ πάσῃ
γνώσει, 6 καθὼς τὸ μαρτύριον τοῦ ⸀Χριστοῦ ἐβεβαιώθη
ἐν ὑμῖν, 7 ὥστε ὑμᾶς μὴ ὑστερεῖσθαι ἐν μηδενὶ χαρί-
σματι ἀπεκδεχομένους τὴν ἀποκάλυψιν τοῦ κυρίου ἡμῶν
Ἰησοῦ Χριστοῦ· 8 ὃς καὶ βεβαιώσει ὑμᾶς ⸂ἕως τέλους⸃
ἀνεγκλήτους ἐν τῇ ⸀ἡμέρᾳ τοῦ κυρίου ἡμῶν Ἰησοῦ °[Χρι-
στοῦ]. 9 πιστὸς ὁ θεός, ⸀δι᾽ οὗ ἐκλήθητε εἰς κοινωνίαν
τοῦ υἱοῦ αὐτοῦ Ἰησοῦ Χριστοῦ τοῦ κυρίου ἡμῶν.

R 1,8 Ph 1,3s 1Th 1,2; 2,13 2Th 1,3 E 5,20 Phm 4 · R 12,6 2K 8,1 |
2K 8,9; 9,11 · 2K 8,7 R 15,14 | Kol 2,7 Act 18,5
12,4!ss ·
Ph 3,20! · 2Th 1,7 1P 1,7.13; 4,13 L 17,30p |
2K 1,21
1T 3,10! · 2K 1,14 Ph 1,6.10; 2,16 Act 2,20 | 10,13! · 10,16 1J 1,3

10 Παρακαλῶ δὲ ὑμᾶς, ἀδελφοί, διὰ τοῦ ὀνόματος τοῦ
κυρίου ἡμῶν Ἰησοῦ Χριστοῦ, ἵνα τὸ αὐτὸ λέγητε πάντες
καὶ μὴ ᾖ ἐν ὑμῖν ⸀σχίσματα, ἦτε δὲ κατηρτισμένοι ἐν τῷ
αὐτῷ νοῒ καὶ ἐν τῇ αὐτῇ γνώμῃ. 11 ἐδηλώθη γάρ μοι περὶ
ὑμῶν, ἀδελφοί °μου, ὑπὸ τῶν Χλόης ὅτι ἔριδες ἐν ὑμῖν
εἰσιν. 12 λέγω δὲ τοῦτο ὅτι ἕκαστος ὑμῶν λέγει· ἐγὼ μέν
εἰμι Παύλου, ἐγὼ δὲ Ἀπολλῶ, ἐγὼ δὲ Κηφᾶ, ἐγὼ δὲ Χριστοῦ. 13 ⸆ μεμέρισται ὁ Χριστός; ⸀μὴ Παῦλος ἐσταυρώθη
⸁ὑπὲρ ὑμῶν, ἢ εἰς τὸ ὄνομα Παύλου ἐβαπτίσθητε; 14 εὐχαριστῶ ⸂[τῷ θεῷ]⸃ ὅτι οὐδένα ὑμῶν ἐβάπτισα εἰ μὴ Κρί-

R 15,5!
11,18
3,3 G 5,19s
3,4.22 · Act 18,24! · 9,5 · 3,23 2K 10,7 Mc 9,41
12,13 R 6,3s
Act 18,18; 19,29

¶ **1,1** °A D 81 | ⸉ℵ A Ψ 𝔐 b vgst sy ¦ *txt* 𝔓^{46} B D F G 33 *pc* it vg^{cl}; Ambst • **2** ⸉ *5–8 1–4* 𝔓^{46} B D* F G b m; Ambst ¦ *txt* 𝔓^{61} ℵ A D^{1} Ψ 𝔐 lat sy$^{(p)}$ co | [⸋ J. Weiß *cj*] | ⸆τε ℵ^{2} A D^{2} Ψ 𝔐 sy^{h} ¦ *txt* 𝔓^{46} ℵ* B D* F G 33. 81. 1175. 1506 *pc* • **4** ⸀† – ℵ* B ¦ ημων 491 ¦ *txt* 𝔓^{61vid} ℵ^{2} A C D F G Ψ 𝔐 latt sy co • **6** ⸀θεου B* F G 81. 1175 *al* sa^{ms} ¦ *txt* 𝔓^{46} ℵ A B^{2} C D Ψ 𝔐 lat sy co; Ambst • **8** ⸂αχρι τ. D F G ¦ τελειους 𝔓^{46} | ⸀παρουσια D F G | °𝔓^{46} B ¦ *txt* ℵ A C D F G Ψ 𝔐 lat sy co; Ambst • **9** ⸀υφ D* F G • **10** ⸀-μα 𝔓^{46} 33. 630 *pc* • **11** °𝔓^{46} C* 104 *pc* a b d; Ambst • **13** ⸆μη 𝔓^{46vid} 326. 2464* *pc* sy^{p} sa | ⸀ἤ 𝔓^{46} (sy^{p}) | ⸁περι 𝔓^{46} B D* • **14** ⸂† – ℵ* B 6. 1739 sa^{ms} bo^{pt}; Cl ¦ τ. θ. μου A 33. 81. 326 *pc* a vg^{mss} sy sa^{ms} bo^{mss} ¦ *txt* ℵ^{2} C D F G Ψ 𝔐 lat bo^{ms}; Tert Ambst

16,15.17 · Act 11, 14! σπον καὶ Γάϊον, **15** ἵνα μή τις εἴπῃ ὅτι εἰς τὸ ἐμὸν ὄνομα
⸀ἐβαπτίσθητε. **16** ἐβάπτισα δὲ καὶ τὸν Στεφανᾶ οἶκον,
λοιπὸν οὐκ οἶδα εἴ τινα °ἄλλον ἐβάπτισα. **17** οὐ γὰρ
R 1,1.3; 15,15s G 1,16 · 2,1! · R 4,14 ἀπέστειλέν με ⸆ Χριστὸς βαπτίζειν ἀλλὰ ⸀εὐαγγελίζε-
σθαι, οὐκ ἐν σοφίᾳ ⸂λόγου, ἵνα μὴ κενωθῇ ὁ σταυρὸς
τοῦ Χριστοῦ.
2K 2,15; 4,3 2Th 2,10 · 23 · Act 2,47 L 13,23 · R 1,16! 2K 13,5 | **18** Ὁ λόγος γὰρ °ὁ τοῦ σταυροῦ τοῖς °¹μὲν ἀπολλυ-
μένοις μωρία ἐστίν, τοῖς δὲ σῳζομένοις °²ἡμῖν δύναμις
θεοῦ ἐστιν. **19** γέγραπται γάρ·
Is 29,14 *ἀπολῶ τὴν σοφίαν τῶν σοφῶν*
Ps 33,10 *καὶ τὴν σύνεσιν τῶν συνετῶν ἀθετήσω.*
Is 19,11s; 33,18 **20** ποῦ σοφός; ποῦ γραμματεύς; ποῦ συζητητὴς τοῦ αἰῶ-
3,19 Is 44,25 Job 12,17 R 1,21 | νος τούτου; οὐχὶ ἐμώρανεν ὁ θεὸς τὴν σοφίαν τοῦ κό-
Mt 11,25s R 11, 33! σμου⸆; **21** ἐπειδὴ γὰρ ἐν τῇ σοφίᾳ τοῦ θεοῦ οὐκ ἔγνω ὁ
κόσμος διὰ τῆς σοφίας τὸν θεόν, εὐδόκησεν ὁ θεὸς διὰ
τῆς μωρίας τοῦ κηρύγματος σῶσαι τοὺς πιστεύοντας·
Mt 12,38p; 16,1 L 23,8 J 2,23! · Act 17,18 | **22** ἐπειδὴ °καὶ Ἰουδαῖοι σημεῖα αἰτοῦσιν ⸀καὶ Ἕλληνες
σοφίαν ζητοῦσιν, **23** ἡμεῖς δὲ κηρύσσομεν Χριστὸν ἐ-
2,2 · G 5,11 Mt 16,23! · 18; 2,14 | R 1,16! Kol 2,3 Sap 7,24s Hab 3, 19 Job 12,13 | Mt 11,19 σταυρωμένον, Ἰουδαίοις μὲν σκάνδαλον, ⸀ἔθνεσιν δὲ μω-
ρίαν, **24** αὐτοῖς δὲ τοῖς κλητοῖς, Ἰουδαίοις τε καὶ Ἕλλη-
σιν, ⸉Χριστὸν θεοῦ δύναμιν καὶ θεοῦ σοφίαν⸊· **25** ὅτι τὸ
μωρὸν τοῦ θεοῦ σοφώτερον τῶν ἀνθρώπων ἐστὶν καὶ τὸ
2K 12,9; 13,4 ἀσθενὲς τοῦ θεοῦ ἰσχυρότερον τῶν ἀνθρώπων.
Mt 11,25 **26** Βλέπετε ⸀γὰρ τὴν κλῆσιν ὑμῶν, ἀδελφοί, ὅτι οὐ
Jc 2,5 πολλοὶ σοφοὶ κατὰ σάρκα, οὐ πολλοὶ δυνατοί, οὐ πολλοὶ
L 14,21p Mt 5,3 εὐγενεῖς· **27** ἀλλὰ τὰ μωρὰ τοῦ κόσμου ἐξελέξατο ὁ θεός,
ἵνα καταισχύνῃ τοὺς σοφούς, καὶ τὰ ἀσθενῆ τοῦ κόσμου
ἐξελέξατο ὁ θεός, ἵνα καταισχύνῃ τὰ ἰσχυρά, **28** καὶ τὰ
Mt 19,30 ἀγενῆ τοῦ κόσμου καὶ τὰ ἐξουθενημένα ἐξελέξατο ὁ θεός,
R 4,17 | R 3,27! ⸆ τὰ μὴ ὄντα, ἵνα τὰ ὄντα καταργήσῃ, **29** ὅπως μὴ καυχή-

15 ⸀-τισα C^{3} D F G Ψ 𝔐 it sy; Tert ¦ -τισθη 104 *pc* ¦ *txt* 𝔓^{46} ℵ A B C* 6. 33. 81. 365. 630. 1175. 1506. 1739 *pc* f* vg sy^{hmg} co ● **16** °F G a b d ● **17** ⸆ο 𝔓^{46} B F G 323 *pc* | ⸀-ισασθαι B 365 *pc* | ⸂λογων 𝔓^{11} sy^{p} ● **18** ° 𝔓^{46} B 630. 1739. 1881 *pc* | °¹ 𝔓^{46} b d* r; Ir^{lat} Cyp | °² F G 6 it; Ir^{lat} Cyp Ambst ● **20** ⸆τουτου 𝔓^{11} ℵ^{2} C^{3} D^{2} F G Ψ 𝔐 sy sa^{ms} bo^{pt}; Epiph ¦ *txt* 𝔓^{46} ℵ* A B C* D* P 33. 81. 630. 1175. 1506. 2464 *al* sa^{ms} bo^{pt}; Spec ● **22** ° 𝔓^{46} F G 323 *pc* vg^{mss} sy^{p}; Tert Cl Cyp Ambst | ⸀οι δε 𝔓^{46vid} ● **23** ⸀Ελλησι C^{3} D^{2} 𝔐; Cl ¦ *txt* ℵ A B C* D* F G L P Ψ 0129. 33. 81. 104. 1175. 1241. 2464 *al* latt co; Or ● **24** ⸉-στος θ. -μις κ. θ. -ια 𝔓^{46}; Cl ● **26** ⸀ουν D F G ● **28** ⸆και ℵ^{2} B C^{3} D^{2} Ψ 𝔐 f r vg sy; Or ¦ *txt* 𝔓^{46} ℵ* A C* D* F G 0129. 33. 1175. 1506. 1739 *pc* b; Tert Ambst

σηται πᾶσα σὰρξ ἐνώπιον ⸂τοῦ θεοῦ⸃. **30** ἐξ αὐτοῦ δὲ
ὑμεῖς ἐστε ἐν Χριστῷ Ἰησοῦ, ὃς ἐγενήθη σοφία ἡμῖν ἀπὸ
θεοῦ, ⸂δικαιοσύνη τε⸃ καὶ ἁγιασμὸς καὶ ἀπολύτρωσις,
31 ἵνα καθὼς γέγραπται· *ὁ καυχώμενος ἐν κυρίῳ καυχάσθω.*
2 Κἀγὼ ἐλθὼν πρὸς ὑμᾶς, ἀδελφοί, ἦλθον οὐ καθ᾿ ὑ-
περοχὴν λόγου ἢ σοφίας καταγγέλλων ὑμῖν τὸ ⸀μυ-
στήριον τοῦ θεοῦ. **2** οὐ γὰρ ἔκρινά ⸂τι εἰδέναι⸃ ἐν ὑμῖν
εἰ μὴ Ἰησοῦν Χριστὸν καὶ τοῦτον ἐσταυρωμένον. **3** κἀγὼ ἐν ἀσθενείᾳ καὶ ἐν φόβῳ καὶ ἐν τρόμῳ πολλῷ ἐγενόμην πρὸς ὑμᾶς, **4** καὶ ὁ λόγος μου καὶ τὸ κήρυγμά μου
οὐκ ἐν ⸂πειθοῖ[ς] σοφίας [λόγοις]⸃ ἀλλ᾿ ἐν ⸀ἀποδείξει
πνεύματος καὶ δυνάμεως, **5** ἵνα ἡ πίστις ὑμῶν μὴ ᾖ ἐν
σοφίᾳ ἀνθρώπων ἀλλ᾿ ἐν δυνάμει θεοῦ.

6 Σοφίαν δὲ λαλοῦμεν ἐν τοῖς τελείοις, σοφίαν δὲ οὐ
τοῦ αἰῶνος τούτου οὐδὲ τῶν ἀρχόντων τοῦ αἰῶνος τούτου τῶν καταργουμένων· **7** ἀλλὰ λαλοῦμεν θεοῦ σοφίαν
ἐν μυστηρίῳ τὴν ἀποκεκρυμμένην, ἣν προώρισεν ὁ θεὸς
πρὸ τῶν αἰώνων εἰς δόξαν ἡμῶν, **8** ἣν οὐδεὶς τῶν ἀρχόντων τοῦ αἰῶνος τούτου ⸀ἔγνωκεν· εἰ γὰρ ἔγνωσαν, οὐκ
ἂν τὸν κύριον τῆς δόξης ⸆ ἐσταύρωσαν. **9** ἀλλὰ καθὼς
γέγραπται·

ἃ ὀφθαλμὸς οὐκ εἶδεν καὶ οὖς οὐκ ἤκουσεν
καὶ ἐπὶ καρδίαν ἀνθρώπου οὐκ ἀνέβη,
⸀*ἃ ἡτοίμασεν ὁ θεὸς τοῖς ἀγαπῶσιν αὐτόν.*

10 ἡμῖν ⸀δὲ ἀπεκάλυψεν ὁ θεὸς διὰ τοῦ πνεύματος⸆· τὸ
γὰρ πνεῦμα πάντα ἐραυνᾷ, καὶ τὰ βάθη τοῦ θεοῦ. **11** τίς
γὰρ οἶδεν °ἀνθρώπων τὰ τοῦ ἀνθρώπου εἰ μὴ ⸂τὸ πνεῦμα
τοῦ ἀνθρώπου⸃ τὸ ἐν αὐτῷ; οὕτως καὶ τὰ τοῦ θεοῦ οὐδεὶς ἔγνωκεν εἰ μὴ τὸ πνεῦμα τοῦ θεοῦ. **12** ἡμεῖς δὲ οὐ τὸ

2K 5,18.21 Ph 3,9 R 10,4 Jr 23,5s · 6,11 J 17,19 · R 3,24!
Jr 9,22.23 2K 10,17 R 5,11 G 6,14
Ph 3,3 |
4.13; 1.17 2K 1,12: 11,6 · 14,2!
1,23 G 6,14
2K 10,10; 11,30 G 4,13
1! · 4,20 Mt 10,20! 2K 6,7 R 1,16!; 15,19 1Th 1,5 |
E 1,17.19 1P 1,5
3,1.18 · 14,20 Ph 3,15 Kol 1,28 · J 12,31! E 1,21! ·
15,24.26 |
14,2! · Mt 13,35 L 10,21p Kol 1,26 ·
R 9,23 | J 1,10 Act 13,27
Jc 2,1
ApcEliae (sec. Or) Is 64,3; 52,15 ·
Is 65,16 Jr 3,16 Act 7,23 ·
Sir 1,10 R 8,28!
Mt 11,25p Dn 2,22 · Prv 20,27𝔊 · R 11,33 Job 11,7s |
Zch 12,1
R 8,16

29 ⸂αυτου (ℵ^{2}) C* Ψ 629. 1241 *pc* f vg sy • **30** ⸂και δ. F G 1739. 1881. 2495 *pc*
¶ **2,1** ⸀† μαρτυριον ℵ^{2} B D F G Ψ 𝔐 b vg sy^{h} sa ¦ *txt* 𝔓^{46vid} ℵ* A C *pc* a r sy^{p} bo; Epiph Ambst • **2** ⸂*2 1* ℵ A F G 048^{vid}. 6. 1175. 1241. 2464. 2495 *al* ¦ του ειδ. τι 𝔐 ¦ ιδειν τι Ψ ¦ *txt* B C (D) P 33. 81. 365. 630. 1506. 1739 *pc* • **4** ⸂πειθοις ανθρωπινης σοφ. λ. ℵ^{2} A C Ψ (630) 𝔐 vg^{cl} sy^{h}; Did ¦ πειθοι ανθ. σοφ. λ. 1. 42. 440. (⸉2495) *al* ¦ πειθοις ανθ. σοφ. και λ. 131 ¦ πειθοις σοφ. 𝔓^{46} F G *pc* ¦ *txt* (ℵ*) B D 33. 1175. 1506. 1739. 1881 *pc* vgst (sy^{p}) | ⸀αποκαλυψει D* • **8** ⸀εγνω 𝔓^{46} | ⸆ταυτων 𝔓^{46} • **9** ⸀† οσα A B *pc*; Did ¦ *txt* 𝔓^{46} ℵ C D F G Ψ 𝔐; Cl • **10** ⸀† γαρ 𝔓^{46} B 6. 365. 1175. 1739 *al*; Cl Spec ¦ *txt* ℵ A C D F G Ψ 𝔐 latt sy; Epiph | ⸆αυτου ℵ^{2} D F G Ψ 𝔐 latt sy sa^{ms} bo^{ms}; Epiph Spec ¦ *txt* 𝔓^{46vid} ℵ* A B C 630. 1739. 1881 *pc* sa^{mss} bo; Cl • **11** °A 33 | ⸂*1 2* F G a b; Tert Spec Pel ¦ – 2495

J 16,13s 1J 5,20 · πνεῦμα τοῦ κόσμου ⸆ ἐλάβομεν ἀλλὰ τὸ πνεῦμα τὸ ἐκ
R 8,32 τοῦ θεοῦ, ἵνα ⸀εἰδῶμεν τὰ ὑπὸ τοῦ θεοῦ χαρισθέντα ἡμῖν·
1! **13** ἃ καὶ λαλοῦμεν οὐκ ἐν διδακτοῖς ἀνθρωπίνης σοφίας
J 14,26! λόγοις ἀλλ' ἐν διδακτοῖς πνεύματος⸆, ⸀πνευματικοῖς
Jc 3,15! πνευματικὰ συγκρίνοντες. **14** ψυχικὸς δὲ ἄνθρωπος οὐ
J 14,17 · 1,13 δέχεται τὰ τοῦ πνεύματος ⸋τοῦ θεοῦ⸌· μωρία γὰρ αὐτῷ
J 8,43! ἐστιν καὶ οὐ δύναται γνῶναι, ὅτι πνευματικῶς ἀνα-
14,24 1J 2,20 κρίνεται. **15** ὁ δὲ πνευματικὸς ἀνακρίνει ⸂[τὰ] πάντα⸃,
αὐτὸς δὲ ὑπ' οὐδενὸς ἀνακρίνεται. **16** *τίς γὰρ ἔγνω νοῦν*
R 11,34 *Is 40,13* 𝔊 Jr 23,18 Sap 9,13 *κυρίου, ὃς συμβιβάσει αὐτόν;* ἡμεῖς δὲ νοῦν ⸀Χριστοῦ
ἔχομεν.

3 Κἀγώ, ἀδελφοί, οὐκ ἠδυνήθην λαλῆσαι ὑμῖν ὡς πνευ-
2K 3,3 · 13,11 1Th 2,7 | ματικοῖς ἀλλ' ὡς ⸀σαρκίνοις, ὡς νηπίοις ἐν Χριστῷ.
H 5,12!s **2** γάλα ὑμᾶς ἐπότισα, οὐ βρῶμα· οὔπω γὰρ ἐδύνασθε.
ἀλλ' οὐδὲ °ἔτι νῦν δύνασθε, **3** ἔτι γὰρ ⸀σαρκικοί ἐστε.
1,10s! Jc 3,14 ὅπου γὰρ ἐν ὑμῖν ζῆλος καὶ ἔρις⸆, οὐχὶ ⸁σαρκικοί ἐστε
καὶ κατὰ ἄνθρωπον περιπατεῖτε; **4** ὅταν γὰρ λέγῃ τις·
1,12! ἐγὼ μέν εἰμι Παύλου, ἕτερος δέ· ἐγὼ Ἀπολλῶ, ⸂οὐκ ἄν-
θρωποί⸃ ἐστε⸆; **5** ⸀Τί οὖν ἐστιν ⸉Ἀπολλῶς; ⸀τί δέ
4,1 2K 11,27; 4,5 ἐστιν Παῦλος⸊; ⸆ διάκονοι δι' ὧν ἐπιστεύσατε, καὶ ἑκά-
Act 18,4.11; · 18,24! στῳ ὡς ὁ κύριος ἔδωκεν. **6** ἐγὼ ἐφύτευσα, Ἀπολλῶς ἐπό-
R 9,16 · G 2,6 τισεν, ἀλλὰ ὁ θεὸς ηὔξανεν· **7** ὥστε οὔτε ὁ φυτεύων ἐστίν
τι οὔτε ὁ ποτίζων ἀλλ' ὁ αὐξάνων θεός. **8** ὁ φυτεύων δὲ
4,5 καὶ ὁ ποτίζων ἕν εἰσιν, ἕκαστος δὲ τὸν ἴδιον μισθὸν
2K 1,24; 6,1 1Th 3,2 3J 8 · Mt 13,3-9.38 · E 2,20s | λήμψεται κατὰ τὸν ἴδιον κόπον· **9** θεοῦ γάρ ἐσμεν συν-

12 ⸆τουτου D F G bo | ⸀(*ex itac.?*) ιδωμεν 𝔓^{46} D F G L P 1241^{s}. 1506. 1881. 2464 *pm* ¦ *txt* א A B C Ψ 33. 81. 104. 365. 630. 1175. 1739. 2495 *pm* latt sy co • **13** ⸆αγιου D^{2} 𝔐 vg^{mss} sy^{h} ¦ *txt* 𝔓^{46} א A B C^{vid} D* F G Ψ 0185. 6. 33. 81. 630. 1175. 1506. 1739. 1881. 2464 *al* lat sy^{p} co; Cl Ambst Spec | ⸀-κως B 33 • **14** ⸋ 1506 *pc* sy^{p}; Ir^{lat} • **15** ⸂ † μεν παντα א^{1} B D^{2} Ψ 𝔐 ¦ παντα F G; Cl ¦ μεν τα παντα P 6. 33. 81. 365. 630. 1739 *pc* ¦ *txt* 𝔓^{46} A C D* (א* *h. t.*) • **16** ⸀κυριου B D* F G 81 *pc* it; Ambst Pel ¦ *txt* 𝔓^{46} א A C D^{2} Ψ 048 𝔐 vg sy co; Epiph

¶ **3,1** ⸀-ικοις C^{3} D^{2} F G Ψ 𝔐; Epiph ¦ *txt* 𝔓^{46} א A B C* D* 6. 33. 945. 1175. 1739 *pc* • **2** ° 𝔓^{46} B 0185 ¦ *txt* 𝔓^{11vid} א A C D F G Ψ 048 𝔐 b sy^{h} co • **3** ⸀-ινοι D* F G | ⸆και διχοστασιαι 𝔓^{46} D F G 𝔐 a b sy; Cyp ¦ *txt* 𝔓^{11} א A B C P Ψ 81. 630. 1175. 1506. 1739. 1881 *pc* r vg co; Cl Or Did Ambst | ⸁-ινοι 𝔓^{46} D* F G • **4** ⸂ουχι ανθ. D F G 629 *pc* ¦ ουχι σαρκικοι א^{2} Ψ 𝔐 sy ¦ *txt* 𝔓^{46} א* A B C 048. 33. 81. 1175. 1506. 1739. 1881 *pc* | ⸆(3) και κατα ανθρωπον περιπατειτε P vg^{mss} • **5** ⸀*bis* τις 𝔓^{46vid} א^{2} C D F G Ψ 𝔐 sy ¦ *txt* א* A B 33. 81. 1175. 1506. 1739 *pc* lat; Ambst Pel | ⸉ Παυλ. … Απ. D^{1} Ψ 𝔐 sy ¦ *txt* 𝔓^{46} א A B C D* F G P 048^{vid}. 33. 81. 629. 630. 1175. 1506. 1739 *pc* latt co | ⸆αλλ η D^{2} Ψ 𝔐 sy ¦ *txt* א A B C D* F G 6. 33. 630. 1175. 1506. 1739 *pc* latt sa^{ms} bo

εργοί, θεοῦ γεώργιον, θεοῦ οἰκοδομή ἐστε. **10** Κατὰ
τὴν χάριν ⸋τοῦ θεοῦ⸌ τὴν δοθεῖσάν μοι ὡς σοφὸς ἀρχι-
τέκτων θεμέλιον ⸀ἔθηκα, ἄλλος δὲ ἐποικοδομεῖ. ἕκαστος
δὲ βλεπέτω πῶς ἐποικοδομεῖ. **11** θεμέλιον γὰρ ἄλλον οὐδεὶς δύναται θεῖναι παρὰ τὸν κείμενον, ὅς ἐστιν Ἰησοῦς
Χριστός. **12** εἰ δέ τις ἐποικοδομεῖ ἐπὶ τὸν θεμέλιον ⸆
⸂χρυσόν, ἄργυρον⸃, λίθους τιμίους, ξύλα, χόρτον, καλά-
μην, **13** ⸂ἑκάστου τὸ ἔργον φανερὸν γενήσεται⸃, ἡ γὰρ
ἡμέρα δηλώσει, ⸀ὅτι ἐν πυρὶ ἀποκαλύπτεται· καὶ ἑκάστου τὸ ἔργον ὁποῖόν ἐστιν τὸ πῦρ °[αὐτὸ] δοκιμάσει.
14 εἴ τινος τὸ ἔργον ⸀μενεῖ ὃ ἐποικοδόμησεν, μισθὸν
λήμψεται· **15** εἴ τινος τὸ ἔργον κατακαήσεται, ζημιωθή-
σεται, αὐτὸς δὲ σωθήσεται, οὕτως δὲ ὡς διὰ πυρός.
16 Οὐκ οἴδατε ὅτι ναὸς θεοῦ ἐστε καὶ τὸ πνεῦμα τοῦ θεοῦ
⸉οἰκεῖ ἐν ὑμῖν⸊; **17** εἴ τις τὸν ναὸν τοῦ θεοῦ φθείρει,
⸀φθερεῖ ⸁τοῦτον ὁ θεός· ὁ γὰρ ναὸς τοῦ θεοῦ ἅγιός ἐστιν,
οἵτινές ἐστε ὑμεῖς.
18 Μηδεὶς ἑαυτὸν ἐξαπατάτω⸆· εἴ τις δοκεῖ σοφὸς
εἶναι ἐν ὑμῖν ἐν τῷ αἰῶνι τούτῳ, μωρὸς γενέσθω, ἵνα γένηται σοφός. **19** ἡ γὰρ σοφία τοῦ κόσμου τούτου μωρία
παρὰ τῷ θεῷ ἐστιν. γέγραπται γάρ· *ὁ δρασσόμενος τοὺς*
σοφοὺς ἐν τῇ πανουργίᾳ αὐτῶν· **20** καὶ πάλιν· *κύριος γι-*
νώσκει τοὺς διαλογισμοὺς τῶν ⸀*σοφῶν ὅτι εἰσὶν μάταιοι.*
21 ὥστε μηδεὶς καυχάσθω ἐν ἀνθρώποις· πάντα γὰρ ὑ-
μῶν ἐστιν, **22** εἴτε Παῦλος εἴτε Ἀπολλῶς εἴτε Κηφᾶς,
εἴτε κόσμος εἴτε ζωὴ εἴτε θάνατος, εἴτε ἐνεστῶτα εἴτε
μέλλοντα· πάντα ὑμῶν, **23** ὑμεῖς δὲ Χριστοῦ, Χριστὸς
δὲ θεοῦ.

15,10 R 15,15! 2P 3,15 · Is 3,3 𝔊 · R 15,20 H 6,1
E 2,20!
2T 2,20 Ap 21,18!s
4,5
2Th 1,8 Ml 3,19
1P 1,17!
Jd 23! Am 4,11
6,19 2K 6,16 · R 8,9
E 2,21 Ps 65,5 𝔊; 79,1
1,20-25; 2,6 · 4,10
Job 5,12s
Ps 93,11 𝔊
R 3,27!
1,12!
R 8,38
R 14,8 G 3,29 Mc 9,41 · 15,28 L 3,38

10 ⸋ $\mathfrak{P}^{46}$ 81. 2495 *pc* b f vg^{mss}; Cl | ⸀τεθεικα ℵ^{2} C^{3} D Ψ 𝔐; Cl ¦ *txt* $\mathfrak{P}^{46}$ ℵ* A B C* P 33. 1175. 1739 *pc*; Did ● **12** ⸆τουτον ℵ^{2} C^{3} D Ψ 𝔐 lat sy sa^{mss} bo; Epiph ¦ *txt* $\mathfrak{P}^{46}$ ℵ* A B C* 81 *pc* vg^{mss} sa^{mss} bo^{ms} | ⸂ † -σιον, -ριον ℵ C^{vid} 630. 1175. 1506. 1739 *pc* ¦ -σιον και -ριον $\mathfrak{P}^{46}$ B (sy^{p}) ¦ *txt* A D Ψ 𝔐 latt co ● **13** ⸂ο ποιησας τουτο το ερ. φανερος γενηται D* a b; Ambst | [⸀ὅ τι Lisco *cj*] | ° $\mathfrak{P}^{46}$ ℵ D Ψ 𝔐 latt ¦ *txt* A B C P 6. 33. 81. 1175. 1739 *pc* co; Or ● **14** ⸀μένει B^{2} D^{2} Ψ 𝔐 ¦ *txt* 81. 2495 *al* latt ($\mathfrak{P}^{46}$ ℵ A B* C D* P *sine acc.*) ● **16** ⸉ † B P 33. 630. 1175. 1739 *pc*; Tert ¦ *txt* $\mathfrak{P}^{46}$ ℵ A C D F G Ψ 𝔐 latt; Ir^{lat} Did Ambst Epiph ● **17** ⸀φθειρει D F G L P 6. 33. 81. 614. 1175. 1241^{s}. 2464 *pc* vg^{mss} ¦ *txt* $\mathfrak{P}^{46}$ ℵ A B C Ψ 𝔐 lat co; Ir^{lat} Tert Ambst | ⸁αυτον A D F G *pc* sy$^{p.hmg}$ ● **18** ⸆κενοις λογοις D ● **20** ⸀(Ps 94,11) ανθρωπων 33. 630. 1506 *pc* a vg^{mss} bo^{mss}; Epiph^{pt}

4 Οὕτως ἡμᾶς λογιζέσθω ἄνθρωπος ὡς ὑπηρέτας Χριστοῦ καὶ οἰκονόμους μυστηρίων θεοῦ. **2** ⸀ὧδε λοιπὸν ⸁ζητεῖται ἐν τοῖς οἰκονόμοις, ἵνα πιστός τις εὑρεθῇ.
3 ἐμοὶ δὲ εἰς ἐλάχιστόν ἐστιν, ἵνα ὑφ' ὑμῶν ἀνακριθῶ ἢ
ὑπὸ ἀνθρωπίνης ἡμέρας· ἀλλ' οὐδὲ ἐμαυτὸν ἀνακρίνω.
4 οὐδὲν γὰρ ἐμαυτῷ σύνοιδα, ἀλλ' οὐκ ἐν τούτῳ δεδικαίω-
μαι, ὁ δὲ ἀνακρίνων με κύριός ἐστιν. **5** ὥστε μὴ πρὸ καιροῦ τι κρίνετε ἕως ἂν ἔλθῃ ὁ κύριος, °ὃς καὶ φωτίσει τὰ
κρυπτὰ τοῦ σκότους καὶ φανερώσει τὰς βουλὰς τῶν καρ-
διῶν· καὶ τότε ὁ ἔπαινος γενήσεται ἑκάστῳ ἀπὸ τοῦ θεοῦ.

6 Ταῦτα δέ, ἀδελφοί, μετεσχημάτισα εἰς ἐμαυτὸν καὶ
Ἀπολλῶν δι' ὑμᾶς, ἵνα ἐν ἡμῖν μάθητε τὸ μὴ ὑπὲρ ⸀ἃ γέ-
γραπται⸆, ἵνα μὴ εἷς ὑπὲρ τοῦ ἑνὸς φυσιοῦσθε κατὰ τοῦ
ἑτέρου. **7** τίς γάρ σε διακρίνει; τί δὲ ἔχεις ὃ οὐκ ἔλαβες;
εἰ δὲ καὶ ἔλαβες, τί καυχᾶσαι ὡς μὴ λαβών; **8** ἤδη κεκο-
ρεσμένοι ἐστέ, ἤδη ἐπλουτήσατε, χωρὶς ἡμῶν ἐβασιλεύ-
σατε· καὶ ὄφελόν γε ἐβασιλεύσατε, ἵνα καὶ ἡμεῖς ὑμῖν
συμβασιλεύσωμεν. **9** δοκῶ γάρ, ⸆ ὁ θεὸς ἡμᾶς τοὺς ἀποστόλους ἐσχάτους ἀπέδειξεν ὡς ἐπιθανατίους, ὅτι θέατρον ἐγενήθημεν τῷ κόσμῳ καὶ ἀγγέλοις καὶ ἀνθρώποις.
10 ἡμεῖς μωροὶ διὰ Χριστόν, ὑμεῖς δὲ φρόνιμοι ἐν ⸀Χρι-
στῷ· ἡμεῖς ἀσθενεῖς, ὑμεῖς δὲ ἰσχυροί· ὑμεῖς ἔνδοξοι,
ἡμεῖς δὲ ἄτιμοι. **11** ἄχρι τῆς ἄρτι ὥρας καὶ πεινῶμεν καὶ
διψῶμεν καὶ ⸀γυμνιτεύομεν καὶ κολαφιζόμεθα καὶ ἀστατοῦ-
μεν **12** καὶ κοπιῶμεν ἐργαζόμενοι ταῖς ἰδίαις χερσίν· λοι-
δορούμενοι εὐλογοῦμεν, διωκόμενοι ἀνεχόμεθα, **13** ⸀δυσ-
φημούμενοι παρακαλοῦμεν· ⸂ὡς περικαθάρματα⸃ τοῦ κόσμου ἐγενήθημεν, πάντων περίψημα ἕως ἄρτι.

14 Οὐκ ἐντρέπων ὑμᾶς γράφω ταῦτα ἀλλ' ὡς τέκνα μου
ἀγαπητὰ ⸀νουθετῶ[ν]. **15** ἐὰν °γὰρ μυρίους παιδαγωγοὺς

3,5 Act 26,16 · Tt 1,7 1P 4,10 E 3,2! · 14,2! | L 12,42!
9,3
Job 27,6 𝔊
Mt 7,1
2K 5,10
14,25 L 8,17p R 2,16 · 3,13 · R 8,27 1Th 2,4 · 3,8 R 2,29
11,1 · R 12,3
18s; 5,2; 13,4 2K 12,20 | J 3,27!
Ap 3,17 ·
Ap 1,6! 3,21 2T 2,12
R 8,36! · 15,31 H 10,33
3,18 · 2K 11,19 Prv 3,7
11-13: 2K 11,7-10; 6,4-10; 11,23-27; 12,10
Mt 8,20p | Act 18,3; 20,34 E 4,28 1Th 2,9 2Th 3,8 3J 7 · Mt 5,44! Ps 109,28 | Prv 21,18 𝔊
Tob 5,19
6,5! · 2K 6,13 G 4,19 1Th 2,11 · Sap 11,10 | G 3,24s

¶ **4,2** ⸀δ δε 𝔐 ¦ *txt* 𝔓[46] ℵ A B C D F G P Ψ 6. 33. 104. 1175 *pc* latt sy co | ⸁(*ex itac.?*) -τε 𝔓[46] ℵ(*) A C D F G P 6. 33. 104. 365. 1739. 1881. 2464. 2495 *al* ¦ *txt* B Ψ 𝔐 latt sy co ● **5** ° D* F G ● **6** ⸀ο D F G 𝔐 a ¦ *txt* 𝔓[46] ℵ A B C P Ψ 33. 81. 104. 365. 630. 1175. 1881 *pc* sy[h] | ⸆φρονειν ℵ[2] C[vid] D[2] 𝔐 vg[ms] sy ¦ *txt* 𝔓[46] ℵ* A B D* F G Ψ 81. 1175. 1739. 1881 *pc* lat co ● **9** ⸆οτι ℵ[2] D[2] Ψ 𝔐 vg[cl] sy ¦ *txt* 𝔓[46] ℵ* A B C D* F G P 6. 33. 81. 630. 1175. 1506. 1739. 1881 *pc* lat; Tert Cl Ambst ● **10** ⸀κυριω 𝔓[11] ● **11** ⸀γυμνητ- 𝔓[46] 𝔐; Cl ¦ *txt* ℵ A(*) B(*) C D F G P Ψ 630. 1881[c]. 2464 *al* ● **13** ⸀βλασφ- 𝔓[68] ℵ[2] B D F G Ψ 𝔐 ¦ *txt* 𝔓[46] ℵ* A C P 33. 81. 1175. 1506 *pc*; Cl | ⸂ωσπερ(ε)ι καθ. G *pc* ● **14** ⸀-θετω 𝔓[46](*: -τη) B D F G Ψ 𝔐 latt ¦ *txt* 𝔓[11vid] ℵ A C P 6. 33. 104. 365. 630. 945. 1175. 1739 *pc* ● **15** ° 𝔓[46] *pc* g

ἔχητε ἐν Χριστῷ ἀλλ᾽ οὐ πολλοὺς πατέρας· ἐν γὰρ Χριστῷ
°¹Ἰησοῦ διὰ τοῦ εὐαγγελίου ἐγὼ ὑμᾶς ἐγέννησα. Phm 10
16 Παρακαλῶ οὖν ὑμᾶς, μιμηταί μου γίνεσθε⸆. **17** Διὰ 11,1!
τοῦτο ⸆ ἔπεμψα ὑμῖν Τιμόθεον, ὅς ἐστίν μου τέκνον ἀγα- Act 16,1!
πητὸν καὶ πιστὸν ἐν κυρίῳ, ὃς ὑμᾶς ἀναμνήσει τὰς ὁδούς Mt 21,32 Hen 104, 13 ·
μου τὰς ἐν ⸂Χριστῷ [Ἰησοῦ]⸃, καθὼς πανταχοῦ ἐν πάσῃ 7,17; 14,33
ἐκκλησίᾳ διδάσκω. **18** Ὡς μὴ ἐρχομένου δέ μου πρὸς
ὑμᾶς ἐφυσιώθησάν τινες· **19** ἐλεύσομαι δὲ ταχέως πρὸς 16,5-7; 11,34
ὑμᾶς ἐὰν ὁ κύριος θελήσῃ, καὶ γνώσομαι οὐ τὸν λόγον Act 18,21!
τῶν πεφυσιωμένων ἀλλὰ τὴν δύναμιν· **20** οὐ γὰρ ἐν λόγῳ 6! | 2,4!
ἡ βασιλεία τοῦ θεοῦ ἀλλ᾽ ἐν δυνάμει. **21** τί θέλετε; ἐν Mc 9,1
ῥάβδῳ ἔλθω πρὸς ὑμᾶς ἢ ἐν ἀγάπῃ πνεύματί τε πραΰτητος; 2K 10,2 · G 6,1

5 Ὅλως ἀκούεται ἐν ὑμῖν πορνεία, καὶ τοιαύτη πορ- 11,18
νεία ἥτις οὐδὲ ἐν τοῖς ἔθνεσιν⸆, ὥστε γυναῖκά τινα Lv 18,8 Mt 5,32
τοῦ πατρὸς ἔχειν. **2** καὶ ὑμεῖς πεφυσιωμένοι ἐστὲ καὶ οὐχὶ 4,6!
μᾶλλον ἐπενθήσατε, ἵνα ⸀ἀρθῇ ἐκ μέσου ὑμῶν ὁ τὸ ἔργον 13
τοῦτο ⸁πράξας; **3** ἐγὼ μὲν γάρ, ⸆ ἀπὼν τῷ σώματι παρὼν Kol 2,5
δὲ τῷ πνεύματι, ἤδη κέκρικα ὡς παρὼν τὸν οὕτως τοῦτο
κατεργασάμενον· **4** ἐν τῷ ὀνόματι τοῦ κυρίου ⸂[ἡμῶν] Mt 18,20
Ἰησοῦ⸃ συναχθέντων ὑμῶν καὶ τοῦ ἐμοῦ πνεύματος σὺν
τῇ δυνάμει τοῦ κυρίου ⸄ἡμῶν Ἰησοῦ⸅, **5** παραδοῦναι τὸν 2K 13,10 | 1T 1, 20 ·
τοιοῦτον τῷ σατανᾷ εἰς ὄλεθρον τῆς σαρκός, ἵνα τὸ Act 5,5.10 ·
πνεῦμα σωθῇ ἐν τῇ ἡμέρᾳ τοῦ κυρίου⸆. **6** °Οὐ καλὸν 11,32 1P 4,6 |
τὸ καύχημα ὑμῶν. οὐκ οἴδατε ὅτι μικρὰ ζύμη ὅλον τὸ Mt 16,6!p L 13, 21p
φύραμα ⸀ζυμοῖ; **7** ἐκκαθάρατε ⸆ τὴν παλαιὰν ζύμην, ἵνα Ex 12,19; 13,7

15 °¹ B 1506; Cl^{pt} • **16** ⸆(11,1) καθως καγω Χριστου 104. 614. (629) *pc* a vg^{cl} • **17** ⸆† αυτο 𝔓^{11vid} ℵ* A P 33. 81. 1175. 2495 *pc* ¦ *txt* 𝔓$^{46.68}$ ℵ^{2} B C D F G Ψ 𝔐 latt | ⸂*1* A B D^{2} Ψ 𝔐 b vgst sy^{p} sa ¦ κυριω Ιησ. D* F G bo^{ms} ¦ *txt* 𝔓^{46} ℵ C 6. 33. 81. 104. 629. 630. 1175. 1739. 1881. 2464 *al* a vg^{cl} sy^{h} bo; Ambst
¶ **5,1** ⸆ονομαζεται 𝔓^{68} ℵ^{2} Ψ 𝔐 vg^{mss} sy ¦ *txt* 𝔓^{46} ℵ* A B C D F G 6. 33. 81. 1175. 1739 *pc* lat co; Epiph • **2** ⸀εξαρθη Ψ 𝔐; Did ¦ *txt* 𝔓$^{11.46.61}$ ℵ A B C D F G P 33. 81. 104. 365. 630. 1175. 1739. 1881. 2464 *pc*; Epiph | ⸁ποιησας 𝔓$^{46.68}$ B D F G Ψ 𝔐 ¦ *txt* 𝔓^{11vid} ℵ A C 33. 81. 104. 326. 1175. 2464 *pc*; Did Epiph • **3** ⸆ως D^{1} F G Ψ 𝔐 b d sy; Lcf Ambst Pel ¦ *txt* 𝔓$^{11vid.46.68}$ ℵ A B C D* P 6. 33. 81. 630. 1175. 1739. 1881 *pc* lat co; Epiph • **4** ⸂† *2* A Ψ 2495 *pc*; Lcf ¦ ημ. Ιησ. Χριστου 𝔓^{46} D^{2} F G (∫ 81) 𝔐 vg sy$^{p.h**}$ co; Ambst ¦ Ιησ. Χρ. ℵ a ¦ *txt* B D* 1175. 1739 *pc* b d (C *illeg.*) | ⸄*2* 𝔓^{46} P Ψ 629. 2495 *pc* vgst sy^{h} ¦ – 630. 1739 *pc* • **5** ⸆Ιησου ℵ Ψ 𝔐 vgst ¦ Ιησ. Χριστου D *pc* b; Ambst ¦ ημων Ιησ. Χρ. A F G P 33. 104. 365. 1241^{s}. 1881 *al* a vg^{cl} sy$^{p.h**}$ co; Lcf ¦ *txt* 𝔓^{46} B 630. 1739 *pc*; Tert Epiph (C *illeg.*) • **6** ° Lcf Ambst | ⸀δολοι D* • **7** ⸆ουν 𝔓^{11vid} ℵ^{2} C Ψ 048 𝔐 a vg^{mss} sy^{h} ¦ *txt* 𝔓^{46} ℵ* A B D F G 614. 629. 2464 *pc* lat sy^{p}; Tert Cl

Ex 12,21 etc ἦτε νέον φύραμα, καθώς ἐστε ἄζυμοι· καὶ γὰρ τὸ πάσχα
ἡμῶν ⸆ ἐτύθη Χριστός. **8** ὥστε ἑορτάζωμεν μὴ ἐν ζύμῃ
παλαιᾷ ⸀μηδὲ ἐν ζύμῃ κακίας καὶ ⸁πονηρίας ἀλλ' ἐν ἀζύ-
cf 7,1 μοις εἰλικρινείας καὶ ἀληθείας. **9** Ἔγραψα ὑμῖν ἐν
11 2Th 3,14 τῇ ἐπιστολῇ μὴ ⸀συναναμίγνυσθαι πόρνοις, **10** ⸆ οὐ πάν-
R 1,29! τως τοῖς πόρνοις τοῦ κόσμου τούτου ἢ τοῖς πλεονέκταις
⸀καὶ ἅρπαξιν ἢ εἰδωλολάτραις, ἐπεὶ ⸁ὠφείλετε ἄρα ἐκ
9! R 16,17! τοῦ κόσμου ἐξελθεῖν. **11** ⸀νῦν δὲ ἔγραψα ὑμῖν μὴ συνανα-
μίγνυσθαι ἐάν τις ἀδελφὸς ὀνομαζόμενος ⸁ᾖ πόρνος ἢ
6,9s πλεονέκτης ἢ εἰδωλολάτρης ἢ λοίδορος ἢ μέθυσος ἢ ἅρ-
Mc 4,11! παξ, τῷ τοιούτῳ μηδὲ συνεσθίειν. **12** τί γάρ μοι ⸆ τοὺς ἔξω
Mt 7,1 κρίνειν; ⸂οὐχὶ τοὺς ἔσω ὑμεῖς κρίνετε⸃; **13** τοὺς δὲ ἔξω ὁ
Dt 17,7 𝔊 H 13,4 θεὸς ⸀κρινεῖ. ⸁*ἐξάρατε τὸν πονηρὸν ἐξ ὑμῶν αὐτῶν.*

R 16,2 1Th 4,6 **6** Τολμᾷ τις ⸆ ὑμῶν πρᾶγμα ἔχων πρὸς τὸν ἕτερον κρίνεσθαι ἐπὶ τῶν ἀδίκων καὶ οὐχὶ ἐπὶ τῶν ἁγίων; **2** °ἢ
Dn 7,22 Sap 3,8 Ap 3,21!; 20,4 οὐκ οἴδατε ὅτι οἱ ἅγιοι τὸν κόσμον ⸀κρινοῦσιν; καὶ εἰ ἐν
ὑμῖν κρίνεται ὁ κόσμος, ἀνάξιοί ἐστε κριτηρίων ἐλαχί-
2P 2,4 στων; **3** οὐκ οἴδατε ὅτι ἀγγέλους κρινοῦμεν, μήτι γε βιω-
τικά; **4** βιωτικὰ μὲν οὖν κριτήρια ἐὰν ἔχητε, τοὺς ἐξου-
4,14; 15,35 θενημένους ἐν τῇ ἐκκλησίᾳ, τούτους καθίζετε; **5** πρὸς ἐντροπὴν ὑμῖν ⸀λέγω. οὕτως οὐκ ⸁ἔνι ἐν ὑμῖν °οὐδεὶς σο-
L 12,57 φός, ὃς δυνήσεται διακρῖναι ἀνὰ μέσον τοῦ ἀδελφοῦ ⸆
2K 6,15 αὐτοῦ; **6** ἀλλὰ ἀδελφὸς μετὰ ἀδελφοῦ κρίνεται καὶ τοῦτο
ἐπὶ ἀπίστων; **7** Ἤδη μὲν °[οὖν] ὅλως ἥττημα ὑμῖν

7 ⸆υπερ ημων ℵ^2 C^3 Ψ 𝔐 sy sa bo^{ms} ¦ *txt* 𝔓^{11} ℵ* A B C* D F G 33. 81. 1175. 1739 *pc* latt bo; Cl Epiph ● **8** ⸀, μη B ¦ ἤ 630. 1739. 1881 *pc* | ⸁πορνειας F G ● **9** ⸀(*ex itac.*) -σθε D^1 1241^s *al* ● **10** ⸆και ℵ^2 D^1 Ψ 𝔐 vg^{ms} sy$^{(p)}$ ¦ *txt* 𝔓^{46} ℵ* A B C D* F G 33. 81. 1175. 1739. 1881 *pc* lat; Tert | ⸀ἤ 𝔓^{46} ℵ^2 D^2 Ψ 𝔐 lat sy co ¦ *txt* 𝔓^{61vid} ℵ* A B C D* F G P 048. 33. 81. 104. 630. 1175. 1739. 2464 *al* d | ⸁(*ex itac.?*) οφ- B^2 P Ψ 6. 81. 365. 630. 1739. 1881. 2495 *pm* ● **11** ⸀νυνι ℵ* C D 6. 104. 365. 629. 1241^s *pm* | ⸁ἤ B^2 L 6. 33. 104. 365. 614. 1881 *al* f g (𝔓^{46} ℵ A C D F G P *sine acc.*) ● **12** ⸆και D Ψ 𝔐 sy^h ¦ *txt* 𝔓^{46} ℵ A B C F G P 6. 33. 81. 104. 630. 1175. 1739. 1881. 2495 *al* latt sy^p | ⸂τους εσωθεν υμ. κρινατε 𝔓^{46} sy^p ● **13** ⸀κρίνει L Ψ 629. 1241^s. 2464 *al* d (*cf et ad* 11 ⸀) | ⸁εξαιρετε 𝔓^{46} 6. 1739. 1881 *pc* ¦ και εξαρειτε D^2 𝔐 sy ¦ *txt* ℵ A B C D* F G P Ψ 33. 81. 104. 365. 1175. 2464 *pc*

¶ **6,1** ⸆εξ A P 33. 104. 365. 1881 *al* ● **2** ° D^2 L 6. 614. 629. 1241^s *pm*; Cyp | ⸀κρίνουσιν B^2 81. 1175. 1241^s. 1881. 2464. 2495 *al* (𝔓^{46} ℵ A C D F G P *sine acc.*) ● **5** ⸀λαλω B | ⸁εστιν 𝔓^{11} D F G 6. 104. 365. 630. 1739. 1881 *al* | ° 𝔓^{11vid} D* 6. 1881 *pc* | ⸆και του αδελφου (f g) vg^{mss} sy^p bo^{ms} ● **7** ° 𝔓^{46} ℵ* D* 6. 33. 630. 1739. 1881. 2495 *pc* ¦ *txt* 𝔓^{11vid} ℵ^2 A B C D^1 Ψ 𝔐 sy$^{p.h**}$

ἐστιν ὅτι ⸀κρίματα ἔχετε μεθ' ἑαυτῶν. διὰ τί οὐχὶ μᾶλλον
ἀδικεῖσθε; διὰ τί οὐχὶ μᾶλλον ἀποστερεῖσθε; **8** ἀλλὰ ὑ-
μεῖς ἀδικεῖτε καὶ ἀποστερεῖτε, καὶ ⸀τοῦτο ἀδελφούς.
9 Ἢ οὐκ οἴδατε ὅτι ἄδικοι θεοῦ βασιλείαν οὐ κληρονομήσουσιν; μὴ πλανᾶσθε· οὔτε πόρνοι οὔτε εἰδωλολάτραι
οὔτε μοιχοὶ οὔτε μαλακοὶ οὔτε ἀρσενοκοῖται **10** οὔτε
κλέπται οὔτε πλεονέκται, ⸀οὐ μέθυσοι, οὐ λοίδοροι, οὐχ
ἅρπαγες βασιλείαν θεοῦ ⸆ κληρονομήσουσιν. **11** καὶ ταῦτά τινες ἦτε· ἀλλὰ ἀπελούσασθε, ἀλλὰ ἡγιάσθητε, ἀλλὰ
ἐδικαιώθητε ἐν τῷ ὀνόματι τοῦ κυρίου ⸂Ἰησοῦ Χριστοῦ⸃
καὶ ἐν τῷ πνεύματι τοῦ θεοῦ ἡμῶν.
12 Πάντα μοι ἔξεστιν ἀλλ' οὐ πάντα συμφέρει· πάντα
μοι ἔξεστιν ἀλλ' οὐκ ἐγὼ ἐξουσιασθήσομαι ὑπό τινος.
13 τὰ βρώματα τῇ κοιλίᾳ καὶ ἡ κοιλία τοῖς βρώμασιν, ὁ
δὲ θεὸς καὶ ταύτην καὶ ταῦτα καταργήσει. τὸ δὲ σῶμα οὐ
τῇ πορνείᾳ ἀλλὰ τῷ κυρίῳ, καὶ ὁ κύριος τῷ σώματι· **14** ὁ
δὲ θεὸς καὶ τὸν κύριον ἤγειρεν καὶ ἡμᾶς ⸀ἐξεγερεῖ διὰ
τῆς δυνάμεως αὐτοῦ. **15** ⸆ οὐκ οἴδατε ὅτι τὰ σώματα ⸀ὑμῶν
μέλη Χριστοῦ ἐστιν; ⸁ἄρας οὖν τὰ μέλη τοῦ Χριστοῦ
ποιήσω πόρνης μέλη; μὴ γένοιτο. **16** ⸋[ἢ] οὐκ οἴδατε ὅτι
ὁ κολλώμενος τῇ πόρνῃ ἓν σῶμά ἐστιν; *ἔσονται* γάρ, φησίν, *οἱ δύο εἰς σάρκα μίαν.* **17** ὁ δὲ κολλώμενος τῷ κυρίῳ ἓν πνεῦμά ἐστιν. **18** Φεύγετε τὴν πορνείαν. πᾶν
ἁμάρτημα ὃ ἐὰν ποιήσῃ ἄνθρωπος ἐκτὸς τοῦ σώματός
ἐστιν· ὁ δὲ πορνεύων εἰς τὸ ἴδιον σῶμα ἁμαρτάνει. **19** ἢ
οὐκ οἴδατε ὅτι ⸂τὸ σῶμα⸃ ὑμῶν ναὸς τοῦ ἐν ὑμῖν ⸉ἁγίου
πνεύματός⸊ ἐστιν οὗ ἔχετε ἀπὸ θεοῦ, καὶ οὐκ ἐστὲ ἑαυ-

Mt 5,39
Mc 10,19
15,50 E 5,5!
15,33! · R 1,29!
Act 22,16 E 5,26! · 2Th 2,13
1J 2,12
cf 1T 3,16
10,23; 7,35 Sir 37,28
Sir 36,23 Mt 15,17p
1Th 4,3-5
15,15.20 R 8,11 2K 4,14 G 1,1 2K 13,4 Mc 12,24 |
R 12,4!s
Gn 2,24 𝔊 Mt 19,5p | Dt 10,20 Ps 72,28 𝔊 ·
2K 3,17! | 10,14.8 1T 6,11 TestRub 5,5 Act 15,20!
Sir 23,17
3,16! J 2,21 · 1Th 4,8
R 14,7

7 ⸀κριμα ℵ 629. 1241ˢ. 1881 *pc* syᵖ ● **8** ⸀ταυτα 𝔐 syʰ ¦ *txt* ℵ A B C D P Ψ 048. 33. 81. 104. 1175. 1739. 1881. 2464 *pc* latt; Cl ● **10** ⸀ουτε (𝔓46) B D 𝔐 lat sy; Epiph ¦ *txt* ℵ A C P Ψ 33. 81. (104). 365. 1175. 1739. 1881 *al*; Cl Spec | ⸆ου 𝔐 syᵖ; Cl ¦ *txt* 𝔓46 ℵ A B C D Ψ 6. 33. 630. 1739*. 2495 *pc* ● **11** ⸂ *1* A D² Ψ 𝔐 (sa) ¦ ημων Ιησ. Χρ. B Cᵛⁱᵈ P 33. 81. 104. 365. 629. 630. 1739. 1881. 2464 *al* lat syᵖ·ʰ** bo; Cyp Epiph ¦ *txt* 𝔓11vid.46 ℵ D* *pc*; Irˡᵃᵗ Tert Ambst ● **14** ⸀εξηγειρεν 𝔓46c2 B 6. 1739 *pc* it vgᵐˢˢ ¦ εξεγειρει 𝔓11.46* A D P 1241ˢ*pc* ¦ *txt* 𝔓46c1 ℵ C Ψ 𝔐 vg syʰ co; Irˡᵃᵗ Tert Epiph Ambst ● **15** ⸆η F G a; Epiph | ⸀ημ- ℵ* A; Epiph | ⸁αρα P Ψ 81. 104. 630. 1175. 1241ˢ. 1739ᵛ·ˡ·. 2495 *pm* ¦ η αρα F (G) ¦ *txt* 𝔓46 ℵ A B C D K L 33. 365. 1739*. 1881. 2464 *pm* lat sy; Epiph ● **16** ⸋ 𝔓46 D K L Ψ 6 *pm* r syʰ; Tert Spec ¦ *txt* ℵ A B C F G P 33. 81. 104. 365. 630. 1175. 1241ˢ. 1739. 1881. 2464. 2495 *pm* lat syᵖ; Cl Cyp Lcf Epiph ● **19** ⸂τα σωματα A L Ψ 33. 81. 104. 365. 1175. 1881. 2464. 2495 *pm* syʰ bo; Epiph Ambst ¦ *txt* 𝔓46 ℵ B C D F G K P 630. 1241ˢ. 1739 *pm* b r syᵖ sa boᵐˢˢ | ⸉ B (629) *pc*

7,23 1P 1,18s G 4,5 · Ph 1,20! τῶν; **20** ἠγοράσθητε γὰρ τιμῆς· δοξάσατε ⸀δὴ τὸν θεὸν
ἐν τῷ σώματι ὑμῶν⸆.

cf 5,9 · 26 **7** Περὶ δὲ ὧν ἐγράψατε⸆, καλὸν ἀνθρώπῳ γυναικὸς μὴ
1Th 4,3s ἅπτεσθαι· **2** διὰ δὲ ⸂τὰς πορνείας⸃ ἕκαστος τὴν ἑαυ-
14,35 τοῦ γυναῖκα ἐχέτω ⸋καὶ ἑκάστη τὸν ἴδιον ἄνδρα ἐχέτω⸌.
3 τῇ γυναικὶ ὁ ἀνὴρ τὴν ⸀ὀφειλὴν ἀποδιδότω, ὁμοίως δὲ
καὶ ἡ γυνὴ τῷ ἀνδρί. **4** ἡ γυνὴ τοῦ ἰδίου σώματος οὐκ
ἐξουσιάζει ἀλλὰ ὁ ἀνήρ, ὁμοίως δὲ καὶ ὁ ἀνὴρ τοῦ ἰδίου
Mc 10,19! σώματος οὐκ ἐξουσιάζει ἀλλὰ ἡ γυνή. **5** μὴ ἀποστερεῖτε
ἀλλήλους, εἰ μήτι °ἂν ἐκ συμφώνου πρὸς καιρόν, ἵνα
σχολάσητε τῇ ⸆ προσευχῇ καὶ πάλιν ἐπὶ τὸ αὐτὸ ⸀ἦτε,
ἵνα μὴ πειράζῃ ὑμᾶς ὁ σατανᾶς διὰ τὴν ἀκρασίαν °¹ὑ-
2K 8,8 μῶν. **6** τοῦτο δὲ λέγω κατὰ συγγνώμην οὐ κατ' ἐπιταγήν.
7 θέλω ⸀δὲ πάντας ἀνθρώπους εἶναι ὡς καὶ ἐμαυτόν· ἀλλὰ
R 12,6! ἕκαστος ἴδιον ἔχει χάρισμα ἐκ θεοῦ, ⸀ὁ μὲν οὕτως, ⸀ὁ
δὲ οὕτως.

40 **8** Λέγω δὲ τοῖς ἀγάμοις ⸂καὶ ταῖς χήραις⸃, καλὸν αὐ-
2P 1,6! τοῖς ἐὰν μείνωσιν ὡς κἀγώ· **9** εἰ δὲ οὐκ ἐγκρατεύονται,
1T 5,14. γαμησάτωσαν, κρεῖττον γάρ ἐστιν ⸀γαμῆσαι ἢ πυροῦ-
12.25.40; 9,14; 11, 23; 14,37; 15,3 σθαι. **10** Τοῖς δὲ γεγαμηκόσιν παραγγέλλω, οὐκ
1Th 4,5 · Mc 10, ἐγὼ ἀλλὰ ὁ κύριος, γυναῖκα ἀπὸ ἀνδρὸς μὴ ⸀χωρισθῆ-
11sp ναι, **11** — ἐὰν δὲ καὶ χωρισθῇ, μενέτω ἄγαμος ἢ τῷ ἀνδρὶ
καταλλαγήτω, — καὶ ἄνδρα γυναῖκα μὴ ἀφιέναι.
10! **12** Τοῖς δὲ λοιποῖς λέγω ἐγὼ οὐχ ὁ κύριος· εἴ τις ἀδελφὸς
γυναῖκα ἔχει ἄπιστον καὶ ⸀αὕτη συνευδοκεῖ οἰκεῖν μετ'

20 ⸀αρα γε 1611 ¦ – ℵ* 2495; d Irlat ¦ ουν syp.(h**); Epiph | ⸆και εν τω πνευματι υμων, ατινα εστιν του θεου C3 D2 Ψ 𝔐 vgms sy ¦ *txt* 𝔓46 ℵ A B C* D* F G 6*. 33. 81. 1175. 1739* *pc* lat co; Epiph
¶ **7,1** ⸆μοι A D F G Ψ 𝔐 a b vgcl sy co; Ambst Pel ¦ *txt* 𝔓46 ℵ B C 33. 81. 1739. 1881. 2464 *pc* r vgst ● **2** ⸂την -αν F G latt sy | ▫ (*h. t.?*) F G *pc* ● **3** ⸀οφειλομενην ευνοιαν 𝔐 sy ¦ *txt* 𝔓11.46 ℵ A B C D F G P Ψ 6. 33. 81. 630. 1175. 1739. 1881. 2464 *pc* latt co ● **5** ° 𝔓46 B r | ⸆νηστεια και τη ℵ2 𝔐 sy ¦ *txt* 𝔓11vid.46 ℵ* A B C D F G P Ψ 6. 33. 81. 104. 1175. 1739. 1881. 2464 *al* latt co; Epiph | ⸀συνερχησθε (-χεσθε 𝔓46 P 614 *pc*) 𝔓46 Ψ 𝔐 lat syh; Cyp Ambst ¦ *txt* 𝔓11vid ℵ A B C D F G 33. 81. 365. 630. 1175. 1739. 1881. 2464 *pc* b r | °1 B ● **7** ⸀γαρ ℵ2 B D2 Ψ 𝔐 vgcl sy; Cyp ¦ *txt* 𝔓46 ℵ* A C D* F G 81. 326. 629. 2464 *pc* it vgst; Tert Ambst | ⸀*bis* ος 𝔓46 ℵ2 Ψ 𝔐 ¦ *txt* ℵ* A B C D F G P 6. 33. 81. 630. 1739. 1881. 2464 *pc*; Cl ● **8** [⸂κ. τοις -ροις Bois, – Holsten *cjj*] ● **9** ⸀† γαμειν ℵ* A C* P 33. 81. 945. 2495 *pc* ¦ *txt* 𝔓46 ℵ2 B C2 D F G Ψ 𝔐; Epiph ● **10** ⸀ -ιζεσθαι A D F G 1881. 2495 *pc* ¦ -ιζεσθω 𝔓46 614 *pc* ¦ *txt* 𝔓11vid ℵ B C Ψ 𝔐; Cl Epiph
● **12** [⸀αὐτή comm]

αὐτοῦ, μὴ ἀφιέτω αὐτήν· **13** καὶ γυνὴ ⸂εἴ τις⸃ ἔχει ἄνδρα
ἄπιστον καὶ ⸀οὗτος ⸁συνευδοκεῖ οἰκεῖν μετ᾽ αὐτῆς, μὴ
ἀφιέτω ⸉τὸν ἄνδρα⸊. **14** ἡγίασται γὰρ ὁ ἀνὴρ ὁ ἄπιστος Mc 10,12
ἐν τῇ γυναικὶ ⸆ καὶ ἡγίασται ἡ γυνὴ ἡ ἄπιστος ἐν τῷ
⸀ἀδελφῷ· ἐπεὶ ἄρα τὰ τέκνα ὑμῶν ἀκάθαρτά ἐστιν, νῦν
δὲ ἅγιά ἐστιν. **15** εἰ δὲ ὁ ἄπιστος χωρίζεται, χωριζέσθω·
οὐ δεδούλωται ὁ ἀδελφὸς ἢ ἡ ἀδελφὴ ἐν τοῖς τοιούτοις·
ἐν δὲ εἰρήνῃ κέκληκεν ⸀ὑμᾶς ὁ θεός. **16** τί γὰρ οἶδας, R 14,19! · G 1,6 1Th 4,7 E 4,4 |
γύναι, εἰ τὸν ἄνδρα σώσεις; ἢ τί οἶδας, ἄνερ, εἰ τὴν γυ-
ναῖκα σώσεις;

17 ⸀Εἰ μὴ ἑκάστῳ ὡς ⸁ἐμέρισεν ὁ ⸀^{1}κύριος, ἕκαστον R 12,6!
ὡς κέκληκεν ὁ ⸀^{2}θεός, οὕτως περιπατείτω. καὶ οὕτως ἐν 20.24
ταῖς ἐκκλησίαις πάσαις ⸀^{3}διατάσσομαι. **18** περιτετμημέ- 4,17! · 11,34; 16,1 |
νος τις ἐκλήθη, μὴ ἐπισπάσθω· ἐν ἀκροβυστίᾳ ⸂κέκλη- G 5,2; 3,28!
ταί τις⸃, μὴ περιτεμνέσθω. **19** ἡ περιτομὴ οὐδέν ἐστιν G 5,6; 6,15 R 2,25s
καὶ ἡ ἀκροβυστία οὐδέν ἐστιν, ἀλλὰ τήρησις ἐντολῶν Sir 32,23
θεοῦ. **20** ἕκαστος ἐν τῇ κλήσει ⸆ ᾗ ἐκλήθη, ἐν ταύτῃ 17!
μενέτω. **21** δοῦλος ἐκλήθης, μή σοι μελέτω· ἀλλ᾽ εἰ °καὶ
δύνασαι ἐλεύθερος γενέσθαι, μᾶλλον χρῆσαι. **22** ὁ γὰρ
ἐν κυρίῳ κληθεὶς δοῦλος ἀπελεύθερος κυρίου ἐστίν, ὁ- J 8,36!
μοίως ⸆ ὁ ἐλεύθερος κληθεὶς δοῦλός ἐστιν Χριστοῦ. E 6,6 Phm 16
23 τιμῆς ἠγοράσθητε· μὴ γίνεσθε δοῦλοι ἀνθρώπων. 6,20!
24 ἕκαστος ἐν ᾧ ἐκλήθη, ἀδελφοί, ἐν τούτῳ μενέτω 17!
⸋παρὰ θεῷ⸌.

25 Περὶ δὲ τῶν παρθένων ἐπιταγὴν κυρίου οὐκ ἔχω, 10!
γνώμην δὲ δίδωμι ὡς ἠλεημένος ὑπὸ κυρίου πιστὸς εἶ- 2K 8,10!; · 4,1 1T 1,13.16 · 1Th
ναι. **26** Νομίζω οὖν τοῦτο καλὸν ὑπάρχειν διὰ τὴν ἐνε- 2,4 1T 1,12 | 29; 10,11 ·
στῶσαν ἀνάγκην, ὅτι καλὸν ἀνθρώπῳ τὸ οὕτως εἶναι. 1

13 ⸂ † ητις A B D^{2} Ψ 𝔐 sy^{h} ¦ *txt* 𝔓^{46} ℵ D* F G P 2495 *al* latt sa (C *illeg.*) | ⸀αυτος D^{2} Ψ 𝔐 sy ¦ *txt* 𝔓$^{11.46}$ ℵ A B C D* F G P 33. 81. 104. 1175. 1739. 1881. 2464 *al* bo | ⸁ευδ- 𝔓^{46} B 81. 1881*. 2464 *pc* | ⸉ αυτον Ψ 𝔐 sy^{h}; Tert ¦ *txt* 𝔓$^{11.46}$ ℵ(*) A B C D F G 33. 81. 1175. 1739. 1881. 2464 *al* latt sy^{p} co ● **14** ⸆τη πιστη D F G 629 latt sy^{p}; Ir^{lat} Tert | ⸀ανδρι ℵ^{2} D^{2} 𝔐 sy^{h} ¦ αν. τω πιστω 629 lat sy^{p}; Tert Ambst ¦ *txt* 𝔓^{46} ℵ* A B C D* F G P Ψ 33. 365. 1175. 1739 *pc* co ● **15** ⸀ημ- 𝔓^{46} ℵ^{2} B D F G Ψ 𝔐 latt sy sa ¦ *txt* ℵ* A C K 81. 326. 1175 *pc* bo ● **17** ⸀ ἤ 323. 614 *pc* sy^{hmg} | ⸁ † μεμερικεν (𝔓^{46c}) ℵ* B 81. 630. 1739 *pc* ¦ *txt* 𝔓^{46*} ℵ^{2} (A) C D F G Ψ 𝔐 | ⸀^{1}θεος *et* ⸀^{2}κυριος 𝔐 sy^{h} ¦ θεος *et* θεος Ψ 629. 1881 *pc* vg^{mss} ¦ *txt* 𝔓^{46} ℵ A B C D F (G) 33. 81. 104. 365. 1175. 1739. 2464 *pc* b vg sy^{p} co; Ambst | ⸀^{3}διδασκω D* F G latt ● **18** ⸂ *2 1* 𝔓^{15} D* F G Ψ 1881 *pc* ¦ τις εκληθη D^{2} 𝔐 ¦ *txt* 𝔓^{46} ℵ A B P 33. 81. 104. 365. 630. 1175. 1739. 2464 *pc* ● **20** ⸆εν 𝔓^{15} a; Ambst ● **21** ° F G a ● **22** ⸆και 𝔐 a b vg^{mss} sy$^{p.h**}$ ¦ δε και D F G 2495 *pc* ¦ *txt* 𝔓$^{15.46}$ ℵ A B P Ψ 33. 81. 104. 630. 1739. 1881 *pc* r vg ● **24** ⸋ 309

27 δέδεσαι γυναικί, μὴ ζήτει λύσιν· λέλυσαι ἀπὸ γυναικός, μὴ ζήτει γυναῖκα. **28** ἐὰν δὲ καὶ ⸀γαμήσῃς, οὐχ ἥ-
μαρτες, καὶ ἐὰν γήμῃ °ἡ παρθένος, οὐχ ἥμαρτεν· θλῖψιν δὲ τῇ σαρκὶ ἕξουσιν οἱ τοιοῦτοι, ἐγὼ δὲ ὑμῶν φείδο-
15,50 · 26! R 13,11 μαι. **29** Τοῦτο δέ φημι, ἀδελφοί, ⸆ ὁ καιρὸς συνε-
σταλμένος ἐστίν· °τὸ λοιπόν, ἵνα καὶ οἱ ἔχοντες γυναῖκας
L 14,26 | R 12,15 ὡς μὴ ἔχοντες ὦσιν **30** καὶ οἱ κλαίοντες ὡς μὴ κλαίοντες
καὶ οἱ χαίροντες ὡς μὴ χαίροντες καὶ οἱ ἀγοράζοντες
ὡς μὴ κατέχοντες, **31** καὶ οἱ χρώμενοι ⸂τὸν κόσμον⸃ ὡς
9,18 · 1J 2,17 · R 12,2 μὴ ⸀καταχρώμενοι· παράγει γὰρ τὸ σχῆμα τοῦ κόσμου
τούτου. **32** Θέλω δὲ ὑμᾶς ἀμερίμνους εἶναι. ὁ ἄγαμος
1Th 4,1 μεριμνᾷ τὰ τοῦ κυρίου, πῶς ἀρέσῃ τῷ ⸀κυρίῳ· **33** ὁ δὲ
E 5,29 γαμήσας μεριμνᾷ τὰ τοῦ κόσμου, πῶς ἀρέσῃ τῇ γυναικί,
1T 5,5 **34** ⸂καὶ μεμέρισται. καὶ⸃ ἡ γυνὴ ⸄ἡ ἄγαμος καὶ ἡ παρ-
θένος⸅ μεριμνᾷ τὰ τοῦ κυρίου, ἵνα ᾖ ἁγία °καὶ τῷ σώματι καὶ τῷ πνεύματι· ἡ δὲ γαμήσασα μεριμνᾷ ⸋τὰ τοῦ
κόσμου⸌, πῶς ἀρέσῃ τῷ ἀνδρί. **35** τοῦτο δὲ πρὸς τὸ ὑ-
6,12! μῶν °αὐτῶν ⸀σύμφορον λέγω, οὐχ ἵνα βρόχον ὑμῖν ἐπι-
1Th 4,12! · 9,13 · βάλω ἀλλὰ πρὸς τὸ εὔσχημον καὶ εὐπάρεδρον τῷ κυρίῳ
L 10,39s | ⸁ἀπερισπάστως. **36** Εἰ δέ τις ἀσχημονεῖν ἐπὶ τὴν
παρθένον αὐτοῦ νομίζει, ἐὰν ᾖ ὑπέρακμος καὶ οὕτως ὀ-
φείλει γίνεσθαι, ὃ θέλει ποιείτω, οὐχ ἁμαρτάνει, ⸀γαμεί-
τωσαν. **37** ὃς δὲ ἕστηκεν ⸂ἐν τῇ καρδίᾳ αὐτοῦ ἑδραῖος⸃
μὴ ἔχων ἀνάγκην, ἐξουσίαν δὲ ἔχει περὶ τοῦ ἰδίου θελήματος καὶ τοῦτο κέκρικεν °ἐν τῇ ἰδίᾳ καρδίᾳ, τηρεῖν
τὴν ἑαυτοῦ παρθένον, καλῶς ποιήσει. **38** ὥστε καὶ ὁ ⸀γα-
μίζων ⸂τὴν ἑαυτοῦ παρθένον⸃ καλῶς ⸁ποιεῖ καὶ ὁ μὴ ⸀γα-

28 ⸀λαβης γυναικα D F G *ex* latt? sy[p] | ° B F G ● **29** ⸆οτι D F G Ψ 104 *pc* | ° 𝔓[15] D* F G; Did ● **31** ⸂τ. κ. τουτον D* F G 33. 81. 1739* *pc* sa ¦ τω -μω τουτω ℵ[2] D[2] Ψ 𝔐 sy[h]; Eus ¦ *txt* 𝔓[15.46] ℵ* A B bo | ⸀παραχρ- L ¦ χρ- Ψ *pc* lat ● **32** ⸀θεω F G lat; Tert Cyp Ambst ● **34** ⸂*2 3* D[2] F G Ψ 𝔐 ¦ μεμ. δε (1241[s]) *pc* sy[p] ¦ *1 2* D* 629 *pc* f ¦ *txt* 𝔓[15.46] ℵ A B P 6. 33. 81. 104. 365. 1175. 1739. 1881. 2464. 2495 *al* lat sy[h]; Eus | ⸄*3–5* f ¦ *3–5 1 2* D F G Ψ 𝔐 a b sy[(p)]; Tert Cyp Ambst Spec ¦ *1–5 1 2* 𝔓[46] ℵ A 33. 81. 1739. 1881 *pc* ¦ *txt* 𝔓[15] B P 6. 104. 365. 1175. 2495 *pc* t vg co; Eus | ° 𝔓[46] A D P 33. (629). 1175. 2495 *pc* a t vg[cl] sy[p]; Epiph | ⸋ B; Tert ● **35** ° 𝔓[15] 1241[s] *pc* latt; Eus | ⸀-φερον ℵ[2] D[2] F G Ψ 𝔐; Eus ¦ *txt* 𝔓[15.46] ℵ* A B D* 33 *pc* latt | ⸁-στους ειναι 𝔓[15] ● **36** ⸀-ειτω D* F G 2495 *pc* d vg[st] sy[p] ● **37** ⸂*5 1–3* (+ *4* 1881. 2495 *al*) ℵ[2] Ψ 𝔐 ¦ *1–4* 𝔓[46vid] F G b d ¦ *txt* (𝔓[15]: – εν) ℵ* A B D P 33. 81. 104. 365. 1175. 2464 *pc* lat (630. 1739: – αυτ.) | ° 𝔓[15vid] ● **38** ⸀*bis* εκγ- (ℵ[2]) Ψ 𝔐 ¦ *txt* 𝔓[15.46] ℵ* A B D (F G) 33. 81. (630). 1175. 1739. 1881 *pc*; Cl | ⸂τ. π. (ε)αυτ. 𝔓[46] B D 629; Cl ¦ – Ψ 𝔐 ¦ *txt* 𝔓[15vid] ℵ A P 33. 81. 104. 365. 1175. 1739. 2464* *pc* sy (F G 630 *pc*: *h. t.*) | ⸁ποιησει 𝔓[15.46] B 6. 1739. 1881 *pc*

μίζων κρεῖσσον ποιήσει. **39** Γυνὴ δέδεται ⸆ ἐφ᾽
ὅσον χρόνον ζῇ ὁ ἀνὴρ αὐτῆς· ἐὰν δὲ ⸇ ⸀κοιμηθῇ ὁ ἀνήρ, R 7,2
ἐλευθέρα ἐστὶν ᾧ θέλει γαμηθῆναι, μόνον ἐν κυρίῳ.
40 ⸀μακαριωτέρα δέ ἐστιν ἐὰν οὕτως μείνῃ, κατὰ τὴν ἐ- 10! · 2K 8,10!
μὴν γνώμην· δοκῶ ⸁δὲ κἀγὼ πνεῦμα ⸀¹θεοῦ ⸀²ἔχειν.

8 Περὶ δὲ τῶν εἰδωλοθύτων, ⸀οἴδαμεν ὅτι πάντες γνῶ- Act 15,29 · 7.10
σιν ἔχομεν. ἡ ⸆ γνῶσις φυσιοῖ, ἡ δὲ ἀγάπη οἰκοδομεῖ· 13,4 · 10,23
2 εἴ ⸆ τις δοκεῖ ⸀ἐγνωκέναι °τι, ⸁οὔπω ἔγνω καθὼς δεῖ G 6,3
γνῶναι· **3** εἰ δέ τις ἀγαπᾷ ⸋τὸν θεόν⸌, οὗτος ἔγνωσται R 8,28! · 13,12!
⸋¹ὑπ᾽ αὐτοῦ⸌. **4** Περὶ τῆς βρώσεως οὖν τῶν εἰδωλο-
θύτων, οἴδαμεν ὅτι οὐδὲν εἴδωλον ἐν κόσμῳ καὶ ὅτι οὐδ- 10,19
εὶς θεὸς ⸆ εἰ μὴ εἷς. **5** καὶ γὰρ εἴπερ εἰσὶν λεγόμενοι θεοὶ 6! Dt 6,4 etc |
εἴτε ἐν οὐρανῷ εἴτε ἐπὶ γῆς, ὥσπερ εἰσὶν θεοὶ πολλοὶ Ps 136,2s
καὶ κύριοι πολλοί, 4; 12,5s R 3,30 E 4,5s 1T 2,5 Ml 2,10 ·
6 °ἀλλ᾽ ἡμῖν εἷς θεὸς ὁ πατὴρ
ἐξ οὗ τὰ πάντα καὶ ἡμεῖς εἰς αὐτόν, R 11,36!
καὶ εἷς κύριος Ἰησοῦς Χριστὸς
δι᾽ ⸀οὗ τὰ πάντα καὶ ἡμεῖς δι᾽ αὐτοῦ⸆. J 1,3!
7 Ἀλλ᾽ οὐκ ἐν πᾶσιν ἡ γνῶσις· τινὲς δὲ τῇ ⸀συνηθείᾳ 1! · 11,16
ἕως ἄρτι τοῦ εἰδώλου ὡς εἰδωλόθυτον ἐσθίουσιν, καὶ ἡ
συνείδησις αὐτῶν ⸂ἀσθενὴς οὖσα⸃ μολύνεται. **8** βρῶμα R 14,1! |
δὲ ⸀ἡμᾶς οὐ ⸁παραστήσει τῷ θεῷ· ⸂οὔτε ἐὰν μὴ φάγωμεν H 13,9!
ὑστερούμεθα, οὔτε ἐὰν φάγωμεν περισσεύομεν⸃. **9** βλέ-

39 ⸆(R 7,2) νομω ℵ² D¹ F G Ψ 𝔐 a vg^cl sy; Epiph Ambst ¦ γαμω K bo ¦ *txt* 𝔓^15vid.46 ℵ* A B D* 6. 33. 81. 1175. 1241^s. 1739. 1881 *pc* lat sa^mss; Tert Cl Cyp | ⸇και D² L Ψ 614. 629. 1241^s. 2495 *pm* sy^h | ⸀αποθανη A *pc* sy^hmg; Cl Epiph ¦ κεκοιμηθη (*!*) F G ● **40** ⸀ -ρια 𝔓^46; Cl | ⸁γαρ B 6. 33. 104. 365. 630. 1739. 1881. 2464 *pc* t sy^h | ⸀¹Χριστου 𝔓^15 33 | ⸀²εχω F G b d*; Tert Ambst

¶ **8,1** [⸀οἶδα μέν comm] | ⸆δε 𝔓^46 a vg^mss (sy^p) ● **2** ⸆δε D F G 𝔐 vg^cl sy^p.h** ¦ *txt* 𝔓^46 ℵ A B P Ψ 33. 81. 104. 630. 1175. 1739. 1881. 2464. 2495 *pc* vg^st; Cl Cyp Epiph Ambst | ⸀ειδεναι K L 6. 614. 629. 1241^s. 2495 𝔐 lat; Cyp Ambst ¦ ειναι 326 *pc* | ° 𝔓^46; Ambst | ⸁ουδεπω D F G Ψ *pc* ¦ ουδεπω ουδεν 𝔐 sy ¦ *txt* 𝔓^46 ℵ A B P 33. 81. 104. 630. 1175. 1739. 1881. 2464 *pc*; Cl Epiph ● **3** ⸋ 𝔓^46; Cl | ⸋¹ 𝔓^46 ℵ* 33 ● **4** ⸆ετερος ℵ² 𝔐 sy ¦ *txt* 𝔓^46 ℵ* A B D F G P Ψ 6. 33. 81. 1175. 1739. 1881. 2464 *pc* latt co ● **6** ° 𝔓^46 B 33 b sa; Ir^lat | ⸀ον B | ⸆, και ἓν πνευμα αγιον, εν ω τα παντα και ημεις εν αυτω 630. (1881) *pc*; Epiph^pt ● **7** ⸀συνειδησει ℵ² D F G 𝔐 lat sy; Ambst ¦ *txt* ℵ* A B P Ψ 33. 81. 630. 1739. 1881 *pc* vg^mss sy^hmg co | ⸂ασθενουσα 𝔓^46 629*. (1881) ● **8** ⸀υμ- ℵ* Ψ 33. 365. 1241^s. 1881* *al* | ⸁παριστησι ℵ² D (F G: συν-) Ψ 𝔐 latt ¦ *txt* 𝔓^46 ℵ* A B 6. 33. 81. 365. 1175. 1241^s. 1739 *pc* co; Cl Or | ⸂*6–9 1–5* ℵ A^c 33. 1881 *pc* vg^cl; Tert Cl Or (*id.*, *sed* ουτε¹ + γαρ D F G Ψ 𝔐 a b sy) ¦ *1–4 9 6–8 5* A* ¦ *txt* 𝔓^46 B 81 *pc* vg^st co (630. 1739: ουτε¹ + γαρ)

R 14,13.20s πετε δὲ μή πως ἡ ἐξουσία ὑμῶν αὕτη πρόσκομμα γένηται
R 14,1! | 1! τοῖς ἀσθενέσιν. **10** ἐὰν γάρ τις ἴδῃ ⸰σὲ τὸν ἔχοντα γνῶ-
σιν ἐν εἰδωλείῳ κατακείμενον, οὐχὶ ἡ συνείδησις αὐτοῦ
ἀσθενοῦς ὄντος οἰκοδομηθήσεται εἰς τὸ τὰ εἰδωλόθυτα
ἐσθίειν; **11** ⸀ἀπόλλυται γὰρ⸁ ὁ ἀσθενῶν ⸀ἐν τῇ σῇ γνώσει,
R 14,15 ὁ ἀδελφὸς⸁ δι᾽ ὃν Χριστὸς ἀπέθανεν. **12** οὕτως δὲ ἁμαρτάνοντες εἰς τοὺς ἀδελφοὺς καὶ τύπτοντες αὐτῶν τὴν συνείδησιν ⸰ἀσθενοῦσαν εἰς Χριστὸν ἁμαρτάνετε. **13** διόπερ
R 14,13.20s εἰ βρῶμα σκανδαλίζει τὸν ἀδελφόν ⸰μου, οὐ μὴ φάγω
Mt 17,27 κρέα εἰς τὸν αἰῶνα, ἵνα μὴ τὸν ἀδελφόν ⸰μου σκαν-
δαλίσω.

19 **9** Οὐκ εἰμὶ ⸉ἐλεύθερος; οὐκ εἰμὶ ἀπόστολος⸊; οὐχὶ Ἰη-
15,8! J 20,18 σοῦν τὸν κύριον ἡμῶν ἑόρακα; οὐ τὸ ἔργον μου ὑμεῖς
ἐστε ἐν κυρίῳ; **2** εἰ ἄλλοις οὐκ εἰμὶ ἀπόστολος, ἀλλά γε
2K 3,2s ὑμῖν εἰμι· ἡ γὰρ σφραγίς ⸀μου τῆς⸁ ἀποστολῆς ὑμεῖς ἐστε
Act 22,1! · 4,3 ἐν κυρίῳ. **3** Ἡ ἐμὴ ἀπολογία τοῖς ἐμὲ ἀνακρίνου-
L 10,7s σίν ἐστιν αὕτη. **4** μὴ οὐκ ἔχομεν ἐξουσίαν φαγεῖν καὶ
πεῖν; **5** μὴ οὐκ ἔχομεν ἐξουσίαν ⸀ἀδελφὴν γυναῖκα⸁ περι-
J 7,3! άγειν ὡς καὶ οἱ λοιποὶ ἀπόστολοι καὶ οἱ ἀδελφοὶ τοῦ κυ-
Mt 8,14p J 1,42 | ρίου καὶ Κηφᾶς; **6** ἢ μόνος ἐγὼ καὶ Βαρναβᾶς οὐκ ἔχο-
Act 4,36! · 2Th 3,9 | 2T 2,4 · μεν ἐξουσίαν μὴ ἐργάζεσθαι; **7** Τίς στρατεύεται ἰδίοις
ὀψωνίοις ποτέ; τίς φυτεύει ἀμπελῶνα καὶ ⸀τὸν καρπὸν⸁
Dt 20,6 αὐτοῦ οὐκ ἐσθίει; ⸰ἢ τίς ποιμαίνει ποίμνην καὶ ἐκ τοῦ
γάλακτος τῆς ποίμνης οὐκ ἐσθίει; **8** Μὴ κατὰ ἄν-
R 3,5! θρωπον ⸀ταῦτα λαλῶ⸁ ἢ καὶ ὁ νόμος ταῦτα οὐ λέγει;
Dt 25,4 1T 5,18 **9** ⸀ἐν γὰρ τῷ Μωϋσέως νόμῳ γέγραπται⸁· *οὐ ⸂κημώσεις*
βοῦν ἀλοῶντα. μὴ τῶν βοῶν μέλει τῷ θεῷ **10** ἢ δι᾽ ἡμᾶς
10,11 R 4,23s; 15,4 · *unde?* πάντως λέγει; δι᾽ ἡμᾶς γὰρ ἐγράφη ὅτι *ὀφείλει ἐπ᾽ ἐλ-*

10 ⸰ 𝔓^{46} B F G latt ¦ *txt* ℵ A D Ψ 𝔐 sy co ● **11** ⸀απ. ουν A P 326* *pc* ¦ και απ. ℵ^{2} D* Ψ 6. 81. (104). 365. 630. 1739. 1881 *pc* a b ¦ και απολειται D^{2} F G 𝔐 vg (sa); Ir^{lat} Ambst ¦ *txt* 𝔓^{46} ℵ* B 33. 1175 *pc* bo; Cl | ⸀αδ. εν τ. σ. γν. ℵ^{2} P (630). 1175. 1739. 2495 *pc* sy^{h}; Ps-Cyp ¦ αδ. επι τ. σ. γν. Ψ 𝔐 ¦ *txt* 𝔓^{46} ℵ* A (B) D F G 33 *pc* latt ● **12** ⸰ 𝔓^{46}; Cl ● **13** ⸰*bis* (D*) F G a (b); (Cl) Cyp Ambst

¶ **9,1** ⸉ *4 2 3 1* D F G Ψ 𝔐 a b sy^{h}; Ambst Pel ¦ *txt* 𝔓^{46} ℵ A B P 33. 104. 365. 629. 630. 1175. 1739. 1881 *pc* vg (sy^{p}) co; Tert ● **2** ⸀της εμης 𝔓^{46vid} D F G Ψ 𝔐 sy ¦ *txt* ℵ B P 33. 104. 1739 *pc* (A: *h. t.*) ● **5** ⸀γυναικας F G a b; Tert Ambst Pel ● **7** ⸀εκ του -που 𝔓^{46} ℵ^{2} C^{3} D^{1} 𝔐 it vg^{cl} sy$^{(p)}$ bo; Ambst ¦ *txt* ℵ* A B C* D* F G P Ψ 0222. 33. 1175. 1739 *pc* vgst sa; Pel | ⸰ B C^{2} D F G Ψ 81. 104. 630. 1175. 1739. 2464. 2495 *pc* latt sy^{h} sa ¦ *txt* 𝔓^{46} ℵ A C* 𝔐 sy^{p} bo ● **8** ⸀λεγω 𝔓^{46} f ¦ τ. λεγω D F G 1175 *pc* lat ● **9** ⸀ *1–3 5 6* 𝔓^{46} b; Ambst ¦ γεγρ. γαρ D* F G | ⸂φιμω- 𝔓^{46} ℵ A B^{2} C D^{1} Ψ 𝔐; Or Epiph ¦ *txt* B* D* F G 1739

πίδι ὁ ἀροτριῶν ἀροτριᾶν καὶ ὁ ἀλοῶν ⸀ἐπ' ἐλπίδι τοῦ Sir 6,19 Jc 5,7
μετέχειν⸁. **11** εἰ ἡμεῖς ὑμῖν τὰ πνευματικὰ ἐσπείραμεν, R 15,27
μέγα εἰ ἡμεῖς ὑμῶν τὰ σαρκικὰ θερίσομεν; **12** Εἰ ἄλλοι τῆς ὑμῶν ἐξουσίας μετέχουσιν, οὐ μᾶλλον ἡμεῖς; ἀλλ' 2Th 3,9
οὐκ ἐχρησάμεθα τῇ ἐξουσίᾳ ταύτῃ, ἀλλὰ πάντα στέγο- 18 Act 20,34s 2K
μεν, ἵνα μή τινα ⸀ἐγκοπὴν δῶμεν τῷ εὐαγγελίῳ τοῦ Χρι- 11,7.9; 12,13 1Th 2,9 · 13,7
στοῦ. **13** Οὐκ οἴδατε ὅτι οἱ τὰ ἱερὰ ἐργαζόμενοι Nu 18,8.31 Dt 18,
°[τὰ] ἐκ τοῦ ἱεροῦ ἐσθίουσιν, οἱ τῷ θυσιαστηρίῳ ⸀παρ- 1-3 · 7,35
εδρεύοντες τῷ θυσιαστηρίῳ συμμερίζονται; **14** οὕτως καὶ
ὁ κύριος διέταξεν τοῖς τὸ εὐαγγέλιον καταγγέλλουσιν ἐκ 7,10! · L 10,7!
τοῦ εὐαγγελίου ζῆν. **15** Ἐγὼ δὲ οὐ κέχρημαι οὐδενὶ G 6,6 12!
τούτων. Οὐκ ἔγραψα δὲ ταῦτα, ἵνα οὕτως γένηται ἐν ἐμοί·
καλὸν γάρ μοι μᾶλλον ἀποθανεῖν ⸀ἢ — τὸ⸁ καύχημά μου 2K 11,10
⸂οὐδεὶς κενώσει⸃. **16** ἐὰν γὰρ εὐαγγελίζωμαι, οὐκ ἔστιν
μοι ⸀καύχημα· ἀνάγκη γάρ μοι ἐπίκειται· οὐαὶ γάρ μοί Jr 20,9 L 17,10
ἐστιν ἐὰν μὴ ⸂εὐαγγελίσωμαι. **17** εἰ γὰρ ἑκὼν τοῦτο πράσσω, μισθὸν ⸆ ἔχω· εἰ δὲ ἄκων, οἰκονομίαν πεπίστευμαι· E 3,2!
18 τίς οὖν ⸀μού ἐστιν⸁ ὁ μισθός; ἵνα εὐαγγελιζόμενος
ἀδάπανον θήσω τὸ εὐαγγέλιον ⸆ εἰς τὸ μὴ καταχρήσα- 2K 11,7 · 12; 7,31
σθαι τῇ ἐξουσίᾳ μου ἐν τῷ εὐαγγελίῳ.
19 Ἐλεύθερος γὰρ ὢν ἐκ πάντων πᾶσιν ἐμαυτὸν ἐδού- 1 · Mt 20,26s
λωσα, ἵνα τοὺς πλείονας κερδήσω· **20** καὶ ἐγενόμην τοῖς
Ἰουδαίοις °ὡς Ἰουδαῖος, ἵνα Ἰουδαίους κερδήσω· τοῖς Act 16,3; 21,20-26
ὑπὸ νόμον ὡς ὑπὸ νόμον, ⸋μὴ ὢν αὐτὸς ὑπὸ νόμον,⸌ ἵνα R 11,14
τοὺς ὑπὸ νόμον κερδήσω· **21** τοῖς ἀνόμοις ὡς ἄνομος, μὴ
ὢν ἄνομος ⸀θεοῦ ἀλλ' ἔννομος ⸀Χριστοῦ, ἵνα ⸂κερδάνω G 6,2

10 ⸀της ελπιδος αυτου μετ. επ ελπ. (– D* F G a b sy^{hmg}) א^{2} D F G Ψ (104) 𝔐 a b sy^{hmg}; (Ambst) ¦ *txt* 𝔓^{46} א* A B C P 33. 81. 365. 1175. 1739. 2464. 2495 *pc* vg sy; Or Eus • **12** ⸀ (*ex err.?*) εκκ- א D* L Ψ 81. 614. 629. 1175. 1241^{s}. 2495 *al* • **13** ° 𝔓^{46} A C D^{2} Ψ 𝔐 b d sy^{h}; Ambst ¦ *txt* א B D* F G 6. 81. 1739 *pc* lat co | ⸀προσεδ- א^{2} Ψ 𝔐 ¦ *txt* 𝔓^{46} א* A B C D F G P 33. 81. 630. 1175. 1739. 1881. 2464. 2495 *pc* • **15** [⸀νη το Lachmann *cj*] | ⸂ουθεις μη καινωσει A (1175) ¦ τις κεν- F G ¦ ινα τις κενωσ(η) א^{2} C D^{2} Ψ 𝔐 lat sy^{h} ¦ *txt* 𝔓^{46} א* B D* 33. 1739. 1881 *pc* b; Tert Ambst Pel • **16** ⸀χαρις א* D* F G ¦ *txt* 𝔓^{46} א^{2} A B C D^{2} Ψ 𝔐 lat sy co; Ambst | ⸂-ζωμαι 𝔓^{46} א A Ψ 𝔐 b d ¦ -ζομαι L P 6. 104. 614. 1175. 1881 *al* ¦ *txt* B C D F G 945 lat • **17** ⸆ουκ 2495 *pc* • **18** ⸀μοι εσ. 𝔓^{46} א^{2} Ψ 𝔐 sy^{h} ¦ εσται μοι D F G ¦ *txt* א* A C K 6. 33. 81. 365. 1739. 2464 *al* lat sy^{p} (B *incert.*) | ⸆του Χριστου D^{2} F G 𝔐 sy ¦ *txt* 𝔓^{46} א A B C D* Ψ 33. 81. 365. 1175. 1739. 1881. 2464 *al* lat co; Ambst • **20** ° (F) G* 6*. 326. 1739 *pc* | ⸋ D^{2} (L) Ψ 𝔐 sy^{p} ¦ *txt* א A B C D* F G P 33. 104. 365. 1175. 1739. 2495 *al* latt sy^{h} co • **21** ⸀θεω *et* ⸀-στω D^{2} Ψ 𝔐 (sy^{p}) ¦ *txt* 𝔓^{46} א A B C D* F G P 33. 81. 365. 1175. 1739. 1881. 2464 *pc* latt sy^{h} | ⸂κερδησω 𝔓^{46} א^{2} (⸉ D) Ψ 𝔐 ¦ *txt* א* A B C F G P 33. 630. 1175. 1739. 1881 *pc*

R 14,1! ⸋τοὺς ἀνόμους· **22** ἐγενόμην τοῖς ἀσθενέσιν ⸆ ἀσθενής,
ἵνα τοὺς ἀσθενεῖς κερδήσω· τοῖς πᾶσιν γέγονα πάντα,
10,33 R 11,14 ἵνα ⸂πάντως τινὰς⸃ σώσω. **23** ⸀πάντα δὲ ποιῶ διὰ τὸ εὐαγ-
Ph 1,5 γέλιον, ἵνα συγκοινωνὸς αὐτοῦ γένωμαι.

24 Οὐκ οἴδατε ὅτι οἱ ἐν σταδίῳ τρέχοντες πάντες μὲν
Ph 3,14 τρέχουσιν, εἷς δὲ λαμβάνει τὸ βραβεῖον; οὕτως τρέχετε
2T 4,7! · 2P 1,6! · ἵνα καταλάβητε. **25** πᾶς δὲ ὁ ἀγωνιζόμενος πάντα ἐγκρα-
2T 2,5; 4,8 1P 5,4 Jc 1,12 Ap 2,10; τεύεται, ἐκεῖνοι μὲν ⸋οὖν ἵνα φθαρτὸν στέφανον λάβω-
3,11 Sap 4,2 σιν, ἡμεῖς δὲ ἄφθαρτον. **26** ἐγὼ τοίνυν οὕτως τρέχω ὡς
14,9 οὐκ ἀδήλως, οὕτως πυκτεύω ὡς οὐκ ἀέρα δέρων· **27** ἀλλὰ
ὑπωπιάζω μου τὸ σῶμα καὶ δουλαγωγῶ, μή πως ἄλλοις
2K 13,5s κηρύξας αὐτὸς ἀδόκιμος γένωμαι.

R 1,13! **10** Οὐ θέλω γὰρ ὑμᾶς ἀγνοεῖν, ἀδελφοί, ὅτι οἱ πατέρες
Ex 13,21; 14,22 Ps ἡμῶν πάντες ὑπὸ τὴν νεφέλην ἦσαν καὶ πάντες διὰ
105,39 Sap 19,7s τῆς θαλάσσης διῆλθον **2** καὶ πάντες εἰς τὸν Μωϋσῆν ⸀ἐ-
cf 1P 3,20s βαπτίσθησαν ἐν τῇ νεφέλῃ καὶ ἐν τῇ θαλάσσῃ **3** καὶ πάν-
Ex 16,4.35 Dt 8,3 Ps 78,24s J 6,49 | τες ⸂τὸ αὐτὸ⸃ πνευματικὸν βρῶμα ἔφαγον **4** καὶ πάντες
Ex 17,6 Nu 20,7-11 Ps 78,15s τὸ ⸋αὐτὸ πνευματικὸν ἔπιον πόμα· ἔπινον γὰρ ἐκ πνευ-
ματικῆς ἀκολουθούσης πέτρας, ἡ ⸉πέτρα δὲ⸊ ἦν ὁ Χρι-
στός. **5** Ἀλλ᾽ οὐκ ἐν τοῖς πλείοσιν αὐτῶν εὐδόκησεν ⸋ὁ
Nu 14,16 Jd 5 H 3,17 Ps 78,31 | θεός⸌, κατεστρώθησαν γὰρ ἐν τῇ ἐρήμῳ. **6** Ταῦτα
R 5,14 · Nu 11,4. δὲ τύποι ἡμῶν ἐγενήθησαν, εἰς τὸ μὴ εἶναι ἡμᾶς ἐπιθυ-
34 Ps 106,14 μητὰς κακῶν, καθὼς κἀκεῖνοι ἐπεθύμησαν. **7** μηδὲ εἰδω-
Act 15,20! λολάτραι γίνεσθε καθώς τινες αὐτῶν, ὥσπερ γέγραπται·
Ex 32,6 𝔊 *ἐκάθισεν ὁ λαὸς φαγεῖν καὶ πεῖν καὶ ἀνέστησαν παίζειν.*
8 μηδὲ πορνεύωμεν, καθώς τινες αὐτῶν ἐπόρνευσαν καὶ
Nu 25,1.9; 26,62 | ἔπεσαν ⸆ μιᾷ ἡμέρᾳ εἴκοσι ⸀τρεῖς χιλιάδες. **9** μηδὲ ἐκ-
Mt 4,7p · Ps 78,18 πειράζωμεν τὸν ⸀Χριστόν, καθώς τινες αὐτῶν ⸁ἐπείρα-
Nu 21,5s | σαν καὶ ὑπὸ τῶν ὄφεων ⸀¹ἀπώλλυντο. **10** μηδὲ ⸀γογγύ-

21 ⸋ℵ^{2} F G Ψ 𝔐 ¦ *txt* 𝔓^{46} ℵ* A B C D P 33. 630. 1175. 1739. 1881 *pc* co ● **22** ⸆ως ℵ^{2} C D F G Ψ 𝔐 vg^{ms} sy co ¦ *txt* 𝔓^{46} ℵ* A B 1739 *pc* lat; Cyp | ⸂(+ τους 33) παντας D F G 33 latt; Did ● **23** ⸀τουτο Ψ 𝔐 sy ¦ *txt* 𝔓^{46} ℵ A B C D F G P 6. 33. 81. 104. 365. 1175. 1739. 1881. 2464 *al* latt ● **25** ⸋K *pc*; Cl

¶ **10,2** ⸀† -ισαντο 𝔓^{46c} B 𝔐; Or ¦ -ιζοντο 𝔓^{46*} ¦ *txt* ℵ A C D F G Ψ 33. 81. 104. 365. 630. 2464. 2495 *al* latt ● **3** ⸂το 𝔓^{46} A C* *pc* ¦ – ℵ* ¦ *txt* ℵ^{2} B (C^{2}) D F G Ψ 𝔐 latt sy$^{(p)}$ co; Or Epiph ● **4** ⸋𝔓^{46} A *pc* | ⸉ 𝔓^{46} A C D^{1} Ψ 𝔐 ¦ *txt* ℵ B D* (F G) 629. 1739 *pc* ● **5** ⸋ 81 *pc* ● **8** ⸆εν ℵ^{2} A C D^{2} Ψ 𝔐 vg^{ms}; Ir^{lat} ¦ *txt* 𝔓^{46} ℵ* B D* F G lat; Ambst | ⸀(Nu 25,9) τεσσαρες 81 *pc* vg^{mss} sy^{h} ● **9** ⸀† κυριον ℵ B C P 33. 104. 326. 365. 1175. 2464 *pc* sy^{hmg} ¦ θεον A 81 *pc* ¦ *txt* 𝔓^{46} D F G Ψ 𝔐 latt sy co; Ir^{lat} Epiph | ⸁εξεπ- (𝔓^{46}) ℵ C D* F G P 33. 81. 104. 365. 630. 1175. 1739. 1881. 2464 *al* ¦ *txt* A B D^{2} Ψ 𝔐 | ⸀¹απωλοντο C D F G Ψ 𝔐 ¦ *txt* (𝔓^{46}) ℵ (A) B 81 *pc* ● **10** ⸀-ζωμεν ℵ D F G 33 *pc* bo ¦ *txt* A B C Ψ 𝔐 lat sy sa; Ir^{lat} Ambst

ζετε, ⸀καθάπερ τινὲς αὐτῶν ἐγόγγυσαν καὶ ἀπώλοντο ὑπὸ
τοῦ ὀλοθρευτοῦ. **11** ⸂ταῦτα δὲ⸃ ⸄τυπικῶς συνέβαινεν⸅
ἐκείνοις, ἐγράφη δὲ πρὸς νουθεσίαν ἡμῶν, εἰς οὓς
τὰ τέλη τῶν αἰώνων κατήντηκεν. **12** Ὥστε ὁ δοκῶν ἑστάναι βλεπέτω μὴ πέσῃ. **13** πειρασμὸς ὑμᾶς ⸂οὐκ εἴλη-
φεν⸃ εἰ μὴ ἀνθρώπινος· πιστὸς δὲ ὁ θεός, ὃς οὐκ ⸀ἐάσει
⸉ὑμᾶς πειρασθῆναι⸊ ὑπὲρ ὃ δύνασθε ἀλλὰ ποιήσει
σὺν τῷ πειρασμῷ καὶ τὴν ἔκβασιν τοῦ δύνασθαι ⸆ ὑπε-
νεγκεῖν.
14 Διόπερ, ἀγαπητοί μου, φεύγετε ἀπὸ τῆς εἰδωλολα-
τρίας. **15** ὡς φρονίμοις λέγω· κρίνατε ὑμεῖς ὅ φημι.
16 Τὸ ποτήριον τῆς ⸀εὐλογίας ὃ εὐλογοῦμεν, οὐχὶ κοινωνία ⸉ἐστὶν τοῦ αἵματος τοῦ Χριστοῦ⸊; τὸν ἄρτον ὃν
κλῶμεν, οὐχὶ κοινωνία τοῦ σώματος τοῦ Χριστοῦ ἐστιν;
17 ὅτι εἷς ἄρτος, ἓν σῶμα οἱ πολλοί ἐσμεν, οἱ γὰρ πάντες
ἐκ τοῦ ἑνὸς ἄρτου ⸆ μετέχομεν. **18** βλέπετε τὸν Ἰσραὴλ
κατὰ σάρκα· ⸀οὐχ οἱ ἐσθίοντες τὰς θυσίας κοινωνοὶ τοῦ
θυσιαστηρίου εἰσίν; **19** Τί οὖν φημι; ὅτι εἰδωλόθυ-
τόν ⸂τί ἐστιν⸃ ⸋ἢ ὅτι εἴδωλόν ⸂τί ἐστιν⸃⸌; **20** ἀλλ' ὅτι ἃ
⸀θύουσιν, δαιμονίοις ⸂καὶ οὐ θεῷ [θύουσιν]⸃· οὐ θέλω
δὲ ὑμᾶς ⸄κοινωνοὺς τῶν δαιμονίων⸅ γίνεσθαι. **21** οὐ δύνασθε ποτήριον κυρίου πίνειν καὶ ποτήριον δαιμονίων,
οὐ δύνασθε τραπέζης κυρίου μετέχειν καὶ τραπέζης δαιμονίων. **22** ἢ παραζηλοῦμεν τὸν κύριον; μὴ ἰσχυρότεροι
αὐτοῦ ἐσμεν;
23 Πάντα ⸆ ἔξεστιν ἀλλ' οὐ πάντα συμφέρει· πάντα ⸆
ἔξεστιν ἀλλ' οὐ πάντα οἰκοδομεῖ. **24** μηδεὶς τὸ ἑαυτοῦ

Ex 16,2s Nu 14,2. 36; 16,11-35
H 11,38! |
9,10! · 7,26! 1P 4, 7 H 9,26 1J 2,18 |
R 11,20! 14,4 G 5,1 2Th 2,15
1,9 2K 1,18 1Th 5,24 2Th 3,3 2T 2,13 H 10,23; 11, 11 1J 1,9 Ap 1,5! Dt 7,9 Ps 144,13a 𝔊 · H 13,7 cf 2P 2,9 |
1J 5,21
11,13
Mt 26,27p
Act 2,42
R 12,5!
9,13 Lv 7,6.15
8,4
Lv 17,7 Dt 32,17 Ps 106,37 Bar 4,7
Ap 9,20
2K 6,15s
Ml 1,7.12 · Is 65, 11 |
Dt 32,21
6,12! Sir 37,28
8,1 R 14,19! | 13,5!

10 ⸀καθως C D F G Ψ 6. 33. 81. 104. 630. 1175. 1739. 1881. 2464. 2495 *al* ¦ καθως και 𝔐 ¦ *txt* 𝔓[46] ℵ A B P *pc* ● **11** ⸂παντα δε ταυτα ℵ D F G 81 *pc* ¦ ταυ. δε παν. C Ψ 𝔐 lat sy bo; Ir[lat] ¦ *txt* A B 33. 630. 1175. 1739. 1881. 2464 *pc* sa; Epiph | ⸄τυποι -νον (A) D F G (Ψ) 𝔐 sy[h] ¦ *txt* 𝔓[46vid] ℵ B C K P 33. 81. 104. 630. 1175. 1739. 1881. 2464. 2495 *al* latt sy[hmg]; Epiph ● **13** ⸂ου κατελαβη F G lat; Ambst | ⸀αφησει D F G | ⸉B 1175 *pc* | ⸆υμας ℵ[2] D[2] Ψ 𝔐 ¦ *txt* 𝔓[46] ℵ* A B C D* F G L P 6. 33. 81. 365. 630. 1175. 1739. 1881. 2464 *al* ● **16** ⸀ευχαριστιας F G 365 *pc* | ⸉ *2-5 1* ℵ C D F G Ψ 𝔐 lat ¦ *txt* 𝔓[46] A B P 2464 a ● **17** ⸆και του ενος (– D) ποτηριου D F G (629) it vg[mss]; Ambst ● **18** ⸀ουχι 𝔓[46] ℵ[2] B Ψ 𝔐 ¦ *txt* ℵ* A C D F G 33. 630. 1241[s]. 1739. 2464 *pc* ● **19** ⸂ *bis 2 1* D(*) F G latt | ⸋ 𝔓[46] ℵ* A C* Ψ 6. 33. 945. 1881 *pc* vg[ms] ● **20** ⸀θ. τα εθνη 𝔓[46vid] ℵ A C P Ψ 33. 81. 104. 365. 630. 1175. 1739. 2464. 2495 *al* lat sy co (*sed* θυει 𝔐) ¦ *txt* B D F G; Ambst Spec | ⸂ *4 1-3* D F G 104. 2495 *al* latt sy; Epiph (*sed* θυει 𝔐) ¦ *txt* ℵ A B C P Ψ 33. 81. 365. 630. 1241[s]. 1739 *pc* | ⸄δαιμ. κοιν. D* F G ● **23** ⸆ *bis* μοι ℵ[2] C[3] H (P) Ψ 𝔐 t vg[cl] sy ¦ *txt* 𝔓[46] ℵ* A B C* D F G (33). 81. 1739[(c)]. 1881. 2464 *pc* lat co; Tert Cyp Ambst

33 R 15,2 Ph 2,4 | ζητείτω ἀλλὰ τὸ τοῦ ἑτέρου⸆. **25** Πᾶν τὸ ἐν μακέλλῳ
R 14,2-10.22 πωλούμενον ἐσθίετε μηδὲν ἀνακρίνοντες διὰ τὴν συνεί-
Ps 24,1; 50,12; 89,12 δησιν· **26** *τοῦ κυρίου* γὰρ *ἡ γῆ καὶ τὸ πλήρωμα αὐτῆς.* **27** εἴ
τις καλεῖ ὑμᾶς τῶν ἀπίστων⸆ καὶ θέλετε πορεύεσθαι, ⸂πᾶν
L 10,8 τὸ παρατιθέμενον⸃ ὑμῖν ἐσθίετε μηδὲν ἀνακρίνοντες διὰ
τὴν συνείδησιν. **28** ἐὰν δέ τις ὑμῖν εἴπῃ· τοῦτο ⸀ἱερόθυ-
τόν ἐστιν, μὴ ἐσθίετε δι' ἐκεῖνον □τὸν μηνύσαντα καὶ τὴν
R 14,3s.13 συνείδησιν⸆\· **29** συνείδησιν δὲ λέγω οὐχὶ τὴν ἑαυτοῦ
ἀλλὰ τὴν τοῦ ἑτέρου. ἱνατί γὰρ ἡ ἐλευθερία μου κρίνεται
ὑπὸ ⸀ἄλλης συνειδήσεως; **30** εἰ ἐγὼ χάριτι μετέχω, τί
R 14,6 1T 4,3s βλασφημοῦμαι ὑπὲρ οὗ ἐγὼ εὐχαριστῶ; **31** Εἴτε
Kol 3,17 οὖν ἐσθίετε εἴτε πίνετε εἴτε τι ποιεῖτε, πάντα εἰς δόξαν
R 14,13! Ph 1,10 θεοῦ °ποιεῖτε. **32** ἀπρόσκοποι καὶ Ἰουδαίοις γίνεσθε καὶ
1Th 4,12 | Ἕλλησιν καὶ τῇ ἐκκλησίᾳ τοῦ θεοῦ, **33** καθὼς κἀγὼ πάν-
24! 9,20-22 τα πᾶσιν ἀρέσκω μὴ ζητῶν τὸ ἐμαυτοῦ ⸀σύμφορον ἀλλὰ
| 4,16 Ph 3,17; 4,9 1Th 1,6 2Th 3,7.9 H 6,12; 13,7 E 5,1 1Th 2,14 G 4,12 **11** τὸ τῶν πολλῶν, ἵνα σωθῶσιν. **1** μιμηταί μου γίνε-
σθε καθὼς κἀγὼ Χριστοῦ.

17.22 **2** Ἐπαινῶ δὲ ὑμᾶς⸆ ὅτι πάντα μου μέμνησθε καί, καθ-
23 2Th 2,15; 3,6 | ὼς⸇ παρέδωκα ὑμῖν, τὰς παραδόσεις κατέχετε. **3** Θέ-
Kol 2,1 R 1,13! · λω δὲ ὑμᾶς εἰδέναι ὅτι παντὸς ἀνδρὸς ἡ κεφαλὴ °ὁ Χρι-
E 4,15! · Gn 3,16 · στός ἐστιν, κεφαλὴ δὲ γυναικὸς ὁ ἀνήρ, κεφαλὴ δὲ τοῦ
3,23 | 14,1! Χριστοῦ ὁ θεός. **4** πᾶς ἀνὴρ προσευχόμενος ἢ προφη-
7 τεύων κατὰ κεφαλῆς ἔχων καταισχύνει τὴν κεφαλὴν αὐτοῦ. **5** πᾶσα δὲ γυνὴ προσευχομένη ἢ προφητεύουσα ἀκα-
9s τακαλύπτῳ τῇ κεφαλῇ καταισχύνει τὴν κεφαλὴν ⸀αὐτῆς·
ἓν γάρ ἐστιν καὶ τὸ αὐτὸ τῇ ἐξυρημένῃ. **6** εἰ γὰρ οὐ κατα-
καλύπτεται γυνή, καὶ κειράσθω· εἰ δὲ αἰσχρὸν γυναικὶ τὸ
κείρασθαι ἢ ξυρᾶσθαι, κατακαλυπτέσθω. **7** Ἀνὴρ μὲν
Gn 1,27; 5,1 Sap 2,23 Sir 17,3 2K 4,4! γὰρ οὐκ ὀφείλει κατακαλύπτεσθαι τὴν κεφαλὴν εἰκὼν

24 ⸆εκαστος D^{2} Ψ 𝔐 sy ¦ *txt* 𝔓^{46} ℵ A B C D* F G H P 6. 33. 81. 630. 1175. 1241^{s}. 1739. 1881. 2464 *pc* latt co ● **27** ⸆εις δειπνον D* F G it vg^{mss} sa; Ambst | ⸂παντα τα -μενα A ● **28** ⸀ειδωλοθ- C D F G Ψ 𝔐 lat sy^{h} bo; Tert ¦ *txt* 𝔓^{46} ℵ A B H 1175*. 1739* b sa; Ambst | □𝔓^{46} | ⸆(26) του γαρ κυριου η γη και το πληρωμα αυτης H^{c} Ψ 𝔐 sy^{h} ¦ *txt* ℵ A B C(^{3}) D F G H* P 33. 81. 365. 630. 1175. 1241^{s}. 1739. 1881. 2464 *pc* latt sy^{p} co ● **29** ⸀απιστου F G a b d vg^{mss}; Cyp ● **31** °𝔓^{46} F G; Spec ● **33** ⸀-φερον ℵ^{2} D F G Ψ 𝔐 latt ¦ *txt* 𝔓^{46} ℵ* A B C

¶ **11,2** ⸆αδελφοι D F G Ψ 𝔐 latt sy; Ambst ¦ *txt* 𝔓^{46} ℵ A B C P 81. 630. 1175. 1739. 1881. 2464 *pc* co | ⸇πανταχου F G b d ● **3** ° B* D* F G ¦ *txt* 𝔓^{46} ℵ A B^{c} C D^{2} Ψ 𝔐 ● **5** ⸀εαυ- B D^{2} 6. 629. 945 *pm*

καὶ δόξα θεοῦ ὑπάρχων· ἡ γυνὴ δὲ δόξα ἀνδρός ἐστιν.
8 οὐ γάρ ἐστιν ἀνὴρ ἐκ γυναικὸς ἀλλὰ γυνὴ ἐξ ἀνδρός· Gn 2,22s 1T 2,13
9 καὶ γὰρ οὐκ ἐκτίσθη ἀνὴρ διὰ τὴν γυναῖκα ἀλλὰ γυνὴ Gn 2,18
διὰ τὸν ⸀ἄνδρα. **10** διὰ τοῦτο ὀφείλει ἡ γυνὴ ⸀ἐξουσίαν Gn 24,65 ·
ἔχειν ἐπὶ τῆς κεφαλῆς διὰ τοὺς ἀγγέλους. **11** πλὴν οὔτε Gn 6,2 Ps 137,1 𝔊 E 3,10 |
γυνὴ χωρὶς ἀνδρὸς οὔτε ἀνὴρ χωρὶς γυναικὸς ἐν κυρίῳ·
12 ὥσπερ γὰρ ἡ γυνὴ ἐκ τοῦ ἀνδρός, οὕτως καὶ ὁ ἀνὴρ
διὰ τῆς γυναικός· τὰ δὲ πάντα ἐκ τοῦ θεοῦ. **13** Ἐν
ὑμῖν αὐτοῖς κρίνατε· πρέπον ἐστὶν γυναῖκα ἀκατακάλυπ- 10,15
τον τῷ θεῷ προσεύχεσθαι; **14** ⸆ οὐδὲ ἡ φύσις αὐτὴ διδάσκει ὑμᾶς ὅτι ἀνὴρ μὲν ἐὰν κομᾷ ἀτιμία αὐτῷ ἐστιν,
15 γυνὴ δὲ ἐὰν κομᾷ δόξα αὐτῇ ἐστιν; ὅτι ἡ κόμη ἀντὶ
περιβολαίου δέδοται °[αὐτῇ]. **16** Εἰ δέ τις δοκεῖ φιλόνει-
κος εἶναι, ἡμεῖς τοιαύτην συνήθειαν οὐκ ἔχομεν οὐδὲ αἱ 8,7
ἐκκλησίαι τοῦ θεοῦ.

17 Τοῦτο δὲ ⸀παραγγέλλων οὐκ ⸁ἐπαινῶ ὅτι οὐκ εἰς τὸ 2!
κρεῖσσον ἀλλὰ εἰς τὸ ἧσσον συνέρχεσθε. **18** πρῶτον μὲν
γὰρ συνερχομένων ὑμῶν ἐν ἐκκλησίᾳ ἀκούω σχίσματα 14,26 · 5,1 · 1,10s
ἐν ὑμῖν ὑπάρχειν καὶ μέρος τι πιστεύω. **19** δεῖ γὰρ καὶ
αἱρέσεις ⸋ἐν ὑμῖν⸌ εἶναι, ἵνα °[καὶ] οἱ δόκιμοι φανεροὶ G 5,20 2P 2,1 Tt 3,10 ·
γένωνται ⸋[1]ἐν ὑμῖν⸌. **20** Συνερχομένων °οὖν ὑμῶν ἐπὶ τὸ 1J 2,19 | 14,23 Act 1,15
αὐτὸ οὐκ ἔστιν κυριακὸν δεῖπνον φαγεῖν· **21** ἕκαστος γὰρ
τὸ ἴδιον δεῖπνον προλαμβάνει ἐν τῷ φαγεῖν, καὶ ὃς μὲν
πεινᾷ ὃς δὲ μεθύει. **22** μὴ γὰρ οἰκίας οὐκ ἔχετε εἰς τὸ
ἐσθίειν καὶ πίνειν; ἢ τῆς ἐκκλησίας τοῦ θεοῦ καταφρο-
νεῖτε, καὶ καταισχύνετε τοὺς μὴ ἔχοντας; τί εἴπω ὑμῖν; Jc 2,6
⸀ἐπαινέσω °ὑμᾶς; ἐν τούτῳ οὐκ ἐπαινῶ. 2!

23 Ἐγὼ γὰρ παρέλαβον ⸂ἀπὸ τοῦ κυρίου⸃, ὃ καὶ παρ- 7,10! G 1,12
έδωκα ὑμῖν, ὅτι ὁ κύριος °Ἰησοῦς ἐν τῇ νυκτὶ ᾗ παρεδί- *23–25:* Mt 26,26-28 Mc 14,22-24 L
δετο ἔλαβεν ⸆ ἄρτον **24** καὶ εὐχαριστήσας ἔκλασεν καὶ 22,19s

9 ⸀ανθρωπον 𝔓^{46} • **10** ⸀καλυμμα vg^{mss} bo^{pt}; Ir Epiph • **14** ⸆ ἤ D^{1} 𝔐 sy^{hmg} sa ¦ *txt* 𝔓^{46} ℵ A B C D* F G H P Ψ 33. 81. 630. 1175. 1241^{s}. 1739. 1881. 2464 *pc* latt sy bo • **15** ° 𝔓^{46} D F G Ψ 𝔐 b; Ambst ¦ *pon. a.* δεδ. C H P 630. 1175. 1241^{s}. 1739. 1881. 2495 *al* a f vg sy^{h} ¦ *txt* ℵ A B 33. 81. 365. 2464 g sy^{p} • **17** ⸀-λλω *et* ⸁-νων A C 6. 33. 104. 326. 365. 1175. 1739 *pc* f vg; Ambst ¦ -λλων *et* -νων B ¦ -λλω *et* -νω D* 81 b ¦ *txt* ℵ D^{2} F G Ψ 𝔐 a d • **19** ⸋ D* F G lat; Cyp Ambst | ° ℵ A C D^{2} F G Ψ 𝔐 b vg^{mss} sy bo ¦ *txt* 𝔓^{46} B D* 6. 33. 630. 1175. 1739. 1881 *pc* vg sa bo^{mss}; Or Cyp Ambst | ⸋[1] 𝔓^{46} C 2464 • **20** ° 𝔓^{46} D* F G b; Cl ¦ *txt* ℵ A B C D^{1} Ψ 𝔐 lat sy co • **22** ⸀επαινω 𝔓^{46} B F G lat ¦ *txt* ℵ A^{vid} C D Ψ 𝔐 vg^{mss} | ° 𝔓^{46} • **23** ⸂παρα κυρ. D lat; Ambst ¦ απο θεου F G (365) d* | ° B *pc* | ⸆του D* F G

Lv 24,7 𝔊 Ps 37,1 𝔊; 69,1 𝔊 Sap 16,6 | εἶπεν· ⸆ τοῦτό ⸉μού ἐστιν⸊ τὸ σῶμα °τὸ ὑπὲρ ὑμῶν⸆¹·
τοῦτο ποιεῖτε εἰς τὴν ἐμὴν ἀνάμνησιν. **25** ὡσαύτως καὶ
τὸ ποτήριον μετὰ τὸ δειπνῆσαι λέγων· τοῦτο τὸ ποτή-
Jr 31,31; 32,40 Zch 9,11 Ex 24,8 2K 3,6 H 7,22! R 3,25! ριον ἡ καινὴ διαθήκη ἐστὶν ἐν τῷ ⸂ἐμῷ αἵματι⸃· τοῦτο
ποιεῖτε, ὁσάκις ἐὰν πίνητε, εἰς τὴν ἐμὴν ἀνάμνησιν.
26 ὁσάκις γὰρ ἐὰν ἐσθίητε τὸν ἄρτον τοῦτον καὶ τὸ ποτήριον ⸆ πίνητε, τὸν θάνατον τοῦ κυρίου καταγγέλλετε
Mt 26,29 Ap 22,20! ἄχρι οὗ ἔλθῃ.
27 Ὥστε ὃς ἂν ἐσθίῃ τὸν ἄρτον ⸆ ἢ πίνῃ τὸ ποτήριον
H 6,6! Jc 2,10 τοῦ κυρίου ἀναξίως⸆¹, ἔνοχος ἔσται τοῦ σώματος καὶ τοῦ
2K 13,5! αἵματος τοῦ κυρίου. **28** δοκιμαζέτω δὲ ἄνθρωπος ἑαυτὸν
καὶ οὕτως ἐκ τοῦ ἄρτου ἐσθιέτω καὶ ἐκ τοῦ ποτηρίου πι-
νέτω· **29** ὁ γὰρ ἐσθίων καὶ πίνων ⸆ κρίμα ἑαυτῷ ἐσθίει
καὶ πίνει μὴ διακρίνων τὸ σῶμα⸆¹. **30** διὰ τοῦτο ἐν ὑμῖν
15,6 πολλοὶ ἀσθενεῖς καὶ ἄρρωστοι καὶ κοιμῶνται ἱκανοί.
R 14,22s **31** εἰ ⸀δὲ ἑαυτοὺς διεκρίνομεν, οὐκ ἂν ἐκρινόμεθα· **32** κρι-
1P 4,17 · H 12,5-7.10 νόμενοι δὲ ὑπὸ °[τοῦ] κυρίου παιδευόμεθα, ἵνα μὴ σὺν
τῷ κόσμῳ κατακριθῶμεν. **33** Ὥστε, ἀδελφοί μου,
συνερχόμενοι εἰς τὸ φαγεῖν ἀλλήλους ἐκδέχεσθε. **34** εἴ ⸆
τις πεινᾷ, ἐν οἴκῳ ἐσθιέτω, ἵνα μὴ εἰς κρίμα συνέρχησθε.
4,19! · 7,17! τὰ δὲ λοιπὰ ὡς ἂν ἔλθω διατάξομαι.

9,11; 14,1; 15,46 · R 1,13! **12** Περὶ δὲ τῶν πνευματικῶν, ἀδελφοί, οὐ θέλω ὑμᾶς ¶
G 4,8 1Th 1,9 ἀγνοεῖν. **2** Οἴδατε ⸂ὅτι ὅτε⸃ ἔθνη ἦτε πρὸς τὰ εἴ-
Hab 2,18s Ps 115,5 3Mcc 4,16 Act 17,29 | δωλα τὰ ⸀ἄφωνα ⸂¹ὡς ἂν ἤγεσθε⸃¹ ἀπαγόμενοι. **3** διὸ γνω-

24 ⸆(Mt 26,26) λαβετε φαγετε C^{3} Ψ 𝔐 t vg^{cl} sy ¦ *txt* 𝔓^{46} ℵ A B C* D F G 0199. 6. 33. 81*. 104. 630. 1175. 1241^{s}. 1739. 1881. 2464 *pc* it vgst co; Cyp Ambst Pel | ⸉ 𝔓^{46} lat | ° 𝔓^{46} | ⸆¹ κλωμενον ℵ^{2} C^{3} D^{2} F G Ψ 𝔐 sy ¦ θρυπτομενον D* ¦ διδομενον co ¦ *txt* 𝔓^{46} ℵ* A B C* 6. 33. 1739* *pc* vgst; Cyp ● **25** ⸂(L 22,20) αιμ. μου 𝔓^{46} A C P 33. 365. 1175. 1241^{s} *pc* ¦ *txt* ℵ B D F G Ψ 𝔐 ● **26** ⸆τουτο 𝔓^{46} ℵ^{2} C^{3} D^{1} Ψ 𝔐 a t sy bo ¦ *txt* ℵ* A B C* D* F G 33. 630. 1739*. 1881. 2464 *pc* lat sa; Cyp ● **27** ⸆τουτον I^{vid} 𝔐 a vg^{cl} bo; Ambst ¦ *txt* 𝔓^{46} ℵ A B C D F G Ψ 33. 1175. 1739*. 2464. 2495 *pc* lat sy^{h} sa | ⸆¹ του κυριου ℵ D^{2} L 326 *al* sy^{h}; Ambst ● **29** ⸆αναξιως ℵ^{2} C^{2} D F G Ψ 𝔐 latt sy ¦ *txt* 𝔓^{46} ℵ* A B C* 6. 33. 1739 *pc* co | ⸆¹ του κυριου ℵ^{2} C^{3} D F G (Ψ, 1241^{s}) 𝔐 it vg^{cl} sy; Ambst ¦ *txt* 𝔓^{46} ℵ* A B C* 6. 33. 1739. 1881* *pc* vgst co; Pel ● **31** ⸀γαρ ℵ^{2} C Ψ 𝔐 sy ¦ *txt* 𝔓^{46} ℵ* A B D F G 33. 1739 *pc*; Cl ● **32** ° 𝔓^{46} A D F G Ψ 𝔐 ¦ *txt* ℵ B C 33. 104. 1175 *pc*; Cl ● **34** ⸆δε ℵ^{2} D^{2} Ψ 𝔐 b vg^{mss} sy; Cl ¦ *txt* 𝔓^{46} ℵ* A B C D* F G 33. 81. 1241^{s} *pc* lat; Ambst

¶ **12,2** ⸂ *2* K* 2464 *pc* ¦ *1* F G 629 *al* a b d vg^{mss} sy^{p}; Ambst Pel | ⸀αμορφα F G (a b; Ambst) Pel | ⸂¹ως ανηγεσθε B^{2} F G^{c} 1241^{s} *al* ¦ ωσαν ηγ. G* latt [Bengel *cj*]

ρίζω ὑμῖν ὅτι οὐδεὶς ἐν πνεύματι θεοῦ °λαλῶν λέγει⸂· R 8,9 1J 4,2s
Ἀνάθεμα Ἰησοῦς⸃, καὶ οὐδεὶς δύναται εἰπεῖν⸄· Κύριος Nu 21,3 Mc 9,39 · Mt 7,21! J 13,13
Ἰησοῦς⸅, εἰ μὴ ἐν πνεύματι ἁγίῳ. R 10,9! 1J 5,1 |
4 Διαιρέσεις δὲ χαρισμάτων εἰσίν, τὸ δὲ αὐτὸ πνεῦμα· 11; 1,7 R 12,6 H 2,4 · E 4,4 |
5 καὶ διαιρέσεις διακονιῶν εἰσιν, καὶ ὁ αὐτὸς κύριος· 28! · 8,6
6 καὶ διαιρέσεις ἐνεργημάτων εἰσίν, ⸂ὁ δὲ⸃ αὐτὸς ⸄θεὸς G 2,8
ὁ ἐνεργῶν⸅ τὰ πάντα ἐν πᾶσιν. **7** ἑκάστῳ δὲ δίδοται ἡ 11 E 1,11 Ph 2,13
φανέρωσις τοῦ πνεύματος πρὸς τὸ συμφέρον. **8** ᾧ μὲν 6,12! 14,26
γὰρ διὰ τοῦ πνεύματος δίδοται λόγος σοφίας, ἄλλῳ δὲ 2,6ss
λόγος γνώσεως κατὰ τὸ αὐτὸ πνεῦμα, **9** ἑτέρῳ ⸆ πίστις 14,6 | 13,2 Mt 17,28
ἐν τῷ αὐτῷ πνεύματι, ἄλλῳ δὲ ⸀χαρίσματα ἰαμάτων ἐν τῷ 28.30
⸁ἑνὶ πνεύματι, **10** ἄλλῳ δὲ ⸂ἐνεργήματα δυνάμεων⸃, ἄλλῳ 2K 12,12
°[δὲ] προφητεία, ἄλλῳ °[δὲ] ⸀διακρίσεις πνευμάτων, ἑτέ- 11,4; 14,1ss
ρῳ ⸆ γένη γλωσσῶν, ἄλλῳ δὲ ⸁ἑρμηνεία γλωσσῶν· 28; 14,26 Act 2,4
11 πάντα δὲ ταῦτα ἐνεργεῖ τὸ ἓν καὶ τὸ αὐτὸ πνεῦμα διαι- 6!
ροῦν °ἰδίᾳ ἑκάστῳ καθὼς βούλεται. R 12,3!
12 Καθάπερ γὰρ τὸ σῶμα ἕν ἐστιν καὶ μέλη πολλὰ R 12,4! 5!
ἔχει, πάντα δὲ τὰ μέλη τοῦ σώματος ⸆ πολλὰ ὄντα ἕν
ἐστιν σῶμα, οὕτως καὶ ὁ Χριστός· **13** καὶ γὰρ ἐν ἑνὶ
πνεύματι ἡμεῖς πάντες εἰς ἓν σῶμα ἐβαπτίσθημεν, εἴτε
Ἰουδαῖοι εἴτε Ἕλληνες εἴτε δοῦλοι εἴτε ἐλεύθεροι, καὶ G 3,28!
πάντες ⸆ ἓν ⸂πνεῦμα ἐποτίσθημεν⸃. **14** Καὶ γὰρ τὸ
σῶμα οὐκ ἔστιν ἓν μέλος ἀλλὰ πολλά. **15** ἐὰν εἴπῃ ὁ 20
πούς· ὅτι οὐκ εἰμὶ χείρ, οὐκ εἰμὶ ἐκ τοῦ σώματος, οὐ παρὰ τοῦτο οὐκ ἔστιν ἐκ τοῦ σώματος; **16** καὶ ἐὰν εἴπῃ τὸ

3 ° D F G a; Ambst Spec | ⸂Α. -σουν 𝔓^{46} D G Ψ 𝔐 a vg^{mss}; Ambst ¦ Α. -σου F 629 *pc* lat; Spec ¦ *txt* א A B C 6. 33. 81. 1175^{c}. 1241^{s}. 1739. 1881 *pc* t; Did | ⸄-ιον -σουν D F G Ψ 𝔐 a b vg^{mss}; Ambst Pel Spec ¦ *txt* 𝔓^{46} א A B C 6. 33. 81. 104. 1241^{s}. 1739. 1881 *pc* f t vg • **6** ⸂και ο 𝔓^{46} B C 81. 365. 630. 1175. (1241^{s}). 1739 *pc* ¦ *txt* א A (D F G) Ψ 𝔐 latt sy$^{(p)}$; Epiph | ⸄θ. ο εν. εστιν B 1739 ¦ εστιν θ. (⸉1175. 2495) ο εν. א^{2} 𝔐 ¦ *txt* 𝔓^{46} א* A C D F G P Ψ 33. 81. 365. 630. 1881. 2464 *pc* latt; Epiph • **9** ⸆δε 𝔓^{46} א^{2} A C D^{2} Ψ 𝔐 sy^{h}; Or ¦ *txt* א* B D* F G 6. 1739 *pc* latt sy^{p}; Cl Did | ⸀-μα lat | ⸁αυτω א C^{3} D F G 0201 𝔐 sy ¦ – 𝔓^{46} ¦ *txt* A B 33. 81. 104. 630. 1175. (1739). 1881. 2464 *pc* lat; Ambst (C* *om.* εν … πν., Ψ *om.* ιαμ. … πν.) • **10** ⸂ενεργεια (-γηματα 𝔓^{46}) δυναμεως 𝔓^{46} D F G b ¦ *txt* א A B C Ψ 𝔐 lat sy^{h} | °*bis* 𝔓^{46} B D F G 0201. 6. 630. 1739. (1881) *pc* latt; Cl ¦ *txt* א A C Ψ 𝔐 sy | ⸀-σις א C D* F G P 0201. 33. 1175 *pc* latt sy^{p} sa; Cl ¦ *txt* 𝔓^{46} A B D^{2} Ψ 𝔐 sy^{h} bo | ⸆δε א^{2} A C Ψ 𝔐 sy ¦ *txt* 𝔓^{46} א* B D F G P 0201. 6. 630. 1739. 1881 *pc* latt; Cl | ⸁διερμ- A D* • **11** ° 𝔓^{46} D* F G 0201^{vid}. 1175 latt sy^{p} ¦ *txt* א A B C D^{2} Ψ 𝔐 sy^{h} • **12** ⸆του ενος א^{2} D Ψ 𝔐 b sa^{ms}; Ambst ¦ *txt* 𝔓^{46vid} א* A B C F G L P 33. 81. 104. 365. 1175. 1241^{s}. 1739. 1881. 2464. 2495 *al* lat sy sa^{mss} bo • **13** ⸆εις D^{2} L 326. 614. 945. 2464 *pm* f vg^{cl} | ⸂πομα εποτ. 630. 1881. 2495 *al* sy^{h}; Cl ¦ σωμα εσμεν A

οὖς· ὅτι οὐκ εἰμὶ ὀφθαλμός, οὐκ εἰμὶ ἐκ τοῦ σώματος,
οὐ παρὰ τοῦτο οὐκ ἔστιν ἐκ τοῦ σώματος; **17** εἰ ὅλον τὸ
σῶμα ὀφθαλμός, ποῦ ἡ ἀκοή; εἰ ὅλον ἀκοή, ποῦ ἡ ὄσφρη-
σις; **18** ⸀νυνὶ δὲ ὁ θεὸς ἔθετο τὰ μέλη, ἓν ἕκαστον αὐτῶν
15,38 Ap 4,11 ἐν τῷ σώματι καθὼς ἠθέλησεν. **19** εἰ δὲ ἦν ⸰τὰ πάντα ἓν
14 μέλος, ποῦ τὸ σῶμα; **20** νῦν δὲ πολλὰ ⸰μὲν μέλη, ἓν δὲ
σῶμα. **21** οὐ δύναται ⸰δὲ ὁ ὀφθαλμὸς εἰπεῖν τῇ χειρί·
χρείαν σου οὐκ ἔχω, ἢ πάλιν ἡ κεφαλὴ τοῖς ποσίν· χρείαν ὑμῶν οὐκ ἔχω· **22** ἀλλὰ πολλῷ μᾶλλον τὰ δοκοῦντα
μέλη τοῦ σώματος ἀσθενέστερα ὑπάρχειν ἀναγκαῖά ἐστιν,
23 καὶ ἃ δοκοῦμεν ἀτιμότερα εἶναι τοῦ σώματος τούτοις
τιμὴν περισσοτέραν περιτίθεμεν, καὶ τὰ ἀσχήμονα ἡμῶν
εὐσχημοσύνην περισσοτέραν ἔχει, **24** τὰ δὲ εὐσχήμονα
ἡμῶν οὐ χρείαν ἔχει⸆. ἀλλὰ ὁ θεὸς συνεκέρασεν τὸ
σῶμα τῷ ⸀ὑστερουμένῳ περισσοτέραν δοὺς τιμήν, **25** ἵνα
R 12,5! μὴ ᾖ ⸀σχίσμα ἐν τῷ σώματι ἀλλὰ τὸ αὐτὸ ὑπὲρ ἀλλήλων
μεριμνῶσιν τὰ μέλη. **26** καὶ ⸀εἴτε πάσχει ἓν μέλος, συμ-
πάσχει πάντα τὰ μέλη· εἴτε δοξάζεται ⸰[ἓν] μέλος, συγχαίρει πάντα τὰ μέλη. **27** Ὑμεῖς δέ ἐστε σῶμα
Χριστοῦ καὶ μέλη ἐκ ⸀μέρους. **28** Καὶ οὓς μὲν ἔθετο ὁ
5 E 4,11s; 2,20; 3,5 · θεὸς ἐν τῇ ἐκκλησίᾳ πρῶτον ἀποστόλους, δεύτερον προ-
Act 13,1 2T 1,11 · 9! · φήτας, τρίτον διδασκάλους, ἔπειτα δυνάμεις, ἔπειτα χα-
10! ρίσματα ἰαμάτων, ἀντιλήμψεις, κυβερνήσεις, γένη γλωσ-
σῶν. **29** μὴ πάντες ἀπόστολοι; μὴ πάντες προφῆται; μὴ
πάντες διδάσκαλοι; μὴ πάντες δυνάμεις; **30** μὴ πάντες
9! χαρίσματα ἔχουσιν ἰαμάτων; μὴ πάντες γλώσσαις λαλοῦ-
14,1.12 σιν; μὴ πάντες διερμηνεύουσιν; **31** ζηλοῦτε δὲ τὰ χαρίσματα τὰ ⸀μείζονα.

Καὶ ⸂ἔτι καθ᾽ ὑπερβολὴν ὁδὸν ὑμῖν δείκνυμι.

13 Ἐὰν ταῖς γλώσσαις τῶν ἀνθρώπων λαλῶ καὶ τῶν
2K 12,4 ἀγγέλων, ἀγάπην δὲ μὴ ἔχω, γέγονα χαλκὸς ἠχῶν
Ps 150,5 𝔊 | Mt 7,22 ἢ κύμβαλον ἀλαλάζον. **2** καὶ ἐὰν ἔχω προφητείαν καὶ

18 ⸀† νυν A B D* F G 2495 *pc* ¦ *txt* 𝔓^{46} ℵ C D^{1} Ψ 𝔐 • **19** ⸰ B F G 33 • **20** ⸰ 𝔓^{46*} B D* K 6. 1241^{s} *pc* a b vg^{ms} • **21** ⸰ A C F G P 33. 104. 326. 365. 614 *al* lat sy^{p} ¦ *txt* 𝔓^{46} ℵ B D Ψ 𝔐 vg^{cl} sy^{h}; Ambst • **24** ⸆ τιμης D F G sy^{p} | ⸀ -ρουντι 𝔓^{46} ℵ^{2} D F G Ψ 𝔐 ¦ *txt* ℵ* A B C 048. 6. 33. 630. 1241^{s}. 1739. 1881 *pc*; Epiph • **25** ⸀ -ματα ℵ D* F G L 323. 2464 *pm* a vg^{ms} • **26** ⸀ ει τι (𝔓^{46}: ετι) B F G Ψ 1175. 1739 *pc* latt sy^{h} | ⸰† 𝔓^{46} ℵ* A B 1739 ¦ *txt* ℵ^{2} C D F G Ψ 𝔐 latt sy • **27** ⸀ μελους D* Ψ t vg sy^{h}; Did Ambst Epiph • **31** ⸀ κρει(ττ)ονα D F G Ψ 𝔐 it vg^{cl} bo^{mss}; Ambst Pel Spec ¦ *txt* 𝔓^{46} ℵ A B C 6. 33. 81. 104. 326. 365. 630. 1175. 1241^{s}. 1739. 1881 *pc* vgst co | ⸂ ει τι 𝔓^{46} D* (F G)

εἰδῶ τὰ μυστήρια πάντα καὶ πᾶσαν τὴν γνῶσιν καὶ ἐὰν
ἔχω πᾶσαν τὴν πίστιν ὥστε ὄρη ⸀μεθιστάναι, ἀγάπην δὲ
μὴ ἔχω, οὐθέν εἰμι. **3** κἂν ψωμίσω πάντα τὰ ὑπάρχοντά
μου καὶ ἐὰν παραδῶ τὸ σῶμά μου ἵνα ⸀καυχήσωμαι,
ἀγάπην δὲ μὴ ἔχω, οὐδὲν ὠφελοῦμαι.

4 Ἡ ἀγάπη μακροθυμεῖ, χρηστεύεται⁚ ἡ ἀγάπη⁚[1], οὐ
ζηλοῖ, ⸋[ἡ ἀγάπη]⸌ οὐ περπερεύεται, οὐ φυσιοῦται, **5** οὐκ
⸀ἀσχημονεῖ, οὐ ζητεῖ ⸁τὰ ἑαυτῆς, οὐ παροξύνεται, οὐ λογίζεται τὸ κακόν, **6** οὐ χαίρει ἐπὶ τῇ ἀδικίᾳ, συγχαίρει
δὲ τῇ ἀληθείᾳ· **7** πάντα στέγει, πάντα πιστεύει, πάντα
ἐλπίζει, πάντα ὑπομένει.

8 Ἡ ἀγάπη οὐδέποτε ⸀πίπτει· εἴτε δὲ ⸂προφητεῖαι, κατ-
αργηθήσονται⸃· εἴτε γλῶσσαι, παύσονται· εἴτε ⸄γνῶ-
σις, καταργηθήσεται⸅. **9** ἐκ μέρους γὰρ γινώσκομεν καὶ
ἐκ μέρους προφητεύομεν· **10** ὅταν δὲ ἔλθῃ τὸ τέλειον,
⸆ τὸ ἐκ μέρους καταργηθήσεται. **11** ὅτε ἤμην νήπιος,
ἐλάλουν ὡς νήπιος, ἐφρόνουν ὡς νήπιος, ἐλογιζόμην ὡς
νήπιος· ὅτε ⸆ γέγονα ἀνήρ, κατήργηκα τὰ τοῦ νηπίου.
12 βλέπομεν γὰρ ἄρτι ⸂δι’ ἐσόπτρου⸃ ἐν αἰνίγματι, τότε
δὲ πρόσωπον πρὸς πρόσωπον· ἄρτι γινώσκω ἐκ μέρους,
τότε δὲ ἐπιγνώσομαι καθὼς καὶ ἐπεγνώσθην. **13** Νυνὶ δὲ μένει ⸉πίστις, ἐλπίς, ἀγάπη, τὰ τρία ταῦτα⸊· μείζων δὲ τούτων ἡ ἀγάπη.

14 Διώκετε τὴν ἀγάπην, ζηλοῦτε δὲ τὰ πνευματικά,
μᾶλλον δὲ ἵνα προφητεύητε. **2** ὁ γὰρ λαλῶν γλώσσῃ οὐκ ἀνθρώποις λαλεῖ ἀλλὰ ⸆ θεῷ· οὐδεὶς γὰρ ἀκούει,
⸀πνεύματι δὲ λαλεῖ μυστήρια· **3** ὁ δὲ προφητεύων ἀν-

14,2! · 12,8 Kol 2,3 · 12,9 Mt 17,20! Mt 6,2 Dn 3,19s E 4,2 1Th 5,15 4,6!; 8,1 10,24.33 Ph 2,4. 21 · Zch 8,17 2K 13,8 | 9,12 Jc 1,23 · Nu 12,8 Gn 32,31 2K 5,7 8,2s G 4,9 2T 2, 19 J 10,14! 3Esr 4,38 · Kol 1,4s 1Th 1,3; 5,8 H 10,22-24 · R 8,35-39 | 12; 12,31 · 12,1! · 39; 11,4s; 12,10 1Th 5,20 | Mc 16,17! · 28 · 2,1.7; 4,1; 13,2; 15,51 R 11,25; 16,25! |

¶ **13,2** ⸀-νειν A C Ψ 𝔐 ¦ *txt* 𝔓[46] א[1] B D F G 048. 33. 81. 104. 326. 1175. 1241[s]. 1739. 1881 *pc* (א*: *h. t.*) ● **3** ⸀† καυθησομαι C D F G L 6. 81. 104. 630. 945. 1175. 1881* *al* latt; Tert Ambst Hier[mss] ¦ -θησωμαι Ψ 𝔐 ¦ *txt* 𝔓[46] א A B 048. 33. 1739* *pc* co; Hier[mss] ● **4** [⁚, *et* ⁚[1] –] | ⸋ B 33. 104. 629. 1175. 2464 *pc* lat sa bo[ms]; Cl Ambst ¦ *pon. p.* περπ. 𝔓[46] ¦ *txt* א A C D F G Ψ 048 𝔐 ● **5** ⸀ευσχ- 𝔓[46] (1241[s]: αυσχ-) | ⸁το 𝔓[46]* ¦ το μη 𝔓[46c] B ● **8** ⸀εκπιπ- א[2] D F G Ψ 𝔐 lat ¦ *txt* 𝔓[46] א* A B C 048. 0243. 33. 1241[s]. 1739 *pc* (g) co | ⸂-εια, -σεται B | ⸄-σεις, -σονται (א) A D[1] F G (33). 365 *pc* a vg[ms] sa[ms] ● **10** ⸆ τοτε D[2] 𝔐 sy ¦ *txt* 𝔓[46] א A B D* F G P Ψ 0243. 6. 33. 81. 104. 365. 1175. 1241[s]. 1739. 1881 *al* latt co; Or ● **11** ⸆δε א[2] D[2] F G Ψ 𝔐 b vg[cl] sy; Tert Epiph ¦ *txt* א* A B D* K 048. 0243. 6. 1739 *pc* a vg[st]; Ambst Pel ● **12** ⸂ως δι εσ. D 0243. 81. 630. 1175. 1739. 1881. 2464 *al* sy[p.h**] ¦ δι εσ. ως 33 ¦ δι εσ. και L P *pc* a; (Ir[lat]) Or Did ● **13** ⸉ *4–6 1–3* 𝔓[46] (sy[p]); Cl

¶ **14,2** ⸆τω א[2] A D[2] Ψ 0243 𝔐 ¦ *txt* 𝔓[46] א* B D* F G P 6. 630. 1739 *pc* | ⸀πνευμα F G b vg[mss]

Act 9,31 R 12,8 1Th 2,12 θρώποις λαλεῖ οἰκοδομὴν καὶ παράκλησιν καὶ παραμυ-
θίαν. **4** ὁ λαλῶν γλώσσῃ ἑαυτὸν οἰκοδομεῖ· ὁ δὲ προφη-
12! τεύων ἐκκλησίαν ⸆ οἰκοδομεῖ. **5** θέλω δὲ πάντας ὑμᾶς
Nu 11,29 λαλεῖν γλώσσαις, μᾶλλον δὲ ἵνα προφητεύητε· μείζων
13; 12,10 δὲ ὁ προφητεύων ἢ ὁ λαλῶν γλώσσαις ἐκτὸς εἰ μὴ ⸀διερ-
12 μηνεύῃ, ἵνα ἡ ἐκκλησία οἰκοδομὴν λάβῃ.

6 Νῦν δέ, ἀδελφοί, ἐὰν ἔλθω πρὸς ὑμᾶς γλώσσαις λα-
26 λῶν, τί ὑμᾶς ὠφελήσω ἐὰν μὴ ὑμῖν λαλήσω ἢ ἐν ἀποκα-
12,8 λύψει ἢ ἐν γνώσει ἢ ἐν προφητείᾳ ἢ °[ἐν] διδαχῇ; **7** ὅ-
Ap 5,8! μως τὰ ἄψυχα φωνὴν διδόντα, εἴτε αὐλὸς εἴτε κιθάρα,
ἐὰν διαστολὴν ⸂τοῖς φθόγγοις⸃ μὴ δῷ, πῶς γνωσθήσεται
τὸ αὐλούμενον ἢ τὸ κιθαριζόμενον; **8** καὶ γὰρ ἐὰν ἄδη-
λον ⸉σάλπιγξ φωνὴν⸊ δῷ, τίς παρασκευάσεται εἰς πόλεμον; **9** οὕτως καὶ ὑμεῖς διὰ τῆς γλώσσης ἐὰν μὴ εὔσημον
λόγον δῶτε, πῶς γνωσθήσεται τὸ λαλούμενον; ἔσεσθε
9,26 γὰρ εἰς ἀέρα λαλοῦντες. **10** τοσαῦτα εἰ τύχοι γένη φω-
νῶν εἰσιν ἐν κόσμῳ καὶ οὐδὲν ⸆ ἄφωνον· **11** ἐὰν οὖν μὴ
εἰδῶ τὴν δύναμιν τῆς φωνῆς, ἔσομαι τῷ λαλοῦντι βάρβαρος καὶ ὁ λαλῶν °ἐν ἐμοὶ βάρβαρος. **12** οὕτως καὶ ὑμεῖς,
1-4; 12,31 · 5 ἐπεὶ ζηλωταί ἐστε ⸀πνευμάτων, πρὸς τὴν οἰκοδομὴν τῆς
R 14,19! ἐκκλησίας ζητεῖτε ἵνα ⸁περισσεύητε.

5.27s; 12,10 **13** ⸀Διὸ ὁ λαλῶν γλώσσῃ προσευχέσθω ἵνα διερμηνεύῃ.
14 ἐὰν °[γὰρ] προσεύχωμαι γλώσσῃ, τὸ πνεῦμά μου προσεύχεται, ὁ δὲ νοῦς μου ἄκαρπός ἐστιν. **15** τί οὖν ἐστιν;
⸀προσεύξομαι τῷ πνεύματι, ⸁προσεύξομαι δὲ καὶ τῷ νοΐ·
E 5,19 ψαλῶ τῷ πνεύματι, ψαλῶ °δὲ καὶ τῷ νοΐ. **16** ἐπεὶ ἐὰν ⸀εὐ-

4 ⸆θεου F G vg^{cl} ● **5** ⸀-νευει (Ψ) 𝔐 ¦ τις -νευει 0243. 2495 *pc* ¦ -νευων D* ¦ ῇ ο δι-νευων F G ¦ *txt* 𝔓^{46} ℵ A B D^{2} K P 048. 33. 365. 629. 1739. 1881 *al* lat ● **6** °† 𝔓^{46} ℵ* D* F G 0243. 630. 1739. 1881 *pc* vg^{mss}; Pel ¦ *txt* ℵ^{2} A B D^{2} Ψ 048 𝔐 lat; Cl Ambst ● **7** ⸂φθογγου B a b (d) bo; Ambst Pel ● **8** ⸉ B D F G Ψ 𝔐 latt ¦ *txt* 𝔓^{46} ℵ A P 048. 0243. 33. 81. 104. 630. 1241^{s}. 1739. 1881. 2464. 2495 *al* ● **10** ⸆ταυτων ℵ^{2} D^{2} Ψ 𝔐 a g vg^{mss} sy ¦ *txt* 𝔓^{46} ℵ* A B D* F G P 048^{vid}. 0243. 6. 81. 365. 1175. 1241^{s}. 1739. 1881. 2464 *al* b vg co; Ambst ● **11** ° 𝔓^{46} D F G 0243. 6. 81. 945. 1175. 1739. 1881. (2495) *pc* latt co?; Cl ¦ *txt* ℵ A B Ψ 𝔐 (1241 *h. t.*) ● **12** ⸀-ματικων P 1175 *pc* a r vg^{mss} sy^{p} co; Pel Spec | ⸁προφητευητε A I *pc*; Ambst ● **13** ⸀διοπερ ℵ^{2} Ψ 𝔐 ¦ *txt* 𝔓^{46} ℵ* A B D^{s} F G P 048. 0243. 33. 81. 630. 1241^{s}. 1739. 1881. 2464 *pc* ● **14** ° 𝔓^{46} B F G 0243. 1739. 1881 *pc* b sa; Ambst ¦ *txt* ℵ A D^{s} Ψ 048 𝔐 lat sy bo ● **15** ⸀-ξωμαι ℵ A D^{s} F G P 33. 1241^{s}. 1739. 2464 *al et* ⸁-ξωμαι A D^{s} F G P 33. (1175). 2464 *al* ¦ *txt* (ℵ) B Ψ 0243 𝔐 latt | ° B F G *pc* latt; Epiph^{pt} ● **16** ⸀-γησης 𝔓^{46} F G 048 𝔐 ¦ *txt* ℵ A B D^{s} P Ψ 0243. 6. 33. 81. 104. 365. 1175. 1241^{s}. 1739. 1881. 2464 *al*

λογῇς ⸁[ἐν] πνεύματι, ὁ ἀναπληρῶν τὸν τόπον τοῦ ἰδιώ-
του πῶς ἐρεῖ τὸ ἀμὴν ἐπὶ τῇ σῇ εὐχαριστίᾳ; ἐπειδὴ τί 2K 1,20 1Chr 16,36 etc
λέγεις οὐκ οἶδεν· **17** σὺ μὲν γὰρ καλῶς εὐχαριστεῖς ἀλλ'
ὁ ἕτερος οὐκ οἰκοδομεῖται. **18** Εὐχαριστῶ τῷ θεῷ⸆, 1,14
πάντων ὑμῶν μᾶλλον ⸀γλώσσαις ⸁λαλῶ· **19** ἀλλὰ ἐν ἐκκλησίᾳ θέλω πέντε λόγους ⸂τῷ νοΐ μου⸃ λαλῆσαι, ἵνα καὶ
ἄλλους κατηχήσω, ἢ μυρίους λόγους ἐν γλώσσῃ.
20 Ἀδελφοί, μὴ παιδία γίνεσθε ταῖς φρεσὶν ἀλλὰ τῇ 13,11 · Jr 4,22 R 16,19 · E 4,14 ·
κακίᾳ νηπιάζετε, ταῖς δὲ φρεσὶν τέλειοι γίνεσθε. **21** ἐν 2,6 Mt 5,48! |
τῷ νόμῳ γέγραπται ὅτι
⸀*ἐν ἑτερογλώσσοις καὶ ἐν χείλεσιν* ⸁*ἑτέρων λαλήσω τῷ* *Is 28,11s*
λαῷ τούτῳ
καὶ οὐδ' οὕτως *εἰσακούσονταί* μου, λέγει κύριος.
22 ὥστε αἱ γλῶσσαι εἰς σημεῖόν εἰσιν οὐ τοῖς πιστεύ- Mt 12,39
ουσιν ἀλλὰ τοῖς ἀπίστοις, ἡ δὲ προφητεία οὐ τοῖς ἀπίστοις ἀλλὰ τοῖς πιστεύουσιν. **23** Ἐὰν οὖν ⸀συνέλθῃ ἡ 11,20!
ἐκκλησία ὅλη ἐπὶ τὸ αὐτὸ καὶ πάντες λαλῶσιν γλώσ-
σαις, εἰσέλθωσιν δὲ ἰδιῶται ἢ ἄπιστοι, οὐκ ἐροῦσιν ὅτι Act 4,13; 2,13
μαίνεσθε; **24** ἐὰν δὲ πάντες προφητεύωσιν, εἰσέλθῃ δέ
τις ἄπιστος ἢ ἰδιώτης, ἐλέγχεται ὑπὸ πάντων, ἀνακρί- J 16,8 E 5,13 · 2,15 |
νεται ὑπὸ πάντων, **25** ⸆ τὰ κρυπτὰ τῆς ⸀καρδίας αὐτοῦ 4,5 2K 4,2 Dn 2,47 1P 3,4 ·
φανερὰ γίνεται, καὶ οὕτως πεσὼν ἐπὶ πρόσωπον προσ- 1Rg 18,39
κυνήσει τῷ θεῷ ἀπαγγέλλων ὅτι *ὄντως* °*ὁ θεὸς ἐν ὑμῖν* *Is 45,14* Zch 8,23
ἐστιν.
26 Τί οὖν ἐστιν, ἀδελφοί; ὅταν συνέρχησθε, ἕκαστος ⸆ 11,18
ψαλμὸν ἔχει, διδαχὴν ἔχει, ἀποκάλυψιν ἔχει, γλῶσσαν 6; 12,7-10
ἔχει, ἑρμηνείαν ἔχει· πάντα πρὸς οἰκοδομὴν γινέσθω. 13! · 12! E 4,12!
27 εἴτε γλώσσῃ τις λαλεῖ, κατὰ δύο ἢ τὸ πλεῖστον τρεῖς
καὶ ἀνὰ μέρος, καὶ εἷς διερμηνευέτω· **28** ἐὰν δὲ μὴ ᾖ

16 ⸁τω Ψ 𝔐 ¦ – 𝔓[46] ℵ* A F G 0243. 33. 629. 1241[s]. 1739. 1881 *al* ¦ *txt* ℵ[2] B D[s] P 81. 365. 1175 *pc* ● **18** ⸆μου K L 326. 614. 629. 945 *al* (vg[cl]) sa ¦ οτι F G lat; Pel ¦ υπερ 𝔓[46] (*pc*) | ⸀-σση ℵ A D[s] F G 33 *pc* latt bo | ⸁λαλων 𝔐 ¦ λαλειν 𝔓[46] ¦ – A ¦ *txt* ℵ B D[s] F G P Ψ 048. 0243. 6. 33. 81. 104. 365. 1175. 1739. 1881 *pc* latt ● **19** ⸂εν τω ν. μ. 𝔓[46] ¦ δια του νοος μου 048[vid] 𝔐 d sy[h] ¦ δια τον νομον (a) b; Ambst ¦ *txt* ℵ A B D[s] (F G) P Ψ 0243. (⸉ 33). 81. 104. 630. 1175. 1241[s]. 1739. 1881. 2464 *pc* lat; Epiph ● **21** ⸀εαν 𝔓[46] | ⸁-ροις 𝔓[46] D[s] F G 𝔐 lat sy[(p)] co; Epiph ¦ *txt* ℵ A B Ψ 0201. 0243. 6. 33. 81. 104. 326. 1241[s]. 1739. 2464 *pc* ● **23** ⸀ελθη 𝔓[46vid] B F[c] G* ● **25** ⸆και ουτω(ς) Ψ 𝔐 sy[(p)] ¦ *txt* 𝔓[46] ℵ A B D F G 048. 0201. 0243. 6. 33. 81. 104. 365. 1175. 1241[s]. 1739. 2464 *al* latt co | ⸀διανοιας 𝔓[46] | °ℵ* D* F G Ψ 0243. 1739 *pc* ¦ *txt* (𝔓[46]) ℵ[c] A B D[2] 𝔐 ● **26** ⸆υμων ℵ[2] D F G Ψ 𝔐 latt sy ¦ *txt* 𝔓[46] ℵ* A B 0201. 0243. 33. 81. 630. 1175. 1241[s]. 1739. 1881 *pc* co

2 ⸀διερμηνευτής, σιγάτω ἐν ἐκκλησίᾳ, ἑαυτῷ δὲ λαλείτω
1Th 5,19-21 καὶ τῷ θεῷ. **29** προφῆται δὲ δύο ἢ τρεῖς λαλείτωσαν καὶ
οἱ ἄλλοι διακρινέτωσαν· **30** ἐὰν δὲ ἄλλῳ ἀποκαλυφθῇ
καθημένῳ, ὁ πρῶτος σιγάτω. **31** δύνασθε γὰρ καθ' ἕνα
⸀πάντες προφητεύειν, ἵνα πάντες μανθάνωσιν καὶ πάντες
Ap 22,6 παρακαλῶνται. **32** καὶ ⸀πνεύματα προφητῶν προφήταις
R 15,33! ὑποτάσσεται, **33** οὐ γάρ ἐστιν ἀκαταστασίας ⸂ὁ θεὸς⸃
ἀλλὰ εἰρήνης.
33b-36: 11,3 1T 2,11s E 5,22-24 Tt 2,5 1P 3,1.5 · 4,17! | cf 11,5 Ὡς ἐν πάσαις ταῖς ἐκκλησίαις τῶν ἁγίων **34** ⸂αἱ γυ-
ναῖκες ⸆ ἐν ταῖς ἐκκλησίαις σιγάτωσαν· οὐ γὰρ ⸀ἐπιτρέ-
Gn 3,16 πεται αὐταῖς λαλεῖν, ἀλλὰ ⸁ὑποτασσέσθωσαν⸆, καθὼς
καὶ ὁ νόμος λέγει. **35** εἰ δέ τι ⸀1μαθεῖν θέλουσιν, ἐν οἴκῳ
7,2 τοὺς ἰδίους ἄνδρας ἐπερωτάτωσαν· αἰσχρὸν γάρ °ἐστιν
γυναικὶ λαλεῖν ἐν ἐκκλησίᾳ.⸃ **36** ἢ ἀφ' ὑμῶν ὁ λόγος τοῦ
θεοῦ ἐξῆλθεν, ἢ εἰς ὑμᾶς μόνους κατήντησεν;

37 Εἴ τις δοκεῖ προφήτης εἶναι ἢ πνευματικός, ἐπιγι-
7,10! νωσκέτω ἃ γράφω ὑμῖν ὅτι ⸂κυρίου ἐστὶν ἐντολή⸃· **38** εἰ
δέ τις ἀγνοεῖ, ⸀ἀγνοεῖται. **39** Ὥστε, ἀδελφοί °[μου],
1! ζηλοῦτε τὸ προφητεύειν καὶ °1τὸ λαλεῖν ⸂μὴ κωλύετε
16,14 · 1Th 4,12! · Kol 2,5 γλώσσαις⸃· **40** πάντα δὲ εὐσχημόνως καὶ κατὰ τάξιν γινέσθω.⸆

G 1,11 **15** Γνωρίζω δὲ ὑμῖν, ἀδελφοί, τὸ εὐαγγέλιον ὃ εὐηγ- 9
11,23 1Th 2,13 · R 11,20! γελισάμην ὑμῖν, ὃ καὶ παρελάβετε, ἐν ᾧ καὶ ἑστήκατε, **2** δι' οὗ καὶ σῴζεσθε, τίνι λόγῳ εὐηγγελισάμην
ὑμῖν ⸂εἰ κατέχετε⸃, ἐκτὸς εἰ μὴ εἰκῇ ἐπιστεύσατε. **3** παρ-

28 ⸀ερμ- B (D* F G: ο ερμ-) 365 *pc* ● **31** ⸀εκαστοι 6 *pc* ¦ εκασ. παντ. 0243. 630. 1739. (1881) *pc* ¦ – 33. 2464 vg^{mss} ● **32** ⸀-μα D F G Ψ* 1241^{s} *pc* a b vg^{mss} sy^{p} ● **33** ⸂θ. 𝔓^{46} F G ¦ – Ambst ● **34/35** ⸂*vss* 34/35 *pon. p.* 40 D F G a b vg^{ms}; Ambst ¦ [– Straatman *cj*] | ⸆υμων (D F G) 𝔐 (a b) sy; Cyp (Ambst) ¦ *txt* ℵ A B Ψ 0243. 33. 81. 104. 365. 1175. 1241^{s}. 1739. 1881. 2464 *al* lat co | ⸀επιτετραπται Ψ 𝔐; Epiph ¦ *txt* ℵ A B (D F G) K 0243. 365. 630. 1175. 1241^{s}. 1739 *al* lat(t) | ⸁-σθαι (D F G) Ψ 0243 𝔐 lat(t) sy ¦ *txt* ℵ A B 33. 81. 365. (1175). 1241^{s}. 2464 *pc*; Epiph | ⸆τοις ανδρασιν A | ⸀1μανθανειν ℵ* A 33. 81. 104. 365. 1241^{s}. 2464. 2495 *pc* ¦ *txt* 𝔓^{46} ℵ^{2} B (D F G) Ψ 0243 𝔐 | ° 𝔓^{46} B 81
● **37** ⸂*1 3 2* ℵ* 81^{vid} ¦ *1 2* D* F G (*pc*) b; Ambst ¦ κυρ. εισιν εντολαι D^{2} Ψ 𝔐 lat sy sa ¦ θεου εστ. -λη A 1739^{c}. (1881) ¦ *txt* 𝔓^{46} ℵ^{2} B 048. 0243. 33. 1241^{s}. 1739* *pc* vg^{ms}
● **38** ⸀-ειτω 𝔓^{46} ℵ^{2} A^{c} B D^{2} Ψ 𝔐 sy ¦ *txt* ℵ* A*^{vid} D(*) (F G) 048. 0243. 6. 33. 1739 *pc* b co ● **39** ° 𝔓^{46} B^{2} D* F G Ψ 0243 𝔐 lat; Ambst ¦ *txt* ℵ A B* D^{1} 048. 326. 1175. 1241^{s}. 2464 *al* vg^{mss} sy | °1 𝔓^{46} B 0243. 630. 1739. 1881 *pc* ¦ *txt* ℵ A D F G Ψ 048 𝔐 | ⸂*3 1 2* D^{2} Ψ 𝔐 lat ¦ εν γλ. μη κ. D* F G sy ¦ μη κ. εν γλ. 𝔓^{46} B ¦ *txt* ℵ A P 048. 0243. 6. 33. 81. 630. 1241^{s}. 1739. 1881 *pc* ● **40** ⸆*hic vss* 34/35 *add.* D F G a b vg^{ms}; Ambst
¶ **15,2** ⸂οφειλετε κατεχειν D* F G a b t vg^{ms}; Ambst

ἔδωκα γὰρ ὑμῖν ἐν πρώτοις, ⸋ὃ καὶ παρέλαβον,⸌ ὅτι Χριστὸς ἀπέθανεν ὑπὲρ τῶν ἁμαρτιῶν ἡμῶν κατὰ τὰς γραφὰς
4 καὶ ὅτι ἐτάφη καὶ ὅτι ἐγήγερται τῇ ἡμέρᾳ τῇ τρίτῃ
κατὰ τὰς γραφὰς **5** καὶ ὅτι ὤφθη Κηφᾷ ⸀εἶτα τοῖς ⸁δώ-
δεκα· **6** ἔπειτα ὤφθη ἐπάνω πεντακοσίοις ἀδελφοῖς ἐφάπαξ, ἐξ ὧν οἱ πλείονες μένουσιν ἕως ἄρτι, τινὲς δὲ ⸆
ἐκοιμήθησαν· **7** ἔπειτα ὤφθη Ἰακώβῳ ⸀εἶτα τοῖς ἀποστόλοις πᾶσιν· **8** ἔσχατον δὲ πάντων ὡσπερεὶ τῷ ἐκτρώ-
ματι ὤφθη κἀμοί. **9** Ἐγὼ γάρ εἰμι ὁ ἐλάχιστος
τῶν ἀποστόλων ὃς οὐκ εἰμὶ ἱκανὸς καλεῖσθαι ἀπόστολος,
διότι ἐδίωξα τὴν ἐκκλησίαν τοῦ θεοῦ· **10** χάριτι δὲ θεοῦ
εἰμι ὅ εἰμι, καὶ ἡ χάρις αὐτοῦ ἡ εἰς ἐμὲ ⸂οὐ κενὴ ἐγενήθη⸃,
ἀλλὰ περισσότερον αὐτῶν πάντων ἐκοπίασα, οὐκ ἐγὼ δὲ
ἀλλὰ ἡ χάρις τοῦ θεοῦ °[ἡ] σὺν ἐμοί. **11** εἴτε οὖν ἐγὼ εἴτε
ἐκεῖνοι, οὕτως κηρύσσομεν καὶ οὕτως ἐπιστεύσατε.

12 Εἰ δὲ Χριστὸς κηρύσσεται ⸉ὅτι ἐκ νεκρῶν⸊ ἐγήγερται, πῶς λέγουσιν ἐν ὑμῖν τινες ὅτι ἀνάστασις νεκρῶν
οὐκ ἔστιν; **13** εἰ δὲ ἀνάστασις νεκρῶν οὐκ ἔστιν, οὐδὲ
Χριστὸς ἐγήγερται· **14** εἰ δὲ Χριστὸς οὐκ ἐγήγερται, κενὸν ἄρα °[καὶ] τὸ κήρυγμα ἡμῶν, κενὴ καὶ ἡ πίστις ⸀ὑ-
μῶν· **15** εὑρισκόμεθα δὲ καὶ ψευδομάρτυρες τοῦ θεοῦ, ὅτι
ἐμαρτυρήσαμεν κατὰ τοῦ θεοῦ ὅτι ἤγειρεν τὸν Χριστόν,
ὃν οὐκ ἤγειρεν ⸋εἴπερ ἄρα νεκροὶ οὐκ ἐγείρονται⸌. **16** εἰ
γὰρ νεκροὶ οὐκ ἐγείρονται, οὐδὲ Χριστὸς ἐγήγερται·
17 εἰ δὲ Χριστὸς οὐκ ἐγήγερται, ματαία ἡ πίστις ὑμῶν ⸆,
ἔτι ἐστὲ ἐν ταῖς ἁμαρτίαις ὑμῶν, **18** ἄρα καὶ οἱ κοιμη-
θέντες ἐν Χριστῷ ἀπώλοντο. **19** εἰ ἐν τῇ ζωῇ ταύτῃ ἐν
Χριστῷ ἠλπικότες ἐσμὲν μόνον, ἐλεεινότεροι πάντων ἀνθρώπων ἐσμέν.

20 Νυνὶ δὲ Χριστὸς ἐγήγερται ἐκ νεκρῶν ἀπαρχὴ τῶν

14.17 · 7,10!
Is 53,5s. 8s. 12 1P 3,18
Hos 6,2 Jon 2,1 Mt 16,21!
L 24,34 J 21,15ss · Mc 16,14p |
? Act 2,1ss
1Th 4,13-15
Act 12,17! · L 24, 50p |
9,1 Act 9,3p | Mt 5,19 E 3,8 1T 1,15
Act 8,3! | 3,10! Act 14,26 G 1,15 ·
2K 6,1
2K 11,5.23!
3,5
Mt 22,23!p 2T 2,18?
2!
1J 5,10
Act 1,22! · 6,14! Act 3,15!
2!
R 6,11
BarAp 21,13
4! · 23 Kol 1,18! Act 3,15; 26,23 · 1Th 4,13!

3 ⸋ b; Mcion Ir^{lat} Ambst • **5** ⸀επειτα ℵ A 33. 81. 614. 1175 *pc* ¦ και μετα ταυτα D* F G lat ¦ *txt* 𝔓^{46} B D^{2} Ψ 0243 𝔐; Or | ⸁(Mt 28,16) ενδ- D* F G latt sy^{hmg} • **6** ⸆ και ℵ^{2} A D^{2} Ψ 048 𝔐 ¦ *txt* 𝔓^{46} ℵ* B D* F G 0243. 6. 630. 1739. 1881 *pc* latt sy^{h}; Or • **7** ⸀επειτα 𝔓^{46} ℵ* A F G K 048. 0243. 33. 81. 614. 630. 1175. 1739. 1881 *al* ¦ *txt* ℵ^{2} B D Ψ 𝔐 • **10** ⸂πτωχη ουκ εγ. D* (F G: ου γεγονεν) b; Ambst | °† ℵ* B D* F G 0243. 0270*. 6. 1739 *pc* latt ¦ *txt* (𝔓^{46}) ℵ^{2} A D^{1} Ψ 𝔐 • **12** ⸉ *2 3 1* 𝔓^{46} D* F G 0270^{vid} • **14** °† 𝔓^{46} ℵ^{2} B Ψ 0243 𝔐 a b d sy; Ir^{lat} Ambst ¦ *txt* ℵ* A D F G K P 33. 81. 326. 1241^{s} *al*; Epiph | ⸀ημ- B D* 0243. 0270*. 6. 33. 81. 1241^{s}. 1739. 1881 *al* a vg^{mss} sa^{mss}; Epiph^{pt} • **15** ⸋ D *pc* a b r vg^{mss} sy^{p}; Ir^{lat} Tert Ambst • **17** ⸆† εστιν B D* ¦ *txt* 𝔓^{46} ℵ A D^{2} F G Ψ 048. 0243 𝔐

Gn 3,17 R 5,12.18 κεκοιμημένων⸆. **21** ἐπειδὴ γὰρ δι’ ἀνθρώπου θάνατος, καὶ
δι’ ἀνθρώπου ἀνάστασις νεκρῶν. **22** ὥσπερ γὰρ ἐν τῷ
Ἀδὰμ πάντες ἀποθνῄσκουσιν, οὕτως καὶ ἐν τῷ Χριστῷ
πάντες ζῳοποιηθήσονται. **23** Ἕκαστος δὲ ἐν τῷ ἰδίῳ
20! · G 5,24 · 1Th 4,16 R 8,10s · 1Th 2,19! τάγματι· ἀπαρχὴ Χριστός, ἔπειτα οἱ τοῦ Χριστοῦ ἐν τῇ
παρουσίᾳ αὐτοῦ, **24** εἶτα τὸ τέλος, ὅταν ⸀παραδιδῷ τὴν
Dn 2,44 E 1,21! βασιλείαν τῷ θεῷ καὶ πατρί, ὅταν καταργήσῃ πᾶσαν ἀρχὴν καὶ πᾶσαν ἐξουσίαν καὶ δύναμιν. **25** δεῖ γὰρ αὐτὸν
Ps 110,1 Mt 22,44p L 19,27 | Ap 20,14; 21,4 βασιλεύειν ἄχρι οὗ *θῇ πάντας τοὺς ἐχθροὺς* ⸆ *ὑπὸ τοὺς*
πόδας αὐτοῦ. **26** ἔσχατος ἐχθρὸς καταργεῖται ὁ θάνατος·
Ps 8,7 E 1,22 H 2,8 **27** *πάντα* γὰρ *ὑπέταξεν ὑπὸ τοὺς πόδας αὐτοῦ*. ὅταν δὲ
Ph 3,21 εἴπῃ °ὅτι πάντα ὑποτέτακται, δῆλον ὅτι ἐκτὸς τοῦ ὑπο-
τάξαντος αὐτῷ τὰ πάντα. **28** ὅταν δὲ ὑποταγῇ αὐτῷ τὰ
πάντα, τότε °[καὶ] αὐτὸς ⸋ὁ υἱὸς⸌ ὑποταγήσεται τῷ ὑπο-
Kol 3,11 τάξαντι αὐτῷ τὰ πάντα, ἵνα ᾖ ὁ θεὸς °¹[τὰ] πάντα ἐν πᾶσιν.
29 Ἐπεὶ τί ποιήσουσιν οἱ βαπτιζόμενοι ὑπὲρ τῶν νε-
2Mcc 12,43s κρῶν; εἰ ὅλως νεκροὶ οὐκ ἐγείρονται, τί καὶ βαπτίζονται
ὑπὲρ ⸀αὐτῶν; **30** Τί καὶ ἡμεῖς κινδυνεύομεν πᾶσαν ὥ-
R 8,36! ραν; **31** καθ’ ἡμέραν ἀποθνῄσκω, νὴ τὴν ⸀ὑμετέραν καύχησιν, °[ἀδελφοί], ἣν ἔχω ἐν ⸂Χριστῷ Ἰησοῦ τῷ κυρίῳ
R 3,5! · Act 20,3! 2K 1,8 ἡμῶν⸃. **32** εἰ κατὰ ἄνθρωπον ἐθηριομάχησα ἐν Ἐφέσῳ,
τί μοι τὸ ὄφελος; εἰ νεκροὶ οὐκ ἐγείρονται, *φάγωμεν καὶ*
Is 22,13 𝔊 L 12,19 Sap 2,5s | 6,9 G 6,7 Jc 1,16 L 21,8 · Menander, Thais | *πίωμεν, αὔριον γὰρ ἀποθνῄσκομεν*. **33** μὴ πλανᾶσθε·
φθείρουσιν ἤθη χρηστὰ ὁμιλίαι κακαί.
Sap 13,1 1P 2,15 1Th 4,5! Mt 22,29 Act 26,8 · 6,5! **34** ἐκνήψατε δικαίως καὶ μὴ ἁμαρτάνετε, ἀγνωσίαν γὰρ
θεοῦ τινες ἔχουσιν, πρὸς ἐντροπὴν ὑμῖν ⸀λαλῶ.
35 Ἀλλὰ ἐρεῖ τις· πῶς ἐγείρονται οἱ νεκροί; ποίῳ δὲ
L 13,24 · J 12,24 σώματι ἔρχονται; **36** ἄφρων, σὺ ὃ σπείρεις, οὐ ζῳοποι-

20 ⸆εγενετο D^{2} Ψ $\mathfrak{M}$ sy ¦ *txt* $\mathfrak{P}^{46}$ ℵ A B D* F G P 0243. 6. 33. 81. 365. 630. 1175. 1241^{s}. 1739. 1881. 2464 *pc* latt co; Epiph ● **24** ⸀παραδω $\mathfrak{M}$ latt; Epiph ¦ *txt* $\mathfrak{P}^{46}$ ℵ A (B) D (F G) Ψ 0243. 0270. 2495 *pc* ● **25** ⸆αυτου A F G 33. 104. 629 *pc* a r vg^{mss} sy^{p}; Mcion Epiph ● **27** ° $\mathfrak{P}^{46}$ B 33. 630. 2495 *pc* lat; Ir^{lat} Ambst ¦ *txt* ℵ A D F G Ψ $\mathfrak{M}$ r ● **28** ° B D* F G 0243. 33. 1175. 1739 *pc* b vgst sy^{p} sa bo^{ms}; Ir^{lat} ¦ *txt* ℵ A D^{2} Ψ $\mathfrak{M}$ a f r vg^{cl} sy^{h} bo; Tert Ambst Epiph | ⸋ vg^{ms}; Tert Ambst | °¹† A B D* 0243. 6. 33. 81. 1241^{s}. 1739 *pc* ¦ *txt* ℵ D^{2} F G Ψ 075 $\mathfrak{M}$ ● **29** ⸀των νεκρων D^{2} $\mathfrak{M}$ sy^{p} bo^{ms} ¦ αυτων τ. νεκ. 69 ¦ *txt* $\mathfrak{P}^{46}$ ℵ A B D* F G K P Ψ 075. 0243. 33. 81. 104. 365. 630. 1175. 1241^{s}. 1739. 1881. 2464. 2495 *al* latt sy^{h} co; Epiph ● **31** ⸀ημ- A 6. 365. 614. 629. 1241^{s}. 1881. (2495) *al* | ° $\mathfrak{P}^{46}$ D F G Ψ 075. 0243 $\mathfrak{M}$ b; Ambst Pel ¦ *txt* ℵ A B K P 33. 81. 104. (326). 365. 1175. 1241^{s}. 2464 *pc* lat sy co | ⸂κυριω D* b; Ambst Pel ● **34** ⸀λεγω A F G 075 $\mathfrak{M}$ a ¦ *txt* $\mathfrak{P}^{46}$ ℵ B D P Ψ 0243. 33. 81. 365. 630. 1175. 1241^{s}. 1739. 2464. 2495 *pc* lat

εἶται ἐὰν μὴ ἀποθάνῃ· **37** καὶ ὃ σπείρεις, οὐ τὸ σῶμα τὸ
⸀γενησόμενον σπείρεις ἀλλὰ γυμνὸν κόκκον εἰ τύχοι
σίτου ἤ τινος τῶν λοιπῶν· **38** ὁ δὲ θεὸς δίδωσιν αὐτῷ
σῶμα καθὼς ἠθέλησεν, καὶ ἑκάστῳ τῶν σπερμάτων ἴδιον 12,18! · Gn 1,11s
σῶμα. **39** Οὐ πᾶσα σὰρξ ἡ αὐτὴ σὰρξ ἀλλὰ ἄλλη μὲν Gn 1,20.24; 8,17
ἀνθρώπων, ἄλλη δὲ σὰρξ κτηνῶν, ἄλλη δὲ σὰρξ πτηνῶν,
ἄλλη δὲ ἰχθύων. **40** καὶ σώματα ἐπουράνια, καὶ σώματα 49 Ph 2,10 J 3,12
ἐπίγεια· ἀλλὰ ἑτέρα μὲν ἡ τῶν ἐπουρανίων δόξα, ἑτέρα
δὲ ἡ τῶν ἐπιγείων. **41** ἄλλη δόξα ἡλίου, καὶ ἄλλη δόξα
σελήνης, καὶ ἄλλη δόξα ἀστέρων· ἀστὴρ γὰρ ἀστέρος διαφέρει ἐν δόξῃ. **42** Οὕτως καὶ ἡ ἀνάστασις τῶν νεκρῶν. σπείρεται ἐν φθορᾷ, ἐγείρεται ἐν ἀφθαρσίᾳ·
43 σπείρεται ἐν ἀτιμίᾳ, ἐγείρεται ἐν δόξῃ· σπείρεται ἐν Ph 3,20s Kol 3,4
ἀσθενείᾳ, ἐγείρεται ἐν δυνάμει· **44** σπείρεται σῶμα ψυ- 2,14
χικόν, ἐγείρεται σῶμα πνευματικόν. Εἰ ἔστιν σῶμα 1P 3,18
ψυχικόν, ἔστιν καὶ πνευματικόν. **45** οὕτως καὶ γέγραπται·
ἐγένετο ὁ πρῶτος ○*ἄνθρωπος* Ἀδὰμ *εἰς ψυχὴν ζῶσαν*, ὁ *Gn 2,7* 𝔊
ἔσχατος ○^{1}Ἀδὰμ εἰς πνεῦμα ζῳοποιοῦν. **46** ἀλλ᾽ οὐ πρῶ- 2K 2,6.17 R 8,11 J 6,63
τον τὸ πνευματικὸν ἀλλὰ τὸ ψυχικόν, ἔπειτα τὸ πνευματι-
κόν. **47** ὁ πρῶτος ἄνθρωπος ἐκ γῆς χοϊκός, ὁ δεύτερος Gn 2,7
⸀ἄνθρωπος ἐξ οὐρανοῦ⸆. **48** οἷος ὁ χοϊκός, τοιοῦτοι καὶ J 3,13.31
οἱ χοϊκοί, καὶ οἷος ὁ ἐπουράνιος, τοιοῦτοι καὶ οἱ ἐπου-
ράνιοι· **49** καὶ καθὼς ἐφορέσαμεν τὴν εἰκόνα τοῦ χοϊ- Gn 5,3
κοῦ, ⸀φορέσομεν καὶ τὴν εἰκόνα τοῦ ἐπουρανίου. R 8,29 2K 3,18 · 40!

50 Τοῦτο ⸀δέ φημι, ἀδελφοί, ὅτι σὰρξ καὶ αἷμα βασι- 7,29 · 6,9s.13 J 3,6!
λείαν θεοῦ ⸂κληρονομῆσαι οὐ δύναται⸃ οὐδὲ ἡ φθορὰ τὴν
ἀφθαρσίαν κληρονομεῖ. **51** ἰδοὺ μυστήριον ὑμῖν λέγω· ⸆ 14,2!
πάντες ⸇ ⸂οὐ κοιμηθησόμεθα, πάντες δὲ⸃ ἀλλαγησόμεθα, 1Th 4,15.17
52 ἐν ἀτόμῳ, ἐν ⸀ῥιπῇ ὀφθαλμοῦ, ἐν τῇ ἐσχάτῃ σάλπιγγι· Mt 24,31!

37 ⸀γεννη- 𝔓^{46} F G (b) d ● **45** ○ B K 326. 365 *pc*; Ir^{lat} | ○^{1} 𝔓^{46} ● **47** ⸀ο κυριος 630; Mcion ¦ ανθ. ο κυρ. ℵ^{2} A D^{1} Ψ 075 𝔐 sy ¦ ανθ. πνευματικος 𝔓^{46} ¦ *txt* ℵ* B C D* F G 0243. 6. 33. 1175. 1739* *pc* latt bo | ⸆ο ουρανιος F G latt ● **49** ⸀-σωμεν 𝔓^{46} ℵ A C D F G Ψ 075. 0243 𝔐 latt bo; Cl Or Epiph ¦ *txt* B I 6. 630. 945$^{v.l.}$ 1881 *al* sa ● **50** ⸀γαρ D F G b; Mcion Ambst | ⸂κλ. ου -ανται A C D Ψ 075 𝔐 lat sy; Ir ¦ κληρονομησουσιν F G a vg^{ms} bo; Mcion Ambst ¦ *txt* ℵ B 0243. 365 *pc* sa; Cl Or ● **51** ⸆οι A | ⸇μεν ℵ A C^{2} D^{2} F G Ψ 075 𝔐 lat sy^{h}; Ambst ¦ *txt* 𝔓^{46} B C* D* 0243*. 1739 *pc* b | ⸂*2 1 3 4* ℵ C 0243*. (33). 1241^{s}. 1739 *pc*; Hier^{mss} (A*: οι *loco* ου; F G: ουν κοι.) ¦ ου κοι., ου π. δε 𝔓^{46} A^{c} ¦ αναστησομεθα, ου π. δε D* lat; Tert Ambst Spec ¦ *txt* B D^{2} Ψ 075 𝔐 sy co; Hier^{mss} ● **52** ⸀ροπη 𝔓^{46} D* F G 0243. 6. 1739 *pc* ¦ *txt* ℵ A B C D^{2} Ψ 𝔐

σαλπίσει γὰρ καὶ οἱ νεκροὶ ⸀ἐγερθήσονται ἄφθαρτοι καὶ
ἡμεῖς ἀλλαγησόμεθα. **53** Δεῖ γὰρ τὸ φθαρτὸν τοῦτο ἐν-
2K 5,4 δύσασθαι ἀφθαρσίαν καὶ τὸ θνητὸν τοῦτο ἐνδύσασθαι
ἀθανασίαν. **54** ὅταν δὲ ⸂τὸ φθαρτὸν τοῦτο ἐνδύσηται
ἀφθαρσίαν καὶ τὸ θνητὸν τοῦτο ἐνδύσηται ⸆ ἀθανασίαν⸃,
τότε γενήσεται ὁ λόγος ὁ γεγραμμένος·
Is 25,8 *κατεπόθη ὁ θάνατος εἰς ⸀νῖκος.*
Hos 13,14 H 2,14! **55** *ποῦ σου, θάνατε, τὸ ⸉⸀νῖκος;*
ποῦ σου, θάνατε, τὸ κέντρον⸊;
R 7,13 **56** ⸋τὸ δὲ κέντρον τοῦ θανάτου ἡ ἁμαρτία, ἡ δὲ δύναμις
R 7,25! τῆς ἁμαρτίας ὁ νόμος·⸌ **57** τῷ δὲ θεῷ χάρις τῷ διδόντι
1J 5,4 ἡμῖν τὸ νῖκος διὰ τοῦ κυρίου ἡμῶν Ἰησοῦ Χριστοῦ.
Kol 1,23 **58** Ὥστε, ἀδελφοί μου ἀγαπητοί, ἑδραῖοι γίνεσθε, ἀμε-
16,10 · τακίνητοι, περισσεύοντες ἐν τῷ ἔργῳ τοῦ κυρίου πάν-
Is 65,23 1Th 3,5 2Chr 15,7 τοτε, εἰδότες ὅτι ὁ κόπος ὑμῶν οὐκ ἔστιν κενὸς ἐν κυρίῳ.

Act 11,29! 2K 8–9 · 7,17 · G 1,2 **16** Περὶ δὲ τῆς λογείας τῆς εἰς τοὺς ἁγίους ὥσπερ δι-
έταξα ταῖς ἐκκλησίαις τῆς Γαλατίας, οὕτως καὶ ὑ-
Mt 28,1p Act 20,7 Ap 1,10 μεῖς ποιήσατε. **2** κατὰ μίαν ⸀σαββάτου ἕκαστος ὑμῶν
παρ' ἑαυτῷ τιθέτω θησαυρίζων ὅ τι ἐὰν ⸁εὐοδῶται, ἵνα
μὴ ὅταν ἔλθω τότε λογεῖαι γίνωνται. **3** ὅταν δὲ παραγέ-
νωμαι, οὓς ⸂ἐὰν δοκιμάσητε⸃, δι' ἐπιστολῶν τούτους πέμψω ἀπενεγκεῖν τὴν χάριν ὑμῶν εἰς Ἰερουσαλήμ· **4** ἐὰν
2K 8,19ss δὲ ⸉ἄξιον ᾖ⸊ τοῦ κἀμὲ πορεύεσθαι, σὺν ἐμοὶ πορεύσονται.
4,19! · Act 19,21 2K 1,16 **5** Ἐλεύσομαι δὲ πρὸς ὑμᾶς ὅταν Μακεδονίαν διέλθω·
Μακεδονίαν γὰρ διέρχομαι, **6** πρὸς ὑμᾶς °δὲ τυχὸν ⸀πα-

52 ⸁ αναστησ- A D F G P *pc* ¦ *txt* 𝔓^{46} ℵ B C Ψ 075. 0121a. 0243 𝔐 ● **54/55** ⸂ *7–11* 𝔓^{46} ℵ* 088. 0121a. 0243. 1175. 1739* *pc* lat sa^{ms} bo; Ir^{lat} Ambst ¦ *7–11 6 1–5* A 326 (F G 365, 614*, 629*: *h. t.*) sa^{ms} ¦ *txt* ℵ^{2} B C^{2vid} D Ψ 075 𝔐 vg^{mss} sy (*sed* ⸆ την ℵ A 088. 33 *pc*) (C* *illeg.*) | ⸀ *bis* νεικος (*ex itac.* 𝔓^{46} B D* 088 *pc*;) Tert Cyp | ⸉ *6 2–5 1* D$^{(c)}$ F G; Tert Cyp Ambst ¦ κεν.; π. σ., αδη, το νι. ℵ^{2} A^{c} Ψ 075 𝔐 sy$^{(p)}$ ¦ νι.; π. σ., αδη, το κεν. 0121a. 0243. 33. 81. 326. 1175. 1241^{s}. 1739^{c}. 2464 *pc* ¦ *txt* 𝔓^{46} ℵ* B C 088. 1739* *pc* lat co; Eus$^{(pt)}$ (A*: *h. t.*) ● **56** [⸋ Straatman *cj*]
¶ **16,2** ⸀ -των ℵ^{2} 075. 0121a. 0243 𝔐 sy^{h} bo ¦ *txt* ℵ$^{1(*)}$ A B C D F G P Ψ 088. 33 *pc* latt sy^{p} sa | ⸁ -δωθη ℵ^{2} A C K Ψ 088. 0121a. 0243. 6. 81. 104. 365. 630. 1175. 1241^{s}. 1739. 1881 *al* ¦ *txt* ℵ* B D F G 075 𝔐 ● **3** ⸂ δοκιμαζετε 𝔓^{46} ● **4** ⸉ ℵ* D F G Ψ 075 𝔐 ¦ *txt* 𝔓^{46} ℵ^{1} A B C P 088. 0121a. 0243. 33. 81. 630. 1175. 1241^{s}. 1739. 1881. 2464 *al* lat ● **6** ° 𝔓^{46} vg^{mss}; Ambst | ⸀† καταμ- 𝔓^{34} B 0121a. 0243. 6. 1739 *pc* ¦ *txt* 𝔓^{46} ℵ A C D (F G) Ψ 075. 088 𝔐

ραμενῶ ⸂ἢ καὶ⸃ παραχειμάσω, ἵνα ὑμεῖς με προπέμψητε Tt 3,12 · 11 R 15, 24 2K 1,16
οὗ ἐὰν πορεύωμαι. **7** οὐ θέλω γὰρ ὑμᾶς ἄρτι ἐν παρόδῳ
ἰδεῖν, ἐλπίζω ⸀γὰρ χρόνον τινὰ ἐπιμεῖναι πρὸς ὑμᾶς ἐὰν Act 20,2s
ὁ κύριος ἐπιτρέψῃ. **8** ⸀ἐπιμενῶ δὲ ἐν Ἐφέσῳ ἕως τῆς Act 18,21!; | 19,1. 10
πεντηκοστῆς· **9** θύρα γάρ μοι ἀνέῳγεν μεγάλη καὶ ἐνερ- Act 14,27!
γής, καὶ ἀντικείμενοι πολλοί. Ph 1,28
10 Ἐὰν δὲ ἔλθῃ Τιμόθεος, βλέπετε, ἵνα ἀφόβως γένη- Act 16,1!
ται πρὸς ὑμᾶς· τὸ γὰρ ἔργον κυρίου ἐργάζεται ὡς ⸀κἀγώ· 15,58
11 μή τις οὖν αὐτὸν ἐξουθενήσῃ. προπέμψατε δὲ αὐτὸν 1T 4,12 · 6!
ἐν εἰρήνῃ, ἵνα ἔλθῃ πρός με· ἐκδέχομαι γὰρ αὐτὸν μετὰ
τῶν ἀδελφῶν. **12** Περὶ δὲ Ἀπολλῶ τοῦ ἀδελφοῦ⸆, Act 18,24!
πολλὰ παρεκάλεσα αὐτόν, ἵνα ἔλθῃ πρὸς ὑμᾶς μετὰ τῶν
ἀδελφῶν· καὶ πάντως οὐκ ἦν θέλημα ἵνα νῦν ἔλθῃ· ἐ-
λεύσεται δὲ ὅταν εὐκαιρήσῃ.
13 Γρηγορεῖτε, στήκετε ἐν τῇ πίστει, ἀνδρίζεσθε, κρα- Mc 13,37! · R 11, 20! G 5,1 Ph 1,27; 4,1 1Th 3,8 2Th 2,15 · Ps 30,25 𝔊 E 6,10 | 14,40
ταιοῦσθε. **14** πάντα ὑμῶν ἐν ἀγάπῃ γινέσθω.
15 Παρακαλῶ δὲ ὑμᾶς, ἀδελφοί· οἴδατε τὴν οἰκίαν
Στεφανᾶ⸆, ὅτι ἐστὶν ἀπαρχὴ τῆς ⸀Ἀχαΐας καὶ εἰς διακο- 17; 1,16 · R 16,5; · 12,6!
νίαν τοῖς ἁγίοις ἔταξαν ἑαυτούς· **16** ἵνα καὶ ὑμεῖς ὑπο- H 13,17
τάσσησθε τοῖς τοιούτοις καὶ παντὶ τῷ συνεργοῦντι καὶ R 16,3
κοπιῶντι. **17** χαίρω δὲ ἐπὶ τῇ παρουσίᾳ Στεφανᾶ καὶ 1Th 5,12s 1T 5, 17 | 15!
Φορτουνάτου καὶ Ἀχαϊκοῦ, ὅτι τὸ ⸀ὑμέτερον ὑστέρημα 2K 8,14!
⸁οὗτοι ἀνεπλήρωσαν· **18** ἀνέπαυσαν γὰρ τὸ ἐμὸν πνεῦμα 2K 2,13; 7,13
καὶ τὸ ὑμῶν. ἐπιγινώσκετε οὖν τοὺς τοιούτους.
19 ⸋Ἀσπάζονται ὑμᾶς ⸋¹αἱ ἐκκλησίαι τῆς Ἀσίας. ⸀ἀ- Ap 1,4.11
σπάζεται ὑμᾶς⸌¹ ἐν κυρίῳ πολλὰ Ἀκύλας καὶ ⸁Πρίσκα Act 18,2!
σὺν τῇ κατ' οἶκον αὐτῶν ἐκκλησίᾳ⸆.⸌ **20** ἀσπάζονται R 16,5!

6 ⸂*1* 𝔓^{46} B 0121a. 0243. 6. 630. 1739. 1881 *pc* (sy^{p}) ¦ *2* F G *pc* a ¦ *txt* 𝔓^{34} ℵ A C (D) Ψ 075. 088 𝔐 lat sy^{h} ● **7** ⸀δε Ψ 075 𝔐 vg^{ms} sy^{h} ¦ *txt* 𝔓^{46} ℵ A B C D F G P 088. 0121a. 0243. 6. 33. 81. 365. 1175. 1739. 1881. 2464 *al* lat sy^{p} co ● **8** ⸀-μένω B^{2} D^{2} 075. 6. 33. 81. 365. 629. 1241^{s}. 1739. 1881. 2464 *al* ¦ *txt* Ψ 0121a. 0243 𝔐 latt (𝔓^{46} ℵ A B* C D* F G P *sine acc.*) ● **10** ⸀εγω 𝔓^{46} B 0121a. 0243. 6. 1739. 1881 *pc* sy^{p} sa ¦ *txt* (*vl* και εγω) 𝔓^{34} ℵ A C D F G Ψ 𝔐 latt sy^{h} ● **12** ⸆δηλω υμιν οτι ℵ* D* F G a vg^{cl}; Ambst ● **15** ⸆και Φορτουνατου ℵ^{2} D 104. 629. 1175. 1241^{s}. 2464 *pc* b vgst bo ¦ κ. Φορ. και Αχαϊκου C*^{vid} F G 365. 2495 *pc* a vg^{cl} sy^{h**}; Pel ¦ *txt* 𝔓^{46} ℵ* A B C^{2} Ψ 075. 0121a. 0243 𝔐 r sy^{p} sa; Ambst | ⸀Ασιας 𝔓^{46} bo^{ms} ● **17** ⸀υμων 𝔓^{46} ℵ A Ψ 075 𝔐 co ¦ *txt* B C D F G P 0121a. 0243. 33. 630. 1739. (1881) *pc* | ⸁αυτοι A D F G 0121a. 0243. 6. 1739 *pc* lat sy^{p}; Ambst ● **19** ⸋*vs* A *pc* | ⸋¹ 𝔓^{46} 69 *pc* | ⸀-ζονται B F G 075. 0121a. 0243 𝔐 co ¦ *txt* ℵ C D K P Ψ 104. 2464 *pc* | ⸁-κιλλα C D F G Ψ 075 𝔐 it vg^{cl} sy bo^{pt}; Ambst Pel ¦ *txt* (𝔓^{46}) ℵ B P 0121a. 0243. 33. 1175*. 1739. 1881* *pc* r vgst sa bo^{pt} | ⸆παρ οις και ξενιζομαι D* F G it vg^{cl}

R 16,16! ὑμᾶς οἱ ἀδελφοὶ πάντες. Ἀσπάσασθε ἀλλήλους ἐν φιλήματι ἁγίῳ.
G 6,11 Kol 4,18 2Th 3,17 Phm 19 | **21** Ὁ ἀσπασμὸς τῇ ἐμῇ χειρὶ Παύλου. **22** εἴ τις οὐ φιλεῖ
12,3 G 1,8s Act 23,14 R 9,3 · 11,26 τὸν κύριον, ἤτω ἀνάθεμα. ⸀μαράνα θά⸀. **23** ἡ χάρις τοῦ
Ap 22,20 | R 16,20! κυρίου Ἰησοῦ ⸆ μεθ’ ὑμῶν. **24** ἡ ἀγάπη μου μετὰ πάν-
των ὑμῶν ἐν Χριστῷ Ἰησοῦ.⸆

ΠΡΟΣ ΚΟΡΙΝΘΙΟΥΣ Β′

1K 1,1! **1** Παῦλος ἀπόστολος Χριστοῦ Ἰησοῦ διὰ θελήματος
Act 16,1! θεοῦ καὶ Τιμόθεος ὁ ἀδελφὸς τῇ ἐκκλησίᾳ τοῦ θεοῦ
τῇ οὔσῃ ἐν Κορίνθῳ σὺν τοῖς ἁγίοις πᾶσιν τοῖς οὖσιν
9,2; 11,10 R 16,1 | R 1,7! ἐν ὅλῃ τῇ Ἀχαΐᾳ, **2** χάρις ὑμῖν καὶ εἰρήνη ἀπὸ θεοῦ πα-
τρὸς ἡμῶν καὶ κυρίου Ἰησοῦ Χριστοῦ.
1P 1,3 E 1,3; · 1,17 · J 20,17 · **3** Εὐλογητὸς ὁ θεὸς καὶ πατὴρ τοῦ κυρίου ἡμῶν Ἰη- *1*
R 12,1; · 15,5 σοῦ Χριστοῦ, ὁ πατὴρ τῶν οἰκτιρμῶν καὶ θεὸς πάσης
7,6 · 4,8! παρακλήσεως, **4** ὁ παρακαλῶν ἡμᾶς ἐπὶ πάσῃ τῇ θλίψει
ἡμῶν εἰς τὸ δύνασθαι ἡμᾶς παρακαλεῖν τοὺς ἐν πάσῃ
θλίψει διὰ τῆς παρακλήσεως ἧς παρακαλούμεθα ⸆ αὐτοὶ
4,10! ὑπὸ τοῦ θεοῦ. **5** ὅτι καθὼς περισσεύει τὰ παθήματα τοῦ
Χριστοῦ εἰς ἡμᾶς, οὕτως διὰ τοῦ Χριστοῦ περισσεύει καὶ
4,15 ἡ παράκλησις ἡμῶν. **6** εἴτε δὲ θλιβόμεθα, ὑπὲρ τῆς ὑμῶν
παρακλήσεως ⸀καὶ σωτηρίας· εἴτε παρακαλούμεθα, ὑπὲρ

22 ⸀μαραν αθα B^{2} D^{2} G^{*vid} K L Ψ 0121a. 323. 365 *al* vg^{cl} sy ¦ μαραναθα F G^{c} 0243 𝔐 ¦ *txt ?* (𝔓[46] ℵ A B* C D* P *incert.*) ● **23** ⸆Χριστου $ℵ^{2}$ A C D F G 075. 0121a. 0243 𝔐 it vg^{cl} sy bo; Ambst ¦ *txt* ℵ* B Ψ 33 *pc* sa ● **24** ⸆αμην ℵ A C D Ψ 075 𝔐 lat sy^{h} bo; Pel ¦ γενεθητω γενεθητω G ¦ *txt* B F 0121a. 0243. 33. 81. 630. 1881 *pc* sy^{p} sa bo^{mss}; Ambst

Subscriptio: προς Κορινθιους α′ ℵ A B* C (Ψ) 33. 81 *pc* ¦ πρ. Κ. α′ εγραφη απο Εφεσου B^{1} P (945) *pc* ¦ (+ Παυλου αποστ. επιστολη 1175 *al*) πρ. Κ. α′ εγραφη απο Φιλιππων δια Στεφανα και Φορτουνατου και Αχαικου και Τιμοθεου (+ υπο Παυλου και Σωσθενους 104) D^{2} 075 𝔐 ¦ – (D* F G) 0121a. 629. 630. 2464 *pc*

¶ **1,4** ⸆και D* F G lat ● **6/7** ⸀κ. σωτ. της ενεργ. ... υπερ υμ.· ειτε ... παρακλ. και σωτηριας (B 33: *om.* κ. σωτ.[1]) D F G 0209 𝔐 a b (sy^{h**}) ¦ της ενεργ. ... υπερ υμων 81. 630 *pc et v. l. al* ¦ *txt* (𝔓[46]: *h. t.* παθημ. *vs* 6/7) ℵ A C P Ψ 0121a. 0243. 104. 365. (629). 1175. 1739. 1881 *pc* r vg (sy^{p}) co; Ambst

τῆς ὑμῶν παρακλήσεως τῆς ἐνεργουμένης ἐν ὑπομονῇ 6,4 R 5,3s
τῶν αὐτῶν παθημάτων ὧν καὶ ἡμεῖς πάσχομεν. **7** καὶ ἡ
ἐλπὶς ἡμῶν βεβαία ὑπὲρ ὑμῶν⸃ εἰδότες ὅτι ὡς κοινωνοί
ἐστε τῶν παθημάτων, οὕτως καὶ τῆς παρακλήσεως.
8 Οὐ γὰρ ⸀θέλομεν ὑμᾶς ἀγνοεῖν, ἀδελφοί, ⸁ὑπὲρ τῆς R 1,13! · 4,8!
θλίψεως ἡμῶν τῆς γενομένης ⸆ ἐν τῇ Ἀσίᾳ, ὅτι καθ' ὑπερ- Act 19,23
βολὴν ὑπὲρ δύναμιν ἐβαρήθημεν ὥστε ἐξαπορηθῆναι 1Kor 15.32
ἡμᾶς καὶ τοῦ ζῆν· **9** ἀλλὰ αὐτοὶ ἐν ἑαυτοῖς τὸ ἀπόκριμα
τοῦ θανάτου ἐσχήκαμεν, ἵνα μὴ πεποιθότες ὦμεν ἐφ' ἑαυ- 11,23
τοῖς ἀλλ' ἐπὶ τῷ θεῷ τῷ ⸀ἐγείροντι τοὺς νεκρούς· **10** ὃς R 4,17!
ἐκ ⸂τηλικούτου θανάτου⸃ ἐρρύσατο ἡμᾶς ⸄καὶ ῥύσεται⸅, 2T 4,18
εἰς ὃν ἠλπίκαμεν ⸂¹[ὅτι] καὶ ἔτι⸃ ῥύσεται, **11** συνυπουρ-
γούντων καὶ ὑμῶν ὑπὲρ ἡμῶν τῇ δεήσει, ἵνα ⸂ἐκ πολλῶν R 15,30! Ph 1,19
προσώπων⸃ τὸ εἰς ἡμᾶς χάρισμα διὰ πολλῶν εὐχαριστη- 4,15; 9,11s
θῇ ὑπὲρ ⸀ἡμῶν.

12 Ἡ γὰρ καύχησις ἡμῶν αὕτη ἐστίν, τὸ μαρτύριον
τῆς συνειδήσεως ἡμῶν, ὅτι ἐν ⸀ἁπλότητι καὶ εἰλικρινείᾳ Act 23,1! · 2,17
τοῦ θεοῦ, °[καὶ] οὐκ ἐν σοφίᾳ ⸁σαρκικῇ ἀλλ' ἐν χάριτι 1K 2,1!
θεοῦ, ἀνεστράφημεν ἐν τῷ κόσμῳ, περισσοτέρως δὲ πρὸς
ὑμᾶς. **13** οὐ γὰρ ἄλλα γράφομεν ὑμῖν ⸂ἀλλ' ἢ ἃ⸃ ἀναγι-
νώσκετε ⸋ἢ καὶ ἐπιγινώσκετε·⸌ ἐλπίζω δὲ ὅτι ἕως τέλους ἐπιγνώσεσθε, **14** καθὼς καὶ ἐπέγνωτε ἡμᾶς ἀπὸ μέρους, ὅτι καύχημα ὑμῶν ἐσμεν καθάπερ καὶ ὑμεῖς ἡμῶν 5,12 · 8,24! Ph
ἐν τῇ ἡμέρᾳ τοῦ κυρίου °[ἡμῶν] Ἰησοῦ. 2,16 · 1K 1,8!

8 ⸀θελω K *pc* bo | ⸁περι A C D F G P 0209. 33. 81. 104. 365. 1175. 2495 *pc* ¦ *txt* 𝔓^{46vid} ℵ B Ψ 0121a. 0243 𝔐 | ⸆ημιν ℵ^{2} D^{1} 0209 𝔐 sy co ¦ *txt* ℵ* A B C D* F G P Ψ 0121a. 0243. 6. 33. 81. 365. 1175. 1241. 1739. 1881. 2464 *al* ● **9** ⸀-ραντι 𝔓^{46} 326. 365. 614. 1881. 2495 *pc* vg^{ms} bo^{ms} ● **10** ⸂-των -νατων 𝔓^{46} 630. 1739$^{v.l.}$ *pc* d (lat) sy; Ambst | ⸄κ. ρυεται D^{2} F G 0121a. 0243 𝔐 vg^{cl} ¦ – A D* Ψ a b sy^{p}; Ambst ¦ *txt* 𝔓^{46} ℵ B C P 0209. 33. 81. 365. 1175 *pc* t vgst co | ⸂¹ *2 3* 𝔓^{46} B D* 0121a. 0243. 1739. 1881 *pc* ¦ *1 2* D^{1} (∫ F G) 104. 630. 2495 *pc* a b sy^{h}; Ambst ¦ *txt* ℵ A C D^{2} Ψ 𝔐 f t vg (sy^{p}) ● **11** ⸂εν -λω -πω 𝔓^{46} F G Ψ 0121a. 0243. 6. 1739. 1881 *pc* a b ¦ εν -πω -λων 365. 1175 *pc* r sy$^{(p)}$; Ambst | ⸀υμ- 𝔓^{46*} B D^{2} F K P 614. 629. 630. 1241 *pm* vg^{ms} ● **12** ⸀† αγιο- 𝔓^{46} ℵ* A B C K P Ψ 0121a. 0243. 33. 81. 365. 630. 1175. 1739. 1881. 2464 *pc* r co; Cl ¦ πραο- 88 *pc* ¦ *txt* ℵ^{2} D F G 𝔐 lat sy | °† ℵ A C D F G Ψ 𝔐 it; Ambst ¦ *txt* 𝔓^{46} B 0121a. 0243. 6. 33. 630. 1175. 1739. 1881. 2464 *pc* a f vg sy | ⸁-ινη F G ● **13** ⸂*2 3* F G *ex* latt*?* ¦ *1 3* 𝔓^{46} 33. 945. 2495 *pc* sy ¦ *1 2* D* 0243. 1739 *pc* ¦ *1* A ¦ *txt* ℵ B C D^{2} Ψ 𝔐 | ⸋ 𝔓^{46} B 104 *pc* bo^{ms} ● **14** ° 𝔓^{46vid} A C D Ψ 𝔐; Ambst ¦ *txt* ℵ B F G P 0121a. 0243. 6. 33. 81. 104. 365. 630. 1175. 1739. 1881. 2464 *al* lat sy$^{p.h**}$ co

13,1! **15** Καὶ ταύτῃ τῇ πεποιθήσει ἐβουλόμην ⸂πρότερον *2*
πρὸς ὑμᾶς ἐλθεῖν⸃, ἵνα δευτέραν ⸀χάριν ⸁σχῆτε, **16** καὶ
1K 16,5! δι’ ὑμῶν ⸀διελθεῖν εἰς Μακεδονίαν καὶ πάλιν ἀπὸ Μακε-
1K 16,6! δονίας ἐλθεῖν πρὸς ὑμᾶς καὶ ⸁ὑφ’ ὑμῶν προπεμφθῆναι εἰς
τὴν Ἰουδαίαν. **17** τοῦτο οὖν ⸀βουλόμενος μήτι ἄρα τῇ
5,16; 10,2 ἐλαφρίᾳ ἐχρησάμην; ἢ ἃ βουλεύομαι κατὰ σάρκα βου-
Jc 5,12 Mt 5,37 λεύομαι, ἵνα ⸆ ᾖ παρ’ ἐμοὶ ⸂τὸ ναὶ ναὶ καὶ τὸ οὒ οὔ⸃;
1K 10,13! Dt 7,9 **18** πιστὸς δὲ ὁ θεὸς ὅτι ὁ λόγος ἡμῶν °ὁ πρὸς ὑμᾶς
οὐκ ⸀ἔστιν ναὶ καὶ οὔ. **19** ὁ τοῦ θεοῦ γὰρ υἱὸς ⸂Ἰησοῦς
4,5 Act 19,13; · Χριστὸς⸃ ὁ ἐν ὑμῖν δι’ ἡμῶν κηρυχθείς, δι’ ἐμοῦ καὶ
15,27!; · 16,1! Σιλουανοῦ καὶ Τιμοθέου, οὐκ ἐγένετο ναὶ καὶ οὒ ἀλλὰ
R 15,8 ναὶ ἐν αὐτῷ γέγονεν. **20** ὅσαι γὰρ ἐπαγγελίαι θεοῦ, ἐν
1K 14,16 Ap 3,14 αὐτῷ τὸ ναί⸂· διὸ καὶ δι’ αὐτοῦ⸃ τὸ ἀμὴν τῷ θεῷ πρὸς
1K 1,8 δόξαν ⸆ δι’ ἡμῶν. **21** ὁ δὲ βεβαιῶν ⸂ἡμᾶς σὺν ὑμῖν⸃
1J 2,27! | E 1,13! εἰς Χριστὸν καὶ χρίσας ἡμᾶς θεός, **22** °ὁ καὶ σφραγισά-
5,5 R 8,23 E 1,14 μενος ἡμᾶς καὶ δοὺς τὸν ἀρραβῶνα τοῦ πνεύματος ἐν
ταῖς καρδίαις ἡμῶν.
R 1,9! **23** Ἐγὼ δὲ μάρτυρα τὸν θεὸν ἐπικαλοῦμαι ἐπὶ τὴν
13,2 ἐμὴν ψυχήν, ὅτι φειδόμενος ὑμῶν ⸀οὐκέτι ἦλθον εἰς Κό-
1P 5,3 ρινθον. **24** οὐχ ὅτι κυριεύομεν ὑμῶν τῆς πίστεως ἀλλὰ
1K 3,9! · 1J 1,3s! · R 11,20! συνεργοί ἐσμεν τῆς χαρᾶς ὑμῶν· τῇ γὰρ πίστει ἑστή-
2 κατε. **1** Ἔκρινα ⸀γὰρ ἐμαυτῷ τοῦτο τὸ μὴ πάλιν
ἐν λύπῃ πρὸς ὑμᾶς ἐλθεῖν. **2** εἰ γὰρ ἐγὼ λυπῶ ὑμᾶς,
12,21! καὶ τίς ⸆ ὁ εὐφραίνων με εἰ μὴ ὁ λυπούμενος ἐξ ἐμοῦ;

15 ⸂ *1 4 2 3* D F G 365. 629 *pc* latt ¦ *2–4* ℵ* ¦ ελ. π. υ. το (– Ψ *al*) πρ. (δευτ- K) Ψ 𝔐 ¦ *txt* 𝔓^{46vid} ℵ^{1} A B C P 0121a. 0243. 33. 81. 104. 1175. 1739. 1881. 2464. 2495 *al* | ⸀χαραν ℵ^{c} B L P 81. 104. 365. 614. 1175. 2464 *al* bo | ⸁εχητε A D F G Ψ 𝔐 ¦ *txt* ℵ B C P 0243. 6. 33. 81. 104. 630. 1175. 1739. 1881. 2464 *pc* ● **16** ⸀απελ- A D* F G P 365 *pc* b r | ⸁αφ 𝔓^{46} D F G 614. 1175 *pc* ● **17** ⸀-λευομ- D 𝔐 a b (g); Ambst ¦ *txt* 𝔓^{46} ℵ A B C F G I^{vid} P Ψ 0243. 6. 33. 81. 104. 1175. 1739. 2464 *al* lat co | [⸆μη Nissen *cj*] | ⸂ *1 2 4–6* 𝔓^{46} 0243. 6 *pc* lat ¦ [το ναι ου κ. το ου ναι Markland *cj*] ● **18** ° 𝔓^{46} D* | ⸀εγενετο ℵ^{2} D^{2} Ψ 𝔐 b sy ¦ *txt* 𝔓^{46} ℵ* A B C D* F G P (0223). 0243. 33. 81. 630. 1739 *pc* lat co ● **19** ⸂† *2 1* ℵ* A C 0223. 2464 *pc* ¦ *1* 33 ¦ *txt* 𝔓^{46} ℵ^{2} B D F G Ψ 0243 𝔐 latt sy ● **20** ⸂ *2–4* 𝔓^{46} D* b ¦ και εν αυτω D^{2} 𝔐; Ambst ¦ *txt* ℵ A B C F G P Ψ 0223. 0243. 33. 81. 104. 365. 1175. 1739. 2464 *pc* lat (sy) co; Epiph | ⸆και τιμην F G ● **21** ⸂ υμ- συν ημ- C 104. 630 *pc* sy^{h} ● **22** ° ℵ* A C* K P Ψ 33. 81. 365. 630. 2464. 2495 *al* r ¦ *txt* 𝔓^{46} ℵ^{2} B C^{3} D (⸉ F G) 081. 0243 𝔐 vg^{cl}; Ambst ● **23** ⸀ουκ F G 1175. 1881. 2495 *pc* it sy^{p}; Ambst

¶ **2,1** ⸀† δε ℵ A C D^{1} F G Ψ 081 𝔐 lat; Ambst ¦ τε D* ¦ *txt* 𝔓^{46} B 0223. 0243. 33. 630. 1175. 1739. 1881. 2495 *pc* r sy ● **2** ⸆εστιν ℵ^{2} D F G Ψ 081. 0243 𝔐 ¦ *txt* ℵ* A B C 81 *pc*

3 καὶ ⸆ ⸉ἔγραψα τοῦτο αὐτό⸊, ἵνα μὴ ἐλθὼν λύπην ⸆ 9! 1K 5?
⸀σχῶ ἀφ’ ὧν ἔδει με χαίρειν, πεποιθὼς ἐπὶ πάντας ὑμᾶς
ὅτι ἡ ἐμὴ χαρὰ πάντων ὑμῶν ἐστιν. **4** ἐκ γὰρ πολλῆς
θλίψεως καὶ συνοχῆς καρδίας ἔγραψα ὑμῖν διὰ πολλῶν Act 20,31
δακρύων, οὐχ ἵνα λυπηθῆτε ἀλλὰ τὴν ἀγάπην ἵνα γνῶτε 7,8s
ἣν ἔχω περισσοτέρως εἰς ὑμᾶς.
5 Εἰ δέ τις λελύπηκεν, οὐκ ἐμὲ λελύπηκεν, ἀλλὰ ἀπὸ 7,12 G 4,12
μέρους, ἵνα μὴ ἐπιβαρῶ, πάντας ὑμᾶς. **6** ἱκανὸν τῷ τοιούτῳ ἡ ἐπιτιμία αὕτη ἡ ὑπὸ τῶν πλειόνων, **7** ὥστε τοὐναντίον ⸉μᾶλλον ὑμᾶς⸊ χαρίσασθαι καὶ παρακαλέσαι, μή Kol 3,13!
πως τῇ περισσοτέρᾳ λύπῃ καταποθῇ ὁ τοιοῦτος. **8** διὸ 7,9
παρακαλῶ ὑμᾶς κυρῶσαι εἰς αὐτὸν ἀγάπην· **9** εἰς τοῦτο
γὰρ καὶ ἔγραψα⸆, ἵνα γνῶ τὴν δοκιμὴν ὑμῶν, ⸀εἰ εἰς 3; 7,12
πάντα ὑπήκοοί ἐστε. **10** ᾧ δέ τι χαρίζεσθε, κἀγώ· καὶ 7,15; 10,6 |
γὰρ ἐγὼ ⸉ὃ κεχάρισμαι, εἴ τι⸊ κεχάρισμαι, δι’ ὑμᾶς ἐν
προσώπῳ Χριστοῦ, **11** ἵνα μὴ πλεονεκτηθῶμεν ὑπὸ τοῦ
σατανᾶ· οὐ γὰρ αὐτοῦ τὰ νοήματα ἀγνοοῦμεν. L 22,31
12 Ἐλθὼν δὲ εἰς τὴν Τρῳάδα εἰς τὸ εὐαγγέλιον τοῦ Act 16,18! 1K 16,5ss
Χριστοῦ καὶ θύρας μοι ἀνεῳγμένης ἐν κυρίῳ, **13** οὐκ ἔ- Act 14,27! |
σχηκα ἄνεσιν τῷ πνεύματί μου τῳ μὴ εὑρεῖν με Τίτον τὸν 7,5! 1K 16,18 · 7,6.13s; 8,6.23;
ἀδελφόν μου, ἀλλὰ ἀποταξάμενος αὐτοῖς ἐξῆλθον εἰς 12,18 G 2,1.3 2T 4,10 Tt 1,4 ·
Μακεδονίαν. Act 20,1!
14 Τῷ δὲ θεῷ χάρις τῷ πάντοτε θριαμβεύοντι ἡμᾶς ἐν R 7,25!
τῷ Χριστῷ καὶ τὴν ὀσμὴν τῆς γνώσεως αὐτοῦ φανεροῦντι
δι’ ἡμῶν ἐν παντὶ τόπῳ· **15** ὅτι ⸀Χριστοῦ εὐωδία ἐσμὲν Ph 4,18!
τῷ θεῷ ἐν τοῖς σῳζομένοις καὶ ἐν τοῖς ἀπολλυμένοις, 1K 1,18!
16 οἷς μὲν ὀσμὴ °ἐκ θανάτου εἰς θάνατον, οἷς δὲ ὀσμὴ
°ἐκ ζωῆς εἰς ζωήν. καὶ πρὸς ταῦτα τίς ἱκανός; **17** οὐ γὰρ 3,5s
ἐσμεν ὡς οἱ ⸀πολλοὶ καπηλεύοντες τὸν λόγον τοῦ θεοῦ, 4,2; 11,3

3 ⸆γαρ 33. 81. 365. 1175 *pc* sy^{h**} sa | ⸉ *1 2* A 81*. 1881 *pc* ¦ *1* 630 ¦ εγ. υμιν τ. αυ. ℵ^{2} C^{3} 𝔐 sy ¦ τ. αυ. εγ. υμ. D F G 629 it vg^{ww} ¦ *txt* 𝔓^{46} ℵ* B C* P Ψ (081). 0243. 33. 81^{c}. 365. 1175. 1739 *pc* (∫vgst); Ambst | ⸆επι λυπην D F G Ψ 0243. 81. 104. 365. 629. (1175). 1739. 1881 *pc* lat sy^{h**} | ⸀εχω ℵ^{2} C D F G 𝔐 ¦ *txt* 𝔓^{46} ℵ* A B P Ψ 081. 0243. 6. 33. 81. 365. 630. 1175. 1739. 1881. 2464. 2495 *pc* ● **7** ⸉ *2 1* D F G 33. 1881* ¦ *2* A B vg^{ms} ¦ *1* 1881^{c} ¦ *txt* 𝔓^{46} ℵ C Ψ 081. 0243 𝔐 r ● **9** ⸆υμιν (F G) 81. 104. 629 *pc* b vg^{s} co | ⸀ ᾗ A B 33 *pc* ¦ – 𝔓^{46} 2495 *pc* ¦ ως 1836 *pc* (b) ¦ *txt* ℵ C D F G Ψ 081. 0243 𝔐 lat sy bo ● **10** ⸉ει τι κεχ. ᾧ Ψ (33) 𝔐 (b) sy^{h} ¦ *txt* 𝔓^{46} ℵ A B C D F G (P) 081. 0243. 81. 104. 1175. (1739. 1881). 2464 *pc* lat; Ambst ● **15** ⸀κυριου Cl ● **16** ° *bis* D F G Ψ 𝔐 latt sy ¦ *txt* 𝔓^{46} ℵ A B C 0243. 33. 81. 104. 630. 1175. 1739. (1881, 2464) *pc*; Cl ● **17** ⸀λοιποι 𝔓^{46} D F G L 6. 326. 614^{s}. 630. 945. 2495 *al* sy ¦ *txt* ℵ A B C Ψ 0243 𝔐 lat co: Ir^{lat} Ambst Did

1,12 · 12,19 ἀλλ’ ὡς ἐξ εἰλικρινείας, ἀλλ’ ὡς ἐκ θεοῦ ⸀κατέναντι θεοῦ
ἐν Χριστῷ λαλοῦμεν.

5,12! **3** Ἀρχόμεθα πάλιν ἑαυτοὺς συνιστάνειν; ⸀ἢ μὴ χρῄζο-
Act 18,27! μεν ὥς τινες συστατικῶν ἐπιστολῶν πρὸς ὑμᾶς ἢ ἐξ
1K 9,2 ὑμῶν⸆; **2** ἡ ἐπιστολὴ ἡμῶν ὑμεῖς ἐστε, ἐγγεγραμμένη ἐν
7,3 ταῖς καρδίαις ⸀ἡμῶν, γινωσκομένη καὶ ἀναγινωσκομένη
ὑπὸ πάντων ἀνθρώπων, **3** φανερούμενοι ὅτι ἐστὲ ἐπιστολὴ
R 15,16 Χριστοῦ διακονηθεῖσα ὑφ’ ἡμῶν, ⸆ ἐγγεγραμμένη οὐ μέ-
Ex 31,18; 32,15 Dt 9,10s · λανι ἀλλὰ πνεύματι θεοῦ ζῶντος, οὐκ ἐν πλαξὶν λιθίναις
Prv 7,3 · Ez 11,19; 36,26 ἀλλ’ ἐν ⸂πλαξὶν καρδίαις σαρκίναις⸃.

4 Πεποίθησιν δὲ τοιαύτην ἔχομεν διὰ τοῦ Χριστοῦ
2,16 Kol 1,12 πρὸς τὸν θεόν. **5** οὐχ ὅτι ἀφ’ ἑαυτῶν ἱκανοί ἐσμεν ⸀λογί-
R 15,18! Ph 2,13; 4,13 σασθαί ⸋τι ὡς ἐξ ⸀ἑαυτῶν, ἀλλ’ ἡ ἱκανότης ἡμῶν ἐκ τοῦ
L 22,20! H 7,22! 1K 11,25 · θεοῦ, **6** ὃς καὶ ἱκάνωσεν ἡμᾶς διακόνους καινῆς διαθή-
R 7,6!; · 7,9ss · κης, οὐ γράμματος ἀλλὰ πνεύματος· τὸ γὰρ γράμμα
1K 15,45! ⸀ἀποκτέννει, τὸ δὲ πνεῦμα ζῳοποιεῖ. **7** Εἰ δὲ ἡ
διακονία τοῦ θανάτου ἐν ⸀γράμμασιν ἐντετυπωμένη ⸆ λίθοις ἐγενήθη ἐν δόξῃ, ὥστε μὴ δύνασθαι ἀτενίσαι τοὺς
Ex 34,30 υἱοὺς Ἰσραὴλ εἰς τὸ πρόσωπον Μωϋσέως διὰ τὴν δόξαν
τοῦ προσώπου αὐτοῦ τὴν καταργουμένην, **8** πῶς οὐχὶ
μᾶλλον ἡ διακονία τοῦ πνεύματος ἔσται ἐν δόξῃ; **9** εἰ
Dt 27,26 γὰρ ⸂τῇ διακονίᾳ⸃ τῆς κατακρίσεως δόξα, πολλῷ μᾶλλον
R 1,17! περισσεύει ἡ διακονία τῆς δικαιοσύνης ⸆ δόξῃ. **10** καὶ
Ex 34,29s.35 γὰρ οὐ δεδόξασται τὸ δεδοξασμένον ἐν τούτῳ τῷ μέρει
εἵνεκεν τῆς ὑπερβαλλούσης δόξης. **11** εἰ γὰρ τὸ καταρ-
γούμενον διὰ δόξης, πολλῷ μᾶλλον τὸ μένον ἐν δόξῃ.

12 Ἔχοντες οὖν τοιαύτην ἐλπίδα πολλῇ παρρησίᾳ
Ex 34,33.35 χρώμεθα **13** καὶ οὐ καθάπερ Μωϋσῆς ἐτίθει κάλυμμα ἐπὶ

17 ⸀κατενωπιον του (– D* 2495) ℵ2 D F G Ψ 𝔐 ¦ *txt* 𝔓46 ℵ* A B C P 0243. 33. 81. (365). 630. 1175. 1739. 1881. 2464 *pc*

¶ **3,1** ⸀(*ex itac.?*) ει A Ψ 𝔐 ¦ *txt* 𝔓46 ℵ B C D F G 0243. 6. 33. 81. 104. 326. 1175. 1739. 1881. 2495 *al* sy bo | ⸆συστατικων D(*) 𝔐 b (sy) ¦ συστ. επιστολων F G ¦ *txt* 𝔓46 ℵ A B C Ψ 0243. 6. 33. 81. 365. 630. 1175. 1739. 1881. 2464 *pc* f* vg ● **2** ⸀υμ- ℵ 33. 1175. 1881 *pc* ● **3** ⸆και 𝔓46 B 0243. 630. 1175. 1739. 1881 *pc* f vg | ⸂*1 3* 0243. 630. 1739 ¦ πλ. καρδιας σ. F Ψ 629. 945. 2495 *al* latt (syp) ¦ [*2 3* Hort *cj*] ● **5** ⸀-ιζεσθαι C D F G 629 *pc* | ⸋ 𝔓46 B | ⸀αυ- B F G *pc* ● **6** ⸀-κτενει 𝔓46* A C D 𝔐 ¦ *txt* (*vl* † -κτεινει) 𝔓46c ℵ B F G K P Ψ 0243. 6. 33. 104. 326. 614s. 945. 2464 *al* co; Or ● **7** ⸀-ματι B D* F G *pc* syp | ⸆εν ℵ2 D1 Ψ 𝔐 lat; Ambst ¦ *txt* 𝔓46 ℵ* A B C D* F G P 0243. 6. 33. 81. 630. 1739 *pc*; Or Epiph ● **9** ⸂† η δ-νια B D2 𝔐 a f vg bo ¦ διακ. 81. 629*. 2464. 2495 *pc* ¦ *txt* 𝔓46 ℵ A C D* F G Ψ 0243. 33. 104. 326. 630. 1175. 1739 *pc* (b) sy sa; Ambst Pel | ⸆εν D F G Ψ 𝔐 latt ¦ *txt* 𝔓46 ℵ A B C 0243. 33. 81. 326. 1739. 1881* *pc*

τὸ πρόσωπον ⸀αὐτοῦ πρὸς τὸ μὴ ἀτενίσαι τοὺς υἱοὺς
Ἰσραὴλ εἰς τὸ ⸁τέλος τοῦ καταργουμένου. **14** ἀλλὰ ἐπω- Mc 3,5! Act 28,27
ρώθη τὰ νοήματα αὐτῶν. ἄχρι γὰρ τῆς σήμερον °ἡμέρας
τὸ αὐτὸ κάλυμμα ἐπὶ τῇ ἀναγνώσει τῆς παλαιᾶς διαθήκης R 7,6
μένει, μὴ ἀνακαλυπτόμενον ὅτι ἐν Χριστῷ καταργεῖται· E 2,15 R 10,4
15 ἀλλ᾽ ἕως σήμερον ἡνίκα °ἂν ⸀ἀναγινώσκηται Μωϋ- Act 15,21!
σῆς, κάλυμμα ἐπὶ τὴν καρδίαν αὐτῶν κεῖται· **16** *ἡνίκα* *Ex 34,34* R 11,23. 26s
δὲ ἐὰν ἐπιστρέψῃ πρὸς κύριον, περιαιρεῖται τὸ κάλυμμα.
17 ὁ δὲ κύριος τὸ πνεῦμά ἐστιν· οὗ δὲ τὸ πνεῦμα ⸀κυρίου, 1K 15,45; 6,17 ·
⸆ ἐλευθερία. **18** ἡμεῖς δὲ °πάντες ἀνακεκαλυμμένῳ προσ- J 8,36! R 7,6 |
ώπῳ τὴν δόξαν κυρίου ⸀κατοπτριζόμενοι τὴν αὐτὴν εἰκό- Ex 16,7.10; 24,17 · 4,4! ·
να ⸁μεταμορφούμεθα ἀπὸ δόξης εἰς δόξαν ⸀¹καθάπερ ἀπὸ Ph 3,21!
κυρίου πνεύματος.

4 Διὰ τοῦτο, ἔχοντες τὴν διακονίαν ταύτην καθὼς ἠλε- 3,6 · 1K 7,25!
ήθημεν, οὐκ ⸀ἐγκακοῦμεν **2** ἀλλὰ ἀπειπάμεθα τὰ κρυ- G 6,9 | 1K 4,5 ·
πτὰ τῆς αἰσχύνης, μὴ περιπατοῦντες ἐν πανουργίᾳ μηδὲ 1K 3,19
δολοῦντες τὸν λόγον τοῦ θεοῦ ἀλλὰ τῇ φανερώσει τῆς 2,17 1Th 2,3
ἀληθείας ⸀συνιστάνοντες ἑαυτοὺς πρὸς πᾶσαν συνείδη- 5,12! · 5,11
σιν ἀνθρώπων ἐνώπιον τοῦ θεοῦ. **3** εἰ δὲ καὶ ἔστιν κεκα- 2P 3,16
λυμμένον τὸ εὐαγγέλιον ἡμῶν, ἐν τοῖς ἀπολλυμένοις ἐ- 1K 1,18
στὶν κεκαλυμμένον, **4** ἐν οἷς ὁ θεὸς τοῦ αἰῶνος τούτου J 12,31!
ἐτύφλωσεν τὰ νοήματα τῶν ἀπίστων εἰς τὸ μὴ ⸀αὐγά-
σαι ⸆ τὸν φωτισμὸν τοῦ εὐαγγελίου τῆς δόξης τοῦ Χρι- 6 · Mt 17,1ssp
στοῦ, ὅς ἐστιν εἰκὼν τοῦ θεοῦ. **5** Οὐ γὰρ ἑαυτοὺς 3,18 R 8,29 Kol 1,15 H 1,3
κηρύσσομεν ἀλλὰ ⸂Ἰησοῦν Χριστὸν⸃ κύριον, ἑαυτοὺς R 10,9!
δὲ δούλους ὑμῶν διὰ ⸀Ἰησοῦν. **6** ὅτι ὁ θεὸς °ὁ εἰπών· ἐκ 1,24 1K 3,5 | unde?

13 ⸀εαυ- ℵ D 𝔐 ¦ *txt* A B C F G L P Ψ 0243. 33. 81. 104. 365. 1175. 1739. 1881. 2464. 2495 *al* | ⸁προσωπον A *pc* b f* vg (bo^{mss}) ● **14** ° Ψ 𝔐 sy^{p} ¦ *txt* 𝔓^{46} ℵ A B C D F G P 0243. 33. 81. 104. 365. 1175. 1739. 1881. 2464. 2495 *al* latt sy^{h}; Cl Did ● **15** ° D F G 0243 𝔐 *et* ⸀-κεται F G 0243 𝔐 ¦ *txt* 𝔓^{46} ℵ A B C P Ψ 33. 104. 1175 *pc*; Or Did ● **17** ⸀το αγιον L ¦ – 323 | ⸆εκει D^{1} F G Ψ 𝔐 lat sy^{h} sa; Epiph ¦ *txt* 𝔓^{46} ℵ A B C D* 0243. 6. 33. 81. 1175. 1739 *pc* r sy^{p} bo ● **18** ° 𝔓^{46} vg^{ms}; Spec | ⸀-ζομεθα 33 ¦ -ζομεθα οι 𝔓^{46} *et* ⸁-φουμενοι 𝔓^{46} A 614; Or | ⸀¹καθωσπερ B
¶ **4,1** ⸀εκκ- C Ψ 0243 𝔐 ¦ *txt* 𝔓^{46} ℵ A B D F G 33. 81. 326. 1175. 2464 *pc* co ● **2** ⸀-σταντες ℵ C D* F G 33. 81. 326 *pc* ¦ -στωντες D^{2} Ψ 𝔐 ¦ *txt* 𝔓^{46} B P 0243. 630. 1175. 1739. 1881. 2495 *pc* (A: *illeg.*) ● **4** ⸀καταυγ- C D H 365. 1175 *pc*; Epiph ¦ διαυγ- A 33. 104. 326. 2464 *pc* ¦ *txt* 𝔓^{46} ℵ B F G Ψ 0243 𝔐; Eus | ⸆αυτοις Ψ 0209 𝔐 vg^{cl} sy; Spec ¦ *txt* 𝔓^{46} ℵ A B C D F G H 0243. 33. 81. 326. 630. 1175. 1739. 1881 *pc* lat; Eus Epiph ● **5** ⸂ † B Ψ 0209. 0224. 0243 𝔐 a b sy^{p}; Epiph Pel ¦ *txt* 𝔓^{46} ℵ A C D (F G, P) H 81. 326. 629. 2495 *pc* lat sy^{h}; Ambst | ⸀Ιησου 𝔓^{46} ℵ* A^{c} C 0243. 33. 1739. 1881 *pc* co; Epiph ¦ Χριστου ℵ^{1} 2464 t vg^{ms} bo^{ms} ¦ Χριστον 326. 1241^{s} *pc* ¦ Ιησουν Χριστον 629. 630 (a) b ¦ *txt* A*^{vid} B D F G H Ψ (0186: -ου -ου) 0209 𝔐 ● **6** ° *pc*

Gn 1,3 Ps 112,4 Job 37,15 𝔊 Is 9,1 · σκότους φῶς ⸀λάμψει, ⁰¹ὃς ἔλαμψεν ἐν ταῖς καρδίαις ἡ-
1P 2,9! · 4 E 1,18 μῶν πρὸς φωτισμὸν τῆς γνώσεως ⸋τῆς δόξης⸌ ⸂τοῦ θεοῦ⸃
ἐν προσώπῳ ⸉[Ἰησοῦ] Χριστοῦ⸊.
5,1 Thr 4,2 *7-10:* 1K 4,11-13! **7** Ἔχομεν δὲ τὸν θησαυρὸν τοῦτον ἐν ὀστρακίνοις
σκεύεσιν, ἵνα ἡ ὑπερβολὴ τῆς δυνάμεως ᾖ τοῦ θεοῦ καὶ
1,4.8; 7,5 μὴ ἐξ ἡμῶν· **8** ἐν παντὶ θλιβόμενοι ἀλλ᾽ οὐ στενοχωρού-
μενοι, ἀπορούμενοι ἀλλ᾽ οὐκ ἐξαπορούμενοι, **9** διωκό-
H 13,5 μενοι ἀλλ᾽ οὐκ ἐγκαταλειπόμενοι, καταβαλλόμενοι ἀλλ᾽
16; 1,5; 13,4 1K 15,31 G 6,17 · οὐκ ἀπολλύμενοι, **10** πάντοτε τὴν νέκρωσιν τοῦ Ἰησοῦ
R 6,8; 8,17 Ph 3,10s ἐν τῷ σώματι περιφέροντες, ἵνα καὶ ἡ ζωὴ τοῦ Ἰησοῦ
Ph 1,20! | ἐν ⸂τῷ σώματι⸃ ἡμῶν φανερωθῇ. **11** ⸀ἀεὶ γὰρ ἡμεῖς οἱ
6,9 R 8,36! ζῶντες εἰς θάνατον παραδιδόμεθα διὰ Ἰησοῦν, ἵνα καὶ ἡ
ζωὴ τοῦ Ἰησοῦ φανερωθῇ ἐν τῇ θνητῇ σαρκὶ ἡμῶν.
12 ὥστε ὁ θάνατος ἐν ἡμῖν ἐνεργεῖται, ἡ δὲ ζωὴ ἐν ὑ-
μῖν. **13** Ἔχοντες δὲ τὸ αὐτὸ πνεῦμα τῆς πίστεως κατὰ
Ps 115,1 𝔊 τὸ γεγραμμένον· *ἐπίστευσα, διὸ* ⸆ *ἐλάλησα*, καὶ ἡμεῖς πι-
1K 6,14! στεύομεν, διὸ καὶ λαλοῦμεν, **14** εἰδότες ὅτι ὁ ἐγείρας
τὸν °κύριον Ἰησοῦν καὶ ἡμᾶς ⸀σὺν Ἰησοῦ ἐγερεῖ καὶ
E 5,27! | 1,6 παραστήσει σὺν ὑμῖν. **15** τὰ γὰρ πάντα δι᾽ ὑμᾶς, ἵνα ἡ
1,11! χάρις πλεονάσασα διὰ τῶν πλειόνων τὴν εὐχαριστίαν
περισσεύσῃ εἰς τὴν δόξαν τοῦ θεοῦ.
G 6,9! · **16** Διὸ οὐκ ⸀ἐγκακοῦμεν, ἀλλ᾽ εἰ καὶ ὁ ἔξω ἡμῶν ἄν-
E 3,16! · Kol 3,10 θρωπος διαφθείρεται, ἀλλ᾽ ὁ ⸂ἔσω ἡμῶν⸃ ἀνακαινοῦται
ἡμέρᾳ καὶ ἡμέρᾳ. **17** τὸ γὰρ παραυτίκα ⸆ ἐλαφρὸν τῆς
J 16,22 R 8,17s H 12,11 1P 1,6s θλίψεως °ἡμῶν καθ᾽ ὑπερβολὴν εἰς ὑπερβολὴν αἰώνιον
H 11,1.3 Kol 1,16 βάρος δόξης κατεργάζεται ἡμῖν, **18** μὴ σκοπούντων ἡ-
μῶν τὰ βλεπόμενα ἀλλὰ τὰ μὴ βλεπόμενα· τὰ γὰρ βλε-
πόμενα πρόσκαιρα, τὰ δὲ μὴ βλεπόμενα αἰώνια.
2P 1,13s Sap 9,15 **5** Οἴδαμεν γὰρ ὅτι ἐὰν ἡ ἐπίγειος ἡμῶν οἰκία τοῦ σκή-
Mc 14,58 H 9,11! Kol 2,11 νους καταλυθῇ, οἰκοδομὴν ἐκ θεοῦ ἔχομεν, οἰκίαν
ἀχειροποίητον αἰώνιον ἐν τοῖς οὐρανοῖς. **2** καὶ γὰρ ἐν

6 ⸀-ψαι ℵ^2 C D^2 F G H Ψ 0209. 0243 𝔐 latt ¦ *txt* 𝔓^{46} ℵ* A B D* 6. 1739. 2464 *pc*; Epiph | ⁰¹ D* F G 81 it vg^{mss}; Mcion Ambst | ⸋ 33 *pc* vg^{ms} | ⸂αυτου 𝔓^{46} C* D* F G b r ¦ *txt* ℵ A B (C^3) D^2 Ψ 𝔐 t vg sy co | ⸉† *2* A B 33; Tert ¦ *2 1* D F G 0243. 630. 1739*. 1881 *pc* lat; Ambst ¦ *txt* 𝔓^{46} ℵ C H Ψ 0209 𝔐 t vg^{mss} sy ● **10** ⸂τοις σωμασιν ℵ 0243. 326. 1739. 1881 *pc* r t vg sy^p bo^{pt} ● **11** ⸀ει 𝔓^{46} F G a b sy^p; Ir^{lat} Tert Ambst ● **13** ⸆και ℵ F G 0186. 1175 sy ¦ *txt* 𝔓^{46} B C^{vid} D Ψ 𝔐 latt ● **14** °𝔓^{46} B (0243. 33). 629. (630. 1175*. 1739) *pc* r vg sa bo^{ms}; Tert ¦ *txt* ℵ C D F G Ψ 𝔐 a b sy bo | ⸀δια ℵ^2 D^1 Ψ 𝔐 sy ¦ *txt* 𝔓^{46} ℵ* B C D* F G P 0243. 6. 33. 81. 104. 365. 1175. 1739. 1881. 2464 *pc* latt co; Tert ● **16** ⸀εκκ- C D^2 Ψ 0243 𝔐 ¦ *txt* 𝔓^{46} ℵ B D* F G 6. 81. 326. 2464 *pc* co | ⸂εσωθεν K L Ψ 629. 1241 *pm* ¦ εσωθ. ημων D^2 2495 *pc* ¦ εσω P 323. 945 *pc* ● **17** ⸆προσκαιρον και D* F G (latt sy; Tert) | °† 𝔓^{46} B sy^p ¦ *txt* ℵ C^{vid} D F G Ψ 0243 𝔐 latt sy^h; Or

τούτῳ στενάζομεν τὸ οἰκητήριον ἡμῶν τὸ ἐξ οὐρανοῦ Mc 8,12!
ἐπενδύσασθαι ἐπιποθοῦντες, **3** ⸂εἴ γε⸃ καὶ ⸀ἐκδυσάμενοι
οὐ γυμνοὶ εὑρεθησόμεθα. **4** καὶ γὰρ οἱ ὄντες ἐν τῷ σκή-
νει ⸆ στενάζομεν ⸀βαρούμενοι, ἐφ᾽ ᾧ οὐ θέλομεν ἐκδύ- Sap 9,15
σασθαι ἀλλ᾽ ἐπενδύσασθαι, ἵνα καταποθῇ τὸ θνητὸν ὑπὸ 1K 15,53s
τῆς ζωῆς. **5** ὁ δὲ ⸀κατεργασάμενος ἡμᾶς εἰς αὐτὸ τοῦτο
θεός, ὁ ⸆ δοὺς ἡμῖν τὸν ἀρραβῶνα τοῦ πνεύματος. 1,22!
6 Θαρροῦντες οὖν πάντοτε καὶ εἰδότες ὅτι ⸀ἐνδημοῦν-
τες ἐν τῷ σώματι ⸁ἐκδημοῦμεν ἀπὸ τοῦ κυρίου· **7** διὰ 4,18 R 8,23s 1K
πίστεως γὰρ περιπατοῦμεν, οὐ διὰ εἴδους· **8** ⸀θαρροῦμεν 13,12 1P 1,8
δὲ καὶ εὐδοκοῦμεν μᾶλλον ἐκδημῆσαι ἐκ τοῦ σώματος Ph 1,23
καὶ ἐνδημῆσαι πρὸς τὸν κύριον. **9** διὸ καὶ φιλοτιμούμεθα,
εἴτε ἐνδημοῦντες εἴτε ἐκδημοῦντες, εὐάρεστοι αὐτῷ εἶναι. R 14,18 E 5,10 H 13,21!
10 τοὺς γὰρ πάντας ἡμᾶς φανερωθῆναι δεῖ ἔμπροσθεν
τοῦ βήματος τοῦ Χριστοῦ, ἵνα κομίσηται ἕκαστος ⸀τὰ R 14,10 Act 10,42! · E 6,8 ·
⸁διὰ τοῦ σώματος □πρὸς ἃ⸌ ἔπραξεν, εἴτε ἀγαθὸν εἴτε 11,15! Eccl 12,14
⸀¹φαῦλον.
11 Εἰδότες οὖν τὸν φόβον τοῦ κυρίου ἀνθρώπους ⸀πεί- 1P 1,17! · G 1,10
θομεν, θεῷ δὲ πεφανερώμεθα· ἐλπίζω δὲ καὶ ἐν ταῖς συν-
ειδήσεσιν ὑμῶν πεφανερῶσθαι. **12** οὐ ⸆ πάλιν ἑαυτοὺς 4,2
συνιστάνομεν ὑμῖν ἀλλὰ ἀφορμὴν διδόντες ὑμῖν καυχή- 3,1; 4,2; 6,4; 10,12.18; 12,11 · 1,14
ματος ὑπὲρ ⸀ἡμῶν, ἵνα ἔχητε πρὸς τοὺς ἐν προσώπῳ 1Sm 16,7
καυχωμένους καὶ ⸂μὴ ἐν⸃ καρδίᾳ. **13** εἴτε γὰρ ἐξέστημεν, 12,1ss 1K 14,2
θεῷ· εἴτε σωφρονοῦμεν, ὑμῖν. **14** ἡ γὰρ ἀγάπη τοῦ Χρι- Mc 5,15 |
στοῦ συνέχει ἡμᾶς, κρίναντας τοῦτο, ὅτι ⸆ εἷς ὑπὲρ πάν- J 11,50
των ἀπέθανεν, ἄρα οἱ πάντες ἀπέθανον· **15** καὶ ὑπὲρ πάν- R 6,6 1P 4,1 | 1T 2,6!
των ἀπέθανεν, ἵνα οἱ ζῶντες μηκέτι ἑαυτοῖς ζῶσιν ἀλλὰ R 14,7s
τῷ ὑπὲρ αὐτῶν ἀποθανόντι καὶ ἐγερθέντι. **16** Ὥστε R 6,11; 7,4

¶ **5,3** ⸂ειπερ 𝔓^{46} B D F G 33. 1175 *pc* | ⸀† ενδυσ- 𝔓^{46} ℵ B C D^{2} Ψ 0243 𝔐 lat sy co; Cl ¦ (*ex errore*) εκλυσ- F G ¦ *txt* D* a f^{c}; Tert Spec ● **4** ⸆τουτω D F G 81. (104) *pc* it vg^{cl} sy; Tert Ambst Spec | ⸀βαρυνομενοι D* F G 2495 *pc* ● **5** ⸀-γαζομενος D F G lat; Ambst | ⸆και ℵ^{2} D^{1} 𝔐 sy^{h}; Ir Ambst ¦ *txt* 𝔓^{46} ℵ* B C D* F G P Ψ 0243. 6. 630. 1175. 1739. 1881. 2464 *pc* lat sy^{p} co ● **6** ⸀επιδη- D* (F G) | ⸁αποδη- D (F G) ● **8** ⸀-ρουντες ℵ 0243. 6. 33. 81. 630. 1739. 1881. 2464 *pc*; Tert ● **10** ⸀ᾶ *et* □ D* F G; Tert | ⸁ιδια 𝔓^{46} 365 *pc* lat; Cyp | ⸀¹κακον 𝔓^{46} B D F G Ψ 𝔐; Cl ¦ *txt* ℵ C 048. 0243. 33. 81. 326. 365. 630. 1739. (1881) *pc* ● **11** ⸀-θωμεν 𝔓^{46} P Ψ 629. 2464 *pc* vg^{ms} ● **12** ⸆γαρ D^{2} 048 𝔐 sa ¦ *txt* 𝔓^{46} ℵ B C D* F G Ψ 0243. 81. 104. 326. 1739. 1881. 2464 *pc* latt sy bo | ⸀υμ- 𝔓^{46} ℵ B 33 *pc* g vg^{ms} | ⸂ουκ εν D* F G ¦ ου C D^{2} Ψ 𝔐 ¦ *txt* 𝔓^{46} ℵ B 0243. 33. 81. 104. 365. 630. 1175. 1739. 1881. 2464. 2495 *pc* ● **14** ⸆ει ℵ^{2} C* 048. 0243. 81. 104. 365. 629^{c}. 630. 1175. 1739 *pm* f vg sa bo^{ms}

1,17 Kol 1,22! ἡμεῖς ἀπὸ τοῦ νῦν οὐδένα οἴδαμεν κατὰ σάρκα· ⸂εἰ καὶ⸃
R 8,1; · 6,4; 12,2 ἐγνώκαμεν κατὰ σάρκα Χριστόν, ἀλλὰ νῦν οὐκέτι γινώ-
G 6,15 Ap 21,5 E 2,15 Is 43,18s | σκομεν. **17** ὥστε εἴ τις ἐν Χριστῷ, καινὴ κτίσις· τὰ ἀρ-
1K 1,30 χαῖα παρῆλθεν, ἰδοὺ γέγονεν ⸀καινά. **18** τὰ δὲ πάντα ἐκ
R 5,10 τοῦ θεοῦ τοῦ καταλλάξαντος ἡμᾶς ἑαυτῷ διὰ Χριστοῦ καὶ
Act 20,24 δόντος ἡμῖν τὴν διακονίαν τῆς καταλλαγῆς, **19** ὡς ὅτι
Kol 1,19s · R 4,8 θεὸς ἦν ἐν Χριστῷ κόσμον καταλλάσσων ἑαυτῷ, μὴ λογι-
ζόμενος αὐτοῖς τὰ παραπτώματα αὐτῶν καὶ θέμενος ἐν
ἡμῖν ⸂τὸν λόγον⸃ τῆς καταλλαγῆς ⸆. **20** Ὑπὲρ Χρι-
E 6,20 στοῦ °οὖν πρεσβεύομεν ὡς τοῦ θεοῦ παρακαλοῦντος δι᾿
ἡμῶν· δεόμεθα ὑπὲρ Χριστοῦ, καταλλάγητε τῷ θεῷ.
J 8,46! · G 3,13 **21** τὸν μὴ γνόντα ἁμαρτίαν ὑπὲρ ἡμῶν ἁμαρτίαν ἐποίη-
R 1,17! 1K 1,30 σεν, ἵνα ἡμεῖς γενώμεθα δικαιοσύνη θεοῦ ἐν αὐτῷ.
1K 3,9!; · 15,10 **6** Συνεργοῦντες δὲ καὶ ⸀παρακαλοῦμεν μὴ εἰς κενὸν τὴν
χάριν τοῦ θεοῦ δέξασθαι ὑμᾶς· **2** λέγει γάρ·
Is 49,8 𝔊 *καιρῷ δεκτῷ ἐπήκουσά σου*
καὶ ἐν ἡμέρᾳ σωτηρίας ἐβοήθησά σοι.
L 4,19.21 ἰδοὺ νῦν καιρὸς ⸀εὐπρόσδεκτος, ἰδοὺ νῦν ἡμέρα σωτηρίας. **3** Μηδεμίαν ἐν μηδενὶ διδόντες προσκοπήν,
5,12! *4-10:* 1K 4,11-13! · ἵνα μὴ μωμηθῇ ἡ διακονία ⸆, **4** ἀλλ᾿ ἐν παντὶ ⸀συνιστάν-
1,6 τες ἑαυτοὺς ὡς θεοῦ διάκονοι, ἐν ὑπομονῇ πολλῇ, ἐν θλί-
Act 16,23; 19,29; 21,30 ψεσιν, ἐν ἀνάγκαις, ἐν στενοχωρίαις, **5** ἐν πληγαῖς, ἐν
φυλακαῖς, ἐν ἀκαταστασίαις, ἐν κόποις, ἐν ἀγρυπνίαις,
1K 4,11 Ph 4,12 | 11,3 · G 5,22! · ἐν νηστείαις, **6** ἐν ἁγνότητι, ἐν γνώσει, ἐν μακροθυμίᾳ,
R 12,9 1T 1,5 1P 1,22 | ἐν χρηστότητι, ἐν πνεύματι ἁγίῳ, ἐν ἀγάπῃ ἀνυποκρίτῳ,
1K 2,4! · R 13,12! **7** ἐν λόγῳ ἀληθείας, ἐν δυνάμει θεοῦ· διὰ τῶν ὅπλων τῆς
δικαιοσύνης τῶν δεξιῶν καὶ ἀριστερῶν, **8** διὰ δόξης καὶ
Mt 27,63 ἀτιμίας, διὰ δυσφημίας καὶ εὐφημίας· ὡς πλάνοι καὶ ἀλη-
4,10s! Ps 118,17s Act 14,19 θεῖς, **9** ὡς ἀγνοούμενοι καὶ ἐπιγινωσκόμενοι, ὡς ἀποθνῄ-
σκοντες καὶ ἰδοὺ ζῶμεν, ὡς ⸀παιδευόμενοι καὶ μὴ θανα-
8,9 Ph 4,12s τούμενοι, **10** ὡς λυπούμενοι ἀεὶ δὲ χαίροντες, ὡς πτω-

16 ⸂ *2 1* F G ¦ ει δε K ¦ ει δε και ℵ[2] C D[2] Ψ 𝔐 sy[h]; Cl ¦ *txt* 𝔓[46] ℵ* B D* 0225. 0243. 33. 326. 1739. 1881 *pc*; Eus Did ● **17** ⸀τα παντα κ. 6. 33. 81. 614. 630. 1241. 1881. 2495 *pm* a b vg[cl]; Tert (Ambst) ¦ κ. τα π. D[2] K L P Ψ 104. 326. 945. 2464 *pm* sy[h] ¦ *txt* 𝔓[46] ℵ B C D* F G 048. 0243. 365. 629. 1175. 1739 *pc* vg[st] co ● **19/20** ⸂το ευαγγελιον 𝔓[46] ¦ (+ του D*) ευαγγελιου τον λ. D* F G (a) | ⸆ον D* F G *et* ° 𝔓[46] D* F G Ψ b; Or ¦ *txt* 𝔓[34] ℵ B C D[2] 048 𝔐 vg sy

¶ **6,1** ⸀-λουντες 𝔓[46] D F G 2495 *pc* a b ¦ *txt* ℵ B C Ψ 𝔐 r vg ● **2** ⸀δεκτος F G ● **3** ⸆ημων D F G 629. 2495 *pc* it vg[ww] sy co; Ambst ● **4** ⸀† -στανοντες B P 104. 1175. 2495 *pc* ¦ -στωντες ℵ[2] D[2] Ψ 048 𝔐 ¦ *txt* 𝔓[46] ℵ* C D* F G 0225. 0243. 33. 81. 1739 *pc*; Cl ● **9** ⸀πειραζομ- D* F G it; Ambst

χοὶ πολλοὺς δὲ πλουτίζοντες, ὡς μηδὲν ἔχοντες καὶ Jc 2,5 Ap 2,10
πάντα κατέχοντες.
11 Τὸ στόμα ἡμῶν ἀνέῳγεν πρὸς ὑμᾶς, Κορίνθιοι, ἡ
καρδία ⸀ἡμῶν πεπλάτυνται· **12** οὐ στενοχωρεῖσθε ἐν ἡ- Ps 118,32 ⓖ
μῖν, στενοχωρεῖσθε δὲ ἐν τοῖς σπλάγχνοις ὑμῶν· **13** τὴν 7,3
δὲ αὐτὴν ἀντιμισθίαν, ὡς τέκνοις λέγω, πλατύνθητε καὶ 1K 4,14!
ὑμεῖς.
14 Μὴ γίνεσθε ἑτεροζυγοῦντες ἀπίστοις· τίς γὰρ με- Dt 32,10 E 5,7.11
τοχὴ δικαιοσύνῃ καὶ ἀνομίᾳ, ἢ τίς κοινωνία φωτὶ πρὸς
σκότος; **15** τίς δὲ συμφώνησις ⸀Χριστοῦ πρὸς ⸁Βελιάρ, 1K 10,20s 1Rg 18,21
ἢ τίς μερὶς ⸀¹πιστῷ μετὰ ἀπίστου; **16** τίς δὲ συγκατάθε-
σις ναῷ θεοῦ μετὰ εἰδώλων; ⸂ἡμεῖς γὰρ ναὸς θεοῦ ἐσμεν⸃ 1K 3,16!
ζῶντος, καθὼς εἶπεν ὁ θεὸς ὅτι

ἐνοικήσω ἐν αὐτοῖς καὶ ἐμπεριπατήσω *Lv 26,11s* J 14,23! Ap 21,3
καὶ ἔσομαι αὐτῶν θεὸς καὶ αὐτοὶ ἔσονταί ⸀μου λαός. *Ez 37,27*
17 διὸ *ἐξέλθατε ἐκ μέσου αὐτῶν* *Is 52,11.4* Ap 18,4
καὶ ἀφορίσθητε, λέγει κύριος, Act 19,9!
καὶ *ἀκαθάρτου μὴ ἅπτεσθε·*
κἀγὼ εἰσδέξομαι ὑμᾶς *Ez 20,34*.41
18 καὶ *ἔσομαι* ὑμῖν *εἰς πατέρα* *2Sm 7,14* Jr 31,9
καὶ ὑμεῖς ἔσεσθέ *μοι εἰς υἱοὺς* καὶ θυγατέρας, Is 43,6
λέγει κύριος παντοκράτωρ. *2Sm 7,8* ⓖ Am 3,13

7 ταύτας οὖν ἔχοντες τὰς ἐπαγγελίας, ἀγαπητοί, καθα- 2P 1,4 · 1J 3,3
ρίσωμεν ἑαυτοὺς ἀπὸ παντὸς μολυσμοῦ σαρκὸς καὶ
⸀πνεύματος, ἐπιτελοῦντες ἁγιωσύνην ἐν ⸁φόβῳ θεοῦ. 1P 1,17!
2 Χωρήσατε ἡμᾶς· οὐδένα ἠδικήσαμεν, οὐδένα ἐφθεί- 6,12
ραμεν, οὐδένα ἐπλεονεκτήσαμεν. **3** πρὸς κατάκρισιν οὐ
λέγω· προείρηκα γὰρ ὅτι ἐν ταῖς καρδίαις ἡμῶν ἐστε εἰς 3,2; 6,11 Ph 1,7
τὸ συναποθανεῖν καὶ συζῆν. **4** πολλή μοι παρρησία πρὸς
ὑμᾶς, πολλή μοι καύχησις ὑπὲρ ὑμῶν· πεπλήρωμαι τῇ 8,24!
παρακλήσει, ὑπερπερισσεύομαι ⸆ τῇ χαρᾷ ἐπὶ πάσῃ τῇ Phm 7
θλίψει ἡμῶν.

11 ⸀(*ex itac.?*) υμ- ℵ B 0243. 1881. 2464 *pc* ● **15** ⸀-στω D (F G) Ψ 𝔐; Tert ¦ *txt* 𝔓46 ℵ B C P 0243. 33. 81. 326. 1175. 1739. 1881 *pc* lat; Cl Ambst | ⸁-λιαν D K Ψ 6 *pc* (b) vgms ¦ -λιαβ F G d ¦ -λιαλ *pc* lat; Tert | ⸀¹-στου B 33 *pc* ● **16** ⸂υμεις ... εστε 𝔓46 (ℵ2) C D2 F G Ψ 0209 𝔐 lat sy; Tert ¦ ημ. γ. ναοι θ. εσμεν ℵ* 0243. 1739 *pc*; Cl ¦ *txt* B D* L P 6. 33. 81. (104). 326. 365. 1175. 1881. 2464 *pc* co | ⸀μοι D F G Ψ 0209 𝔐 latt sy co; Tert Epiph ¦ *txt* 𝔓46 ℵ B C Ivid P 0243. 33. 81. 1175. 1739 *pc*; Cl Or
¶ **7,1** ⸀(1K 15,50) αιματος Mcion | ⸁αγαπη 𝔓46 ● **4** ⸆εν B

Act 20,1!s **5** Καὶ γὰρ ἐλθόντων ἡμῶν εἰς Μακεδονίαν οὐδεμίαν
2,13; 8,13 2Th ⸀ἔσχηκεν ἄνεσιν ἡ σὰρξ ἡμῶν ἀλλ’ ἐν παντὶ θλιβόμενοι·
1,7 · 4,8! | 1,3s Is 49,13 Act 28,15 · ἔξωθεν μάχαι, ἔσωθεν ⸁φόβοι. **6** ἀλλ’ ὁ παρακαλῶν τοὺς
2,13! ταπεινοὺς παρεκάλεσεν ἡμᾶς ὁ θεὸς ἐν τῇ παρουσίᾳ Τί-
cf 1Th 3,6s του, **7** οὐ μόνον δὲ ἐν τῇ παρουσίᾳ αὐτοῦ ἀλλὰ καὶ ἐν τῇ
παρακλήσει ᾗ παρεκλήθη ἐφ’ ὑμῖν, ἀναγγέλλων ἡμῖν τὴν
ὑμῶν ἐπιπόθησιν, τὸν ὑμῶν ὀδυρμόν, τὸν ὑμῶν ζῆλον
ὑπὲρ ἐμοῦ ὥστε με μᾶλλον χαρῆναι. **8** Ὅτι εἰ καὶ
2,2-4 ἐλύπησα ὑμᾶς ἐν τῇ ⸀ἐπιστολῇ, οὐ μεταμέλομαι· εἰ ⸆ καὶ
μετεμελόμην, ⸂βλέπω [γὰρ]⸃ ὅτι ἡ ἐπιστολὴ ἐκείνη εἰ
καὶ πρὸς ὥραν ἐλύπησεν ὑμᾶς, **9** νῦν χαίρω, οὐχ ὅτι ἐλυπήθητε ἀλλ’ ὅτι ἐλυπήθητε εἰς μετάνοιαν· ἐλυπήθητε γὰρ
2,7 κατὰ θεόν, ἵνα ἐν μηδενὶ ζημιωθῆτε ἐξ ἡμῶν. **10** ἡ γὰρ
κατὰ θεὸν λύπη μετάνοιαν εἰς σωτηρίαν ἀμεταμέλητον
2,16 ⸀ἐργάζεται· ἡ δὲ τοῦ κόσμου λύπη θάνατον κατεργάζεται. **11** ἰδοὺ γὰρ αὐτὸ τοῦτο τὸ κατὰ θεὸν λυπηθῆναι ⸆
πόσην κατειργάσατο ⸆ ὑμῖν σπουδήν, ἀλλὰ ἀπολογίαν,
ἀλλὰ ἀγανάκτησιν, ἀλλὰ φόβον, ἀλλὰ ⸀ἐπιπόθησιν, ἀλλὰ
2,5-11 ζῆλον, ἀλλὰ ἐκδίκησιν. ἐν παντὶ συνεστήσατε ἑαυτοὺς
11,2 | 2,9! ἁγνοὺς εἶναι ⸆¹ τῷ πράγματι. **12** ἄρα εἰ καὶ ἔγραψα ὑμῖν,
οὐχ ἕνεκεν τοῦ ἀδικήσαντος ⸆ οὐδὲ ἕνεκεν τοῦ ἀδικη-
θέντος ἀλλ’ ἕνεκεν τοῦ φανερωθῆναι τὴν σπουδὴν ⸀ὑμῶν
τὴν ὑπὲρ ⸀ἡμῶν πρὸς ὑμᾶς ἐνώπιον τοῦ θεοῦ. **13** διὰ
τοῦτο παρακεκλήμεθα. Ἐπὶ °δὲ τῇ παρακλή-
σει ἡμῶν περισσοτέρως μᾶλλον ἐχάρημεν ἐπὶ τῇ χαρᾷ
2,13! · 1K 16,18 Τίτου, ὅτι ἀναπέπαυται τὸ πνεῦμα αὐτοῦ ἀπὸ πάντων
8,24! ὑμῶν· **14** ὅτι εἴ τι αὐτῷ ὑπὲρ ὑμῶν κεκαύχημαι, οὐ κατ-
ησχύνθην, ἀλλ’ ὡς ⸀πάντα ἐν ἀληθείᾳ ἐλαλήσαμεν ὑμῖν,
οὕτως καὶ ἡ καύχησις ⸁ἡμῶν ⸂ἡ ἐπὶ Τίτου⸃ ἀλήθεια

5 ⸀εσχεν (⸉ 𝔓46) B F G K ¦ *txt* א C D Ψ 0243 𝔐 | ⸁φοβος 𝔓46 *pc* sy^p; Tert ● 8 ⸀προτερα επ. 2495 *pc* sy^h ¦ επ. μου D* F G | ⸆δε B | ⸂† *1* 𝔓46c B D* it sa; Ambst ¦ βλεπων 𝔓46* vg ¦ *txt* א C D¹ F G Ψ 0243 𝔐 vg^mss sy bo ● 10 ⸀κατερ- א² F G Ψ 0243 𝔐; Did ¦ *txt* 𝔓46 א* B C D P 81. 1175 *pc* ● 11 ⸆υμας א² D Ψ 𝔐 a f vg; Cl Pel ¦ *txt* 𝔓46 א* B C F G 0243. 33. 81. 630. 1739. 1881. 2464* *pc* b r ρ; Ambst | ⸆εν א² C F G P 104. 326. 365. 629. 2464. 2495 *pm* a vg; Ambst Pel ¦ *txt* (𝔓46) א* B D K L Ψ 0243. 6. 33. 81. 630. 1175. 1241. 1739. 1881 *pm* (b) r ρ; Cl | ⸀-θιαν 𝔓46 א* 2495 *pc* | ⸆¹εν D¹ Ψ 𝔐 d ¦ *txt* א B C D* F G 0243. 33. 81. 1175. 1739. 1881. 2464 *pc* lat; Cl Ambst ● 12 ⸆αλλ א² B 365. 1175 *pc*; Ambst | ⸀ημ- … ⸀υμ- 323. 945 *pc* lat; Ambst ¦ υμ- … υμ- א D* F 0243. 629 *pc* ¦ ημ- … ημ- G d vg^ms ● 13 ° 𝔓46 81. 104. 365. 629. 630. 1175 *al* ● 14 ⸀παντοτε C F G 81. 2495 *pc* sy^h co ¦ παντων 326 | ⸁υμ- B F | ⸂† *2 3* א* B 81. 326. 1881 *pc* ¦ η προς Τιτον D F G P Ψ 365. 614. 1175 *pc* latt ¦ *txt* 𝔓46 א² C 0243 𝔐

ἐγενήθη. **15** καὶ τὰ σπλάγχνα αὐτοῦ περισσοτέρως εἰς
ὑμᾶς ἐστιν ἀναμιμνῃσκομένου τὴν πάντων ὑμῶν ὑπα- 2,9! · E 6,5 Ph 2,12
κοήν, ὡς μετὰ φόβου καὶ τρόμου ἐδέξασθε αὐτόν. **16** χαί- Ps 2,11
ρω ὅτι ἐν παντὶ θαρρῶ ἐν ὑμῖν.

8 Γνωρίζομεν δὲ ὑμῖν, ἀδελφοί, τὴν χάριν τοῦ θεοῦ τὴν
δεδομένην ἐν ταῖς ἐκκλησίαις τῆς Μακεδονίας, **2** ὅτι 9,14 R 15,26
ἐν πολλῇ δοκιμῇ θλίψεως ἡ περισσεία τῆς χαρᾶς αὐτῶν 1Th 1,6; 2,14s
καὶ ἡ κατὰ ⸀βάθους πτωχεία αὐτῶν ἐπερίσσευσεν εἰς ⸂τὸ
πλοῦτος⸃ τῆς ἁπλότητος αὐτῶν· **3** ὅτι κατὰ δύναμιν, μαρ- 9,11.13 R 12,8
τυρῶ, καὶ ⸀παρὰ δύναμιν, αὐθαίρετοι **4** μετὰ πολλῆς παρα- 9,7
κλήσεως δεόμενοι ἡμῶν τὴν χάριν καὶ τὴν κοινωνίαν τῆς 9,13 R 15,26 H 13,16 · 9,1 Act 11,
διακονίας τῆς εἰς τοὺς ἁγίους⸆, **5** καὶ οὐ καθὼς ἠλπίσα- 29! |
μεν ἀλλὰ ἑαυτοὺς ἔδωκαν πρῶτον τῷ ⸀κυρίῳ καὶ ἡμῖν
διὰ θελήματος θεοῦ **6** εἰς τὸ παρακαλέσαι ἡμᾶς Τίτον, 17 · 2,13!
ἵνα καθὼς ⸀προενήρξατο οὕτως καὶ ἐπιτελέσῃ εἰς ὑμᾶς R 15,28
καὶ τὴν χάριν ταύτην. **7** Ἀλλ᾽ ὥσπερ ἐν παντὶ πε-
ρισσεύετε, πίστει καὶ λόγῳ καὶ γνώσει καὶ πάσῃ σπουδῇ 1K 1,5
καὶ τῇ ἐξ ⸂ἡμῶν ἐν ὑμῖν⸃ ἀγάπῃ, ἵνα καὶ ἐν ταύτῃ τῇ χάριτι περισσεύητε. **8** Οὐ κατ᾽ ἐπιταγὴν λέγω ἀλλὰ διὰ τῆς 1K 7,6
ἑτέρων σπουδῆς καὶ τὸ τῆς ὑμετέρας ἀγάπης γνήσιον
⸀δοκιμάζων· **9** γινώσκετε γὰρ τὴν χάριν τοῦ κυρίου ἡ-
μῶν Ἰησοῦ °Χριστοῦ, ὅτι δι᾽ ⸀ὑμᾶς ἐπτώχευσεν πλού- Ph 2,6-8
σιος ὤν, ἵνα ὑμεῖς τῇ ⸁ἐκείνου πτωχείᾳ πλουτήσητε. 6,10 1K 1,5
10 καὶ γνώμην ἐν τούτῳ δίδωμι· τοῦτο γὰρ ὑμῖν συμφέ- 1K 7,25.40
ρει, οἵτινες οὐ μόνον τὸ ποιῆσαι ἀλλὰ καὶ τὸ θέλειν ⸀προ- Ph 2,13!
ενήρξασθε ἀπὸ πέρυσι· **11** νυνὶ δὲ καὶ τὸ ποιῆσαι ἐπιτε- 9,2 |
λέσατε, ὅπως καθάπερ ἡ προθυμία τοῦ θέλειν, οὕτως καὶ 19; 9,2
τὸ ἐπιτελέσαι ἐκ τοῦ ἔχειν. **12** εἰ γὰρ ἡ προθυμία πρόκειται, καθὸ ἐὰν ἔχῃ εὐπρόσδεκτος, οὐ καθὸ οὐκ ἔχει. R 15,31
13 οὐ γὰρ ἵνα ἄλλοις ἄνεσις, ὑμῖν ⸆ θλῖψις, ἀλλ᾽ ἐξ ἰσό- 7,5!

¶ **8,2** ⸀βαθος 𝔓46 D* *pc* bo | ⸂τον πλουτον ℵ2 D F G Ψ 𝔐 ¦ *txt* 𝔓46 ℵ* B C P 0243. 6. 33. 81. 104. 1175. 1739. 2464 *pc* ● **3** ⸀υπερ Ψ 𝔐 ¦ *txt* ℵ B C D F G 0243. 6. 33. 81. 1175. 1739. 1881. 2464 *pc* ● **4** ⸆δεξασθαι ημας 6. 945 *al* ● **5** ⸀θεω 𝔓46 *pc* a f r vgms; Ambst ● **6** ⸀ενηρ- B *pc* ● **7** ⸂υμων εν ημιν ℵ C D F G Ψ (33) 𝔐 lat syh ¦ υμ- εν υμ- 326. 629. 2464 *pc* ¦ *txt* 𝔓46 B 0243. 6. 104. 630. 1175. 1739. 1881 *pc* r syp co; Ambst ● **8** ⸀-ζω D* F G ● **9** ° B sa | ⸀ημ- C K 6. 323. 614 *al*; Eus Did Epiph | ⸁αυτου D F G syp; Did ● **10** ⸀ενηρ- D* F G 629* ● **13** ⸆δε ℵ2 D F G Ψ 𝔐 lat syh; Cl Ambst ¦ *txt* ℵ* B C 048. 0243. 33. 81. 323. 1739. 1881 *pc* d ρ; Cyp

τητος· **14** ἐν τῷ νῦν καιρῷ τὸ ὑμῶν περίσσευμα εἰς τὸ
9,12 1K 16,17 Ph ἐκείνων ὑστέρημα, ἵνα καὶ τὸ ἐκείνων περίσσευμα °γέ-
2,30 Kol 1,24 νηται εἰς τὸ ὑμῶν ὑστέρημα, ὅπως γένηται ἰσότης, **15** κα-
Ex 16,18 θὼς γέγραπται· *ὁ τὸ πολὺ οὐκ ἐπλεόνασεν, καὶ ὁ τὸ ὀλίγον*
οὐκ ἠλαττόνησεν.
R 7,25! **16** Χάρις δὲ τῷ θεῷ τῷ ⸀δόντι τὴν αὐτὴν σπουδὴν ὑπὲρ
2,13! | 7 ὑμῶν ἐν τῇ καρδίᾳ Τίτου, **17** ὅτι τὴν μὲν παράκλησιν
ἐδέξατο, σπουδαιότερος δὲ ὑπάρχων αὐθαίρετος ἐξῆλθεν
22; 12,18 πρὸς ὑμᾶς. **18** συνεπέμψαμεν δὲ ⸉μετ᾽ αὐτοῦ τὸν ἀδελ-
φὸν⸊ οὗ ὁ ἔπαινος ἐν τῷ εὐαγγελίῳ διὰ πασῶν τῶν ἐκ-
Act 6,6 κλησιῶν, **19** οὐ μόνον δέ, ἀλλὰ καὶ χειροτονηθεὶς ὑπὸ
τῶν ἐκκλησιῶν συνέκδημος ἡμῶν ⸀σὺν τῇ χάριτι ταύτῃ
τῇ διακονουμένῃ ὑφ᾽ ἡμῶν πρὸς τὴν ⸁[αὐτοῦ] τοῦ κυρίου
11! δόξαν καὶ προθυμίαν ἡμῶν, **20** στελλόμενοι τοῦτο, μή
9,1 τις ἡμᾶς μωμήσηται ἐν τῇ ἁδρότητι ταύτῃ τῇ διακονου-
Prv 3,4 𝔊 R 12,17 μένῃ ὑφ᾽ ἡμῶν· **21** ⸂προνοοῦμεν γὰρ⸃ καλὰ οὐ μόνον ἐνώπιον ⸀κυρίου ἀλλὰ καὶ ἐνώπιον ἀνθρώπων. **22** συνεπέμ-
18! ψαμεν δὲ αὐτοῖς τὸν ἀδελφὸν ἡμῶν ὃν ἐδοκιμάσαμεν ἐν
πολλοῖς πολλάκις σπουδαῖον ὄντα, νυνὶ δὲ °πολὺ σπου-
δαιότερον πεποιθήσει ⸆ πολλῇ τῇ εἰς ὑμᾶς. **23** εἴτε ὑπὲρ
2,13! Τίτου, κοινωνὸς ἐμὸς καὶ εἰς ὑμᾶς συνεργός· εἴτε ἀδελ-
R 16,7 φοὶ ἡμῶν, ἀπόστολοι ἐκκλησιῶν, δόξα Χριστοῦ. **24** τὴν
1,14; 7,4.14; 9,3 2Th 1,4 οὖν ἔνδειξιν τῆς ἀγάπης ὑμῶν καὶ ἡμῶν καυχήσεως ὑπὲρ
ὑμῶν εἰς αὐτοὺς ⸀ἐνδεικνύμενοι εἰς πρόσωπον τῶν ἐκ-
κλησιῶν.

8,4.20 **9** Περὶ μὲν γὰρ τῆς διακονίας τῆς εἰς τοὺς ἁγίους ⸀πε-
ρισσόν μοί ἐστιν τὸ γράφειν ὑμῖν· **2** οἶδα γὰρ τὴν
8,11! προθυμίαν ὑμῶν ἣν ὑπὲρ ὑμῶν καυχῶμαι Μακεδόσιν, ὅτι
Ἀχαΐα παρεσκεύασται ἀπὸ πέρυσι, καὶ ⸀τὸ ⸆ ὑμῶν ζῆλος

14 ° 𝔓^{46} 630. 1175. 1739. 1881 *pc* ● **16** ⸀† διδοντι ℵ B C I^{vid} Ψ 0243 𝔐 sa ¦ *txt* 𝔓^{46} D F G L 6. 323. 326. 1241. 2495 *al* lat bo; Ambst ● **18** ⸉ *3 4 1 2* ℵ* P *pc* ● **19** ⸀† εν B C P 0225. 0243. 6. 33. 81. 104. 365. 630. 1175. 1739. 1881. 2464 *al* f vg co; Ambst ¦ *txt* 𝔓^{46} ℵ D F G Ψ 𝔐 a b ρ | ⸁ αυτην P 0243. 630. 1739. 1881 *pc* vg^{ms} ¦ – B C D* F G L 81. 104. 326. 365. 629. 1175. 2464 *al* lat co; Ambst ¦ *txt* ℵ D^{1} Ψ 𝔐 sy (𝔓^{46}, 33: *h. t.*) ● **21** ⸂ -μενοι γαρ C 0225. 33. 81. 326. 365. 2495 *pc* ¦ -μενοι Ψ 𝔐 ¦ *txt* 𝔓^{46} ℵ B D F G P 0243. 6. 630. 1175. 1739. 1881 *pc* latt | ⸀ του κ. 1845 *pc* ¦ του θεου 𝔓^{46} (*pc*) lat sy^{p}; Ambst ● **22** ° 𝔓^{46vid} *pc* | ⸆ δε B ● **24** ⸀ ενδειξασθε ℵ C D^{2} Ψ 0225. 0243 𝔐 lat ¦ *txt* B D* F G 33 *pc* b ρ vg^{ms}

¶ **9,1** ⸀ -σσοτερον 𝔓^{46} g ● **2** ⸀ ο C D F G Ψ 0243 𝔐 ¦ *txt* 𝔓^{46} ℵ B 33. 1175 *pc* | ⸆ εξ D F G Ψ 0209 𝔐 vg^{ms} ¦ *txt* 𝔓^{46} ℵ B C P 0243. 6. 33. 81. 326. 630. 1175. 1739. 1881 *pc* lat co; Ambst

ἠρέθισεν τοὺς πλείονας. **3** ἔπεμψα δὲ τοὺς ἀδελφούς, ἵνα
μὴ τὸ καύχημα ἡμῶν τὸ ὑπὲρ ὑμῶν κενωθῇ ἐν τῷ μέρει 8,24!
τούτῳ, ἵνα καθὼς ἔλεγον παρεσκευασμένοι ἦτε, **4** μή πως
ἐὰν ἔλθωσιν σὺν ἐμοὶ Μακεδόνες καὶ εὕρωσιν ὑμᾶς ἀ- Act 17,14s; 20,4
παρασκευάστους καταισχυνθῶμεν ἡμεῖς, ἵνα μὴ ⸀λέγω
ὑμεῖς, ἐν τῇ ὑποστάσει ταύτῃ⸆. **5** ἀναγκαῖον οὖν ἡγη- 11,17 H 3,14!
σάμην παρακαλέσαι τοὺς ἀδελφούς, ἵνα προέλθωσιν ⸀εἰς
ὑμᾶς καὶ προκαταρτίσωσιν τὴν προεπηγγελμένην εὐλογίαν ὑμῶν, ταύτην ἑτοίμην εἶναι οὕτως ὡς εὐλογίαν
°καὶ μὴ ὡς πλεονεξίαν.

6 Τοῦτο δέ, ὁ σπείρων φειδομένως φειδομένως καὶ θε- Prv 11,24
ρίσει, καὶ ὁ σπείρων ἐπ᾽ εὐλογίαις ἐπ᾽ εὐλογίαις καὶ θερίσει. **7** ἕκαστος καθὼς ⸀προῄρηται τῇ καρδίᾳ, μὴ ἐκ λύ- Dt 15,10
πης ἢ ἐξ ἀνάγκης· *ἱλαρὸν γὰρ δότην ἀγαπᾷ ὁ θεός.* **8** ⸀δυ- 8,3 Phm 14 · *Prv 22,8a* ℭ
νατεῖ δὲ ὁ θεὸς πᾶσαν χάριν περισσεῦσαι εἰς ὑμᾶς, ἵνα ἐν
παντὶ πάντοτε πᾶσαν αὐτάρκειαν ἔχοντες περισσεύητε
εἰς πᾶν ἔργον ἀγαθόν, **9** καθὼς γέγραπται· E 2,10 Kol 1,10 2Th 2,17 2T 3,17 Tt 2,14 |

ἐσκόρπισεν, ἔδωκεν τοῖς πένησιν,
ἡ δικαιοσύνη αὐτοῦ μένει εἰς τὸν αἰῶνα⸆. *Ps 111,9* ℭ

10 ὁ δὲ ἐπιχορηγῶν ⸀*σπόρον τῷ σπείροντι καὶ ἄρτον εἰς* *Is 55,10*
βρῶσιν ⸂χορηγήσει καὶ πληθυνεῖ τὸν σπόρον ὑμῶν καὶ
αὐξήσει⸃ τὰ γενήματα τῆς δικαιοσύνης ὑμῶν. **11** ἐν παντὶ Hos 10,12 ℭ
πλουτιζόμενοι εἰς πᾶσαν ἁπλότητα, ⸀ἥτις κατεργάζεται 1K 1,5 · 8,2!
δι᾽ ἡμῶν εὐχαριστίαν ⸂τῷ θεῷ⸃· **12** ὅτι ἡ διακονία τῆς 1,11!
λειτουργίας ταύτης οὐ μόνον ἐστὶν προσαναπληροῦσα τὰ R 15,27!
ὑστερήματα τῶν ἁγίων, ἀλλὰ καὶ περισσεύουσα διὰ πολ- 8,14!
λῶν ⸀εὐχαριστιῶν τῷ θεῷ. **13** ⸆ διὰ τῆς δοκιμῆς τῆς διακονίας ταύτης δοξάζοντες τὸν θεὸν ἐπὶ τῇ ὑποταγῇ τῆς ὁμο-
λογίας ὑμῶν εἰς τὸ εὐαγγέλιον τοῦ Χριστοῦ καὶ ἁπλότητι 8,2!

4 ⸀† λεγωμεν ℵ B C^{2} Ψ 0209. 0243 𝔐 f vg sy sa^{mss} bo ¦ *txt* 𝔓^{46} C* D F G 048 a r vg^{mss} sa^{ms}; Ambst | ⸆της καυχησεως ℵ^{2} D^{1} Ψ 0209 𝔐 sy$^{(p)}$ ¦ *txt* 𝔓^{46} ℵ* B C D* F G 048. 0243. 33. 81. 629. 1739. 1881. 2464 *pc* latt co ● **5** ⸀προς B D F G 365. 1175. 2495 *pc* | ° 𝔓^{46vid} ℵ* F G latt sy^{p} ● **7** ⸀προαιρειται D Ψ 048 𝔐 ¦ *txt* ℵ B C F G P 0243. 6. 33. 104. 365. 1175. 1739. 1881 *pc* lat co; Cyp ● **8** ⸀-ται 33 *pc* f g r vg^{ms} ¦ -τος C^{2} D^{2} Ψ 048. 0243 𝔐 b ¦ *txt* 𝔓^{46} ℵ B C* D* F G 104 t vg; Ambst ● **9** ⸆του αιωνος F G K 0243. 6. 326. 629. 630. 1241. 1739. 1881 *al* a vg^{cl} bo^{mss} ● **10** ⸀† σπερμα ℵ C D^{2} Ψ 048. 0209. 0243 𝔐 ¦ *txt* 𝔓^{46} B D* F G 1175 *pc* | ⸂-σαι … -ναι … -σαι ℵ^{2} Ψ 0209. 0243 𝔐 ¦ -σαι … -ναι … -σει F G ¦ *txt* (𝔓^{46} D^{2} 104: … -σαι) ℵ* B C D* P 33. 81. 326. 1175. 2464 *pc* latt ● **11** ⸀(*ex itac.?*) ει τις 𝔓^{46} D* 326 b; Ambst | ⸂θεω D* ¦ θεου B ● **12** ⸀-στιαν 𝔓^{46} (d g r); Cyp Ambst ● **13** ⸆και B sa

8,4! τῆς κοινωνίας εἰς αὐτοὺς καὶ εἰς πάντας, **14** καὶ αὐτῶν
δεήσει ὑπὲρ ⸀ὑμῶν ἐπιποθούντων ὑμᾶς διὰ τὴν ὑπερβάλ-
R 7,25! λουσαν χάριν τοῦ θεοῦ ἐφ᾽ ὑμῖν. **15** Χάρις τῷ θεῷ ἐπὶ τῇ
ἀνεκδιηγήτῳ αὐτοῦ δωρεᾷ.

G 5,2 · Mt 11,29 **10** Αὐτὸς δὲ ἐγὼ Παῦλος παρακαλῶ ὑμᾶς διὰ τῆς πραΰ- 10
τητος καὶ ἐπιεικείας τοῦ Χριστοῦ, ὃς κατὰ πρόσω-
10 πον μὲν ταπεινὸς ἐν ὑμῖν, ἀπὼν δὲ θαρρῶ εἰς ὑμᾶς· **2** δέ-
11! · 1K 4,21 ομαι δὲ τὸ μὴ παρὼν θαρρῆσαι τῇ πεποιθήσει ᾗ λογίζο-
1,17 μαι τολμῆσαι ἐπί τινας τοὺς λογιζομένους ἡμᾶς ὡς κατὰ
G 2,20 σάρκα περιπατοῦντας. **3** Ἐν σαρκὶ γὰρ περιπατοῦντες οὐ
R 13,12! κατὰ σάρκα στρατευόμεθα, **4** τὰ γὰρ ὅπλα τῆς ⸀στρατείας
8; 13,10 ἡμῶν οὐ σαρκικὰ ἀλλὰ δυνατὰ τῷ θεῷ πρὸς καθαίρεσιν
Prv 21,22 ὀχυρωμάτων, λογισμοὺς καθαιροῦντες **5** καὶ πᾶν ὕψωμα
ἐπαιρόμενον κατὰ τῆς γνώσεως τοῦ θεοῦ, καὶ αἰχμαλωτί-
R 16,26! ζοντες πᾶν νόημα εἰς τὴν ὑπακοὴν τοῦ Χριστοῦ, **6** καὶ ἐν
ἑτοίμῳ ἔχοντες ἐκδικῆσαι πᾶσαν παρακοήν, ὅταν πλη-
2,9! ρωθῇ ὑμῶν ἡ ὑπακοή.
7 Τὰ κατὰ πρόσωπον βλέπετε. εἴ τις ⸀πέποιθεν ἑαυτῷ
1K 1,12! Χριστοῦ ⸆ εἶναι, τοῦτο λογιζέσθω πάλιν ⸂ἐφ᾽ ἑαυτοῦ, ὅτι
καθὼς αὐτὸς ⸀¹Χριστοῦ, οὕτως καὶ ἡμεῖς. **8** ἐάν ⸋[τε] γὰρ
11,16; 12,6 · 13,10 1K 5,4s περισσότερόν τι ⸀καυχήσωμαι περὶ τῆς ἐξουσίας ἡμῶν
12,19! Jr 24,6 · 4! ἧς ἔδωκεν ὁ κύριος ⸆ εἰς οἰκοδομὴν καὶ οὐκ εἰς καθαίρεσιν ὑμῶν, οὐκ αἰσχυνθήσομαι. **9** ἵνα μὴ δόξω ὡς ἂν ἐκ-
2P 3,16 φοβεῖν ὑμᾶς διὰ τῶν ἐπιστολῶν· **10** ὅτι αἱ ⸉ἐπιστολαὶ
1 μέν⸊, ⸀φησίν, βαρεῖαι καὶ ἰσχυραί, ἡ δὲ παρουσία τοῦ
1K 2,3! · 11,6 σώματος ἀσθενὴς καὶ ὁ λόγος ἐξουθενημένος. **11** τοῦτο
λογιζέσθω ὁ τοιοῦτος, ὅτι οἷοί ἐσμεν τῷ λόγῳ δι᾽ ἐπιστο-
2; 12,20; 13,2.10 λῶν ἀπόντες, τοιοῦτοι καὶ παρόντες τῷ ἔργῳ.
12 Οὐ γὰρ τολμῶμεν ἐγκρῖναι ἢ συγκρῖναι ἑαυτούς τι-
5,12! σιν τῶν ἑαυτοὺς συνιστανόντων, ἀλλὰ αὐτοὶ ἐν ἑαυτοῖς

14 ⸀ημ- א* B 1881. 2495 *pc* vg^{ms}
¶ **10,4** ⸀-τιᾶς (*!*) K L 1241. 1881 *al* ($\mathfrak{P}^{46}$ א B C D F G P Ψ *sine acc.*) ¦ *txt* 33. 81. 104. 365. 630. (1175). 1739. (2464). 2495 *pm* ● **7** ⸀δοκει πεποιθεναι B | ⸆δουλος D* F G a vg^{mss}; Ambst | ⸂αφ C D F G H Ψ 0209. 0243 𝔐 sy ¦ *txt* $\mathfrak{P}^{46}$ א B L 1175. 2495 *pc* | ⸀¹ο Χριστος $\mathfrak{P}^{46}$ ● **8** ⸋ $\mathfrak{P}^{46}$ B F G H 0209. 0243. 6. 33. 365. 630. 1175. 1739. 1881 *pc* it vg^{mss} ¦ *txt* א C D Ψ 𝔐 f (r) vg sy; Ambst | ⸀-σομαι א L P 0209. 0243. 6. 104. 326. 1175. 1241. 2495 *al* (g) ¦ -σωμαι, καυχησομαι $\mathfrak{P}^{46}$ ¦ *txt* B C D F G Ψ 𝔐 | ⸆ημιν א² D² F G (0209) 𝔐 sy^{h} (⸉ P 629. 1881. 2495 *pc* it) ¦ *txt* $\mathfrak{P}^{46}$ א* B C D* H Ψ 0243. 33. 81. 365. 630. 1175. 1739. 2464 *pc* b vgst ● **10** ⸉ א² D F G I Ψ 0209. 0243 𝔐 sy^{h} ¦ *txt* א* B H 326. 1175 *pc* | ⸀φασιν B lat sy ¦ – 1881 b bo^{mss}; Ambst

ἑαυτοὺς μετροῦντες καὶ συγκρίνοντες ἑαυτοὺς ἑαυτοῖς ⸋οὐ
συνιᾶσιν. **13** ἡμεῖς δὲ⸌ οὐκ εἰς τὰ ἄμετρα ⸀καυχησόμεθα
ἀλλὰ κατὰ τὸ μέτρον τοῦ κανόνος οὗ ἐμέρισεν ἡμῖν ὁ 15s R 12,3 G 2,9
θεὸς μέτρου, ἐφικέσθαι ἄχρι καὶ ὑμῶν. **14** ⸂οὐ γὰρ ὡς⸃
μὴ ἐφικνούμενοι εἰς ὑμᾶς ὑπερεκτείνομεν ἑαυτούς, ἄχρι
γὰρ καὶ ὑμῶν ἐφθάσαμεν ἐν τῷ εὐαγγελίῳ τοῦ Χριστοῦ,
15 οὐκ εἰς τὰ ἄμετρα καυχώμενοι ἐν ἀλλοτρίοις κόποις, R 15,20
ἐλπίδα δὲ ἔχοντες αὐξανομένης τῆς πίστεως ὑμῶν ἐν ὑμῖν
μεγαλυνθῆναι κατὰ τὸν κανόνα ἡμῶν εἰς περισσείαν **16** εἰς 13
τὰ ὑπερέκεινα ὑμῶν εὐαγγελίσασθαι, οὐκ ἐν ἀλλοτρίῳ
κανόνι εἰς τὰ ἕτοιμα καυχήσασθαι. **17** Ὁ δὲ *καυχώμενος* R 15,23s Act 19,21 | *Jr 9,22.23* 1K 1,31! |
ἐν κυρίῳ καυχάσθω· **18** οὐ γὰρ ὁ ἑαυτὸν ⸀συνιστάνων, 5,12!
ἐκεῖνός ἐστιν δόκιμος, ἀλλὰ ὃν ὁ κύριος συνίστησιν. R 14,8

¶ **11** Ὄφελον ἀνείχεσθέ μου μικρόν ⸰τι ⸀ἀφροσύνης· 16s.19.21.23; 12,11.6
ἀλλὰ καὶ ἀνέχεσθέ μου. **2** ζηλῶ γὰρ ὑμᾶς θεοῦ ζήλῳ,
ἡρμοσάμην γὰρ ὑμᾶς ἑνὶ ἀνδρὶ παρθένον ἁγνὴν παρα- Ap 14,4 · 7,11 E 5,26s |
στῆσαι τῷ Χριστῷ· **3** φοβοῦμαι δὲ ⸂μή πως⸃, ὡς ὁ ὄφις Gn 3,13
ἐξηπάτησεν Εὕαν ἐν τῇ πανουργίᾳ αὐτοῦ, ⸆ φθαρῇ τὰ 1T 2,14
νοήματα ὑμῶν ἀπὸ τῆς ἁπλότητος ⸋[καὶ τῆς ἁγνότητος]⸌ 6,6
τῆς εἰς ⸰τὸν Χριστόν. **4** εἰ μὲν γὰρ ὁ ἐρχόμενος ἄλλον
Ἰησοῦν κηρύσσει ὃν οὐκ ἐκηρύξαμεν, ἢ πνεῦμα ἕτερον
λαμβάνετε ὃ οὐκ ἐλάβετε, ἢ εὐαγγέλιον ἕτερον ὃ οὐκ ἐδέ- G 1,6-9
ξασθε, καλῶς ⸀ἀνέχεσθε.

5 Λογίζομαι ⸀γὰρ μηδὲν ὑστερηκέναι τῶν ὑπερλίαν 12,11 · 23!
ἀποστόλων. **6** εἰ δὲ καὶ ἰδιώτης τῷ λόγῳ, ἀλλ᾽ οὐ τῇ 10,10 1K 2,1 ·
γνώσει, ⸋ἀλλ᾽ ἐν παντὶ ⸀φανερώσαντες ἐν πᾶσιν εἰς ὑ- E 3,4
μᾶς⸌. **7** Ἢ ἁμαρτίαν ἐποίησα ⸀ἐμαυτὸν ταπεινῶν ἵνα Ph 4,12
ὑμεῖς ὑψωθῆτε, ὅτι δωρεὰν τὸ τοῦ θεοῦ εὐαγγέλιον εὐ- 1K 9,12.18 · 1Th 2,2!

12/13 ⸋ D* F G a b (vg); Ambst | ⸀-χωμενοι F G a; PsCyp ¦ – D* ● **14** ⸂ως γαρ B ● **18** ⸀συνιστων Ψ 𝔐 ¦ *txt* 𝔓[46] ℵ B D F G H I[vid] P 0121a. 0243. 6. 33. 81. 104. 365. 1175. 1739. 2464. 2495 *al*

¶ **11,1** ⸰ F G H 𝔐 it; Lcf Ambst ¦ *txt* 𝔓[46] ℵ B D Ψ 0121a. 0243. 6. 33. 365. 1739. 1881 *al* f t vg sy[h] | ⸀της αφ. F G 6. 81. 630. 1175 *pc* ¦ τη -νη H 𝔐 ¦ *txt* 𝔓[46vid] ℵ B D P Ψ 0243. 33. 1739. 1881 *pc* ● **3** ⸂μηποτε F G 630. 1739. 1881. 2495 *pc* vg[ms] ¦ μη D* lat; Cl[pt] ¦ μητε 0243 | ⸆τουτω(ς) D[1] Ψ 0121a. 0243 𝔐 lat sy; Ambst ¦ *txt* 𝔓[46] ℵ B D* F G H P 33. 81. 1175 *pc* r; Cl Lcf | ⸋ ℵ[2] (D[2]) H Ψ 0121a. 0243 𝔐 (b) f* vg sy[p] ¦ *txt* 𝔓[46] ℵ* B (⸉ D*[vid]) F G 33. 81. 104. (326) *pc* a r sy[h**] co; Pel | ⸰ † ℵ F G 0121a. 0243. 365. 630. 1175. 1739. 1881. 2495 *al* ¦ *txt* 𝔓[46] B D H Ψ 𝔐; Cl Epiph ● **4** ⸀ανειχεσθε 𝔓[34] ℵ D[2] F G H (Ψ *al*: ην-) 0121a. 0243 𝔐 lat sy ¦ *txt* 𝔓[46] B D* 33 *pc* r sa ● **5** ⸀δε B ● **6** ⸋ 𝔓[46] | ⸀φαν. εαυτους 0121a. 0243. 630. 1739. 1881 *pc* ¦ -ρωθεντες 𝔓[34] ℵ[2] D[2] Ψ 𝔐 r (vg[cl]) ¦ -ρωθεις D* (lat; Ambst) ¦ *txt* ℵ* B F G 33 *pc* ● **7** ⸀εαυ- D F G K* L P 365 *pc* ¦ *txt* 𝔓[34.46] ℵ B Ψ 0121a 𝔐 sy

Ph 4,10.15 ηγγελισάμην ὑμῖν; **8** ἄλλας ἐκκλησίας ἐσύλησα λαβὼν
1K 9,7 | ὀψώνιον πρὸς τὴν ὑμῶν διακονίαν, **9** καὶ παρὼν πρὸς
12,13s ὑμᾶς καὶ ὑστερηθεὶς οὐ κατενάρκησα οὐθενός· τὸ γὰρ
Ph 4,15 ὑστέρημά μου προσανεπλήρωσαν οἱ ἀδελφοὶ ἐλθόντες
cf 1Th 2,7 ἀπὸ Μακεδονίας, καὶ ἐν παντὶ ἀβαρῆ ἐμαυτὸν ὑμῖν ἐτή-
R 9,1 ρησα καὶ τηρήσω. **10** ἔστιν ἀλήθεια Χριστοῦ ἐν ἐμοὶ ὅτι
1K 9,15 ἡ καύχησις αὕτη οὐ φραγήσεται εἰς ἐμὲ ἐν τοῖς κλίμασιν
12,2s τῆς Ἀχαΐας. **11** διὰ τί; ὅτι οὐκ ἀγαπῶ ὑμᾶς; ὁ θεὸς οἶδεν.
12 Ὃ δὲ ποιῶ, καὶ ποιήσω, ἵνα ἐκκόψω τὴν ἀφορμὴν
τῶν θελόντων ἀφορμήν, ἵνα ἐν ᾧ καυχῶνται εὑρεθῶσιν
5; 12,11 G 2,4 Ap 2,2 · Ph 3,2 καθὼς καὶ ἡμεῖς. **13** οἱ γὰρ τοιοῦτοι ψευδαπόστολοι, ἐργάται δόλιοι, μετασχηματιζόμενοι εἰς ἀποστόλους Χρι-
VitAd 9 στοῦ. **14** καὶ οὐ ⸀θαῦμα· αὐτὸς γὰρ ὁ σατανᾶς μετασχη-
ματίζεται εἰς ἄγγελον φωτός. **15** οὐ μέγα οὖν εἰ καὶ οἱ
διάκονοι αὐτοῦ μετασχηματίζονται ὡς διάκονοι δικαιο-
Ph 3,19 · 5,10 R 2,6! σύνης· ὧν τὸ τέλος ἔσται κατὰ τὰ ἔργα αὐτῶν.
1! **16** Πάλιν λέγω, μή τίς με δόξῃ ἄφρονα εἶναι· εἰ δὲ
μή γε, κἂν ὡς ἄφρονα δέξασθέ με, ἵνα κἀγὼ μικρόν τι
10,8! | καυχήσωμαι. **17** ὃ λαλῶ, οὐ κατὰ ⸀κύριον λαλῶ ἀλλ' ὡς
9,4! ἐν ἀφροσύνῃ, ἐν ταύτῃ τῇ ὑποστάσει τῆς καυχήσεως.
G 6,13 Ph 3,4 **18** ἐπεὶ πολλοὶ καυχῶνται κατὰ ⸆ σάρκα, κἀγὼ καυχήσο-
1! · 1K 4,10 μαι. **19** ἡδέως γὰρ ἀνέχεσθε τῶν ἀφρόνων φρόνιμοι ὄν-
τες· **20** ἀνέχεσθε γὰρ εἴ τις ὑμᾶς καταδουλοῖ, εἴ τις κατ-
Ps 53,5 εσθίει, εἴ τις λαμβάνει, εἴ τις ἐπαίρεται, εἴ τις εἰς πρόσωπον ὑμᾶς δέρει. **21** κατὰ ἀτιμίαν λέγω, ὡς ὅτι ἡμεῖς
10,10 1K 2,3 ⸀ἠσθενήκαμεν.
1! Ἐν ᾧ δ' ἄν τις τολμᾷ, ἐν ἀφροσύνῃ λέγω, τολμῶ κἀγώ.
Ph 3,5 · R 11,1 **22** Ἑβραῖοί εἰσιν; κἀγώ. Ἰσραηλῖταί εἰσιν; κἀγώ. σπέρμα
6,4 · 1! Ἀβραάμ εἰσιν; κἀγώ. **23** διάκονοι Χριστοῦ εἰσιν; παρα-
5; 12,11 Ph 3,4 G 2,6.9 · φρονῶν λαλῶ, ὑπὲρ ἐγώ· ἐν κόποις περισσοτέρως, ἐν
23-27: 1K 4,11-13! ⸉φυλακαῖς περισσοτέρως, ἐν πληγαῖς ὑπερβαλλόντως⸊,
ἐν θανάτοις πολλάκις. **24** Ὑπὸ Ἰουδαίων πεντάκις
Dt 25,3 | Act 16, 22; · 14,19 τεσσεράκοντα παρὰ μίαν ἔλαβον, **25** τρὶς ἐρραβδίσθην,

14 ⸀θαυμαστον D² Ψ 0121a 𝔐 ¦ *txt* 𝔓⁴⁶ ℵ B D* F G P 098. 0243. 6. 33. 81. 326. 365. 630. 1175. 1739. 1881. 2464 *pc* ● **17** ⸀θεον a f r t vg^cl; Ambst Pel ¦ ανθρωπον 69 ● **18** ⸆† την ℵ² B D¹ H Ψ 0121a 𝔐 ¦ *txt* 𝔓⁴⁶ ℵ* D* F G 098. 33. 81. 104. 365. 629. 1175. 1739*. 1881*. 2495 *al* ● **21** ⸀-νησαμεν D F G I^vid Ψ 0121a 𝔐 ¦ *txt* 𝔓⁴⁶ ℵ B H 0243. 33. 81. 1175. 1739*. 1881 *pc* ● **23** ⸉ *4 2 3 1 5* ℵ* F G ¦ *1 5 3 4 2* P ¦ *4 5 3 1 2* D¹ H Ψ 0121a 𝔐 sy^(p) ¦ *txt* 𝔓⁴⁶ ℵ¹ B D* (0243). 33. 629. 630. (1739. 1881) *pc* lat; Ambst

ἅπαξ ἐλιθάσθην, τρὶς ἐναυάγησα, νυχθήμερον ἐν τῷ βυ-
θῷ πεποίηκα· **26** ὁδοιπορίαις πολλάκις, κινδύνοις ποταμῶν, κινδύνοις λῃστῶν, κινδύνοις ἐκ γένους, κινδύνοις Act 20,3
ἐξ ἐθνῶν, κινδύνοις ἐν πόλει, κινδύνοις ἐν ἐρημίᾳ, κινδύνοις ἐν θαλάσσῃ, κινδύνοις ἐν ψευδαδέλφοις, **27** ⸆ κό- G 2,4
πῳ καὶ μόχθῳ, ἐν ἀγρυπνίαις πολλάκις, ἐν λιμῷ καὶ δί-
ψει, ἐν νηστείαις πολλάκις, ἐν ψύχει καὶ γυμνότητι·
28 χωρὶς τῶν παρεκτὸς ἡ ⸀ἐπίστασίς ⸁μοι ἡ καθ' ἡμέραν, Act 24,12; 20,31
ἡ μέριμνα πασῶν τῶν ἐκκλησιῶν. **29** τίς ἀσθενεῖ καὶ οὐκ
ἀσθενῶ; τίς σκανδαλίζεται καὶ οὐκ ἐγὼ πυροῦμαι;
30 Εἰ καυχᾶσθαι δεῖ, τὰ τῆς ἀσθενείας °μου καυχήσομαι. 12,5! 1K 2,3!
31 ὁ θεὸς ⸆ καὶ πατὴρ τοῦ κυρίου Ἰησοῦ οἶδεν, ὁ ὢν
εὐλογητὸς εἰς τοὺς αἰῶνας, ὅτι οὐ ψεύδομαι. **32** ἐν Δα- R 9,1 G 1,20 |
μασκῷ ὁ ἐθνάρχης Ἁρέτα τοῦ βασιλέως ἐφρούρει τὴν Act 9,24s
πόλιν Δαμασκηνῶν πιάσαι με⸆, **33** καὶ διὰ θυρίδος ἐν
σαργάνῃ ἐχαλάσθην διὰ τοῦ τείχους καὶ ἐξέφυγον τὰς Mt 10,23
χεῖρας αὐτοῦ.

12 ⸆ Καυχᾶσθαι ⸀δεῖ, οὐ ⸂συμφέρον μέν⸃, ἐλεύσομαι
⸁δὲ εἰς ὀπτασίας καὶ ἀποκαλύψεις κυρίου. **2** οἶδα Act 26,19; 22,17s L 24,23
ἄνθρωπον ἐν Χριστῷ πρὸ ἐτῶν δεκατεσσάρων, εἴτε ἐν
σώματι οὐκ οἶδα, εἴτε ἐκτὸς τοῦ σώματος οὐκ οἶδα, ὁ
θεὸς οἶδεν, ἁρπαγέντα τὸν τοιοῦτον ἕως τρίτου οὐρανοῦ. 11,11 · Act 8,39! · TestLev 2
3 καὶ οἶδα τὸν τοιοῦτον ἄνθρωπον, εἴτε ἐν σώματι εἴτε
⸀χωρὶς τοῦ σώματος ⸋οὐκ οἶδα⸌, ὁ θεὸς οἶδεν, **4** ὅτι ἡρ-
πάγη εἰς τὸν παράδεισον καὶ ἤκουσεν ἄρρητα ῥήματα ἃ L 23,43 Ap 2,7 · 1K 2,9
οὐκ ἐξὸν ἀνθρώπῳ λαλῆσαι. **5** ὑπὲρ τοῦ τοιούτου καυχήσομαι, ὑπὲρ δὲ ἐμαυτοῦ ⸀οὐ καυχήσομαι εἰ μὴ ἐν ταῖς
ἀσθενείαις⸆. **6** Ἐὰν γὰρ ⸂θελήσω καυχήσασθαι⸃, 9; 11,30 10,8!

27 ⸆εν ℵ^{2} H 0121a 𝔐 lat; Ambst ¦ *txt* 𝔓^{46} ℵ* B D F G Ψ 0243. 1739 *pc* • **28** ⸀επισυστασις H^{c} I^{vid} Ψ 0121a 𝔐 ¦ *txt* 𝔓^{46} ℵ B D F G H* 0243. 33. 81. 326. 1175. 1739. 1881 *pc* | ⸁μου ℵ^{2} D Ψ 0121a. 0243 𝔐 lat; Ambst ¦ *txt* 𝔓^{46} ℵ* B F G H 33. 81. 1175 *pc* b d • **30** ° 𝔓^{46vid} B H 1175 • **31** ⸆του Ισραηλ D* • **32** ⸆θελων ℵ D^{2} (⸉ F G) H Ψ 0121a. 0243 𝔐 sy^{h} bo ¦ *txt* B D* sa
¶ **12,1** ⸆ει ℵ^{2} H 81. 326. 1175 *pc* a f vg sa; Ambst | ⸀δε ℵ D* Ψ bo; (Ambst) ¦ δη K 0121a. 945. 2495 *pm* ¦ *txt* 𝔓^{46} B D^{2} F G H L P 0243. 6. 33. 81. 104. 365. 629. 630. 1175. 1241. 1739. 1881. 2464 *pm* latt sy sa bo^{ms} | ⸂-φερει D* 81 ¦ -φερει μοι D^{1} H Ψ 𝔐 it vg^{ms} sy^{h}; Ambst Pel ¦ *txt* 𝔓^{46} ℵ B F G (P: -ρει) 0243. 33. 1175. 1739 *pc* (f vg) co | ⸁γαρ D Ψ 𝔐 sy ¦ δε και B ¦ *txt* 𝔓^{46} ℵ F G H P 0243. 33. 81. 1175. 1739. 2464 *pc* lat • **3** ⸀εκτος ℵ D^{2} F G H Ψ 0121a. 0243 𝔐 latt ¦ *txt* 𝔓^{46} B D* | ⸋ B sa; Ir^{lat} • **5** ⸀ουδεν 𝔓^{46} lat | ⸆μου ℵ D^{2} F G Ψ 0121a 𝔐 lat; Ambst ¦ *txt* 𝔓^{46} B D* 0243. 6. 33. 1175. 1739 *pc* sy co • **6** ⸂θελω, καυχησομαι 𝔓^{46}

11,1! οὐκ ἔσομαι ἄφρων, ἀλήθειαν γὰρ ἐρῶ· φείδομαι δέ, μή
τις εἰς ἐμὲ λογίσηται ὑπὲρ ὃ βλέπει με ἢ ἀκούει ⸋[τι]
ἐξ ἐμοῦ **7** καὶ τῇ ὑπερβολῇ τῶν ἀποκαλύψεων. ⸋διὸ ἵνα
Nu 33,55 Ez 28,34 μὴ ὑπεραίρωμαι, ἐδόθη μοι σκόλοψ τῇ σαρκί, ἄγγελος
G 6,17; 4,14s · Mt 25,41! ⸀σατανᾶ, ἵνα με κολαφίζῃ, ⸋ἵνα μὴ ὑπεραίρωμαι⸌. **8** ὑ-
Mt 26,44 · L 6,13 πὲρ τούτου τρὶς τὸν κύριον παρεκάλεσα ἵνα ἀποστῇ ἀπ’
ἐμοῦ. **9** καὶ εἴρηκέν μοι· ἀρκεῖ σοι ἡ χάρις μου, ἡ γὰρ
δύναμις ⸆ ἐν ἀσθενείᾳ ⸀τελεῖται. Ἥδιστα οὖν μᾶλλον
5! R 5,3 καυχήσομαι ἐν ταῖς ἀσθενείαις ⸋μου, ἵνα ἐπισκηνώσῃ
1K 1,24s ἐπ’ ἐμὲ ἡ δύναμις τοῦ Χριστοῦ. **10** διὸ εὐδοκῶ ἐν ἀσθε-
1K 4,11! νείαις, ἐν ὕβρεσιν, ⸀ἐν ἀνάγκαις, ἐν διωγμοῖς ⸁καὶ στε-
Ph 4,13 νοχωρίαις, ὑπὲρ Χριστοῦ· ὅταν γὰρ ἀσθενῶ, τότε δυνατός εἰμι.

11,1! **11** Γέγονα ἄφρων⸆, ὑμεῖς με ἠναγκάσατε. ἐγὼ γὰρ ὤ-
5,12! · 11,23! | φειλον ὑφ’ ὑμῶν συνίστασθαι· οὐδὲν γὰρ ⸇ ὑστέρησα τῶν
Act 5,12! R 15,19 H 2,4 Sap 10,16 ὑπερλίαν ἀποστόλων εἰ καὶ οὐδέν εἰμι. **12** τὰ μὲν σημεῖα
τοῦ ἀποστόλου κατειργάσθη ἐν ὑμῖν ἐν πάσῃ ὑπομονῇ,
1K 12,10 ⸂σημείοις τε⸃ καὶ τέρασιν καὶ δυνάμεσιν. **13** τί γάρ ἐστιν
ὃ ⸀ἡσσώθητε ὑπὲρ τὰς λοιπὰς ἐκκλησίας, εἰ μὴ ὅτι αὐ-
11,9 · 7,2; 11,7 τὸς ἐγὼ οὐ κατενάρκησα ὑμῶν; χαρίσασθέ μοι τὴν ἀδικίαν ταύτην.

13,1 **14** Ἰδοὺ τρίτον ⸋τοῦτο ἑτοίμως ἔχω ἐλθεῖν πρὸς ὑμᾶς,
Ph 4,17 καὶ οὐ καταναρκήσω· οὐ γὰρ ζητῶ τὰ ὑμῶν ἀλλὰ ὑμᾶς.
οὐ γὰρ ὀφείλει τὰ τέκνα ⸉τοῖς γονεῦσιν θησαυρίζειν⸊ ἀλ-
Ph 2,17 λὰ οἱ γονεῖς τοῖς τέκνοις. **15** ἐγὼ δὲ ἥδιστα δαπανήσω καὶ
ἐκδαπανηθήσομαι ὑπὲρ τῶν ψυχῶν ὑμῶν. ⸀εἰ περισσοτέ-
ρως ὑμᾶς ⸁ἀγαπῶ[ν], ἧσσον ἀγαπῶμαι; **16** Ἔστω

6 ⸋† ℵ* B D^{2} F G I 6. 33. 81. 1175. 1739 *pc* a b vgst co ¦ *txt* 𝔓^{46} ℵ^{2} D* Ψ 0243 𝔐 f vg^{cl} sy^{h}; Ambst ● **7** ⸋ 𝔓^{46} D Ψ 𝔐 lat sa; Ir^{lat} ¦ *txt* ℵ A B F G 0243. 33. 81. 1175. 1739 *pc* sy^{h} bo | ⸀Σαταν ℵ^{2} A^{c} D^{2} Ψ 𝔐 sy^{h} ¦ *txt* 𝔓^{46} ℵ* A* B D* F G 0243. 1739 *pc* | ⸋ ℵ* A D F G 33. 629* *pc* lat; Ir^{lat} ¦ *txt* 𝔓^{46} ℵ^{2} B I^{vid} Ψ 0243 𝔐 a sy co; Cyp Ambst ● **9** ⸆ μου ℵ^{2} A D^{2} Ψ 0243 𝔐 sy bo^{pt} ¦ *txt* 𝔓^{46vid} ℵ* B D* F G latt sa bo^{pt}; Ir^{lat} | ⸀-λειουται ℵ^{2} D^{2} Ψ 0243 𝔐 ¦ *txt* ℵ* A B D* F G | ⸋† B 6. 81. 1175*. 1739 *pc* sy^{h} bo; Ir ¦ *txt* ℵ A D F G Ψ 𝔐 latt sy^{p} ● **10** ⸀και 𝔓^{46} ℵ* | ⸁εν ℵ^{2} A D F G Ψ 𝔐 latt sy; Tert ¦ και εν 0243. 630. 1739. 1881 *pc* ¦ *txt* 𝔓^{46} ℵ* B 104. 326. 1175 *pc* ● **11** ⸆καυχωμενος Ψ 0243 𝔐 b sy$^{(p)}$ ¦ *txt* 𝔓^{46} ℵ A B D F G K 6. 33. 81. 629. 1175. 1739. 2464 *al* lat co | ⸇τι 𝔓^{46} B ● **12** ⸂σημ. A D* *pc* lat; Ambst Pel ¦ εν σημ. ℵ^{2} D^{2} Ψ (2495) 𝔐 vg^{cl} ¦ *txt* 𝔓^{46} ℵ* B (F G) 0243. 33. 81. 326. 630. 1175. 1739. 1881. 2464 *pc* g ● **13** ⸀ελαττωθητε F G ● **14** ⸋ K L P 614. 629. 945. 1241 *pm* b | ⸉ 𝔓^{46} 630. 1739. 1881 *pc* ● **15** ⸀ει και ℵ^{2} D^{1} Ψ 0243 𝔐 f vg sy ¦ – D* a g r; Ambst ¦ *txt* 𝔓^{46} ℵ* A B F G 33. 81* *pc* co | ⸁† αγαπω ℵ* A 33. 104*. 1241. 2495 *pc* ¦ *txt* 𝔓^{46} ℵ^{2} B D F G Ψ 0243 𝔐 latt

δέ, ἐγὼ ⸀οὐ κατεβάρησα ὑμᾶς⸁· ἀλλὰ ὑπάρχων πανοῦρ-
γος δόλῳ ὑμᾶς ἔλαβον. **17** μή τινα ὧν ἀπέσταλκα πρὸς
ὑμᾶς, δι᾽ αὐτοῦ ἐπλεονέκτησα ὑμᾶς; **18** παρεκάλεσα Τίτον 7,2
καὶ συναπέστειλα τὸν ἀδελφόν· μήτι ἐπλεονέκτησεν ὑ- 2,13! · 8,18!
μᾶς Τίτος; οὐ τῷ αὐτῷ πνεύματι περιεπατήσαμεν; οὐ τοῖς
αὐτοῖς ἴχνεσιν; R 4,12!
19 ⸂Πάλαι δοκεῖτε ὅτι ὑμῖν ἀπολογούμεθα. ⸃κατέναντι 1K 9,3
θεοῦ ⸋ἐν Χριστῷ⸌ λαλοῦμεν· τὰ δὲ πάντα, ἀγαπητοί, 2,17
ὑπὲρ τῆς ὑμῶν οἰκοδομῆς. **20** φοβοῦμαι γὰρ μή πως ἐλ- 10,8; 13,10 R 14,19! | 10,11!
θὼν οὐχ οἵους θέλω εὕρω ὑμᾶς κἀγὼ εὑρεθῶ ὑμῖν οἷον
οὐ θέλετε· μή πως ⸂ἔρις, ⸃ζῆλος, θυμοί, ἐριθεῖαι, καταλα- R 1,29! 1K 1,11 · R 2,8 · 1P 2,1! ·
λιαί, ψιθυρισμοί, φυσιώσεις, ἀκαταστασίαι· **21** μὴ πάλιν 1K 4,6! |
⸀ἐλθόντος μου ⸂ταπεινώσῃ με ὁ θεός μου πρὸς ὑμᾶς⸁ 2,1; 13,2
καὶ πενθήσω πολλοὺς τῶν προημαρτηκότων καὶ μὴ με- 13,2
τανοησάντων ἐπὶ τῇ ἀκαθαρσίᾳ καὶ πορνείᾳ καὶ ἀσελ- 1K 5,1
γείᾳ ᾗ ἔπραξαν.

13 Τρίτον τοῦτο ⸂ἔρχομαι πρὸς ὑμᾶς· *ἐπὶ στόματος* 12,14 cf 1,15 1K 4,18s! · *Dt 19,15*
δύο μαρτύρων καὶ τριῶν σταθήσεται πᾶν ῥῆμα. **2** προ- Mt 18,16! |
είρηκα καὶ προλέγω, ὡς παρὼν τὸ δεύτερον καὶ ἀπὼν G 1,9! · 10,11!
νῦν⸆, τοῖς προημαρτηκόσιν καὶ τοῖς λοιποῖς πᾶσιν, ὅτι 12,21
ἐὰν ἔλθω ⸋εἰς τὸ⸌ πάλιν οὐ φείσομαι, **3** ⸂ἐπεὶ δοκιμὴν 1,23
ζητεῖτε τοῦ ἐν ἐμοὶ λαλοῦντος Χριστοῦ, ὃς εἰς ὑμᾶς οὐκ R 15,18!
ἀσθενεῖ ἀλλὰ δυνατεῖ ἐν ὑμῖν. **4** καὶ γὰρ ⸆ ἐσταυρώθη ἐξ Ph 2,7s
ἀσθενείας, ἀλλὰ ζῇ ἐκ δυνάμεως θεοῦ. καὶ γὰρ ἡμεῖς ἀ- 4,10!
σθενοῦμεν ⸂ἐν αὐτῷ, ἀλλὰ ⸃ζήσομεν ⸂¹σὺν αὐτῷ ἐκ δυνά- 1Th 4,17!
μεως θεοῦ ⸋εἰς ὑμᾶς⸌.

16 ⸀ουκ εβα- υμ. 𝔓^{46} D* ¦ ου κατεναρκησα υμων (-μας 104. 1881 *pc*) ℵ F G 81. 104. 326. 629. 1881 *pc* ¦ *txt* A B D^{2} Ψ 0243 𝔐 ● **19** ⸂ου π. 𝔓^{46} ¦ παλιν ℵ^{2} D Ψ 𝔐 g vg^{mss} sy bo ¦ *txt* ℵ* A B F G 0243. 6. 33. 81. 365. 1175. 1739. 1881 *pc* lat sa | ⸃-νωπιον του D(* P: – τ.) Ψ 𝔐 ¦ *txt* 𝔓^{46} ℵ A B F G 0243. 6. 33. 81. 365. 630. 1175. 1739. 1881. 2464 *pc* | ⸋ 𝔓^{46} b d; Ambst ● **20** ⸂ερεις B D F G Ψ 𝔐 latt sy^{h} co ¦ *txt* 𝔓^{46} ℵ A 0243. 33. 326. 945. 1739. 1881. 2495 *al* sy^{p} | ⸃ζηλοι ℵ D^{1} Ψ 0243 𝔐 latt sy^{h} co ¦ *txt* 𝔓^{46} A B D* F G 33. 326 *pc* sy^{p} bo^{ms} ● **21** ⸀ελθοντα με τ. ο θ. μ. πρ. υμ. ℵ^{2} Ψ 0243 𝔐 lat? ¦ ελθοντα με πρ. υμ. τ. με ο θ. μ. D$^{(1)}$ sy^{p}; Tert ¦ *txt* 𝔓^{46} ℵ* A B F G P 81. 326 *pc sed* ⸂ταπεινωσει 𝔓^{46} D F G L P 6. 33. 81. 104. 365. 1175. 1241. 2464. 2495 *pm*

¶ **13,1** ⸂ετοιμως εχω ελθειν A vg^{ms} ● **2** ⸆γραφω D^{1} Ψ 𝔐 vg^{ms} sy sa ¦ *txt* 𝔓^{46} ℵ A B D* F G I 0243. 6. 33. 630. 1175. 1739. 1881 *pc* lat | ⸋ 𝔓^{46} F G ● **3** ⸂οτι F G b d r; Ambst ¦ ει Epiph ¦ ἤ a f vg; Pel ¦ επειδη 6 *pc* ● **4** ⸆ει ℵ^{2} A D^{1} Ψ 𝔐 lat sy; Ambst ¦ *txt* 𝔓^{46vid} ℵ* B D* F G K P 0243. 33. 81. 104. 365. 1241^{s}. 1739 *al* co; Eus | ⸂συν ℵ A F G *pc* r sy^{p} bo ¦ *txt* B D Ψ 0243 𝔐 a vg sy^{h} sa; Ambst | ⸃-σομεθα D^{2} Ψ 𝔐 ¦ *txt* 𝔓^{46} ℵ A B D* F G 0243. 33. 81. 104. 365. 630. 1175. 1241^{s}. 1739. 1881. 2464 *al* | ⸂^{1}εν 𝔓^{46vid} D* 33. 326 *pc* (g); Pel^{pt} | ⸋ B D^{2} r

1 K 11,28 G 6,4 **5** ῾Εαυτοὺς πειράζετε εἰ ἐστὲ ἐν τῇ πίστει, ἑαυτοὺς δο-
R 8,10! κιμάζετε· ἢ οὐκ ἐπιγινώσκετε ἑαυτοὺς ὅτι ⸉Ἰησοῦς Χρι-
στὸς⸊ ἐν ὑμῖν⸆; εἰ μήτι ἀδόκιμοί ἐστε. **6** ἐλπίζω δὲ ὅτι
γνώσεσθε ὅτι ἡμεῖς οὐκ ἐσμὲν ἀδόκιμοι. **7** ⸀εὐχόμεθα δὲ
πρὸς τὸν θεὸν μὴ ποιῆσαι ὑμᾶς κακὸν μηδέν, οὐχ ἵνα
ἡμεῖς δόκιμοι φανῶμεν, ἀλλ᾽ ἵνα ὑμεῖς τὸ καλὸν ποιῆτε,
Act 4,20 ἡμεῖς δὲ ὡς ἀδόκιμοι ὦμεν. **8** οὐ γὰρ δυνάμεθά τι κατὰ
1 K 13,6 τῆς ἀληθείας ἀλλὰ ὑπὲρ τῆς ἀληθείας. **9** χαίρομεν γὰρ
ὅταν ἡμεῖς ἀσθενῶμεν, ὑμεῖς δὲ δυνατοὶ ἦτε· τοῦτο καὶ
11 G 6,1 | 2,3 εὐχόμεθα, τὴν ὑμῶν κατάρτισιν. **10** Διὰ τοῦτο ταῦτα ἀ-
10,11! πὼν γράφω, ἵνα παρὼν μὴ ἀποτόμως χρήσωμαι κατὰ
10,8! · 12,19! τὴν ἐξουσίαν ἣν ὁ κύριος ἔδωκέν μοι εἰς οἰκοδομὴν καὶ
10,4! οὐκ εἰς καθαίρεσιν.

Ph 3,1! · 10 **11** Λοιπόν, ἀδελφοί, χαίρετε, καταρτίζεσθε, παρακα-
R 15,5! · H 12,14! · λεῖσθε, τὸ αὐτὸ φρονεῖτε, εἰρηνεύετε, καὶ ὁ θεὸς τῆς
R 15,33!; | 16,16! ἀγάπης καὶ εἰρήνης ἔσται μεθ᾽ ὑμῶν. **12** Ἀσπάσασθε ἀλ-
λήλους ἐν ἁγίῳ φιλήματι. Ἀσπάζονται ὑμᾶς οἱ ἅγιοι
πάντες.

13 ῾Η χάρις τοῦ κυρίου Ἰησοῦ ⸰Χριστοῦ καὶ ἡ ἀγάπη
Ph 2,1 τοῦ θεοῦ καὶ ἡ κοινωνία τοῦ ⸰¹ἁγίου πνεύματος μετὰ
πάντων ὑμῶν. ⸆

5 ⸉ א A F G P 0243. 326. 629. 630. 1175. 1241^{s}. 1739. 1881. 2464 *al* b vg; Ambst ¦ *txt* B D Ψ 𝔐 a vg^{ms} sy | ⸆εστιν א A D^{2} F G Ψ 0243 𝔐 ¦ *txt* $\mathfrak{P}^{46}$ B D* 33 *pc* ● **7** ⸀-χομαι D^{2} Ψ 0243 𝔐 a b vg^{mss} sy^{p} sa^{ms}; Ambst ¦ *txt* $\mathfrak{P}^{46}$ א A B D* F G K P 33. 81. 104. 365. 1175. 1241^{s}. 2464. 2495 *al* lat sy^{h} co ● **13** ⸰ B Ψ 323. 1881 *pc* | ⸰¹ $\mathfrak{P}^{46}$ | ⸆αμην $א^{2}$ D Ψ 𝔐 lat sy bo ¦ *txt* $\mathfrak{P}^{46}$ א* A B F G 0243. 6. 33. 630. 1175. 1241^{s}. 1739. 1881 *pc* sa bo^{ms}; Ambst

Subscriptio: Προς Κορινθιους β′ $\mathfrak{P}^{46}$ א A B* (D F G, Ψ) 33 *pc* ¦ π. Κ. β′ εγραφη απο Φιλιππων B^{1} P ¦ π. Κ. β′ εγ. α. Φ. (+ της Μακεδονιας K 81. 104 *al*) δια Τιτου και Λουκα 𝔐 ¦ – 629. 630. 2464. 2495 *pc*

ΠΡΟΣ ΓΑΛΑΤΑΣ

Act 16,6; 18,23 1K 16,1 2T 4,10 1P 1,1

1 Παῦλος ἀπόστολος οὐκ ἀπ’ ἀνθρώπων οὐδὲ δι’ ἀνθρώπου ἀλλὰ διὰ Ἰησοῦ Χριστοῦ ⸋καὶ θεοῦ πατρὸς⸌ 11s
τοῦ ἐγείραντος ⸀αὐτὸν ἐκ νεκρῶν, **2** καὶ οἱ σὺν ἐμοὶ
πάντες ἀδελφοὶ ταῖς ἐκκλησίαις τῆς Γαλατίας, **3** χάρις
ὑμῖν καὶ εἰρήνη ἀπὸ θεοῦ πατρὸς ⸂ἡμῶν καὶ κυρίου⸃ R 1,7!
Ἰησοῦ Χριστοῦ **4** τοῦ δόντος ἑαυτὸν ⸀ὑπὲρ τῶν ἁμαρ- 1T 2,6!
τιῶν ἡμῶν, ὅπως ἐξέληται ἡμᾶς ἐκ τοῦ ⸂αἰῶνος τοῦ ἐνε- R 12,2
στῶτος⸃ πονηροῦ κατὰ τὸ θέλημα τοῦ θεοῦ καὶ πατρὸς E 5,16 1J 5,19 · H 10,10 |
ἡμῶν, **5** ᾧ ἡ δόξα εἰς τοὺς αἰῶνας τῶν αἰώνων, ἀμήν. R 16,27! 4Mcc 18,24
6 Θαυμάζω ὅτι °οὕτως ταχέως μετατίθεσθε ἀπὸ τοῦ
καλέσαντος ὑμᾶς ἐν χάριτι ⸀[Χριστοῦ] εἰς ἕτερον εὐαγ- 5,8 · 2K 11,4 1T 6,3
γέλιον, **7** ὃ οὐκ ἔστιν ἄλλο, εἰ μή τινές εἰσιν οἱ ταράσ- 5,10 Act 15,24.1
σοντες ὑμᾶς καὶ θέλοντες μεταστρέψαι τὸ εὐαγγέλιον
τοῦ Χριστοῦ. **8** ἀλλὰ καὶ ἐὰν ἡμεῖς ἢ ἄγγελος ἐξ οὐρα- 2K 11,4
νοῦ ⸂εὐαγγελίζηται [ὑμῖν]⸃ παρ’ ὃ εὐηγγελισάμεθα ὑμῖν,
ἀνάθεμα ἔστω. **9** ὡς ⸀προειρήκαμεν καὶ ἄρτι πάλιν λέγω· 1K 16,22! | 5,3.21 2K 13,2 1Th 3,4; 4,6
εἴ τις ὑμᾶς εὐαγγελίζεται παρ’ ὃ ⸁παρελάβετε, ἀνάθεμα
ἔστω.

10 ⸀Ἄρτι γὰρ ἀνθρώπους πείθω ἢ τὸν θεόν; ἢ ζητῶ 2K 5,11
ἀνθρώποις ἀρέσκειν; εἰ ⸆ ἔτι ἀνθρώποις ἤρεσκον, Χρι- 1Th 2,4
στοῦ δοῦλος οὐκ ἂν ἤμην. **11** Γνωρίζω ⸀γὰρ ὑμῖν, R 1,1! | 1K 15,1
ἀδελφοί, τὸ εὐαγγέλιον τὸ εὐαγγελισθὲν ὑπ’ ἐμοῦ ὅτι
οὐκ ἔστιν κατὰ ἄνθρωπον· **12** οὐδὲ γὰρ ἐγὼ παρὰ ἀν- 1 1Th 2,13 | 1K 11,23

¶ **1,1** ⸋ (*et* ⸀αὐ-?) Mcion ● **3** ⸂ *2 3 1* 𝔓46.51vid B D F G H 𝔐 vg sy sa bomss ¦ *2 3* 1877 *al* vgmss ¦ *txt* ℵ A P Ψ 33. 81. 326. 365. 1241s. 2464 *pc* a b; Ambst ● **4** ⸀περι 𝔓46vid ℵ* A D F G Ψ 𝔐 (g) ¦ *txt* 𝔓51 ℵ1 B H 6. 33. 81. 326. 365. 1175. 1241s. 2464 *al* | ⸂ενεστ. αι. ℵ2 D F G Hvid Ψ 𝔐 latt ¦ *txt* 𝔓46.51vid ℵ* A B 33. 81. 326. 630. 1241s. 1739. 1881 *pc* ● **6** ° F G | ⸀Ιησου Χρ. D 326. 1241s *pc* syh** ¦ θεου 327 *pc* ¦ – 𝔓46vid F G Hvid a b; Tert Cyp Ambst Pel ¦ *txt* 𝔓51 ℵ A B Ψ 𝔐 f vg syp bo ● **8** ⸂ † -ισηται υμιν ℵ2 A 81. (104). 326. (1241s) d; Tertpt Ambst Epiph ¦ -ισηται ℵ* b g; Tertpt Lcf ¦ αλλως -ισηται Mcion ¦ -ιζηται F G Ψ a; Cyppt ¦ υμιν -ιζηται 𝔓51vid B H 630. 1175. 1739 *pc* ¦ -ιζεται υμιν K P 365. 614. 1881. 2495 *pm* ¦ *txt* D(*) L 6. 33. 945. 2464 *pm* vg ● **9** ⸀-ρηκα ℵ* 630. 945 *pc* a vgmss syp bopt | ⸁ελαβετε 𝔓51 ¦ ευηγγελισαμεθα υμιν Ψ ● **10** [⸀τί J. Cramer *cj*] | ⸆γαρ D1 𝔐 sy ¦ *txt* 𝔓46 ℵ A B D* F G Ψ 6. 33. 81. 365. 1175. 1241s. 1739. 1881. 2464 *al* latt bo; Tert ● **11** ⸀δε 𝔓46 ℵ*.2 A D1 Ψ 𝔐 b vgms sy bo ¦ *txt* ℵ1 B D* F G 33 *pc* lat sa

θρώπου παρέλαβον αὐτὸ ⸀οὔτε ἐδιδάχθην ἀλλὰ δι᾽ ἀπο-
16 καλύψεως Ἰησοῦ Χριστοῦ. **13** Ἠκούσατε γὰρ τὴν
ἐμὴν ἀναστροφήν ποτε ἐν τῷ Ἰουδαϊσμῷ, ὅτι καθ᾽ ὑπερ-
Act 8,3 βολὴν ἐδίωκον τὴν ἐκκλησίαν τοῦ θεοῦ καὶ ⸀ἐπόρθουν
αὐτήν, **14** καὶ προέκοπτον ἐν τῷ Ἰουδαϊσμῷ ὑπὲρ πολ-
Act 22,3! λοὺς συνηλικιώτας ἐν τῷ γένει μου, περισσοτέρως ζη-
Mc 7,5 λωτὴς ὑπάρχων τῶν πατρικῶν μου παραδόσεων.
Act 13,2 R 1,1 · **15** Ὅτε δὲ εὐδόκησεν ⸋[ὁ θεὸς]⸌ ὁ ἀφορίσας με ἐκ κοι-
Is 49,1 · 1K 15,10 | λίας μητρός μου ⸋¹καὶ καλέσας διὰ τῆς χάριτος αὐτοῦ⸌
12 Mt 11,27 · **16** ἀποκαλύψαι τὸν υἱὸν αὐτοῦ ἐν ἐμοί, ἵνα ⸀εὐαγγελί-
2,7! ζωμαι αὐτὸν ἐν τοῖς ἔθνεσιν, εὐθέως οὐ προσανεθέμην
σαρκὶ καὶ αἵματι **17** οὐδὲ ⸀ἀνῆλθον εἰς Ἱεροσόλυμα πρὸς
τοὺς πρὸ ἐμοῦ ἀποστόλους, ἀλλὰ ἀπῆλθον εἰς Ἀραβίαν
καὶ πάλιν ὑπέστρεψα εἰς Δαμασκόν. **18** Ἔπειτα μετὰ
Act 9,26 ⸉ἔτη τρία⸊ ἀνῆλθον εἰς Ἱεροσόλυμα ἱστορῆσαι ⸀Κηφᾶν
καὶ ἐπέμεινα πρὸς αὐτὸν ἡμέρας δεκαπέντε, **19** ἕτερον δὲ
Act 12,17! τῶν ἀποστόλων ⸂οὐκ εἶδον⸃ εἰ μὴ Ἰάκωβον τὸν ἀδελφὸν
τοῦ κυρίου. **20** ἃ δὲ γράφω ὑμῖν, ἰδοὺ ἐνώπιον τοῦ θεοῦ
2K 11,31! | ὅτι οὐ ψεύδομαι. **21** Ἔπειτα ἦλθον εἰς τὰ κλίματα
Act 9,30; 15,23.41 | τῆς Συρίας καὶ ⸰τῆς Κιλικίας· **22** ἤμην δὲ ἀγνοούμενος
1Th 2,14 τῷ προσώπῳ ταῖς ἐκκλησίαις τῆς Ἰουδαίας ταῖς ἐν Χρι-
Act 8,3! στῷ. **23** μόνον δὲ ἀκούοντες ἦσαν ὅτι ὁ διώκων ἡμᾶς
ποτε νῦν εὐαγγελίζεται τὴν πίστιν ἥν ποτε ⸀ἐπόρθει,
24 καὶ ἐδόξαζον ἐν ἐμοὶ τὸν θεόν.
Act 15,2 · **2** Ἔπειτα διὰ ⸀δεκατεσσάρων ἐτῶν ⸂πάλιν ἀνέβην⸃ εἰς
Act 4,36! · 2K 2,13! Ἱεροσόλυμα μετὰ Βαρναβᾶ συμπαραλαβὼν καὶ Τίτον·
2 ἀνέβην δὲ κατὰ ἀποκάλυψιν· καὶ ἀνεθέμην αὐτοῖς τὸ
6.9 εὐαγγέλιον ὃ κηρύσσω ἐν τοῖς ἔθνεσιν, κατ᾽ ἰδίαν δὲ τοῖς
14,11 Ph 2,16! | δοκοῦσιν, μή πως εἰς κενὸν τρέχω ἢ ἔδραμον. **3** ἀλλ᾽ οὐδὲ
14; 6,12 Τίτος ὁ σὺν ἐμοί, Ἕλλην ὤν, ἠναγκάσθη περιτμηθῆναι·
Act 15,1.24 Jd 4 · **4** διὰ ⸰δὲ τοὺς παρεισάκτους ψευδαδέλφους, οἵτινες παρ-

12 ⸀ουδε ℵ A D* F G P Ψ 33. 81. 104. 365. 1175. 1241^{s}. 1739. 1881. 2464 *al* ¦ *txt* 𝔓^{46} B D^{1} 𝔐 • **13** ⸀επολεμουν F G *ex* latt*?* • **15** ⸋† 𝔓^{46} B F G 629. 2495 *pc* lat sy^{p}; Ir$^{lat pt}$ Epiph ¦ *txt* ℵ A D Ψ 𝔐 sy^{h**} co; Ir$^{lat pt}$ | ⸋¹ 𝔓^{46} 6. 1739. 1881 *pc* • **16** ⸀-ισωμαι 𝔓^{46} D* • **17** ⸀απηλθον (𝔓^{46}: ηλ-) 𝔓^{51} B D F G *pc* ¦ *txt* ℵ A^{vid} Ψ 𝔐 sy^{h} • **18** ⸉† ℵ A P 33. 81. 326. 630. 1241^{s}. 1739. 1881. 2464 *pc* ¦ *txt* 𝔓^{46} B D F G Ψ 𝔐 | ⸀Πετρον ℵ^{2} D F G Ψ 𝔐 latt sy^{h} ¦ *txt* 𝔓$^{46.51}$ ℵ* A B 33. 1241^{s}. 1739 *pc* sy^{hmg} co • **19** ⸂ειδον ουδενα D* F G ¦ ουκ ειδ. ουδενα 𝔓^{51vid} • **21** ⸰ℵ* 33. 1881. 2495 *pc* • **23** ⸀επολεμει F G *ex* latt*?*
¶ **2,1** ⸀τεσσαρων 1241^{s}; [Grotius *cj*] | ⸂*2 1* D F G a b ¦ *2* vg^{ms} bo; Mcion Ir^{lat} Ambst ¦ π. ανηλθον C • **4** ⸰f; Mcion

εισῆλθον κατασκοπῆσαι τὴν ἐλευθερίαν ἡμῶν ἣν ἔχομεν 5,1!
ἐν Χριστῷ Ἰησοῦ, ἵνα ⸆ ἡμᾶς καταδουλώσουσιν, **5** ⸂οἷς
οὐδὲ⸃ πρὸς ὥραν εἴξαμεν τῇ ὑποταγῇ, ἵνα ἡ ἀλήθεια τοῦ 14; 4,16!
εὐαγγελίου ⸀διαμείνῃ πρὸς ὑμᾶς. **6** Ἀπὸ δὲ τῶν δο-
κούντων εἶναί τι, – ὁποῖοί ποτε ἦσαν οὐδέν μοι διαφέ- 2! · Act 5,36!
ρει· πρόσωπον °[ὁ] θεὸς ἀνθρώπου οὐ λαμβάνει – ἐμοὶ Dt 10,17 Sir 35,13 𝔊 R 2,11! ·
γὰρ οἱ δοκοῦντες οὐδὲν προσανέθεντο, **7** ἀλλὰ τοὐναν- 2!
τίον ἰδόντες ὅτι πεπίστευμαι τὸ εὐαγγέλιον τῆς ἀκρο- 1T 1,11! · 1,15s
βυστίας καθὼς Πέτρος τῆς περιτομῆς, **8** ὁ γὰρ ἐνεργή- E 3,8 1T 2,7 Act 9,15!; 15,12 |
σας Πέτρῳ εἰς ἀποστολὴν τῆς περιτομῆς ἐνήργησεν καὶ R 1,15
ἐμοὶ εἰς τὰ ἔθνη, **9** καὶ γνόντες τὴν χάριν τὴν δοθεῖσάν R 15,15!
μοι, ⸂Ἰάκωβος καὶ Κηφᾶς⸃ καὶ Ἰωάννης, οἱ δοκοῦντες Act 12,17 · J 1,42 2! ·
στῦλοι εἶναι, δεξιὰς ἔδωκαν ἐμοὶ καὶ Βαρναβᾷ κοινω- Ap 3,12
νίας, ἵνα ἡμεῖς εἰς τὰ ἔθνη, αὐτοὶ δὲ εἰς τὴν περιτομήν·
10 μόνον τῶν πτωχῶν ἵνα μνημονεύωμεν, ὃ καὶ ἐσπού- Act 11,29!
δασα αὐτὸ τοῦτο ποιῆσαι.

11 Ὅτε δὲ ἦλθεν ⸀Κηφᾶς εἰς Ἀντιόχειαν, κατὰ πρόσ- Act 11,27
ωπον αὐτῷ ἀντέστην, ὅτι κατεγνωσμένος ἦν. **12** πρὸ τοῦ
γὰρ ἐλθεῖν ⸀τινας ἀπὸ Ἰακώβου μετὰ τῶν ἐθνῶν ⸁συνή- Act 12,17!; · 11,3
σθιεν· ὅτε δὲ ⸀1ἦλθον, ὑπέστελλεν καὶ ἀφώριζεν ἑαυτὸν
φοβούμενος τοὺς ἐκ περιτομῆς. **13** καὶ συνυπεκρίθησαν Kol 4,11 Tt 1,10
αὐτῷ °[καὶ] οἱ λοιποὶ Ἰουδαῖοι, ὥστε καὶ Βαρναβᾶς συν- Act 4,36!
απήχθη αὐτῶν τῇ ὑποκρίσει. **14** ἀλλ᾽ ὅτε εἶδον ὅτι οὐκ
ὀρθοποδοῦσιν πρὸς τὴν ἀλήθειαν τοῦ εὐαγγελίου, εἶπον 5!
τῷ ⸀Κηφᾷ ἔμπροσθεν πάντων· εἰ σὺ Ἰουδαῖος ὑπάρχων 1T 5,20
ἐθνικῶς ⸂καὶ οὐχὶ Ἰουδαϊκῶς ζῇς⸃, ⸁πῶς τὰ ἔθνη ἀναγ- 3!
κάζεις ἰουδαΐζειν; **15** Ἡμεῖς φύσει Ἰουδαῖοι καὶ

4 ⸆μη F G • **5** ⸂ουδε Mcion ¦ – D* b; Ir^{lat} Tert MVict Ambst Hier^{ms} | ⸀διαμενη A F G • **6** ° B C D F G 𝔐 ¦ *txt* 𝔓^{46} ℵ A P Ψ 0174^{vid}. 33. 81. 104. 365. 614. 1175. 1241^{s} *pc* • **9** ⸂Ιακ. A ¦ Ιακ. κ. Πετρος 𝔓^{46} r ¦ Πετ. κ. Ιακ. D F G 629. 1175 a b vg^{mss}; Tert Ambst Pel ¦ *txt* ℵ B C I^{vid} Ψ 𝔐 vg sy co • **11** ⸀Πετρος D F G 𝔐 it vg^{mss} sy^{h}; Ambst ¦ *txt* ℵ A B C P Ψ 33. 81. 104. 365. 629. 1175. 1241^{s}. 1739. 1881 *pc* vg sy^{hmg}; Or • **12** ⸀τινα 𝔓^{46} d g^{c} r* | ⸁-θιον 𝔓^{46} vg^{ms} | ⸀1ηλθεν 𝔓^{46} ℵ B D* F G 33 *pc* b ¦ *txt* A C D^{2} H Ψ 𝔐 a f vg sy co • **13** ° 𝔓^{46} B 6. 630. 1739. 1881 *pc* a f vg bo ¦ *txt* ℵ A C D F G H Ψ 𝔐 b r vg^{ms} sy sa; Ambst Pel • **14** ⸀Πετρω D F G 𝔐 it vg^{mss} sy^{h}; Ambst Pel ¦ *txt* 𝔓^{46} ℵ A B C H Ψ 33. 81. 365. 629. 1175. 1241^{s}. 1739. 1881 *pc* vg co | ⸂† κ. ουκ I. ζης F G (6. 630. 1739 *pc*) ¦ ζης κ. ουκ I. D^{2} 𝔐 ¦ ζης κ. ουχι I. D* 326. 1241^{s}. 2464. 2495 *pc* vg^{cl} ¦ ζης 𝔓^{46} 1881 *pc* a b d; Ambst ¦ *txt* ℵ A B C H P Ψ 33. 81. 104. 1175 *pc* | ⸁τι 𝔐 sy^{h} ¦ *txt* 𝔓^{46} ℵ A B C D F G H P Ψ 33. 81. 104. 365. 1175. 1241^{s}. 1739. 1881. 2464 *al* latt sy^{p} co

E 2,12 | 3,2 R 3,28 · 3,8.24 R 4,5; 5,1 E 2,8s Ph 3,9 οὐκ ἐξ ἐθνῶν ἁμαρτωλοί· **16** εἰδότες ᴼ[δὲ] ὅτι οὐ δικαι-
οῦται ἄνθρωπος ἐξ ἔργων νόμου ἐὰν μὴ διὰ πίστεως
⸉Ἰησοῦ Χριστοῦ⸊, καὶ ἡμεῖς εἰς ⸉¹Χριστὸν Ἰησοῦν⸊
ἐπιστεύσαμεν, ἵνα δικαιωθῶμεν ἐκ πίστεως Χριστοῦ καὶ
Ps 143,2 R 3,20 οὐκ ἐξ ἔργων νόμου, ⸀ὅτι ἐξ ἔργων νόμου οὐ δικαιωθή-
Gn 6,12 | σεται πᾶσα σάρξ. **17** εἰ δὲ ζητοῦντες δικαιωθῆναι ἐν
Mt 9,11 Χριστῷ εὑρέθημεν καὶ αὐτοὶ ἁμαρτωλοί, ⸀ἆρα Χριστὸς
ἁμαρτίας διάκονος; μὴ γένοιτο. **18** εἰ γὰρ ἃ κατέλυσα
ταῦτα πάλιν οἰκοδομῶ, παραβάτην ἐμαυτὸν συνιστάνω.
R 6,10; 7,6.4 **19** ἐγὼ γὰρ διὰ νόμου νόμῳ ἀπέθανον, ἵνα θεῷ ζήσω.
R 6,6.8; | 8,10! · Χριστῷ συνεσταύρωμαι· **20** ζῶ δὲ οὐκέτι ἐγώ, ζῇ δὲ ἐν
2K 10,3 Ph 1,22 · E 3,17 R 14,8 · ἐμοὶ Χριστός· ὃ δὲ νῦν ζῶ ἐν σαρκί, ἐν πίστει ζῶ τῇ τοῦ
J 13,1 · 1T 2,6! ⸂υἱοῦ τοῦ θεοῦ⸃ τοῦ ⸀ἀγαπήσαντός με καὶ παραδόντος
ἑαυτὸν ὑπὲρ ἐμοῦ. **21** Οὐκ ἀθετῶ τὴν χάριν τοῦ θεοῦ·
εἰ γὰρ διὰ νόμου δικαιοσύνη, ἄρα Χριστὸς δωρεὰν ἀπέθανεν.

L 24,25 **3** Ὦ ἀνόητοι Γαλάται, τίς ὑμᾶς ἐβάσκανεν⸆, οἷς κατ'
1K 1,23! ὀφθαλμοὺς Ἰησοῦς Χριστὸς προεγράφη ⸆¹ ἐσταυρω-
2,16! μένος; **2** τοῦτο μόνον θέλω μαθεῖν ἀφ' ὑμῶν· ἐξ ἔργων
Act 11,17 E 1,13 · R 10,16! νόμου τὸ πνεῦμα ἐλάβετε ἢ ἐξ ἀκοῆς πίστεως; **3** οὕτως
ἀνόητοί ἐστε, ἐναρξάμενοι πνεύματι νῦν σαρκὶ ἐπιτε-
λεῖσθε; **4** τοσαῦτα ἐπάθετε εἰκῇ; εἴ γε καὶ εἰκῇ. **5** ὁ οὖν
4,6 1Th 4,8 · Mt 14,2 1K 12,6.11 ἐπιχορηγῶν ὑμῖν τὸ πνεῦμα καὶ ἐνεργῶν δυνάμεις ἐν
ὑμῖν, ἐξ ἔργων νόμου ἢ ἐξ ἀκοῆς πίστεως;
Gn 15,6 𝔊 R 4,3 **6** Καθὼς Ἀβραὰμ *ἐπίστευσεν τῷ θεῷ, καὶ ἐλογίσθη*
αὐτῷ εἰς δικαιοσύνην· **7** γινώσκετε ἄρα ὅτι οἱ ἐκ πί-
29 στεως, οὗτοι ⸉υἱοί εἰσιν⸊ Ἀβραάμ. **8** προϊδοῦσα δὲ ἡ
γραφὴ ὅτι ἐκ πίστεως δικαιοῖ τὰ ἔθνη ὁ θεός, προευηγ-

16 ᴼ 𝔓^{46} A D^{2} Ψ 𝔐 sy^{h} ¦ *txt* א B C D* F G H 81. 104. 1175. 1241^{s}. 2464 *pc* lat | ⸉ † A B 33 vg^{mss} ¦ *txt* 𝔓^{46} א C D F G H Ψ 𝔐 lat sy | ⸉¹ 𝔓^{46} B H 33. 81. 630. 1175. 1241^{s}. 1739. 1881. 2495 *pc* a d sy ¦ *txt* א A C D F G Ψ 𝔐 lat | ⸀διοτι C D^{2} H Ψ 𝔐 f vg ¦ *txt* 𝔓^{46} א A B D* F G I 6. 33. 81. 104. 365. 1175. 1241^{s}. 1739. 1881. 2464. 2495 *pc* ● **17** ⸀ ἄρα B^{2} H 365. 945. 1175. 1739. 1881 *al* it; Ambst [Lachmann *cj*] (𝔓^{46} א A B* C D F G *sine acc.*) ● **20** ⸂θεου και Χριστου 𝔓^{46} B D* F G (b) MVict ¦ *txt* א A C D^{2} Ψ 𝔐 lat sy co; Cl | ⸀αγορασαντος Mcion

¶ **3,1** ⸆(5,7) τη αληθεια μη πειθεσθαι C D^{2} Ψ 𝔐 vg^{cl} sy^{h}; Hier^{mss} ¦ *txt* א A B D* F G 6. 33*. 81. 630. 1739 *pc* lat sy^{p} co; Hier^{mss} Ad | ⸆¹εν υμιν D F G 𝔐 it vg^{cl} sy^{h} ¦ *txt* א A B C P Ψ 33*. 81. 104. 365. 630. 1175. 1241^{s}. 1739. 1881 *pc* f r vgst co ● **7** ⸉ א^{2} A C D F G 𝔐 latt ¦ *txt* 𝔓^{46} א* B Ψ 81. 326. 1241^{s}. 2464 *pc*

γελίσατο τῷ Ἀβραὰμ ὅτι *ἐνευλογηθήσονται ἐν σοὶ πάντα* Gn 12,3; 18,18 Act 3,25
τὰ ἔθνη· **9** ὥστε οἱ ἐκ πίστεως εὐλογοῦνται σὺν τῷ πι- R 4,16
στῷ Ἀβραάμ.
5 **10** ⸆Ὅσοι γὰρ ἐξ ἔργων νόμου εἰσίν, ὑπὸ κατάραν εἰ-
σίν· γέγραπται γὰρ ὅτι *ἐπικατάρατος πᾶς ὃς οὐκ ἐμμένει* ⸆ Dt 27,26
πᾶσιν τοῖς γεγραμμένοις ἐν τῷ βιβλίῳ τοῦ νόμου τοῦ ποι- Dt 28,58; 30,10
ῆσαι αὐτά. **11** ὅτι δὲ ἐν νόμῳ οὐδεὶς δικαιοῦται παρὰ
τῷ θεῷ δῆλον, ὅτι *ὁ δίκαιος ἐκ πίστεως ζήσεται*· **12** ὁ δὲ Hab 2,4 R 1,17
νόμος οὐκ ἔστιν ἐκ πίστεως, ἀλλ' *ὁ ποιήσας αὐτὰ* ⸆ *ζή-* Lv 18,5 ⓖ R 10,5
σεται ἐν αὐτοῖς. **13** Χριστὸς ἡμᾶς ἐξηγόρασεν ἐκ τῆς 4,5
κατάρας τοῦ νόμου γενόμενος ὑπὲρ ἡμῶν κατάρα, ὅτι
γέγραπται· *ἐπικατάρατος πᾶς ὁ κρεμάμενος ἐπὶ ξύλου,* Dt 27,26; 21,23 Act 5,30
14 ἵνα εἰς τὰ ἔθνη ἡ εὐλογία τοῦ Ἀβραὰμ γένηται ἐν E 1,3
⸉Χριστῷ Ἰησοῦ⸊, ἵνα τὴν ⸀ἐπαγγελίαν τοῦ πνεύματος Act 2,33
λάβωμεν διὰ τῆς πίστεως.
7 **15** Ἀδελφοί, κατὰ ἄνθρωπον λέγω· ὅμως ἀνθρώπου R 3,5!
κεκυρωμένην διαθήκην οὐδεὶς ἀθετεῖ ἢ ἐπιδιατάσσεται.
16 τῷ δὲ Ἀβραὰμ ἐρρέθησαν αἱ ἐπαγγελίαι καὶ τῷ σπέρματι αὐτοῦ. οὐ λέγει· καὶ τοῖς σπέρμασιν, ὡς ἐπὶ πολ-
λῶν ἀλλ' ὡς ἐφ' ἑνός· *καὶ τῷ σπέρματί σου*, ⸀ὅς ἐστιν Gn 13,15; 17,8; 24,7
Χριστός. **17** τοῦτο δὲ λέγω· διαθήκην προκεκυρωμένην
ὑπὸ τοῦ θεοῦ ⸆ ὁ μετὰ τετρακόσια καὶ τριάκοντα ἔτη γε- Ex 12,40 ⓖ
γονὼς νόμος οὐκ ἀκυροῖ εἰς τὸ καταργῆσαι τὴν ἐπαγγελίαν. **18** εἰ γὰρ ⸀ἐκ νόμου ἡ κληρονομία, οὐκέτι ἐξ R 11,6
ἐπαγγελίας· τῷ δὲ Ἀβραὰμ δι' ἐπαγγελίας κεχάρισται
ὁ θεός.
19 Τί οὖν ὁ ⸂νόμος; τῶν παραβάσεων χάριν προσ- R 4,15!
ετέθη⸃, ἄχρις ⸀οὗ ἔλθῃ τὸ σπέρμα ᾧ ἐπήγγελται, διατα- Act 7,53! Lv 26,46 Dt 5,4s |
γεὶς δι' ἀγγέλων ἐν χειρὶ μεσίτου. **20** ὁ δὲ μεσίτης ἑνὸς H 9,15!
οὐκ ἔστιν, ὁ δὲ θεὸς εἷς ἐστιν. **21** ὁ οὖν νόμος κατὰ τῶν R 7,7

10 ⸆εν ℵ2 A C D F G 𝔐 latt ¦ *txt* 𝔓46 ℵ* B Ψ 6. 33. 81. 104. 365. 1175. 1241s. 1739. 1881. 2464. (2495) *al* ● **12** ⸆ανθρωπος D1 𝔐 a vgs syhmg ¦ *txt* 𝔓46 ℵ Avid B C D* F G P Ψ 6. 33. 81*. 104. 365. 629. 1175. 1241s. 1739 *pc* b r vg syh co; Ambst ● **14** ⸉† ℵ B syp ¦ *txt* 𝔓46 A C D F G Ψ 𝔐 latt syh | ⸀ευλογιαν 𝔓46 D* F G *pc* b vgms; Mcion Ambst ¦ *txt* ℵ A B C D2 Ψ 𝔐 lat sy co ● **16** ⸀ὅ D* 81. 2495 *pc* ¦ οὗ F G ● **17** ⸆εις Χριστον D F G I 0176 𝔐 it sy; Ambst ¦ *txt* 𝔓46 ℵ A B C P Ψ 6. 33. 81. 1175. 1241s. 1739. 1881. 2464 *pc* r t vg co ● **18** ⸀δια 𝔓46 ● **19** ⸂νομ.; των παραδοσεων χ. ετεθη D* ¦ νομ. τ. πραξεων; ετεθη F G it; Irlat Ambst Spec ¦ νομ. τ. πραξεων 𝔓46 ¦ *txt* ℵ A B C D2 Ψ 0176vid 𝔐 (lat; Cl) | ⸀† αν B 33. 1175. 2464 ¦ *txt* 𝔓46 ℵ A C D F G Ψ 𝔐

R 7,10 ἐπαγγελιῶν ⸂[τοῦ θεοῦ]⸃; μὴ γένοιτο. εἰ γὰρ ἐδόθη νόμος
ὁ δυνάμενος ζῳοποιῆσαι, ⸀ὄντως ⸄ἐκ νόμου ἂν ἦν⸅ ἡ
R 3,9-19; 11,32 δικαιοσύνη· **22** ἀλλὰ συνέκλεισεν ἡ γραφὴ τὰ πάντα
ὑπὸ ἁμαρτίαν, ἵνα ἡ ἐπαγγελία ἐκ πίστεως Ἰησοῦ Χρι-
στοῦ δοθῇ τοῖς πιστεύουσιν.
4,4s.21; 5,18 **23** Πρὸ τοῦ δὲ ἐλθεῖν τὴν πίστιν ὑπὸ νόμον ἐφρουρού-
R 11,32 μεθα ⸀συγκλειόμενοι εἰς τὴν μέλλουσαν πίστιν ἀποκαλυ-
4,2 1K 4,15 φθῆναι, **24** ὥστε ὁ νόμος παιδαγωγὸς ἡμῶν ⸀γέγονεν εἰς
2,16! Χριστόν, ἵνα ἐκ πίστεως δικαιωθῶμεν· **25** ἐλθούσης δὲ τῆς
R 10,4; 6,14 πίστεως οὐκέτι ὑπὸ παιδαγωγόν ἐσμεν. **26** Πάντες γὰρ
4,5 R 8,14.17 1J 1,12! υἱοὶ θεοῦ ἐστε διὰ °τῆς πίστεως ⸂ἐν Χριστῷ Ἰησοῦ⸃·
R 6,3 · R 13,14 E 4,24 | R 10,12 **27** ὅσοι γὰρ εἰς Χριστὸν ἐβαπτίσθητε, Χριστὸν ἐνεδύσα-
1K 12,13 Kol 3,11 σθε. **28** οὐκ ἔνι Ἰουδαῖος οὐδὲ Ἕλλην, οὐκ ἔνι δοῦλος οὐδὲ ἐλεύθερος, οὐκ ἔνι ἄρσεν καὶ θῆλυ· ⸀πάντες γὰρ ὑμεῖς
J 17,21! ⸂εἷς ἐστε ἐν Χριστῷ⸃ Ἰησοῦ. **29** εἰ δὲ ὑμεῖς Χριστοῦ, ἄρα
7.16 R 9,7; · 4,16.7! τοῦ Ἀβραὰμ σπέρμα ἐστέ, κατ᾽ ἐπαγγελίαν κληρονόμοι.
4 Λέγω δέ, ἐφ᾽ ὅσον χρόνον ὁ κληρονόμος νήπιός
ἐστιν, οὐδὲν διαφέρει δούλου κύριος πάντων ὤν,
2 ἀλλὰ ὑπὸ ἐπιτρόπους ἐστὶν καὶ οἰκονόμους ἄχρι τῆς
προθεσμίας τοῦ πατρός. **3** οὕτως καὶ ἡμεῖς, ὅτε ἦμεν νή-
Kol 2,20! · 5,1; 3,23 πιοι, ὑπὸ τὰ στοιχεῖα τοῦ κόσμου ⸀ἤμεθα δεδουλωμένοι·
Mc 1,15 E 1,10 Tob 14,5 Kol 1,19 · **4** ὅτε δὲ ἦλθεν τὸ πλήρωμα τοῦ χρόνου, ἐξαπέστειλεν ὁ
J 5,36 1J 4,9 θεὸς τὸν υἱὸν αὐτοῦ, γενόμενον ἐκ γυναικός, γενόμενον
3,13 1K 6,20! ὑπὸ νόμον, **5** ἵνα τοὺς ὑπὸ νόμον ἐξαγοράσῃ, ἵνα τὴν
3,26 υἱοθεσίαν ἀπολάβωμεν. **6** Ὅτι δέ ἐστε υἱοί, ἐξαπέστειλεν
R 8,15! ⸋ὁ θεὸς⸌ τὸ πνεῦμα ⸋1τοῦ υἱοῦ⸌ αὐτοῦ εἰς τὰς καρδίας
Mc 14,36 ⸀ἡμῶν κρᾶζον· αββα ⸋2ὁ πατήρ⸌. **7** ὥστε οὐκέτι °εἶ δοῦ-
3,29 R 8,16s λος ἀλλὰ υἱός· εἰ δὲ υἱός, καὶ κληρονόμος ⸂διὰ θεοῦ⸃.

21 ⸂ τ. Χριστου 104 ¦ – 𝔓^{46} B d; Ambst ¦ *txt* ℵ A C D (F G) Ψ 𝔐 lat sy co | ⸀αληθεια F G | ⸄ *1 2 4* D* 1881 *pc* ¦ *1 2* F G d ¦ *3 1 2 4* D^{2} 0176^{vid} 𝔐 ¦ *1 2 4 3* ℵ Ψ(*) 33. 104. 365. 630. 1175. 1739 *pc* ¦ εν νομω ην αν 𝔓^{46} (B: αν ην) ¦ *txt* A C 81. 1241^{s}. 2464 *pc* • **23** ⸀συγκεκλεισμενοι C D^{2} 𝔐 ¦ *txt* 𝔓^{46} ℵ A B D* F G P Ψ 33. 81. 104. 1241^{s}. 1739. 1881. 2464 *pc* • **24** ⸀εγενετο 𝔓^{46} B; Cl^{pt} • **26** ° 𝔓^{46} P 2464 *pc*; Cl | ⸂ Χριστου Ι. 𝔓^{46} 6. (⸉ 1739 *pc* sy^{p}) sa ¦ – P • **28** ⸀απ- ℵ A B^{2} | ⸂ ἕν εσ. εν Χ. F G 33 ¦ εστε Χριστου 𝔓^{46} A ¦ εστε εν Χριστου (*!, vl* ἓν Χ.*?*) ℵ* (vg^{ms}) ¦ *txt* ℵ^{2} B C D Ψ 𝔐
¶ **4,3** ⸀ημεν A B C D^{1} Ψ 𝔐 ¦ *txt* 𝔓^{46} ℵ D* F G 33. 81. 365. 1175 *pc* • **6** ⸋ B 1739 sa | ⸋1 𝔓^{46}; Mcion | ⸀υμ- D^{2} Ψ 𝔐 vg^{cl} sy bo^{pt} ¦ *txt* 𝔓^{46} ℵ A B C D* F G P 104. 1175. 1241^{s}. 1739. 1881 *pc* lat sa bo^{pt}; Tert | [⸋2 Beza *cj*] • **7** ° F G | ⸂ δια θεον F G 1881 *pc* ¦ δ. Χριστου 81. 630 *pc* sa ¦ δ. Ιησου Χρ. 1739^{c} ¦ θεου δ. (+ Ιησου P 6. 326. 2495 *pc*) Χρ. ℵ^{2} C^{3} D 𝔐 a (sy) ¦ μεν θεου, συγκληρονομος δε Χρ. Ψ *pc* ¦ *txt* 𝔓^{46} ℵ* A B C* 33. 1739*^{vid} lat bo; Cl

8 Ἀλλὰ τότε μὲν οὐκ εἰδότες θεὸν ἐδουλεύσατε τοῖς Act 17,23 1Th 4,5! ·
°φύσει μὴ οὖσιν θεοῖς· **9** νῦν δὲ γνόντες θεόν, μᾶλλον 2Chr 13,9 Is 37,19 Jr 2,11 1K 12,2 |
δὲ γνωσθέντες ὑπὸ θεοῦ, πῶς ἐπιστρέφετε πάλιν ἐπὶ τὰ 1K 13,12!
ἀσθενῆ καὶ πτωχὰ στοιχεῖα οἷς πάλιν ἄνωθεν ⸀δουλεύειν Kol 2,20!
θέλετε; **10** ἡμέρας ⸀παρατηρεῖσθε καὶ μῆνας καὶ καιροὺς R 14,5 Kol 2,16 Hen 72-82 |
καὶ ἐνιαυτούς, **11** φοβοῦμαι ὑμᾶς μή πως εἰκῇ ⸀κεκοπίακα 2,2!
εἰς ὑμᾶς.

12 Γίνεσθε ὡς ἐγώ, ὅτι κἀγὼ ὡς ὑμεῖς, ἀδελφοί, δέ- 1K 11,1!; · 9,21
ομαι ὑμῶν. οὐδέν με ἠδικήσατε· **13** οἴδατε δὲ ὅτι δι' 2K 2,5
ἀσθένειαν τῆς σαρκὸς εὐηγγελισάμην ὑμῖν τὸ πρότερον, 1K 2,3! cf Act 16,6
14 καὶ τὸν πειρασμὸν ⸀ὑμῶν ἐν τῇ σαρκί μου οὐκ ἐξου-
θενήσατε ⸋οὐδὲ ἐξεπτύσατε⸌, ἀλλὰ ὡς ἄγγελον θεοῦ
ἐδέξασθέ με, ὡς Χριστὸν Ἰησοῦν. **15** ⸀ποῦ οὖν ⸆ ὁ μακα- Mt 10,40!
ρισμὸς ὑμῶν; μαρτυρῶ γὰρ ὑμῖν ὅτι εἰ δυνατὸν τοὺς
ὀφθαλμοὺς ὑμῶν ἐξορύξαντες ἐδώκατέ μοι. **16** ὥστε
ἐχθρὸς ὑμῶν γέγονα ἀληθεύων ὑμῖν; **17** ζηλοῦσιν ὑμᾶς 2,5; 5,7 E 4,15 J 8,45 |
οὐ καλῶς, ἀλλὰ ἐκκλεῖσαι ὑμᾶς θέλουσιν, ἵνα αὐτοὺς ζη- 1,7 Act 20,30 ·
λοῦτε⸆· **18** καλὸν δὲ ⸀ζηλοῦσθαι ἐν καλῷ πάντοτε καὶ Ph 2,21
μὴ μόνον ἐν τῷ παρεῖναί με πρὸς ὑμᾶς. **19** ⸀τέκνα μου, 1K 4,14!
οὓς πάλιν ὠδίνω μέχρις οὗ μορφωθῇ Χριστὸς ἐν ὑμῖν· 1K 4,15
20 ἤθελον δὲ παρεῖναι πρὸς ὑμᾶς ἄρτι καὶ ἀλλάξαι τὴν
φωνήν μου, ὅτι ἀποροῦμαι ἐν ὑμῖν.

9 **21** Λέγετέ μοι, οἱ ὑπὸ νόμον θέλοντες εἶναι, τὸν νόμον 3,23! · 4,9
οὐκ ⸀ἀκούετε; **22** γέγραπται γὰρ ὅτι Ἀβραὰμ δύο υἱοὺς Gn 16,15; 21,2.9
ἔσχεν, ἕνα ἐκ τῆς παιδίσκης καὶ ἕνα ἐκ τῆς ἐλευθέρας.
23 ἀλλ' ὁ °μὲν ἐκ τῆς παιδίσκης κατὰ σάρκα γεγέννηται,
ὁ δὲ ἐκ τῆς ἐλευθέρας ⸀δι' ἐπαγγελίας. **24** ἅτινά ἐστιν ἀλ- R 9,7-9 Gn 17,16

8 ° K b d; Ir^{lat} Ambst Spec • **9** ⸀† -λευσαι ℵ B ¦ *txt* 𝔓^{46} A C D F G Ψ 𝔐 • **10** ⸀ -ρουντες 𝔓^{46} • **11** ⸀εκοπιασα 𝔓^{46} 1739. 1881 • **14** ⸀μου τον (𝔓^{46}: – τ.) C^{*vid} D^{c} Ψ 𝔐 a vg^{ms} sy^{h} sa bo^{ms} ¦ τον ℵ^{2} 81. 104. 326. 1241^{s}. 2464 *pc* ¦ υμων τον 6. 1739. 1881 *pc* ¦ *txt* ℵ* A B C^{2} D* F G 33 *pc* bo | ⸋ 𝔓^{46} • **15** ⸀τις D 𝔐 b r sy^{h}; Ambst ¦ *txt* 𝔓^{46} ℵ A B C F G P Ψ 6. 33. 81. 104. 365. 1175. 1241^{s}. 1739. 1881. 2464 *pc* lat sy$^{p.hmg}$ co | ⸆ην D (F G: ἠ) 𝔐 b r; Ambst ¦ εστιν 103 ¦ *txt* 𝔓^{46} ℵ A B C L P Ψ 6. 33. 81. 104. 365. 1175. 1241^{s}. 1739. 1881. 2464. 2495 *al* • **17** ⸆(1K 12,31) ζηλουτε δε τα κρειττω χαρισματα D* F G a b; Ambst • **18** ⸀-ουσθε ℵ B 33. 1739 *pc* lat ¦ το ζηλουσθαι D F G 𝔐 ¦ *txt* A C 062. 6. 81. 326. 365. 1175. 1241^{s}. 1881 *pc* (Ψ: *h. t.*) • **19** ⸀-κνια ℵ^{2} A C D^{2} Ψ 𝔐 lat; Cl ¦ *txt* ℵ* B D* F G 062. 323. 1739 *pc*; Tert Did Ambst • **21** ⸀αναγινωσκετε D F G 104. 1175 *pc* latt sa^{mss} (bo^{pt}) • **23** ° 𝔓^{46} B f vg; Pel ¦ *txt* ℵ A C D F G Ψ 062^{vid} 𝔐 it sy^{h}; Or Ambst Epiph | ⸀† δια της B D F G 062 𝔐; Or ¦ κατ' 323. 945 *pc* ¦ *txt* 𝔓^{46} ℵ A C Ψ 33. 81. 104. 1241^{s} *pc*

ληγορούμενα· αὗται γάρ εἰσιν δύο διαθῆκαι, μία μὲν
5,1 ἀπὸ ὄρους Σινᾶ εἰς δουλείαν γεννῶσα, ἥτις ἐστὶν Ἁγάρ.
25 ⸋τὸ ⸂δὲ Ἁγὰρ Σινᾶ⸃ ὄρος ἐστὶν ἐν τῇ Ἀραβίᾳ·⸌
⸀συστοιχεῖ δὲ⸃ τῇ νῦν Ἰερουσαλήμ, δουλεύει γὰρ μετὰ
H 12,22 Ap 21,2 τῶν τέκνων αὐτῆς. **26** ἡ δὲ ἄνω Ἰερουσαλὴμ ἐλευθέρα
Ps 86,5 𝔊 ἐστίν, ἥτις ἐστὶν μήτηρ ⸆ ἡμῶν· **27** γέγραπται γάρ·
Is 54,1 𝔊 *εὐφράνθητι, στεῖρα ἡ οὐ τίκτουσα,*
ῥῆξον καὶ βόησον, ἡ οὐκ ὠδίνουσα·
ὅτι πολλὰ τὰ τέκνα τῆς ἐρήμου
μᾶλλον ἢ τῆς ἐχούσης τὸν ἄνδρα.
23 **28** ⸀Ὑμεῖς δέ, ἀδελφοί, κατὰ Ἰσαὰκ ἐπαγγελίας τέκνα
Gn 21,9 ⸁ἐστέ. **29** ἀλλ' ὥσπερ τότε ὁ κατὰ σάρκα γεννηθεὶς ἐδί-
ωκεν τὸν κατὰ πνεῦμα, οὕτως καὶ νῦν. **30** ἀλλὰ τί λέγει ἡ
Gn 21,10 𝔊 γραφή; *ἔκβαλε τὴν παιδίσκην καὶ τὸν υἱὸν αὐτῆς· οὐ γὰρ*
μὴ ⸀*κληρονομήσει ὁ υἱὸς τῆς παιδίσκης μετὰ τοῦ υἱοῦ*
⸂τῆς ἐλευθέρας⸃. **31** ⸀διό, ἀδελφοί, οὐκ ἐσμὲν παιδίσκης
3,29 τέκνα ἀλλὰ τῆς ἐλευθέρας.
13; 2,4 J 8,36! · 1K 16,13! · **5** ⸂Τῇ ἐλευθερίᾳ ἡμᾶς Χριστὸς ἠλευθέρωσεν· στή-
4,9 Act 15,10 | κετε οὖν⸃ καὶ μὴ πάλιν ζυγῷ δουλείας ἐνέχε-
2K 10,1 · cf Act 15,1 · σθε. **2** Ἴδε ἐγὼ Παῦλος λέγω ὑμῖν ὅτι ἐὰν περιτέ- *1*
H 4,2 | Act 20,26! · μνησθε, Χριστὸς ὑμᾶς οὐδὲν ὠφελήσει. **3** μαρτύρομαι δὲ
1,9 · R 2,25 Jc 2,10 | ⸋πάλιν παντὶ ἀνθρώπῳ περιτεμνομένῳ ὅτι ὀφειλέτης
cf R 7,6 ἐστὶν ὅλον τὸν νόμον ⸀ποιῆσαι. **4** κατηργήθητε ἀπὸ Χριστοῦ, οἵτινες ἐν νόμῳ δικαιοῦσθε, τῆς χάριτος ἐξεπέ-
σατε. **5** ἡμεῖς γὰρ πνεύματι ἐκ πίστεως ἐλπίδα δικαιοσύ-
R 8,23.25.19 1K 7,19! νης ἀπεκδεχόμεθα. **6** ἐν γὰρ Χριστῷ ⸋Ἰησοῦ οὔτε περι-

25 [⸋ Bentley *cj*] | ⸂γαρ (δε 𝔓^{46}) Σ. 𝔓^{46} ℵ C F G 1241^{s}. 1739 *pc* lat (sa; Ambst) Epiph ¦ γαρ Α. Σ. Ψ 062 𝔐 sy bo^{mss} ¦ γαρ Α. d ¦ *txt* A B D 323. 365. 1175. 2464 *pc* sy^{hmg} bo^{pt} | ⸀η (– D*) συστοιχουσα D* F G lat ● **26** ⸆παντων ℵ^{2} A C^{3} 0261^{vid} 𝔐 a b t vg^{mss} sy^{h}; Ir^{lat} ¦ *txt* 𝔓^{46} ℵ* B C* D F G Ψ 6. 33. 1241^{s}. 1739. 1881. 2464. 2495 *pc* lat sy$^{p.hmg}$ co; Mcion Or Ambst ● **28** ⸀ημεις *et* ⸁εσμεν ℵ A C D^{2} Ψ 062 𝔐 lat sy bo ¦ *txt* 𝔓^{46} B D* F G 0261^{vid}. 6. 33. 365. 1175. 1739. 1881 *pc* b sa; Ir^{lat} Ambst ● **30** ⸀-ση A C F G Ψ 𝔐 ¦ *txt* 𝔓^{46} ℵ B D H P 0261^{vid}. 6. 33. 81. 326. 1175. 1241^{s}. 2464. 2495 *pc* | ⸂μου Ισαακ D* F G it vg^{ms}; Ambst ● **31** ⸀αρα 𝔓^{46} D^{2} 𝔐 sy^{h} ¦ αρα ουν F G ¦ ημεις δε A C P 81. 1241^{s}. 2464 *pc* r bo ¦ – Ψ *pc* ¦ *txt* ℵ B D* H 0261. 33. 365. 1175. 1739. 1881 *pc* sa; Mcion

¶ **5,1** ⸂*1–6* D* ¦ , ᾗ ελ. ημ. Χρ. ηλ. Στηκ. ουν F G r; Ambst ¦ Τη ελ. ουν (– D^{1} 2464 *pc*) ᾗ Χρ. ημ. (⸉ D^{1} *pc*) ηλ. (εξηγορασε 2495), στηκ. D$^{1.2}$ 𝔐 (sy^{hmg}) ¦ *txt* ℵ* A B P 33 *pc* sa (bo) (⸉ Χρ. ημ. ℵ^{2} C$^{(2)}$ (H) Ψ 81. (104). 365. (614). 1175. 1241^{s}. 1739. 1881 *pc*) ● **3** ⸋ D* F G 1739. 1881 *pc* it; Ambst | ⸀πληρωσαι 436 *pc* sy^{h}; Epiph ● **6** ⸋ B

τομή τι ἰσχύει οὔτε ἀκροβυστία ἀλλὰ πίστις δι’ ἀγάπης 1T 1,5 Jc 2,18
ἐνεργουμένη.
7 Ἐτρέχετε καλῶς· τίς ὑμᾶς ἐνέκοψεν °[τῇ] ἀληθείᾳ 4,16!
μὴ πείθεσθαι; ⸆ **8** ἡ πεισμονὴ °οὐκ ἐκ τοῦ καλοῦντος 1,6
ὑμᾶς. **9** μικρὰ ζύμη ὅλον τὸ φύραμα ⸀ζυμοῖ. **10** ἐγὼ πέ- 1K 5,6
ποιθα εἰς ὑμᾶς ⸋ἐν κυρίῳ⸌ ὅτι οὐδὲν ἄλλο φρονήσετε· R 14,14!
ὁ δὲ ταράσσων ὑμᾶς βαστάσει τὸ κρίμα, ὅστις ἐὰν ᾖ. 1,7!
11 Ἐγὼ δέ, ἀδελφοί, εἰ περιτομὴν °ἔτι κηρύσσω, τί ἔτι 6,12
διώκομαι; ἄρα κατήργηται τὸ σκάνδαλον τοῦ σταυροῦ. 1K 1,23
12 ⸀Ὄφελον καὶ ⸁ἀποκόψονται οἱ ἀναστατοῦντες ὑμᾶς. Dt 23,2

13 Ὑμεῖς γὰρ ἐπ’ ἐλευθερίᾳ ἐκλήθητε, ἀδελφοί· μό- 1!
νον μὴ τὴν ἐλευθερίαν εἰς ἀφορμὴν τῇ σαρκί, ἀλλὰ ⸂διὰ 1P 2,16 1K 8,9 · R 7,8
τῆς ἀγάπης⸃ δουλεύετε ἀλλήλοις. **14** ὁ γὰρ πᾶς νόμος ἐν
⸂ἑνὶ λόγῳ⸃ ⸀πεπλήρωται, ἐν τῷ· *ἀγαπήσεις τὸν πλησίον* *Lv 19,18* R 13,8-10
σου ὡς σεαυτόν. **15** εἰ δὲ ἀλλήλους δάκνετε καὶ κατεσθί-
ετε, βλέπετε μὴ ὑπ’ ἀλλήλων ἀναλωθῆτε. **16** Λέγω
δέ, πνεύματι περιπατεῖτε καὶ ἐπιθυμίαν σαρκὸς οὐ μὴ τε- 18.25 R 8,4 · E 2,3 1J 2,16 1P 2,11 |
λέσητε. **17** ἡ γὰρ σὰρξ ἐπιθυμεῖ κατὰ τοῦ πνεύματος, τὸ R 7,15.23 Jc 4,1.5 1P 2,11
δὲ πνεῦμα κατὰ τῆς σαρκός, ταῦτα ⸀γὰρ ἀλλήλοις ἀντί-
κειται, ἵνα μὴ ἃ ἐὰν θέλητε ταῦτα ποιῆτε. **18** εἰ δὲ πνεύ- 16! R 8,14 ·
ματι ἄγεσθε, οὐκ ἐστὲ ὑπὸ νόμον. **19** φανερὰ δέ ἐστιν τὰ 3,23! R 6,14
ἔργα τῆς σαρκός, ἅτινά ἐστιν ⸆ πορνεία, ἀκαθαρσία, R 1,29!
ἀσέλγεια, **20** εἰδωλολατρία, φαρμακεία, ἔχθραι, ⸀ἔρις,
⸁ζῆλος, θυμοί, ἐριθεῖαι, διχοστασίαι, αἱρέσεις, **21** φθό-
νοι⸆, μέθαι, κῶμοι καὶ τὰ ὅμοια τούτοις, ἃ προλέγω
ὑμῖν, καθὼς ⸇ προεῖπον ὅτι οἱ τὰ τοιαῦτα πράσσοντες 1,9

7 °† א* A B ¦ *txt* 𝔓^{46} א^{2} C D F G Ψ 𝔐 | ⸆μηδενι πειθεσθε F G a b vg^{s}; Lcf Pel ● **8** ° D* *pc* b; Lcf ● **9** ⸀δολοι D* lat; Lcf ● **10** ⸋ B ● **11** ° D* F G 6. 1739. 1881 *pc* a b vg^{mss}; Ambst ● **12** ⸀αρα 𝔓^{46} | ⸁-ψωνται 𝔓^{46} D F G ● **13** ⸂τη αγαπη του πνευματος D F G 104 sa bo^{ms} (it vg^{cl}; Ambst) ● **14** ⸂υμιν Mcion Epiph ¦ υμιν εν ενι λογω D* F G a b; Ambst ¦ ολιγω 2495 (sy^{h}) | ⸀πληρουται D F G Ψ 0122 𝔐 latt ¦ ανακεφαλαιουται 365 *pc* ¦ *txt* 𝔓^{46} א A B C 062. 0254. 33. 81. 104. 326. 1175. 1241^{s}. 1739 *pc* co; Mcion Epiph ● **17** ⸀δε א^{2} A C D^{2} Ψ 0122 𝔐 sy^{h} ¦ *txt* 𝔓^{46vid} א* B D* F G 33 lat ● **19** ⸆ μοιχεια א^{2} D (F G) Ψ 0122 𝔐 (b) sy^{h}; (Ir^{lat} Cyp) Ambst ¦ *txt* א* A B C P 33. 81. 1175. 1241^{s}. 1739*. 1881. 2464 *pc* a vg sy^{p} co; Cl Tert ● **20** ⸀ερεις C D^{2} F G Ψ 0122 𝔐 latt sy^{h} co; Ir^{lat} Cl Epiph ¦ *txt* א A B D* 326. 614. 630. 1739. 1881. 2495 *al* sy^{p} | ⸁ζηλοι א C D^{2} (F G) Ψ 0122 𝔐 lat sy^{h} co; Ir^{lat} Cl Cyp Epiph ¦ *txt* B D* P 33. 1739. 1881 *pc* sy^{p}; PsCyp (A *illeg.*) ● **21** ⸆φονοι A C D F G Ψ 0122 𝔐 lat sy$^{(p)}$ bo; (Cyp) ¦ *txt* 𝔓^{46} א B 33. 81. 323. 945 *pc* vg^{mss} sa; Ir^{lat} Cl Ambst Epiph | ⸇και א^{2} A C D Ψ 𝔐 g t vg^{mss} sy$^{(p)}$ bo; Ir^{lat} Cl Ambst Epiph ¦ *txt* 𝔓^{46} א* B F G 6. 1739. 1881 *pc* lat sa; Cyp

E 5,5! βασιλείαν θεοῦ οὐ κληρονομήσουσιν. **22** ὁ δὲ καρπὸς
E 5,9 Ph 1,11! · 2K 6,6 1T 4,12; 6,11 2T 2,22 2P 1,5ss τοῦ πνεύματός ἐστιν ἀγάπη χαρὰ εἰρήνη, μακροθυμία
χρηστότης ἀγαθωσύνη, πίστις **23** πραΰτης ἐγκράτεια⊤·
1T 1,9 | 1K 15,23 · κατὰ τῶν τοιούτων οὐκ ἔστιν νόμος. **24** οἱ δὲ τοῦ Χρι-
R 6,6; 8,13!; · 7,5 στοῦ °[Ἰησοῦ] τὴν σάρκα ἐσταύρωσαν σὺν τοῖς παθή-
Kol 3,5 1P 2,11 | μασιν καὶ ταῖς ἐπιθυμίαις. **25** Εἰ ζῶμεν πνεύματι,
16! | Ph 2,3 ⸂πνεύματι καὶ⸃ στοιχῶμεν. **26** μὴ γινώμεθα κενόδοξοι,
ἀλλήλους προκαλούμενοι, ⸀ἀλλήλοις φθονοῦντες.
Sap 17,17 · Mt 18,15! Jc 5,19 · **6** Ἀδελφοί, ἐὰν καὶ προλημφθῇ ⸀ἄνθρωπος ἔν τινι πα-
2K 13,11 · ραπτώματι, ὑμεῖς οἱ πνευματικοὶ καταρτίζετε τὸν τοι-
5,23 1K 4,21 οῦτον ἐν πνεύματι πραΰτητος, σκοπῶν σεαυτὸν μὴ καὶ
R 15,1 σὺ πειρασθῇς. **2** Ἀλλήλων τὰ βάρη βαστάζετε καὶ οὕτως
1K 9,21 R 3,27 J 13,34! | 1K 8,2 ⸀ἀναπληρώσετε τὸν νόμον τοῦ Χριστοῦ. **3** εἰ γὰρ δοκεῖ
Act 5,36! · 2K 12,11 · Tt 1,10 | τις εἶναί τι μηδὲν ὤν, φρεναπατᾷ ἑαυτόν. **4** τὸ δὲ ἔργον
2K 13,5! ἑαυτοῦ δοκιμαζέτω °ἕκαστος, καὶ τότε εἰς ἑαυτὸν μόνον
τὸ καύχημα ἕξει καὶ οὐκ εἰς τὸν ἕτερον· **5** ἕκαστος γὰρ
τὸ ἴδιον φορτίον βαστάσει.

1K 9,14 R 15,27 **6** Κοινωνείτω δὲ ὁ κατηχούμενος τὸν λόγον τῷ κατ-
1K 15,33! ηχοῦντι ἐν πᾶσιν ἀγαθοῖς. **7** °Μὴ πλανᾶσθε, θεὸς οὐ
Job 4,8 Prv 22,8 μυκτηρίζεται. ⸀ὃ γὰρ ἐὰν σπείρῃ ἄνθρωπος, ⸁τοῦτο καὶ
R 8,6.13! J 3,6 θερίσει· **8** ὅτι ὁ σπείρων εἰς τὴν σάρκα ἑαυτοῦ ἐκ τῆς
Kol 2,22 2P 2,12 σαρκὸς θερίσει φθοράν, ὁ δὲ σπείρων εἰς τὸ πνεῦμα ἐκ
τοῦ πνεύματος θερίσει ζωὴν αἰώνιον. **9** τὸ δὲ καλὸν ποι-
2Th 3,13 2K 4,1.16 · 1T 6,14 οῦντες μὴ ⸀ἐγκακῶμεν, καιρῷ γὰρ ἰδίῳ θερίσομεν μὴ
E 5,16! ἐκλυόμενοι. **10** Ἄρα οὖν ὡς καιρὸν ⸀ἔχομεν, ἐργαζώμεθα
2P 1,7 τὸ ἀγαθὸν πρὸς πάντας, μάλιστα δὲ πρὸς τοὺς οἰκείους
τῆς πίστεως.

1K 16,21! **11** Ἴδετε ⸀πηλίκοις ὑμῖν γράμμασιν ἔγραψα τῇ ἐμῇ χειρί.
2,3! **12** Ὅσοι θέλουσιν εὐπροσωπῆσαι ἐν σαρκί, οὗτοι ἀναγ-
5,11! Ph 3,18 κάζουσιν ὑμᾶς περιτέμνεσθαι, μόνον ἵνα τῷ σταυρῷ τοῦ

23 ⊤αγνεια D* F G it vg^{cl}; Ir^{lat} Cyp Ambst • **24** ° 𝔓^{46} D F G 0122^{c} 𝔐 latt sy ¦ *txt* ℵ A B C P Ψ 0122*. 33. 104*. 1175. 1241^{s}. 1739. (1881) *pc* co • **25** ⸂ *1* 𝔓^{46} (F) G a b d ¦ *2 1* Ψ 2495 *pc* • **26** ⸀-λους 𝔓^{46} B G* 104. 326. 365. 614. 1241^{s}. 1881. 2464 *pm*; Cl ¦ *txt* ℵ A C D F G^{vl} K L P Ψ 33. 81. 630. 1175. 1739. 2495 *pm*

¶ **6,1** ⸀ανθ. εξ υμων Ψ 1175 *pc* sy^{h} sa ¦ τις εξ υμ. P sy^{p} • **2** ⸀-σατε ℵ A C D Ψ 0122 𝔐; Cl ¦ *txt* (𝔓^{46}: αποπλ-) B F G 323 *pc* latt co; Mcion Cyp • **4** ° 𝔓^{46} B vg^{ms} sy^{p} sa^{mss} • **7** ° Mcion | ⸀α *et* ⸁ταυτα 𝔓^{46} lat; Spec ¦ ο *et* ταυτα D* F G • **9** ⸀εκκ- C D^{2} (F G: -κησωμεν) Ψ 𝔐 ¦ *txt* ℵ A B D* 33. 81. 326 *pc* co • **10** ⸀εχωμεν ℵ B* 6. 33. 104. 326. 614 *al* ¦ *txt* 𝔓^{46} A C D F G Ψ 𝔐; Cl • **11** ⸀ηλικοις 𝔓^{46} B* 33 ¦ ποικιλοις 642

Χριστοῦ ⸆ μὴ ⸀διώκωνται. **13** οὐδὲ γὰρ οἱ ⸀περιτεμνό-
μενοι αὐτοὶ νόμον φυλάσσουσιν ἀλλὰ θέλουσιν ὑμᾶς
περιτέμνεσθαι, ἵνα ἐν τῇ ὑμετέρᾳ σαρκὶ καυχήσωνται. 2K 11,18!
14 Ἐμοὶ δὲ μὴ γένοιτο καυχᾶσθαι εἰ μὴ ἐν τῷ σταυρῷ 1K 1,31; 2,2 Ph 3,3
τοῦ κυρίου ἡμῶν Ἰησοῦ Χριστοῦ, δι' οὗ ἐμοὶ κόσμος
ἐσταύρωται κἀγὼ κόσμῳ. **15** ⸂οὔτε γὰρ⸃ περιτομή τί 1K 7,19!
⸀ἐστιν οὔτε ἀκροβυστία ἀλλὰ καινὴ κτίσις. **16** καὶ ὅσοι 2K 5,17!
τῷ κανόνι τούτῳ ⸀στοιχήσουσιν, εἰρήνη ἐπ' αὐτοὺς καὶ Ph 3,16 v.l. · Ps 125,5; 128,6
ἔλεος καὶ ἐπὶ τὸν Ἰσραὴλ τοῦ θεοῦ.
17 Τοῦ λοιποῦ κόπους μοι μηδεὶς παρεχέτω· ἐγὼ γὰρ L 11,7!
τὰ στίγματα τοῦ ⸀Ἰησοῦ ἐν τῷ σώματί μου βαστάζω. 3 Mcc 2,29 Ap 13,16! · 2K 4,10 Ph
18 Ἡ χάρις τοῦ κυρίου °ἡμῶν Ἰησοῦ Χριστοῦ μετὰ 3,10 | Ph 4,23 2T 4,22 Phm 25
τοῦ πνεύματος ὑμῶν, ἀδελφοί· ἀμήν.

⸂ΠΡΟΣ ΕΦΕΣΙΟΥΣ⸃

Act 18,19-21.24; 19,1-20.23-40 1T 1,3 2T 1,18; 4,12 Ap 1,11; 2,1

1 Παῦλος ἀπόστολος ⸉Χριστοῦ Ἰησοῦ⸊ διὰ θελήματος 1K 1,1!
θεοῦ τοῖς ἁγίοις ⸀τοῖς οὖσιν ⸋[ἐν Ἐφέσῳ]⸌ καὶ πι- 1K 1,2 Kol 1,2
στοῖς ἐν Χριστῷ Ἰησοῦ, **2** χάρις ὑμῖν καὶ εἰρήνη ἀπὸ R 1,7!
θεοῦ πατρὸς ἡμῶν καὶ κυρίου Ἰησοῦ Χριστοῦ.
1 **3** Εὐλογητὸς ὁ θεὸς ⸋καὶ πατὴρ⸌ τοῦ κυρίου ἡμῶν 2K 1,3!

12 ⸆ Ἰησου 𝔓46 B K Ψ 1175 *pc* ¦ *txt* ℵ A C D F G 𝔐 latt sy | ⸀-κονται 𝔓46 A C F G L P 6. 81. 104. 326. 629. 1175. 1241s. 2464c *pm* ¦ *txt* ℵ B D K Ψ 33. 365. 614. 630. 1739. 2464*. 2495 *pm* • **13** ⸀-τετμημενοι 𝔓46 B F (G) L Ψ 6. 365. 614. 630. 1175. 2495 *pm* b d r co; Ambst ¦ *txt* ℵ A C D K P 33. 81. 104. 1241s. 1739. 2464 *pm* a f vg sy • **15** ⸂(5,6) εν γαρ Χριστω Ιησου ουτε ℵ A C D F G 𝔐 lat syh** samss bo ¦ *txt* 𝔓46 B Ψ 33. 1175. 1739* r (syp) samss; Ambst | ⸀ισχυει ℵ2 D2 Ψ 𝔐 lat syh ¦ *txt* 𝔓46 ℵ* A B C D* F G 6. 33. 81. 1175. 1241s. 1739. 2464 *pc* syp.hmg co; Ambst • **16** ⸀-σωσιν 𝔓46 ¦ -χουσιν A C* D F G 1739. 1881 *pc* it; Ambst ¦ *txt* ℵ B C2 Ψ 𝔐 • **17** ⸀Χριστου P Ψ 81. 365. 1175. 2464 *pc* bo; Mcion ¦ κυριου Ιησ. C3 D2 (1739) 𝔐 vgcl sy(p) ¦ κυρ. ημων (– ℵ) Ιησ. Χρ. ℵ D* F G it (samss); Ambst Pel ¦ *txt* 𝔓46 A B C* 33. 629. 1241s *pc* f t vgst sams • **18** ° ℵ P 1241s. 1739. 1881. 2464 *pc*

Subscriptio: Προς Γαλατας ℵ A B* C (D F G) Ψ 33 *pc* ¦ πρ. Γ. εγραφη απο Ρωμης (+ υπο Παυλου και των αδελφων 81 *pc*) B1 𝔐 ¦ – 𝔓46 323. 365. 629. 2464. 2495 *pc*

Inscriptio (cf Subscriptio et vs 1): ⸂ad Laodicenses Mcion

¶ **1,1** ⸉ ℵ A F G Ψ 𝔐 it vgcl syp ¦ *txt* 𝔓46 B D P 33 *pc* lat syh; Ambst | ⸀πασιν τ. ℵ2 A P 81. 326. 629. 2464 *pc* b f vg bo ¦ – 𝔓46 ¦ *txt* ℵ* B D F G Ψ 𝔐 a r; MVict Hier | ⸋ 𝔓46 ℵ* B* 6. 1739; Mcion? (*sed cf In- vl Subscr.*) ¦ *txt* ℵ2 A B2 D F G Ψvid 𝔐 latt sy co • **3** ⸋ B

Ἰησοῦ Χριστοῦ, ὁ εὐλογήσας ἡμᾶς ἐν πάσῃ εὐλογίᾳ
πνευματικῇ ἐν τοῖς ἐπουρανίοις ἐν Χριστῷ, **4** καθὼς ἐξελέξατο ἡμᾶς ⸂ἐν αὐτῷ⸃ πρὸ καταβολῆς κόσμου εἶναι
ἡμᾶς ἁγίους καὶ ἀμώμους κατενώπιον αὐτοῦ ἐν ἀγάπῃ,
5 προορίσας ἡμᾶς εἰς υἱοθεσίαν διὰ Ἰησοῦ Χριστοῦ εἰς
αὐτόν, κατὰ τὴν εὐδοκίαν τοῦ θελήματος αὐτοῦ, **6** εἰς
ἔπαινον δόξης τῆς χάριτος αὐτοῦ ⸀ἧς ἐχαρίτωσεν ἡμᾶς
ἐν τῷ ἠγαπημένῳ⸆. **7** Ἐν ᾧ ⸀ἔχομεν τὴν ἀπολύτρωσιν διὰ τοῦ αἵματος αὐτοῦ, τὴν ἄφεσιν τῶν παραπτωμάτων, κατὰ τὸ πλοῦτος τῆς ⸁χάριτος αὐτοῦ **8** ἧς
ἐπερίσσευσεν εἰς ἡμᾶς, ἐν πάσῃ σοφίᾳ καὶ φρονήσει,
9 ⸀γνωρίσας ἡμῖν τὸ μυστήριον τοῦ θελήματος αὐτοῦ,
κατὰ τὴν εὐδοκίαν °αὐτοῦ ἣν προέθετο ἐν ⸁αὐτῷ **10** εἰς
οἰκονομίαν τοῦ πληρώματος τῶν καιρῶν, ἀνακεφαλαιώ-
σασθαι τὰ πάντα ἐν τῷ Χριστῷ, τὰ ⸀ἐπὶ τοῖς οὐρανοῖς
καὶ τὰ ἐπὶ τῆς γῆς⁚ ἐν αὐτῷ⁚1. **11** Ἐν ᾧ καὶ ⸀ἐκλη-
ρώθημεν προορισθέντες κατὰ πρόθεσιν ⸆ τοῦ τὰ πάντα
ἐνεργοῦντος κατὰ τὴν βουλὴν τοῦ θελήματος αὐτοῦ
12 εἰς τὸ εἶναι ἡμᾶς εἰς ἔπαινον δόξης αὐτοῦ τοὺς προ-
ηλπικότας ἐν τῷ Χριστῷ. **13** Ἐν ᾧ καὶ ⸀ὑμεῖς ἀκούσαντες τὸν λόγον τῆς ἀληθείας, τὸ εὐαγγέλιον τῆς σωτηρίας ⸁ὑμῶν, ἐν ᾧ καὶ πιστεύσαντες ἐσφραγίσθητε τῷ
πνεύματι τῆς ἐπαγγελίας τῷ ἁγίῳ, **14** ⸀ὅ ἐστιν ἀρραβὼν
τῆς κληρονομίας ἡμῶν, εἰς ἀπολύτρωσιν τῆς περιποιή-
σεως, εἰς ἔπαινον τῆς δόξης αὐτοῦ.

15 Διὰ τοῦτο κἀγὼ ἀκούσας τὴν καθ' ὑμᾶς πίστιν ἐν *2*
τῷ κυρίῳ Ἰησοῦ καὶ ⸂τὴν ἀγάπην τὴν εἰς πάντας τοὺς

G 3,14 | 2,6 | J 13,18! 2Th 2,13 · J 17,24 1P 1,20 | 5,27 Kol 1,22 | R 8,29! · J 1,12! · 2,18 · 4,15 | 12.14 Ph 1,11 | Dt 32,15; 33,5. 26 𝔊 Dn 3,35 𝔊 Sir 45,1; 46,13 Is 44,2 | R 3,24! · 2,13 R 3,25 Kol 1,20 H 9,22 Ap 1,5! · 2,7; 3,8.16 | Kol 1,9 | R 16,25! · Kol 1,9 | 3,2! · G 4,4! | Kol 1,16 | Kol 1,12 Act 17,4 · 5 · 3,11 R 8,28 2T 1,9 · 1K 12,6! | 6! · Kol 1,5 | 2T 2,15! · Act 13,26 · 4,30 R 4,11 2K 1,22 · G 3,2! | 2K 1,22! | R 3,24! · Ml 3,17 1P 2,9 · 6! | *15s:* Kol 1,3s.9 Phm 4s R 1,8!s

4 ⸂εαυτω F G ● **6** ⸀εν η ℵ^{2} D (F) G Ψ 𝔐 ¦ *txt* 𝔓^{46} ℵ* A B P 6. 33. 81. 365. 1175. 1739. 1881. 2464 *pc* | ⸆υιω αυτου D* F G 629 it vg^{cl} sy^{h**} sa; Ambst ● **7** ⸀εσχομεν ℵ* D* Ψ 104. 2495 *pc* co | ⸁(R 2,4) χρηστοτητος A 365 *pc* bo ● **9** ⸀-ισαι F G (latt) | ° D F G b vg^{mss}; Mcion MVict | ⸁εαυτω P; Tert ● **10** ⸀εν ℵ^{2} A F G K P Ψ 33. 81. 104. 365. 1175. 1739. 2464 *pm* sy^{h} ¦ τε εν 323. 945 *pc*; Ambr ¦ *txt* 𝔓^{46} ℵ* B D L 6. 629. 630. 1241. 2495 *pm*; Tert | [⁚ · *et* ⁚1 –] ● **11** ⸀εκληθ- A D F(*) G ¦ [επληρωθ- Michelsen *cj*] | ⸆του θεου D F G 81. 104. 365. 1175 *pc* a vg^{mss} sa bo^{ms}; Ambst ● **13** ⸀ημ- ℵ^{1} A K L Ψ 326. 629. 630. 1241. 2464 *al* ¦ *txt* 𝔓^{46} ℵ* B D F G 𝔐 latt sy co; Ir^{lat} | ⸁ημ- K Ψ 323. 630. 945. 2464. 2495 *al* ● **14** ⸀† ος ℵ D Ψ 𝔐 ¦ *txt* 𝔓^{46} A B F G L P 6. 81. 104. 365. 1175. 1739. 1881. 2495 *al* b d sy^{p} ● **15** ⸂ *3–7* 𝔓^{46} ℵ* A B P 33. 365. 1739. 1881. 2464 *pc* bo^{pt}; Hier ¦ *3–7 2* 81. 104. 326. 1175 *pc* ¦ *1 2 4–7* D* F G ¦ *txt* ℵ^{2} D^{2} Ψ 𝔐 latt sy^{h} sa bo^{pt}

ἁγίους⸃ 16 οὐ παύομαι εὐχαριστῶν ὑπὲρ ὑμῶν μνείαν ⸆
ποιούμενος ἐπὶ τῶν προσευχῶν μου, 17 ἵνα ὁ θεὸς τοῦ
κυρίου ἡμῶν Ἰησοῦ Χριστοῦ, ὁ πατὴρ τῆς δόξης, ⸀δώῃ
ὑμῖν πνεῦμα σοφίας καὶ ἀποκαλύψεως ἐν ἐπιγνώσει αὐτοῦ, 18 πεφωτισμένους τοὺς ὀφθαλμοὺς τῆς καρδίας
°[ὑμῶν] εἰς τὸ εἰδέναι ὑμᾶς τίς ἐστιν ἡ ἐλπὶς τῆς κλήσεως αὐτοῦ, ⸆ τίς ὁ πλοῦτος τῆς δόξης τῆς κληρονομίας
αὐτοῦ ἐν τοῖς ἁγίοις, 19 καὶ τί τὸ ὑπερβάλλον μέγεθος
τῆς δυνάμεως αὐτοῦ εἰς ⸀ἡμᾶς τοὺς πιστεύοντας κατὰ τὴν
ἐνέργειαν τοῦ κράτους τῆς ἰσχύος αὐτοῦ. 20 Ἣν
⸀ἐνήργησεν ἐν τῷ Χριστῷ ἐγείρας αὐτὸν ἐκ νεκρῶν
καὶ ⸁καθίσας ἐν δεξιᾷ αὐτοῦ ἐν τοῖς ⸀¹ἐπουρανίοις 21 ὑ-
περάνω πάσης ἀρχῆς καὶ ἐξουσίας καὶ δυνάμεως καὶ
κυριότητος καὶ παντὸς ὀνόματος ὀνομαζομένου, οὐ μόνον ἐν τῷ αἰῶνι τούτῳ ἀλλὰ καὶ ἐν τῷ μέλλοντι· 22 καὶ
πάντα ὑπέταξεν ὑπὸ τοὺς πόδας αὐτοῦ καὶ αὐτὸν ἔδωκεν
κεφαλὴν ὑπὲρ πάντα τῇ ἐκκλησίᾳ, 23 ἥτις ἐστὶν τὸ
σῶμα αὐτοῦ, τὸ πλήρωμα τοῦ τὰ πάντα ἐν πᾶσιν πλη-
ρουμένου.

3 2 Καὶ ὑμᾶς ὄντας νεκροὺς τοῖς παραπτώμασιν καὶ ταῖς
⸀ἁμαρτίαις ὑμῶν, 2 ἐν αἷς ποτε περιεπατήσατε κατὰ
τὸν αἰῶνα τοῦ κόσμου τούτου, κατὰ τὸν ἄρχοντα τῆς
ἐξουσίας τοῦ ἀέρος, τοῦ πνεύματος τοῦ νῦν ἐνεργοῦντος
ἐν τοῖς υἱοῖς τῆς ἀπειθείας· 3 ἐν οἷς ⸂καὶ ἡμεῖς⸃ πάντες
ἀνεστράφημέν ποτε ἐν ταῖς ἐπιθυμίαις τῆς σαρκὸς ἡμῶν
ποιοῦντες τὰ θελήματα τῆς σαρκὸς καὶ τῶν διανοιῶν,
καὶ ἤμεθα τέκνα φύσει ὀργῆς ὡς καὶ οἱ λοιποί· 4 ὁ δὲ
θεὸς πλούσιος ὢν ἐν ἐλέει, διὰ τὴν πολλὴν ἀγάπην °αὐ-
τοῦ ⸂ἣν ἠγάπησεν⸃ ἡμᾶς, 5 καὶ ὄντας ἡμᾶς νεκροὺς ⸂τοῖς

3
Act 7,2 R 6,4 ·
Is 11,2 Sap 7,7 · Kol 1,9s |
Mt 6,22p
4,4 Kol 1,5.27
R 9,23! · Act 20, 32! Kol 3,24 H 9, 15 1P 1,4 |
3,20 2K 13,4 · Kol 1,11; 2,12 ·
Is 40,26 𝔊 Dn 4, 30 Theod |
R 4,24!
Ps 110,1 |
2,2; 3,10; 6,12 R 8,38 1K 15,24 Kol 1,13.16; 2,10.15 1P 3,22 H 2,5 2P 2,10 · Ph 2,9 |
Ps 8,7 Mt 28,18!
4,15!
4,12 R 12,5! Kol 1,18.24; 2,17 · Kol 1,19! · cf 1K 15,28 Kol 3,11 · Jr 23,24 |
5 Kol 2,13 L 15, 24 |
Kol 3,7 1P 1,14 Tt 3,3
J 12,31!
1,21! Act 26,18
5,6 | Kol 3,7
G 5,16!
1Th 4,13!
1P 1,3
1!

16 ⸆υμων D^{1} (⸉ F G) Ψ 𝔐 lat sy ¦ *txt* 𝔓^{46} ℵ A B D* 33. 81. 326. 1175. 1739. 1881 *pc*; Hil ● **17** ⸀δῷ B 1739. 1881 *pc* ● **18** ° 𝔓^{46} B 6. 33. 1175. 1739. 1881 *pc* ¦ *txt* ℵ A D F G Ψ 𝔐 latt sy | ⸆και ℵ^{2} D^{2} Ψ 𝔐 a vg^{cl} sy; Hier ¦ *txt* 𝔓^{46} ℵ* A B D* F G 33. 81. 104. 1175. 1739. 1881 *pc* lat; Ambst Pel ● **19** ⸀υμ- D* F G P 33. 104. 629. 1175 *al* it; Ambst ● **20** ⸀† -γηκεν A B Ψ 81 *pc* ¦ *txt* ℵ D F G 𝔐 | ⸁εκαθισεν D F G (Ψ) 𝔐 b r; Ambst ¦ καθισας αυτον ℵ A (Ψ) 33. 81. 2464 *pc* g vg^{mss}; Mcion Eus MVict ¦ *txt* B 104. 365. 1175. 1739. 1881. 2495 *pc* a f vg | ⸀¹ουρανοις B 365. 629 *pc* sy^{p}; MVict
¶ **2,1** ⸀επιθυμιαις B ● **3** ⸂κ. υμεις · A* D* 81. 326. 365 *pc* ¦ – F G L ¦ *txt* 𝔓^{46} ℵ A^{c} B D^{2} Ψ 𝔐 lat sy sa (bo); Tert ● **4** ° 𝔓^{46} D* F G b; Ambr Aug ¦ *txt* ℵ A^{vid} B C D^{2} Ψ 𝔐 a* f vg sy; Hier | ⸂ηλεησεν 𝔓^{46} b d; Ir^{lat} Ambst ● **5** ⸂τ. σωμασιν 𝔓^{46} ¦ ταις αμαρτιαις D* (F G: τη -τια) ¦ τοις παρ. και ταις αμ. Ψ; Or^{lat} ¦ εν τοις παρ. και ταις επιθυμιαις B a ¦ *txt* ℵ A D^{2} 𝔐 lat? co; Cl

Kol 2,13 παραπτώμασιν⸌ συνεζωοποίησεν ⸆ τῷ Χριστῷ, – ⸇ χά-
8 | 1,20 Kol 2,12! ριτί ἐστε σεσῳσμένοι – **6** καὶ συνήγειρεν καὶ συνεκά-
1,3 Ph 3,20 θισεν ἐν τοῖς ἐπουρανίοις ἐν Χριστῷ Ἰησοῦ, **7** ἵνα ἐνδείξηται ἐν τοῖς αἰῶσιν τοῖς ἐπερχομένοις ⸂τὸ ὑπερβάλ-
1,7 λον πλοῦτος⸃ τῆς χάριτος αὐτοῦ ἐν χρηστότητι ἐφ' ἡμᾶς
5 R 3,24 · ἐν Χριστῷ Ἰησοῦ. **8** Τῇ γὰρ χάριτί ἐστε σεσῳσμένοι
G 2,16! διὰ ⸆ πίστεως· καὶ τοῦτο οὐκ ἐξ ὑμῶν, θεοῦ τὸ δῶρον·
R 3,27! **9** οὐκ ἐξ ἔργων, ἵνα μή τις καυχήσηται. **10** αὐτοῦ γάρ
4,24 · 2K 9,8! ἐσμεν ποίημα, κτισθέντες ἐν Χριστῷ Ἰησοῦ ἐπὶ ἔργοις
ἀγαθοῖς οἷς προητοίμασεν ὁ θεός, ἵνα ἐν αὐτοῖς περι-
πατήσωμεν.
5,8 R 11,17 **11** ⸀Διὸ μνημονεύετε ὅτι ποτὲ ὑμεῖς τὰ ἔθνη ἐν σαρκί,
Act 11,3 οἱ λεγόμενοι ἀκροβυστία ὑπὸ τῆς λεγομένης περιτομῆς
ἐν σαρκὶ χειροποιήτου, **12** ὅτι ἦτε τῷ καιρῷ ἐκείνῳ χωρὶς
4,18! Χριστοῦ, ἀπηλλοτριωμένοι τῆς πολιτείας τοῦ Ἰσραὴλ
R 9,4 · 1Th 4,13 καὶ ξένοι τῶν διαθηκῶν τῆς ἐπαγγελίας, ἐλπίδα μὴ ἔχοντες καὶ ἄθεοι ἐν τῷ κόσμῳ. **13** νυνὶ δὲ ἐν Χριστῷ Ἰησοῦ
Act 2,39 · Kol 1,20 ὑμεῖς οἵ ποτε ὄντες μακρὰν ἐγενήθητε ἐγγὺς ἐν τῷ αἵματι
Mch 5,4 Is 9,5 °τοῦ Χριστοῦ. **14** Αὐτὸς γάρ ἐστιν ἡ εἰρήνη ἡμῶν, ὁ
G 3,28 · Kol 2,14 ποιήσας τὰ ἀμφότερα ἓν καὶ τὸ μεσότοιχον τοῦ φραγμοῦ
Kol 1,22! λύσας, τὴν ἔχθραν ἐν τῇ σαρκὶ αὐτοῦ, **15** τὸν νόμον τῶν
Kol 2,14 · 2K 3,14 ἐντολῶν ⸋ἐν δόγμασιν⸌ καταργήσας, ἵνα τοὺς δύο κτίσῃ
4,24! 2K 5,17! · Mt 5,9! | ἐν ⸀αὐτῷ εἰς ἕνα ⸁καινὸν ἄνθρωπον ποιῶν εἰρήνην **16** καὶ
2K 5,18!s ἀποκαταλλάξῃ τοὺς ἀμφοτέρους ἐν ἑνὶ σώματι τῷ θεῷ
διὰ τοῦ σταυροῦ, ἀποκτείνας τὴν ἔχθραν ἐν ⸀αὐτῷ. **17** καὶ
6,15! Is 57,19; 52,7 ἐλθὼν εὐηγγελίσατο εἰρήνην ὑμῖν τοῖς μακρὰν καὶ °εἰ-
3,12! ρήνην τοῖς ἐγγύς· **18** ὅτι δι' αὐτοῦ ἔχομεν τὴν προσαγω-
4,4 · H 7,25 γὴν οἱ ἀμφότεροι ἐν ἑνὶ πνεύματι πρὸς τὸν πατέρα.
H 11,13! **19** Ἄρα °οὖν οὐκέτι ἐστὲ ξένοι καὶ πάροικοι ἀλλὰ ⸀ἐστὲ
3,6 H 3,6; 12,22s | συμπολῖται τῶν ἁγίων καὶ οἰκεῖοι τοῦ θεοῦ, **20** ἐποικο-

5 ⸆εν 𝔓^{46} B 33 a (g) vg^{cl} co; MVict Ambst | ⸇ου (+ τη D*) D* F G a b vg^{cl} sy^{p}; MVict Ambst Aug • 7 ⸂τον -ντα -τον D^{2} Ψ 𝔐 ¦ *txt* 𝔓^{46} ℵ(* *h. t.*) A B D* F G 6. 33. 81. 1175. 1739. 1881. 2464 *pc* • 8 ⸆της A D^{1} Ψ 𝔐 ¦ *txt* ℵ B D* F G P 6. 33. 104. 1175. 1739. 2464. 2495 *pc* bo • 11 ⸀δι' ὅ K *pc* lat ¦ δια τουτο F G ¦ – 104 d; MVict Ambst • 13 ° 𝔓^{46} B • 15 ⸋ 𝔓^{46} vg^{ms} | ⸀εαυ- ℵ^{2} D G Ψ 𝔐 latt; Mcion Epiph ¦ *txt* 𝔓^{46} ℵ* A B F P 33. 104. 326. 1175. 1739. 1881 *pc* | ⸁κοινον 𝔓^{46} F G ¦ και μονον K • 16 ⸀εαυ- F G *pc* lat • 17 ° Ψ 𝔐 sy^{h}; Mcion Tyc ¦ *txt* 𝔓^{46} ℵ A B D F G P 33. 365. 1175. 1739. 1881. 2464 *pc* latt co; Cyp Did • 19 ° 𝔓^{46vid} F G Ψ 1739. 1881 *pc* sy^{p} | ⸀και 1739. 1881 ¦ – D^{2} Ψ 𝔐; Mcion Hier ¦ *txt* 𝔓^{46vid} ℵ A B C D* F G 33. 104. 1175. 2464 *pc* latt

δομηθέντες ἐπὶ τῷ θεμελίῳ τῶν ἀποστόλων καὶ προφη- Mt 16,18 Kol 2,7 1K 3,9-11 · 3,5
τῶν, ὄντος ἀκρογωνιαίου ⸆ αὐτοῦ Χριστοῦ Ἰησοῦ, **21** ἐν Ap 21,14 · Mt 21,42! Is 28,16 |
ᾧ πᾶσα ⸆ οἰκοδομὴ συναρμολογουμένη αὔξει εἰς ναὸν 4,12! · Kol 2,19
ἅγιον ἐν κυρίῳ, **22** ἐν ᾧ καὶ ὑμεῖς συνοικοδομεῖσθε εἰς 1P 2,5
κατοικητήριον τοῦ ⸀θεοῦ ἐν πνεύματι.

3 Τούτου χάριν ἐγὼ Παῦλος ὁ δέσμιος τοῦ Χριστοῦ Ph 1,7!
°[Ἰησοῦ] ὑπὲρ ὑμῶν τῶν ἐθνῶν ⸆ **2** – εἴ γε ἠκού- 13!
σατε τὴν οἰκονομίαν τῆς χάριτος τοῦ θεοῦ τῆς δοθείσης 9; 1,10 Kol 1,25 1K 9,17; 4,1 · R
μοι εἰς ὑμᾶς, **3** °[ὅτι] κατὰ ἀποκάλυψιν ⸀ἐγνωρίσθη μοι 15,15! |
τὸ μυστήριον, καθὼς προέγραψα ἐν ὀλίγῳ, **4** πρὸς ὃ R 16,25!
δύνασθε ἀναγινώσκοντες νοῆσαι τὴν σύνεσίν μου ἐν τῷ 1,9s Kol 2,2
μυστηρίῳ τοῦ Χριστοῦ, **5** ὃ ἑτέραις γενεαῖς οὐκ ἐγνω- Kol 4,3; | 1,26!
ρίσθη τοῖς υἱοῖς τῶν ἀνθρώπων ὡς νῦν ἀπεκαλύφθη τοῖς Mc 3,28
ἁγίοις °ἀποστόλοις αὐτοῦ καὶ προφήταις ἐν πνεύματι, 2,20
6 εἶναι τὰ ἔθνη συγκληρονόμα καὶ σύσσωμα καὶ συμμέτ- 2,13.18s R 8,17 G 3,29
οχα τῆς ἐπαγγελίας ⸆ ἐν Χριστῷ Ἰησοῦ διὰ τοῦ εὐαγγε-
λίου, **7** οὗ ἐγενήθην διάκονος κατὰ τὴν δωρεὰν τῆς χά- R 15,15!
ριτος τοῦ θεοῦ ⸂τῆς δοθείσης⸃ μοι κατὰ τὴν ἐνέργειαν Kol 1,29
τῆς δυνάμεως αὐτοῦ.

8 Ἐμοὶ τῷ ἐλαχιστοτέρῳ πάντων °ἁγίων ἐδόθη ἡ χά- 1K 15,9s!
ρις αὕτη, ⸆ τοῖς ἔθνεσιν εὐαγγελίσασθαι τὸ ἀνεξιχνία- G 1,16; 2,7! ·
στον πλοῦτος τοῦ Χριστοῦ **9** καὶ φωτίσαι °[πάντας] τίς 1,7! |
ἡ οἰκονομία τοῦ μυστηρίου τοῦ ἀποκεκρυμμένου ἀπὸ 2! · R 16,25! Kol 1,26
τῶν αἰώνων °¹ἐν τῷ θεῷ τῷ τὰ πάντα κτίσαντι⸆, **10** ἵνα Ap 4,11! E 1,14 3Mcc 2,3 |
γνωρισθῇ °νῦν ταῖς ἀρχαῖς καὶ ταῖς ἐξουσίαις ἐν τοῖς Kol 1,26 1P 1,12 · 1,21!
ἐπουρανίοις διὰ τῆς ἐκκλησίας ἡ πολυποίκιλος σοφία R 11,33!
τοῦ θεοῦ, **11** κατὰ ⸀πρόθεσιν τῶν αἰώνων ἣν ἐποίησεν ἐν 1,11!
τῷ Χριστῷ Ἰησοῦ τῷ κυρίῳ ἡμῶν, **12** ἐν ᾧ ἔχομεν τὴν

20 ⸆λιθου D* F G 629 latt; Or • **21** ⸆η ℵ^{1} A C P 6. 81. 326. 1739$^{v.l.}$. 1881 *pc* ¦ *txt* ℵ* B D F G Ψ 𝔐 • **22** ⸀Χριστου B
¶ **3,1** ° ℵ* D* F G (365) *pc* sa^{mss}; MVict ¦ *txt* 𝔓^{46} ℵ^{2} A B (C) D^{2} Ψ (𝔖 630. 1881 *al*) 𝔐 lat sy sa^{mss} bo; Or^{lat} Epiph | ⸆πρεσβευω D 104* *pc* ¦ κεκαυχημαι 2464 *pc* • **3** ° 𝔓^{46} B F G b d sa^{ms}; Ambst ¦ *txt* ℵ A C D Ψ 𝔐 a vg sy sa^{mss} bo | ⸀γαρ εγν. F G ¦ εγνωρισε 𝔐 ¦ *txt* 𝔓^{46} ℵ A B C D P Ψ 6. 33. 81. 104. 365. 1175. 1739. 1881. 2464. 2495 *pc* lat sy • **5** ° B b; Ambst • **6** ⸆αυτου D^{1} F G Ψ 𝔐 a vg^{cl} sy^{h}; Ambst ¦ *txt* 𝔓^{46} ℵ A B C D* P 33. 81. 365. 1175. 1739. 1881. 2464 *pc* b vgst co • **7** ⸂την -σαν Ψ 𝔐 ¦ *txt* 𝔓^{46} ℵ A B C D F G I P 33. 81. 104. 326. 365. 1175. 2464 *pc* • **8** ° 𝔓^{46}; Tert | ⸆εν D F G 𝔐 latt ¦ *txt* 𝔓^{46} ℵ A B C P Ψ 81. 104. 2464 *pc* co • **9** °† ℵ* A 6. 1739. 1881 *pc*; Ambst Aug ¦ *txt* 𝔓^{46} ℵ^{2} B C D F G Ψ 𝔐 lat sy co; Tert | °¹ ℵ* 614; Mcion | ⸆δια Ιησου Χριστου D^{1} 𝔐 sy^{h**} ¦ *txt* 𝔓^{46} ℵ A B C D* F G Ψ 33. 81. 365. 1175. 1739. 2464. 2495 *pc* latt sy^{p} co • **10** ° F G 629 lat sy^{p}; Tert MVict • **11** ⸀προγνωσιν Cl

παρρησίαν καὶ προσαγωγὴν ἐν ⸀πεποιθήσει διὰ τῆς πίστεως αὐτοῦ. **13** διὸ αἰτοῦμαι μὴ ⸀ἐγκακεῖν ἐν ταῖς θλί-
ψεσίν μου ὑπὲρ ὑμῶν, ⸁ἥτις ἐστὶν δόξα ὑμῶν.
14 Τούτου χάριν κάμπτω τὰ γόνατά μου πρὸς τὸν πα- *5*
τέρα⸆, **15** ἐξ οὗ πᾶσα πατριὰ ἐν ⸀οὐρανοῖς καὶ ἐπὶ γῆς
ὀνομάζεται, **16** ἵνα δῷ ὑμῖν κατὰ τὸ πλοῦτος τῆς δόξης
αὐτοῦ δυνάμει κραταιωθῆναι διὰ τοῦ πνεύματος αὐτοῦ
εἰς τὸν ἔσω ἄνθρωπον, **17** κατοικῆσαι τὸν Χριστὸν διὰ
τῆς πίστεως ἐν ταῖς καρδίαις ὑμῶν, ἐν ἀγάπῃ ἐρριζωμένοι καὶ τεθεμελιωμένοι, **18** ἵνα ἐξισχύσητε καταλαβέσθαι
σὺν πᾶσιν τοῖς ἁγίοις τί τὸ πλάτος καὶ μῆκος καὶ ⸂ὕψος
καὶ βάθος⸃, **19** γνῶναί τε τὴν ὑπερβάλλουσαν τῆς γνώσεως ἀγάπην τοῦ Χριστοῦ, ἵνα ⸄πληρωθῆτε εἰς⸅ πᾶν τὸ
πλήρωμα τοῦ θεοῦ⸆.

20 Τῷ δὲ δυναμένῳ °ὑπὲρ πάντα ποιῆσαι ὑπερεκπερισσοῦ ὧν αἰτούμεθα ἢ νοοῦμεν κατὰ τὴν δύναμιν τὴν ἐνεργουμένην ἐν ἡμῖν, **21** αὐτῷ ἡ δόξα ἐν τῇ ἐκκλησίᾳ °καὶ
ἐν Χριστῷ Ἰησοῦ εἰς πάσας τὰς γενεὰς τοῦ αἰῶνος τῶν
αἰώνων, ἀμήν.

4 Παρακαλῶ οὖν ὑμᾶς ἐγὼ ὁ δέσμιος ἐν κυρίῳ ἀξίως *6*
περιπατῆσαι τῆς κλήσεως ἧς ἐκλήθητε, **2** μετὰ πάσης
ταπεινοφροσύνης καὶ πραΰτητος, μετὰ μακροθυμίας, ἀν-
εχόμενοι ἀλλήλων ἐν ἀγάπῃ, **3** σπουδάζοντες τηρεῖν τὴν
ἑνότητα τοῦ πνεύματος ἐν τῷ συνδέσμῳ τῆς εἰρήνης·
4 Ἓν σῶμα καὶ ἓν πνεῦμα, καθὼς °καὶ ἐκλήθητε ἐν μιᾷ
ἐλπίδι τῆς κλήσεως ὑμῶν·

5 εἷς κύριος, μία πίστις, ἓν βάπτισμα,
6 εἷς θεὸς °καὶ πατὴρ πάντων,
ὁ ἐπὶ πάντων καὶ διὰ πάντων καὶ ἐν πᾶσιν⸆.

H 4,16! · 2,18 J 14,6! 1 P 3,18
1 Kol 1,24 2 T 2,10
L 11,2
Ps 147,4
1,7! R 9,23!
6,10 Kol 1,11 ·
R 7,22 2 K 4,16 1 P 3,4 | J 14,23! ·
Kol 2,7 ·
Kol 1,23
Kol 2,2s
Kol 1,19!
R 16,25! · 1,19
Ph 4,7 · Kol 1,29!
R 16,27!
Ph 1,7! 1 Th 2,12! Act 20,19
Kol 3,12s 1 K 13,4
Ph 1,27 · Kol 3,14s
R 12,5! 1 K 12 E 2,14-16
J 10,16 1 K 8,6
1 K 8,6!

12 ⸀τω ελευθερωθηναι D* ● 13 ⸀εκκ- C D^{1} F G Ψ 𝔐 ¦ *txt* 𝔓^{46} ℵ A B D* 33. 81. 326 *pc* co | ⸁ ἤ τίς 1175. 1881; [Ewald *cj*] ● 14 ⸆του κυριου ημων Ιησου Χριστου ℵ^{2} D F G Ψ 𝔐 lat sy ¦ *txt* 𝔓^{46} ℵ* A B C P 6. 33. 81. 365. 1175. 1739 *pc* vg^{ms} co; Epiph Hier ● 15 ⸀-νω P 81. 104. 365. 945. 1175 *al* a vg^{mss} sy^{hmg}; Hil Epiph^{pt} ● 18 ⸂ ℵ A Ψ (2495) 𝔐 sy^{h}; Hier^{pt} ¦ *txt* 𝔓^{46} B C D F G I P 33. 81. (⸂ 326). 365. 1175 *pc* lat co ● 19 ⸄πληρωθη 𝔓^{46} B 33. 1175 *pc* sa *et* ⸆εις υμας 33 ¦ *txt* ℵ A C D (F G) Ψ (81) 𝔐 sy bo ● 20 °𝔓^{46} D F G lat ¦ *txt* ℵ A B C Ψ 𝔐 a sy co; Hier ● 21 ° D^{2} Ψ 𝔐 vg^{ms} sy sa^{mss} bo^{ms}; Cass ¦ *txt* 𝔓^{46} ℵ A B C (⸂ D* F G) 6. 33. 81. 104*. 365. 614. 1175. 1241^{s}. 1739. 1881 *al* lat sa^{ms} bo ¶ 4,4 ° B 323. 326 *pc* lat sy^{p} sa bo^{pt}; Cyp ● 6 ° 51 *pc* vg^{mss} sy^{p} sa bo^{pt} | ⸆ημιν D F G Ψ 𝔐 lat sy ¦ *txt* 𝔓^{46} ℵ A B C P 082. 6. 33. 81. 104. 1175. 1739. 1881. 2464 *pc* co; Epiph Hier Aug

7 Ἑνὶ δὲ ἑκάστῳ ἡμῶν ἐδόθη ° ἡ χάρις κατὰ τὸ μέτρον   R 12,3!
τῆς δωρεᾶς τοῦ Χριστοῦ. **8** διὸ λέγει·
ἀναβὰς εἰς ὕψος ᾐχμαλώτευσεν αἰχμαλωσίαν,   *Ps 68,19* Kol 2,5
⊤ *ἔδωκεν δόματα* ⸀*τοῖς ἀνθρώποις.*
9 τὸ δὲ *ἀνέβη* τί ἐστιν, εἰ μὴ ὅτι καὶ κατέβη ⊤ εἰς τὰ κατώ-   J 3,13! · ? Mt 12,40 1P 3,19? · Ps 63,10
τερα ° [μέρη] τῆς γῆς; **10** ὁ καταβὰς αὐτός ἐστιν καὶ ὁ
ἀναβὰς ὑπεράνω πάντων τῶν οὐρανῶν, ἵνα πληρώσῃ τὰ   H 4,14; 7,26 · Kol 1,19! |
πάντα. **11** Καὶ αὐτὸς ⸀ἔδωκεν τοὺς μὲν ἀποστόλους,   1K 12,5.28s
τοὺς δὲ προφήτας, τοὺς δὲ εὐαγγελιστάς, τοὺς δὲ ποιμέ-   Act 21,8!; · 20,28
νας καὶ διδασκάλους, **12** πρὸς τὸν καταρτισμὸν τῶν ἁγί-   2T 3,17
ων εἰς ἔργον διακονίας, εἰς οἰκοδομὴν τοῦ σώματος τοῦ   2,21s 1K 14,26 1P 2,5 Jd 20 ·
Χριστοῦ, **13** μέχρι καταντήσωμεν οἱ πάντες εἰς τὴν ἑνό-   1,23!
τητα τῆς πίστεως καὶ τῆς ἐπιγνώσεως ⸋τοῦ υἱοῦ⸌ τοῦ   Ph 3,8
θεοῦ, εἰς ἄνδρα τέλειον, εἰς μέτρον ἡλικίας τοῦ πλη-   Kol 1,28 H 5,14 · Kol 1,19! |
ρώματος τοῦ Χριστοῦ, **14** ἵνα μηκέτι ὦμεν νήπιοι, κλυ-   1K 14,20 H 5,13 · Is 57,20 𝔊 Jc 1,6 ·
δωνιζόμενοι καὶ περιφερόμενοι παντὶ ἀνέμῳ τῆς διδα-   H 13,9 · Sir 5,9 𝔊 ·
σκαλίας ἐν τῇ κυβείᾳ τῶν ἀνθρώπων, ἐν πανουργίᾳ πρὸς   2K 11,3 · 6,11
τὴν μεθοδείαν τῆς πλάνης⊤, **15** ⸂ἀληθεύοντες δὲ⸃ ἐν ἀ-   G 4,16
γάπῃ αὐξήσωμεν εἰς αὐτὸν τὰ πάντα, ὅς ἐστιν ° ἡ κεφα-   1,22; 5,23 1K 11,3 Kol 1,18; 2,10.19 |
λή⸀, Χριστός, **16** ἐξ οὗ πᾶν τὸ σῶμα συναρμολογούμενον   2,21 Kol 2,19
καὶ συμβιβαζόμενον διὰ πάσης ἁφῆς τῆς ἐπιχορηγίας
⸂κατ' ἐνέργειαν⸃ ἐν μέτρῳ ἑνὸς ἑκάστου ⸀μέρους τὴν
αὔξησιν τοῦ σώματος ποιεῖται εἰς οἰκοδομὴν ⸁ἑαυτοῦ
ἐν ἀγάπῃ.
7 **17** Τοῦτο οὖν λέγω καὶ μαρτύρομαι ἐν κυρίῳ, μηκέτι   *17s:* 2,12 R 1,21
ὑμᾶς περιπατεῖν, καθὼς καὶ τὰ ⊤ ἔθνη περιπατεῖ ἐν μα-   1P 1,18
ταιότητι τοῦ νοὸς αὐτῶν, **18** ⸀ἐσκοτωμένοι τῇ διανοίᾳ
ὄντες, ἀπηλλοτριωμένοι τῆς ζωῆς τοῦ θεοῦ διὰ τὴν ἄ-   2,12 Kol 1,21 ·

7 ° B D* F G L P* 082. 6. 326. 1739. 1881. 2495 *al* co ¦ *txt* 𝔓^{46} ℵ A C(*: *h. t.*) D^{2} Ψ 𝔐 ● **8** ⊤και ℵ^{2} B C$^{*.3}$ D^{2} Ψ 𝔐 sy; MVict ¦ *txt* 𝔓^{46} ℵ* A C^{2} D* F G 33. 1241^{s}. 2464 *pc* latt; Ir^{lat} Tert | ⸀εν F G 614. 630. 2464 *pc* vg^{ms}; Hier^{pt} ● **9** ⊤πρωτον ℵ^{2} B C^{3} Ψ 𝔐 f vg sy sa^{mss}; Eus ¦ *txt* 𝔓^{46} ℵ* A C* D F G I^{vid} 082. 6. 33. 81. 1241^{s}. 1739. 1881 *pc* it vg^{mss} sa^{ms} bo; Ir^{lat} Tert Ambst | °𝔓^{46} D* F G it; Ir^{lat} Tert Ambst ¦ *txt* ℵ A B C D^{2} I Ψ 𝔐 f vg ● **11** ⸀δεδ- 𝔓^{46} ● **13** ⸋ F G b; Cl^{pt} Lcf ● **14** ⊤του διαβολου A ● **15** ⸂αληθειαν δε ποιουντες F G *ex* latt? | ° D* F G 6. 1739. 1881 *pc* ¦ *txt* 𝔓^{46} ℵ A B C D^{2} Ψ 𝔐 | ⸀, ο Χρ. ℵ^{2} D F G Ψ 𝔐 ¦ του Χριστου 𝔓^{46} ¦ *txt* ℵ* A B C 6. 33. 81. 1175. 1241^{s}. 1739. 1881. 2464 *pc* ● **16** ⸂και ενεργειας 𝔓^{46} ¦ – F G it; Ir^{lat} Lcf Ambst | ⸀μελους A C Ψ 365 *pc* a vg sy^{p} bo | ⸁αυ- ℵ D* F G 2495 *pc* ¦ *txt* 𝔓^{46} A B C D^{2} Ψ 𝔐 ● **17** ⊤λοιπα ℵ^{2} D^{1} Ψ 𝔐 vg^{ms} sy ¦ *txt* 𝔓^{46} ℵ* A B D* F G 082. 33. 365. 1175. 1241^{s}. 1739. 1881. 2464 *pc* lat; Cl (6. 81: *h. t.*) ● **18** ⸀-τισμενοι D F G 𝔐; Cl ¦ *txt* 𝔓$^{46.49}$ ℵ A B Ψ 33. 1241^{s}*pc*

1P 1,14 Mc 3,5! · 5,3 Kol 3,5 · Kol 3,8! · R 6,6 Kol 3,9 · R 8,13! · 2P 1,4 | R 12,2 · R 13,14! · 2,15 R 6,4 Kol 3,10 · 2,10 Gn 1,26s · L 1,75 Sap 9,3 · 1Th 2,10 | Kol 3,8! *Zch 8,16* · R 12,5! · *Ps 4,5* 𝔊 Mt 5,22! · Dt 24,15 · 6,11! | 1Th 4,11 1K 4,12! · Tt 3,14 1J 3,17 | 5,4 · Mt 15,11! Jc 3,10 · Kol 4,6! · Is 63,10 · R 3,24! · Jc 3,14 · R 1,29! Kol 3,8 · 1P 2,1 · Kol 3,12s Mt 6,14

γνοιαν τὴν οὖσαν ἐν αὐτοῖς, διὰ τὴν πώρωσιν τῆς καρδίας αὐτῶν, **19** οἵτινες ⸀ἀπηλγηκότες ἑαυτοὺς παρέδωκαν
τῇ ἀσελγείᾳ εἰς ἐργασίαν ἀκαθαρσίας πάσης ⸂ἐν πλεο-
νεξίᾳ⸃.

20 Ὑμεῖς δὲ οὐχ οὕτως ἐμάθετε τὸν Χριστόν, **21** εἴ γε
αὐτὸν ἠκούσατε καὶ ἐν αὐτῷ ἐδιδάχθητε, καθώς ἐστιν
⸀ἀλήθεια ἐν τῷ Ἰησοῦ, **22** ἀποθέσθαι ὑμᾶς κατὰ τὴν
προτέραν ἀναστροφὴν τὸν παλαιὸν ἄνθρωπον τὸν φθει-
ρόμενον κατὰ ⸂τὰς ἐπιθυμίας⸃ τῆς ἀπάτης, **23** ⸀ἀνανε-
οῦσθαι δὲ ⸆ τῷ πνεύματι τοῦ νοὸς ὑμῶν **24** καὶ ⸀ἐνδύ-
σασθαι τὸν καινὸν ἄνθρωπον τὸν κατὰ θεὸν κτισθέντα
ἐν δικαιοσύνῃ καὶ ὁσιότητι ⸂τῆς ἀληθείας⸃.

25 °Διὸ ἀποθέμενοι τὸ ψεῦδος *λαλεῖτε ἀλήθειαν ἕ-
καστος μετὰ τοῦ πλησίον αὐτοῦ*, ὅτι ἐσμὲν ἀλλήλων μέλη. **26** *ὀργίζεσθε καὶ μὴ ἁμαρτάνετε*· ὁ ἥλιος μὴ ἐπιδυέ-
τω ἐπὶ °[τῷ] παροργισμῷ ὑμῶν, **27** μηδὲ δίδοτε τόπον
τῷ διαβόλῳ. **28** ὁ κλέπτων μηκέτι κλεπτέτω, μᾶλλον δὲ
κοπιάτω ἐργαζόμενος ⸂ταῖς [ἰδίαις] χερσὶν τὸ ἀγαθόν⸃,
ἵνα ἔχῃ μεταδιδόναι τῷ χρείαν ἔχοντι. **29** πᾶς λόγος σα-
πρὸς ἐκ τοῦ στόματος ὑμῶν μὴ ἐκπορευέσθω, ἀλλὰ εἴ
τις ἀγαθὸς πρὸς οἰκοδομὴν τῆς ⸀χρείας, ἵνα δῷ χάριν τοῖς
ἀκούουσιν. **30** καὶ °μὴ λυπεῖτε τὸ πνεῦμα τὸ ἅγιον τοῦ
θεοῦ, ἐν ᾧ ἐσφραγίσθητε εἰς ἡμέραν ἀπολυτρώσεως.
31 πᾶσα πικρία καὶ θυμὸς καὶ ὀργὴ καὶ κραυγὴ καὶ
βλασφημία ἀρθήτω ἀφ' ὑμῶν σὺν πάσῃ κακίᾳ. **32** γίνεσθε ⸀[δὲ] εἰς ἀλλήλους χρηστοί, εὔσπλαγχνοι, χαριζόμενοι ἑαυτοῖς, καθὼς καὶ ὁ θεὸς ἐν Χριστῷ ἐχαρίσατο
⸁ὑμῖν.

19 ⸀απηλπικ- D F G P 1241^{s} *pc* latt sy^{p}; Ir^{lat} | ⸂και -ξιας D F G (1241^{s}) *pc* it vg^{mss}; Cl MVict Ambst ● **21** [⸀-θείᾳ comm] ● **22** ⸂την -μιαν D bo^{pt}; Lcf ● **23** ⸀-σθε $\mathfrak{P}^{46}$ D^{1} K 33. 323. 1241^{s} *pc* latt; Cyp | ⸆εν $\mathfrak{P}^{49}$ B 33. 1175. 1739. 1881 *pc* ● **24** ⸀-σθε $\mathfrak{P}^{46}$ ℵ B* D^{2} K 104. 323. 1241^{s}. 1881 *al* latt ¦ *txt* $\mathfrak{P}^{49vid}$ A D* F G Ψ 𝔐; Hier^{pt} | ⸂και αληθειᾳ D* F G it vg^{mss}; Cyp Lcf ● **25** ° $\mathfrak{P}^{46}$ b m*; Lcf Did ● **26** °† $\mathfrak{P}^{49}$ ℵ* A B 1739* ¦ *txt* ℵ^{2} D F G Ψ 𝔐; Cl ● **28** ⸂*1 3–5* $\mathfrak{P}^{46.49vid}$ ℵ^{2} B a vgst; Ambst ¦ *4 5* P 6. 33. 1739. 1881 *pc*; Spec ¦ *4 5 1 3* L Ψ 323. 326. 614. 630. 945 *al* ¦ *4 5 1–3* K 2495 *pc* ¦ εν τ. χ. αυτου το αγ. 629 *pc* ¦ *txt* ℵ* A D F G 81. 104. 365. 1175. 1241^{s}. 2464 *pm* it vg^{cl}; Aug ● **29** ⸀πιστεως D* F G *pc* it vg^{cl}; Tert Cyp Ambst ● **30** ° $\mathfrak{P}^{46}$ ● **32** ⸀ουν D* F G 1175 b ¦ – $\mathfrak{P}^{46}$ B 6. 104*. 1739*. 1881 vg^{ms}; Cl ¦ *txt* $\mathfrak{P}^{49}$ ℵ A D^{1} Ψ 𝔐 lat sy^{h}; Tert | ⸁ημ- $\mathfrak{P}^{49}$ B D Ψ 𝔐 vgst sy bo^{mss}; Cass ¦ *txt* $\mathfrak{P}^{46}$ ℵ A F G P 6. 81. 326. 365. 614. 629 *al* it vg^{cl} co; Cl Or^{lat} MVict Ambst

5 Γίνεσθε οὖν μιμηταὶ τοῦ θεοῦ ὡς τέκνα ἀγαπητὰ 1K 11,1! · Mt 5,45 · Kol 3,12 |
2 καὶ περιπατεῖτε ἐν ἀγάπῃ, καθὼς καὶ ὁ Χριστὸς 25 G 2,20
ἠγάπησεν ⸀ἡμᾶς καὶ παρέδωκεν ἑαυτὸν ὑπὲρ ⸂ἡμῶν 1T 2,6!
προσφορὰν⸃ καὶ θυσίαν τῷ θεῷ εἰς ὀσμὴν εὐωδίας. Ps 40,7 H 10,10 · Ex 29,18 etc Ph 4,18 |
8 3 Πορνεία δὲ καὶ ἀκαθαρσία πᾶσα ἢ πλεονεξία μηδὲ
ὀνομαζέσθω ἐν ὑμῖν, καθὼς πρέπει ἁγίοις, 4 ⸀καὶ αἰσ- *3–5:* R 1,29!
χρότης ⸁καὶ μωρολογία ⸀1ἢ εὐτραπελία, ἃ οὐκ ἀνῆκεν, 4,29
ἀλλὰ μᾶλλον εὐχαριστία. 5 τοῦτο γὰρ ἴστε γινώσκοντες, 20
ὅτι πᾶς πόρνος ἢ ἀκάθαρτος ἢ πλεονέκτης, ⸀ὅ ἐστιν G 5,21 1K 6,9s
εἰδωλολάτρης, οὐκ ἔχει κληρονομίαν ἐν τῇ βασιλείᾳ H 13,4 Ap 21,8; 22,15 |
⸂τοῦ Χριστοῦ καὶ θεοῦ⸃. 6 Μηδεὶς ὑμᾶς ἀπατάτω R 16,18
κενοῖς λόγοις· διὰ ταῦτα γὰρ ἔρχεται ἡ ὀργὴ τοῦ θεοῦ Kol 2,8.4
ἐπὶ τοὺς υἱοὺς τῆς ἀπειθείας. 7 μὴ οὖν γίνεσθε συμμέτ- Kol 3,6 Mt 3,7!
οχοι αὐτῶν· 8 ἦτε γάρ ποτε σκότος, νῦν δὲ φῶς ἐν κυ- 2,2 | 2K 6,14
ρίῳ· ὡς τέκνα φωτὸς περιπατεῖτε 9 – ὁ γὰρ καρπὸς τοῦ 2,11.13 · 1P 2,9 Mt 5,14 ·
⸀φωτὸς ἐν πάσῃ ἀγαθωσύνῃ καὶ δικαιοσύνῃ καὶ ἀλη- J 12,36! | G 5,22!
θείᾳ – 10 δοκιμάζοντες τί ἐστιν εὐάρεστον τῷ ⸀κυρίῳ, R 12,2! · 2K 5,9! Kol 3,20 |
11 καὶ μὴ συγκοινωνεῖτε τοῖς ἔργοις τοῖς ἀκάρποις τοῦ R 13,12
σκότους, μᾶλλον δὲ καὶ ἐλέγχετε. 12 τὰ γὰρ κρυφῇ γι- 1T 5,20! | 2K 4,2
νόμενα ὑπ' αὐτῶν αἰσχρόν ἐστιν καὶ λέγειν, 13 τὰ δὲ
πάντα ἐλεγχόμενα ὑπὸ τοῦ φωτὸς φανεροῦται, 14 πᾶν J 3,20s 1K 14,24s
γὰρ τὸ φανερούμενον φῶς ἐστιν. διὸ λέγει·

ἔγειρε, ὁ καθεύδων, unde?
καὶ ἀνάστα ἐκ τῶν νεκρῶν, R 13,11!
καὶ ⸂ἐπιφαύσει σοι ὁ Χριστός⸃.

15 Βλέπετε οὖν ⸂ἀκριβῶς πῶς⸃ περιπατεῖτε μὴ ὡς *15s:* Kol 4,5
ἄσοφοι ἀλλ' ὡς σοφοί, 16 ἐξαγοραζόμενοι τὸν καιρόν, Dn 2,8
ὅτι αἱ ἡμέραι πονηραί εἰσιν. 17 διὰ τοῦτο μὴ γίνεσθε 6,13 G 1,4 Am 5,13

¶ 5,2 ⸀† υμ- ℵ* A B P 0159. 81. 326. 1175. 1241^{s} *pc* it co; MVict Ambst Spec ¦ *txt* 𝔓^{46} ℵ^{2} D F G Ψ 𝔐 lat sy; Cl Hier | ⸂υμων πρ. B 1175 *pc* b m* co; MVict Ambst Spec ¦ ημεν φθορα 1241^{s} ● 4 ⸀ἤ A D* F G Ψ 81. 104. 1241^{s} *pc* latt sa; Ir^{lat} *et* ⸁ἤ ℵ* A D* F G P 81. 104. 326. 365. 1175. 1241^{s}. 1739. 2464 *pc* latt sy^{h} sa bo^{mss}; Ir^{lat} ¦ *txt* 𝔓$^{46.49vid}$ ℵ$^{(1)}$ B D^{2} 𝔐 sy^{p} (bo); Hier | ⸀1και 𝔓^{46} 629 *pc*; Cyp ● 5 ⸀ος A D 𝔐; Cl ¦ *txt* 𝔓$^{46.49vid}$ ℵ B F G Ψ 33. 365. 1175. 1739. 1881. 2495 *al* latt | ⸂*1 4* 𝔓^{46}; Tert ¦ τ. θ. και Χρ. F G bo^{ms}; Ambst ¦ τ. Χρ. του θ. 1739* vg^{ms} ● 9 ⸀πνευματος 𝔓^{46} D^{2} Ψ 𝔐 sy^{h} ¦ *txt* 𝔓^{49} ℵ A B D* F G P 6. 33. 81. 629. 1175^{c}. 1739*. 1881. 2464 *pc* latt sy^{p} co ● 10 ⸀θεω D* F G 81* *pc* lat; Ambst ● 14 ⸂επιψαυσεις του Χριστου D* b; MVict Ambst ● 15 ⸂*2 1* D F G Ψ 𝔐 b m* sy; MVict ¦ αδελφοι π. ακρ. ℵ^{2} A 629 *pc* a vg (bo) ¦ *txt* 𝔓^{46} ℵ* B 33. 81. 104. 1175. 1241^{s}. 1739 *pc* sa

R 12,2! ἄφρονες, ἀλλὰ ⸀συνίετε τί τὸ ⸁θέλημα τοῦ ⸀¹κυρίου.
Prv 23,31 𝔊 L 21,34! **18** καὶ μὴ μεθύσκεσθε οἴνῳ, ἐν ᾧ ἐστιν ἀσωτία, ἀλλὰ
πληροῦσθε ἐν πνεύματι, **19** λαλοῦντες ἑαυτοῖς °[ἐν]
Kol 3,16! 1K 14,15 ψαλμοῖς καὶ ὕμνοις καὶ ᾠδαῖς ⸀πνευματικαῖς, ᾄδοντες καὶ
ψάλλοντες ⸂τῇ καρδίᾳ⸃ ὑμῶν τῷ κυρίῳ, **20** εὐχαριστοῦν-
Kol 3,17 1Th 5,18 τες πάντοτε ὑπὲρ πάντων ἐν ὀνόματι τοῦ κυρίου ἡμῶν
Ἰησοῦ Χριστοῦ τῷ ⸉θεῷ καὶ πατρί⸊ ⁝.

G 5,13 1P 5,5 **21** Ὑποτασσόμενοι ἀλλήλοις ἐν φόβῳ ⸀Χριστοῦ⁝¹, *
22–6,9: Kol 3,18–41 1P 2,18–3,7 **22** αἱ γυναῖκες τοῖς ἰδίοις ἀνδράσιν ⸆ ὡς τῷ κυρίῳ, **23** ὅτι *9*
1K 14,34!s; 11,3! · 4,15! ἀνὴρ ⸉ἐστιν κεφαλὴ⸊ τῆς γυναικὸς ὡς καὶ ὁ Χριστὸς
κεφαλὴ τῆς ἐκκλησίας, ⸀αὐτὸς σωτὴρ τοῦ σώματος·
24 ἀλλὰ °ὡς ἡ ἐκκλησία ὑποτάσσεται τῷ Χριστῷ, οὕτως
καὶ αἱ γυναῖκες τοῖς ἀνδράσιν ἐν παντί.

25 Οἱ ἄνδρες, ἀγαπᾶτε τὰς γυναῖκας⸆, καθὼς καὶ ὁ
2! · 1T 2,6! Χριστὸς ἠγάπησεν τὴν ἐκκλησίαν καὶ ἑαυτὸν παρέδω-
1K 6,11 Tt 3,5 H 10,22 2P 1,9 κεν ὑπὲρ αὐτῆς, **26** ἵνα αὐτὴν ἁγιάσῃ καθαρίσας τῷ λου-
Ez 16,9 | 2K 4,14; 11,2 τρῷ τοῦ ὕδατος ἐν ῥήματι, **27** ἵνα παραστήσῃ αὐτὸς
Kol 1,22 ἑαυτῷ ἔνδοξον τὴν ἐκκλησίαν, μὴ ἔχουσαν σπίλον ἢ
1,4! ῥυτίδα ἤ τι τῶν τοιούτων, ἀλλ' ἵνα ᾖ ἁγία καὶ ἄμωμος.
33 **28** οὕτως ⸂ὀφείλουσιν [καὶ] οἱ ἄνδρες⸃ ἀγαπᾶν τὰς ἑαυτῶν γυναῖκας ὡς τὰ ἑαυτῶν σώματα. ὁ ἀγαπῶν τὴν ἑαυτοῦ γυναῖκα ἑαυτὸν ἀγαπᾷ· **29** Οὐδεὶς γάρ ποτε τὴν
1Th 2,7 ἑαυτοῦ σάρκα ἐμίσησεν ἀλλὰ ἐκτρέφει καὶ θάλπει αὐ-
1,23! τήν, καθὼς καὶ ὁ ⸀Χριστὸς τὴν ἐκκλησίαν, **30** ὅτι μέλη
R 12,5! | *Gn 2,24* 𝔊 Mt 19,5p ἐσμὲν τοῦ σώματος αὐτοῦ⸆. **31** *ἀντὶ τούτου καταλείψει*

17 ⸀συνιεντες (D F G) Ψ 𝔐 lat syh ¦ *txt* 𝔓46 ℵ A B P 6. 33. 81. 365. 1241s. 1739 *pc*; Hier Aug | ⸁φρονημα ℵ* | ⸀¹θεου A 81. 365. 614. 629. 2464 *pc* a d vgcl syp bopt; Hier Cass ¦ Χριστου 𝔓46 • **19** °† ℵ A D F G Ψ 𝔐 vgms; Tert ¦ *txt* 𝔓46 B P 6. 33. 1739 *pc* lat | ⸀πν. εν χαριτι A ¦ – 𝔓46 B b d; Ambst ¦ *txt* ℵ D F G Ψ 𝔐 lat sy co | ⸂εν τη κ. Ψ 𝔐 ¦ εν ταις καρδιαις ℵ2 A D F G P 365 *pc* latt syp.hmg co ¦ *txt* 𝔓46 ℵ* B 1739. 1881 • **20/21** ⸉ 𝔓46 D* F G 1175. 2464 *pc* it; MVict Ambst ¦ *txt* ℵ A B D2 Ψ 𝔐 vg sy(p) bopt; Hier | [⁝ – *et* ⁝¹.] | ⸀Ιησου Χρ. (⸉D) F G ¦ κυριου K boms ¦ θεου 6. 81. 614. 630. 1881 *pm*; Cl Ambstmss • **22** ⸆υποτασσεσθωσαν ℵ A I P (⸉Ψ) 6. 33. 81. 104. 365. 1175. 1241s. 1739. 1881. 2464. 2495 *pc* lat sy co ¦ υποτασσεσθε (⸉D F G) 𝔐 ¦ *txt* 𝔓46 B; Cl Hiermss • **23** ⸉ B 104. 365. 1175 *pc* lat; Tert | ⸀και αυ. εστιν ℵ2 D2 Ψ 𝔐 (b m) vgms sy ¦ *txt* 𝔓46 ℵ* A B D* F G Ivid 048. 33. 1175. 1739. 1881 *pc* lat; Cl • **24** ° B Ψ *pc* b; Ambst • **25** ⸆υμων F G *ex* lat*?* sy ¦ εαυτων D Ψ 𝔐 (⸉P 629. 1739. 1881. 2464 *pc*) ¦ *txt* ℵ A B 048. 33. 81. 1241s*pc* vgst; Cl • **28** ⸂*1 3 4* ℵ Ψ 𝔐 syp; Did Epiph ¦ *2–4 1* A D F G P 048vid. 629 *pc* lat; Cl ¦ *txt* 𝔓46 B 33. 1175. 2495 *pc* syh • **29** ⸀κυριος D2 𝔐 ¦ *txt* 𝔓46 ℵ A B D* F G P Ψ 048. 33. 81. 104. 365. 1175. 1241s. 1739. 1881. 2464. 2495 *al* latt sy co • **30** ⸆(Gn 2,23) εκ της σαρκος αυτου και εκ των οστεων αυτου ℵ2 D F G (K) Ψ 𝔐 lat sy(p); Ir ¦ *txt* 𝔓46 ℵ* A B 048. 6. 33. 81. 1739*. 1881. 2464 *pc* vgms co; Hier

ἄνθρωπος ⸋*[τὸν] πατέρα καὶ* ⸋*[τὴν] μητέρα* ⸀*καὶ προσ-*
κολληθήσεται πρὸς τὴν γυναῖκα αὐτοῦ⸌, *καὶ ἔσονται οἱ*
δύο εἰς σάρκα μίαν. **32** τὸ μυστήριον τοῦτο μέγα ἐστίν·
ἐγὼ δὲ λέγω εἰς Χριστὸν καὶ ⸋εἰς τὴν ἐκκλησίαν. **33** πλὴν Ap 19,7
καὶ ὑμεῖς οἱ καθ' ἕνα, ἕκαστος τὴν ἑαυτοῦ γυναῖκα οὕτως
ἀγαπάτω ὡς ἑαυτόν, ἡ δὲ γυνὴ ἵνα φοβῆται τὸν ἄνδρα. 28

6 Τὰ τέκνα, ὑπακούετε τοῖς γονεῦσιν ὑμῶν ⸋[ἐν κυ-
ρίῳ]⸌· τοῦτο γάρ ἐστιν δίκαιον. **2** *τίμα τὸν πατέρα σου* *Ex 20,12 𝔊 Dt 5,16 𝔊*
καὶ τὴν μητέρα, ἥτις ⸋ἐστὶν ἐντολὴ πρώτη ἐν ἐπαγγελίᾳ,
3 *ἵνα εὖ σοι γένηται καὶ ἔσῃ μακροχρόνιος ἐπὶ τῆς γῆς.*
4 Καὶ οἱ πατέρες, μὴ παροργίζετε τὰ τέκνα ὑμῶν
ἀλλὰ ἐκτρέφετε αὐτὰ ἐν παιδείᾳ καὶ νουθεσίᾳ κυρίου. Prv 3,11; 2,2
5 Οἱ δοῦλοι, ὑπακούετε τοῖς ⸉κατὰ σάρκα κυρίοις⸊ 1T 6,1s Tt 2,9s
μετὰ φόβου καὶ τρόμου ἐν ἁπλότητι ⸋τῆς καρδίας ὑμῶν 2K 7,15!
ὡς τῷ Χριστῷ, **6** μὴ κατ' ὀφθαλμοδουλίαν ὡς ἀνθρωπά-
ρεσκοι ἀλλ' ὡς δοῦλοι Χριστοῦ ποιοῦντες τὸ θέλημα τοῦ 1K 7,22!
θεοῦ ἐκ ψυχῆς, **7** μετ' εὐνοίας δουλεύοντες ⸋ὡς τῷ κυρίῳ καὶ οὐκ ἀνθρώποις, **8** εἰδότες ὅτι ⸀ἕκαστος ἐάν τι⸌ 2Chr 19,6
ποιήσῃ ἀγαθόν, τοῦτο κομίσεται παρὰ κυρίου εἴτε δοῦ-
λος εἴτε ἐλεύθερος. **9** Καὶ οἱ κύριοι, τὰ αὐτὰ ποιεῖτε 2K 5,10 1K 12,13
πρὸς αὐτούς, ἀνιέντες τὴν ἀπειλήν, εἰδότες ὅτι καὶ αὐ- Lv 25,43
τῶν καὶ ὑμῶν ὁ κύριός ἐστιν ἐν οὐρανοῖς καὶ προσωπο- Act 10,34!
λημψία οὐκ ἔστιν παρ' αὐτῷ.
10 **10** ⸀Τοῦ λοιποῦ⸌⸆, ⸂ἐνδυναμοῦσθε ἐν κυρίῳ καὶ ἐν τῷ 2T 2,1 R 4,20 1K 16,13
κράτει τῆς ἰσχύος αὐτοῦ. **11** ἐνδύσασθε τὴν πανοπλίαν Is 40,26 | R 13,12!
τοῦ θεοῦ πρὸς τὸ δύνασθαι ὑμᾶς στῆναι πρὸς τὰς μεθο- 4,14 ·
δείας τοῦ διαβόλου· **12** ὅτι οὐκ ἔστιν ⸂ἡμῖν ἡ πάλη πρὸς 4,27 1P 5,8s Jc 4,7
αἷμα καὶ σάρκα ἀλλὰ πρὸς τὰς ⸀ἀρχάς, πρὸς τὰς ἐξου- 1,21!

31 ⸋ *bis* B D* F G ¦ *txt* 𝔓[46] ℵ A D[2] Ψ 048 𝔐; Or | ⸀κ. προσκ. τη γυναικι αυ. ℵ[1](*: – αυ.) A (D* F G: κολλ.) P 33. 81. 1241[s] *pc* latt ¦ – 6. 1739*; Cyp Hier ¦ *txt* ℵ[2] B D[2] Ψ 𝔐; Or • **32** ⸋ B K *pc*; Ir Tert Cyp Epiph

¶ **6,1** ⸋ B D* F G b; Mcion Cl Cyp Ambst ¦ *txt* 𝔓[46] ℵ A D[1] I[vid] Ψ 𝔐 a m vg sy co • **2** ⸋ B • **5** ⸉ 𝔓[46] D F G Ψ 𝔐 ¦ *txt* ℵ A B P 33. 81. 104. 365. 1175. 1241[s]. 1739. 1881. 2464. 2495 *al*; Cl | ⸋ ℵ 323. 945. 1739. 1881 *al* • **7** ⸋ K L Ψ 326. 614. 629. 1241[s*]. 2495 *al*; Ambst • **8** ⸀εκ. ο (– ℵ*) (ε)αν (⸉ℵ) A D* F G P 33. 81. 104. 326. 365. 1175. 1241[s]. 2464 *pc* ¦ ο εκ. K vg[ms]; Hier ¦ ο εαν τι εκ. (⸉D[2]) L[c] (Ψ) 𝔐 ¦ εαν τι εκ. L* 630. 1739. 1881. 2495 *al* ¦ *txt* B lat • **10** ⸀το λοιπον ℵ[2] D F G Ψ 𝔐 ¦ *txt* 𝔓[46] ℵ* A B I 33. 81. 1175. 1241[s]. 1739. 1881. 2464 *pc* | ⸆αδελφοι μου (– A F G Ψ) ℵ[2] (⸉A) F G Ψ 𝔐 lat sy bo ¦ *txt* 𝔓[46] ℵ* B D I 33. 81. 1175. 1241[s]. 1739. 1881. 2464* *pc* b m* sa; Lcf Ambst Spec | ⸂δυν- 𝔓[46] B 33 • **12** ⸂υμιν 𝔓[46] B D* F G Ψ 81. 1175 *pc* it sy[p]; Lcf Ambst Spec ¦ *txt* ℵ A D[2] I 0230 𝔐 a g* vg sy[h] co; Ir[lat] Cl Tert Or | ⸀μεθοδιας 𝔓[46]

σίας⸣, πρὸς τοὺς κοσμοκράτορας τοῦ σκότους ⸆ τούτου,
πρὸς τὰ πνευματικὰ τῆς πονηρίας ⸋ἐν τοῖς ἐπουρανίοις⸌.
11 Sap 5,17 **13** διὰ τοῦτο ἀναλάβετε τὴν πανοπλίαν τοῦ θεοῦ, ἵνα δυ-
5,16! νηθῆτε ἀντιστῆναι ἐν τῇ ἡμέρᾳ τῇ πονηρᾷ καὶ ἅπαντα
Is 11,5 L 12,35! · κατεργασάμενοι στῆναι. **14** στῆτε οὖν περιζωσάμενοι
Is 59,17 Sap 5,18 1Th 5,8 τὴν ὀσφὺν ὑμῶν ἐν ἀληθείᾳ καὶ ἐνδυσάμενοι τὸν θώ-
Is 52,7 Nah 2,1 · ρακα τῆς δικαιοσύνης **15** καὶ ὑποδησάμενοι τοὺς πόδας
2,17 Act 10,36 L 2,14 | ἐν ἑτοιμασίᾳ τοῦ εὐαγγελίου τῆς εἰρήνης, **16** ⸀ἐν πᾶσιν
Sap 5,19.21 ἀναλαβόντες τὸν θυρεὸν τῆς πίστεως, ἐν ᾧ δυνήσεσθε
πάντα τὰ βέλη τοῦ πονηροῦ °[τὰ] πεπυρωμένα σβέσαι·
1Th 5,8 Is 59,17 · **17** καὶ τὴν περικεφαλαίαν τοῦ σωτηρίου °δέξασθε καὶ
Is 49,2 Hos 6,5 · H 4,12 | τὴν μάχαιραν τοῦ πνεύματος, ὅ ἐστιν ῥῆμα θεοῦ.
Mt 26,41p Kol 4,2 Jd 20 · **18** Διὰ πάσης προσευχῆς καὶ δεήσεως προσευχόμενοι ἐν
Mc 13,33 L 21,36 παντὶ καιρῷ ἐν πνεύματι, καὶ εἰς αὐτὸ ἀγρυπνοῦντες ἐν
πάσῃ προσκαρτερήσει καὶ δεήσει περὶ πάντων τῶν ἁγί-
R 15,30! · L 21,15 Kol 4,3 ων **19** καὶ ὑπὲρ ἐμοῦ, ἵνα μοι δοθῇ λόγος ἐν ἀνοίξει τοῦ
Act 2,29! · 3,3.8s στόματός μου, ἐν παρρησίᾳ γνωρίσαι τὸ μυστήριον ⸋τοῦ
2K 5,20 εὐαγγελίου⸌, **20** ὑπὲρ οὗ πρεσβεύω ἐν ἁλύσει, ἵνα ⸢ἐν
Kol 4,4 αὐτῷ⸣ παρρησιάσωμαι ὡς δεῖ με λαλῆσαι.

Ph 1,12! **21** Ἵνα δὲ ⸢εἰδῆτε καὶ ὑμεῖς⸣ τὰ κατ᾽ ἐμέ, τί πράσσω,
Act 20,4 Kol 4,7 2T 4,12 Tt 3,12 πάντα ⸂γνωρίσει ὑμῖν⸃ Τύχικος ὁ ἀγαπητὸς ἀδελφὸς καὶ
Kol 4,8 πιστὸς διάκονος ἐν κυρίῳ, **22** ὃν ἔπεμψα πρὸς ὑμᾶς εἰς
αὐτὸ τοῦτο, ἵνα γνῶτε τὰ περὶ ἡμῶν καὶ παρακαλέσῃ τὰς
καρδίας ὑμῶν.

23 Εἰρήνη τοῖς ⸀ἀδελφοῖς καὶ ⸁ἀγάπη μετὰ πίστεως
ἀπὸ θεοῦ πατρὸς καὶ κυρίου Ἰησοῦ Χριστοῦ. **24** ἡ χάρις
1P 1,8 PsSal 4,25 μετὰ πάντων τῶν ἀγαπώντων τὸν κύριον ἡμῶν Ἰησοῦν
1P 3,4 Χριστὸν ἐν ἀφθαρσίᾳ. ⸆

12 ⸆του αιωνος ℵ[2] D[2] Ψ 𝔐 sy[h**]; Tert ¦ *txt* 𝔓[46] ℵ* A B D* F G 6. 33. 1175. 1739* *pc* latt sy[p] co; Or | ⸋ 𝔓[46]; Did • **16** ⸀επι A D F G Ψ 𝔐; Ambst Hier ¦ *txt* 𝔓[46] ℵ B P 33. 104. 1175. 1739. 1881. 2464 *pc* latt; Epiph | ° 𝔓[46] B D* F G ¦ *txt* ℵ A D[2] Ψ 𝔐 • **17** ° D* F G b m*; Tert Cyp Ambst Spec • **19** ⸋ B F G b m; MVict Ambst ¦ *txt* ℵ A D I Ψ 𝔐 a f vg sy co • **20** ⸢αυτο 𝔓[46] B 1739. 1881 • **21** ⸢*2 3 1* ℵ A D F G I P 81. 326. 630. 1241[s]. 2464. 2495 *al* lat ¦ *1* 𝔓[46] 33 f vg[mss] ¦ *txt* B Ψ 𝔐 vg[ms]; Ambst Hier | ⸂A 𝔐 vg[mss] ¦ *txt* 𝔓[46] ℵ B D F G P Ψ 33. 81. 104. 326. 365. 1175. 1241[s]. 1739. 1881. 2464 *pc* lat • **23** ⸀αγιοις 𝔓[46] | ⸁ελεος A • **24** ⸆αμην ℵ[2] D Ψ 𝔐 a b sy bo[pt] ¦ *txt* 𝔓[46] ℵ* A B F G 6. 33. 81. 1175. 1241. 1881 *pc* m* vg[st] sa bo[pt]

Subscriptio: Προς Εφεσιους ℵ A B* D (F G) Ψ 33.81 *pc* ¦ πρ. Ε. εγραφη απο Ρωμης B[1] P ¦ πρ. Ε. εγ. απο Ρ. δια Τυχικου 𝔐 ¦ – 𝔓[46] 365. 629. 630. 2464. 2495 *pc*

ΠΡΟΣ ΦΙΛΙΠΠΗΣΙΟΥΣ

Act 16,12-40; 20,6 1Th 2,2 cf Act 20,1-3

1 Παῦλος καὶ Τιμόθεος δοῦλοι Χριστοῦ Ἰησοῦ πᾶσιν 2,19 · R 1,1! Kol 4,12
τοῖς ἁγίοις ἐν Χριστῷ Ἰησοῦ τοῖς οὖσιν ἐν Φιλίπ- 4,21s R 15,25 1K
ποις ⸀σὺν ἐπισκόποις⸌ καὶ διακόνοις, 2 χάρις ὑμῖν καὶ 1,2 · Act 20,28! · 1T 3,8 | R 1,7!
εἰρήνη ἀπὸ θεοῦ πατρὸς ἡμῶν καὶ κυρίου Ἰησοῦ Χρι-
στοῦ.

3 ⸀Εὐχαριστῶ τῷ θεῷ μου⸌ ἐπὶ πάσῃ τῇ μνείᾳ ὑμῶν R 1,8!
4 πάντοτε ἐν πάσῃ δεήσει μου ὑπὲρ πάντων ὑμῶν, μετὰ 1K 1,4!
χαρᾶς ⸆ τὴν δέησιν ποιούμενος, 5 ἐπὶ τῇ κοινωνίᾳ ὑμῶν 18!
εἰς τὸ εὐαγγέλιον ἀπὸ °τῆς πρώτης ἡμέρας ἄχρι τοῦ νῦν, 1K 9,23
6 πεποιθὼς αὐτὸ τοῦτο, ὅτι ὁ ἐναρξάμενος ἐν ὑμῖν ἔργον
ἀγαθὸν ἐπιτελέσει ἄχρι ἡμέρας ⸉Χριστοῦ Ἰησοῦ⸊· 2K 8,6.11 · 1K 1,8!
7 Καθώς ἐστιν δίκαιον ἐμοὶ τοῦτο φρονεῖν ὑπὲρ πάντων
ὑμῶν διὰ τὸ ἔχειν με ἐν τῇ καρδίᾳ ὑμᾶς, ἔν τε τοῖς δε- 2K 7,3! · 12s E 3,1; 4,1 Kol 4,18 2T
σμοῖς μου καὶ °ἐν τῇ ἀπολογίᾳ καὶ βεβαιώσει τοῦ εὐαγ- 1,8; 2,9 Phm 1.
γελίου συγκοινωνούς μου τῆς ⸀χάριτος πάντας ὑμᾶς ὄν- 9-13 · 16s 4,14
τας. 8 μάρτυς γάρ ⸀μου ⸆ ὁ θεὸς ὡς ἐπιποθῶ πάντας ὑμᾶς R 1,9!
ἐν σπλάγχνοις Χριστοῦ Ἰησοῦ. 9 Καὶ τοῦτο προσ-
εύχομαι, ἵνα ἡ ἀγάπη ὑμῶν ἔτι μᾶλλον καὶ μᾶλλον ⸀πε- 1Th 3,12
ρισσεύῃ ἐν ἐπιγνώσει καὶ πάσῃ αἰσθήσει 10 εἰς τὸ δο- R 15,14 Kol 1,9
κιμάζειν ὑμᾶς τὰ διαφέροντα, ἵνα ἦτε εἰλικρινεῖς καὶ Phm 6 | R 12,2!; 2,18
ἀπρόσκοποι εἰς ⸆ ἡμέραν Χριστοῦ, 11 πεπληρωμένοι 1K 10,32; · 1,8!
⸀καρπὸν δικαιοσύνης τὸν⸌ διὰ Ἰησοῦ Χριστοῦ εἰς δόξαν H 12,11 Jc 3,18
⸀¹καὶ ἔπαινον θεοῦ⸌. Prv 3,9; 11,30 𝔊 Am 6,13 G 5,22! · E 1,6

12 Γινώσκειν δὲ ὑμᾶς βούλομαι, ἀδελφοί, ὅτι τὰ κατ' E 6,21 Kol 4,7
ἐμὲ μᾶλλον εἰς προκοπὴν τοῦ εὐαγγελίου ἐλήλυθεν, 25!
13 ὥστε τοὺς δεσμούς μου φανεροὺς ἐν Χριστῷ γενέσθαι 7!

¶ **1,1** ⸀συνεπισκ- B^{2} K 33. 1241^{s}. 1739. 1881 *al* r; Cass^{pt} ● **3** ⸀εγω μεν ευχ. τω κυριω ημων D* F G b; Ambst Cass^{pt} ● **4** ⸆και F G Ψ 2495 *pc* vg^{mss} ● **5** °D F G Ψ 𝔐 ¦ *txt* $\mathfrak{P}^{46}$ ℵ A B P 33. 81. 1175. 1241^{s}. 1739^{mg}. 1881. 2464* *pc* ● **6** ⸉ℵ A F G K P 33. 81. 104. 365. 614. 1175. 1739. 1881. 2464. 2495 *al* a vg^{mss} sy ¦ *txt* $\mathfrak{P}^{46}$ B D Ψ 𝔐 lat; Ambst ● **7** °A D* F G *pc* vg^{mss} | [⸀χρειας Eb. Nestle *cj*] ● **8** ⸀μοι D F G Ψ 104. 326. 365. 1175. 1241^{s} *pc* ¦ – $\mathfrak{P}^{46}$ a | ⸆εστιν ℵ^{2} A D 𝔐 lat sy^{h} ¦ *txt* $\mathfrak{P}^{46}$ ℵ* B F G Ψ 6. 33. 1739 *pc* d ● **9** ⸀-ευσῃ B D Ψ 81. 2464. 2495 *pc* ● **10** ⸆την $\mathfrak{P}^{46}$ ● **11** ⸀καρπων δικ. των Ψ 𝔐 sy ¦ *txt* $\mathfrak{P}^{46}$ ℵ A (B: – τον) D F G I K L 048^{vid}. 6. 33. 81. 104. 326. 1175. 1739*. 2464 *al* lat co? | ⸀¹κ. επ. Χριστου D* ¦ κ. επ. μοι F G; Ambst ¦ θεου κ. επ. εμοι $\mathfrak{P}^{46}$ (a) ¦ *txt* ℵ A B D^{2} I Ψ 𝔐 lat sy co

Act 23,35 ἐν ὅλῳ τῷ πραιτωρίῳ καὶ τοῖς λοιποῖς πᾶσιν, **14** καὶ τοὺς
R 14,14! πλείονας τῶν ἀδελφῶν ἐν κυρίῳ πεποιθότας τοῖς δεσμοῖς
Act 28,31; 8,25! μου περισσοτέρως τολμᾶν ἀφόβως τὸν λόγον ⸆ λαλεῖν.
15 τινὲς μὲν καὶ διὰ φθόνον καὶ ἔριν, τινὲς δὲ καὶ δι' εὐδοκίαν τὸν Χριστὸν κηρύσσουσιν· **16** ⸉οἱ μὲν ἐξ ἀγά-
7 πης, εἰδότες ὅτι εἰς ἀπολογίαν τοῦ εὐαγγελίου κεῖμαι,
R 2,8 **17** οἱ δὲ ἐξ ἐριθείας °τὸν Χριστὸν καταγγέλλουσιν, οὐχ
7! ἁγνῶς, οἰόμενοι θλῖψιν ⸀ἐγείρειν τοῖς δεσμοῖς μου.⸊
L 9,50 · 1Th 2,5 **18** Τί γάρ; ⸂πλὴν ὅτι⸃ παντὶ τρόπῳ, εἴτε προφάσει εἴτε
4; 2,2.17; 4,1.10 ἀληθείᾳ, Χριστὸς καταγγέλλεται, ⸆ καὶ ἐν τούτῳ χαίρω.
Job 13,16 𝔊 Ἀλλὰ καὶ χαρήσομαι, **19** οἶδα ⸀γὰρ ὅτι τοῦτό μοι ἀπο-
2K 1,11 · Mc 13,11p βήσεται εἰς σωτηρίαν διὰ τῆς ὑμῶν δεήσεως καὶ ἐπιχορη-
G 3,5 γίας τοῦ πνεύματος Ἰησοῦ Χριστοῦ **20** κατὰ τὴν ⸀ἀπο-
R 8,19 1P 4,16 1J 2,28 καραδοκίαν καὶ ἐλπίδα μου, ὅτι ἐν οὐδενὶ αἰσχυνθήσομαι ἀλλ' ἐν πάσῃ παρρησίᾳ ὡς πάντοτε καὶ νῦν μεγαλυν-
1K 6,20 2K 4,10 θήσεται Χριστὸς ἐν τῷ σώματί μου, εἴτε διὰ ζωῆς εἴτε
R 8,10! Kol 3,4 διὰ θανάτου. **21** Ἐμοὶ γὰρ τὸ ζῆν Χριστὸς καὶ τὸ
ἀποθανεῖν κέρδος. **22** ⸂εἰ δὲ⸃ τὸ ζῆν ἐν σαρκί, τοῦτό μοι
J 15,16! 1K 9,1 cf Ps 103,13 𝔊 | καρπὸς ἔργου, καὶ τί ⸀αἱρήσομαι οὐ γνωρίζω. **23** συν-
2T 4,6 έχομαι δὲ ἐκ τῶν δύο, τὴν ἐπιθυμίαν ἔχων °εἰς τὸ ἀνα-
L 23,43 J 14,3 2K 5,8 1Th 4,17! λῦσαι καὶ σὺν Χριστῷ εἶναι, ⸂πολλῷ [γὰρ] μᾶλλον⸃
κρεῖσσον· **24** τὸ δὲ ⸀ἐπιμένειν °[ἐν] τῇ σαρκὶ ἀναγκαι-
2,24 Phm 22 ότερον δι' ὑμᾶς. **25** καὶ τοῦτο πεποιθὼς οἶδα ⸀ὅτι μενῶ
12 1T 4,15 καὶ ⸁παραμενῶ πᾶσιν ὑμῖν εἰς τὴν ὑμῶν προκοπὴν καὶ
χαρὰν τῆς πίστεως, **26** ἵνα τὸ καύχημα ὑμῶν περισσεύῃ
ἐν Χριστῷ Ἰησοῦ ἐν ἐμοὶ διὰ τῆς ἐμῆς παρουσίας πάλιν
πρὸς ὑμᾶς.

14 ⸆ †του θεου ℵ A B (D*) P Ψ 33. 81. 104. 326. 365. 629. 1175. 1241^{s}. 2464 *al* lat sy$^{p.h**}$ co; Cl ¦ κυριου F G; Cyp ¦ *txt* 𝔓^{46} D^{2} 𝔐 r; Mcion • **16/17** ⸉*vs* 17 *ante vs* 16, *sed* οι μεν ... οι δε D^{1} Ψ 𝔐 sy^{h} (L: *h. t. vs* 14-17) ¦ *txt* 𝔓^{46} ℵ A B D* F G P 33. 81. 365. 629. 1175. 1241^{s}. 1739. 1881. 2464 *pc* latt (sy^{p}) co *sed* ° B F G Ψ 1739. 1881 *pc et* ⸀επιφερειν D^{2} Ψ 𝔐 sy ¦ *txt* ℵ A B D* F G (P) 33. (81). 104. 326. 365. 1175. 1241^{s}. 1739. 1881. 2464 *pc* latt co • **18** ⸂οτι B sy^{p} ¦ πλην D Ψ 𝔐 sy^{h} ¦ *txt* 𝔓^{46} ℵ A F G P 048. 33. 81. 104. 365. 614. 1175. 1241^{s}. 1739. 2464 *pc* | ⸆αλλα 𝔓^{46} bo^{ms} • **19** ⸀δε 𝔓^{46} B 1175. 1739. 1881 *pc*; Ambst • **20** ⸀καραδ- F G ¦ παραδοσιν 1836 *pc* • **22** ⸂ειτε 𝔓^{46} | ⸀-σωμαι 𝔓^{46} B 2464 • **23** ° 𝔓^{46} D F G | ⸂*1 3* ℵ* D^{2} Ψ 𝔐 lat sy^{h} ¦ ποσω μαλ. D* F G ¦ πολλω γαρ 𝔓^{46} *pc*; Cl Or^{lat} ¦ *txt* ℵ^{1} A B C 6. 33. 81. 104. 326. 365. 1175. 1241^{s}. 1739. 1881 *pc* vg^{mss}; Aug • **24** ⸀-μειναι B 104. 365. 1175. 1241^{s}. 2464 *pc* | °† ℵ A C P Ψ 6. 33. 81. 1739. 2495 *al*; Cl ¦ *txt* 𝔓^{46} B D F G 𝔐 • **25** [⸀ὅ τι comm] | ⸁συμπαραμ- 𝔐 ¦ *txt* 𝔓^{46} ℵ A B C D F G Ψ 6. 33. 81. 104. 323. 1175. 1739. 1881 *pc*

3 **27** Μόνον ἀξίως τοῦ εὐαγγελίου τοῦ Χριστοῦ πολι- 1Th 2,12!
τεύεσθε, ἵνα εἴτε ἐλθὼν καὶ ἰδὼν ὑμᾶς εἴτε ἀπὼν ⸀ἀκούω
τὰ περὶ ὑμῶν, ὅτι στήκετε ἐν ἑνὶ πνεύματι, μιᾷ ψυχῇ 1K 16,13! E 4,3 · Act 4,32 ·
συναθλοῦντες τῇ πίστει τοῦ εὐαγγελίου **28** καὶ μὴ πτυ- R 15,30!
ρόμενοι ἐν μηδενὶ ὑπὸ τῶν ἀντικειμένων, ἥτις ⸂ἐστὶν αὐ- 1K 16,9
τοῖς⸃ ἔνδειξις ἀπωλείας, ⸀ὑμῶν δὲ σωτηρίας, καὶ τοῦτο 2Th 1,5ss
ἀπὸ θεοῦ· **29** ὅτι ⸀ὑμῖν ἐχαρίσθη τὸ ὑπὲρ Χριστοῦ, οὐ
μόνον τὸ εἰς αὐτὸν πιστεύειν ἀλλὰ καὶ τὸ ὑπὲρ αὐτοῦ Act 5,41!
πάσχειν, **30** τὸν αὐτὸν ἀγῶνα ἔχοντες, οἷον εἴδετε ἐν Act 16,22 Kol 2,1
ἐμοὶ καὶ νῦν ἀκούετε ⸋ἐν ἐμοί⸌.

2 Εἴ ⸀τις οὖν παράκλησις ἐν Χριστῷ, εἴ ⸁τι παραμύ- R 12,8!
θιον ἀγάπης, εἴ ⸀τις κοινωνία πνεύματος, εἴ ⸀1τις 2K 13,13
σπλάγχνα καὶ οἰκτιρμοί, **2** πληρώσατέ μου τὴν χαρὰν 1,18!
ἵνα τὸ αὐτὸ φρονῆτε, τὴν αὐτὴν ἀγάπην ἔχοντες, σύμ- R 15,5!
ψυχοι, τὸ ⸀ἓν φρονοῦντες, **3** μηδὲν κατ᾽ ἐριθείαν ⸂μηδὲ
κατὰ⸃ κενοδοξίαν ἀλλὰ τῇ ταπεινοφροσύνῃ ἀλλήλους G 5,26 · 1P 5,5 · R 12,10
⸀ἡγούμενοι ⸆ ὑπερέχοντας ἑαυτῶν, **4** μὴ τὰ ἑαυτῶν ⸀ἕκα-
στος ⸁σκοποῦντες ἀλλὰ °[καὶ] τὰ ἑτέρων⸇ ⸀1ἕκαστοι.⸇1 1K 10,24.33; 13,5

5 Τοῦτο ⸆ ⸀φρονεῖτε ἐν ὑμῖν ὃ καὶ ἐν Χριστῷ Ἰησοῦ, R 15,5
6 ὃς ἐν μορφῇ θεοῦ ὑπάρχων J 1,1s; 3,13! 17,5
⸂οὐχ ἁρπαγμὸν⸃ ἡγήσατο
τὸ εἶναι ἴσα θεῷ, J 5,18
7 ἀλλὰ ἑαυτὸν ἐκένωσεν 2K 8,9
μορφὴν δούλου λαβών, Is 53,3.11

27 ⸀-σω א[2] A C D[2] F G Ψ 𝔐 ¦ *txt* 𝔓[46] א* B D* P 629. 1241[s]. 2464 *pc* ● **28** ⸂αυ. μεν εστιν 𝔐; (MVict Aug) ¦ εσ. αυ. μεν D[2] P Ψ 104 *pc* ¦ *txt* א A B C D* F G 33. 81. 365. 1175. 1241[s]. 1739. 1881. 2464 *pc* lat | ⸀υμιν D[2] 𝔐 a f vg co ¦ ημιν C* D* F G *pc* b ¦ *txt* א A B C[2] P Ψ 33. 81. 104. 365. 1175. 1241[s]. 1739. 1881. 2464 *al* (d) sy; (Aug) ● **29** ⸀ημ- A 1241[s] *pc* ● **30** ⸋ 𝔓[46] 81
¶ **2,1** [⸀*bis* τι Blass *cj*] | ⸁τις D* L 33. 2495 *pc* | ⸀1τι K Ψ 81. 323. 365. 614. 630. 945. 1241[s]. 1739. 1881 *al* vg[st] ¦ τινα *pc* it vg[cl]; Ambst Spec ● **2** ⸀αυτο א* A C I Ψ 33. 81. 1241[s]. 2464 *pc* f vg ¦ *txt* 𝔓[46] א[2] B D F G 𝔐 it vg[ms] sy; Hil Ambst ● **3** ⸂ *2* 𝔓[46] א[2] *pc* ¦ ἤ D F G 𝔐 sy[h] ¦ ἤ κατα 629. 2464 *pc* a bo[mss] ¦ *txt* א* A B C Ψ 33. 81. 104. 365. 1175. 1241[s]. 1739. 1881 *pc* b d vg co; Ambst | ⸀προηγ- 𝔓[46] D* I K 1175 *pc* | ⸆τους 𝔓[46] B ● **4** ⸀† -στοι A B F G Ψ 33. 81. 104. 1175 *pc* lat ¦ *txt* 𝔓[46] א C D 𝔐 sy[(p)]; Hil Ambst Aug | ⸁-πειτε Ψ 𝔐; Tert ¦ -πειτω K 945 *pc* sy[h]; MVict ¦ *txt* 𝔓[46] א A B C D F G P 33. 81. 104. 365. 1175. 1241[s]. 1739. 1881. 2464 *pc* lat | ° D* F G K *pc* it; Tert ¦ *txt* 𝔓[46] א A B C D[2] Ψ 𝔐 vg[st] sy; Cass | ⸀1-στος 𝔐 d sy; Hier ¦ – F G lat; Ambst Pel ¦ *txt* 𝔓[46] א A B D P Ψ 33. 81. 104. 365. 1175. 1241[s]. 1739. 1881. 2464 *pc*; MVict (C *illeg.*) *sed* ⸇. *et* ⸇1 – א(*) A C 33 *pc* ● **5** ⸆γαρ 𝔓[46] א[2] D F G 𝔐 lat sy[h] ¦ ουν 2492 *pc* ¦ *txt* א* A B C Ψ 33. 81. 1241[s]. 2464. 2495 *pc* t vg[mss] co; Or Aug | ⸀-νεισθω C[3] Ψ 𝔐; Or ¦ *txt* 𝔓[46] א A B C* D F G 33. 81. 1175. 1739. 1881 *pc* latt sy ● **6** [⸂ουκ απραγμον Reinach *cj*]

R 8,3! ἐν ὁμοιώματι ⸀ἀνθρώπων γενόμενος·
R 12,2! καὶ σχήματι εὑρεθεὶς ὡς ἄνθρωπος
L 14,11! H 2,9 **8** ἐταπείνωσεν ἑαυτὸν
H 5,8 γενόμενος ὑπήκοος μέχρι θανάτου,
H 12,2 θανάτου δὲ σταυροῦ.
Act 2,33; 5,31 **9** διὸ καὶ ὁ θεὸς αὐτὸν ὑπερύψωσεν
καὶ ἐχαρίσατο αὐτῷ °τὸ ὄνομα
E 1,21 H 1,4 τὸ ὑπὲρ πᾶν ὄνομα,
10 ἵνα ἐν τῷ ὀνόματι Ἰησοῦ
Is 45,23 𝔊 R 14,11 πᾶν γόνυ κάμψῃ
Ap 5,13! ἐπουρανίων καὶ ἐπιγείων καὶ καταχθονίων
Is 45,23 𝔊 **11** καὶ πᾶσα γλῶσσα ⸀ἐξομολογήσηται ὅτι
R 10,9! κύριος Ἰησοῦς Χριστὸς
εἰς δόξαν θεοῦ πατρός.
12 Ὥστε, ἀγαπητοί μου, καθὼς πάντοτε ὑπηκούσατε,
μὴ °ὡς ἐν τῇ παρουσίᾳ μου μόνον ἀλλὰ νῦν πολλῷ μᾶλ-
2K 7,15! 1P 1,17 λον ἐν τῇ ἀπουσίᾳ μου, μετὰ φόβου καὶ τρόμου τὴν ἑαυ-
1,6 2K 3,5! 8,10s τῶν σωτηρίαν κατεργάζεσθε· **13** ⸆θεὸς γάρ ἐστιν ὁ ἐνερ-
1Th 2,13 γῶν ἐν ὑμῖν καὶ τὸ θέλειν καὶ τὸ ἐνεργεῖν ὑπὲρ τῆς εὐδο-
1P 4,9 1T 2,8 κίας. **14** Πάντα ποιεῖτε χωρὶς γογγυσμῶν καὶ διαλο-
1Th 3,13! · Mt 10,16; · 12,39! Dt γισμῶν, **15** ἵνα ⸀γένησθε ἄμεμπτοι καὶ ἀκέραιοι, τέκνα
32,5 θεοῦ ⸁ἄμωμα μέσον γενεᾶς σκολιᾶς καὶ διεστραμμένης,
Dn 12,3 𝔊 Mt 5, 14-16! | Act 5,20 · ἐν οἷς φαίνεσθε ὡς φωστῆρες ἐν κόσμῳ, **16** ⸀λόγον ζωῆς
2K 1,14 1Th 2,19 · 1K 1,8! ἐπέχοντες, εἰς καύχημα ἐμοὶ εἰς ἡμέραν Χριστοῦ, ὅτι οὐκ
G 2,2 · Is 49,4; 65, 23 𝔊 1Th 3,5 | εἰς κενὸν ἔδραμον οὐδὲ εἰς κενὸν ἐκοπίασα. **17** Ἀλλὰ εἰ
2T 4,6 2K 12,15 καὶ σπένδομαι ἐπὶ τῇ θυσίᾳ καὶ λειτουργίᾳ τῆς πίστεως
1,18! ὑμῶν, χαίρω καὶ συγχαίρω πᾶσιν ὑμῖν· **18** τὸ δὲ αὐτὸ καὶ
3,1! ὑμεῖς χαίρετε καὶ συγχαίρετέ μοι.
Act 16,1! **19** Ἐλπίζω δὲ ἐν ⸀κυρίῳ Ἰησοῦ Τιμόθεον ταχέως πέμψαι ὑμῖν, ἵνα κἀγὼ εὐψυχῶ γνοὺς τὰ περὶ ὑμῶν. **20** οὐδ-
1K 16,10 1T 1,2 ένα γὰρ ἔχω ἰσόψυχον, ὅστις γνησίως τὰ περὶ ὑμῶν μερι-
μνήσει· **21** οἱ πάντες γὰρ τὰ ἑαυτῶν ζητοῦσιν, οὐ τὰ ⸉Ἰη-

7 ⸀-που 𝔓46 vgmss; Mcion Cyp • **9** ° D F G Ψ 𝔐; Cl Or ¦ *txt* 𝔓46 א A B C 33. 629. 1175. 1739 *pc*; Eus • **11** ⸀-σεται A C D F G K L P 6. 33. 81. 365. 630*. 1175. 1241s. 1739. 1881. 2464 *pm* ¦ *txt* 𝔓46 א B Ψ 104. 323. 2495 *pm*; Cl • **12** ° B 33. 1241s *pc* vgmss; Ambst • **13** ⸆ο D Ψ 𝔐 ¦ *txt* א A B C F G I K P 33. 81. 365. 1175. 1241s. 1739*. 1881 *pc* • **15** ⸀ ητε 𝔓46 A D* F G latt ¦ *txt* א B C D1 Ψ 𝔐 syh | ⸁αμωμητα D F G Ψ 𝔐 ¦ *txt* 𝔓46 א A B C 33. 1241s *pc* • **16** [⸀λογω Linwood *cj*] • **19** ⸀Χριστω C D* F G 630. 1739. 1881 *pc* bopt • **21** ⸉ † *2 1* B 𝔐 vgst syh; Ambst Cass ¦ *2* K; Cyp ¦ *txt* 𝔓46 א A C D F G P Ψ 33. 81. 326. 1739. 1881. 2464. 2495 *pc* it syp; Cl MVict

σοῦ Χριστοῦ⸃. **22** τὴν δὲ δοκιμὴν αὐτοῦ ⸀γινώσκετε, ὅτι
ὡς πατρὶ τέκνον σὺν ἐμοὶ ἐδούλευσεν εἰς τὸ εὐαγγέλιον. 1K 4,17
23 τοῦτον μὲν οὖν ἐλπίζω πέμψαι ὡς ἂν ἀφίδω τὰ περὶ
ἐμὲ ἐξαυτῆς· **24** πέποιθα δὲ ἐν κυρίῳ ὅτι καὶ αὐτὸς τα- 1,25! R 14,14!
χέως ἐλεύσομαι⸆.

25 Ἀναγκαῖον δὲ ἡγησάμην Ἐπαφρόδιτον τὸν ἀδελ- 4,18
φὸν καὶ συνεργὸν καὶ συστρατιώτην μου, ὑμῶν δὲ ἀπόστολον καὶ λειτουργὸν τῆς χρείας μου, πέμψαι πρὸς
ὑμᾶς, **26** ἐπειδὴ ἐπιποθῶν ἦν ⸂πάντας ὑμᾶς⸃ καὶ ἀδη-
μονῶν, διότι ἠκούσατε ὅτι ἠσθένησεν. **27** καὶ γὰρ ἠσθένησεν παραπλήσιον ⸀θανάτῳ· ἀλλὰ ὁ θεὸς ἠλέησεν αὐτόν, οὐκ αὐτὸν δὲ μόνον ἀλλὰ καὶ ἐμέ, ἵνα μὴ λύπην ἐπὶ
λύπην σχῶ. **28** σπουδαιοτέρως οὖν ἔπεμψα αὐτόν, ἵνα
ἰδόντες αὐτὸν πάλιν χαρῆτε κἀγὼ ἀλυπότερος ὦ. **29** προσ-
δέχεσθε οὖν αὐτὸν ἐν κυρίῳ μετὰ πάσης χαρᾶς καὶ τοὺς 1K 16,16
τοιούτους ἐντίμους ἔχετε, **30** ὅτι διὰ τὸ ἔργον ⸀Χριστοῦ
μέχρι θανάτου ἤγγισεν ⸁παραβολευσάμενος τῇ ψυχῇ, ἵνα Act 20,24
ἀναπληρώσῃ τὸ ὑμῶν ὑστέρημα τῆς πρός με λειτουργίας. 2K 8,14!

5 **3** Τὸ λοιπόν, ἀδελφοί μου, χαίρετε ἐν κυρίῳ. τὰ αὐτὰ 2,18; 4,4 2K 13,11 1Th 5,16
γράφειν ὑμῖν ἐμοὶ μὲν οὐκ ὀκνηρόν, ὑμῖν δὲ ⸆ ἀ-
σφαλές.

2 Βλέπετε τοὺς κύνας, βλέπετε τοὺς κακοὺς ἐργάτας, Ap 22,15 · 2K 11,13
βλέπετε τὴν κατατομήν. **3** ἡμεῖς γάρ ἐσμεν ἡ περιτομή, R 2,28s!
οἱ πνεύματι ⸀θεοῦ λατρεύοντες καὶ καυχώμενοι ἐν Χρι- R 1,9 · 1K 1,31!
στῷ Ἰησοῦ καὶ οὐκ ἐν σαρκὶ πεποιθότες, **4** καίπερ ἐγὼ
ἔχων πεποίθησιν καὶ ἐν σαρκί. Εἴ τις δοκεῖ ἄλλος 2K 11,18!
πεποιθέναι ἐν σαρκί, ἐγὼ μᾶλλον· **5** περιτομῇ ὀκταήμε- L 1,59!
ρος, ἐκ γένους Ἰσραήλ, φυλῆς Βενιαμίν, Ἑβραῖος ἐξ R 11,1!
Ἑβραίων, κατὰ νόμον Φαρισαῖος, **6** κατὰ ⸀ζῆλος διώ- Act 23,6; | 8,3!

22 ⸀οιδατε 𝔓^{46} • 24 ⸆προς υμας ℵ* A C P 326. 629. 1241^{s}. 2464 *pc* a f vg sy^{p} sa^{mss} bo; Aug ¦ *txt* 𝔓^{46} ℵ^{2} B D F G Ψ 𝔐 b sy^{h} sa^{mss}; Ambst • 26 ⸂ *2 1* B b; Ambst ¦ π. υμ. ιδειν ℵ* A C D I^{vid} 33. 81. 104. 326. 365. 1175. 1241^{s}. 2495 *al* sy bo ¦ *txt* ℵ^{2} F G Ψ 𝔐 lat sa • 27 ⸀-του ℵ^{2} B P Ψ 81. 104. 365. 1175. 2464. 2495 *al* • 30 ⸀κυριου ℵ A P Ψ 33. 81. 104. 365. 1241^{s} *pc* sy^{h} bo ¦ – C ¦ του Χρ. D 𝔐 ¦ *txt* 𝔓^{46} B F G 6. 1175. 1739. 1881. 2464 *pc* latt sa | ⸁-βουλ- C Ψ 𝔐 sy bo^{pt} ¦ *txt* 𝔓^{46} ℵ A B D F G 365. 1175 *pc* sa bo^{pt}

¶ 3,1 ⸆το 104. 323. 614. 629. 945. 2464 *al* • 3 ⸀θεω ℵ^{2} D* P Ψ 365. 1175 *pc* lat sy ¦ – 𝔓^{46} vg^{ms} ¦ *txt* ℵ* A B C D^{2} F G 𝔐 vg^{mss} sy^{hmg} co; Ambr • 6 ⸀-ον ℵ^{2} D^{2} Ψ 𝔐 ¦ *txt* 𝔓^{46} ℵ* A B D* F G I *pc*

κων τὴν ἐκκλησίαν ⸆, κατὰ δικαιοσύνην τὴν ἐν νόμῳ
Mt 13,44.46; 16,26 γενόμενος ἄμεμπτος. **7** °[Ἀλλὰ] ἅτινα ⸉ἦν μοι⸊ κέρ-
δη, ταῦτα ἥγημαι διὰ τὸν Χριστὸν ζημίαν. **8** ἀλλὰ μεν-
οῦνγε °καὶ ἡγοῦμαι πάντα ζημίαν εἶναι διὰ τὸ ὑπερέχον
E 4,13 2P 3,18 τῆς γνώσεως ⸆ Χριστοῦ Ἰησοῦ τοῦ κυρίου μου, δι' ὃν τὰ
πάντα ἐζημιώθην, καὶ ἡγοῦμαι σκύβαλα ⸆¹, ἵνα Χριστὸν
κερδήσω **9** καὶ εὑρεθῶ ἐν αὐτῷ, μὴ ἔχων ἐμὴν δικαιοσύ-
R 1,17! νην τὴν ἐκ νόμου ἀλλὰ τὴν διὰ πίστεως Χριστοῦ, τὴν
ἐκ θεοῦ δικαιοσύνην ἐπὶ τῇ πίστει, **10** τοῦ γνῶναι αὐ-
R 1,4 E 1,19s τὸν καὶ τὴν δύναμιν τῆς ἀναστάσεως αὐτοῦ καὶ °[τὴν]
2K 4,10! · G 6,17 κοινωνίαν °¹[τῶν] παθημάτων αὐτοῦ, συμμορφιζόμενος
L 20,35 τῷ θανάτῳ αὐτοῦ, **11** εἴ πως καταντήσω εἰς τὴν ἐξανά-
στασιν ⸀τὴν ἐκ⸁ νεκρῶν.

12 Οὐχ ὅτι ἤδη ἔλαβον ⸆ ἢ ἤδη τετελείωμαι, διώκω δὲ
1T 6,12 εἰ °καὶ καταλάβω, ἐφ' ᾧ καὶ κατελήμφθην ὑπὸ Χριστοῦ
°¹[Ἰησοῦ]. **13** ἀδελφοί, ἐγὼ ἐμαυτὸν ⸀οὐ λογίζομαι κατ-
L 9,62 ειληφέναι· ἓν δέ, τὰ μὲν ὀπίσω ἐπιλανθανόμενος τοῖς
δὲ ἔμπροσθεν ἐπεκτεινόμενος, **14** κατὰ σκοπὸν ⸀διώκω
1K 9,24 · H 3,1 ⸀¹εἰς τὸ βραβεῖον τῆς ⸀ἄνω κλήσεως⸁ ⸀¹τοῦ θεοῦ ἐν Χρι-
1K 2,6! στῷ Ἰησοῦ⸁¹. **15** Ὅσοι οὖν τέλειοι, τοῦτο ⸀φρονῶμεν·
καὶ εἴ τι ἑτέρως φρονεῖτε, καὶ τοῦτο ὁ θεὸς ὑμῖν ἀποκα-
G 6,16 λύψει· **16** πλὴν εἰς ὃ ⸀ἐφθάσαμεν, ⸀τῷ αὐτῷ στοιχεῖν⸁.
1K 11,1! **17** Συμμιμηταί μου γίνεσθε, ἀδελφοί, καὶ σκοπεῖτε
1Th 1,7 2Th 3,9 1T 4,12 Tt 2,7 τοὺς οὕτω περιπατοῦντας καθὼς ἔχετε τύπον ἡμᾶς. **18** πολ-
1P 5,3 | λοὶ γὰρ περιπατοῦσιν οὓς πολλάκις ἔλεγον ὑμῖν, νῦν δὲ

6 ⸆θεου F G (629) *pc* a vg ● **7** ° 𝔓46.61vid ℵ* A (F) G 33. 81. 1241s. 1739* *pc* b d; Lcf Ambst ¦ *txt* ℵ2 B D Ψ 𝔐 a f vg sy co | ⸉ B 614 *pc* lat ● **8** ° 𝔓46vid ℵ* 6. 33. 1739. 1881 *pc* lat | ⸆του 𝔓46.61 B | ⸆¹ειναι 𝔓61vid ℵ2 A D2 Ψ 𝔐 vgms; Aug ¦ *txt* 𝔓46vid ℵ* B D* F G 33 lat ● **10** ° † 𝔓46 ℵ* A B 1241s. 2464 *pc* ¦ *txt* ℵ2 D F G Ψ 𝔐 | °¹ † 𝔓46 ℵ* B ¦ *txt* ℵ2 A D F G Ψ 𝔐 ● **11** ⸀των 𝔐 bo; Hier Aug ¦ των εκ F G ¦ *txt* 𝔓16.46 ℵ A B D P Ψ 33. 81. 104. 365. 1175. 1739c *pc* lat sa; Irlat Tert ● **12** ⸆ ἢ ηδη δεδικαιωμαι 𝔓46 D* (F G: δικ-; τετελειωμαι *hic* Gv.l.) a (b); Irlat Ambst | ° 𝔓16vid ℵ* D* F G 326. 2495 *pc* lat syp ¦ *txt* 𝔓46.61vid ℵ2 A B D2 Ψ 𝔐 syh; Cl | °¹ B D(2) F G 33 *pc* b; Tert Cl Ambst ¦ *txt* 𝔓46.61 ℵ A Ψ 𝔐 vg sy ● **13** ⸀† ουπω 𝔓16vid.61vid ℵ A D* P 33. 81. 104. 365. 614. (629). 1175. 1241s *al* a vgmss syh** bo; Tert Cl ¦ *txt* 𝔓46 B D2 F G Ψ 𝔐 lat syp sa ● **14** ⸀-κων I Ψ *pc* | ⸀¹επι D F G 𝔐 ¦ *txt* 𝔓16.46 ℵ A B I Ψ 33. 81. 365. 1175. 1241s. 1739. 1881. 2464 *pc*; Cl | ⸀ανεγκλησιας 1739mg; Tert | ⸀¹θεου 𝔓46; Ambst ¦ εν κυριω Ι. Χρ. F G ¦ του θ. εν κ. Ι. Χρ. D* ¦ *txt* 𝔓(16: ⸉ 5 4).61vid ℵ A B D2 I Ψ 𝔐 lat sy(p) co ● **15** ⸀-νουμεν ℵ L 326. 1241s *pc*; Cl ● **16** ⸀-σατε 𝔓16vid samss | ⸀τω αυ. στ. κανονι, το αυτο φρονειν ℵ2 Ψ 𝔐 sy(p) ¦ το αυ. φρ., τω αυ. καν. (– D* F G) στ. (συστ. F G) D F G 81. 104. 365. (629). 1175. 1241s (1881: το αυ. φρ.) *al* lat ¦ *txt* 𝔓16.46 ℵ* A B Ivid 6. 33. 1739 *pc* b co; Hil Aug

καὶ κλαίων λέγω, ⸆ τοὺς ἐχθροὺς τοῦ σταυροῦ τοῦ Χριστοῦ, **19** ὧν τὸ τέλος ἀπώλεια, ὧν ὁ θεὸς ἡ κοιλία καὶ ἡ
δόξα ἐν τῇ αἰσχύνῃ αὐτῶν, οἱ τὰ ἐπίγεια φρονοῦντες.
20 ἡμῶν γὰρ τὸ πολίτευμα ἐν οὐρανοῖς ὑπάρχει, ἐξ οὗ καὶ
σωτῆρα ἀπεκδεχόμεθα κύριον Ἰησοῦν Χριστόν, **21** ὃς
μετασχηματίσει τὸ σῶμα τῆς ταπεινώσεως ἡμῶν ⸆ σύμ-
μορφον τῷ σώματι τῆς δόξης αὐτοῦ κατὰ τὴν ἐνέργειαν
τοῦ δύνασθαι αὐτὸν καὶ ὑποτάξαι ⸀αὐτῷ τὰ πάντα.
6 **4** Ὥστε, ἀδελφοί μου ἀγαπητοὶ καὶ ἐπιπόθητοι, χαρὰ
καὶ στέφανός μου, οὕτως στήκετε ἐν κυρίῳ, ⸀ἀγα-
πητοί.
2 Εὐοδίαν παρακαλῶ καὶ Συντύχην παρακαλῶ τὸ αὐτὸ
φρονεῖν ἐν κυρίῳ. **3** ναὶ ἐρωτῶ καὶ σέ, γνήσιε ⸀σύζυγε,
συλλαμβάνου αὐταῖς, αἵτινες ἐν τῷ εὐαγγελίῳ συνήθλη-
σάν μοι μετὰ καὶ Κλήμεντος καὶ τῶν ⸂λοιπῶν συνεργῶν
μου⸃, ὧν τὰ ὀνόματα ἐν βίβλῳ ζωῆς.
4 Χαίρετε ἐν κυρίῳ πάντοτε· πάλιν ἐρῶ, χαίρετε.
5 τὸ ἐπιεικὲς ὑμῶν γνωσθήτω πᾶσιν ἀνθρώποις. ὁ κύριος
ἐγγύς. **6** μηδὲν μεριμνᾶτε, ἀλλ᾽ ἐν παντὶ τῇ προσευχῇ καὶ
τῇ δεήσει μετὰ εὐχαριστίας τὰ αἰτήματα ὑμῶν γνωριζέ-
σθω πρὸς τὸν θεόν. **7** καὶ ἡ εἰρήνη τοῦ ⸀θεοῦ ἡ ὑπερ-
έχουσα πάντα νοῦν φρουρήσει τὰς καρδίας ὑμῶν καὶ τὰ
⸁νοήματα ὑμῶν ἐν ⸀¹Χριστῷ Ἰησοῦ.
8 Τὸ λοιπόν, ἀδελφοί, ὅσα ἐστὶν ἀληθῆ, ὅσα σεμνά,
ὅσα δίκαια, ὅσα ἁγνά, ὅσα προσφιλῆ, ὅσα εὔφημα, εἴ τις
ἀρετὴ καὶ εἴ τις ἔπαινος⸆, ταῦτα λογίζεσθε· **9** ἃ καὶ ἐμάθετε καὶ παρελάβετε καὶ ἠκούσατε καὶ εἴδετε ἐν ἐμοί,
ταῦτα πράσσετε· καὶ ὁ θεὸς τῆς εἰρήνης ἔσται μεθ᾽ ὑμῶν.

7 **10** Ἐχάρην δὲ ἐν κυρίῳ μεγάλως ὅτι ἤδη ποτὲ ἀνεθά-
λετε ⸀τὸ ὑπὲρ ἐμοῦ φρονεῖν, ἐφ᾽ ᾧ καὶ ἐφρονεῖτε, ἠκαι-
ρεῖσθε δέ. **11** οὐχ ὅτι καθ᾽ ὑστέρησιν λέγω, ἐγὼ γὰρ ἔμα-

2K 11,15 2P 2,1! · R 16,18 2T 3,4
Hos 4,7 · Kol 3,2 | 1,27 · E 2,6 Kol 3,1 H 12,22! · 2T 1,10! · 1K 1,7 Tt 2,13 H 9,28 | 1K 15,43.49.53 · R 8,29; 12,2 2K 3,18 1J 3,2 · E 1,19-22
1K 15,27!
1,18! 1Th 2,19! ·
1K 16,13!
R 15,5!
R 15,30!
L 10,20! Ps 69,29
3,1!
Sap 2,19 Tt 3,2 · Jc 5,8s Ps 145,18
H 10,37 | Mt 6,25-34! · R 12,12!
J 14,27 Kol 3,15
E 3,20
2P 1,5
R 15,33!
1,18!
15 2K 11,8s

18 ⸆βλεπετε 𝔓^{46} ● **21** ⸆εις το γενεσθαι αυτο D^{2} Ψ 𝔐 sy; Ambr ¦ *txt* ℵ A B D* F G 6. 81. 323. 1175. 1241^{s}. 1739. 1881 *pc* latt co; Ir^{lat} Tert | ⸀εαυτω ℵ^{2} D^{2} L Ψ 6. 104. 326. 630. 1175. 1241^{s} *pm* a f vg ¦ *txt* ℵ* A B D* F G K P 33. 365. 614. 629. 1739. 1881. 2464. 2495 *pm* b sy; MVict (81 *illeg.*)
¶ **4,1** ⸀αγ. μου B 33 sy^{p} ¦ – D* *pc* a b vg^{mss} ● **3** [⸀Συζ- comm] | ⸂συνερ. μου και των λοιπ. 𝔓^{16vid} ℵ* ● **7** ⸀Χριστου A t vg^{mss} sy^{hmg} | ⸁σωματα F G a d; MVict Pel ¦ νοημ. και τα σωμ. 𝔓^{16vid} | ⸀¹κυριω 𝔓^{46} ● **8** ⸆επιστημης D* F G a vg^{cl}; Ambst ● **10** ⸀του F G

1T 6,6 | 2K 6,10 θον ἐν οἷς εἰμι αὐτάρκης εἶναι. **12** οἶδα καὶ ταπεινοῦσθαι,
οἶδα καὶ περισσεύειν· ἐν παντὶ καὶ ἐν πᾶσιν μεμύημαι,
καὶ χορτάζεσθαι καὶ πεινᾶν καὶ περισσεύειν καὶ ὑστε-
Sap 7,23 · 2K 12, 9s 2T 4,17 J 15,5! | ρεῖσθαι· **13** πάντα ἰσχύω ἐν τῷ ἐνδυναμοῦντί με⊤.
1,7 R 12,13 H 10, 33 **14** πλὴν καλῶς ἐποιήσατε συγκοινωνήσαντές μου τῇ
θλίψει. **15** οἴδατε °δὲ καὶ ὑμεῖς, Φιλιππήσιοι, ὅτι ἐν
ἀρχῇ τοῦ εὐαγγελίου, ὅτε ἐξῆλθον ἀπὸ Μακεδονίας, οὐ-
10! δεμία μοι ἐκκλησία ἐκοινώνησεν εἰς λόγον δόσεως καὶ
λήμψεως εἰ μὴ ὑμεῖς μόνοι, **16** ὅτι καὶ ἐν Θεσσαλονίκῃ
1Th 2,18 καὶ ἅπαξ καὶ δὶς ⸂εἰς τὴν χρείαν μοι⸃ ἐπέμψατε. **17** οὐχ
2K 12,14 · R 15,28 ὅτι ἐπιζητῶ τὸ δόμα, ἀλλὰ ἐπιζητῶ τὸν καρπὸν τὸν πλεονάζοντα εἰς λόγον ὑμῶν. **18** ἀπέχω δὲ πάντα καὶ περισ-
2,25 · E 5,2 2K 2,14s σεύω· πεπλήρωμαι ⊤ δεξάμενος παρὰ Ἐπαφροδίτου τὰ
Gn 8,21 Ex 29,18 παρ' ὑμῶν, ὀσμὴν εὐωδίας, θυσίαν δεκτήν, εὐάρεστον τῷ
Ez 20,41 · Is 56,7 Sir 35,6𝔊 · R 12,1 θεῷ. **19** ὁ δὲ θεός μου ⸀πληρώσει πᾶσαν χρείαν ὑμῶν
H 13,16 | R 9,23! κατὰ τὸ πλοῦτος αὐτοῦ ἐν δόξῃ ἐν Χριστῷ Ἰησοῦ. **20** τῷ
R 16,27! δὲ θεῷ καὶ πατρὶ ἡμῶν ἡ δόξα εἰς τοὺς αἰῶνας τῶν αἰώνων, ἀμήν.

21 Ἀσπάσασθε πάντα ἅγιον ἐν Χριστῷ Ἰησοῦ. ἀσπάζονται ὑμᾶς οἱ σὺν ἐμοὶ ἀδελφοί. **22** ἀσπάζονται ὑμᾶς
cf 1,13 πάντες οἱ ἅγιοι, μάλιστα δὲ οἱ ἐκ τῆς Καίσαρος οἰκίας.
G 6,18! **23** Ἡ χάρις τοῦ κυρίου Ἰησοῦ Χριστοῦ μετὰ ⸂τοῦ
πνεύματος⸃ ὑμῶν.⊤

13 ⊤Χριστω ℵ^{2} D^{2} (F G) Ψ 𝔐 sy; Hier ¦ *txt* ℵ* A B D* I 33. 629. 1739 *pc* lat co; Cl ● **15** ° 𝔓^{46} D* *pc* vg^{ms} sy^{h} ● **16** ⸂*2 3 4* 𝔓^{46} A 81. 104. 326. 1175. 1241^{s}. 2464 *pc* ¦ τ. χρ. μου D* (a) ¦ εις τ. χρ. μου D^{2} L P 323. 614. 629. 630 *pc* (g r; Ambst) ¦ *txt* ℵ B F G Ψ 𝔐 lat ● **18** ⊤δε 𝔓^{46} (2495) vg^{ms} ● **19** ⸀-σαι D* F G Ψ 6. 33. 81. 104. 326. 365. 1175. 1241^{s}. 1739. 1881 *al* latt ¦ *txt* 𝔓^{46} ℵ A B D^{2} 𝔐 co ● **23** ⸂παντων ℵ^{2} Ψ 𝔐 sy ¦ *txt* 𝔓^{46} ℵ* A B D F G P 6. 33. 81. 104. 365. 629. 630. 1175. 1241^{s}. 1739. 1881 *pc* latt co | ⊤αμην 𝔓^{46} ℵ A D Ψ 𝔐 lat sy bo ¦ *txt* B F G 6. 1881 *pc* b sa; Ambst

Subscriptio: Προς Φιλιππησιους ℵ A B* (D F G) Ψ 33 *pc* ¦ πρ. Φ. εγραφη απο Ρωμης B^{1} P^{vid} 6 ¦ πρ. Φ. εγ. α. Ρ. (εξ Αθηνων 945) δια Επαφροδιτου (K) 𝔐 ¦ – 𝔓^{46} 365. 629. 630. 2464. 2495 *pc*

ΠΡΟΣ ΚΟΛΟΣΣΑΕΙΣ

1 Παῦλος ἀπόστολος Χριστοῦ Ἰησοῦ διὰ θελήματος 1K 1,1!
θεοῦ καὶ Τιμόθεος ὁ ἀδελφὸς **2** τοῖς ἐν ⸀Κολοσσαῖς
ἁγίοις καὶ πιστοῖς ἀδελφοῖς ἐν Χριστῷ⸆, χάρις ὑμῖν καὶ R 1,7!
εἰρήνη ἀπὸ θεοῦ πατρὸς ἡμῶν⸆.
1 **3** Εὐχαριστοῦμεν τῷ θεῷ ⸆ πατρὶ τοῦ κυρίου ἡμῶν Ἰη- E 1,16 Phm 4
σοῦ ⸋Χριστοῦ πάντοτε ⸀περὶ ὑμῶν προσευχόμενοι, **4** ἀ-
κούσαντες τὴν πίστιν ὑμῶν ἐν Χριστῷ Ἰησοῦ καὶ τὴν E 1,15 Phm 5 · 1K 13,13!
ἀγάπην ⸂ἣν ἔχετε⸃ εἰς πάντας τοὺς ἁγίους **5** διὰ τὴν ἐλ- E 1,18 H 6,18s
πίδα τὴν ἀποκειμένην ὑμῖν ἐν τοῖς οὐρανοῖς, ἣν προη- 1P 1,4
κούσατε ἐν τῷ λόγῳ τῆς ἀληθείας τοῦ εὐαγγελίου **6** τοῦ 2T 2,15!
παρόντος εἰς ὑμᾶς, καθὼς καὶ ἐν παντὶ τῷ κόσμῳ ⸆ ἐστὶν 2P 1,12 · 1T 3,16
καρποφορούμενον ⸋καὶ αὐξανόμενον⸌ καθὼς καὶ ἐν ὑμῖν,
ἀφ' ἧς ἡμέρας ἠκούσατε καὶ ἐπέγνωτε τὴν χάριν τοῦ θεοῦ
ἐν ἀληθείᾳ· **7** καθὼς ⸆ἐμάθετε ἀπὸ Ἐπαφρᾶ τοῦ ἀγα- 4,12 Phm 23
πητοῦ συνδούλου ἡμῶν, ὅς ἐστιν πιστὸς ὑπὲρ ⸀ὑμῶν διάκονος τοῦ Χριστοῦ, **8** ὁ καὶ δηλώσας ἡμῖν τὴν ὑμῶν
ἀγάπην ἐν πνεύματι. R 15,30
2 **9** Διὰ τοῦτο καὶ ἡμεῖς, ἀφ' ἧς ἡμέρας ἠκούσαμεν, οὐ E 1,15-17
παυόμεθα ὑπὲρ ὑμῶν προσευχόμενοι ⸋καὶ αἰτούμενοι⸌,
ἵνα πληρωθῆτε τὴν ἐπίγνωσιν τοῦ θελήματος αὐτοῦ ἐν Ph 1,9 2T 3,7! · L 12,47!
πάσῃ σοφίᾳ καὶ συνέσει πνευματικῇ, **10** περιπατῆσαι ⸆ E 1,8 |
ἀξίως τοῦ κυρίου εἰς πᾶσαν ἀρεσκείαν, ἐν παντὶ ἔργῳ 1Th 2,12! 2K 9,8!
ἀγαθῷ καρποφοροῦντες καὶ αὐξανόμενοι ⸂τῇ ἐπιγνώσει⸃ Mc 4,8.20 R 7,4 · 2P 1,2!

¶ **1,2** ⸀Κολασσ- (𝔓^{46} A B^{1}) I K^{c} P Ψ 6. 33. 81. 104. 326. 614. 629. 630. 1241^{s}. 1739. 1881. 2495 *pm* sy^{p} (bo) ¦ *txt* ℵ B* D F G K* L 365. (1175). 2464 *pm* sa | ⸆Ιησου A D* F G 33. 104. 629 *pc* lat (sy^{p}) sa^{ms} bo | ⸆ και κυριου Ιησου Χριστου ℵ A C F G I (P) 𝔐 it vg^{cl} (sy^{h**} bo); Tert Hier ¦ *txt* B D K L Ψ 33. 81. 1175. 1739. 1881 *al* a m vgst sy^{p} sa; Ambst ● **3** ⸆ τω D* F G *pc* ¦ και ℵ A C^{2} D^{2} I Ψ 𝔐 vg ¦ *txt* 𝔓^{61vid} B C* 1739 | ⸋ B 1739. 1881 vg^{ms} | ⸀υπερ B D* F G 33. 104 *pc* ¦ *txt* ℵ A C D^{2} I Ψ 𝔐 ● **4** ⸂την D^{2} Ψ 𝔐 ¦ – B ¦ *txt* 𝔓^{61vid} ℵ A C D* F G P 33. 81. 104. 326. 365. 1175. 1241^{s}. 2464 *al* latt sy^{h} co ● **6** ⸆ · και D^{2} F G Ψ 𝔐 d m sy; Ambst ¦ *txt* 𝔓$^{46.61vid}$ ℵ A B C D* P 33. 81. 104. 326. 365. 1175. 1241^{s}. 1739. 1881. 2464* *pc* | ⸋ K 6. 323. 614. 629. 630 *pm* ● **7** ⸆και D^{1} Ψ 𝔐 vg^{mss} sy^{h} sa^{ms} ¦ *txt* 𝔓$^{46.61vid}$ ℵ A B C D* F G P 33. 81. 629. 1241^{s}. 2464 *pc* lat sy^{p} sa^{mss} bo | ⸀ημων 𝔓^{46} ℵ* A B D* F G 326*. 2495 *al* m ¦ *txt* ℵ^{2} C D^{2} Ψ 𝔐 lat sy co ● **9** ⸋ B K vg^{ms} ● **10** ⸆ υμας ℵ^{2} D^{2} Ψ 𝔐 ¦ *txt* 𝔓$^{46.61vid}$ ℵ* A B C D* F G 6. 33. 81. 326. 1175. 1241^{s}. 1739. 1881. 2464 *pc*; Cl | ⸂εν τη επιγν. ℵ^{2} Ψ 104. 1175 *pc* lat ¦ εις την -σιν D^{2} 𝔐 ¦ *txt* 𝔓^{46} ℵ* A B C D* F G I P 33. 81. 365. 1241^{s}. 1739. 1881. 2464 *pc* vg^{mss}; Cl

τοῦ θεοῦ, **11** ἐν πάσῃ δυνάμει δυναμούμενοι κατὰ τὸ
E 1,18s; 3,16 κράτος τῆς δόξης αὐτοῦ εἰς πᾶσαν ὑπομονὴν καὶ μακρο-
θυμίαν⁚.
Ph 1,4 | 3,17 Μετὰ χαρᾶς⁚¹ **12** ⸆ εὐχαριστοῦντες ⸆ τῷ ⸆¹ πατρὶ τῷ
Act 20,32! ⸀ἱκανώσαντι ⸂ὑμᾶς εἰς τὴν μερίδα τοῦ κλήρου τῶν ἁγί-
ων ἐν τῷ φωτί· **13** ὃς ἐρρύσατο ἡμᾶς ἐκ τῆς ἐξουσίας τοῦ
L 22,53 E 1,21! σκότους καὶ μετέστησεν εἰς τὴν βασιλείαν τοῦ υἱοῦ τῆς
E 1,6 | R 3,24! ἀγάπης αὐτοῦ, **14** ἐν ᾧ ⸀ἔχομεν τὴν ἀπολύτρωσιν⸆, τὴν *3*
ἄφεσιν τῶν ἁμαρτιῶν·
2K 4,4! · 1T 1,17! · **15** ὅς ἐστιν εἰκὼν τοῦ θεοῦ τοῦ ἀοράτου,
Ap 3,14 πρωτότοκος πάσης κτίσεως,
J 1,3! **16** ὅτι ἐν αὐτῷ ἐκτίσθη τὰ πάντα ⸆
E 1,10 ἐν τοῖς οὐρανοῖς καὶ ⸆ ἐπὶ τῆς γῆς,
2K 4,18 τὰ ὁρατὰ καὶ τὰ ἀόρατα,
E 1,21! εἴτε θρόνοι εἴτε κυριότητες
εἴτε ἀρχαὶ εἴτε ἐξουσίαι·
⸀τὰ πάντα δι᾽ αὐτοῦ καὶ εἰς αὐτὸν ἔκτισται·
Prv 8,23-27 **17** καὶ αὐτός ἐστιν πρὸ πάντων
E 1,22 H 1,3 καὶ τὰ πάντα ἐν αὐτῷ συνέστηκεν,
E 4,15!; 1,23! **18** καὶ αὐτός ἐστιν ἡ κεφαλὴ τοῦ σώματος τῆς
ἐκκλησίας·
Ap 3,14 1K 15,20! · 15 Ap 1,5 R 8,29 H 1,6 ὅς ἐστιν ⸆ ἀρχή, πρωτότοκος °ἐκ τῶν νεκρῶν, ἵνα γένη-
ται ἐν πᾶσιν αὐτὸς πρωτεύων, **19** ὅτι ἐν αὐτῷ εὐδόκησεν
2,9s E 1,23; 3,19; 4,10.13 J 1,16 | 2K 5,18!s · E 2,13ss; · 1,7 · 16 E 1,10 πᾶν τὸ πλήρωμα ⸀κατοικῆσαι **20** καὶ δι᾽ αὐτοῦ ἀποκαταλ-
λάξαι τὰ πάντα εἰς ⸀αὐτόν, εἰρηνοποιήσας διὰ τοῦ αἵμα-
τος τοῦ σταυροῦ αὐτοῦ, ⸋[δι᾽ αὐτοῦ]⸌ εἴτε τὰ ἐπὶ τῆς γῆς
εἴτε τὰ ἐν τοῖς οὐρανοῖς.
E 4,18! · R 5,10 **21** Καὶ ὑμᾶς ποτε ὄντας ἀπηλλοτριωμένους καὶ ἐχ- *4*
J 3,19! θροὺς τῇ διανοίᾳ ἐν τοῖς ἔργοις τοῖς πονηροῖς, **22** νυνὶ

11 [⁚ – *et* ⁚¹.] ● **12** ⸆και 𝔓^{46} 1175; Ambst | ⸆αμα 𝔓^{46} B | ⸆¹θεω ℵ (⸉ F G) 365 *pc* vg^{cl} sy^{p} sa^{ms} bo^{ms}; Or^{lat} Spec ¦ θεω και C^{3} 6. 81^{c}. 104. 326. 614. 629. 1739^{mg}. (⸉ 2495) *al* a vg^{mss} sy^{h**} ¦ *txt* 𝔓$^{46.61}$ A B C* D I^{vid} Ψ 𝔐 b m vgst sa^{mss} bo; Ambst | ⸀καλεσαντι D* F G 33. 1175 *pc* it sa; Ambst Spec ¦ καλ. και ικαν. B ¦ *txt* 𝔓$^{46.61vid}$ ℵ A C D^{1} Ψ 𝔐 vg sy bo; Or^{lat} Aug | ⸂ημας A C D F G Ψ 𝔐 lat sy bo ¦ *txt* ℵ B 104. 365. 629. 1175. 1739. 1881 *pc* vg^{mss} sy^{hmg} sa; Ambst ● **14** ⸀εσχ- B co | ⸆(E 1,7) δια του αιματος αυτου 614. 630. 2464 *al* vg^{cl} sy^{h}; Ir^{lat} Cass ● **16** ⸆τα ℵ^{2} A (C) D^{2} 𝔐 vg^{ms}; Or^{lat} Eus Lcf *et* ⸆τα ℵ^{2} A C D F G 𝔐 vg^{ms}; Or^{lat} Eus Lcf ¦ *txt* 𝔓^{46} ℵ* B Ψ 6. 33. 1739. 1881 *pc* lat; Tert | ⸀οτι 𝔓^{46} ● **18** ⸆η 𝔓^{46} B 6. 104. 1175. 1739. 1881 *pc* | ° 𝔓^{46} ℵ* 2495*; Ir^{pt} ● **19** [⸀ -κισαι Venema *cj*] ● **20** [⸀αὑ- Griesbach] | ⸋ B D* F G I L 81. 104. 1175. 1241^{s}. 1739. 1881. 2464 *al* latt sa ¦ *txt* 𝔓^{46} ℵ A C D^{1} Ψ 048 𝔐 sy bo; Hil

δὲ ⸀ἀποκατήλλαξεν ἐν τῷ σώματι τῆς σαρκὸς αὐτοῦ διὰ
τοῦ θανάτου ⸆ παραστῆσαι ὑμᾶς ἁγίους καὶ ἀμώμους καὶ
ἀνεγκλήτους κατενώπιον αὐτοῦ, **23** εἴ γε ἐπιμένετε τῇ
πίστει τεθεμελιωμένοι καὶ ἑδραῖοι °καὶ μὴ μετακινού-
μενοι ἀπὸ τῆς ἐλπίδος τοῦ εὐαγγελίου οὗ ἠκούσατε, τοῦ
κηρυχθέντος ἐν πάσῃ ⸆ κτίσει τῇ ὑπὸ τὸν οὐρανόν, οὗ
ἐγενόμην ἐγὼ Παῦλος ⸀διάκονος.

5 **24** Νῦν χαίρω ἐν τοῖς παθήμασιν ⸆ ὑπὲρ ὑμῶν καὶ
ἀνταναπληρῶ τὰ ὑστερήματα τῶν θλίψεων τοῦ Χριστοῦ
ἐν τῇ σαρκί μου ὑπὲρ τοῦ σώματος αὐτοῦ, ὅ ἐστιν ἡ ἐκκλησία, **25** ἧς ἐγενόμην ἐγὼ διάκονος κατὰ τὴν οἰκονομίαν τοῦ θεοῦ τὴν δοθεῖσάν μοι εἰς ὑμᾶς πληρῶσαι τὸν
λόγον τοῦ θεοῦ, **26** τὸ μυστήριον τὸ ἀποκεκρυμμένον
ἀπὸ τῶν αἰώνων καὶ ἀπὸ τῶν γενεῶν – νῦν δὲ ἐφανερώθη
τοῖς ἁγίοις αὐτοῦ, **27** οἷς ἠθέλησεν ὁ θεὸς γνωρίσαι τί
τὸ πλοῦτος ⸋τῆς δόξης⸌ τοῦ μυστηρίου ⸀τούτου ἐν τοῖς
ἔθνεσιν, ⸁ὅ ἐστιν Χριστὸς ἐν ὑμῖν, ἡ ἐλπὶς τῆς δόξης·
28 ὃν ἡμεῖς καταγγέλλομεν νουθετοῦντες πάντα ἄνθρωπον καὶ διδάσκοντες ⸋πάντα ἄνθρωπον⸌ ἐν πάσῃ σοφίᾳ,
ἵνα παραστήσωμεν πάντα ἄνθρωπον τέλειον ἐν Χριστῷ⸆·
29 εἰς ὃ καὶ κοπιῶ ἀγωνιζόμενος κατὰ τὴν ἐνέργειαν
αὐτοῦ τὴν ἐνεργουμένην ἐν ἐμοὶ ἐν δυνάμει.

6 **2** Θέλω γὰρ ὑμᾶς εἰδέναι ἡλίκον ἀγῶνα ἔχω ⸀ὑπὲρ
ὑμῶν καὶ τῶν ἐν Λαοδικείᾳ ⸆ καὶ ὅσοι οὐχ ἑόρακαν
τὸ πρόσωπόν μου ἐν σαρκί, **2** ἵνα παρακληθῶσιν αἱ καρ-
δίαι αὐτῶν ⸀συμβιβασθέντες ἐν ἀγάπῃ °καὶ εἰς ⸂πᾶν

2K 5,18!s · 2,11 R 1,3; 8,3; 9,5 2K 5,16 E 2,14 J 1,14! Hen 102,5 · 28 E 5,27!; · 1,4! 1T 3,10! | E 3,17 · 1K 15,58 Mc 16,15 1T 3,16 R 8,19ss
E 3,13! Act 9,16 E 1,23! E 3,7; · 3,2! R 15,19 R 16,25!s 1K 2,7 E 3,9 · E 3,5.10 R 9,23! R 16,25!s R 8,10! · R 5,2! 1P 1,21 3,16 22 · 4,12 1K 2,6! E 4,13! 2,1; 4,12 1Th 2,2· E 3,7.20 · Ph 4,13
1K 11,3 · 1,29! Ap 3,14! · Act 9,22

22 ⸀-ηλλαγητε (𝔓^{46}) B ¦ -αλλαγεντες D* F G b; Ir^{lat} Ambst Spec ¦ -ηλλακται 33 ¦ *txt* ℵ A C D^{2} Ψ 048. (104) 𝔐 lat sy | ⸆αυτου ℵ A P 81. 326. 614. 630. 1241^{s}. 2464 *al* a sy$^{p.h**}$; Ir^{lat} Spec ¦ *txt* 𝔓^{46vid} B C D F G I^{vid} Ψ 𝔐 lat; Tert ● **23** ° 𝔓^{46vid} 33 | ⸆τη ℵ^{2} D^{2} Ψ 𝔐 ¦ *txt* 𝔓^{46} ℵ* A B C D* F G 33. 326. 614. 1175. 1241^{s} *pc* | ⸀κηρυξ και αποστολος ℵ* P m ¦ κηρ. κ. απ. και διακ. A sy^{hmg} sa^{ms} ¦ διακ. κ. απ. 81 vg^{ms} ● **24** ⸆μου ℵ^{2} 81. 323. 326. 629. 1241^{s}. 2464 *pc* vg^{mss} sy^{h}; Chr ● **27** ⸋ 𝔓^{46} | ⸀του θεου D* F G b vg^{mss}; Ambst ¦ του ℵ* | ⸁† ος ℵ C D H I Ψ 𝔐 ¦ *txt* 𝔓^{46} A B F G P 33. 1739. 1881 *pc* latt ● **28** ⸋ D* F G 33. 614. 629 *pc* it vg^{mss} (sy^{p}); Cl Ambst (L 81. 1241^{s} *pc*: *h. t.*) | ⸆Ιησου ℵ^{2} D^{2} H Ψ 𝔐 a f vg sy$^{(p)}$ sa bo^{mss} ¦ *txt* 𝔓^{46} ℵ* A B C D* F G 33. 81. 1241^{s}. 1739. 1881. 2464 *pc* b m* bo; Cl Ambst

¶ **2,1** ⸀περι D* F G 0208 𝔐 (a) m ¦ *txt* 𝔓^{46} ℵ A B C D^{2} H P Ψ 33. 81. 104. 365. 630. 1175. 1739. 1881. 2464 *pc* lat; Ambst | ⸆(4,13) και των εν Ιεραπολει 104. 424 *pc* vg^{ms} sy^{h**} ● **2** ⸀-θεντων ℵ^{2} D^{2} Ψ 𝔐 sy^{hmg} ¦ -θωσιν 1881 ¦ *txt* 𝔓^{46} ℵ* A B C D* H P 6. 33. 1175. 1241^{s}. 1739. 2464 *pc*; Cl | ° D* sy^{p}; Hil Ambst | ⸂παν το πλ. A C (H) 33. 81 *pc* ¦ παντα (+ τον D*) πλουτον ℵ^{2} D(*) Ψ 𝔐 ¦ *txt* 𝔓^{46} ℵ* B 0208^{vid}. 6. 1241^{s}. 1739 *pc*; Cl

1,26s πλοῦτος⸃ τῆς πληροφορίας τῆς συνέσεως, εἰς ἐπίγνωσιν
Sir 1,24s Hen 46,3 τοῦ μυστηρίου ⸄τοῦ θεοῦ, Χριστοῦ⸅, 3 ἐν ᾧ εἰσιν πάντες
Is 45,3 Prv 2,3s οἱ θησαυροὶ τῆς σοφίας καὶ ⸆ γνώσεως ἀπόκρυφοι.
R 11,33 1K 1,24. 30 | R 16,18! 4 Τοῦτο ⸆ λέγω, ἵνα ⸀μηδεὶς ὑμᾶς παραλογίζηται ἐν πι-
1K 5,3 θανολογίᾳ. 5 εἰ γὰρ καὶ τῇ σαρκὶ ἄπειμι, ἀλλὰ τῷ πνεύ-
1K 14,10 ματι σὺν ὑμῖν εἰμι, χαίρων καὶ βλέπων ὑμῶν τὴν τάξιν
Act 16,5! καὶ τὸ στερέωμα τῆς εἰς Χριστὸν πίστεως ὑμῶν.

R 10,9! 6 Ὡς οὖν παρελάβετε τὸν Χριστὸν Ἰησοῦν τὸν κύ-
E 3,17; · 2,20.22 Jd 20 ριον, ἐν αὐτῷ περιπατεῖτε, 7 ἐρριζωμένοι καὶ ἐποικοδο-
μούμενοι ἐν αὐτῷ καὶ βεβαιούμενοι ⸂τῇ πίστει⸃ καθὼς
2Th 2,15 ἐδιδάχθητε, περισσεύοντες ⸄ἐν εὐχαριστίᾳ⸅. 8 Βλέπετε μή τις ⸉ὑμᾶς ἔσται⸊ ὁ συλαγωγῶν διὰ τῆς φιλοσο-
E 5,6 · Mt 15,2p φίας καὶ κενῆς ἀπάτης κατὰ τὴν παράδοσιν τῶν ἀνθρώ-
20! πων, κατὰ τὰ στοιχεῖα τοῦ κόσμου καὶ οὐ κατὰ Χριστόν·
1,19! J 1,14 9 ὅτι ἐν αὐτῷ κατοικεῖ πᾶν τὸ πλήρωμα τῆς θεότητος
17 | σωματικῶς, 10 καὶ ἐστὲ ἐν αὐτῷ πεπληρωμένοι, ⸀ὅς ἐστιν
E 4,15!; · 1,21! ἡ κεφαλὴ πάσης ἀρχῆς καὶ ἐξουσίας. 11 Ἐν ᾧ καὶ *7*
R 2,29! περιετμήθητε περιτομῇ ἀχειροποιήτῳ ἐν τῇ ἀπεκδύσει
1,22! τοῦ σώματος ⸆ τῆς σαρκός, ἐν τῇ περιτομῇ τοῦ Χριστοῦ,
R 6,4 · 3,1 E 2,6 12 συνταφέντες αὐτῷ ἐν τῷ ⸀βαπτισμῷ, ἐν ᾧ καὶ συνη-
γέρθητε διὰ τῆς πίστεως τῆς ἐνεργείας τοῦ θεοῦ τοῦ ἐγεί-
E 1,19s ραντος αὐτὸν ἐκ ⸆ νεκρῶν· 13 καὶ ὑμᾶς νεκροὺς ὄντας
E 2,1! °[ἐν] τοῖς παραπτώμασιν καὶ ⸆ τῇ ἀκροβυστίᾳ τῆς σαρκὸς

2 ⸄του θεου D^{1} H P 1881. 2464 *pc* sa^{ms} ¦ του Χριστου 81. 1241^{s}. (1739) *pc* b; Fulg ¦ τ. θ. ο εστιν Χριστος D* a vg^{mss}; Aug ¦ τ. θ. του εν Χριστω 33; Ambst ¦ τ. θ. πατρος του (– א* 048) Χριστου א* A C 048^{vid}. 1175*pc* (f m vgst, sy^{p}) sa^{mss} bo ¦ τ. θ. και πατ. (⸉ 0208 *pc*) τ. Χρ. א^{2} L Ψ 0208. 365. 945 *pc* vg^{ms} ¦ τ. θ. και πατ. και τ. Χρ. D^{2} 𝔐 (vg^{cl}) sy^{h**} ¦ *txt* 𝔓^{46} B vg^{ms}; Cl Hil • **3** ⸆της א^{2}A D^{1} H 𝔐; Cl ¦ *txt* 𝔓^{46} א* B C D* Ψ 0208. 33. 1175. 1739. 1881. 2464 *pc* • **4** ⸆δε א^{2}A C D Ψ 048. 0208 𝔐 lat sy; Cl ¦ *txt* 𝔓^{46} א* B H 81. 1241^{s}*pc* m; Ambst Aug | ⸀μη τις א^{2} Ψ 𝔐; Cl ¦ *txt* א* A B C D (H) P 048. 0208. 33. 81. 326. 365. 1175. 1241^{s}. 1739. 1881. 2464 *pc* • **7** ⸂εν π. A C I Ψ 2464 *pc* ¦ εν αυτω εν τη π. א^{1} 048^{vid} ¦ εν τη π. א* D^{2} 𝔐; Cl ¦ *txt* B D* H P 0208. 33. 81. 326. 365. 1241^{s}. 1881 *pc* lat | ⸄εν αυτη εν ευχ. B D^{2} H 𝔐 (a) m sy sa^{ms} bo; (Ambst) Aug ¦ εν αυτη P Ψ 048^{vid} ¦ εν αυτω εν ευχ. א^{2} D* b f vg^{cl} sy^{hmg} ¦ *txt* א* A C I^{vid} 0208. 33. 81. 1175. 1241^{s}. 1739. 1881. 2464 *pc* vgst sa^{mss} • **8** ⸉ א A D 81. 1881 *pc*; Tert Cl^{pt} • **10** ⸀ὅ 𝔓^{46} B D F G; Hil^{pt} ¦ *txt* 𝔓^{46} א A C Ψ 0208 𝔐 lat; Ambst • **11** ⸆των αμαρτιων א^{2} D^{1} Ψ 𝔐 (b) sy; Epiph Aug^{pt} ¦ *txt* 𝔓^{46} א* A B C D* F G P 6. 33. 81. 365. 629. 1175. 1241^{s}. 1739. 1881 *pc* lat co; Cl • **12** ⸀† -τισματι א* A C D^{2} Ψ 𝔐; Tert ¦ *txt* 𝔓^{46} א^{2} B D* F G 6. 365. 1739. 1881 *pc* latt | ⸆των B D F G 6. 33. 323. 326. 629. 2495 *pm* ¦ *txt* 𝔓^{46} א A C K L P Ψ 81. 104. 365. 630. 1175. 1241^{s}. 1739. 1881. 2464 *pm* • **13** °† א* B L Ψ 33. 81. 365. 1175. 1241^{s}. 1881. 2464 *pm* b vg^{mss}; Or^{lat} Ambr ¦ *txt* 𝔓^{46} א^{2} A C D F G K P 104. 326. 1739. 2495 *pm* lat | ⸆εν D* F G vg^{mss}

ὑμῶν, συνεζωοποίησεν ⸀ὑμᾶς σὺν αὐτῷ, χαρισάμενος ⸁ἡ-
μῖν πάντα τὰ παραπτώματα. **14** ἐξαλείψας τὸ καθ’ ἡμῶν Act 3,19
χειρόγραφον ⸋τοῖς δόγμασιν⸌ ὃ ἦν ὑπεναντίον ἡμῖν, καὶ E 2,14s
αὐτὸ ἦρκεν ἐκ τοῦ μέσου προσηλώσας αὐτὸ τῷ σταυρῷ· R 7,4 1P 2,24
15 ἀπεκδυσάμενος τὰς ἀρχὰς καὶ τὰς ἐξουσίας ⸆ ἐδειγμά- E 1,21!
τισεν ἐν παρρησίᾳ, θριαμβεύσας αὐτοὺς ἐν ⸀αὐτῷ.
8 **16** Μὴ οὖν τις ὑμᾶς ⸀κρινέτω ἐν βρώσει ⸁καὶ ἐν πόσει R 14,1-12.17
ἢ ἐν μέρει ἑορτῆς ἢ νεομηνίας ἢ σαββάτων· **17** ⸀ἅ ἐστιν
σκιὰ τῶν μελλόντων, τὸ δὲ σῶμα τοῦ Χριστοῦ. **18** μη- H 10,1! · E 1,23!
δεὶς ὑμᾶς καταβραβευέτω θέλων ⸰ἐν ταπεινοφροσύνῃ 23
καὶ θρησκείᾳ τῶν ἀγγέλων, ⸀ἃ ἑόρακεν ἐμβατεύων, εἰκῇ
φυσιούμενος ὑπὸ τοῦ νοὸς τῆς σαρκὸς αὐτοῦ, **19** καὶ οὐ
κρατῶν τὴν κεφαλήν⸆, ἐξ οὗ πᾶν τὸ σῶμα διὰ τῶν ἁφῶν E 4,15!; · 4,16
καὶ συνδέσμων ἐπιχορηγούμενον καὶ συμβιβαζόμενον αὔξει τὴν αὔξησιν τοῦ θεοῦ. E 2,21
20 Εἰ ⸆ ἀπεθάνετε σὺν Χριστῷ ἀπὸ τῶν στοιχείων R 6,2 · 8 G 4,3.9 2P 3,10.12
τοῦ κόσμου, τί ὡς ζῶντες ἐν κόσμῳ δογματίζεσθε; **21** μὴ
ἅψῃ μηδὲ γεύσῃ μηδὲ θίγῃς, **22** ἅ ἐστιν πάντα εἰς φθο- G 6,8
ρὰν τῇ ἀποχρήσει, κατὰ τὰ ἐντάλματα καὶ διδασκαλίας Is 29,13 Mt 15,9!
τῶν ἀνθρώπων, **23** ἅτινά ἐστιν λόγον μὲν ἔχοντα σοφίας ἐν ἐθελοθρησκίᾳ καὶ ταπεινοφροσύνῃ ⸆ ⸰[καὶ] ἀ- 18 · 1T 4,3
φειδίᾳ σώματος, οὐκ ἐν τιμῇ τινι πρὸς πλησμονὴν τῆς
σαρκός.

3 Εἰ οὖν συνηγέρθητε τῷ Χριστῷ, τὰ ἄνω ζητεῖτε, οὗ ὁ 2,12
Χριστός ἐστιν ἐν δεξιᾷ τοῦ θεοῦ καθήμενος· **2** τὰ Ps 110,1
ἄνω φρονεῖτε, μὴ τὰ ἐπὶ τῆς γῆς. **3** ἀπεθάνετε γὰρ καὶ ἡ Ph 3,19s | R 6,2ss · 1Th 4,17! ·
ζωὴ ὑμῶν κέκρυπται σὺν τῷ Χριστῷ ἐν τῷ θεῷ· **4** ὅταν ὁ
Χριστὸς φανερωθῇ, ἡ ζωὴ ⸀ὑμῶν, τότε καὶ ὑμεῖς ⸋σὺν L 17,30 1J 3,2 · Ph 1,21! ·
αὐτῷ⸌ φανερωθήσεσθε ἐν δόξῃ. 1K 15,43

13 ⸀ημας 𝔓^{46} B 33. 323 *al* m vg^{ms}; Ambr ¦ – ℵ^{2} D F G Ψ 0208 𝔐 lat; Tert ¦ *txt* ℵ* A C K L 6. 81. 326. 1739. 1881. 2495 *al* vg^{mss} | ⸁υμιν ℵ^{2} K* L P 6. 323. 326 *al* f vg sa^{mss}; Tert ● **14** ⸋ 1881; Chr [Schmiedel *cj*] ● **15** ⸆και 𝔓^{46} B vg^{ms} | [⸀αὐ- comm] ● **16** [⸀-νατω Lagarde *cj*] | ⸁ἤ ℵ A C D F G I Ψ 𝔐 lat sy^{h}; Eus Epiph ¦ *txt* 𝔓^{46} B 1739. 1881 b vg^{ms}; Tert ● **17** ⸀ὅ B F G 614 *pc* b d; Ambst Epiph Spec ● **18** ⸰ ℵ* | ⸀ἃ (– 81) μη ℵ^{2} C D^{2} Ψ 𝔐; Hier^{mss} ¦ ἃ ουκ F G ¦ *txt* 𝔓^{46} ℵ* A B D* I 6. 33. 1739 *pc* b vg^{mss} co; Or Ambst Hier^{mss} Spec ● **19** ⸆Χριστον D* (b) sy^{h}; Nov (MVict) ● **20** ⸆ουν ℵ^{2} 6. 326. 365. 614. 629. 630. 2495 *al* a m vg^{mss} sy^{h}; Ambr Spec ● **23** ⸆του νοος F G it (bo); Hil Ambst Spec | ⸰ 𝔓^{46} B 1739 b m vg^{mss}; Or^{lat} Hil Ambst Spec ¦ *txt* ℵ A C D F G H Ψ 𝔐 lat sy ¶ **3,4** ⸀† ημων B D^{1} H 𝔐 sy sa; Ambr Epiph ¦ *txt* 𝔓^{46} ℵ C D* F G P Ψ 33. 81. 104. 365. 945. 1881 *pc* latt bo; Cyp (A *illeg.*) | ⸋ A 1881. 2464. 2495 *pc*

R 1,29! E 5,3.5 5 Νεκρώσατε οὖν τὰ μέλη ⸆ τὰ ἐπὶ τῆς γῆς, πορνείαν 9
1Th 4,7 · G 5,24! · E 4,19 ἀκαθαρσίαν πάθος ἐπιθυμίαν °κακήν, καὶ τὴν πλεονεξίαν,
E 5,6 Mt 3,7 ἥτις ἐστὶν εἰδωλολατρία, 6 δι' ⸀ἃ ἔρχεται ἡ ὀργὴ τοῦ
θεοῦ ⸋[ἐπὶ τοὺς υἱοὺς τῆς ἀπειθείας]⸌. 7 ἐν οἷς καὶ ὑμεῖς
E 2,2; | 2,3 Tt 3,3 περιεπατήσατέ ποτε, ὅτε ἐζῆτε ἐν ⸀τούτοις· 8 νυνὶ δὲ
E 4,22.25.31 Jc 1,21 1P 2,1 · ἀπόθεσθε καὶ ὑμεῖς τὰ πάντα, ὀργήν, θυμόν, κακίαν,
E 4,29; 5,4 βλασφημίαν, αἰσχρολογίαν ἐκ τοῦ στόματος ὑμῶν⸆·
Jc 3,14 E 4,25; · 4,22! · 9 μὴ ψεύδεσθε εἰς ἀλλήλους, ἀπεκδυσάμενοι τὸν παλαιὸν
R 8,23 | E 4,24 · ἄνθρωπον σὺν ταῖς πράξεσιν αὐτοῦ 10 καὶ ἐνδυσάμενοι
R 12,2! 2K 4,16 · Gn 1,26s τὸν νέον τὸν ἀνακαινούμενον εἰς ἐπίγνωσιν κατ' εἰκόνα
G 3,28! τοῦ κτίσαντος αὐτόν, 11 ὅπου οὐκ ἔνι ⸆ Ἕλλην καὶ Ἰου-
δαῖος, περιτομὴ καὶ ἀκροβυστία, βάρβαρος, Σκύθης, δοῦ-
1K 15,28 E 1,23 λος, ⸇ ἐλεύθερος, ἀλλὰ °[τὰ] πάντα καὶ ἐν πᾶσιν Χρι-
στός.
1P 2,9 12 Ἐνδύσασθε οὖν, ὡς ἐκλεκτοὶ °τοῦ θεοῦ ἅγιοι °¹καὶ
E 5,1; · 4,32a ἠγαπημένοι, σπλάγχνα οἰκτιρμοῦ χρηστότητα ταπεινο-
E 4,2 | Mt 17,17 φροσύνην πραΰτητα μακροθυμίαν, 13 ἀνεχόμενοι ἀλλή-
E 4,32b 2K 2,7 λων καὶ χαριζόμενοι ἑαυτοῖς ἐάν τις πρός τινα ἔχῃ
E 5,2 ⸀μομφήν· καθὼς καὶ ὁ ⸁κύριος ἐχαρίσατο ὑμῖν, οὕτως
R 13,8.10 1K 16,14 καὶ ὑμεῖς· 14 ἐπὶ πᾶσιν δὲ τούτοις τὴν ἀγάπην, ⸀ὅ ἐστιν
E 4,3 | Ph 4,7 σύνδεσμος τῆς ⸁τελειότητος. 15 καὶ ἡ εἰρήνη τοῦ ⸀Χρι-
στοῦ βραβευέτω ἐν ταῖς καρδίαις ὑμῶν, εἰς ἣν καὶ ἐκλή-
R 12,5! θητε ἐν °ἑνὶ σώματι· καὶ εὐχάριστοι γίνεσθε. 16 Ὁ 10
1Th 1,8 λόγος τοῦ ⸀Χριστοῦ ἐνοικείτω ἐν ὑμῖν πλουσίως, ἐν πάσῃ
1,28 σοφίᾳ διδάσκοντες καὶ νουθετοῦντες ἑαυτούς, ψαλμοῖς ⸆

5 ⸆υμων ℵ^{2} A C^{3} D F G H 𝔐 lat sy; Ir^{lat} ¦ *txt* 𝔓^{46} ℵ* B C* Ψ 33. 81. 945*. 1175. 1241^{s}. 1739. 2464 *pc* m*; Cl Or Epiph | ° 𝔓^{46} F G ● 6 ⸀ὅ (C*^{vid}) D* F G vg^{mss} ¦ (δια) ταυτα γαρ 𝔓^{46} sy^{p} | ⸋† 𝔓^{46} B D*^{vid} b sa; Cl Cyp Ambst ¦ *txt* ℵ A C D^{1} F G H I Ψ 𝔐 lat sy bo ● 7 ⸀αυτοις D^{2} F G 048 𝔐 sy^{p} ¦ *txt* 𝔓^{46} ℵ A B C D* H I P Ψ 33. 81. 365. 1175. (1241^{s}). 2464 *pc* lat ● 8 ⸆μη εκπορευεσθω F G it vg^{mss} co; Ambst ● 11 ⸆(G 3,28) αρσεν και θηλυ D* F G 629 it vg^{mss}; Hil Ambr | ⸇και A D* F G 629 lat sy^{p}; Hil | °† ℵ* A C 33. 81. 1241^{s} *pc*; Cl ¦ *txt* ℵ^{2} B D F G Ψ 𝔐 ● 12 °A D* F G 1881 *pc* ¦ *txt* ℵ B C D^{2} Ψ 𝔐 | °^{1} B 6. 33 *pc* ● 13 ⸀μεμψιν D* ¦ οργην F G | ⸁Χριστος ℵ^{2} C D^{2} Ψ 𝔐 a m sy co; Cl Ambst ¦ θεος ℵ* vg^{mss} ¦ θ. εν Χριστω 33 ¦ *txt* 𝔓^{46} A B D* F G 1175 *pc* lat ● 14 ⸀ος ℵ* D* 81 ¦ ητις ℵ^{2} D^{2} Ψ 𝔐 b g vg^{mss} ¦ *txt* A B C F G P 048. 33. 365. 1241^{s}. 1739. 1881 *pc*; Cl | ⸁ενοτητος D* F G it vg^{mss}; Ambst ● 15 ⸀θεου ℵ^{2} C^{2} D^{2} Ψ 𝔐 vg^{mss}; Ambst ¦ *txt* ℵ* A B C* D* F G I P 81. 365. 629. 1175. 1241^{s}. 1739. 2464 *pc* lat sy co; Cl | ° 𝔓^{46} B 6. 1739. 1881 *pc* ● 16 ⸀κυριου ℵ* I 1175 *pc* bo ¦ θεου A C* 33. 104. 323. 945. 1241^{s} *al* vg^{ms}; Aug ¦ *txt* 𝔓^{46} ℵ^{2} B C^{2} D F G Ψ 𝔐 lat sy$^{(p)}$ sa bo^{ms}; Ambst | ⸆*bis* και C^{3} D^{2} Ψ 𝔐 vg^{mss} sy^{p}; Ambr (C^{2} 33. 1881: και^{1}, A I: και^{2} *tantum*) ¦ *txt* 𝔓^{46} ℵ B C* D* F G 1175. 1241^{s}. 1739 *pc* lat sy^{h}

ὕμνοις ⸆ ᾠδαῖς πνευματικαῖς ἐν °[τῇ] χάριτι ᾄδοντες ἐν Act 16,25!
⸂ταῖς καρδίαις⸃ ὑμῶν τῷ ⸁θεῷ· **17** καὶ πᾶν ὅ τι ἐὰν ποιῆτε
ἐν λόγῳ ἢ ἐν ἔργῳ, πάντα ἐν ὀνόματι ⸂κυρίου Ἰησοῦ⸃, 1K 10,31
εὐχαριστοῦντες τῷ θεῷ ⸆ πατρὶ δι' αὐτοῦ. 1,12 E 5,20!
18 Αἱ γυναῖκες, ὑποτάσσεσθε τοῖς ⸀ἀνδράσιν ὡς ἀν- *18–4,1:* E 5,22–6,9 1P 2,18–3,7
ῆκεν ἐν κυρίῳ. **19** Οἱ ἄνδρες, ἀγαπᾶτε τὰς γυναῖκας ⸆ καὶ 1K 14,34!
μὴ πικραίνεσθε πρὸς αὐτάς. **20** Τὰ τέκνα, ὑπακούετε τοῖς
γονεῦσιν κατὰ πάντα, τοῦτο γὰρ εὐάρεστόν ἐστιν ⸀ἐν 1,12 E 5,10
κυρίῳ. **21** Οἱ πατέρες, μὴ ⸀ἐρεθίζετε τὰ τέκνα ὑμῶν, ἵνα
μὴ ἀθυμῶσιν.
22 Οἱ δοῦλοι, ὑπακούετε ⸋κατὰ πάντα⸌ τοῖς κατὰ
σάρκα κυρίοις, μὴ ἐν ⸀ὀφθαλμοδουλίᾳ ὡς ἀνθρωπάρε-
σκοι, ἀλλ' ἐν ἁπλότητι καρδίας φοβούμενοι τὸν ⸁κύ-
ριον. **23** ⸀ὃ ἐὰν ποιῆτε, ἐκ ψυχῆς ἐργάζεσθε ὡς τῷ κυρίῳ
⸆ °καὶ οὐκ ἀνθρώποις, **24** εἰδότες ὅτι ἀπὸ κυρίου ⸀ἀπο-
λήμψεσθε τὴν ἀνταπόδοσιν τῆς κληρονομίας⸂. τῷ ⸆ κυ- E 1,18 · R 12,11
ρίῳ Χριστῷ⸃ δουλεύετε· **25** ὁ γὰρ ἀδικῶν κομίσεται ὃ
4 ἠδίκησεν, καὶ οὐκ ἔστιν προσωπολημψία⸆. **1** Οἱ R 2,11! | Lv 25,43.53
κύριοι, τὸ δίκαιον καὶ τὴν ἰσότητα τοῖς δούλοις παρ- Mt 20,4
έχεσθε, εἰδότες ὅτι καὶ ὑμεῖς ἔχετε κύριον ἐν ⸀οὐρανῷ. Eccl 5,7 1T 6,15
2 Τῇ προσευχῇ ⸀προσκαρτερεῖτε, γρηγοροῦντες ἐν αὐ- Act 2,42! E 6,18

16 ° ℵ* A C D[2] 𝔐 ¦ *txt* 𝔓[46] ℵ[2] B D* F G Ψ 6. 1739 *pc* | ⸂τη -δια D[2] I 𝔐; Cl ¦ *txt* 𝔓[46] ℵ A B C D* F G Ψ 6. 33. 81. 104. 326. 1175. 1241[s]. 1739. 1881. 2464 *pc* latt sy co | ⸁κυριω C[2] D[2] Ψ* 𝔐 a vg[mss] bo[mss] ¦ *txt* 𝔓[46] ℵ A B C* D* F G Ψ[c] 6. 33. 81. 365. (1175). 1739. 1881. 2464 *pc* lat sy co; Cl ● **17** ⸂Ι. Χριστου A C D* F G ¦ κυρ. Ι. Χρ. ℵ[(2)] D[2] 365. 1175. (2495) *pc* (a b) vg[cl] (sy[p]) sa[ms] ¦ κυρ. L; Hier ¦ *txt* 𝔓[46] B (Ψ 104. 1241[s] *pc*: + του) 𝔐 f m vg[st] sy[h] sa[mss]; Cl Ambst | ⸆και D F G I Ψ 𝔐 vg sy[h]; Cl Ambst ¦ *txt* 𝔓[46vid] ℵ A B C 81. 1739 a b m vg[mss] sy[p]; Spec ● **18** ⸀ανδ. υμων D* F G it sy[p.h**] ¦ ιδιοις ανδ. L 6. 365. 614. 630. 1175. 1881. 2464 *pm* ● **19** ⸆υμων C[2] D* F G it vg[cl] sy; Ambst Spec ¦ εαυτων (⸉ ℵ) 1175 ¦ *txt* 𝔓[46vid] A B C* D[2] Ψ 𝔐 m* vg[st] sa[ms] bo[ms]; Cl ● **20** ⸀τω 0198. 81. 326. 629. 630. 945. 1241[s] *al* a vg[mss]; Cl Ambst ● **21** ⸀(E 6,4) παροργιζετε A C D* F G L 0198. 33. 81. 104. 365. 1175. 1241[s]. 1739[mg]. 2495 *al* vg[mss]; Ambst ¦ *txt* 𝔓[46vid] ℵ B D[2] Ψ 𝔐 lat; Cl ● **22** ⸋ 𝔓[46] 81. 1241[s] *pc* vg[ms] sa | ⸀† -λιαις ℵ C Ψ 𝔐 sy[h]; Cl ¦ *txt* 𝔓[46] A B D F G 81. 104. 365. 1241[s] *al* co | ⸁θεον 𝔓[46] ℵ[2] D[2] 𝔐 d vg[cl] ¦ *txt* ℵ* A B C D* F G L Ψ 048. 33. 81. 365. 1175. 1241[s]. 1739. 1881. 2464 *al* lat sy co; Cl ● **23** ⸀και (– ℵ[2]) παν ο ℵ[2] 104. 326 *pc* sy[p]; Cl ¦ και (– Ψ) παν ο τι D[2] Ψ 𝔐 (sy[h]) ¦ *txt* 𝔓[46] ℵ* A B C D* F G 33. 81. 365. 1175. 1241[s]. 1739. 1881. 2464 *pc* | ⸆(E 6,7) δουλευοντες A *pc* | ° 𝔓[46] B 1739; Ambst ● **24** ⸀λη- 𝔓[46] ℵ[2] A Ψ 𝔐 ¦ *txt* ℵ* B C D F G 33. 629. 1175 *pc*; Cl | ⸂του κυριου ημων Ιησου Χριστου, ᾧ F G (d m) (bo[pt]); (Ambst) | ⸆γαρ D[2] Ψ 𝔐 sy; Cl ¦ *txt* 𝔓[46] ℵ A B C D* F G 33. 81. 365. 1175. 1241[s]. 1739. 1881. 2464 *pc* ● **25** ⸆(E 6,9) παρα τω θεω F G I 629 it vg[cl]; Ambst Pel Cass

¶ **4,1** ⸀-νοις ℵ[2] D F G Ψ 𝔐 b vg[mss] sy[h] bo[pt]; Ambst Spec ¦ *txt* ℵ* A B C I 33. 81. 104. 326. 1241[s]. 1739. 1881 *pc* lat sa bo[pt]; Cl ● **2** ⸀-ρουντες I 33. 1241[s*]. 1881 *pc* vg[mss]; Or[lat]

E 6,19 R 15,30! τῇ ⸋ἐν εὐχαριστίᾳ⸌, **3** προσευχόμενοι ἅμα καὶ περὶ ἡμῶν,
Act 14,27! ἵνα ὁ θεὸς ἀνοίξῃ ἡμῖν θύραν τοῦ λόγου ⸆ λαλῆσαι τὸ
μυστήριον τοῦ ⸀Χριστοῦ, δι' ⸁ὃ καὶ δέδεμαι, **4** ἵνα φανε-
E 6,20; | 5,15s · ρώσω αὐτὸ ὡς δεῖ με λαλῆσαι. **5** Ἐν σοφίᾳ περιπατεῖτε
Mc 4,11! πρὸς τοὺς ἔξω τὸν καιρὸν ἐξαγοραζόμενοι. **6** ὁ λόγος
3,16 E 4,29 · Mt 5,13 ὑμῶν πάντοτε ἐν χάριτι, ἅλατι ἠρτυμένος, εἰδέναι πῶς
δεῖ ὑμᾶς ἑνὶ ἑκάστῳ ἀποκρίνεσθαι.

Ph 1,12! · E 6,21! **7** Τὰ κατ' ἐμὲ πάντα γνωρίσει ὑμῖν Τύχικος ὁ ἀγαπητὸς ἀδελφὸς καὶ πιστὸς διάκονος καὶ σύνδουλος ἐν κυ-
E 6,22 ρίῳ, **8** ὃν ἔπεμψα πρὸς ὑμᾶς εἰς αὐτὸ τοῦτο, ἵνα ⸂γνῶτε
τὰ περὶ ἡμῶν⸃ καὶ παρακαλέσῃ τὰς καρδίας ὑμῶν, **9** σὺν
Phm 10 Ὀνησίμῳ τῷ πιστῷ καὶ ἀγαπητῷ ἀδελφῷ, ὅς ἐστιν ἐξ
ὑμῶν· πάντα ὑμῖν γνωρίσουσιν τὰ ὧδε⸆.

Act 27,2! · R 16,7 Phm 23 **10** Ἀσπάζεται ὑμᾶς Ἀρίσταρχος ὁ συναιχμάλωτός μου
Act 12,12!; · 4,36! καὶ Μᾶρκος ὁ ἀνεψιὸς Βαρναβᾶ (περὶ οὗ ἐλάβετε ἐντο-
Act 18,27! λάς, ἐὰν ἔλθῃ πρὸς ὑμᾶς, δέξασθε αὐτόν) **11** καὶ Ἰησοῦς
G 2,12! ὁ λεγόμενος Ἰοῦστος, οἱ ὄντες ἐκ περιτομῆς, οὗτοι μόνοι
συνεργοὶ εἰς τὴν βασιλείαν τοῦ θεοῦ, οἵτινες ἐγενήθησάν
1,7! μοι παρηγορία. **12** ἀσπάζεται ὑμᾶς Ἐπαφρᾶς ὁ ἐξ ὑμῶν,
1,29! δοῦλος ⸂Χριστοῦ [Ἰησοῦ]⸃, πάντοτε ἀγωνιζόμενος ὑπὲρ
1,28! ὑμῶν ἐν ταῖς προσευχαῖς, ἵνα ⸀σταθῆτε τέλειοι καὶ ⸁πε-
R 4,21! πληροφορημένοι ἐν παντὶ θελήματι τοῦ θεοῦ. **13** μαρτυρῶ γὰρ αὐτῷ ὅτι ἔχει πολὺν ⸀πόνον ὑπὲρ ὑμῶν καὶ τῶν
Ap 3,14! ἐν Λαοδικείᾳ καὶ τῶν ἐν ⸁Ἱεραπόλει. **14** ἀσπάζεται ὑμᾶς
2T 4,11 Phm 24 · 2T 4,10! Λουκᾶς ὁ ἰατρὸς ⸋ὁ ἀγαπητὸς⸌ καὶ Δημᾶς.

15 Ἀσπάσασθε τοὺς ἐν Λαοδικείᾳ ἀδελφοὺς καὶ
R 16,5 ⸀Νύμφαν καὶ τὴν κατ' οἶκον ⸁αὐτῆς ἐκκλησίαν. **16** καὶ
ὅταν ἀναγνωσθῇ παρ' ὑμῖν ἡ ἐπιστολή, ποιήσατε ἵνα καὶ
1Th 5,27 ἐν τῇ Λαοδικέων ἐκκλησίᾳ ἀναγνωσθῇ, καὶ τὴν ἐκ Λαο-

2 ⸋ D*; Ambst ● **3** ⸆εν παρρησια A | ⸀θεου B* L 614. 2495* vg^{ms} sa^{mss} | ⸁ον B F G vg^{ms} ● **8** ⸂γνω τ. περι υμων 𝔓^{46} א^{2} C D^{1} Ψ 𝔐 f vg sy sa^{mss} bo; Ambst ¦ *txt* (א*: υμ-) A B D* F G P 048. 33. 81. 365. 1175. (1241^{s}) *al* it sa^{mss} ● **9** ⸆πραττομενα F G *ex* latt*?* ● **12** ⸂*2 1* P 1241^{s} *pc* vg^{mss} ¦ *1* 𝔓^{46} D F G Ψ 𝔐 b vg^{mss} sy; Ambst Hier ¦ *txt* א A B C L 33. 81. 365. 629. 1175. 2464 *al* lat | ⸀στητε א^{2} A C D F G Ψ 𝔐 ¦ ητε I 2464 *pc* a m vg^{mss} sy^{hmg}; Ambst ¦ *txt* 𝔓^{46vid} א* B 81. 365. 1241^{s}. 1739. 1881 *pc* | ⸁πεπληρωμενοι 𝔓^{46} D^{1} 𝔐 sy ¦ *txt* א A B C D* F G L Ψ 33. 81. 104. 365. 1241^{s}. 1739. 2464 *pc* sy^{hmg} ● **13** ⸀κοπον D* F G 629 ¦ ποθον 104 *pc* ¦ αγωνα 6. 1739. 1881 *pc* ¦ ζηλον (*vl* ⸉ζ. πολ.) D^{2} Ψ 𝔐 sy ¦ *txt* א A B C P 81. (365). 1175. 1241. 2464 *pc* | [⸁Ἱερᾷ Πόλει comm] ● **14** ⸋ 33 *pc* ● **15** ⸀Νυμφᾶν *et* ⸁αυτου D (F G) Ψ 𝔐 sy$^{p.hmg}$ ¦ N. *et* αυτων א A C P 33. 81. 104. 326. 1175. 2464 *pc* bo ¦ *txt* B 6. 1739. 1881 *pc* sy^{h} sa

δικείας ἵνα καὶ ὑμεῖς ἀναγνῶτε. **17** καὶ εἴπατε Ἀρχίππῳ· Phm 2
βλέπε τὴν διακονίαν ἣν παρέλαβες ἐν κυρίῳ, ἵνα αὐτὴν
πληροῖς.
18 Ὁ ἀσπασμὸς τῇ ἐμῇ χειρὶ Παύλου. μνημονεύετέ 1K 16,21!
μου τῶν δεσμῶν. ἡ χάρις μεθ᾽ ὑμῶν. ⸆ Ph 1,7! · 1T 6,21 2T 4,22

ΠΡΟΣ ΘΕΣΣΑΛΟΝΙΚΕΙΣ Α΄

Act 17,1.11.13; 20,4; 27,2 Ph 4,16 2T 4,10

1 Παῦλος καὶ Σιλουανὸς καὶ Τιμόθεος τῇ ἐκκλησίᾳ Act 15,27!; · 16,1!
Θεσσαλονικέων ἐν θεῷ πατρὶ ⸆ καὶ κυρίῳ Ἰησοῦ
Χριστῷ, χάρις ὑμῖν καὶ εἰρήνη⸆¹. R 1,7!
2 Εὐχαριστοῦμεν τῷ θεῷ πάντοτε περὶ πάντων ὑμῶν 1K 1,4!
μνείαν ⸆ ποιούμενοι ἐπὶ τῶν προσευχῶν ἡμῶν, ἀδιαλεί- 2,13 R 1,9
πτως **3** μνημονεύοντες ὑμῶν τοῦ ἔργου τῆς πίστεως καὶ 2Th 1,11 · Ap 2,2 · 1K 13,13! ·
τοῦ κόπου τῆς ἀγάπης καὶ τῆς ὑπομονῆς τῆς ἐλπίδος 4Mcc 17,4
τοῦ κυρίου ἡμῶν Ἰησοῦ Χριστοῦ ἔμπροσθεν τοῦ θεοῦ
καὶ πατρὸς ἡμῶν, **4** εἰδότες, ἀδελφοὶ ἠγαπημένοι ὑπὸ 2Th 2,13
°[τοῦ] θεοῦ, τὴν ἐκλογὴν ὑμῶν, **5** ὅτι τὸ εὐαγγέλιον ⸀ἡ- 9
μῶν οὐκ ἐγενήθη ⸁εἰς ὑμᾶς ἐν λόγῳ μόνον ἀλλὰ καὶ ἐν
δυνάμει καὶ ἐν πνεύματι ἁγίῳ καὶ °[ἐν] πληροφορίᾳ 1K 2,4!s R 15,19 Act 1,8
πολλῇ, καθὼς οἴδατε οἷοι ἐγενήθημεν °¹[ἐν] ὑμῖν δι᾽ ὑ-
μᾶς. **6** Καὶ ὑμεῖς μιμηταὶ ἡμῶν ἐγενήθητε καὶ τοῦ 1K 11,1!
κυρίου, δεξάμενοι τὸν λόγον ἐν θλίψει πολλῇ μετὰ χαρᾶς Act 8,14!; · 13,52

18 ⸆αμην ℵ^{2} D Ψ 𝔐 lat sy bo^{pt} ¦ *txt* ℵ* A B C F G 048. 6. 33. 81. 1881 *pc* vg^{mss} sa bo^{pt}; Ambst

Subscriptio: Προς Κολ(ο)σσαεις ℵ B C (D F G) Ψ 048. 33. (2495) *pc* ¦ πρ. Κ. εγραφη (– A) απο Ρωμης A B^{1} P *pc* ¦ πρ. Κ. εγ. απο Ρ. δια Τυχικου και Ονησιμου 𝔐 ¦ – 𝔓^{46} 323. 365. 629. 630. 2464 *pc*

¶ **1,1** ⸆ημων A 81. (629) *pc* a r vg^{mss} sa^{mss} | ⸆¹(2Th 1,2) απο θεου πατρος ημων και κυριου Ιησου Χριστου ℵ A (D) I 𝔐 (m) vg^{mss} sy^{h**} (bo) ¦ *txt* B F G Ψ 629. 1739. 1881 *pc* lat sy^{p} sa ● **2** ⸆υμων ℵ^{2} C D F G Ψ 𝔐 it sy; Ambst ¦ *txt* ℵ* A B I 6. 33. 81. 323. 630. 1739. 1881 *pc* m vgst ● **4** ° B D F G 𝔐 ¦ *txt* ℵ A C K P Ψ 81. 104. 945. 1175. 1739. 1881 *al* ● **5** ⸀του θεου ℵ^{c} C ¦ του θεου ημων ℵ* | ⸁προς A C^{2} D F G *pc* ¦ εν (υμιν) P ¦ *txt* ℵ B C* Ψ 𝔐 | °† ℵ B 33 lat ¦ *txt* A C D F G Ψ 𝔐 r vg^{mss} | °¹ ℵ A C P 048. 33. 81. 104. 326*. 945. 1739. 1881 *pc* vgst ¦ *txt* B D F G Ψ 𝔐 it sy$^{(p)}$

Ph 3,17! ⸆ πνεύματος ἁγίου, **7** ὥστε γενέσθαι ὑμᾶς ⸀τύπον πᾶσιν
4,10 τοῖς πιστεύουσιν ἐν τῇ Μακεδονίᾳ καὶ ἐν τῇ Ἀχαΐᾳ.
2Th 3,1 **8** ἀφ' ὑμῶν γὰρ ἐξήχηται ὁ λόγος τοῦ κυρίου οὐ μόνον
ἐν τῇ Μακεδονίᾳ καὶ ⸋[ἐν τῇ]⸌ Ἀχαΐᾳ, ⸀ἀλλ' ἐν παντὶ
R 1,8! 4Mcc 16,12 τόπῳ ἡ πίστις ὑμῶν ἡ πρὸς τὸν θεὸν ἐξελήλυθεν, ὥστε
μὴ χρείαν ἔχειν ἡμᾶς λαλεῖν τι. **9** αὐτοὶ γὰρ περὶ ⸀ἡμῶν
5; 2,1 ἀπαγγέλλουσιν ὁποίαν εἴσοδον ἔσχομεν πρὸς ὑμᾶς, καὶ
Act 14,15 · 1K 12,2 · πῶς ἐπεστρέψατε πρὸς τὸν θεὸν ἀπὸ τῶν εἰδώλων δου-
H 9,14 · J 17,3 | Tt 2,13 · λεύειν θεῷ ζῶντι καὶ ἀληθινῷ **10** καὶ ⸀ἀναμένειν τὸν
Act 3,15! υἱὸν αὐτοῦ ἐκ τῶν οὐρανῶν, ὃν ἤγειρεν ἐκ °[τῶν] νε-
5,9 R 5,9 Mt 3,7!p κρῶν, Ἰησοῦν τὸν ῥυόμενον ἡμᾶς ⸁ἐκ τῆς ὀργῆς τῆς
ἐρχομένης.

1,9! **2** Αὐτοὶ γὰρ οἴδατε, ἀδελφοί, τὴν εἴσοδον ἡμῶν τὴν
πρὸς ὑμᾶς ὅτι οὐ κενὴ γέγονεν, **2** ἀλλὰ προπαθόν-
Act 16,20-24 τες καὶ ὑβρισθέντες, καθὼς οἴδατε, ἐν Φιλίπποις ἐπαρ-
Act 17,1-5 ρησιασάμεθα ἐν τῷ θεῷ ἡμῶν λαλῆσαι πρὸς ὑμᾶς τὸ
8s R 1,1; 15,16 2K 11,7 1P 4,17 εὐαγγέλιον τοῦ θεοῦ ἐν πολλῷ ἀγῶνι. **3** ἡ γὰρ παράκλη-
Mc 1,14 · Kol 1,29! | σις ἡμῶν οὐκ ἐκ πλάνης οὐδὲ ἐξ ἀκαθαρσίας ⸀οὐδὲ ἐν
2K 12,16 | δόλῳ, **4** ἀλλὰ καθὼς δεδοκιμάσμεθα ὑπὸ τοῦ θεοῦ πι-
1T 1,11! G 1,10 στευθῆναι τὸ εὐαγγέλιον, οὕτως λαλοῦμεν, οὐχ ὡς ἀν-
Jr 11,20 θρώποις ἀρέσκοντες ἀλλὰ ⸆ θεῷ τῷ δοκιμάζοντι τὰς καρδίας ἡμῶν. **5** Οὔτε γάρ ποτε ἐν λόγῳ κολακείας ἐγε-
Mc 12,40p · 2P 2,3 νήθημεν, καθὼς οἴδατε, οὔτε °ἐν προφάσει πλεονεξίας,
R 1,9 | J 5,41.44 θεὸς μάρτυς, **6** οὔτε ζητοῦντες ἐξ ἀνθρώπων δόξαν οὔτε
2K 11,9 ἀφ' ὑμῶν οὔτε ἀπ' ἄλλων, **7** δυνάμενοι ἐν βάρει εἶναι ὡς
Χριστοῦ ἀπόστολοι. ἀλλὰ ἐγενήθημεν ⸀νήπιοι ἐν μέσῳ
1K 3,2 E 5,29 ὑμῶν, ὡς ἐὰν τροφὸς θάλπῃ τὰ ἑαυτῆς τέκνα, **8** οὕτως
⸀ὁμειρόμενοι ὑμῶν ⸁εὐδοκοῦμεν μεταδοῦναι ὑμῖν οὐ μό-

6 ⸆και B vg^{mss} ● **7** ⸀τυπους ℵ A C F G Ψ 𝔐 sy^{h} ¦ *txt* B D$^{(1)}$ 6. 33. 81. 104. 1739. 1881 *pc* lat sy^{p} ● **8** ⸋† B K 6. 33. 365. 614. 629. 630. 1739. (1881) *al* r vg^{mss} ¦ *txt* ℵ C D F G Ψ 𝔐 lat (A: *h. t.*) | ⸀αλλα και ℵ^{2} D^{2} 𝔐 m vg^{cl}; Ambst ¦ *txt* (ℵ*) A B C D* F G P Ψ 33. 81. 1739. 1881 *al* lat sy ● **9** ⸀υμων B 81. 323. 614. 629. 630. 945 *al* a d vg^{mss} sa^{mss} bo^{ms} ● **10** ⸀υπομ- 𝔓^{46vid} | °A C K 323. 629. 945. 2464. 2495 *al* ¦ *txt* ℵ B D F G I Ψ 𝔐; Eus | ⸁απο C D F G Ψ 𝔐 ¦ *txt* ℵ A B P 33. 81. 1739. 1881. 2464 *pc* latt
¶ **2,3** ⸀ουτε D^{2} 𝔐 ¦ *txt* ℵ A B C D* F G P Ψ 6. 33. 81. 326. 629. 1739. 1881. 2464 *pc* ● **4** ⸆τω ℵ^{2} A D^{2} F G Ψ 𝔐 ¦ *txt* ℵ* B C D* P 2495 *pc*; Cl ● **5** ° B 33. 326. 2464 *pc*; Cl ● **7** ⸀† ηπιοι ℵ^{c} A C^{2} D^{2} Ψ^{c} 𝔐 vgst (sy) sa^{mss} ¦ *txt* 𝔓^{65} ℵ* B C* D* F G I Ψ* 104*. 326^{c}. 2495 *pc* it vg^{ww} sa^{ms} bo; Cl ● **8** ⸀ιμειρ- 323. 629. 630. 945. 1881. 2495 *al* | ⸁ευδοκησαμεν 33. 81 *pc* f vg

νον τὸ εὐαγγέλιον ⸂τοῦ θεοῦ⸃ ἀλλὰ καὶ τὰς ἑαυτῶν ψυ- 2!
χάς, διότι ἀγαπητοὶ ἡμῖν ⸀1ἐγενήθητε. **9** Μνημονεύετε γάρ, ἀδελφοί, τὸν κόπον ἡμῶν καὶ τὸν μόχθον· νυκτὸς ⸆ καὶ ἡμέρας ἐργαζόμενοι πρὸς τὸ μὴ ἐπιβαρῆσαί 1K 4,12!
τινα ὑμῶν ἐκηρύξαμεν εἰς ὑμᾶς τὸ εὐαγγέλιον τοῦ θεοῦ.
10 ὑμεῖς μάρτυρες καὶ ὁ θεός, ὡς ὁσίως καὶ δικαίως καὶ E 4,24!
ἀμέμπτως ὑμῖν τοῖς ⸀πιστεύουσιν ἐγενήθημεν, **11** καθ-
άπερ οἴδατε, ὡς ἕνα ἕκαστον ὑμῶν ὡς πατὴρ τέκνα ἑαυ- Act 20,31 · 1K 4,14s!
τοῦ **12** παρακαλοῦντες °ὑμᾶς καὶ παραμυθούμενοι καὶ
μαρτυρόμενοι εἰς τὸ περιπατεῖν ὑμᾶς ἀξίως τοῦ θεοῦ τοῦ E 4,1 Kol 1,10 Ph 1,27 ·
⸀καλοῦντος ὑμᾶς εἰς τὴν ἑαυτοῦ βασιλείαν καὶ δόξαν. 4,7! 2Th 1,5; 2,14 1P 5,10 |
13 °Καὶ διὰ τοῦτο καὶ ἡμεῖς εὐχαριστοῦμεν τῷ θεῷ 1K 1,4!
ἀδιαλείπτως, ὅτι παραλαβόντες λόγον ἀκοῆς παρ' ἡμῶν 1,2! · 4,1 2Th 3,6 · H 4,2 · Act 8,14! · G 1,11
τοῦ θεοῦ ἐδέξασθε οὐ λόγον ἀνθρώπων ἀλλὰ καθώς ⸂ἐ-
στιν ἀληθῶς⸃ λόγον θεοῦ, ὃς καὶ ἐνεργεῖται ἐν ὑμῖν τοῖς H 4,12
πιστεύουσιν. **14** Ὑμεῖς γὰρ μιμηταὶ ἐγενήθητε, ἀδελ- 1K 11,1!
φοί, τῶν ἐκκλησιῶν τοῦ θεοῦ τῶν οὐσῶν ἐν τῇ Ἰου- G 1,22
δαίᾳ ἐν Χριστῷ Ἰησοῦ, ὅτι τὰ αὐτὰ ἐπάθετε καὶ ὑμεῖς
ὑπὸ τῶν ἰδίων συμφυλετῶν καθὼς καὶ αὐτοὶ ὑπὸ τῶν Act 17,13
Ἰουδαίων, **15** τῶν καὶ τὸν κύριον ἀποκτεινάντων Ἰησοῦν Act 2,23!
καὶ τοὺς ⸆ προφήτας καὶ ἡμᾶς ἐκδιωξάντων καὶ θεῷ μὴ Mt 23,34 L 11,49 v.l.
ἀρεσκόντων καὶ πᾶσιν ἀνθρώποις ἐναντίων, **16** κωλυόν- Act 17,5!
των ἡμᾶς τοῖς ἔθνεσιν λαλῆσαι ἵνα σωθῶσιν, εἰς τὸ ἀνα- 1K 10,33 ·
πληρῶσαι αὐτῶν τὰς ἁμαρτίας πάντοτε. ⸋⸀ἔφθασεν δὲ Gn 15,16 Mt 23,32s
ἐπ' αὐτοὺς ἡ ὀργὴ ⸆ εἰς τέλος.⸌ R 1,18!
2 **17** Ἡμεῖς δέ, ἀδελφοί, ἀπορφανισθέντες ἀφ' ὑμῶν πρὸς
καιρὸν ὥρας, προσώπῳ οὐ καρδίᾳ, περισσοτέρως ἐσπου-
δάσαμεν τὸ πρόσωπον ὑμῶν ἰδεῖν ἐν πολλῇ ἐπιθυμίᾳ. 3,10 R 1,11!
18 διότι ἠθελήσαμεν ἐλθεῖν πρὸς ὑμᾶς, ἐγὼ μὲν Παῦλος
καὶ ἅπαξ καὶ δίς, καὶ ἐνέκοψεν ἡμᾶς ὁ σατανᾶς. **19** τίς Ph 4,16 · R 15,22!
γὰρ ἡμῶν ἐλπὶς ἢ χαρὰ ἢ στέφανος ⸀καυχήσεως – ἢ οὐχὶ 3,9 · Ph 4,1; 2,16 2K 8,24!

8 ⸂τ. Χριστου 2 *pc*; Hier ¦ – 255*?*; Or^{lat} | ⸀1γεγενησθε Ψ 𝔐 ¦ *txt* ℵ A B C D F G I^{vid} L P 33. 81. 104. 365. 1241. 1739. 1881. 2464 *al* ● **9** ⸆γαρ D^{1} 𝔐 sy^{hmg} ¦ *txt* ℵ A B D* F G H P Ψ 6. 33. 81. 326. 365. 1739. 1881. 2464. 2495 *pc* latt sy co ● **10** ⸀-ευσασιν 𝔓^{65} lat ● **12** ° ℵ vg^{ms} | ⸀καλεσαντος ℵ A 104. 326. 945. 2464 *pc* a f vg sy co; Aug Spec ● **13** ° D F G H 𝔐 lat sy^{p} ¦ *txt* ℵ A B P Ψ 6. 81. 1739. 1881 *pc* (m) sy^{h}; Ambst | ⸂† *2 1* B 33. 326. 1739. 1881 *pc* ¦ *1* ℵ* vg^{ms} ¦ *txt* ℵ^{1} A D F G H Ψ 0208^{vid} 𝔐 lat sy ● **15** ⸆ιδιους D^{1} Ψ 𝔐 sy; Mcion*?* ¦ *txt* ℵ A B D* F G I P 0208. 6. 33. 81. 629. 1739. 1881 *pc* latt co ● **16** ⸋ vg^{ms} [– Ritschl, – *vss* 15.16 Rodrigues *cjj*] | ⸀-ακεν B D* Ψ 104 *pc* ¦ *txt* ℵ A D^{1} F G 𝔐 | ⸆του θεου D F G 629 latt ● **19** ⸀αγαλλιασεως A; Tert

καὶ ὑμεῖς – ἔμπροσθεν τοῦ κυρίου ἡμῶν Ἰησοῦ ἐν τῇ
3,13; 4,15; 5,23 2Th 2,1.8 1K 15, 23 Jc 5,7s | αὐτοῦ παρουσίᾳ; **20** ὑμεῖς γάρ ἐστε ἡ δόξα ἡμῶν καὶ
ἡ χαρά.

5 **3** ⸀Διὸ μηκέτι στέγοντες εὐδοκήσαμεν καταλειφθῆναι
Act 17,14s ἐν Ἀθήναις μόνοι **2** καὶ ἐπέμψαμεν Τιμόθεον, τὸν
Act 16,1! 1K 3,9! ἀδελφὸν ἡμῶν ⸂καὶ συνεργὸν τοῦ θεοῦ⸃ ἐν τῷ εὐαγγελίῳ
τοῦ Χριστοῦ, εἰς τὸ στηρίξαι ὑμᾶς καὶ παρακαλέσαι ⸆
⸀ὑπὲρ τῆς πίστεως ὑμῶν **3** τὸ ⸂μηδένα σαίνεσθαι⸃ ἐν ταῖς
Act 14,22! 2Th 1,4 θλίψεσιν ταύταις. αὐτοὶ γὰρ οἴδατε ὅτι εἰς τοῦτο κεί-
2Th 2,5; 3,10 · G 1,9! μεθα· **4** καὶ γὰρ ὅτε πρὸς ὑμᾶς ἦμεν, προελέγομεν ὑμῖν
ὅτι μέλλομεν θλίβεσθαι, καθὼς καὶ ἐγένετο καὶ οἴδατε.
1 **5** διὰ τοῦτο κἀγὼ μηκέτι στέγων ἔπεμψα εἰς τὸ γνῶναι
Mt 4,3 τὴν ⸉πίστιν ὑμῶν⸊, μή πως ἐπείρασεν ὑμᾶς ὁ πειράζων
Ph 2,16! καὶ εἰς κενὸν γένηται ὁ κόπος ἡμῶν.
Act 18,5 **6** Ἄρτι δὲ ἐλθόντος Τιμοθέου πρὸς ἡμᾶς ἀφ᾽ ὑμῶν καὶ
L 1,19 · 1,3 εὐαγγελισαμένου ἡμῖν τὴν πίστιν καὶ τὴν ἀγάπην ὑμῶν
R 1,11! καὶ ὅτι ἔχετε μνείαν ἡμῶν ἀγαθὴν πάντοτε, ἐπιποθοῦντες ἡμᾶς ἰδεῖν καθάπερ καὶ ἡμεῖς ὑμᾶς, **7** διὰ τοῦτο παρεκλήθημεν, ἀδελφοί, ἐφ᾽ ὑμῖν ἐπὶ πάσῃ τῇ ἀνάγκῃ καὶ
2Th 1,4 θλίψει ἡμῶν ⸆ διὰ τῆς ὑμῶν πίστεως, **8** ὅτι νῦν ζῶμεν
1K 16,13! R 11,20! ἐὰν ὑμεῖς ⸀στήκετε ἐν κυρίῳ. **9** τίνα γὰρ εὐχαριστίαν δυνάμεθα τῷ ⸀θεῷ ἀνταποδοῦναι περὶ ὑμῶν ἐπὶ πάσῃ τῇ
2,19s χαρᾷ ᾗ χαίρομεν δι᾽ ὑμᾶς ἔμπροσθεν τοῦ ⸁θεοῦ ἡμῶν,
10 νυκτὸς καὶ ἡμέρας ὑπερεκπερισσοῦ δεόμενοι εἰς τὸ
2,17! · cf 12; 4,1 ἰδεῖν ὑμῶν τὸ πρόσωπον καὶ καταρτίσαι τὰ ὑστερήματα
τῆς πίστεως ὑμῶν;
2Th 2,16 **11** Αὐτὸς δὲ ὁ θεὸς καὶ πατὴρ ἡμῶν καὶ ὁ κύριος ἡμῶν
Jdth 12,8 𝔊 Ἰησοῦς κατευθύναι τὴν ὁδὸν ἡμῶν πρὸς ὑμᾶς· **12** ὑμᾶς
2Th 1,3 Ph 1,9 δὲ ὁ κύριος πλεονάσαι καὶ περισσεύσαι τῇ ἀγάπῃ εἰς
5,15 G 6,10 ἀλλήλους καὶ εἰς πάντας καθάπερ καὶ ἡμεῖς εἰς ὑμᾶς,
Jc 5,8 · 5,23 Ph 2,15 **13** εἰς τὸ στηρίξαι ὑμῶν τὰς καρδίας ⸀ἀμέμπτους ἐν ⸁ἁ-

¶ **3,1** ⸀διοτι B ● **2** ⸂ *1 2* B *pc* vg^{mss} ¦ κ. διακονον του θεου ℵ A P Ψ 6. 81. 629*. 1241. 1739. 1881. 2464 *pc* lat co ¦ κ. διακ. τ. θ. και συνερ. ημων D^{2} 𝔐 vg^{mss} sy$^{p.h**}$ ¦ διακ. κ. συνερ. τ. θ. F G ¦ *txt* D* 33 b m*; Ambst | ⸆υμας D^{1} 𝔐 vg^{ms} sy^{p} ¦ *txt* ℵ A B D* F G I P Ψ 6. 33. 81. 104. 326. 629. 1739. 1881. 2464 *pc* lat sy^{h} | ⸀περι D^{2} 𝔐 ¦ *txt* ℵ A B D* F G I K P Ψ 33. 81. 104. 1739. 1881. 2464 *pc* ● **3** ⸂μηδενα σιαινεσθαι F G ● **5** ⸉ B *pc* ● **7** ⸆και A (D) ● **8** ⸀στηκητε ℵ* D *pc* ● **9** ⸀κυριω ℵ* D* F G a b vg^{mss} bo^{mss} ¦ *txt* ℵ^{2}A B D^{2} Ψ 𝔐 f m vg sy co; Ambst | ⸁κυριου ℵ* 181 a b m vg^{mss} ● **13** ⸀-πτως B L 33. 81. 104. 365. 1241 *pc* latt | ⸁δικαιοσυνη A *pc*

γιωσύνῃ ἔμπροσθεν τοῦ θεοῦ καὶ πατρὸς ἡμῶν ἐν τῇ παρ- 2,19! 2Th 1,7.10
ουσίᾳ τοῦ κυρίου ἡμῶν Ἰησοῦ μετὰ πάντων τῶν ἁγίων Zch 14,5
αὐτοῦ, ⸋[ἀμήν].

4 Λοιπὸν ⸋οὖν, ἀδελφοί, ἐρωτῶμεν ὑμᾶς καὶ παρακαλοῦμεν ἐν κυρίῳ Ἰησοῦ, ⸋¹ἵνα καθὼς παρελάβετε 2,13!
παρ' ἡμῶν τὸ πῶς δεῖ ὑμᾶς περιπατεῖν καὶ ἀρέσκειν θεῷ, 1K 7,32
⸋καθὼς καὶ περιπατεῖτε⸌, ἵνα περισσεύητε μᾶλλον. **2** οἴ- 10; 3,10
δατε γὰρ τίνας παραγγελίας ἐδώκαμεν ὑμῖν διὰ τοῦ κυ- 2Th 3,4
ρίου Ἰησοῦ.

3 Τοῦτο γάρ ἐστιν θέλημα τοῦ θεοῦ, ὁ ἁγιασμὸς ὑμῶν, 5,23 H 10,10! 1P 1,16
ἀπέχεσθαι ὑμᾶς ἀπὸ ⸀τῆς πορνείας, **4** εἰδέναι ἕκαστον Act 15,20!
ὑμῶν τὸ ἑαυτοῦ σκεῦος κτᾶσθαι ἐν ἁγιασμῷ καὶ τιμῇ, 1P 3,7
5 μὴ ἐν πάθει ἐπιθυμίας καθάπερ καὶ τὰ ἔθνη τὰ μὴ εἰδό- Jr 10,25 Ps 79,6 G 4,8 2Th 1,8
τα τὸν θεόν, **6** τὸ μὴ ὑπερβαίνειν καὶ πλεονεκτεῖν ἐν 1K 15,34 |
⸀τῷ πράγματι τὸν ἀδελφὸν αὐτοῦ, διότι ἔκδικος κύριος 1K 6,1! · Ps 94,2 Sir 5,3 ·
περὶ πάντων τούτων, καθὼς καὶ προείπαμεν ὑμῖν καὶ διε- G 1,9!
μαρτυράμεθα. **7** οὐ γὰρ ἐκάλεσεν ἡμᾶς ὁ θεὸς ἐπὶ ἀκαθαρσίᾳ ἀλλ' ἐν ἁγιασμῷ. **8** τοιγαροῦν ὁ ἀθετῶν οὐκ ἄν- 2Th 2,13s
θρωπον ἀθετεῖ ἀλλὰ τὸν θεὸν τὸν ⸋[καὶ] ⸀διδόντα τὸ L 10,16! Ez 36,27; 37,14
πνεῦμα αὐτοῦ τὸ ἅγιον εἰς ⸂ὑμᾶς. 1K 6,19

9 Περὶ δὲ τῆς φιλαδελφίας οὐ χρείαν ⸀ἔχετε ⸂γράφειν R 12,10 H 13,1 1P 1,22 2P 1,7
ὑμῖν, αὐτοὶ γὰρ ὑμεῖς θεοδίδακτοί ἐστε εἰς τὸ ἀγαπᾶν J 6,45!; 13,34! |
ἀλλήλους, **10** καὶ γὰρ ποιεῖτε αὐτὸ ⸆ εἰς πάντας τοὺς 2Th 3,4
ἀδελφοὺς ⸋[τοὺς] ἐν ὅλῃ τῇ Μακεδονίᾳ. Παρακαλοῦμεν 1,7s
δὲ ὑμᾶς, ἀδελφοί, περισσεύειν μᾶλλον **11** καὶ φιλοτι- 1!
μεῖσθαι ἡσυχάζειν καὶ πράσσειν τὰ ἴδια καὶ ἐργάζεσθαι 2Th 3,12 1T 2,2. 11s · E 4,28
ταῖς ⸋[ἰδίαις] χερσὶν ὑμῶν, καθὼς ὑμῖν παρηγγείλαμεν,

13 ⸋† ℵ^{1} B D^{2} F G Ψ 𝔐 it sy sa bo^{mss} ¦ *txt* ℵ$^{*.2}$ A D* 81. 629 *pc* a m vg bo
¶ **4,1** ⸋ B* 33. 629. 630. 1175. 1739* vg^{mss} sy^{p} bo | ⸋¹ ℵ A D^{2} Ψ 𝔐 sy^{h} ¦ *txt* B D* F G 33. 2464 *pc* sy^{p} co | ⸋ D^{2} Ψ 𝔐 sy^{p} ¦ *txt* ℵ A B D* F G 0183. 33. 81. 104. 326. 365. 629 *al* (latt sy^{h}) co (6. 1739. 1881 *al*: *h. t.*) ● **3** ⸀πασης ℵ^{2} Ψ 104. 365 *pc* ¦ παση(ς) της F G^{c} ¦ *txt* ℵ* A B D G* 0183 𝔐 lat sy^{h} co; Tert Cl ● **6** [⸀τινι Grotius *cj*] ● **8** ⸋ A B D^{1} I 33. 365. 614. 1739*. 2464 *al* b sy^{p} bo; Ambst Spec ¦ *txt* ℵ D$^{*.2}$ F G Ψ 𝔐 lat sy^{h} sa^{mss}; Cl | ⸀δοντα ℵ^{2} A Ψ 𝔐 sy co; Cl ¦ *txt* ℵ* B D F G I 365. 2464 *pc* | ⸂ημας A 6. 365. 1739. 1881 *pc* a f m t vg^{cl} sy^{h}; Ambr Spec ● **9** ⸀εχομεν ℵ^{2} D* F G Ψ 6. 104. 365. 1739. 1881. 2464. 2495^{c} *pc* lat sy^{h} ¦ ειχομεν B I t vg^{mss} ¦ *txt* ℵ* A D^{1} H 𝔐 sy^{p} co; Aug | ⸂-φεσθαι H 81 *pc*; Aug ● **10** ⸆και B | ⸋ ℵ* A D* F G 629 lat ¦ *txt* ℵ^{2} B D^{1} H Ψ 𝔐 vg^{ms} ● **11** ⸋† ℵ^{2} B D* F G Ψ 6. 104. 365. 1175. 1739. 1881 *pc* sy^{h} ¦ *txt* ℵ* A D^{1} 𝔐

12 ἵνα περιπατῆτε εὐσχημόνως πρὸς τοὺς ἔξω καὶ μηδενὸς χρείαν ἔχητε.
13 Οὐ ⸀θέλομεν δὲ ὑμᾶς ἀγνοεῖν, ἀδελφοί, περὶ τῶν *5*
⸁κοιμωμένων, ἵνα μὴ λυπῆσθε καθὼς καὶ οἱ λοιποὶ ° οἱ
μὴ ἔχοντες ἐλπίδα. **14** εἰ γὰρ πιστεύομεν ὅτι Ἰησοῦς
ἀπέθανεν καὶ ἀνέστη, οὕτως ⸉καὶ ὁ θεὸς⸊ τοὺς κοιμη-
θέντας διὰ τοῦ Ἰησοῦ ἄξει σὺν αὐτῷ. **15** Τοῦτο γὰρ ὑμῖν
λέγομεν ἐν λόγῳ κυρίου, ὅτι ἡμεῖς οἱ ζῶντες οἱ περιλει-
πόμενοι εἰς τὴν παρουσίαν τοῦ ⸀κυρίου οὐ μὴ φθάσωμεν
τοὺς κοιμηθέντας· **16** ὅτι αὐτὸς ὁ κύριος ἐν κελεύσματι,
ἐν φωνῇ ἀρχαγγέλου καὶ ἐν σάλπιγγι θεοῦ, καταβήσεται
ἀπ᾽ οὐρανοῦ καὶ οἱ νεκροὶ ἐν Χριστῷ ἀναστήσονται
⸀πρῶτον, **17** ἔπειτα ἡμεῖς οἱ ζῶντες ⸋οἱ περιλειπόμενοι⸌
ἅμα σὺν αὐτοῖς ἁρπαγησόμεθα ἐν νεφέλαις εἰς ⸀ἀπάντη-
σιν τοῦ κυρίου εἰς ἀέρα· καὶ οὕτως πάντοτε ⸁σὺν κυρίῳ
ἐσόμεθα. **18** Ὥστε παρακαλεῖτε ἀλλήλους ἐν τοῖς λόγοις
τούτοις⸆.

5 Περὶ δὲ τῶν χρόνων καὶ τῶν καιρῶν, ἀδελφοί, οὐ *6*
χρείαν ἔχετε ὑμῖν γράφεσθαι, **2** αὐτοὶ γὰρ ἀκριβῶς
οἴδατε ὅτι ⸆ ἡμέρα κυρίου ὡς κλέπτης ἐν νυκτὶ οὕτως
ἔρχεται. **3** ὅταν ⸆ λέγωσιν· εἰρήνη καὶ ἀσφάλεια, τότε
αἰφνίδιος ⸂αὐτοῖς ἐφίσταται⸃ ὄλεθρος ὥσπερ ἡ ὠδὶν τῇ
ἐν γαστρὶ ἐχούσῃ, καὶ οὐ μὴ ⸀ἐκφύγωσιν. **4** ὑμεῖς δέ,
ἀδελφοί, οὐκ ἐστὲ ἐν σκότει, ἵνα ἡ ἡμέρα ὑμᾶς ὡς ⸀κλέ-
πτης καταλάβῃ· **5** πάντες γὰρ ὑμεῖς υἱοὶ φωτός ἐστε καὶ
υἱοὶ ἡμέρας. Οὐκ ⸀ἐσμὲν νυκτὸς οὐδὲ σκότους· **6** ἄρα
οὖν μὴ καθεύδωμεν ὡς ⸆ οἱ λοιποὶ ἀλλὰ γρηγορῶμεν καὶ
νήφωμεν. **7** Οἱ γὰρ καθεύδοντες νυκτὸς καθεύδουσιν
καὶ οἱ ⸀μεθυσκόμενοι νυκτὸς μεθύουσιν· **8** ἡμεῖς δὲ ἡμέ-

R 13,13 1K 7,35; 14,40 · Mc 4,11! 1K 10,32
13–17: 2Th 2,1-12 R 1,13!
5,6 E 2,3
E 2,12 Sap 3,18
5,10 R 14,9 1K 15,3s.12 · 17! | 1K 7,10!
2,19! · 1K 15,51
Mt 24,30s!p
2Th 1,7
1K 15,23!
Act 8,39!
14; 5,10 R 6,8 Ph 1,23! Kol 3,3s J 12,26! | 5,11!
Mt 24,36 Sap 8,8
1K 1,8! · Mt 24,43p 2P 3,10 Ap 3,3; 16,15 Sap 18,14s | Jr 6,14
L 21,34s Sap 17,14 · Is 13,8 Hen 62,4
1P 2,9 · 2!
J 12,36!; | 8,12!
R 13,12
R 13,11! · 4,13 · Mc 13,37!
1P 1,13! |

13 ⸀θελω 104. 614. 630 *pc* vg^{mss} sy; Aug^{pt} | ⸁κεκοιμημενων D (F G) Ψ 𝔐 ¦ *txt* ℵ A B 33. 81. 326. 1175. 1739 *pc*; Or | ° F G ● **14** ⸉ B 1739 *pc* ● **15** ⸀Ιησου B ● **16** ⸀πρωτοι D* F G latt; Tert ● **17** ⸋ F G a b; Tert Ambst Spec | ⸀υπαντ- D* F G | ⸁εν B ● **18** ⸆του πνευματος (1739^{c}) *pc*

¶ **5,2** ⸆η A Ψ 0226 𝔐 ¦ *txt* ℵ B D F G P 33. 81. 1739. 2464 *pc* ● **3** ⸆δε ℵ^{2} B D 0226. 6. 104. 1739. 1881. 2464 *pc* sy^{h} ¦ γαρ Ψ 𝔐 a vg ¦ *txt* ℵ* A F G 33 it vg^{ms} sy^{p}; Ir^{lat} Tert | ⸂επιστ- αυτ. B (0226^{vid} lat; Ir^{lat}) ¦ αυτ. φανησεται F G b d; Aug^{pt} ¦ *txt* A D 𝔐 (*ut txt, sed* επιστ- ℵ K P Ψ 33. 326. 1881 *pc*) | ⸀εκφευξονται D* F G ● **4** ⸀κλεπτας A B bo^{pt} ● **5** ⸀εστε D* F G it vg^{mss} sy^{p} sa; Ambst ● **6** ⸆και ℵ^{2} D F G (Ψ) 𝔐 it vg^{cl} sy^{h} co?; Ambst ¦ *txt* 𝔓^{46vid} ℵ* A B 33. 1739. 1881 *pc* b f vgst sy^{p}; Cl ● **7** ⸀μεθυοντες B; Cl^{pt}

ρας ὄντες νήφωμεν ἐνδυσάμενοι θώρακα πίστεως καὶ ἀγά- E 6,14-17 Is 59,17
πης καὶ περικεφαλαίαν ἐλπίδα σωτηρίας· **9** ὅτι οὐκ ἔ- Sap 5,18 · 1K 13, 13! · Job 2,9a 𝔊 |
θετο ⸉ἡμᾶς ὁ θεὸς⸊ εἰς ὀργὴν ἀλλὰ εἰς περιποίησιν σω- 1,10! · 2Th 2,13s
τηρίας διὰ τοῦ κυρίου ἡμῶν Ἰησοῦ °Χριστοῦ **10** τοῦ H 10,39
ἀποθανόντος ⸀ὑπὲρ ἡμῶν, ἵνα εἴτε γρηγορῶμεν εἴτε κα- 4,14! R 14,8
θεύδωμεν ἅμα σὺν αὐτῷ ⸂ζήσωμεν. **11** Διὸ παρακαλεῖτε 4,17! | 4,18 H 3,13 ·
ἀλλήλους καὶ οἰκοδομεῖτε ⸀εἷς τὸν ἕνα, καθὼς καὶ ποιεῖτε. R 14,19! Jd 20

12 Ἐρωτῶμεν δὲ ὑμᾶς, ἀδελφοί, εἰδέναι τοὺς κοπιῶν- 1K 16,16! Act 20, 35 ·
τας ἐν ὑμῖν καὶ ⸀προϊσταμένους ὑμῶν ἐν κυρίῳ καὶ νου- R 12,8!
θετοῦντας ὑμᾶς **13** καὶ ⸀ἡγεῖσθαι αὐτοὺς ⸂ὑπερεκπερισ-
σοῦ ἐν ἀγάπῃ διὰ τὸ ἔργον αὐτῶν. εἰρηνεύετε ἐν ⸀¹ἑαυ- H 12,14!
τοῖς. **14** Παρακαλοῦμεν δὲ ὑμᾶς, ἀδελφοί, νουθε- 2Th 3,15.6.11 · Is
τεῖτε τοὺς ἀτάκτους, παραμυθεῖσθε τοὺς ὀλιγοψύχους, 57,15 𝔊 Prv 14,
ἀντέχεσθε τῶν ἀσθενῶν, μακροθυμεῖτε πρὸς πάντας. 29 𝔊 · R 14,1! · 1K 13,4 |
15 ὁρᾶτε μή τις κακὸν ἀντὶ κακοῦ τινι ἀποδῷ, ἀλλὰ R 12,17! Prv 20,22
πάντοτε τὸ ἀγαθὸν διώκετε °[καὶ] εἰς ἀλλήλους καὶ 3,12
εἰς πάντας.

16 Πάντοτε χαίρετε, Ph 3,1!
17 ἀδιαλείπτως προσεύχεσθε, R 12,12!
18 ἐν παντὶ εὐχαριστεῖτε· τοῦτο γὰρ θέλημα θεοῦ E 5,20!
ἐν Χριστῷ Ἰησοῦ εἰς ὑμᾶς.
19 τὸ πνεῦμα μὴ σβέννυτε, Nu 11,26-29 1K 14,30
20 προφητείας μὴ ἐξουθενεῖτε, 1K 14,1! 39
21 πάντα °δὲ δοκιμάζετε, τὸ καλὸν κατέχετε, 1K 14,29 1J 4,1
22 ἀπὸ παντὸς εἴδους πονηροῦ ἀπέχεσθε. Job 1,1.8

7 **23** Αὐτὸς δὲ ὁ θεὸς τῆς εἰρήνης ἁγιάσαι ὑμᾶς ὁλοτε- R 15,33! · 4,3!
λεῖς, καὶ ὁλόκληρον ὑμῶν τὸ πνεῦμα καὶ ἡ ψυχὴ καὶ τὸ
σῶμα ἀμέμπτως ἐν τῇ παρουσίᾳ τοῦ κυρίου ⸀ἡμῶν Ἰη- 3,13! Ph 1,10 · 2,19!
σοῦ⸌ Χριστοῦ τηρηθείη. **24** πιστὸς ὁ καλῶν ὑμᾶς, ὃς καὶ 1K 10,13!
ποιήσει. E 3,20

9 ⸉ 𝔓^{30} B *pc* | ° 𝔓^{30vid} B b m* sa ● **10** ⸀† περι ℵ* B 33 ¦ *txt* 𝔓^{30} ℵ^{2} A D F G Ψ 𝔐 | ⸂ζωμεν D* ¦ ζησομεν A 2495* *pc* ● **11** [⸀εἷς comm] ● **12** ⸀προϊστανομ- 𝔓^{30vid} ℵ A ¦ *txt* B D F G Ψ 𝔐 ● **13** ⸀-σθε B Ψ 6. 81. 104. 326. 1739 *al* sy | ⸂† -σσως B D* F G *pc* ¦ εκπερισσου 𝔓^{30vid} ¦ *txt* ℵ A D^{2} Ψ 𝔐 | ⸀¹αυτοις 𝔓^{30} ℵ D* F G P Ψ 81. 104. 1881*. 2464. 2495* *pm* f vg; Cass ¦ *txt* A B D^{2} K L 33. 365. 630. 1175. 1241. 1739. 1881^{c}. 2495^{c} *pm* ● **15** °† ℵ* A D F G 6. 33. 1739. 1881. 2464 *pc* it vg^{cl} sy^{p}; Ambst Spec ¦ *txt* 𝔓^{30} ℵ^{2} B Ψ 𝔐 vgst sy^{h} ● **21** ° ℵ* A 33. 81. 104. 614. 629. 630. 945 *pm* f* sy^{p}; Tert Did ● **23** ⸀και σωτηρος ημων Mcion

R 15,30! **25** Ἀδελφοί, προσεύχεσθε ᴼ[καὶ] περὶ ἡμῶν.
R 16,16! **26** Ἀσπάσασθε τοὺς ἀδελφοὺς πάντας ἐν φιλήματι
Kol 4,16 ἁγίῳ. **27** ⸀Ἐνορκίζω ὑμᾶς τὸν κύριον ἀναγνωσθῆναι τὴν
ἐπιστολὴν πᾶσιν τοῖς ᵀ ἀδελφοῖς.
R 16,20! **28** Ἡ χάρις τοῦ κυρίου ἡμῶν Ἰησοῦ Χριστοῦ μεθ'
ὑμῶν. ᵀ

ΠΡΟΣ ΘΕΣΣΑΛΟΝΙΚΕΙΣ Β′

1Th 1,1! **1** Παῦλος καὶ Σιλουανὸς καὶ Τιμόθεος τῇ ἐκκλησίᾳ
Θεσσαλονικέων ἐν θεῷ πατρὶ ἡμῶν καὶ κυρίῳ Ἰησοῦ
R 1,7! Χριστῷ, **2** χάρις ὑμῖν καὶ εἰρήνη ἀπὸ θεοῦ πατρὸς ᴼ[ἡ-
μῶν] καὶ κυρίου Ἰησοῦ Χριστοῦ.
2,13 1K 1,4! **3** Εὐχαριστεῖν ὀφείλομεν τῷ θεῷ πάντοτε περὶ ὑμῶν,
ἀδελφοί, καθὼς ἄξιόν ἐστιν, ὅτι ὑπεραυξάνει ἡ πίστις
1Th 3,12 ὑμῶν καὶ πλεονάζει ἡ ἀγάπη ἑνὸς ἑκάστου πάντων ὑμῶν
2K 8,24! 1Th 2,19! εἰς ἀλλήλους, **4** ὥστε αὐτοὺς ἡμᾶς ἐν ὑμῖν ⸀ἐγκαυχᾶσθαι
Ap 13,10 ἐν ταῖς ἐκκλησίαις τοῦ θεοῦ ὑπὲρ τῆς ὑπομονῆς ὑμῶν
Mc 4,17 1Th 3,3.7 Ap 1,9 | καὶ πίστεως ἐν πᾶσιν τοῖς διωγμοῖς ὑμῶν καὶ ταῖς θλί-
Ph 1,28 ψεσιν αἷς ⸁ἀνέχεσθε, **5** ἔνδειγμα τῆς δικαίας κρίσεως
L 20,35 Act 5,41 · 1Th 2,12! Act 14, 22! | τοῦ θεοῦ εἰς τὸ καταξιωθῆναι ὑμᾶς τῆς βασιλείας τοῦ
θεοῦ, ὑπὲρ ἧς καὶ πάσχετε, **6** εἴπερ δίκαιον παρὰ θεῷ
R 12,19! Ap 18,6s ἀνταποδοῦναι τοῖς θλίβουσιν ὑμᾶς θλῖψιν **7** καὶ ὑμῖν τοῖς
1K 1,7! θλιβομένοις ἄνεσιν μεθ' ἡμῶν, ἐν τῇ ἀποκαλύψει τοῦ
1Th 3,13 Mt 24, 31! κυρίου Ἰησοῦ ἀπ' οὐρανοῦ μετ' ἀγγέλων δυνάμεως αὐ-

25 ᴼ א A D[2] F G Ψ 𝔐 lat sy[p] bo ¦ *txt* 𝔓[30] B D* 6. 33. 81. 104. 326. 1739. 1881. 2464 *pc* b sy[h] sa; Ambst Epiph ● **27** ⸀ορκ- א D[2] F G Ψ 𝔐 ¦ *txt* 𝔓[46] A B D* 6. 33. 323. 945. 1739. 1881 *al* | ᵀαγιοις 𝔓[46vid] א[2] A Ψ 𝔐 a vg sy bo ¦ *txt* א* B D F G *pc* it sa; Ambst ● **28** ᵀαμην א A D[2] Ψ 𝔐 a m vg sy bo ¦ *txt* B D* F G 6. 33. 1881 *pc* b vg[mss] sa; Ambst

Subscriptio: Προς Θεσσαλονικεις α′ 𝔓[30] א B* (D F G) Ψ 33 ¦ π. Θ. α′ εγραφη απο Αθηνων (+ δια Τιμοθεου 1739*pc*) A B[1] 𝔐 ¦ π. Θ. α′ εγ. απο Κορινθου υπο Παυλου και Σιλουανου και Τιμοθεου 81 *pc* ¦ – 𝔓[46] 323. 365. 614. 629. 630. 2464[vid]. 2495 *pc*

¶ **1,2** ᴼ† B D P 0111[vid]. 33. 1739. 1881 *pc* m bo[pt] ¦ *txt* א A F G I 𝔐 lat sy sa bo[pt] (Ψ *pc*: *h. t.*) ● **4** ⸀καυχ- D (F G) Ψ 𝔐 ¦ *txt* א A B P 0111. 33. 81. 2464 *pc* | ⸁ενεχ- B

τοῦ **8** ⸆ ⸂ἐν πυρὶ φλογός,⸃ ⸀διδόντος ἐκδίκησιν τοῖς μὴ — 1K 3,13.15 · Is 66,15 ·
εἰδόσιν θεὸν καὶ τοῖς μὴ ⸁ὑπακούουσιν τῷ εὐαγγελίῳ τοῦ — Jr 10,25 1Th 4,5! · Is 66,4 R 10,16
κυρίου ἡμῶν Ἰησοῦ, **9** οἵτινες δίκην τίσουσιν ⸀ὄλεθρον — 1P 4,17 |
αἰώνιον ἀπὸ προσώπου τοῦ κυρίου καὶ ἀπὸ τῆς δόξης — Is 2,10.19.21 𝔊 |
τῆς ἰσχύος αὐτοῦ, **10** ὅταν ἔλθῃ ἐνδοξασθῆναι ἐν τοῖς — Ps 88,8 𝔊; 67,36 𝔊 · 1Th 3,13
ἁγίοις αὐτοῦ καὶ θαυμασθῆναι ἐν πᾶσιν τοῖς ⸀πιστεύσα-
σιν, ὅτι ⸁ἐπιστεύθη τὸ μαρτύριον ἡμῶν ἐφ᾽ ὑμᾶς, ἐν τῇ — Is 2,11.17 |
ἡμέρᾳ ἐκείνῃ. **11** Εἰς ὃ καὶ προσευχόμεθα πάντοτε — 1Th 1,2
περὶ ὑμῶν, ἵνα ὑμᾶς ἀξιώσῃ τῆς κλήσεως ὁ θεὸς ἡμῶν
καὶ ⸀πληρώσῃ πᾶσαν εὐδοκίαν ἀγαθωσύνης καὶ ἔργον — 1Th 1,3
πίστεως ἐν δυνάμει, **12** ὅπως ἐνδοξασθῇ τὸ ὄνομα τοῦ — Is 66,5 Ml 1,11
κυρίου ἡμῶν Ἰησοῦ ⸆ ἐν ὑμῖν, καὶ ὑμεῖς ἐν αὐτῷ, κατὰ — J 17,10
τὴν χάριν τοῦ θεοῦ ἡμῶν καὶ κυρίου Ἰησοῦ Χριστοῦ.

2 **2** Ἐρωτῶμεν δὲ ὑμᾶς, ἀδελφοί, ὑπὲρ τῆς παρουσίας τοῦ — *1–12:* 1Th 4,13-17; 2,19!
κυρίου °ἡμῶν Ἰησοῦ Χριστοῦ καὶ ἡμῶν ἐπισυναγω- — 2Mcc 2,7 Mt 23,37; 24,31 H 10,25
γῆς ἐπ᾽ αὐτὸν **2** εἰς τὸ μὴ ταχέως σαλευθῆναι ὑμᾶς ἀπὸ
τοῦ νοὸς ⸀μηδὲ θροεῖσθαι, μήτε διὰ πνεύματος μήτε διὰ — Mt 24,6
λόγου μήτε δι᾽ ἐπιστολῆς ὡς δι᾽ ἡμῶν, ὡς ὅτι ἐνέστηκεν — 15 · 1Th 5,2ss
ἡ ἡμέρα τοῦ ⸁κυρίου·
3 Μή τις ὑμᾶς ἐξαπατήσῃ κατὰ μηδένα τρόπον. ὅτι
ἐὰν μὴ ἔλθῃ ἡ ἀποστασία πρῶτον καὶ ἀποκαλυφθῇ ὁ — 1T 4,1 H 3,12
ἄνθρωπος τῆς ⸀ἀνομίας, ὁ υἱὸς τῆς ἀπωλείας, **4** ὁ ἀντι- — Is 57,3s 𝔊 Ps 88,23 𝔊 J 17,12
κείμενος καὶ ὑπεραιρόμενος ἐπὶ πάντα λεγόμενον θεὸν — Dn 11,36
ἢ σέβασμα, ὥστε αὐτὸν εἰς τὸν ναὸν τοῦ θεοῦ ⸆ καθίσαι
ἀποδεικνύντα ἑαυτὸν ὅτι ἐστὶν θεός. **5** Οὐ μνη- — Ez 28,2
μονεύετε ὅτι ἔτι ⸀ὢν πρὸς ὑμᾶς ταῦτα ⸁ἔλεγον ὑμῖν; — 1Th 3,4
6 καὶ νῦν τὸ κατέχον οἴδατε εἰς τὸ ἀποκαλυφθῆναι αὐ-

8 ⸆και F G b d; Ir^{lat} Tert | ⸂εν φλογι πυρος B D F G Ψ 2464 *pc* a vg sy co; Ir^{lat} Tert ¦ *txt* ℵ A 0111 𝔐 (b) d m sy^{hmg}; Ambst | ⸀διδους D* F G Ψ *pc* b vg^{ms} | ⸁-κουσασιν 1908 d vg^{mss} bo ● **9** ⸀-ρου b d; Ir^{lat} ¦ -ριον A 33 *pc*; Mcion ● **10** ⸀-ευουσιν Ψ 33. 630. 2464 *pc* t sy^{p} sa bo^{pt}; Ir^{pt} | ⸁επιστωθη 104 *pc* ● **11** ⸀-σει A K P Ψ 6. 326. 1241. 2464 *al* ● **12** ⸆Χριστου A F G P 33. 81. 104. 365. 1739. 1881. 2495 *pm* lat sy bo^{pt}; Ambst ¦ *txt* ℵ B D K L Ψ 0111. 6. 323. 630. 1175. 1241. 2464 *pm* b sa bo^{pt}
¶ **2,1** ° B Ψ 33 *pc* vg^{ms} sy^{h} ● **2** ⸀μητε D^{2} 𝔐; Or ¦ μηποτε 33 *pc* ¦ *txt* ℵ A B D* F G Ψ 365. 1175. 1739. 1881 *pc* | ⸁Χριστου D^{2} 𝔐 ¦ *txt* ℵ A B D* F G L P Ψ 6. 33. 81. 104. 365. 1241. 1739. 1881. 2464 *al* latt sy co; Or Epiph ● **3** ⸀αμαρτιας A D F G Ψ 𝔐 lat sy; Ir^{lat} Eus ¦ *txt* ℵ B 6. 81. 104. 326. 365. 1739. 1881. 2464 *pc* m co ● **4** ⸆ως θεον D^{2} (F G) 𝔐 sy$^{p.h**}$ ¦ *txt* ℵ A B D* P Ψ 6. 33. 81. 104. 323. 365. 629. 1739. 1881. 2464 *pc* lat co; Ir^{lat} Or Epiph ● **5** ⸀εμου οντος D* b; Ambst | ⸁ελεγετο b d; Ambst

Ap 17,5 τὸν ἐν τῷ ⸀ἑαυτοῦ καιρῷ. **7** τὸ γὰρ μυστήριον ἤδη ἐνεργεῖται τῆς ἀνομίας· μόνον ὁ κατέχων ἄρτι ἕως ἐκ μέ-
Ez 21,24s σου γένηται. **8** καὶ τότε ἀποκαλυφθήσεται ὁ ἄνομος, ὃν
Is 11,4 Job 4,9 Ps 32,6 𝔊 Ap 19,15. 20 · 1T 6,14! · 1Th 2,19! ὁ κύριος °[Ἰησοῦς] ⸀ἀνελεῖ τῷ πνεύματι τοῦ στόματος
αὐτοῦ καὶ καταργήσει τῇ ἐπιφανείᾳ τῆς παρουσίας αὐ-
Ap 13,13! τοῦ, **9** οὗ ἐστιν ἡ παρουσία κατ᾽ ἐνέργειαν τοῦ σατανᾶ
ἐν πάσῃ δυνάμει καὶ σημείοις καὶ τέρασιν ψεύδους
Mc 4,19! · 1K 1,18! **10** καὶ ἐν πάσῃ ἀπάτῃ ⸆ ἀδικίας ⸇ τοῖς ἀπολλυμένοις,
1T 2,4 ἀνθ᾽ ὧν τὴν ἀγάπην ⸂τῆς ἀληθείας⸃ οὐκ ἐδέξαντο εἰς τὸ
σωθῆναι αὐτούς. **11** καὶ διὰ τοῦτο ⸀πέμπει αὐτοῖς ὁ θεὸς
R 1,28 · 2T 4,4 ἐνέργειαν πλάνης εἰς τὸ πιστεῦσαι αὐτοὺς τῷ ψεύδει,
R 1,18.32; 2,8 **12** ἵνα κριθῶσιν ⸀πάντες οἱ μὴ πιστεύσαντες τῇ ἀληθείᾳ
ἀλλὰ εὐδοκήσαντες ⸆ τῇ ἀδικίᾳ.

1,3! **13** Ἡμεῖς δὲ ὀφείλομεν εὐχαριστεῖν τῷ θεῷ πάντοτε *3*
Dt 33,12 · Jc 1,18 · 1Th 5,9 · περὶ ὑμῶν, ἀδελφοὶ ἠγαπημένοι ὑπὸ ⸀κυρίου, ὅτι εἵλατο
1P 1,2 1K 6,11 1Th 4,7 ὑμᾶς ὁ θεὸς ⸁ἀπαρχὴν εἰς σωτηρίαν ἐν ἁγιασμῷ πνεύ-
1Th 2,12! R 8,30 · ματος καὶ πίστει ἀληθείας, **14** εἰς ὃ °[καὶ] ἐκάλεσεν ⸀ὑ-
1Th 5,9! μᾶς διὰ τοῦ εὐαγγελίου ἡμῶν εἰς περιποίησιν δόξης τοῦ
κυρίου ἡμῶν Ἰησοῦ Χριστοῦ.

1K 16,13!; · 11,2! **15** Ἄρα οὖν, ἀδελφοί, στήκετε καὶ κρατεῖτε τὰς παρα-
2 δόσεις ἃς ἐδιδάχθητε εἴτε διὰ λόγου εἴτε δι᾽ ἐπιστολῆς
1Th 3,11 ἡμῶν. **16** Αὐτὸς δὲ ὁ κύριος ἡμῶν Ἰησοῦς Χριστὸς
καὶ °[ὁ] θεὸς ⸀ὁ πατὴρ ἡμῶν ὁ ἀγαπήσας ἡμᾶς καὶ δοὺς
παράκλησιν αἰωνίαν καὶ ἐλπίδα ἀγαθὴν ἐν χάριτι, **17** πα-
1Th 3,13 · 2K 9,8! ρακαλέσαι ὑμῶν τὰς καρδίας καὶ στηρίξαι ἐν παντὶ ⸂ἔρ-
γῳ καὶ λόγῳ⸃ ἀγαθῷ.

6 ⸀† αυτου ℵ* A I K P 33. 81. 323. 326. 365. 630. 2464 *al*; Or ¦ *txt* ℵ^2 B D F G Ψ 𝔐 ● **8** ° B D^2 𝔐 bo^{ms} ¦ *txt* ℵ A D* F G L^c P Ψ 33. 81. 104. 365. 1241. 2464 *pc* latt sy co; Ir Or Did | ⸀ανελοι ℵ(*: αναλ-) D*^{vid} F G 33. 1739 *pc*; Did ¦ αναλωσει D^2 Ψ 𝔐 co ¦ *txt* A B P 81. 104. 365. 2464 *pc* latt ● **10** ⸆της ℵ^2 D Ψ 𝔐 ¦ *txt* ℵ* A B F G P 6. 33. 81. 104. 1739. 1881. 2464 *pc*; Or | ⸇εν ℵ^2 D^1 Ψ 𝔐 sy ¦ *txt* ℵ* A B D* F G 33. 81. 1739. 2464 *pc* latt | ⸂του θεου Ir^{pt} ¦ της αλ. Χριστου D* ● **11** ⸀πεμψει ℵ^2 D^2 Ψ 𝔐 it vg^{cl} sa^{mss} bo; Ambst ¦ *txt* ℵ* A B D* F G 6. 33. 1739. 1881 *pc* b vgst sa^{ms}; Tert ● **12** ⸀απ- ℵ A F G 33. 81. 104. 1739 *pc*; Or ¦ *txt* B D Ψ 𝔐 | ⸆εν ℵ^2 A D^1 Ψ 𝔐; Or Cyp ¦ *txt* ℵ* B D* F G 33. 323. 1739. 1881. 2495 *al* latt ● **13** ⸀(1Th 1,4) θεου D* b m vg | ⸁απ αρχης ℵ D Ψ 𝔐 it sy^p sa; Ambst ¦ *txt* B F G P 33. 81. 323. 326. 365. 1739. (1881). 2464 *al* vg sy^h bo (A *illeg.*) ● **14** ° A B D Ψ 𝔐 a b m* vg^{mss} sy^p; Ambst ¦ *txt* ℵ F G P 81. 365. 2464 *al* vg sy^h | ⸀ημας A B D* 1881 *pc* b f vg^{mss} ● **16** ° B D* K 33. 1175. 1739. 1881 *al* ¦ *txt* ℵ A D^2 F G I Ψ 𝔐 | ⸀και A D^2 I Ψ 𝔐 b d m vg sy^h ¦ *txt* ℵ B D* F G 33. 1739. 1881 *pc* a vg^{mss} sy^p co; Ambst ● **17** ⸂*3 2 1* F G K 6. 323. 630. 1175 *al* b m (sy^p) ¦ *1* 33 *pc*

4 **3** Τὸ λοιπὸν προσεύχεσθε, ἀδελφοί, περὶ ἡμῶν, ἵνα ὁ R 15,30!
λόγος τοῦ κυρίου τρέχῃ καὶ δοξάζηται καθὼς καὶ 1Th 1,8 Ps 147,15
πρὸς ὑμᾶς, **2** καὶ ἵνα ῥυσθῶμεν ἀπὸ τῶν ἀτόπων καὶ R 15,31 Is 25,4 𝔊
πονηρῶν ἀνθρώπων· οὐ γὰρ πάντων ἡ πίστις. **3** Πι-
στὸς δέ ἐστιν ὁ ⸀κύριος, ὃς ⸂στηρίξει ὑμᾶς καὶ φυλάξει 1K 10,13! Mt 6,13!
ἀπὸ τοῦ πονηροῦ. **4** πεποίθαμεν δὲ ἐν κυρίῳ ἐφ' ὑμᾶς, R 14,14!
ὅτι ἃ παραγγέλλομεν ⸆ ⸉[καὶ] ποιεῖτε καὶ ποιήσετε⸊. **5** Ὁ 1Th 4,2
δὲ κύριος κατευθύναι ὑμῶν τὰς καρδίας εἰς τὴν ἀγάπην 1Chr 29,18 · J 5,42!
τοῦ θεοῦ καὶ εἰς τὴν ὑπομονὴν τοῦ Χριστοῦ.
5 **6** Παραγγέλλομεν δὲ ὑμῖν, ἀδελφοί, ἐν ὀνόματι τοῦ
κυρίου ⸋[ἡμῶν] Ἰησοῦ Χριστοῦ στέλλεσθαι ὑμᾶς ἀπὸ R 16,17!
παντὸς ἀδελφοῦ ἀτάκτως περιπατοῦντος καὶ μὴ κατὰ τὴν 1Th 5,14
παράδοσιν ἣν ⸀παρελάβοσαν ⸂παρ' ἡμῶν. **7** Αὐτοὶ 1K 11,2! · 1Th 2,13! |
γὰρ οἴδατε πῶς δεῖ μιμεῖσθαι ἡμᾶς, ὅτι οὐκ ἠτακτήσαμεν 1Th 2,1 · 1K 11,1!
ἐν ὑμῖν **8** οὐδὲ δωρεὰν ἄρτον ἐφάγομεν παρά τινος, ἀλλ'
ἐν κόπῳ καὶ μόχθῳ ⸉νυκτὸς καὶ ἡμέρας⸊ ἐργαζόμενοι Jr 20,18 𝔊 vl 1K 4,12!
πρὸς τὸ μὴ ἐπιβαρῆσαί τινα ὑμῶν· **9** οὐχ ὅτι οὐκ ἔχομεν Mt 10,10 1K 9,6.
ἐξουσίαν, ἀλλ' ἵνα ἑαυτοὺς τύπον δῶμεν ὑμῖν εἰς τὸ μι- 12.14 · Ph 3,17! · 1K 11,1!
μεῖσθαι ἡμᾶς. **10** καὶ γὰρ ὅτε ἦμεν πρὸς ὑμᾶς, τοῦτο 1Th 3,4!
παρηγγέλλομεν ὑμῖν, ὅτι εἴ τις οὐ θέλει ἐργάζεσθαι μηδὲ ἐσθιέτω. **11** Ἀκούομεν γάρ τινας περιπατοῦντας
ἐν ὑμῖν ἀτάκτως μηδὲν ἐργαζομένους ἀλλὰ περιεργαζο- 1Th 5,14 · 1T 5,13
μένους· **12** τοῖς δὲ τοιούτοις παραγγέλλομεν καὶ παρακαλοῦμεν ⸉ἐν κυρίῳ Ἰησοῦ Χριστῷ⸊, ἵνα μετὰ ἡσυχίας
ἐργαζόμενοι τὸν ἑαυτῶν ἄρτον ἐσθίωσιν. **13** Ὑμεῖς δέ, 1Th 4,11
ἀδελφοί, μὴ ⸀ἐγκακήσητε καλοποιοῦντες. G 6,9!
14 Εἰ δέ τις οὐχ ὑπακούει τῷ λόγῳ ⸀ἡμῶν διὰ τῆς ἐπιστολῆς, τοῦτον σημειοῦσθε ⸆ μὴ ⸂συναναμίγνυσθαι αὐ- R 16,17! 1K 5,9!

¶ **3,3** ⸀θεος A D*$^{.2}$ F G 2464 *pc* it vg^{cl} bo^{ms}; Ambst ¦ *txt* (⸉ א) B D^{1} Ψ 𝔐 vgst sy co | ⸂-ισει B ¦ τηρησει F G ● **4** ⸆υμιν A D^{2} F G 𝔐 a m sy ¦ *txt* א B D* Ψ 6. 33. 1739 *pc* b vg bo^{ms}; Ambst | ⸉*2–4* א* A (D*: -ησατε) 6. 629. 1739 *pc* b d m vg^{mss} ¦ κ. εποιησατε κ. ποιειτε F G (sy^{p}) ¦ κ. -σατε κ. -ειτε και -σετε B a sa ¦ *txt* א^{2} D^{2} Ψ 𝔐 f vg sy^{h}; Ambst ● **6** ⸋† B D* ¦ *txt* א A D^{1} F G Ψ 𝔐 lat sy co | ⸀† -βετε B F G 2464. 2495 *pc* vg^{mss} sy^{h} sa ¦ -βε(ν) 1962 *pc* ¦ -βον א^{2} D^{2} Ψ 𝔐 ¦ *txt* א* A (D*: ελ-) 33 *pc* | ⸂αφ B 104. 630 *pc* ● **8** ⸉νυκτα κ. ημεραν A D I Ψ 𝔐 ¦ *txt* א B F G 33. 81. 104. 365. 2464 *pc* ● **12** ⸉ δια του κυριου ημων (– Ψ *pc*) I. Χριστου א^{2} D^{2} Ψ 𝔐 sy^{h} ¦ *txt* א* A B D* F G (P: – Χρ.) 33. 81. 104. 365. 1739. 1881. 2464 *pc* lat (sy^{p} co) ● **13** ⸀εκκ- D^{2} F G Ψ 𝔐 ¦ *txt* א A B (D*: -κειτε) 323. 326 *pc* co ● **14** ⸀υμων B 81. 326. 2464 *pc* | ⸆και D*$^{.2}$ F G 𝔐 vg sy; Ambst Spec *et* ⸂-σθε D^{2} 𝔐 sy; Ambst ¦ *txt* א A B D^{1} (D* F G) Ψ 33. (1739. 2464) *pc* (it) bo (365: *h. t.*)

Tt 2,8 | τῷ, ἵνα ἐντραπῇ· 15 καὶ μὴ ὡς ἐχθρὸν ἡγεῖσθε, ἀλλὰ
1Th 5,14 Mt 18,15ss | R 15,33! · νουθετεῖτε ὡς ἀδελφόν. 16 Αὐτὸς δὲ ὁ κύριος τῆς εἰρήνης 6
J 14,27! δῴη ὑμῖν τὴν εἰρήνην διὰ παντὸς ἐν παντὶ ⸀τρόπῳ. ὁ κύ-
ριος μετὰ πάντων ὑμῶν.

1K 16,21! 17 Ὁ ἀσπασμὸς τῇ ἐμῇ χειρὶ Παύλου, ὅ ἐστιν σημεῖον
R 16,24.20! Ap 22,21 ἐν πάσῃ ἐπιστολῇ· οὕτως γράφω. 18 Ἡ χάρις
τοῦ κυρίου ἡμῶν Ἰησοῦ Χριστοῦ μετὰ πάντων ὑμῶν. ⸆

Act 16,1!

ΠΡΟΣ ΤΙΜΟΘΕΟΝ Α′

Tt 1,3 · 2,3; 4,10 1 Παῦλος ἀπόστολος Χριστοῦ Ἰησοῦ κατ' ⸀ἐπιταγὴν θεοῦ
Tt 2,10; 3,4 Jud 25 Ps 24,5 · σωτῆρος ἡμῶν καὶ Χριστοῦ Ἰησοῦ τῆς ἐλπίδος ἡμῶν
Kol 1,27 | Tt 1,4 Ph 2,20.22 · 2 Τιμοθέῳ γνησίῳ τέκνῳ ἐν πίστει, χάρις ἔλεος εἰρήνη ἀπὸ
2T 1,2 2J 3 θεοῦ πατρὸς ⸆ καὶ Χριστοῦ Ἰησοῦ τοῦ κυρίου ἡμῶν.
3 Καθὼς παρεκάλεσά σε προσμεῖναι ἐν Ἐφέσῳ πο- 1
Act 20,1 ρευόμενος εἰς Μακεδονίαν, ἵνα παραγγείλῃς τισὶν μὴ
6,3 | 4,7 2T 4,4 ἑτεροδιδασκαλεῖν 4 μηδὲ προσέχειν μύθοις καὶ γενεαλο-
Tt 1,14 2P 1,16 · γίαις ἀπεράντοις, αἵτινες ⸀ἐκζητήσεις παρέχουσιν μᾶλ-
Tt 3,9 · 2T 2,23! λον ἢ ⸁οἰκονομίαν θεοῦ τὴν ἐν πίστει. 5 τὸ δὲ τέλος τῆς
R 13,10 παραγγελίας ἐστὶν ἀγάπη ἐκ καθαρᾶς καρδίας καὶ συν-
Mt 5,8! 3,9! · 2T 1,5 2K ειδήσεως ἀγαθῆς καὶ πίστεως ἀνυποκρίτου, 6 ὧν τινες
6,6! | 6,20s 2T 2,18 · ἀστοχήσαντες ἐξετράπησαν εἰς ματαιολογίαν 7 θέλοντες
Tt 1,10 | εἶναι νομοδιδάσκαλοι, μὴ νοοῦντες μήτε ἃ λέγουσιν μήτε
περὶ τίνων διαβεβαιοῦνται. 8 Οἴδαμεν δὲ ὅτι κα-
R 7,12.16 λὸς ὁ νόμος, ἐάν τις αὐτῷ νομίμως ⸀χρῆται, 9 εἰδὼς τοῦ-

16 ⸀τοπω A* D* F G 33 *pc* latt ¦ *txt* ℵ A^c B D^2 Ψ 𝔐 sy co ● **18** ⸆αμην ℵ^{2}A D F G Ψ 𝔐 lat sy bo ¦ *txt* ℵ* B 6. 33. 1739. 2464 *pc* vg^{mss} sa bo^{mss}

Subscriptio: Προς Θεσσαλονικεις β′ ℵ B* (D F G) Ψ 33 *pc* ¦ π. Θ. β′ εγραφη απο Αθηνων (+ υπο Παυλου και Σιλουανου και Τιμοθεου 81 *pc*) A B^1 P 𝔐 ¦ π. Θ. β′ εγρ. απο Ρωμης 6. 614 *pc* (sy^p: Λαοδικαιας Πισιδιας) ¦ – 323. 365. 629. 630. 945. 1881. 2464. 2495 *pc*

¶ **1,1** ⸀επαγγελιαν ℵ ● **2** ⸆ημων ℵ^2 D^2 Ψ 𝔐 a vg^{mss} sy sa bo^{mss} ¦ *txt* ℵ* A D* F G I 33. 81. 104. 365. 1175. 1739. 1881 *pc* lat bo ● **4** ⸀ζητ- D F G Ψ 𝔐; Epiph ¦ *txt* ℵ A P 33. 81. 1175 *pc* | ⸁οικοδομην D* latt; Ir Or ● **8** ⸀χρησηται A P; Cl

το, ὅτι δικαίῳ νόμος οὐ κεῖται, ἀνόμοις δὲ καὶ ἀνυποτά-
κτοις, ἀσεβέσι καὶ ἁμαρτωλοῖς, ἀνοσίοις καὶ βεβήλοις,
πατρολῴαις καὶ μητρολῴαις, ἀνδροφόνοις **10** πόρνοις
ἀρσενοκοίταις ἀνδραποδισταῖς ψεύσταις ἐπιόρκοις, καὶ
εἴ τι ἕτερον τῇ ὑγιαινούσῃ διδασκαλίᾳ ἀντίκειται **11** κατὰ τὸ εὐαγγέλιον τῆς δόξης τοῦ μακαρίου θεοῦ, ὃ ἐπιστεύθην ἐγώ.
2 **12** ⸆ Χάριν ἔχω τῷ ⸀ἐνδυναμώσαντί με Χριστῷ Ἰησοῦ
τῷ κυρίῳ ἡμῶν, ὅτι πιστόν με ἡγήσατο θέμενος εἰς διακονίαν **13** ⸀τὸ πρότερον ὄντα ⸆ βλάσφημον καὶ διώκτην
καὶ ὑβριστήν, ἀλλὰ ἠλεήθην, ὅτι ἀγνοῶν ἐποίησα ἐν
ἀπιστίᾳ· **14** ὑπερεπλεόνασεν δὲ ἡ χάρις τοῦ κυρίου ἡ-
μῶν μετὰ πίστεως καὶ ἀγάπης τῆς ἐν Χριστῷ Ἰησοῦ.
15 ⸀πιστὸς ὁ λόγος καὶ πάσης ἀποδοχῆς ἄξιος, ὅτι Χριστὸς Ἰησοῦς ἦλθεν εἰς τὸν κόσμον ἁμαρτωλοὺς σῶσαι,
ὧν πρῶτός εἰμι ἐγώ. **16** ἀλλὰ διὰ τοῦτο ἠλεήθην, ἵνα
ἐν ἐμοὶ πρώτῳ ἐνδείξηται ⸂Χριστὸς Ἰησοῦς⸃ τὴν ἅπασαν μακροθυμίαν πρὸς ὑποτύπωσιν τῶν μελλόντων πιστεύειν ἐπ' αὐτῷ εἰς ζωὴν αἰώνιον. **17** Τῷ δὲ βασιλεῖ
τῶν αἰώνων, ⸂ἀφθάρτῳ ἀοράτῳ⸃ μόνῳ ⸆ θεῷ, τιμὴ καὶ
δόξα εἰς τοὺς αἰῶνας τῶν αἰώνων, ἀμήν.
3 **18** Ταύτην τὴν παραγγελίαν παρατίθεμαί σοι, τέκνον
Τιμόθεε, κατὰ τὰς προαγούσας ἐπὶ σὲ προφητείας, ἵνα
⸀στρατεύῃ ἐν αὐταῖς τὴν καλὴν στρατείαν **19** ἔχων πίστιν καὶ ἀγαθὴν συνείδησιν, ἥν τινες ἀπωσάμενοι περὶ
τὴν πίστιν ἐναυάγησαν, **20** ὧν ἐστιν Ὑμέναιος καὶ Ἀλέξανδρος, οὓς παρέδωκα τῷ σατανᾷ, ἵνα παιδευθῶσιν μὴ
βλασφημεῖν.

4 **2** ⸀Παρακαλῶ οὖν πρῶτον πάντων ποιεῖσθαι δεήσεις
προσευχὰς ἐντεύξεις εὐχαριστίας ὑπὲρ πάντων ἀνθρώπων, **2** ὑπὲρ βασιλέων καὶ πάντων τῶν ἐν ὑπεροχῇ

G 5,23 · Tt 1,10 · R 1,29!
6,3 2T 4,3; 1,13 Tt 1,9; 2,1 | 6,15 · G 2,7 1Th 2,4 Tt 1,3
Ph 4,13!
1K 7,25 · Act 9,15! |
G 1,13 Act 8,3!
1K 7,25! · Act 3,17!
R 5,20
2T 1,13
3,1; 4,9 2T 2,11 Tt 3,8 ·
L 15,2; 19,10! ·
1K 15,9! |
cf R 9,22s
2T 1,13
Tob 13,7.11
R 1,23; · 1,20 Kol 1,15 H 11,27 J 1,18! · 6,15 J 5,44! · R 16,27! |
4,14
2T 4,7!
3,9!
2T 2,17; · 4,14 Act 19,33 ·
1K 5,5
R 12,12!
Esr 6,10 Bar 1,11s Jr 29,7 · 2Mcc 3,11

12 ⸆και D 𝔐 a b sy; Lcf Ambst ¦ *txt* א A F G H I P Ψ 6. 33. 81. 104. 365. 1175. 1739. 1881 *pc* m vg co; Epiph | ⸀-μουντι א* 33 *pc* sa ● **13** ⸀τον D^{2} H 𝔐 (a r) ¦ *txt* א A D* F G I P Ψ 6. 33. 81. 365. 630. 1175. 1739. 1881 *pc* | ⸆με A Ψ 81 *pc* ● **15** ⸀ανθρωπινος b m r; Ambst ● **16** ⸂† *2 1* א D^{2} H P 𝔐 a sy ¦ *2* F G 1739. 1881 *pc* ¦ I. ο Χρ. 614 *pc* ¦ *txt* A D* Ψ 0262^{vid}. 33. 104. 326. 365. 629. 1175 *pc* lat ● **17** ⸂αθανατω αορ. $D^{*.2}$ lat sy^{hmg}; Tert ¦ αφθ. αορ. αθαν. F G (a m r) | ⸆σοφω $א^{2}$ D^{1} H^{c} Ψ 𝔐 sy^{h}; Epiph ¦ *txt* א* A D* F G H* 33. 1739 *pc* lat sy^{p} co ● **18** ⸀-ευση א* D* Ψ 1175 *pc*; Cl ¦ *txt* $א^{2}$ A D^{2} F G H 𝔐 ¶ **2,1** ⸀-κάλει D* F G b vg^{ms}; Ambst

1Th 4,11! ὄντων, ἵνα ἤρεμον καὶ ἡσύχιον βίον διάγωμεν ἐν πάσῃ
5,4 εὐσεβείᾳ καὶ σεμνότητι. **3** τοῦτο ⸆ καλὸν καὶ ἀπόδεκτον
1,1! | 4,10! R 11,32 2P 3,9 ἐνώπιον τοῦ σωτῆρος ἡμῶν θεοῦ, **4** ὃς πάντας ἀνθρώ-
2T 3,7! πους θέλει σωθῆναι καὶ εἰς ἐπίγνωσιν ἀληθείας ἐλθεῖν.
1K 8,6! **5** Εἷς γὰρ θεός,
H 9,15! εἷς καὶ μεσίτης θεοῦ καὶ ἀνθρώπων,
R 5,15 ἄνθρωπος Χριστὸς Ἰησοῦς,
G 1,4; 2,20 E 5,2.25 Tt 2,14 · Mt 20,28p Ps 49,8 · 2K 5,15 · Tt 1,3 | **6** ὁ δοὺς ἑαυτὸν ἀντίλυτρον ὑπὲρ πάντων,
⸆ τὸ μαρτύριον καιροῖς ἰδίοις ⸆.
2T 1,11 · R 9,1 **7** ⸂εἰς ὃ ἐτέθην⸃ ἐγὼ κῆρυξ καὶ ἀπόστολος, ἀλήθειαν
G 2,7s λέγω ⸆ οὐ ψεύδομαι, διδάσκαλος ἐθνῶν ἐν ⸀πίστει καὶ
ἀληθείᾳ.

8 Βούλομαι οὖν προσεύχεσθαι τοὺς ἄνδρας ἐν παντὶ
Ps 141,2 · Ph 2,14 | τόπῳ ἐπαίροντας ὁσίους χεῖρας χωρὶς ὀργῆς καὶ ⸀δια-
1P 3,3-5 λογισμοῦ. **9** Ὡσαύτως ⸀[καὶ] γυναῖκας ἐν κατα-
στολῇ ⸁κοσμίῳ μετὰ αἰδοῦς καὶ σωφροσύνης κοσμεῖν
ἑαυτάς, μὴ ἐν πλέγμασιν ⸀¹καὶ ⸀²χρυσίῳ ἢ μαργαρίταις
ἢ ἱματισμῷ πολυτελεῖ, **10** ⸂ἀλλ᾽ ὃ⸃ πρέπει γυναιξὶν ἐπαγ-
5,10 γελλομέναις θεοσέβειαν, δι᾽ ἔργων ἀγαθῶν. **11** Γυνὴ *5*
1Th 4,11! · 1K 14,34! ἐν ἡσυχίᾳ μανθανέτω ἐν πάσῃ ὑποταγῇ· **12** διδάσκειν δὲ
Gn 3,16 γυναικὶ οὐκ ἐπιτρέπω οὐδὲ αὐθεντεῖν ἀνδρός, ἀλλ᾽ εἶναι
Gn 1,27; 2,7.22 1K 11,8s | ἐν ἡσυχίᾳ. **13** Ἀδὰμ γὰρ πρῶτος ἐπλάσθη, εἶτα Εὕα. **14** καὶ
Gn 3,6.13 2K 11,3 | Ἀδὰμ οὐκ ἠπατήθη, ἡ δὲ γυνὴ ⸀ἐξαπατηθεῖσα ἐν παρα-
5,14 βάσει γέγονεν· **15** σωθήσεται δὲ διὰ τῆς τεκνογονίας,
ἐὰν μείνωσιν ἐν πίστει καὶ ἀγάπῃ καὶ ἁγιασμῷ μετὰ σω-
Tt 2,4s 1,15! **3** φροσύνης⁚· **1** ⸀πιστὸς ὁ λόγος⁚¹. *6*
Act 20,28! Εἴ τις ἐπισκοπῆς ὀρέγεται, καλοῦ ἔργου ἐπιθυμεῖ.
Tt 1,6ss **2** δεῖ οὖν τὸν ἐπίσκοπον ἀνεπίλημπτον εἶναι, μιᾶς γυναι-
R 12,13! · 2T 2,24 κὸς ἄνδρα, νηφάλιον σώφρονα κόσμιον φιλόξενον διδακ-

3 ⸆γαρ ℵ² D F G H Ψ 𝔐 latt sy ¦ *txt* ℵ* A 6. 33. 81. 1739. 1881 *pc* co ● **6** ⸆Τοῦ D* F G 104 *pc* a (m) vg^{mss}; Ambst *et* ⸆ εδοθη D* F G a b m; Ambst ● **7** ⸂ο επιστευθην A | ⸆εν Χριστω ℵ* D¹ H 𝔐 a ¦ *txt* ℵ² A D* F G P Ψ 6. 81. 104. 629. 1175. 1739. 1881 *pc* lat sy co | ⸀γνωσει ℵ *pc* ¦ πνευματι A ¦ *txt* D F G H Ψ 𝔐 latt sy co; Tert ● **8** ⸀-γισμων ℵ² F G H 33. 81. 104. 365. 630. 1739. 1881 *al* sy ¦ *txt* ℵ* A D Ψ 𝔐 lat ● **9** ⸀† – ℵ* A H P 33. 81. 1175 *pc* sa^{ms} bo^{ms} ¦ και τας D² Ψ 𝔐 ¦ *txt* ℵ² D* F G 6. 365. 1739 *pc* b vg; Ambst Spec | ⸁-ιως ℵ² D* F G H 33. 365. 1739. 1881 *pc* ¦ *txt* ℵ* A D² Ψ 𝔐 latt sy; Cl | ⸀¹ ἢ D¹ H Ψ 𝔐 lat sy^{h}; Cl ¦ – P 33 *pc* ¦ *txt* ℵ A D*.² F G 1175. 1739. 1881 *pc* sy^{p} co | ⸀² -σω ℵ D 𝔐; Cl ¦ *txt* A F(*) G H I P Ψ 33. 81. 104. 1175. 1739. 1881 *pc* ● **10** [⸂ ἄλλο comm] ● **14** ⸀απατ- D² 𝔐 ¦ *txt* ℵ A D* F G P Ψ 33. 81. 104. 365. 630. 1175. 1739. 1881 *al* | [⁚. *et* 3,1 ⁚¹ ·]

¶ **3,1** ⸀ανθρωπινος D* b m; Ambst Spec

τικόν, **3** μὴ πάροινον μὴ πλήκτην⸆, ἀλλὰ ἐπιεικῆ ἄμα- Tt 1,7; 3,2
χον ἀφιλάργυρον, **4** τοῦ ἰδίου οἴκου καλῶς προϊστάμε- H 13,5 |
νον, τέκνα ἔχοντα ἐν ὑποταγῇ, μετὰ πάσης σεμνότητος
5 (εἰ δέ τις τοῦ ἰδίου οἴκου προστῆναι οὐκ οἶδεν, πῶς ἐκκλησίας θεοῦ ἐπιμελήσεται;), **6** μὴ νεόφυτον, ἵνα μὴ τυ- 15 Act 20,28
φωθεὶς εἰς κρίμα ἐμπέσῃ τοῦ διαβόλου. **7** δεῖ δὲ ⸆ καὶ
μαρτυρίαν καλὴν ἔχειν ἀπὸ τῶν ἔξωθεν, ἵνα μὴ εἰς ὀνει- Mc 4,11! 2K 8,21 •
δισμὸν ἐμπέσῃ καὶ παγίδα τοῦ διαβόλου. 2T 2,26

8 Διακόνους ὡσαύτως °σεμνούς, μὴ διλόγους, μὴ οἴνῳ Ph 1,1 Act 6,3
πολλῷ προσέχοντας, μὴ αἰσχροκερδεῖς, **9** ἔχοντας τὸ Tt 1,7!
μυστήριον τῆς πίστεως ἐν καθαρᾷ συνειδήσει. **10** καὶ 16 • 1,5.19 2T 1,3 Act 23,1! H 9,14;
οὗτοι δὲ δοκιμαζέσθωσαν πρῶτον, εἶτα διακονείτωσαν 10,2.22; 13,18 |
ἀνέγκλητοι ὄντες. **11** Γυναῖκας ὡσαύτως σεμνάς, μὴ 1K 1,8 Kol 1,22 Tt 1,6s |
διαβόλους, νηφαλίους, πιστὰς ἐν πᾶσιν. **12** διάκονοι ἔ- Tt 2,3
στωσαν μιᾶς γυναικὸς ἄνδρες, τέκνων καλῶς προϊστά- 2 • 4
μενοι καὶ τῶν ἰδίων οἴκων. **13** οἱ γὰρ καλῶς διακονήσαν-
τες βαθμὸν ἑαυτοῖς καλὸν περιποιοῦνται καὶ πολλὴν παρρησίαν ἐν πίστει τῇ ἐν Χριστῷ Ἰησοῦ.

14 Ταῦτά σοι γράφω ἐλπίζων ἐλθεῖν ⸋πρὸς σὲ⸌ ⸀ἐν 4,13
τάχει⸌· **15** ἐὰν δὲ βραδύνω, ἵνα εἰδῇς πῶς δεῖ ἐν οἴκῳ H 3,6!
θεοῦ ἀναστρέφεσθαι, ἥτις ἐστὶν ἐκκλησία θεοῦ ζῶντος, 5!
7 στῦλος καὶ ἑδραίωμα τῆς ἀληθείας. **16** καὶ ⸀ὁμολογου- 4Mcc 6,31; 7,16; 16,1
μένως μέγα ἐστὶν τὸ τῆς εὐσεβείας μυστήριον· 9

⸀ὃς ἐφανερώθη ἐν σαρκί, J 1,14 R 1,3s
ἐδικαιώθη ἐν πνεύματι, cf 1K 6,11
ὤφθη ἀγγέλοις,
ἐκηρύχθη ἐν ἔθνεσιν, Kol 1,6.23 G 2,2
ἐπιστεύθη ἐν κόσμῳ,
ἀνελήμφθη ἐν δόξῃ. Mc 16,19 L 9,51 Act 1,2.11

4 Τὸ δὲ πνεῦμα ῥητῶς λέγει ὅτι ἐν ὑστέροις καιροῖς ἀπο- 2T 4,3; 3,1! • 2Th 2,3!
στήσονταί τινες τῆς πίστεως προσέχοντες πνεύμασιν 1J 4,6 Is 19,14 •
⸀πλάνοις καὶ διδασκαλίαις δαιμονίων, **2** ἐν ὑποκρίσει 2P 2,1 Jc 3,15 |

3 ⸆(Tt 1,7) μη αισχροκερδη 326. 365. 614. 630. 2495 *pm* • **7** ⸆ταυτον D 𝔐 ¦ *txt* ℵ A F H I Ψ 33. 81. 326. 1739*. 1881 *pc* (G: *h. t.*) • **8** ° ℵ* *pc* • **14** ⸋ F G 6. 1739. 1881 *pc* vg[ms] sa | ⸀† ταχιον ℵ D[2] F G 𝔐 ¦ *txt* A C D* P Ψ 33. 81 *pc* • **16** [⸀ὁμολογοῦμεν ὡς D* 1175 *pc*] | ⸀ὅ D* 061 lat ¦ (+ ο 88 *pc*) θεος ℵ[c] A[c] C[2] D[2] Ψ 𝔐 vg[ms] ¦ *txt* ℵ* A* C* F G 33. 365 *pc* (ο *vl* ος verss. rell)
¶ **4,1** ⸀(*ex itac.?*) -νης P Ψ 104. 614. 630. 945. 2495 *al* lat; Epiph[pt]

ψευδολόγων, ⸀κεκαυστηριασμένων τὴν ἰδίαν συνείδη-
Gn 9,3 σιν, **3** κωλυόντων γαμεῖν, ⸀ἀπέχεσθαι βρωμάτων, ἃ ὁ
1K 10,30s · θεὸς ἔκτισεν εἰς μετάλημψιν μετὰ εὐχαριστίας τοῖς πι-
2T 3,7! | Gn 1,31 στοῖς καὶ ἐπεγνωκόσι τὴν ἀλήθειαν. **4** ὅτι πᾶν κτίσμα
θεοῦ καλὸν καὶ οὐδὲν ἀπόβλητον μετὰ εὐχαριστίας λαμ-
βανόμενον· **5** ἁγιάζεται γὰρ διὰ λόγου θεοῦ καὶ ἐντεύ-
ξεως.

6 Ταῦτα ὑποτιθέμενος τοῖς ἀδελφοῖς καλὸς ἔσῃ διάκονος Χριστοῦ Ἰησοῦ, ἐντρεφόμενος τοῖς λόγοις τῆς πί-
2T 3,10 στεως καὶ τῆς καλῆς διδασκαλίας ⸀ᾗ ⸁παρηκολούθη-
6,20 2T 2,16 · 1,4 κας· **7** τοὺς δὲ βεβήλους καὶ γραώδεις μύθους παραιτοῦ. Γύμναζε δὲ σεαυτὸν πρὸς εὐσέβειαν· **8** ἡ γὰρ *8*
σωματικὴ γυμνασία πρὸς ὀλίγον ἐστὶν ὠφέλιμος, ἡ δὲ
6,6 εὐσέβεια πρὸς πάντα ὠφέλιμός ἐστιν ἐπαγγελίαν ἔχουσα
ζωῆς τῆς νῦν καὶ τῆς μελλούσης. **9** πιστὸς ὁ λόγος καὶ
1,15! πάσης ἀποδοχῆς ἄξιος· **10** εἰς τοῦτο γὰρ ⸆ κοπιῶμεν καὶ
⸀ἀγωνιζόμεθα, ὅτι ⸁ἠλπίκαμεν ἐπὶ θεῷ ζῶντι, ὅς ἐστιν
1,1! · 2,4 Tt 2,11 σωτὴρ πάντων ἀνθρώπων μάλιστα πιστῶν.

5,7; 6,2 | **11** Παράγγελλε ταῦτα καὶ δίδασκε. **12** Μηδείς σου *9*
Tt 2,15 1K 16,11 · Ph 3,17! τῆς νεότητος καταφρονείτω, ἀλλὰ τύπος γίνου τῶν πιστῶν
G 5,22! · 5,2 ἐν λόγῳ, ἐν ἀναστροφῇ, ἐν ἀγάπῃ, ⸆ ἐν πίστει, ἐν ἁγνείᾳ.
3,14 **13** ἕως ἔρχομαι πρόσεχε τῇ ἀναγνώσει, τῇ παρακλήσει,
2T 1,6 τῇ διδασκαλίᾳ. **14** μὴ ἀμέλει τοῦ ἐν σοὶ χαρίσματος, ὃ
1,18 · Act 6,6! ἐδόθη σοι διὰ προφητείας μετὰ ἐπιθέσεως τῶν χειρῶν
τοῦ ⸀πρεσβυτερίου. **15** ταῦτα μελέτα, ἐν τούτοις ἴσθι, ἵνα
Ph 1,25! | Act 20,28 σου ἡ προκοπὴ φανερὰ ᾖ ⸆ πᾶσιν. **16** ἔπεχε σεαυτῷ καὶ
τῇ διδασκαλίᾳ, ἐπίμενε αὐτοῖς· τοῦτο γὰρ ποιῶν καὶ σε-
R 11,14! αυτὸν σώσεις καὶ τοὺς ἀκούοντάς σου.

Tt 2,2 **5** Πρεσβυτέρῳ μὴ ἐπιπλήξῃς ἀλλὰ παρακάλει ὡς πα- *10*
1P 5,5 | Tt 2,3 τέρα, νεωτέρους ὡς ἀδελφούς, **2** πρεσβυτέρας ὡς μη-
4,12 τέρας, νεωτέρας ὡς ἀδελφὰς ἐν πάσῃ ἁγνείᾳ.

2 ⸀και καυ(σ)τ- F L 0241[vid] *al* lat sy[p]; Cl Did Epiph ¦ κεκαυτ- C D G I Ψ 061 𝔐 ¦ *txt* ℵ A *al* b m* • **3** [⸀κελευοντων απ. Toup *cj*] • **6** ⸀ης A 365 *pc* | ⸁-θησας C F G *pc* • **10** ⸆και F G 𝔐 ¦ *txt* ℵ A C D P Ψ 0241[vid]. 6. 33. 81. 365. 1175. 1739 *pc* lat sy; Ambst | ⸀ονειδιζομεθα ℵ[2] D 0241[vid] 𝔐 latt sy co ¦ *txt* ℵ* A C F G K Ψ 33. 104. 326. 1175 *al*; Ambst | ⸁-ισαμεν D* 33 • **12** ⸆εν πνευματι 𝔐 ¦ *txt* ℵ A C D F G I Ψ 6. 33. 81. 104. 629. 1175. 1739. 1881 *pc* latt sy co; Cl • **14** ⸀-ρου ℵ* 69* • **15** ⸆εν D[1] Ψ 𝔐 vg[ms] ¦ *txt* ℵ A C D* F G 6. 33. 81. 104. 1739 *pc* lat co

11 **3** Χήρας τίμα τὰς ὄντως χήρας. **4** * εἰ δέ τις χήρα 5.16
τέκνα ἢ ἔκγονα ἔχει, ⸀μανθανέτωσαν πρῶτον τὸν ἴδιον
οἶκον εὐσεβεῖν καὶ ἀμοιβὰς ἀποδιδόναι τοῖς προγόνοις·
τοῦτο γάρ ἐστιν ⸆ ἀπόδεκτον ἐνώπιον τοῦ θεοῦ. **5** ἡ
δὲ ὄντως χήρα καὶ μεμονωμένη ἤλπικεν ἐπὶ ⸀θεὸν καὶ 3! · Jr 49,11 ·
προσμένει ταῖς δεήσεσιν καὶ ταῖς προσευχαῖς νυκτὸς καὶ L 2,37; 18,7
ἡμέρας, **6** ἡ δὲ σπαταλῶσα ζῶσα τέθνηκεν. **7** καὶ ταῦτα
παράγγελλε, ἵνα ἀνεπίλημπτοι ὦσιν. **8** εἰ δέ τις τῶν ἰδίων 4,11
καὶ μάλιστα ⸆ οἰκείων οὐ ⸀προνοεῖ, τὴν πίστιν ἤρνηται
καὶ ἔστιν ἀπίστου χείρων.

9 Χήρα καταλεγέσθω μὴ ἔλαττον ἐτῶν ἑξήκοντα γε-
γονυῖα, ἑνὸς ἀνδρὸς γυνή, **10** ἐν ἔργοις καλοῖς μαρτυ- 3,7
ρουμένη, εἰ ἐτεκνοτρόφησεν, εἰ ἐξενοδόχησεν, εἰ ἁγίων R 12,13!
πόδας ἔνιψεν, εἰ θλιβομένοις ἐπήρκεσεν, εἰ παντὶ ἔργῳ L 7,44 J 13,14 ·
ἀγαθῷ ἐπηκολούθησεν. **11** νεωτέρας δὲ χήρας παραιτοῦ· 2,10
ὅταν γὰρ καταστρηνιάσωσιν τοῦ Χριστοῦ, γαμεῖν θέλουσιν **12** ἔχουσαι κρίμα ὅτι τὴν πρώτην πίστιν ἠθέτη- Ap 2,4
σαν· **13** ἅμα δὲ καὶ ἀργαὶ ⸀μανθάνουσιν περιερχόμεναι
τὰς οἰκίας, οὐ μόνον δὲ ἀργαὶ ἀλλὰ καὶ φλύαροι καὶ
περίεργοι, λαλοῦσαι τὰ μὴ δέοντα. **14** Βούλομαι οὖν 2Th 3,11
νεωτέρας γαμεῖν, τεκνογονεῖν, οἰκοδεσποτεῖν, μηδεμίαν 1K 7,9 · 2,15
ἀφορμὴν διδόναι τῷ ἀντικειμένῳ λοιδορίας χάριν· **15** ἤδη
γάρ τινες ἐξετράπησαν ὀπίσω τοῦ σατανᾶ. **16** εἴ τις ⸆
πιστὴ ἔχει χήρας, ⸀ἐπαρκείτω αὐταῖς καὶ μὴ βαρείσθω ἡ
ἐκκλησία, ἵνα ταῖς ὄντως χήραις ἐπαρκέσῃ. 3!

12 **17** Οἱ καλῶς προεστῶτες πρεσβύτεροι διπλῆς τι- R 12,8!
μῆς ἀξιούσθωσαν, μάλιστα οἱ κοπιῶντες ἐν λόγῳ καὶ 1K 16,16!
διδασκαλίᾳ. **18** λέγει γὰρ ἡ γραφή· ⸂*βοῦν ἀλοῶντα οὐ* *Dt 25,4* Mt 9,9
φιμώσεις⸃, καί· *ἄξιος ὁ ἐργάτης* ⸉*τοῦ μισθοῦ*⸊ *αὐτοῦ*. *unde?* Mt 10,10! p
19 κατὰ πρεσβυτέρου κατηγορίαν μὴ παραδέχου, ⸋ἐκτὸς Nu 18,31 2Chr 15,7 |
εἰ μὴ *ἐπὶ δύο ἢ τριῶν μαρτύρων*⸌. **20** Τοὺς ⸆ ἁμαρτάνον- *Dt 19,15* Mt 18,16!

¶ **5,4** ⸀-ετω 945 *pc* d f m vg^{cl}; Ambst Pel Spec | ⸆(2,3) καλον και 323. 365. 945 *pc* sa^{mss} bo • **5** ⸀τον (– ℵ*) κυριον ℵ* D* 81 *pc* ¦ *txt* C F G P Ψ 048 *pc* (τον θ. ℵ^{2} A D^{2} 𝔐) latt sy co • **8** ⸆των C D^{1} 𝔐; Cl ¦ *txt* ℵ A D* F G I Ψ 048. 1739 *pc* | ⸀-ειται ℵ* D* F G I K 104. 1881 *pc* ¦ *txt* ℵ^{2} A C D^{1} Ψ 𝔐 • **13** [⸀λανθ- Mangey *cj*] • **16** ⸆πιστος ἢ D Ψ 𝔐 a b vg^{mss} sy; Ambst ¦ *txt* ℵ A C F G P 048. 33. 81. 1175. 1739. 1881 *pc* m vg co | ⸀-εισθω ℵ A F G 33. 1175 *pc* ¦ *txt* C D Ψ 048 𝔐 • **18** ⸂*3 4 1 2* A C I P Ψ 33. 81. 104. 365. 1175 *pc* f m vg; Or Ambst ¦ β. αλ. ου κημωσεις D ¦ *txt* ℵ F G 𝔐 it | ⸉ της τροφης ℵ* (a*) • **19** ⸋ b; Cyp Ambst Pel • **20** ⸆δε A D* (⸉ F G) 1175 *pc* it vg^{mss}; Ambst ¦ *txt* ℵ D^{2} Ψ 048 𝔐 r vg sy; Lcf

G 2,14 · E 5,11 2T 4,2 Tt 1,9.13 τας ἐνώπιον πάντων ἔλεγχε, ἵνα καὶ οἱ λοιποὶ φόβον ἔ-
2T 4,1 χωσιν. 21 Διαμαρτύρομαι ἐνώπιον τοῦ θεοῦ καὶ
L 9,26 ⸂Χριστοῦ Ἰησοῦ⸃ καὶ τῶν ἐκλεκτῶν ἀγγέλων, ἵνα ταῦτα
φυλάξῃς χωρὶς προκρίματος, μηδὲν ποιῶν κατὰ ⸀πρόσ-
Act 6,6! · 2J 11! κλισιν. 22 χεῖρας ταχέως μηδενὶ ἐπιτίθει μηδὲ κοινώ- 13
νει ἁμαρτίαις ἀλλοτρίαις· σεαυτὸν ἁγνὸν τήρει.
23 Μηκέτι ὑδροπότει, ἀλλὰ οἴνῳ ὀλίγῳ χρῶ διὰ τὸν
στόμαχον ⸆ καὶ τὰς πυκνάς σου ἀσθενείας. 24 Τινῶν 14
ἀνθρώπων αἱ ἁμαρτίαι πρόδηλοί εἰσιν προάγουσαι εἰς
κρίσιν, τισὶν δὲ καὶ ἐπακολουθοῦσιν· 25 ὡσαύτως ⸆ καὶ
τὰ ἔργα τὰ καλὰ πρόδηλα, καὶ τὰ ἄλλως ἔχοντα κρυβῆναι οὐ ⸀δύνανται.
E 6,5! 6 Ὅσοι εἰσὶν ὑπὸ ζυγὸν δοῦλοι, τοὺς ἰδίους δεσπότας 15
πάσης τιμῆς ἀξίους ἡγείσθωσαν, ἵνα μὴ τὸ ὄνομα τοῦ
Is 52,5 θεοῦ καὶ ἡ διδασκαλία βλασφημῆται. 2 οἱ δὲ πιστοὺς
Phm 16 ἔχοντες δεσπότας μὴ καταφρονείτωσαν, ὅτι ἀδελφοί εἰσιν,
ἀλλὰ μᾶλλον δουλευέτωσαν, ὅτι πιστοί εἰσιν καὶ ἀγαπητοὶ οἱ τῆς εὐεργεσίας ἀντιλαμβανόμενοι.

4,11 | 1,3 G 1,6-9 Ταῦτα δίδασκε καὶ παρακάλει. 3 εἴ τις ἑτεροδιδασκα- 1
1,10! λεῖ καὶ μὴ ⸀προσέρχεται ὑγιαίνουσιν λόγοις τοῖς τοῦ
Tt 1,1 κυρίου ἡμῶν Ἰησοῦ Χριστοῦ καὶ τῇ κατ' εὐσέβειαν διδασκαλίᾳ, 4 τετύφωται, μηδὲν ἐπιστάμενος, ἀλλὰ νοσῶν
2T 2,23!; · 2,14 · περὶ ζητήσεις καὶ λογομαχίας, ἐξ ὧν ⸀γίνεται ⸁φθόνος
R 1,29! ⸀¹ἔρις βλασφημίαι, ὑπόνοιαι πονηραί, 5 διαπαρατριβαὶ
2T 3,8 · διεφθαρμένων ἀνθρώπων τὸν νοῦν καὶ ⸀ἀπεστερημένων
2T 4,4 Tt 1,14; 3,11 τῆς ἀληθείας, νομιζόντων πορισμὸν εἶναι τὴν εὐσέβειαν.⸆
4,8 · Ph 4,11 H 13,5 6 Ἔστιν δὲ πορισμὸς μέγας ἡ εὐσέβεια μετὰ αὐταρ-
κείας·

21 ⸂κυριου Ι. Χρ. D^{2} 𝔐 sy ¦ *2 1* F Ψ 630. 1175. 1739. 1881 *pc* bo^{ms} ¦ *txt* ℵ A D* G 33. 81. 104. 365. 629 *pc* latt co; Cl | ⸀-κλησιν A D Ψ 𝔐 ¦ *txt* ℵ F G K 81. 630. 1881 *al* latt sy; Cl ● 23 ⸆σου D^{2} F G 𝔐 a vg sy; Cl ¦ *txt* ℵ A D* P Ψ 33. 81. 104. 1739. 1881 *pc* b m* r; Ambst ● 25 ⸆δε A F G 81 *pc* a vg^{mss} ¦ *txt* ℵ D Ψ 𝔐 lat sy | ⸀-ναται ℵ F G L 6. 326. 1241. 1739. 1881 *pm*

¶ 6,3 ⸀προσεχεται ℵ* *pc* lat; Cyp ● 4 ⸀γεννωνται D* lat | ⸁φθονοι D* *pc* latt bo | ⸀¹ερεις D F G L Ψ 6. 81. 365. 629. 1175 *al* latt sy^{h} sa^{ms} bo ¦ *txt* ℵ A 048 𝔐 sy^{p} sa^{mss}; Cl ● 5 ⸀απεστραμμενων απο D* ¦ απερριμμενων 365 | ⸆αφισταστο απο των τοιουτων D^{2} Ψ 061 𝔐 a b m vg^{mss} sy; Cyp Lcf Ambst ¦ *txt* ℵ A D* F G 048. 6. 33. 81. 1175. 1739. 1881 *pc* r vg co

7 οὐδὲν γὰρ εἰσηνέγκαμεν εἰς τὸν κόσμον, Job 1,21 Eccl 5,14
⸀ὅτι οὐδὲ ἐξενεγκεῖν τι δυνάμεθα·
8 ἔχοντες δὲ ⸀διατροφὰς καὶ σκεπάσματα,
τούτοις ἀρκεσθησόμεθα.

9 οἱ δὲ βουλόμενοι πλουτεῖν ἐμπίπτουσιν εἰς πειρασμὸν Mt 13,22
καὶ παγίδα ⸆ καὶ ἐπιθυμίας πολλὰς ⸀ἀνοήτους καὶ βλα-
βεράς, αἵτινες βυθίζουσιν τοὺς ἀνθρώπους εἰς ὄλεθρον
καὶ ἀπώλειαν. **10** ῥίζα γὰρ πάντων τῶν κακῶν ἐστιν ἡ
φιλαργυρία, ἧς τινες ὀρεγόμενοι ἀπεπλανήθησαν ἀπὸ τῆς 1,19
πίστεως καὶ ἑαυτοὺς περιέπειραν ὀδύναις ⸀πολλαῖς.

11 Σὺ δέ, ὦ ἄνθρωπε ⸆ θεοῦ, ταῦτα φεῦγε· 2T 3,17 1Sm 2,27 1Rg 13,1 etc
δίωκε δὲ δικαιοσύνην εὐσέβειαν πίστιν,
ἀγάπην ὑπομονὴν ⸀πραϋπαθίαν. G 5,22!
12 ἀγωνίζου τὸν καλὸν ἀγῶνα τῆς πίστεως, L 13,24 2T 4,7!
ἐπιλαβοῦ τῆς αἰωνίου ζωῆς, εἰς ἣν ⸆ ἐκλήθης
καὶ ὡμολόγησας τὴν καλὴν ὁμολογίαν
ἐνώπιον πολλῶν μαρτύρων.

17 **13** παραγγέλλω °[σοι] ἐνώπιον °¹τοῦ θεοῦ τοῦ ⸀ζῳο-
γονοῦντος τὰ πάντα καὶ ⸉Χριστοῦ Ἰησοῦ⸊ τοῦ μαρτυ-
ρήσαντος ἐπὶ Ποντίου Πιλάτου τὴν καλὴν ὁμολογί- Mt 27,11 p J 18,36s
αν, **14** τηρῆσαί σε τὴν ἐντολὴν ἄσπιλον ἀνεπίλημπτον
μέχρι τῆς ἐπιφανείας τοῦ κυρίου ἡμῶν Ἰησοῦ Χρι-
στοῦ, **15** ἣν καιροῖς ἰδίοις δείξει 2T 1,10; 4,1.8 Tt 2,13 2Th 2,8 | 1,11 · Sir 46,5 2Mcc 12,15
ὁ μακάριος καὶ μόνος δυνάστης,
ὁ βασιλεὺς τῶν βασιλευόντων Ap 17,14!
καὶ κύριος τῶν κυριευόντων, Kol 4,1 2Mcc 13,4 3Mcc 5,35
16 ὁ μόνος ἔχων ἀθανασίαν,
⸆ φῶς οἰκῶν ἀπρόσιτον,
ὃν εἶδεν οὐδεὶς ἀνθρώπων οὐδὲ ἰδεῖν δύναται· 1,17! Ex 33,20
ᾧ τιμὴ καὶ κράτος αἰώνιον, ἀμήν.

7 ⸀αληθες οτι D* a b vg^{mss}; Ambst Spec ¦ δηλον οτι א^{2} D^{2} Ψ 𝔐 (f m vg) sy ¦ – co; Hier ¦ *txt* א* A F G 048. 061^{vid}. 33. 81. 1739. 1881 *pc* r • **8** ⸀διατροφην D F G K P 048^{vid}. 061. 1739* *al* a b r sy^{p} co; Cyp Ambst ¦ *txt* א A Ψ 𝔐 f vg sy^{h} • **9** ⸆(3,7) του διαβολου D* F G (629) *pc* a b m vg^{cl}; Spec | ⸀ανονητους 629 *pc* lat • **10** ⸀ποικιλαις א* H • **11** ⸆του א^{2} D F G H Ψ 𝔐 ¦ *txt* א* A I 33. 1739. 1881 *pc* | ⸀πρα(ο)τητα א^{2} D Ψ 𝔐 ¦ *txt* א* A F G H P^{vid} 81. 630. 1739. 1881 *pc* • **12** ⸆και 81 *pc* sy^{h**} • **13** °† א* F G Ψ 6. 33. 1739 *pc* m sa^{mss} ¦ *txt* א^{2} A D H 𝔐 lat sy sa^{ms} bo; Tert | °¹ א *pc* | ⸀ζωοποιουντος א 𝔐 ¦ *txt* A D F G H P Ψ 33. 81. 104. 365. 630. 1175. 1739. 1881 *pc* | ⸉ א F G 326 *pc* sy^{p}; Tert ¦ *txt* A D Ψ 𝔐 lat sy^{h} • **16** ⸆και D* 629 a b m vg^{cl}; Tert Ambst

Jc 1,10 **17** Τοῖς πλουσίοις ἐν τῷ νῦν αἰῶνι παράγγελλε μὴ
R 12,16! · Ps 62,11 · ⸀ὑψηλοφρονεῖν μηδὲ ἠλπικέναι ἐπὶ πλούτου ἀδηλότητι
4,10 ἀλλ᾽ ⸁ἐπὶ θεῷ ⸆ τῷ παρέχοντι ἡμῖν πάντα πλουσίως εἰς
ἀπόλαυσιν, **18** ἀγαθοεργεῖν, πλουτεῖν ἐν ἔργοις καλοῖς,
Mt 6,20 εὐμεταδότους εἶναι, κοινωνικούς, **19** ἀποθησαυρίζοντας
ἑαυτοῖς ⸀θεμέλιον καλὸν εἰς τὸ μέλλον, ἵνα ἐπιλάβωνται
τῆς ⸁ὄντως ζωῆς.
2T 1,14 **20** ῏Ω Τιμόθεε, τὴν παραθήκην φύλαξον ἐκτρεπόμενος
4,7! τὰς βεβήλους ⸀κενοφωνίας καὶ ἀντιθέσεις τῆς ψευδωνύ-
μου γνώσεως, **21** ἥν τινες ἐπαγγελλόμενοι περὶ τὴν πί-
1,6! στιν ἠστόχησαν.
Kol 4,18! Ἡ χάρις ⸂μεθ᾽ ὑμῶν⸃. ⸆

ΠΡΟΣ ΤΙΜΟΘΕΟΝ Β′

1K 1,1! **1** Παῦλος ἀπόστολος Χριστοῦ Ἰησοῦ διὰ θελήματος
1J 2,25! 1T 4,8 θεοῦ κατ᾽ ἐπαγγελίαν ζωῆς τῆς ἐν Χριστῷ Ἰησοῦ
Act 16,1! · 1K 4, 17 · 1T 1,2! **2** Τιμοθέῳ ἀγαπητῷ τέκνῳ, χάρις ἔλεος εἰρήνη ἀπὸ θεοῦ
πατρὸς καὶ ⸂Χριστοῦ Ἰησοῦ⸃ τοῦ κυρίου ἡμῶν.
R 1,9! · Ph 3,5 · **3** Χάριν ἔχω τῷ θεῷ, ᾧ λατρεύω ἀπὸ προγόνων ἐν κα-
1T 3,9! θαρᾷ συνειδήσει, ὡς ἀδιάλειπτον ἔχω τὴν περὶ σοῦ μνείαν ἐν ταῖς δεήσεσίν μου νυκτὸς καὶ ἡμέρας, **4** ἐπιπο-
4,9! θῶν σε ἰδεῖν, μεμνημένος σου τῶν δακρύων, ἵνα χαρᾶς

17 ⸀υψηλα φρ. ℵ I; Or | ⸁επι τω A I P Ψ 6. 33. 81. 104. 365. (629). 1175. 1739. 1881 *pc* ¦ εν τω D^{2} 𝔐 ¦ *txt* ℵ D* F G | ⸆(4,10) τω (– D*) ζωντι D 𝔐 a b m vg^{cl} sy bo^{ms}; Ambst Spec ¦ *txt* ℵ A F G I P Ψ 6. 33. 81. 104. 365. 1175. 1739. 1881 *pc* vgst co; Or ● **19** [⸀θεμαλιαν Bos; κειμηλιον P. Junius *cjj*] | ⸁αιωνιου D^{2} 𝔐 bo^{ms} ¦ οντως αιων. 1175 *pc* ¦ *txt* ℵ A D* F G Ψ 81. 104. 369. 1739 *pc* latt sy ● **20** ⸀(*ex itac.?*) καινοφ- F G lat; Ir^{lat} ● **21** ⸂μετα σου D Ψ 048 𝔐 lat sy bo^{ms} ¦ *txt* ℵ A F G P 33. 81 *pc* (bo) | ⸆αμην ℵ^{2} D^{2} Ψ 𝔐 f vg$^{cl.ww}$ sy bo; Ambst ¦ *txt* ℵ* A D* F G 33. 81. 1881 *pc* it vgst sa bo^{mss}

Subscriptio: Προς Τιμοθεον α′ ℵ (D F G) Ψ 33 ¦ πρ. Τ. α′ εγραφη απο Λαοδικειας (Νικοπολεως P) A P *pc* ¦ πρ. Τ. α′ εγρ. απο Λ. ητις εστιν μητροπολις Φρυγιας της Πακατιανης (Καπατ- K L *pc*; Παρακατ- 1881) 𝔐 ¦ – 323. 365. 629. 630. 2495 *pc*

¶ **1,2** ⸂*2 1* 629. 1739. 1881 *pc* ¦ κυριου Ι. Χρ. ℵ* 33 *pc* sy^{p} ¦ *txt* ℵ^{2} A D F G I Ψ 𝔐 latt sy^{h} sa bo^{pt}

πληρωθῶ, **5** ὑπόμνησιν ⸀λαβὼν τῆς ἐν σοὶ ἀνυποκρίτου 1T 1,5
πίστεως, ἥτις ἐνῴκησεν πρῶτον ἐν τῇ μάμμῃ σου Λωΐδι
καὶ τῇ μητρί σου Εὐνίκῃ, πέπεισμαι δὲ ὅτι καὶ ἐν σοί. Act 16,1
6 Δι' ἣν αἰτίαν ⸀ἀναμιμνῄσκω σε ἀναζωπυρεῖν τὸ χά- 1T 4,14
ρισμα τοῦ ⸁θεοῦ, ὅ ἐστιν ἐν σοὶ διὰ τῆς ἐπιθέσεως τῶν Act 6,6!
χειρῶν μου. **7** οὐ γὰρ ἔδωκεν ἡμῖν ὁ θεὸς πνεῦμα δειλίας R 8,15 Mt 8,26p J 14,27
ἀλλὰ δυνάμεως καὶ ἀγάπης καὶ σωφρονισμοῦ. **8** μὴ οὖν 1K 2,4
ἐπαισχυνθῇς τὸ μαρτύριον τοῦ κυρίου ἡμῶν μηδὲ ἐμὲ τὸν 2,15 L 9,26! ·
δέσμιον αὐτοῦ, ἀλλὰ συγκακοπάθησον τῷ εὐαγγελίῳ κα- Ph 1,7! · 2,3!
τὰ δύναμιν θεοῦ,

9 τοῦ σώσαντος ἡμᾶς
καὶ καλέσαντος κλήσει ἁγίᾳ,
οὐ κατὰ τὰ ἔργα ἡμῶν Tt 3,5
ἀλλὰ κατὰ ἰδίαν πρόθεσιν καὶ χάριν, E 1,11!
τὴν δοθεῖσαν ἡμῖν ἐν Χριστῷ Ἰησοῦ
πρὸ χρόνων αἰωνίων, Tt 1,2s
10 φανερωθεῖσαν δὲ νῦν R 16,26 1P 1,20
διὰ τῆς ἐπιφανείας τοῦ σωτῆρος ἡμῶν ⸂Χριστοῦ 1T 6,14! Tt 2,11; · 1,4; 2,13; 3,6 Ph
Ἰησοῦ⸃, 3,20 2P 1,11! ·
καταργήσαντος μὲν τὸν θάνατον H 2,14!
φωτίσαντος δὲ ζωὴν καὶ ἀφθαρσίαν διὰ τοῦ εὐαγ- J 1,4.9 Act 26,23 · 1K 15,53s
γελίου

11 εἰς ὃ ἐτέθην ἐγὼ κῆρυξ καὶ ἀπόστολος ⸂καὶ διδάσκα- 1T 2,7
λος⸃, **12** δι' ἣν αἰτίαν °καὶ ταῦτα πάσχω· ἀλλ' οὐκ ἐπαι- 1P 4,16
σχύνομαι, οἶδα γὰρ ᾧ πεπίστευκα καὶ πέπεισμαι ὅτι δυνατός ἐστιν τὴν παραθήκην μου φυλάξαι εἰς ἐκείνην 14!
τὴν ἡμέραν. **13** Ὑποτύπωσιν ἔχε ὑγιαινόντων λό- 1T 1,10!
γων ὧν παρ' ἐμοῦ ἤκουσας ἐν πίστει καὶ ἀγάπῃ τῇ ἐν 2,2! · 1T 1,14
Χριστῷ Ἰησοῦ· **14** τὴν καλὴν παραθήκην φύλαξον διὰ 12 1T 6,20
πνεύματος ἁγίου τοῦ ἐνοικοῦντος ἐν ἡμῖν. R 8,11
2 **15** Οἶδας τοῦτο, ὅτι ἀπεστράφησάν με πάντες οἱ ἐν τῇ 4,16!
Ἀσίᾳ, ὧν ἐστιν Φύγελος καὶ Ἑρμογένης. **16** δῴη ἔλεος ὁ
κύριος τῷ Ὀνησιφόρου οἴκῳ, ὅτι πολλάκις με ἀνέψυξεν 4,19
καὶ τὴν ἅλυσίν μου οὐκ ἐπαισχύνθη, **17** ἀλλὰ γενόμενος

5 ⸀λαμβανων ℵ^{2} D (365) 𝔐 sy^{h} ¦ *txt* ℵ* A C F G Ψ 33. 104. 1175. 1739 *pc* ● **6** ⸀υπομιμνησκω D Ψ 365 *pc* | ⸁Χριστου A ● **10** ⸂ *2 1* ℵ^{2} C D^{2} F G Ψ 𝔐 lat sy; Or ¦ θεου (*?*) I ¦ *txt* ℵ* A D* 81 *pc* vg^{mss}; Ambst ● **11** ⸂και (– C P *pc*) διδ. εθνων ℵ^{2} C D F G Ψ 𝔐 latt sy co ¦ κ. διακονος 33 (*pc*) ¦ *txt* ℵ* A I 1175 *pc* ● **12** ° ℵ* Ψ 1175 *pc* vg^{mss} sy^{p}

Act 28,30 ἐν Ῥώμῃ ⸀σπουδαίως ἐζήτησέν με καὶ εὗρεν· **18** δῴη
Jd 21 αὐτῷ ὁ κύριος εὑρεῖν ἔλεος παρὰ κυρίου ἐν ἐκείνῃ τῇ
ἡμέρᾳ. καὶ ὅσα ἐν Ἐφέσῳ διηκόνησεν⸆, βέλτιον σὺ
γινώσκεις.

E 6,10 **2** Σὺ οὖν, τέκνον μου, ἐνδυναμοῦ ἐν τῇ χάριτι τῇ ἐν Χρι-
1,13; 3,14 στῷ Ἰησοῦ, **2** καὶ ἃ ἤκουσας παρ᾽ ἐμοῦ διὰ πολλῶν
μαρτύρων, ταῦτα παράθου πιστοῖς ἀνθρώποις, οἵτινες ἱκα-
1,8; 4,5 νοὶ ἔσονται καὶ ἑτέρους διδάξαι. **3** ⸀Συγκακοπάθησον ὡς *3*
Phm 2 | 1K 9,7 καλὸς στρατιώτης Χριστοῦ Ἰησοῦ. **4** οὐδεὶς στρατευό-
μενος ⸆ ἐμπλέκεται ταῖς τοῦ βίου πραγματείαις, ἵνα τῷ
στρατολογήσαντι ἀρέσῃ. **5** ἐὰν δὲ καὶ ἀθλῇ τις, οὐ στε-
1K 9,25! φανοῦται ἐὰν μὴ νομίμως ἀθλήσῃ. **6** τὸν κοπιῶντα γεωρ-
1K 9,7.10 γὸν δεῖ ⸀πρῶτον τῶν καρπῶν μεταλαμβάνειν. **7** νόει ⸀ὃ
Prv 2,6 λέγω· ⸁δώσει γάρ σοι ὁ κύριος σύνεσιν ἐν πᾶσιν.
1K 15,20 **8** Μνημόνευε Ἰησοῦν Χριστὸν ἐγηγερμένον ἐκ νε-
R 1,3!; · 2,16 κρῶν, ἐκ σπέρματος Δαυίδ, κατὰ τὸ εὐαγγέλιόν μου,
Ph 1,7!; · 1,12-14 **9** ἐν ᾧ κακοπαθῶ μέχρι δεσμῶν ὡς κακοῦργος, ἀλλὰ ὁ
Act 28,31 | λόγος τοῦ θεοῦ οὐ δέδεται· **10** διὰ τοῦτο πάντα ὑπομένω
Mt 24,22 E 3,13! · διὰ τοὺς ἐκλεκτούς, ἵνα καὶ αὐτοὶ σωτηρίας τύχωσιν τῆς
1T 1,15! ἐν Χριστῷ Ἰησοῦ μετὰ δόξης αἰωνίου. **11** πιστὸς ὁ λόγος· *4*
R 6,8 εἰ γὰρ συναπεθάνομεν, καὶ συζήσομεν·
Mt 10,22! **12** εἰ ὑπομένομεν, καὶ συμβασιλεύσομεν·
Mt 10,33! εἰ ⸀ἀρνησόμεθα, κἀκεῖνος ἀρνήσεται ἡμᾶς·
R 3,3 · 1K 10,13! **13** εἰ ἀπιστοῦμεν, ἐκεῖνος πιστὸς μένει,
ἀρνήσασθαι °γὰρ ἑαυτὸν οὐ δύναται.
14 Ταῦτα ὑπομίμνῃσκε διαμαρτυρόμενος ἐνώπιον τοῦ
1T 6,4 ⸀θεοῦ μὴ ⸁λογομαχεῖν, ⸀¹ἐπ᾽ οὐδὲν χρήσιμον, ἐπὶ κατα-

17 ⸀σπουδαιοτερον (-ρως A 365 *pc*) A D^2 Ψ 𝔐 sy^h ¦ *txt* ℵ C D* F G P 6. 33. 81. 104. 1175. 1739. 1881 *pc* latt sy^p co • **18** ⸆μοι 104. 365. (ʃ629) *pc* it vg^{cl} sy
¶ **2,3** ⸀κακοπ- 1175 lat ¦ συ ουν κακοπ- C^3 D^1 H Ψ 𝔐 sy^h ¦ *txt* ℵ A C* D* F G I P 33. 81. 104. 365. 1739 *pc* m sy^{hmg} bo • **4** ⸆τω θεω F G it vg$^{cl.ww}$; Cyp Ambst • **6** ⸀προτερον ℵ* • **7** ⸀α D H Ψ 𝔐 lat sy^h ¦ *txt* ℵ A C F G P 33. 1739 *pc*; Epiph | ⸁δωη C^3 H Ψ 𝔐 ¦ *txt* ℵ A C* D F G 33. 1175. 1739 *pc* latt; Epiph • **12** ⸀αρνουμεθα ℵ^2 D 𝔐; Cyp Ambst ¦ *txt* ℵ* A C Ψ 048. 33. 81. 104. 365. 1175 *pc* lat; Tert (F G: *h. t.*) • **13** ° ℵ^2 Ψ 𝔐 lat sy^h sa bo^{mss}; Tert ¦ *txt* ℵ* A^{vid} C D F G L P 048^{vid}. 6. 33. 81. 104. 326. 365. 1175. 1739. 1881 *al* sy^p bo • **14** ⸀κυριου A D Ψ 048 𝔐 b vg sy sa^{ms} bo^{pt} ¦ Χριστου *pc* ¦ *txt* ℵ C F G I 614. 629. 630. 1175. 2495 *al* a vg^{mss} sy^{hmg} sa^{mss} bo^{pt} | ⸁-μάχει A C* 048. 1175 *pc* latt ¦ *txt* ℵ C^3 D F G I Ψ 𝔐 sy; Cl | ⸀¹εις ℵ^2 D Ψ 𝔐 ¦ *txt* ℵ* A C F G I P 048. 33. 1175. 1241 *pc*

στροφῇ τῶν ἀκουόντων. **15** σπούδασον σεαυτὸν δόκιμον
παραστῆσαι τῷ θεῷ, ἐργάτην ἀνεπαίσχυντον, ὀρθοτο- 1,8
μοῦντα τὸν λόγον τῆς ἀληθείας. **16** τὰς δὲ βεβήλους ⸀κε- 2K 6,7 E 1,13 Kol 1,5s Jc 1,18 | 1T 4,7!
νοφωνίας περιΐστασο· ἐπὶ πλεῖον γὰρ προκόψουσιν ἀσε-
βείας **17** καὶ ὁ λόγος αὐτῶν ὡς γάγγραινα νομὴν ἕξει.
ὧν ἐστιν Ὑμέναιος καὶ Φίλητος, **18** οἵτινες περὶ τὴν ἀλή- 1T 1,20
θειαν ἠστόχησαν, λέγοντες ⸋[τὴν] ἀνάστασιν ἤδη γεγο- 1T 1,6! · ?1K 15,12
νέναι, καὶ ἀνατρέπουσιν τήν τινων πίστιν. **19** ὁ μέντοι
στερεὸς θεμέλιος τοῦ θεοῦ ἕστηκεν, ἔχων τὴν σφρα- Is 28,16
γῖδα ταύτην· *ἔγνω κύριος* ⸆ *τοὺς ὄντας αὐτοῦ*, καί· *ἀπο-* *Nu 16,5* · *Sir 17,26*; 35,3 Job 36,10 ·
στήτω ἀπὸ ἀδικίας πᾶς ὁ *ὀνομάζων τὸ ὄνομα κυρίου.* *Is 26,13* Sir 23,10 v.l. cf Lv 24,16 |
20 Ἐν μεγάλῃ δὲ οἰκίᾳ οὐκ ἔστιν μόνον σκεύη χρυσᾶ καὶ 1K 3,12
ἀργυρᾶ ἀλλὰ καὶ ξύλινα καὶ ὀστράκινα, καὶ ἃ μὲν εἰς τι-
μὴν ἃ δὲ εἰς ἀτιμίαν· **21** ἐὰν οὖν τις ἐκκαθάρῃ ἑαυτὸν ἀπὸ R 9,21 |
τούτων, ἔσται σκεῦος εἰς τιμήν, ἡγιασμένον, ⸆ εὔχρηστον Phm 11
τῷ δεσπότῃ, εἰς πᾶν ἔργον ἀγαθὸν ἡτοιμασμένον. 3,17
5 **22** Τὰς δὲ νεωτερικὰς ἐπιθυμίας φεῦγε, δίωκε δὲ δικαιοσύνην πίστιν ἀγάπην εἰρήνην μετὰ ⸂τῶν ἐπικαλου- G 5,22! · 1K 1,2! ·
μένων⸃ τὸν κύριον ἐκ καθαρᾶς καρδίας. **23** τὰς δὲ μωρὰς Mt 5,8! |
καὶ ἀπαιδεύτους ζητήσεις παραιτοῦ, εἰδὼς ὅτι γεννῶσιν Tt 3,9 1T 1,4; 6,4; 4,7 Act 15,2 |
μάχας· **24** δοῦλον δὲ κυρίου οὐ δεῖ μάχεσθαι ἀλλὰ ⸀ἤ- Tt 3,2 1T 3,2s
πιον εἶναι πρὸς πάντας, διδακτικόν, ἀνεξίκακον, **25** ἐν
πραΰτητι παιδεύοντα τοὺς ἀντιδιατιθεμένους, μήποτε
⸀δώῃ αὐτοῖς ὁ θεὸς μετάνοιαν εἰς ἐπίγνωσιν ἀληθείας Act 11,18! · 3,7! |
26 καὶ ἀνανήψωσιν ἐκ τῆς τοῦ διαβόλου παγίδος, ἐζω- 1T 3,7
γρημένοι ὑπ᾽ αὐτοῦ εἰς τὸ ἐκείνου θέλημα.
6 **3** Τοῦτο δὲ ⸀γίνωσκε, ὅτι ἐν ἐσχάταις ἡμέραις ἐνστή- 1T 4,1! 2P 3,3 Jd 18
σονται καιροὶ χαλεποί· **2** ἔσονται γὰρ οἱ ἄνθρωποι
φίλαυτοι φιλάργυροι ἀλαζόνες ὑπερήφανοι βλάσφημοι, R 1,29!
γονεῦσιν ἀπειθεῖς, ⸀ἀχάριστοι ἀνόσιοι **3** ⸂ἄστοργοι ἄσπον-
δοι⸃ διάβολοι ἀκρατεῖς ἀνήμεροι ἀφιλάγαθοι **4** προδόται
προπετεῖς τετυφωμένοι, φιλήδονοι μᾶλλον ἢ φιλόθεοι, ?Ph 3,19

16 ⸀(*ex itac.*) καινοφ- F G b d; Lcf Spec ● **18** ⸋† ℵ F G 048. 33 *pc* ¦ *txt* A C D Ψ 𝔐 ● **19** ⸆παντας ℵ* ● **21** ⸆και ℵ² C* D² Ψ 𝔐 a f vg syʰ; Or ¦ *txt* ℵ* A C² D* F G 048. 33. 629. 1739 *pc* b m; Ambst ● **22** ⸂παντων των (– F G) επικ. C F G I 048ᵛⁱᵈ. 33. 81. 104. 326 *pc* syʰ sa? boᵖᵗ ¦ παντων των αγαπωντων A ¦ *txt* ℵ D Ψ 𝔐 lat syᵖ boᵖᵗ ● **24** ⸀νηπιον D* F G ¦ *txt* ℵ A C D² Ψ 048 𝔐 sy co ● **25** ⸀δῷ ℵ² D² 𝔐 ¦ *txt* ℵ* A C D* F G Ψ 81. 104 *pc*

¶ **3,1** ⸀γινωσκετε A F G 33 *pc* ¦ γινωσκετω 1175 a f vg; Ambst Spec ● **2** ⸀αχρηστοι C* K *pc* ● **3** ⸂ *2 1* D 365. 1175 *pc* (a) g m; Ambst ¦ *2* ℵ ¦ – 431 syᵖ

R 2,20 Tt 1,16 **5** ἔχοντες μόρφωσιν εὐσεβείας τὴν δὲ δύναμιν αὐτῆς ἠρ-
R 16,17! νημένοι· καὶ τούτους ἀποτρέπου. **6** Ἐκ τούτων
Mc 12,40p Tt 1,11 γάρ εἰσιν οἱ ἐνδύνοντες εἰς τὰς οἰκίας καὶ ⸀αἰχμαλωτί-
ζοντες ⸆ γυναικάρια σεσωρευμένα ἁμαρτίαις, ἀγόμενα
ἐπιθυμίαις ⸆ ποικίλαις, **7** πάντοτε μανθάνοντα καὶ μη-
2,25 Kol 1,9 1T 2,4; 4,3 Tt 1,1 H 10,26 2J 1 | Ex 7,11.22 · δέποτε εἰς ἐπίγνωσιν ἀληθείας ἐλθεῖν δυνάμενα. **8** ὃν
τρόπον δὲ Ἰάννης καὶ ⸀Ἰαμβρῆς ἀντέστησαν Μωϋσεῖ,
Act 13,8 οὕτως καὶ οὗτοι ἀνθίστανται τῇ ἀληθείᾳ, ἄνθρωποι κατ-
1T 6,5 εφθαρμένοι τὸν νοῦν, ἀδόκιμοι περὶ τὴν πίστιν. **9** ἀλλ᾽
13! οὐ προκόψουσιν ἐπὶ πλεῖον· ἡ γὰρ ⸀ἄνοια αὐτῶν ἔκ-
δηλος ἔσται πᾶσιν, ὡς καὶ ἡ ἐκείνων ἐγένετο.
1T 4,6 **10** Σὺ δὲ ⸀παρηκολούθησάς μου τῇ διδασκαλίᾳ, τῇ 7
ἀγωγῇ, τῇ προθέσει⸆, τῇ πίστει, τῇ μακροθυμίᾳ, ⸋τῇ
ἀγάπῃ,⸌ τῇ ὑπομονῇ, **11** τοῖς διωγμοῖς, τοῖς παθήμασιν,
Act 13,14.50; 14,1.5.8.19 · οἷά μοι ⸀ἐγένετο ἐν Ἀντιοχείᾳ⸆, ἐν Ἰκονίῳ, ἐν Λύστροις,
4,18 Ps 34,20 οἵους διωγμοὺς ὑπήνεγκα καὶ ἐκ πάντων με ἐρρύσατο ὁ
PsSal 4,23 κύριος. **12** καὶ πάντες δὲ οἱ θέλοντες ⸉εὐσεβῶς ζῆν⸊ ἐν
Χριστῷ Ἰησοῦ διωχθήσονται. **13** πονηροὶ δὲ ἄνθρωποι
9; 2,16 1T 4,15 καὶ γόητες προκόψουσιν ἐπὶ τὸ χεῖρον πλανῶντες καὶ
2,2! πλανώμενοι. **14** Σὺ δὲ μένε ἐν οἷς ἔμαθες καὶ ἐπιστώ-
θης, εἰδὼς παρὰ ⸀τίνων ἔμαθες, **15** καὶ ὅτι ἀπὸ βρέφους
Act 16,1 J 5,39 Ps 118,98 𝔊 ⸋[τὰ] ἱερὰ γράμματα οἶδας, τὰ δυνάμενά σε σοφίσαι εἰς
σωτηρίαν διὰ πίστεως τῆς ἐν Χριστῷ Ἰησοῦ. **16** πᾶσα
2P 1,19-21 R 15,4 γραφὴ θεόπνευστος ⸋καὶ ὠφέλιμος πρὸς διδασκαλίαν,
πρὸς ⸀ἐλεγμόν, πρὸς ἐπανόρθωσιν, πρὸς παιδείαν τὴν
1T 6,11! ἐν δικαιοσύνῃ, **17** ἵνα ⸀ἄρτιος ᾖ ὁ τοῦ θεοῦ ἄνθρωπος,
2,21 πρὸς πᾶν ἔργον ἀγαθὸν ἐξηρτισμένος.
1T 5,21 **4** Διαμαρτύρομαι ⸆ ἐνώπιον τοῦ θεοῦ καὶ Χριστοῦ Ἰη-
Act 10,42! σοῦ τοῦ μέλλοντος ⸀κρίνειν ζῶντας καὶ νεκρούς⸀, καὶ
1T 6,14! τὴν ἐπιφάνειαν αὐτοῦ καὶ τὴν βασιλείαν αὐτοῦ· **2** κή-

6 ⸀-λωτευοντες D^{2} 𝔐 ¦ *txt* ℵ A C (D*: εκμ-) F G P Ψ 6. 33. 81. 104. 365. 1175. 1739. 1881 *al* | ⸆τα 2 *pc* | ⸆και ηδοναις A *pc* sy^{h} • **8** ⸀Μαμβρης F G lat; Cyp • **9** ⸀διανοια A • **10** ⸀-θηκας D Ψ 𝔐 ¦ *txt* ℵ A C (F G: ηκ-) *pc* | [⸆τη πραξει v. Wyss *cj*] | ⸋A *pc* • **11** ⸀εγενοντο A K 81. 614. 629. 1881 *pc* | ⸆α δια την Θεκλαν επαθεν 181^{mg} (sy^{hmg}) (*i. e. glossa*) • **12** ⸉† ℵ A P 33. 104. 365. 1739 *pc* ¦ *txt* C D F G Ψ 𝔐 latt • **14** ⸀τινος C^{3} D Ψ 𝔐 a f vg ¦ *txt* ℵ A C* F G P 33. 81. 1175. 1739. 1881 *pc* b d; Ambst • **15** ⸋† ℵ C^{2vid} D* F G 33. 1175. 1881 *pc* co; Cl ¦ *txt* A C* D^{1} Ψ 𝔐 • **16** ⸋ a f m t vg^{cl} sy^{p}; Ambst | ⸀ελεγχον D Ψ 048 𝔐 ¦ *txt* ℵ A C F G I 33. 81. 104. 365. 1175. 1739. 1881 *pc* • **17** ⸀τελειος D* *ex* lat? ¦ υγιης τελειος 104^{mg} (*i. e. glossa*)

¶ **4,1** ⸆ουν Ψ *pc* ¦ εγω 326* ¦ ουν εγω D^{1} 𝔐 ¦ *txt* ℵ A C D* F G I P 6. 33. 81. 104. 365. 1175. 1739. 1881 *pc* latt | ⸀κριναι F G 6. 33. 81. 1881. 2495 *pc* | ⸀κατα ℵ^{2} D^{2} Ψ 𝔐 vg^{cl} (sy) sa ¦ *txt* ℵ* A C D* F G 6. 33. 1175. 1739 *pc* lat bo

ρυξον τὸν λόγον, ἐπίστηθι εὐκαίρως ἀκαίρως, ἔλεγξον, Mt 18,15! 1 T 5,20!
⸉ἐπιτίμησον, παρακάλεσον⸊, ἐν πάσῃ μακροθυμίᾳ καὶ L 17,3
8 διδαχῇ. **3** Ἔσται γὰρ καιρὸς ὅτε τῆς ὑγιαινού- 1 T 4,1!; • 1,10!
σης διδασκαλίας οὐκ ἀνέξονται ἀλλὰ κατὰ τὰς ⸂ἰ- H 13,22
δίας ἐπιθυμίας⸃ ἑαυτοῖς ἐπισωρεύσουσιν διδασκάλους
κνηθόμενοι τὴν ἀκοὴν **4** καὶ ἀπὸ μὲν τῆς ἀληθείας 1 T 6,5!
τὴν ἀκοὴν ἀποστρέψουσιν, ἐπὶ δὲ τοὺς μύθους ἐκτρα- 1 T 1,4!
πήσονται. **5** Σὺ δὲ νῆφε ἐν πᾶσιν, °κακοπάθησον⸆, 1 P 1,13! • 2,3! •
ἔργον ποίησον εὐαγγελιστοῦ, τὴν διακονίαν σου πληρο- Act 21,8!
φόρησον.
9 **6** Ἐγὼ γὰρ ἤδη σπένδομαι, καὶ ὁ καιρὸς τῆς ⸂ἀναλύ- Ph 2,17; • 1,23 2 P 1,14 |
σεώς μου⸃ ἐφέστηκεν. **7** τὸν ⸂καλὸν ἀγῶνα⸃ ἠγώνισμαι, 1 K 9,25 1 T 1,18; 6,12 H 12,1 Jd 3 •
τὸν δρόμον τετέλεκα, τὴν πίστιν τετήρηκα· **8** λοιπὸν ἀπό- Act 20,24!
κειταί μοι ὁ τῆς δικαιοσύνης στέφανος, ὃν ἀποδώσει μοι 1 K 9,25! Sap 5,16
ὁ κύριος ἐν ἐκείνῃ τῇ ἡμέρᾳ, ὁ δίκαιος κριτής, οὐ μόνον H 12,23!
δὲ ἐμοὶ ἀλλὰ καὶ °πᾶσι τοῖς ἠγαπηκόσι τὴν ἐπιφάνειαν 1 T 6,14!
αὐτοῦ.

9 Σπούδασον ἐλθεῖν πρός με ⸀ταχέως· **10** Δημᾶς γάρ 21; 1,4 | Kol 4,14 Phm 24
με ⸀ἐγκατέλιπεν ἀγαπήσας τὸν νῦν αἰῶνα καὶ ἐπορεύθη 16!
εἰς Θεσσαλονίκην, Κρήσκης εἰς ⸁Γαλατίαν, Τίτος εἰς 2 K 2,13!
Δαλματίαν· **11** Λουκᾶς ἐστιν μόνος μετ᾽ ἐμοῦ. Μᾶρκον Kol 4,14! • Act 12,12! •
ἀναλαβὼν ⸀ἄγε μετὰ σεαυτοῦ, ἔστιν γάρ μοι εὔχρηστος Phm 11
εἰς διακονίαν. **12** Τύχικον δὲ ἀπέστειλα εἰς Ἔφεσον. E 6,21!
13 τὸν φαιλόνην ὃν ⸀ἀπέλιπον ἐν Τρῳάδι παρὰ Κάρπῳ Act 16,8!
ἐρχόμενος φέρε, καὶ τὰ βιβλία μάλιστα ⸆ τὰς μεμβράνας.
14 Ἀλέξανδρος ὁ χαλκεὺς πολλά μοι κακὰ ἐνεδείξατο· 1 T 1,20!
⸀ἀποδώσει αὐτῷ ὁ κύριος κατὰ τὰ ἔργα αὐτοῦ· **15** ὃν Ps 62,13; 28,4 Prv 24,12 R 2,6! |
καὶ σὺ φυλάσσου, λίαν γὰρ ⸀ἀντέστη τοῖς ἡμετέροις λό-
γοις. **16** Ἐν τῇ πρώτῃ μου ἀπολογίᾳ οὐδείς μοι

2 ⸉ א* F G 1739. 1881 *pc* latt co • **3** ⸂επιθ. τας ιδιας 𝔐 ¦ *txt* א A C D F G P Ψ 33. 81. 104. 365. 1175. 1739. 1881. 2495 *al* • **5** ° א* vg^{ms} | ⸆(2, 3) ως καλος στρατιωτης Χριστου Ιησου A • **6** ⸂εμης αναλ. D Ψ 𝔐 a f t vgst ¦ *txt* א A C F G P 33. 81. 104. 365. 630. 1175. 1739. 1881 *pc* b vg^{cl}; Cyp Ambst • **7** ⸂αγ. τον καλον D Ψ 𝔐; Or ¦ *txt* א A C F G 33. 81. 104. 629. 1175 *pc*; Did • **8** ° D* 6. 1739*. 1881 *pc* lat sy^{p}; Ambst • **9** ⸀ταχιον I 33 ¦ εν ταχει 442 *pc* • **10** ⸀-λειπεν A C D^{2} F G L P 33. 81. 1175. 1881 *al* ¦ *txt* א (D*: κατελ-) I^{vid} Ψ 𝔐 | ⸁Γαλλιαν א C 81. 104. 326 *pc* vgst sa bo^{pt} • **11** ⸀αγαγε A 104. 365 *pc* • **13** ⸀-λειπον A C F G L P 33. 104. 326. 1175. 1881 *al* ¦ *txt* א D Ψ 𝔐 | ⸆δε D* *pc* a b vg; Ambst ¦ και 1175 • **14** ⸀-δωη D^{1} Ψ 𝔐 lat; Ambst ¦ *txt* א A C D*$^{.2}$ F G 6. 33. 81. 104. 365. 630. 1175. 1739. 1881 *pc* a vg^{cl} • **15** ⸀ανθεστηκεν א^{2} D^{2} Ψ 𝔐 a g vg^{mss} ¦ *txt* א* A C D* F G 33. 1175 *pc* b vg; Ambst

10; 1,15 Mc 14,50 ⸀παρεγένετο, ἀλλὰ πάντες με ⸁ἐγκατέλιπον· μὴ αὐτοῖς λο-
Act 23,11; 27, 23s · Ph 4,13! γισθείη· **17** ὁ δὲ κύριός μοι παρέστη καὶ ἐνεδυνάμωσέν
με, ἵνα δι' ἐμοῦ τὸ κήρυγμα πληροφορηθῇ καὶ ⸀ἀκούσωσιν
1 Mcc 2,60 Dn 6,21. 27 Theod Ps 22,22 | πάντα τὰ ἔθνη, καὶ ἐρρύσθην ἐκ στόματος λέοντος.
3,11! Mt 6,13! 2K 1,10 · **18** ⸆ ῥύσεταί με ὁ κύριος ἀπὸ παντὸς ἔργου πονηροῦ καὶ
R 16,27! σώσει εἰς τὴν βασιλείαν αὐτοῦ τὴν ἐπουράνιον· ᾧ ἡ δόξα
εἰς τοὺς αἰῶνας τῶν αἰώνων, ἀμήν.
Act 18,2! · 1,16 **19** Ἄσπασαι Πρίσκαν καὶ Ἀκύλαν ⸆ καὶ τὸν Ὀνη-
Act 19,22! σιφόρου οἶκον. **20** Ἔραστος ἔμεινεν ἐν Κορίν-
Act 21,29! θῳ, Τρόφιμον δὲ ⸀ἀπέλιπον ἐν ⸁Μιλήτῳ ἀσθενοῦντα.
9! **21** Σπούδασον πρὸ χειμῶνος ἐλθεῖν. Ἀσπάζεταί σε
Εὔβουλος καὶ Πούδης καὶ Λίνος καὶ Κλαυδία καὶ οἱ
ἀδελφοὶ °πάντες.
G 6,18! · Kol 4,18! **22** Ὁ κύριος ⸆ μετὰ τοῦ πνεύματός σου. ⸂ἡ χάρις μεθ'
ὑμῶν.⸃ ⸇

2K 2,13!

ΠΡΟΣ ΤΙΤΟΝ

1 Παῦλος δοῦλος θεοῦ, ἀπόστολος δὲ ⸂Ἰησοῦ Χριστοῦ⸃
2T 2,10; · 3,7! κατὰ πίστιν ἐκλεκτῶν θεοῦ καὶ ἐπίγνωσιν ἀληθείας
1T 6,3 | 3,7 1J 2, 25! · R 1,2 · τῆς κατ' εὐσέβειαν **2** ⸀ἐπ' ἐλπίδι ζωῆς αἰωνίου, ἣν ἐπηγ-
2T 1,9 | γείλατο ὁ ἀψευδὴς θεὸς πρὸ χρόνων αἰωνίων, **3** ἐφανέ-
1T 2,6 · ρωσεν δὲ καιροῖς ἰδίοις τὸν λόγον αὐτοῦ ἐν κηρύγματι,

16 ⸀συμπαρεγ- ℵ^{2} Ψ 𝔐 ¦ *txt* ℵ* A C D F G 33. 326. 1175. 1739* *pc* latt | ⸁-λειπον A C D^{1} F G L P 33. 104. 326. 1175 *al* ¦ *txt* ℵ D* Ψ 𝔐 ● **17** ⸀-σῃ Ψ 𝔐 ¦ *txt* ℵ A C D F G P 33. 81. 104. 326. 365. 1175. 1739. 1881 *pc* ● **18** ⸆και D^{1} F G Ψ 𝔐 sy ¦ *txt* ℵ A C D* 6. 33. 81. 104. 1175. 1739. 1881 *pc* lat ● **19** ⸆Λεκτραν την γυναικα αυτου και Σιμαιαν και Ζηνωνα τους υιους αυτου 181 *pc* (*cf* Acta Pauli et Theclae) ● **20** ⸀-λειπον C L P 33. 104. 323. 326. 365. 1175. 1241 *al* | [⸁Μελιτη Beza *cj*] ● **21** ° ℵ* 33. 1739. 1881 *pc* ● **22** ⸆Ιησους A 104. 614 *pc* vgst ¦ Ιησ. Χριστος ℵ^{2} C D Ψ 𝔐 a b f vg$^{cl.ww}$ sy bo; Ambst ¦ *txt* ℵ* F G 33. 1739. 1881 *pc* sa | ⸂η χ. μ. ημων 460. 614 *pc* vgst bo^{ms} ¦ η χ. μ. σου sy^{p} sa^{ms} bo^{ms} ¦ ερρωσ(ο) εν ειρηνη D*.$^{(1)}$ a b; (Ambst) ¦ – sa^{mss} | ⸇αμην ℵ^{2} D Ψ 𝔐 a vg sy bo^{pt} ¦ *txt* ℵ* A C F G 6. 33. 81. 1881 *pc* b vg^{ms} sa bo^{pt}; Ambst

Subscriptio: Προς Τιμοθεον β' (– ℵ C) ℵ C (D F G) Ψ 33. 2495 *pc* ¦ πρ. Τ. β' εγραφη απο Ρωμης (Λαοδικαιας A) A P 6. 1739*. 1881 *pc* ¦ πρ. Τ. β' της Εφεσιων εκκλησιας επισκωπον πρωτον χειροτονηθεντα εγραφη απο Ρωμης οτε εκ δευτερου παρεστη Παυλος τω καισαρι Ρωμης Νερωνι (*vl v. l. al*) 𝔐 ¦ – 323. 365. 629. 630 *pc*

¶ **1,1** ⸂*2 1* A 629. 1175 a b vg^{mss} sy^{h}; Ambst ¦ *2* D* ● **2** ⸀εν F G H 365 *pc*

ὃ ἐπιστεύθην ἐγὼ κατ’ ἐπιταγὴν τοῦ σωτῆρος ἡμῶν θεοῦ, 1T 1,11!; · 1,1!
4 Τίτῳ γνησίῳ τέκνῳ κατὰ κοινὴν πίστιν, χάρις ⸀καὶ εἰ- 1T 1,2! · R 1,7!
ρήνη ἀπὸ θεοῦ πατρὸς καὶ ⸂Χριστοῦ Ἰησοῦ⸃ τοῦ σωτῆ- 2T 1,10!
ρος ἡμῶν.

1 **5** Τούτου χάριν ⸀ἀπέλιπόν σε ἐν Κρήτῃ, ἵνα τὰ λεί-
ποντα ⸁ἐπιδιορθώσῃ καὶ καταστήσῃς κατὰ πόλιν πρε- Act 14,23
σβυτέρους, ὡς ἐγώ σοι διεταξάμην, **6** εἴ τίς ἐστιν ἀνέγ- *6s:* 1T 3,2-4
κλητος, μιᾶς γυναικὸς ἀνήρ, τέκνα ἔχων πιστά, μὴ ἐν 1T 3,10!
κατηγορίᾳ ἀσωτίας ἢ ἀνυπότακτα. **7** δεῖ γὰρ τὸν ἐπίσκο- Act 20,28!
πον ἀνέγκλητον εἶναι ὡς θεοῦ οἰκονόμον, μὴ αὐθάδη, μὴ 1K 4,1!
ὀργίλον, μὴ πάροινον, μὴ πλήκτην, μὴ αἰσχροκερδῆ, 11 1T 3,8 1P 5,2
8 ἀλλὰ φιλόξενον φιλάγαθον σώφρονα δίκαιον ὅσιον ἐγ- R 12,13! · E 4,24! ·
κρατῆ, **9** ἀντεχόμενον τοῦ κατὰ τὴν διδαχὴν πιστοῦ λό- 2P 5,2 |
γου, ἵνα δυνατὸς ᾖ καὶ παρακαλεῖν ⸂ἐν τῇ διδασκαλίᾳ τῇ
ὑγιαινούσῃ⸃ καὶ τοὺς ἀντιλέγοντας ἐλέγχειν⸆. 1T 5,20!
2 **10** Εἰσὶν γὰρ πολλοὶ °[καὶ] ἀνυπότακτοι, ματαιολόγοι 1T 1,9.6 ·
καὶ φρεναπάται, μάλιστα οἱ ἐκ °¹τῆς περιτομῆς, **11** οὓς G 6,3 R 16,18! ·
δεῖ ἐπιστομίζειν, οἵτινες ὅλους οἴκους ἀνατρέπουσιν δι- G 2,12! | 2T 3,6; · 2,18
δάσκοντες ἃ μὴ δεῖ αἰσχροῦ κέρδους χάριν⸆. **12** εἶπέν 1T 5,13 · 7!
⸆ τις ἐξ αὐτῶν ἴδιος αὐτῶν προφήτης·
Κρῆτες ἀεὶ ψεῦσται, κακὰ θηρία, γαστέρες ἀργαί. Epimenides, de oraculis / περὶ χρησμῶν
13 ἡ μαρτυρία αὕτη ἐστὶν ἀληθής. δι’ ἣν αἰτίαν ἔλεγχε 1T 5,20!
αὐτοὺς ἀποτόμως, ἵνα ὑγιαίνωσιν °ἐν τῇ πίστει, **14** μὴ 2,2
προσέχοντες Ἰουδαϊκοῖς μύθοις καὶ ⸀ἐντολαῖς ἀνθρώπων 1T 1,4! · Mt 15,9! ·
ἀποστρεφομένων τὴν ἀλήθειαν. **15** πάντα ⸆ καθαρὰ τοῖς 1T 6,5! | R 14, 14.20
καθαροῖς· τοῖς δὲ μεμιαμμένοις καὶ ἀπίστοις οὐδὲν κα-

4 ⸀ελεος A C^{2} 𝔐 sy^{h} bo^{ms} ¦ *txt* ℵ C* D F G P Ψ 088. (33). 365. 629. 1175. (1739. 1881) *pc* latt sy^{p} co | ⸂ *2 1* 1739. 1881 ¦ κυριου Ι. Χρ. (– 1175) D^{2} F G 𝔐 sy ¦ *txt* ℵ A C D* Ψ 088. 0240. 33. 81. 365. 629 *pc* lat; Ambst ● **5** ⸀απελειπον A C F G 088. 0240. 33. 1175 *pc* ¦ κατελιπον (-λειπον L P 104. 326 *al*) ℵ^{2} D^{2} 𝔐 ¦ *txt* ℵ* D* Ψ 81. 365. 1739. 1881 *pc* | ⸁-σῃς A (D*, F G) Ψ 1881. 2495 *pc* ¦ *txt* ℵ C D^{2} 088. 0240 𝔐 ● **9** ⸂τους εν παση θλιψει A | ⸆μη χειροτονειν διγαμους μηδε διακονους αυτους ποιειν μηδε γυναικας εχειν εκ διγαμιας, μηδε προσερχεσθωσαν εν τω θυσιαστηριω λειτουργειν το θειον. τους αρχοντας τους αδικοκριτας και αρπαγας και ψευστας και ανελεημονας ελεγχε ως θεου διακονος. 460 ● **10** ° † ℵ A C P 088. 33. 81. 104. 365. 614. 629. 630 *al* a vg^{mss} sy co; Cl Ambst ¦ *txt* D F G I Ψ 𝔐 b vg; Lcf Spec | °¹ A D^{1} F G Ψ 𝔐 ¦ *txt* ℵ C D*.^{2} I 088. 33. 81. 104. 365. 1739. 1881 *pc* ● **11** ⸆τα τεκνα οι τους ιδιους γονεις υβριζοντες ἢ τυπτοντες επιστομιζε και ελεγχε και νουθετει ως πατηρ τεκνα. 460 ● **12** ⸆ δε ℵ* F G 81 *pc* ¦ γαρ 103 ● **13** ° ℵ* ● **14** ⸀ενταλμασιν F G ¦ γενεαλογιαις 1908 ● **15** ⸆μεν D^{1} Ψ 𝔐 sy^{h} ¦ γαρ sy^{p} bo^{pt} ¦ *txt* ℵ A C D* F G P 6. 33. 81. 1739. 1881 *pc* latt sa bo^{pt}; Tert

θαρόν, ἀλλὰ μεμίανται αὐτῶν καὶ ὁ νοῦς καὶ ἡ συνεί-
2T 3,5 1J 2,4 δησις. **16** θεὸν ὁμολογοῦσιν εἰδέναι, τοῖς δὲ ἔργοις ἀρ-
Ps 14,1 · 3,1 νοῦνται, βδελυκτοὶ ὄντες καὶ ἀπειθεῖς °καὶ πρὸς πᾶν
ἔργον °¹ἀγαθὸν ἀδόκιμοι.

1T 1,10! **2** Σὺ δὲ λάλει ἃ πρέπει τῇ ὑγιαινούσῃ διδασκαλίᾳ. 3
1T 5,1; · 3,2 **2** Πρεσβύτας νηφαλίους εἶναι, σεμνούς, σώ-
1,13 · 1Th 1,3 φρονας, ὑγιαίνοντας τῇ πίστει, τῇ ἀγάπῃ, τῇ ὑπομο-
1T 5,2 νῇ· **3** Πρεσβύτιδας ὡσαύτως ἐν καταστήματι ⸀ἱερο-
1T 3,11 πρεπεῖς, μὴ διαβόλους ⸁μὴ οἴνῳ πολλῷ δεδουλωμένας,
καλοδιδασκάλους, **4** ἵνα ⸀σωφρονίζωσιν τὰς νέας φιλάν-
δρους εἶναι, φιλοτέκνους **5** σώφρονας ἁγνὰς ⸀οἰκουρ-
1K 14,34! γοὺς ἀγαθάς, ὑποτασσομένας τοῖς ἰδίοις ἀνδράσιν, ἵνα
R 14,16 μὴ ὁ λόγος τοῦ θεοῦ ⸆ βλασφημῆται.

6 Τοὺς νεωτέρους ὡσαύτως παρακάλει σωφρονεῖν
Ph 3,17! **7** περὶ ⸂πάντα, σεαυτὸν⸃ παρεχόμενος τύπον καλῶν ἔργων, ἐν τῇ διδασκαλίᾳ ⸀ἀφθορίαν, σεμνότητα⸆, **8** λόγον
2Th 3,14 ὑγιῆ ἀκατάγνωστον, ἵνα ὁ ἐξ ἐναντίας ἐντραπῇ μηδὲν
ἔχων λέγειν περὶ ⸀ἡμῶν φαῦλον.

E 6,5! **9** Δούλους ⸉ἰδίοις δεσπόταις⸊ ὑποτάσσεσθαι⁚ ἐν πᾶ-
σιν⁚¹, εὐαρέστους εἶναι, μὴ ἀντιλέγοντας, **10** ⸀μὴ νοσφι-
ζομένους, ἀλλὰ ⸂πᾶσαν πίστιν ἐνδεικνυμένους ἀγαθήν⸃,
1T 1,1! ἵνα τὴν διδασκαλίαν °τὴν τοῦ σωτῆρος ἡμῶν θεοῦ κο-
σμῶσιν ἐν πᾶσιν.

3,4 2T 1,10 Gn 35,7 2Mcc 3,30 3Mcc 6,9 · 1T 4,10! | **11** Ἐπεφάνη γὰρ ἡ χάρις τοῦ θεοῦ ⸀σωτήριος πᾶσιν
ἀνθρώποις **12** παιδεύουσα ἡμᾶς, ἵνα ἀρνησάμενοι τὴν
1J 2,16 ἀσέβειαν καὶ τὰς κοσμικὰς ἐπιθυμίας σωφρόνως καὶ δι-
1K 1,7 Ph 3,20 1Th 1,10 · καίως καὶ εὐσεβῶς ζήσωμεν ἐν τῷ νῦν αἰῶνι, **13** προσδε-

16 ° ℵ*; Ambst *et* °¹ ℵ* 81

¶ **2,3** ⸀-πει C 33. 81. 104 *pc* latt sy^{p} sa; Cl | ⸁† μηδε ℵ* A C 81. 1739. 1881 *pc* sy^{p} ¦ *txt* ℵ^{2} D F G H Ψ 𝔐 latt sy^{h}; Cl ● **4** ⸀-ζουσι(ν) ℵ* A F G H P 104. 326. 365. 1241 *pc* ¦ *txt* ℵ^{2} C D Ψ 𝔐 ● **5** ⸀οικουρους D^{2} H 𝔐 ¦ *txt* ℵ A C D* F G I Ψ 33. 81 *pc* | ⸆(1T 6,1) και η διδασκαλια C *pc* vg^{ms} sy^{h} ● **7** ⸂παντας εαυτον Ψ 33. 104. 326 *pc* ¦ παντα εαυτον D* ¦ παντας σεαυτον *pc* ¦ παντων σεαυτον P ¦ *txt* ℵ A C D^{2} F G 𝔐 lat | ⸀αδιαφθοριαν ℵ^{2} D^{2} Ψ 𝔐 ¦ αφθονιαν 𝔓^{32} F G 1881 *pc* ¦ *txt* ℵ* A C D* K P 33. (81). 104. 1739. 2495 *al* g vgst | ⸆(2T 1,10) αφθαρσιαν D^{1} Ψ 𝔐 sy^{h} ¦ *txt* 𝔓^{32vid} ℵ A C D* F G P 33. 81. 365. 1739. 1881 *pc* latt co ● **8** ⸀υμων A *pc* a vg^{mss} ● **9** ⸉ A D P 326. 1739. 1881 *pc* ¦ *txt* ℵ C F G Ψ 𝔐 | [⁚, *et* ⁚¹ –] ● **10** ⸀μηδε D* C^{2} F G 33 *pc* sy^{p} | ⸂ *1 3 2 4* F G ¦ *1 4 2 3* 629 ¦ *2 1 3 4* Ψ 𝔐 ¦ *1 3 4* ℵ* ¦ πασαν ενδ. αγαπην 33 ¦ *txt* ℵ^{2} A C D P 81. 104. 326. 365. 1739. 1881 *pc* | ° 𝔐 ¦ *txt* ℵ A C D F G Ψ 33. 81 *pc* ● **11** ⸀σωτηρος ℵ* t ¦ του σ-ρος ημων F G a b vg^{ww} co; Lcf ¦ η σωτηριος (C^{3}) D^{2} Ψ 𝔐 ¦ *txt* ℵ^{2} A C* D* 1739 vgst; Cl

χόμενοι τὴν μακαρίαν ἐλπίδα καὶ ἐπιφάνειαν τῆς δόξης 1T 6,14! · R 5,2 ·
τοῦ μεγάλου θεοῦ καὶ σωτῆρος ἡμῶν ⸂Ἰησοῦ Χριστοῦ⸃, 2T 1,10! |
14 ὃς ἔδωκεν ἑαυτὸν ὑπὲρ ἡμῶν, ἵνα λυτρώσηται ἡμᾶς 1T 2,6! · 1P 1,18 Ps 130,8 ·
ἀπὸ πάσης ἀνομίας καὶ καθαρίσῃ ἑαυτῷ λαὸν περιού- Ez 37,23 · Ex 19,5 Dt 7,6; 14,2 ·
σιον, ζηλωτὴν καλῶν ἔργων. **15** Ταῦτα ⸀λάλει καὶ 3,8.14 1P 3,13 H 10,24 |
παρακάλει καὶ ἔλεγχε μετὰ πάσης ἐπιταγῆς· μηδείς σου 1T 4,12
⸁περιφρονείτω.

5 **3** Ὑπομίμνῃσκε αὐτοὺς ἀρχαῖς ⸆ ἐξουσίαις ὑποτάσ- R 13,1-7
σεσθαι, ⸀πειθαρχεῖν, πρὸς πᾶν ἔργον ἀγαθὸν ἑτοίμους
εἶναι, **2** μηδένα βλασφημεῖν, ἀμάχους εἶναι, ἐπιεικεῖς, 2T 2,24 · Ph 4,5
πᾶσαν ⸂ἐνδεικνυμένους πραΰτητα⸃ πρὸς πάντας ἀνθρώ-
πους. **3** Ἦμεν γάρ ποτε καὶ ἡμεῖς ἀνόητοι, ⸆ ἀπει- E 5,8 Kol 3,7
θεῖς, πλανώμενοι, δουλεύοντες ἐπιθυμίαις καὶ ἡδοναῖς ποι- 1P 4,3 R 1,29!
κίλαις, ἐν κακίᾳ καὶ φθόνῳ διάγοντες, στυγητοί, μισοῦν-
τες ἀλλήλους.

4 ὅτε δὲ ἡ χρηστότης καὶ ἡ φιλανθρωπία ἐπεφάνη Ps 31,20 · Sap 1,6 · 2,11 ·
τοῦ σωτῆρος ἡμῶν θεοῦ, 1T 1,1! |
5 οὐκ ἐξ ἔργων τῶν ἐν δικαιοσύνῃ Dt 9,5 E 2,4.8s 2T 1,9 ·
⸀ἃ ἐποιήσαμεν ἡμεῖς
ἀλλὰ κατὰ τὸ αὐτοῦ ἔλεος
ἔσωσεν ἡμᾶς διὰ λουτροῦ παλιγγενεσίας E 5,26! · Mt 19,28 J 3,5 1P 1,3
καὶ ἀνακαινώσεως ⸆ πνεύματος ἁγίου, R 12,2!
6 οὗ ἐξέχεεν ἐφ' ἡμᾶς πλουσίως Joel 3,1 Act 2,4.17
διὰ Ἰησοῦ Χριστοῦ τοῦ σωτῆρος ἡμῶν, 2T 1,10!
7 ἵνα δικαιωθέντες τῇ ἐκείνου χάριτι R 3,24!
κληρονόμοι ⸀γενηθῶμεν κατ' ἐλπίδα ζωῆς αἰωνίου. Mt 19,29 · 1,2

8 Πιστὸς ὁ λόγος· καὶ περὶ τούτων βούλομαί σε δια- 1T 1,15!
βεβαιοῦσθαι, ἵνα φροντίζωσιν καλῶν ἔργων προΐστα- 2,14!
σθαι οἱ πεπιστευκότες θεῷ· ταῦτά ἐστιν ⸆ καλὰ καὶ ὠφέ-
λιμα τοῖς ἀνθρώποις. **9** μωρὰς δὲ ζητήσεις καὶ ⸀γενεαλο- 2T 2,23! · 1T 1,4
γίας καὶ ⸁ἔρεις καὶ μάχας νομικὰς περιΐστασο· εἰσὶν γὰρ
6 ἀνωφελεῖς καὶ μάταιοι. **10** αἱρετικὸν ἄνθρωπον μετὰ μίαν 1K 11,19!

13 ⸂† *2 1* ℵ F G b ¦ *1* 1739 ¦ *txt* A C D Ψ 𝔐 a f vg sy; Cl Lcf Ambst Epiph ● **15** ⸀ διδασκε A | ⸁ καταφρ- P *pc*

¶ **3,1** ⸆ και D^{2} 𝔐 lat sy ¦ *txt* ℵ A C D* F G Ψ 33. 104. 1739. 1881 *pc* b | ⸀ και π. F G ¦ π. και A ● **2** ⸂ ενδεικνυσθαι σπουδην τα (?) ℵ* ● **3** ⸆ και D a b t vg^{mss} sy^{p}; Lcf ● **5** ⸀ ὧν C^{2} D^{2} Ψ 𝔐 ¦ *txt* ℵ A C* D* F G 33. 81. 1739 *pc*; Cl | ⸆ δια D* F G b; Lcf ● **7** ⸀ γενωμεθα ℵ^{2} D^{2} Ψ 𝔐 ¦ *txt* ℵ* A C D* F G P 33. 81. 104. 630. 1739. 1881 *pc* ● **8** ⸆ τα D^{1} Ψ 𝔐 ¦ *txt* 𝔓^{61} ℵ A C D* F G I 81. 104. 326. 365. 1739. 1881 *pc* co ● **9** ⸀(1T 6,4) λογομαχιας F G | ⸁† εριν ℵ* D F G Ψ *pc*; Ambst ¦ *txt* ℵ^{2} A C I 𝔐 latt sy co

R 16,17! ⸂καὶ δευτέραν νουθεσίαν⸃ παραιτοῦ, **11** εἰδὼς ὅτι ἐξέ-
στραπται ὁ τοιοῦτος καὶ ἁμαρτάνει ὢν αὐτοκατάκριτος.

E 6,21! **12** Ὅταν πέμψω Ἀρτεμᾶν πρὸς σὲ ἢ Τύχικον, σπούδα-
1K 16,6 σον ἐλθεῖν πρός με εἰς Νικόπολιν, ἐκεῖ γὰρ κέκρικα πα-
Act 18,24! ραχειμάσαι. **13** Ζηνᾶν τὸν νομικὸν καὶ Ἀπολλῶν σπου-
3J 6 δαίως πρόπεμψον, ἵνα μηδὲν αὐτοῖς ⸀λείπῃ. **14** μανθανέ-
2,14! τωσαν δὲ καὶ οἱ ἡμέτεροι καλῶν ἔργων προΐστασθαι εἰς
E 4,28s · Mc 4, 19!p τὰς ἀναγκαίας χρείας, ἵνα μὴ ὦσιν ἄκαρποι.
15 Ἀσπάζονταί σε οἱ μετ᾽ ἐμοῦ πάντες. ⸀ἄσπασαι τοὺς
φιλοῦντας ἡμᾶς ἐν πίστει.
H 13,25 Ἡ χάρις ⸂μετὰ πάντων ὑμῶν⸃. ⸆

ΠΡΟΣ ΦΙΛΗΜΟΝΑ

Ph 1,7! · Act 16,1! **1** Παῦλος ⸀δέσμιος Χριστοῦ Ἰησοῦ καὶ Τιμόθεος ὁ
ἀδελφὸς Φιλήμονι τῷ ἀγαπητῷ ⸆ καὶ συνεργῷ ἡμῶν **2** καὶ
Kol 4,17 · 2T 2,3 Ἀπφίᾳ ⸂τῇ ἀδελφῇ⸃ καὶ Ἀρχίππῳ τῷ συστρατιώτῃ ἡμῶν
R 16,5! | R 1,7! καὶ τῇ κατ᾽ οἶκόν σου ἐκκλησίᾳ, **3** χάρις ὑμῖν καὶ εἰρή-
νη ἀπὸ θεοῦ πατρὸς ἡμῶν καὶ κυρίου Ἰησοῦ Χριστοῦ.
1K 1,4! **4** Εὐχαριστῶ τῷ θεῷ μου πάντοτε μνείαν σου ποιούμε- *1*
Kol 1,3!; · 1,4! νος ἐπὶ τῶν προσευχῶν μου, **5** ἀκούων σου τὴν ⸉ἀγάπην

10 ⸂*3 1 2* D(*: δυο) Ψ 1881 *pc* sy^{h} ¦ *3* 1739 b vg^{ms}; Tert Cyp Ambst ¦ νουθ. ἢ δευτ. F G ¦ *txt* 𝔓^{61vid} ℵ A C 𝔐 a f vg; Ir Or ● **13** ⸀λιπη ℵ D* Ψ *pc* ● **15** ⸀-σασθε A b | ⸂του θεου (κυριου D) μ. παντ. υμ. D F G 629 lat ¦ μ. του πνευματος σου 33 ¦ μ. παντ. υμ. και μετα τ. πν. σου 81 ¦ *txt* 𝔓^{61vid} ℵ A C H Ψ 048 𝔐 vg^{mss} sy co | ⸆αμην ℵ^{2} D^{2} F G H Ψ 𝔐 lat sy bo ¦ *txt* 𝔓^{61vid} ℵ* A C D* 048. 33. 81. 1739. 1881 *pc* b vg^{mss} sa; Ambst

Subscriptio: Προς Τιτον 𝔓^{61vid} ℵ C (D F G) Ψ 33 *pc* ¦ πρ. Τ. εγραφη απο Νικοπολεως (+ εν Κρητη 81) A P^{vid} 81. (945: απο Μακεδονιας) *pc* ¦ πρ. Τ. της Κρητων εκκλησιας πρωτον επισκοπον χειροτονηθεντα εγ. απο Ν. της Μακεδονιας H 𝔐 ¦ – 323. 365. 629. 630. 2495 *pc*

¶ **1** ⸀αποστολος D* ¦ απ. δεσμιος 629 ¦ δουλος 323. 945 *pc* | ⸆αδελφω D* (a) b; Ambst ● **2** ⸂τη αγαπητη D^{2} Ψ 𝔐 (sy^{p}) sa^{ms} ¦ αδ. τη αγαπ. 629 a (b) vg^{cl} sy^{h}; Ambst ¦ *txt* ℵ A D* F G P 048. 33. 81. 104. 1739. 1881 *pc* vgst sa^{ms} bo ● **5** ⸉*4 2 3 1* 𝔓^{61vid} D 323. 365. 629. 945. 1739. 1881 *pc* a b vg^{mss} sy^{p}; Ambst

καὶ τὴν πίστιν⸅, ἣν ἔχεις ⸂πρὸς τὸν κύριον Ἰησοῦν⸃ καὶ εἰς
πάντας τοὺς ἁγίους, 6 ὅπως ἡ κοινωνία τῆς πίστεώς σου 1K 1,9
ἐνεργὴς γένηται ἐν ἐπιγνώσει παντὸς ⸆ ἀγαθοῦ ⸀τοῦ ⸂ἐν G 5,6 · Ph 1,9!
ἡμῖν⸃ εἰς Χριστόν⸇. 7 ⸀χαρὰν γὰρ ⸂πολλὴν ἔσχον⸃ καὶ πα- 2K 7,4
ράκλησιν ἐπὶ τῇ ἀγάπῃ σου, ὅτι τὰ σπλάγχνα τῶν ἁγίων 12.20
ἀναπέπαυται διὰ σοῦ, ἀδελφέ.
8 Διὸ πολλὴν ἐν Χριστῷ παρρησίαν ἔχων ἐπιτάσσειν
σοι τὸ ἀνῆκον 9 διὰ τὴν ἀγάπην μᾶλλον παρακαλῶ, τοιοῦτος ὢν ὡς Παῦλος ⸀πρεσβύτης ⸁νυνὶ δὲ καὶ δέσμιος Ph 1,7!
2 Χριστοῦ Ἰησοῦ· 10 παρακαλῶ σε περὶ τοῦ ἐμοῦ τέκνου, 1K 4,14! 15
ὃν ⸆ ἐγέννησα ἐν τοῖς δεσμοῖς⸇, Ὀνήσιμον, 11 τόν ποτέ Kol 4,9
σοι ἄχρηστον νυνὶ δὲ °[καὶ] σοὶ καὶ ἐμοὶ εὔχρηστον, 2T 4,11; 2,21 ·
12 ὃν ἀνέπεμψά ⸂σοι, αὐτόν, τοῦτ' ἔστιν τὰ ἐμὰ σπλάγ- 7!
χνα⸃· 13 Ὃν ἐγὼ ἐβουλόμην πρὸς ἐμαυτὸν κατέχειν,
ἵνα ὑπὲρ σοῦ μοι διακονῇ ἐν τοῖς δεσμοῖς τοῦ εὐαγγελίου, 14 χωρὶς δὲ τῆς σῆς γνώμης οὐδὲν ἠθέλησα ποιῆσαι, ἵνα μὴ ὡς κατὰ ἀνάγκην τὸ ἀγαθόν σου ᾖ ἀλλὰ κατὰ 2K 9,7 1P 5,2
ἑκούσιον.
15 Τάχα γὰρ διὰ τοῦτο ἐχωρίσθη πρὸς ὥραν, ἵνα αἰώνιον αὐτὸν ἀπέχῃς, 16 οὐκέτι ὡς δοῦλον ἀλλ' ὑπὲρ 1T 6,2 1K 7,22!
δοῦλον, ἀδελφὸν ἀγαπητόν, μάλιστα ἐμοί, πόσῳ δὲ μᾶλλον σοὶ καὶ ἐν σαρκὶ καὶ ἐν κυρίῳ. 17 εἰ οὖν με ἔχεις
κοινωνόν, προσλαβοῦ αὐτὸν ὡς ἐμέ. 18 εἰ δέ τι ἠδίκησέν R 15,7!
σε ἢ ὀφείλει, τοῦτο ἐμοὶ ⸀ἐλλόγα. 19 ἐγὼ Παῦλος ἔγραψα τῇ ἐμῇ χειρί, ἐγὼ ἀποτίσω· ἵνα μὴ λέγω σοι ὅτι 1K 16,21!
καὶ σεαυτόν μοι προσοφείλεις⸆. 20 ναὶ ἀδελφέ, ἐγὼ

5 ⸂εις τ. κ. Ι. (+ Χριστον D*) A C D* 048. 33 *pc* ¦ εν Χριστω Ιησου 629 ¦ *txt* ℵ D^{2} F G Ψ 𝔐 • 6 ⸆εργου F G *pc* vg^{cl} | ⸀– 𝔓^{61} A C 048. 33. 629 f vgst ¦ ἡ 1739. 1881 it; Ambst ¦ *txt* ℵ D F G Ψ 𝔐 vg^{cl}; Hier | ⸂εν υμιν 𝔓^{61} ℵ F G P 33. 104. 365. 1739. 1881 *al* a b vg^{ww} sy co ¦ – 629 vg^{mss} ¦ *txt* A C D Ψ 048^{vid} 𝔐 vgst sy^{hmg}; Ambst | ⸇Ιησουν ℵ^{2} D F G Ψ 𝔐 latt sy$^{(p)}$ ¦ *txt* 𝔓^{61} ℵ* A C 33 *pc* co; Ambst • 7 ⸀χαριν 𝔐 ¦ *txt* ℵ A C D F G Ψ 048. 33. 81. 104. 365. 629^{c}. 630. 1739. 1881 *pc* latt sy co | ⸂π. εσχομεν D* *pc* (b) ¦ μεγαλην εχωμεν 629 ¦ εχομεν π. (⸉ D^{2}) Ψ 𝔐 sy ¦ *txt* 𝔓^{61vid} ℵ A C F G P 048. 33. 81. 104. 365. 1739. 1881 *pc* (lat) co • 9 [⸀-βευτης Bentley *cj*] | ⸁νυν A *pc* • 10 ⸆εγω A *pc* a | ⸇μου ℵ^{2} C D^{2} Ψ 𝔐 sy ¦ *txt* ℵ* A D* F G 33. 81. 1739*. 1881 *pc* latt • 11 ° ℵ^{2} A C D 𝔐 b sy^{h} ¦ *txt* ℵ* F G 33. 104 *pc* vgst sy^{p} (Ψ: *h. t.*) • 12 ⸂σοι αυτ., τουτ εσ. τ. εμα σπλ., προσλαβου C* ¦ (+ σοι C^{2} D* *pc*), συ δε αυτον, τ. εσ. τ. εμα σπλ., προσλ. ℵ^{2} C^{2} D Ψ 𝔐 lat (sy) ¦ σοι (– *pc*), συ δε αυτ. προσλ., τ. εσ. τ. εμα σπλ. 048 *pc* g ¦ *txt* ℵ* A (F G: συ *loco* σοι *et* + δε) 33 *pc* • 18 ⸀-γει D^{2} Ψ 𝔐 ¦ *txt* ℵ A C D* F G P 048. 33. 81. 104 *pc* • 19 ⸆εν κυριω D*

7! σου ὀναίμην ἐν κυρίῳ· ἀνάπαυσόν μου τὰ σπλάγχνα ἐν
⸀Χριστῷ.
21 Πεποιθὼς τῇ ὑπακοῇ σου ἔγραψά σοι, εἰδὼς ὅτι καὶ
ὑπὲρ ⸀ἃ λέγω ποιήσεις. **22** ἅμα δὲ καὶ ἑτοίμαζέ μοι ξε-
Ph 1,25! νίαν· ἐλπίζω γὰρ ὅτι διὰ τῶν προσευχῶν ὑμῶν χαρισθή-
σομαι ὑμῖν.
Kol 1,7!; · 4,10! **23** ⸀Ἀσπάζεταί σε Ἐπαφρᾶς ὁ συναιχμάλωτός μου ἐν
Act 12,12! 27,2! 2T 4,10! Kol 4,14! Χριστῷ Ἰησοῦ, **24** Μᾶρκος, Ἀρίσταρχος, Δημᾶς, Λουκᾶς, οἱ συνεργοί μου.
G 6,18! **25** Ἡ χάρις τοῦ κυρίου ⸆ Ἰησοῦ Χριστοῦ μετὰ τοῦ
πνεύματος ὑμῶν. ⸆·

20 ⸀κυριω D^{2} 𝔐 vgst ¦ *txt* ℵ A C D* F G L P Ψ 33. 81. 104. 365. 1739. 1881 *al* vg^{mss} sy co; Ambst • **21** ⸀ο D Ψ 𝔐 lat ¦ *txt* ℵ A C P 33. 81. 104. 365 *pc* • **23** ⸀-ζονται D^{2} 𝔐 f ¦ *txt* ℵ A C D* P Ψ 048. 6. 33. 81. 365. 1739. 1881 *al* lat • **25** ⸆ημων A C D Ψ 𝔐 lat sy^{p} bo; Ambst ¦ *txt* ℵ P 33. 81. 104. 365. 1739. 1881 *pc* b vg^{ms} sy^{h} | ⸆·αμην ℵ C D^{2} Ψ 𝔐 lat sy bo ¦ *txt* A D* 048^{vid}. 6. 33. 81. 1881 *pc* vg^{mss} sa bo^{mss}

Subscriptio: Προς Φιλημονα ℵ A C (D) Ψ 33 *pc* ¦ πρ. Φ. εγραφη απο Ρωμης P 048^{vid} *pc* ¦ πρ. Φ. (+ και Απφιαν δεσποτας του Ονησιμου και προς Αρχιππον τον διακονον της εν Κολοσσαις εκκλησιας L 326. 1241 *al*) εγρ. απο Ρ. δια (+ Τυχικου και L 1739. 1881 *al*) Ονησιμου οικετου 𝔐 ¦ – 323. 365. 629. 630. 2495 *pc*

ΠΡΟΣ ΕΒΡΑΙΟΥΣ

1 1 Πολυμερῶς καὶ πολυτρόπως πάλαι ὁ θεὸς λαλήσας L 1,55 Hos 12,10s |
τοῖς πατράσιν ⸆ ἐν τοῖς προφήταις **2** ἐπ' ⸀ἐσχάτου τῶν 9,26 1P 1,20 Jr 23,20 ·
ἡμερῶν τούτων ἐλάλησεν ἡμῖν ἐν υἱῷ, ὃν ἔθηκεν κληρο-
νόμον πάντων, δι' οὗ °καὶ ⸉ἐποίησεν τοὺς αἰῶνας⸊· Ps 2,8 Mt 21,38p · J 1,3!
3 ὃς ὢν ἀπαύγασμα τῆς δόξης καὶ χαρακτὴρ τῆς ὑπο- Sap 7,25s 𝔊 2K 4,4! · 3,14!
στάσεως αὐτοῦ,
⸀φέρων τε τὰ πάντα τῷ ῥήματι τῆς δυνάμεως °αὐτοῦ, Kol 1,17
⸆ καθαρισμὸν τῶν ἁμαρτιῶν ⸆¹ ποιησάμενος 9,14.26 Job 7,21 𝔊 ·
ἐκάθισεν ἐν δεξιᾷ τῆς μεγαλωσύνης ἐν ὑψηλοῖς, 8,1; 10,12; 12,2 Ps 110,1 Mc 16,19
4 τοσούτῳ κρείττων γενόμενος °τῶν ἀγγέλων E 1,20 · Ps 113,5 |
ὅσῳ διαφορώτερον παρ' αὐτοὺς κεκληρονόμηκεν ὄνομα. E 1,21 1P 3,22 Ph 2,9
2 **5** Τίνι γὰρ εἶπέν ποτε τῶν ἀγγέλων·
υἱός μου εἶ σύ,
ἐγὼ σήμερον γεγέννηκά σε; *Ps 2,7* 𝔊 5,5 Act 13,33
καὶ πάλιν·
ἐγὼ ἔσομαι αὐτῷ εἰς πατέρα, *2Sm 7,14 1Chr 17,13*
καὶ αὐτὸς ἔσται μοι εἰς υἱόν;
6 ὅταν δὲ πάλιν εἰσαγάγῃ τὸν πρωτότοκον εἰς τὴν οἰκου- Kol 1,18! Ps 89,28
μένην, λέγει·
καὶ προσκυνησάτωσαν αὐτῷ πάντες ἄγγελοι θεοῦ. *Dt 32,43* 𝔊 *Ps 96,7* 𝔊
7 καὶ πρὸς μὲν τοὺς ἀγγέλους ⸆ λέγει·
ὁ ποιῶν τοὺς ἀγγέλους αὐτοῦ ⸀*πνεύματα* *Ps 103,4* 𝔊
καὶ τοὺς λειτουργοὺς αὐτοῦ πυρὸς φλόγα,
8 πρὸς δὲ τὸν υἱόν·
ὁ θρόνος σου ὁ θεὸς εἰς τὸν αἰῶνα ⸋*τοῦ αἰῶνος*⸌, *Ps 44,7s* 𝔊

¶ **1,1** ⸆ημων 𝔓$^{12.46c}$ *pc* a t v vg^{mss} sy^{p} ● **2** ⸀-ατων Ψ 629 *pc* it | ° 𝔓^{46} sa^{mss} bo | ⸉ D^{1} Ψ 𝔐 a b sy^{h} ¦ *txt* 𝔓^{46} ℵ A B D* I 0121b. 33. 1175 *pc* t v vg ● **3** ⸀φανερων B*$^{.2}$ | ° 𝔓^{46} 0121b. 6. 1739. 1881* *pc* | ⸆δι εαυτου (αυ- 𝔓^{46} D* 365) 𝔓^{46} D H^{c} 0121b 𝔐 a b sy sa^{mss} bo ¦ *txt* ℵ A B H* P Ψ 33. 81. 629. 1175. 2464 *al* t v vg | ⸆¹ ημων ℵ^{2} D^{1} H (𝔐: ⸉ποι. τ. αμ.) sy ¦ *txt* 𝔓^{46} ℵ* A B D* P Ψ 0121b. 6. 81. 1175. 1739 *pc* latt ● **4** ° 𝔓^{46} B ● **7** ⸆αυτου D* *pc* | ⸀πνευμα D 326. 2464 *pc* sy^{p} ● **8** ⸋ B 33 t

ᴼ*καὶ ⸂ἡ ῥάβδος τῆς εὐθύτητος⸃ ῥάβδος τῆς βασιλείας* ⸀*σου.*
9 *ἠγάπησας δικαιοσύνην καὶ ἐμίσησας* ⸀*ἀνομίαν·*
διὰ τοῦτο ἔχρισέν σε ὁ θεὸς ὁ θεός σου
ἔλαιον ἀγαλλιάσεως παρὰ τοὺς μετόχους σου.
10 καί·
10–12: Ps 101,26-28 𝔊 *σὺ κατ' ἀρχάς, κύριε, τὴν γῆν ἐθεμελίωσας,*
καὶ ἔργα τῶν χειρῶν σού εἰσιν οἱ οὐρανοί·
11 *αὐτοὶ ἀπολοῦνται, σὺ δὲ* ⸀*διαμένεις,*
Is 50,9; 51,6 *καὶ πάντες ὡς ἱμάτιον παλαιωθήσονται,*
Is 34,4 𝔊 Ap 6,14 **12** *καὶ ὡσεὶ περιβόλαιον* ⸀*ἑλίξεις αὐτούς,*
⸋ὡς ἱμάτιον⸌ *καὶ ἀλλαγήσονται·*
13,8 *σὺ δὲ ὁ αὐτὸς εἶ καὶ τὰ ἔτη σου οὐκ ἐκλείψουσιν.*
13 πρὸς τίνα δὲ τῶν ἀγγέλων εἴρηκέν ποτε·
Ps 109,1 𝔊 Mt 22,44! *κάθου ἐκ δεξιῶν μου,*
ἕως ἂν θῶ τοὺς ἐχθρούς σου ὑποπόδιον τῶν ποδῶν σου;
Mt 4,11; 18,11 **14** οὐχὶ πάντες εἰσὶν λειτουργικὰ πνεύματα εἰς ⸀διακο-
Dn 7,10 · 12,9! νίαν ἀποστελλόμενα διὰ τοὺς μέλλοντας κληρονομεῖν
σωτηρίαν;
Act 8,6 **2** ⸋Διὰ τοῦτο δεῖ περισσοτέρως προσέχειν ἡμᾶς τοῖς
ἀκουσθεῖσιν, μήποτε παραρυῶμεν.⸌ **2** εἰ γὰρ ὁ δι'
Act 7,53! · 2P 1,19! ⸀ἀγγέλων λαληθεὶς λόγος ἐγένετο βέβαιος καὶ πᾶσα πα-
10,35! ράβασις καὶ παρακοὴ ἔλαβεν ἔνδικον μισθαποδοσίαν,
10,28s; 12,25 Mt 3,7; · 22,5 · **3** πῶς ἡμεῖς ἐκφευξόμεθα τηλικαύτης ἀμελήσαντες σω-
Act 10,37 L 1,2 · 7,14! · τηρίας, ἥτις ἀρχὴν λαβοῦσα λαλεῖσθαι διὰ τοῦ κυρίου
1K 1,6 | ὑπὸ τῶν ἀκουσάντων εἰς ἡμᾶς ἐβεβαιώθη, **4** ⸀συνεπιμαρ-
Mc 16,20 2K 12,12! τυροῦντος τοῦ θεοῦ σημείοις ᴼτε καὶ τέρασιν καὶ ποικί-
1K 12,4.11 λαις δυνάμεσιν καὶ πνεύματος ἁγίου μερισμοῖς κατὰ τὴν
⸁αὐτοῦ θέλησιν;
cf Dt 32,8 𝔊 Sir 17,17 · **5** Οὐ γὰρ ἀγγέλοις ὑπέταξεν τὴν οἰκουμένην τὴν
6,5; 13,14 E 1,21 | μέλλουσαν, περὶ ἧς λαλοῦμεν. **6** διεμαρτύρατο δέ πού
τις λέγων·

8 ᴼ D^{2} Ψ 𝔐 t vg^{cl} sy ¦ *txt* 𝔓^{46} ℵ A B D* 0121b. 33. 1739 *pc* lat | ⸂ραβ. ευθ. η D Ψ 𝔐 ¦ ἡ ℵ* ¦ *txt* 𝔓^{46} ℵ^{1} A B 0121b. 33. 1739 *pc* | ⸀† αυτου 𝔓^{46} ℵ B ¦ *txt* A D Ψ 0121b 𝔐 latt sy co ● **9** ⸀-μιας D* ¦ αδικιαν ℵ A *pc*; Or (33 *illeg.*) ¦ *txt* 𝔓^{46} B D^{2} Ψ 0121b 𝔐 latt sy^{h}; Eus ● **11** ⸀-μενεῖς D^{2} 0121b. 365. 629 *pc* b v vg ● **12** ⸀αλλαξεις ℵ* D* t vg$^{cl.ww}$ | ⸋ D^{2} Ψ 0121b 𝔐 lat sy sa^{ms} bo ¦ *ut txt, sed om.* και D* ¦ *txt* 𝔓^{46} ℵ A B 1739 vg^{mss} ● **14** ⸀-νιας B sa; Or
¶ **2,1** ⸋*vs* 0121b. 1739. 1881 ● **2** ⸀-λου L ● **4** ⸀συμμαρ- B | ᴼ P 0121b. 33. 81. 323. 365. 629. 630. 1739 *al* lat | ⸁του θεου D*

⸀τί ἐστιν ἄνθρωπος ὅτι μιμνῄσκῃ αὐτοῦ, Ps 8,5-7 𝔊
ἢ υἱὸς ἀνθρώπου ὅτι ἐπισκέπτῃ αὐτόν;
7 *ἠλάττωσας αὐτὸν βραχύ τι παρ' ἀγγέλους,*
δόξῃ καὶ τιμῇ ἐστεφάνωσας αὐτόν, ⸆
8 *πάντα ὑπέταξας ὑποκάτω τῶν ποδῶν αὐτοῦ.* 1K 15,27!
ἐν ⸂τῷ γὰρ⸃ ὑποτάξαι ⸰[αὐτῷ] τὰ πάντα οὐδὲν ἀφῆκεν
αὐτῷ ἀνυπότακτον. Νῦν δὲ οὔπω ὁρῶμεν αὐτῷ τὰ πάντα
3 ὑποτεταγμένα· **9** τὸν δὲ βραχύ τι παρ' ἀγγέλους ἠλαττω- 7 Ph 2,8s
μένον βλέπομεν Ἰησοῦν διὰ τὸ πάθημα τοῦ θανάτου δόξῃ 5,4s
καὶ τιμῇ ἐστεφανωμένον, ⸋ὅπως ⸂χάριτι θεοῦ⸃ ὑπὲρ παντὸς γεύσηται θανάτου.⸌ Mt 16,28! p
10 Ἔπρεπεν γὰρ αὐτῷ, δι' ὃν τὰ πάντα καὶ δι' οὗ τὰ R 11,36!
πάντα, πολλοὺς υἱοὺς εἰς δόξαν ἀγαγόντα τὸν ἀρχη- R 8,29 · 12,2; 5,8s
γὸν τῆς σωτηρίας αὐτῶν διὰ παθημάτων τελειῶσαι. **11** ὅ Act 3,15 · L 13,32 | 9,13; 13,12 Ex 31,
τε γὰρ ἁγιάζων καὶ οἱ ἁγιαζόμενοι ἐξ ἑνὸς πάντες· δι' 13 etc J 17,19 · 10,10! ·
ἣν αἰτίαν οὐκ ἐπαισχύνεται ἀδελφοὺς αὐτοὺς ⸀καλεῖν 11,16 · J 20,17!
12 λέγων·
ἀπαγγελῶ τὸ ὄνομά σου τοῖς ἀδελφοῖς μου, Ps 21,23 𝔊 J 17,6
ἐν μέσῳ ἐκκλησίας ὑμνήσω σε,
13 καὶ πάλιν·
ἐγὼ ἔσομαι πεποιθὼς ἐπ' αὐτῷ, Is 8,17; 12,2 2Sm 22,3
καὶ πάλιν·
ἰδοὺ ἐγὼ καὶ τὰ παιδία ἅ μοι ἔδωκεν ὁ θεός. Is 8,18 𝔊
14 Ἐπεὶ οὖν τὰ παιδία κεκοινώνηκεν αἵματος καὶ σαρκός, καὶ αὐτὸς παραπλησίως μετέσχεν τῶν αὐτῶν⸆, ἵνα R 8,3
διὰ τοῦ θανάτου καταργήσῃ τὸν τὸ κράτος ἔχοντα τοῦ 2T 1,10 · 1K 15,55
θανάτου, τοῦτ' ἔστιν τὸν διάβολον, **15** καὶ ἀπαλλάξῃ τού- Ap 12,10
τους, ὅσοι φόβῳ θανάτου διὰ παντὸς τοῦ ζῆν ἔνοχοι ἦσαν G 5,1
δουλείας. **16** οὐ γὰρ δήπου ἀγγέλων ἐπιλαμβάνεται ἀλλὰ
σπέρματος Ἀβραὰμ ἐπιλαμβάνεται. **17** ὅθεν ὤφειλεν κατὰ Is 41,8s
πάντα τοῖς ἀδελφοῖς ὁμοιωθῆναι, ἵνα ἐλεήμων γένηται 11s · R 8,3! ·
καὶ πιστὸς ἀρχιερεὺς τὰ πρὸς τὸν θεὸν εἰς τὸ ἱλάσκε- 1Sm 2,35 · 4,14! · 5,1 R 15,17 Ex 4, 16 · 1J 2,2!

6 ⸀τις 𝔓[46] C* P 81. 104. 1881. 2495 *pc* d vg[ms] bo ● **7** ⸆(Ps 8,7) και κατεστησας αυτον επι τα εργα των χειρων σου ℵ A C D* P Ψ 0121b. 6. 33. 81. 104. 365. 629. 1739. 1881. 2464 *al* lat (sy[p.h**]) co ¦ *txt* 𝔓[46] B D[2] 𝔐 vg[ms] ● **8** ⸂*2 1* 𝔓[46] A C 𝔐 ¦ *1* 104. 629*. 1175. 2464 *pc* bo[pt] ¦ *txt* ℵ B D Ψ 0121b. 1739 *pc* bo[pt] | ⸰ 𝔓[46] B d v vg[mss] bo[ms] ¦ *txt* ℵ A C D Ψ 0121b 𝔐 lat sy ● **9** [⸋ Semler *cj*] | ⸂χωρις θεου 0121b. 1739* vg[ms]; Or[mss] Ambr Hier[mss] Fulg ● **11** ⸀-λων 33 ● **14** ⸆παθηματων D* b (t)

σθαι ⸂τὰς ἁμαρτίας⸃ τοῦ λαοῦ. **18** ἐν ᾧ γὰρ πέπονθεν αὐ-
4,15! τὸς πειρασθείς, δύναται τοῖς πειραζομένοις βοηθῆσαι.

9,15 Ph 3,14 **3** Ὅθεν, ἀδελφοὶ ἅγιοι, κλήσεως ἐπουρανίου μέτοχοι,
4,14! · 10,23! κατανοήσατε τὸν ἀπόστολον καὶ ἀρχιερέα τῆς ὁμο-
Is 17,7 1Sm 12,9 Ps 149,2 · λογίας ἡμῶν Ἰησοῦν, **2** πιστὸν ὄντα τῷ ποιήσαντι αὐτὸν
Nu 12,7 𝔊 ὡς καὶ Μωϋσῆς ἐν °[ὅλῳ] τῷ οἴκῳ αὐτοῦ. **3** πλείονος γὰρ
8,6 2K 3,7ss ⸉οὗτος δόξης⸊ παρὰ Μωϋσῆν ἠξίωται, καθ' ὅσον πλεί-
ονα τιμὴν ἔχει τοῦ οἴκου ὁ κατασκευάσας αὐτόν· **4** πᾶς
Is 40,28 γὰρ οἶκος κατασκευάζεται ὑπό τινος, ὁ δὲ ⸆ πάντα κατα-
Nu 12,7 𝔊 σκευάσας θεός. **5** καὶ *Μωϋσῆς* μὲν *πιστὸς ἐν ὅλῳ τῷ*
Jos 1,2etc *οἴκῳ αὐτοῦ* ὡς *θεράπων* εἰς μαρτύριον τῶν λαληθησομέ-
10,21 J 8,35 · νων, **6** Χριστὸς δὲ ὡς υἱὸς ἐπὶ τὸν οἶκον αὐτοῦ· ⸀οὗ οἶ-
E 2,19 1T 3,15 · 4,16! · 10,23 R 5,2 κός ἐσμεν ἡμεῖς, ⸁ἐάν[περ] τὴν παρρησίαν καὶ τὸ καύ-
Kol 1,23 χημα τῆς ἐλπίδος ⸆ κατάσχωμεν.

7 Διό, καθὼς λέγει τὸ πνεῦμα τὸ ἅγιον·
Ps 95,7-11 *σήμερον ἐὰν τῆς φωνῆς αὐτοῦ ἀκούσητε,*
Ex 15,23; 17,7 **8** *μὴ σκληρύνητε τὰς καρδίας ὑμῶν ὡς ἐν τῷ παρα-πικρασμῷ*
κατὰ τὴν ἡμέραν τοῦ πειρασμοῦ ἐν τῇ ἐρήμῳ,
Dt 6,16 **9** *οὗ ἐπείρασαν* ⸆ *οἱ πατέρες ὑμῶν* ⸂*ἐν δοκιμασίᾳ*⸃
καὶ εἶδον τὰ ἔργα μου **10** *τεσσεράκοντα ἔτη·*
διὸ προσώχθισα τῇ γενεᾷ ⸀*ταύτῃ*
καὶ εἶπον· ἀεὶ πλανῶνται ⸂*τῇ καρδίᾳ,*
αὐτοὶ δὲ⸃ *οὐκ ἔγνωσαν τὰς ὁδούς μου,*
Nu 14,21-23 **11** *ὡς ὤμοσα ἐν τῇ ὀργῇ μου·*
εἰ εἰσελεύσονται εἰς τὴν κατάπαυσίν μου.

Jr 16,12; 18,12 **12** Βλέπετε, ἀδελφοί, μήποτε ἔσται ἔν τινι ὑμῶν καρδία
2Th 2,3! πονηρὰ ἀπιστίας ἐν τῷ ἀποστῆναι ἀπὸ θεοῦ ζῶντος,
1Th 5,11! **13** ἀλλὰ ⸀παρακαλεῖτε ἑαυτοὺς καθ' ἑκάστην ἡμέραν,

17 ⸀ταις -τιαις A Ψ 33 *pc*
¶ 3,2 ° 𝔓13.46vid B co; Ambr ¦ *txt* ℵ A C D Ψ 𝔐 lat sy ● 3 ⸉ 𝔓13 0121b 𝔐 lat ¦ *txt* 𝔓46vid ℵ A B C D P Ψ 2495 *pc* ● 4 ⸆τα C3 D1 Ψ 𝔐 ¦ *txt* 𝔓13.46 ℵ A B C* D* I K 0121b. 6. 33. 1739. 1881 *pc* ● 6 ⸀ος 𝔓46 D* 0121b. 6. 1739 *pc* lat (syp) ¦ *txt* 𝔓13 ℵ A B C D2 I Ψ 𝔐 v co; Hier | ⸁† εαν 𝔓13 B D* P 0121b. 33. 81. 630. 1175. 1739. 1881 *pc* lat ¦ καν ℵ* ¦ *txt* 𝔓46 ℵ2 A C D2 Ψ 𝔐 vgms; Lcf | ⸆† μεχρι τελους βεβαιαν ℵ A C D Ψ 0121b. (⸉ 323) 𝔐 latt sy(p) bo ¦ *txt* 𝔓13.46 B sa; Lcf ● 9 ⸆με ℵ2 D1 Ψ 0121b 𝔐 lat sy bo ¦ *txt* 𝔓13.46 ℵ* A B C D* 33 *pc* sa; Cl Lcf | ⸂, εδοκιμασαν v vg; Ambr ¦ , εδ. με ℵ2 D2 Ψ 𝔐 a vgmss sy(p) ¦ *txt* 𝔓13.46 ℵ* A B C D* P 0121b. 33. 81. 365. 1739. 1881 *pc* b vgms co; Cl Lcf ● 10 ⸀εκεινη C D2 Ψ 𝔐 a sy bo ¦ *txt* 𝔓13.46 ℵ A B D* 0121b. 6. 33. 1739. 1881 *pc* lat samss; Cl | ⸂εν τη καρδ. αυτων, διο 𝔓13 ● 13 ⸀-λεσατε 𝔓13

ἄχρις οὗ τὸ σήμερον ⸀καλεῖται, ἵνα μὴ σκληρυνθῇ ⸉τις 7
ἐξ ὑμῶν⸊ ἀπάτῃ τῆς ἁμαρτίας – **14** μέτοχοι γὰρ τοῦ Χρι- Mc 4,19! R 7,11 | 1,9
στοῦ γεγόναμεν, ἐάνπερ τὴν ἀρχὴν τῆς ⸀ὑποστάσεως R 11,22 · 1,3; 11,1
μέχρι τέλους βεβαίαν κατάσχωμεν – **15** ἐν τῷ λέγεσθαι· 2K 9,4 · 6,11
σήμερον ἐὰν τῆς φωνῆς αὐτοῦ ἀκούσητε, 7s *Ps 95,7s*
μὴ σκληρύνητε τὰς καρδίας ὑμῶν ὡς ἐν τῷ παραπικρασμῷ.
16 ⸀τίνες γὰρ ἀκούσαντες παρεπίκραναν⁚; ἀλλ' οὐ πάντες Ex 17,1ss
οἱ ἐξελθόντες ἐξ Αἰγύπτου διὰ Μωϋσέως; **17** τίσιν δὲ ⸆
προσώχθισεν τεσσεράκοντα ἔτη; οὐχὶ τοῖς ⸀ἁμαρτήσασιν, 10
ὧν τὰ κῶλα ἔπεσεν ἐν τῇ ἐρήμῳ; **18** τίσιν δὲ ὤμοσεν μὴ Nu 14,29.32 1K 10,5 |
εἰσελεύσεσθαι εἰς τὴν κατάπαυσιν αὐτοῦ εἰ μὴ τοῖς ⸀ἀπει- 11 Nu 14,22s
θήσασιν; **19** καὶ βλέπομεν ὅτι οὐκ ἠδυνήθησαν εἰσελθεῖν δι' ἀπιστίαν. 12; 4,6

5 **4** Φοβηθῶμεν οὖν, μήποτε καταλειπομένης ⸆ ἐπαγγελίας
εἰσελθεῖν εἰς τὴν κατάπαυσιν αὐτοῦ δοκῇ τις ἐξ ὑμῶν 3,11
ὑστερηκέναι. **2** καὶ γὰρ ἐσμεν εὐηγγελισμένοι καθάπερ 12,15 |
κἀκεῖνοι· ἀλλ' οὐκ ὠφέλησεν ὁ λόγος τῆς ἀκοῆς ἐκεί- G 5,2 · 1Th 2,13
νους μὴ ⸀συγκεκερασμένους τῇ πίστει ⸂τοῖς ἀκούσα-
σιν⸃. **3** ⸀Εἰσερχόμεθα ⸁γὰρ εἰς °[τὴν] κατάπαυσιν οἱ
πιστεύσαντες, καθὼς εἴρηκεν·
ὡς ὤμοσα ἐν τῇ ὀργῇ μου· 3,11 *Ps 95,11*
°¹*εἰ εἰσελεύσονται εἰς τὴν κατάπαυσίν μου,*
καίτοι *τῶν ἔργων* ἀπὸ καταβολῆς κόσμου γενηθέντων.
4 εἴρηκεν °γάρ που περὶ τῆς ἑβδόμης οὕτως· *καὶ κατ-* *Gn 2,2* 𝔊
έπαυσεν ὁ θεὸς ἐν τῇ ἡμέρᾳ τῇ ἑβδόμῃ ἀπὸ πάντων τῶν
ἔργων αὐτοῦ, **5** καὶ ἐν τούτῳ πάλιν· ⸀*εἰ εἰσελεύσονται εἰς* *Ps 95,11*
τὴν κατάπαυσίν μου. **6** ἐπεὶ οὖν ἀπολείπεται τινὰς εἰσελθεῖν εἰς αὐτήν, καὶ οἱ πρότερον εὐαγγελισθέντες οὐκ
εἰσῆλθον δι' ⸀ἀπείθειαν, **7** πάλιν τινὰ ὁρίζει ἡμέραν, σή- 3,19 | 3,7

13 ⸀(*ex itac.?*) καλειτε A C 104. 1241. 2464 *al* | ⸉ B D 𝔐 sy^{h} ¦ *txt* $\mathfrak{P}^{13}$ א A C H P Ψ 0121b. 33. 81. 104. 629. 1241. 1739. 1881. 2464 *al* lat • **14** ⸀υποστ. αυτου A 629. 2495 *pc* a f vg$^{cl.ww}$ ¦ πιστεως 424^{c} • **16** [⸀τινές *et* ⁚, K L P 0121b *pm* latt] • **17** ⸆και A d | ⸀απειθησασιν A • **18** ⸀απιστησασιν $\mathfrak{P}^{46}$ lat
¶ **4,1** ⸆της D* • **2** ⸀† -ρασμενος א b d vg^{cl} sy^{p} sa^{mss}; Lcf ¦ -ραμμενοι (*et om.* τη πιστει) 104 ¦ *txt* $\mathfrak{P}^{13vid.46}$ A B C D* Ψ 0121b. 33. 81. 1739. 2464 *pc* (-ραμεν- D^{2} 𝔐) lat sy^{h} sa^{mss} | ⸂των ακουσαντων D* 104. 2495 *pc* sy^{hmg}; Lcf ¦ τοις ακουσθεισιν 1912 (lat) ¦ [τ. ακουσμασιν Bleek *cj*] • **3** ⸀-χωμεθα A C *pc* | ⸁ουν א A C 0121b. 81. 104. 365. 1739. 1881. 2464 *pc* vg^{ms} ¦ δε sy^{p} ¦ *txt* $\mathfrak{P}^{13.46}$ B D Ψ 𝔐 lat sy^{h} | ° $\mathfrak{P}^{13vid.46}$ B D* ¦ *txt* א A C D^{2} Ψ 0121b 𝔐 | °¹ $\mathfrak{P}^{13}$ • **4** ° $\mathfrak{P}^{13}$ vg^{ms} sy^{p} • **5** ⸀ἤ I 33. 326 ¦ – $\mathfrak{P}^{13}$ D* 81. 629. 1739 *pc* bo ¦ *txt* $\mathfrak{P}^{46}$ א A B C D^{2} Ψ 𝔐 lat sy^{h} sa^{mss} • **6** ⸀απιστιαν $\mathfrak{P}^{46}$ א* lat

μερον, ἐν Δαυὶδ λέγων μετὰ τοσοῦτον χρόνον, καθὼς
⸀προείρηται·
3,7s *Ps 95,7s* *σήμερον ἐὰν τῆς φωνῆς αὐτοῦ ἀκούσητε,*
μὴ σκληρύνητε τὰς καρδίας ὑμῶν.
Dt 31,7 Jos 22,4 **8** εἰ γὰρ αὐτοὺς Ἰησοῦς κατέπαυσεν, οὐκ ⸀ἂν περὶ ἄλλης
ἐλάλει μετὰ ταῦτα ἡμέρας. **9** ἄρα ἀπολείπεται σαββατι-
σμὸς τῷ λαῷ τοῦ θεοῦ. **10** ὁ γὰρ εἰσελθὼν εἰς τὴν κατά-
Gn 2,2 Ap 14,13 παυσιν αὐτοῦ καὶ αὐτὸς κατέπαυσεν ἀπὸ τῶν ἔργων αὐτοῦ ὥσπερ ἀπὸ τῶν ἰδίων ὁ θεός. **11** Σπουδάσωμεν *6*
οὖν εἰσελθεῖν εἰς ἐκείνην τὴν κατάπαυσιν, ἵνα μὴ ἐν
3,18 | Act 7,38! 1 P 1,23 · τῷ αὐτῷ τις ὑποδείγματι πέσῃ τῆς ⸀ἀπειθείας. **12** Ζῶν
Sap 7,22-30 γὰρ ὁ λόγος τοῦ θεοῦ καὶ ⸀ἐνεργὴς καὶ τομώτερος ὑ-
Is 49,2 E 6,17 Ap 1,16; 2,12! πὲρ πᾶσαν μάχαιραν δίστομον καὶ διϊκνούμενος ἄχρι με-
Sap 18,15s · ρισμοῦ ψυχῆς καὶ ⸁πνεύματος, ἁρμῶν τε καὶ μυελῶν,
J 12,48 1 K 4,5 | καὶ κριτικὸς ἐνθυμήσεων καὶ ἐννοιῶν καρδίας· **13** καὶ
Hen 9,5 οὐκ ἔστιν κτίσις ἀφανὴς ἐνώπιον αὐτοῦ, πάντα δὲ γυ-
μνὰ καὶ τετραχηλισμένα τοῖς ὀφθαλμοῖς αὐτοῦ, πρὸς ὃν
L 16,2! ἡμῖν ὁ λόγος.

2,17; 3,1; 5,5.10; 6,20; 7,26; 8,1; 9,11; 10,21 · E 4,10! · 7,3! · 10,23! | **14** Ἔχοντες οὖν ἀρχιερέα μέγαν διεληλυθότα τοὺς οὐ-
ρανούς, Ἰησοῦν τὸν υἱὸν τοῦ θεοῦ, κρατῶμεν τῆς ὁμολο-
γίας. **15** οὐ γὰρ ἔχομεν ἀρχιερέα μὴ δυνάμενον συμπαθῆ-
5,2 · 2,17s Mt 4,1-11p; 26,41p L 22,28 · R 8,3! · 7,26 J 8,46! PsSal 17,36 | 10,22 · 3,6; 10,19.35 1J 3,21! σαι ταῖς ἀσθενείαις ἡμῶν, πεπειρασμένον δὲ κατὰ πάντα
καθ' ὁμοιότητα χωρὶς ἁμαρτίας. **16** προσερχώμεθα οὖν
μετὰ παρρησίας τῷ θρόνῳ τῆς χάριτος, ἵνα λάβωμεν ἔλεος
καὶ χάριν °εὕρωμεν εἰς εὔκαιρον βοήθειαν.

7,28 · **5** Πᾶς γὰρ ἀρχιερεὺς ἐξ ἀνθρώπων λαμβανόμενος ὑπὲρ
2,17! Ex 18,19 · ἀνθρώπων καθίσταται τὰ πρὸς τὸν θεόν, ἵνα προσ-
8,3 | 4,15 φέρῃ δῶρά °τε καὶ θυσίας ὑπὲρ ἁμαρτιῶν, **2** μετριοπα-
Mt 18,12 θεῖν δυνάμενος τοῖς ἀγνοοῦσιν καὶ πλανωμένοις, ἐπεὶ καὶ
cf 7,28 | αὐτὸς περίκειται ἀσθένειαν **3** καὶ ⸂δι' αὐτὴν⸃ ὀφείλει, καθ-
7,27; 9,7 Lv 9,7; 16,6.15s | ὼς περὶ τοῦ λαοῦ, οὕτως καὶ περὶ ⸀αὐτοῦ προσφέρειν
J 3,27 ⸁περὶ ἁμαρτιῶν. **4** καὶ οὐχ ἑαυτῷ τις λαμβάνει τὴν τι-

7 ⸀-ρηκεν B 1739. 1881 *pc* ¦ ειρηται D[2] 𝔐 ¦ *txt* 𝔓[13vid.46] ℵ A C D* P Ψ 33. 81. 104. 326. 2464. 2495 *pc* latt sy[(p)] ● **8** ⸀αρα B ● **11** ⸀απιστιας 𝔓[46] 104 *pc* lat sy[h] ¦ αληθειας D* ● **12** ⸀εναργης B; Hier[pt] | ⸁σωματος 2464. 2495 *pc* ● **16** ° B
¶ **5,1** ° B D[1] Ψ *pc* ● **3** ⸂δια ταυτην C[3] D[2] 𝔐 sy[hmg] ¦ δια ταυτα 467 a b vg[cl.ww] ¦ *txt* 𝔓[46] ℵ A B C* D* P 33. 81. 1739. 1881. 2464. 2495 *pc* sy co (Ψ *illeg.*) | ⸀† εαυ- ℵ A C D[2] Ψ[vid] 𝔐 ¦ *txt* 𝔓[46] B D* 1881[s] *pc* | ⸁υπερ C[3] D[2] 𝔐 ¦ *txt* 𝔓[46] ℵ A B C* D* P Ψ 33. 81. 104. 1739. 1881[s]. 2495 *pc*

μὴν ἀλλὰ καλούμενος ὑπὸ τοῦ θεοῦ ⸋⸀καθώσπερ καὶ
Ἀαρών⸌. Ex 28,1
5 Οὕτως καὶ ὁ Χριστὸς οὐχ ἑαυτὸν ἐδόξασεν γενηθῆ-
ναι ἀρχιερέα ἀλλ᾽ ὁ λαλήσας πρὸς αὐτόν· 4,14!
υἱός μου εἶ σύ, ἐγὼ σήμερον γεγέννηκά σε· 1,5! *Ps 2,7* 𝔊
6 καθὼς καὶ ἐν ἑτέρῳ λέγει·
σὺ ⸆ *ἱερεὺς εἰς τὸν αἰῶνα κατὰ τὴν τάξιν Μελχισέδεκ,* c. 7 *Ps 110,4* 1 Mcc 14,41
7 ὃς ἐν ταῖς ἡμέραις τῆς σαρκὸς αὐτοῦ δεήσεις τε καὶ Mt 26,38-46 J 12,27
ἱκετηρίας πρὸς τὸν δυνάμενον σῴζειν αὐτὸν ἐκ θανάτου
μετὰ κραυγῆς ἰσχυρᾶς καὶ δακρύων προσενέγκας καὶ ⸆
εἰσακουσθεὶς ἀπὸ τῆς εὐλαβείας, **8** καίπερ ὢν υἱός, ἔμα- Ps 22,25
θεν ἀφ᾽ ὧν ἔπαθεν τὴν ὑπακοήν, **9** καὶ τελειωθεὶς ἐγένετο 2,10 Ph 2,8 | 7,28; 2,10 ·
πᾶσιν τοῖς ὑπακούουσιν αὐτῷ αἴτιος σωτηρίας αἰωνίου, 9,12 Is 45,17 |
10 προσαγορευθεὶς ὑπὸ τοῦ θεοῦ ἀρχιερεὺς κατὰ τὴν τά- 4,14! · Ps 110,4
ξιν Μελχισέδεκ.

7 **11** Περὶ οὗ πολὺς ἡμῖν °ὁ λόγος καὶ δυσερμήνευτος
λέγειν, ἐπεὶ νωθροὶ γεγόνατε ταῖς ἀκοαῖς. **12** καὶ γὰρ 6,12
ὀφείλοντες εἶναι διδάσκαλοι διὰ τὸν χρόνον, πάλιν χρείαν ἔχετε τοῦ ⸂διδάσκειν ὑμᾶς⸃ ⸀τινὰ τὰ στοιχεῖα τῆς ἀρχῆς τῶν λογίων τοῦ θεοῦ καὶ γεγόνατε χρείαν ἔχοντες cf 6,1
γάλακτος °[καὶ] οὐ στερεᾶς τροφῆς. **13** πᾶς γὰρ ὁ μετέχων 1 K 3,1-3 1 P 2,2
γάλακτος ἄπειρος λόγου δικαιοσύνης, νήπιος γάρ ⸆ ἐ- E 4,14!
στιν· **14** τελείων δέ ἐστιν ἡ στερεὰ τροφή, τῶν διὰ τὴν E 4,13!
ἕξιν τὰ αἰσθητήρια γεγυμνασμένα ἐχόντων πρὸς διάκρι- R 16,19 Gn 2,17; 3,5
σιν καλοῦ τε καὶ κακοῦ.
6 Διὸ ἀφέντες τὸν τῆς ἀρχῆς τοῦ Χριστοῦ λόγον ἐπὶ cf 5,12
τὴν τελειότητα φερώμεθα, μὴ πάλιν θεμέλιον κατα- 1 K 3,10
βαλλόμενοι μετανοίας ἀπὸ νεκρῶν ἔργων καὶ πίστεως Act 20,21 · 9,14 |
ἐπὶ θεόν, **2** βαπτισμῶν ⸀διδαχῆς ἐπιθέσεώς τε χειρῶν, Act 6,6!
ἀναστάσεώς °τε νεκρῶν καὶ κρίματος αἰωνίου. **3** καὶ
τοῦτο ⸀ποιήσομεν, ἐάνπερ ἐπιτρέπῃ ὁ θεός. Act 18,21!

4 ⸋ 𝔓^{13vid} | ⸀καθαπερ C^{2} D^{2} Ψ 𝔐 ¦ καθως C* ¦ *txt* 𝔓^{46} א A B D* 33 *pc* • **6** ⸆ει 𝔓^{46} P 629 *pc* • **7** [⸆ουκ Harnack *cj*] • **11** ° 𝔓^{46*} D* P • **12** ⸂-σκεσθαι υμ. (–1912) 462. 1912 latt sy^{hmg} | ⸀, τίνα B^{2} 0122 D^{2} 𝔐 latt sa^{mss} bo; Cl ¦ – 6. 1739. 1881 *pc* ¦ *txt* Ψ 81 *pc* (𝔓^{46} א A B* C D* P 33 *sine acc.*) | °† 𝔓^{46} א* B^{2} C 33. 81. 1739 *pc* lat; Did ¦ *txt* א^{2} A B* D Ψ 0122 𝔐 vg^{ms} sy; Cl • **13** ⸆ακμην D*
¶ **6,2** ⸀διδαχην 𝔓^{46} B d | °† B D* P 365 *pc* vg^{ms} co ¦ *txt* 𝔓^{46} א A C D^{2} I Ψ 0122. 0252 𝔐 lat • **3** ⸀-σωμεν A C D P Ψ 81. 104. 326^{vid}. 365. 2495 *pm* vg^{ms} ¦ *txt* 𝔓^{46} א B I K L 0122. 6. 33. 629. 630. 1241. 1739. 1881. 2464 *pm* lat sa^{mss} bo

10,26s. 32 Mt 21, 31 1J 5,10 J 4,10 | 1P 2,3 · Jos 21,45; 23,15 𝔊 2,5! Mt 12,32 | Ez 18,24 · 10,29 2P 2,21 1K 11,27 7,3! · Kol 2,15 | Gn 1,11s Dt 11,11
Gn 3,17s Mt 7,16; 13,7
R 15,14
Apc 2,19 1Th 1,3
10,22 · 3,14 |
5,11 · 1K 11,1! · 15.17; 10,36; 11,9 PsSal 12,6 |
R 4,20
Gn 22,16
Gn 22,17
12!; 11,33
Ex 22,10
12!
J 8,17!
Nu 23,19 1Sm 15,29

4 Ἀδύνατον γὰρ τοὺς ἅπαξ φωτισθέντας, γευσαμένους
τε τῆς δωρεᾶς τῆς ἐπουρανίου καὶ μετόχους γενηθέντας
πνεύματος ἁγίου **5** καὶ καλὸν γευσαμένους θεοῦ ῥῆμα
δυνάμεις τε μέλλοντος αἰῶνος **6** καὶ παραπεσόντας, πάλιν ἀνακαινίζειν εἰς μετάνοιαν, ἀνασταυροῦντας ἑαυτοῖς
τὸν υἱὸν τοῦ θεοῦ καὶ παραδειγματίζοντας. **7** γῆ γὰρ ἡ
πιοῦσα τὸν ἐπ' αὐτῆς ἐρχόμενον πολλάκις ὑετὸν καὶ τίκτουσα βοτάνην εὔθετον ἐκείνοις δι' οὓς καὶ γεωργεῖται,
μεταλαμβάνει εὐλογίας ἀπὸ τοῦ θεοῦ· **8** ἐκφέρουσα δὲ
ἀκάνθας καὶ τριβόλους, ἀδόκιμος καὶ κατάρας ἐγγύς, ἧς
τὸ τέλος εἰς καῦσιν.

9 Πεπείσμεθα δὲ περὶ ὑμῶν, ⸀ἀγαπητοί, τὰ κρείσσονα
καὶ ἐχόμενα σωτηρίας, εἰ καὶ οὕτως λαλοῦμεν. **10** οὐ
γὰρ ἄδικος ὁ θεὸς ἐπιλαθέσθαι τοῦ ἔργου ὑμῶν καὶ ⸆
τῆς ἀγάπης ⸀ἧς ἐνεδείξασθε εἰς τὸ ὄνομα αὐτοῦ, διακο-
νήσαντες τοῖς ἁγίοις καὶ διακονοῦντες. **11** ἐπιθυμοῦμεν
δὲ ἕκαστον ὑμῶν τὴν αὐτὴν ἐνδείκνυσθαι σπουδὴν πρὸς
τὴν πληροφορίαν τῆς ⸀ἐλπίδος ἄχρι τέλους, **12** ἵνα μὴ
νωθροὶ γένησθε, μιμηταὶ δὲ τῶν διὰ πίστεως καὶ μακροθυμίας κληρονομούντων τὰς ἐπαγγελίας.

13 Τῷ γὰρ Ἀβραὰμ ἐπαγγειλάμενος ὁ θεός, ἐπεὶ κατ' 8
οὐδενὸς εἶχεν μείζονος ὀμόσαι, ὤμοσεν καθ' ἑαυτοῦ
14 λέγων·
⸂εἰ μὴν⸃ εὐλογῶν εὐλογήσω σε καὶ πληθύνων πληθυνῶ σε·
15 καὶ οὕτως μακροθυμήσας ἐπέτυχεν τῆς ἐπαγγελίας.
16 ἄνθρωποι ⸆ γὰρ κατὰ τοῦ μείζονος ὀμνύουσιν, καὶ
πάσης αὐτοῖς ἀντιλογίας πέρας εἰς βεβαίωσιν ὁ ὅρκος·
17 ἐν ᾧ ⸀περισσότερον ⸉βουλόμενος ὁ θεὸς⸊ ⸁ἐπιδεῖξαι
τοῖς ⸆ κληρονόμοις τῆς ἐπαγγελίας τὸ ἀμετάθετον τῆς
βουλῆς αὐτοῦ ἐμεσίτευσεν ὅρκῳ, **18** ἵνα διὰ δύο πραγμάτων ἀμεταθέτων, ἐν οἷς ἀδύνατον ψεύσασθαι ⸋[τὸν] θεόν,
ἰσχυρὰν παράκλησιν ἔχωμεν οἱ καταφυγόντες κρατῆσαι

9 ⸀αδελφοι ℵ* Ψ 0122^{c} *pc* sy ¦ αγαπ. αδ. 257? r vg^{ms}; Aug • **10** ⸆(1Th 1,3) του κοπου D^{2} 𝔐 bo ¦ *txt* 𝔓^{46} ℵ A B C D* P Ψ 6. 33. 81. 104. 365. 1739. 1881. 2464. 2495 *pc* latt sy sa | ⸀ην 𝔓^{46} B^{2} (Ψ) 1739. 1881. 2495 *pc* ¦ *txt* ℵ A B* C D 𝔐 • **11** ⸀πιστεως I *pc* a* ¦ πιστ. της ελπ. 33 • **14** ⸂ἦ μην Ψ 𝔐 ¦ ει μη D^{1} L^{c}(*: ημιν!) latt ¦ *txt* 𝔓^{46} ℵ A B C D* P 33. 104. 326. 2464 *pc* • **16** ⸆μεν C D^{1} 𝔐 bo ¦ *txt* 𝔓^{46} ℵ A B D* P 81. 1739. 1881. 2495 *pc* lat sa (Ψ *illeg.*) • **17** ⸀-τερως B | ⸉ 𝔓^{46} D 323 a vg^{ms} | ⸁-ξασθαι A *pc* | ⸆κλητοις 69 • **18** ⸋† B D Ψ 𝔐; Eus ¦ *txt* 𝔓^{46} ℵ A C P 33. 1739. 1881. 2495 *pc*

τῆς προκειμένης ἐλπίδος· **19** ἣν ὡς ἄγκυραν ⸀ἔχομεν Kol 1,5 |
τῆς ψυχῆς ἀσφαλῆ τε καὶ βεβαίαν καὶ εἰσερχομένην εἰς Lv 16,2.12
τὸ ἐσώτερον τοῦ καταπετάσματος, **20** ὅπου πρόδρομος 9,3; 10,20 |
ὑπὲρ ἡμῶν εἰσῆλθεν Ἰησοῦς, κατὰ τὴν τάξιν Μελχισέδεκ 5,6 Ps 110,4 ·
ἀρχιερεὺς γενόμενος εἰς τὸν αἰῶνα. 4,14!

9 **7** Οὗτος γὰρ ὁ *Μελχισέδεκ, βασιλεὺς Σαλήμ, ἱερεὺς* Gn 14,17-20
τοῦ θεοῦ τοῦ ὑψίστου, ⸀ὁ *συναντήσας Ἀβραὰμ ὑπο-*
στρέφοντι ἀπὸ τῆς κοπῆς τῶν βασιλέων ⸆ *καὶ εὐλογήσας*
αὐτόν, **2** *ᾧ καὶ δεκάτην ἀπὸ* ⸀*πάντων* ἐμέρισεν *Ἀβραάμ,*
πρῶτον μὲν ἑρμηνευόμενος βασιλεὺς δικαιοσύνης ἔπειτα
δὲ καὶ *βασιλεὺς Σαλήμ,* ὅ ἐστιν βασιλεὺς εἰρήνης, **3** ἀ-
πάτωρ ἀμήτωρ ἀγενεαλόγητος, μήτε ἀρχὴν ἡμερῶν μήτε J 7,27
ζωῆς τέλος ἔχων, ἀφωμοιωμένος δὲ τῷ υἱῷ τοῦ θεοῦ, μέ- 4,14; 6,6; 10,29
νει ἱερεὺς εἰς τὸ διηνεκές. Ps 110,4 · 10,12.14

4 Θεωρεῖτε δὲ πηλίκος οὗτος, *ᾧ* °*[καὶ] δεκάτην Ἀβρα-* 2 *Gn 14,20*
ὰμ ἔδωκεν ἐκ τῶν ἀκροθινίων ὁ πατριάρχης. **5** καὶ οἱ μὲν
ἐκ τῶν υἱῶν Λευὶ τὴν ἱερατείαν λαμβάνοντες ἐντολὴν Nu 18,21
ἔχουσιν ἀποδεκατοῦν τὸν λαὸν κατὰ τὸν νόμον, τοῦτ'
ἔστιν τοὺς ἀδελφοὺς αὐτῶν, καίπερ ἐξεληλυθότας ἐκ τῆς Gn 35,11
ὀσφύος Ἀβραάμ· **6** ὁ δὲ μὴ γενεαλογούμενος ἐξ αὐτῶν
δεδεκάτωκεν ⸆ Ἀβραὰμ καὶ τὸν ἔχοντα τὰς ἐπαγγελίας
⸀εὐλόγηκεν. **7** χωρὶς δὲ πάσης ἀντιλογίας τὸ ἔλαττον ὑπὸ Gn 14,19
τοῦ κρείττονος εὐλογεῖται. **8** καὶ ὧδε μὲν δεκάτας ἀπο-
θνῄσκοντες ἄνθρωποι λαμβάνουσιν, ἐκεῖ δὲ μαρτυρούμενος ὅτι ζῇ. **9** καὶ ὡς ἔπος εἰπεῖν, δι' Ἀβραὰμ καὶ ⸀Λευὶ ὁ
δεκάτας λαμβάνων δεδεκάτωται· **10** ἔτι γὰρ ἐν τῇ ὀσφύϊ
τοῦ πατρὸς ἦν ὅτε συνήντησεν αὐτῷ ⸆ Μελχισέδεκ. Gn 14,17
10 **11** Εἰ μὲν οὖν τελείωσις διὰ τῆς Λευιτικῆς ἱερωσύνης
°ἦν, ὁ λαὸς γὰρ ἐπ' ⸀αὐτῆς ⸁νενομοθέτηται, τίς ἔτι χρεία 8,6
κατὰ τὴν τάξιν Μελχισέδεκ ἕτερον ἀνίστασθαι ἱερέα καὶ 5,6 Ps 110,4

19 ⸀εχωμεν D *pc* a vg^{mss}

¶ **7,1** ⸀ος ℵ A B C^{3} D I K 33 *pc* ¦ *txt* 𝔓^{46vid} C* Ψ 𝔐 | ⸆τοτε εδιωξεν τους αλλοφυλους και εξειλατο Λωτ μετα πασης αιχμαλωσιας 460 ● **2** ⸀παντος B ¦ παντος αυτω 𝔓^{46} sy^{p} ● **4** °† 𝔓^{46} B D* 6. 1739. 1881 *pc* r vg^{mss} sy^{p} co ¦ *txt* ℵ A C D^{2} Ψ 𝔐 lat sy^{h} ● **6** ⸆τον ℵ^{2} A D^{2} Ψ 𝔐; Epiph ¦ *txt* 𝔓^{46} ℵ* B C D* 33 *pc* | ⸀-γησεν A C P Ψ 81. 104. 365. 1739. 1881. 2495 *al* ¦ *txt* ℵ B D 𝔐 ● **9** ⸀† Λευ(ε)ις ℵ^{2} A B C* I 6. 33. 81. 630*. 1739. 2495 *pc* μ ¦ *txt* (*vl* -ει) ℵ* C^{2} D Ψ 𝔐 lat sa^{ms} bo ● **10** ⸆ο A C^{3} D^{2} 𝔐 ¦ *txt* 𝔓^{46} ℵ B C* D* Ψ 365. 1739. 2495 *pc* ● **11** ° B *pc* | ⸀αὐτῇ D^{2} 𝔐 ¦ αυτην 6. (326). 614 *al* ¦ *txt* 𝔓^{46} ℵ A B C D* L P Ψ 33. 104. (365). 1175. 1241. 1739. 2495 *al* | ⸁-θετητο D^{2} Ψ 𝔐 ¦ *txt* 𝔓^{46} ℵ A B C D* P 6. 33. 81. 104. 365. 1739. 1881. 2495 *pc*

οὐ κατὰ τὴν τάξιν Ἀαρὼν λέγεσθαι; **12** μετατιθεμένης
γὰρ τῆς ἱερωσύνης ἐξ ἀνάγκης καὶ νόμου μετάθεσις γίνεται. **13** ἐφ' ὃν γὰρ λέγεται ταῦτα, φυλῆς ἑτέρας ⸀μετέ-
σχηκεν, ἀφ' ἧς οὐδεὶς ⸁προσέσχηκεν τῷ θυσιαστηρίῳ·
Gn 49,10 Is 11,1 Ap 5,5 · L 1,78! · 2,3; 13,20 **14** πρόδηλον γὰρ ὅτι ἐξ Ἰούδα ἀνατέταλκεν ὁ κύριος ἡ-
μῶν⸆, εἰς ἣν φυλὴν ⸂περὶ ἱερέων οὐδὲν Μωϋσῆς ἐλά-
λησεν⸃. **15** καὶ περισσότερον ἔτι κατάδηλόν ἐστιν, εἰ κατὰ
Ps 110,4 τὴν ὁμοιότητα Μελχισέδεκ ἀνίσταται ἱερεὺς ἕτερος, **16** ὃς
οὐ κατὰ νόμον ἐντολῆς ⸀σαρκίνης γέγονεν ἀλλὰ κατὰ
δύναμιν ζωῆς ἀκαταλύτου. **17** ⸀μαρτυρεῖται γὰρ ὅτι
5,6 *Ps 110,4* *σὺ ⸆ ἱερεὺς εἰς τὸν αἰῶνα κατὰ τὴν τάξιν Μελχισέδεκ.*
9,26 cf 10,9 **18** ἀθέτησις °μὲν γὰρ γίνεται προαγούσης ἐντολῆς διὰ
R 8,3 · 13,9 | 9,9; 10,1s. 4.11 τὸ αὐτῆς ἀσθενὲς καὶ ἀνωφελές – **19** οὐδὲν γὰρ ἐτελείω-
σεν ὁ νόμος – ἐπεισαγωγὴ δὲ κρείττονος ἐλπίδος δι' ἧς
ἐγγίζομεν τῷ θεῷ.

20 Καὶ καθ' ὅσον οὐ χωρὶς ὁρκωμοσίας· οἱ μὲν γὰρ
χωρὶς ὁρκωμοσίας εἰσὶν ἱερεῖς γεγονότες, **21** ὁ δὲ μετὰ
ὁρκωμοσίας διὰ τοῦ λέγοντος πρὸς αὐτόν·
Ps 110,4 *ὤμοσεν κύριος καὶ οὐ μεταμεληθήσεται·*
σὺ ⸆ ἱερεὺς εἰς τὸν αἰῶνα⸆.
8,6-10; 9,15-20; 10,29; 12,24; 13,20! L 22,20! · Sir 29,14ss | **22** κατὰ ⸀τοσοῦτο °[καὶ] κρείττονος διαθήκης γέγονεν
ἔγγυος Ἰησοῦς. **23** Καὶ οἱ μὲν πλείονές εἰσιν γεγο-
νότες ἱερεῖς διὰ τὸ θανάτῳ κωλύεσθαι παραμένειν· **24** ὁ
5,6; 13,8 L 1,33 δὲ διὰ τὸ μένειν αὐτὸν εἰς τὸν αἰῶνα ἀπαράβατον ἔχει
τὴν ⸀ἱερωσύνην· **25** ὅθεν καὶ σῴζειν εἰς τὸ παντελὲς δύ-
11,6 · Ap 1,18 ναται τοὺς προσερχομένους δι' αὐτοῦ τῷ θεῷ, πάντοτε
R 8,34! ζῶν εἰς τὸ ἐντυγχάνειν ὑπὲρ αὐτῶν.
4,14! **26** Τοιοῦτος γὰρ ἡμῖν °καὶ ἔπρεπεν ἀρχιερεύς, ὅσιος
4,15! ἄκακος ἀμίαντος, κεχωρισμένος ἀπὸ τῶν ἁμαρτωλῶν καὶ

13 ⸀-εσχεν 𝔓46 | ⸁-εσχεν 𝔓46 A C 33. 81. 1739 *pc* ¦ μετεσχεν (-σχηκεν K *pc*) K P *pc* ¦ *txt* ℵ B D Ψ 𝔐 co • **14** ⸆Ιησους 104. 365 *pc* | ⸂*1 2 4 3 5* 𝔓46 ℵ* 104 *pc* ¦ *3 1 2 4 5* 81. 1739. 1881 *pc* lat ¦ ουδ. π. ιερωσυνης Μ. ελ. ℵ2 𝔐 b ¦ ουδ. π. ιερωσ. ελ. Μ. Ψ 2495 *pc* ¦ *txt* A B C D P 33. 365 *pc* • **16** ⸀-ικης C3 D1 Ψ 𝔐 ¦ *txt* 𝔓46 ℵ A B C* D*.2 L P 6. 33. 81. 365. 614. 630. 1739. 1881 *al* • **17** ⸀-ρει C 𝔐 sy ¦ *txt* 𝔓46 ℵ A B D P Ψ 6. 33. 81. 104. 365. 1739. 1881. 2464 *pc* co | ⸆ει 𝔓46 D1 K P 326. 1175. 1881 *pm* • **18** ° 𝔓46 1241 sa • **21** ⸆ει 𝔓46 D1 K P 326. 1175. 1739 *al* ¦ *txt* ℵ A B C D* Ψ 𝔐 | ⸆ (17) κατα την ταξιν Μελχισεδεκ ℵ2 A D Ψ 𝔐 sy bopt; Eus ¦ *txt* 𝔓46 (ℵ*) B C 33. 81. 629. 2464 *pc* lat sa bopt • **22** ⸀τοσουτον ℵ2 D2 Ψ 𝔐 ¦ *txt* 𝔓46 ℵ* A B C D* P 33. 81. 326. 365 *pc* | ° 𝔓46 ℵ2 A C2 D Ψ 𝔐 lat sy co ¦ *txt* ℵ* B C* 33 *pc* μ • **24** ⸀ιερατειαν D* • **26** ° ℵ C Ψ 𝔐 co ¦ *txt* 𝔓46 A B D 104*. 1739 *pc* sy; Eus

ὑψηλότερος τῶν οὐρανῶν γενόμενος, **27** ὃς οὐκ ἔχει 1,3 E 4,10 |
καθ’ ἡμέραν ἀνάγκην, ὥσπερ ⸂οἱ ἀρχιερεῖς⸃, πρότερον 10,11 Ex 29,38s Nu 28,3s ·
ὑπὲρ τῶν ἰδίων ἁμαρτιῶν ⸀θυσίας ἀναφέρειν ἔπειτα τῶν 5,3! Lv 16,6.11.15 ·
τοῦ λαοῦ· τοῦτο γὰρ ἐποίησεν ἐφάπαξ ἑαυτὸν ⸁ἀνενέγ- 9,12!
κας. **28** ὁ νόμος γὰρ ἀνθρώπους καθίστησιν ⸀ἀρχιερεῖς 5,1
ἔχοντας ἀσθένειαν, ὁ λόγος δὲ τῆς ὁρκωμοσίας τῆς μετὰ 5,2
τὸν νόμον υἱὸν εἰς τὸν αἰῶνα τετελειωμένον. 5,9!

8 Κεφάλαιον δὲ ⸀ἐπὶ τοῖς λεγομένοις, τοιοῦτον ἔχομεν
ἀρχιερέα, ὃς ἐκάθισεν ἐν δεξιᾷ τοῦ θρόνου τῆς μεγα- 4,14! · 1,3! Ps 110,1
λωσύνης ἐν τοῖς ⸁οὐρανοῖς, **2** τῶν ἁγίων λειτουργὸς καὶ
τῆς σκηνῆς τῆς ἀληθινῆς, ἣν ἔπηξεν ὁ κύριος, ⸆ οὐκ ἄν- Nu 24,6 𝔊 · 9,11! |
θρωπος. **3** Πᾶς γὰρ ἀρχιερεὺς εἰς τὸ προσφέρειν 5,1
δῶρά τε καὶ θυσίας καθίσταται· ὅθεν ἀναγκαῖον ἔχειν τι
καὶ τοῦτον ὃ προσενέγκῃ. **4** εἰ μὲν ⸀οὖν ἦν ἐπὶ γῆς, οὐδ’
ἂν ἦν ἱερεύς, ὄντων ⸆ τῶν προσφερόντων κατὰ ⸇ νόμον
τὰ δῶρα· **5** οἵτινες ὑποδείγματι καὶ σκιᾷ λατρεύουσιν 9,23 · 10,1 Kol 2,17 ·
τῶν ἐπουρανίων, καθὼς κεχρημάτισται Μωϋσῆς μέλλων 12,25!
ἐπιτελεῖν τὴν σκηνήν· *ὅρα* γάρ φησιν, *ποιήσεις πάντα* *Ex 25,40*.39 Act 7,44
κατὰ τὸν τύπον τὸν δειχθέντα σοι ἐν τῷ ὄρει· **6** ⸀Νυ-
ν[ὶ] δὲ διαφορωτέρας ⸁τέτυχεν λειτουργίας, ὅσῳ °καὶ
κρείττονός ἐστιν διαθήκης μεσίτης, ἥτις ἐπὶ κρείττοσιν 7,22! · 9,15!
ἐπαγγελίαις νενομοθέτηται. 7,11
11 **7** Εἰ γὰρ ἡ πρώτη ἐκείνη ἦν ἄμεμπτος, οὐκ ἂν ⸀δευτέ-
ρας ἐζητεῖτο τόπος. **8** μεμφόμενος γὰρ ⸀αὐτοὺς λέγει·
ἰδοὺ ἡμέραι ἔρχονται, λέγει κύριος, *Jr 31,31-34*
καὶ συντελέσω ἐπὶ τὸν οἶκον Ἰσραὴλ
καὶ ἐπὶ τὸν οἶκον Ἰούδα διαθήκην καινήν,

27 ⸂ο αρχιερευς D* ¦ οι ιερεις 323. 945 *pc* | ⸀θυσιαν D P 630 *pc* r vg^{mss}; Ambr Aug ¦ – 𝔓^{46} vg^{ms} | ⸁προσεν- ℵ A I 33. 365 *pc* sy^{hmg} ¦ *txt* 𝔓^{46} B D Ψ 𝔐 sy^{h} co ● **28** ⸀ιερεις I^{vid} D* *ex* latt*?* sy^{p} sa
¶ **8,1** ⸀εν A *pc* b? | ⸁υψηλοις 33 vg^{mss}; Eus ¦ ουρανιοις 365 *pc* ● **2** ⸆και ℵ^{2} A Ψ 𝔐 lat sy ¦ *txt* 𝔓^{46} ℵ* B D 33. 1739 *pc*; Eus ● **4** ⸀γαρ D^{1} Ψ 𝔐 sy^{h} ¦ *txt* 𝔓^{46} ℵ A B D$^{*.2}$ P 33. 81. 1739. 1881. 2464 *pc* latt bo | ⸆των ιερεων (+ ετερων Ψ) D^{1} Ψ 𝔐 sy ¦ *txt* 𝔓^{46} ℵ A B D* P 6. 33. 81. 365. 629. 1739. 1881. 2464 *pc* lat co | ⸇τον ℵ^{2} D Ψ 𝔐 ¦ *txt* 𝔓^{46} ℵ* A B 33. 1881. 2495 *pc* ● **6** ⸀† νυν 𝔓^{46*} B D* ¦ *txt* 𝔓^{46c} ℵ A D^{2} Ψ 𝔐 | ⸁τετευχεν B D^{2} 365. 945. 1175 *pm* ¦ τετυχηκεν P Ψ 6. 33. 104. 326. 629. 630. 1739. 1881. 2495 *al* ¦ *txt* 𝔓^{46} ℵ A D* K L 81. 1241. 2464 *pm* | ° D* K 326. 2495 *pc* ● **7** ⸀ετερας B* ¦ δευτερος 365 ● **8** ⸀αυτοις 𝔓^{46} ℵ^{2} B D^{2} 𝔐 ¦ *txt* ℵ* A D* I K P Ψ 33. 81. 326. 365. 2464. 2495 *al* latt co

Ex 19,5s **9** *οὐ κατὰ τὴν διαθήκην, ἣν ἐποίησα τοῖς πατράσιν αὐτῶν*
ἐν ⸀ἡμέρᾳ ἐπιλαβομένου μου τῆς χειρὸς αὐτῶν
ἐξαγαγεῖν αὐτοὺς ἐκ γῆς Αἰγύπτου,
ὅτι αὐτοὶ οὐκ ἐνέμειναν ἐν τῇ διαθήκῃ μου,
κἀγὼ ἠμέλησα αὐτῶν, λέγει κύριος·
10,16s **10** *ὅτι αὕτη ἡ διαθήκη⸆, ἣν διαθήσομαι τῷ οἴκῳ Ἰσραὴλ*
μετὰ τὰς ἡμέρας ἐκείνας, λέγει κύριος·
διδοὺς νόμους μου εἰς τὴν διάνοιαν αὐτῶν
καὶ ἐπὶ ⸀καρδίας αὐτῶν ⸁ἐπιγράψω αὐτούς,
2K 6,16 *καὶ ἔσομαι αὐτοῖς εἰς θεόν,*
καὶ αὐτοὶ ἔσονταί μοι εἰς λαόν·
11 *καὶ οὐ μὴ διδάξωσιν ἕκαστος τὸν ⸀πολίτην αὐτοῦ*
καὶ ἕκαστος τὸν ἀδελφὸν ⸋αὐτοῦ λέγων· γνῶθι τὸν κύριον,
ὅτι πάντες εἰδήσουσίν με
ἀπὸ μικροῦ ⸆ ἕως μεγάλου αὐτῶν,
12 *ὅτι ἵλεως ἔσομαι ταῖς ἀδικίαις αὐτῶν*
καὶ τῶν ἁμαρτιῶν αὐτῶν ⸆ οὐ μὴ μνησθῶ ἔτι.
R 10,4! · 9,18 **13** ἐν τῷ λέγειν καινὴν πεπαλαίωκεν τὴν πρώτην· τὸ δὲ
παλαιούμενον καὶ γηράσκον ἐγγὺς ἀφανισμοῦ.
10 **9** Εἶχε μὲν οὖν ⸋[καὶ] ἡ πρώτη ⸆ δικαιώματα λατρείας
τό τε ἅγιον κοσμικόν. **2** σκηνὴ γὰρ κατεσκευάσθη ἡ
Ex 25,23.30s · 2Chr 13,11 𝔊 πρώτη ἐν ᾗ ἥ τε λυχνία καὶ ἡ τράπεζα καὶ ἡ πρόθεσις
τῶν ἄρτων⸆, ἥτις λέγεται ⸀Ἅγια· **3** μετὰ δὲ τὸ δεύτερον
6,19! Ex 26,31.33 | καταπέτασμα σκηνὴ ἡ λεγομένη ⸂Ἅγια Ἁγίων⸃, **4** ⸂χρυ-
Ex 25,16.21 σοῦν ἔχουσα θυμιατήριον καὶ⸃ τὴν κιβωτὸν τῆς διαθή-
Ex 16,33 κης περικεκαλυμμένην πάντοθεν χρυσίῳ, ἐν ᾗ στάμνος
Nu 17,25 χρυσῆ ἔχουσα τὸ μάννα καὶ ἡ ῥάβδος Ἀαρὼν ⸋ἡ βλα-
Dt 9,9 στήσασα καὶ αἱ πλάκες τῆς διαθήκης, **5** ὑπεράνω δὲ αὐ-

9 ⸀-ραις B sa^{ms} • **10** ⸆μου A D Ψ bo^{pt} | ⸀-διαν ℵ* K *pc*; Cl ¦ -διαις P 104. 365 *pc* d ¦ -δια B ¦ *txt* 𝔓^{46} ℵ^{2} A D Ψ 𝔐 sy | ⸁γραψω 𝔓^{46} B Ψ; Cl • **11** ⸀πλησιον P 81. 104. 365. 629. 630. 2464 *al* lat sy^{hmg} ¦ πλ. αυτου και εκαστος τ. πολ. 326 ¦ *txt* 𝔓^{46} ℵ A B D 𝔐 sy co | ⸋𝔓^{46vid} D* *pc* | ⸆αυτων D^{1} 𝔐 sy co ¦ *txt* 𝔓^{46} ℵ A B D* K P 33. 81. 104. 1739. 1881. 2464 *al* latt; Cl • **12** ⸆(10,17) και των ανομιων αυτων ℵ^{2} A D 𝔐 vg^{ms} sy^{h} ¦ *txt* 𝔓^{46} ℵ* B 33. 81. 629. 1739. 1881 *pc* lat sy^{p} co; Cl

¶ **9,1** ⸋𝔓^{46vid} B 6. 629. 1739. 1881 *pc* sy^{p} co ¦ *txt* ℵ A D 𝔐 latt sy^{h} | ⸆σκηνη 6^{mg}. 81. 104. 326. 365. 629. 630. 2464 *al* vg^{ms} bo^{ms} • **2** ⸆και το χρυσουν θυμιατηριον B sa^{mss} (*cf vs* 4) | ⸀ἁγία 365. 629 *al* b ¦ τα αγια B ¦ αγ. αγιων 𝔓^{46} A D* vg^{ms} ¦ *txt* 𝔐 (ℵ D^{2} I P: *sine acc.*) • **3** ⸂τα αγια των αγιων ℵ^{2} B D^{1} K L 1241 *al* ¦ αγ. των αγιων P 1739 *pc* ¦ αγια? (*sed ex err.* ανα!) 𝔓^{46} ¦ *txt* ℵ* A D* I^{vid} 𝔐 • **4** ⸂εχουσα (*sed cf vs* 2) B sa^{mss} | ⸋B *pc*

τῆς Χερουβὶν δόξης κατασκιάζοντα τὸ ἱλαστήριον· περὶ Ex 25,18.22
ὧν οὐκ ἔστιν νῦν λέγειν κατὰ μέρος. **6** Τούτων δὲ
οὕτως κατεσκευασμένων εἰς μὲν τὴν πρώτην σκηνὴν διὰ Nu 18,3s
παντὸς εἰσίασιν οἱ ἱερεῖς τὰς λατρείας ἐπιτελοῦντες, **7** εἰς
δὲ τὴν δευτέραν ἅπαξ τοῦ ἐνιαυτοῦ μόνος ὁ ἀρχιερεύς, Ex 30,10 Lv 16,2. 14s.18s ·
οὐ χωρὶς αἵματος ὃ προσφέρει ὑπὲρ ἑαυτοῦ καὶ τῶν τοῦ 18 · 5,3! Lv 16, 11.16
λαοῦ ἀγνοημάτων, **8** τοῦτο δηλοῦντος τοῦ πνεύματος τοῦ
ἁγίου, μήπω πεφανερῶσθαι τὴν τῶν ἁγίων ὁδὸν ἔτι τῆς cf 10,19
πρώτης σκηνῆς ἐχούσης στάσιν, **9** ἥτις ⸆ παραβολὴ εἰς
τὸν καιρὸν τὸν ἐνεστηκότα, καθʼ ⸀ἣν δῶρά τε καὶ θυσίαι
προσφέρονται μὴ δυνάμεναι κατὰ συνείδησιν τελειῶσαι 7,19!
τὸν λατρεύοντα, **10** μόνον ἐπὶ βρώμασιν καὶ πόμασιν καὶ cf 13,9 Lv 11,2
διαφόροις βαπτισμοῖς⸀, δικαιώματα σαρκὸς μέχρι και- Lv 15,18 Nu 19,13 · 1
ροῦ διορθώσεως ἐπικείμενα.

12 **11** Χριστὸς δὲ παραγενόμενος ἀρχιερεὺς τῶν ⸀γενομέ- 4,14! · 10,1
νων ἀγαθῶν διὰ τῆς μείζονος καὶ τελειοτέρας σκηνῆς οὐ
χειροποιήτου, τοῦτʼ ἔστιν οὐ ταύτης τῆς κτίσεως, **12** οὐδὲ 24; 8,2 2K 5,1!
διʼ αἵματος τράγων καὶ μόσχων διὰ δὲ τοῦ ἰδίου αἵματος 19; 10,4 · 13,12 ·
εἰσῆλθεν ἐφάπαξ εἰς τὰ ἅγια ⸆ αἰωνίαν λύτρωσιν εὑράμε- 24 · 7,27; 10,10 · 5,9 L 24,21! Dn 9,24 |
νος. **13** εἰ γὰρ τὸ αἷμα τράγων καὶ ταύρων καὶ σποδὸς 10,4 · Nu 19,9.17 ·
δαμάλεως ῥαντίζουσα τοὺς κεκοινωμένους ἁγιάζει πρὸς
τὴν τῆς σαρκὸς καθαρότητα, **14** πόσῳ μᾶλλον τὸ αἷμα Lv 17,11 | R 5,9 1J 1,7!
τοῦ Χριστοῦ, ὃς διὰ πνεύματος ⸀αἰωνίου ἑαυτὸν προσ- 25 J 10,18
ήνεγκεν ἄμωμον τῷ θεῷ, καθαριεῖ τὴν συνείδησιν ⸂ἡμῶν 1P 1,19 · 1,3 · 1T 3,9! ·
ἀπὸ νεκρῶν ἔργων εἰς τὸ λατρεύειν θεῷ ζῶντι⸆. 6,1 · R 1,9! · 1Th 1,9! |

15 Καὶ διὰ τοῦτο διαθήκης καινῆς μεσίτης ἐστίν, ὅπως 7,22! Jr 31,31 ·
θανάτου γενομένου εἰς ἀπολύτρωσιν τῶν ἐπὶ τῇ πρώτῃ 8,6; 12,24 1T 2,5 G 3,19 ·
διαθήκῃ παραβάσεων τὴν ἐπαγγελίαν λάβωσιν οἱ κεκλη- 3,1
μένοι τῆς αἰωνίου κληρονομίας. **16** Ὅπου γὰρ δια- E 1,18!
θήκη, θάνατον ἀνάγκη φέρεσθαι τοῦ διαθεμένου· **17** διαθήκη γὰρ ἐπὶ νεκροῖς βεβαία, ἐπεὶ ⸀μήποτε ἰσχύει ὅτε ζῇ
ὁ διαθέμενος. **18** ὅθεν οὐδὲ ἡ πρώτη χωρὶς αἵματος ἐγ- 8,13 · 7

9 ⸆πρωτη D* | ⸀ον D[2] 𝔐 (d) sy[h] bo ¦ *txt* ℵ A B D* 33. 1739. 1881. 2464. 2495 *pc* lat ● **10** ⸀και δικ-ματα ℵ[2] B *pc* ¦ και δικ-μασιν D[2] 𝔐 a vg sy[h] ¦ , δικ-μα D* ¦ *txt* 𝔓[46] ℵ* A I P 33. 81. 104. 1739. 1881. 2464 *pc* b sa ● **11** ⸀μελλοντων ℵ A D[2] I[vid] 𝔐 lat sy[hmg] co ¦ *txt* (𝔓[46]) B D* 1739 *pc* sy[(p).h] ● **12** ⸆των αγιων P ● **14** ⸀αγιου ℵ[2] D* P 81. 104. 326. 365. 629. 630. 2464 *al* a vg sa[mss] bo ¦ *txt* 𝔓[17vid.46] ℵ* A B D[2] 𝔐 b sy; Ambr | ⸂υμων ℵ D[2] 𝔐 lat sy[h] sa bo[pt] ¦ – 614 *pc* ¦ *txt* A D* K P 365. 1739* *al* vg[cl] sy[p] bo[pt]; Ambr Did | ⸆(1Th 1,9) και αληθινω A P 104 *pc* b bo ● **17** ⸀μη τοτε ℵ* D*

κεκαίνισται· **19** λαληθείσης γὰρ πάσης ⸆ ἐντολῆς κατὰ
Ex 24,3-8 ° τὸν νόμον ὑπὸ Μωϋσέως παντὶ τῷ λαῷ, λαβὼν τὸ αἷμα
12!s τῶν ⸀μόσχων [καὶ τῶν τράγων]⸁ μετὰ ὕδατος καὶ ἐρίου
Lv 14,4 Nu 19,6 κοκκίνου καὶ ὑσσώπου αὐτό τε τὸ βιβλίον καὶ πάντα τὸν
λαὸν ἐρράντισεν **20** λέγων·
Ex 24,8 Mt 26, 28p · 7,22! *τοῦτο τὸ αἷμα τῆς διαθήκης ἧς ἐνετείλατο πρὸς ὑμᾶς ὁ*
θεός.
Lv 8,15.19 Ex 40,9 **21** καὶ τὴν σκηνὴν δὲ καὶ πάντα τὰ σκεύη τῆς λειτουργίας
Lv 17,11 E 1,7 τῷ αἵματι ὁμοίως ἐρράντισεν. **22** καὶ σχεδὸν ἐν αἵματι
πάντα καθαρίζεται κατὰ τὸν νόμον καὶ χωρὶς αἱματεκ-
χυσίας οὐ γίνεται ἄφεσις.
8,5 **23** Ἀνάγκη οὖν τὰ μὲν ὑποδείγματα τῶν ἐν τοῖς οὐρανοῖς τούτοις καθαρίζεσθαι, αὐτὰ δὲ τὰ ἐπουράνια κρείτ-
11! τοσιν θυσίαις παρὰ ταύτας. **24** οὐ γὰρ εἰς χειροποίητα
12 εἰσῆλθεν ἅγια Χριστός, ἀντίτυπα τῶν ἀληθινῶν, ἀλλ' εἰς
αὐτὸν τὸν οὐρανόν, νῦν ἐμφανισθῆναι τῷ προσώπῳ τοῦ
R 8,34! | 14 θεοῦ ὑπὲρ ἡμῶν· **25** οὐδ' ἵνα πολλάκις προσφέρῃ ἑαυτόν,
ὥσπερ ὁ ἀρχιερεὺς εἰσέρχεται εἰς τὰ ἅγια ⸆ κατ' ἐνιαυτὸν ἐν αἵματι ἀλλοτρίῳ, **26** ἐπεὶ ἔδει αὐτὸν πολλάκις
12!; 10,2; 12,26s 1P 3,18 · 1,2 Mt ⸂παθεῖν ἀπὸ καταβολῆς κόσμου· νυνὶ δὲ ἅπαξ ἐπὶ συν-
13,39! 1K 10,11! G 4,4 1P 1,20 · τελείᾳ τῶν αἰώνων εἰς ἀθέτησιν ⸀[τῆς] ἁμαρτίας⸁ διὰ τῆς
1,3 · 1J 3,5 TestLev 18,9 | θυσίας αὐτοῦ πεφανέρωται. **27** καὶ καθ' ὅσον ἀπόκειται
Gn 3,19 τοῖς ἀνθρώποις ἅπαξ ἀποθανεῖν, μετὰ δὲ τοῦτο κρίσις,
26! 10,12.14 R 6,10 1P 2,24; 3,18 · **28** οὕτως καὶ ὁ Χριστὸς ἅπαξ προσενεχθεὶς εἰς τὸ πολ-
Is 53,12 λῶν ἀνενεγκεῖν ἁμαρτίας ἐκ δευτέρου χωρὶς ἁμαρτίας
Ph 3,20 ὀφθήσεται τοῖς αὐτὸν ἀπεκδεχομένοις εἰς σωτηρίαν⸆.
8,5 Kol 2,17 · 9,11vl **10** Σκιὰν γὰρ ἔχων ὁ νόμος τῶν μελλόντων ἀγαθῶν,
⸀οὐκ αὐτὴν⸁ τὴν εἰκόνα τῶν πραγμάτων, κατ' ἐνι-
αυτὸν ταῖς αὐταῖς θυσίαις ⸆ ⸂ἃς προσφέρουσιν εἰς τὸ δι-
7,19! ηνεκὲς οὐδέποτε ⸢δύναται τοὺς προσερχομένους τελειῶ-
σαι· **2** ἐπεὶ ⸀οὐκ ἂν⸁ ἐπαύσαντο προσφερόμεναι διὰ τὸ

19 ⸆της $\mathfrak{P}^{46}$ D* | ° $\aleph$* D^{2} 𝔐 ¦ *txt* $\mathfrak{P}^{46}$ $\aleph^{2}$ A C D* L 33. 81. 104. 1241. 2464. 2495 *al* | ⸀*1* $\mathfrak{P}^{46}$ $\aleph^{2}$ K L Ψ 1241. 1739. 1881. 2495 *al* sy$^{(p)}$ ¦ *4 2 3 1* D 365 sa^{ms} ¦ *1 2 4* 𝔐 bo ¦ *txt* $\aleph$* A C 81. 326. 629. 2464 *al* lat sa^{mss} ● **25** ⸆των αγιων $\aleph^{2}$ *pc* sa^{mss} ● **26** ⸂αποθανειν 1908 *pc* sa | ⸀*2* $\mathfrak{P}^{46}$ C Ψ 𝔐 ¦ αμαρτιων D*; Aug ¦ *txt* $\aleph$ A D^{2} I P 33. 81. 104. 365. 630 *pc* ● **28** ⸆δια πιστεως A P 81. 2495 *pc* (⸉ 69 *pc*) b vg^{mss} sy^{h} ¦ *txt* $\mathfrak{P}^{46}$ $\aleph$ C D Ψ 𝔐 lat sy^{p} co

¶ **10,1** ⸀ουκ αυτων 1908 sy^{p} ¦ ου κατα 69 ¦ και $\mathfrak{P}^{46}$ | ⸆αυτων $\aleph$ P (365 *pc*) b | ⸂αις D* H L *pc* z ¦ – $\mathfrak{P}^{46*}$ A 33. 2495 *pc* ¦ *txt* $\mathfrak{P}^{46c}$ $\aleph$ C D^{2} Ψ 𝔐 lat | ⸢-νανται $\aleph$ A C D^{1} P 33. 81. 104. 614. 1241. 2495 *pm* a b z* vg^{ms} sy ¦ *txt* $\mathfrak{P}^{46}$ D$^{*.2}$ H K L^{s} Ψ 326. 365. 629. 630. 1739. 1881 *pm* f r vg ● **2** ⸀καν $\mathfrak{P}^{46}$ (365) *pc* ¦ αν H* 614. 630. 1739. 1881. 2495 *al*

μηδεμίαν ἔχειν ἔτι συνείδησιν ἁμαρτιῶν τοὺς λατρεύον- 1T 3,9!
τας ἅπαξ κεκαθαρισμένους; **3** ἀλλ’ ἐν αὐταῖς ἀνάμνησις 9,26! | Nu 5,15 ⅁ •
ἁμαρτιῶν κατ’ ἐνιαυτόν· **4** ἀδύνατον γὰρ αἷμα ⸉ταύρων Lv 16,34 | 7,18s; 9,12!s Is 1,11
13 καὶ τράγων⸊ ⸀ἀφαιρεῖν ἁμαρτίας. **5** Διὸ εἰσερχό-
μενος εἰς τὸν κόσμον λέγει· J 11,27!

θυσίαν καὶ προσφορὰν οὐκ ἠθέλησας, Ps 40,7-9 Mt 9,13!
σῶμα δὲ κατηρτίσω μοι·
6 ⸀*ὁλοκαυτώματα καὶ περὶ ἁμαρτίας οὐκ εὐδόκησας.* Lv 4,14etc
7 *τότε εἶπον· ἰδοὺ ἥκω,*
ἐν κεφαλίδι βιβλίου γέγραπται ⸆ *περὶ ἐμοῦ,*
τοῦ ποιῆσαι ὁ θεὸς τὸ θέλημά σου. 36

8 ἀνώτερον λέγων ὅτι

⸂*θυσίας καὶ προσφορὰς*⸃ καὶ *ὁλοκαυτώματα καὶ περὶ ἁμαρτίας* 5s
οὐκ ἠθέλησας οὐδὲ εὐδόκησας,

αἵτινες κατὰ ⸆ νόμον προσφέρονται, **9** τότε εἴρηκεν·
ἰδοὺ ἥκω τοῦ ποιῆσαι ⸆ *τὸ θέλημά σου.* ἀναιρεῖ τὸ πρῶ- 7
τον ἵνα τὸ δεύτερον στήσῃ, **10** ἐν ᾧ θελήματι ἡγιασμένοι 14.29; 13,12 1Th 4,3 •
ἐσμὲν ⸆ διὰ τῆς προσφορᾶς τοῦ ⸀σώματος Ἰησοῦ Χριστοῦ E 5,2
ἐφάπαξ. 9,12!

11 Καὶ πᾶς μὲν ⸀ἱερεὺς ἕστηκεν καθ’ ἡμέραν λειτουρ- 7,27! • Dt 10,8; 18,7
γῶν καὶ τὰς αὐτὰς πολλάκις προσφέρων θυσίας, αἵτινες
οὐδέποτε δύνανται περιελεῖν ⸁ἁμαρτίας, **12** ⸀οὗτος δὲ μίαν 7,18s!
ὑπὲρ ἁμαρτιῶν προσενέγκας θυσίαν εἰς τὸ διηνεκὲς ἐκά- 9,28! Ps 110,1
θισεν ⸂ἐν δεξιᾷ⸃ τοῦ θεοῦ, **13** τὸ λοιπὸν ἐκδεχόμενος Mt 22,44!
ἕως τεθῶσιν οἱ ἐχθροὶ °αὐτοῦ ὑποπόδιον τῶν ποδῶν αὐτοῦ. **14** ⸂μιᾷ γὰρ προσφορᾷ⸃ τετελείωκεν εἰς τὸ διηνεκὲς 9,28!
τοὺς ⸀ἁγιαζομένους. **15** Μαρτυρεῖ δὲ ἡμῖν καὶ τὸ πνεῦμα 10! | 3,7
τὸ ἅγιον· μετὰ γὰρ τὸ ⸀εἰρηκέναι·

4 ⸉ $\mathfrak{P}^{46}$ ℵ 326. 1881 *pc* sa; Aug ¦ *txt* A C D Ψ 𝔐 latt sy bo | ⸀αφελειν L *pc* • **6** ⸀-μα $\mathfrak{P}^{46}$ D 1881 vg^{ms} sa^{mss} ¦ *txt* ℵ A C Ψ 𝔐 r vg^{cl} sy sa^{mss} bo • **7** ⸆γαρ $\mathfrak{P}^{46}$ D$^{*.2}$ • **8** ⸂ -ιαν κ. -ραν ℵ^{2} D^{2} I Ψ 𝔐 sy^{h} sa^{mss} ¦ *txt* ℵ* A C D* P 33. 1175 *pc* latt sy^{p} sa^{mss} bo | ⸆τον D 𝔐 ¦ *txt* $\mathfrak{P}^{46}$ ℵ A C P Ψ 33. 81. 104. 326. 1175. 1739. 1881. 2464. 2495 *pc* • **9** ⸆, ο θεος, ℵ^{2} 𝔐 lat sy$^{p.h**}$ bo^{ms} ¦ *txt* $\mathfrak{P}^{46}$ ℵ* A C D K P Ψ 33. 326. 1175. 1881. 2464. 2495 *al* r • **10** ⸆ οι D^{1} 𝔐 ¦ ημεις 323 *pc* ¦ *txt* $\mathfrak{P}^{46.79vid}$ ℵ A C D* P Ψ 33. 81. 104. 365. 629. 630. 1739. 1881. 2464. 2495 *al* latt co | ⸀αιματος D* • **11** ⸀αρχιε- A C P 104. 365. 614. 630. 1175. 2464 *al* sy$^{p.h**}$ sa ¦ *txt* $\mathfrak{P}^{46.79vid}$ ℵ D Ψ 𝔐 bo | ⸁-ιαν $\mathfrak{P}^{13}$ • **12** ⸀αυτος D^{2} 𝔐 ¦ *txt* $\mathfrak{P}^{13.46.79vid}$ ℵ A C D* P Ψ 33. 81. 1739. 1881. 2495 *pc* latt sy co | ⸂εκ δεξιων (ℵ*: εκ -ια*!*) A 104 • **13** ° $\mathfrak{P}^{13}$ • **14** [⸂μία γ. -ρά Bengel *cum* 33. 630. 1881. 2495 *pc*] | ⸀ανασωζομενους $\mathfrak{P}^{46}$ • **15** ⸀προειρ- 𝔐 ¦ *txt* $\mathfrak{P}^{13.46}$ ℵ A C D P Ψ 33. 81. 104. 326. 365. 1739. 1881. 2464. 2495 *al* latt co

8,10 *Jr 31,33* **16** *αὕτη* ⸆ *ἡ διαθήκη ἣν διαθήσομαι* πρὸς αὐτοὺς
μετὰ τὰς ἡμέρας ἐκείνας, λέγει κύριος·
διδοὺς νόμους μου ἐπὶ καρδίας αὐτῶν
καὶ ἐπὶ ⸂*τὴν διάνοιαν*⸃ *αὐτῶν ἐπιγράψω αὐτούς,*
8,12 *Jr 31,34* **17** ⸆ *καὶ τῶν ἁμαρτιῶν* ° *αὐτῶν* καὶ τῶν ἀνομιῶν αὐτῶν
οὐ μὴ ⸀*μνησθήσομαι ἔτι.*
18 ὅπου δὲ ἄφεσις °τούτων, οὐκέτι προσφορὰ περὶ ἁμαρτίας.

4,16! E 3,12 **19** Ἔχοντες οὖν, ἀδελφοί, παρρησίαν εἰς τὴν εἴσο-
E 1,7! δον τῶν ἁγίων ἐν τῷ αἵματι Ἰησοῦ, **20** ἣν ἐνεκαίνισεν
J 14,6 · 6,19!s | ἡμῖν ὁδὸν πρόσφατον καὶ ζῶσαν διὰ τοῦ καταπετάσμα-
4,14! Zch 6,11s · τος⸋, τοῦτ᾽ ἔστιν τῆς σαρκὸς αὐτοῦ⸌, **21** καὶ ἱερέα μέ-
3,6! | 4,16 · Is 38,3 𝔊 · γαν ἐπὶ τὸν οἶκον τοῦ θεοῦ, **22** ⸀προσερχώμεθα μετὰ ἀ-
6,11 ληθινῆς καρδίας ἐν πληροφορίᾳ πίστεως ῥεραντισμένοι
1T 3,9! · E 5,26! Ex 29,4 Lv 16,4 · τὰς καρδίας ἀπὸ συνειδήσεως πονηρᾶς καὶ λελουσμέ-
Ez 36,25 | 3,1; 4,14 · 3,6! · νοι τὸ σῶμα ὕδατι καθαρῷ· **23** κατέχωμεν τὴν ὁμολογί-
1K 10,13! αν τῆς ἐλπίδος ⸆ ἀκλινῆ, πιστὸς γὰρ ὁ ἐπαγγειλάμενος,
24 καὶ κατανοῶμεν ἀλλήλους ⸂εἰς παροξυσμὸν⸃ ἀγάπης *14*
Tt 2,14! | 2Th 2,1 Jc 2,2 · καὶ καλῶν ἔργων, **25** μὴ ⸀ἐγκαταλείποντες τὴν ἐπισυν-
3,13; 13,22 αγωγὴν ἑαυτῶν, καθὼς ἔθος τισίν, ἀλλὰ παρακαλοῦν-
Ez 7,4 𝔊 Mc 13,28 τες⸆, καὶ τοσούτῳ μᾶλλον ὅσῳ βλέπετε ἐγγίζουσαν τὴν
ἡμέραν.
6,4-8! **26** Ἑκουσίως °γὰρ ἁμαρτανόντων ἡμῶν μετὰ τὸ λα-
2T 3,7! 2P 2,21 βεῖν τὴν ἐπίγνωσιν τῆς ἀληθείας, οὐκέτι περὶ ⸀ἁμαρτιῶν
31 · 9,27 ⸁ἀπολείπεται θυσία, **27** φοβερὰ δέ τις ἐκδοχὴ κρίσεως
Is 26,11 𝔊 Zph 1,18 | καὶ πυρὸς ζῆλος ἐσθίειν μέλλοντος τοὺς ὑπεναντίους.
Ps 109,12 · *Dt 17,6* Nu 35,30 **28** ἀθετήσας τις νόμον Μωϋσέως χωρὶς οἰκτιρμῶν ⸆ *ἐπὶ*
2,3! *δυσὶν ἢ τρισὶν μάρτυσιν ἀποθνῄσκει·* **29** πόσῳ δοκεῖτε
7,3! χείρονος ⸀ἀξιωθήσεται τιμωρίας ὁ τὸν υἱὸν τοῦ θεοῦ κα-
Mt 7,6 · Ex 24,8 · 7,22! · ταπατήσας καὶ τὸ αἷμα τῆς ⸆ διαθήκης κοινὸν ἡγησά-

16 ⸆δε 𝔓46 D[*.2] lat | ⸂των διανοιων D[1] Ψ 𝔐 it vg[cl] sy[(p)]; Ambr ¦ *txt* 𝔓[13.46] ℵ A C D[*] I P 33. 81. 1739. 1881. 2464 *pc* z vg[st] ● **17** ⸆υστερον λεγει 104. 323. 945. 1739. 1881 *al* vg[ms] sy[hmg] sa ¦ τοτε ειρηκεν 2495 *pc* sy[h] | ° 𝔓[13vid.46] D[*] 33. 104. 1739 *pc* lat ¦ *txt* ℵ A C D[1] Ψ 𝔐 vg[mss] sy | ⸀μνησθω 𝔓46 ℵ[2] D[2] Ψ[vid] 𝔐 ¦ *txt* 𝔓13 ℵ[*] A C D[*] I 33. 81. 1739. 1881 *pc* ● **18** ° ℵ[*] b r ● **20** [⸋Holsten *cj*] ● **22** ⸀-χομεθα 𝔓[46*] D K L P 104. 326. 365. 629. 1241. 1881 *al* ¦ *txt* 𝔓[13.46c] ℵ A C Ψ 𝔐 latt co ● **23** ⸆ημων ℵ[*] lat sy[p] ● **24** ⸂εκ -μου 𝔓46 ● **25** ⸀καταλ- 𝔓46 D[*] | ⸆εαυτους 33 *pc* ● **26** °𝔓46 vg[ms] | ⸀αμαρτιας 𝔓46 D[*]; Hier | ⸁καταλ- 𝔓46 ¦ περιλ- D[*] ● **28** ⸆και δακρυων D[*] ● **29** ⸀καταξ- 𝔓46 | ⸆καινης b r

μενος, ⸋ἐν ᾧ ἡγιάσθη,⸌ καὶ τὸ πνεῦμα τῆς χάριτος ἐνυ- 10! · Zch 12,40
βρίσας; **30** οἴδαμεν γὰρ τὸν εἰπόντα·
ἐμοὶ ἐκδίκησις, ἐγὼ ἀνταποδώσω⸆. R 12,19 *Dt 32,35*
καὶ πάλιν·⸆
⸉*κρινεῖ κύριος*⸊ *τὸν λαὸν αὐτοῦ.* *Dt 32,36 Ps 135,14*
31 φοβερὸν τὸ ἐμπεσεῖν εἰς χεῖρας θεοῦ ζῶντος. 27 Mt 10,28p
15 **32** Ἀναμιμνῄσκεσθε δὲ τὰς πρότερον ⸀ἡμέρας, ἐν αἷς
φωτισθέντες πολλὴν ἄθλησιν ὑπεμείνατε παθημάτων, 6,4 · cf 6,10; 12,4 |
33 τοῦτο μὲν ὀνειδισμοῖς τε καὶ θλίψεσιν ⸀θεατριζόμε- 1K 4,9 L 23,48 ·
νοι, τοῦτο δὲ κοινωνοὶ τῶν οὕτως ἀναστρεφομένων γενη- Ph 4,14
θέντες. **34** καὶ γὰρ τοῖς ⸀δεσμίοις συνεπαθήσατε καὶ τὴν 13,3!
ἁρπαγὴν τῶν ὑπαρχόντων ὑμῶν μετὰ χαρᾶς προσεδέξα-
σθε γινώσκοντες ἔχειν ⸁ἑαυτοὺς κρείττονα ὕπαρξιν ⸆ καὶ
μένουσαν. **35** Μὴ ἀποβάλητε οὖν τὴν παρρησίαν ὑμῶν, 4,16!
ἥτις ἔχει μεγάλην μισθαποδοσίαν. **36** ὑπομονῆς γὰρ 11,6.26; 2,2 | L 8,15!
ἔχετε χρείαν ἵνα τὸ θέλημα τοῦ θεοῦ ποιήσαντες κομί- 7 · cf 11,13.39
σησθε τὴν ἐπαγγελίαν. 6,12!
37 ἔτι ⸰γὰρ *μικρὸν ὅσον ὅσον,* *Is 26,20* 𝔊 J 14,19 ·
ὁ ἐρχόμενος ἥξει καὶ οὐ χρονίσει· *Hab 2,3* 𝔊 Mt 3,11 2P 3,9 Jc 5,8 ·
38 *ὁ δὲ δίκαιός* ⸂*μου ἐκ πίστεως*⸃ *ζήσεται,* *Hab 2,4* 𝔊 R 1,17!
καὶ ἐὰν ὑποστείληται, οὐκ εὐδοκεῖ ⸉*ἡ ψυχή μου*⸊
ἐν αὐτῷ.
39 ἡμεῖς δὲ οὐκ ἐσμὲν ὑποστολῆς εἰς ἀπώλειαν ἀλλὰ πί- 1T 6,9
στεως εἰς περιποίησιν ψυχῆς. 1Th 5,9! · L 21,19 1P 1,9 |
16 **11** Ἔστιν δὲ πίστις ἐλπιζομένων ⸂ὑπόστασις, πραγμά- R 8,24 · 3,14!
των⸃ ἔλεγχος οὐ βλεπομένων. **2** ἐν ⸀ταύτῃ γὰρ ἐμαρ- 2K 4,18! | 4s.39
τυρήθησαν οἱ πρεσβύτεροι. **3** Πίστει νοοῦμεν *c.11:* Act 6–7 ·
κατηρτίσθαι τοὺς αἰῶνας ῥήματι θεοῦ, εἰς τὸ μὴ ἐκ φαι- Gn 1 Ps 33,6.9etc · R 1,20
νομένων ⸂τὸ βλεπόμενον⸃ γεγονέναι. **4** Πίστει ⸀πλείονα

29 ⸋ A • **30** ⸆λεγει κυριος ℵ^{2} A D^{2} 𝔐 b r vg^{mss} sy^{h} sa^{mss}; Tert ¦ *txt* 𝔓$^{13vid.46}$ ℵ* D* P Ψ 6. 33. 629. 1739. 1881 *pc* lat sy^{p} sa^{ms} bo | ⸆ οτι D 81. 104. 629. 1739. 1881. 2495 *pc* lat | ⸉ ℵ^{2} Ψ 𝔐 ¦ *txt* ℵ* A D K 33. 81. 104. 326. 629. 1241. 1739. 1881. 2495 *al* latt • **32** ⸀ημ. υμων ℵ^{1} 33. 81 *pc* bo ¦ αμαρτιας υμων ℵ* • **33** ⸀ονειδιζομενοι D* • **34** ⸀δεσμοις 𝔓^{46} Ψ 104 *pc* (r) ¦ -μοις μου ℵ D^{2} 𝔐; Cl ¦ -μοις αυτων d z^{vid} ¦ *txt* A D* H 6. 33. 81. 1739 *pc* lat sy co | ⸁ εαυτοις D 𝔐 ¦ εν εαυτοις 1881 *pc* ¦ – P ¦ *txt* 𝔓$^{13.46}$ ℵ A H^{vid} Ψ 6. 33. 81. 365. 1739. 2495 *pc* latt; Cl | ⸆εν ουρανοις ℵ^{2} D^{2} Ψ (945) 𝔐 vg^{ms} sy ¦ *txt* 𝔓$^{13.46}$ ℵ* A D* H 33 lat co; Cl • **37** ⸰ 𝔓^{13} 104 vg^{ms} sy^{p} • **38** ⸂ *2 3* 𝔓^{13} D^{2} H^{c} I Ψ 𝔐 b t z vg^{mss} bo ¦ *2 3 1* D* *pc* μ sy ¦ *txt* 𝔓^{46} ℵ A H* 33. 1739 *pc* lat sa bo^{ms}; Cl | ⸉ 𝔓$^{13.46}$ D*.^{2} ¶ **11,1** ⸂πραγμ. αποστασις 𝔓^{13} • **2** ⸀αυτη 𝔓^{13} *pc* • **3** ⸂τα βλεπομενα D^{2} Ψ 𝔐 lat sy ¦ *txt* 𝔓^{13vid} ℵ A D* P 33. 81. 1241^{s}. 1739. 1881 *pc*; Cl • **4** [⸀ηδιονα Cobet *cj*]

θυσίαν ″Ἄβελ παρὰ Κάϊν προσήνεγκεν ⸋τῷ θεῷ⸌, δι᾽ ἧς
ἐμαρτυρήθη εἶναι δίκαιος, μαρτυροῦντος ἐπὶ τοῖς δώροις
⸂αὐτοῦ τοῦ θεοῦ⸃, καὶ δι᾽ αὐτῆς ἀποθανὼν ἔτι ⸀λαλεῖ.
5 Πίστει Ἑνὼχ μετετέθη τοῦ μὴ ἰδεῖν θάνατον, καὶ οὐχ
ηὑρίσκετο διότι μετέθηκεν αὐτὸν ὁ θεός. πρὸ γὰρ τῆς
μεταθέσεως ⸆ μεμαρτύρηται εὐαρεστηκέναι τῷ θεῷ· **6** χωρὶς δὲ πίστεως ἀδύνατον εὐαρεστῆσαι· πιστεῦσαι γὰρ δεῖ
τὸν προσερχόμενον °τῷ θεῷ ὅτι ἔστιν καὶ τοῖς ⸀ἐκζη-
τοῦσιν αὐτὸν μισθαποδότης γίνεται. **7** Πίστει χρηματισθεὶς Νῶε περὶ τῶν μηδέπω βλεπομένων, εὐλαβηθεὶς
κατεσκεύασεν κιβωτὸν εἰς σωτηρίαν τοῦ οἴκου αὐτοῦ δι᾽
ἧς κατέκρινεν τὸν κόσμον, καὶ τῆς κατὰ πίστιν δικαιοσύνης ἐγένετο κληρονόμος.
8 Πίστει ⸆ καλούμενος Ἀβραὰμ ὑπήκουσεν ἐξελθεῖν
εἰς ⸆¹ τόπον ὃν ἤμελλεν λαμβάνειν εἰς κληρονομίαν, καὶ
ἐξῆλθεν μὴ ἐπιστάμενος ποῦ ἔρχεται. **9** Πίστει παρῴκη-
σεν εἰς γῆν τῆς ἐπαγγελίας ὡς ἀλλοτρίαν ἐν σκηναῖς
κατοικήσας μετὰ Ἰσαὰκ καὶ Ἰακὼβ τῶν συγκληρονό-
μων τῆς ἐπαγγελίας τῆς αὐτῆς· **10** ἐξεδέχετο γὰρ τὴν
τοὺς θεμελίους ἔχουσαν πόλιν ἧς τεχνίτης καὶ δημιουρ-
γὸς ὁ θεός. **11** Πίστει καὶ ⸂αὐτὴ Σάρρα στεῖρα⸃ δύναμιν
εἰς καταβολὴν σπέρματος ἔλαβεν ⸆ καὶ παρὰ καιρὸν ἡλι-
κίας⸆¹, ἐπεὶ πιστὸν ἡγήσατο τὸν ἐπαγγειλάμενον. **12** διὸ
καὶ ἀφ᾽ ἑνὸς ⸀ἐγεννήθησαν, καὶ ταῦτα νενεκρωμένου, καθὼς τὰ ἄστρα τοῦ οὐρανοῦ τῷ πλήθει καὶ ὡς ἡ ἄμμος ⸋ἡ
παρὰ τὸ χεῖλος⸌ τῆς θαλάσσης ἡ ἀναρίθμητος.
13 Κατὰ πίστιν ἀπέθανον οὗτοι πάντες, μὴ ⸀λαβόντες
τὰς ἐπαγγελίας ἀλλὰ πόρρωθεν αὐτὰς ἰδόντες ⸆ καὶ ἀσπα-

Mt 23,35 1J 3,12 · Gn 4,4 · 12,24 Gn 4,10 · 2!
Gn 5,24 Sir 44,16
Sap 4,10
7,25 · Ex 3,14
10,35! Sap 10,17 | 12,25!
1 ·
Gn 6,8s.13–7,1
Ez 14,14.20 R 3,22 2P 2,5 ·
Ps 37,29 R 4,13
Gn 12,1.4
Gn 15,7etc
Gn 23,4; 35,27 ·
Gn 12,8; 13,12etc ·
6,12!
Ap 21,14.19 · 12,22! · Sap 13,1 · 2Mcc 4,1 |
Gn 17,19; 21,2
R 4,19s
1K 10,13!
Is 51,2 · R 4,19 ·
Gn 22,17; 32,13 Ex 32,13 Dt 1,10; 10,22 Dn 3,36 𝔊
10,36!
J 8,56

4 ⸋ 𝔓¹³; Cl | ⸂αυτου τω θεω ℵ* A D* 33. 326 *pc* ¦ αυτω του θεου 𝔓¹³ᶜ zᶜ; Cl ¦ *txt* 𝔓¹³*·⁴⁶ ℵ² D² Ψ 𝔐 lat sy bo | ⸀λαλειται D Ψ 𝔐 (z) ¦ *txt* 𝔓¹³·⁴⁶ ℵ A P 6. 33. 81. 104. 365. 1241ˢ. 1739. 1881. 2495 *al* lat sy; Cl ● 5 ⸆αυτου ℵ² D² Ψ 𝔐 vgᵐˢ sy ¦ *txt* 𝔓¹³·⁴⁶ ℵ* A D* P 6. 33. 81. 365. 1241ˢ. 1739. 1881 *pc* lat bo ● 6 ° ℵ* D² I 33. 326. 1241ˢ *pc*; Epiph ¦ *txt* 𝔓⁴⁶ ℵ² A D* Ψ 𝔐 | ⸀ζητ- 𝔓¹³ P ● 8 ⸆ο 𝔓⁴⁶ A D* 33. 1739. 1881 *pc* ¦ *txt* ℵ D² Ψ 𝔐 | ⸆¹τον ℵ² D¹ 𝔐 ¦ *txt* 𝔓⁴⁶ ℵ* A D* P Ψ 33. 81. 104. 365. 1241ˢ *pc* ● 11 ⸂ † *1 2* 𝔓¹³ᵛⁱᵈ ℵ A D² 𝔐; Aug ¦ αυτ. Σ. στειρα ουσα P 104. 365. 2495 *pc* sy⁽ᵖ⁾ ¦ αυτ. Σ. η στειρα D¹ 6. 81. 1241ˢ. 1739. 1881 *pc* ¦ *txt* 𝔓⁴⁶ D* Ψ latt | ⸆εις το τεκνωσαι D* P 81. 2495 *pc* b vgᵐˢ (syʰ) | ⸆¹ετεκεν ℵ² D² 𝔐 b sy ¦ *txt* 𝔓¹³ᵛⁱᵈ·⁴⁶ ℵ* A D* Ψ 6. 33. 81. 1739. 1881 *pc* lat co ● 12 ⸀† εγενηθησαν 𝔓⁴⁶ A D* K P 6. 33. 81. 104. 326. 365. 1175 *al* lat ¦ *txt* ℵ D² Ψ 𝔐 (z) sy | ⸋ 𝔓⁴⁶* D* Ψ ● 13 ⸀† κομισαμενοι ℵ* I P 33. 81. 326. 365. 1241ˢ *pc* ¦ προσδεξαμενοι A ¦ *txt* 𝔓⁴⁶ ℵ² D Ψ 𝔐 | ⸆και πεισθεντες 1518? *pc*

σάμενοι καὶ ὁμολογήσαντες ὅτι ξένοι καὶ παρεπίδημοί
εἰσιν ἐπὶ τῆς γῆς. **14** οἱ γὰρ τοιαῦτα λέγοντες ἐμφανίζου-
σιν ὅτι πατρίδα ⸀ἐπιζητοῦσιν. **15** καὶ εἰ μὲν ἐκείνης
⸀ἐμνημόνευον ἀφ᾽ ἧς ⸁ἐξέβησαν, εἶχον ἂν καιρὸν ἀνα-
κάμψαι· **16** νῦν δὲ κρείττονος ὀρέγονται, τοῦτ᾽ ἔστιν
ἐπουρανίου. διὸ οὐκ ἐπαισχύνεται αὐτοὺς ὁ θεὸς θεὸς
ἐπικαλεῖσθαι αὐτῶν· ἡτοίμασεν γὰρ αὐτοῖς πόλιν.

17 Πίστει ⸂προσενήνοχεν Ἀβραὰμ τὸν Ἰσαὰκ πειρα-
ζόμενος⸃ καὶ τὸν μονογενῆ προσέφερεν, ὁ τὰς ἐπαγγελίας ἀναδεξάμενος, **18** πρὸς ὃν ἐλαλήθη ὅτι

ἐν Ἰσαὰκ κληθήσεταί σοι σπέρμα,

19 λογισάμενος ὅτι καὶ ἐκ νεκρῶν ⸀ἐγείρειν ⸁δυνατὸς ὁ
θεός, ὅθεν αὐτὸν καὶ ἐν παραβολῇ ἐκομίσατο. **20** Πίστει
°καὶ περὶ μελλόντων εὐλόγησεν Ἰσαὰκ τὸν Ἰακὼβ καὶ
τὸν Ἠσαῦ. **21** Πίστει Ἰακὼβ ἀποθνῄσκων ἕκαστον τῶν
υἱῶν Ἰωσὴφ εὐλόγησεν καὶ *προσεκύνησεν ἐπὶ τὸ ἄκρον
τῆς ῥάβδου αὐτοῦ.* **22** Πίστει Ἰωσὴφ τελευτῶν περὶ τῆς
ἐξόδου τῶν υἱῶν Ἰσραὴλ ἐμνημόνευσεν καὶ περὶ τῶν
ὀστέων αὐτοῦ ἐνετείλατο.

23 Πίστει Μωϋσῆς γεννηθεὶς ἐκρύβη τρίμηνον ὑπὸ
τῶν πατέρων αὐτοῦ, διότι εἶδον ἀστεῖον τὸ παιδίον καὶ οὐκ
ἐφοβήθησαν τὸ ⸀διάταγμα τοῦ βασιλέως.⸆ **24** Πίστει Μωϋσῆς μέγας γενόμενος ἠρνήσατο λέγεσθαι υἱὸς
θυγατρὸς Φαραώ, **25** μᾶλλον ἑλόμενος συγκακουχεῖ-
σθαι τῷ λαῷ τοῦ θεοῦ ἢ πρόσκαιρον ἔχειν ἁμαρτίας
ἀπόλαυσιν, **26** μείζονα πλοῦτον ἡγησάμενος τῶν Αἰγύπτου θησαυρῶν τὸν ὀνειδισμὸν τοῦ Χριστοῦ· ἀπέβλε-
πεν γὰρ εἰς τὴν μισθαποδοσίαν. **27** Πίστει κατέλιπεν Αἴγυπτον μὴ φοβηθεὶς τὸν θυμὸν τοῦ βασιλέως·
τὸν γὰρ ἀόρατον ὡς ὁρῶν ἐκαρτέρησεν. **28** Πίστει
πεποίηκεν τὸ πάσχα καὶ τὴν πρόσχυσιν τοῦ αἵματος,

Gn 23,4; 24,37 1Chr 29,15 Ps 39,13 1P 1,1; 2,11 E 2,19 | 13,14 |
2,11 · Ex 3,6 Mt 22,32p · J 14,2 · Ap 21,2
Gn 22 Jc 2,21 Sir 44,20 1Mcc 2,52 · J 3,16!
Gn 21,12 𝔊 R 9,7
R 4,17
9,9
Gn 27,27-29
Gn 27,38-40 |
Gn 47,31 𝔊; 48,15s |
Gn 50,24s
Ex 2,2s Act 7,20
Ex 2,11 Act 7,23
4Mcc 15,2.8
13,13 Ps 88,51s 𝔊; 68,10 𝔊
10,35! | Ex 2,15
1T 1,17! Nu 12,8 · Sir 2,2 | Ex 12,48 2Rg 23,21 · Ex 12,21-23

14 ⸀ζητ- 𝔓^{46} D* 629 *pc* • **15** ⸀-νευσαν 33. 104 *pc* ¦ μνημονευουσιν 𝔓^{46} ℵ* (D*) Ψ 81. 1739*. 1881 *pc* ¦ *txt* ℵ^{2} A D^{1} 𝔐 sy^{h}; Hier^{pt} | ⸁εξηλθον ℵ^{2} D^{2} Ψ 𝔐 ¦ *txt* 𝔓^{46vid} ℵ* A D* P 33. 81. 365. 1175. 1241^{s}. 1739. 1881 *pc* • **17** ⸂ *1 4 5* 𝔓^{46} ¦ *1 3–5* Ψ *pc* b vg^{ms} ¦ *1 3–5 2* D ¦ *1 3 4 2 5* 2495 *pc et v. l. al* ¦ *txt* ℵ A 𝔐 z vg • **19** ⸀-ραι A P 33. 81. 326. 1241^{s} *pc* | ⸁δυν. εστιν P ¦ δυναται A D^{1} Ψ d; Aug ¦ *txt* 𝔓^{46} ℵ D$^{*.2}$ 𝔐 • **20** ° ℵ D^{2} Ψ 𝔐 vg^{ms} sy ¦ *txt* 𝔓^{46} A D* 6. 33. 81. 1241^{s}. 1739. 1881 *pc* lat • **23** ⸀δογμα A^{vid} *pc* | ⸆Πιστει μεγας γενομενος Μωυσης ανειλεν τον Αιγυπτιον κατανοων την ταπεινωσιν των αδελφων αυτου D* *pc* vg^{ms}

Sap 18,25 1K 10,10 ἵνα μὴ ὁ ὀλοθρεύων τὰ πρωτότοκα θίγῃ αὐτῶν. **29** Πί-
Ex 14,22.27 στει διέβησαν τὴν ἐρυθρὰν θάλασσαν ὡς διὰ ξηρᾶς
°γῆς, ἧς πεῖραν λαβόντες οἱ Αἰγύπτιοι ⸀κατεπόθησαν.
Jos 6,14-16.20 **30** Πίστει τὰ τείχη Ἰεριχὼ ἔπεσαν κυκλωθέντα
Jos 2; 6,17.22-25 ἐπὶ ἑπτὰ ἡμέρας. **31** Πίστει Ῥαὰβ ἡ ⸆ πόρνη οὐ συναπώ-
Jc 2,25 λετο τοῖς ⸀ἀπειθήσασιν δεξαμένη τοὺς κατασκόπους μετ’
εἰρήνης.
13,22 Jdc 6,11ss; 4,6ss; **32** Καὶ τί ἔτι λέγω; ἐπιλείψει ⸂με γὰρ⸃ διηγούμενον
13,24ss; 15,20; · 12,7 1Sm 16,10ss; ὁ χρόνος περὶ Γεδεών, Βαράκ⸀, Σαμψών, Ἰεφθάε, Δαυίδ
3,20; 7,15 · Act 3, 24 | Jdc 4,15s; 7, τε καὶ Σαμουὴλ καὶ τῶν προφητῶν, **33** οἳ διὰ πίστεως
22ss; 11,33 · 2Sm 8,15 Ps 14,2 𝔊 Act κατηγωνίσαντο ⸀βασιλείας, εἰργάσαντο δικαιοσύνην, ἐπ-
10,35 · 6,15! · Jdc 14,6 1Sm 17,34s | έτυχον ἐπαγγελιῶν, ἔφραξαν στόματα λεόντων, **34** ἔσβε-
Dn 3,23-25 · 1Rg 19,10 · Jdc 16,28 · σαν δύναμιν πυρός, ἔφυγον στόματα μαχαίρης, ⸀ἐδυνα-
1Sm 17,49ss.52 μώθησαν ἀπὸ ἀσθενείας, ἐγενήθησαν ἰσχυροὶ ἐν πολέ-
Ps 45,7 𝔊 | μῳ, παρεμβολὰς ἔκλιναν ἀλλοτρίων. **35** Ἔλαβον ⸀γυ-
1Rg 17,23 2Rg 4,36 ναῖκες ἐξ ἀναστάσεως τοὺς νεκροὺς αὐτῶν· ἄλλοι δὲ
2Mcc 6,18–7,42 ἐτυμπανίσθησαν οὐ προσδεξάμενοι τὴν ἀπολύτρωσιν,
ἵνα κρείττονος ἀναστάσεως τύχωσιν· **36** ἕτεροι δὲ ἐμ-
2Chr 36,16 Jr 20; 37; 38 | παιγμῶν καὶ μαστίγων πεῖραν ἔλαβον, ἔτι δὲ δεσμῶν καὶ
2Chr 24,21 Mt 23,37 · MartIs 5, φυλακῆς· **37** ἐλιθάσθησαν, ⸀ἐπρίσθησαν, ἐν φόνῳ μα-
11-14 · 1Rg 19,10 Jr 26,23 · 1Rg 19, χαίρης ἀπέθανον, περιῆλθον ἐν μηλωταῖς, ἐν αἰγείοις
13.19 2Rg 2,8.13s · 13,3 1Rg 2,26 | δέρμασιν, ὑστερούμενοι, θλιβόμενοι, κακουχούμενοι,
1Rg 19,4 **38** ὧν οὐκ ἦν ἄξιος ὁ κόσμος, ⸀ἐπὶ ἐρημίαις πλανώμενοι
Jdc 6,2 1Rg 18,4 καὶ ὄρεσιν καὶ σπηλαίοις καὶ ταῖς ὀπαῖς τῆς γῆς.
1Sm 13,6s | 2 **39** Καὶ °οὗτοι πάντες μαρτυρηθέντες διὰ τῆς πίστεως
10,36! οὐκ ἐκομίσαντο ⸂τὴν ἐπαγγελίαν⸃, **40** τοῦ θεοῦ περὶ ἡ-
Ps 36,13 𝔊 μῶν κρεῖττόν τι ⸀προβλεψαμένου, ἵνα μὴ χωρὶς ἡμῶν
12,23 τελειωθῶσιν.

29 ° D^2 𝔐 ¦ *txt* 𝔓$^{13.46}$ א A D* Ψ 0227. 33. 81. 104. 365. 1241^s. 1739. 1881. 2495 *pc* latt sy | ⸀-ποντισθησαν 104 *pc* ● **31** ⸆επιλεγομενη א* sy^h; ClR$^{v.l.}$ | ⸀απιστησασιν 𝔓^{46} ● **32** ⸂ *2 1* 𝔓$^{13.46}$ D^2 I 𝔐 latt; Cl ¦ *1* Ψ *pc* ¦ *txt* א A D* 33 *pc* | ⸀τε και Σ. και D(*) Ψ 𝔐 (sy) ¦ τε και Σ. K 104. 365 *pc* ¦ *txt* 𝔓$^{13.46}$ א A I 33. 81. 1241^s. 1739. 1881 *pc* lat; Cl Epiph ● **33** ⸀βασιλεις 𝔓^{46} ● **34** ⸀ενεδυν- א^2 D^2 Ψ 𝔐 ¦ *txt* 𝔓$^{13.46}$ א* A D* *pc* ● **35** ⸀-κας א* A D* 33 *pc* ¦ *txt* א^2 D^2 Ψ 𝔐 lat ● **37** ⸀† επειρασθησαν, επρισθησαν א (D*: επιρ- *bis*) L P (048). 33. 81. 326. 2495 *pc* sy^h bo^{ms}; Cl ¦ επρισ- (επρησ- Ψ^{vid} *pc*), επειρ- 𝔓^{13vid} A D^2 Ψ 𝔐 lat bo; Or (*cf* D*) ¦ επειρ- vg^{mss} ¦ *txt* 𝔓^{46} 1241^s *pc* sy^p sa ● **38** ⸀εν D Ψ 𝔐; Cl Or ¦ *txt* 𝔓$^{13.46}$ א A P 6. 365. 1241^s. 1739. 1881 *pc* (33 *illeg.*) ● **39** ° 𝔓^{46} 1739. 1881 sa; Cl | ⸂τας -ιας A I *pc* sa bo^{mss}; Aug^{pt} ● **40** ⸀προσβλ- 𝔓^{46} 365. 1241^s ¦ προειδομενου Cl

17 **12** Τοιγαροῦν καὶ ἡμεῖς ⸀τοσοῦτον ἔχοντες περικεί-
μενον ἡμῖν νέφος μαρτύρων, Ϝὄγκον ἀποθέμενοι 1T 6,12
πάντα καὶ τὴν ⸀¹εὐπερίστατον ἁμαρτίαν, δι᾽ ὑπομονῆς L 8,15! 4 Mcc 16, 16; 17,10-15
τρέχωμεν τὸν προκείμενον ἡμῖν ἀγῶνα **2** ἀφορῶντες εἰς 2T 4,7! |
τὸν τῆς πίστεως ἀρχηγὸν καὶ τελειωτὴν Ἰησοῦν, ὃς ἀντὶ Act 3,15! Ph 1,6
τῆς προκειμένης αὐτῷ χαρᾶς ὑπέμεινεν ⸆ σταυρὸν αἰ- Mt 25,21 · Ph 2,8
σχύνης καταφρονήσας ἐν δεξιᾷ τε τοῦ θρόνου τοῦ θεοῦ
⸀κεκάθικεν. **3** ἀναλογίσασθε γὰρ °τὸν τοιαύτην ὑπομε- 1,3!
μενηκότα ὑπὸ τῶν ἁμαρτωλῶν εἰς ⸀ἑαυτὸν ἀντιλογίαν, Nu 17,3 · L 2,34!
ἵνα μὴ κάμητε ταῖς ψυχαῖς °¹ὑμῶν Ϝἐκλυόμενοι. G 6,9 Dt 20,3 𝔊 |
4 Οὔπω ⸆ μέχρις αἵματος ἀντικατέστητε πρὸς τὴν ἁ- 10,32-36
μαρτίαν ⸀ἀνταγωνιζόμενοι. **5** καὶ ἐκλέλησθε τῆς παρα- 2 Mcc 13,14
κλήσεως, ἥτις ὑμῖν ὡς υἱοῖς διαλέγεται·
υἱέ °μου, μὴ ὀλιγώρει παιδείας κυρίου Prv 3,11s 1K 11, 32 Dt 8,5
⸀μηδὲ ἐκλύου ὑπ᾽ αὐτοῦ ἐλεγχόμενος·
6 *ὃν γὰρ ἀγαπᾷ κύριος παιδεύει,* Ap 3,19
μαστιγοῖ δὲ πάντα υἱὸν ὃν παραδέχεται.
7 ⸀εἰς παιδείαν ὑπομένετε, ὡς υἱοῖς ὑμῖν προσφέρεται ὁ PsSal 10,2; 14,1
θεός. τίς γὰρ ⸆ υἱὸς ὃν οὐ παιδεύει πατήρ; **8** εἰ δὲ χωρίς
ἐστε παιδείας ἧς μέτοχοι γεγόνασιν πάντες, ἄρα νόθοι
καὶ οὐχ υἱοί ἐστε. **9** εἶτα τοὺς μὲν τῆς σαρκὸς ἡμῶν πατέρας εἴχομεν παιδευτὰς καὶ ἐνετρεπόμεθα· οὐ πολὺ °[δὲ]
μᾶλλον ὑποταγησόμεθα τῷ πατρὶ τῶν ⸀πνευμάτων καὶ ζή- 1,14 Nu 16,22; 27,16 𝔊 2 Mcc 3,24
σομεν; **10** οἱ μὲν γὰρ πρὸς ὀλίγας ἡμέρας κατὰ τὸ δοκοῦν Ap 22,6 |
αὐτοῖς ἐπαίδευον, ὁ δὲ ἐπὶ τὸ συμφέρον εἰς τὸ μεταλαβεῖν τῆς ἁγιότητος αὐτοῦ. **11** πᾶσα ⸀δὲ παιδεία πρὸς μὲν 2K 4,17!
τὸ παρὸν οὐ δοκεῖ χαρᾶς εἶναι ἀλλὰ λύπης, ὕστερον δὲ
καρπὸν εἰρηνικὸν τοῖς δι᾽ αὐτῆς γεγυμνασμένοις ἀποδί- Jc 3,18 Ph 1,11!
δωσιν δικαιοσύνης.
18 **12** Διὸ τὰς παρειμένας χεῖρας καὶ τὰ παραλελυμένα γό- Is 35,3 Sir 25,23 Job 4,3s

¶ **12,1** ⸀τηλικουτον ℵ* I | [Ϝοκνον Junius *cj*] | ⸀¹ευπερισπαστον 𝔓46 1739 • **2** ⸆ τον 𝔓13.46 D*.2 | ⸀εκαθισεν 𝔓46 • **3** ° 𝔓13.46 D* ¦ *txt* ℵ A D1 Ψ 048 𝔐 | ⸀αυτον D2 Ψ* 𝔐 ¦ αυτους 𝔓13.46 ℵ2 (ℵ* D*: εαυ-) Ψc 048. 33. 81. 1739* *pc* lat syp bo ¦ *txt* A P 104. 326. 1241s *pc* a vgcl | °¹ 𝔓13.46 1739. 1881 *pc* b d | Ϝεκλελυμενοι 𝔓13.46 D*.2 1739. 1881 *pc* • **4** ⸆γαρ D* L *pc* a b | ⸀αγων- 𝔓13.46 2495 *pc* z • **5** ° D* 81. 614. 630. 1241s *pc* b | ⸀και μη 𝔓13 • **7** ⸀ει Ψ* 104. 326. 365. 630. 945 *al* | ⸆εστιν ℵ2 D 𝔐 ¦ *txt* 𝔓13 ℵ* A I P Ψ • **9** °† ℵ* A D2 I Ψ 048 𝔐 latt syh ¦ *txt* 𝔓13.46 ℵ2 D* 1739. 1881 *pc* | ⸀πνευματικων 440 ¦ πατερων 1241s *pc* • **11** ⸀† μεν ℵ* P 33. 1739. 1881 *pc* (d z) ¦ – D* 048. 104 *pc* ¦ *txt* 𝔓13.46 ℵ2 A D2 H Ψ (630) 𝔐 lat sy; Aug

νατα ἀνορθώσατε, **13** καὶ τροχιὰς ὀρθὰς ⸀ποιεῖτε τοῖς
ποσὶν ὑμῶν, ἵνα μὴ τὸ χωλὸν ἐκτραπῇ, ἰαθῇ δὲ μᾶλλον.
14 Εἰρήνην διώκετε μετὰ πάντων καὶ τὸν ἁγιασμόν, οὗ
χωρὶς οὐδεὶς ὄψεται τὸν κύριον, **15** ἐπισκοποῦντες μή τις
ὑστερῶν ἀπὸ τῆς χάριτος τοῦ θεοῦ, *μή τις ῥίζα πικρίας*
ἄνω φύουσα ⸀*ἐνοχλῇ* καὶ ⸂δι' αὐτῆς⸃ μιανθῶσιν ⸆ πολλοί,
16 μή τις πόρνος ἢ βέβηλος ὡς Ἠσαῦ, ὃς ἀντὶ βρώσεως μιᾶς ἀπέδετο ⸂τὰ πρωτοτόκια⸃ ⸀ἑαυτοῦ. **17** ἴστε γὰρ
ὅτι καὶ μετέπειτα θέλων κληρονομῆσαι τὴν εὐλογίαν
ἀπεδοκιμάσθη, μετανοίας γὰρ τόπον οὐχ εὗρεν καίπερ
μετὰ δακρύων ἐκζητήσας αὐτήν.

18 Οὐ γὰρ προσεληλύθατε ψηλαφωμένῳ ⸆ καὶ κεκαυ- *19*
μένῳ πυρὶ καὶ γνόφῳ ⸂καὶ ζόφῳ⸃ καὶ θυέλλῃ **19** καὶ σάλπιγγος ἤχῳ καὶ φωνῇ ῥημάτων, ἧς οἱ ἀκούσαντες παρῃ-
τήσαντο °μὴ ⸀προστεθῆναι αὐτοῖς λόγον, **20** οὐκ ἔφερον
γὰρ τὸ διαστελλόμενον· κἂν θηρίον θίγῃ τοῦ ὄρους, λι-
θοβοληθήσεται⸆· **21** καί, οὕτω φοβερὸν ἦν τὸ φαντα-
ζόμενον, Μωϋσῆς εἶπεν· *ἔκφοβός εἰμι* καὶ ⸀ἔντρομος.
22 ἀλλὰ προσεληλύθατε Σιὼν ὄρει °καὶ πόλει θεοῦ ζῶντος, Ἰερουσαλὴμ ἐπουρανίῳ, καὶ ⸀μυριάσιν ἀγγέλων,
πανηγύρει **23** καὶ ἐκκλησίᾳ πρωτοτόκων ⸉ἀπογεγραμ-
μένων ἐν οὐρανοῖς⸊ καὶ κριτῇ θεῷ πάντων καὶ ⸀πνεύμασι
⸂δικαίων τετελειωμένων⸃ **24** καὶ διαθήκης νέας μεσίτῃ
Ἰησοῦ καὶ αἵματι ῥαντισμοῦ ⸀κρεῖττον λαλοῦντι παρὰ
⸁τὸν Ἄβελ.

25 Βλέπετε μὴ παραιτήσησθε τὸν λαλοῦντα· εἰ γὰρ
ἐκεῖνοι οὐκ ⸀ἐξέφυγον ⸉ἐπὶ γῆς παραιτησάμενοι τὸν⸊

Prv 4,26 𝔊 · Ps 34,15 R 14,19; 12,18 2T 2,22 1P 3,11 Mt 5,9 Mc 9,50 2K 13,11 1Th 5,13 · Mt 5,8 1J 3,2 | 4,1 · *Dt 29,17* 𝔊 Act 8,23 · Gn 26,34; 25,33s · Gn 27,30-40 · 1P 3,9 · Sap 12,10 · Ex 19,12 · Dt 4,11; 5,22s · Ex 19,16.19; 20,18 · Dt 4,12 · 25 · Ex 19,12s · *Dt 9,19* 1Mcc 13,2 | Ap 14,1! Ps 74,2 · 11,10; 13,14 Ap 21,2 · G 4,26! Ph 3,20 · Ap 5,11! | L 10,20! · 2T 4,8 Jc 4,12; 5,9 · Hen 22,9 · 11,40 | 7,22! · 9,15! · 9,13s 1P 1,2 · 11,4 Gn 4,10 · 19 · 2,3!

13 ⸀ποιησατε ℵ^{2} A D H Ψ 𝔐 ¦ -σετε 048 ¦ *txt* 𝔓^{46} ℵ* P 33 *pc* ● **15** ⸀ενχ[.]λη! 𝔓^{46vid} ¦ [εν χολη P. Katz *cj*] | ⸂†δια ταυ- ℵ D Ψ 𝔐 ¦ *txt* 𝔓^{46} A H K P 048. 6. 33. 81. 104. 365. 1175. 1241^{s}. 1739. 1881. 2495 *al* sy co; Cl | ⸆†οι ℵ A 048. 33. 81. 104. 326. 1241^{s}. 2495 *pc*; Cl ¦ *txt* 𝔓^{46} D H Ψ 𝔐 ● **16** ⸂τας -κειας 𝔓^{46} a z | ⸀αυ- ℵ^{2} D* H Ψ 𝔐 ¦ – 𝔓^{46} ¦ *txt* ℵ* A C D^{2} ● **18** ⸆ορει D Ψ (⸉ 69 *pc*) 𝔐 vg^{cl} sy^{h} ¦ *txt* 𝔓^{46} ℵ A C 048. 33. 81. 1175 *pc* lat sy^{p} co | ⸂κ. σκοτω (-τει 𝔓^{46} Ψ) 𝔓^{46} ℵ^{2} D^{2} Ψ 𝔐 ¦ – K d ¦ *txt* ℵ* A C D* P 048. 33. 81. 104. 326. 365. 1175. 1241^{s} *pc* ● **19** ° ℵ* P 048. 326. 1175 *pc* | ⸀προσθειναι A ● **20** ⸆ (Ex 19,13) η βολιδι κατατοξευθησεται 2 *pc* ● **21** ⸀εκτρ- ℵ D* ● **22** ° D* | ⸀μυριων αγιων D* ● **23** ⸉ 0228 𝔐 ¦ *txt* 𝔓^{46} ℵ A C D L P Ψ 048. 0121b. 33. 81. 104. 365. 1175. 1241^{s}. 1739. 1881. 2495 *al* latt | ⸀-ματι D* b vg^{mss} | ⸂δικ. τεθεμελιωμενων D*; (Hil) ¦ τελειων δεδικαιωμενοις ℵ* ● **24** ⸀-ττονα 𝔓^{46} | ⸁το 𝔓^{46} L^{s} *pc* sy ● **25** ⸀εφυγον 𝔓^{46} ℵ^{2} D Ψ 0121b 𝔐 z^{c} ¦ *txt* ℵ* A C I P 048. 33. 81. 326. 1175. 1241^{s} *pc* lat | ⸉ *4 1–3* 𝔓^{46*} ℵ^{2} Ψ 𝔐 ¦ *3 4 1 2* 104. 629 *pc* lat ¦ *txt* 𝔓^{46c} ℵ* A C D I 048. 0121b. 33. 81. (1175). 1241^{s}. 1739. 1881 *pc* co

χρηματίζοντα, πολὺ μᾶλλον ἡμεῖς οἱ τὸν ἀπ' ⸀οὐρανῶν 8,5; 11,7
ἀποστρεφόμενοι, **26** οὗ ἡ φωνὴ τὴν γῆν ἐσάλευσεν τότε, Jdc 5,4s Ps 68,9; 77,19; 114,7
νῦν δὲ ἐπήγγελται λέγων·

ἔτι ἅπαξ ἐγὼ ⸀*σείσω* οὐ μόνον *τὴν γῆν* ἀλλὰ *καὶ τὸν* *Hgg 2,6.21* Mt 24,29p
οὐρανόν.

27 τὸ δὲ *ἔτι ἅπαξ* δηλοῖ ⸂[τὴν] τῶν σαλευομένων⸃ μετά-
θεσιν ὡς πεποιημένων, ἵνα μείνῃ τὰ μὴ σαλευόμενα. Is 66,22
28 Διὸ βασιλείαν ἀσάλευτον παραλαμβάνοντες ⸀ἔχωμεν Dn 7,14.18
χάριν, δι' ἧς ⸀λατρεύωμεν εὐαρέστως τῷ θεῷ μετὰ ⸂εὐλα- R 1,9! · 13,21!
βείας καὶ δέους⸃· **29** ⸀καὶ γὰρ *ὁ θεὸς* ἡμῶν *πῦρ καταναλίσκον*. 10,31 *Dt 4,24; 9,3*

20 **13** Ἡ φιλαδελφία μενέτω. **2** τῆς φιλοξενίας μὴ ἐπι- 1Th 4,9! | R 12,13!
λανθάνεσθε, διὰ ταύτης γὰρ ἔλαθόν τινες ξενίσαν- Gn 18,2s; 19,1-3 Jdc 6,11ss; 13,3ss |
τες ἀγγέλους. **3** μιμνῄσκεσθε τῶν δεσμίων ὡς συνδεδεμέ- 10,34; 11,36 Mt 25,36 ·
νοι, τῶν κακουχουμένων ὡς καὶ αὐτοὶ ὄντες ἐν σώματι. 11,37 1K 12,26 |
4 Τίμιος ὁ γάμος ἐν πᾶσιν καὶ ἡ κοίτη ἀμίαντος, πόρ- 1K 5,13 E 5,5! |
νους ⸀γὰρ καὶ μοιχοὺς κρινεῖ ὁ θεός. **5** Ἀφιλάργυρος 1T 3,3
ὁ τρόπος, ⸀ἀρκούμενοι τοῖς παροῦσιν. αὐτὸς γὰρ εἴρη- 1T 6,8
κεν· *οὐ μή σε ἀνῶ οὐδ' οὐ μή σε* ⸀*ἐγκαταλίπω*, **6** ὥστε θαρ- *Dt 31,6.8 Gn 28,15* Jos 1,5 |
ροῦντας ἡμᾶς λέγειν·

κύριος ἐμοὶ βοηθός, ⸋*[καὶ] οὐ φοβηθήσομαι*, *Ps 117,6* 𝔊
τί ποιήσει μοι ἄνθρωπος;

7 Μνημονεύετε τῶν ⸀ἡγουμένων ὑμῶν, οἵτινες ἐλάλη- 17.24 L 22,26 Act 15,22 1T 5,17 Sir
σαν ὑμῖν τὸν λόγον τοῦ θεοῦ, ὧν ἀναθεωροῦντες τὴν ἔκ- 33,19 · Act 8,25! · Sap 2,17 ·
βασιν τῆς ἀναστροφῆς μιμεῖσθε τὴν πίστιν. **8** Ἰησοῦς 1K 11,1! |
Χριστὸς ἐχθὲς καὶ σήμερον ὁ αὐτὸς καὶ εἰς τοὺς αἰῶ- 1,12 Ps 102,28 · 7,24

25 ⸀-νου 0121b. 6. 614. 630. 1241s. 1739. 1881 *al* t • **26** ⸀σειω D Ψ 𝔐 ¦ *txt* 𝔓46 א A C I 048. 0121b. 6. 33. 1175. 1241s. 1739. 1881 *pc* lat co • **27** ⸂*2 3 1* D2 Ψ 𝔐 ¦ *2 3* 𝔓46 D* 048. 0121b. 323. 1739 ¦ *txt* א(2: *1–3 1*) A C 33. 326. 1175. 1241s *pc* • **28** ⸀εχομεν 𝔓46* א K P Ψ 6. 33. 104. 326. 365. 629. 1881. 2495 *al* lat ¦ *txt* 𝔓46c A C D 0121b 𝔐 a b vgmss co | ⸀-ευσωμεν 𝔓46 bo ¦ -ευομεν א Ψ 0121b 𝔐 ¦ *txt* A D L 048. 33. 326. 1739 *pc* latt sa boms (C *illeg.*) | ⸂*3 2 1* 365 *pc* ¦ αιδους κ. ευλ. Ψ 𝔐 ¦ ευλ. κ. αιδ. א2 D2 P 0121b. 614. 945. 1739. 1881. 2495 *pc* d ¦ *txt* 𝔓46 א* A C D* 048. 33. 81. 1175. 1241s *pc* samss bo • **29** ⸀κυριος D*

¶ **13,4** ⸀δε C D2 Ψ 𝔐 a vgmss sy; Cl Eus Ambr ¦ *txt* 𝔓46 א A D* P 0121b. 81. 365. 1175. 1739 *pc* lat • **5** ⸀-μενος 𝔓46c 0121b. 81. 1739 *pc* | ⸀-λειπω 𝔓46 א A C D2 Ψ 0121b 𝔐 ¦ *txt* D* 81. 326. 365. 629. 630. 945. 1175. 1241s. 2495 *al*; Epiph • **6** ⸋† א* C* P 33. 1175. 1739 *pc* lat syp ¦ *txt* 𝔓46 א2 A C2 D Ψ 0121b 𝔐 vgms syh; Cl • **7** ⸀προηγ- D*

E 4,14 · 2K 1,21 Kol 2,7 · 9,10 R 14,17 1K 8,8 · 7,18s | 7,13 · Ez 44,10ss · 8,5 | Lv 16,27 · 10,10! · 9,12 J 19,17.20 Act 7,58 Mt 21,39p | 2K 6,17 Ap 18,4! · Ex 33,7 Lv 24,14 Nu 15,35 · 11,26 · 2,5! 11,14 | Lv 7,12 2Chr 29,31 Ps 50,14.23; 34,2 · Is 57,19 Hos 14,3 PsSal 15,3.2 | Act 2,42 2K 8,4! · Ph 4.18! · 21! | 7! · L 16,2!

νας⸆. **9** Διδαχαῖς ποικίλαις καὶ ξέναις μὴ ⸀παραφέρε- 21
σθε· καλὸν γὰρ χάριτι βεβαιοῦσθαι τὴν καρδίαν, οὐ βρώμασιν ἐν οἷς οὐκ ὠφελήθησαν οἱ ⸁περιπατοῦντες. **10** ἔχομεν θυσιαστήριον ἐξ οὗ φαγεῖν οὐκ ἔχουσιν °ἐξουσίαν οἱ
τῇ σκηνῇ λατρεύοντες. **11** ὧν γὰρ εἰσφέρεται ζῴων τὸ αἷμα περὶ ἁμαρτίας εἰς τὰ ἅγια διὰ τοῦ ἀρχιερέως, τούτων τὰ
σώματα κατακαίεται ἔξω τῆς παρεμβολῆς. **12** Διὸ
καὶ Ἰησοῦς, ἵνα ἁγιάσῃ διὰ τοῦ ἰδίου αἵματος τὸν λαόν,
ἔξω τῆς ⸀πύλης ἔπαθεν. **13** τοίνυν ἐξερχώμεθα πρὸς αὐτὸν ἔξω τῆς παρεμβολῆς τὸν ὀνειδισμὸν αὐτοῦ φέρον-
τες· **14** οὐ γὰρ ἔχομεν ὧδε μένουσαν πόλιν ἀλλὰ τὴν
μέλλουσαν ἐπιζητοῦμεν. **15** ⸉Δι᾽ αὐτοῦ [οὖν]⸊ ἀναφέρωμεν
θυσίαν αἰνέσεως διὰ παντὸς τῷ θεῷ, τοῦτ᾽ ἔστιν καρπὸν
χειλέων ὁμολογούντων τῷ ὀνόματι αὐτοῦ. **16** τῆς δὲ εὐ-
ποιΐας καὶ ⸆ κοινωνίας μὴ ἐπιλανθάνεσθε· τοιαύταις γὰρ
θυσίαις εὐαρεστεῖται ὁ θεός. **17** Πείθεσθε τοῖς
ἡγουμένοις ὑμῶν καὶ ὑπείκετε, αὐτοὶ γὰρ ἀγρυπνοῦσιν
ὑπὲρ τῶν ψυχῶν ὑμῶν ὡς λόγον ⸀ἀποδώσοντες, ἵνα μετὰ
χαρᾶς τοῦτο ποιῶσιν καὶ μὴ στενάζοντες· ἀλυσιτελὲς
γὰρ ὑμῖν τοῦτο.

R 15,30! · Act 23,1! 1T 3,9! · Phm 22 · R 15,33!; · 10,7 · Is 63,11 𝔊 J 10,11! 1P 5,4! · 9,12 Ex 24,8 Zch 9,11 · 7,22! Is 55,3; 61,8 Jr 32,40; 50,5 Ez 16,60; 37,26 · 7,14! | 16; 11,5s; 12,28 2K 5,9! ·

18 Προσεύχεσθε ⸆ περὶ ἡμῶν· πειθόμεθα γὰρ ὅτι καλὴν συνείδησιν ἔχομεν, ἐν πᾶσιν καλῶς θέλοντες ἀναστρέφεσθαι. **19** περισσοτέρως δὲ παρακαλῶ τοῦτο ποιῆσαι, ἵνα τάχιον ἀποκατασταθῶ ὑμῖν.
20 Ὁ δὲ θεὸς τῆς εἰρήνης, ὁ ἀναγαγὼν ἐκ νεκρῶν τὸν 22
ποιμένα τῶν προβάτων τὸν μέγαν ἐν αἵματι διαθήκης
αἰωνίου, τὸν κύριον ἡμῶν Ἰησοῦν⸆, **21** καταρτίσαι ὑ-
μᾶς ἐν παντὶ ⸆ ἀγαθῷ εἰς τὸ ποιῆσαι τὸ θέλημα αὐτοῦ, ⸇
ποιῶν ἐν ⸀ἡμῖν τὸ εὐάρεστον ἐνώπιον αὐτοῦ διὰ Ἰησοῦ

8 ⸆αμην D* ● **9** ⸀περιφ- K L *al* | ⸁-τησαντες ℵ^{2} C D^{2} Ψ 0121b 𝔐 sy ¦ *txt* 𝔓^{46} ℵ* A D* co ● **10** ° D* 0121b ● **12** ⸀παρεμβολης 𝔓^{46} P 104 bo^{ms} ● **15** ⸉ *1 2* 𝔓^{46} ℵ* D* P Ψ ¦ δια τουτο ουν K *pc* ¦ *txt* ℵ^{2} A C D^{1} 0121b 𝔐 lat sy^{h} ● **16** ⸆της 𝔓^{46} D* 81. 2495 *pc* ● **17** ⸀αποδωσονται περι υμων D* ● **18** ⸆και D* ● **20** ⸆Χριστον D* Ψ 33. 104. 323. 629 *al* a z vg^{cl} sy bo ● **21** ⸆εργω C D^{2} 0121b 𝔐 sy sa ¦ (2Th 2,17) εργω και λογω A ¦ *txt* (𝔓^{46}: + τω) ℵ D* Ψ latt bo | ⸇αυτω ℵ* A C 33*. 81. 1175. 1241^{s}. 1739^{mg} *pc* sa^{mss} bo ¦ αυτο 𝔓^{46} ¦ αυτος 2492 *pc* (it) ¦ *txt* ℵ^{2} D Ψ 0121b 𝔐 a vg sa^{ms} bo^{ms} | ⸀υμιν C P Ψ 6. 629*. 630. 2495 *pm* latt sy^{h} ¦ *txt* 𝔓^{46} ℵ A D K 0121b. 33. 81. 104. 326. 365. 629^{c}. 1175. 1241^{s}. 1739. 1881 *pm* sy^{p} co

Χριστοῦ, ᾧ ἡ δόξα εἰς τοὺς αἰῶνας ⸋[τῶν αἰώνων]⸌, R 16,27!
ἀμήν.
22 Παρακαλῶ δὲ ὑμᾶς, ἀδελφοί, ⸀ἀνέχεσθε τοῦ λόγου 2T 4,3 ·
τῆς παρακλήσεως, καὶ γὰρ διὰ βραχέων ἐπέστειλα ὑμῖν. 10,25! Act 13,15! · 11,32 1P 5,12
23 Γινώσκετε τὸν ἀδελφὸν °ἡμῶν Τιμόθεον ἀπολελυμέ- Act 16,1!
νον, μεθ᾽ οὗ ἐὰν τάχιον ἔρχηται ὄψομαι ὑμᾶς.
24 Ἀσπάσασθε °πάντας τοὺς ἡγουμένους ὑμῶν καὶ 7!
πάντας τοὺς ἁγίους. Ἀσπάζονται ὑμᾶς οἱ ἀπὸ τῆς Ἰταλίας.
25 Ἡ χάρις μετὰ πάντων ⸀ὑμῶν. ⸆ Tt 3,15

21 ⸋ 𝔓^{46} C^{3} D Ψ 6. 104. 365. 1241^{s}. 2495 *al* sy^{h} sa^{mss} ¦ *txt* ℵ A (C*) 0121b 𝔐 latt sy^{p} sa^{ms} bo • **22** ⸀-χεσθαι D* Ψ 33. 81. 1241^{s} *al* latt • **23** ° ℵ^{2} D^{2} Ψ 𝔐 ¦ *txt* 𝔓^{46} ℵ* A C D* I 0121b. 33. 81. 104. 326. 365. (629). 1241^{s}. 1739. 1881 *pc* lat sy co • **24** ° 𝔓^{46} • **25** ⸀ των αγιων D* | ⸆αμην ℵ^{2} A C D H Ψ 0121b 𝔐 lat sy bo ¦ *txt* 𝔓^{46} ℵ* I^{vid} 6. 33 *pc* vg^{ms} sa

Subscriptio: Προς Εβραιους ℵ C I Ψ 33 *pc* ¦ πρ. Ε. εγραφη απο Ρωμης (Ιταλιας P) A P *pc* ¦ πρ. Ε. εγ. απο Ιτ. δια Τιμοθεου 𝔐 ¦ πρ. Ε. εγ. απο Ρ. υπο Παυλου τοις εν Ιερουσαλημ 81 ¦ πρ. Ε. εγ. Εβραιστι απο της Ιτ. ανονυμως δ. Τιμ. 104 ¦ – 𝔓^{46} D 0121b. 323. 365. 629. 630. 2495 *pc*

⸂ΙΑΚΩΒΟΥ ΕΠΙΣΤΟΛΗ⸃

Act 12,17!

2P 1,1 Jd 1 R 1,1! · 1P 1,1 J 7,35 Jr 15,7 2Mcc 1,27 · Act 15,23! | 1P 1,6; 4,12s Sap 3,4s Sir 2,1 | Prv 27,21 𝔊 1P 1,7 · R 5,3s TestJos 10,1 4Mcc 1,11 | Mt 5,48! · 4Mcc 15,7

3,17 Prv 2,3-6 · Mt 7,7!

Mt 21,21p

E 4,14!

4,8 · 3,8.16

2,5

5,1 1T 6,17

Is 40,6 | Mt 13,6p

Is 40,7 Job 14,2

5,11 Dn 12,12 · R 5,4 · 1K 9,25!

1 Ἰάκωβος θεοῦ ⸆ καὶ κυρίου Ἰησοῦ Χριστοῦ δοῦλος *1*
ταῖς δώδεκα φυλαῖς ταῖς ἐν τῇ διασπορᾷ χαίρειν.
2 Πᾶσαν χαρὰν ἡγήσασθε, ἀδελφοί μου, ὅταν πειρασμοῖς περιπέσητε ποικίλοις, **3** γινώσκοντες ὅτι τὸ ⸀δοκί-
μιον ⸂ὑμῶν τῆς πίστεως⸃ κατεργάζεται ὑπομονήν. **4** ἡ δὲ
ὑπομονὴ ἔργον τέλειον ἐχέτω, ἵνα ἦτε τέλειοι καὶ ὁλό-
κληροι ἐν μηδενὶ λειπόμενοι.
5 Εἰ δέ τις ὑμῶν λείπεται σοφίας, αἰτείτω παρὰ τοῦ
διδόντος θεοῦ πᾶσιν ἁπλῶς καὶ ⸀μὴ ὀνειδίζοντος καὶ δοθήσεται αὐτῷ. **6** αἰτείτω δὲ ἐν πίστει μηδὲν ⸀διακρινό-
μενος· ὁ γὰρ διακρινόμενος ἔοικεν κλύδωνι θαλάσσης
ἀνεμιζομένῳ καὶ ῥιπιζομένῳ. **7** μὴ γὰρ οἰέσθω ὁ ἄνθρωπος ἐκεῖνος ὅτι λήμψεταί ⸋τι παρὰ τοῦ κυρίου, **8** ἀνὴρ ⸆
δίψυχος, ἀκατάστατος ἐν πάσαις ταῖς ὁδοῖς αὐτοῦ.
9 Καυχάσθω δὲ ⸂ὁ ἀδελφὸς ὁ ταπεινὸς⸃ ⸋ἐν τῷ ὕψει
αὐτοῦ, **10** ὁ δὲ πλούσιος ἐν τῇ ταπεινώσει αὐτοῦ, ὅτι ὡς
ἄνθος χόρτου παρελεύσεται. **11** ἀνέτειλεν γὰρ ὁ ἥλιος
σὺν τῷ καύσωνι καὶ ἐξήρανεν τὸν χόρτον καὶ τὸ ἄνθος
⸋αὐτοῦ ἐξέπεσεν καὶ ἡ εὐπρέπεια τοῦ προσώπου ⸋¹αὐ-
τοῦ ἀπώλετο· οὕτως καὶ ὁ πλούσιος ἐν ταῖς πορείαις αὐτοῦ μαρανθήσεται.
12 Μακάριος ⸀ἀνὴρ ὃς ⸁ὑπομένει πειρασμόν, ὅτι δόκιμος γενόμενος λήμψεται τὸν στέφανον τῆς ζωῆς ὃν

Inscriptio: ⸂Ι. (+ αποστολου P *pc*) ε. καθολικη P 33. 1739 (⸉ 323. 614. 945. 1505. 2495) *al* ¦ ε. καθ. του αγιου απ. Ι. L (⸉ 049, 69) *al* ¦ *txt* (א, B) K 81 (⸉ Ψ 630. 1241) *pc*

¶ **1,1** ⸆πατρος 429. 614. 630 *pc* ● **3** ⸀δοκιμον 110. 1241 *pc* | ⸂*2 3 1* 629 *pc* vg ¦ *2 3* 429. 614. 630 *pc* sy^{p} ¦ *1* B^{2} *pc* ff ¦ – sy^{h}; Aug^{pt} Arn ● **5** ⸀ουκ K 049. 69 *pm* ¦ *txt* א A B C L P Ψ 33. 81. 323. 614. 630. 945. 1241. 1505. 1739. 2495 *pm* ● **6** ⸀απιστων διακρ. *pc* ¦ απιστων (διακρ. 522 *pc*) οτι ληψεται 522. 429. 630 *pc* ● **7** ⸋ א C^{*vid} K 522. 1241 *pc* vg^{ms} ● **8** ⸆γαρ 326. 621. 630 *pc* sy^{h**} ● **9** ⸂*2–4* B Ψ ¦ *1 4 2* 720 *pc* | ⸋ 𝔓^{74} ● **11** ⸋614. 630. 1505. 2495 *pc* vg^{ms} | ⸋¹ B *pc* ● **12** ⸀ανθρωπος A Ψ 1448 *pc*; Cyr | ⸁-μενεῖ K L 049. 6. 69. 1735 *al* ff ¦ *txt* B^{2} Ψ 𝔐 (*sine acc.* 𝔓^{23} א A B* C(*) P)

ἐπηγγείλατο ⸆ τοῖς ἀγαπῶσιν αὐτόν. 13 Μηδεὶς 2,5 R 8,28!
πειραζόμενος λεγέτω ὅτι ⸀ἀπὸ θεοῦ πειράζομαι· ὁ γὰρ Sir 15,11-20
θεὸς ἀπείραστός ἐστιν κακῶν, πειράζει δὲ αὐτὸς οὐδένα.
14 ἕκαστος δὲ πειράζεται ὑπὸ τῆς ἰδίας ἐπιθυμίας ἐξελκό- R 7,7s Hen 98,4
μενος καὶ δελεαζόμενος· 15 εἶτα ἡ ἐπιθυμία συλλαβοῦσα
τίκτει ἁμαρτίαν, ἡ δὲ ἁμαρτία ἀποτελεσθεῖσα ⸀ἀποκύει
θάνατον. R 7,5.10
16 Μὴ πλανᾶσθε, ἀδελφοί μου ἀγαπητοί. 17 πᾶσα δό- 1K 15,33!
σις ἀγαθὴ καὶ πᾶν δώρημα τέλειον ἄνωθέν ἐστιν ⸀κατα- Mt 7,11p · 3,15.17
βαῖνον ⸁ἀπὸ τοῦ πατρὸς τῶν φώτων, παρ᾽ ᾧ οὐκ ⸀^{1}ἔνι Ps 136,7
⸂παραλλαγὴ ἢ τροπῆς ἀποσκίασμα⸃. 18 βουληθεὶς ⸀ἀπε- 1J 1,5 |
κύησεν ἡμᾶς λόγῳ ἀληθείας εἰς τὸ εἶναι ἡμᾶς ἀπαρχήν 1P 1,23! · 2T 2,15! Ps 119,43 · Ap
τινα τῶν ⸁αὐτοῦ κτισμάτων. 14,4 R 16,5
2 19 ⸀Ἴστε, ἀδελφοί μου ἀγαπητοί· ⸂ἔστω δὲ⸃ πᾶς ἄνθρωπος ταχὺς εἰς τὸ ἀκοῦσαι, βραδὺς εἰς τὸ λαλῆσαι, Sir 5,11 Eccl 5,1
βραδὺς εἰς ὀργήν· 20 ὀργὴ γὰρ ἀνδρὸς δικαιοσύνην θεοῦ Eccl 7,9 Prv 15,1 | Act 10,35
⸂οὐκ ἐργάζεται⸃. 21 διὸ ἀποθέμενοι πᾶσαν ῥυπαρίαν καὶ Kol 3,8!
περισσείαν κακίας ἐν πραΰτητι⸆, δέξασθε τὸν ἔμφυτον Sir 3,17 · Act 8,14!
λόγον τὸν δυνάμενον σῶσαι τὰς ψυχὰς ⸀ὑμῶν.
22 Γίνεσθε δὲ ποιηταὶ ⸀λόγου καὶ μὴ ⸉μόνον ἀκροα- 4,11 R 2,13 Mt 7,
ταὶ⸊ παραλογιζόμενοι ἑαυτούς. 23 °ὅτι εἴ τις ἀκροατὴς 21! 26 L 12,47 1J 3,18 | Ez 33,32
⸀λόγου ἐστὶν καὶ οὐ ποιητής, οὗτος ἔοικεν ἀνδρὶ κατα-
νοοῦντι τὸ πρόσωπον ⸂τῆς γενέσεως⸃ αὐτοῦ ἐν ἐσόπτρῳ· 1K 13,12
24 κατενόησεν ⸀γὰρ ἑαυτὸν καὶ ἀπελήλυθεν καὶ εὐθέως
ἐπελάθετο ὁποῖος ἦν. 25 ὁ δὲ παρακύψας εἰς νόμον τέ- 1P 1,12 · Ps 19,8 · 2,12 R 8,2 G 5,13

12 ⸆ο (– C) κυριος C P 0246 𝔐 sy^{h} ¦ ο θεος 4. 33^{vid}. 323. 945. 1241. 1739 *al* vg sy^{p}; Ath Cyr Did^{pt} ¦ *txt* 𝔓^{23} ℵ A B Ψ 81 *pc* ff co; Did^{pt} ● **13** ⸀απο του *pc* ¦ υπο ℵ 429. 630. 1505. 1611. 2495 *pc* ● **15** ⸀ἀποκυεῖ L Ψ 181. 323. 1739 *al* ¦ *txt* B^{2} 𝔐 (*sine acc.* 𝔓$^{23.74}$ ℵ A B* C P) ● **17** ⸀κατερχομενον 322. (323). 945. 1241. 1739 *pc* | ⸁παρα K 623. 2464 *al* ¦ εκ σου 1241 | ⸀^{1}εστιν ℵ P 522. 614. 630. 1505. 2495 *al* | ⸂π. η τ-ης α-σματος ℵ* B ¦ π. η τ-η α-σματος 614. 1505. 2495 *pc* ¦ π. η τ-η η τ-ης α-σμα 1832. 2138 ¦ [π. τ-ης η α-σματος Dibelius *cj*] ¦ π. η ροπης α-σμα (ff); Aug [Estius *cj*] ¦ π-ης η τ-ης α-σματος 𝔓^{23} [*et* ⸀^{1} ενι τι Fr. Hauck *cj*] ¦ *txt* ℵ^{2} A C P (Ψ) 𝔐 vg sy ● **18** ⸀γαρ απεκ. 2298 *pc* vg^{cl} ¦ εποιησεν 614. 630. 2495 *al* sy^{h} | ⸁εαυτ. ℵ^{c} A C P Ψ 945. 1241. 1739 *al* ¦ *txt* ℵ* B 𝔐 ● **19** ⸀ιστε δε 𝔓^{74vid} A 2464 vg^{mss} sa bo^{mss} ¦ – 1838 *pc* (*ex lect.*) ¦ ωστε P Ψ 𝔐 sy^{h} ¦ *txt* ℵ(*) B C 33. 81. 945. 1739 *al* lat sy^{hmg} bo ac | ⸂ *1* P^{c} Ψ 0246 𝔐 vg^{mss} sy^{h} bo^{ms} ac ¦ και εσ. A(*) 33. 81 ¦ *txt* ℵ B C P* 945. 1739 *pc* lat sa bo ● **20** ⸂ου κατεργ. C* P 0246 𝔐 ¦ *txt* ℵ A B C^{3} K Ψ 69. 81 *al*; Did ● **21** ⸆σοφιας P 1852 | ⸀ημων L 049. 1. 623. 1241. 2464 *al* ● **22** ⸀(του *pc*) νομου C^{2} 88. 621. 1067. 1852 *al* | ⸉† B 614. 630. 2495 *al* latt ¦ *txt* 𝔓^{74} ℵ A C P Ψ 𝔐; Or^{lat} ● **23** ° A 33. 81. 945. 1241. 1739 *al* vg^{ms} sy^{p} bo | ⸀νομου 88. 621 *al*; Cass^{pt} | ⸂της γνωσεως 614 *pc* ¦ – *pc* sy^{p} ● **24** ⸀δε 614. 1505. 2495 *pc* vg^{ms} sy^{h} ¦ – 429. 630 *pc* ff t; Hier

λειον τὸν τῆς ἐλευθερίας καὶ παραμείνας, ⸆ οὐκ ἀκρο-
ατὴς ἐπιλησμονῆς γενόμενος ἀλλὰ ⸇ ποιητὴς ἔργου,
J 13,17 °οὗτος μακάριος ἐν τῇ ποιήσει αὐτοῦ ἔσται.
3,2 **26** ⸂Εἴ τις⸃ δοκεῖ θρησκὸς εἶναι ⸆ μὴ ⸀χαλιναγωγῶν
Ps 34,14 γλῶσσαν ⸁αὐτοῦ ἀλλὰ ἀπατῶν καρδίαν ⸁¹αὐτοῦ, τούτου
μάταιος ἡ θρησκεία. **27** θρησκεία ⸆ καθαρὰ καὶ ἀμίαν-
Mt 25,35s Ps 10,14.18 τος παρὰ °τῷ θεῷ καὶ πατρὶ αὕτη ἐστίν, ⸀ἐπισκέπτεσθαι
2P 3,14 ὀρφανοὺς καὶ χήρας ἐν τῇ θλίψει αὐτῶν, ⸂ἄσπιλον ἑαυτὸν τηρεῖν⸃ ἀπὸ τοῦ κόσμου.

R 2,11! **2** Ἀδελφοί μου, μὴ ἐν προσωπολημψίαις ἔχετε τὴν πί- *3*
1K 2,8 στιν ⸂τοῦ κυρίου ἡμῶν Ἰησοῦ Χριστοῦ τῆς δόξης⸃.
H 10,25! **2** ἐὰν γὰρ εἰσέλθῃ εἰς ⸆ συναγωγὴν ὑμῶν ἀνὴρ χρυσοδα-
κτύλιος ἐν ἐσθῆτι λαμπρᾷ, εἰσέλθῃ δὲ καὶ πτωχὸς ἐν
ῥυπαρᾷ ἐσθῆτι, **3** ⸂ἐπιβλέψητε δὲ⸃ ἐπὶ τὸν φοροῦντα τὴν
ἐσθῆτα τὴν λαμπρὰν καὶ εἴπητε⸆· σὺ κάθου ὧδε καλῶς,
καὶ τῷ πτωχῷ εἴπητε· σὺ στῆθι ⸉ἐκεῖ ἢ κάθου⸊ ⸀ὑπὸ τὸ
ὑποπόδιόν ⸁μου, **4** ⸀οὐ διεκρίθητε ἐν ἑαυτοῖς καὶ ἐγένεσθε κριταὶ διαλογισμῶν πονηρῶν; **5** Ἀκούσατε,
1,9 1K 1,26ss L 6,20p Ap 2,9 ἀδελφοί μου ἀγαπητοί· οὐχ ὁ θεὸς ἐξελέξατο τοὺς πτωχοὺς ⸂τῷ κόσμῳ⸃ πλουσίους ἐν πίστει καὶ κληρονόμους
1,12 R 8,28! τῆς ⸀βασιλείας ἧς ἐπηγγείλατο τοῖς ἀγαπῶσιν αὐτόν;
Prv 14,21 1K 11,22 **6** ὑμεῖς δὲ ἠτιμάσατε τὸν πτωχόν. ⸀οὐχ οἱ πλούσιοι κα-

25 ⸆ουτος P Ψ 𝔐 sy^{h} ¦ *txt* 𝔓^{74vid} ℵ A B C 0173. 33. 81. (323). 945. 1241. 1739 *pc* latt sy^{p} co | ⸇ακροατης νομου και 33 *pc* | ° 𝔓^{74} *pc* • **26** ⸂ει δε τις C P 0173. 33. 69. 945. 1241. 1739 *al* lat bo ¦ οτι 614 | ⸆εν υμιν 049 𝔐 (ʃ *pc*) ¦ *txt* ℵ A B C P Ψ 0173. 33. 81. 323. 614. 1241. 1739. 2495 *al* latt sy co | ⸀χαλινων B | ⸁† εαυτου B P Ψ (049). 0173. 614. 1505. 1852. 2495 *al* ¦ *txt* ℵ A C 𝔐 | ⸁¹† εαυτου B C 1505. 1852. 2495 *al* ¦ – 1611 ¦ *txt* ℵ A P Ψ 0173 𝔐 • **27** ⸆γαρ A 610. 621 *pc* sy^{p} ¦ δε *pc* ff vg^{mss} sy^{h**} co; Spec | ° ℵ* C^{2} 049 𝔐; Did ¦ *txt* 𝔓^{74} ℵ^{c} A B C* P Ψ 33. 81. 614. 630. 1241. 1739. 2495 *al* | ⸀επισκεπτεσθε *et* ⸂ασπιλους εαυτους τηρειτε 614. 1505. 2495 *pc* (sy^{h}) ¦ υπερασπιζειν αυτους 𝔓^{74}; Lact
¶ **2,1** ⸂*6 7 1–5* 614. 630. 2495 *al* sy sa^{mss} bo ¦ *1–5* 33 *pc* vg^{ms} • **2** ⸆την ℵ^{2} A P 𝔐 ¦ *txt* ℵ* B C Ψ 630. 2495 *pc* • **3** ⸂και επιβλ. ℵ A 𝔐 bo^{pt} ¦ *txt* B C P Ψ 614. 630. 945. 1241. 1739. 2495 *pc* ff sy^{h} | ⸆αυτω P 𝔐 t vg^{cl} sy^{p} co ¦ *txt* 𝔓^{74vid} ℵ A B C Ψ 33. 81. 614. 630. 2495 *pc* lat sy^{h} bo^{mss} | ⸉*2 3 1* B 945. 1241. 1243. 1739 *pc* ff sa ¦ ωδε η καθου εκει 365 ¦ εκει η καθου ωδε 𝔓^{74vid} ℵ (C^{2}) P 𝔐 sy^{p} bo ¦ *txt* A (C*) Ψ 33. 81. 614. 630. 2495 *pc* vg sy^{h} | ⸀επι B^{2} P Ψ 33. 323. 614. 630. 945. 1505. 1739. 2495 *al* vg^{ms} sy^{h} sa ¦ *txt* ℵ A B* C 049 𝔐 lat | ⸁των ποδων μου (A: σου) 33 (t) vg ¦ – Ψ • **4** ⸀και ου P 𝔐 ¦ και 322. 323 *pc* ¦ ουχι Ψ ¦ – B* 1852 *pc* ff ¦ *txt* ℵ A B^{2} C 33. 81. 614. 630. 945. 1241. 1739. 2495 *al* • **5** ⸂εν τω κ. 322. 323 *pc* (vg) ¦ του κοσμου (+ τουτου 61 *al*) A^{2} C^{2} P Ψ 𝔐 ff co?; Prisc ¦ *txt* 𝔓^{74} ℵ A*B C* 33. 945. (1241). 1739 *pc* | ⸀(Hbr 6,17) επαγγελιας ℵ*A • **6** ⸀ουχι A C*^{vid} 614. 630. 1505. 2495 *al* sy ¦ ουχι δε 𝔓^{74vid} (Ψ: και) ¦ *txt* ℵ B C^{2} 049 𝔐 latt

ταδυναστεύουσιν ⸁ὑμῶν καὶ αὐτοὶ ἕλκουσιν ὑμᾶς εἰς κριτήρια; 7 ⸀οὐκ αὐτοὶ βλασφημοῦσιν τὸ καλὸν ὄνομα τὸ 1P 4,4 · Jr 14,9
ἐπικληθὲν ἐφ' ὑμᾶς; Dt 28,10 Act 15,17
8 Εἰ μέντοι ⸂νόμον τελεῖτε βασιλικὸν⸃ ⸄κατὰ τὴν
γραφήν⸅· *ἀγαπήσεις τὸν πλησίον σου ὡς σεαυτόν*, καλῶς *Lv 19,18* Mt 22,39!p
ποιεῖτε· 9 εἰ δὲ προσωπολημπτεῖτε, ἁμαρτίαν ἐργάζεσθε R 2,11! Lv 19,15
ἐλεγχόμενοι ὑπὸ τοῦ νόμου ὡς παραβάται. 10 ὅστις γὰρ
ὅλον τὸν νόμον ⸀τηρήσῃ ⸁πταίσῃ δὲ ἐν ἑνί, ⸂γέγονεν G 5,3 Mt 5,19
πάντων ἔνοχος⸃. 11 ὁ γὰρ εἰπών· *μὴ* ⸂*μοιχεύσῃς*, εἶπεν *Ex 20,13s Dt 5,17s*
καί· ⸀*μὴ φονεύσῃς*·⸃ εἰ δὲ οὐ μοιχεύεις φονεύεις δέ, ⸁γέ-
γονας ⸀^{1}παραβάτης νόμου. R 2,25
12 Οὕτως λαλεῖτε καὶ οὕτως ποιεῖτε ὡς διὰ ⸀νόμου 1,25
ἐλευθερίας μέλλοντες κρίνεσθαι. 13 ἡ γὰρ κρίσις ἀνέ- Mt 18,29s.34; 25,45s; 5,7 ·
λεος τῷ μὴ ποιήσαντι ἔλεος· ⸀κατακαυχᾶται ἔλεος Tob 4,10
κρίσεως.
4 14 Τί °τὸ ὄφελος, ἀδελφοί μου, ἐὰν πίστιν ⸂λέγῃ τις⸃ Mt 7,21! 21,29 Tt 3,8
ἔχειν ἔργα δὲ μὴ ⸀ἔχῃ; μὴ δύναται ἡ πίστις σῶσαι αὐτόν;
15 ἐὰν ⸆ ἀδελφὸς ἢ ἀδελφὴ γυμνοὶ ὑπάρχωσιν ⸀καὶ λει- Mt 25,35s 1J 3,17
πόμενοι ⸇ τῆς ἐφημέρου τροφῆς 16 ⸂εἴπῃ δέ⸃ τις αὐτοῖς
ἐξ ὑμῶν· ὑπάγετε ἐν εἰρήνῃ, θερμαίνεσθε καὶ χορτάζε- Jdc 18,6 Mc 5,34!
σθε, μὴ δῶτε δὲ αὐτοῖς τὰ ἐπιτήδεια τοῦ σώματος, τί °τὸ
ὄφελος; 17 οὕτως καὶ ἡ πίστις, ἐὰν μὴ ⸂ἔχῃ ἔργα⸃, νεκρά
ἐστιν καθ' ἑαυτήν. 26
18 Ἀλλ' ἐρεῖ τις· σὺ ⸉πίστιν ἔχεις, κἀγὼ ἔργα⸊ ἔχω·
δεῖξόν μοι τὴν πίστιν °σου ⸀χωρὶς τῶν ἔργων⸆, κἀγώ

6 ⸁υμας 𝔓^{74} ℵ* A *pc* ¦ – 623* • 7 ⸀και 𝔓^{74} A Ψ 33. 81. 614. 630. 1505. 2495 *al* sy^h • 8 ⸂ *1 3 2* C *pc* ¦ λογον βασιλικον λαλειτε 1241 | ⸄κατα τας γραφας 322. 323 vg sa^{mss} bo ¦ – 623* *pc* • 10 ⸀-σει P 𝔐 ¦ τελεσει Ψ 81. 945. 1241. (1739). 2298 *al* ¦ πληρωσει A 614. 630. 1505. 2464. 2495 *al* ¦ πληρωσας τηρησει 33 ¦ *txt* ℵ B C *pc* latt | ⸁-σει P Ψ 𝔐 vg^{mss} ¦ πεση (614). 2495 *pc* ¦ *txt* ℵ A B C *pc* lat | ⸂π. εν. εσται Ψ • 11 ⸂φονευσ(ῃς) … μοιχευσ(ῃς) C 614. 630. 945. 1241. 1505. 1739. 1852. 2464. 2495 *al* *sed* ⸀ου Ψ 614. 630. 1505. 2464. 2495 *al* | ⸁εγενου 𝔓^{74} A 33 | ⸀^{1}αποστατης 𝔓^{74} A • 12 ⸀λογου 𝔓^{74} • 13 ⸀-χασθω (+ δε A 33. 81) A 33. 81. 323. 945. 1241. 1739^{mg} *al* sa ¦ -χασθε C^2 1739 sy^p ¦ -χαται δε ℵ^1 *al* lat ¦ *txt* ℵ$^{*.2}$ B C^{*vid} Ψ 𝔐 vg^{mss} sy^h bo; Cyr Hes (P *illeg.*) • 14 ° B C* 1243 *pc* | ⸂ *2 1* A C *pc* ¦ λεγεις 049 | ⸀σχη 614. 630. 1505. 2495 *al* ¦ εχειν 1827 *pc* • 15 ⸆ δε A C Ψ 𝔐 vg sy^h bo^{mss} ¦ γαρ 1735 *pc* sa ¦ *txt* ℵ B 33. 69. 81. 323. 945. 1241. 1739 *pc* ff bo; Spec | ⸀ἤ A (33). 81 *al* ¦ – 1735 *pc* | ⸇ωσιν A P Ψ 𝔐 ¦ *txt* ℵ B C K *pc* • 16 ⸂και ειπη A Ψ 33^{vid}. 81. 945. 1241. 1739. (2298) *al* bo^{pt} | ° B C* *pc* • 17 ⸂εργ. εχ(η) L 049. 323. 1739. 2464 𝔐; Hier Prim • 18 ⸉ *4 2 3 1* (ff); [Pfleiderer *cj*] | ° 𝔓^{54} *pc* ff | ⸀εκ 𝔓^{54} 𝔐; Cass ¦ *txt* ℵ A B C P Ψ 33. 69. 81. 614. 630. 1241. 1739. 2495 *al* latt sy co | ⸆σου C 𝔐 ¦ *txt* ℵ A B P Ψ 33. 81. 614. 630. 1241. 1739. 2495 *al* latt sy co

3,13 G 5,6 ⸉¹σοι δείξω⸊ ἐκ τῶν ἔργων μου τὴν πίστιν⸆. **19** σὺ πι-
Dt 6,4 · Mt 8,29p L 4,34p στεύεις ὅτι ⸂εἷς ἐστιν ὁ θεός⸃, καλῶς ποιεῖς· καὶ τὰ δαιμόνια πιστεύουσιν καὶ φρίσσουσιν.
20 Θέλεις δὲ γνῶναι, ὦ ἄνθρωπε κενέ, ὅτι ἡ πίστις
J 8,38 R 4,12 χωρὶς τῶν ἔργων ⸀ἀργή ἐστιν; **21** Ἀβραὰμ ὁ πατὴρ ἡμῶν
Gn 22,2.9 οὐκ ἐξ ἔργων ἐδικαιώθη ἀνενέγκας Ἰσαὰκ τὸν υἱὸν αὐτοῦ ἐπὶ τὸ θυσιαστήριον; **22** βλέπεις ὅτι ἡ πίστις ⸀συν-
ήργει τοῖς ἔργοις αὐτοῦ καὶ ἐκ τῶν ἔργων ⸋ ἡ πίστις
ἐτελειώθη, **23** καὶ ἐπληρώθη ἡ γραφὴ ἡ λέγουσα· *ἐπί-*
Gn 15,6 R 4,3 *στευσεν* ° *δὲ Ἀβραὰμ τῷ θεῷ, καὶ ἐλογίσθη αὐτῷ εἰς δικαιο-*
2Chr 20,7 Is 41,8 Sap 7,27 | J 8,39 *σύνην* καὶ ⸀φίλος θεοῦ ἐκλήθη. **24** ὁρᾶτε ⸋ ὅτι ἐξ ἔργων
δικαιοῦται ἄνθρωπος καὶ οὐκ ἐκ πίστεως μόνον. **25** ⸂ὁ-
Jos 2,1.15; 6,17 H 11,31 μοίως δὲ⸃ καὶ Ῥαὰβ ἡ πόρνη οὐκ ἐξ ἔργων ἐδικαιώθη
ὑποδεξαμένη τοὺς ⸀ἀγγέλους καὶ ἑτέρᾳ ὁδῷ ἐκβαλοῦσα;
26 ὥσπερ ⸀γὰρ τὸ σῶμα χωρὶς ⸋ πνεύματος νεκρόν ἐστιν,
17 οὕτως καὶ ἡ πίστις χωρὶς ⸆ ἔργων νεκρά ἐστιν.

3 Μὴ ⸂πολλοὶ διδάσκαλοι⸃ γίνεσθε, ἀδελφοί μου, εἰδό-
Mc 12,40 R 13,2 τες ὅτι μεῖζον κρίμα λημψόμεθα. **2** πολλὰ γὰρ πταί-
Sir 14,1 ομεν ἅπαντες. εἴ τις ἐν λόγῳ οὐ ⸀πταίει, οὗτος τέλειος
1,26 ἀνὴρ ⸁δυνατὸς χαλιναγωγῆσαι καὶ ὅλον τὸ σῶμα.
Ps 32,9 **3** ⸂εἰ δὲ⸃ τῶν ἵππων τοὺς χαλινοὺς εἰς ⸄τὰ στόματα⸅ βάλ-
λομεν ⸀εἰς τὸ πείθεσθαι ⸉αὐτοὺς ἡμῖν⸊, καὶ ὅλον τὸ σῶμα

18 ⸉¹ 𝔓^{74} A C Ψ 𝔐 vg ¦ *txt* ℵ B 69. 614. 630. 2495 *al*; Pel (P *illeg.*) | ⸆μου 𝔓^{74} A P^{vid} 𝔐 vg sy^{p} ¦ *txt* ℵ B C Ψ 33. 81. 323. 614. 630. 1241. 1739. 2495 *al* ff ● **19** ⸂ *3 4 1 2* (K* *om. 1*) 𝔐; Did ¦ *4 1 2* 69 *al*; AnastS^{pt} ¦ *2 4* Ψ ¦ *1 4 2* B 614. 630. 1505. 1852. 2495 *al* ¦ *1 3 4 2* C 33^{vid}. 81. 1243 *pc* ¦ unus deus ff ¦ *1 2 4* 945. 1241. 1739. 2298 ¦ *txt* 𝔓^{74} ℵ A 2464 *pc*; AnastS^{pt} ● **20** ⸀κενη 𝔓^{74} ff ¦ νεκρα ℵ A C^{2} P Ψ 𝔐 t vg^{cl} sy bo ¦ *txt* B C* 323. 945. 1739 *pc* vgst sa ● **22** ⸀συνεργει ℵ* A 33. 630 *pc* ff vg^{mss} ¦ *txt* ℵ^{c} B C P Ψ 049 𝔐 vg sy co | ⸋αυτου 614. 630. 1505. 1852. 2495 *al* vg^{ms} ● **23** ° 𝔓^{20} L Ψ 614. 623. 630. 1241. 1505. 2495 *al* lat sy co ¦ *txt* ℵ A B C P 049 𝔐 vg^{mss} | ⸀δουλος 429. 614. 630. 1505. 1852. 2495 *al* sy^{h} ● **24** ⸋τοινυν 𝔐; Pel ¦ *txt* ℵ A B C P Ψ 33. 81. 614. 630. 945. 2495 *pc* latt sy co ● **25** ⸂ *1* 623 *al* ff vg$^{cl.ww}$ ¦ ουτως C | ⸀κατασκοπους C K^{mg} L 945. 1241. 1739. 2298. 2464 *al* ff sy^{p} bo ¦ αγγελους του Ισραηλ 61 *pc* sy^{hmg} ● **26** ⸀– B 1243 *pc* sy^{p}; Hier ¦ δε ff; Or | ⸋του 33. 69. 945. 1241. 1739. 2298 *al* | ⸆των A C P 𝔐 ¦ *txt* 𝔓^{20} ℵ B Ψ 81. 614. 630. 2495 *al*

¶ **3,1** ⸂ (*ex itac.*) πολυδιδ. L 630; (Spec) [Blass *cj*] ● **2** ⸀-σει 614. 1505. 2495 *pc* vg^{mss}; Cass | ⸁δυναμενος ℵ C* 33^{vid}. 614. 630. 1505. 1852. 2495 *al* t vg^{ww}; Cyr ● **3** ⸂ἴδε 81. 323. 614. 630. 945. 1241. 1739. 2495 *pm* sy^{h} sa? (C P *sine acc.*) ¦ ιδου *pc* sa? ¦ *txt* B^{2} L Ψ 049. 33. 69 *pm* lat bo (ℵ A B* K *sine acc.*; ℵ* *add.* γαρ) | ⸄το στομα 𝔓^{54} A 81. 623. 2464 *al* (vg^{ms}) ¦ στομα προς στοματα Ψ ¦ *txt* ℵ B C P 049 𝔐 lat | ⸀προς A P 𝔐 sy^{h} ¦ *txt* ℵ B C Ψ 945. 1241. 1739 *pc* vg | ⸉ *2 1* A C Ψ 33. 81. 945. (1241). 1739. 2298 *al*

⸂¹αὐτῶν μετάγομεν⸃. **4** ἰδοὺ καὶ τὰ πλοῖα ⸆ τηλικαῦτα ὄντα καὶ ὑπὸ ⸉ἀνέμων σκληρῶν⸊ ἐλαυνόμενα, μετάγεται
ὑπὸ ἐλαχίστου πηδαλίου ὅπου ⸇ ἡ ὁρμὴ τοῦ εὐθύνοντος
⸀βούλεται, **5** ⸀οὕτως καὶ ἡ γλῶσσα μικρὸν μέλος ἐστὶν
καὶ ⸂μεγάλα αὐχεῖ⸃. ἰδοὺ ⸁ἡλίκον πῦρ ἡλίκην ὕλην ἀνά-
πτει· **6** °καὶ ἡ γλῶσσα πῦρ· ὁ κόσμος τῆς ἀδικίας ⸆ ἡ Mt 12,36s Prv 16,27 · Hen 48,7 ·
γλῶσσα καθίσταται ἐν τοῖς μέλεσιν ἡμῶν, ⸀ἡ σπιλοῦσα Mt 15,11! Sir 5,13
ὅλον τὸ σῶμα καὶ φλογίζουσα τὸν τροχὸν τῆς γενέσεως
⸇ καὶ φλογιζομένη ὑπὸ τῆς γεέννης. **7** πᾶσα γὰρ φύσις
θηρίων τε καὶ πετεινῶν, ἑρπετῶν τε καὶ ἐναλίων ⸂δαμά- Gn 9,2
ζεται καὶ δεδάμασται⸃ τῇ φύσει τῇ ἀνθρωπίνῃ, **8** τὴν δὲ
γλῶσσαν οὐδεὶς ⸉δαμάσαι δύναται ἀνθρώπων⸊, ⸀ἀκατά- 1,8!
στατον κακόν, μεστὴ ἰοῦ θανατηφόρου. **9** ἐν αὐτῇ εὐλο- Ps 140,4
γοῦμεν τὸν ⸀κύριον καὶ πατέρα καὶ ἐν αὐτῇ καταρώμεθα 1Chr 29,10 Is 63,16 Sir 23,1.4 · L 6,
τοὺς ἀνθρώπους τοὺς καθ᾽ ὁμοίωσιν θεοῦ ⸁γεγονότας, 28 R 12,14 ·
10 ἐκ τοῦ αὐτοῦ στόματος ἐξέρχεται εὐλογία καὶ κατάρα. Gn 1,26s
οὐ χρή, ἀδελφοί μου, ταῦτα οὕτως γίνεσθαι. **11** μήτι ἡ Sir 5,13; 28,12 E 4,29!
πηγὴ ἐκ τῆς αὐτῆς ὀπῆς βρύει τὸ ⸂γλυκὺ καὶ τὸ πικρόν⸃;
12 μὴ δύναται, ἀδελφοί μου, συκῆ ἐλαίας ποιῆσαι ἢ ἄμ- Mt 7,16s
πελος σῦκα; ⸆ ⸂οὔτε ἁλυκὸν⸃ γλυκὺ ποιῆσαι ὕδωρ.

13 ⸀Τίς σοφὸς καὶ ἐπιστήμων ἐν ὑμῖν; δειξάτω ἐκ τῆς 2,18
καλῆς ἀναστροφῆς τὰ ἔργα αὐτοῦ ἐν πραΰτητι σοφίας. 1P 2,12 · Sir 3,17 |
14 εἰ δὲ ⸆ ζῆλον πικρὸν ἔχετε καὶ ἐριθείαν ἐν ⸂τῇ καρδίᾳ⸃ 16 1K 3,3 2K 12,
ὑμῶν, μὴ ⸀κατακαυχᾶσθε ⸄καὶ ψεύδεσθε κατὰ τῆς ἀλη- 20 G 5,20 E 4,31

3 ⸂¹ *2 1* A Ψ 81 *pc* ¦ *2* 33 *pc*; Spec ● **4** ⸆τα B | ⸉ *2 1* A Ψ 𝔐 ¦ *txt* 𝔓[20] ℵ B C K P 69. 81. 614. 630. 2495 *al* latt | ⸇(ε)αν *et* ⸀-ληται A C (L: -λεται) P Ψ 𝔐 (ff); PsAmbr ¦ αν *et* βουληθη 33 ¦ *txt* ℵ B 81 *pc* vg[mss] ● **5** ⸀ωσαυτως 𝔓[74vid] A Ψ 81. 623. 2464 *al* | ⸂μεγαλαυχει ℵ C[2] Ψ 𝔐 sy[h]; (Spec) ¦ *txt* 𝔓[20.74] A B C* P 33. 81 *pc* latt | ⸁ολιγον A[*vid] C* Ψ 𝔐 ff; Hier Cass ¦ *txt* 𝔓[74] ℵ A[2] B C[2] P 81 *pc* vg; PsOec ● **6** °ℵ* vg[ms] | ⸆ουτως P 𝔐; PsOec ¦ ουτως και L *al* t? ¦ *txt* 𝔓[74] ℵ A B C K Ψ 81. 323. 614. 945. 1241. 1739. 2495 *pc* lat co | ⸀και ℵ* bo[pt] | ⸇ημων ℵ *al* vg sy[p] ● **7** ⸂ *3 2 1* 𝔓[20] C 322. 323. 945. 1241. 1739. 2298 *pc* ¦ *1* 2464 (sy[p]) ● **8** ⸉ *2 1 3* ℵ A K P Ψ 049. 69. 81. 630. 1241. 1505. 2495 *al* ¦ *2 3 1* 𝔐; Cyr ¦ *txt* 𝔓[20vid] B C 945. 1739 *pc* sy[h] | ⸀ακατασχετον C Ψ 𝔐 sy[h]; Hier[pt] Spec ¦ *txt* ℵ A B K P 1739 *pc* latt sy[p]? sa? bo ● **9** ⸀θεον 𝔐 vg[ww] sy[h] sa bo[pt] ac ¦ *txt* 𝔓[20] ℵ A B C P Ψ 33. 81. 945. 1241. 1739 *pc* ff t vg[st] sy[p] bo[pt]; Cyr | ⸁γεγενημενους A 33. 623. 2464 *al* co ¦ γενομενους Ψ *pc* ● **11** ⸂ *4 2 3 1* 614. 630. 945. 1241. 1505. 1852. 2495 *al* ¦ γλυκυ και το αλυκον 𝔓[74vid] ff co ● **12** ⸆ουτως ℵ C[2] P Ψ 𝔐 latt sy bo ¦ *txt* A B C* 1505. 2495 *al* sa | ⸂ουδε αλ. ℵ (33). 81. 322. 323. 1739 *pc* ¦ και αλ. 1241 ¦ ουδεμια πηγη αλ. και (P) 𝔐 sy[h] ¦ *txt* A B C Ψ *al* ● **13** ⸀ει τις 489. 2298 *al*; Nil ¦ – K 049*. 1 *al* ● **14** ⸆αρα A P Ψ 33. 81. 945. 1241. 1739. 2298 *pc* | ⸂ταις -διαις ℵ 323. 945. 1241. 1739. 2298 *al* latt bo | ⸀καυχ- A 69. 630 *al* | ⸄ *4 5 1 2* ℵ[(2)] sy[p]; Prosp

1,5.17 θείας⸃. **15** οὐκ ἔστιν ⸉αὕτη ἡ σοφία⸊ ἄνωθεν κατερχο-
1K 2,14 Jd 19 · 1T 4,1! | μένη ἀλλὰ ἐπίγειος, ψυχική, δαιμονιώδης. **16** ὅπου γὰρ
14 · 1,8! ζῆλος καὶ ⸀ἐριθεία, ἐκεῖ ⸆ ἀκαταστασία καὶ πᾶν φαῦλον
1,5! πρᾶγμα. **17** ἡ δὲ ἄνωθεν σοφία πρῶτον μὲν ἁγνή ἐστιν,
ἔπειτα εἰρηνική, ἐπιεικής, εὐπειθής, μεστὴ ἐλέους ⸀καὶ
Ph 1,11! Is 32,17 καρπῶν ⸆ ἀγαθῶν, ἀδιάκριτος, ⸇ ἀνυπόκριτος. **18** καρ-
Mt 5,9! πὸς δὲ ⸆ δικαιοσύνης ἐν εἰρήνῃ σπείρεται τοῖς ποιοῦσιν
εἰρήνην.

4 Πόθεν πόλεμοι ⸂καὶ πόθεν μάχαι ἐν ὑμῖν⸃; οὐκ ἐντεῦ-
G 5,17! θεν, ἐκ τῶν ἡδονῶν ὑμῶν τῶν στρατευομένων ἐν τοῖς
1J 3,15 μέλεσιν ὑμῶν; **2** ἐπιθυμεῖτε καὶ οὐκ ἔχετε, ⸀φονεύετε καὶ
G 5,20s 1Mcc 8,16 ζηλοῦτε καὶ οὐ δύνασθε ἐπιτυχεῖν, μάχεσθε καὶ πολε-
μεῖτε, ⸂οὐκ ἔχετε⸃ διὰ τὸ μὴ αἰτεῖσθαι ὑμᾶς, **3** αἰτεῖτε ⸆ καὶ
οὐ λαμβάνετε διότι κακῶς αἰτεῖσθε, ἵνα ἐν ταῖς ἡδοναῖς
Mt 12,39! Is 57,3 · ὑμῶν δαπανήσητε. **4** ⸆ μοιχαλίδες, οὐκ οἴδατε ὅτι ἡ φιλία
1J 2,15 τοῦ κόσμου ⸇ ἔχθρα ⸂τοῦ θεοῦ ἐστιν⸃; ὃς ἐὰν οὖν βουλη-
R 8,7 θῇ φίλος εἶναι τοῦ κόσμου, ἐχθρὸς τοῦ θεοῦ καθίσταται.
unde? G 5,17 **5** ἢ δοκεῖτε ὅτι κενῶς ἡ γραφὴ λέγει· πρὸς ⸀φθόνον ἐπι-
ποθεῖ τὸ πνεῦμα ὃ ⸁κατῴκισεν ἐν ἡμῖν, **6** μείζονα δὲ δίδωσιν χάριν; διὸ λέγει·
Prv 3,34 𝔊 Job 22,29 1P 5,5 *ὁ θεὸς ὑπερηφάνοις ἀντιτάσσεται,*
ταπεινοῖς δὲ δίδωσιν χάριν.
1P 5,8s E 6,11s TestNaph 8,4 | **7** ὑποτάγητε οὖν τῷ θεῷ, ἀντίστητε ○δὲ τῷ διαβόλῳ καὶ φεύ-
Hos 12,7 𝔊 Test Dan 6,2 Zch 1,3 ξεται ἀφ' ὑμῶν, **8** ἐγγίσατε τῷ θεῷ καὶ ⸀ἐγγιεῖ ὑμῖν. καθα-
Ml 3,7 · Ps 18,21.25 · 1,8! | ρίσατε χεῖρας, ἁμαρτωλοί, καὶ ἁγνίσατε καρδίας, δίψυχοι.
L 6,25 **9** ταλαιπωρήσατε καὶ πενθήσατε ⸂καὶ κλαύσατε⸃. ὁ γέλως
ὑμῶν εἰς πένθος ⸀μετατραπήτω καὶ ἡ χαρὰ εἰς κατήφει-

15 ⸉ *2 3 1* C 614. 630. 945. 1241. 1739. 2495 *al*; Cyr Did ● **16** ⸀ερεις C *pc* ¦ ερις P 945. 1241. 1243. 1739. 2298 *pc* | ⸆και א A 33. 81 *pc* sy^{p} ● **17** ⸀μεστη 𝔓^{74} | ⸆εργων C 322. 323. 945. 1241. 1243. 1739 *pc*; Did | ⸇και K L 049. 69. 322. 323 𝔐 ● **18** ⸆της 𝔐 ¦ ὁ א* Ψ ¦ *txt* 𝔓^{74} א^{c} A B C L P 33. 81. 323. 614. 630. 945. 1241. 1739. 2495 *al* sa
¶ **4,1** ⸂ *1 3–5* 𝔐 vg sy^{p} ¦ *4 5 1–3* A Ψ 623. (2464) *pc*; Cyr ¦ *txt* א B C P (33). 69. 81. 614. 630. 945. 1241. 1739. 2495 *al* ff sy^{h}; Hier ● **2** [⸀φθονειτε Erasmus *cj*] | ⸂και ουκ εχ. א P Ψ 322. 323. 614. 623. 1243. 1505. 1852 *al* ff vg^{cl} sy bo; PsOec ¦ ουκ εχ. δε 945. 1241. 1739. 2298 *pc* ¦ *txt* A B 𝔐 vgst sa ● **3** ⸆δε 𝔓^{74vid} P Ψ 69. 81. 623. 945. 1241. 1243. 1739. 2464 *al* ● **4** ⸆μοιχοι και א^{2} P Ψ 𝔐 sy^{h} ¦ *txt* א* A B 33. 81. 1241. 1739 *pc* latt sy^{p} | ⸇τουτου א lat sy | ⸂εστιν τω θεω א *pc* vg^{mss}; Firm ● **5** [⸀(*cf* Ps 41,2 𝔊) τον θεον Wettstein *cj*] | ⸁κατωκησεν P 𝔐 sy$^{(p)}$ ¦ *txt* 𝔓^{74} א B Ψ 049. 1241. 1739 *al* (A 81 *pc incert.*) ● **7** ○K L P Ψ 630. 1241. 1243 *pm* ¦ *txt* א A B 049. 33. 81. 323. 614. 1739. 2495 *pm* lat sy^{h} ● **8** ⸀† εγγισει B *pc* ¦ *txt* א A P Ψ 𝔐 ● **9** ⸂ *2* א A; Aug^{pt} ¦ – 36. 2344 *al* vg^{mss} sy^{p} bo^{ms} | ⸀-στραφητω א A Ψ 𝔐 ¦ *txt* B P 614. 630. 945. 1241. 1739. 2495 *pc*

αν. **10** ταπεινώθητε ⸆ ἐνώπιον ⸀κυρίου καὶ ὑψώσει ὑμᾶς. L 14,11! 1P 5,6
11 Μὴ καταλαλεῖτε ⸂ἀλλήλων, ἀδελφοί⸃. ὁ ⸆ καταλα- 1P 2,1! Ps 101,5 Sap 1,11 ·
λῶν ἀδελφοῦ ⸀ἢ κρίνων τὸν ἀδελφὸν αὐτοῦ καταλαλεῖ Mt 7,1!-5 R 2,2
νόμου καὶ κρίνει νόμον· εἰ δὲ νόμον κρίνεις, ⸁οὐκ εἶ
ποιητὴς νόμου ἀλλὰ κριτής. **12** εἷς ἐστιν °[ὁ] νομοθέτης
⸋καὶ κριτὴς⸌ ὁ δυνάμενος σῶσαι καὶ ἀπολέσαι· σὺ °^{1}δὲ H 12,23! · Mt 10,28 · R 14,4
τίς εἶ ⸂ὁ κρίνων⸃ τὸν ⸀πλησίον;

6 **13** Ἄγε νῦν οἱ λέγοντες· σήμερον ⸀ἢ αὔριον ⸁πορευ- L 12.19s Hen 97,8-10
σόμεθα εἰς τήνδε τὴν πόλιν καὶ ⸀^{1}ποιήσομεν °ἐκεῖ ἐνιαυτὸν ⸆ καὶ ⸀^{2}ἐμπορευσόμεθα καὶ ⸀^{2}κερδήσομεν· **14** οἵ- Mt 16,26p
τινες οὐκ ⸀ἐπίστασθε ⸁τὸ τῆς αὔριον ποία ⸆ ἡ ζωὴ ⸀^{1}ὑ- Prv 27,1
μῶν· ⸂ἀτμὶς γάρ ἐστε ἡ⸃ πρὸς ὀλίγον φαινομένη, ἔπει- Hos 13,3 Ps 39,6.12
τα ⸀^{2}καὶ ἀφανιζομένη. **15** ἀντὶ τοῦ λέγειν ὑμᾶς· ἐὰν ὁ κύριος ⸀θελήσῃ καὶ ⸁ζήσομεν καὶ ⸁ποιήσομεν τοῦτο ἢ Act 18,21!
ἐκεῖνο. **16** νῦν δὲ ⸀καυχᾶσθε ἐν ταῖς ἀλαζονείαις ὑμῶν· 1J 2,16
⸁πᾶσα καύχησις τοιαύτη πονηρά ἐστιν. **17** εἰδότι οὖν κα- L 12,47
λὸν ποιεῖν καὶ μὴ ποιοῦντι, ἁμαρτία αὐτῷ ἐστιν. R 14,23 Dt 23,22; 24,15 |
5 Ἄγε νῦν οἱ πλούσιοι, κλαύσατε ὀλολύζοντες ἐπὶ ταῖς L 6,24 Hen 94,8
ταλαιπωρίαις ὑμῶν ταῖς ἐπερχομέναις⸆. **2** ὁ πλοῦτος
ὑμῶν σέσηπεν καὶ τὰ ἱμάτια ὑμῶν σητόβρωτα γέγονεν, Job 13,28 Is 51,8 Mt 6,19

10 ⸆ουν ℵ *pc* vg^{ms} ac? | ⸀του κ. 𝔐 ¦ του θεου 945. 1241. 1739. 2298 *pc* vg^{ms} bo^{pt} ac; PsOec^{pt} ¦ *txt* ℵ A B K P Ψ 33. 81. 614. 630. 1505. 2495 *al*; Hes^{pt} ● **11** ⸂*2 1* Ψ 623. 2464 *pc* ¦ αδ. μου αλ. A 33 *pc* (vg^{mss}) | ⸆γαρ 614. 630. 1505. 1852. 2495 *al* l sy bo; Spec | ⸀και K L 049. 69. 322. 323 𝔐 ff; Spec | ⸁ουκετι K P Ψ 69. 945. 1241. 1243. 1739. 2298 *pc* l vg^{mss}; Spec ● **12** °† 𝔓^{74} B P 1243. 1852 *pc* ¦ *txt* ℵ A Ψ 𝔐 | ⸋ 𝔓^{74} 049 𝔐 ¦ *txt* ℵ A B P Ψ 33. 81. 323. 614. 630. 1241. 1739. 2495 *al* lat sy co | °^{1}429. 614. 630. 1505. 2495 *al* sa bo^{pt} | ⸂ος κρινεις *et* ⸀ετερον 𝔐 (ετερ. + οτι ουκ εν ανθρωπω, αλλ εν θεω τα διαβηματα ανθρωπου κατευθυνεται K *pc*) ¦ *txt* 𝔓^{74} ℵ A B P Ψ 33. 69. 81. 323. 614. 630. 945. 1241. 1739. 2495 *al* latt sy co ● **13** ⸀και A P 𝔐 sy^{h} bo^{ms}; Hier Hes^{pt} ¦ *txt* 𝔓^{74} ℵ B Ψ 33. 81. 323. 945. 1241. 1739 *al* latt sy^{p} co; Hes^{pt} | ⸁-σωμεθα A Ψ 𝔐 l ¦ *txt* ℵ B K P 323. 945. 1739 *al* lat | ⸀^{1}-σωμεν ℵ A Ψ 𝔐 ¦ *txt* B P 323. 945. 1739 *al* latt | °A Ψ 33. 81 *al*; Cyr | ⸆ενα A Ψ 𝔐 sy; Hier ¦ *txt* ℵ B P 945. 1241. 1739 *pc* latt | ⸀^{2}-σωμεθα *et* ⸀^{2}-σωμεν Ψ 𝔐 l; Hier ¦ *txt* ℵ A B P 33. 323. 945. 1739 *al* lat ● **14** ⸀-στανται P *pc* sy^{p} | ⸁† – B ff l; Hier ¦ τα A P 33. 69. 81. 614. 630. 945. 1241. 1505. 1739. 2495 *al* sy^{h} ¦ *txt* ℵ Ψ 𝔐 vg | ⸆γαρ 𝔓^{74} ℵ^{2} A P Ψ 𝔐 vg sy^{p} co ¦ *txt* ℵ* B 614. 1505. 1852. 2495 *pc* l sy^{h} bo^{mss} | ⸀^{1}ημων 33. 630 *al* vg^{ms} sy^{p} | ⸂*1–3* B 322. 323. 945. 1739. 2298 *pc* ¦ *4* ℵ ¦ ατ. γ. (– 33) εστιν η L 33. 623. 630 *al* (lat) ¦ ατ. γ. (– A) εσται η (– P 1241 *pc*) A P Ψ 𝔐 (l) ¦ *txt* 81. 614 *al* sy^{h}; Hier? | ⸀^{2}δε και P 𝔐 ¦ δε 61 *pc* sa ¦ – 614. 630. 1505. 2495 *pc* vgst sy^{h} bo ¦ *txt* ℵ A B Ψ 81. 945. 1241. 1739 *al* ff l vg^{cl} ● **15** ⸀θελη B P 81. 614. 630. 1505. 1852. 2495 *al* | ⸁*bis* -σωμεν Ψ 𝔐 ¦ *txt* ℵ A B P (323). 945. (1739) *al* ● **16** ⸀κατακαυχασθε ℵ 945. 1241. 1739. 2298 *pc* | ⸁απασα ℵ ¦ πασα ουν 614. 630. 1505. 2495 *al*
¶ **5,1** ⸆υμιν ℵ 623. 2464 *al* vg^{cl}; Nil

Sir 29,10
Jdth 16,17 Ps 21,10
Tob 4,14 Ml 3,5 Lv 19,13 Dt 24, 14s · Ps 18,7 *Is 5,9*
L 16,19.25
Jr 12,3
Sap 2,10.12.19 · Hos 1,6 𝔊

3 ὁ χρυσὸς ὑμῶν ⸉καὶ ὁ ἄργυρος κατίωται⸊ καὶ ὁ ἰὸς αὐτῶν εἰς μαρτύριον ὑμῖν ἔσται καὶ φάγεται τὰς σάρκας
ὑμῶν ⸆ ὡς πῦρ. ἐθησαυρίσατε ἐν ἐσχάταις ἡμέραις.
4 ἰδοὺ ὁ μισθὸς τῶν ἐργατῶν τῶν ἀμησάντων τὰς χώρας
ὑμῶν ὁ ⸀ἀπεστερημένος ἀφ᾽ ὑμῶν κράζει, καὶ αἱ βοαὶ τῶν
θερισάντων *εἰς τὰ ὦτα κυρίου σαβαὼθ* ⸁εἰσεληλύθασιν.
5 ἐτρυφήσατε ἐπὶ τῆς γῆς °καὶ ἐσπαταλήσατε, ἐθρέψατε
τὰς ⸀καρδίας ὑμῶν ⸆ *ἐν ἡμέρᾳ σφαγῆς*, **6** κατεδικάσατε,
ἐφονεύσατε τὸν δίκαιον, ⸆ οὐκ ἀντιτάσσεται ὑμῖν.

1 Th 2,19!
1 K 9,10
Dt 11,14 Jr 5,24 𝔊 Hos 6,3 𝔊 etc | 1 Th 3,13
H 10,37!
H 12,23! · Mt 24, 33p Ap 3,20 | 4 Mcc 9,8
Mt 5,12! Dn 9,6
1,12! Job 1,21s; 42, 11ss · H 13,7 · Ex 34,6 Ps 103,8; 111,4 |
Mt 5,34-37

7 Μακροθυμήσατε οὖν, ἀδελφοί, ἕως τῆς παρουσίας
τοῦ κυρίου. ἰδοὺ ὁ γεωργὸς ἐκδέχεται τὸν τίμιον καρπὸν
τῆς γῆς μακροθυμῶν ἐπ᾽ ⸀αὐτῷ ἕως ⸆ λάβῃ ⸇ πρόϊμον καὶ
ὄψιμον. **8** μακροθυμήσατε ⸆ καὶ ὑμεῖς, στηρίξατε τὰς
καρδίας ὑμῶν, ὅτι ἡ παρουσία τοῦ κυρίου ⸇ ἤγγικεν.
9 μὴ στενάζετε, ⸂ἀδελφοί, κατ᾽ ἀλλήλων⸃ ἵνα μὴ κριθῆ-
τε· ἰδοὺ ὁ κριτὴς πρὸ τῶν θυρῶν ἕστηκεν. **10** ὑπόδειγμα
°λάβετε, ⸂ἀδελφοί, τῆς κακοπαθίας⸃ καὶ τῆς μακροθυμίας ⸆ τοὺς προφήτας οἳ ἐλάλησαν °1ἐν τῷ ὀνόματι ⸇ κυρίου. **11** ἰδοὺ μακαρίζομεν τοὺς ⸀ὑπομείναντας· τὴν ὑπομονὴν Ἰὼβ ἠκούσατε καὶ τὸ ⸁τέλος κυρίου ⸀1εἴδετε, ὅτι
⸀2πολύσπλαγχνός ἐστιν ⸂ὁ κύριος⸃ καὶ οἰκτίρμων.
12 Πρὸ πάντων δέ, ἀδελφοί μου, μὴ ὀμνύετε μήτε τὸν
οὐρανὸν μήτε τὴν γῆν μήτε ⸉ἄλλον τινὰ ὅρκον⸊· ἤτω

3 ⸉ *4 1–3* 𝔓^{74vid} A 33 *pc* | ⸆ο ιος א^{2} A P Ψ 33. 81. 614. 623. 1505. 1852. 2495 *al* sy^{h} ac ● **4** ⸀† αφυστερημενος א B* ¦ *txt* A B^{2} P Ψ 𝔐 | ⸁† εισεληλυθαν (A) B P 81. 1243. (1852) *pc* ¦ *txt* א Ψ 𝔐 (εληλ- 1505. 2495) ● **5** ° A Ψ 81. 623*. 2464 *al* vg^{ms} bo^{pt} | ⸀σαρκας Ψ *al* (t) sy^{p} | ⸆ως א^{2} Ψ 𝔐 sy ¦ *txt* א* A B P 33. 1852 *pc* latt co ● **6** ⸆και 614 *al* t vg^{cl} sy^{h} ● **7** ⸀αυτον K L 049. 322. 323 𝔐 | ⸆ου 442 *pc* ¦ αν א P Ψ 69. 323. 614. 630. 1505. 2495 *pm* sy^{hmg} ¦ *txt* 𝔓^{74} A B K L 048. 049. 81. 945. 1241. 1739 *pm* (33 *illeg.*) | ⸇υετον A P Ψ 𝔐 (t vg^{mss}) sy$^{p.h}$ ¦ καρπον א(*) 398 *pc* (ff) sy^{hmg} bo; Cass ¦ *txt* 𝔓^{74} B 048. (69). 945. 1241. 1739 *pc* vg sa ● **8** ⸆ουν 𝔓^{74} א L *pc* vg^{ms} ¦ δε 61 *pc* | ⸇ημων 614. 630. 1505. 1852. 2495 *al* vg^{ms} sy^{h} sa ● **9** ⸂ *2 3 1* א 𝔐 ¦ *2 3* K *al* ¦ *txt* B P Ψ 614. 630. 945. 1241. 1739. 2495 *al* lat sy^{h} (A 33. 81: αδ. μου) ● **10** ° *et* ⸆εχετε A Ψ (33). 623*. 2464 *pc* | ⸂αδ. μου τ. κ. (καλοκαγαθιας א) א 𝔐 vg^{ms} ¦ ανδρας τ. κ. 2495 ¦ *txt* A B P Ψ 33. 614. 630. 945. 1241. 1739 *al* lat sy^{h}; Chr | °1 A Ψ 𝔐 ¦ *txt* א B P 69. 323. 614. 630. 945. 1241. 1739. 2495 *al* latt sy^{h} | ⸇του 69. 323. 614. 945. 1241. 1505. 1739. 2495 *al* ● **11** ⸀υπομενοντας 𝔐 ¦ *txt* א A B P Ψ 81. 630. 945. 1241. 1739 *al* lat sy co | ⸁ελεος 322. 323. 945. 1241. 1739 *pc* | ⸀1ιδετε A B^{2} L P Ψ 049. 33. 69. 81. 323. 630. 945. 1241. 1739. 2495 *pm* ¦ οιδατε 1729 *pc* ¦ *txt* א B* K 614. 1505 *pm* co | ⸀2πολυευσπλ- 1. (614). 630. 945. 1241. 1505. 1739^{c}. 2495 *al* | ⸂ *2* B ¦ – 𝔐 vg^{ms} ¦ *txt* א A P Ψ 81. 614. 630. 945. 1739. 2495 *al* ● **12** ⸉ *1 3 2* A Ψ 945. 1739. 2298 *al* ¦ *2 1 3* 915 *pc*

δὲ ⸆ ὑμῶν τὸ ναὶ ναὶ καὶ τὸ οὒ οὔ, ἵνα μὴ ⸂ὑπὸ κρίσιν⸃ 2K 1,17
πέσητε.
13 Κακοπαθεῖ τις ἐν ὑμῖν, προσευχέσθω· εὐθυμεῖ τις,
ψαλλέτω· **14** ἀσθενεῖ τις ἐν ὑμῖν, προσκαλεσάσθω τοὺς Act 16,25!
πρεσβυτέρους τῆς ἐκκλησίας καὶ προσευξάσθωσαν ἐπ'
αὐτὸν ἀλείψαντες °[αὐτὸν] ἐλαίῳ ἐν τῷ ὀνόματι ⸂τοῦ κυ- Mc 6,13 L 10,34
ρίου⸃. **15** καὶ ἡ ⸀εὐχὴ τῆς πίστεως σώσει τὸν κάμνοντα Mc 16,18
καὶ ἐγερεῖ αὐτὸν ὁ κύριος· κἂν ἁμαρτίας ᾖ πεποιηκώς,
⸀ἀφεθήσεται αὐτῷ. **16** ἐξομολογεῖσθε °οὖν ἀλλήλοις ⸂τὰς
ἁμαρτίας⸃ ⸆ καὶ ⸀εὔχεσθε ὑπὲρ ἀλλήλων ὅπως ἰαθῆτε. Act 12,5
Πολὺ ⸇ ἰσχύει δέησις δικαίου ἐνεργουμένη. **17** Ἠλίας
ἄνθρωπος ἦν ὁμοιοπαθὴς ἡμῖν, καὶ προσευχῇ προσηύ- Act 14,15
ξατο ⸂τοῦ μὴ βρέξαι⸃, καὶ οὐκ ἔβρεξεν ἐπὶ τῆς γῆς ἐνι- L 4,25!
αυτοὺς τρεῖς καὶ μῆνας ἕξ· **18** καὶ πάλιν προσηύξατο, 1Rg 18,42-45
καὶ ὁ οὐρανὸς ⸉ὑετὸν ἔδωκεν⸊ καὶ ἡ γῆ ἐβλάστησεν τὸν
καρπὸν αὐτῆς.
19 Ἀδελφοί °μου, ἐάν τις ἐν ὑμῖν πλανηθῇ ⸂ἀπὸ τῆς G 6,1
⸀ἀληθείας καὶ ἐπιστρέψῃ τις⸃ αὐτόν, **20** ⸂γινωσκέτω ὅτι⸃
ὁ ἐπιστρέψας ἁμαρτωλὸν ἐκ πλάνης ὁδοῦ αὐτοῦ σώσει ⸆ Ez 3,18ss Mt 18,15 Ps 51,15
ψυχὴν ⸄αὐτοῦ ἐκ θανάτου⸅ καὶ *καλύψει πλῆθος ἁμαρ-* *Prv 10,12* 1P 4,8
τιῶν. ⸇ Ps 32,1; 85,3

12 ⸆ (Mt 5,37) ο λογος ℵ* 1243 *al* t vg^{cl} sy^{p} bo | ⸂εις υποκρισιν P Ψ 𝔐 ¦ *txt* ℵ A B 048^{vid}. 945. 1241. 1739 *pc* latt sy co • **14** °† B P 1243 *pc* ff vg^{ms} sa^{mss} ¦ *txt* ℵ A (Ψ) 048^{vid} 𝔐 | ⸂*2* A Ψ 81 *al* ¦ – B ¦ Ιησου Χριστου 6 *pc* • **15** ⸀προσευχη P 81. 322. 323. 945. 1739 *pc* | ⸀-σονται P 69. 945. 1241. 1505. 1739. 1852. 2298. 2495 *al* lat; Chr • **16** ° Ψ 049 𝔐 ff vg^{mss} ¦ *txt* ℵ A B K P 048^{vid}. 33. 81. 614. 630. 1241. 1739. 2495 *al* vg sy^{h} co | ⸂τα παραπτωματα 049 𝔐 ¦ *txt* ℵ A B P Ψ 048^{vid} 33. 81. 614. 630. 1241. 1739. 2495 *al* | ⸆υμων L 614. 630. 945. 1241. 1739. 2298. 2495 *al* ¦ εαυτων 623. 2464 *pc* | ⸀† προσευχ- A B 048^{vid} *pc* ¦ *txt* ℵ P Ψ (049) 𝔐 | ⸇γαρ 61 *pc* l t vg sy bo^{pt} • **17** ⸂τ. μη βρ. υετον 323. 945. 1241. 1739 *al* sy^{hmg} ¦ ινα μη βρεξη 1505. 2495 *pc* ¦ του μη βρεχειν Ψ • **18** ⸉ *2 1* (ℵ) A Ψ 33. 623. 945. 1241. 1739. 2298. 2464 *al* lat ¦ *txt* B P 048^{vid}. 049 𝔐 • **19** ° 049 𝔐 vg^{ms} ¦ *txt* 𝔓^{74} ℵ A B K P Ψ 048. 049. 81. 614. 630. 1241. 1739. 2495 *al* lat sy | ⸂επιστρεψατε Ψ (sy^{h}) | ⸀οδου 𝔓^{74} ¦ οδου της αληθειας ℵ 33. 81. 623. 1846. 2464 *al* sy^{p} bo^{mss}; Andr ¦ *txt* A B P Ψ 048^{vid}. 049 𝔐 latt sy^{h} co • **20** ⸂† γινωσκετε οτι B 69. 1505. 2495 *pc* sy^{h} ¦ οτι Ψ ¦ – 𝔓^{74} ff sa ¦ *txt* ℵ A P 𝔐 lat sy^{p} bo^{pt} | ⸆την A 049. 1243 *al* | ⸄ *2 3 1* 𝔓^{74} B 614 *pc* ff ¦ *2 3* Ψ 𝔐 sy sa; Or^{lat} ¦ *txt* ℵ A P 048^{vid}. 33. 1739 *al* vg; Cyr Did | ⸇αμην 614. 1505. 1852. 2495 *pc* t vg^{mss} sy^{h}

⸂ΠΕΤΡΟΥ Α′⸃

H 11,13! **1** Πέτρος ἀπόστολος Ἰησοῦ Χριστοῦ ἐκλεκτοῖς ⸆ παρ- *1*
Jc 1,1! ἐπιδήμοις διασπορᾶς Πόντου, Γαλατίας, Καππαδο-
R 8,29 κίας, ⸂Ἀσίας καὶ Βιθυνίας⸃, **2** κατὰ πρόγνωσιν θεοῦ πα-
2Th 2,13 · H 12,24 τρὸς ἐν ἁγιασμῷ πνεύματος εἰς ὑπακοὴν καὶ ῥαντισμὸν
Dn 4,1 Theod; 6,26 Theod αἵματος Ἰησοῦ Χριστοῦ, χάρις ὑμῖν καὶ εἰρήνη πλη-
θυνθείη.
2K 1,3! **3** Εὐλογητὸς ὁ θεὸς καὶ πατὴρ τοῦ κυρίου ἡμῶν Ἰη-
Sir 16,12 E 2,4! · 23! Tt 3,5! · σοῦ Χριστοῦ, ὁ κατὰ °τὸ πολὺ ⸂αὐτοῦ ἔλεος⸃ ἀναγεννή-
R 6,4 σας ⸀ἡμᾶς εἰς ἐλπίδα ⸁ζῶσαν δι’ ἀναστάσεως Ἰησοῦ
E 1,18! Χριστοῦ ἐκ νεκρῶν, **4** εἰς κληρονομίαν ἄφθαρτον καὶ
Kol 1,5.12 ⸂ἀμίαντον καὶ ἀμάραντον⸃, τετηρημένην ⸄ἐν οὐρανοῖς⸅
1K 2,5 εἰς ⸀ὑμᾶς **5** τοὺς ἐν ⸂δυνάμει θεοῦ⸃ φρουρουμένους διὰ
20 πίστεως εἰς σωτηρίαν ἑτοίμην ἀποκαλυφθῆναι ἐν καιρῷ
4,13 · 5,10 · ἐσχάτῳ. **6** ⸂ἐν ᾧ ἀγαλλιᾶσθε,⸃ ὀλίγον ἄρτι εἰ δέον
R 5,3 2K 4,17! · Jc 1,2! | °[ἐστὶν] ⸀λυπηθέντες ἐν ⸁ποικίλοις πειρασμοῖς, **7** ἵνα τὸ
Jc 1,3! · Prv 17,3 Sir 2,5 · ⸀δοκίμιον ⸉ὑμῶν τῆς πίστεως⸊ πολυτιμότερον ⸁χρυσίου
τοῦ ἀπολλυμένου ⸂διὰ πυρὸς δὲ⸃ δοκιμαζομένου, εὑρεθῇ
R 2,7.10 · 1K 1,7! εἰς ἔπαινον καὶ ⸄δόξαν καὶ τιμὴν⸅ ἐν ἀποκαλύψει Ἰησοῦ
E 6,24 2T 4,8 Χριστοῦ· **8** ὃν οὐκ ⸀ἰδόντες ἀγαπᾶτε, εἰς ὃν ἄρτι μὴ
J 17,20; 20,29 2K 5,7 · J 8,56 Act 16,34 | ὁρῶντες πιστεύοντες δὲ ⸁ἀγαλλιᾶσθε χαρᾷ ἀνεκλαλήτῳ
R 6,22 · H 10,29 · καὶ δεδοξασμένῃ **9** κομιζόμενοι τὸ τέλος τῆς πίστεως

Inscriptio: ⸂Π. επιστολη α′ 𝔓^{72} א A K 33 (⸉Ψ 69. 81. 614. 630). 1241 *al* ¦ Π. (+ αποστολου 1739) επ. καθολικη α′ 323. 1505. (1739. 2495) *al* ¦ επ. καθ. α′ του αγιου και πανευφημου απ. Π. L (049) *pc* ¦ *txt* (א B)

¶ **1,1** ⸆και א* sy | ⸂*1 3 pc* Aug ¦ *1* B* ¦ *2 3* א* 048 *pc* vg^{ms}; Eus$^{lat\,pt}$ ¦ και A. και B. 614. 1243. 1505. 1852. 2495 *pc* l s; Eus$^{lat\,pt}$ ¦ *txt* 𝔓$^{72.74}$ א^{2} A B^{2} P Ψ 𝔐 vg bo • **3** ° 𝔓^{72} | ⸂*2 1* 𝔓^{72} 048. 33. 69. 323. 614. 630. 1505. 2495 *al* ¦ *2 pc* vg^{ms} | ⸀υμας 1241 *pc* ¦ – 𝔓^{72} | ⸁ζωης 1505. 1852. 2495 *pc* l vg^{mss} sy bo; Hier Aug Cass • **4** ⸂*3 2 1* א 2495 *pc* ¦ *1* 1852 *al* vg^{ms}; Oros | ⸄εν τοις ουρ. Ψ (614). 630. 1505. 2495 *al* ¦ εν -νω א ¦ εξ -νου *pc* | ⸀ημας 𝔓^{72vid} *pc* vg^{ms} • **5** ⸂*1* 𝔓^{72} ¦ αγαπη θεου *pc* ¦ δ. πνευματος θεου *pc* • **6** ⸂αγαλλιασαντες 𝔓^{72} ¦ *3* C^{2} | °† א* B 1505. 2495 *pc*; Cl ¦ *txt* 𝔓^{72} א^{2} A C P Ψ 048 𝔐 | ⸀-θεντας א* L 69. 614. 623*. 630. 1243. 1852. 2464 *al* ¦ -θηναι *pc* l vg$^{cl.ww}$ bo?; Aug ¦ ημας -θεντες 048^{vid} | ⸁πολλοις 𝔓^{72} • **7** ⸀δοκιμον 𝔓^{72} 429. 1852 *pc* | ⸉*2 3 1* 𝔓^{72} 048^{vid}. 1241 l s vg^{mss}; Cl Beda | ⸁-σου B 945 | ⸂*1 2 pc* lat sy^{h} sa bo^{pt} ¦ και δια π. 𝔓^{72} 1175. 1241. 1243 *pc* vg^{mss}; Cl ¦ κ. δια π. δε 945. 1739 *pc* | ⸄*3 2 1* 1. 945. 1241. 1739. 2298 *al* ¦ τ. κ. εις δ. P 𝔐 ¦ *txt* 𝔓$^{72.74}$ א A B C Ψ 33. 69. 81. 614. 630. 2495 *al* lat sy^{h} co • **8** ⸀ειδοτες A P Ψ 𝔐 bo; Cl (Aug) ¦ *txt* 𝔓^{72} א B C 323. 630. 945. 1739 *al* latt sy sa; Ir^{lat} | ⸁αγαλλιατε B C*^{vid} 1852 *pc*; Or

⸀[ὑμῶν] σωτηρίαν ψυχῶν. **10** περὶ ἧς σωτηρίας ἐξεζήτη-
σαν καὶ ἐξηραύνησαν προφῆται οἱ περὶ τῆς εἰς ὑμᾶς
χάριτος προφητεύσαντες, **11** ἐραυνῶντες εἰς τίνα ἢ ποῖον καιρὸν ⸂ἐδήλου τὸ⸃ ἐν αὐτοῖς πνεῦμα °Χριστοῦ ⸀προ-
μαρτυρόμενον τὰ εἰς Χριστὸν παθήματα καὶ τὰς μετὰ
ταῦτα δόξας. **12** οἷς ἀπεκαλύφθη ὅτι ⸂οὐχ ἑαυτοῖς
ὑμῖν δὲ⸃ ⸀διηκόνουν αὐτά, ἃ νῦν ἀνηγγέλη ὑμῖν διὰ τῶν
εὐαγγελισαμένων ὑμᾶς °[ἐν] πνεύματι ἁγίῳ ἀποσταλέντι
ἀπ' οὐρανοῦ, εἰς ἃ ἐπιθυμοῦσιν ἄγγελοι παρακύψαι.
2 **13** Διὸ ἀναζωσάμενοι τὰς ὀσφύας τῆς διανοίας ὑμῶν
νήφοντες τελείως ἐλπίσατε ἐπὶ τὴν φερομένην ὑμῖν χάριν ἐν ἀποκαλύψει Ἰησοῦ Χριστοῦ. **14** ὡς τέκνα ὑπακοῆς
μὴ συσχηματιζόμενοι ταῖς πρότερον ⸂ἐν τῇ ἀγνοίᾳ ὑ-
μῶν⸃ ἐπιθυμίαις **15** ἀλλὰ κατὰ τὸν καλέσαντα ὑμᾶς ἅγιον
καὶ αὐτοὶ ἅγιοι ἐν πάσῃ ἀναστροφῇ γενήθητε, **16** ⸂διό-
τι γέγραπται⸃ °[ὅτι] *ἅγιοι* ⸀*ἔσεσθε,* ⸁*ὅτι ἐγὼ ἅγιός* °¹*[εἰμι].*
17 καὶ εἰ πατέρα ⸀ἐπικαλεῖσθε τὸν ἀπροσωπολήμπτως
κρίνοντα κατὰ τὸ ἑκάστου ἔργον, ἐν φόβῳ ⸆ τὸν τῆς παρ-
οικίας ὑμῶν χρόνον ἀναστράφητε,
18 εἰδότες ὅτι οὐ φθαρτοῖς, ἀργυρίῳ ἢ χρυσίῳ, ἐλυ-
τρώθητε
ἐκ τῆς ματαίας ὑμῶν ⸉ἀναστροφῆς πατροπαραδότου⸊
19 ἀλλὰ ⸆ τιμίῳ αἵματι ὡς ἀμνοῦ ἀμώμου καὶ ἀσπίλου
Χριστοῦ,
20 προεγνωσμένου μὲν πρὸ καταβολῆς κόσμου
φανερωθέντος δὲ ἐπ' ⸂ἐσχάτου τῶν χρόνων⸃
δι' ὑμᾶς **21** τοὺς δι' αὐτοῦ ⸀πιστοὺς εἰς θεὸν

Mc 8,35 | Mt 11,13; 13,17p L 24,27 J 12,41 Act 7,52
Ap 19,10
5,1 L 24,26
Hen 1,2
E 3,10
1 K 2,7s Hen 16, 3 · Jc 1,25 |
L 12,35! Prv 31, 17 · 4,7; 5,8 1 Th 5,6.8 2 T 4,5 ·
1 K 1,7! |
R 12,2! · Act 17,30 E 4,18; · 2,2s |
Lv 11,44s; 19,2; 20,7.26
Ps 89,27 Jr 3,19 Mt 6,9! R 8,15; · 2,11!; · 2,6! · 2 K 5,11; 7,1 Ph 2,12 · 2,11
Is 52,3 Tt 2,14 1 K 6,20! ·
Act 14,15 E 4,17 · 4,3 |
H 9,12.14 Ap 5,9 · J 1,29!
Act 2,23 · E 1,4!
R 16,25s 2 T 1,9s · 1,5 H 1,2! |
J 14,6!

9 ⸀† – B 1 *pc* sa; Cl Hier Aug ¦ ημων 1505. 2495 *pc* bo^{ms}; Or^{lat} ¦ *txt* ℵ A C P Ψ 048 𝔐 latt sy ● 11 ⸂εδηλουτο L Ψ 049. 33. 69. 1243. 1852. 2464 *al* sy^{h} (*sine acc.* 𝔓72 ℵ A B* C K P 048) | ° B | ⸀-ρουμενον 𝔓72 A P 049. 1 *al*; Cyr ● 12 ⸂ουχ εαυ. ημιν δ. 945. 1241 *al* vg^{ms} (sy^{p}); Hier ¦ καυχασθαι ουχ εαυτων υμιν δε και 33 [Wohlenberg *cj*] | [⸀διενοουντο Harris *cj*] | ° 𝔓72 A B Ψ 33. 623*. 1852. 2464 *pc* lat ¦ *txt* ℵ C P 𝔐 (s?) ● 14 ⸂*1 3 4* 81. 1243 *pc* ¦ *3 4* 𝔓72 ¦ – 1241 ● 16 ⸂διο γ. ℵ C *pc* ¦ – 33. 1243 | ° 𝔓72 ℵ A C P 𝔐 latt; Cl ¦ *txt* B Ψ 049*. 69 *pc* | ⸀γενεσθε K P 049. 1. 322. 323. 945. 1241. 1739 *al* ¦ γινεσθε 𝔐 ¦ *txt* 𝔓72 ℵ A B C Ψ 33. 81. 614. 630. 1505. 2495 *al* s vg; Cl Cyr | ⸁διοτι 𝔓72 ℵ 81 *pc*; Cl ¦ καθως *pc* t sy^{p} | °¹† ℵ A* B *pc*; Cl Cyr ¦ *txt* 𝔓72 A^{c} C P Ψ 𝔐 latt sy^{h} ● 17 ⸀καλειτε 𝔓72 ¦ αιτεισθε 322. 323 | ⸆ουν 𝔓72 ● 18 ⸉ C Ψ 69. 323. 614. 630. 1241. 1505. 1739. 2495 *al* ● 19 ⸆ τω C 69. 1243 *pc* ● 20 ⸂-των τ. (– 𝔓72) χρ. 𝔓72 P 𝔐 latt sy^{p} ¦ -των τ. ημερων 69 *pc* ¦ -του του χρονου ℵ* Ψ ¦ *txt* ℵ^{2} A B C 33. 81. 323. 614. 945. 1241. 1739. 2495 *al* sy^{h} co ● 21 ⸀πιστευοντας 𝔓72 ℵ C P Ψ 𝔐 ¦ -σαντας 33 *pc* ¦ *txt* A B *pc* vg

R 4,24! · J 17,22 · τὸν ἐγείραντα αὐτὸν ἐκ νεκρῶν καὶ δόξαν αὐτῷ δόντα,
Kol 1,27 ὥστε τὴν πίστιν ὑμῶν καὶ ⸆ ἐλπίδα εἶναι εἰς θεόν.
R 16,26! · **22** Τὰς ψυχὰς ὑμῶν ἡγνικότες ἐν τῇ ὑπακοῇ τῆς ἀλη-
1Th 4,9! · 2K 6,6! θείας ⸆ εἰς φιλαδελφίαν ἀνυπόκριτον, ἐκ ⸂[καθαρᾶς]
J 13,34! · 4,8 | 3 J 1,13; 3,3 · καρδίας⸃ ἀλλήλους ἀγαπήσατε ἐκτενῶς **23** ἀναγεγεννη-
L 8,11 · Jc 1,18 · μένοι οὐκ ⸂ἐκ σπορᾶς⸃ φθαρτῆς ἀλλὰ ἀφθάρτου διὰ λό-
H 4,12! Dn 6,27Theod γου ⸄ζῶντος θεοῦ⸅ καὶ μένοντος⸆. **24** ⸀διότι
Is 40,6s *πᾶσα σὰρξ °ὡς χόρτος*
Jc 1,10s *καὶ πᾶσα δόξα* ⸀αὐτῆς *ὡς ἄνθος* °¹*χόρτου·*
ἐξηράνθη ὁ χόρτος καὶ τὸ ἄνθος ⸆ *ἐξέπεσεν·*
Is 40,8s **25** *τὸ δὲ ῥῆμα κυρίου μένει εἰς τὸν αἰῶνα.*
τοῦτο δέ ἐστιν ⸋τὸ ῥῆμα τὸ⸌ ⸉εὐαγγελισθὲν εἰς ὑμᾶς⸊.
Kol 3,8! E 4,31 · **2** Ἀποθέμενοι οὖν πᾶσαν κακίαν καὶ πάντα δόλον καὶ
2K 12,20 Jc 4,11 | ⸀ὑποκρίσεις καὶ ⸀φθόνους καὶ ⸂πάσας καταλαλιάς⸃,
R 12,1! · H 5,12!s **2** ὡς ἀρτιγέννητα βρέφη τὸ λογικὸν ⸆ ἄδολον γάλα ἐπι-
ποθήσατε, ἵνα ἐν αὐτῷ αὐξηθῆτε ⸋εἰς σωτηρίαν⸌, **3** ⸀εἰ
Ps 33,9 𝔊 *ἐγεύσασθε* ⸆ *ὅτι* ⸀*χρηστὸς ὁ κύριος.* **4** πρὸς ὃν προσ-
Ps 118,22 Is 28,16 Mt 21,42! ερχόμενοι λίθον ζῶντα ⸀ὑπὸ ἀνθρώπων μὲν ἀποδεδοκι-
μασμένον παρὰ δὲ θεῷ ἐκλεκτὸν ἔντιμον, **5** καὶ αὐτοὶ ὡς
E 4,12! Mt 16,18 λίθοι ζῶντες ⸀οἰκοδομεῖσθε οἶκος πνευματικὸς °εἰς ἱερά-
R 12,1 H 13,15s τευμα ἅγιον ἀνενέγκαι ⸂πνευματικὰς θυσίας⸃ εὐπροσδέ-
κτους °¹[τῷ] θεῷ διὰ Ἰησοῦ Χριστοῦ. **6** διότι περιέχει ⸀ἐν γραφῇ·

21 ⸆την 𝔓[72] 1243 • **22** ⸆δια πνευματος P 𝔐 l[vid] vg[ms]; Prisc Spec ¦ *txt* 𝔓[72] ℵ A B C Ψ 33. 81. 323. 945. 1241. 1739 *al* vg sy co | ⸂† *2* A B 1852 *pc* vg ¦ καρ. αληθινης ℵ[2] vg[ms] ¦ *txt* 𝔓[72] ℵ* C P Ψ 𝔐 t vg[mss] sy[h] co • **23** ⸂*2* 𝔓[72] ¦ εκ φθορας ℵ A C *pc* ¦ *txt* B P Ψ 𝔐 latt sy | ⸄*2 1* Ψ *pc* latt ¦ *1 pc* ¦ ζωντος του θεου *pc* | ⸆εις τον αιωνα P 𝔐 l vg[cl] sy[p]; Prisc ¦ εις τους αιωνας *pc* ¦ *txt* 𝔓[72] ℵ A B C Ψ 33. 81. 323. 945. 1241. 1505. 1739. 2495 *al* vg[st] sy[h] co; Hier • **24** ⸀οτι 𝔓[72] ¦ διο Ψ 1852 | °ℵ[2] A Ψ 33. 323. 614. 945. 1241. 1505. 1739. 2495 *al* l vg[mss] sy; Aug ¦ *txt* 𝔓[72] (ℵ*) B C P 049 𝔐 co | ⸀αυτου ℵ* bo[ms] ¦ ανθρωπου P Ψ 𝔐; Aug[pt] ¦ – 322. 323 ¦ *txt* 𝔓[72] ℵ[2] A B C 33. 81. 614. 945. 1241. 1739. 2495 *al* lat sy bo | °¹𝔓[72] | ⸆αυτου C P 𝔐 l[vid] t vg[cl] co ¦ *txt* 𝔓[72] ℵ A B Ψ 33. 81. 1505. 2495 *al* vg[st] sy • **25** ⸋A | ⸉*2 3 1* 𝔓[72] l vg[mss]

¶ **2,1** ⸀-σιν ℵ[1] B l t; Cl Ambr Aug | ⸀-νον l t vg[mss]; Cl Or[lat] ¦ φονους B | ⸂*2* A 1881 l ¦ πασαν -λιαν ℵ* • **2** ⸆και 33. 614. 630. 1505. 1881. 2495 *al* l vg[ww] sy[h] bo[ms]; Or[pt] Eus Cyr | ⸋𝔐 ¦ *txt* 𝔓[72] ℵ A B C K P Ψ 33. 69. 81. 323. 614. 630. 945. 1241. 1505. 1739. 2495 *al* latt sy co; Cl • **3** ⸀ειπερ ℵ[2] C P Ψ 𝔐 l vg[ww]; Cyr ¦ *txt* 𝔓[72] ℵ* A B *pc* t vg[st] co?; Cl | ⸆επιστευσατε 𝔓[72] ¦ και ειδετε *pc* sy[p] | ⸀χριστος 𝔓[72] K L 049. 33. 69. 614. 1241. 1243. 1852. 2298. 2464 *al* ¦ *txt* ℵ A B C Ψ 𝔐 sy • **4** ⸀απο C 323. 945. 1241. 1505. 1739. 2495 *al* ¦ υπερ 623 *pc* • **5** ⸀εποικ- ℵ A[c] C 81. 323. 945. 1241. 1739 *al* s vg; Cyr | °P 𝔐 vg; Cl ¦ *txt* 𝔓[72] ℵ A B C Ψ 33. 81. 323. 945. 1241. 1739 *al* l s vg[mss] sy[h]; Hil Ambr Aug | ⸂*2 1* 1881 *al* ¦ *1* 𝔓[72] ¦ *2* ℵ; Cass | °¹† ℵ* A B C Ψ 323. 1241. 1243. 1739. 1881 *al* ¦ *txt* 𝔓[72] ℵ[2] P 𝔐; Cl • **6** ⸀εν τη P 𝔐 ¦ ἡ (-φή) C 81. 323. 614. 630. 945. 1241. 1505. 1739. 2495 *al* l t vg[ww] ¦ *txt* 𝔓[72] ℵ A B Ψ 33 *pc*

ἰδοὺ τίθημι ἐν Σιὼν λίθον ⸂ἀκρογωνιαῖον ἐκλεκτὸν Is 28,16 R 9,33
ἔντιμον⸃
καὶ ὁ πιστεύων ἐπ' αὐτῷ οὐ μὴ καταισχυνθῇ.
7 ὑμῖν οὖν ἡ τιμὴ τοῖς πιστεύουσιν, ⸀ἀπιστοῦσιν δὲ ⸁*λίθος* Ps 117,22 𝔊 Mt
ὃν ἀπεδοκίμασαν οἱ οἰκοδομοῦντες, οὗτος ἐγενήθη εἰς κε- 21,42!
φαλὴν γωνίας **8** καὶ *λίθος προσκόμματος καὶ πέτρα σκαν-* Is 8,14 R 9,33 · Mt 16,42! ·
δάλου· οἳ προσκόπτουσιν τῷ λόγῳ ⸀ἀπειθοῦντες εἰς ⸁ὃ 4,17
καὶ ⸀1ἐτέθησαν. **9** ὑμεῖς δὲ γένος ἐκλεκτόν, βασίλει- Is 43,20 Kol 3,12 · Ex 19,6; 23,22 𝔊
ον ἱεράτευμα, ἔθνος ἅγιον, λαὸς εἰς *περιποίησιν*, ὅπως Ap 1,6 · Is 43,21 Ml 3,17 · Is 42,12 ·
τὰς *ἀρετὰς* ἐξαγγείλητε τοῦ ἐκ σκότους ὑμᾶς καλέσαν- Act 26,18 2K 4,6
τος εἰς τὸ θαυμαστὸν °αὐτοῦ φῶς· **10** οἵ ποτε *οὐ λαὸς* νῦν E 5,8 1Th 5,4 · 2P 1,3 | *Hos 1,6.9;*
δὲ λαὸς θεοῦ, οἱ *οὐκ ἠλεημένοι* νῦν δὲ ἐλεηθέντες. *2,25* R 9,25 · E 2,4!

11 Ἀγαπητοί, παρακαλῶ ὡς παροίκους καὶ παρεπιδή- 1,17 Gn 23,4 Ps 39,13 H 11,13! ·
μους ⸀ἀπέχεσθαι τῶν σαρκικῶν ἐπιθυμιῶν αἵτινες στρα- G 5,17! 16! 24! |
τεύονται κατὰ τῆς ψυχῆς· **12** ⸂τὴν ἀναστροφὴν ὑμῶν ἐν Jc 3,13
τοῖς ἔθνεσιν ἔχοντες καλήν⸃, ἵνα ἐν ᾧ ⸀καταλαλοῦσιν 3,16
ὑμῶν ὡς κακοποιῶν ἐκ τῶν καλῶν ⸆ ἔργων ⸁ἐποπτεύον- 3,1s · Mt 5,16!
τες δοξάσωσιν ⸇ τὸν θεὸν *ἐν ἡμέρᾳ ἐπισκοπῆς*. *Is 10,3* L 19,44!
4 **13** Ὑποτάγητε ⸆ πάσῃ ⸂ἀνθρωπίνῃ κτίσει⸃ διὰ τὸν κύ- R 13,1-7! E 5,21!
ριον, εἴτε βασιλεῖ ὡς ὑπερέχοντι, **14** εἴτε ἡγεμόσιν ὡς δι'
αὐτοῦ πεμπομένοις εἰς ἐκδίκησιν ⸆ κακοποιῶν ⸋ἔπαινον
δὲ ἀγαθοποιῶν⸌· **15** ὅτι οὕτως ἐστὶν τὸ θέλημα τοῦ θεοῦ
ἀγαθοποιοῦντας ⸆ φιμοῦν τὴν τῶν ἀφρόνων ἀνθρώπων
⸀ἀγνωσίαν, **16** ὡς ἐλεύθεροι καὶ μὴ ὡς ἐπικάλυμμα ἔχον- G 5,13
τες τῆς κακίας τὴν ἐλευθερίαν ἀλλ' ὡς ⸂θεοῦ δοῦλοι⸃.

6 ⸂† *2 1 3* B C 69. 1243 *pc* sa^{ms} bo ¦ *1 3 pc*; Prim ¦ *2 3* 1881 ¦ *txt* $\mathfrak{P}^{72}$ ℵ A P Ψ 𝔐 lat sy^{h} sa^{mss} ● **7** ⸀απειθ- A P 𝔐 sy^{p} ¦ *txt* $\mathfrak{P}^{72}$ ℵ B C Ψ 81. 630. 945. 1241. 1739. 2495 *al* sy^{h} co | ⸁λιθον ℵ* C^{2} P Ψ 𝔐 l vg^{ms} sa ¦ *txt* $\mathfrak{P}^{72}$ ℵ^{2} A B C* 630. 1505. 2495 *al* lat bo? ● **8** ⸀ απιστ- B ¦ απειθουσιν 1852 ¦ απειθουντι 1241 | ⸁ην παρεσκευασαν εαυτους ταξιν 614. 630 *pc* | [⸀1ετεθη Harris *cj*] ● **9** ° $\mathfrak{P}^{72}$ bo^{ms} ● **11** ⸀· απεχεσθε $\mathfrak{P}^{72}$ A C L P 33. 81. 623. 1241. 1243. 1852. 1881 *al* vg^{mss} sy^{h}? bo?; Cyp ¦ *txt* ℵ B Ψ 049 𝔐 lat sa ● **12** ⸂παρακαλω δε και τουτο την εν τοις εθν. υμων αναστ. εχειν καλην 614. 630 *pc* | ⸀-ωσιν L P 69. 614. 623. 1243. 1505. 2464. 2495 *al* vg^{mss} ¦ κακοποιουσιν 1881 | ⸆υμων 614. 630. 1505. 2495 *pc* vg^{ms} sy co; Cyp | ⸁-σαντες A P Ψ 𝔐; Cl ¦ *txt* $\mathfrak{P}^{72}$ ℵ B C 69. 614. 630. 945. 1241. 1739. 2495 *al* sy^{h}? co | ⸇υμων $\mathfrak{P}^{72}$ ● **13** ⸆ουν P 𝔐 vg^{ms} sy^{h} ¦ *txt* $\mathfrak{P}^{72}$ ℵ A B C Ψ 33. 69. 81 *pc* lat sy^{p} co | ⸂ *2 1* 69. 1241. 1243. 1852 *pc* ¦ *2* ℵ* ¦ φυσει ανθρ- C (*pc*) ● **14** ⸆μεν C P 049^{c}. 323. 614. 630. 945. 1241. 1505. 1739. 2495 *al* sy^{h**}; Or^{lat} | ⸋ 049*. 1241. 1505 *pc* ● **15** ⸆υμας C 69. 322. 323. 945. 1241. 1739. 1852. 2298 *pc* sa bo^{pt} | ⸀αγνοιαν $\mathfrak{P}^{72}$ ¦ εργασιαν 1241 *pc*; Cl ● **16** ⸂ *2 1* A P 𝔐 lat; Cl ¦ *2* 049* ¦ φιλοι θ. *pc* ¦ *txt* $\mathfrak{P}^{72}$ ℵ B C K Ψ 69. 81. 323. 945. 1241. 1739 *al* vg^{ms}

R 12,10 17 πάντας τιμήσατε, τὴν ἀδελφότητα ⸀ἀγαπᾶτε, τὸν ⸆
Prv 24,21 Mt 22,21p θεὸν φοβεῖσθε, τὸν βασιλέα τιμᾶτε.
18–3,7: E 5,22–6,9 Kol 3,18–4,1 **18** Οἱ οἰκέται ⸉ὑποτασσόμενοι ἐν παντὶ φόβῳ⸊ τοῖς δε-
E 6,5! σπόταις⸆, οὐ μόνον τοῖς ἀγαθοῖς καὶ ἐπιεικέσιν ἀλλὰ
°καὶ τοῖς σκολιοῖς. **19** τοῦτο γὰρ χάρις ⸆ εἰ διὰ συνείδησιν ⸀θεοῦ ὑποφέρει τις λύπας πάσχων ἀδίκως.
L 6,32s · Mt 26,67p · **20** ποῖον γὰρ κλέος εἰ ἁμαρτάνοντες ⸂καὶ κολαφιζόμενοι⸃
3,14.17; 4,13s.19 ⸀ὑπομενεῖτε; ἀλλ' εἰ ἀγαθοποιοῦντες καὶ πάσχοντες ⸁ὑπο-
μενεῖτε, τοῦτο χάρις παρὰ θεῷ.

3,9 **21** εἰς τοῦτο γὰρ ⸆ ἐκλήθητε,
3,18 ὅτι °καὶ Χριστὸς ⸀ἔπαθεν ⸁ὑπὲρ ⸂ὑμῶν
ὑμῖν⸃ ⸀1ὑπολιμπάνων ὑπογραμμὸν
Mt 16,24 · R 4,12! ἵνα ἐπακολουθήσητε τοῖς ἴχνεσιν αὐτοῦ,
Is 53,9 J 8,46! **22** ὃς ἁμαρτίαν *οὐκ ἐποίησεν*
οὐδὲ εὑρέθη δόλος ἐν τῷ στόματι αὐτοῦ,
3,9 Mt 5,39! **23** ὃς λοιδορούμενος οὐκ ἀντελοιδόρει⸆,
πάσχων οὐκ ἠπείλει,
Jr 11,20 J 8,50 παρεδίδου ⸀δὲ τῷ κρίνοντι ⸁δικαίως·
Is 53,4.12 J 1,29! H 9,28 · **24** ὃς *τὰς ἁμαρτίας* ⸀*ἡμῶν αὐτὸς ἀνήνεγκεν*
Kol 1,22 H 10,10 cf R 3,25 · ἐν τῷ σώματι αὐτοῦ ἐπὶ τὸ ξύλον,
R 6,11.18 ἵνα ταῖς ἁμαρτίαις ἀπογενόμενοι
τῇ δικαιοσύνῃ ⸁ζήσωμεν,
Is 53,5 οὗ *τῷ μώλωπι* ⸆ ⸀1*ἰάθητε.*
Is 53,6 Ez 34,5.16 Mt 9,36 **25** ἦτε γὰρ *ὡς πρόβατα* ⸀*πλανώμενοι,*

17 ⸀αγαπησατε K L 049*. 69. 2464 𝔐 | ⸆δε 𝔓72; Spec ● **18** ⸉ א Ψ | ⸆υμων א z vg^{mss} sy^{p} co; Spec | ° 𝔓72 69. 81. 614. 2464 *pc* ● **19** ⸆παρα τω θεω C (Ψ 33). 323. 614. 630. 945. 1241. 1505. 1739. 2495 *al* vg^{mss} sy$^{p.(h**)}$; Spec ¦ θεω 2464 *pc* ¦ θεου 623 *pc*; Cass ¦ *txt* 𝔓72 א A B P 𝔐 lat co | ⸀αγαθην C Ψ 323. 614. 630. 945. 1241. 1505. 1739. 2495 *al* sy ¦ αγαθην θεου 𝔓72 (⸉A* 33). 81 ¦ *txt* א A^{c} B P 049 𝔐 lat co ● **20** ⸂και (– 𝔓72 1241) κολαζομενοι 𝔓72 א^{2} P Ψ 322. 323. 630. 945. 1241. 1739. 2138. 2298 *al* sy^{h} (it; Ambr) ¦ και κακοποιουντες κολαφιζ. 69 ¦ *txt* א* A B C 𝔐 vg co | ⸀-μενετε 𝔓72 א^{2} Ψ 69. 323. 614. 945. 1241. 1505. 1739. 2495 *al* ¦ *txt* א* A B C P 049 𝔐 lat | ⸁-μενετε 𝔓72 Ψ 69. 945. 1739. 1881. 2298 *pc* ¦ – Ambr ¦ *txt* 𝔓81 א A B P 049 𝔐 lat (C *illeg.*, L 323. 1241 *h. t.*) ● **21** ⸆και 𝔓72 323. 630. 945. 1241. 1505. 1739. 2495 *al* | ° 𝔓81 A 81. 1505. 1881. 2138. 2495 *pc* t vg^{mss} sy^{h} sa^{ms} ¦ *txt* 𝔓72 א B C P Ψ 𝔐 lat sy^{p} co | ⸀(3,18) απεθανεν 𝔓81 א Ψ 623. 2464 *al* sy^{p}; Ambr^{pt} Ambst Cyr ¦ *txt* 𝔓72 A B C P 𝔐 lat sy^{h} co | ⸁περι 𝔓72 A | ⸂ημ- ημ- 614. 1243. 1505. 2495 *al* r sy^{p} bo; Aug ¦ ημ- υμ- P 𝔐 vg^{cl} sa^{ms}; Tert ¦ *txt* 𝔓72 א A B C Ψ 69. 81. 945. 1241. 1739 *al* lat sy^{h} sa^{ms} | ⸀1απολ. 𝔓72 ¦ υπολαμβανων P ● **23** ⸆τυπτομενος ουκ αντετυπτε Ir^{lat} (Ambr^{pt}) | ⸀– 𝔓72 049*. 614 sa^{ms} bo^{ms} ¦ δε εαυτον 𝔓81 r t vg^{mss}; Cyp Aug^{pt} ¦ τε C | ⸁αδικως *pc* t vg; Cyp ● **24** ⸀υμων 𝔓72 B *pc* ¦ *txt* 𝔓81 א A C P Ψ 093 𝔐 latt sy co | ⸁συ(ν)ζησωμεν C 323. 1241. 1243. 1739. 1881^{c}. 2298 *pc* r t w z; Ambr Aug | ⸆(Is 53,5) αυτου א* P 049 𝔐 ¦ *txt* א^{c} A B C K Ψ 33. 81. 323. 614. 630. 1241. 1739. 2495 lat(t) | ⸀1-θημεν 81 *pc* t vg^{mss} (sy^{hmg}) sa^{ms}; Ambr ● **25** ⸀-μενα 𝔓72 C P Ψ 𝔐 ¦ *txt* א A B 1505. 2495 *al*

ἀλλὰ ἐπεστράφητε νῦν ἐπὶ τὸν ποιμένα 5,4! J 10,11 ·
καὶ ἐπίσκοπον τῶν ψυχῶν ⸀ὑμῶν. Job 10,12 𝔊 Sap 1,6
3 Ὁμοίως ⸀[αἱ] γυναῖκες, ὑποτασσόμεναι τοῖς ἰδίοις 1K 14,35!
ἀνδράσιν, ἵνα ⸂καὶ εἴ τινες⸃ ἀπειθοῦσιν τῷ λόγῳ,
διὰ τῆς τῶν γυναικῶν ἀναστροφῆς ἄνευ λόγου κερδηθή-
σονται, **2** ⸀ἐποπτεύσαντες τὴν ἐν φόβῳ ἁγνὴν ἀναστρο- 2,12
φὴν ὑμῶν. **3** ὧν ἔστω οὐχ ὁ ἔξωθεν ⸀ἐμπλοκῆς °τριχῶν 1T 2,9
καὶ περιθέσεως χρυσίων ἢ ἐνδύσεως ἱματίων κόσμος
4 ἀλλ᾽ ὁ κρυπτὸς τῆς καρδίας ἄνθρωπος ἐν τῷ ἀφθάρτῳ τοῦ 1K 14,25 E 3, 16!; · 6,24 ·
⸉πραέως καὶ ἡσυχίου⸊ πνεύματος, ὅ ἐστιν ἐνώπιον τοῦ Mt 5,5
θεοῦ πολυτελές. **5** οὕτως γάρ ποτε καὶ αἱ ἅγιαι γυναῖκες
αἱ ἐλπίζουσαι ⸂εἰς θεὸν⸃ ἐκόσμουν ἑαυτὰς ὑποτασσόμεναι τοῖς ἰδίοις ἀνδράσιν, **6** ὡς Σάρρα ⸂ὑπήκουσεν τῷ
Ἀβραὰμ⸃ κύριον αὐτὸν καλοῦσα, ἧς ἐγενήθητε τέκνα Gn 18,12
ἀγαθοποιοῦσαι καὶ μὴ φοβούμεναι μηδεμίαν ⸀πτόησιν. Prv 3,25
7 °Οἱ ἄνδρες ὁμοίως, ⸂συνοικοῦντες κατὰ γνῶσιν⸃ ὡς
ἀσθενεστέρῳ σκεύει τῷ γυναικείῳ, ἀπονέμοντες τιμὴν 1Th 4,4
ὡς καὶ ⸀συγκληρονόμοις ⸄χάριτος ζωῆς⸅ εἰς τὸ μὴ ἐγ-
κόπτεσθαι ⸂[1]τὰς προσευχὰς⸃ ὑμῶν. 1K 7,5
8 Τὸ δὲ τέλος πάντες ὁμόφρονες, συμπαθεῖς, φιλάδελ- R 15,5!
φοι, εὔσπλαγχνοι, ⸀ταπεινόφρονες, **9** μὴ ἀποδιδόντες κα- R 12,17! 1Th 5, 15! ·
κὸν ἀντὶ κακοῦ ἢ λοιδορίαν ἀντὶ λοιδορίας, τοὐναντίον 2,23
δὲ εὐλογοῦντες ⸆ ὅτι εἰς τοῦτο ἐκλήθητε ἵνα εὐλογίαν L 6,28 Mt 5,44!
κληρονομήσητε.
10 *ὁ γὰρ θέλων ζωὴν ἀγαπᾶν* *Ps 34,13-17*
καὶ ἰδεῖν ἡμέρας ἀγαθὰς

25 ⸀ημων L 049. 69*. 322. 323. 1243. 1852*. 2464 *al*
¶ **3,1** ⸀† – 𝔓[81] ℵ* A B 81 *pc* ¦ και 1505. 2495 *pc* vg[ww] sy ¦ *txt* 𝔓[72] ℵ[2] C P Ψ 093 𝔐 vg[st] | ⸂*2 1 3* C K 69. 945. 1241. 1739 *al* ¦ *2 3* B 614. 630 *al* r z vg[mss] sy[h] co; Spec ¦ οιτινες 1505. 2495 *pc* sy[p]? ¦ και οιτ. 81. 1881 *al* ¦ *txt* 𝔓[72.81vid] ℵ A P Ψ 𝔐 vg; Cl ● **2** ⸀-ευοντες 𝔓[72] ℵ* 945. 1241. 1243. 1739. 1881. 2298 *al* ¦ *txt* ℵ[c] A B C P Ψ 𝔐 ● **3** ⸀εκπλοκης (*vel* εκ πλοκης) 049. 614. 630. 1243. 1881 *al* | ° 𝔓[72] C Ψ 1852 *pc* sa; Cl ¦ *txt* ℵ A B P 𝔐 l r vg[mss] sy bo ● **4** ⸉ B lat bo ● **5** ⸂επι θ. P 𝔐 ¦ επι τον θ. (ℵ) 2464 *pc* ¦ εις τον θ. 614. 630. 1243. 1881. 2298 *al* ¦ *txt* 𝔓[72] A B C Ψ 33. 81. 945. 1241. 1739. 2495 *al* ● **6** ⸂*2 3 1* 𝔓[72] ¦ υπηκουεν τω A. B Ψ 69[vid] latt sa[mss] ¦ *txt* 𝔓[81] ℵ A C P 𝔐 | ⸀πτωσιν P 33 *pc* ¦ ποιησιν 623* *pc* ● **7** ° 𝔓[81vid] B | ⸂συνομιλουντες ℵ* | ⸀-νομοι A C P Ψ 𝔐; Hier ¦ -νομους ℵ* ¦ -νομω l; Ambr Spec [Tregelles *cj*] ¦ *txt* 𝔓[72.81] ℵ[2] B 33. 69. 323. 1241. 1739 *al* vg; Aug | ⸄ποικιλης χ. ζ. ℵ A (C[2]) 614. 623. 630. 1505. 2464. 2495 *al* sy[h] bo ¦ χ. ζ. αιωνιου 𝔓[72] (sy[p]) ¦ *txt* 𝔓[81vid] B C* P Ψ 𝔐 lat sa | ⸂[1]ταις -χαις 𝔓[81] B ● **8** ⸀φιλοφρ- P 049 𝔐 ¦ φιλοφρ- ταπεινοφρ- L *pc* ¦ *txt* 𝔓[72] ℵ A B C Ψ 33. 81. 323. 614. 630. 1241. 1739. *al* latt sy co (2495 *h. t.*) ● **9** ⸆ειδοτες P 𝔐 sy[hmg] ¦ *txt* 𝔓[72.81] ℵ A B C K Ψ 33. 81. 323. 945. 1241. 1505. 1739. 2495 *al* latt sy co

παυσάτω τὴν γλῶσσαν ⸆ *ἀπὸ κακοῦ*
καὶ χείλη ⸇ *τοῦ μὴ* ⸀*λαλῆσαι δόλον,*
11 *ἐκκλινάτω* °*δὲ ἀπὸ κακοῦ καὶ ποιησάτω ἀγαθόν,*
ζητησάτω εἰρήνην καὶ διωξάτω αὐτήν·
12 *ὅτι ὀφθαλμοὶ κυρίου ἐπὶ δικαίους*
καὶ ὦτα αὐτοῦ εἰς δέησιν αὐτῶν,
πρόσωπον δὲ κυρίου ἐπὶ ποιοῦντας κακά ⸆.
Is 50,9 R 8,34!; · 13,3 Tt 2,14 | **13** Καὶ τίς ὁ κακώσων ὑμᾶς ⸀ἐὰν τοῦ ἀγαθοῦ ⸁ζηλω-
2,20! Mt 5,10 · ταὶ ⸀[1]γένησθε; **14** ἀλλ' εἰ καὶ πάσχοιτε διὰ δικαιοσύνην,
Is 8,12 Ap 2,10 | μακάριοι⸆. *τὸν δὲ φόβον αὐτῶν μὴ φοβηθῆτε* ⸋*μηδὲ τα-*
Is 8,13 *ραχθῆτε*⸌, **15** *κύριον* δὲ τὸν ⸀Χριστὸν *ἁγιάσατε* ἐν ταῖς
1 K 9,3 καρδίαις ὑμῶν, ἕτοιμοι ⸁ἀεὶ πρὸς ἀπολογίαν παντὶ τῷ
L 16,2! Kol 4,6 · 1,3 | ⸀[1]αἰτοῦντι ὑμᾶς λόγον περὶ τῆς ἐν ὑμῖν ἐλπίδος, **16** °ἀλ-
Act 23,1! λὰ μετὰ πραΰτητος καὶ φόβου, συνείδησιν ἔχοντες ἀγα-
2,12 θήν, ἵνα ἐν ᾧ ⸀καταλαλεῖσθε ⸁καταισχυνθῶσιν οἱ ἐπη-
ρεάζοντες ὑμῶν τὴν ⸂ἀγαθὴν ἐν Χριστῷ⸃ ἀναστροφήν.
2,20! **17** κρεῖττον γὰρ ἀγαθοποιοῦντας, εἰ θέλοι τὸ θέλημα
τοῦ θεοῦ, πάσχειν ἢ κακοποιοῦντας.
2,21-24 H 9,26! 28! G 1,4 **18** ὅτι ⸀καὶ Χριστὸς ἅπαξ ⸂περὶ ἁμαρτιῶν ἔπαθεν⸃,
Act 3,14! ⸋δίκαιος ὑπὲρ ἀδίκων⸌,
E 3,12! ἵνα ⸁ὑμᾶς προσαγάγῃ ⸄τῷ θεῷ⸅
4,1 θανατωθεὶς °μὲν σαρκὶ
J 6,63 1 K 15,44 ζῳοποιηθεὶς δὲ ⸆ πνεύματι·

10 ⸆αυτου ℵ P 𝔐 lat sy ¦ *txt* 𝔓[72.81] A B C Ψ 33. 81. 323. 945. 1241. 1739 *al* vg[ms] | ⸇αυτου P 𝔐 lat sy[p] ¦ *txt* 𝔓[72] ℵ A B C K Ψ 33. 81. 323. 614. 630. 945. 1241. 1505. 1739. 2495 *al* vg[ms] sy[h] | ⸀λαλειν 𝔓[72] • **11** °ℵ C[2vid] P Ψ 𝔐 vg[mss] sy[p] co ¦ *txt* 𝔓[72] A B C* 69. 81. 614. 630. 1505. 2495 *al* lat sy[h] • **12** ⸆του εξολοθρευσαι αυτους εκ γης 614. (630). 1505. 2495 *al* vg[mss] sy[h**] • **13** ⸀ει B 049. 1881 *pc* | ⸁μιμηται K L P 69 𝔐 vg[ms] | ⸀[1]εστε Ψ ¦ γενοισθε B ¦ γενεσθε 𝔓[72] (ℵ*) *pc* ¦ *txt* ℵ[c] A C P 𝔐 lat • **14** ⸆εστε ℵ C *pc* t vg[mss] | ⸋ 𝔓[72] B L; Hier ¦ *txt* ℵ A C P Ψ 𝔐 lat sy (και ου μη τ. 614. 630. 2495 *pc*) • **15** ⸀θεον P 𝔐 ¦ *txt* 𝔓[72] ℵ A B C Ψ 33. 614. 630. 945. 1739 *al* latt sy co; Cl | ⸁δε A *pc* ¦ δε αει P Ψ 𝔐; Cl ¦ *txt* 𝔓[72] ℵ B C 33. 81. 323. 614. 630. 1241. 1739. 2495 *al* latt sy[h] co | ⸀[1]απαιτ- ℵ[2] A Ψ *pc* • **16** °P 049 𝔐 sy[p]; Spec ¦ *txt* 𝔓[72] ℵ A B C Ψ 33. 81. 323. 614. 630. 1241. 1739. 2495 *al* lat sy[h] co | ⸀(2,12) καταλαλουσιν (-λωσιν L *pm*) υμων ως κακοποιων ℵ A C P 𝔐 it vg[mss] sy bo; Beda ¦ *txt* 𝔓[72] B Ψ 614. 630. 1241. 1739. 2495 *al* (vg) sa; Cl (Spec) | ⸁αισχ- 𝔓[72] | ⸂ *2 3 1* 𝔓[72] K L 323. 614. (630). 945. 1241. 1505. 1739. 2495 *al* vg[ms] ¦ εν Χ. αγνην C 1243 *pc* sy[hmg] ¦ αγαθην εις Χριστον ℵ* ¦ *txt* ℵ[2] A B P Ψ 𝔐 lat • **18** ⸀ὁ 𝔓[72] ¦ και ὁ *pc* ¦ – ℵ vg[mss] | ⸂ † περι αμ. απεθανεν vg[st]; Cyp? ¦ (*cf* 2,21) περι αμ. υπερ ημων (υμ- 𝔓[72] A 1241. 2495 *al*) απεθ. 𝔓[72] ℵ(*) A C[2vid] L 33. 614. 630. 945. 1241. 1739. (2495) *al* sy[h] bo (81 *pc*: επαθεν) ¦ περι υμων υπερ αμ. απεθ. Ψ ¦ περι αμ. ημ. απεθ. C*[vid] *pc* vg[cl] sy[p]; Aug ¦ *txt* B P 𝔐 | ⸋Ψ | ⸁ημας ℵ[2] A C K L 33. 81. 614. 630. 945. 1739 *al* vg sy[hmg]; Cyp Cyr ¦ –ℵ* ¦ *txt* 𝔓[72] B P Ψ 𝔐 z vg[mss] sy | ⸄ *2* C Ψ 1243 ¦ τω πατρι *pc* ¦ – B ¦ *txt* 𝔓[72] ℵ A P 𝔐 lat sy | °𝔓[72] A*[vid] Ψ vg[st] ¦ *txt* ℵ A[c] B C P 𝔐 vg[cl] sy[h] co | ⸆εν 𝔓[72]; Or[lat] ¦ τω 81[vid]

19 ⸂ἐν ᾧ καὶ⸃ τοῖς ἐν ⸀φυλακῇ ⸁πνεύμασιν πο- 4,6 R 10,7 E 4,9.8 Hen 9,10; 10,11-15
ρευθεὶς ἐκήρυξεν,
20 ἀπειθήσασίν ποτε ὅτε ⸀ἀπεξεδέχετο ἡ τοῦ θεοῦ μα- 2P 3,9
κροθυμία ἐν ἡμέραις Νῶε κατασκευαζομένης κιβωτοῦ Gn 7,13.17.23
εἰς ἣν ⸁ὀλίγοι, τοῦτ᾽ ἔστιν °ὀκτὼ ψυχαί, διεσώθησαν 2P 2,5!
δι᾽ ὕδατος. **21** ⸀ὃ καὶ ⸁ὑμᾶς ἀντίτυπον νῦν σῴζει βά- E 5,26!
πτισμα, οὐ σαρκὸς ἀπόθεσις ῥύπου ἀλλὰ συνειδήσεως H 9,13 · Act 23,1! ·
ἀγαθῆς ἐπερώτημα εἰς θεόν, δι᾽ ἀναστάσεως Ἰησοῦ 1,3
Χριστοῦ, **22** ὅς ἐστιν ἐν δεξιᾷ °[τοῦ] θεοῦ ⸆ πορευθεὶς E 1,20 · Act 1,10 ·
εἰς οὐρανὸν ὑποταγέντων αὐτῷ ἀγγέλων καὶ ἐξουσιῶν καὶ E 1,21! H 1,4; 2,8
δυνάμεων.
5 **4** Χριστοῦ οὖν ⸂παθόντος σαρκὶ⸃ καὶ ὑμεῖς τὴν αὐτὴν ἔν- 3,18 · 2K 5,14s
νοιαν ὁπλίσασθε, ὅτι ὁ παθὼν ⸆ σαρκὶ πέπαυται ⸀ἁ- R 6,2.6s
μαρτίας **2** εἰς τὸ μηκέτι ⸂ἀνθρώπων ἐπιθυμίαις⸃ ἀλλὰ θελήματι ⸀θεοῦ τὸν ἐπίλοιπον ἐν σαρκὶ ⸁βιῶσαι χρόνον. 1J 2,16s
3 ἀρκετὸς γὰρ ⸆ ὁ παρεληλυθὼς χρόνος ⸇ τὸ ⸀βούλημα 1,18 Tt 3,3!
τῶν ἐθνῶν κατειργάσθαι ⸁πεπορευμένους ἐν ἀσελγείαις,
ἐπιθυμίαις, οἰνοφλυγίαις, κώμοις, πότοις καὶ ἀθεμίτοις R 1,29!
εἰδωλολατρίαις. **4** ἐν ᾧ ξενίζονται μὴ συντρεχόντων ὑ-
μῶν εἰς τὴν αὐτὴν τῆς ἀσωτίας ἀνάχυσιν ⸀βλασφημοῦν- Jc 2,7
τες, **5** ⸂οἳ ἀποδώσουσιν λόγον⸃ τῷ ⸉ἑτοίμως ἔχοντι κρῖ- L 16,2!
ναι⸊ ζῶντας καὶ νεκρούς. **6** εἰς τοῦτο γὰρ καὶ νεκροῖς Act 10,42! 3,19
εὐηγγελίσθη, ἵνα κριθῶσι μὲν κατὰ ἀνθρώπους σαρκὶ R 3,5! · 1K 5,5
ζῶσι δὲ κατὰ θεὸν πνεύματι. R 8,10

19 [⸂Ενωχ Bowyer *cj*; εν ω και Ενωχ Harris *cj*] | ⸀τω αδη 614 *pc*; Ambst ¦ φυλακη κατα(κε)κλεισμενοις C *al* vg^{mss}; Aug | ⸁-ματι 𝔓^{72} 614. 1881 vg^{mss} ● **20** ⸀απαξ εδεχ- K 69^{vid} *al* | ⸁ολιγαι C P Ψ 𝔐 vg^{ms} sy^{h} ¦ *txt* 𝔓^{72} א A B 049 *pc* lat | ° 𝔓^{72} ● **21** ⸀ω 241?. 630 *al* ¦ – 𝔓^{72} א* *pc* sa | ⸁ημ- C L 614. 630. 1241. 2495* *al* vg^{ms} (⸉ 𝔐) ¦ *txt* 𝔓^{72} (⸉ א) A B P Ψ 049. 69. 81. 945. 1739. 2495^{c} *al* vg sy^{h} ● **22** °† א* B Ψ 33 ¦ *txt* 𝔓^{72} א^{2} A C P 𝔐 | ⸆, deglutiens mortem ut vitae aeternae heredes efficeremur z vg^{ww}; Aug Cass

¶ **4,1** ⸂π. υπερ ημων σ. א^{2} A P 𝔐 sy^{h} bo; Cyr Did Aug^{pt} ¦ π. υπερ υμων σ. 69. 1505. 2495 *pc* vg^{ms} sy^{p} ¦ π. εν σ. 049$^{(c)}$ (it) vg sa? ¦ αποθανοντος υπερ υμων σ. א* ¦ *txt* 𝔓^{72} B C Ψ 323. 1739 *pc* sa?; Nic | ⸆εν K P 69 𝔐 z vg^{mss} | ⸀-τιαις א^{2} B Ψ *pc* (vg) ¦ απο -τιας 049. 1881 *pc*; Hier ¦ *txt* 𝔓^{72} א* A C P 𝔐 ● **2** ⸂*2 1* C; Hier ¦ ανθ. αμαρτιαις Ψ | ⸀ανθρωπου א* | ⸁σωσαι 𝔓^{72} ● **3** ⸆υμιν א* 630 *pm* bo; Aug^{pt} ¦ ημιν C K L P 049. 69. 623^{c}. 2298 *pm*; Hier ¦ *txt* 𝔓^{72} א^{c} A B Ψ 81. 323. 614. 945. 1241. 1505. 1739. 2495 *al* latt sy sa; Cl (33 *illeg.*) | ⸇του βιου P 049 𝔐 ¦ *txt* 𝔓^{72} א A B C Ψ 33. 81. 323. 614. 630. 1241. 1739. 2495 *al* lat(t) sy co | ⸀θελημα P 𝔐 ¦ *txt* 𝔓^{72} א A B C Ψ 81. 323. 630. 945. 1241. 1739 *al*; Cl | ⸁πορευομενους א 1881 *pc* co?; Aug^{pt} ● **4** ⸀και βλασφημουσιν א* C* 81. 323. 945. 1241. 1739 *al* ¦ *txt* 𝔓^{72} א^{c} A B C^{2} P Ψ 049 𝔐 latt sy^{h} ● **5** ⸂*1 2* 𝔓^{72} ¦ – א* ¦ *txt* א^{c} A B C P Ψ 𝔐 latt sy co | ⸉ετ. κρινοντι B (C*^{vid}) Ψ (81). 614. 630. 1852 *al* sy^{h}? ¦ ετοιμω κριναι 𝔓^{72} 945. 1241. 1739. 1881 *pc* co? ¦ *txt* א A C^{2} P 𝔐

7 Πάντων δὲ τὸ τέλος ἤγγικεν. σωφρονήσατε οὖν καὶ
νήψατε εἰς ⸆ προσευχάς· 8 πρὸ πάντων ⸆ τὴν εἰς ⸀ἑαυ-
τοὺς ἀγάπην ἐκτενῆ ἔχοντες, ὅτι *ἀγάπη* ⸁*καλύπτει πλῆ-*
θος ἁμαρτιῶν. 9 φιλόξενοι εἰς ἀλλήλους ἄνευ ⸀γογγυ-
σμοῦ, 10 ἕκαστος καθὼς ἔλαβεν χάρισμα εἰς ἑαυτοὺς
αὐτὸ διακονοῦντες ὡς καλοὶ οἰκονόμοι ποικίλης χάριτος θεοῦ. 11 εἴ τις λαλεῖ, ὡς λόγια θεοῦ· εἴ τις διακονεῖ,
ὡς ἐξ ἰσχύος ⸂ἧς χορηγεῖ ὁ θεός⸃, ἵνα ἐν πᾶσιν ⸉δοξά-
ζηται ὁ θεὸς⸊ διὰ Ἰησοῦ Χριστοῦ, ᾧ ἐστιν °ἡ δόξα καὶ
°τὸ κράτος εἰς τοὺς αἰῶνας ⸋τῶν αἰώνων⸌, ἀμήν.
12 Ἀγαπητοί, μὴ ξενίζεσθε ⸆ τῇ ἐν ὑμῖν πυρώσει πρὸς
πειρασμὸν ὑμῖν γινομένῃ ὡς ξένου ὑμῖν συμβαίνοντος,
13 ἀλλὰ καθὸ κοινωνεῖτε τοῖς τοῦ Χριστοῦ παθήμασιν
χαίρετε, ἵνα καὶ ἐν τῇ ἀποκαλύψει τῆς δόξης αὐτοῦ χαρῆτε ἀγαλλιώμενοι. 14 εἰ ὀνειδίζεσθε ἐν ὀνόματι Χριστοῦ, μακάριοι, ὅτι τὸ τῆς δόξης ⸂καὶ *τὸ τοῦ θεοῦ*⸃ *πνεῦ-*
μα ἐφ' ὑμᾶς ⸀*ἀναπαύεται*⸆. 15 μὴ γάρ τις ὑμῶν πασχέτω
ὡς φονεὺς ἢ ⸆ κλέπτης ἢ ⸆¹ κακοποιὸς ἢ ὡς ⸀ἀλλοτριε-
πίσκοπος· 16 εἰ δὲ °ὡς ⸀Χριστιανός, μὴ αἰσχυνέσθω,
δοξαζέτω δὲ τὸν θεὸν ἐν τῷ ⸁ὀνόματι τούτῳ. 17 ὅτι °[ὁ]
καιρὸς τοῦ ἄρξασθαι τὸ κρίμα ἀπὸ τοῦ οἴκου τοῦ θεοῦ·
εἰ δὲ πρῶτον ἀφ' ⸀ἡμῶν, τί τὸ τέλος τῶν ἀπειθούντων τῷ
τοῦ θεοῦ εὐαγγελίῳ; 18 καὶ *εἰ ὁ* ⸆ *δίκαιος μόλις σῴζε-*
ται, ὁ ⸂*ἀσεβὴς καὶ ἁμαρτωλὸς*⸃ *ποῦ φανεῖται;* 19 ὥστε καὶ

1K 10,11! R 13,12; · 12,3 · 1,13! · L 21,36! | 1,22 · *Prv 10,12* Ps 32,1 Jc 5,20 L 7,47 | R 12,13! · Ph 2,14 | R 12,6! L 12,42! R 3,2 J 12,50 2K 2,17 · R 12,7! · 1K 10,31 R 16,27! 5,11 Ap 1,6 1,7 Jc 1,2! Kol 1,24 Act 5,41! Jc 1,2 · 1K 1,7! · 1,6 Mt 25,31; · 5,12 R 8,17 | Mt 5,11! Jc 2,7 Ps 88,51 𝔊 · Act 5,41! · *Is 11,2* L 10,6 | Act 11,26! · Ph 1,20 2T 1,12 Ez 9,6 Jr 25,29 1K 11,32 · H 3,6! · L 23,31 2Th 1,8 · 2,8 | *Prv 11,31* 𝔊

7 ⸆τας P 049 𝔐 ¦ *txt* 𝔓72 ℵ A B Ψ 33. 81. 323. 614. 630. 1241. 1739. 2495 *al* • 8 ⸆δε P 𝔐 t vg^cl sy^h sa^mss bo; Spec ¦ *txt* 𝔓72 ℵ A^vid B Ψ 33 *pc* lat sa^ms | ⸀αυτ- 𝔓72 623. 2464 *pc* | ⸁-υψει 𝔓72 ℵ P 049 𝔐 ¦ *txt* A B K Ψ 33. 81. 323. 614. 630. 1241. 1739. 2495 *al* lat • 9 ⸀-σμων P 049 𝔐 vg^ms ¦ *txt* 𝔓72 ℵ A B Ψ 33. 81. 323. 614. 630. 1241. 1739. 2495 *al* lat sy • 11 ⸂ως χορηγει ο θεος P 𝔐 ¦ χορηγιαν 614. 630. 1505. 2495 *pc* ¦ *txt* 𝔓72 ℵ A B (Ψ) 33. 323. 945. 1241. 1739 *al* lat | ⸉ *2 3 1* 614. 630. 1505. 1852. 2495 *pc* sy^h? sa? ¦ *1* Ψ | ° *bis* 𝔓72 | ⸋ 𝔓72 69. 614. 630. 945. 1505. 1739. 2495 *al* r vg^ww (sy^p) sa^mss bo^pt • 12 ⸆επι 𝔓72 *pc* • 14 ⸂και δυναμεως και το του θ. ℵ(*) A P 33. 81. 323. 945. 1241. 1739 *pm* (r z) vg^cl bo ¦ και δυναμ. του θ. ονομα και 614. 630. 1505. 2495 *pc* sy^h ¦ *txt* 𝔓72 B K L Ψ 049 *pm* (sy^p); Tert Cl | ⸀επαναπ- A Ψ 81. 614. 630. 1243. 1505. 1852. 2495 *al* ¦ αναπεπαυται (επαν- 𝔓72 ℵ²) 33. 623. 945. 1241. 1739. 1881. 2464 *al*; Cyr ¦ αναπεμπεται 049 ¦ *txt* ℵ* B P 𝔐 lat; Tert Cl | ⸆κατα μεν αυτους βλασφημειται, κατα δε υμας δοξαζεται P Ψ 𝔐 r t z vg^ww sy^h** sa (bo^ms); Cyp ¦ *txt* 𝔓72 ℵ A B 049. 33. 81. 323. 614. 630. 945. 1241. 1739 *al* vg sy^p bo; Tert • 15 ⸆ως (*et* ⸆¹ως 𝔓72) 𝔐 bo ¦ *txt* ℵ A B K L P Ψ 33. 81. 323. 614. 630. 1241. 1739. 2495 *al* latt sy^h sa | ⸀αλλοτριοεπ. P 𝔐 ¦ αλλοτριος επ. A Ψ 69 *pc* ¦ αλλοτριοις επ. 𝔓72 ¦ *txt* ℵ B 33. 81 *pc* latt • 16 ° 𝔓72 | ⸀Χρηστ- ℵ* | ⸁μερει P 049 𝔐 ¦ *txt* 𝔓72 ℵ A B Ψ 33. 81. 323. 614. 1241. 1739. 2495 *al* latt sy co • 17 ° ℵ A 33. 81. 1852 *al* ¦ *txt* 𝔓72 B P Ψ 𝔐 | ⸀υμ- ℵ* A^c 69. 623. 1241. 2464 *al* vg^mss • 18 ⸆μεν 𝔓72 h vg^s | ⸂ *3 2 1* 𝔓72 945 *pc* h r t w bo ¦ †δε ασ. κ. αμ. B* 614. 1505. 2495 *pc* sy^h ¦ *txt* 𝔓72 B² P Ψ 𝔐 vg sa (*sed* ο αμ. ℵ A 049. 33. 630 *al*)

οἱ πάσχοντες κατὰ τὸ θέλημα τοῦ θεοῦ πιστῷ κτίστῃ 2,20!
παρατιθέσθωσαν τὰς ⸂ψυχὰς αὐτῶν⸃ ἐν ⸀ἀγαθοποιΐᾳ. 2 Mcc 1,24 etc · L 23,46!
7 **5** Πρεσβυτέρους ⸀οὖν ἐν ὑμῖν παρακαλῶ ⸁ὁ συμπρε- 2J 1!
σβύτερος καὶ μάρτυς τῶν τοῦ ⸀¹Χριστοῦ παθημάτων, Act 5,32!
ὁ καὶ τῆς μελλούσης ἀποκαλύπτεσθαι δόξης κοινω- Mt 17,6
νός· **2** ποιμάνατε τὸ ἐν ὑμῖν ποίμνιον τοῦ θεοῦ ⸂[ἐπι- 2,25 J 21,16 Act 20,28 ·
σκοποῦντες] μὴ ἀναγκαστῶς ἀλλὰ ἑκουσίως κατὰ θεόν⸃, 1T 3,2-7 · Phm 14 ·
⸀μηδὲ αἰσχροκερδῶς ἀλλὰ προθύμως, **3** ⸋μηδ᾽ ὡς κατα- Tt 1,7! | 2K 1,24 Mc 10,42 ·
κυριεύοντες τῶν κλήρων ἀλλὰ τύποι γινόμενοι τοῦ ποι- Ph 3,17!
μνίου⸌· **4** καὶ φανερωθέντος τοῦ ἀρχιποίμενος κομιεῖσθε Kol 3,4 · 2,25 H 13,20
τὸν ἀμαράντινον τῆς δόξης στέφανον. **5** Ὁμοίως ⸆, 1K 9,25!
νεώτεροι, ὑποτάγητε πρεσβυτέροις· πάντες δὲ ⸀ἀλλή- E 5,21
λοις τὴν ταπεινοφροσύνην ἐγκομβώσασθε, ὅτι ⸰[ὁ] θεὸς L 14,11! · *Prv 3,34* 𝔊 Jc 4,6
ὑπερηφάνοις ἀντιτάσσεται, ταπεινοῖς δὲ δίδωσιν χάριν.
6 Ταπεινώθητε οὖν ὑπὸ τὴν κραταιὰν χεῖρα τοῦ θεοῦ, Jc 4,10
ἵνα ὑμᾶς ὑψώσῃ ἐν καιρῷ⸆, **7** πᾶσαν τὴν μέριμναν ὑμῶν Ps 55,23 Mt 6,25!
⸀ἐπιρίψαντες ἐπ᾽ αὐτόν, ὅτι αὐτῷ μέλει περὶ ⸁ὑμῶν. Sap 12,13 1,13! · Mc 13,37!
8 Νήψατε, γρηγορήσατε. ⸆ ὁ ἀντίδικος ὑμῶν ⸇ διάβολος Mt 26,41!; · 5,25 p ·
ὡς λέων ὠρυόμενος περιπατεῖ ζητῶν ⸀[τινα] ⸁καταπιεῖν· *Ps 22,14* Ez 22,25 2T 4,17 ·
9 ⸰ᾧ ἀντίστητε ⸀στερεοὶ τῇ πίστει εἰδότες ⸆ τὰ αὐτὰ τῶν Job 1,7 | Jc 4,7 E 6,11-13.16 · Act 16,5!
παθημάτων τῇ ἐν ⸰¹[τῷ] κόσμῳ ὑμῶν ἀδελφότητι ⸁ἐπιτε-
8 λεῖσθαι. **10** Ὁ δὲ θεὸς πάσης χάριτος, ὁ καλέσας 1Th 2,12; 5,24 2P 1,3!
⸀ὑμᾶς εἰς τὴν αἰώνιον αὐτοῦ δόξαν ⸂ἐν Χριστῷ [Ἰησοῦ]⸃,

19 ⸂*1* B ¦ εαυτων ψ. 69. 945. 1241. (1852). 1739 *al* | ⸀-ιαις 𝔓72 A Ψ 33. 81. 323. 945. 1241. 1739 *al* lat
¶ **5,1** ⸀ουν τους ℵ 623. 2464 *pc* h vg ¦ τους P Ψ 𝔐 ¦ *txt* 𝔓72 A B 614. 630 *pc*; Hier | ⸁ως P 1. 630. 1243. 1505. 2495 *al* syh sa | ⸀¹θεου 𝔓72 ● **2** ⸂† *2–7* ℵ* 323 sa ¦ *2–5* B ¦ *1–5* 𝔐 ¦ *txt* 𝔓72 ℵ2 A P Ψ 33. 69. 81. 945. 1241. 1739 *al* lat sy(p) bo (*sed* ε-πευοντες 614. 630. 1505. 2495 *pc*) | ⸀μη A L 1243. 1881 *al* h r syp ● **3** ⸋*vs* B ● **5** ⸆δε ℵ* Ψ *pc* ¦ δε οι 33vid. 323. 945. 1241. 1739. 1881. 2298 *al* ¦ δε και οι 614. 630. 1505. 1852. 2495 *al* | ⸀εν αλλ. 𝔓72 *pc* vgmss ¦ αλλ. υποτασσομενοι P 𝔐 ¦ αλλ. υποταγωμεν 614. 1505. 2495 *pc* syh ¦ αλληλους αγαπησατε Ψ ¦ *txt* ℵ A B 33. 81. 323. 945. 1241. 1739 *al* lat syp co | ⸰𝔓72 B 33 *pc* ¦ *txt* ℵ A P Ψ 𝔐 ● **6** ⸆(2,12) επισκοπης A P (Ψ) 33. 623. 2464 *al* (it) vg syh** bo; (Spec) ● **7** ⸀αποριψαντες 𝔓72 ¦ (Ps 55,23) επιριψατε 0206vid *pc* Aug | ⸁ημ- ℵ* 33 *pc* vgms ● **8** ⸆οτι 𝔓72 ℵ2 L Ψ 049c. 33. 69. 323. 614. 630. 945. 1241. 1505. 1739. 2495 *al* latt sy co ¦ *txt* ℵ* A B P 049* 𝔐 | ⸇ὁ 𝔓72 33 | ⸀τίνα L P 322. 323. 614. 630. 945. 1243. 1739. 2298 *al* lat sy (𝔓72 ℵ A 33vid *sine acc.*) ¦ – B Ψ 0206vid 69 *pc*; Hierpt ¦ *txt* 𝔐 *et* ⸁καταπιη 𝔓72 A (33). 614. 630. 945. 2298 *pm* ● **9** ⸰𝔓72 | ⸀εδραιοι 𝔓72 | ⸆οτι 𝔓72 614. 630. 1505. 2495 *pc* | ⸰¹ℵ2 A P Ψ 0206 𝔐 ¦ *txt* 𝔓72 ℵ* B *pc* | ⸁-λεισθε ℵ A B* K 0206. 33. 614. 630. 1505. 2495 *al* ¦ -λειται 𝔓72 *pc* ¦ επιμελεισθε 322. 323. 1241 ¦ *txt* B2 P Ψ 𝔐 latt sy ● **10** ⸀ημ- 0206. 1881 *al* t vg syp bomss | ⸂† *1 2* ℵ 614. 630. 1505. 2495 *pc* ¦ εν τω Χρ. B ¦ – 945 ¦ *txt* 𝔓72 A P Ψ 𝔐 latt syh** co

1,6 · 2Th 3,3 2P 1,12 · ὀλίγον παθόντας αὐτὸς ⸉καταρτίσει, στηρίξει, σθενώ-
E 3,17 | 4,11! σει, θεμελιώσει⸊. 11 αὐτῷ ⸂τὸ κράτος⸃ εἰς τοὺς αἰῶνας ⸆,
ἀμήν.
Act 15,27! 12 Διὰ Σιλουανοῦ ὑμῖν τοῦ πιστοῦ ἀδελφοῦ, ὡς λο-
H 13,22 · 1; 2,11 γίζομαι, ⸂δι' ὀλίγων⸃ ἔγραψα παρακαλῶν καὶ ἐπιμαρ-
R 5,2 τυρῶν ταύτην εἶναι ἀληθῆ χάριν ⸰τοῦ θεοῦ εἰς ἣν
Ap 14,8 etc ⸀στῆτε. 13 Ἀσπάζεται ὑμᾶς ἡ ἐν ⸀Βαβυλῶνι ⸆ συν-
2J 1.13 · Act 12, 12! | εκλεκτὴ καὶ Μᾶρκος ὁ υἱός μου. 14 ἀσπάσασθε ἀλλή-
R 16,16! λους ἐν φιλήματι ⸀ἀγάπης.
E 6,23 ⸋Εἰρήνη ὑμῖν πᾶσιν τοῖς ἐν Χριστῷ⸆. ⸇ ⸌

⸂ΠΕΤΡΟΥ Β′⸃

Act 15,14 · Jc 1,1! · 1 ⸀Συμεὼν Πέτρος δοῦλος καὶ ἀπόστολος Ἰησοῦ Χρι- *1*
Act 11,17! R 1,12 στοῦ τοῖς ἰσότιμον ἡμῖν λαχοῦσιν πίστιν ⸂ἐν δικαιο-
Tt 2,13 1T 1,10! σύνῃ⸃ τοῦ ⸁θεοῦ ἡμῶν καὶ σωτῆρος Ἰησοῦ Χριστοῦ,
Jd 2 · 8; 2,20; 3,18 Kol 1,9s 2 χάρις ὑμῖν καὶ εἰρήνη πληθυνθείη ἐν ἐπιγνώσει ⸋τοῦ
θεοῦ ⸰καὶ ⸀Ἰησοῦ⸌ τοῦ κυρίου ἡμῶν.
3 Ὡς ⸆ πάντα ἡμῖν τῆς θείας δυνάμεως αὐτοῦ τὰ πρὸς
ζωὴν καὶ εὐσέβειαν δεδωρημένης διὰ τῆς ἐπιγνώσεως τοῦ

10 ⸉*1 2 4* 𝔓^{72} 81 r t vg^{mss} (sy^{p}) ¦ *1* (-τιεῖ Ψ 0206) *2 3* A B Ψ 0206^{vid} *pc* vg ¦ κ-τισαι υμας -ξει -σει -σει P 𝔐 ¦ -σαι -ξαι -σαι -σαι 614. 630. 1505. 2495 *al* ¦ *txt* ℵ 33^{vid}. 945. 1241. 1739. 1852. 1881. 2464 *al* ● **11** ⸂η δοξα και το κρ. ℵ P 𝔐 vg^{cl} (sy^{p}) sa ¦ η δοξα κρ. K 049 *al* ¦ το κρ. και η δοξα 33. 69. 81. 323. 614. 630. 945. 1241. 1505. 1739. 2495 *al* sy^{h} bo ¦ *txt* (𝔓^{72}) A B Ψ *pc* vgst | ⸆† των αιωνων ℵ A P Ψ 0206^{vid} 𝔐 latt sy sa bo^{ms} ¦ *txt* 𝔓^{72} B *pc* bo ● **12** ⸂δια βραχεων 𝔓^{72} | ⸰ 𝔓^{72} Ψ 0206^{vid}. 33. 81. 323. 945. 1241. 1739 *al* | ⸀εστηκατε P 𝔐 h r vg^{cl} ¦ εστε 1505. 2495 *pc* sy^{h} ¦ αιτειτε Ψ ¦ *txt* 𝔓^{72} ℵ A B 33. 81. 323. 945. 1241. 1739 *al* vgst ● **13** ⸀Ρωμη 2138 *pc* | ⸆εκκλησια ℵ *pc* vg^{mss} sy^{p} ● **14** ⸀αγιω 623. 2464 *al* vg sy^{p} | ⸋ 𝔓^{72} | ⸆Ιησου ℵ P 𝔐 h vg^{cl} sy^{h} sa^{mss} bo ¦ *txt* A B Ψ 33^{vid} *pc* vgst sy^{p} sa^{ms} bo^{mss} | ⸇αμην ℵ P 𝔐 h vg^{ww} sy bo^{mss} ¦ *txt* A B Ψ 33^{vid}. 81^{vid}. 323. 945. 1241 *pc* vgst co

Inscriptio: ⸂Π. επιστολη (+ καθολικη *pc*) β′ 𝔓^{72} C K P^{vid} 33. 69. 81. 323. 1241 *al* (⸉ Ψ 614. 630. 1505. 2495 *al*) ¦ επ. καθ. β′ του αγιου αποστολου Π. L (049) *al* ¦ *txt* (ℵ A B)

¶ **1,1** ⸀Σιμων 𝔓^{72} B Ψ 69. 81. 614. 623. 630. 1241. 1243. 2464 *al* vg co (33 *illeg.*) | ⸂εις δικαιοσυνην ℵ vg^{mss} | ⸁κυριου ℵ Ψ *pc* vg^{mss} sy^{ph} sa ● **2** ⸋P Ψ 1852. 2464 *pc* vgst | ⸰ 𝔓^{72} | ⸀Ι. Χριστου ℵ A L 0209. 33^{vid}. (⸉ 81. 623). 323. 945. (1241). 1739 *al* (it) bo (*pon. p.* ημ. 614. 630. 1505. 2495 *pc* vg^{mss}) ¦ σωτηρος Ι. Χ. 1881 *pc* ¦ *txt* 𝔓^{72} B C 𝔐 ● **3** ⸆† τα ℵ A Ψ 81. 614. 623. 1505. 2495 *pc* ¦ *txt* 𝔓^{72} B C P 0209 𝔐

καλέσαντος ἡμᾶς ⸀ἰδίᾳ δόξῃ καὶ ἀρετῇ⸁, 4 δι’ ὧν τὰ 1P 2,9; 5,10 · 17 2K 4,4.6 |
⸉τίμια καὶ μέγιστα ἡμῖν ἐπαγγέλματα⸊ δεδώρηται, ἵνα 3,13 2K 7,1
διὰ τούτων γένησθε θείας κοινωνοὶ φύσεως ἀποφυγόντες 2,18.20
⸀τῆς ἐν τῷ κόσμῳ ἐν ἐπιθυμίᾳ φθορᾶς⸁. 5 Καὶ E 4,22 1P 1,14
⸀αὐτὸ τοῦτο δὲ⸁ σπουδὴν πᾶσαν παρεισενέγκαντες ἐπι- Jd 3 · 11 ·
χορηγήσατε ἐν τῇ πίστει ὑμῶν τὴν ἀρετήν, ἐν δὲ τῇ ἀρε- G 5,6.22!
τῇ τὴν γνῶσιν, 6 ἐν δὲ τῇ γνώσει τὴν ἐγκράτειαν, ἐν δὲ Act 24,25 1K 9,25 G 5,23 Tt 1,8 ·
τῇ ἐγκρατείᾳ τὴν ὑπομονήν, ἐν δὲ τῇ ὑπομονῇ τὴν εὐσέ- 1T 6,11
βειαν, 7 ἐν δὲ τῇ εὐσεβείᾳ τὴν φιλαδελφίαν, ἐν δὲ τῇ 1Th 4,9!
φιλαδελφίᾳ τὴν ἀγάπην. 8 ταῦτα γὰρ ὑμῖν ⸀ὑπάρχοντα G 6,10 1Th 3,12
καὶ πλεονάζοντα οὐκ ἀργοὺς οὐδὲ ἀκάρπους καθίστησιν Mc 4,19!
εἰς τὴν τοῦ κυρίου ἡμῶν Ἰησοῦ Χριστοῦ ἐπίγνωσιν· 2!
9 ᾧ γὰρ μὴ πάρεστιν ταῦτα, τυφλός ἐστιν μυωπάζων, λή- 1J 2,9.11 Dt 28,28s
θην λαβὼν τοῦ καθαρισμοῦ τῶν πάλαι αὐτοῦ ⸀ἁμαρτιῶν. E 5,26
2 10 διὸ μᾶλλον, ἀδελφοί, σπουδάσατε ⸆ βεβαίαν ὑμῶν τὴν
⸀κλῆσιν καὶ ἐκλογὴν ⸂ποιεῖσθαι· ταῦτα γὰρ ποιοῦντες
οὐ μὴ πταίσητέ ⸋ποτε. 11 οὕτως γὰρ πλουσίως ἐπιχορη- 5
γηθήσεται ὑμῖν ἡ εἴσοδος ⸆ εἰς τὴν αἰώνιον βασιλείαν J 3,5
τοῦ κυρίου ἡμῶν καὶ σωτῆρος Ἰησοῦ Χριστοῦ. 2,20; 3,2.18; 1,1 2T 1,10!
12 ⸀Διὸ μελλήσω⸁ ἀεὶ ὑμᾶς ὑπομιμνῄσκειν περὶ τού- R 15,15 Jd 5
των καίπερ εἰδότας καὶ ἐστηριγμένους ἐν τῇ παρούσῃ 1J 2,21 · 1P 5,10 · Kol 1,5s |
ἀληθείᾳ. 13 δίκαιον δὲ ἡγοῦμαι, ἐφ’ ὅσον εἰμὶ ἐν τούτῳ
τῷ σκηνώματι, διεγείρειν ὑμᾶς ἐν ⸆ ὑπομνήσει, 14 εἰδὼς 2K 5,1 · 3,1
ὅτι ταχινή ἐστιν ἡ ἀπόθεσις τοῦ ⸀σκηνώματός μου ⸋καθ- 2T 4,6
ὼς καὶ ὁ κύριος ἡμῶν⸌ Ἰησοῦς Χριστὸς ἐδήλωσέν μοι, J 21,18s
15 ⸀σπουδάσω δὲ ⸋καὶ ἑκάστοτε ἔχειν ὑμᾶς μετὰ τὴν
ἐμὴν ἔξοδον τὴν τούτων ⸂μνήμην ποιεῖσθαι. L 9,31

3 ⸀δια δοξης και αρετης 𝔓72 B 0209vid 𝔐 ¦ *txt* ℵ A C P Ψ 33. 81. 614. 630. 945. 1241. 1505. 1739. 2495 *al* lat sy co • 4 ⸉*1 2 3 5 4* 𝔓72 ¦ *1 4 2 3 5* ℵ 𝔐 ¦ *3 2 1 4 5* (A) C P (Ψ) 33. 69. 81. 945. (1241). 1739 *al* (h) vg (syph) ¦ *txt* B 614. 630. 1505. 2495 *pc* (syh, hmg); Spec | ⸀της (τας 614 *pc*) εν (τω) κ. επιθυμιας και φθ. C Ψ (81). 614. 630. 945. 1241. 1739. 2495 *al* sy(ph) ¦ της εν κ. και φθ. P ¦ την εν τω κ. επιθυμιαν φθορας (𝔓72) ℵ co; Hier ¦ *txt* A B *pc* lat (*sed om.* τω 0209 𝔐) • 5 ⸀*1 3 2* ℵ C2 Ψ 33. 81. 323. 614. 630. 945. 1241. 1505. 1739. 2495 *al* sy ¦ *1 2* 1243. 2298 ¦ αυτοι δε A *pc* latt ¦ *txt* 𝔓72 B C* P (049. 0209) 𝔐 • 8 ⸀παροντα A Ψ 0247vid. 623. 2464 *pc* • 9 ⸀αμαρτηματων ℵ A K Ψ 322. 323. 623. 945. 1241. 1243. 1739. 2298 *al* ¦ *txt* 𝔓72 B C P 049. 0209 𝔐 • 10 ⸆ινα δια των καλων (+ υμων A *pc*) εργων *et* ⸀παρακλησιν A *et* ⸂ποιησθε ℵ A Ψ 81. 614. (623). 630. 1505. 1852. (2464). 2495 *al* h vg sy co ¦ *txt* 𝔓72 B C P 𝔐; Ambr | ⸋A Ψ *pc* h; Ambr • 11 ⸆ή 𝔓72 K 049 *al* • 12 ⸀διο ουκ αμελησω 0209 𝔐 h vgmss sy sa ¦ δι’ ου μελλησω 𝔓72 Ψ *pc* ¦ *txt* ℵ A B C P 323. 945*. 1241. 1739 *pc* bo • 13 ⸆τη ℵ A Ψ 623 *pc* sa ¦ *txt* 𝔓72 B C P 049. 0209 𝔐 bo • 14 ⸀σωματος *pc* h w vgmss syph sa | ⸋ℵ 049 • 15 ⸀-ζω 𝔓72 ℵ 69 ¦ -σατε 1505. 2138. 2495 *pc* syh ¦ -σωμεν 049 ¦ *txt* A B C P Ψ 0209. 0247vid 𝔐 latt co | ⸋𝔓72 1505. 2495 *pc* w vgmss bo | ⸂μνειαν P 0209. 33. 623. 630. 1243. 1881. 2464 *pc*

1T 4,7! **16** Οὐ γὰρ σεσοφισμένοις μύθοις ἐξακολουθήσαντες
ἐγνωρίσαμεν ὑμῖν τὴν τοῦ κυρίου ἡμῶν Ἰησοῦ Χριστοῦ
J 1,14 Act 4,20! L 9,32.43 δύναμιν καὶ παρουσίαν ἀλλ᾽ ἐπόπται γενηθέντες τῆς ἐκείνου μεγαλειότητος. **17** λαβὼν γὰρ παρὰ ⸆ θεοῦ πατρὸς
τιμὴν καὶ δόξαν φωνῆς ἐνεχθείσης αὐτῷ τοιᾶσδε ὑπὸ τῆς
Mt 17,2.5p μεγαλοπρεποῦς δόξης· ⸀ὁ υἱός μου ὁ ἀγαπητός μου οὗτός ἐστιν⸁ ⸂εἰς ὃν ἐγὼ⸃ εὐδόκησα, **18** καὶ ταύτην τὴν
φωνὴν ἡμεῖς ἠκούσαμεν ⸀ἐξ οὐρανοῦ ἐνεχθεῖσαν σὺν αὐ-
R 4,16; 15,8 H 2,2 τῷ ὄντες ἐν τῷ ⸀ἁγίῳ ὄρει⸁. **19** καὶ ἔχομεν βεβαιότερον
τὸν προφητικὸν λόγον, ᾧ καλῶς ποιεῖτε προσέχοντες ὡς
4Esr 12,42 λύχνῳ φαίνοντι ἐν αὐχμηρῷ τόπῳ, ἕως οὗ ⸆ ἡμέρα διαυ-
Ap 2,28! · L 1,78! γάσῃ καὶ ⸀φωσφόρος ἀνατείλῃ ἐν ταῖς καρδίαις ὑμῶν,
20 τοῦτο πρῶτον γινώσκοντες ὅτι πᾶσα ⸀προφητεία γρα-
Mc 4,34 φῆς⸁ ἰδίας ἐπιλύσεως οὐ γίνεται· **21** οὐ γὰρ θελήματι
2T 3,16 Act 2,1-6; 28,25 ἀνθρώπου ἠνέχθη ⸆ ⸉προφητεία ποτέ⸊, ἀλλὰ ὑπὸ πνεύματος ἁγίου φερόμενοι ἐλάλησαν ⸀ἀπὸ θεοῦ⸁ ἄνθρωποι.

Mt 24,24! **2** Ἐγένοντο δὲ καὶ ψευδοπροφῆται ⸀ἐν τῷ λαῷ⸁, ὡς καὶ
1T 4,1! ἐν ὑμῖν ἔσονται ψευδοδιδάσκαλοι, οἵτινες παρεισά-
1K 11,19!; · 6,20! · ξουσιν αἱρέσεις ἀπωλείας καὶ τὸν ἀγοράσαντα αὐτοὺς
Jd 4! · Ph 3,19! δεσπότην ἀρνούμενοι. ἐπάγοντες ⸀ἑαυτοῖς ταχινὴν ἀπώ-
Jd 4 λειαν, **2** καὶ πολλοὶ ἐξακολουθήσουσιν αὐτῶν ταῖς ἀσελ-
Ps 119,30 Sap 5,6 · Is 52,5 · R 2,24 | γείαις δι᾽ οὓς ἡ ⸀ὁδὸς τῆς ἀληθείας βλασφημηθήσεται,
1Th 2,5 · R 16,18 **3** καὶ ἐν πλεονεξίᾳ πλαστοῖς λόγοις ὑμᾶς ἐμπορεύσονται,
οἷς τὸ κρίμα ἔκπαλαι οὐκ ἀργεῖ καὶ ἡ ἀπώλεια αὐτῶν οὐ
⸀νυστάζει.

Gn 6,1-4 Jd 6 · Hen 10,4s.11-14; 91,15 · Job 41,23 𝔊 **4** Εἰ γὰρ ὁ θεὸς ἀγγέλων ἁμαρτησάντων οὐκ ἐφείσατο
ἀλλὰ ⸀σειραῖς ζόφου ταρταρώσας παρέδωκεν εἰς κρίσιν

17 ⸆του ℵ C Ψ 630. 1505. 1852. 2495 *pc* | ⸀(Mt 3,17) *7 8 1–5* ℵ A C (P) Ψ 0209 𝔐 latt sy ¦ *txt* 𝔓^{72} B | ⸂εν ω Ψ 0209. 33. 614. 623. 630. 1241. 1505. 2495 *al* • **18** ⸀εκ του ℵ A Ψ 81. 623. 2464 *pc* | ⸀ορει τω αγιω ℵ A C^{3} P Ψ 0209^{vid} 𝔐 vg ¦ *txt* 𝔓^{72} B C* 33. 1505. 2495 *pc* h w; Qu Cass • **19** ⸆ἡ ℵ P Ψ 33. 69. 81. 623. 1739 *pc* | ⸀εωσφ- 614. 1852 *pc* sy^{hmg} • **20** ⸀προφ. και γραφη 𝔓^{72} (vg^{mss}) ¦ γραφη προφ-ας 614. 630. 1505. 2495 *al* (vg^{mss}) sy^{h}; Hes • **21** ⸆ἡ 𝔓^{72} 1852. 2298 sa | ⸉ *2 1* ℵ A Ψ 0209^{vid} 𝔐 h vg sy^{ph} ¦ *txt* 𝔓^{72} B C^{vid} K P 33. 69. 81. 614. 630. 1505. 2495 *al* sy^{h} | ⸀(οι *pc*) αγιοι (+ του A *pc*) θ. ℵ A Ψ 𝔐 h vg sy^{ph} sa^{ms} ¦ απο θ. αγιοι C (⸉ 81) *pc* ¦ οι αγιοι 431 *pc* sa^{mss} ¦ *txt* 𝔓^{72} B P 323. 614. 630. 945. 1241. 1505. 1739. 2495 *al* vg^{ms} sy^{h}; Aug^{pt}

¶ **2,1** ⸀εν τω λ. εκεινω 614. 630. 1505. 1852. 2495 *al* sy^{h} ¦ – ℵ^{2} *pc* sa | ⸀αυ- (B*) Ψ 69^{vid}. 81. 630. 2495 *pc* • **2** ⸀δοξα ℵ^{2} A *pc* (sa) • **3** ⸀-ξει Ψ 𝔐 sa^{ms} bo; Prisc ¦ *txt* 𝔓^{72} ℵ A B C P 81^{vid}. 323. 1241 *al* h vg • **4** ⸀† σιροις ℵ (A B C 81: σει-) *pc* h vg^{ms}; Aug Cass ¦ *txt* 𝔓^{72} P Ψ 𝔐 vg sy

⸁τηρουμένους, **5** καὶ ἀρχαίου κόσμου οὐκ ἐφείσατο ἀλλὰ 3,6 · Mt 24,38p
ὄγδοον Νῶε δικαιοσύνης κήρυκα ἐφύλαξεν κατακλυ- 1P 3,20 Gn 7,13; 8,18 · H 11,7 |
σμὸν ⸀κόσμῳ ἀσεβῶν ἐπάξας, **6** καὶ πόλεις Σοδόμων καὶ Gn 19,24s Mt 10,15! ·
Γομόρρας τεφρώσας ⸂[καταστροφῇ] κατέκρινεν⸃ ὑπόδει- Jd 7
γμα μελλόντων ⸀ἀσεβέ[σ]ιν τεθεικώς, **7** καὶ δίκαιον Λὼτ Sap 10,6 Gn 19,7-9.16.29 L 17,28 ·
καταπονούμενον ὑπὸ τῆς τῶν ἀθέσμων ἐν ἀσελγείᾳ ἀνα- 3Mcc 2,13
στροφῆς ἐρρύσατο· **8** βλέμματι γὰρ καὶ ἀκοῇ °ὁ δίκαιος
ἐγκατοικῶν ἐν αὐτοῖς ἡμέραν ἐξ ἡμέρας ψυχὴν δικαίαν
ἀνόμοις ἔργοις ἐβασάνιζεν· **9** οἶδεν κύριος εὐσεβεῖς ἐκ
⸀πειρασμοῦ ⸁ῥύεσθαι, ἀδίκους δὲ εἰς ἡμέραν κρίσεως κο- 1K 10,23 Ap 3,10 · 2T 4,18! · Jd 6 |
λαζομένους τηρεῖν, **10** μάλιστα δὲ τοὺς ὀπίσω σαρκὸς ἐν Jd 7s.16
⸀ἐπιθυμίᾳ ⸂μιασμοῦ πορευομένους⸃ καὶ κυριότητος κα- E 1,21!
ταφρονοῦντας. τολμηταὶ αὐθάδεις, ⸆ δόξας οὐ τρέ-
μουσιν βλασφημοῦντες, **11** ὅπου ἄγγελοι ⸂ἰσχύϊ καὶ δυ-
νάμει⸃ μείζονες ὄντες οὐ φέρουσιν κατ' αὐτῶν ⸄παρὰ κυ-
ρίου⸅ βλάσφημον κρίσιν. Jd 9

12 Οὗτοι δὲ ὡς ἄλογα ζῷα ⸂γεγεννημένα φυσικὰ⸃ εἰς Jd 10
ἅλωσιν καὶ φθορὰν ἐν οἷς ἀγνοοῦσιν βλασφημοῦντες, ἐν
τῇ φθορᾷ αὐτῶν ⸄καὶ φθαρήσονται⸅ **13** ⸀ἀδικούμενοι μισθὸν ἀδικίας, ἡδονὴν ἡγούμενοι τὴν ἐν ἡμέρᾳ ⸁τρυφήν,
σπίλοι καὶ μῶμοι ἐντρυφῶντες ἐν ταῖς ⸀1ἀπάταις αὐτῶν 3,14 Jd 12 · Mc 4,19!
συνευωχούμενοι ὑμῖν, **14** ὀφθαλμοὺς ἔχοντες °μεστοὺς
⸀μοιχαλίδος καὶ ⸁ἀκαταπαύστους ἁμαρτίας, δελεάζοντες Mt 5,28
ψυχὰς ἀστηρίκτους, καρδίαν γεγυμνασμένην πλεονεξίας 3,16

4 ⸁ (9) κολαζομενους τηρειν ℵ A (C2) Ψ (33). 81. 623. 2464* *al* h (vg syph.h**) co ¦ *txt* 𝔓72 B C* P 049 𝔐 ● **5** ⸀-μου (ℵ*) 1241 *pc* ¦ -μου κατα Ψ (614). 630. 1505. 1852. 2495 *pc* ● **6** ⸂ *2* 𝔓72* B C* 322. 323. 945. 1241. 1243. 1739. 1881 *pc* bo ¦ κατεστρεψεν P 1852 ¦ κατεπρησεν 𝔓72mg ¦ *txt* ℵ A C2 Ψ 𝔐 latt sy sa | ⸀† ασεβειν ℵ A C Ψ 𝔐 latt ¦ ασεβει 451 *pc* ¦ *txt* 𝔓72 B P 614. 630. 1505. 2495 *pc* sy ● **8** ° B sa ● **9** ⸀-σμων ℵ* 69. 81. 614. 1505. 1852. 2298. 2495 *al* vgmss syh bo | ⸁ ρυσασθαι 𝔓72 69. 181 *pc* ● **10** ⸀επιθυμιαις C P 323. 614. 630. 945. 1241. 1505. 1739. 2495 *al* (vgmss) syh bo; Hier Cass | ⸂-μον πορνευ- 69 ¦ μολυσμου πορευ- P ¦ σαρκος π. 𝔓72 | ⸆τας θειας δυναμεις η τας εκκλησιαστικας αρχας 2138 *pc* ● **11** ⸂και δυναμεις 𝔓72 vgms | ⸄† παρα κυριω ℵ B C P 𝔐 ¦ – A Ψ 33. 81. 614. 630. 1505. 1881. 2464. 2495 *al* vg co ¦ *txt* 𝔓72 1241 *al* vgmss sy ● **12** ⸂-γενη- φυσ. ℵ Ac 33. (69). 323. 630. 945. 1241. 1505. 2495 *al* (ʃ 𝔐) ¦ *2* 𝔓72 ¦ (Jd 10) φυσικως -γενη- 209* ¦ *txt* A* B C P (ʃ Ψ 81). 614. 1739 *al* | ⸄καταφθ- ℵ2 C2 𝔐 syph? co? ¦ *txt* 𝔓72 ℵ* A B C* P Ψ 33vid. 81. 323. 945. 1241. 1739 *pc* syh? ● **13** ⸀κομιουμενοι ℵ2 A C 𝔐 latt syh co ¦ *txt* 𝔓72 ℵ* B P Ψ *pc* (syph) | ⸁τρυφης 𝔓72 ¦ τροφην K | ⸀1 (Jd 12) αγαπαις Ac B Ψ 623. 1243. 1611. 2464 *pc* syph.hmg sams ¦ αγνοιαις 322. 323. 945. (1241). 1739. 1881 *pc* ● **14** ° 𝔓72 | ⸀μοιχαλιας ℵ A 33 *pc* ¦ μοιχειας Ψ | ⸁-παυστου 33. 945. 1241. 1739. 1881. 2464 *al* vgcl ¦ -παστους (*?*) A B *pc*; Hier

ἔχοντες, κατάρας τέκνα· **15** ⸀καταλείποντες εὐ-
Jd 11 Nu 31,16 θεῖαν ὁδὸν ἐπλανήθησαν, ἐξακολουθήσαντες τῇ ὁδῷ τοῦ
Dt 23,5 Neh 13,2 Ap 2,14 · Act 1,18 | Βαλαὰμ τοῦ ⸁Βοσόρ, °ὃς μισθὸν ἀδικίας ⸀¹ἠγάπησεν
16 ἔλεγξιν δὲ ἔσχεν ἰδίας παρανομίας· ὑποζύγιον ἄφω-
Nu 22,28 νον ἐν ⸂ἀνθρώπου φωνῇ⸃ φθεγξάμενον ἐκώλυσεν τὴν τοῦ
Jd 12 προφήτου ⸀παραφρονίαν. **17** οὗτοί εἰσιν πηγαὶ ἄνυ-
Jd 13 δροι ⸂καὶ ὁμίχλαι⸃ ὑπὸ λαίλαπος ἐλαυνόμεναι, οἷς °ὁ ζό-
Jd 16 φος τοῦ σκότους ⸆ τετήρηται. **18** ὑπέρογκα γὰρ ματαιό-
τητος φθεγγόμενοι δελεάζουσιν ἐν ⸀ἐπιθυμίαις σαρκὸς
1,4 · 3,17 ⸁ἀσελγείαις τοὺς ⸀¹ὀλίγως ⸀²ἀποφεύγοντας τοὺς ἐν πλάνῃ
ἀναστρεφομένους, **19** ἐλευθερίαν αὐτοῖς ἐπαγγελλόμενοι,
J 8,34! R 8,21 αὐτοὶ δοῦλοι ⸀ὑπάρχοντες τῆς φθορᾶς· ᾧ γάρ τις ἥττηται,
1,4 τούτῳ ⸆ δεδούλωται. **20** εἰ γὰρ ἀποφυγόντες τὰ μιάσματα
1,11! τοῦ κόσμου ἐν ἐπιγνώσει τοῦ ⸂κυρίου [ἡμῶν] καὶ σωτῆ-
ρος⸃ Ἰησοῦ Χριστοῦ, τούτοις δὲ πάλιν ἐμπλακέντες ἡτ-
Mt 12,45 τῶνται, γέγονεν αὐτοῖς τὰ ἔσχατα χείρονα τῶν πρώτων.
L 12,47s H 10,26 · Mt 21,32! Prv 21,16 · H 6,6 · **21** κρεῖττον γὰρ ἦν αὐτοῖς μὴ ⸀ἐπεγνωκέναι τὴν ὁδὸν
τῆς δικαιοσύνης ἢ ἐπιγνοῦσιν ⸂ὑποστρέψαι ἐκ⸃ τῆς πα-
Jd 3 | ραδοθείσης αὐτοῖς ἁγίας ἐντολῆς. **22** συμβέβηκεν ⸆ αὐ-
Prv 26,11 Heraklit? τοῖς τὸ τῆς ἀληθοῦς ⸀παροιμίας· κύων ἐπιστρέψας ἐπὶ
Mt 7,6 τὸ ἴδιον ἐξέραμα, καί· ὗς λουσαμένη εἰς ⸁κυλισμὸν
βορβόρου.

15 ⸀-λιπ- 𝔓^{72} B^{2} C P Ψ 𝔐 sy sa^{mss} bo ¦ *txt* ℵ A B* 049. 33. 1241 *pc* | ⸁† Βεωρ B *pc* vg^{mss} sy^{ph} sa^{ms}; Aug ¦ Βεωορσορ ℵ* (*sed cf* °) ¦ *txt* 𝔓^{72} ℵ^{2} A^{c}(* *illeg.*) C P Ψ 048 𝔐 vg sy^{h} bo^{pt} | ° 𝔓^{72} ℵ* B vg^{ms} *et* ⸀¹-σαν 𝔓^{72} B 1505 ¦ *txt* ℵ^{c} A C P Ψ 049 𝔐 lat sy co • **16** ⸂ -ποις Ψ ¦ -ποις φωνῃ 𝔓^{72} B 1241 *pc* vg^{ms} (614. 1505. 2495 *pc*: φωνην) | ⸀-φροσυνην Ψ 623. 2464 *al* ¦ -νομιαν 049 *pc* ¦ -νοιαν 81 • **17** ⸂κ. -χλη (*et* ελαυνομενη) P 69. 1505. 1852. 2495 *pc* sy^{h} ¦ νεφελαι 048^{vid}. 049 𝔐 sy^{ph} (K *om. vs* 17b) ¦ *txt* 𝔓^{72} ℵ A B C Ψ (33). 81. 323. 614. 1241. 1739 *al* | ° 𝔓^{72} *pc* | ⸆(Jd 13) εις αιωνα A C L P 049. 33. 69. 323. 614. 945. 1739 *pm* bo^{ms} ¦ εις αιωνας 81. 630. 1241 *pm* ¦ *txt* 𝔓^{72} ℵ B Ψ 048^{vid}. 1505. 2495 *pc* latt sy co • **18** [⸀-ιας Lachmann *cj*] | ⸁-γειας P Ψ 81. 323. 614. 630. 945. 1241. 1739. 2495 *al* lat sy^{h} | ⸀¹οντως ℵ* C P 048^{vid} 𝔐 ¦ οντας 1241. 1881 *pc* ¦ *txt* 𝔓^{72} ℵ^{2} A B Ψ 33. (630. 1505. 2495) *pc* latt sy co | ⸀²-φυγοντας P 𝔐 vg^{mss} co; Hier ¦ *txt* 𝔓^{72} ℵ A B C Ψ 33. 323. 945. 1241. 1739 *al* vg • **19** ⸀οντες A 323. 945. 1241. 1739. 1881. 2298 *pc* | ⸆και ℵ^{2} A C P Ψ 048 𝔐 lat sy ¦ *txt* 𝔓^{72} ℵ* B *pc* vg^{ms} • **20** ⸂† *1 3 4* B 𝔐 vg^{mss} ¦ *1 2* L 1881 *pc* bo ¦ *txt* 𝔓^{72} ℵ A C P Ψ 048^{vid}. 81. 323. 614. 630. 945. 1505. 1739. 2495 *al* vg sy$^{(ph)}$ (𝔖 104. 1241; 33 *illeg.*) • **21** ⸀εγν- 𝔓^{72}; Hier Did | ⸂εις τα οπισω ανακαμψαι απο ℵ A Ψ 048^{vid}. 33^{vid}. 81. 623. 2464 *pc* sa^{ms}; Did Hier (614. 630. 1505. 2495 *pc*: επιστρ.) ¦ επιστρ- εκ 𝔐 (vg) ¦ *txt* 𝔓^{72} B C P 323. 945. 1241. 1739 *al* • **22** ⸆δε ℵ^{2} C P Ψ 𝔐 vg^{mss} sy ¦ γαρ 945 vg bo ¦ *txt* 𝔓^{72} ℵ* A B 33^{vid}*pc* vg^{ms} sa; Spec | ⸀παρανομιας 33 | ⸁-σμα ℵ A C^{2} P Ψ 048 𝔐 lat; Did ¦ *txt* 𝔓^{72} B C* 323. 630. 945. 1241. 1505. 1739. 2495 *al*; Spec

4 **3** Ταύτην ἤδη, ἀγαπητοί, δευτέραν °ὑμῖν γράφω ἐπι-
στολήν, ἐν αἷς διεγείρω ⸀ὑμῶν ἐν ὑπομνήσει τὴν εἰ- 1,13
λικρινῆ διάνοιαν **2** μνησθῆναι τῶν προειρημένων ῥημά- Jd 17
των ὑπὸ τῶν ἁγίων προφητῶν καὶ τῆς τῶν ἀποστόλων
⸀ὑμῶν ἐντολῆς τοῦ κυρίου καὶ σωτῆρος, **3** τοῦτο πρῶτον 1,11!
γινώσκοντες ὅτι ἐλεύσονται ἐπ’ ⸀ἐσχάτων τῶν ἡμερῶν 2T 3,1!
⸂[ἐν] ἐμπαιγμονῇ⸃ ἐμπαῖκται κατὰ τὰς ἰδίας ⸄ἐπιθυμίας Jd 18
αὐτῶν⸅ πορευόμενοι **4** καὶ λέγοντες· ποῦ ἐστιν ἡ ἐπαγ- Jr 17,15 Ez 12,22 Mt 24,48
γελία τῆς παρουσίας αὐτοῦ; ἀφ’ ἧς γὰρ οἱ πατέρες ⸆ ἐκοι- cf Mc 13,30
μήθησαν, πάντα οὕτως διαμένει ἀπ’ ἀρχῆς κτίσεως.
5 Λανθάνει γὰρ αὐτοὺς τοῦτο θέλοντας ὅτι οὐρανοὶ ἦσαν Gn 1,2.6.9
ἔκπαλαι καὶ ⸀γῆ ⸂ἐξ ὕδατος καὶ δι’ ὕδατος⸃ ⸁συνεστῶ-
σα τῷ τοῦ θεοῦ λόγῳ, **6** ⸂δι’ ὧν⸃ ὁ τότε κόσμος ὕδατι 2,5 Gn 7,21 Hen 83,3-5
κατακλυσθεὶς ἀπώλετο· **7** οἱ δὲ νῦν οὐρανοὶ ⸂καὶ ἡ
γῆ⸃ τῷ ⸀αὐτῷ λόγῳ τεθησαυρισμένοι εἰσὶν ⸆ πυρὶ τηρού- 10
μενοι εἰς ἡμέραν κρίσεως καὶ ⸁ἀπωλείας °τῶν ἀσεβῶν
ἀνθρώπων.

8 ⸂Ἓν δὲ τοῦτο⸃ μὴ λανθανέτω ὑμᾶς, ἀγαπητοί, ὅτι
μία ἡμέρα ⸄παρὰ κυρίῳ⸅ ὡς χίλια ἔτη ⸋καὶ χίλια ἔτη⸌ Ps 90,4
ὡς ἡμέρα μία. **9** οὐ ⸀βραδύνει ⸆ κύριος τῆς ἐπαγγελίας, Sir 35,19 Hab 2,3 H 10,37
⸋ὡς τινες βραδύτητα ἡγοῦνται,⸌ ἀλλὰ μακροθυμεῖ ⸂εἰς 1P 3,20
ὑμᾶς⸃, μὴ βουλόμενός τινας ἀπολέσθαι ἀλλὰ πάντας εἰς
μετάνοιαν χωρῆσαι. R 2,4 1T 2,4!

¶ **3,1** °Ψ | ⸀υμιν A* 1241 *pc* ● **2** ⸀ημων Ψ 614. 623. 630. 1505. 1852. 2298. 2464. 2495 *al* ¦ – 945. 1241. 1739. 1881 *pc* vg^{mss} sy co ¦ *txt* 𝔓^{72} ℵ A B C P 048 𝔐 vg ● **3** ⸀-του (C*) P 𝔐; Aug ¦ *txt* 𝔓^{72} ℵ A B C^{3} Ψ 0156^{vid}. 614. 630. 945. 1241. 1739 *al* vg co; Hier | ⸂ *2* 𝔓^{72} C P 0156^{vid}. 323. 945. 1739 *al* vg^{ms}; Aug Cass ¦ εμπαιγμονης 614. (1505) *pc* sy^{h} ¦ – 𝔐 bo^{ms} ¦ *txt* ℵ A B Ψ 81. 1241 *al* vg | ⸄ *2 1* ℵ A 322. 323. 614. 630. 945. 1505. 2495 *al* ¦ *1* 𝔓^{72} Ψ *pc* vg ● **4** ⸆ημων (049). 614. 630. 1505. 1852. 2495 *pc* vg^{mss} sy co ● **5** ⸀ἡ γη C P 0156. 1243 *pc* ¦ – K; Beda^{pt} | ⸂(J 3,5) εξ υδ. και πνευματος 431. 1241 *pc* ¦ και υδατα Ψ | ⸁-στωτα ℵ* Ψ 322. 323. 2464 ¦ -στωσης 𝔓^{72} B ¦ -στωσαι K ¦ *txt* ℵ^{c} A C P 048^{vid}. 049. 0156^{vid} 𝔐 vg; Aug^{pt} ● **6** ⸂δι ον P 69^{vid}. 945 t vg^{mss} [δι οὗ Windisch, δη ὧν Wohlenberg *cjj*] ● **7** ⸂*1 3* 𝔓^{72} 630 ¦ – 945; Qu | ⸀-του ℵ C 𝔐 sy ¦ *txt* 𝔓^{72} A B P Ψ 0156^{vid}. 33. 81. 323. 945. 1241. 1505. 1739. 2495 *al* latt co | ⸆εν C* P 0156^{vid}. 322. 323. 945. 1241. 1243. 1739. 1881. 2298 *al* vg^{mss} co? | ⸁ασεβειας A | °𝔓^{72} ● **8** ⸂ἐν δε τουτω (𝔓^{72}) 0156. 69. 81. 623. 1241. 1243. 1505. 1881. 2495 *al* | ⸄ *2* 630. 1505. 1852. 2464 *pc* sy; Qu ¦ παρα κυριου ℵ ¦ κυριου *pc*; Ir^{lat} ¦ – 2495 | ⸋𝔓^{72} ℵ 1241 ● **9** ⸀βραδυνεῖ K 1852 vg^{ms} (*sine acc.* 𝔓^{72} ℵ A B C P 048. 0156) | ⸆ὁ 𝔐 ¦ *txt* 𝔓^{72} ℵ A B C P Ψ 048^{vid}. 0156. 33. 81. 323. 945. 1241. 1739 *al* | ⸋Ψ 048 vgst; Pel | ⸂εις ημας 𝔐 ¦ δι’ υμας ℵ A Ψ 33. 614. 623. 630. 1505. 1852. 2464. 2495 *al* latt sy sa ¦ *txt* 𝔓^{72} B C P 048^{vid}. 0156. 69. 81. 323. 945. 1241. 1739 *al* bo

1Th 5,2! **10** Ἥξει δὲ ⸆ ἡμέρα κυρίου ὡς κλέπτης⸆, ἐν ᾗ °οἱ
Mt 24,29.35 · 12 οὐρανοὶ ῥοιζηδὸν παρελεύσονται στοιχεῖα δὲ καυσού-
Kol 2,20! · 7 · μενα λυθήσεται ⸋καὶ γῆ καὶ τὰ ἐν αὐτῇ ἔργα ⸆1 ⸀εὑ-
Ap 20,11 ρεθήσεται⸌. **11** Τούτων ⸂οὕτως πάντων⸃ λυομένων πο-
ταποὺς δεῖ ὑπάρχειν ⸀[ὑμᾶς] ἐν ἁγίαις ἀναστροφαῖς καὶ
εὐσεβείαις, **12** προσδοκῶντας ⸂καὶ σπεύδοντας⸃ τὴν
παρουσίαν τῆς τοῦ ⸀θεοῦ ἡμέρας δι' ἣν οὐρανοὶ πυ-
Kol 2,20! ρούμενοι λυθήσονται καὶ στοιχεῖα καυσούμενα ⸁τήκε-
Is 65,17; 66,22 ται. **13** *καινοὺς* δὲ *οὐρανοὺς καὶ* ⸉*γῆν καινὴν*⸊ ⸂κατὰ τὸ
Ap 21,1 ἐπάγγελμα⸃ αὐτοῦ προσδοκῶμεν, ἐν οἷς δικαιοσύνη κατ-
οικεῖ.

14 Διό, ἀγαπητοί, ταῦτα προσδοκῶντες σπουδάσατε
2,13 Jd 24 ἄσπιλοι καὶ ⸀ἀμώμητοι αὐτῷ εὑρεθῆναι ἐν εἰρήνῃ **15** καὶ
R 2,4! τὴν τοῦ κυρίου °ἡμῶν μακροθυμίαν σωτηρίαν ἡγεῖσθε,
καθὼς καὶ ὁ ἀγαπητὸς ἡμῶν ἀδελφὸς Παῦλος κατὰ τὴν
1K 3,10 G 2,9 δοθεῖσαν αὐτῷ σοφίαν ἔγραψεν ὑμῖν, **16** ὡς καὶ ἐν πάσαις
2K 4,3; 10,10 · ⸆ ἐπιστολαῖς λαλῶν ἐν αὐταῖς περὶ τούτων, ἐν ⸀αἷς ἐστιν
2,14 δυσνόητά τινα, ἃ οἱ ἀμαθεῖς καὶ ἀστήρικτοι ⸁στρεβλοῦ-
σιν ὡς καὶ τὰς λοιπὰς γραφὰς πρὸς τὴν ἰδίαν ⸀1αὐτῶν
2,1 ἀπώλειαν.

17 Ὑμεῖς οὖν, ἀγαπητοί, προγινώσκοντες φυλάσσε-
2,18 Mc 13,5 σθε, ἵνα μὴ τῇ τῶν ἀθέσμων πλάνῃ συναπαχθέντες ἐκ-
πέσητε τοῦ ἰδίου στηριγμοῦ, **18** ⸀αὐξάνετε δὲ ἐν χάριτι

10 ⸆ ἡ ℵ A P 𝔐 ¦ *txt* 𝔓^{72} B C Ψ 048^{vid}. 049. 33. 81. 945. 1241. 1739 *al* | ⸆ (1Th 5,2) εν νυκτι C 𝔐 vg^{mss} sy^{h} ¦ *txt* 𝔓^{72} ℵ A B P Ψ 048^{vid}. 0156. 33. 323. 945. 1241. 1739 *al* lat sy^{ph} co | ° ℵ K L Ψ 048^{vid}. 049. 33. 69. 81. 623. 630. 1505. 2464. 2495 *al* | ⸋ Ψ 1891 *pc* vgst; Pel | [⸆1 αργα Bradschaw *cj*] | ⸀ουχ ευρ- sa ¦ ευρ- λυομενα 𝔓^{72} ¦ κατακαησεται A 048. (2464) 𝔐 vg^{cl} sy^{h} bo ¦ αφανισθησονται C ¦ – Spec ¦ [ρυησεται Westcott/Hort, συρρυησεται Naber, εκπυρωθησεται Olivier, αρθησεται Mayor, κριθησεται Eb. Nestle *cjj*] ¦ *txt* ℵ B K P 0156^{vid}. 323. (1241). 1739^{txt} *pc* sy$^{ph.hmg}$ ● **11** ⸂ουν π. ℵ A Ψ 048 𝔐 vg sy$^{ph.hmg}$ bo ¦ ουν ουτ. π. (⸉ 69). 81^{vid} *pc* sa ¦ δε ουτ. π. C (P) *pc* ¦ δε π. 623. 2464 *pc* vg^{ms} ¦ ουτ. παντως 𝔓^{72} ¦ ουτ. 1243 ¦ παντων *pc* vg^{mss} bo^{ms}; Spec ¦ *txt* 𝔓^{74vid} B 323. 614. 630. 945. 1241. 1505. 1739. 2495 *pc* sy^{h} | ⸀ημας ℵ* 630. 2464 *al*; Firm Pel ¦ εαυτους (*et* παρεχειν) 1243 ¦ – 𝔓$^{72*.74}$ B *pc* vg^{ms}; Spec ¦ *txt* 𝔓^{72c} ℵ^{2} A C(*) P Ψ 048^{vid} 𝔐 vg ● **12** ⸂και φευγοντας κ. σπ. 1505. 2495 *pc* sy^{h} ¦ – ℵ* 623*. 2464; Spec | ⸀κυριου C P 323. 945. 1241. 1739 *al* t vg^{cl} bo; Spec | ⸁τακησεται C (P Ψ) 614. 1243. (1852). 2298 *al* lat ¦ λυομενα τηκεται 33 (sy^{h} co) ¦ *om.* (*et* κ. στ. καυ.) 630. 1505. 2495 *pc* ¦ *txt* 𝔓^{72} ℵ A B 𝔐 vg^{ms} ● **13** ⸉ ℵ A Ψ 048. 33. 81. 323. 945. 1241. 1739 *al* t vg | ⸂κατα (και A vgst sa) τα επ-ματα ℵ A Ψ 623. 2464 *pc* vg sy^{h} co ● **14** ⸀αμωμοι A 33. 614. 630. 1241. 1505. 2495 *al* ● **15** ° P 1243 *pc* sy^{ph} bo^{mss} ● **16** ⸆ ταις ℵ P 𝔐 ¦ *txt* 𝔓^{72} A B C Ψ 33 *al* | ⸀οις C K L (P) 049. 1243 𝔐 | ⸁-βλωσουσιν 𝔓^{72} C* P 323. 945. 1241. 1739 *al* | ⸀1εαυ- 𝔓^{72} ● **18** ⸀-νεσθε 𝔓^{72} C P 81 *al* ¦ -νητε 623. 2464 *al*

καὶ ⸀γνώσει τοῦ κυρίου ἡμῶν καὶ σωτῆρος Ἰησοῦ Χρι- 1,2! Ph 3,8! ·
στοῦ⸆. αὐτῷ ἡ δόξα ⸂καὶ νῦν καὶ⸃ εἰς ⸁ἡμέραν αἰῶνος⸃. 1,11! · R 16,27! · Sir 18,
°[ἀμήν]. 10

⸂ΙΩΑΝΝΟΥ Α′⸃

1 **1** Ὃ ἦν ἀπ᾽ ἀρχῆς, ὃ ἀκηκόαμεν, ὃ ἑωράκαμεν τοῖς 2,13 J 1,1; 15,27
ὀφθαλμοῖς ἡμῶν, ὃ ἐθεασάμεθα καὶ αἱ χεῖρες ἡμῶν Is 43,13 𝔊 · Act 4,20 J 1,14; · 20,20.
ἐψηλάφησαν περὶ τοῦ λόγου τῆς ζωῆς – **2** καὶ ἡ ζωὴ 25 L 24,39
ἐφανερώθη, καὶ ⸆ ἑωράκαμεν καὶ μαρτυροῦμεν καὶ ἀπαγ- 4,9 J 1,4 R 3,21
γέλλομεν ὑμῖν τὴν ζωὴν τὴν αἰώνιον ἥτις ἦν πρὸς τὸν
πατέρα καὶ ἐφανερώθη ἡμῖν – **3** ὃ ἑωράκαμεν καὶ ἀκη- J 1,18
κόαμεν, ἀπαγγέλλομεν °καὶ ὑμῖν, ἵνα καὶ ὑμεῖς κοινω- 7
νίαν ἔχητε μεθ᾽ ἡμῶν. καὶ ἡ κοινωνία °¹δὲ ἡ ἡμετέρα Ph 1,5
μετὰ τοῦ πατρὸς καὶ μετὰ τοῦ υἱοῦ αὐτοῦ Ἰησοῦ Χρι- 1K 1,9
στοῦ. **4** καὶ ταῦτα γράφομεν ⸀ἡμεῖς, ἵνα ⸆ ἡ χαρὰ ⸀ἡμῶν 5,13 · J 15,11! 2K
ᾖ πεπληρωμένη. 1,24 2J 12

5 Καὶ ⸉ἔστιν αὕτη⸊ ἡ ⸀ἀγγελία ἣν ἀκηκόαμεν ἀπ᾽ αὐ- 3,11; 2,25; 5,11 ·
τοῦ καὶ ἀναγγέλλομεν ὑμῖν, ὅτι ὁ θεὸς φῶς ἐστιν καὶ σκο- Jc 1,17
τία ⸉¹ἐν αὐτῷ οὐκ ἔστιν⸊ οὐδεμία. **6** Ἐὰν εἴπωμεν
ὅτι κοινωνίαν ἔχομεν μετ᾽ αὐτοῦ καὶ ἐν τῷ σκότει περι- 2,11 J 8,12! ·
πατῶμεν, ψευδόμεθα καὶ οὐ ποιοῦμεν τὴν ἀλήθειαν· **7** ἐὰν 2,4! · J 3,21

18 ⸀πιστει P 69 *pc* | ⸆ και θεου πατρος 630. 1505. 1852. 2495 *al* sy | ⸂*2 3* K 2464 *al* vg^mss ¦ κ. το κρατος νυν κ. Ψ (*pc*) ¦ νυν κ. αει κ. 623 (sy^ph) | ⸁-ρας -νος 630. 1241. 1505. 2495 *pc* vg^ms sy sa ¦ -ραν -νος θεου πατρος 614 ¦ τους αιωνας των αιωνων 623 *pc* | °† B 1241. 1243. 1739*^vid. 1881. 2298 *pc* vg^mss ¦ *txt* 𝔓^72 ℵ A C P Ψ 𝔐 vg sy co

Inscriptio: ⸂I. επιστολη (+ καθολικη 614 *pc*) α′ 33. 81. 945. 1739 *al* (K Ψ 69. 323. 614. 630. 1241. 2495 *al*) ¦ επ. καθ. του αγιου αποστολου I. (L 049) *al* ¦ I. του ευαγγελιστου (θεολογου *pc*) και αποστ. επ. α′ P *pc* ¦ *txt* (ℵ A B)

¶ **1,2** ⸆ δ B *pc* ● **3** ° 𝔐 t vg^ww sa^ms bo ¦ *txt* ℵ A B C P Ψ 33. 81. 945. 1241. 1739 *pc* z vg^st sy^p.h** sa^mss | °¹ C* P 33. 81. 323. 630. 945. 1241. 1505. 1739. 2495 *al* sy^h sa ● **4** ⸀υμιν A^c C 𝔐 vg sy sa^ms bo ¦ *txt* ℵ A*^vid B P Ψ 33 z* sa^mss | ⸆gaudeatis et vg^ww | ⸀υμων A C K P 33. 81. 323. 614. 630. 945. 1505. 1739. 2495 *pm* vg^cl sy^h bo; Aug ¦ *txt* ℵ B L Ψ 049. 69. 1241 *pm* z vg sy^p sa ● **5** ⸉A 33. 81. 323. 945. 1241. 1739 *al* sy^hmg | ⸀επαγγελια C P 33. 69. 81. 323. 614. 630. 945. 1241. 1505. 1739. 2495 *al* sa^ms bo ¦ αγαπη της επαγγελιας ℵ² Ψ ¦ *txt* ℵ^1(*) A B 𝔐 | ⸉¹*3 4 1 2* B 33. 69. 81 z; Or^pt

°δὲ ἐν τῷ φωτὶ περιπατῶμεν ὡς αὐτός ἐστιν ἐν τῷ φωτί,
3 · Ap 1,5; 7,14 H 9,14 κοινωνίαν ἔχομεν μετ' ⸀ἀλλήλων καὶ τὸ αἷμα ⸂Ἰησοῦ τοῦ
Prv 20,9 υἱοῦ αὐτοῦ⸃ ⸁καθαρίζει ἡμᾶς ἀπὸ πάσης ἁμαρτίας.
8 ἐὰν εἴπωμεν ὅτι ἁμαρτίαν οὐκ ἔχομεν, ἑαυτοὺς πλα-
2,4! | Prv 28,13 Ps 32,5 · νῶμεν καὶ ἡ ἀλήθεια ⊤ ⸉οὐκ ἔστιν ἐν ἡμῖν⸊. **9** ἐὰν ὁμο-
1K 10,13! Dt 32,4 · λογῶμεν τὰς ἁμαρτίας ἡμῶν, πιστός ἐστιν καὶ δίκαιος,
2,12 ἵνα ἀφῇ ἡμῖν τὰς ἁμαρτίας ⊤ καὶ ⸀καθαρίσῃ ἡμᾶς ἀπὸ
8 πάσης ἀδικίας. **10** ἐὰν εἴπωμεν ὅτι οὐχ ⸀ἡμαρτήκαμεν,
5,10 ψεύστην ποιοῦμεν αὐτὸν καὶ ὁ λόγος αὐτοῦ ⸉οὐκ ἔστιν
ἐν ἡμῖν⸊.
2 Τεκνία μου, ταῦτα γράφω ὑμῖν ἵνα μὴ ⸀ἁμάρτητε. καὶ
J 14,16! ἐάν τις ἁμάρτῃ, παράκλητον ἔχομεν πρὸς τὸν πατέρα
28; 3,7 Act 3,14! | 4,10 R 3,25! H 2, 17 · Ἰησοῦν Χριστὸν ⊤ δίκαιον· **2** καὶ αὐτὸς ἱλασμός ἐστιν
J 11,51s · περὶ τῶν ἁμαρτιῶν ἡμῶν, οὐ περὶ τῶν ἡμετέρων δὲ ⸀μό-
· 2K 5,19 νον ἀλλὰ καὶ περὶ ὅλου τοῦ κόσμου.
5,2 **3** Καὶ ἐν τούτῳ γινώσκομεν ὅτι ἐγνώκαμεν αὐτόν, ἐὰν
3,22 | 9; 1,6; 4,20 · Tt 1,16 · τὰς ἐντολὰς αὐτοῦ ⸀τηρῶμεν. **4** ὁ λέγων °ὅτι ἔγνωκα αὐ-
J 15,10 τὸν καὶ τὰς ἐντολὰς αὐτοῦ μὴ τηρῶν, ψεύστης ἐστὶν ⸂καὶ
1,8 J 8,44 | J 14,21.23 · ἐν τούτῳ⸃ ⸄ἡ ἀλήθεια⸅ οὐκ ἔστιν· **5** ὃς δ' ἂν τηρῇ αὐτοῦ
5,3; 4,12.17s. τὸν λόγον, °ἀληθῶς ἐν τούτῳ ἡ ἀγάπη τοῦ θεοῦ τετελείωται, ἐν τούτῳ γινώσκομεν ὅτι ἐν αὐτῷ ἐσμεν⊤. **6** ὁ λέ-
J 13,15 γων ἐν αὐτῷ μένειν ὀφείλει καθὼς ἐκεῖνος περιεπάτησεν
καὶ αὐτὸς °[οὕτως] περιπατεῖν.
J 13,34! **7** ⸀Ἀγαπητοί, οὐκ ἐντολὴν καινὴν γράφω ὑμῖν ἀλλ' ἐν- *2*
24; 3,11 2J 5s τολὴν παλαιὰν ἣν εἴχετε ἀπ' ἀρχῆς· ἡ ἐντολὴ ἡ παλαιά
ἐστιν ὁ λόγος ὃν ἠκούσατε⊤. **8** πάλιν ἐντολὴν καινὴν

7 °Ψ 322. 323. 945. 1241. 1243. 1739. 1881 *pc* l z* bo^{mss}; Hier | ⸀αυτου A^{vid} t w vg^{mss}; Tert Cl Hier | ⸂*2–4* 1243* vg^{ms}; Tert^{pt} ¦ I. Χριστου τ. υι. αυτ. A 𝔐 t z vg^{ww} sy^{h**} bo ¦ I. Χριστου *pc*; Cass ¦ *txt* ℵ B C P Ψ 323. 630. 945. 1241. 1739. 2495 *pc* l vgst sy^{p} sa bo^{ms}; Cl | ⸁καθαριει (623). 945. 1241. 1739. (1852. 2464) *al* • **8** ⊤του θεου 614. 630. 1505. 2495 *al* sy^{h} | ⸉*3 4 1 2* A C K P 33. 69. 323. 614. 630. 945. (1241). 1505. 1739. 2495 *al* latt sy^{h} • **9** ⊤ημων ℵ C Ψ 81. 614. 623. 630. 1505. 1852. 2464. 2495 *al* vg^{ww} sy | ⸀-σει A C^{3vid} 33. 623. 1243. 1852. 2464 *al* • **10** ⸀ημαρτομεν 322. 323. 945. 1241. 1739. 1881. 2298 *al* | ⸉*3 4 1 2* 614. 630. 1505. 1852. 2495 *al* vg^{mss} sy^{h}

¶ **2,1** ⸀-τανητε 614. 630. 1505. 2495 *pc* | [⊤τον Markland *cj*] • **2** ⸀μονων B 1. 33. 614*. 1243 *al* • **3** ⸀τηρησωμεν Ψ 1852 ¦ φυλαξωμεν ℵ* • **4** °C K L P 049. 69. 1881 𝔐; Lcf^{pt} | ⸂*1* ℵ ¦ *2 3* A P Ψ 33^{vid}. 322. 323. 1243. 1739 h vgst | ⸄*2* Ψ 623. 945. 1505. 1852. 2495 *pc* ¦ η αληθεια του θεου ℵ *pc* • **5** °322. 323. 1241. 1739. 1881 *pc* | ⊤εαν εις αυτον τελειωθωμεν Ψ vg^{mss}; Aug Beda • **6** °A B 33. 623. 2464* *al* w z vg sy^{p}; Cl Cyp ¦ *txt* ℵ C P Ψ 𝔐 l sy^{h}; Hier^{pt} • **7** ⸀αδελφοι K L 049. 69 𝔐 | ⊤απ' αρχης 𝔐 ¦ *txt* ℵ A B C P Ψ 323. 945. 1241. 1739 *al* latt sy co

γράφω ὑμῖν, ὅ ἐστιν ⸂ἀληθὲς ἐν αὐτῷ⸃ καὶ ἐν ⸀ὑμῖν, ὅτι
ἡ ⸁σκοτία παράγεται καὶ τὸ φῶς τὸ ἀληθινὸν ἤδη φαί- R 13,12 J 8,12!
νει. **9** Ὁ λέγων ἐν τῷ φωτὶ εἶναι καὶ τὸν ἀδελφὸν 4!
αὐτοῦ μισῶν ⸆ ἐν τῇ σκοτίᾳ ἐστὶν ἕως ἄρτι. **10** ὁ ἀγαπῶν
τὸν ἀδελφὸν αὐτοῦ ἐν τῷ φωτὶ μένει καὶ σκάνδαλον ⸉ἐν R 14,13 Ps 119,165
αὐτῷ οὐκ ἔστιν⸊· **11** ὁ δὲ μισῶν τὸν ἀδελφὸν αὐτοῦ ἐν
τῇ σκοτίᾳ ⸀ἐστὶν καὶ ἐν τῇ σκοτίᾳ περιπατεῖ καὶ οὐκ οἶ- 1,6 J 12,35!
δεν ποῦ ὑπάγει, ὅτι ἡ σκοτία ἐτύφλωσεν τοὺς ὀφθαλμοὺς
αὐτοῦ.

12 Γράφω ὑμῖν, ⸀τεκνία, ὅτι ἀφέωνται ⸁ὑμῖν αἱ ἁμαρ- 1,9 1K 6,11
τίαι διὰ τὸ ὄνομα αὐτοῦ.
13 γράφω ὑμῖν, πατέρες, ὅτι ἐγνώκατε τὸν ἀπ᾽ ἀρχῆς. 1,1!
γράφω ὑμῖν, νεανίσκοι, ὅτι νενικήκατε ⸀τὸν πονηρόν. 4,4 · 5,18
14 ⸀ἔγραψα ὑμῖν, παιδία, ὅτι ἐγνώκατε τὸν πατέρα. 12
ἔγραψα ὑμῖν, πατέρες, ὅτι ἐγνώκατε ⸁τὸν ἀπ᾽ ἀρχῆς. 13a · 1,1!
ἔγραψα ὑμῖν, νεανίσκοι, ὅτι ἰσχυροί ἐστε καὶ ὁ λόγος 13b · E 6,10
⸋τοῦ θεοῦ⸌ ἐν ὑμῖν μένει καὶ νενικήκατε τὸν πο- 2,24; 3,24 J 5,38
νηρόν.

15 Μὴ ἀγαπᾶτε τὸν κόσμον μηδὲ τὰ ἐν °τῷ κόσμῳ. 1K 7,31
ἐάν τις ἀγαπᾷ τὸν κόσμον, οὐκ ἔστιν ἡ ἀγάπη τοῦ ⸀πα- Jc 4,4 J 5,42!
τρὸς ἐν αὐτῷ· **16** ὅτι πᾶν τὸ ἐν τῷ κόσμῳ, ἡ ἐπιθυμία τῆς G 5,16! Tt 2,12 1P 4,2 ·
σαρκὸς καὶ ἡ ἐπιθυμία τῶν ὀφθαλμῶν καὶ ἡ ἀλαζονεία Jc 4,16 ·
τοῦ βίου, οὐκ ἔστιν ἐκ τοῦ πατρὸς ἀλλ᾽ ἐκ τοῦ κόσμου 3,17 · J 8,47! |
ἐστίν. **17** καὶ ὁ κόσμος παράγεται καὶ ἡ ἐπιθυμία °αὐ- 1K 7,31
τοῦ, ὁ δὲ ποιῶν τὸ θέλημα ⸂τοῦ θεοῦ⸃ μένει εἰς τὸν αἰῶνα⸆. Mt 7,21! 1P 4,2

3 **18** Παιδία, ἐσχάτη ὥρα ἐστίν, καὶ καθὼς ἠκούσατε 1K 10,11!
⸀ὅτι ἀντίχριστος ἔρχεται, καὶ νῦν ἀντίχριστοι πολλοὶ γε- 22; 4,3 2J 7 Mt 24,24p
γόνασιν, ὅθεν γινώσκομεν ὅτι ἐσχάτη ὥρα ἐστίν. **19** ἐξ

8 ⸂*2 3 1* A ¦ αλ. και εν αυτω ℵ 1241 *pc* vg; Hier | ⸀ημιν A 049. 69. 322. 323. 945. 1739. 1881. 2298 *al* h t vg^{mss} sy^{hmg} sa^{ms} bo^{ms}; Hier | ⸁σκια A ● **9** ⸆ψευστης εστιν και ℵ 614 *pc*; Cyp ● **10** ⸉*3 4 1 2* ℵ A C 81^{vid}. 623. 2464 *pc*; Lcf ● **11** ⸀μενει P 1243 *pc* ● **12** ⸀τ. μου 630 ¦ παιδια 322. 323. 945. 1241. 1739. 1881. 2298 *al*; Hier | ⸁υμων L Ψ 69. 614. 630. 1505. 2464. 2495 *al*; Did ● **13** ⸀το ℵ 209 ● **14** ⸀γραφω 𝔐 it vg^{ww} ¦ *txt* 𝔓^{74vid} ℵ A B C K L P Ψ 33. 323. 614. 630. 945. 1241. 1505. 1739. 2495 *al* vgst sy co; Or^{lat} | ⸁το B Ψ*; Aug^{pt} | ⸋B sa ● **15** °69. 945. 1241. 1505. 1881*. 2495 *al* | ⸀θεου A C 33 *pc* w z bo^{pt}; Cn ¦ θεου και πατρ. 614 *pc* bo^{ms} ● **17** °A P 33. 323. 945. 1241. 1739 *al* h vg^{ms} sa^{ms}; Or | ⸂αυτου 1827 *pc* ¦ – *pc* | ⸆quomodo [et] ipse manet in aeternum (t vg^{mss}) sa$^{ms(s)}$; Cyp^{pt} Lcf Aug ● **18** ⸀ὁ A L 1881 *pc* ¦ οτι ὁ ℵ^{2} 𝔐 ¦ *txt* ℵ* B C Ψ 1739 *pc* (P *illeg.*)

Act 20,30 ἡμῶν ἐξῆλθαν ἀλλ’ οὐκ ἦσαν ἐξ ἡμῶν· εἰ γὰρ ⸉ἐξ ἡμῶν
1K 11,19 ἦσαν⸊, μεμενήκεισαν ἂν μεθ’ ἡμῶν· ἀλλ’ ἵνα ⸀φανερω-
27! θῶσιν ὅτι οὐκ ⸂εἰσὶν πάντες⸃ ἐξ ἡμῶν. **20** καὶ ὑμεῖς χρῖ-
J 6,69! · 1K 8,1 | σμα ἔχετε ἀπὸ τοῦ ἁγίου ⸂καὶ οἴδατε πάντες⸃. **21** οὐκ
2P 1,12 J 8,32 ἔγραψα ὑμῖν ὅτι οὐκ οἴδατε τὴν ἀλήθειαν ἀλλ’ ὅτι οἴδατε
αὐτὴν καὶ ὅτι °πᾶν ψεῦδος ἐκ τῆς ἀληθείας οὐκ ἔστιν.
Mt 10,33! · 5,1 · **22** Τίς ἐστιν ὁ ψεύστης εἰ μὴ ὁ ἀρνούμενος ὅτι Ἰη-
18! σοῦς οὐκ ἔστιν ὁ χριστός; οὗτός ἐστιν ὁ ἀντίχριστος, ὁ
J 17,3 ἀρνούμενος τὸν πατέρα καὶ τὸν υἱόν. **23** πᾶς ὁ ἀρνού-
2J 7 · 4,15! L 10,16! μενος τὸν υἱὸν οὐδὲ τὸν πατέρα ἔχει, ⸋ὁ ὁμολογῶν τὸν
2J 9 υἱὸν καὶ τὸν πατέρα ἔχει.⸌ **24** Ὑμεῖς ⸆ ὃ ἠκού-
7! σατε ἀπ’ ἀρχῆς, ἐν ὑμῖν μενέτω. ἐὰν ἐν ὑμῖν μείνῃ ὃ ἀπ’
3,24 ἀρχῆς ἠκούσατε, καὶ ὑμεῖς ἐν τῷ ⸂υἱῷ καὶ ἐν τῷ πατρὶ⸃
1,5! · 2T 1,1 Tt 1,2 μενεῖτε. **25** καὶ αὕτη ἐστὶν ἡ ἐπαγγελία ἣν αὐτὸς ἐπηγγείλατο ⸀ἡμῖν, τὴν ζωὴν τὴν αἰώνιον.
3,7! **26** Ταῦτα ⸆ ἔγραψα ὑμῖν περὶ τῶν πλανώντων ὑμᾶς.
20 2K 1,21 Act 10,38! · **27** καὶ ὑμεῖς τὸ ⸀χρῖσμα ὃ ἐλάβετε ἀπ’ αὐτοῦ, ⸂μένει ἐν
1Th 4,9 ὑμῖν⸃ καὶ οὐ χρείαν ἔχετε ἵνα τις διδάσκῃ ὑμᾶς, ⸄ἀλλ’ ὡς⸅
J 14,26! τὸ ⸂¹αὐτοῦ χρῖσμα⸃ διδάσκει ὑμᾶς περὶ πάντων καὶ ἀληθές ἐστιν καὶ οὐκ ἔστιν ψεῦδος, °καὶ καθὼς ἐδίδαξεν ὑμᾶς,
⸁μένετε ἐν αὐτῷ.

3,2 **28** ⸂Καὶ νῦν, τεκνία, μένετε ἐν αὐτῷ⸃, ἵνα ⸀ἐὰν φανε-
3,21! · Ph 1,20 ρωθῇ ⸁σχῶμεν παρρησίαν καὶ μὴ αἰσχυνθῶμεν ⸉ἀπ’ αὐ-
2,1! τοῦ ἐν τῇ παρουσίᾳ αὐτοῦ⸊. **29** ἐὰν εἰδῆτε ὅτι δίκαιός

19 ⸉ *3 1 2* ℵ A P 𝔐 h z vg; Tert Cl Cyp Did ¦ *txt* B C Ψ 614. 630. 1505. 2495 *al*; Ambr | ⸀-ρωθη 630. 1505. 2495 *pc* h z sy$^{p.hmg}$ | ⸂ *1* 630. 1505. 2495 *pc* vg^{mss} sy^{h}; Ir^{lat} Cl^{lat} ¦ ησαν vg^{mss} sy^{p} ● **20** ⸂ *2 3* B sa ¦ κ. οιδ. παντα A C (049) 𝔐 latt sy bo ¦ *txt* ℵ P Ψ *pc*; Hes ● **21** °C ● **23** ⸋𝔐 z vg^{ms} bo^{ms} ¦ *txt* ℵ A B C P Ψ 33. 323. 614. 630. 1505. 1739. 2495 *al* lat sy co; Or Cyp ● **24** ⸆ουν 𝔐 sy^{h}; Aug ¦ *txt* ℵ A B C P Ψ 33. 323. 630. 945. 1241. 1505. 1739. 2495 *al* lat sa^{mss} (bo) | ⸂ *1 2 4 5* B *pc* h l z vg ¦ *5 2–4 1* ℵ 623 *al* (vg^{ms}) sy^{p} sa^{ms} (bo^{ms}) ¦ υιω και εν τω πνευματι 69. 945 ¦ *txt* A C P Ψ 𝔐 vg^{mss} sy^{h} sa^{mss} ● **25** ⸀υμιν B 1241. 1881 *pc* vg^{mss} ● **26** ⸆δε ℵ 1852 sy^{p} ● **27** ⸀χαρισμα B 1505. 2495 *pc* (vg^{ms}) | ⸂μενετω εν υμ- P Ψ 33. 69. 323. 945. 1241. 1739 *al* it vg^{ww} sy^{h} (⸉ 630. 1505. 2495 *pc*) ¦ μενει εν ημ- A^{*vid} ¦ *txt* ℵ A^{c} B C *pc* vgst (⸉ 𝔐) | ⸄αλλα B *pc* vg^{ms}; Hier Aug | ⸂¹αυτο χρ. A 𝔐; Hier Aug^{pt} ¦ αυτου (-το 2495 *pc*) χαρισμα 33. 1505. 2495 *pc* ¦ αυτου πνευμα ℵ* (bo) ¦ *txt* ℵ^{2} B C P Ψ 323. 614. 630. 945. 1241. 1739 *al* lat sy$^{(p)}$ sa | °A *pc* | ⸁-νεῖτε 049 𝔐 ¦ *txt* ℵ A B C P Ψ 33. 81. 323. 614. 630. 1241. 1739. 2495 *al* latt co ● **28** ⸂ (*h. t.?*) – ℵ 69. 630 vg^{mss} ¦ *1–4* 81 | ⸀οταν 𝔐 ¦ *txt* ℵ A B C P Ψ 33. 81. 323. 945. 1241. 1739 *al* | ⸁εχωμεν ℵ* 𝔐 ¦ *txt* ℵ^{2} A B C P Ψ 81. 323. 945. 1241. 1739 *al* | ⸉ *3–6 1 2* ℵ

ἐστιν, γινώσκετε ὅτι °καὶ πᾶς ὁ ποιῶν τὴν δικαιοσύνην 3,7.10
ἐξ αὐτοῦ γεγέννηται. 4,7!
3 Ἴδετε ποταπὴν ἀγάπην ⸂δέδωκεν ἡμῖν⸃ ὁ πατήρ, ἵνα
τέκνα θεοῦ κληθῶμεν, ⸋καὶ ἐσμέν⸌. διὰ τοῦτο ὁ κό- J 1,12! L 20,36! R 8,16 ·
σμος οὐ γινώσκει ⸀ἡμᾶς, ὅτι οὐκ ἔγνω αὐτόν. **2** ἀγα- J 16,3!
πητοί, νῦν τέκνα θεοῦ ἐσμεν, καὶ οὔπω ἐφανερώθη τί ἐσό- Kol 3,4
μεθα. οἴδαμεν ⸆ ὅτι ἐὰν φανερωθῇ, ὅμοιοι αὐτῷ ἐσόμεθα, 2,28 J 14,2s · Ph 3,21! ·
ὅτι ὀψόμεθα αὐτὸν καθώς ἐστιν. **3** καὶ πᾶς ὁ ἔχων τὴν H 12,14 Mt 5,8 |
ἐλπίδα ταύτην ἐπ᾽ αὐτῷ ἁγνίζει ἑαυτόν, καθὼς ἐκεῖνος 2K 7,1
ἁγνός ἐστιν.
4 Πᾶς ὁ ποιῶν τὴν ἁμαρτίαν καὶ τὴν ἀνομίαν ποιεῖ, 8a; 5,17 · Mt 7,23 2Th 2,3.8
καὶ ἡ ἁμαρτία ἐστὶν ἡ ἀνομία. **5** καὶ ⸀οἴδατε ὅτι ἐκεῖνος
ἐφανερώθη, ἵνα τὰς ἁμαρτίας ⸆ ἄρῃ, καὶ ἁμαρτία ἐν αὐτῷ 8b · J 1,29! Is 53, 4s.11s 1P 2,24! ·
οὐκ ἔστιν. **6** πᾶς ὁ ἐν αὐτῷ μένων οὐχ ἁμαρτάνει· πᾶς ὁ J 8,46! Is 53,9 | 9! R 6,14 ·
ἁμαρτάνων οὐχ ἑώρακεν αὐτὸν οὐδὲ ἔγνωκεν αὐτόν. 3J 11 · 2,4 |
7 ⸀Τεκνία, ⸁μηδεὶς πλανάτω ὑμᾶς· ὁ ποιῶν τὴν δικαιο- 2,26; 4,6 2J 7 · 2,29! ·
σύνην δίκαιός ἐστιν, καθὼς ἐκεῖνος δίκαιός ἐστιν· **8** ⸀ὁ 2,1! |
ποιῶν τὴν ἁμαρτίαν ἐκ τοῦ διαβόλου ἐστίν, ὅτι ἀπ᾽ ἀρχῆς J 8,34.44 2Th 2, 3.9 ·
ὁ διάβολος ἁμαρτάνει. εἰς τοῦτο ἐφανερώθη ὁ υἱὸς τοῦ 5
4 θεοῦ, ἵνα λύσῃ τὰ ἔργα τοῦ διαβόλου. **9** Πᾶς ὁ γεγεννη- 4,7!
μένος ἐκ τοῦ θεοῦ ἁμαρτίαν οὐ ποιεῖ, ὅτι σπέρμα αὐτοῦ 6; 5,18 Mt 7,18; · 13,37s
ἐν αὐτῷ μένει, καὶ οὐ δύναται ἁμαρτάνειν, ὅτι ἐκ τοῦ θεοῦ
γεγέννηται. **10** ἐν τούτῳ φανερά ἐστιν τὰ τέκνα τοῦ θεοῦ
καὶ τὰ τέκνα τοῦ διαβόλου· πᾶς ὁ μὴ ⸂ποιῶν δικαιοσύ- 2,29
νην⸃ οὐκ ἔστιν ἐκ τοῦ θεοῦ, καὶ ὁ μὴ ἀγαπῶν τὸν ἀδελφὸν J 8,47!
αὐτοῦ.
11 Ὅτι αὕτη ἐστὶν ἡ ⸀ἀγγελία ἣν ἠκούσατε ἀπ᾽ ἀρχῆς, 1,5! · 2,7! ·
ἵνα ἀγαπῶμεν ἀλλήλους, **12** οὐ καθὼς Κάϊν ἐκ τοῦ πονη- J 13,34! | Gn 4,8
ροῦ ἦν καὶ ἔσφαξεν τὸν ἀδελφὸν αὐτοῦ· καὶ χάριν τίνος

29 °B Ψ 𝔐 h l t z vg^{mss} sy^{h} sa^{ms} bo; Ambr Aug ¦ *txt* ℵ A C P 33. 323. 614. 630. 945. 1241. 1505. 1739. 2495 *al* vg sy^{p} sa^{mss}
¶ **3,1** ⸂εδ- ημ- A L Ψ 33. 323. 945. 1739 *al* ¦ εδ- υμ- 81. 623 ¦ δεδ- υμ- B K* 049. 1505 *pc* ¦ δεδ- (*et* ο πατ. υμων) 1241 ¦ *txt* ℵ C P 𝔐 | ⸋K L 049. 69 𝔐 vg^{ms} | ⸀υμας ℵ* C P 𝔐 vg^{mss} ¦ *txt* 𝔓^{74} ℵ^{2}A B Ψ 33. 323. 614. 630. 945. 1505. 1739. 2495 *al* lat sy co • **2** ⸆δε 𝔐 sy sa^{ms} bo ¦ *txt* ℵ A B C P Ψ 33. 81. 323. 945. 1241. 1739 *al* latt sa^{mss}; Or^{pt} • **5** ⸀οιδαμεν ℵ *pc* vg^{ms} sa^{mss} bo^{mss} | ⸆ημων ℵ C Ψ 𝔐 vg^{ww} sy^{p} sa^{mss} ¦ *txt* A B P 33. 323. 945. 1241. 1739 *al* lat sy^{h} sa^{ms} bo • **7** ⸀παιδια A P Ψ 33. 323. 945. 1241. 1739 *al* sy^{hmg} (C *illeg.*) | ⸁μη τις A • **8** ⸀ο δε A *pc* vg^{mss}; Lcf ¦ και ο Ψ • **10** ⸂π. την δικ. A C K P 69. 81. 323. 945. 1241. 1739 *al* ¦ ων δικαιος Ψ vg sy^{hmg} (sa); Tert Or Cyp ¦ *txt* ℵ B 𝔐 • **11** ⸀επαγγελια ℵ C P Ψ 323. 614. 630. 945. 1241. 1505. 1739. 2495 *al* sa^{mss} bo; Lcf ¦ *txt* A B 049 𝔐 (vg)

H 11,4! ἔσφαξεν αὐτόν; ὅτι τὰ ἔργα αὐτοῦ πονηρὰ ἦν τὰ δὲ τοῦ
ἀδελφοῦ αὐτοῦ δίκαια.
J 15,18!s **13** °[Καὶ] μὴ θαυμάζετε, ἀδελφοί⸆, εἰ μισεῖ ὑμᾶς ὁ κό-
J 5,24 σμος. **14** ἡμεῖς οἴδαμεν ὅτι μεταβεβήκαμεν ἐκ τοῦ θανά-
του εἰς τὴν ζωήν, ὅτι ἀγαπῶμεν τοὺς ἀδελφούς⸆· ὁ μὴ
2,11 ἀγαπῶν ⸇ μένει ἐν τῷ θανάτῳ. **15** πᾶς ὁ μισῶν τὸν ἀδελ-
J 8,44 φὸν ⸀αὐτοῦ ἀνθρωποκτόνος ἐστίν, καὶ οἴδατε ὅτι πᾶς ἀν-
Mt 5,21s · 2J 2 θρωποκτόνος οὐκ ἔχει ζωὴν αἰώνιον ἐν ⸁αὐτῷ μένουσαν.
16 ἐν τούτῳ ἐγνώκαμεν τὴν ἀγάπην, ὅτι ἐκεῖνος ὑπὲρ
J 15,13!; · 13,14! ἡμῶν τὴν ψυχὴν αὐτοῦ ἔθηκεν· καὶ ἡμεῖς ὀφείλομεν
R 16,4 ⸀ὑπὲρ τῶν ἀδελφῶν τὰς ψυχὰς ⸁θεῖναι. **17** ὃς δ᾽ ἂν ⸀ἔχῃ
2,16 · Jc 2,15s Dt 15,7s τὸν βίον τοῦ κόσμου καὶ ⸁θεωρῇ τὸν ἀδελφὸν αὐτοῦ
4,20 χρείαν ἔχοντα καὶ ⸀¹κλείσῃ τὰ σπλάγχνα αὐτοῦ ἀπ᾽ αὐτοῦ, πῶς ἡ ἀγάπη τοῦ θεοῦ ⸀²μένει ἐν αὐτῷ; **18** Τε-
Jc 1,22! κνία⸆, μὴ ἀγαπῶμεν λόγῳ ⸂μηδὲ τῇ⸃ γλώσσῃ ἀλλὰ ἐν
ἔργῳ καὶ ἀληθείᾳ.
J 18,37! **19** ⸂[Καὶ] ἐν τούτῳ⸃ ⸀γνωσόμεθα ὅτι ἐκ τῆς ἀληθείας
ἐσμέν, καὶ ἔμπροσθεν αὐτοῦ ⸆ ⸄πείσομεν τὴν καρδίαν⸅
ἡμῶν, **20** ⸀ὅτι ἐὰν ⸆ καταγινώσκῃ ἡμῶν ἡ καρδία, °ὅτι
J 21,17 μείζων ἐστὶν ὁ θεὸς τῆς καρδίας ἡμῶν καὶ γινώσκει
πάντα. **21** ⸀Ἀγαπητοί, ἐὰν ἡ καρδία ⸁[ἡμῶν] μὴ καταγι-
2,28; 4,17; 5,14 H 4,16! cf R 5,1s | νώσκῃ⸆, παρρησίαν ⸀¹ἔχομεν πρὸς τὸν θεὸν **22** καὶ ὃ

13 °† A B 𝔐 lat sy^{h} ¦ *txt* ℵ C^{vid} P Ψ 323. 945. 1241. 1739 *al* r z vg^{ms} sy^{p} | ⸆μου 𝔐 vg^{ms} sy ¦ *txt* ℵ A B C P Ψ 33. 69. 323. 945. 1241. 1739 *al* lat ● **14** ⸆ημων ℵ Ψ *pc* vg^{mss} | ⸇τον αδελφον C Ψ 𝔐 vg^{mss}; Cass ¦ τον αδ. αυτου P 69. 614. 630. 1505. 2495 *al* vg^{mss} sy^{h}; Tyc ¦ *txt* ℵ A B 33. 323. 945. 1241. 1739 *al* lat sa^{mss} bo ● **15** ⸀εαυτου B | ⸁εαυ- ℵ A C P Ψ 𝔐 ¦ *txt* B K (049). 33. 69^{vid}. 323. 614. 1241 *al* ● **16** ⸀περι P Ψ 1243 *pc* | ⸁τιθεναι 𝔐 ¦ – Ψ ¦ *txt* ℵ A B C (P 81). 945. (1241). 1739. (1852) *al*; Did ● **17** ⸀εχει L 33. 322. 323. 614. 623*. 1241. 1243. 2464 *al* | ⸁θεωρει K L 049. 69. 81. 323. 614. 1241. 1505. 2495 *pm* | ⸀¹κλεισει L 623. 1243. 1881. 2464. 2495 *al* | ⸀²μενεῖ B^{2} K L 1505. 2495 *al* ¦ *txt* (Ψ) 𝔐 (ℵ A B* C P 2464 *sine acc.*) ● **18** ⸆μου K L 049. 69. 614. 2298 𝔐 | ⸂ *1* P Ψ 1. 33. 623. 945. 1241. 1881. 2464 *al*; Cl ¦ και ℵ ● **19** ⸂† *2 3* A B 623. 2464 *pc* lat bo ¦ και (– *pc* sy^{h}) εκ τ. 614. 630. 1505. 1852. 2495 *pc* sy^{h} ¦ *txt* ℵ C P Ψ 𝔐 r w sy^{p} sa bo^{ms}; Aug | ⸀γινωσκομεν K L 049. 623. 2464 𝔐 lat | [⸆τοῦ Bultmann *cj*] | ⸄-σωμεν την -διαν Ψ 322. 323. 945. 1241. 1739 *pc* ¦ -σωμεν τας -διας 33^{vid}. 69. 623. 630. 1243. 2464 *pc* vgst ¦ -σομεν τας -διας ℵ A^{c} C P 𝔐 t vg^{cl} ¦ *txt* A* B *pc* h r co; Aug ● **20** [⸀ὅ τι comm] | ⸆μη Ψ t w vg^{mss} | °A 33 *pc* latt sa^{mss} bo ● **21** ⸀αδελφοι ℵ *pc* | ⸁† – A B Ψ 33. 322. 323. 945. 1241. 1739 *pc* vgst; Aug^{pt} ¦ υμων 1505*. 2495 *pc* ¦ *txt* ℵ C 𝔐 r w vg^{ww} sy | ⸆ημων ℵ A Ψ 𝔐 lat sy; Meth ¦ υμων 1241. 1505. 2495 ¦ *txt* B C *pc* vg^{ms}; Or^{lat} Aug^{pt} | ⸀¹εχει B Ψ 322. 323. 1241. 1739 *pc*; (Cl^{lat}) Or$^{lat\,pt}$ ¦ εχωμεν 33. 1243 *pc* vg^{mss}; Lcf

ἐὰν αἰτῶμεν λαμβάνομεν ⸀ἀπ’ αὐτοῦ, ὅτι τὰς ἐντολὰς Mt 7,7! J 14,13! · 2,3!
αὐτοῦ ⸁τηροῦμεν καὶ τὰ ἀρεστὰ ἐνώπιον αὐτοῦ ποιοῦμεν. H 13,21 cf J 8,29 |
23 Καὶ αὕτη ἐστὶν ἡ ἐντολὴ αὐτοῦ, ἵνα ⸀πιστεύσωμεν J 13,34! · 5,13! J 6,29
⸂τῷ ὀνόματι⸃ ⸋τοῦ υἱοῦ⸌ αὐτοῦ Ἰησοῦ Χριστοῦ καὶ ἀγα- J 15,17
πῶμεν ἀλλήλους, καθὼς ἔδωκεν ἐντολὴν °ἡμῖν. **24** καὶ ὁ
τηρῶν τὰς ἐντολὰς αὐτοῦ ἐν αὐτῷ μένει καὶ αὐτὸς ἐν αὐ- 2,24; 4,13-16 J 6,56!
τῷ· καὶ ἐν τούτῳ γινώσκομεν ὅτι μένει ἐν ἡμῖν, ἐκ τοῦ
πνεύματος οὗ ⸉ἡμῖν ἔδωκεν⸊. R 8,9

4 Ἀγαπητοί, μὴ παντὶ πνεύματι πιστεύετε ἀλλὰ δοκιμά- 1Th 5,21
ζετε ⸂τὰ πνεύματα⸃ εἰ ἐκ τοῦ θεοῦ ἐστιν, ὅτι πολλοὶ 1T 4,1
ψευδοπροφῆται ἐξεληλύθασιν εἰς τὸν κόσμον. **2** ἐν τού- Mt 24,24! Ap 2,2
τῳ ⸀γινώσκετε τὸ πνεῦμα τοῦ θεοῦ· πᾶν πνεῦμα ὃ ὁμολο-
γεῖ ⸉Ἰησοῦν Χριστὸν⸊ ἐν σαρκὶ ⸁ἐληλυθότα ἐκ τοῦ θεοῦ Mt 10,32 R 10,9 · 1K 12,3
ἐστιν, **3** καὶ πᾶν πνεῦμα ὃ ⸂μὴ ὁμολογεῖ⸃ ⸄τὸν Ἰησοῦν⸅ 2J 7 Mt 10,33! ·
⸆ °ἐκ τοῦ θεοῦ οὐκ ἔστιν· καὶ τοῦτό ἐστιν τὸ τοῦ ἀντι- J 8,47! · 2,18!
χρίστου, ⸀ὃ ἀκηκόατε ὅτι ἔρχεται, καὶ νῦν ἐν τῷ κόσμῳ
ἐστὶν ἤδη.
4 Ὑμεῖς ἐκ τοῦ θεοῦ ἐστε, τεκνία, καὶ νενικήκατε αὐ- J 8,47! · 2,13; 5,4s
τούς, ὅτι μείζων ἐστὶν ὁ ἐν ὑμῖν ἢ ὁ ἐν τῷ κόσμῳ. **5** αὐτοὶ
ἐκ τοῦ κόσμου εἰσίν, διὰ τοῦτο ἐκ τοῦ κόσμου λαλοῦσιν J 3,31; 15,19
καὶ ὁ κόσμος αὐτῶν ἀκούει. **6** ἡμεῖς ἐκ τοῦ θεοῦ ἐσμεν, 4
ὁ γινώσκων τὸν θεὸν ἀκούει ἡμῶν, ⸋ὃς οὐκ ἔστιν ἐκ τοῦ
θεοῦ οὐκ ἀκούει ἡμῶν⸌. ⸂ἐκ τούτου⸃ γινώσκομεν τὸ 1K 14,37
πνεῦμα τῆς ἀληθείας καὶ τὸ πνεῦμα τῆς πλάνης. J 14,17! · 3,7! 1T 4,1 PsSal 8,14 |
5 **7** Ἀγαπητοί, ἀγαπῶμεν ἀλλήλους, J 13,34!
ὅτι ἡ ἀγάπη ἐκ τοῦ θεοῦ ἐστιν,
καὶ πᾶς ὁ ἀγαπῶν ⸆ ἐκ τοῦ θεοῦ γεγέννηται 2,29; 3,9; 5,1.4.18 J 1,13 ·
καὶ γινώσκει τὸν θεόν. 2,3 J 17,3

22 ⸀παρ’ K L 049. 69. 2298 𝔐 | ⸁-ρωμεν א A K Ψ 1881. 2464 *al* vgms • **23** ⸀-ευωμεν א A C Ψ (0245). 33. 81. 323. 614. 630. 945. 1241. 1505. 1739. 2495 *al* ¦ *txt* B 𝔐 | ⸂εν τω -ματι 614 vg ¦ εις το -μα 623. 2464 *pc* ¦ – (*sed* τω υιω αυ. Ι. Χριστω) 33 *pc* | ⸋(A) 1846 *pc* vgmss | ° 049 𝔐 ¦ *txt* א A B C Ψ 0245. 33. 81. 323. 614. 630. 1241. 1739. 2495 *al* latt sy co; Lcf • **24** ⸉ א K 69. 81. 614. 630. 945. 1243. 1505. 2495 *al* r vgcl
¶ **4,1** ⸂παντα τα πν. K ¦ παν πνευμα Ψ • **2** ⸀-κεται Ψ* 𝔐 lat syp ¦ -κομεν א* 630 *pc* ¦ *txt* א2 A B C L Ψc 33. 614. 945. 1739. 1852. 1881 *al* syh; Irlat | ⸉ C | ⸁-θεναι B *pc* • **3** ⸂λυει 1739mg vg; Irlat Lcf | ⸄Ι. κυριον א ¦ τον (– K*pm*) Ι. Χριστον (⸉ 614) 𝔐 l vgmss ¦ τον Χρ. 1846 ¦ Ι. 1881. 2464 ¦ *txt* A B Ψ 33. 81. 323. 630. 945. 1241. 1505. 1739. 2495 *pc* | ⸆εν σαρκι εληλυθοτα א Ψ 𝔐 l vgms sy; Cyp Ambr Aug ¦ *txt* A B 323. 945. 1241. 1739 *pc* r vg co; Tertpt Irlat | ° K L 049 *al* | ⸀οτι א 623. 2464 *pc* ¦ οὗ Ψ r vgww • **6** ⸋(*h. t.?*) A L 1241. 1881 *pc* vgms | ⸂εν τουτω A 81 vg syp co • **7** ⸆τον θεον A

8 ὁ μὴ ἀγαπῶν ⸂οὐκ ἔγνω τὸν θεόν⸃,
16 ὅτι ὁ θεὸς ἀγάπη ἐστίν.
1,2! **9** ἐν τούτῳ ἐφανερώθη ἡ ἀγάπη τοῦ θεοῦ ἐν ἡμῖν,
J 3,16! ὅτι τὸν υἱὸν αὐτοῦ τὸν μονογενῆ ἀπέσταλκεν ὁ θεὸς
εἰς τὸν κόσμον ἵνα ζήσωμεν δι' αὐτοῦ.
10 ἐν τούτῳ ἐστὶν ἡ ἀγάπη ⸆,
οὐχ ὅτι ἡμεῖς ⸀ἠγαπήκαμεν τὸν θεὸν
19 2Th 2,16 ἀλλ' ὅτι ⸁αὐτὸς ἠγάπησεν ἡμᾶς
καὶ ⸀¹ἀπέστειλεν τὸν υἱὸν αὐτοῦ
2,2! · R 5,8 ἱλασμὸν περὶ τῶν ἁμαρτιῶν ἡμῶν.
11 Ἀγαπητοί, εἰ οὕτως ὁ θεὸς ἠγάπησεν ἡμᾶς, καὶ ἡ-
R 13,8 Mt 18,33 20 J 1,18! μεῖς ὀφείλομεν ἀλλήλους ἀγαπᾶν. **12** θεὸν οὐδεὶς πώποτε
15 τεθέαται. ἐὰν ἀγαπῶμεν ἀλλήλους, ὁ θεὸς ἐν ἡμῖν μένει
2,5! καὶ ἡ ἀγάπη αὐτοῦ ⸂ἐν ἡμῖν τετελειωμένη ἐστίν⸃. **13** Ἐν
3,24! τούτῳ γινώσκομεν ὅτι ἐν αὐτῷ μένομεν καὶ αὐτὸς ἐν ἡ-
R 5,5 μῖν, ὅτι ἐκ τοῦ πνεύματος αὐτοῦ ⸀δέδωκεν ἡμῖν. **14** καὶ
J 1,14; 4,42; · 9 J 3,17 ἡμεῖς ⸀τεθεάμεθα καὶ μαρτυροῦμεν ὅτι ὁ πατὴρ ἀπέσταλ-
2,23 Mt 10,32 · κεν τὸν υἱὸν σωτῆρα τοῦ κόσμου. **15** Ὃς ⸂ἐὰν ὁμο- *6*
5,5.10 · 12; 3,24! λογήσῃ⸃ ὅτι Ἰησοῦς ⸆ ἐστιν ὁ υἱὸς τοῦ θεοῦ, ὁ θεὸς ἐν
J 6,69 αὐτῷ μένει καὶ αὐτὸς ἐν ⸄τῷ θεῷ⸅. **16** καὶ ἡμεῖς ἐγνώ-
9 καμεν καὶ ⸀πεπιστεύκαμεν τὴν ἀγάπην ἣν ἔχει ὁ θεὸς
ἐν ἡμῖν.
8 Ὁ θεὸς ἀγάπη ἐστίν, καὶ ὁ μένων ἐν τῇ ἀγάπῃ ἐν τῷ
3,24! θεῷ μένει καὶ ὁ θεὸς ἐν αὐτῷ °μένει. **17** Ἐν τούτῳ
2,5! · 3,21! τετελείωται ἡ ἀγάπη μεθ' ἡμῶν, ἵνα παρρησίαν ἔχωμεν ἐν
τῇ ⸀ἡμέρᾳ τῆς κρίσεως⸆, ὅτι καθὼς ἐκεῖνός ⸁ἐστιν καὶ
R 8,15 ἡμεῖς ⸀¹ἐσμεν ἐν τῷ κόσμῳ τούτῳ. φόβος οὐκ ἔστιν ἐν τῇ
ἀγάπῃ **18** ἀλλ' ἡ τελεία ἀγάπη ἔξω βάλλει τὸν φόβον, ὅτι
ὁ φόβος κόλασιν ἔχει, ὁ δὲ φοβούμενος οὐ τετελείωται

8 ⸂ου γινωσκει τον θ. A 33. 81. 623. 2464 *al* sy[h] ¦ ουκ εγνωκεν τον θ. Ψ* (69) ¦ ουκ εγνωκεν ℵ[2](* *h.t.*) ● **10** ⸆του θεου ℵ vg[mss] sa | ⸀-σαμεν ℵ(*) A 048[vid] 𝔐 ¦ *txt* B Ψ 81[vid]. 323. 945. 1241. 1739 *pc* | ⸁εκεινος A | ⸀¹απεσταλκεν ℵ ● **12** ⸂† *3 1 2 4* ℵ B ¦ *3 4 1 2* Ψ 𝔐 l r w ¦ *3 4* 1241 ¦ *txt* 𝔓[74vid] A 048[vid]. (33). 69. 81. 323. 614. 630. 945. 1505. 1739. 2495 *al* vg ● **13** ⸀εδωκεν A 33. 323. 945. 1241. 1739 *al* ● **14** ⸀εθεασαμεθα A Ψ 81. 323. 945. 1241. 1739 *al* ● **15** ⸂(ε)αν ομολογη A (33. 623) *pc* ¦ ομολογησει Ψ | ⸆Χριστος B (vg[ms]) | ⸄αυτω 614. 630 *pc* vg[mss] ¦ αυτω εστιν 𝔓[9] ● **16** ⸀πιστευομεν A 33 vg[ww] | ° A 33. 614. 623. 1846. 2298. 2464 *al* w vg ● **17** ⸀αγαπη ℵ *pc* | ⸆προς τον ενανθρωπησαντα 1505. 1611. 2138. 2495 *pc* | ⸁ην εν τω κοσμω αμωμος και καθαρος, ουτως 2138 *pc* | ⸀¹εσομεθα ℵ 2138 *pc*

ἐν τῇ ἀγάπῃ. **19** ἡμεῖς ⸆ ἀγαπῶμεν⸇, ὅτι ⸂αὐτὸς πρῶτος⸃
ἠγάπησεν ἡμᾶς. **20** ἐάν τις εἴπῃ ὅτι ἀγαπῶ τὸν θεὸν καὶ 10
τὸν ἀδελφὸν αὐτοῦ μισῇ, ψεύστης ἐστίν· ὁ γὰρ μὴ ἀγα- 2,4! · 3,17
πῶν τὸν ἀδελφὸν αὐτοῦ ὃν ἑώρακεν, τὸν θεὸν ὃν οὐχ
ἑώρακεν ⸀οὐ δύναται ἀγαπᾶν. **21** καὶ ταύτην τὴν ἐντολὴν 12 J 1,18!
ἔχομεν ⸂ἀπ' αὐτοῦ⸃, ἵνα ὁ ἀγαπῶν τὸν θεὸν ἀγαπᾷ καὶ Mt 22,37-39
τὸν ἀδελφὸν αὐτοῦ.

5 Πᾶς ὁ πιστεύων ὅτι Ἰησοῦς ἐστιν ὁ χριστός, ἐκ τοῦ 4,15! 2,22 Act 9,22! ·
θεοῦ γεγέννηται, καὶ πᾶς ὁ ἀγαπῶν τὸν γεννήσαντα 4,7! J 3,3; · 8,42
ἀγαπᾷ ⸂[καὶ] τὸν⸃ γεγεννημένον ἐξ αὐτοῦ. **2** ἐν τούτῳ γινώσκομεν ὅτι ἀγαπῶμεν τὰ τέκνα τοῦ θεοῦ, ὅταν τὸν θεὸν 2,3!
ἀγαπῶμεν καὶ τὰς ἐντολὰς αὐτοῦ ⸀ποιῶμεν. **3** αὕτη
γάρ ἐστιν ἡ ἀγάπη τοῦ θεοῦ, ἵνα τὰς ἐντολὰς αὐτοῦ τη- 2,5 2J 6 · J 14,15! ·
ρῶμεν, καὶ αἱ ἐντολαὶ αὐτοῦ βαρεῖαι οὐκ εἰσίν. **4** ὅτι πᾶν Dt 30,11 |
τὸ γεγεννημένον ἐκ τοῦ θεοῦ νικᾷ τὸν κόσμον· καὶ αὕτη 4,7!
ἐστὶν ἡ νίκη ἡ νικήσασα τὸν κόσμον, ἡ πίστις ⸀ἡμῶν. 4,4! J 16,33 1K 15,57 |
5 Τίς ⸂[δέ] ἐστιν⸃ ὁ νικῶν τὸν κόσμον εἰ μὴ ὁ πιστεύων R 8,37 E 6,16 ·
ὅτι Ἰησοῦς ἐστιν ὁ υἱὸς τοῦ θεοῦ; **6** οὗτός ἐστιν ὁ ἐλθὼν 4,15! |
δι' ὕδατος καὶ ⸀αἵματος, Ἰησοῦς Χριστός, οὐκ ἐν τῷ ὕδατι Mt 3,16p J 1,31.33; 19,34
⸁μόνον ἀλλ' ἐν τῷ ⸂ὕδατι καὶ ἐν τῷ αἵματι⸃· καὶ τὸ πνεῦ-
μά ἐστιν τὸ μαρτυροῦν, ὅτι ⸄τὸ πνεῦμά⸅ ἐστιν ἡ ἀλήθεια. 2,27 J 4,23; 19,35; 14,17!
7 ὅτι τρεῖς εἰσιν οἱ μαρτυροῦντες⸂, **8** τὸ πνεῦμα καὶ τὸ

19 ⸆ουν A 048^vid. 33. 69. 623. 2464 *al* r vg | ⸇ τον θεον ℵ 048. 33. 81. 614. 630. 1505. 2495 *al* w vg^cl sy bo ¦ αυτον Ψ 𝔐 ¦ *txt* A B 323. 945. 1241. 1739 *al* vg^st | ⸂ο θεος πρωτος A 33. 81^vid *al* lat ¦ ο θεος (αυτος 1505. 2495 *pc*) πρωτον 623. 1505. 2464. 2495 *pc* • **20** ⸀ πως A 048 𝔐 latt sy^p bo ¦ *txt* ℵ B Ψ 323. 630. 1505. 1739. 2495 *al* sy^h sa; Cyp Lcf • **21** ⸂ απο του θεου A 048^vid r vg^cl

¶ **5,1** ⸂† τον B Ψ 048^vid. 33 *pc* r vg^st sa bo^ms ¦ και το ℵ 69 *pc* ¦ *txt* A P 𝔐 vg^cl sy • **2** ⸀ τηρωμεν ℵ P (048) 𝔐 vg^mss (A: *h. t.*) ¦ *txt* B Ψ 81. 323. 614. (623). 630. 945. 1505. 1739. 2495 *al* r vg; Lcf Aug • **4** ⸀υμων K^c L 048. 049. 81. 1241 *pm* vg^mss • **5** ⸂† *2 1* B ¦ *2* A Ψ 𝔐 vg ¦ *txt* ℵ K P 33. 323. 614. 630. 945. 1241. 1505. 1739. 2495 *al* • **6** ⸀(J 3,5) πνευματος 945. 1241 *pc*; Ambr ¦ αιμ. και πν. (+ αγιου *pc*) ℵ A 614. 1505. 1739^c. 2495 *al* vg^mss sy^h co ¦ πν. και αιμ. P 81. 623. 630. 1243. 1846. 1852. 2464 *pc* l vg^mss ¦ *txt* B Ψ 𝔐 vg sy^p; Tert | ⸁μονω B 81^vid | ⸂*5 2–4 1* P 69. 323. 945. 1241. 1739* *al* ¦ υδ. κ. εν τω πνευματι A *pc* ¦ αιμ. κ. εν τω πνευμ. *pc* ¦ αιμ. κ. εν τω υδ. κ. πνευμ. 1739^c (vg^mss) ¦ *txt* B^vid Ψ L 33. 614. 630. 1505. 2495 *pc* l vg sy^h (ℵ 𝔐 *om.* τω) | ⸄ χριστος 61 vg • **7/8** ⸂ εν τω ουρανω, ο πατηρ, ο λογος και το αγιον πνευμα, και ουτοι οι τρεις ἕν εισιν. 8 και τρεις εισιν οι μαρτυρουντες εν τη γη, το πν. κ. το υδ. κ. το αι., κ. οι τρ. εις το ἕν εισιν. 221^vl. 2318 vg^cl (61. 629 *om.* κ. οι τρ. ... εισιν; 61. 629. 88^vl, 429^vl, 636^vl, 918: *al. v. l. minores*) ¦ in terra, spiritus et aqua et sanguis (+ et hi tres unum sunt in Christo Iesu vg^mss; Spec). 8 et tres sunt, qui testimonium dicunt in caelo, pater, verbum (filius l vg^mss) et spiritus, et hi tres unum sunt (+ in Christo Iesu l) l r vg^mss; Spec (Prisc Fulg) ¦ *txt codd graeci rell et* vg^st (sa) bo sy; Tert? Cl Or *etc*

ὕδωρ καὶ τὸ αἷμα, καὶ οἱ τρεῖς εἰς τὸ ἕν εἰσιν⸌. **9** εἰ τὴν
μαρτυρίαν τῶν ἀνθρώπων λαμβάνομεν, ἡ μαρτυρία τοῦ
J 5,32! θεοῦ μείζων ἐστίν· ὅτι αὕτη ἐστὶν ἡ μαρτυρία τοῦ θεοῦ
⸀ὅτι μεμαρτύρηκεν περὶ τοῦ υἱοῦ αὐτοῦ⸆. **10** ὁ πιστεύων
4,15! · Ap 12,17 J 3,33 R 8,16 · εἰς τὸν υἱὸν τοῦ θεοῦ ἔχει τὴν μαρτυρίαν ⸆ ἐν ⸀ἑαυτῷ, ὁ μὴ
1,10 1K 15,15 πιστεύων ⸂τῷ θεῷ⸃ ψεύστην πεποίηκεν αὐτόν, ὅτι οὐ πεπίστευκεν εἰς τὴν μαρτυρίαν ⸄ἣν μεμαρτύρηκεν ὁ θεὸς⸅
1,5! περὶ τοῦ υἱοῦ αὐτοῦ. **11** Καὶ αὕτη ἐστὶν ἡ μαρτυρία, ὅτι ζωὴν αἰώνιον ἔδωκεν ⸂ἡμῖν ὁ θεός⸃, καὶ αὕτη ἡ
5,20 J 3,15; 20,31 ζωὴ ἐν τῷ υἱῷ αὐτοῦ ἐστιν. **12** ὁ ἔχων τὸν υἱὸν ἔχει τὴν
J 3,36 2J 9 ζωήν· ὁ μὴ ἔχων τὸν υἱὸν τοῦ θεοῦ τὴν ζωὴν οὐκ ἔχει.

J 20,31 **13** Ταῦτα ἔγραψα ὑμῖν ⸆ ἵνα εἰδῆτε ὅτι ζωὴν ἔχετε αἰώ-
3,23 J 1,12 νιον, ⸂τοῖς πιστεύουσιν⸃ εἰς τὸ ὄνομα τοῦ υἱοῦ τοῦ θεοῦ.
3,21! **14** Καὶ αὕτη ἐστὶν ἡ παρρησία ἣν ⸀ἔχομεν πρὸς αὐτὸν ⸂ὅτι
J 14,13! Mt 7,7! ἐάν τι⸃ αἰτώμεθα κατὰ τὸ ⸁θέλημα αὐτοῦ ἀκούει ἡμῶν.
15 καὶ ἐὰν οἴδαμεν ὅτι ἀκούει ἡμῶν ὃ ἐὰν αἰτώμεθα, οἴδαμεν ὅτι ἔχομεν τὰ αἰτήματα ἃ ⸀ᾐτήκαμεν ⸁ἀπ' αὐτοῦ.
16 Ἐάν τις ἴδῃ τὸν ἀδελφὸν αὐτοῦ ἁμαρτάνοντα ἁμαρ- 7
τίαν μὴ πρὸς θάνατον, αἰτήσει καὶ δώσει αὐτῷ ζωήν,
Mt 12,31!p cf J 11,4 ⸂τοῖς ἁμαρτάνουσιν μὴ πρὸς θάνατον⸃. ἔστιν ἁμαρτία
πρὸς θάνατον· οὐ περὶ ἐκείνης λέγω ἵνα ἐρωτήσῃ. **17** πᾶ-
3,4 σα ἀδικία ἁμαρτία ἐστίν, καὶ ἔστιν ἁμαρτία ⸀οὐ πρὸς
θάνατον.
4,7! · 3,9! **18** Οἴδαμεν ὅτι πᾶς ὁ γεγεννημένος ἐκ τοῦ θεοῦ οὐχ

9 ⸀ἣν P 𝔐 ¦ *txt* ℵ A B Ψ 33. 323. 945. 1241. 1505. 1739. 2495 *al* lat co | ⸆quem misit salvatorem super terram, et filius testimonium perhibuit in terra scripturas perficiens, et nos testimonium perhibemus quoniam vidimus eum et adnuntiamus vobis ut credatis, et ideo vg^{mss}; Bea • **10** ⸆του θεου A 81. 623. 945. 1241. 2464 *al* latt (33 *illeg.*) | ⸀† αυτω A B P 𝔐 ¦ *txt* ℵ Ψ 049. 69. 323. 614. 630. 945. 1505. 1739. 2495 *al* | ⸂τω υιω A 81. 322. 323. 623. 1241. 1739*. 2464 *al* vg sy^{hmg} ¦ τω υιω του θεου *pc* sa bo^{pt} ¦ Iesu Christo Spec ¦ – vg^{mss} ¦ *txt* ℵ B P Ψ 𝔐 l r sy bo^{pt}; Aug | ⸄ *1 2* (ℵ) 1881 *pc* vg^{mss}; Aug ¦ – 048 • **11** ⸂† *2 3 1* B 69. 323. 614. 630. 1505. 1739. 2495 *al* sy^{h} ¦ υμ- ο θ. 1241 ¦ *txt* ℵ A P Ψ 𝔐 lat • **13** ⸆(*cf* 13b) τοις πιστευουσιν εις το ον. του υι. του θ. P 𝔐 *et* ⸂και ινα πιστευητε P (Ψ) 323. (1739. 2495). 1881 𝔐 ¦ οι πιστευοντες (ℵ^{2}) A 623. (2465) *pc* ¦ *txt* (ℵ*) B 1505. 1852 *pc* r vg sy^{h} • **14** ⸀εχωμεν A 1243 *pc* vg^{mss} | ⸂οτι ο (ε)αν 33. 81 latt ¦ ο τι (*vl* οτι) (ε)αν A 049. 69* *pc* | ⸁ονομα A • **15** ⸀-σαμεν 322. 323. 1241. 1739. 1846. 1881. 2298 *al* | ⸁παρ' A P Ψ 𝔐 ¦ – 2464* ¦ *txt* ℵ B 33. 81. 2464^{c} *al* • **16** ⸂τω -τανοντι (⸉ 614). 630. 945. 1505. 1852. 2495 *pc* l vg^{ww} sy^{h} ¦ τοις -τανουσιν αμαρτιαν A (*pc*) • **17** ⸀– 33. 623. 1243. 1852. 2464* *pc* l t vg^{ww} sy^{h} sa bo^{mss} ¦ μη 2464^{c} *pc*; Cl

ἁμαρτάνει, ἀλλ' ⸂ὁ γεννηθεὶς ἐκ⸃ τοῦ θεοῦ τηρεῖ ⸀αὐτὸν Jd 1
καὶ ὁ πονηρὸς οὐχ ἅπτεται αὐτοῦ. **19** οἴδαμεν ὅτι ἐκ τοῦ J 17,15! | J 8,47!
θεοῦ ἐσμεν καὶ ὁ κόσμος ὅλος ἐν τῷ πονηρῷ κεῖται. G 1,4!
20 ⸂οἴδαμεν δὲ⸃ ὅτι ὁ υἱὸς τοῦ θεοῦ ἥκει ⸆ καὶ ⸀δέδωκεν
ἡμῖν διάνοιαν ἵνα ⸀γινώσκωμεν τὸν ἀληθινόν ⸆, καὶ ἐσμὲν J 17,3! Ap 3,7!
ἐν τῷ ἀληθινῷ, ἐν τῷ υἱῷ αὐτοῦ Ἰησοῦ Χριστῷ ⸆¹. οὗτός
ἐστιν ὁ ἀληθινὸς θεὸς καὶ ⸂ζωὴ αἰώνιος⸃. R 9,5 · 11! J 11,25! |
21 Τεκνία, φυλάξατε ⸀ἑαυτὰ ἀπὸ τῶν εἰδώλων. ⸆ 1K 10,14 Epist Jer 72

⸂ΙΩΑΝΝΟΥ Β′⸃

1 Ὁ πρεσβύτερος ἐκλεκτῇ κυρίᾳ καὶ τοῖς τέκνοις αὐ- 1P 5,1 · 13 1P 5,13 · 5 ·
τῆς, οὓς ἐγὼ ἀγαπῶ ἐν ἀληθείᾳ, καὶ οὐκ ἐγὼ μόνος ἀλλὰ 1J 3,18 3J 1
καὶ πάντες οἱ ἐγνωκότες τὴν ἀλήθειαν, **2** □διὰ τὴν ἀλή- J 8,32 2T 3,7!
θειαν⸌ τὴν ⸀μένουσαν ἐν ⸀ἡμῖν καὶ μεθ' ⸀¹ἡμῶν ἔσται εἰς 1J 2,4!
τὸν αἰῶνα. **3** ⸂ἔσται μεθ' ἡμῶν⸃ χάρις ⸀ἔλεος εἰρήνη παρὰ 1T 1,2!
θεοῦ πατρὸς καὶ ⸀παρὰ Ἰησοῦ Χριστοῦ ⸂τοῦ υἱοῦ τοῦ πα-
τρὸς⸃ ἐν ἀληθείᾳ καὶ ἀγάπῃ.
1 **4** Ἐχάρην λίαν ὅτι εὕρηκα ἐκ τῶν τέκνων σου περιπα- 3J 3s 2Rg 20,3 ⓔ

18 ⸂εγεννηθη· ο δε γεννηθεις εκ 33 ¦ η γεννησις 1505. 1852. 2138. 2495 latt (sy^{h}) bo | ⸀εαυτον ℵ A^{c} P Ψ 𝔐 sy^{p}; Or ¦ *txt* A* B 614. 1505. 2495 *pc* latt sy^{h} ● **20** ⸂και οιδ. A Ψ 33. 81. 323. 614. 630. 1505. 1739. 2495 *al* sy sa ¦ οιδ. L P 049. 1243 *al* vg^{ms} bo^{ms} ¦ *txt* ℵ B 𝔐 bo | ⸆et carnem induit nostri causa et passus est et resurrexit a mortuis adsumpsit nos t vg^{mss}; Spec (Hil) | ⸀εδωκεν A Ψ 049. 33. 614. 630. 1505. 2464. 2495 *al* | ⸀-κομεν ℵ A B* L P 049. 33. 81. 614 *al* ¦ *txt* B^{2} Ψ 𝔐 | ⸆θεον A Ψ 33. 323. 614. (629). 630. 945. 1505. 1739. 2495 *al* t vg bo^{pt} | [⸆¹οντες Harnack *cj*] | ⸂η ζ. η αι. K L P (049). 69. 81. 614. 630. 945. 1505. (1881). 2495 *pm* ¦ ζωην αιωνιον παρεχων Ψ ● **21** ⸀εαυτους ℵ^{2} A K P 048. 049*^{vid}. 33. 81. 614. 630. 945. 1505. 2495 *pm*; Did | ⸆αμην P 𝔐 vg^{cl} ¦ *txt* ℵ A B Ψ 33. 323. 630. 1505. 1739. 2495 *al* vgst sy co; Did

Inscriptio: ⸂I. επιστολη (+ καθολικη K 614 *al*) β′ K Ψ 33. 69. 81. 614. 1241. 1739. 2464 *al* (630. 945. 1505. 2495 *al*) ¦ του αυτου επ. β′ 049 ¦ του αγιου αποστολου I. του θεολογου επ. β′ L *al* ¦ *txt* (ℵ A B) 048

2 □Ψ 323. 614. 630. 1241. 1505. 1739. 2495 *al* vg^{mss} sy^{h}; Cass | ⸀ενοικουσαν A 048 ¦ ουσαν 33 *pc* co ¦ – *pc* | ⸀υμ- P 81 *al* vg^{mss} *et* ⸀¹υμ- 81 *al* vg^{ms} ● **3** ⸂εστ. μεθ' υμ- 81. 945 *pm* l vg^{ww} bo^{mss} ¦ – A 630. 1505. 1852. 2464. 2495 *pc* sy^{h} ¦ *txt* ℵ B P Ψ 0232. 33. 323. (614). 1241. 1739 *pm* vgst sy^{ph} co | ⸀υμιν και 630. 1505. 2495 *pc* sy^{h} | ⸀π. κυριου ℵ^{2} P 𝔐 vg^{mss} sy$^{(ph)}$ bo^{mss} ¦ κυριου ℵ* 630. 1881 *pc* ¦ – 1505. 2495 *al* l vg^{mss} sa; Aug Cass ¦ *txt* A B Ψ 048. 0232. 81. 323. 1739 *al* vg | ⸂*2 3 4* Ψ 1505. 1852. 2495 *pc* ¦ *1 2* 945 (*pc* vg^{mss}; Cass) ¦ τ. υι. τ. θεου 1881 (vg^{mss})

τοῦντας ἐν ἀληθείᾳ, καθὼς ἐντολὴν ⸀ἐλάβομεν παρὰ τοῦ
1 · J 13,34! πατρός. **5** καὶ νῦν ἐρωτῶ σε, κυρία, οὐχ ὡς ἐντολὴν ⸂και-
1 J 2,7! νὴν γράφων σοι⸃ ἀλλὰ ἣν εἴχομεν ἀπ' ἀρχῆς, ἵνα ἀγαπῶ-
1 J 5,3 μεν ἀλλήλους. **6** καὶ αὕτη ἐστὶν ἡ ἀγάπη, ἵνα περιπατῶμεν κατὰ τὰς ἐντολὰς αὐτοῦ· αὕτη ⸂ἡ ἐντολή ἐστιν⸃, ⸆
καθὼς ἠκούσατε ἀπ' ἀρχῆς, °ἵνα ἐν αὐτῇ περιπατῆτε.
1 J 3,7! **7** Ὅτι πολλοὶ πλάνοι ⸀ἐξῆλθον εἰς τὸν κόσμον, οἱ μὴ
1 J 2,23; · 4,2 · ὁμολογοῦντες Ἰησοῦν Χριστὸν ἐρχόμενον ἐν σαρκί· οὗ-
1 J 2,18! τός ἐστιν ὁ πλάνος καὶ °ὁ ἀντίχριστος. **8** βλέπετε ἑαυ-
Rth 2,12 τούς, ἵνα μὴ ⸀ἀπολέσητε ἃ ⸁εἰργασάμεθα ἀλλὰ μισθὸν
πλήρη ⸀¹ἀπολάβητε.
9 Πᾶς ὁ ⸀προάγων καὶ μὴ μένων ἐν τῇ ⸁διδαχῇ τοῦ
1 J 2,23 Χριστοῦ θεὸν οὐκ ἔχει· ὁ μένων ἐν τῇ διδαχῇ⸆, οὗτος
1 J 2,24; 5,12 | καὶ τὸν ⸉πατέρα καὶ τὸν υἱὸν⸊ ἔχει. **10** εἴ τις ἔρχεται πρὸς
Mt 10,13s ὑμᾶς καὶ ταύτην τὴν διδαχὴν οὐ φέρει, μὴ λαμβάνετε αὐτὸν εἰς οἰκίαν καὶ χαίρειν αὐτῷ μὴ λέγετε· **11** ὁ ⸂λέγων
1 T 5,22 Ap 18,4 γὰρ αὐτῷ⸃ χαίρειν κοινωνεῖ τοῖς ἔργοις αὐτοῦ τοῖς πονηροῖς. ⸆
3 J 13 **12** Πολλὰ ⸀ἔχων ὑμῖν ⸁γράφειν οὐκ ἐβουλήθην διὰ χάρ- *2*
3 J 14 του καὶ μέλανος, ⸂ἀλλὰ ἐλπίζω γενέσθαι⸃ πρὸς ὑμᾶς καὶ
Nu 12,8 · J 15,11! στόμα πρὸς στόμα λαλῆσαι, ἵνα ἡ χαρὰ ⸄ἡμῶν πεπληρωμένη ᾖ⸅.
1 **13** Ἀσπάζεταί σε τὰ τέκνα τῆς ἀδελφῆς σου τῆς ⸀ἐκλεκ-
τῆς. ⸆

4 ⸀ελαβον ℵ 33 *pc* ● **5** ⸂† *2 3 1* B P 𝔐 ¦ κ. γραφω σ. Ψ 81. 623. 1241*. 1852. 2464 *al* l; Aug^{pt} ¦ *txt* ℵ A 33. 69. 323. 614. 630. 1241^{c}. 1505. 1739. 2495 *al* vg ● **6** ⸂*3 1 2* P 𝔐; Lcf ¦ εσ. η εντ. αυτου ℵ 1846 *pc* ¦ *txt* A B K Ψ 0232. 33. 69. 323. 630. 1241. 1505. 1739. 2495 *al* vg | ⸆ινα ℵ A K 0232. 33. 69. 323. 614. 1241. 1739 *al* l vg co *et* °K 33. 81. 323. 614. 1241. 1739 *al* vg co ● **7** ⸀εισηλ- P 049 𝔐 bo ¦ *txt* ℵ A B Ψ 0232. 33. 81. 323. 614. 630. 1241. 1739. 2495 *al* vg sy sa; Ir^{lat} | °ℵ 322. 323. 1241*. 1846. 2464 *al* ● **8** ⸀-σωμεν *et* ⸀¹-βωμεν P 𝔐 ¦ *txt* ℵ(*) A B Ψ 0232^{vid}. (33: -βετε). 81. 323. 614. 630. 1241. 1505. 1739. 2495 *al* latt sy | ⸁-σασθε ℵ A Ψ 0232^{vid}. 33. 81. 323. (614). 630. 1241. 1505. 1739. 2495 *al* latt sy bo ¦ *txt* B(*) P 𝔐 sy^{hmg} sa ● **9** ⸀παραβαινων P Ψ 𝔐 sy ¦ *txt* ℵ A B 0232 vg co | ⸁(1 J 4,16) αγαπη 33 | ⸆του Χριστου P 𝔐 vg^{mss} bo; Aug ¦ αυτου vg^{mss} sy^{ph,h**}; Lcf ¦ *txt* ℵ A B Ψ 33. 81. 323. 1241. 1739. 1881 *al* lat sa bo^{mss} | ⸉*4 2 3 1* A 33. (69). 81. 323. 1241. 1739. (1881) *al* vgst ● **11** ⸂*2 1* K 049. 945 *pm*; Cl^{lat} | ⸆ecce praedixi vobis ut in diem domini nostri (+ Iesu Christi vg^{mss}) non confundamini vg^{mss}; (Spec) ● **12** ⸀εχω ℵ* A* 323 *pc* | ⸁γραψαι A 2298 *pc* | ⸂ελπ. γαρ γεν. A 33. 81. 323. 1739 *al* vg ¦ αλ. ελπ. ελθειν P 𝔐 l (vg^{mss}) sy^{ph} sa (bo^{ms}) ¦ *txt* ℵ B Ψ 614. 630. 1505. 2495 *pc* vg^{mss} sy^{h} | ⸄*1 3 2* P Ψ 𝔐 sy ¦ υμων η πεπλ. A (⸉B) 33. 81. 323. 1739. 1881 *al* lat ¦ *txt* ℵ(*) *pc* vg^{mss} ● **13** ⸀εκκλησιας 307 *pc* vg^{mss} | ⸆η χαρις μετα σου. αμην (– 442 *pc*) 442. 1758 *pc* (sy^{h**}) vg^{mss} ¦ αμην 𝔐 vg^{mss} sy^{ph} ¦ *txt* ℵ A B P Ψ 33. 81. 323. 1739. 1881 *al* vg co

⸀ΙΩΑΝΝΟΥ Γʹ⸁

1 Ὁ πρεσβύτερος Γαΐῳ τῷ ἀγαπητῷ, ὃν ἐγὼ ἀγαπῶ ἐν ? Act 19,29! · 2J 1!
ἀληθείᾳ.
1 **2** Ἀγαπητέ, ⸀περὶ πάντων εὔχομαί σε εὐοδοῦσθαι καὶ
ὑγιαίνειν, καθὼς εὐοδοῦταί σου ἡ ψυχή. **3** ἐχάρην °γὰρ 2J 4!
λίαν ἐρχομένων ἀδελφῶν καὶ ⸀μαρτυρούντων σου τῇ ἀληθείᾳ, καθὼς σὺ ἐν ἀληθείᾳ περιπατεῖς. **4** ⸂μειζοτέραν τού-
των⸃ ⸉οὐκ ἔχω χαράν⸊, ἵνα ἀκούω τὰ ἐμὰ τέκνα ἐν °τῇ
ἀληθείᾳ περιπατοῦντα.
5 Ἀγαπητέ, πιστὸν ποιεῖς ὃ ⸂ἐὰν ἐργάσῃ⸃ εἰς τοὺς Mc 14,6
ἀδελφοὺς καὶ ⸀τοῦτο ξένους, **6** ⸀οἳ ἐμαρτύρησάν σου τῇ
⸆ ἀγάπῃ ἐνώπιον ἐκκλησίας, οὓς καλῶς ⸂ποιήσεις προ-
πέμψας⸃ ἀξίως τοῦ θεοῦ· **7** ὑπὲρ γὰρ τοῦ ὀνόματος ⸆ ἐξ- Tt 3,13
ῆλθον μηδὲν λαμβάνοντες ἀπὸ τῶν ⸀ἐθνικῶν. **8** ἡμεῖς 1K 4,12!
οὖν ὀφείλομεν ⸀ὑπολαμβάνειν τοὺς τοιούτους, ἵνα συν- Mt 10,41 · 1K 3,9!
εργοὶ γινώμεθα ⸂τῇ ἀληθείᾳ⸃.
9 ⸂Ἔγραψά τι⸃ τῇ ἐκκλησίᾳ· ἀλλ᾽ ὁ φιλοπρωτεύων αὐ- Mt 20,27
τῶν Διοτρέφης οὐκ ἐπιδέχεται ἡμᾶς. **10** διὰ τοῦτο, ἐὰν
ἔλθω, ὑπομνήσω αὐτοῦ τὰ ἔργα ἃ ποιεῖ λόγοις πονηροῖς
φλυαρῶν ⸆ ἡμᾶς, καὶ μὴ ἀρκούμενος ἐπὶ τούτοις οὔτε
αὐτὸς ἐπιδέχεται τοὺς ἀδελφοὺς καὶ τοὺς ⸀βουλομένους
κωλύει καὶ °ἐκ τῆς ἐκκλησίας ἐκβάλλει. J 9,34
11 Ἀγαπητέ, μὴ μιμοῦ τὸ κακὸν ἀλλὰ τὸ ἀγαθόν. ὁ

Inscriptio: ⸀Ι. επιστολη γʹ Ψ 049. 33. 69. 323. 614. 1739. 2464 *al* (P 81. 630. 1505. 2495 *al*) ¦ επ. γʹ του αγιου αποστολου Ι. L *al* ¦ του αγ. Ι. (Ι. του απ. 1881 *pc*) επ. καθολικη γʹ 1852. 1881 *al* ¦ Ι. προς Γαϊον επ. 1243 *pc* ¦ *txt* (א A B)

2 [⸀προ Piscator *cj*] ● 3 °א 33. 81. 623. 2464. 2495 *al* lat co | ⸀μαρτυρουν B ● 4 ⸂ -ζονα τ. 614. 630. 1505. 2495 *pc* ¦ -ζοτερον ταυτης 322. 323. 1739. 1881 ¦ -ζοτεραν ταυτης (69). 1243. 1846 *al* | ⸉ *3 1 2* C (69). 322. 323. (614). 1739. 1881 *pc* ¦ ουκ εχω χαριν B(* εχων) (∫ 1243. 2298) *pc* lat bo | °א C² P Ψ 𝔐 bo ¦ *txt* A B C* 33. 81^{vid} *pc* ● 5 ⸂(ε)αν -ζη A Ψ (630). 945. 1505. 2495 *pc* | ⸀εις τους P 𝔐 ¦ τους 81 *pc* ¦ *txt* א A B C Ψ 048. 323. 1241^{vid}. 1739 *al* l vg^{ms} (vg) $sy^{(ph)}$ co ● 6 ⸀ὅ K 630 | ⸆αληθεια και 614. 630. 1505. 2495 *pc* sy^{h} | ⸂-σας -ψεις C vg^{cl} ● 7 ⸆αυτου Ψ 614. 630. 1846. 2495 *al* vg^{cl} sy | ⸀εθνων P 𝔐 vg ¦ *txt* א A B (C) Ψ 630. 1505. 1739. 1881. 2495 *al* it; Hier ● 8 ⸀απολ- C² P 𝔐 ¦ *txt* א A B C* Ψ 33. 81. 323. 1739 *al* | ⸂της -θειας 614. 623. 630. 1505. 2495 *pc* lat ¦ τη εκκλησια א* A ● 9 ⸂ *1* C P Ψ 𝔐 ¦ εγρ. αν (+ τι 323 *pc*) א² 33. 81. 323. 614. 630. 945. 1505 *al* vg sy ¦ εγραψας τι B co ¦ *txt* א* A 048^{vid}. 1241. 1739 *pc* bo^{mss} ● 10 ⸆εις C 33^{vid} vg | ⸀επιδεχομενους C 323. 1241. 1243. 1739. 1881. 2298 *pc* vg^{cl} $sy^{ph.hmg}$ sa | °א 049. 614. 630. 1243. 1505. 1739. 2495 *al*

1J 3,10.6 ἀγαθοποιῶν ἐκ τοῦ θεοῦ ἐστιν· ὁ ⸆ κακοποιῶν οὐχ ἑώρακεν τὸν θεόν. **12** Δημητρίῳ μεμαρτύρηται ὑπὸ πάν- *2*
των καὶ ὑπὸ αὐτῆς τῆς ⸀ἀληθείας· καὶ ἡμεῖς δὲ μαρτυροῦ-
J 19,35! μεν, καὶ ⸁οἶδας ὅτι ἡ μαρτυρία ἡμῶν ἀληθής ἐστιν.
2J 12 **13** Πολλὰ εἶχον ⸂γράψαι σοι⸃ ἀλλʼ ⸄οὐ θέλω⸅ διὰ μέ- *3*
2J 12 λανος καὶ καλάμου ⸂¹σοι γράφειν⸃¹· **14** ἐλπίζω δὲ εὐθέως
Nu 12,8 ⸉σε ἰδεῖν⸊, καὶ στόμα πρὸς στόμα ⸀λαλήσομεν.
cf 1P 5,14 **15** Εἰρήνη σοι. ἀσπάζονταί σε οἱ ⸀φίλοι. ⸁ἀσπάζου τοὺς
⸀¹φίλους κατʼ ὄνομα. ⸆

⸂ΙΟΥΔΑ⸃

Mt 13,55p · Jc 1,1! 1K 9,5 **1** Ἰούδας Ἰησοῦ Χριστοῦ δοῦλος, ἀδελφὸς δὲ Ἰακώβου, τοῖς ⸆ ἐν θεῷ πατρὶ ⸀ἠγαπημένοις ⸋καὶ Ἰησοῦ Χρι-
1J 5,18 | στῷ τετηρημένοις⸌ κλητοῖς· **2** ἔλεος ὑμῖν καὶ εἰρήνη
2P 1,2 ⸆ καὶ ἀγάπη πληθυνθείη.
2P 1,5 **3** Ἀγαπητοί, πᾶσαν σπουδὴν ⸀ποιούμενος ⸆ γράφειν *1*
ὑμῖν περὶ τῆς κοινῆς ⸂ἡμῶν σωτηρίας⸃ ἀνάγκην ἔσχον
2T 4,7! · 2P 2,21 ⸁γράψαι ὑμῖν παρακαλῶν ἐπαγωνίζεσθαι τῇ ἅπαξ παραδο-
G 2,4 θείσῃ τοῖς ἁγίοις πίστει. **4** ⸀παρεισέδυσαν γάρ τινες ἄν-

11 ⸆δε L 1852 *pc* vg[mss] bo • **12** ⸀εκκλησιας 𝔓[74]* A*[vid] ¦ εκκλησιας και της αλ. C sy[ph.hmg] ¦ *txt* 𝔓[74c] ℵ A[c] B P Ψ 049 𝔐 latt sy[h] co | ⸁οιδατε P 𝔐 vg[ms] sy[h] ¦ οιδαμεν 2143 *al* bo[ms] ¦ *txt* ℵ A B C Ψ 048. 81. 323. 614. 1241. 1739. 2495 *al* vg sy[ph] co • **13** ⸂γραφειν P (2495) 𝔐 ¦ *txt* ℵ A B C Ψ 048[vid]. 81. 323. 630. 945. 1505. 1739 *al* | ⸄ουκ εβουληθην A vg | ⸂¹*2 1* A Ψ 048. 0251[vid]. 81. 323. 630. 1241. 1505. 1739 *al* ¦ σοι γραψαι P 𝔐 ¦ *txt* ℵ B C *pc* • **14** ⸉ ℵ P Ψ 𝔐 ¦ *txt* A B C 048[vid]. 33. 81. 323. 1241. 1739 *al* | ⸀λαλησωμεν K 049. 0251. 1241. (1243) *al* vg[ms] ¦ λαλησαι 81 (*pc*) d vg[mss] • **15** ⸀αδελφοι A 33. 81* *al* sy[hmg] | ⸁ασπασαι ℵ *pc* | ⸀¹φ. σου Ψ ¦ αδελφους 630. 1505. 1611. 2495 *pc* sy[h] bo[ms] | ⸆αμην L 614. 1852 *al* vg[mss]

Inscriptio: ⸂Ι. επιστολη (+ καθολικη 614. 1739 *al*) 𝔓[72] (A) K Ψ 33. 81. 614. 1241. 1739. (1505. 2495 *al*) ¦ Ι. αδελφου Ιακωβου επ. καθ. 1881 *pc* ¦ επ. του αγιου αποστολου Ι. L (049) *al* ¦ *txt* (ℵ B)

1 ⸆εθνεσιν 323. 614. 945. 1241. 1505. 1739. 2495 *al* sy | ⸀ηγιασμ- P 𝔐 ¦ *txt* 𝔓[72] ℵ A B Ψ 81. 630. 1241. 1505. 1739. 2495 *al* lat sy co | □630. 1505. 2495 *pc* sy[h] • **2** ⸆εν κυριω 614. 630. 1505. 2495 *pc* sy[h] • **3** ⸀ποιησαμ- 𝔓[72] | ⸆του 𝔓[72] ℵ Ψ | ⸂*2* P 𝔐 ¦ υμ- σωτ. 1881. 2298 *pc* vg bo ¦ υμων ζωης 1505. 2495 ¦ ημων σωτ. και ζωης ℵ Ψ ¦ *txt* 𝔓[72] A B 69[vid]. 81. 323. 614. 630. 1739 *al* vg[mss] sy sa; Lcf (C *illeg.*) | ⸁γραφειν ℵ Ψ 1505. 2495 *pc*
• **4** ⸀† παρεισεδυησαν B C ¦ *txt* 𝔓[72] ℵ A P Ψ 𝔐

θρωποι, οἱ πάλαι προγεγραμμένοι εἰς τοῦτο °τὸ ⸁κρίμα,
ἀσεβεῖς, τὴν τοῦ θεοῦ ἡμῶν ⸀1χάριτα μετατιθέντες εἰς ἀ- 2P 2,2
σέλγειαν καὶ τὸν μόνον ⸆ δεσπότην ⸇ καὶ κύριον ⸂ἡμῶν Act 4,24! 2P 2,1 Hen 48,10 ·
Ἰησοῦν Χριστὸν⸃ ἀρνούμενοι. Mt 10,33!
5 ʿΥπομνῆσαι ⸀δὲ ὑμᾶς βούλομαι⸆, εἰδότας °[ὑμᾶς] 2P 1,12
⸂⸁πάντα ὅτι ⸉[ὁ] κύριος⸊ ἅπαξ⸃ λαὸν ἐκ ⸀1γῆς Αἰγύπτου Nu 14,29-37 1K 10,5 H 3,17-19 |
σώσας τὸ δεύτερον τοὺς μὴ πιστεύσαντας ἀπώλεσεν, **6** ἀγ- Gn 6,1-4 2P 2,4!
γέλους τε τοὺς μὴ τηρήσαντας τὴν ἑαυτῶν ἀρχὴν ἀλλὰ Hen 12,4 ·
ἀπολιπόντας τὸ ἴδιον οἰκητήριον εἰς κρίσιν μεγάλης Hen 10,6; 22,11 2P 2,9 ·
ἡμέρας δεσμοῖς ⸆ ἀϊδίοις ὑπὸ ζόφον τετήρηκεν, **7** ὡς Ap 20,1 | Gn 19, 4-25 Mt 10,15!
Σόδομα καὶ Γόμορρα καὶ αἱ περὶ αὐτὰς πόλεις τὸν ὅμοι- 2P 2,6.10
ον ⸂τρόπον τούτοις⸃ ἐκπορνεύσασαι καὶ ἀπελθοῦσαι ὀπίσω σαρκὸς ἑτέρας, πρόκεινται δεῖγμα πυρὸς αἰωνίου δί-
κην ⸀ὑπέχουσαι.
8 ⸀ʿΟμοίως μέντοι καὶ ⸁οὗτοι ἐνυπνιαζόμενοι σάρκα
°μὲν μιαίνουσιν ⸀1κυριότητα δὲ ἀθετοῦσιν ⸀2δόξας δὲ 2P 2,10! · L 10, 16! |
βλασφημοῦσιν. **9** ⸂ʿΟ δὲ⸃ Μιχαὴλ ὁ ἀρχάγγελος, ⸀ὅτε τῷ Dn 10,13.21; 12,1 Ap 12,7
διαβόλῳ διακρινόμενος διελέγετο περὶ τοῦ Μωϋσέως σώ-
ματος, οὐκ ἐτόλμησεν κρίσιν ἐπενεγκεῖν βλασφημίας ἀλλὰ 2P 2,11
εἶπεν· *ἐπιτιμήσαι* ⸆ *σοι* ⸁*κύριος*⸇. **10** Οὗτοι δὲ ὅσα Ass.Mosis? *Zch 3,2* |
μὲν οὐκ οἴδασιν βλασφημοῦσιν, ὅσα δὲ φυσικῶς ὡς τὰ 2P 2,12
2 ἄλογα ζῷα ἐπίστανται, ἐν τούτοις φθείρονται. **11** οὐαὶ
αὐτοῖς, ὅτι τῇ ὁδῷ τοῦ Κάϊν ἐπορεύθησαν καὶ τῇ πλάνῃ Gn 4,8 · 2P 2,15! ·
τοῦ ⸀Βαλαὰμ μισθοῦ ἐξεχύθησαν καὶ τῇ ἀντιλογίᾳ τοῦ Nu 16
Κόρε ἀπώλοντο. **12** Οὗτοί εἰσιν ⸆ °οἱ ἐν ταῖς

4 ° 𝔓^{72*} | ⸁κηρυγμα Ψ | ⸀1χαριν ℵ C P Ψ 0251 𝔐 ¦ *txt* 𝔓^{72} A B | ⸆ημων 𝔓^{72}; Lcf | ⸇θεον P Ψ 𝔐 (vg^{ms}) sy ¦ *txt* 𝔓$^{72.78}$ ℵ A B C 0251. 33. 81. 323. 1241. 1739 *al* vg co | ⸂ *2 3 1* 𝔓^{72} ¦ *2 3* 1881 *pc* vg^{mss}; Lcf ¦ υμων Ιησ. Χρ. 1241 ● **5** ⸀ουν C Ψ 323. 1241. 1243. 1739. 2298 *pc*; Lcf ¦ – 1881 *pc* bo^{mss} | ⸆αδελφοι 𝔓^{78} | °† 𝔓^{72} A C Ψ 0251. 33. 81. 323. 630. 1241. 1505. 1739. 2495 *al* latt ¦ *txt* ℵ B 𝔐 | ⸂ *5 (1–4) et* ⸁τουτο 𝔐, παντας 𝔓^{72*}; *et* ⸉Ιησους A B 33. 81. 2344 *pc* vg, θεος Χριστος 𝔓^{72}, ο θεος C^{2} 623 vg^{ms}, † κυριος (*cf* ℵ Ψ), ο κυρ. 𝔐 ¦ *txt* C* 630. 1505. 2495 *pc* sy^{h} *et* ⸉κυρ. ℵ Ψ, ο θεος 1243. 1846 *pc* vg^{mss} sy^{ph}, Ιησους 1241. 1739. 1881. 2298 *pc* vg^{ms} co | ⸀1της Ψ *pc* sy^{ph} ● **6** ⸆αλυτοις και 33 ● **7** ⸂ *2 1* K L 049. 945. 1846 𝔐 vg^{mss}; Lcf ¦ *1 pc* vg sa | ⸀επεχ- 𝔓^{78} 630. 1505. 2495 *pc* ¦ απεχ- 181 *pc* ¦ υπερεχ- A ¦ υπαρχ- 1846 *pc* ¦ υπεχουσιν ℵ(*: ουκ εχ-) ● **8** ⸀ομως A | ⸁αυτοι 𝔓^{78} | ° 𝔓^{72} vg^{mss} bo^{pt} | ⸀1-τητας ℵ Ψ 1846 *pc* vg^{ms} sa; Prisc | ⸀2-ξαν 𝔓^{78} vg$^{cl.ww}$ sy^{ph}; Cl^{lat} ● **9** ⸂οτε B [ὅ τε Tischendorf *cj*] *et* ⸀τοτε B ¦ – vg sy co | ⸆εν B* Ψ 323. 1241. 1739 *pc* | ⸁ο κ. ℵ^{2} 630. 1505. 2495 *al* ¦ ο θεος ℵ* 322. 323. 1241. 1739. 1881. 2298 *pc* vg^{ms}; Hier^{pt} | ⸇διαβολε 1846 *al*; Hier^{pt} ● **11** ⸀Βαλαακ 𝔓^{72} ● **12** ⸆γογγυσται μεμψιμοιροι κατα τας (+ ιδιας C^{2}) επιθυμιας αυτων πορευομενοι ℵ* C^{2} (sa bo^{mss}) | ° ℵ* C 049 𝔐 ¦ *txt* 𝔓^{72} ℵ^{c} A B L Ψ 33. 81. 323. 630. 1241. 1739. 2495 *al*

⸀ἀγάπαις ⸁ὑμῶν σπιλάδες ⸀¹συνευωχούμενοι ⸆ ἀφόβως,
⸀²ἑαυτοὺς ποιμαίνοντες, νεφέλαι ἄνυδροι ⸂ὑπὸ ἀνέμων⸃
⸀³παραφερόμεναι, δένδρα φθινοπωρινὰ ἄκαρπα δὶς ἀποθα-
νόντα ἐκριζωθέντα, **13** ⸉κύματα ἄγρια⸊ θαλάσσης ⸀ἐπαφρί-
ζοντα τὰς ἑαυτῶν αἰσχύνας, ἀστέρες ⸁πλανῆται οἷς °ὁ
ζόφος °¹τοῦ σκότους εἰς αἰῶνα τετήρηται.
14 ⸀Προεφήτευσεν δὲ καὶ τούτοις ἕβδομος ἀπὸ Ἀδὰμ
Ἑνὼχ λέγων· ἰδοὺ ἦλθεν κύριος ἐν ⸂ἁγίαις μυριάσιν αὐ-
τοῦ⸃ **15** ποιῆσαι κρίσιν κατὰ πάντων καὶ ἐλέγξαι ⸂πᾶσαν
ψυχὴν⸃ περὶ πάντων ⸋τῶν ἔργων ⸄ἀσεβείας αὐτῶν⸅ ὧν
ἠσέβησαν καὶ περὶ πάντων⸌ τῶν σκληρῶν ⸆ ὧν ἐλάλησαν
κατ' αὐτοῦ ἁμαρτωλοὶ ἀσεβεῖς. **16** Οὗτοί εἰσιν γογ-
γυσταὶ μεμψίμοιροι ⸋κατὰ τὰς ἐπιθυμίας ⸀ἑαυτῶν πορευ-
όμενοι⸌⸆, καὶ τὸ στόμα αὐτῶν λαλεῖ ὑπέρογκα, θαυμάζοντες πρόσωπα ὠφελείας χάριν.
17 Ὑμεῖς δέ, ἀγαπητοί, ⸀μνήσθητε τῶν ⸂ῥημάτων τῶν *3*
προειρημένων⸃ ὑπὸ τῶν ἀποστόλων τοῦ κυρίου ἡμῶν Ἰησοῦ Χριστοῦ **18** ὅτι ἔλεγον ὑμῖν· °[ὅτι] ⸂ἐπ' ἐσχάτου [τοῦ]
χρόνου⸃ ⸀ἔσονται ἐμπαῖκται κατὰ τὰς ἑαυτῶν ἐπιθυμίας
πορευόμενοι ⸋τῶν ἀσεβειῶν⸌. **19** Οὗτοί εἰσιν οἱ ἀπο-
διορίζοντες⸆, ψυχικοί, πνεῦμα μὴ ἔχοντες.
20 Ὑμεῖς δέ, ἀγαπητοί, ⸂ἐποικοδομοῦντες ἑαυτοὺς τῇ

2P 2,13
Ez 34,8 · 2P 2,17 Prv 25,14
Is 57,20 Sap 14,1
Hen 18,15s; 21, 5s · 2P 2,17
Gn 5,21s Hen 60, 8; 93,3 · Hen 1,9 Dt 33,2 Mt 25,31
Mt 12,36 Ml 3,13
18 2P 2,10; · 2,18 Dn 11,36 Theod Hen 5,4 · Lv 19,15 etc
2P 3,2
2T 3,1!
2P 3,3 Is 3,4 𝔊 · 16
Jc 3,15!
Kol 2,7 E 4,12! 1Th 5,11

12 ⸀(2P 2,13) απαταις (*et* ⸁αυτων A^{c} sy^{ph}) A C^{vid} 1243. 1846 *al* sy$^{ph.h}$ ¦ ευωχιαις 6 *pc* | ⸀¹συνευχομενοι 𝔓^{72} | ⸆υμιν C 322. 323. 1241. 1243. 1739. 1846. 1881. 2298 *al* | ⸀²αυτους 𝔓^{72} | ⸂παντι ανεμω ℵ *pc*; Lcf | ⸀³-ρομενοι 𝔓^{72} B Ψ 1846. 1852 *pc* ¦ *txt* ℵ A C 049 𝔐 (lat) • **13** ⸉ ℵ | ⸀απαφρ- 𝔓^{72} C 33. 323. 630. 945. 1241. 1505. 1739. 2495 *al* | ⸁-τες B | ° 𝔓^{72} B | °¹B • **14** ⸀† επροφ- 𝔓^{72} B* ¦ *txt* (ℵ) A B^{2} C Ψ 𝔐 | ⸂αγ. μυρ. αγγελων Ψ *pc* ¦ μυρ. αγιων αγγελων (+ αυτου 1846) (⸉ 𝔓^{72}) ℵ 1846 *pc* ¦ *txt* A B 𝔐 lat (⸉C 630. 1241. 1739. 2495 *al*) • **15** ⸂† παντας τους (– 1241. 1739 *pc*) ασεβεις A B C Ψ 33. 81. 323. 630. 1241. 1505. 1739. 2495 *al* vg sy^{h} bo (ασεβ. αυτων 𝔐) ¦ *txt* 𝔓^{72} ℵ *pc* sy^{ph} sa bo^{mss} (*cf* R 2,9; 13,1) | ⸋ 𝔓^{72} | ⸄ *2* C 1243. 1846 *pc* vg^{ms} ¦ – ℵ 322. 323. 1241. 1739. 1881. 2298 *pc* sy^{ph} sa ¦ των ασεβειων Ψ(* *om. et* τ. εργ.) 630. 1505. 1852. 2495 *pc* ¦ *txt* A B 𝔐 vg sy^{h} bo | ⸆λογων ℵ C 33. 81. 323. 630. 1241. 1505. 1739. 2495 *al* vg^{mss} sy sa • **16** ⸋ 𝔓^{72*} | ⸀† αυτων ℵ A B K Ψ 33. 81. 630. 945. 1505 *pm* ¦ *txt* 𝔓^{72c} C L P 1. 323. 1241. 1739. 2495 *pm* | ⸆τη ασεβεια και τη παρανομια 1838 *pc* • **17** ⸀μνημονευετε 323. 1241. 1739. 1881. 2298 *pc* | ⸂ *3 1* A 323. 630. 1241. 1505. 1739. 2495 *al*; Lcf • **18** °† ℵ B L* Ψ *pc*; Lcf ¦ *txt* 𝔓^{72} A C P 𝔐 vg sy | ⸂ *1 2 4* 𝔓^{72} B C Ψ 623. 1243 *pc* ¦ επ εσχ. των χρονων 81. 323. 1241. 1739. 2298 *al* (vg^{s}) co ¦ επ εσχ. των ημερων 1881; (Lcf) ¦ εν εσχατω χρονω 𝔓^{74vid} (P) 𝔐 vgst ¦ *txt* ℵ A 33. 630. 1505. 2495 *pc* | ⸀ελευσονται ℵ^{2} A C^{2} 33. 81. 323. 1241. 1739 *al* vg co ¦ αναστησονται Ψ | [⸋ Pearce *cj*] • **19** ⸆εαυτους C 323. 630. 1505. 1739^{c}. 2495 *al* vg$^{cl.ww}$; Aug • **20** ⸂ *3–6 1 2* P 𝔐 (t) ¦ τη εαυτων αγιοτητι (αγιωτατη?) πιστει ανοικοδομεισθε 𝔓^{72} (sy^{ph}) ¦ *txt* ℵ A B (C) Ψ 33. 81. 323. 630. (1241). 1505. (1739). 2495 *al* vg

ἁγιωτάτῃ ὑμῶν πίστει⸃, ἐν πνεύματι ἁγίῳ προσευχόμενοι⸆, E 6,18
21 ἑαυτοὺς ἐν ἀγάπῃ θεοῦ ⸀τηρήσατε προσδεχόμενοι τὸ
ἔλεος τοῦ κυρίου ⸂ἡμῶν Ἰησοῦ Χριστοῦ εἰς ζωὴν⸃ αἰώ- 2T 1,18
νιον. **22** °Καὶ οὓς μὲν ⸀ἐλεᾶτε ⸂διακρινομένους,
23 οὓς δὲ σῴζετε ἐκ πυρὸς ἁρπάζοντες, οὓς δὲ ⸁ἐλεᾶτε Am 4,11 Zch 3,2
ἐν φόβῳ⸃ μισοῦντες καὶ τὸν ἀπὸ τῆς σαρκὸς ἐσπιλωμένον
χιτῶνα. Ap 3,4 Zch 3,4
4 **24** Τῷ δὲ δυναμένῳ ⸂φυλάξαι ⸀ὑμᾶς ἀπταίστους καὶ ⸆ R 16,25!
στῆσαι κατενώπιον τῆς δόξης αὐτοῦ ⸁ἀμώμους⸃ ἐν ἀγαλ- 2P 3,14!
λιάσει, **25** μόνῳ ⸆ θεῷ °σωτῆρι ἡμῶν ⸂διὰ Ἰησοῦ Χρι- R 16,27! · 1T 1,1!
στοῦ τοῦ κυρίου ἡμῶν δόξα μεγαλωσύνη κράτος καὶ
ἐξουσία πρὸ παντὸς τοῦ αἰῶνος⸃ καὶ νῦν καὶ εἰς ⸄πάν- 2P 3,18
τας τοὺς αἰῶνας⸅, ἀμήν.

20 ⸆εαυτοις 𝔓^{72} • **21** ⸀-σωμεν 𝔓^{72} B C^{*vid} Ψ (1243). 1505. 1611. 1852. 2495 *pc* sy bo ¦ -σητε C^{2} ¦ *txt* ℵ A P 𝔐 lat | ⸂εις ζ. ημ. Ι. Χ. 𝔓^{72} • **22/23** ° 𝔓^{72} bo^{ms} | ⸀ελεγχετε A C* 33. 81. 323. 1241. 1739 *al* vg bo ¦ ελεειτε P 𝔐 ¦ – 𝔓^{72} t sy^{ph} sa; Hier ¦ *txt* ℵ B C^{2} Ψ *pc* | ⸂ *1–7 11–12* C (945). 1243. 1852 *pc* sy^{h} ¦ † *1 4–12* B ¦ -μενοι, ους δε εν φοβ. σωζ. εκ πυρ. αρπαζοντες P (⸉ 630. 1505. 2495 *pc*) 𝔐 ¦ εκ πυρ. αρπασατε, διακρινομενους δε ελεειτε εν φοβ. 𝔓^{72} t sy^{ph} sa ¦ *txt* ℵ(*) A Ψ 33. 81. 323. (1241). 1739 *al* vg bo | ⸁ελεγχετε 307. 945. 1846 *al* ¦ ελεειτε (𝔓^{72}) 1241 ¦ [εατε *vel* ελασατε Wohlenberg, εκβαλετε Windisch *cjj*] • **24** ⸂στηριξαι ασπιλους αμωμους αγνευομενους απεναντι της δοξης αυτου 𝔓^{72} (⸉ t) | ⸀αυτους K P 049 𝔐 ¦ ημας A *pc* vg^{ms} sy^{ph} | ⸆ασπιλους C 945. 1243. 1505. 1846. 1852. 2495 *pc* ¦ ασπ. και 322. 323. 630. 1241. 1739. 1881. 2298 *pc* sy | ⸁αμεμπτους A ¦ απταιστους 2298 • **25** ⸆(R 16,27) σοφω P 𝔐 ¦ *txt* 𝔓^{72} ℵ A B C Ψ 33. 81. 323. 630. 1241. 1505. 1739. 2495 *al* latt sy co | ° 𝔓^{72} 442^{c} | ⸂αυτω δοξα κρατος τιμη δια Ι. Χρ. του κυρ. ημ.· αυτω δοξα και μεγαλωσ. 𝔓^{72} ¦ δοξα και μεγαλωσ., κρ. κ. εξου. P 𝔐 ¦ *txt* ℵ(*) A B C (L, Ψ) 33. 81. (323. 630. 945. 1241. 1739). 1505. 2495 *al* vg sy^{h} (co) | ⸄ *2 1 3* 𝔓^{72} ¦ *2 3* ℵ *pc* bo^{ms} ¦ π. (– 1241) τους αι. των αιωνων L 33. 1241. 1846 *pc* vg^{cl} (sy^{hmg}) bo^{pt}

ΑΠΟΚΑΛΥΨΙΣ ⸀ΙΩΑΝΝΟΥ

Am 3,7 — **1** Ἀποκάλυψις Ἰησοῦ Χριστοῦ ⸂ἣν ἔδωκεν αὐτῷ ὁ θεὸς *1*
19; 4,1; 22,6 Dn 2, 28s.45 Theod — δεῖξαι τοῖς ⸀δούλοις αὐτοῦ ἃ δεῖ γενέσθαι ἐν τάχει,
22,16 — καὶ ἐσήμανεν ἀποστείλας διὰ τοῦ ἀγγέλου αὐτοῦ τῷ δού-
9 · 6,9! — λῳ αὐτοῦ Ἰωάννῃ, **2** ὃς ἐμαρτύρησεν τὸν λόγον ⸋τοῦ
19,10 · 1J 1,1-3 — θεοῦ⸌ καὶ τὴν μαρτυρίαν Ἰησοῦ Χριστοῦ ὅσα εἶδεν⸃⸆.
14,13; 16,15; 19,9; 20,6; 22,7.14 · 22, 18!s — **3** Μακάριος ὁ ἀναγινώσκων καὶ ⸂οἱ ἀκούοντες⸃ ⸄τοὺς λό-
γους⸅ τῆς προφητείας ⸆ καὶ τηροῦντες τὰ ἐν αὐτῇ γεγραμ-
22,10 — μένα, ὁ γὰρ καιρὸς ἐγγύς.

11 — **4** Ἰωάννης ταῖς ἑπτὰ ἐκκλησίαις ταῖς ἐν τῇ Ἀσίᾳ· χά-
8; 4,8; 11,17; 16,5 Ex 3,14 · Is 41,4 𝔊 · — ρις ὑμῖν καὶ εἰρήνη ἀπὸ ⸆ ὁ ὢν καὶ ὁ ἦν καὶ ὁ ἐρχόμε-
3,1; 4,5; 5,6 Is 11, 2s | — νος καὶ ἀπὸ τῶν ἑπτὰ πνευμάτων ⸀ἃ ἐνώπιον τοῦ θρόνου
3,14; 19,11 Ps 89,38 — αὐτοῦ **5** καὶ ἀπὸ Ἰησοῦ Χριστοῦ, ὁ μάρτυς, ὁ πιστός, ὁ
Jr 42,5 · Ps 89,28 Kol 1,18 · Is 55,4 · — πρωτότοκος ⸆ τῶν νεκρῶν καὶ ὁ ἄρχων τῶν βασιλέων
Is 40,2 Ps 130,8 · — τῆς γῆς. °Τῷ ⸀ἀγαπῶντι ἡμᾶς καὶ ⸁λύσαντι °ἡμᾶς
1J 1,7! | — ⸀1ἐκ τῶν ἁμαρτιῶν °1ἡμῶν ἐν τῷ αἵματι αὐτοῦ, **6** καὶ
5,10; 20,6 Ex 19,6; — ⸀ἐποίησεν ⸁ἡμᾶς ⸀1βασιλείαν, ⸀2ἱερεῖς τῷ θεῷ καὶ πατρὶ
23,22 Is 61,6 1P 2, 5.9 · R 16,27! — αὐτοῦ, αὐτῷ ἡ δόξα καὶ τὸ κράτος εἰς τοὺς αἰῶνας ⸋[τῶν
αἰώνων]⸌· ἀμήν.

Inscriptio: ⸀(+ του αγιου *al*) I. του θεολογου 𝔐 ¦ I. τ. θ. και ευαγγελιστου 046 *pc* ¦ *txt* (ℵ* A)

¶ **1,1/2** ⸂της γεναμενης εις εμε Ιωαννην τον αποστολον του κηρυξαι τον λογον του θεου και την μαρτυριαν Ιησου Χριστου οσα ειδον 2050 | ⸀αγιοις ℵ* | ⸋ 2036 *pc* | ⸆και ατινα εισι και ατινα χρη γενεσθαι μετα ταυτα 𝔐A ● **3** ⸂ακουων 2053. 2062 *pc* it vgcl; Apr Bea | ⸄τ. λ. τουτους C ¦ τον λογον ℵ 046. 1854 *pc* | ⸆ταυτης 1611. 2053. 2062 *pc* gig vgww sy bo ● **4** ⸆θεου 𝔐 (a) t; Vic Prim ¦ *txt* 𝔓18vid ℵ A C P 2050 *al* lat sy co; Apr | ⸀των ℵ A *pc* ¦ α εστιν 2053 𝔐A ● **5** ⸆εκ 𝔐A | ○*bis* ℵ* | ⸀-πησαντι 2053. 2062 𝔐A | ⸁λουσαντι P 1006. 1841. 1854. 2053. 2062 𝔐K lat bo ¦ *txt* 𝔓18 ℵ A C 1611. 2050. 2329. 2351 𝔐A h sy; Prim | ⸀1απο P 1006. 1841. 2351 𝔐K | ○1 A 1 *al* ● **6** ⸀ποιησαντι 046. 1854. 2053. 2062 *pc* | ⸁ημιν A 1678. 1854. 2053. 2062. 2080. 2344 *pc* ¦ ημων C 1611. 2329 h t vg ¦ *txt* ℵ 𝔐 a gig vgcl; Tert Vic Prim | ⸀1-λειον 046. 1854. 2050. 2351 *pc* ¦ -λεις και 𝔐A | ⸀2ιερατευμα 2351 *pc* vgms | ⸋ 𝔓18 A P 2050. (2344) *pc* bo ¦ *txt* ℵ C 𝔐 latt sy

7 *Ἰδοὺ ἔρχεται* ⸀*μετὰ τῶν νεφελῶν,* *Dn 7,13* Mt 24,30p •
καὶ ⸁*ὄψεται* αὐτὸν πᾶς ὀφθαλμὸς *Zch 12,10ss Aqu Theod* J 19,37
καὶ οἵτινες ○αὐτὸν *ἐξεκέντησαν,*
καὶ κόψονται ⸂*ἐπ' αὐτὸν*⸃ *πᾶσαι αἱ φυλαὶ τῆς γῆς.* *Gn 12,3; 28,14*
ναί, ἀμήν.
8 Ἐγώ εἰμι τὸ ἄλφα καὶ τὸ ὦ⸆, λέγει κύριος ὁ θεός, 21,6; 22,13
ὁ ὢν καὶ ὁ ἦν καὶ ὁ ἐρχόμενος, ὁ παντοκράτωρ. 4! • 11,17! Am 3,13 𝔊 etc

2 **9** Ἐγὼ Ἰωάννης, ὁ ἀδελφὸς ὑμῶν καὶ ⸀συγκοινωνὸς ἐν 22,8 Dn 8,1 • Ph 4,14
τῇ θλίψει καὶ ⸆ βασιλείᾳ καὶ ⸂ὑπομονῇ ἐν Ἰησοῦ⸃, ἐγενό- 3,10 2T 2,12 2Th 1,4
μην ἐν τῇ νήσῳ τῇ καλουμένῃ Πάτμῳ διὰ τὸν λόγον 6,9!
(2) τοῦ θεοῦ καὶ ⸇ τὴν μαρτυρίαν Ἰησοῦ⸆^{1}. **10** ἐγενόμην ἐν
πνεύματι ἐν τῇ κυριακῇ ἡμέρᾳ καὶ ἤκουσα ⸉ὀπίσω μου 4,2; 17,3! • 1K 16,2! • 4,1 Ez 3,12
φωνὴν μεγάλην⸊ ὡς σάλπιγγος **11** ⸀λεγούσης⸆· ὃ βλέ- Ex 19,16
πεις γράψον εἰς βιβλίον καὶ πέμψον ταῖς ἑπτὰ ἐκκλη- 19,9! Is 30,8 • 4
σίαις, εἰς Ἔφεσον καὶ εἰς Σμύρναν καὶ εἰς Πέργαμον καὶ
⸂εἰς Θυάτειρα⸃ ⸋καὶ εἰς Σάρδεις⸌ καὶ εἰς Φιλαδέλφειαν
καὶ εἰς Λαοδίκειαν.
12 Καὶ ⸆ ἐπέστρεψα βλέπειν τὴν φωνὴν ἥτις ⸀ἐλάλει
μετ' ἐμοῦ, καὶ ἐπιστρέψας εἶδον ἑπτὰ λυχνίας χρυσᾶς 20; 2,1 Ex 25,37.31 Zch 4,2
13 καὶ ⸂ἐν μέσῳ⸃ τῶν ⸆ λυχνιῶν ⸀ὅμοιον ⸁υἱὸν ἀνθρώ- 14,14 Dn 7,13 Ez 1,26 • 15,6 Dn 10,5s
που ἐνδεδυμένον ποδήρη καὶ περιεζωσμένον πρὸς τοῖς Ez 9,2.11 𝔊
⸀^{1}μαστοῖς ζώνην χρυσᾶν. **14** ἡ δὲ κεφαλὴ αὐτοῦ καὶ αἱ Dn 7,9
τρίχες ⸂λευκαὶ ὡς ἔριον λευκὸν⸃ ὡς χιὼν καὶ οἱ ὀφθαλ- *14s:* 2,18; 19,12 Dn 10,6
μοὶ αὐτοῦ ὡς φλὸξ πυρὸς **15** καὶ οἱ πόδες αὐτοῦ ὅμοιοι
χαλκολιβάνῳ ὡς ⸂ἐν καμίνῳ⸃ ⸀πεπυρωμένης καὶ ἡ φωνὴ

7 ⸀επι C 2053 *pc* sa | ⸁οψονται ℵ 1611. 2351 *al* (sy) bo | ○ ℵ* | ⸂αυτον ℵ* 2050. 2344. 2351 *pc* h; Prim ¦ – 1 *pc* • **8** ⸆αρχη και τελος ℵ^{*,2} 1854. 2050. (2329). 2351 𝔐^{A} lat bo • **9** ⸀κ- 1006. 1841 𝔐^{K} | ⸆εν 2053. 2062 ¦ εν τη 𝔐^{A} | ⸂υπ. εν Χριστω A *pc* ¦ υπ. εν Χρ. Ιησ. (ℵ^{2}) 1006. 1841. 2351 𝔐^{K} a h vg^{cl} ¦ υπ. Ι. Χριστου 2329 𝔐^{A} sy^{h} (sa) ¦ *txt* ℵ* C P 1611. 2050. 2053^{vid} *pc* gig vg sy^{ph} bo | ⸇δια ℵ 𝔐 ¦ *txt* A C 1006. 1611. 1841. 2053. 2062 *pc* | ⸆^{1}Χριστου ℵ^{2} 1006. 1841. 2351 𝔐^{K} a vg^{ms} sy co; Prim • **10** ⸉ *3 1 2 4* 1006. 1841. 2351 𝔐^{K} ¦ *3 4 (1*: οπισθεν*) 2* A *et v.l. al* ¦ *txt* ℵ C 1611. 1854. 2329 𝔐^{A} lat sy • **11** ⸀-σαν ℵ^{2} | ⸆μοι 1611. 1854 *pc* h (t) bo; Prim Bea ¦ μοι Ιωαννη 2053. 2062 *pc* ¦ εγω ειμι το Α και το Ω, ο πρωτος και ο εσχατος, και 𝔐^{A} ¦ *txt* ℵ A C 1006. 1841. 2050. 2329. 2351 𝔐^{K} lat sy sa | ⸂εις -ραν A C 046. 1611. 1854. 2050. 2351 *pc* ¦ εν -ροις P *pc* ¦ *txt* ℵ 𝔐 | ⸋ ℵ* • **12** ⸆εκει 1006. 1841. 2351 𝔐^{K} | ⸀-λησεν 1611 𝔐^{A} ¦ λαλει A • **13** ⸂μεσον ℵ | ⸆επτα ℵ 𝔐 lat ¦ *txt* A C P 1611. 2050 *al* h sy co; Ir^{lat} Cyp Vic Prim | ⸀ομοιωμα A (sy^{ph}) | ⸁υιω A C 1006. 1611. 1854. 2053. 2062. 2351 𝔐^{A} ¦ *txt* ℵ 1841. 2050. 2329 𝔐^{K} | ⸀^{1}μαζοις A 1006. 1841 *al* • **14** ⸂*1* 1611 *pc* ¦ *2–4* 2053. 2062 *pc* • **15** ⸂εκ καμινου 2329 h; Cyp Prim | ⸀-μενω ℵ 2050. 2053. 2062 *pc* ¦ -μενοι 𝔐 ¦ *txt* A C

14,2; 19,6 Ez 1,24; 43,2 | αὐτοῦ ὡς φωνὴ ὑδάτων πολλῶν, **16** ⸂καὶ ἔχων⸃ ἐν τῇ
20; 2,1; 3,1 · ⸄δεξιᾷ χειρὶ αὐτοῦ⸅ ⸀ἀστέρας ἑπτὰ καὶ ἐκ τοῦ στόματος
2,12! Is 49,2 · αὐτοῦ ῥομφαία δίστομος ὀξεῖα ἐκπορευομένη καὶ ἡ ὄψις
10,1 Jdc 5,31 Mt 17,2 | αὐτοῦ ⸂¹ὡς ὁ ἥλιος φαίνει⸃ ἐν τῇ δυνάμει αὐτοῦ.
Dn 8,18 Theod Ez 1,28 **17** Καὶ ὅτε εἶδον αὐτόν, ἔπεσα ⸀πρὸς τοὺς πόδας αὐτοῦ ὡς νεκρός, καὶ ⸁ἔθηκεν τὴν δεξιὰν αὐτοῦ ⸆ ἐπ᾽ ἐμὲ
λέγων·
Is 44,2 · 2,8; 22,13 Is 44,6; 48,12 | ⸋μὴ φοβοῦ·⸌ ἐγώ εἰμι ὁ ⸀¹πρῶτος καὶ ὁ ἔσχατος **18** ⸋καὶ
4,9! Dt 32,40 Sir 18,1 · ὁ ζῶν⸌, καὶ ἐγενόμην νεκρὸς καὶ ἰδοὺ ζῶν εἰμι εἰς τοὺς
Mt 16,19 Job 38,17 αἰῶνας τῶν αἰώνων ⸆ καὶ ἔχω τὰς κλεῖς τοῦ ⸉θανάτου
19,9! καὶ τοῦ ᾅδου⸊. **19** γράψον °οὖν ἃ εἶδες καὶ ἃ εἰσὶν καὶ
1! Is 48,6 𝔊 Dn 2,45 Theod | ἃ ⸀μέλλει ⸁γενέσθαι μετὰ ταῦτα. **20** τὸ μυστήριον τῶν
16! ἑπτὰ ἀστέρων ⸀οὓς εἶδες ⸂ἐπὶ τῆς δεξιᾶς μου⸃ καὶ τὰς
12! ἑπτὰ λυχνίας τὰς χρυσᾶς· οἱ ἑπτὰ ἀστέρες ἄγγελοι τῶν
ἑπτὰ ἐκκλησιῶν εἰσιν καὶ ⸄αἱ λυχνίαι αἱ ἑπτὰ⸅ °ἑπτὰ ἐκκλησίαι εἰσίν.

2 Τῷ ἀγγέλῳ ⸀τῆς ἐν Ἐφέσῳ ἐκκλησίας γράψον· 3
Am 1,6 etc · 1,16! Τάδε λέγει ὁ κρατῶν τοὺς ἑπτὰ ἀστέρας ἐν τῇ ⸂δεξιᾷ
1,12! 13 αὐτοῦ⸃, ὁ περιπατῶν ἐν μέσῳ τῶν ἑπτὰ λυχνιῶν τῶν
19; 3,1.8.15 · 1 Th 1,3 ⸁χρυσῶν· **2** οἶδα τὰ ἔργα σου καὶ τὸν κόπον ⸆ καὶ τὴν ὑπομονήν σου °καὶ ὅτι οὐ δύνῃ ⸀βαστάσαι κακούς, καὶ ἐπεί-
2 K 11,13 1 J 4,1 ρασας τοὺς λέγοντας ἑαυτοὺς ἀποστόλους ⸇ καὶ οὐκ εἰσὶν
καὶ εὗρες αὐτοὺς ψευδεῖς, **3** καὶ ⸂ὑπομονὴν ἔχεις καὶ
ἐβάστασας⸃ διὰ τὸ ὄνομά μου καὶ ⸄οὐ κεκοπίακες⸅.
14.20 · Mt 24,12? · 1 T 5,12 **4** ἀλλὰ ἔχω κατὰ σοῦ ὅτι τὴν ⸂ἀγάπην σου τὴν πρώτην⸃
G 5,4 · 16.22; 3,3.19 ἀφῆκες. **5** μνημόνευε οὖν πόθεν ⸀πέπτωκας καὶ μετανό-

16 ⸂κ. ειχεν ℵ* 2344 *pc* latt ¦ και A | ⸄*1 3 2* 1006. 1841. 2351 *al* ¦ χ. αυτ. τη δεξ. 046. 2329 | ⸀-ρες A *pc* | ⸂¹*4 1–3* ℵ ¦ ως ο ηλ. φαινων 1611 ● **17** ⸀εις ℵ 2053. 2062. 2329 *pc* | ⸁επεθ- ℵ 2050. 2329 *al* h; Cyp | ⸆χειρα ℵ^{2} 𝔐^{A} sy; Bea | ⸋ ℵ* 2053. 2062 *pc* | ⸀¹πρωτοτοκος A ● **18** ⸋ gig vg^{mss}; Prim | ⸆αμην ℵ^{1} 𝔐 sy ¦ *txt* ℵ* A C P 1611. 1854. 2050. 2053. 2062 *pc* latt co; Ir^{lat} | ⸉ *4 2 3 1* 𝔐^{K} ● **19** ° 2050 *al* | ⸀δει μελλειν ℵ* (C) *pc* ¦ δει 2050 latt | ⸁γιν- ℵ^{2} A 1006. 1611. 1841. 1854. 2053. 2062. 2329. 2351 𝔐^{A} ¦ *txt* ℵ* C P 046. 2050 *pm* ● **20** ⸀ὧν 1006. 1841. 2351 𝔐^{K} | ⸂εν τη δεξια μ. A 1611 *pc* ¦ επι της λυχνιας 2329 | ⸄αι (– ℵ* *pc*) επτα λ. (+ αι χρυσαι 2050) ℵ* 1854. 2050. 2053. 2062. 2351 *al* ¦ αι λ. επτα C ¦ αι επτα λ. ας ειδες 𝔐^{A} (sy^{ph}) bo ¦ *txt* A 046. 1006. 1611. 1841. 2329 *pm* latt | ° 2329 *pc* a h; Prim

¶ **2,1** ⸀τω A C 1854 *pc* | ⸂δεξ. αυτου χειρι ℵ* ¦ δεξ. χ. 1678 *pc* ¦ χειρι αυτου sy^{ph} | ⸁χρυσεων A C (2050) ● **2** ⸆σου ℵ 𝔐 vg^{ms} sy^{ph}; Vic ¦ *txt* A C P 1854. 2053 *pc* lat sy^{h} | ° A t | ⸀-αξαι 1611 𝔐^{A} | ⸇ειναι ℵ^{2} 𝔐 it vg^{cl}; Vic Prim ¦ *txt* ℵ* A C P 2053. 2329 *pc* a vg ● **3** ⸂ *4 3 1 2* 𝔐^{A} ¦ *ut txt sed* εχεις και θλιψεις πασας ℵ*, *sed* εβαπτισας 1 *pc* | ⸄ *2 pc* ¦ ουκ εκοπιασας ℵ 𝔐 ¦ *txt* A C *pc* ● **4** ⸂ *4 2 1* A ● **5** ⸀εκπεπ- 𝔐^{A}

ησον καὶ τὰ πρῶτα ἔργα ποίησον· εἰ δὲ μή, ἔρχομαί σοι
⸆ καὶ κινήσω τὴν λυχνίαν σου ἐκ τοῦ τόπου αὐτῆς, ἐὰν
μὴ μετανοήσῃς. **6** ἀλλὰ τοῦτο ἔχεις, ὅτι μισεῖς τὰ ἔργα Ps 139,21
τῶν Νικολαϊτῶν °ἃ κἀγὼ μισῶ. 15 Act 6,5 |
7 Ὁ ἔχων οὖς ἀκουσάτω τί τὸ πνεῦμα λέγει ταῖς ⸆ ἐκκλη- 11.17.29; 3,6.13.22; 13,9 Mt 11,15! ·
σίαις. Τῷ νικῶντι δώσω °αὐτῷ φαγεῖν ἐκ τοῦ ξύλου 11.17.26; 3,5.12.21; 21,7 · 22,2.14.19
τῆς ζωῆς, ὅ ἐστιν ἐν ⸀τῷ παραδείσῳ⸌ τοῦ θεοῦ⸆. Gn 2,9; 3,22.24 𝔊 ·
4 **8** Καὶ τῷ ἀγγέλῳ ⸀τῆς ἐν Σμύρνῃ ἐκκλησίας γράψον· Gn 3,3 𝔊 Ez 31,8 𝔊 |
Τάδε λέγει ὁ ⸀πρῶτος καὶ ὁ ἔσχατος, °ὃς ἐγένετο νε- 1,17! · 1,18 R 14,9
κρὸς καὶ ἔζησεν· **9** οἶδά σου ⸆ τὴν θλῖψιν καὶ τὴν πτω- 2 K 6,10!
χείαν, ἀλλὰ πλούσιος εἶ, καὶ τὴν βλασφημίαν ⸆ °ἐκ τῶν
λεγόντων Ἰουδαίους εἶναι ἑαυτοὺς καὶ οὐκ εἰσὶν ἀλλὰ
°¹συναγωγὴ τοῦ σατανᾶ. **10** ⸀μηδὲν φοβοῦ ἃ μέλλεις 3,9 J 8,30-47 2 K 11,14s | Mt 10,28!
⸀πάσχειν. ἰδοὺ ⸆ μέλλει ⸀¹βάλλειν ὁ διάβολος ἐξ ὑμῶν
εἰς φυλακὴν ἵνα πειρασθῆτε καὶ ⸀²ἕξετε θλῖψιν ⸀³ἡμερῶν Dn 1,12.14
δέκα. γίνου πιστὸς ἄχρι θανάτου, καὶ δώσω σοι τὸν στέ- 2 Mcc 13,14 · 1 K 9,25! Zch 6,14
φανον τῆς ζωῆς.
11 Ὁ ἔχων οὖς ἀκουσάτω τί τὸ πνεῦμα λέγει ταῖς ἐκκλη- 7!
σίαις. Ὁ νικῶν οὐ μὴ ἀδικηθῇ ἐκ τοῦ θανάτου τοῦ 20,6!
δευτέρου.
5 **12** Καὶ τῷ ἀγγέλῳ ⸀τῆς ἐν Περγάμῳ ἐκκλησίας γρά-
ψον·
Τάδε λέγει ὁ ἔχων τὴν ῥομφαίαν τὴν δίστομον τὴν ὀξεῖ- 16; 1,16; 19,15.21 H 4,12 Is 49,2 Sap 18,16 |
αν· **13** οἶδα ⸆ ποῦ κατοικεῖς, ὅπου ὁ θρόνος τοῦ σατα- Ez 12,2 · 13,2!
νᾶ, καὶ κρατεῖς τὸ ὄνομά ⸀μου καὶ οὐκ ἠρνήσω τὴν πί- 3,8
στιν μου °καὶ ἐν ταῖς ἡμέραις ⸆ Ἀντιπᾶς ὁ μάρτυς μου
ὁ πιστός °¹μου, °²ὃς ἀπεκτάνθη παρ' ὑμῖν, ὅπου ὁ σα- 1,5!; 14,12

5 ⸆(2,16; 3,11) ταχυ 𝔐 (a) t vg^{mss} sy^{h}; Aug^{pt} Prim ¦ *txt* ℵ A C P 1854. 2050. 2053. 2329 *al* gig vg sy^{ph} ● **6** ° A ● **7** ⸆επτα A (⸉C) | ° ℵ *al* it vg^{cl}; Bea | ⸀μεσω τ. π. ℵ^{2} P gig ¦ μεσω του π-σου 𝔐^{A} co | ⸆μου 1006. 1611. 1841. 2050. 2053. 2351 𝔐^{K} latt sy^{h} co ¦ *txt* ℵ A C 1854. 2329 𝔐^{A} sy^{ph} ● **8** ⸀τω A *pc* | ⸀πρωτοτοκος A | ° 1006. 1841 𝔐^{K} ● **9** ⸆ (2,2) τα εργα και ℵ 𝔐 sy^{h} ¦ *txt* A C P 1611. 1854. 2053. 2329 *pc* latt sy^{ph} co | ⸆ την ℵ (1611) | ° 1854. 2053. 2329*. 2351 𝔐^{A} | °¹ 2329 ◐ **10** ⸀† μη A C 046. 2050 *pc* ¦ *txt* ℵ 𝔐 | ⸀παθειν 1006. 1841. 1854. 2050. 2329. 2351 𝔐^{K} ¦ *txt* ℵ A C 1611. 2053 𝔐^{A} | ⸆δη 2351 𝔐^{K} ¦ γαρ 2050 | ⸀¹λαβειν 2351 ¦ βαλειν 1006. 1611. 1841. 2050. (⸉2329) 𝔐^{K} ¦ – 1854 ¦ *txt* ℵ(*) A C 2053 𝔐^{A} co | ⸀²εχητε A P 1854. 2344 *pc*; Prim ¦ εχετε C (2053) 𝔐^{A} sa | ⸀³-ρας 1006. 1611. 1841. 2351 𝔐^{K} ● **12** ⸀τω 2050 *pc* ● **13** ⸆τα εργα σου και 𝔐 sy^{h} ¦ *txt* ℵ A C P 1854. 2050. 2053. 2329 *pc* latt sy^{ph} co | ⸀σου ℵ* | ° ℵ 𝔐 gig t vg^{ms} sy^{h}; Prim Bea ¦ *txt* A C 1854. 2050. 2053. 2329 *pc* a vg sy^{ph} co | ⸆αις 1006. 1841. 2351 𝔐^{K} ¦ εν αις ℵ(*) 1611. 1854. 2050 𝔐^{A} gig t ¦ μου 2329 ¦ *txt* A C 2053 *pc* a vg | °¹ ℵ 𝔐 latt sy^{ph} ¦ *txt* A C 2050. 2053. 2351 *pc* sy^{h} | °² 2016 *pc* vg^{ms}

4! τανᾶς κατοικεῖ. **14** ἀλλ’ ἔχω κατὰ σοῦ ὀλίγα °ὅτι ἔχεις
Nu 31,16 2P 2,15 Jd 11 ἐκεῖ κρατοῦντας τὴν διδαχὴν Βαλαάμ, ὃς ⸀ἐδίδασκεν
⸂τῷ Βαλὰκ⸃ βαλεῖν σκάνδαλον ἐνώπιον τῶν υἱῶν Ἰσραὴλ
20 Nu 25,1s ⸆ φαγεῖν εἰδωλόθυτα καὶ πορνεῦσαι. **15** οὕτως ἔχεις καὶ
6 σὺ κρατοῦντας τὴν διδαχὴν °[τῶν] Νικολαϊτῶν ⸀ὁμοί-
5! · 3,11! ως. **16** μετανόησον °οὖν· εἰ δὲ μή, ἔρχομαί σοι ταχὺ καὶ
Jr 21,5 · 12! πολεμήσω μετ’ αὐτῶν ἐν τῇ ῥομφαίᾳ τοῦ στόματός μου.
7! **17** Ὁ ἔχων οὖς ἀκουσάτω τί τὸ πνεῦμα λέγει ταῖς ἐκκλη-
Ps 78,24 · Ex 16,32ss 2 Mcc 2,4-8 σίαις. Τῷ νικῶντι δώσω ⸀αὐτῷ ⸂τοῦ μάννα⸃ τοῦ κε-
κρυμμένου καὶ ⸋δώσω αὐτῷ⸌ ψῆφον λευκήν, καὶ ἐπὶ τὴν
3,12 Is 62,2; 65,15 · 19,12 ψῆφον ὄνομα καινὸν γεγραμμένον ὃ οὐδεὶς οἶδεν εἰ μὴ
ὁ λαμβάνων.
Act 16,14 **18** Καὶ τῷ ἀγγέλῳ ⸀τῆς ἐν Θυατείροις °ἐκκλησίας *6*
γράψον·
1,14! s Dn 10,6 Τάδε λέγει ὁ υἱὸς τοῦ θεοῦ, ὁ ἔχων τοὺς ὀφθαλμοὺς °¹αὐ-
τοῦ ὡς ⸁φλόγα πυρὸς καὶ οἱ πόδες αὐτοῦ ὅμοιοι χαλκολι-
2! βάνῳ· **19** οἶδά σου τὰ ἔργα καὶ τὴν ἀγάπην καὶ τὴν πίστιν
καὶ ⸋τὴν διακονίαν καὶ⸌ τὴν ὑπομονήν °σου, καὶ τὰ
ἔργα σου τὰ ἔσχατα πλείονα τῶν πρώτων. **20** ἀλλὰ ἔχω
4! · 1 Rg 16,31 2 Rg 9,22 κατὰ σοῦ ⸆ ὅτι ⸀ἀφεῖς τὴν γυναῖκα ⸇ Ἰεζάβελ, ⸂ἡ λέγου-
σα⸃ ⸁ἑαυτὴν προφῆτιν ⸆¹ καὶ διδάσκει καὶ πλανᾷ τοὺς
14! ἐμοὺς δούλους πορνεῦσαι καὶ φαγεῖν εἰδωλόθυτα. **21** καὶ
ἔδωκα αὐτῇ χρόνον ἵνα μετανοήσῃ, ⸋καὶ ⸂οὐ θέλει⸃
μετανοῆσαι⸌ ἐκ τῆς πορνείας αὐτῆς. **22** ἰδοὺ ⸀βάλλω
αὐτὴν εἰς ⸁κλίνην καὶ τοὺς μοιχεύοντας μετ’ αὐτῆς εἰς
5! θλῖψιν μεγάλην, ἐὰν μὴ ⸀¹μετανοήσωσιν ἐκ τῶν ἔργων
Ez 33,27 ⸀²αὐτῆς, **23** °καὶ τὰ τέκνα αὐτῆς ἀποκτενῶ ἐν θανάτῳ.

14 ° C 1611. 1854. 2053 *pc* a vg^{ww} (bo); Prim | ⸀-ξεν 1006. 1841. 2351 𝔐^{K} | ⸂εν τω Βαλααμ τον Βαλ. 𝔐^{A} ¦ – ℵ* | ⸆και 1006. 1841. 2351 𝔐^{K} vg^{ms} sy^{h} • **15** ° A C 1611. 1854 𝔐^{K} ¦ *txt* ℵ 1006. 1841. 2050. 2053. 2329. 2351 𝔐^{A} | ⸀ομ. (– 1 *pc*) ο μισω 𝔐^{A} • **16** ° ℵ 2053. 2329. 2351 𝔐^{A} latt sy^{h} sa^{ms} • **17** ⸀αυτ. φαγειν 1611. 1854. (2050). 2344. 2351 𝔐^{A} a gig t sy^{h} sa; Bea ¦ – ℵ *pc* vg^{cl} | ⸂απο (εκ ℵ 2050 *pc*) τ. μ. ℵ 2050 𝔐^{A} ¦ απο τ. ξυλου P | ⸋ ℵ *pc* sy^{ph} • **18** ⸀τω A ¦ – C | ° A *pc* | °¹ A *pc* latt sy^{ph} | ⸁φλοξ ℵ *pc* • **19** ⸋ ℵ* | ° ℵ *pc* a gig t; Prim • **20** ⸆πολυ ℵ 2050 𝔐^{A} gig (it) sy^{ph} ¦ ολιγα *pc* vg^{cl} | ⸀αφηκας ℵ^{1} 1611. 2050 *pc* vg^{ms} sy co | ⸇σου (A : + την) 1006. 1841. 1854. 2351 𝔐^{K} sy; Cyp Prim | ⸂την -σαν ℵ^{1} 1854. 2050 𝔐^{A} ¦ ἣ λεγει 1006. 1611. 1841. 2351 𝔐^{K} ¦ *txt* ℵ* A C 2053. 2329 *pc* | ⸁αυτην ℵ 046 *pc* | ⸆¹ειναι ℵ 2050. 2344 a t • **21** ⸋ ℵ* *al* sa^{ms} | ⸂ουκ ηθελησεν A; Tyc Prim Bea • **22** ⸀βαλω ℵ^{2} P 046. 1006. 1611. 2050. 2329. 2351 *al* gig t vg^{cl} sa; Tert ¦ καλω ℵ* | ⸁φυλακην A | ⸀¹† -σουσιν ℵ A (2050) ¦ *txt* C 𝔐 | ⸀²αυτων A 1854. 2329. 2344 𝔐^{A} a t vg^{cl} sy; Cyp • **23** ° A

καὶ γνώσονται πᾶσαι αἱ ἐκκλησίαι ὅτι ἐγώ εἰμι ὁ ἐραυ- R 8,27 Ps 7,10 Jr 11,20 ·
νῶν νεφροὺς καὶ καρδίας, καὶ δώσω ὑμῖν ἑκάστῳ κατὰ τὰ 18,6; 20,12s; 22,12
ἔργα ⸀ὑμῶν. **24** ὑμῖν δὲ λέγω ⸀τοῖς λοιποῖς τοῖς ἐν Θυα- R 2,6! Jr 17,10 Prv 24,12 Ps 62,13 |
τείροις, ὅσοι οὐκ ἔχουσιν τὴν διδαχὴν ταύτην, οἵτινες
οὐκ ἔγνωσαν τὰ ⸁βαθέα ⸆ τοῦ σατανᾶ ὡς λέγουσιν· οὐ
⸀¹βάλλω ἐφ᾽ ὑμᾶς ἄλλο βάρος, **25** πλὴν ὃ ἔχετε κρατήσατε 3,11!
⸀ἄχρι[ς] οὗ ⸂ἂν ἥξω⸃.

26 Καὶ ὁ νικῶν καὶ ὁ τηρῶν ἄχρι τέλους τὰ ἔργα μου, 7!
δώσω αὐτῷ ἐξουσίαν ἐπὶ τῶν ἐθνῶν **27** καὶ *ποιμανεῖ αὐ-* *26s:* 12,5; 19,15
τοὺς ἐν ῥάβδῳ σιδηρᾷ ὡς τὰ *σκεύη* τὰ *κεραμικὰ* ⸀*συν-* *Ps 2,8.9* PsSal 17,23s
τρίβεται, **28** ὡς κἀγὼ εἴληφα παρὰ τοῦ πατρός μου, καὶ
δώσω αὐτῷ τὸν ἀστέρα τὸν πρωϊνόν. **29** Ὁ ἔχων 22,16 | 7!
οὖς ἀκουσάτω τί τὸ πνεῦμα λέγει ταῖς ἐκκλησίαις.

7 **3** Καὶ τῷ ἀγγέλῳ ⸀τῆς ἐν Σάρδεσιν ἐκκλησίας γρά-
ψον·
Τάδε λέγει ⸆ ὁ ἔχων τὰ ○ἑπτὰ πνεύματα τοῦ θεοῦ καὶ 1,4!
τοὺς ἑπτὰ ἀστέρας· οἶδά σου τὰ ἔργα ὅτι ὄνομα ἔχεις 1,16! · 2,2!
⸁ὅτι ζῇς, καὶ νεκρὸς εἶ. **2** γίνου γρηγορῶν καὶ ⸀στήρισον 16,15 Mt 24,42! ·
τὰ λοιπὰ ἃ ⸂ἔμελλον ἀποθανεῖν⸃, οὐ γὰρ εὕρηκά σου ○τὰ L 22,32 · Ez 34,4
ἔργα πεπληρωμένα ἐνώπιον τοῦ θεοῦ ○¹μου. **3** μνημόνευε
○οὖν πῶς εἴληφας ◻καὶ ἤκουσας καὶ τήρει⸌ καὶ μετανό- 2,5!
ησον. ἐὰν οὖν μὴ ⸀γρηγορήσῃς, ἥξω ⸆ ὡς κλέπτης, καὶ 1Th 5,2!
οὐ μὴ ⸁γνῷς ποίαν ὥραν ἥξω ἐπὶ σέ. **4** ἀλλὰ ⸉ἔχεις
ὀλίγα⸊ ὀνόματα ἐν Σάρδεσιν ⸀ἃ οὐκ ἐμόλυναν τὰ ἱμάτια Jd 23
αὐτῶν, καὶ περιπατήσουσιν μετ᾽ ἐμοῦ ἐν λευκοῖς, ὅτι ἄ- 6,11!
ξιοί εἰσιν.
5 Ὁ νικῶν ⸀οὕτως περιβαλεῖται ἐν ἱματίοις λευκοῖς καὶ 2,7!

23 ⸀αυτου 046. 2050. 2329 *pc* a t co; Apr ¦ – ℵ* ● **24** ⸀και τοις 2329 (*pc*) a vg^{cl} | ⸁βαθη ℵ 2050. 2053. 2329. 2344 𝔐^{A} lat | ⸆του θεου αλλα 2329 | ⸀¹βαλω ℵ 046. 1611. 2050. 2329. 2351 *al* a vg; Tyc Prim ● **25** ⸀† αχρι ℵ C 1611. 2053. 2329. 2351 *pc* ¦ εως A *pc* ¦ – 1854 ¦ *txt* 𝔐 | ⸂(*ex itac.*) ανοιξω 1006. 1841 𝔐^{K} ● **27** ⸀-βησεται 𝔐 lat ¦ *txt* ℵ A C 1854. 2050 *pc* gig (sy^{ph}) co

¶ **3,1** ⸀τω 046 | ⸆κυριος 172 | ○ 181. 2015 *pc* | ⸁και 1006. 1611. 1841. 2344 𝔐^{K} sy^{ph} ● **2** ⸀τηρησον 1611. 2344 *pc* sy^{h} | ⸂ημελλες αποβαλλειν 1006. (1611). 1841 𝔐^{K} (sy^{ph}, bo) ¦ *txt* ℵ A C 1854. 2050. 2053. 2329. (2351) 𝔐^{A} latt sy^{h} sa | ○ † A C *pc* ¦ *txt* ℵ 𝔐 | ○¹ 𝔐^{A} sy^{ph} sa^{ms}; Prim ● **3** ○ ℵ 69. 2329 gig t sy^{ph}; Prim | ◻ 1006. 1841 𝔐^{K} | ⸀μετανοησης ℵ*; Prim ¦ μετ. μηδε γρηγ. 2050 t bo | ⸆επι σε ℵ 1006. 1841. 2050. 2344 𝔐^{K} it vg^{cl} sy sa^{ms}; Bea | ⸁γνωση ℵ 1006. 1841. (2050). 2329. 2344. 2351 𝔐^{K} ¦ *txt* A C 1611. 1854. 2053 𝔐^{A} ● **4** ⸉ 1006. 1841 𝔐^{K} | ⸀οἳ 𝔐^{A} ● **5** ⸀ουτος ℵ^{1} 𝔐 ¦ αυτος 2050 ¦ *txt* ℵ* A C 1006. 2329. 2344. 2351 *al* latt sy co

13,8; 17,8; 20,12. 15; 21,27 L 10,20! Ex 32,32s Ps 69,29 Dn 12,1 Ml 3,16 · Mt 10,32p

οὐ μὴ ἐξαλείψω τὸ ὄνομα αὐτοῦ ἐκ τῆς βίβλου τῆς ζωῆς
καὶ ὁμολογήσω τὸ ὄνομα αὐτοῦ ⸀ἐνώπιον τοῦ πατρός
μου καὶ ἐνώπιον τῶν ἀγγέλων αὐτοῦ. **6** Ὁ ἔχων οὖς
2,7! ἀκουσάτω τί τὸ πνεῦμα λέγει ταῖς ἐκκλησίαις.
7 Καὶ τῷ ἀγγέλῳ τῆς ἐν Φιλαδελφείᾳ ἐκκλησίας γρά- *8*
ψον·
6,10 · 19,11 1J 5,20 · Τάδε λέγει ⸂ὁ ἅγιος, ὁ ἀληθινός⸃, ὁ ἔχων τὴν κλεῖν
5,5 Is 22,22 Job 12,14 Mt 16,19 | ⸀Δαυίδ, ὁ ἀνοίγων καὶ οὐδεὶς ⸀κλείσει ○καὶ ⸀1κλείων
2,2! καὶ οὐδεὶς ⸀2ἀνοίγει· **8** οἶδά σου τὰ ἔργα, ἰδοὺ δέδω-
Act 14,27! κα ἐνώπιόν σου θύραν ἠνεῳγμένην, ⸀ἣν οὐδεὶς δύναται κλεῖσαι ○αὐτήν, ὅτι μικρὰν ⸀ἔχεις δύναμιν καὶ ἐτή-
J 8,51! · 2,13 ρησάς μου τὸν λόγον καὶ οὐκ ἠρνήσω τὸ ὄνομά μου.
2,9! **9** ἰδοὺ ⸀διδῶ ἐκ τῆς συναγωγῆς τοῦ σατανᾶ τῶν λεγόντων
ἑαυτοὺς Ἰουδαίους εἶναι, καὶ οὐκ εἰσὶν ἀλλὰ ψεύδονται.
Ps 86,9 Is 60,14; 49,23; · 43,4 ⸀ἰδοὺ ποιήσω αὐτοὺς ἵνα ⸀1ἥξουσιν καὶ ⸀1προσκυνήσου-
σιν ἐνώπιον τῶν ποδῶν σου καὶ ⸀2γνῶσιν ὅτι ○ἐγὼ ἠγά-
J 8,51! · 1,9! L 8,15! πησά σε. **10** ⸀ὅτι ἐτήρησας τὸν λόγον τῆς ὑπομονῆς
2P 2,9! μου, κἀγώ σε ○τηρήσω ἐκ τῆς ὥρας τοῦ πειρασμοῦ τῆς
μελλούσης ἔρχεσθαι ἐπὶ τῆς οἰκουμένης ὅλης πειράσαι
2,16.25; 22,7.12.20 Zch 2,14 · τοὺς κατοικοῦντας ἐπὶ τῆς γῆς. **11** ⸆ ἔρχομαι ταχύ· κρά-
1K 9,25! τει ὃ ἔχεις, ἵνα μηδεὶς λάβῃ τὸν στέφανόν σου.
2,7! · G 2,9 · 7,15! **12** Ὁ νικῶν ποιήσω ⸀αὐτὸν στῦλον ○ἐν τῷ ναῷ τοῦ θεοῦ
14,1! ○1μου καὶ ἔξω οὐ μὴ ἐξέλθῃ ○2ἔτι καὶ γράψω ἐπ᾽ αὐτὸν
Ez 48,35 τὸ ὄνομα τοῦ θεοῦ μου καὶ τὸ ὄνομα τῆς πόλεως τοῦ
21,2 θεοῦ μου, τῆς καινῆς Ἰερουσαλὴμ ⸂ἡ καταβαίνουσα⸃ ⸀ἐκ
2,17! τοῦ οὐρανοῦ ἀπὸ τοῦ θεοῦ μου, καὶ τὸ ὄνομά ○3μου τὸ
2,7! καινόν. **13** Ὁ ἔχων οὖς ἀκουσάτω τί τὸ πνεῦμα λέγει
ταῖς ἐκκλησίαις.

5 ⸀εμπροσθεν ℵ 1611 • **7** ⸂*3 4 1 2* ℵ A ¦ *1 2* 2050 ¦ ο αγγελος αληθ. 2351 ¦ *txt* C 𝔐 latt sy co; Epiph | ⸀του Δ. ℵ 𝔐; Epiph ¦ του αδου 2050 *pc* ¦ *txt* A C 1611. 1854. 2053. 2329 *pc* | ⸀κλειει 1611. 1854. 2053 𝔐^{A} latt; Prim ¦ κλεισει αυτην ει μη ο ανοιγων (046). 1006. 1841 𝔐^{K} ¦ κλεισει αυτην 2351 ¦ *txt* ℵ A C P 2050. 2329 *al* co; Ir^{lat} Tyc | ○ A *pc* vg^{ww} sa^{mss}; Ir^{lat} Tyc Apr | ⸀1κλειει C*^{vid} *pc* lat | ⸀2ανοιξει ℵ 1006. 1841. 2050. 2329. 2344 𝔐^{K} co; Ir^{lat} ¦ ανοιγη ει μη ο ανοιγων και ουδεις ανοιξει 2351 ¦ *txt* A C 1611. 1854. 2053 𝔐^{A} latt • **8** ⸀και 1611 *pc* | ○ ℵ 1006^{c} *pc* | ⸀εχει 1 *pc* • **9** ⸀διδωμι 𝔐 ¦ δεδωκα ℵ sa ¦ *txt* A C | ⸀και 𝔐^{A} a | ⸀1*bis* -ωσιν 046. 1611. 1841. 1854. 2344. 2351 *pm* ¦ *txt* ℵ A C P 1006. 2050. (2053). 2329 *pm* | ⸀2γνωση ℵ 69. (2351) *pc* sa; Prim ¦ -σονται 2050 *pc* ¦ -σωσιν 1006 | ○ 1006. 1841. 2351 𝔐^{K} vg^{ms}; Prim • **10** ⸀και A (2020. 2344 *pc*) | ○ ℵ sa^{mss} • **11** ⸆ιδου 2014 *pc* a vg^{cl}; Tyc Apr • **12** ⸀αυτω ℵ* 1611. 1854. 2351 *pc* | ○ ℵ* | ○1 385 *pc* sy^{ph}; Vic | ○2 ℵ | ⸂της -νουσης ℵ^{2}; Tyc ¦ ἣ -νει 1006. 1841^{vid} 𝔐^{K} | ⸀απο 1006. 1841^{vid} 𝔐^{K} | ○3 1006. 1841. 1854. 2053 𝔐^{K} bo^{mss}

9 **14** Καὶ τῷ ἀγγέλῳ τῆς ἐν Λαοδικείᾳ ἐκκλησίας γρά- 1,11 Kol 2,1; 4,13. 15s
ψον·
Τάδε λέγει ὁ ἀμήν, ⸆ ὁ μάρτυς ὁ πιστὸς ⸀καὶ ἀληθινός, 2K 1,20 · 1,5! · Is
⸇ἡ ἀρχὴ τῆς ⸁κτίσεως τοῦ θεοῦ· **15** οἶδά σου τὰ ἔργα 65,16 · Prv 8,22 J 1,3 Kol 1,15.18 | 2,2!
ὅτι οὔτε ψυχρὸς εἶ οὔτε ζεστός. □ὄφελον ψυχρὸς ἦς ἢ
ζεστός.⸌ **16** οὕτως ὅτι χλιαρὸς εἶ καὶ ⸀οὔτε ⸉ζεστὸς
οὔτε ψυχρός⸊, ⸂μέλλω σε ἐμέσαι ἐκ⸃ τοῦ στόματός ⸁μου.
17 ὅτι λέγεις °ὅτι πλούσιός εἰμι καὶ πεπλούτηκα καὶ Hos 12,9 Zch 11,5 1K 4,8
⸀οὐδὲν χρείαν ἔχω, καὶ οὐκ οἶδας ὅτι σὺ εἶ ὁ ταλαίπωρος R 7,24
καὶ ⸆ ἐλεεινὸς καὶ πτωχὸς καὶ τυφλὸς καὶ γυμνός, **18** συμ- 1K 15,19 · 2P 1,9 |
βουλεύω σοι ἀγοράσαι παρ' ἐμοῦ χρυσίον πεπυρωμένον Is 55,1 · 1P 1,7 PsSal 17,43
ἐκ πυρὸς ἵνα πλουτήσῃς, καὶ ἱμάτια λευκὰ ἵνα περιβάλῃ 6,11!
καὶ μὴ φανερωθῇ ἡ ⸀αἰσχύνη τῆς γυμνότητός σου, καὶ 16,15
⸁κολλ[ο]ύριον ⸀1ἐγχρῖσαι τοὺς ὀφθαλμούς σου ἵνα βλέ-
πῃς. **19** ἐγὼ ὅσους ἐὰν φιλῶ ἐλέγχω καὶ παιδεύω· ⸀ζήλευε Prv 3,12 1K 11,32 H 12,6 ·
°οὖν καὶ μετανόησον. **20** Ἰδοὺ ἕστηκα ἐπὶ τὴν θύραν καὶ 2,5! | Jc 5,9! ·
κρούω· ἐάν τις ἀκούσῃ τῆς φωνῆς μου καὶ ⸀ἀνοίξῃ τὴν L 12,36 Ct 5,2 · J 10,3! ·
θύραν, °[καὶ] εἰσελεύσομαι πρὸς αὐτὸν καὶ δειπνήσω μετ' J 14,23 · L 22,30
αὐτοῦ καὶ αὐτὸς μετ' ἐμοῦ.
21 Ὁ νικῶν δώσω αὐτῷ καθίσαι μετ' ἐμοῦ ἐν τῷ θρόνῳ 27! · Mt 19,28!
μου, ὡς κἀγὼ ἐνίκησα καὶ ἐκάθισα μετὰ τοῦ πατρός μου 5,5 · Mt 22,44!
ἐν τῷ θρόνῳ αὐτοῦ. **22** Ὁ ἔχων οὖς ἀκουσάτω τί τὸ 2,7!
πνεῦμα λέγει ταῖς ἐκκλησίαις.

10 **4** Μετὰ ταῦτα εἶδον, καὶ ἰδοὺ θύρα ἠνεῳγμένη ἐν τῷ Ps 78,23 Act 10,11!
οὐρανῷ, καὶ ⸆ ἡ φωνὴ ἡ πρώτη ἣν ἤκουσα ὡς σάλ- 1,10!
πιγγος ⸂λαλούσης μετ' ἐμοῦ λέγων⸃· ἀνάβα ὧδε, καὶ 11,12 Ex 19,24
δείξω σοι ⸀ἃ δεῖ γενέσθαι⁚ μετὰ ταῦτα⁚1. 1,1! Dn 2,29.45 Theod

14 ⸆και ℵ* | ⸀ο 2050. 2053. 2351 *pc* sy^{h} bo^{pt} ¦ και ο ℵ C *pc* bo^{pt} ¦ *txt* A $\mathfrak{M}$ | ⸇και ℵ sy^{ph} | ⸁εκκλησιας ℵ* ● **15** □A 1006 *pc* ● **16** ⸀ου 1006. 1841. 1854. 2053. 2351 $\mathfrak{M}^{K}$; Bea | ⸉ A P (2050) *pc* a vg sy^{ph} sa; Vic Apr | ⸂ελεγχω σε εκ *et* ⸁σου 2329 ¦ παυσε *et* σου ℵ* ● **17** ° ℵ $\mathfrak{M}$ vg^{mss}; Spec Bea ¦ *txt* A C 1611. 2050. 2329 *al* lat sy | ⸀ουδενος ℵ $\mathfrak{M}$ sy ¦ *txt* A C 1854. 2053 *pc* | ⸆ο A 1006. 1611. 1841. 2329. 2351 $\mathfrak{M}^{K}$ ● **18** ⸀ασχημοσυνη P *pc*; Tyc Bea | ⸁† -λυριον ℵ C (046). 1006. 1611. 1841. 2329. 2344 *pm* ¦ *txt* A P 1854. 2050. 2053. 2351 *pm* | ⸀1ινα -ση 1006. 1611. 1841. 2351 $\mathfrak{M}^{K}$ ¦ -σον 1854 $\mathfrak{M}^{A}$ sy ¦ *txt* ℵ A C 2050. 2053. 2329 *pc* co ● **19** ⸀-λωσον ℵ 0169^{c}. 2053 $\mathfrak{M}^{A}$ | ° 181 *pc* ● **20** ⸀-ξω ℵ 2053*^{vid} | °† A 1611. 2050. 2053 $\mathfrak{M}^{A}$ latt sy^{h} co ¦ *txt* ℵ 0169. 1006. 1841. 1854. 2329. 2344. 2351 $\mathfrak{M}^{K}$ sy^{ph}

¶ **4,1** ⸆ιδου ℵ 2344 t; Prim | ⸂λ. μ. ε. λεγουσα (ℵ^{1}) $\mathfrak{M}^{A}$ ¦ μ. ε. λαλουσα 2329 *pc* ¦ λεγουσα μ. ε. 1854 a | ⸀οσα A | [⁚. *et* ⁚1 –]

2 ⸆ Εὐθέως ἐγενόμην ἐν πνεύματι, καὶ ἰδοὺ θρόνος
ἔκειτο ἐν τῷ οὐρανῷ, καὶ ἐπὶ ⸂τὸν θρόνον⸃ καθήμενος,
3 ⸋καὶ ὁ καθήμενος⸌ ὅμοιος ὁράσει λίθῳ ἰάσπιδι ⸆ καὶ
σαρδίῳ, καὶ ⸀ἶρις κυκλόθεν τοῦ θρόνου ⸂ὅμοιος ὁράσει
σμαραγδίνῳ⸃. 4 °Καὶ κυκλόθεν τοῦ θρόνου ⸂θρό-
νους εἴκοσι τέσσαρες⸃, καὶ ἐπὶ τοὺς ⸄θρόνους εἴκοσι
τέσσαρας⸅ πρεσβυτέρους καθημένους περιβεβλημένους
°¹ἐν °²ἱματίοις λευκοῖς καὶ ἐπὶ τὰς κεφαλὰς αὐτῶν στεφάνους χρυσοῦς. 5 Καὶ ἐκ τοῦ θρόνου ἐκπορεύονται ἀστραπαὶ καὶ φωναὶ καὶ βρονταί, καὶ ἑπτὰ λαμπάδες πυρὸς καιόμεναι ἐνώπιον τοῦ θρόνου⸆, ⸂ἅ εἰσιν⸃
°τὰ ἑπτὰ πνεύματα τοῦ θεοῦ, 6 καὶ ἐνώπιον τοῦ θρόνου
°ὡς θάλασσα ὑαλίνη ὁμοία κρυστάλλῳ. Καὶ ἐν μέσῳ τοῦ θρόνου καὶ κύκλῳ τοῦ θρόνου τέσσαρα ζῷα γέ-
μοντα ὀφθαλμῶν ἔμπροσθεν καὶ ὄπισθεν. 7 καὶ τὸ ζῷον
τὸ πρῶτον ὅμοιον λέοντι καὶ τὸ δεύτερον ζῷον ὅμοιον
μόσχῳ καὶ τὸ τρίτον ζῷον ⸀ἔχων ⸂τὸ πρόσωπον ὡς ἀν-
θρώπου⸃ καὶ τὸ τέταρτον °ζῷον ὅμοιον ἀετῷ πετομένῳ.
8 καὶ °τὰ τέσσαρα ζῷα, ἓν ⸂καθ᾽ ἓν⸃ °¹αὐτῶν ⸀ἔχων
ἀνὰ πτέρυγας ἕξ, κυκλόθεν ⸄καὶ ἔσωθεν⸅ γέμουσιν ὀ-
φθαλμῶν, καὶ ἀνάπαυσιν οὐκ ἔχουσιν ἡμέρας καὶ νυκτὸς
λέγοντες·

⸂¹*ἅγιος ἅγιος ἅγιος*⸃ *κύριος ὁ θεὸς ὁ παντοκράτωρ,*
ὁ ἦν καὶ ὁ ὢν καὶ ὁ ἐρχόμενος.

9 Καὶ ὅταν ⸀δώσουσιν τὰ ζῷα δόξαν καὶ τιμὴν καὶ εὐχα-

1,10! · Ps 11,4; 103.19 Ez 1,26 · 5,7! | 10,1 Ez 1,27s | 10; 5,5-8.14; 7,11. 13; 11,16; 14,3; 19,4 Is 24,23 · 6,11! · Zch 6,11 | 8,5; 11,19; 16,18 Ez 1,13 Ex 19,16 Esth 1,1 d 𝔊 · Zch 4,2 · 1,4! | 15,2 Ez 1,22 · 5,6.8.11.14; 6,1; 7,11; 14,3; 15,7; 19,4 Ez 1,5 · Ez 1,18; 10,12 | 6,1.3.5.7 Ez 1,10; 14,10 | Is 6,2 · Ez 1,18; 10,12 · *Is 6,3* · 11,17! *Am 3,13* 𝔊 etc · 1,4!

2 ⸆και 0169c. 1854. 2344 𝔐A vgcl syph | ⸂του -νου 𝔐A ● 3 ⸋ 𝔐 ¦ *txt* ℵ A P 046. 0169. 1611. 2050. 2329. 2351 *al* latt sy co | ⸆και σμαραγδω 046 *pc* | ⸀ιερεις ℵ* A 2329 *pc* | ⸂ομοιως -σις -δινων 1006. 1841vid 𝔐K (syph) ¦ *txt* ℵ2 A (1611, 1854, 2050). 2344 𝔐A lat (syh) samss bo (ℵ*, 2053. 2351: *h. t.*) ● 4 ° 1006. 1841 𝔐K syh | ⸂† -νους εικ. -ρας 2073 *pc* ¦ -νοι εικ. -ρες (*vl* κδʹ) 𝔐 ¦ *txt* (ℵ) A (2053) *pc* | ⸄ *2 3 1* A 1854. 2050. 2344 *pc* ¦ *1* 2053. 2329 *pc* ¦ θρ. τους ει. τεσ. 1006. 1611. 1841. 2351 𝔐K ¦ *txt* 𝔐A (ℵ: *h. t.*) | °1 A P 1854 *pc* lat | °2 ℵ 1854. 2050. 2329 *pc* ● 5 ⸆αυτου 1006. 1611c. 1841. 1854. 2351 𝔐K syh samss | ⸂α εστιν A ¦ αι εισιν 1006. 1841 𝔐K ¦ εις 2329 | ° 1006. 1841. 2344 𝔐K ● 6 ° 2053 *al* syph sa; Prim ● 7 ⸀εχον ℵ 𝔐 ¦ *txt* A 046. 1006. 2329. 2344. 2351 *pc* | ⸂τ. πρ. ως -πος (1611*). 1854. 2050. 2053. 2329 𝔐A syh ¦ τ. πρ. ως ομοιον -πω ℵ (gig t) ¦ πρ. ανθρωπου 1006. 1611c. 1841. 2351 𝔐K; Ir ¦ *txt* A (2344) a vg syph | ° 1006. 1841 𝔐K ● 8 ° 𝔐 ¦ *txt* ℵ A P 1611. 1854. 2050. 2053. 2329. 2344. 2351 *al* | ⸂εκαστον ℵ 2329 *pc* sy | °1 1006. 1841. 2351 𝔐K t; Prim | ⸀εχον 𝔐 ¦ ειχον ℵ *pc* lat ¦ εχοντα P 1611. 2050. 2351 *pc* ¦ *txt* A 1006. 1854. 2329 *pc* | ⸄κ. εξωθεν κ. εσ. 046 (2351) *pc* ¦ – 2050 | ⸂1 *novies* αγ. 𝔐K ¦ *octies* αγ. ℵ* *pc* ● 9 ⸀-σωσιν ℵ 046. 1854. 2351 𝔐A ¦ δωσι 1006. 1841. (2053) 𝔐K ¦ εδωκαν 2329; Prim ¦ *txt* A P 1611. 2050 *pc*

ριστίαν τῷ καθημένῳ ἐπὶ ⸂τῷ θρόνῳ⸃ τῷ ζῶντι εἰς τοὺς 5,7! · 10; 1,18; 10,6;
αἰῶνας τῶν αἰώνων, **10** ⸆πεσοῦνται οἱ εἴκοσι τέσσαρες 15,7 Dn 4,34 Theod; 6,27 Theod; 12,7
πρεσβύτεροι ἐνώπιον τοῦ καθημένου ἐπὶ τοῦ θρόνου καὶ 4!
προσκυνήσουσιν τῷ ζῶντι εἰς τοὺς αἰῶνας τῶν αἰώνων 5,7! 9!
⸇ καὶ ⸀βαλοῦσιν τοὺς στεφάνους αὐτῶν ἐνώπιον τοῦ θρόνου λέγοντες·

11 ἄξιος εἶ, ⸂ὁ κύριος καὶ⸃ °ὁ θεὸς ἡμῶν⸆, 5,9.12 ·
λαβεῖν τὴν δόξαν καὶ τὴν τιμὴν καὶ τὴν δύναμιν, 5,13; 7,10.12; 11, 15.17; 12,10; 15,3 s;
ὅτι σὺ ἔκτισας τὰ πάντα 19,1 s. 5.6 s R 16,27! 1 Chr 29,11 · E 3,9
καὶ διὰ τὸ θέλημά σου ⸇ ⸀ἦσαν □καὶ ἐκτίσθησαν⸌. Sap 1,14 Sir 18,1 3 Mcc 2,3 · 1K 12,

11 **5** Καὶ εἶδον ἐπὶ τὴν δεξιὰν τοῦ καθημένου ἐπὶ τοῦ θρό- 18! | 7! ·
νου βιβλίον γεγραμμένον ⸂ἔσωθεν καὶ ὄπισθεν⸃ ⸆ κατ- 10,2 Ez 2,9 s Is 29,
εσφραγισμένον σφραγῖσιν ἑπτά. **2** καὶ εἶδον ἄγγελον 11 Jr 32,10 s Dn 12, 4.9 |
ἰσχυρὸν κηρύσσοντα °ἐν φωνῇ μεγάλῃ· τίς ἄξιος ⸆ 10,1; 18,21
ἀνοῖξαι τὸ βιβλίον καὶ λῦσαι τὰς σφραγῖδας αὐτοῦ;
3 καὶ οὐδεὶς ἐδύνατο ἐν τῷ οὐρανῷ ⸆ ⸀οὐδὲ ἐπὶ τῆς γῆς 13 Ex 20,4 Dt 5,8
□⸀οὐδὲ ὑποκάτω τῆς γῆς⸌ ἀνοῖξαι τὸ βιβλίον ⸁οὔτε
βλέπειν αὐτό. **4** □καὶ ⸂ἔκλαιον πολύ⸃, ὅτι οὐδεὶς ἄξιος
εὑρέθη ἀνοῖξαι ⸆ τὸ βιβλίον οὔτε βλέπειν αὐτό.⸌ **5** καὶ
εἷς ἐκ τῶν πρεσβυτέρων λέγει μοι· μὴ κλαῖε, ἰδοὺ ἐνίκη- 4,4! · L 7,13! · 3,21 ·
σεν ὁ λέων °ὁ ἐκ τῆς φυλῆς Ἰούδα, ἡ ῥίζα Δαυίδ, ⸀ἀνοῖ- Gn 49,9 H 7,14 ·
ξαι τὸ βιβλίον καὶ ⸆ τὰς ἑπτὰ σφραγῖδας αὐτοῦ. 22,16 Is 11,1.10 R 15,12
12 **6** Καὶ ⸀εἶδον ἐν μέσῳ τοῦ θρόνου καὶ τῶν τεσσάρων 4,6! ·
ζῴων καὶ ἐν μέσῳ τῶν πρεσβυτέρων ἀρνίον ⸁ἑστηκὸς ὡς 12; 7,17; 13,8
ἐσφαγμένον ⸀1ἔχων κέρατα ἑπτὰ καὶ ὀφθαλμοὺς ἑπτὰ J 1,29! Is 53,7 Jr 11, 19 · 9! · Zch 4,10 ·
⸀2οἵ εἰσιν τὰ °[ἑπτὰ] πνεύματα τοῦ θεοῦ ⸀3ἀπεσταλμένοι 1,4!

9 ⸂του -νου 𝔐 ¦ *txt* א A 1854. 2050 *pc* ● **10** ⸆και א (t) | ⸇αμην א 2329 *pc* t sy^{ph} | ⸀βαλλ- א* 046. 1854. 2050. 2053. 2329 𝔐^{A} vg^{ms} ¦ βαλοντες 1611 vg^{mss} ● **11** ⸂κυριε 1854 𝔐^{A} sy^{h} ¦ κυριε ο κυριος και א | ° א 046*. 1006. 1611. 1841. 2050 *al* | ⸆ο αγιος 1006. 1841. 2351 𝔐^{K} sy^{h} | ⸇ουκ 046 *pc* | ⸀εισιν 1854. 2050 𝔐^{A} sa ¦ εγενοντο 2329 | □ A
¶ **5,1** ⸂εσ. κ. εξωθεν 𝔐 latt sy^{ph} bo ¦ εμπροσθεν κ. οπ. א *pc* sa ¦ *txt* A 2329. 2344 *pc* sy^{h}; Cyp Epiph | ⸆και א^{1} *pc* sy^{ph} bo ● **2** ° 1611. 1854 𝔐^{A} | ⸆εστιν 1006. 1841 𝔐^{K} ● **3** ⸆ανω 1006. 1841. 2351 𝔐^{K} sy^{h} | ⸀*bis* ουτε (א) 2050. 2329. 2351 𝔐^{K} | □ א 1854. 2344 t | ⸁ουδε 1611. 2053 𝔐^{A} ● **4** □ *vs* A 1854. 2050. 2329 *pc* | ⸂εγω εκλ. πολυ 1006. 1611^{c}. 1841. 2351 𝔐^{K} lat; Cyp ¦ εκλ. πολλοι 2053. 2344 *pc* bo | ⸆και αναγνωναι 2050 *pc* ● **5** ° א 1006. 1611. 1841. 2053. 2329 *pc* | ⸀ο ανοιγων 2351 𝔐^{K} | ⸆λυσαι א 2344 *pc* vg^{cl} sy^{ph}; Apr ● **6** ⸀ιδου και A ¦ ειδον και ιδου 1006. 1841 *pc* lat ¦ ειδον και 1611. 2053 sy^{h} | ⸁-κως א 2050 *al* | ⸀1εχον 𝔐 ¦ *txt* 𝔓^{24} א A 046. 1006. 2050. 2329. 2351 *pc* | ⸀2α 1854. 2050. 2329. 2344. 2351 𝔐^{K} | ° A 1006. 1611. 1841. 2050 𝔐^{A} a vg ¦ *txt* 𝔓^{24} א 1854. 2053. 2329. 2344. 2351 𝔐^{K} it vg^{cl} sy; Ir^{lat} Cyp | ⸀3-να א 1854. 2050 *pc* ¦ τα -να 1006. 1841. 2329 𝔐^{A} ¦ αποστελλομενα (1611). 2351 𝔐^{K} ¦ *txt* A 2053

4,2.9s; 5,1.13; 6,16; 7,10.15; 19,4; 20, 11; 21,5 1 Rg 22,19 2Chr 18,18 Ps 47,9 εἰς πᾶσαν τὴν γῆν. **7** καὶ ἦλθεν καὶ εἴληφεν ⸆ ἐκ τῆς
Is 6,1 Sir 1,8 | δεξιᾶς τοῦ καθημένου ἐπὶ τοῦ θρόνου.
4,6! **8** Καὶ ὅτε ἔλαβεν τὸ βιβλίον, τὰ τέσσαρα ζῷα καὶ οἱ
4,4! εἴκοσι τέσσαρες πρεσβύτεροι ἔπεσαν ἐνώπιον τοῦ ἀρ-
14,2; 15,2 1K 14,7 · νίου ἔχοντες ἕκαστος ⸀κιθάραν καὶ φιάλας χρυσᾶς γε-
8,3s Ps 141,2 μούσας θυμιαμάτων, ⸁αἵ εἰσιν °αἱ προσευχαὶ τῶν ἁγίων,
14,3! Ps 144,9 etc **9** καὶ ᾄδουσιν ᾠδὴν καινὴν λέγοντες·
4,11! ἄξιος εἶ λαβεῖν τὸ βιβλίον καὶ ἀνοῖξαι τὰς
σφραγῖδας αὐτοῦ,
6.12; 13,8 Is 53,7 · 14,4 · 1P 1,19 · ὅτι ἐσφάγης καὶ ἠγόρασας ⸂τῷ θεῷ⸃ ἐν τῷ αἵματί σου
7,9; 10,11; 11,9; 13,7; 14,6; 17,15 | ἐκ πάσης φυλῆς καὶ γλώσσης καὶ λαοῦ καὶ ἔθνους
1,6! Ex 19,6 etc **10** καὶ ἐποίησας ⸀αὐτοὺς ⸋τῷ θεῷ ἡμῶν⸌ ⸁βασιλεί-
Is 61,6 αν καὶ ⸀^{1}ἱερεῖς,
20,6b; 22,5 καὶ ⸀^{2}βασιλεύσουσιν ἐπὶ τῆς γῆς.
7,11 1Rg 22,19 · **11** Καὶ εἶδον, καὶ ἤκουσα ⸆ φωνὴν ἀγγέλων πολλῶν
4,6! · 4,4! · κύκλῳ τοῦ θρόνου καὶ τῶν ζῴων καὶ τῶν πρεσβυτέρων,
Dn 7,10 Hen 14,22; 40,1 H 12,22 καὶ ἦν ὁ ἀριθμὸς αὐτῶν μυριάδες μυριάδων καὶ χιλιάδες
χιλιάδων **12** λέγοντες φωνῇ μεγάλῃ·
4,11! · 9! ⸀ἄξιόν ἐστιν τὸ ἀρνίον τὸ ἐσφαγμένον λαβεῖν
1Chr 29,11s τὴν δύναμιν καὶ ⸆ πλοῦτον καὶ σοφίαν
καὶ ἰσχὺν καὶ τιμὴν καὶ δόξαν καὶ εὐλογίαν.
3! Ph 2,10 **13** καὶ πᾶν κτίσμα ὃ ⸆ ἐν τῷ οὐρανῷ καὶ ἐπὶ τῆς γῆς ⸋καὶ
Ps 146,6 ὑποκάτω τῆς γῆς⸌ καὶ ἐπὶ τῆς θαλάσσης ⸇ καὶ τὰ ἐν αὐτοῖς ⸀πάντα ⸆^{1}ἤκουσα ⸁λέγοντας·
4,11! · 5,7! τῷ καθημένῳ ἐπὶ ⸂τῷ θρόνῳ⸃ °καὶ τῷ ἀρνίῳ
ἡ εὐλογία καὶ ἡ τιμὴ καὶ ἡ δόξα καὶ τὸ κράτος
εἰς τοὺς αἰῶνας τῶν αἰώνων⸆^{2}.

7 ⸆το βιβλιον 1006. 1841. 2050 *pc* it vg^{cl} sy co; Cyp Prim ¦ την 046 ● **8** ⸀-ας $\mathfrak{M}^{A}$ | ⸁α ℵ 046. 1006. 1841. 2050. 2344 *pc* | ° ℵ* 1854. 2329. 2351 $\mathfrak{M}^{K}$ ● **9** ⸂ημας 1 *pc* vg^{ms}; Cyp ¦ τ. θ. ημ. ℵ (⸉ 2050. 2344) $\mathfrak{M}$ (lat sy) ¦ *txt* A ● **10** ⸀ημας *pc* gig vg^{cl} sa; Prim Bea | ⸋A sa^{ms} | ⸁-λεις $\mathfrak{M}$ sy^{h} ¦ *txt* ℵ A 1611*. 1854. 2050. 2329. 2344 *pc* latt sy^{ph} co; Or | ⸀^{1}ιερατειαν ℵ 2344 | ⸀^{2}-ευουσιν A 1006. 1611. 1841. 2329 $\mathfrak{M}^{K}$ ¦ *txt* ℵ 1854. 2050. 2053. 2344. 2351 $\mathfrak{M}^{A}$ lat co; Cyp ● **11** ⸆ως ℵ 046^{c}. 1006. 1611^{c}. 1841. 1854. 2050. 2344 $\mathfrak{M}^{K}$ sy sa ¦ *txt* A 046*. 1611*. 2053. 2329. 2351 $\mathfrak{M}^{A}$ latt bo ● **12** ⸀† -ος A ¦ *txt* ℵ $\mathfrak{M}$ | ⸆τον 1006. 1611. 1841. 1854. 2351 $\mathfrak{M}^{K}$ ● **13** ⸆εστιν 1611. 2050 $\mathfrak{M}^{A}$ vg; Prim | ⸋ ℵ 1854. 2050. 2053. 2329. 2344 *pc* a vg^{ww} bo | ⸇ † εστιν A 1006. 1611^{c}. 1841. 1854. 2329. 2344 $\mathfrak{M}^{K}$ ¦ α εστιν 046. 2050. (2053. 2351) $\mathfrak{M}^{A}$ vg ¦ *txt* ℵ 1611* *pc* a gig | ⸀, παντας (046). 1006. 1841. 2351 $\mathfrak{M}^{K}$ vg | ⸆^{1}και ℵ 1611. 2344 *pc* gig sy bo^{pt} | ⸁-ντα A $\mathfrak{M}^{A}$ ¦ -ντος (⸉ 1611). 1854 | ⸂του -νου ℵ 1006. 1611. 1841. (2053) $\mathfrak{M}^{A}$ | ° ℵ^{1} A 1611. 2344 *pc* | ⸆^{2}αμην $\mathfrak{M}$ ¦ *txt* ℵ A P 1006. 1611. 1841. 1854. 2050. 2053. 2344. 2351 *pc* latt sy co

14 καὶ τὰ τέσσαρα ζῷα ⸀ἔλεγον· ἀμήν. καὶ οἱ πρεσβύτε- 4,6! · 7,12 · 4,4!
ροι ἔπεσαν καὶ προσεκύνησαν.

13 **6** Καὶ εἶδον ⸀ὅτε ἤνοιξεν τὸ ἀρνίον μίαν ἐκ τῶν ⸰ἑπτὰ 5,1 s. 6.8
σφραγίδων, καὶ ἤκουσα ἑνὸς ἐκ τῶν τεσσάρων ζῴων 4,6!
λέγοντος ὡς ⸁φωνὴ βροντῆς· ἔρχου⸆. **2** ⸋καὶ εἶδον,⸌ καὶ 14,2!
ἰδοὺ ἵππος λευκός, καὶ ὁ καθήμενος ἐπ' αὐτὸν ἔχων τόξον *2–5:* Zch 1,8; 6, 1-3.6 · cf 19,11.14
καὶ ἐδόθη αὐτῷ στέφανος καὶ ἐξῆλθεν νικῶν ⸰καὶ ⸂ἵνα
νικήσῃ⸃.
14 **3** Καὶ ὅτε ἤνοιξεν τὴν σφραγῖδα τὴν δευτέραν, ἤκουσα τοῦ δευτέρου ζῴου λέγοντος· ἔρχου⸆. **4** καὶ ⸆ ἐξῆλθεν 4,7
ἄλλος ἵππος ⸀πυρρός, καὶ τῷ καθημένῳ ἐπ' αὐτὸν ἐδόθη
⸰αὐτῷ λαβεῖν τὴν εἰρήνην ⸁ἐκ τῆς γῆς ⸰¹καὶ ἵνα ἀλλήλους ⸀¹σφάξουσιν καὶ ἐδόθη αὐτῷ μάχαιρα μεγάλη.
15 **5** Καὶ ὅτε ἤνοιξεν τὴν σφραγῖδα τὴν τρίτην, ἤκουσα
τοῦ τρίτου ζῴου λέγοντος· ἔρχου⸆. ⸋καὶ εἶδον,⸌ καὶ ἰδοὺ 4,7
ἵππος μέλας, καὶ ὁ καθήμενος ἐπ' αὐτὸν ἔχων ζυγὸν ἐν
τῇ χειρὶ αὐτοῦ. **6** καὶ ἤκουσα ⸰ὡς φωνὴν ἐν μέσῳ τῶν
τεσσάρων ζῴων λέγουσαν· χοῖνιξ σίτου δηναρίου καὶ 4,6! · 2Rg 7,1
τρεῖς χοίνικες ⸀κριθῶν ⸆ δηναρίου, καὶ τὸ ἔλαιον καὶ τὸν
οἶνον μὴ ἀδικήσῃς.
16 **7** Καὶ ὅτε ἤνοιξεν τὴν σφραγῖδα τὴν τετάρτην, ἤκουσα
⸰φωνὴν τοῦ τετάρτου ζῴου λέγοντος· ἔρχου⸆. **8** ⸋καὶ 4,7
εἶδον,⸌ καὶ ἰδοὺ ἵππος χλωρός, καὶ ⸰ὁ καθήμενος ⸂ἐπάνω
αὐτοῦ⸃ ὄνομα αὐτῷ ⸰¹[ὁ] ⸀θάνατος, καὶ ὁ ᾅδης ⸁ἠκολού- Hos 13,14
θει ⸄μετ' αὐτοῦ⸅ καὶ ἐδόθη ⸀¹αὐτοῖς ἐξουσία ἐπὶ τὸ τέ-

14 ⸀λεγοντα το (2344) 𝔐^K sa^mss bo
¶ **6,1** ⸀οτι 2053. 2351 𝔐^K vg | ⸰ 2344 𝔐^A co | ⸁ † -νῃ 2329 *pc* ¦ -νην א 1854. 2053 *pc* ¦ -νης P *pc* ¦ *txt* 𝔐 (A C *sine acc.*) | ⸆και ιδε א 2329. 2344 𝔐^K it vg^cl sy; Vic Prim Bea ● **2** ⸋ 2329. 2351 𝔐^K a; Prim Bea | ⸰ 1006. 1611. 1841. 2053 *pc* latt sy^h; Ir^lat | ⸂ενικησεν א 2344 sa^mss bo ● **3** ⸆και ιδε א 2344 *pc* it vg^cl bo^ms; Prim Bea ● **4** ⸆ειδον και ιδου א *pc* (bo) | ⸀πυρος A 𝔐 (bo) ¦ *txt* א C 1006. 1611. 1841. 2053 *al* latt sy sa | ⸰ א¹ A 2344 *pc* | ⸁απο 2053 *pc* ¦ επι 2344 ¦ – A *al* (א¹ *om.* εκ. τ. γ.) | ⸰¹ 1611. 2053. 2351 𝔐^K sy^ph | ⸀¹ -ξωσιν א 𝔐 ¦ *txt* A C 2329 ● **5** ⸆και ιδε א 2329. 2344 𝔐^K a vg^cl sy^h; Prim Bea | ⸋ 1854 𝔐^K a gig vg^cl sy^ph sa; Bea ● **6** ⸰ 1006. 1611. 1841. 2053 𝔐^K sy co; Prim Bea | ⸀-θης 2344. 2351 𝔐^K sy^ph | ⸆του A ● **7** ⸰ C P 1611. 1854. 2053. 2329. 2351 𝔐^K gig sy^h bo; Prim Bea ¦ *txt* 𝔓^24 א A 1006. 1841. 2344 𝔐^A lat sy^ph sa | ⸆και ιδε א 𝔐^K it vg^cl sy^h; Prim Bea ● **8** ⸋ 1854. 2329. 2351 𝔐^K gig vg^cl; Bea | ⸰ C | ⸂ *1* C 1611. 2053 𝔐^A vg^st ¦ επ αυτον 1854 *pc* | ⸰¹ א C 1006. 1611. 1841. 1854. 2053 *pc* ¦ *txt* A 𝔐 | ⸀αθαν- A | ⸁ακολ- 𝔐^A sy co; Vic | ⸄οπισω αυτ. 2329 *pc* ¦ αυτω א 1006. 1841. 1854. (2053*). 2344. 2351 𝔐^K ¦ *txt* A C 1611 𝔐^A | ⸀¹αυτω 1611. 1854. 2329. 2351 𝔐^K lat sy co

Ez 5,12.17; 14,21; 33,27 Jr 14,12; 15,2s; 21,7 · Ez 29,5
14,18! · 20,4 · 1,2.9; 12,11.17; 19,10; 20,4 | Zch 1,12 Ps 79,5 · Act 4,24! · 3,7! · Dt 32,43 2Rg 9,7 Ps 79,10 L 18,7 · 18,24! · 8,13! | 3,4s.18; 4,4; 7,9.13; 19,14 ·
H 11,40
16,18 Jr 10,22 𝔊 Ez 38,19 · Joel 3,4 Act 2,20 · Is 50,3 · *12s:* 8,12 Is 13,10 Ez 32,7s Joel 2,10; 4,15 Mt 24,29p | *13s:* Is 34,4
20,11 H 1,12 · 16,20 Ez 26,15
19,18 Is 24,21; 34,12 Mc 6,21
13,16; 19,18
Is 2,10.19.21 Jr 4,29
Hos 10,8 L 23,30
5,7!
Joel 2,11; 3,4 Zph 1,14s etc
Nah 1,6 Ml 3,2

ταρτον τῆς γῆς ἀποκτεῖναι ἐν ῥομφαίᾳ καὶ ἐν λιμῷ καὶ
ἐν θανάτῳ καὶ ὑπὸ τῶν θηρίων τῆς γῆς.
9 Καὶ ὅτε ἤνοιξεν ⸂τὴν πέμπτην σφραγῖδα⸃, εἶδον ὑπο- 1
κάτω τοῦ θυσιαστηρίου τὰς ψυχὰς ⸆ τῶν ἐσφαγμένων διὰ
τὸν λόγον τοῦ θεοῦ καὶ °διὰ τὴν μαρτυρίαν ⸇ ἣν εἶχον.
10 καὶ ⸀ἔκραξαν φωνῇ μεγάλῃ λέγοντες· ἕως πότε, ὁ
δεσπότης ὁ ἅγιος καὶ ἀληθινός, οὐ κρίνεις καὶ ἐκδι-
κεῖς τὸ αἷμα ἡμῶν ⸁ἐκ τῶν κατοικούντων ἐπὶ τῆς γῆς;
11 καὶ ἐδόθη ⸂αὐτοῖς ἑκάστῳ⸃ στολὴ λευκὴ καὶ ἐρρέθη
αὐτοῖς ⸄ἵνα ἀναπαύσονται⸅ ⸂1ἔτι χρόνον⸃ °μικρόν, ἕως ⸆
⸀πληρωθῶσιν καὶ οἱ σύνδουλοι αὐτῶν καὶ οἱ ἀδελφοὶ
αὐτῶν ⸇ οἱ μέλλοντες ἀποκτέννεσθαι ὡς καὶ αὐτοί.
12 Καὶ εἶδον ⸀ὅτε ἤνοιξεν τὴν σφραγῖδα τὴν ἕκτην, 1
καὶ ⸆ σεισμὸς μέγας ἐγένετο καὶ ὁ ἥλιος ⸉ἐγένετο μέλας⸊
ὡς σάκκος τρίχινος καὶ ἡ σελήνη °ὅλη ἐγένετο ὡς αἷμα
13 καὶ οἱ ἀστέρες τοῦ ⸀οὐρανοῦ ἔπεσαν ⸁εἰς τὴν γῆν,
ὡς συκῆ ⸀1βάλλει τοὺς ὀλύνθους αὐτῆς ὑπὸ ⸉ἀνέμου
μεγάλου⸊ σειομένη, **14** καὶ ὁ οὐρανὸς ἀπεχωρίσθη ὡς
βιβλίον ⸀ἑλισσόμενον καὶ πᾶν ὄρος καὶ ⸁νῆσος ἐκ τῶν
τόπων αὐτῶν ἐκινήθησαν. **15** Καὶ οἱ βασιλεῖς τῆς
γῆς καὶ οἱ μεγιστᾶνες καὶ οἱ ⸉χιλίαρχοι καὶ οἱ πλού-
σιοι⸊ ⸋καὶ οἱ ἰσχυροὶ⸌ καὶ πᾶς δοῦλος καὶ ⸆ ἐλεύθερος ἔκρυψαν ἑαυτοὺς εἰς τὰ σπήλαια καὶ εἰς τὰς πέτρας
τῶν ὀρέων **16** *καὶ λέγουσιν τοῖς ὄρεσιν καὶ ταῖς πέτραις·*
πέσετε ἐφ' ἡμᾶς καὶ ⸀*κρύψατε ἡμᾶς* ἀπὸ προσώπου τοῦ
καθημένου ἐπὶ ⸂τοῦ θρόνου⸃ καὶ ἀπὸ τῆς ὀργῆς τοῦ ἀρνίου, **17** ὅτι ἦλθεν ἡ ἡμέρα ἡ μεγάλη τῆς ὀργῆς ⸀αὐτῶν,
καὶ τίς δύναται σταθῆναι;

9 ⸂τ. σφ. την π. ℵ* 1611. 1854. 2344 *pc* | ⸆των ανθρωπων ℵ 1841. 2344 $\mathfrak{M}^{A}$ co | °A 1854 it vg^{mss}; Cyp Prim | ⸇του αρνιου 1611^{c}. 2351 $\mathfrak{M}^{K}$ sy^{h} ● **10** ⸀-ζον 1006. 1611. 1841. 1854. 2053. 2351 $\mathfrak{M}^{A}$ sy^{h} | ⸁απο $\mathfrak{M}^{A}$ ● **11** ⸂*1* 046. 1854. 2351 *al* ¦ *2* $\mathfrak{M}^{K}$ | ⸄† ινα -σωνται ℵ C 𝔐 ¦ -σασθε 1854. (2351: -σθαι) ¦ *txt* A P 046. 2053*. 2329 *al* | ⸂1 *2 1* A 1006. 1841. 2344 *pc* ¦ τινα χ. 2329 ¦ – 2351 | ° $\mathfrak{M}^{K}$ | ⸆οὗ $\mathfrak{M}^{A}$ ¦ αν 2329 | ⸀-ρωσωσιν ℵ 𝔐 ¦ -ρωσουσιν 1611. 2329 *pc* ¦ *txt* A C 2344 *pc* latt sy^{ph} co | ⸇και 2351 $\mathfrak{M}^{K}$; Cyp ● **12** ⸀και οτε 2344 $\mathfrak{M}^{A}$ vg^{mss}; Prim ¦ και 2329 | ⸆ιδου A *pc* vg^{cl}; (Prim) | ⸉ ℵ 1854 $\mathfrak{M}^{K}$ | ° 1611. 2329. 2344 $\mathfrak{M}^{A}$ a* sa; Prim ● **13** ⸀θεου A | ⸁επι ℵ 1854. 2329. 2344 *pc* | ⸀1βαλλουσα ℵ 1611. 1854. 2053. (2329). 2351 *al* ¦ βαλουσα $\mathfrak{M}^{K}$ ¦ *txt* A C 046. 1006. 1841 $\mathfrak{M}^{A}$ | ⸉ $\mathfrak{M}^{A}$ ● **14** ⸀-νος ℵ 1854 $\mathfrak{M}^{K}$ | ⸁βουνος ℵ ● **15** ⸉ $\mathfrak{M}^{A}$ | ⸋ 1 *al* | ⸆πας ℵ^{1} $\mathfrak{M}^{A}$ bo (ℵ*: *h. t.*) ● **16** ⸀-ψετε ℵ ¦ καλυψατε 2329 | ⸂τω -νω ℵ 2351 $\mathfrak{M}^{K}$ ● **17** ⸀αυτου A 𝔐 sa^{ms} bo; Prim ¦ *txt* ℵ C 1611. 1854. 2053. 2329. 2344 *pc* latt sy

(19) **7** ⸂Μετὰ τοῦτο⸃ εἶδον τέσσαρας ἀγγέλους ἑστῶτας 9,14s
ἐπὶ τὰς τέσσαρας γωνίας τῆς γῆς, κρατοῦντας τοὺς Ez 7,2 Jr 49,36
τέσσαρας ἀνέμους τῆς γῆς ἵνα μὴ ⸀πνέῃ ⸆ ἄνεμος ⸋ἐπὶ Dn 7,2 Zch 2,10; 6,5
τῆς γῆς⸌ μήτε ἐπὶ τῆς θαλάσσης μήτε ἐπὶ ⸄πᾶν δέν-
δρον⸅. **2** Καὶ εἶδον ἄλλον ἄγγελον ἀναβαίνοντα ἀπὸ
⸀ἀνατολῆς ἡλίου ἔχοντα σφραγῖδα θεοῦ ζῶντος, καὶ Is 41,25
⸁ἔκραξεν φωνῇ μεγάλῃ τοῖς τέσσαρσιν ἀγγέλοις οἷς 18,2!
ἐδόθη °αὐτοῖς ἀδικῆσαι τὴν γῆν καὶ τὴν θάλασσαν
3 λέγων· μὴ ἀδικήσητε τὴν γῆν ⸀μήτε τὴν θάλασσαν 9,4
⸁μήτε τὰ δένδρα, ⸀¹ἄχρι σφραγίσωμεν τοὺς δούλους τοῦ Ez 9,4.6
θεοῦ ἡμῶν ἐπὶ τῶν μετώπων αὐτῶν.
19 **4** ⸋Καὶ ἤκουσα τὸν ἀριθμὸν τῶν ἐσφραγισμένων⸌, 9,16
ἑκατὸν ⸆ τεσσεράκοντα τέσσαρες χιλιάδες, ⸀ἐσφραγισμέ- 14,1.3
νοι ἐκ πάσης φυλῆς υἱῶν Ἰσραήλ· 21,12 Is 49,6

5 ἐκ φυλῆς Ἰούδα δώδεκα χιλιάδες ἐσφραγισμένοι, *5–8:* Gn 35,22-26etc
ἐκ φυλῆς Ῥουβὴν δώδεκα χιλιάδες,
ἐκ φυλῆς ⸀Γὰδ δώδεκα χιλιάδες,
6 ἐκ φυλῆς Ἀσὴρ δώδεκα χιλιάδες,
ἐκ φυλῆς Νεφθαλὶμ δώδεκα χιλιάδες,
ἐκ φυλῆς ⸀Μανασσῆ δώδεκα χιλιάδες, Gn 48,1.5 cf Jdc 17s Hos 5,3s
7 ⸋ἐκ φυλῆς Συμεὼν δώδεκα χιλιάδες⸌,
ἐκ φυλῆς Λευὶ δώδεκα χιλιάδες,
ἐκ φυλῆς Ἰσσαχὰρ δώδεκα χιλιάδες,
8 ἐκ φυλῆς Ζαβουλὼν δώδεκα χιλιάδες,
ἐκ φυλῆς Ἰωσὴφ δώδεκα χιλιάδες,
ἐκ φυλῆς Βενιαμὶν δώδεκα χιλιάδες ⸀ἐσφραγισμέ-
νοι.

20 **9** Μετὰ ταῦτα εἶδον⸂, καὶ ἰδοὺ ὄχλος πολύς, ὃν⸃
ἀριθμῆσαι °αὐτὸν οὐδεὶς ἐδύνατο, ἐκ παντὸς ἔθνους
καὶ φυλῶν καὶ λαῶν καὶ γλωσσῶν ⸀ἑστῶτες ἐνώπιον τοῦ 5,9!

¶ **7,1** ⸂και μ. τ. (ταυτα 𝔐^{A}) א 𝔐 sy; Bea ¦ *txt* A C 1006. 1841. 1854. 2053. 2351 *pc* latt | ⸀πνευση א 1841. 1854. 2344 *pc* ¦ γενηται 2329 | ⸆ο C 1611. 2329. 2344. 2351 *al* | ⸋ A | ⸄τι δενδ. C (046). 1006. 1841. 2053. 2351 𝔐^{K} sa ¦ -δρου A (2329 *pc*) ¦ -δρων 1611 sy^{h} bo ¦ *txt* א 1854. 2344 𝔐^{A} sy^{ph} ● **2** ⸀-λων A *pc* sy^{ph} | ⸁εκραζεν A P 2053 | ° 1854. 2329 *pc* ● **3** ⸀και A 2351 *pc* ¦ μηδε א 1854 | ⸁μηδε א 1854. 2329 *pc* | ⸀¹αχρις οὗ 1611. 1854. 2329. 2351 𝔐^{K} ¦ αχ. αν 2344 ● **4** ⸋ A | ⸆και C 1006. 1841 𝔐^{K} | ⸀-νων 2351 𝔐^{K} ● **5** ⸀Δαν 1854 *pc* ● **6** ⸀Δαν bo ● **7** ⸋ א ● **8** ⸀-μενων 1854 *pc* ¦ -μεναι 𝔐^{K} ¦ – 2329 *pc* vg^{ms}; Prim ● **9** ⸂*1 3 4 5* C ¦ οχλον πολυν και A (vg sy^{ph} sa^{ms} bo); Cyp Prim | ° 2329 𝔐^{K} | ⸀-τας 1006. 1611. 1841. 1854. 2053. 2329. 2351 𝔐^{K} ¦ -των C *pc* ¦ *txt* א A 2344 𝔐^{A}

6,11! θρόνου καὶ ἐνώπιον τοῦ ἀρνίου ⸁περιβεβλημένους στο-
Lv 23,40.43 2Mcc 10,7 | λὰς λευκὰς καὶ ⸀1φοίνικες ἐν ταῖς χερσὶν αὐτῶν, **10** καὶ
⸀κράζουσιν φωνῇ μεγάλῃ λέγοντες·
4,11! · 5,7! ἡ σωτηρία τῷ θεῷ ἡμῶν τῷ καθημένῳ ἐπὶ τῷ
θρόνῳ καὶ τῷ ἀρνίῳ⸆.
5,11 **11** Καὶ πάντες οἱ ἄγγελοι εἱστήκεισαν κύκλῳ τοῦ θρόνου
4,4! · 4,6! καὶ τῶν πρεσβυτέρων καὶ τῶν τεσσάρων ζῴων καὶ ἔπε-
11,16 σαν ἐνώπιον τοῦ θρόνου ⸆ ἐπὶ τὰ πρόσωπα αὐτῶν καὶ
Ps 96,7 𝔊 προσεκύνησαν τῷ θεῷ **12** λέγοντες·
4,11! 5,12 ἀμήν, ἡ εὐλογία καὶ ἡ δόξα ⸋καὶ ἡ σοφία⸌ καὶ
ἡ εὐχαριστία καὶ ἡ τιμὴ καὶ ἡ δύναμις καὶ ἡ
ἰσχὺς τῷ θεῷ ἡμῶν εἰς τοὺς αἰῶνας τῶν αἰώ-
5,14 νων· °ἀμήν.
4,4! 5,5 **13** Καὶ ἀπεκρίθη εἷς °ἐκ τῶν πρεσβυτέρων λέγων μοι·
6,11! οὗτοι οἱ περιβεβλημένοι τὰς στολὰς τὰς λευκὰς τίνες
Ez 37,3 εἰσὶν καὶ πόθεν ἦλθον; **14** καὶ ⸀εἴρηκα αὐτῷ· κύριέ °μου,
σὺ οἶδας. καὶ εἶπέν μοι·
Dn 12,1 Mt 24,21p · 22,14 Gn 49,11 Ex 19,10.14 οὗτοί εἰσιν οἱ ἐρχόμενοι ἐκ τῆς θλίψεως τῆς μεγάλης
καὶ ⸁ἔπλυναν τὰς στολὰς αὐτῶν
1J 1,7! καὶ ἐλεύκαναν °1αὐτὰς ἐν τῷ αἵματι τοῦ ἀρνίου.
15 διὰ τοῦτό εἰσιν ἐνώπιον τοῦ θρόνου τοῦ θεοῦ
22,3 · 3,12; 11,1s.19; 14,15.17; 15,5s.8; 16,1.17; 21,22 · καὶ λατρεύουσιν αὐτῷ ἡμέρας καὶ νυκτὸς ἐν τῷ
ναῷ αὐτοῦ,
5,7! · 21,3 Ez 37,27 καὶ ὁ καθήμενος ἐπὶ ⸂τοῦ θρόνου⸃ ⸄σκηνώσει ἐπ'⸅
αὐτούς.
Is 49,10 **16** *οὐ πεινάσουσιν* °ἔτι *οὐδὲ διψήσουσιν* °1ἔτι
⸀*οὐδὲ μὴ* ⸂*πέσῃ ἐπ'*⸃ *αὐτοὺς ὁ ἥλιος οὐδὲ* πᾶν
καῦμα,
5,6! · Ez 34,23 Ps 23,1 **17** ὅτι τὸ ἀρνίον τὸ ἀνὰ μέσον τοῦ θρόνου ⸀ποιμανεῖ
αὐτοὺς
Ps 23,2s · 21,6! Is 49,10 καὶ ⸀ὁδηγήσει αὐτοὺς ἐπὶ ⸁ζωῆς πηγὰς ὑδάτων,

9 ⸁-νοι א1 1854. 2053. (2329). 2344. 2351 𝔐A | ⸀1-κας א* 2351 𝔐K ● **10** ⸀-ζοντες 1 *pc* samss bo ¦ εκραξαν 2329 latt | ⸆εις τους αιωνας των αιωνων· αμην א* ● **11** ⸆αυτου 1611c 𝔐K syh ● **12** ⸋ A *pc* t | ° C *pc* t; Prim ● **13** ° א 1611. 1854 ● **14** ⸀ειπον 1854. 2329 𝔐K | ° A 1611* *pc* a gig vgms sa boms; Cyp Prim Bea | ⸁επλατυναν 1854. 2053. 2329 𝔐K | °1 2351 𝔐K ● **15** ⸂τω -νω 1854. 2053. 2351 𝔐K | ⸄γινωσκει א* ● **16** ° א *pc* vg sy co | °1 052. 1006. 1841. 2053. 2329 𝔐A gig syph bomss | ⸀ουδ ου 052. 2329. 2351 𝔐K | [⸂παιση ετι Swete *et al cjj*] ● **17** ⸀-μαινει *et* ⸀-γει 2351 𝔐K (bomss) | ⸁ζωσας 052. 2329. 2344 *al*

καὶ ἐξαλείψει ὁ θεὸς πᾶν δάκρυον ⸀[1]*ἐκ τῶν ὀφθαλμῶν* 21,4 *Is 25,8* Jr 31,16
αὐτῶν.
21 **8** Καὶ ⸀ὅταν ἤνοιξεν τὴν σφραγῖδα τὴν ἑβδόμην, ἐγένε- Zch 2,17 Hab 2,20
το σιγὴ ἐν τῷ οὐρανῷ ὡς ἡμιώριον. **2** Καὶ εἶδον Zph 1,7 Sap 18,14 |
τοὺς ἑπτὰ ἀγγέλους οἳ ἐνώπιον τοῦ θεοῦ ἑστήκασιν, καὶ 6!; 1,4; 4,5 Tob 12,15 Mt 24,31 ·
⸀ἐδόθησαν αὐτοῖς ἑπτὰ σάλπιγγες. **3** Καὶ ἄλλος ἄγ- Jos 6,4.6 | 10,1; 18,1 ·
γελος ἦλθεν καὶ ἐστάθη ἐπὶ ⸂τοῦ θυσιαστηρίου⸃ ἔχων 14,18! Am 9,1
λιβανωτὸν χρυσοῦν, καὶ ἐδόθη αὐτῷ θυμιάματα πολλά, Ex 30,1.3 · 5,8! Ex 30,7 ·
ἵνα ⸀δώσει ⸂ταῖς προσευχαῖς⸃ τῶν ἁγίων πάντων ἐπὶ τὸ Tob 12,12
θυσιαστήριον τὸ χρυσοῦν ⸋τὸ ἐνώπιον τοῦ θρόνου. **4** καὶ
ἀνέβη ⸋ὁ καπνὸς τῶν θυμιαμάτων ταῖς προσευχαῖς τῶν
ἁγίων ἐκ χειρὸς τοῦ ἀγγέλου ἐνώπιον τοῦ θεοῦ. **5** καὶ
εἴληφεν ὁ ἄγγελος τὸν λιβανωτὸν καὶ ἐγέμισεν αὐτὸν Lv 16,12
ἐκ τοῦ πυρὸς τοῦ θυσιαστηρίου καὶ ⸀ἔβαλεν εἰς τὴν γῆν, 14,18! · Ez 10,2 ·
καὶ ἐγένοντο ⸂βρονταὶ καὶ φωναὶ καὶ ἀστραπαὶ⸃ καὶ σει- 4,5! Is 29,6
σμός.

6 Καὶ οἱ ἑπτὰ ἄγγελοι ⸋οἱ ἔχοντες τὰς ἑπτὰ σάλπιγγας 2! · 7.8.10.12; 9,1.13; 10,7; 11,15
ἡτοίμασαν ⸀αὐτοὺς ἵνα σαλπίσωσιν.
22 **7** Καὶ ὁ πρῶτος ⸆ ἐσάλπισεν· καὶ ἐγένετο χάλαζα καὶ Ex 9,23-25 Ez 38,22 Joel 3,3 Sir 39,29
πῦρ ⸀μεμιγμένα ⸋ἐν αἵματι καὶ ἐβλήθη εἰς τὴν γῆν, ⸋καὶ
τὸ τρίτον τῆς γῆς κατεκάη⸌ ⸋[1]καὶ τὸ τρίτον τῶν δέν- 9,15! Ez 5,2.12 Zch 13,9 ·
δρων κατεκάη⸌ καὶ πᾶς χόρτος χλωρὸς κατεκάη. Sap 16,22 |
23 **8** Καὶ ὁ δεύτερος ⸋ἄγγελος ἐσάλπισεν· καὶ ὡς ὄρος 6! · Jr 51,25 Hen 18,13; 21,3
μέγα ⸋[1]πυρὶ καιόμενον ἐβλήθη εἰς τὴν θάλασσαν, καὶ
ἐγένετο τὸ τρίτον τῆς θαλάσσης αἷμα **9** καὶ ἀπέθανεν τὸ 16,3 Ex 7,20 |
τρίτον ⸆ τῶν κτισμάτων ⸂τῶν ἐν τῇ θαλάσσῃ⸃ τὰ ἔχοντα
⸀ψυχὰς καὶ τὸ τρίτον τῶν πλοίων διεφθάρησαν.
24 **10** Καὶ ὁ τρίτος ἄγγελος ἐσάλπισεν· καὶ ἔπεσεν ἐκ 6! · 9,1 Is 14,12 Dn 8,10 Hen 86,1

17 ⸀[1]απο ℵ 1854. 2053. 2351 *pc*
¶ **8,1** ⸀οτε ℵ 052 𝔐 ¦ *txt* A C 1006. 1611. 1841 *pc* ● **2** ⸀εδοθη A 052 *al* ● **3** ⸂το -ριον A 1006. 1611. 1841. 1854. 2053. 2329 $\mathfrak{M}^{A}$ | ⸀δωση 052 𝔐 ¦ δω 1006. 1841. 2053 *pc* ¦ *txt* ℵ A C 1611 *al* | ⸂τας -χας 94 $\mathfrak{M}^{A}$ gig; Tyc ¦ των -χων 1611 | ⸋ ℵ 2329 ● **4** ⸋ ℵ* *pc* ● **5** ⸀ελαβον A | ⸂*1 4 5* 1006 *pc* ¦ *1 4 5 2 3* A 052. 2329. 2344 *pc* sy^{h} ¦ *3 2 1 4 5* 1854. 2053 $\mathfrak{M}^{A}$; Tyc Bea ¦ *txt* ℵ 1611^{vid}. 1841. 2351 $\mathfrak{M}^{K}$ latt sy^{ph} ● **6** ⸋ ℵ 052. 2053. 2351 *pc* | ⸀εαυτ- ℵ[1] 052 𝔐 ¦ *txt* ℵ* A 2351 *pc* ● **7** ⸆αγγελος 052. 2329 $\mathfrak{M}^{A}$ it vg^{ww} sa^{mss} bo; Tyc | ⸀-νον ℵ $\mathfrak{M}^{A}$ a sa^{ms} bo^{mss}; Tyc Bea | ⸋ $\mathfrak{M}^{A}$ vg^{mss} | ⸋ 1854 *pc* | ⸋[1] 046*. (2053) gig sa ● **8** ⸋ ℵ 2053 sy^{ph} | ⸋[1] $\mathfrak{M}^{K}$ sy^{ph}; Tyc ● **9** ⸆μερος ℵ 1611. 2344 *pc* | ⸂*2–4* 052 𝔐; Bea ¦ – 1 *pc* vgst ¦ *txt* ℵ A^{vid} P 1006. 1841. 1854. 2053. 2329. 2344. 2351 *al* it vg^{cl} | ⸀-χην ℵ *pc* sy^{ph}; Tyc

τοῦ οὐρανοῦ ἀστὴρ μέγας καιόμενος ὡς λαμπὰς καὶ ἔπε-
16,4 σεν ἐπὶ τὸ τρίτον τῶν ποταμῶν □καὶ ἐπὶ τὰς πηγὰς τῶν
Jr 9,14; 23,15 ὑδάτων⸌, **11** καὶ τὸ ὄνομα τοῦ ἀστέρος λέγεται ⸂ὁ Ἄψιν-
θος⸃, καὶ ἐγένετο τὸ τρίτον τῶν ὑδάτων εἰς ⸀ἄψινθον καὶ
πολλοὶ τῶν ἀνθρώπων ἀπέθανον ⸁ἐκ τῶν ὑδάτων ὅτι
Ex 15,23 ἐπικράνθησαν.

6!; 16,8 **12** Καὶ ὁ τέταρτος ἄγγελος ἐσάλπισεν· καὶ ἐπλήγη τὸ *25*
6,12s! τρίτον τοῦ ἡλίου καὶ τὸ τρίτον τῆς σελήνης καὶ τὸ τρίτον
Ex 10,21 Am 8,9 τῶν ἀστέρων, ἵνα σκοτισθῇ τὸ τρίτον αὐτῶν καὶ ⸂ἡ ἡμέρα
μὴ φάνῃ τὸ τρίτον αὐτῆς⸃ καὶ ἡ νὺξ ὁμοίως.

14,6 **13** Καὶ εἶδον, καὶ ἤκουσα ἑνὸς ⸀ἀετοῦ πετομένου ἐν μεσ-
9,12; 11,14; 12,12 · ουρανήματι λέγοντος φωνῇ μεγάλῃ· οὐαὶ οὐαὶ ⸋οὐαὶ
3,10; 6,10; 11,10 etc Is 24,17; 26,21 ⸂τοὺς κατοικοῦντας⸃ ἐπὶ τῆς γῆς ἐκ τῶν λοιπῶν φω-
Hos 4,1 · 9,1.13; 11,15 νῶν τῆς σάλπιγγος τῶν τριῶν ἀγγέλων τῶν μελλόντων
σαλπίζειν.

8,6! 16,10 · 8,10! **9** Καὶ ὁ πέμπτος ἄγγελος ἐσάλπισεν· καὶ εἶδον ἀστέρα *26*
ἐκ τοῦ οὐρανοῦ πεπτωκότα εἰς τὴν γῆν, καὶ ἐδόθη
11; 20,1; 11,7; 17,8; 20,3 | αὐτῷ ἡ κλεὶς τοῦ φρέατος τῆς ἀβύσσου **2** □καὶ ἤνοιξεν
Ex 19,18 Gn 19,28 · τὸ φρέαρ τῆς ἀβύσσου,⸌ καὶ ἀνέβη ⸋καπνὸς ἐκ τοῦ
Joel 2,10 φρέατος ὡς καπνὸς καμίνου ⸀μεγάλης, καὶ ⸁ἐσκοτώθη
ὁ ἥλιος καὶ ὁ ἀὴρ □¹ἐκ τοῦ καπνοῦ ⸆ τοῦ φρέατος. **3** καὶ⸌
Ex 10,12 Sap 16,9 ἐκ τοῦ καπνοῦ ἐξῆλθον ἀκρίδες εἰς τὴν γῆν, καὶ ἐδόθη
⸀¹αὐταῖς ἐξουσία ὡς ἔχουσιν ἐξουσίαν οἱ σκορπίοι τῆς
7,3 γῆς. **4** καὶ ἐρρέθη ⸀αὐταῖς ἵνα μὴ ⸁ἀδικήσουσιν τὸν χόρτον τῆς γῆς ⸀¹οὐδὲ πᾶν χλωρὸν ⸀¹οὐδὲ πᾶν δένδρον,
εἰ μὴ τοὺς ἀνθρώπους οἵτινες οὐκ ἔχουσι τὴν σφραγῖδα
Ez 9,4.6 □τοῦ θεοῦ⸌ ἐπὶ ⸂τῶν μετώπων⸃. **5** καὶ ἐδόθη ⸀αὐτοῖς ἵνα
μὴ ἀποκτείνωσιν αὐτούς, ἀλλ᾽ ἵνα ⸁βασανισθήσονται μῆ-

10 □ A • **11** ⸂-θος א^{1} 052. 2053. 2329 *al* ¦ -θιον א* 2344 *pc* h vg^{cl} (sy^{ph}); Tyc Bea | ⸀-θιον א 052. 1611. 2329 *pc* lat | ⸁επι A ¦ απο 1854 • **12** ⸂*5–7 3 4 1 2* 046. 2351 𝔐^{K} ¦ *ut txt, sed* φαινη 𝔐^{A} ¦ *txt vl* φανῇ א A 052. 1006. 1611. 1841. 1854. 2053. 2329 *al* gig • **13** ⸀(14,6) αγγελου 𝔐^{A} | ⸋ 2329 *al* vg^{mss}; Tyc | ⸂τοις -κουσιν A 1006. 1841. 2329 𝔐^{A} ¦ *txt* א 1611. 1854. 2053. 2351 𝔐^{K}

¶ **9,2/3** □ א 1611. 2053 𝔐^{K} a vg^{mss} sy^{ph} sa^{mss} bo | ⸋ 0207 | ⸀καιομενης 2351 𝔐^{K} sy^{h} ¦ μεγ. καιομ. 2053 gig sy^{ph} | ⸁-τισθη א 𝔐 ¦ *txt* A 0207. 1006. 1841 *pc* | □¹ א* (h vg^{ms}) | ⸆απο 0207 | ⸀¹† αυτοις א 046. 2329 *pc* ¦ *txt* A 0207 𝔐 • **4** ⸀† αυτοις א 046. 2329 *pc* ¦ *txt* A 𝔐 | ⸁-σωσιν א 0207 𝔐 ¦ *txt* A 2329. 2351 *pc* | ⸀¹*bis* μηδε 0207. 1854. 2329 *pc* | □ 𝔐^{A} vg^{ms} | ⸂των μ. αυτων 1006. 1611. 1841. 2053. 2329. 2351 𝔐^{K} vg^{ww} sy; Tyc Prim ¦ του -που αυ. 0207 ¦ *txt* א A P 1854 *pc* a gig vgst • **5** ⸀αυταις 0207 𝔐 ¦ *txt* א A 1611. 2053 *al* | ⸁-θωσιν 1006. 1611. 1841. 2351 𝔐^{K}

νας πέντε, καὶ ὁ βασανισμὸς αὐτῶν ὡς βασανισμὸς σκορ-
πίου ὅταν παίσῃ ἄνθρωπον. **6** καὶ ἐν ταῖς ἡμέραις ἐκείναις ⸀ζητήσουσιν οἱ ἄνθρωποι τὸν θάνατον καὶ οὐ μὴ Job 3,21 Jr 8,3
⸁εὑρήσουσιν αὐτόν, καὶ ἐπιθυμήσουσιν ἀποθανεῖν καὶ
⸀1φεύγει ⸉ὁ θάνατος ἀπ᾽ αὐτῶν⸊.
7 Καὶ τὰ ὁμοιώματα τῶν ἀκρίδων ⸀ὅμοια ἵπποις ἡτοι- Job 39,19s Joel 2,4s
μασμένοις εἰς πόλεμον, καὶ ἐπὶ τὰς κεφαλὰς αὐτῶν ὡς
στέφανοι ⸂ὅμοιοι χρυσῷ⸃, καὶ τὰ πρόσωπα αὐτῶν ὡς
πρόσωπα ἀνθρώπων, **8** καὶ εἶχον τρίχας ὡς τρίχας γυναικῶν, καὶ οἱ ὀδόντες αὐτῶν ὡς λεόντων ἦσαν, **9** καὶ εἶ- Joel 1,6
χον θώρακας ⸋ὡς θώρακας⸌ σιδηροῦς, καὶ ἡ φωνὴ τῶν
πτερύγων αὐτῶν ὡς φωνὴ ἁρμάτων ἵππων πολλῶν τρε- Joel 2,5
χόντων εἰς πόλεμον, **10** καὶ ἔχουσιν οὐρὰς ⸀ὁμοίας σκορ-
πίοις καὶ κέντρα⸂, καὶ ἐν ταῖς οὐραῖς αὐτῶν ἡ ἐξουσία 19
αὐτῶν⸃ ἀδικῆσαι τοὺς ἀνθρώπους μῆνας πέντε, **11** ⸆
⸀ἔχουσιν ἐπ᾽ αὐτῶν ⸆ βασιλέα τὸν ἄγγελον τῆς ἀβύσ- 1!
σου, ⸂ὄνομα αὐτῷ⸃ Ἑβραϊστὶ ⸁Ἀβαδδών, καὶ ἐν τῇ Job 26,6; 28,22 Ps 88,12 Prv 15,11
Ἑλληνικῇ ⸉ὄνομα ἔχει⸊ Ἀπολλύων.
12 ⸂Ἡ οὐαὶ ἡ μία⸃ ἀπῆλθεν· ἰδοὺ ⸂ἔρχεται ἔτι⸃ δύο οὐαὶ 8,13!
⸂1μετὰ ταῦτα.
27 **13** Καὶ⸃ ὁ ἕκτος ἄγγελος ἐσάλπισεν· καὶ ἤκουσα φω- 8,6! 16,12
νὴν ⸂2μίαν ἐκ τῶν [τεσσάρων] κεράτων⸃ τοῦ θυσιαστηρίου Ex 27,2 · 14,18! Ex 30,1-3; 40,5
τοῦ χρυσοῦ τοῦ ἐνώπιον τοῦ θεοῦ, **14** ⸀λέγοντα τῷ °ἕκτῳ
ἀγγέλῳ, ὁ ἔχων τὴν σάλπιγγα· λῦσον τοὺς °1τέσσαρας 7,1
ἀγγέλους τοὺς δεδεμένους ἐπὶ τῷ ποταμῷ τῷ μεγάλῳ 16,12 Gn 15,18 Dt 1,7 Jos 1,4
Εὐφράτῃ. **15** καὶ ἐλύθησαν οἱ τέσσαρες ἄγγελοι οἱ ἡτοι-

6 ⸀ζητουσιν A^{vid} 𝔐^{K} bo | ⸁ευρωσιν A 1006. 1841. 1854. 2053. 2344 𝔐^{A} ¦ ευρησωσιν 1 *al* | ⸀1φευξεται 1854. 2329. 2351 𝔐^{K} lat bo | ⸉ 𝔐^{K} • **7** ⸀† ομοιοι א 2344 ¦ ομοιωματα A *pc* ¦ ομοιωμα 2351; (Tyc) ¦ *txt* 0207 𝔐 lat | ⸂χρυσοι 0207 𝔐^{K} ¦ χρυσοι ομ. χρυσω 2351 • **9** ⸋ 0207. 1006. 1611 *pc* gig • **10** ⸀ομοιοις א A *pc* | ⸂ *2–5 1 6–8* (1854) 𝔐^{A} a vg^{cl} sy^{ph} ¦ κ. εν τ. ου. αυ. εξουσιαν εχουσιν του (2329) 𝔐^{K} sy^{h} ¦ *txt* 𝔓^{47} א A P (0207). 1006. 1611. 1841. 2053. (2344, 2351) *pc* • **11** ⸆και P 1854. 2351 *al* latt sy | ⸀εχουσαι 𝔐^{K}; Tyc | ⸆τον א 0207 | ⸂ᾧ ον. (+ αυτω א) 𝔓^{47} א 2344 *pc* lat | ⸁Βαττων 𝔓^{47} (2053) ¦ Αβ(β)α(α)δ(δ)ων 𝔐^{K} | ⸉ 𝔓^{47} א 2344 *pc* gig • **12/13** ⸂ *2 4* א* ¦ *2–4* 𝔓^{47} א^{1} 2053^{txt} *pc* | ⸂-χονται 046* 𝔐^{A}; Tyc ¦ -χονται ετι א^{1} 046^{c}. 0207. 2053. (2329). 2344 *pc* lat sa | ⸂1 . Μ. τ. και (⸉046). 1006. 1854. 2329. 2351 𝔐^{K} ¦ . Μ. δε τ. κ. 0207 ¦ μ. τ. 𝔓^{47} א 2344 *pc* sy^{ph} sa bo^{mss} ¦ και 2053^{txt}; Prim ¦ *txt* A 1611. 1841 𝔐^{A} lat sy^{h}; Cyp | ⸂2 *1–3 5* 𝔓^{47} (א^{1}) A 0207. 1611. 2053. 2344 *pc* lat sy^{h} co ¦ – א* ¦ *txt* 𝔐 vg^{cl} sy^{ph} • **14** ⸀-ουσαν 𝔓^{47} 0207. 1611. 2053 𝔐^{A} ¦ -ουσης א^{1} ¦ -οντος 1006. 1841. 1854. 2329. 2351 𝔐^{K} ¦ *txt* א* A 2344 *pc* gig; Cyp Tyc Prim Bea | ° A 0207; Vic | °1 𝔓^{47}

μασμένοι εἰς τὴν ὥραν ⸂καὶ ἡμέραν⸃ καὶ μῆνα καὶ
18; 8,7-12 ἐνιαυτόν, ἵνα ⸆ ἀποκτείνωσιν τὸ τρίτον τῶν ἀνθρώπων.
16 καὶ ὁ ἀριθμὸς τῶν στρατευμάτων τοῦ ⸀ἱππικοῦ ⸂δισ-
7,4 μυριάδες μυριάδων⸃, ἤκουσα τὸν ἀριθμὸν αὐτῶν.
17 Καὶ °οὕτως εἶδον τοὺς ἵππους ἐν τῇ ὁράσει καὶ τοὺς
καθημένους ⸀ἐπ' αὐτῶν, ἔχοντας θώρακας πυρίνους καὶ
ὑακινθίνους καὶ θειώδεις, καὶ αἱ κεφαλαὶ τῶν ἵππων ὡς
Job 41,10-12 κεφαλαὶ λεόντων, καὶ ἐκ τῶν στομάτων αὐτῶν ἐκπορεύεται πῦρ καὶ καπνὸς καὶ θεῖον. **18** ἀπὸ τῶν τριῶν °πλη-
15! γῶν °[1]τούτων ἀπεκτάνθησαν τὸ τρίτον τῶν ἀνθρώπων,
⸀ἐκ τοῦ πυρὸς καὶ ⸆ τοῦ καπνοῦ καὶ ⸆ τοῦ θείου τοῦ ἐκπορευομένου ἐκ τῶν στομάτων °[2]αὐτῶν. **19** ⸂ἡ γὰρ⸃ ἐξου-
10 σία τῶν ἵππων ἐν τῷ στόματι αὐτῶν ἐστιν ⸋καὶ ἐν ταῖς
οὐραῖς αὐτῶν⸌, αἱ γὰρ οὐραὶ αὐτῶν ⸀ὅμοιαι ὄφεσιν,
⸁ἔχουσαι κεφαλὰς καὶ ἐν αὐταῖς ἀδικοῦσιν.

16,9.11 · Is 2,8; **20** Καὶ οἱ λοιποὶ τῶν ἀνθρώπων, οἳ οὐκ ἀπεκτάνθησαν
17,8 Mch 5,12 · ἐν ταῖς πληγαῖς ⸆ ταύταις, ⸀οὐδὲ μετενόησαν ἐκ τῶν ἔρ-
1K 10,20 Dt 32, 17 𝔊 Ps 95,5 𝔊 · γων τῶν χειρῶν αὐτῶν, ἵνα μὴ ⸁προσκυνήσουσιν τὰ δαι-
Is 2,20 Dn 5,4.23 μόνια ⸋καὶ τὰ εἴδωλα⸌ τὰ χρυσᾶ καὶ τὰ ἀργυρᾶ ⸋[1]καὶ
Ps 115,4-7; 135, 15-17 τὰ χαλκᾶ⸌ καὶ τὰ λίθινα καὶ °τὰ ξύλινα, ἃ οὔτε βλέπειν ⸀[1]δύνανται οὔτε ἀκούειν οὔτε περιπατεῖν, **21** καὶ οὐ
Ex 20,13-15 2Rg 9,22 Nah 3,4 R 1, 29! μετενόησαν ἐκ τῶν φόνων αὐτῶν οὔτε ἐκ τῶν ⸀φαρμά-
κων αὐτῶν οὔτε ἐκ τῆς ⸁πορνείας αὐτῶν ⸋οὔτε ἐκ τῶν
κλεμμάτων αὐτῶν⸌.

8,3! 5,2! · 18,1; 20,1 · **10** Καὶ εἶδον °ἄλλον ἄγγελον ἰσχυρὸν καταβαίνοντα 28
Ex 13,21 ἐκ τοῦ οὐρανοῦ περιβεβλημένον νεφέλην, καὶ °[1]ἡ
4,3 · 1,16! ἶρις ἐπὶ ⸂τῆς κεφαλῆς⸃ αὐτοῦ καὶ τὸ πρόσωπον αὐτοῦ ὡς
ὁ ἥλιος καὶ οἱ πόδες αὐτοῦ ὡς στῦλοι πυρός, **2** καὶ ⸀ἔχων

15 ⸂κ. εις την ημ. 2351 $\mathfrak{M}^{K}$ ¦ – ℵ *pc* | ⸆μη ℵ ● **16** ⸀ιππου $\mathfrak{M}^{K}$ | ⸂μυριαδες μ. 1006. 1611. 1841. (1854). 2053. 2329 $\mathfrak{M}^{K}$ sa^{ms}; Tyc ¦ δυο μ. μ. $\mathfrak{P}^{47}$ bo ¦ δυο -δων -δας (*!*) ℵ ¦ *txt* A 2344. 2351 $\mathfrak{M}^{A}$ sa^{ms}; Cyp Bea ● **17** ° 2329 *pc*; Prim | ⸀επανω $\mathfrak{P}^{47}$ ℵ ● **18** ° 1 *al* | °[1] $\mathfrak{P}^{47}$ | ⸀απο $\mathfrak{M}^{K}$ | ⸆*bis* εκ $\mathfrak{P}^{47}$ (C) 1006. 1841. (2053, 2329) $\mathfrak{M}^{A}$ | °[2] $\mathfrak{P}^{47}$ ● **19** ⸂ην γαρ η $\mathfrak{P}^{47}$ | ⸋ $\mathfrak{M}^{A}$ | ⸀ομοιοι 2053 *pc* ¦ – C* | ⸁εχουσαις ℵ(*) P 2053 *al* ● **20** ⸆ταυτων $\mathfrak{P}^{47}$ ℵ | ⸀ου C 1006. 1841. 1854. 2351 $\mathfrak{M}^{K}$ ¦ ουτε A 1611 $\mathfrak{M}^{A}$ ¦ και ου 2329 *pc* ¦ *txt* $\mathfrak{P}^{47}$ ℵ 046. 2053^{txt}. 2344 *al* | ⸁-σωσιν $\mathfrak{M}$ ¦ *txt* $\mathfrak{P}^{47}$ ℵ A C *pc* | ⸋ $\mathfrak{P}^{47}$ sa^{mss} | ⸋[1] $\mathfrak{M}^{K}$ vg^{ms}; Tyc | ° $\mathfrak{P}^{47.85vid}$ 1854. 2329 *pc* | ⸀[1]δυναται $\mathfrak{P}^{47}$ 1611 $\mathfrak{M}^{K}$ ● **21** ⸀† -κειων A 046. 2053. 2329. 2344. 2351 $\mathfrak{M}^{A}$ ¦ *txt* $\mathfrak{P}^{47}$ ℵ C 1006. 1611. 1841. 1854 $\mathfrak{M}^{K}$ | ⸁πονηριας ℵ* A *pc* | ⸋ $\mathfrak{P}^{47}$ vg^{ms} sy^{ph} sa

¶ **10,1** ° P 2053 $\mathfrak{M}^{K}$ | °[1] ℵ[1] 2053 $\mathfrak{M}^{A}$ sa | ⸂† την -λην A C *pc* ¦ *txt* $\mathfrak{P}^{47}$ ℵ $\mathfrak{M}$ ● **2** ⸀ειχεν $\mathfrak{M}^{A}$ latt

ἐν τῇ χειρὶ αὐτοῦ ⸁βιβλαρίδιον ἠνεῳγμένον. καὶ ἔθηκεν 8 Ez 2,9
τὸν πόδα αὐτοῦ ⸋τὸν δεξιὸν⸌ ἐπὶ τῆς θαλάσσης, τὸν δὲ
εὐώνυμον ἐπὶ τῆς γῆς, **3** καὶ ἔκραξεν φωνῇ μεγάλῃ ὥσπερ 18,2! 1Sm 7,10
λέων μυκᾶται. καὶ ὅτε ἔκραξεν, ἐλάλησαν °αἱ °¹ἑπτὰ Hos 11,10 Am 3,8; 1,2 •
βρονταὶ τὰς ἑαυτῶν φωνάς. **4** καὶ ⸀ὅτε ἐλάλησαν αἱ °ἑπτὰ Jr 25,30 Ps 29,3s |
βρονταί, ⸁ἤμελλον γράφειν, καὶ ἤκουσα φωνὴν ἐκ τοῦ 8; 14,2.13; 18,4 •
οὐρανοῦ λέγουσαν· σφράγισον ⸀¹ἃ ἐλάλησαν αἱ °¹ἑπτὰ 22,10 Dn 8,26; 12,4.9 Theod
βρονταί, καὶ ⸂μὴ αὐτὰ γράψῃς⸃.
5 Καὶ ὁ ἄγγελος, ὃν εἶδον ἑστῶτα ἐπὶ τῆς θαλάσσης
καὶ ἐπὶ τῆς γῆς, ἦρεν τὴν χεῖρα αὐτοῦ ⸋τὴν δεξιὰν⸌ εἰς *5s:* Dt 32,40 Dn 12,7
τὸν οὐρανὸν **6** καὶ ὤμοσεν °ἐν τῷ ζῶντι εἰς τοὺς αἰῶ- 4,9!
νας τῶν αἰώνων, ὃς ἔκτισεν τὸν οὐρανὸν καὶ τὰ ἐν αὐ- Gn 14,19.22 Ex 20,11 Neh 9,6 Ps
τῷ ⸋καὶ τὴν γῆν καὶ τὰ ἐν αὐτῇ⸌ ⸋¹καὶ τὴν θάλασσαν 146,6 Act 4,24!
καὶ τὰ ἐν αὐτῇ⸌, ὅτι χρόνος οὐκέτι ἔσται, **7** ἀλλ’ ἐν ταῖς
ἡμέραις τῆς φωνῆς ⸂τοῦ ἑβδόμου ἀγγέλου⸃, ὅταν μέλλῃ 11,15 •
σαλπίζειν, καὶ ⸀ἐτελέσθη τὸ μυστήριον τοῦ θεοῦ, ὡς εὐ- 15,1; 17,17 • 1K 15,51s •
ηγγέλισεν τοὺς ⸉ἑαυτοῦ δούλους⸊ τοὺς προφήτας. 11,18 Jr 7,25; 25,4 Dn 9,6.10 Am 3,7
(29) **8** Καὶ ⸂ἡ φωνὴ ἣν⸃ ἤκουσα ἐκ τοῦ οὐρανοῦ πάλιν ⸀λαλοῦ- Zch 1,6 | 4
σαν μετ’ ἐμοῦ καὶ ⸀λέγουσαν· ὕπαγε λάβε τὸ ⸁βιβλίον τὸ 2
ἠνεῳγμένον ἐν τῇ χειρὶ τοῦ ἀγγέλου τοῦ ἑστῶτος ἐπὶ
τῆς θαλάσσης καὶ ἐπὶ τῆς γῆς. **9** καὶ ἀπῆλθα πρὸς τὸν
ἄγγελον λέγων αὐτῷ ⸀δοῦναί μοι τὸ ⸁βιβλαρίδιον. καὶ *9s:* Ez 2,8; 3,1-3 •
λέγει μοι· λάβε ⸄καὶ κατάφαγε αὐτό⸅, καὶ πικρανεῖ σου Jr 33,9
τὴν ⸀¹κοιλίαν, ἀλλ’ ἐν τῷ στόματί σου ἔσται γλυκὺ ὡς Ps 119,103
μέλι.
29 **10** Καὶ ἔλαβον τὸ ⸀βιβλαρίδιον ἐκ τῆς χειρὸς τοῦ ἀγγέλου καὶ κατέφαγον αὐτό, καὶ ἦν ἐν τῷ στόματί μου ὡς

2 ⸁βιβλιον 𝔓^{47vid} 𝔐 gig vg^{mss}; Vic Tyc Prim ¦ βιβλιδαριον (א^{1}) C* 1006. 1611. 1841. 2053. 2344 *al* ¦ βιβλαριον 2329 *pc* ¦ *txt* א* A C^{2} P 1. 2351 *al* | ⸋ C • **3** ° א* 1611. 2344 *pc* | °¹ 𝔓^{47} *pc* • **4** ⸀οσα א *pc* gig; Tyc Prim ¦ ηκουσα οσα *et* ° *et* ⸁και ημ. αυτα 𝔓^{47} | ⸀¹οσα 𝔓^{47} א 2344 | °¹ 𝔓^{47*} C gig | ⸂μετα ταυτα γραφεις 𝔐^{A} • **5** ⸋ A 𝔐^{A} vg sy^{ph} bo^{mss} • **6** ° 𝔓^{47} א* 1854. 2329. 2344. 2351 𝔐^{K} | ⸋ A 𝔐^{A} | ⸋¹ א* A 1611. 2344 *pc* gig sy^{ph} sa^{ms}; Tyc • **7** ⸂ *2 3* C ¦ τ. αγγ. του εβ. 𝔓^{47} א 2344 | ⸀τελεσθῇ 1854. 2351 𝔐^{A} sy^{h} | ⸉ε. δ. και 𝔓$^{47.85}$ א 2329. 2344 *pc* sa ¦ δ. αυτου 1006. 1841 𝔐^{K} ¦ *txt* A C 1611. 1854. 2053^{com}. 2351 𝔐^{A} • **8** ⸂φωνην 1006. 1841. (1854). 2053. 2329. 2344 *al* a (gig) vg^{cl}; Tyc Prim | ⸀*bis* -σα 2351 𝔐^{K} | ⸁βιβλαριδιον א P 1. 2344. 2351 *al* ¦ βιβλιδαριον 𝔐 ¦ βιβλαριον 2329 ¦ *txt* A C 1006. 1611. 1841. 1854. 2053 *pc* lat • **9** ⸀δος 2053. 2329 𝔐^{A} | ⸁βιβλιον 𝔓^{47} א 1006. 1841. 1854. 2053 *pc* latt ¦ βιβλαριον A* 2329 ¦ βιβλιδαριον 𝔐 ¦ *txt* A^{c} C P 1. 2351 *al* | ⸄ *3 1 2* 𝔓$^{47.85}$ א* 2344 | ⸀¹καρδιαν A 2351 *pc* • **10** ⸀βιβλιον א 1854 𝔐^{K} lat ¦ βιβλιδιον 𝔓^{47} *pc* ¦ βιβλιδαριον 1006. 1611. 1841. 2053 *al* ¦ βιβλαριον 2329 ¦ *txt* A C 2344. 2351 𝔐^{A}

μέλι γλυκὺ καὶ ὅτε ἔφαγον αὐτό, ⸁ἐπικράνθη ἡ κοιλία
μου⸆. **11** καὶ ⸀λέγουσίν μοι· δεῖ σε πάλιν προφητεῦσαι
ἐπὶ λαοῖς καὶ ⸆ ἔθνεσιν καὶ γλώσσαις καὶ βασιλεῦσιν
πολλοῖς.

11 Καὶ ἐδόθη μοι κάλαμος ὅμοιος ῥάβδῳ, ⸆ λέγων·
ἔγειρε καὶ μέτρησον τὸν ναὸν τοῦ θεοῦ καὶ τὸ θυσιαστήριον καὶ τοὺς προσκυνοῦντας ἐν αὐτῷ. **2** καὶ ⸋τὴν
αὐλὴν⸌ τὴν ⸀ἔξωθεν τοῦ ναοῦ ἔκβαλε ⸁ἔξωθεν καὶ μὴ
αὐτὴν μετρήσῃς, ὅτι ἐδόθη ⸆ τοῖς ἔθνεσιν, καὶ τὴν πόλιν
τὴν ἁγίαν ⸀1πατήσουσιν μῆνας τεσσεράκοντα °[καὶ]
δύο.
3 Καὶ δώσω τοῖς δυσὶν μάρτυσίν μου καὶ προφητεύσου- *30*
σιν ἡμέρας χιλίας διακοσίας ἑξήκοντα ⸀περιβεβλημένοι
σάκκους. **4** οὗτοί εἰσιν ⸋αἱ δύο ἐλαῖαι καὶ⸌ αἱ δύο λυχνίαι °αἱ ἐνώπιον °1τοῦ ⸀κυρίου τῆς γῆς ⸁ἑστῶτες. **5** καὶ
εἴ τις αὐτοὺς ⸀θέλει ἀδικῆσαι πῦρ ἐκπορεύεται ἐκ τοῦ
στόματος αὐτῶν καὶ κατεσθίει τοὺς ἐχθροὺς αὐτῶν· καὶ
εἴ τις ⸁θελήσῃ αὐτοὺς ⸀1ἀδικῆσαι, °οὕτως δεῖ αὐτὸν
ἀποκτανθῆναι. **6** οὗτοι ἔχουσιν °τὴν ἐξουσίαν κλεῖσαι
τὸν οὐρανόν, ἵνα μὴ ὑετὸς ⸀βρέχῃ τὰς ἡμέρας τῆς
προφητείας αὐτῶν, καὶ ἐξουσίαν ἔχουσιν ἐπὶ τῶν ὑδάτων στρέφειν °1αὐτὰ εἰς αἷμα καὶ πατάξαι τὴν γῆν °2ἐν
πάσῃ πληγῇ ὁσάκις ἐὰν ⸁θελήσωσιν.
7 Καὶ ὅταν τελέσωσιν τὴν μαρτυρίαν αὐτῶν, ⸂τὸ θηρίον
τὸ⸃ ἀναβαῖνον ἐκ τῆς ἀβύσσου ποιήσει ⸉μετ᾽ αὐτῶν πό-
λεμον⸊ καὶ νικήσει αὐτοὺς ⸋καὶ ἀποκτενεῖ αὐτούς⸌. **8** καὶ
⸂τὸ πτῶμα⸃ αὐτῶν ⸆ ἐπὶ τῆς πλατείας τῆς πόλεως· τῆς

Jr 25,30 Ez 25,2 etc · 5,9! Jr 1,10 Dn 3,4
21,15 Ez 40,3
7,15! · 14,18!
Zch 12,3 𝔊 Ps 79,1 Is 63,18 L 21,24 · Mt 4,5! · 12,6!
10 J 8,17!
2Rg 19,2 Is 37,2
Zch 4,3.11.14
2Sm 22,9 Jr 5,14
Ps 97,3 2Rg 1,10
1Rg 17,1 Jc 5,17
Ex 7,17.19s 1Sm 4,8 𝔊
? 13,1; 17,8 Dn 7,3 · 9,1! · 12,7.17; 13,7; 16,14; 19,19 Dn 7,21 |
Ez 11,6 Jr 22,8

10 ⸁ εγεμισθη א*; Prim ¦ εγ. *et* ⸆πικριας א¹ 1854. 2329 *pc* gig; Tyc Bea ● **11** ⸀λεγει 1611. 1854. 2053 𝔐ᴬ it (vgᶜˡ) sy sa boᵐˢˢ; Tyc Prim | ⸆επι 2351 𝔐ᴷ
¶ **11,1** ⸆και ειστηκει ο αγγελος א² 046. 1854. 2329. 2351 *al* a sy; Tyc Bea ● **2** ⸋ 𝔓⁴⁷ | ⸀εσωθεν א 2329 *al* vgˢ syᵖʰ; Vic | ⸁εξω 𝔓⁴⁷ 𝔐ᴷ ¦ εσω א* ¦ εσωθεν P | ⸆και 𝔓⁴⁷ א* | ⸀1μετρησουσιν A | ° א 𝔐 ¦ *txt* A 046. 1611 *pc* (𝔓⁴⁷ *al*: μβʹ) ● **3** ⸀-νους א* A P 046. 2329 *al* ● **4** ⸋ 2053ᵗˣᵗ *pc* | ° א 1611. 2329. 2351 *al* lat | °1 A 046. 1006. 1841 *pc* | ⸀θεου 1854. 2053ᵗˣᵗ 𝔐ᴬ vgᵐˢ | ⸁εστωσαι א² 1006. 1841. 1854. 2053 𝔐ᴬ ● **5** ⸀θελησει 𝔓⁴⁷ 1841 *pc* latt | ⸁θελει C 𝔐; Prim ¦ θελησει 𝔓⁴⁷ 1006. 1611. 1841. 2329. 2351 *al* ¦ *txt* א A *pc* | ⸀1αποκτειναι 2015 *pc* | ° A ● **6** ° א 𝔐 ¦ *txt* 𝔓⁴⁷ A C P 046. 1611. 1841. 2053ᵗˣᵗ. 2351 *pc* | ⸀βρεξη 2053. 2329 *pc* | °1 1 *al* | °2 𝔓⁴⁷ 046 *pc* | ⸁θελωσιν 𝔓⁴⁷ 2329 *pc* ● **7** ⸂ τοτε το θ. το 𝔓⁴⁷ 2344 ¦ το θ. τοτε א* ¦ το θ. το τεταρτον το A | ⸉ *3 1 2* 𝔓⁴⁷ 𝔐ᴬ | ⸋ 𝔐ᴬ ● **8** ⸂τα πτωματα 𝔓⁴⁷ א 1611. 1854. 2329 𝔐ᴬ latt sy (sa boᵖᵗ) ¦ *txt* A C 1006. 1841. 2053. 2351 𝔐ᴷ; Tyc | ⸆εσται א² (it vgᶜˡ) ¦ εασει *et* ⸆αταφα 2036 *pc*

μεγάλης⸆, ἥτις καλεῖται πνευματικῶς Σόδομα καὶ Αἴγυ- Is 1,9s Ez 16,46. 49 · Joel 4,19
πτος, ὅπου °καὶ ὁ κύριος ⸀αὐτῶν ἐσταυρώθη. **9** καὶ
βλέπουσιν ἐκ τῶν λαῶν καὶ φυλῶν καὶ γλωσσῶν καὶ 5,9!
ἐθνῶν ⸂τὸ πτῶμα⸃ αὐτῶν ἡμέρας τρεῖς °καὶ ἥμισυ καὶ τὰ
πτώματα αὐτῶν οὐκ ⸀ἀφίουσιν τεθῆναι εἰς ⸁μνῆμα. **10** καὶ Ps 79,2s
οἱ κατοικοῦντες ἐπὶ τῆς γῆς ⸀χαίρουσιν ἐπ' αὐτοῖς καὶ 8,13! · J 16,20 Ps 105,38
⸁εὐφραίνονται καὶ δῶρα ⸀¹πέμψουσιν ἀλλήλοις, ὅτι ⸂οὗ-
τοι οἱ δύο προφῆται⸃ ἐβασάνισαν τοὺς κατοικοῦντας
ἐπὶ τῆς γῆς.
31 **11** Καὶ μετὰ °τὰς τρεῖς ἡμέρας καὶ ἥμισυ *πνεῦμα ζωῆς* *Ez 37,5.10*
ἐκ τοῦ θεοῦ *εἰσῆλθεν* ⸂*ἐν αὐτοῖς*⸃, *καὶ ἔστησαν ἐπὶ τοὺς*
πόδας αὐτῶν, καὶ φόβος μέγας ⸀ἐπέπεσεν ἐπὶ ⸄τοὺς Gn 15,12 Ex 15,16 Ps 105,38
θεωροῦντας⸅ αὐτούς. **12** καὶ ⸀ἤκουσαν ⸂φωνῆς μεγάλης
ἐκ τοῦ οὐρανοῦ λεγούσης⸃ °αὐτοῖς· ⸁ἀνάβατε ὧδε. καὶ 4,1!
ἀνέβησαν εἰς τὸν οὐρανὸν ἐν τῇ νεφέλῃ, καὶ ⸀¹ἐθεώρησαν 2Rg 2,11
αὐτοὺς οἱ ἐχθροὶ αὐτῶν. **13** Καὶ ἐν ⸀ἐκείνῃ τῇ ⸁ὥρᾳ
ἐγένετο σεισμὸς μέγας καὶ τὸ ⸀¹δέκατον τῆς πόλεως 19! Ez 38,19s
ἔπεσεν καὶ ἀπεκτάνθησαν ἐν τῷ σεισμῷ ὀνόματα ἀνθρώπων χιλιάδες ἑπτὰ καὶ οἱ λοιποὶ ⸀²ἔμφοβοι ἐγένοντο
καὶ ἔδωκαν δόξαν τῷ θεῷ τοῦ οὐρανοῦ. 16,11 Dn 2,18s Jon 1,9 Esr 1,2 etc |
14 Ἡ οὐαὶ ἡ δευτέρα ⸀ἀπῆλθεν· ⸉ἰδοὺ ἡ οὐαὶ ἡ τρίτη 8,13!
ἔρχεται⸊ ταχύ.
32 **15** Καὶ ὁ ἕβδομος ἄγγελος ἐσάλπισεν· καὶ ἐγένοντο 10,7; 8,6!
φωναὶ μεγάλαι ἐν τῷ οὐρανῷ ⸀λέγοντες·
⸂ἐγένετο ἡ βασιλεία⸃ τοῦ κόσμου τοῦ κυρίου ἡμῶν 4,11! Ob 21 Ps 22,29; 2,2 Dn 7,14
καὶ τοῦ χριστοῦ αὐτοῦ,
καὶ βασιλεύσει εἰς τοὺς αἰῶνας τῶν αἰώνων.⸆ Ps 10,16 Dn 2,44; 7,27

8 ⸆ *v. p.* 652 | ° 𝔓47 ℵ1 1611 𝔐A a* syph bo | ⸀ημων 1 *pc* ¦ – 𝔓47 ℵ* ● **9** ⸂τα -ματα 2329 𝔐A latt sy sa bopt | ° 𝔐 ¦ *txt* 𝔓47 ℵ A C P 1006. 1841. 1854. 2351 *al* | ⸀αφησουσι 2053 𝔐K gig vgcl bo | ⸁μνημεια 1611 *pc* ¦ μνημειον C *pc* ¦ μνηματα ℵ2 *pc* ● **10** ⸀χαρησονται 2020 latt co | ⸁ευφρανθησονται 2329 𝔐K latt | ⸀¹πεμπ- ℵ* P 2344 *pc* vgmss ¦ δωσουσιν 𝔐K | ⸂ουτ. (– 𝔓47) οι προφ. οι δυο 𝔓47 ℵ 2344 ● **11** ° ℵ 1854. 2344 𝔐A | ⸂αυτοις C P 1611. 2053 *al* ¦ εις αυτους 𝔓47 ℵ 𝔐K ¦ *txt* A 1006. 1841. 1854. 2329. 2351 *al*; Tyc | ⸀επεσεν 𝔓47 ℵ 1841. 2053 𝔐K | ⸄των -των C P *pc* ● **12** ⸀-σα 𝔓47 ℵc 𝔐 a gig syh co; Tyc Bea ¦ ακουσονται 2329 ¦ *txt* ℵ* A C P 2053 *pc* vg syph | ⸂-νην -λην εκ τ. ουρ. -σαν A 1611. 2053. 2329. 2351 𝔐K | ° A *pc* gig; Tyc | ⸁-βητε 𝔐 ¦ *txt* 𝔓47 ℵ A C P 2329. 2351 *pc* | ⸀¹εμετρησαν 𝔓47 ● **13** ⸀αυτη 𝔓47 | ⸁ημερα 1854. 2329 𝔐K gig sa | ⸀¹τριτον 046 bo | ⸀²εν φοβω ℵ 2351 *pc* lat syph ● **14** ⸀παρηλθεν ℵ *pc* | ⸉ *1 6 2–5* 𝔓47 ℵ(2) 2344 *pc* ¦ *2–5 1 6* 𝔐K ¦ *txt* A C 1006. 1611. 1841. (1854). 2053. 2329. 2351 𝔐A ● **15** ⸀λεγουσαι 𝔓47 ℵ C 051. 1006. 1611. 1841. 1854. 2329. 2344 𝔐A ¦ *txt* A 2053. 2351 𝔐K | ⸂-νοντο αι -λειαι 1 *al* | ⸆αμην ℵ 2344 *pc* vgcl bo

4,4! 16 Καὶ ⸰οἱ εἴκοσι τέσσαρες πρεσβύτεροι ⸰¹[οἱ] ἐνώπιον
7,11 τοῦ θεοῦ ⸀καθήμενοι ⸋ἐπὶ τοὺς θρόνους αὐτῶν⸌ ⸆ ἔπεσαν
ἐπὶ τὰ πρόσωπα αὐτῶν καὶ προσεκύνησαν τῷ θεῷ 17 λέ-
4,11! γοντες·
1,8; 4,8; 15,3; 16,7.14; 19,6.15; 21,22 2K 6,18 2Sm 7,8 ⲫ Am 3,13; 4,13 ⲫ · 1,4! εὐχαριστοῦμέν σοι, ⸀κύριε ὁ θεὸς ⸆ ὁ παντοκράτωρ,
ὁ ὢν καὶ ὁ ἦν,
⸆ὅτι εἴληφας τὴν δύναμίν σου τὴν ⸁μεγάλην
19,6! καὶ ἐβασίλευσας.
Ex 15,14 Ps 98,1 ⲫ; 46,7 · 18 καὶ τὰ ἔθνη ⸀ὠργίσθησαν,
15,1 Jr 37,23 ⲫ καὶ ἦλθεν ἡ ὀργή σου
20,12 καὶ ὁ ⸁καιρὸς τῶν νεκρῶν κριθῆναι
10,7! καὶ δοῦναι τὸν μισθὸν τοῖς δούλοις σου τοῖς προφήταις
Ps 61,6 Mch 6,9 καὶ ⸂τοῖς ἁγίοις καὶ τοῖς φοβουμένοις⸃ τὸ ὄνομά σου,
19,5; 20,12 Ps 115,13 · ⸂τοὺς μικροὺς καὶ τοὺς μεγάλους⸃,
19,2 Jr 51,25 | καὶ διαφθεῖραι τοὺς ⸀¹διαφθείροντας τὴν γῆν.
15,5; 7,15! 19 Καὶ ἠνοίγη ὁ ναὸς τοῦ θεοῦ ⸰ὁ ἐν τῷ οὐρανῷ καὶ *33*
1Rg 8,1.6 2Mcc 2,4-8 ⸀ὤφθη ἡ κιβωτὸς τῆς διαθήκης ⸁αὐτοῦ ἐν τῷ ναῷ αὐ-
4,5! τοῦ, καὶ ἐγένοντο ἀστραπαὶ καὶ φωναὶ καὶ βρονταὶ ⸋καὶ
13; 8,5 Is 29,6 · 16,21 Ex 9,24 σεισμὸς⸌ καὶ χάλαζα μεγάλη.

3! · *1s:* Is 7,14 · **12** Καὶ σημεῖον μέγα ὤφθη ἐν τῷ οὐρανῷ, γυνὴ περι-
Ps 104,2 · Gn 37,9 βεβλημένη τὸν ἥλιον, καὶ ⸰ἡ σελήνη ὑποκάτω τῶν
ποδῶν αὐτῆς καὶ ἐπὶ τῆς κεφαλῆς αὐτῆς στέφανος ἀστέ-
Is 26,17; 66,7 ρων δώδεκα, 2 καὶ ἐν γαστρὶ ἔχουσα, ⸂καὶ κράζει⸃ ὠδί-
Mch 4,10 | νουσα καὶ βασανιζομένη τεκεῖν. 3 καὶ ὤφθη ἄλλο ση-
1; 15,1 · 9; 13,2; 16,13; 20,2 Ez 29,3 Is 27,1 ⲫ; 14,29 · μεῖον ἐν τῷ οὐρανῷ, καὶ ἰδοὺ δράκων ⸂μέγας πυρρὸς⸃

16 ⸰ ℵ* A 2053[txt] *pc* | ⸰¹ 𝔓[47] A 046. 1006. 1841 𝔐[A] ¦ *txt* ℵ C 051. 1611. 1854. 2053. 2329. 2344. 2351 𝔐[K] | ⸀καθηνται 𝔓[47] ℵ[2] C 1006. 1611. 1841. 2053. 2344 *pc* ¦ οι καθηνται ℵ* 𝔐[K] ¦ *txt* A 051. 1854. 2329. (2351) 𝔐[A] | ⸋ 𝔓[47] | ⸆και ℵ 1006. 1841 *al* • **17** ⸀(+ ο 𝔓[47]) -ιος 𝔓[47] ℵ *pc* | ⸆ο θεος 𝔓[47] | ⸆και 𝔓[47] ℵ* C 2344 *pc* a vg[ms] ¦ και ο ερχομενος 051. 1006. 1841 *al* vg[cl] (bo); Tyc (Bea) ¦ *txt* ℵ[2] A 𝔐 lat | ⸁μενουσαν 𝔓[47] • **18** ⸀-σθη 𝔓[47] ℵ* | ⸁κληρος C | ⸂*1 2 4 5* 051. 1. 1854 *al* ¦ τους -ους κ. τους -νους (𝔓[47]) A (2351) *pc* | ⸂† τοις -ροις κ. τοις -λοις ℵ[2] 𝔐 ¦ *txt* 𝔓[47] ℵ* A C 2329. 2344. 2351 *pc* | ⸀¹-ραντας C 051. 1611. 1854. 2329. 2344 *pc* sy • **19** ⸰ 𝔓[47] ℵ 051 𝔐 sa[ms] bo[pt] ¦ *txt* A C 1006. 1841. 2329. 2351 *pc* it bo[pt]; Vic | ⸀εδοθη C | ⸁του κυριου 𝔓[47] (2344) 𝔐[K] sa ¦ του θεου ℵ *pc* h | ⸋ 𝔐[K] sy[ph]

¶ **12,1** ⸰ 1 *al* • **2** ⸂(+ και C) εκραζεν C (046). 2351 𝔐[K] ¦ κραζει (+ και A) A 051. 1611. 1854. 2329. 2344 𝔐[A] ¦ *txt* (𝔓[47]) ℵ 1006. 1841. 2053 *pc* • **3** ⸂πυρος μ. C 046. 1611. 1854. 2329. 2344 *pm* (∫ 1006. 2351 *al*) ¦ *txt* A P 051. 1841 *pm* lat sa (∫ 𝔓[47] ℵ 2053 *al*)

ἔχων κεφαλὰς ἑπτὰ καὶ κέρατα δέκα καὶ ἐπὶ τὰς κεφαλὰς 13,1! Dn 7,7.24
⸀αὐτοῦ ἑπτὰ διαδήματα, **4** καὶ ἡ οὐρὰ αὐτοῦ σύρει τὸ τρί- 8,12
τον τῶν ⸀ἀστέρων τοῦ οὐρανοῦ καὶ ἔβαλεν αὐτοὺς εἰς τὴν Dn 8,10
γῆν. Καὶ ὁ δράκων ἕστηκεν ἐνώπιον τῆς γυναικὸς τῆς
μελλούσης τεκεῖν, ἵνα ὅταν τέκῃ τὸ τέκνον αὐτῆς κατα-
φάγῃ. **5** καὶ ἔτεκεν υἱὸν ⸀ἄρσεν, ὃς μέλλει ποιμαίνειν 13 Is 7,14; 66,7 · 2,27! Ps 2,9
πάντα τὰ ἔθνη ⸰ἐν ῥάβδῳ σιδηρᾷ. καὶ ἡρπάσθη τὸ τέ-
κνον αὐτῆς πρὸς τὸν θεὸν καὶ ⸰¹πρὸς τὸν θρόνον αὐτοῦ.
6 καὶ ἡ γυνὴ ἔφυγεν εἰς τὴν ἔρημον, ὅπου ἔχει ⸰ἐκεῖ Mt 2,13 1Rg 17,1-7 Hos 2,16
τόπον ἡτοιμασμένον ⸀ἀπὸ τοῦ θεοῦ, ἵνα ἐκεῖ ⸁τρέφωσιν
αὐτὴν ἡμέρας χιλίας διακοσίας ἑξήκοντα⸆. 11,3; 13,5! 12,14! |
34 **7** Καὶ ἐγένετο ⸋πόλεμος ἐν τῷ οὐρανῷ,⸌ ὁ Μιχαὴλ καὶ Dn 10,13.21; 12,1 Jd 9
οἱ ἄγγελοι αὐτοῦ ⸰τοῦ πολεμῆσαι μετὰ τοῦ δράκοντος.
καὶ ὁ δράκων ἐπολέμησεν καὶ οἱ ἄγγελοι αὐτοῦ, **8** καὶ 11,7! · Mt 25,41!
οὐκ ⸀ἴσχυσεν ⸁οὐδὲ τόπος εὑρέθη ⸀¹αὐτῶν ἔτι ἐν τῷ 20,11 Dn 2,35 ·
οὐρανῷ. **9** καὶ ἐβλήθη ὁ δράκων ⸂ὁ μέγας, ὁ ὄφις⸃ ⸋ὁ 12,3! · 14; 20,2 Gn 3,1.14ss ·
ἀρχαῖος⸌, ὁ καλούμενος Διάβολος ⸉καὶ ὁ⸊ Σατανᾶς, ὁ 12; 20,2.10 Zch 3,1s Job 2,1ss ·
πλανῶν τὴν οἰκουμένην ὅλην, ἐβλήθη εἰς τὴν γῆν, καὶ 20,7 L 10,18! ·
οἱ ἄγγελοι ⸰αὐτοῦ ⸋¹μετ᾽ αὐτοῦ⸌ ἐβλήθησαν. **10** καὶ 13,14 · 13
ἤκουσα φωνὴν μεγάλην ἐν τῷ οὐρανῷ λέγουσαν·
ἄρτι ἐγένετο ἡ σωτηρία καὶ ἡ δύναμις 4,11!
καὶ ἡ ⸀βασιλεία τοῦ θεοῦ ἡμῶν 11,15
καὶ ἡ ⸁ἐξουσία τοῦ χριστοῦ αὐτοῦ, Mt 28,18!
ὅτι ⸀¹ἐβλήθη ὁ ⸀²κατήγωρ τῶν ἀδελφῶν ἡμῶν, Job 1,9-11; 2,4s Zch 3,1 J 12,31 · 6,11
ὁ κατηγορῶν ⸀³αὐτοὺς ἐνώπιον τοῦ θεοῦ ⸰ἡμῶν
ἡμέρας καὶ νυκτός.
11 καὶ ⸀αὐτοὶ ἐνίκησαν αὐτὸν διὰ τὸ αἷμα τοῦ ἀρνίου R 8,37 1J 2,14 · 7,14 ·
καὶ διὰ ⸂τὸν λόγον τῆς μαρτυρίας⸃ αὐτῶν 6,9!
καὶ οὐκ ἠγάπησαν τὴν ψυχὴν αὐτῶν ἄχρι θανάτου. Mt 16,25!p

3 ⸀αυτων A *pc*; Tyc Bea ¦ – 𝔓47 ● **4** ⸀αστρ- C 2053 *pc* ● **5** ⸀αρσενα (*vel* αρρ-) 𝔓47 ℵ 051 𝔐 ¦ *txt* A C | ⸰ C 051. 1006. 1841. 2053 𝔐A | ⸰¹ 𝔐A ● **6** ⸰ C 2329 𝔐A lat syh; Tyc Prim | ⸀υπο 1611. 2351 𝔐K | ⸁εκτρ- 𝔐K ¦ τρεφουσιν ℵ C 051. 2329 *pc* | ⸆πεντε ℵ2 ● **7** [⸋ Düsterdieck *cj*] | ⸰ 𝔓47 ℵ 𝔐 ¦ *txt* A C P 051. 1006. 1611. 1841 *al* ● **8** ⸀-σαν (+ προς αυτον ℵ) 𝔓47 ℵ C (046). 051. 1006. 1611. 1841. 2053. 2329. 2351 𝔐A latt sy ¦ *txt* A 1854 𝔐K bo | ⸁ουτε 051. 2351 𝔐A | ⸀¹αυτοις ℵ2 051 *pc* syph sams ¦ αυτω 1006. 1854. 2053 𝔐K bo; Vic ¦ – ℵ* ● **9** ⸂ *1 2 4* ℵ *pc* ¦ *3 4 1 2* 𝔓47 1006. 1841 *pc* bo | ⸋ 𝔓47 | ⸉ *2* ℵ 1854 *pc* bo ¦ *1* 𝔓47 2329 𝔐K | ⸰ 𝔓47 2053 *pc* bo | ⸋¹ 051. 1854 𝔐A ● **10** ⸀σωτηρια 1854 | ⸁σωτηρια 𝔓47 | ⸀¹κατεβλ- 051 𝔐A | ⸀²-γορος 𝔓47 ℵ C 051 𝔐 ¦ *txt* A | ⸀³αυτων ℵ C 1006. 1611. 1841. 1854. 2053. 2329. 2344. 2351 𝔐K ¦ *txt* 𝔓47 A 051 𝔐A | ⸰ 1 *al* samss bo ● **11** ⸀ουτοι ℵ | ⸂την μαρτυριαν C

18,20 Dt 32,43 𝔊 Is 44,23; 49,13 Ps 96,11 **12** διὰ τοῦτο εὐφραίνεσθε, °[οἱ] οὐρανοὶ
καὶ οἱ ἐν αὐτοῖς ⸀σκηνοῦντες.
8,13! οὐαὶ ⸂τὴν γῆν καὶ τὴν θάλασσαν⸃,
8! ὅτι κατέβη ὁ διάβολος πρὸς ὑμᾶς
ἔχων θυμὸν °¹μέγαν,
εἰδὼς ὅτι ὀλίγον καιρὸν ἔχει.
9 **13** Καὶ ὅτε εἶδεν ὁ δράκων ὅτι ἐβλήθη εἰς τὴν γῆν, *35*
5 ⸀ἐδίωξεν τὴν γυναῖκα ἥτις ἔτεκεν τὸν ἄρσενα. **14** καὶ
8,13 Ex 19,4 Is 40,31 Ez 17,3.7 · ⸀ἐδόθησαν τῇ γυναικὶ °αἱ δύο πτέρυγες τοῦ ἀετοῦ τοῦ
μεγάλου, ἵνα πέτηται εἰς τὴν ἔρημον εἰς τὸν τόπον αὐ-
6! Dn 7,25; 12,7 𝔊 · τῆς, ⸂ὅπου τρέφεται⸃ ἐκεῖ καιρὸν καὶ καιροὺς ⸋καὶ ἥ-
9! μισυ καιροῦ⸌ ἀπὸ προσώπου τοῦ ὄφεως. **15** καὶ ἔβα-
λεν ὁ ὄφις ⸀ἐκ τοῦ στόματος αὐτοῦ ὀπίσω τῆς γυναικὸς
ὕδωρ ὡς ποταμόν, ἵνα ⸁αὐτὴν ποταμοφόρητον ποιήσῃ.
Nu 16,30.32 Dt 11,6 **16** καὶ ἐβοήθησεν ἡ γῆ τῇ γυναικὶ καὶ ἤνοιξεν ⸋ἡ γῆ⸌
τὸ στόμα αὐτῆς καὶ κατέπιεν ⸂τὸν ποταμὸν ὃν⸃ ἔβαλεν
ὁ δράκων ⸀ἐκ τοῦ στόματος αὐτοῦ. **17** καὶ ὠργίσθη
11,7! ὁ δράκων °ἐπὶ τῇ γυναικὶ καὶ ἀπῆλθεν ⸉ποιῆσαι πό-
Gn 3,15 · 14,12 · λεμον⸊ μετὰ τῶν λοιπῶν τοῦ σπέρματος αὐτῆς τῶν τη-
6,9! 1J 5,10 ρούντων τὰς ἐντολὰς τοῦ θεοῦ καὶ ἐχόντων τὴν μαρτυρίαν Ἰησοῦ.
18 Καὶ ⸀ἐστάθη ἐπὶ τὴν ἄμμον τῆς θαλάσσης. *36*
cf 11,7! Dn 7,3 Is 27,1 · **13** Καὶ εἶδον ἐκ τῆς θαλάσσης θηρίον ἀναβαῖνον, ἔχον
17,3.7.9.12.16 Dn 7,7.24 · κέρατα δέκα καὶ κεφαλὰς ἑπτὰ καὶ ἐπὶ τῶν κερά-
12,3 των αὐτοῦ δέκα διαδήματα καὶ ἐπὶ τὰς κεφαλὰς αὐτοῦ
Dn 7,4-6 Hos 13,7s ⸀ὀνόμα[τα] βλασφημίας. **2** καὶ τὸ θηρίον ὃ εἶδον °ἦν
ὅμοιον παρδάλει καὶ οἱ πόδες αὐτοῦ ὡς ἄρκου καὶ τὸ
2Th 2,8s 2,13; 16,10 στόμα αὐτοῦ ὡς στόμα ⸀λέοντος. καὶ ἔδωκεν αὐτῷ ὁ δράκων τὴν δύναμιν αὐτοῦ καὶ τὸν θρόνον αὐτοῦ καὶ ἐξου-
σίαν μεγάλην. **3** καὶ μίαν °ἐκ τῶν κεφαλῶν αὐτοῦ ὡς

12 °† ℵ C P 1854. 2053. 2329 𝔐^{K} ¦ *txt* A 051. 1006. 1611. 1851. 2344. 2351 𝔐^{A} | ⸀κατασκην- C ¦ κατοικ- (⸉ ℵ 2344) *al* | ⸂τοις κατοικουσιν τ. γ. κ. τ. θ. 1 *pc* ¦ τη γη κ. τη -σση 𝔓^{47} 1854. 2329. 2344. 2351 𝔐^{K} | °¹ ℵ • **13** ⸀εξεδι- ℵ^{2}(*: εδωκεν (*!*) ¦ απηλθεν εκδιωξαι 𝔓^{47} • **14** ⸀εδοθη 𝔓^{47} ℵ^{2} | ° 𝔓^{47} ℵ 1854. 2329. 2344. 2351 𝔐^{K} ¦ *txt* A C 051. 1006. 1611. 1841. 2053 𝔐^{A} | ⸂οπως -φηται 1611. (1854, 2351) 𝔐^{K} | ⸋ C • **15** ⸀απο 𝔓^{47} | ⸁ταυτην 051 𝔐^{A} • **16** ⸋ 𝔓^{47} gig; Prim | ⸂το υδωρ ὃ A | ⸀απο 𝔓^{47} • **17** ° 𝔓^{47} C | ⸉ ℵ 1854 *pc* • **18** ⸀-θην 051 𝔐 vg^{mss} sy^{ph} co ¦ *txt* 𝔓^{47} ℵ A C 1854. 2344. 2351 *pc* lat sy^{h} ¶ **13,1** ⸀ονομα 𝔓^{47} ℵ C 1006. 1841. 2329 𝔐^{A} gig vg^{mss} sy^{ph} co; Prim Bea ¦ *txt* A 051. 1611. 1854. 2053. 2344. 2351 𝔐^{K} a vg sy^{h} • **2** ° 𝔓^{47} 𝔐^{A} | ⸀-ντων ℵ 1611. 2351 *pc*; Vic • **3** ° 046*. 1854. 2053 𝔐^{A}

ἐσφαγμένην εἰς θάνατον, καὶ ἡ πληγὴ τοῦ θανάτου αὐ- 12.14
τοῦ ἐθεραπεύθη.
Καὶ ⸂ἐθαυμάσθη ὅλη ἡ γῆ⸃ ὀπίσω τοῦ θηρίου **4** καὶ 17,8
⸀προσεκύνησαν τῷ δράκοντι, ⸂ὅτι ἔδωκεν⸃ °τὴν ἐξουσίαν τῷ θηρίῳ, καὶ προσεκύνησαν ⸉τῷ θηρίῳ⸊ λέγοντες· 8.12
τίς ὅμοιος τῷ θηρίῳ °¹καὶ τίς ⸁δύναται πολεμῆσαι μετ’ Ex 15,11 Ps 89,7
αὐτοῦ;
5 Καὶ ἐδόθη αὐτῷ στόμα λαλοῦν ⸆ μεγάλα καὶ ⸀βλασφη- Dn 7,8.11.20
μίας καὶ ἐδόθη αὐτῷ °ἐξουσία ⸁ποιῆσαι μῆνας τεσσε- 11,2; 12,6!
ράκοντα °¹[καὶ] δύο. **6** καὶ ἤνοιξεν τὸ στόμα αὐτοῦ ⸂εἰς
βλασφημίας⸃ πρὸς τὸν θεὸν βλασφημῆσαι τὸ ὄνομα αὐ- Dn 7,25; 11,36
τοῦ ⸋καὶ τὴν σκηνὴν αὐτοῦ⸌, ⸆ °τοὺς ἐν τῷ οὐρανῷ 21,3! 12,12
°σκηνοῦντας. **7** ⸋καὶ ἐδόθη αὐτῷ ποιῆσαι πόλεμον μετὰ 11,7! Dn 7,8 𝔊. 21. 25
τῶν ἁγίων καὶ νικῆσαι αὐτούς,⸌ καὶ ἐδόθη αὐτῷ ἐξου-
σία ἐπὶ πᾶσαν φυλὴν ⸋¹καὶ λαὸν⸌ καὶ γλῶσσαν καὶ ἔ- 5,9!
θνος. **8** καὶ προσκυνήσουσιν ⸀αὐτὸν πάντες οἱ κατοικοῦν- 4! · 8,13!
τες ἐπὶ τῆς γῆς, ⸂οὗ οὐ γέγραπται τὸ ὄνομα αὐτοῦ⸃ ἐν 3,5! Dn 12,1
⸉τῷ βιβλίῳ⸊ τῆς ζωῆς τοῦ ἀρνίου τοῦ ἐσφαγμένου ἀπὸ 5,6!
καταβολῆς κόσμου.
9 Εἴ τις ἔχει οὖς ἀκουσάτω. 2,7!
10 εἴ τις ⸂εἰς αἰχμαλωσίαν⸃, ⸋εἰς αἰχμαλωσίαν⸌ Jr 15,2; 43,11
ὑπάγει·
εἴ τις ἐν μαχαίρῃ ⸀ἀποκτανθῆναι αὐτὸν ⸋¹ἐν μαχαί- Mt 26,52
ρῃ⸌ ἀποκτανθῆναι.

3 ⸂-μασεν ο. η γη ℵ P 1006. 1611. 1841. 1854. 2329. (2344). 2351 𝔐ᴷ ¦ -μασθη εν ο. τη γη 051 𝔐ᴬ ¦ *txt* 𝔓⁴⁷ A (C, 2053) *pc* ● **4** ⸀-σεν 𝔓⁴⁷ 2344 *pc* syᵖʰ | ⸂τω δεδωκοτι 𝔐ᴷ gig vgᶜˡ | ° 2351 *pc* | ⸉το -ιον A 2344 *pc* (𝔓⁴⁷, 051 *al*: *h. t.*) | °¹ 𝔐ᴷ | ⸁δυνατος 2351 𝔐ᴷ ● **5** ⸆τα (*vl* λαλουντα) 𝔓⁴⁷ | ⸀-μιαν (2053) 𝔐 vgᵐˢˢ syᵖʰ; Irˡᵃᵗ ¦ -μα A 2329 *al* ¦ *txt* 𝔓⁴⁷ ℵ C 1611. 1841. 2344 *al* a vgᶜˡ syʰ (bo) | ° ℵ* 2344. 2351 *pc* saᵐˢˢ | ⸁π. ο θελει ℵ ¦ πολεμον π. 051. 2329 𝔐ᴷ ¦ πολεμησαι 2351 *pc* | °¹ ℵ C 𝔐 ¦ *txt* A 1841. 1854 *pc* (𝔓⁴⁷ 046. 051 *al*: μβ′) ● **6** ⸂εις -ιαν 051 𝔐 gig syʰ; Irˡᵃᵗ Bea ¦ βλασφημησαι 𝔓⁴⁷ syᵖʰ co ¦ *txt* ℵ A C 1006. 1841. 1854. 2344 *al* lat | ⸋ C | ⸆και ℵ² 046*. 051. 2053ᵗˣᵗ 𝔐ᴬ lat syʰ co; Irˡᵃᵗ Bea | ° *bis* 𝔓⁴⁷ ● **7** ⸋ 𝔓⁴⁷ A C 2053 𝔐ᴬ sa; Irˡᵃᵗ ¦ *txt* ℵ 051. 1006. (1611). 1841. (1854). 2329. 2344. 2351 (𝔐ᴷ) lat sy bo | ⸋¹ 𝔓⁴⁷ 051. 1006 𝔐ᴬ bo ● **8** ⸀αυτω ℵ 051. 1006. 1611. 1841. 2053. 2344 𝔐ᴬ | ⸂ων ου (– ℵ*) γεγ. τα ον-τα αυτων (– ℵ² P 051 *al*) 𝔓⁴⁷ ℵ P 051. 1006. 1841. 2329 *al* lat (sy) ¦ ων ου (ουτε 046 *pc*) γεγ. το ονομα (+ αυτων 1611 *pc*) 𝔐 (co); Bea ¦ ουαι γεγ. το ονομα αυτου A ¦ *txt* C 1854. 2053 *pc*; Irˡᵃᵗ Prim | ⸉τη (τω ℵ²; – ℵ* 1611. 1854 *pc*) βιβλω 𝔓⁴⁷ ℵ 1611. 1854. 2344 *al* ¦ βιβλιω C ¦ *txt* A 051 𝔐 ● **10** ⸂εις αιχ. απαγει 2351 *pc* gig vgᶜˡ sy; Irˡᵃᵗ Prim ¦ εχει αιχ. 051* 𝔐ᴷ ¦ αιχ-μαλωτιζει 104 *pc* | ⸋ 𝔓⁴⁷ ℵ C 051 𝔐 bo; Bea ¦ *txt* A 2351 *pc* lat sy sa; Irˡᵃᵗ | ⸀† απο-κτενεῖ, δει C 051*. (2053). 2329. 2351 𝔐ᴬ lat; Irˡᵃᵗ ¦ -κτεινει (*vl* -κτεννει), δει ℵ 1006. 1611*. 1841. 1854 *al* syʰ ¦ δει *et* ⸋¹ 051ᵛ·ˡ· 𝔐ᴷ ¦ *txt* A

14,12 L 8,15! Ὧδέ ἐστιν ἡ ὑπομονὴ καὶ ἡ πίστις τῶν ἁγίων.
16,13 **11** Καὶ εἶδον ἄλλο θηρίον ⸀ἀναβαῖνον ἐκ τῆς γῆς, καὶ 37
Dn 8,3 Mt 7,15 εἶχεν κέρατα °δύο ⸁ὅμοια ἀρνίῳ καὶ ⸀¹ἐλάλει ὡς δρά-
1-7 κων. **12** καὶ τὴν ἐξουσίαν τοῦ πρώτου θηρίου πᾶσαν ⸀ποιεῖ
ἐνώπιον αὐτοῦ, καὶ ⸁ποιεῖ τὴν γῆν καὶ τοὺς ἐν αὐτῇ
4! κατοικοῦντας ⸂ἵνα προσκυνήσουσιν⸃ τὸ θηρίον τὸ πρῶ-
3! | τον, οὗ ἐθεραπεύθη ἡ πληγὴ ⸄τοῦ θανάτου αὐτοῦ⸅.
16,14; 19,20 Mt 24,24 2Th 2,9 · **13** καὶ ⸀ποιεῖ σημεῖα μεγάλα, ⸂ἵνα καὶ πῦρ ποιῇ⸃ ⸉ἐκ τοῦ
1Rg 18,38 Lc 9,54 | οὐρανοῦ ⸁καταβαίνειν⸊ ⸀¹εἰς τὴν γῆν ἐνώπιον τῶν ἀνθρώ-
19,20; 20,3.8.10 Mt 24,24 Hen πων, **14** καὶ πλανᾷ ⸆ τοὺς κατοικοῦντας ἐπὶ τῆς γῆς διὰ
54,6 · 8,13! · τὰ σημεῖα ἃ ἐδόθη αὐτῷ ποιῆσαι ἐνώπιον τοῦ θηρίου,
15! λέγων τοῖς κατοικοῦσιν ἐπὶ τῆς γῆς ποιῆσαι εἰκόνα
3! τῷ θηρίῳ, ⸀ὃς ⸁ἔχει °τὴν πληγὴν ⸂τῆς μαχαίρης καὶ
ἔζησεν⸃.
15 Καὶ ἐδόθη ⸀αὐτῷ δοῦναι πνεῦμα τῇ εἰκόνι ⸂τοῦ θηρίου, ἵνα καὶ λαλήσῃ ἡ εἰκὼν τοῦ θηρίου καὶ ⸁ποι-
14; 14,9.11; 15,2; ήσῃ⸃ ⸉[ἵνα] ὅσοι ἐὰν μὴ ⸀¹προσκυνήσωσιν ⸄τῇ εἰκόνι⸅
16,2; 19,20; 20,4 Dn 3,5s τοῦ θηρίου ἀποκτανθῶσιν. **16** καὶ ⸀ποιεῖ πάντας, τοὺς
μικροὺς καὶ τοὺς μεγάλους, καὶ τοὺς πλουσίους καὶ τοὺς
19,18 · 6,15! πτωχούς, καὶ τοὺς ἐλευθέρους καὶ τοὺς δούλους, ἵνα
14,9.11; 16,2; 19, 20; 20,4 · cf Is 44,5 ⸁δῶσιν αὐτοῖς ⸀¹χάραγμα ἐπὶ τῆς χειρὸς αὐτῶν τῆς δε-
cf Ex 28,36 ξιᾶς ἢ ἐπὶ ⸂τὸ μέτωπον⸃ αὐτῶν **17** °καὶ ἵνα μή τις ⸀δύνη-
ται ἀγοράσαι ἢ πωλῆσαι εἰ μὴ ὁ ἔχων τὸ χάραγμα ⸂τὸ
ὄνομα τοῦ θηρίου⸃ ἢ τὸν ἀριθμὸν τοῦ ὀνόματος αὐτοῦ.

11 ⸀-νων 𝔓[47] *pc* | ° 2377 𝔐[K] | ⸁ομοιω 𝔓[47] | ⸀¹λαλει 𝔓[47] gig ● **12** ⸀εποιει 1611. (2329) *pc* lat sy[h] bo; Ir[lat] | ⸁εποιει 051. 1611. 2329. 2351. 2377 𝔐[K] a vg[cl] sy[h] (co) | ⸂ινα -σωσιν 051 𝔐 ¦ προσκυνειν א a vg ¦ *txt* 𝔓[47] A C 2053. 2351 *pc* | ⸄ *1 2* P 1006. 2329 *pc* vg; Prim ¦ *3* A ● **13** ⸀εποιει 051* *pc* lat bo; Prim ¦ ποιησει 1006 *pc* sa bo[mss]; Ir[lat] | ⸂ *2 3 1 et* ⸁-νη 2351. 2377 𝔐[K] | ⸉ *4 1–3* א P 051. (2329) *al* | ⸀¹επι 𝔓[47] 2377 𝔐[K] ● **14** ⸆τους εμους 051. 2377 𝔐[K] | ⸀δ א 1006. 1611. 1841. 2053. 2329. 2351. 2377 𝔐[K] a vg | ⸁ειχεν 1006. 1841. 2351. 2377 𝔐[K] vg[ms] sy[h] | ° (א) 2377 𝔐[K] | ⸂κ. εζ. απο τ. μαχ. 2351. 2377 𝔐[K] ● **15** ⸀αυτη A C ¦ *txt* 𝔓[47] א 051 𝔐 sy | ⸂του ποιησαι 𝔓[47vid] | ⸁-σει א 2329. 2351 *al* vg[mss] | ⸉ *pon. a.* αποκτ. 051. 1. 1854 *al* ¦ – א 1611. 2351. 2377 𝔐 vg[st] ¦ *txt* A P 1006. 1841. 2329. 2344 *al* (C: *h. t.*) | ⸀¹-σουσιν א 051. 1006[c]. 2351 *pc* | ⸄την εικονα A 1 *al* ● **16** ⸀ποιησει א[2] (1854). 2329 *pc* vg co; Vic ¦ εποιει 1611 *pc*; Prim | ⸁δωσωσιν (2377 *al*) 𝔐[K] ¦ δωση 051[c]. (1.2053 : -σει). 2329 *pc* ¦ λαβωσιν 1841[vid] *pc*; Vic | ⸀¹-ματα 𝔓[47]* 051. 2351. 2377 𝔐[K] sa | ⸂των -πων 𝔓[47] 046. 051. 1854 𝔐[A] latt sy ● **17** ° א* C 1611 *al* vg[mss] sy co; Ir[lat] Prim | ⸀δυναται 051 𝔐 ¦ *txt* 𝔓[47] א A C 1841. 2351 *al* | ⸂ *3 4* 1611 *pc* ¦ του ονοματος τ. θ. C *pc* a vg[ww] sy ¦ ἢ το ον. τ. θ. 𝔓[47] *pc* gig vg[cl]; Bea ¦ του θ. ἢ το ον. αυτου א *pc* vg[ms] co ¦ επι του μετωπου αυτου· το ονομα τ. θ. 2329 ¦ *txt* A 051 𝔐 vg[st]

38 **18** ⸆Ὧδε ἡ σοφία ἐστίν. ὁ ἔχων νοῦν ψηφισάτω τὸν 17,9
ἀριθμὸν τοῦ θηρίου, ἀριθμὸς γὰρ ἀνθρώπου ἐστίν⸋, καὶ 15,2
ὁ ἀριθμὸς αὐτοῦ⸌ ⸆ ⸂ἑξακόσιοι ἑξήκοντα ἕξ⸃. Esr 2,13
39 **14** Καὶ εἶδον, καὶ ἰδοὺ ⸰τὸ ἀρνίον ⸀ἑστὸς ἐπὶ ⸰¹τὸ
ὄρος ⸰¹Σιὼν καὶ μετ᾽ αὐτοῦ ⸆ ἑκατὸν τεσσερά- Joel 3,5 Is 4,5 · 7,4! ·
κοντα τέσσαρες χιλιάδες ἔχουσαι τὸ ὄνομα αὐτοῦ καὶ τὸ 3,12; 22,4
ὄνομα τοῦ πατρὸς αὐτοῦ γεγραμμένον ἐπὶ τῶν μετώ- 7,3 Ez 9,4
πων αὐτῶν. **2** καὶ ἤκουσα φωνὴν ⸆ ἐκ τοῦ οὐρανοῦ ὡς 10,4! · 1,15!
φωνὴν ὑδάτων πολλῶν καὶ ὡς φωνὴν βροντῆς μεγάλης, 6,1; 19,6
καὶ ⸂ἡ φωνὴ ἣν⸃ ἤκουσα ⸰ὡς ⸆¹ κιθαρῳδῶν κιθαριζόν- 5,8! |
των ἐν ταῖς κιθάραις αὐτῶν. **3** καὶ ᾄδουσιν ⸰[ὡς] ᾠδὴν 5,9 Ps 144,9; 33,3; 40,4; 96,1; 98,1;
καινὴν ἐνώπιον τοῦ θρόνου καὶ ἐνώπιον τῶν τεσσάρων 149,1 Is 42,10 ·
ζῴων ⸋καὶ τῶν πρεσβυτέρων⸌, καὶ ⸀οὐδεὶς ἐδύνατο μα- 4,6! · 4,4!
θεῖν τὴν ᾠδὴν εἰ μὴ αἱ ἑκατὸν τεσσεράκοντα τέσσαρες 7,4!
χιλιάδες, οἱ ἠγορασμένοι ἀπὸ τῆς γῆς. 5,9

4 ⸋οὗτοί εἰσιν⸌ οἳ μετὰ γυναικῶν οὐκ ἐμολύν-
θησαν, παρθένοι γάρ εἰσιν, οὗτοι ⸆ οἱ ἀκο- 2K 11,2 Mt 25, 1-12; · 10,38
λουθοῦντες τῷ ἀρνίῳ ὅπου ἂν ⸀ὑπάγῃ. οὗτοι J 10,4
⸆¹ ἠγοράσθησαν ⸋¹ἀπὸ τῶν ἀνθρώπων⸌ ⸁ἀπαρ- 5,9 · Jc 1,18
χὴ τῷ θεῷ καὶ τῷ ἀρνίῳ, **5** καὶ ⸉*ἐν τῷ στόματι* *Zph 3,13 Is 53,9*
αὐτῶν οὐχ εὑρέθη⸊ ψεῦδος, ἄμωμοί ⸆ εἰσιν. Ps 32,2 · E 5,27 Kol 1,22

40 **6** Καὶ εἶδον ⸰ἄλλον ἄγγελον πετόμενον ἐν μεσου- 8.9.15.17.18 · 8,13
ρανήματι, ἔχοντα εὐαγγέλιον αἰώνιον ⸀εὐαγγελίσαι Mt 24,14p
⸰¹ἐπὶ τοὺς ⸁καθημένους ἐπὶ τῆς γῆς καὶ ⸰²ἐπὶ πᾶν ἔ- 5,9!
θνος καὶ φυλὴν καὶ γλῶσσαν καὶ λαόν, **7** ⸀λέγων ἐν φω- 18,2!
νῇ μεγάλῃ·

18 ⸋ 𝔓^{47} ℵ *pc* sy^{ph} sa | ⸆εστιν (𝔓^{47}: + δε) C 051. 1006. 1611. 1841. 1854. 2053. 2329. 2344 𝔐^{A} ¦ *txt* ℵ A 2377 𝔐^{K} | ⸂-σιαι εξ. εξ ℵ ¦ -σιαι δεκα εξ C ¦ -σια εξ. πεντε 2344 ¦ -σια εξ. εξ P 1006. 1841. 1854. 2053^{vid} *al* ¦ *txt* A (χξς′ 𝔓^{47} 051 𝔐)
¶ **14,1** ⸰ 𝔓^{47} 051. 1854 𝔐^{A} sa | ⸀εστως 𝔓^{47} 051. 1006. 1611. 1841. 1854. 2053. 2329 𝔐^{A} ¦ εστηκος 2377 𝔐^{K} ¦ *txt* ℵ A C P 2344 *pc* | ⸰¹*bis* C | ⸆αριθμος 2377 𝔐^{K} sy^{h} • **2** ⸆ως 𝔓^{47} | ⸂φωνην 𝔓^{47} 2053 𝔐^{A} | ⸰ 𝔐^{A} | ⸆¹φωνην 𝔓^{47} 2053 a t • **3** ⸰† 𝔓^{47} ℵ P 1611. 1854. 2053. 2329. 2344. 2377 𝔐^{K} gig sy^{h}; Prim ¦ *txt* A C 051. 1006. 1841 𝔐^{A} lat sy^{ph} | ⸋ C | ⸀ουδε εις 051. 2377 𝔐^{K} • **4** ⸋ A *pc* | ⸆εισιν 051. 2351 𝔐^{K} | ⸀-γει A C 2329 *al* | ⸆¹ υπο Ιησου 051. 1611. 2351 𝔐^{K} sy^{h} | ⸋¹ C; Bea | ⸁απ αρχης 𝔓^{47} ℵ *pc* t; Prim Bea • **5** ⸉ *5 6 1–4* 𝔐^{K} | ⸆γαρ 𝔓^{47} ℵ (051). 1. 1006. 1611. 1841. 2329. 2351 𝔐^{K} a t vg^{cl} sy co; Did ¦ *txt* A C P 1854. 2053 *al* lat • **6** ⸰ 𝔓^{47} ℵ* 𝔐 sa; Vic ¦ *txt* ℵ^{2} A C P 051. 1006. 1611. 1841. 2053. 2329 *al* latt sy bo; Cyp | ⸀-ισασθαι 𝔓^{47} ℵ 1854. 2329 *al* | ⸰¹ 051 𝔐 sy^{h} ¦ *txt* 𝔓^{47} ℵ A C P 1611. 1854. 2053. 2329 *pc* sy^{ph} | ⸁κατοικουντας A 051 *pc* a bo; Bea ¦ καθ. τους κατοικ. 𝔐^{A} | ⸰² 𝔐^{A} • **7** ⸀λεγοντα 𝔓^{47} 051. 1611. 2053 *pc* ¦ – ℵ

15,4 · Jr 13,16 φοβήθητε τὸν ⸀θεὸν καὶ ⸂δότε αὐτῷ⸃ δόξαν, ὅτι ἦλθεν ἡ ὥρα τῆς κρίσεως αὐτοῦ, καὶ
Act 4,24! προσκυνήσατε ⸄τῷ ποιήσαντι⸅ τὸν οὐρανὸν καὶ τὴν γῆν καὶ ⸆ θάλασσαν καὶ πηγὰς
ὑδάτων.
6! **8** Καὶ ἄλλος ⸂ἄγγελος δεύτερος⸃ ⸀ἠκολούθησεν 41
λέγων·
18,2; 16,19; 17,5; 18,10.21 Is 21,9 Jr 51,8 Dn 4,27 · ἔπεσεν °ἔπεσεν Βαβυλὼν ἡ μεγάλη °¹ἣ ἐκ τοῦ
οἴνου τοῦ θυμοῦ τῆς πορνείας αὐτῆς ⸀πεπότι-
10! 17,2; 18,3 Jr 51,7 | κεν πάντα τὰ ἔθνη.
6! **9** Καὶ ἄλλος ἄγγελος τρίτος ἠκολούθησεν ⸀αὐτοῖς λέ- 42
18,2! γων ἐν φωνῇ μεγάλῃ·
13,15! εἴ τις προσκυνεῖ ⸂τὸ θηρίον⸃ καὶ τὴν εἰκόνα αὐ-
13,16! τοῦ καὶ λαμβάνει χάραγμα ἐπὶ τοῦ μετώπου
αὐτοῦ ἢ ἐπὶ ⸄τὴν χεῖρα⸅ αὐτοῦ, **10** καὶ αὐτὸς
8; 15,7; 16,19 Is 51,17.22 Jr 25,15 Ps 75,9 · πίεται ἐκ τοῦ οἴνου τοῦ θυμοῦ τοῦ θεοῦ τοῦ
κεκερασμένου ἀκράτου ⸂ἐν τῷ ποτηρίῳ τῆς
19,20; 20,10.14s; 21,8 Mt 25,41 Gn 19,24 Ps 11,6 Ez 38,22 ὀργῆς⸃ αὐτοῦ καὶ ⸀βασανισθήσεται ἐν πυρὶ καὶ
θείῳ ἐνώπιον ⸄ἀγγέλων ἁγίων⸅ καὶ ἐνώπιον
19,3 Is 34,10 τοῦ ἀρνίου. **11** καὶ ὁ καπνὸς τοῦ βασανισμοῦ
αὐτῶν εἰς ⸂αἰῶνας αἰώνων⸃ ἀναβαίνει, καὶ οὐκ
ἔχουσιν ἀνάπαυσιν ἡμέρας καὶ νυκτὸς οἱ προσ-
13,15! κυνοῦντες τὸ θηρίον καὶ τὴν εἰκόνα αὐτοῦ
13,17.16! καὶ εἴ τις λαμβάνει τὸ χάραγμα τοῦ ὀνόμα-
13,10! τος αὐτοῦ. **12** Ὧδε ἡ ὑπομονὴ τῶν ἁγίων
12,17 ἐστίν, ⸆ ⸂οἱ τηροῦντες⸃ τὰς ἐντολὰς τοῦ θεοῦ
2,13 καὶ τὴν πίστιν Ἰησοῦ.
10,4! **13** Καὶ ἤκουσα φωνῆς ἐκ τοῦ οὐρανοῦ λεγούσης ⸆·
19,9! γράψον·

7 ⸀κυριον 𝔐^{K} gig (t) vg^{cl}; Bea | ⸂δοξασατε αυτον 𝔓^{47} | ⸄τω θεω τω π. 2329 gig ¦ αυτον τον ποιησαντα 𝔐^{K} | ⸆την 𝔓^{47} ℵ 051. 1854. 2053. 2329 𝔐^{K} • **8** ⸂*2 1* A 1. 2329 𝔐^{K} ¦ *2* 𝔓^{47} ℵ* 1006. 1841. 1854 *pc* sy^{ph} ¦ *1* 69 *pc* a vg; Vic ¦ *txt* ℵ^{2} (C) 051. 1611. 2053. 2344 𝔐^{A} (gig) sy^{h}; Prim | ⸀-θει 𝔓^{47} | ° ℵ(* *h. t.*) C 1854. 2053 𝔐^{K} bo^{pt} | °¹ 𝔓^{47} ℵ^{2} 051 𝔐 gig; Spec Prim ¦ *txt* A C 1006. 1841. 2053 *al* lat sy | ⸀πεπτωκαν 𝔓^{47} ℵ^{2} (1854) *pc*; Prim • **9** ⸀αυτω A bo^{pt}; Prim | ⸂το θυσιαστηριον A | ⸄της -ρος 𝔓^{47} 1611. 2329 *pc* • **10** ⸂εκ του -ιου την -γην A (*pc*) | ⸀-σονται A 1006. 1841 *pc* vg^{ms} co; Tyc | ⸄των αγγ. A *pc* bo; Spec ¦ των αγ. αγγ. 𝔐^{K} • **11** ⸂-να -νων (-νος C *pc*) C P 051 *al* • **12** ⸆ ωδε 051 𝔐^{A} | ⸂των -ντων ℵ 1006. 1611. 1841 *pc* • **13** ⸆μοι 051. 2053. 2329 𝔐^{A} a gig vg^{cl}; Spec Prim

μακάριοι οἱ νεκροὶ οἱ ἐν ⸀κυρίῳ ἀποθνή- 1,3!
σκοντες ἀπ’ ἄρτι. ⸂ναί, λέγει⸃ τὸ πνεῦμα, ⸁ἵνα
⸀^{1}ἀναπαήσονται ἐκ τῶν κόπων αὐτῶν, τὰ ⸀^{2}γὰρ 6,11 H 4,9s
ἔργα αὐτῶν ἀκολουθεῖ μετ’ αὐτῶν.
43 **14** Καὶ εἶδον, καὶ ἰδοὺ νεφέλη λευκή, καὶ ἐπὶ τὴν 16; 1,13! Dn 7,13 Mt 24,30
νεφέλην ⸂καθήμενον ὅμοιον⸃ ⸀υἱὸν ἀνθρώπου, ⸁ἔχων ἐπὶ
⸄τῆς κεφαλῆς⸅ αὐτοῦ στέφανον χρυσοῦν καὶ ἐν τῇ χειρὶ 2Sm 12,30 1Chr 20,2
αὐτοῦ δρέπανον ὀξύ. **15** καὶ ἄλλος ἄγγελος ἐξῆλθεν 17 Mc 4,29 | 6!
ἐκ τοῦ ⸀ναοῦ ⸆ ⸁κράζων ἐν φωνῇ μεγάλῃ τῷ καθημένῳ 7,15! · 18,2!
ἐπὶ τῆς νεφέλης·
πέμψον τὸ δρέπανόν σου καὶ θέρισον, ὅτι 18 Joel 4,13
⸀^{1}ἦλθεν ⸂ἡ ὥρα θερίσαι⸃, ὅτι ἐξηράνθη ὁ θε- Jr 51,33 Mc 4,29 J 4,35
ρισμὸς τῆς γῆς.
16 καὶ ἔβαλεν ὁ καθήμενος ἐπὶ ⸂τῆς νεφέλης⸃ τὸ δρέπα- 14 · Zch 5,2s 𝔊
νον αὐτοῦ ἐπὶ τὴν γῆν καὶ ἐθερίσθη ἡ γῆ.
44 **17** Καὶ ἄλλος ἄγγελος ἐξῆλθεν ἐκ τοῦ ναοῦ ⸀τοῦ ἐν °τῷ 6! · 7,15!
οὐρανῷ ἔχων καὶ αὐτὸς δρέπανον ὀξύ. **18** καὶ ἄλλος ἄγγε- 14 | 6!
λος °[ἐξῆλθεν] ἐκ τοῦ θυσιαστηρίου °^{1}[ὁ] ἔχων ἐξουσίαν 6,9; 8,3.5; 9,13 11,1; 16,7
ἐπὶ τοῦ πυρός, καὶ ἐφώνησεν ⸀φωνῇ μεγάλῃ τῷ ἔχοντι
τὸ δρέπανον τὸ ὀξὺ λέγων· πέμψον σου τὸ δρέπανον 15 Joel 4,13
τὸ ὀξὺ καὶ τρύγησον τοὺς βότρυας τῆς ἀμπέλου τῆς Jr 25,30
γῆς, ὅτι ⸂ἤκμασαν αἱ σταφυλαὶ αὐτῆς⸃. **19** καὶ ἔβαλεν
ὁ ἄγγελος τὸ δρέπανον αὐτοῦ ⸂εἰς τὴν γῆν⸃ καὶ ἐ-
τρύγησεν τὴν ἄμπελον τῆς γῆς καὶ ἔβαλεν εἰς τὴν λη- *19s:* 19,15 Joel 4,13 Is 63,2s Thr 1,15
νὸν τοῦ θυμοῦ τοῦ θεοῦ ⸄τὸν μέγαν⸅. **20** καὶ ἐπατήθη
ἡ ληνὸς ⸀ἔξωθεν τῆς πόλεως καὶ ἐξῆλθεν αἷμα ἐκ

13 ⸀Χριστω C P 1854 *pc*; Bea ¦ θεω 1611 sy^{h} | ⸂*2 1* 2329 𝔐^{K} ¦ *2* 𝔓^{47} ℵ* *pc* ¦ και λεγ. 2053 *pc* (ʃ*pc*) | ⸁οτι 𝔓^{47} | ⸀^{1}-παυσωνται (-σονται 046. 051*. 2329 *al*) 051^{c} 𝔐 ¦ *txt* 𝔓^{47} ℵ A C | ⸀^{2}δε 051 𝔐 ¦ *txt* 𝔓^{47} ℵ A C P 1006. 1611. 1841. 1854. 2053. 2329 *pc* latt sy^{h} sa • **14** ⸂-ος -ος (1854) 𝔐^{A} ¦ -ος -ον 𝔓^{47} | ⸀υιω 𝔓^{47} C 051. 1006. 1611. 1841. 2053 𝔐^{A} lat sy ¦ υιος 1854 *pc* ¦ *txt* ℵ A (P) 046(*). 2329 𝔐^{K} vg^{mss}; Bea | ⸁εχοντα 𝔓^{47} ℵ* 1006. 1841. 2053. (2329) *al* | ⸄την -ην A 1611. 1854 *al* • **15** ⸀ουρανου 051. 2053 𝔐^{A} | ⸆αυτου ℵ *pc* | ⸁ανακρ. 𝔓^{47}; Prim | ⸀^{1}εξηλθ. 𝔓^{47} | ⸂σου η ω. θερισαι 051 𝔐^{A} ¦ η ω. του θερισαι 1006. 1841. 1854. 2053.2329 *al* it; Prim Bea ¦ η ω. του θερισμου ℵ *pc* ¦ ο θερισμος 𝔓^{47} ¦ *txt* A C P 1611 𝔐^{K} (vg) sy^{ph} • **16** ⸂την -λην C 051. 1006. 1841. 1854. 2053. 2329. 2344 𝔐^{A} ¦ τη -λη 𝔐^{K} ¦ *txt* ℵ A 1611 *pc* • **17** ⸀αυτου 𝔓^{47} *pc* | ° C • **18** ° 𝔓^{47} A 1611. 2053 *pc* lat ¦ *txt* ℵ C (ʃ051. 1854) 𝔐 h vg^{cl} sy co | °^{1} 𝔓^{47} ℵ 051 𝔐 ¦ *txt* A C 2329 | ⸀κραυγη 𝔓^{47} C 051 𝔐 ¦ *txt* ℵ A 046. 1006. 1841. 2053 *pc* latt | ⸂-σεν η -λη της γης 𝔐^{K} • **19** ⸂επι τ. γ. (της γης ℵ) 𝔓^{47} ℵ 1611 *pc* | ⸄την μεγαλην ℵ 1006. 1841. 1854. 2053 *al* gig sy^{ph} ¦ του μεγαλου 𝔓^{47} 1611 *pc* • **20** ⸀εξω ℵ 051. 1854 𝔐^{A}

τῆς ληνοῦ ἄχρι τῶν χαλινῶν τῶν ἵππων ἀπὸ σταδίων χι-
λίων ⸁ἑξακοσίων.

12,3! **15** Καὶ εἶδον ἄλλο σημεῖον ἐν τῷ οὐρανῷ μέγα καὶ *45*
6-8; 16,1; 21,9 Lv 26,21 · θαυμαστόν, ἀγγέλους ἑπτὰ ἔχοντας πληγὰς ἑπτὰ
10,7! τὰς ἐσχάτας, ὅτι ⸂ἐν αὐταῖς ἐτελέσθη⸃ ὁ θυμὸς τοῦ θεοῦ.
4,6! **2** Καὶ εἶδον ὡς θάλασσαν ὑαλίνην μεμιγμένην πυρὶ
13,1! 14.15! · καὶ τοὺς νικῶντας ἐκ ⸂τοῦ θηρίου καὶ ἐκ τῆς εἰκόνος⸃
13,18 αὐτοῦ καὶ ⸆ ἐκ τοῦ ἀριθμοῦ τοῦ ὀνόματος αὐτοῦ ἑστῶ-
5,8! τας ἐπὶ τὴν θάλασσαν τὴν ὑαλίνην ἔχοντας ⸇ κιθάρας
Ex 15,1 · Nu 12,7 Dt 34,5 ⸆¹τοῦ θεοῦ. **3** καὶ ⸀ᾄδουσιν τὴν ᾠδὴν Μωϋσέως ○τοῦ
Jos 1,2.7; 14,7 · 4,11! · δούλου τοῦ θεοῦ καὶ τὴν ᾠδὴν τοῦ ἀρνίου λέγοντες·
Ps 111,2; 139,14 *μεγάλα καὶ θαυμαστὰ τὰ ἔργα σου,*
Ex 34,10 · 11,17! *Am 3,13; 4,13* 𝔊 · *κύριε ὁ θεὸς ὁ παντοκράτωρ·*
Dt 32,4 Ps 145,17 · *δίκαιαι καὶ ἀληθιναὶ αἱ ὁδοί σου,*
Jr 10,7 Hen 9,4 | ⸂*ὁ βασιλεὺς*⸃ *τῶν* ⸁*ἐθνῶν·*
14,7 *Jr 10,7* **4** *τίς* ⸆ *οὐ* ○*μὴ φοβηθῇ, κύριε,*
Ps 86,9 Ml 1,11 *καὶ* ⸀*δοξάσει τὸ ὄνομά σου;*
Dt 32,4 ὅτι μόνος ⸁ὅσιος,
Is 2,2 Jr 16,19 ὅτι ⸂*πάντα τὰ ἔθνη*⸃ *ἥξουσιν*
καὶ προσκυνήσουσιν ἐνώπιόν σου,
Jr 11,20 𝔊 Ps 98,2 | ὅτι τὰ δικαιώματά ⸇ σου ἐφανερώθησαν.
11,19; 7,15! Ex 40,34 · **5** Καὶ μετὰ ταῦτα εἶδον, καὶ ⸆ ἠνοίγη ὁ ναὸς τῆς σκη-
Act 7,44 νῆς τοῦ μαρτυρίου ἐν τῷ οὐρανῷ, **6** καὶ ἐξῆλθον οἱ ἑπτὰ
1! Lv 26,21 ἄγγελοι ○[οἱ] ἔχοντες τὰς ἑπτὰ πληγὰς ⸂ἐκ τοῦ ναοῦ⸃
1,13 Dan 10,5s ἐνδεδυμένοι ⸀λίνον καθαρὸν λαμπρὸν καὶ περιεζωσμένοι
4,6! περὶ τὰ στήθη ζώνας χρυσᾶς. **7** καὶ ○ἓν ἐκ τῶν τεσσά-
16,1; 17,1; 21,9 ρων ○¹ζῴων ἔδωκεν τοῖς ἑπτὰ ἀγγέλοις ○²ἑπτὰ φιάλας
14,10! · 4,9! χρυσᾶς γεμούσας τοῦ θυμοῦ τοῦ θεοῦ τοῦ ζῶντος εἰς

20 ⸁εξ. εξ 2036 ¦ διακοσιων ℵ* *pc* sy[ph] ¦ πεντακοσ- gig
¶ **15,1** ⸂*3 1 2* 𝔓[47] ¦ εν ταυταις ετ. 051 𝔐[A] ● **2** ⸂*5 6 3 4 1 2* 1006. 1841 𝔐[K] ¦ *1–3 5 6* 𝔓[47] ℵ 2062. 2329 | ⸆εκ του χαραγματος αυτου και 051 𝔐[A] | ⸇τας 𝔐[K] | ⸆¹κυριου ℵ ● **3** ⸀αδοντας ℵ 2062 *pc* a h vg[ww]; Prim Bea | ○ 1006. 1841. 1854 𝔐[K] | ⸂βασιλευ ℵ* 1854 *pc* | ⸁(1T 1,17) αιωνων 𝔓[47] ℵ*.[2] C 1006. 1611. 1841 *pc* vg sy sa[mss] ¦ *txt* ℵ[1] A 051 𝔐 gig (h) bo; Prim ● **4** ⸆σε 𝔓[47] ℵ 1006. 1841. 1854. 2329 *pc* (⸉*p.* φοβ. 051 𝔐[K]) a vg[ww] sy | ○ ℵ 1006. 1841 *pc* | ⸀-ση ℵ 1006. 1611. 1841. 2062 𝔐[K] ¦ θαυμαση 1854 ¦ *txt* (𝔓[47]: -ξησει) A C P 046. 051. 2053. 2329 *al* | ⸁εἶ 𝔓[47] ¦ αγιος (+ εἶ 1006. 1841) 051[vl] 𝔐[K] ¦ οσ. και δικαιος 2329 *pc* ¦ *txt* ℵ A C 051*. 1611. 1854. 2053. 2062 𝔐[A] sy[ph] | ⸂παντες 𝔐[K] ¦ παντα 1006. 1841 | ⸇ενωπιον ℵ ● **5** ⸆ιδου 2344*?* lat; Prim ● **6** ○ 𝔓[47] ℵ P 046. 051. 1006. 1854. 2053. 2062 *pm* ¦ *txt* A C 1611. 1841. 2329 *pm* | ⸂οι ησαν 𝔐[K] | ⸀(Ez 28,13) λιθον A C 2053. 2062 *pc* vg[st] ¦ λινουν 𝔓[47] (ℵ) 046 *pc* a gig (h) ● **7** ○ 𝔓[47] ℵ* 𝔐[A] | ○¹ 𝔓[47] | ○² ℵ

τοὺς αἰῶνας τῶν αἰώνων⊤. **8** καὶ ἐγεμίσθη ὁ ναὸς ⊤
καπνοῦ ἐκ τῆς δόξης τοῦ θεοῦ καὶ ἐκ τῆς δυνάμεως
αὐτοῦ, καὶ οὐδεὶς ἐδύνατο εἰσελθεῖν εἰς τὸν ναὸν ἄχρι
τελεσθῶσιν αἱ ἑπτὰ πληγαὶ τῶν °ἑπτὰ ἀγγέλων.

46 **16** Καὶ ἤκουσα μεγάλης φωνῆς ⸂ἐκ τοῦ ναοῦ⸃ λεγούσης τοῖς ἑπτὰ ἀγγέλοις· ὑπάγετε °καὶ ἐκχέετε
τὰς °¹ἑπτὰ φιάλας τοῦ θυμοῦ ⸉τοῦ θεοῦ εἰς τὴν γῆν⸊.
(46) **2** Καὶ ἀπῆλθεν ὁ πρῶτος καὶ ἐξέχεεν τὴν φιάλην
αὐτοῦ ⸀εἰς τὴν γῆν, καὶ ἐγένετο ἕλκος ⸉κακὸν καὶ
πονηρὸν⸊ ⸀ἐπὶ τοὺς ἀνθρώπους τοὺς ἔχοντας τὸ χάραγμα τοῦ θηρίου καὶ τοὺς προσκυνοῦντας ⸂τῇ εἰκόνι⸃
αὐτοῦ.
47 **3** Καὶ ὁ δεύτερος ⊤ ἐξέχεεν τὴν φιάλην αὐτοῦ εἰς τὴν
θάλασσαν, καὶ ἐγένετο αἷμα ὡς νεκροῦ, καὶ πᾶσα ψυχὴ
⸀ζωῆς ἀπέθανεν ⸀τὰ ⸂ἐν τῇ θαλάσσῃ⸃.
48 **4** Καὶ ὁ τρίτος ⊤ ἐξέχεεν τὴν φιάλην αὐτοῦ ⸀εἰς τοὺς
ποταμοὺς καὶ ⊤ τὰς πηγὰς τῶν ὑδάτων, καὶ ⸀ἐγένετο
αἷμα. **5** Καὶ ἤκουσα τοῦ ἀγγέλου τῶν ὑδάτων λέ-
γοντος·

δίκαιος εἶ, ὁ ὢν καὶ ⸂ὁ ἦν, ὁ ὅσιος⸃,
ὅτι ταῦτα ἔκρινας,
6 ὅτι ⸀αἷμα ἁγίων καὶ προφητῶν ἐξέχεαν
καὶ αἷμα αὐτοῖς ⸀[δ]έδωκας πιεῖν,
⸀¹ἄξιοί εἰσιν.

7 Καὶ ἤκουσα ⊤ τοῦ θυσιαστηρίου λέγοντος·
ναὶ κύριε ὁ θεὸς ὁ παντοκράτωρ,
ἀληθιναὶ καὶ δίκαιαι αἱ κρίσεις σου.

7,15! Is 6,4.1 𝔊 Ex 40,34 1Rg 8,10s 2Chr 5,13 · Ex 40,35 2Chr 5,14 · 1!
17; 7,15! Is 66,6 · 15,1! · Jr 10,25 Ez 14,19; 23,31 Zph 3,8 Ps 69,25 · 15,7!
Ex 9,10s Dt 28,35
13,16!
13,15!
8,8s Ex 7,17-21
8,10 Ex 7,17-21 Ps 78,44
Hen 66,2
Dt 32,4 Ps 119,137; 145,17 · 1,4!
18,24! Ps 79,3
Is 49,26
14,18!
11,17!
19,2 Ps 19,10; 119,137 Dn 3,27s 𝔊

7 ⊤αμην ℵ *pc* sy^{ph} bo ● **8** ⊤εκ του $\mathfrak{P}^{47}$ $\mathfrak{M}^{K}$ | ° 051 $\mathfrak{M}^{A}$ gig
¶ **16,1** ⸂εκ τ. ουρανου 42 a*; Bea ¦ – $\mathfrak{M}^{K}$ | ° 051. 1854 $\mathfrak{M}^{A}$ | °¹ 051. 1854 $\mathfrak{M}^{A}$ h co; Bea | ⸉ *1 2* $\mathfrak{P}^{47}$ h sa ¦ *3–5* 1 *pc* ● **2** ⸀επι 051. 2053. 2062 $\mathfrak{M}^{A}$ | ⸉ $\mathfrak{P}^{47}$ ℵ *pc* | ⸀εις 051 $\mathfrak{M}^{A}$ | ⸂την -να ℵ *pc* ● **3** ⊤αγγελος 051. 2344 $\mathfrak{M}$ vg^{cl} sy sa^{ms} bo; Bea ¦ *txt* $\mathfrak{P}^{47}$ ℵ^{2} A C P 1006. 1611. 1841. 1854. 2053. 2062. 2329 *al* lat (ℵ* *om. vs* 3a) | ⸀ζωσα $\mathfrak{P}^{47}$ ℵ 046. 051. 1854. 2053. 2062. 2344 $\mathfrak{M}^{A}$ lat sy^{ph} co ¦ ζωων 2329 ¦ – $\mathfrak{M}^{K}$; Prim ¦ *txt* A C 1006. 1611. 1841 *pc* | ⸀των 1006. 1841 *pc* sy^{h} ¦ – $\mathfrak{P}^{47}$ ℵ $\mathfrak{M}$ latt sy^{ph} co ¦ *txt* A C 051. 1611. 2344 *pc* | ⸂επι της -σσης ℵ ● **4** ⊤αγγελος 051. 2344 $\mathfrak{M}^{A}$ vg^{ms} sy bo | ⸀επι $\mathfrak{P}^{47}$ ℵ *pc* | ⊤εις $\mathfrak{M}^{K}$ ¦ επι $\mathfrak{P}^{47}$ *pc* | ⸀-νοντο $\mathfrak{P}^{47}$ A 1006. 1611. 1841. 1854. 2053. 2329 *pc* it sy co ● **5** ⸂ος ην (+ και $\mathfrak{P}^{47}$ 2329 *pc*) οσιος $\mathfrak{P}^{47}$ 2329 $\mathfrak{M}^{K}$ ¦ ο ην και ο οσ. 1006. 1841. 2053. 2062 *pc* ¦ ο ην οσ. A C 1611. 1854 *pc* ¦ *txt* ℵ 051 $\mathfrak{M}^{A}$ sa ● **6** ⸀αιματα ℵ *pc* | ⸀εδ- $\mathfrak{P}^{47}$ ℵ 051 $\mathfrak{M}$ ¦ εδωκεν 1854 ¦ *txt* A C 1611. 2329 *pc* | ⸀¹οπερ αξ. ℵ vg^{mss} ¦ αρα αξ. 2329 ¦ αξ. γαρ 2053. 2062 gig ● **7** ⊤εκ 046. 2329 *pc* a

8 Καὶ ὁ τέταρτος ᵀ ἐξέχεεν τὴν φιάλην αὐτοῦ ἐπὶ τὸν 49
8,12 ἥλιον, καὶ ἐδόθη °αὐτῷ καυματίσαι τοὺς ἀνθρώπους ἐν
πυρί. **9** καὶ ἐκαυματίσθησαν οἱ ἄνθρωποι καῦμα μέγα
11.21 Is 52,5 καὶ ἐβλασφήμησαν ᵀ ⸂τὸ ὄνομα⸃ τοῦ θεοῦ τοῦ ἔχοντος
9,20s °τὴν ἐξουσίαν ἐπὶ τὰς πληγὰς ταύτας καὶ οὐ μετενόησαν
δοῦναι αὐτῷ δόξαν.
9,1s **10** Καὶ ὁ πέμπτος ᵀ ἐξέχεεν τὴν φιάλην αὐτοῦ ἐπὶ τὸν 50
13,2! · Ex 10,22 Is 8,22 θρόνον τοῦ θηρίου, καὶ ἐγένετο ἡ βασιλεία αὐτοῦ ⸀ἐσκο-
τωμένη, καὶ ἐμασῶντο τὰς γλώσσας αὐτῶν ⸁ἐκ τοῦ πό-
9! · 11,3! Dn 2,18s νου, **11** καὶ ⸀ἐβλασφήμησαν τὸν θεὸν τοῦ οὐρανοῦ ἐκ
τῶν πόνων αὐτῶν καὶ ἐκ τῶν ἑλκῶν αὐτῶν καὶ οὐ μετ-
9,20s ενόησαν ⸋ἐκ τῶν ἔργων αὐτῶν⸌.
9,14! · Is 11,15; **12** Καὶ ὁ ἕκτος ᵀ ἐξέχεεν τὴν φιάλην αὐτοῦ ἐπὶ τὸν 51
44,27 Jr 50,38; ποταμὸν τὸν μέγαν °τὸν Εὐφράτην, καὶ ἐξηράνθη τὸ
51,36 · Is 11,16; 51,10 ὕδωρ °¹αὐτοῦ, ἵνα ἑτοιμασθῇ ἡ ὁδὸς τῶν βασιλέων τῶν
Ps 106,9 Is 41,2.25; 46,11 | ἀπὸ ⸀ἀνατολῆς ἡλίου. **13** Καὶ εἶδον ⸋ἐκ τοῦ στόματος
12,3! · 13,1-8 · τοῦ δράκοντος καὶ⸌ ⸋¹ἐκ τοῦ στόματος τοῦ θηρίου καὶ⸌
13,11-17; 19,20; ἐκ τοῦ στόματος τοῦ ψευδοπροφήτου πνεύματα ⸉τρία
20,10 1Rg 22, 21-23 · Ex 8,3 ἀκάθαρτα⸊ ⸂ὡς βάτραχοι⸃· **14** εἰσὶν γὰρ πνεύματα ⸀δαιμο-
Ps 78,45; 105,30 | νίων ποιοῦντα σημεῖα, ⸂ἃ ἐκπορεύεται⸃ ἐπὶ τοὺς βασι-
13,13! λεῖς τῆς οἰκουμένης ὅλης συναγαγεῖν αὐτοὺς εἰς °τὸν
11,7! · 11,17! πόλεμον ⸄τῆς ἡμέρας τῆς μεγάλης⸅ τοῦ θεοῦ τοῦ παν-
1Th 5,2! · 1,3! · τοκράτορος. **15** Ἰδοὺ ⸀ἔρχομαι ὡς κλέπτης. μακάριος ὁ
γρηγορῶν καὶ τηρῶν τὰ ἱμάτια αὐτοῦ, ἵνα μὴ γυμνὸς
3,18 περιπατῇ καὶ ⸁βλέπωσιν τὴν ἀσχημοσύνην αὐτοῦ. **16** Καὶ
Is 14,13 Jdc 5,19 ⸀συνήγαγεν αὐτοὺς εἰς °τὸν τόπον τὸν καλούμενον Ἑβρα-
2Rg 9,27; 23,29 Zch 12,11 ϊστὶ ⸁Ἁρμαγεδών.
17 Καὶ ὁ ἕβδομος ᵀ ἐξέχεεν τὴν φιάλην αὐτοῦ ⸀ἐπὶ 52

8 ᵀαγγελος ℵ 051. 1854. 2329. 2344 𝔐[A] a vg[cl] sy[ph] co; Prim Bea | ° 𝔓[47] • **9** ᵀοι ανθρωποι 051 𝔐[K] sy[h] bo[pt] | ⸂ενωπιον A | ° C 1006. 1611. 1841. 2053. 2062 𝔐[K] • **10** ᵀ αγγελος 051. 2329. 2344 𝔐[A] a vg[cl] sy[ph] bo; Prim Bea | ⸀εσκοτισμενη ℵ[2] 046. 1611 *pc* | ⸁απο ℵ 051 *pc* • **11** ⸀-φημουν 𝔓[47] *pc* gig sa bo[ms] | ⸋ ℵ gig; Bea • **12** ᵀαγγελος 051. 2329. 2344 𝔐[A] it vg[cl] sy[ph] bo; Prim Bea | °† ℵ P 051. 1854. 2053. 2062. 2344 𝔐[K] ¦ *txt* 𝔓[47] A C 1. 1006. 1611. 1841. 2329 *al* | °¹ 2344 𝔐[A] | ⸀-λων A 051 𝔐[A] sy[ph] • **13** ⸋ ℵ* C *pc* vg[ms] | ⸋¹ ℵ* 2053. 2062 *pc* bo[ms] | ⸉ 2053. 2062 𝔐[K] | ⸂ωσει -αχους 𝔓[47] ℵ* *pc* ¦ – 2344 *pc* • **14** ⸀-νων 051 𝔐[A] | ⸂εκπορευεσθαι 𝔓[47] ℵ* 051. 1006. 1841 𝔐[A] | ° 𝔓[47] 051. 1854 𝔐[A] | ⸄ *1 4 2* 𝔓[47] A 1611. 1841 *pc* ¦ – 1006 ¦ τ. ημ. εκεινης τ. μεγ. 051 𝔐 sy ¦ *txt* ℵ 2053. 2062. 2329 *pc* gig; Bea • **15** ⸀ερχεται ℵ* *pc* sy[ph]; Prim Bea | ⸁-πουσιν 𝔓[47] 051. 1854. 2329 𝔐[A] • **16** ⸀-γον ℵ vg[ms] sy[h] | ° ℵ *pc* | ⸁ Μαγε(δ)δων 1611. 2053. 2062 𝔐[K] vg[mss] sy[ph] bo[mss] • **17** ᵀαγγελος ℵ[2] (*οτε *loco* ο εβδ. αγγ.) 051. 1854. 2329. 2344 𝔐[A] it vg[cl] sy[ph] bo; Prim Bea | ⸀εις 051. 1854. 2053. 2062. 2329 𝔐[A]

τὸν ἀέρα, καὶ ἐξῆλθεν φωνὴ °μεγάλη ἐκ τοῦ ⸀ναοῦ 1 Is 66,6 · 7,15! · 21,3!
⸂ἀπὸ τοῦ θρόνου⸃ λέγουσα· γέγονεν. **18** καὶ ἐγένοντο 21,6
⸉ἀστραπαὶ καὶ φωναὶ καὶ βρονταὶ⸊ καὶ σεισμὸς °ἐγέ- 4,5! · 6,12!
νετο μέγας, οἷος οὐκ ἐγένετο ἀφ᾽ οὗ ⸄ἄνθρωπος ἐγέ- Dn 12,1 Ex 9,24
νετο⸅ ἐπὶ τῆς γῆς τηλικοῦτος σεισμὸς οὕτω μέγας.
19 καὶ ἐγένετο ἡ πόλις ἡ μεγάλη εἰς τρία μέρη καὶ αἱ
πόλεις ⸆ τῶν ἐθνῶν ἔπεσαν. καὶ Βαβυλὼν ἡ μεγάλη 14,8!
ἐμνήσθη ἐνώπιον τοῦ θεοῦ δοῦναι αὐτῇ °τὸ ποτήριον
°¹τοῦ οἴνου τοῦ θυμοῦ τῆς ὀργῆς °¹αὐτοῦ. **20** καὶ πᾶσα 14,10!
νῆσος ἔφυγεν καὶ ὄρη οὐχ εὑρέθησαν. **21** καὶ χάλαζα 20,11! | 11,19!
μεγάλη ὡς ταλαντιαία καταβαίνει ἐκ τοῦ οὐρανοῦ ἐπὶ
τοὺς ἀνθρώπους, καὶ ἐβλασφήμησαν οἱ ἄνθρωποι τὸν 9!
θεὸν ἐκ τῆς πληγῆς τῆς χαλάζης, ὅτι μεγάλη ἐστὶν ἡ Nu 11,33
πληγὴ ⸀αὐτῆς σφόδρα.

53 **17** Καὶ ἦλθεν εἷς °ἐκ τῶν ἑπτὰ ἀγγέλων τῶν ἐχόν- 7; 15,1! 7!
των τὰς ἑπτὰ φιάλας καὶ ἐλάλησεν μετ᾽ ἐμοῦ λέ-
γων⸆· δεῦρο, δείξω σοι τὸ κρίμα τῆς πόρνης τῆς με-
γάλης τῆς καθημένης ἐπὶ ⸀ὑδάτων πολλῶν, **2** μεθ᾽ ἧς 15 Jr 51,13 |
⸀ἐπόρνευσαν οἱ βασιλεῖς τῆς γῆς καὶ ἐμεθύσθησαν οἱ κατ- 18; 18,3.9 Is 23,17 Jr 25,15; 51,7
οικοῦντες τὴν γῆν ἐκ τοῦ οἴνου τῆς πορνείας αὐτῆς **3** καὶ Nah 3,4 · 14,8!
ἀπήνεγκέν με εἰς ἔρημον °ἐν πνεύματι. Is 21,1 · 21,10; 1,10!

Καὶ εἶδον γυναῖκα καθημένην ἐπὶ θηρίον κόκκινον, 9
⸀γέμον[τα] ⸀ὀνόματα βλασφημίας, ⸁ἔχων κεφαλὰς ἑπτὰ 13,1!
καὶ κέρατα δέκα. **4** καὶ ἡ γυνὴ ἦν περιβεβλημένη ⸀πορ-
φυροῦν καὶ κόκκινον °καὶ κεχρυσωμένη ⸀χρυσίῳ καὶ 18,16 Ez 28,13
λίθῳ τιμίῳ καὶ μαργαρίταις, ⸋ἔχουσα ποτήριον χρυ- Jr 51,7
σοῦν ἐν τῇ χειρὶ αὐτῆς ⸁γέμον βδελυγμάτων καὶ τὰ Mt 24,15p

17 ° A 2344 𝔐A | ⸀ουρανου 051*. 1854 𝔐A gig ¦ ναου του ουρ. 051c 𝔐K ¦ *txt* 𝔓47 א A 0163vid. 1006. 1611. 1841. 2053. 2062. (2329) *al* lat sy | ⸂του θεου א ¦ απο τ. θρ. τ. θεου 2027 *pc* ¦ – 051* gig ● **18** ⸉ *1 4 5 2 3* 𝔓47 051. 2329 𝔐K syh ¦ *5 4 1–3* א(*) bo ¦ *1 4 5* 2344 *pc* syph samss ¦ *1–3* 046 ¦ *txt* A 0163. 1006. 1611. 1841. 1854. 2053. 2062 *al* lat sa | ° 𝔐K | ⸄ (οι 1 𝔐K) ανθρωποι -νοντο א 051 𝔐 latt sy ¦ *txt* (𝔓47: -νοντο) A *pc* ● **19** ⸆ αι 𝔓47 | ° א 1006. 1841. 1854. 2062 *pc* | °¹ *bis* א ● **21** ⸀αὕτη 1006. 1611. 2030 𝔐K ¦ – 046 lat

¶ **17,1** ° א 1006. 1841 *pc* | ⸆μοι 1854. 2344 𝔐A | ⸀των (– 𝔓47) υδ. των 𝔓47 2030 𝔐K ● **2** ⸀εποιησαν πορνειαν א *pc* ● **3** ° 2030 𝔐K | ⸀γεμον א2 051 𝔐 ¦ *txt* (*vl* γεμον τα) א* A P 2053. 2062. 2329 *pc* | ⸀-ματων 051. 2344 𝔐A ¦ -μα 046*; Bea | ⸁† εχοντα א P 2053com. 2062com ¦ εχον 051 𝔐 ¦ *txt* A 1006. 2329 *pc* ● **4** ⸀-ραν 051 𝔐A | ° 051 𝔐 syph ¦ *txt* א A 1611. 1854. 2030. 2053. 2062. 2329 *pc* latt syh | ⸀-σω א 051. 1006. 1611. 1841. 2329. 2344 𝔐A | ⸋ P | ⸁γεμων א* 1006. 1854* *pc* ¦ γεμοντα 2053. 2062. 2344 *pc*

ἀκάθαρτα τῆς πορνείας ⸀²αὐτῆς 5 καὶ ἐπὶ τὸ μέτωπον
2Th 2,7 · 14,8! αὐτῆς ὄνομα γεγραμμένον, °μυστήριον, Βαβυλὼν ἡ μεγάλη, ἡ μήτηρ τῶν ⸀πορνῶν καὶ τῶν βδελυγμάτων τῆς
18,24! Is 34,7 γῆς. 6 καὶ εἶδον τὴν γυναῖκα μεθύουσαν ⸂ἐκ τοῦ αἵμα- (54)
τος⸃ τῶν ἁγίων °καὶ ἐκ τοῦ αἵματος τῶν μαρτύρων °¹Ἰη-
σοῦ. Καὶ ἐθαύμασα ⸄ἰδὼν αὐτὴν θαῦμα μέγα⸅.
1 7 Καὶ εἶπέν μοι ὁ ἄγγελος· διὰ τί ἐθαύμασας; ἐγὼ 54
⸉ἐρῶ σοι⸊ τὸ μυστήριον τῆς γυναικὸς καὶ τοῦ θηρίου
13,1! τοῦ βαστάζοντος αὐτὴν τοῦ ἔχοντος τὰς ἑπτὰ κεφαλὰς
καὶ τὰ δέκα κέρατα.
11 · 11,7! 8 Τὸ θηρίον ὃ εἶδες ἦν καὶ οὐκ ἔστιν καὶ μέλλει ἀναβαί-
9,1! νειν ἐκ τῆς ἀβύσσου καὶ εἰς ἀπώλειαν ⸀ὑπάγει, καὶ
13,3 · 8,13! ⸁θαυμασθήσονται οἱ κατοικοῦντες ⸂ἐπὶ τῆς γῆς⸃, ὧν
3,5! οὐ γέγραπται ⸄τὸ ὄνομα⸅ ⸂¹ἐπὶ τὸ βιβλίον⸃ τῆς ζωῆς
ἀπὸ καταβολῆς κόσμου, βλεπόντων τὸ θηρίον ὅτι ἦν
καὶ οὐκ ἔστιν ⸂²καὶ παρέσται⸃ 9 ὧδε ὁ νοῦς ὁ ἔχων
13,18 · 13,1! Hen 21,3 σοφίαν. Αἱ ἑπτὰ κεφαλαὶ ἑπτὰ ὄρη εἰσίν, ὅπου
3 ἡ γυνὴ κάθηται ἐπ' αὐτῶν. καὶ βασιλεῖς ἑπτά εἰσιν·
10 οἱ πέντε ἔπεσαν, ὁ εἷς ἔστιν, ὁ ἄλλος οὔπω ἦλθεν,
8 καὶ ὅταν ἔλθῃ ὀλίγον αὐτὸν δεῖ μεῖναι. 11 καὶ τὸ θηρίον ὃ ἦν καὶ οὐκ ἔστιν °καὶ ⸀αὐτὸς ⸆ ὄγδοός ἐστιν
καὶ ἐκ τῶν ἑπτά ἐστιν, καὶ εἰς ἀπώλειαν ὑπάγει. 12 Καὶ
13,1! Dn 7,20.24 τὰ δέκα κέρατα ἃ εἶδες δέκα βασιλεῖς εἰσιν, οἵτινες
βασιλείαν ⸀οὔπω ἔλαβον, ἀλλὰ ἐξουσίαν ὡς βασιλεῖς
μίαν ὥραν λαμβάνουσιν μετὰ τοῦ θηρίου. 13 οὗτοι μίαν
17 γνώμην ἔχουσιν καὶ τὴν δύναμιν καὶ ⸆ ἐξουσίαν αὐ-
13,4 τῶν τῷ θηρίῳ ⸀διδόασιν. 14 οὗτοι μετὰ τοῦ ἀρνίου πολε-
19,16 1T 6,15 Dt 10,17 Ps 136,3 Dn 2,47 2Mcc 13,4 3Mcc 5,35 Hen 9,4 μήσουσιν καὶ τὸ ἀρνίον νικήσει αὐτούς, ὅτι κύριος κυρίων ἐστὶν καὶ βασιλεὺς βασιλέων καὶ οἱ μετ' αὐτοῦ
κλητοὶ καὶ ⸉ἐκλεκτοὶ καὶ πιστοί⊊.

4 ⸀²της γης 1611. 1854. 2030. 2053. 2062. 2329 𝔐^{K} gig; (Cyp Prim) ¦ αυτης και τ. γης ℵ (sy^{h} co) ● 5 [° Spitta *cj*] | ⸀-νειων lat; Prim Bea ● 6 ⸂ *2 3* ℵ^{2} P 2030. 2329 𝔐^{K} ¦ τω αιματι ℵ* *pc* | ° 2030 𝔐^{K} | °¹ 1854 *al* (a) | ⸄ *3 4 1 2* ℵ (1611) *pc* ● 7 ⸉ ℵ 051. 1854. 2329. 2344 𝔐^{A} ● 8 ⸀-γειν ℵ 051 𝔐 sy^{h}; Bea ¦ *txt* A 1611. 2053. 2062 *pc* sy^{ph} sa (bo); Ir^{lat} Prim | ⸁-μασονται ℵ 051 𝔐 ¦ *txt* A P 1611 | ⸂την γην 2030 𝔐^{K} | ⸄τα -ματα ℵ 051. 2329. 2344 𝔐^{A} lat sy^{ph} sa^{mss} | ⸂¹επι του -λιου 2030 𝔐^{K} ¦ εν τω -λιω 1006. 1841. 2329 *pc* | ⸂²κ. παλιν π. ℵ* ¦ κ. (+ οτι 1854) παρεστιν ℵ^{2} 1854 𝔐^{A} ● 11 ° ℵ a vg^{ms} | ⸀ουτος ℵ 1006. 1841. 2030 𝔐^{K} sy^{h} | ⸆ο ℵ *pc* ● 12 ⸀ουκ A vg^{mss} ● 13 ⸆ την ℵ 051. 1611. 1854. 2053. 2062 𝔐^{A} | ⸀δωσουσιν 2036 *pc* vg co; Prim ● 14 ⸉ 2036 *pc*

15 Καὶ ⸀λέγει μοι· ⸂τὰ ὕδατα⸃ ἃ εἶδες οὗ ἡ πόρνη κά- 1 Jr 51,13
θηται, ⸆ λαοὶ καὶ ὄχλοι εἰσὶν καὶ ἔθνη καὶ γλῶσσαι. 5,9!
16 καὶ τὰ δέκα κέρατα ἃ εἶδες καὶ τὸ θηρίον οὗτοι μισή- 12s
σουσιν τὴν πόρνην καὶ ἠρημωμένην ποιήσουσιν αὐτὴν Ez 26,19
⸂καὶ γυμνὴν⸃ καὶ τὰς σάρκας αὐτῆς φάγονται καὶ αὐ- Ez 16,39; 23,29 Hos 2,5 · Ps 26,
τὴν κατακαύσουσιν °ἐν πυρί. **17** ὁ γὰρ θεὸς ἔδωκεν εἰς 2 𝔊 Mch 3,3 · 18,8 Jr 34,22 Lv 21,9 |
τὰς καρδίας αὐτῶν ποιῆσαι τὴν γνώμην ⸀αὐτοῦ ⸋καὶ
ποιῆσαι μίαν γνώμην⸌ καὶ δοῦναι τὴν βασιλείαν ⸁αὐ- 13
τῶν τῷ θηρίῳ ἄχρι ⸀[1]τελεσθήσονται οἱ λόγοι τοῦ θεοῦ. 10,7!
18 καὶ ἡ γυνὴ ἣν εἶδες ἔστιν ἡ πόλις ἡ μεγάλη ἡ ἔχουσα 18,10!
βασιλείαν ἐπὶ τῶν ⸀βασιλέων ⸆ τῆς γῆς. 2 Ps 2,2; 89,28 Is 24,21 |

55 **18** ⸆ Μετὰ ταῦτα εἶδον ἄλλον ἄγγελον καταβαίνοντα 10,1!
ἐκ τοῦ οὐρανοῦ ἔχοντα ἐξουσίαν μεγάλην, καὶ ἡ Ez 43,2
γῆ ἐφωτίσθη ἐκ τῆς δόξης αὐτοῦ. **2** καὶ ἔκραξεν ⸂ἐν 7,2; 10,3; 14,7.9. 15; 19,17
ἰσχυρᾷ φωνῇ⸃ λέγων·

ἔπεσεν ⸀ἔπεσεν Βαβυλὼν ἡ μεγάλη, καὶ ἐγέ- 14,8! Is 21,9
νετο κατοικητήριον ⸁δαιμονίων ⸋καὶ φυλακὴ Jr 9,10 Is 13,21s; 34,11.14 Bar 4,35
παντὸς πνεύματος ἀκαθάρτου⸆⸌ ⸋[1]καὶ φυλα-
κὴ παντὸς ὀρνέου ἀκαθάρτου⸌ ⸋[2][καὶ φυλακὴ
παντὸς θηρίου ἀκαθάρτου]⸌ καὶ μεμισημένου,
3 ὅτι ἐκ ⸂τοῦ οἴνου τοῦ θυμοῦ τῆς πορνείας⸃ 14,8! Jr 51,7; 25,15
αὐτῆς ⸀πέπωκαν πάντα τὰ ἔθνη καὶ οἱ βασιλεῖς 17,2! Is 23,17
τῆς γῆς μετ' αὐτῆς ἐπόρνευσαν καὶ οἱ ἔμποροι
τῆς γῆς ἐκ τῆς δυνάμεως τοῦ στρήνους αὐ- 11.15.19 Ez 27,12. 18.33 Is 23,8
τῆς ἐπλούτησαν.

4 Καὶ ἤκουσα ἄλλην φωνὴν ἐκ τοῦ οὐρανοῦ λέγου- 10,4!
σαν·

15 ⸀ειπεν A vg | ⸂ταυτα ℵ* 1854. 2329 *pc*; Bea ¦ ταυ. τ. υδ. ℵ[2] | ⸆και ℵ • **16** ⸂κ. γ. ποιησουσιν αυτην 046^{c}. 051. 2030 𝔐^{K} ¦ – 046* 𝔐^{A} ¦ *txt* ℵ A P 1006. 1611. 1841. 1854. 2053. 2062. 2329 *al* | ° ℵ P 046 *pc* • **17** ⸀αυτων ℵ[2] 2329 *pc* | ⸋ A 2329 *pc* latt | ⸁αυτω A 1854* ¦ αυτου 046. 1854^{c} *pc* | ⸀[1]-σθωσιν 1006. 1611. 1841. 2030 𝔐^{K} • **18** ⸀-λειων ℵ sy^{ph} bo^{mss} | ⸆επι 046^{c}. 2030 𝔐^{K}

¶ **18,1** ⸆και 051 𝔐^{A} latt sy^{ph} bo • **2** ⸂*2 3* ℵ 046. 2030 *al* a ¦ εν ισχ. φ. μεγαλη 2060 *al* (gig) ¦ εν ισχυι vg^{cl}; Bea | ⸀επ. επ. P ¦ – ℵ 1854. 2030 𝔐^{K} co | ⸁-νων P 051. 1854. 2030 𝔐^{K} | ⸋ 1611 *pc* | ⸆και μεμισημενου A 2080 *pc* gig sy^{ph} | ⸋[1] A 𝔐^{A} sy^{ph} | ⸋[2]† ℵ C 051 𝔐 a vg sy^{ph} bo; Bea ¦ *txt* A 1611. 2329 *al* gig (sy^{h}) (sa); (Prim) • **3** ⸂*3 4 1 2 5 6* 051 𝔐^{A} gig bo^{pt} ¦ *3–6* A 1611. 2053. 2062 *pc* a vgst bo^{mss} ¦ *1 2 5 6* 1854 *pc* sy^{ph}; Prim Bea ¦ *5 6 3 4* C ¦ *txt* ℵ 1006. 1841. 2030. 2329 𝔐^{K} vg^{cl} sa bo^{ms} | ⸀-κεν P 051. 1. 2053* *al* ¦ πεποτικεν 2042 *pc* ¦ πεπτωκα(σι)ν ℵ A C 1006*. 1611. 1841. 2030 𝔐^{K} ¦ πεπτωκεν 1854. 2053^{c}. 2062 *pc* ¦ *txt* (*vel* -κασιν) 1006^{c}. 2329 *pc* sy^{h}

Jr 51,45.6.9; 50,8 Is 48,20; 52,11 2K 6,17 2J 11! ⸀ἐξέλθατε ⸂ὁ λαός μου ἐξ αὐτῆς⸃ ἵνα μὴ συγ-
κοινωνήσητε ταῖς ἁμαρτίαις αὐτῆς, ⸋καὶ ἐκ
τῶν πληγῶν αὐτῆς⸌ ἵνα μὴ ⸁λάβητε,
Gn 18,20 Jr 51,9 **5** ὅτι ἐκολλήθησαν αὐτῆς αἱ ἁμαρτίαι ἄχρι τοῦ
οὐρανοῦ καὶ ἐμνημόνευσεν ⸆ ὁ θεὸς τὰ ἀδι-
2,23! Ps 137,8 Jr 50,15.29 · κήματα αὐτῆς. **6** ἀπόδοτε αὐτῇ ὡς καὶ αὐτὴ
Jr 16,18 Is 40,2 ἀπέδωκεν ⸆ καὶ διπλώσατε ⸆ ⸰τὰ διπλᾶ ⸆^{1}
κατὰ τὰ ἔργα αὐτῆς, ἐν τῷ ποτηρίῳ ⸆^{2} ᾧ ἐκέρα-
σεν κεράσατε αὐτῇ διπλοῦν, **7** ὅσα ἐδόξασεν
⸀αὐτὴν καὶ ἐστρηνίασεν, τοσοῦτον δότε αὐτῇ
Is 47,8 βασανισμὸν ⸋καὶ πένθος⸌. ὅτι ἐν τῇ καρδίᾳ
αὐτῆς λέγει ὅτι ⸁κάθημαι βασίλισσα καὶ χήρα
οὐκ εἰμὶ καὶ πένθος οὐ μὴ ἴδω. **8** διὰ τοῦτο
Is 47,9 Jr 50,31 ἐν μιᾷ ⸀ἡμέρᾳ ἥξουσιν αἱ πληγαὶ αὐτῆς, θάνα-
17,16! Is 47,14 τος καὶ πένθος καὶ λιμός, καὶ ἐν πυρὶ κατακαυ-
Jr 50,34 θήσεται, ὅτι ἰσχυρὸς ⸂κύριος ὁ θεὸς⸃ ὁ κρίνας
αὐτήν.

Ez 26,16s; 27,30-32 **9** Καὶ ⸀κλαύσουσιν ⸆ καὶ κόψονται ἐπ' ⸁αὐτὴν οἱ βα-
17,2! σιλεῖς τῆς γῆς οἱ μετ' αὐτῆς πορνεύσαντες ⸋καὶ στρηνιά-
18 σαντες⸌, ὅταν ⸀^{1}βλέπωσιν τὸν καπνὸν τῆς ⸀^{2}πυρώσεως
15 αὐτῆς, **10** ἀπὸ μακρόθεν ἑστηκότες διὰ τὸν φόβον τοῦ
βασανισμοῦ αὐτῆς λέγοντες·

16; 17,18; 14,8! οὐαὶ οὐαί, ἡ πόλις ἡ μεγάλη,
Ez 26,17 𝔊 v.l. Βαβυλὼν ἡ πόλις ἡ ἰσχυρά,
17.19 ὅτι ⸂μιᾷ ὥρᾳ⸃ ⸰ἦλθεν ἡ κρίσις σου.

3! Ez 27,36 **11** Καὶ οἱ ἔμποροι τῆς γῆς ⸂κλαίουσιν καὶ πενθοῦ-
σιν⸃ ⸂ἐπ' αὐτήν⸃, ὅτι τὸν γόμον αὐτῶν οὐδεὶς ἀγορά-

4 ⸀-θε C 1611. 2030. 2053. 2062 𝔐^{K} sa^{ms}; Cyp Prim | ⸂*4 5 1–3* A 051. 1006. 1611. 1841. 1854. 2030. 2053. 2062. 2329 𝔐^{K} latt ¦ *1–3* 1 *al* ¦ *txt* ℵ C P *al* | ⸋ P 051. 1854 *al* | ⸁βλαβητε 051. 1854 *pc*; Bea ● **5** ⸆ταυτης 051. 2030 𝔐^{K} ● **6** ⸆υμιν 051 𝔐^{A} gig vg^{cl} | ⸆αυτη 051. 1854 𝔐^{A} sy; Cyp Prim ¦ αυτα 2053. 2062 *pc* | ⸰ A 051. 1006. 1611. 1841. 1854. 2053. 2062. 2329 𝔐^{A} ¦ *txt* ℵ C 2030 𝔐^{K} | ⸆^{1}ως και αυτη και 2030 𝔐^{K} | ⸆^{2}αυτης ℵ 2030 𝔐^{K} ● **7** ⸀εαυτ. ℵ^{2} 1006. 1841. 1854. (2329) 𝔐^{A} ¦ – 046* | ⸋ 051. 1* *al* | ⸁καθως 𝔐^{K} ¦ καθιω 046 *pc* ● **8** ⸀ωρα 69 *pc*; Cyp Spec Prim | ⸂ο θ. A 1006. 1841. 2053^{com} *pc* a vg ¦ ο κ. 2053^{txt}. 2062 *pc* sy^{ph}; Prim ¦ ο θ. ο κ. ℵ* ¦ *txt* ℵ^{2} C 051 𝔐 gig sy^{h}; Cyp ● **9** ⸀-σονται ℵ A 1. 2053. 2062 *al* | ⸆αυτην P 046. 051. 1854 *al* sy^{ph} | ⸁αὐτῇ A 1006. 1611. 1841. 2053. 2062. 2329 𝔐^{A}; Cyp ¦ αυτης *pc* | ⸋ ℵ*; Bea | ⸀^{1}ιδωσιν ℵ *pc* | ⸀^{2}πτωσεως ℵ* ● **10** ⸂μιαν ωραν A 1006. 1611. 2053. 2062 *pc* ¦ εν μια ωρα 2329 *pc* | ⸰ A ● **11** ⸂κλαυσουσι κ. -θησουσιν 2030. 2329 𝔐^{K} a vg co | ⸂εν αυτη A 2329 ¦ επ αυτη 1006. 1611. 1841^{vid}. 2030. 2053 𝔐^{K} ¦ εφ (εν 1 *pc*) (ε)αυτους (-τοις 1 *al*) 046. 051 𝔐^{A} ¦ σε 2062 ¦ *txt* ℵ C P 1854 *pc* latt

ζει οὐκέτι **12** γόμον ⸀χρυσοῦ καὶ ⸀ἀργύρου καὶ ⸂λίθου *12s:* Ez 27,12-22
τιμίου⸃ καὶ ⸁μαργαριτῶν καὶ ⸀1βυσσίνου καὶ ⸀2πορφύ-
ρας καὶ σιρικοῦ καὶ κοκκίνου, καὶ πᾶν ξύλον θύϊνον
καὶ πᾶν σκεῦος ἐλεφάντινον καὶ πᾶν σκεῦος ἐκ ⸀3ξύλου
τιμιωτάτου καὶ χαλκοῦ καὶ σιδήρου ⸋καὶ μαρμάρου⸌,
13 καὶ ⸀κιννάμωμον ⸋καὶ ἄμωμον⸌ καὶ θυμιάματα καὶ
μύρον καὶ λίβανον ⸋1καὶ οἶνον⸌ καὶ ἔλαιον καὶ σεμί-
δαλιν καὶ σῖτον καὶ κτήνη καὶ πρόβατα, καὶ ἵππων καὶ
ῥεδῶν καὶ σωμάτων, καὶ ψυχὰς ἀνθρώπων. Gn 36,6 · Ez 27,13

14 καὶ ἡ ὀπώρα ⸂σου τῆς ἐπιθυμίας τῆς ψυχῆς⸃
ἀπῆλθεν ἀπὸ σοῦ,
καὶ πάντα τὰ λιπαρὰ καὶ τὰ λαμπρὰ ⸀ἀπώλετο ἀπὸ
σοῦ
καὶ οὐκέτι ⸉οὐ μὴ αὐτὰ⸊ ⸁εὑρήσουσιν.

15 Οἱ ἔμποροι τούτων οἱ πλουτήσαντες ἀπ᾽ αὐτῆς ἀπὸ 3! Ez 27,36
μακρόθεν στήσονται διὰ τὸν φόβον τοῦ βασανισμοῦ αὐτῆς ⸆ κλαίοντες καὶ πενθοῦντες **16** ⸀λέγοντες· Ez 27,31
οὐαὶ °οὐαί, ἡ πόλις ἡ μεγάλη, 10! 14,8!
ἡ περιβεβλημένη ⸁βύσσινον καὶ ⸀1πορφυροῦν 17,4!
καὶ κόκκινον
καὶ κεχρυσωμένη °1[ἐν] ⸀2χρυσίῳ καὶ λίθῳ τιμίῳ καὶ ⸀3μαργαρίτῃ,
17 ὅτι μιᾷ ὥρᾳ ἠρημώθη ὁ τοσοῦτος πλοῦτος. 10!
Καὶ πᾶς κυβερνήτης καὶ πᾶς °ὁ ἐπὶ ⸀τόπον πλέων καὶ Ez 27,27-29

12 ⸀*bis* -ουν *et* ⸂-θους -ιους C P *pc* | ⸁-τας C P *pc* ¦ -ταις A vgst; Bea ¦ -του 051 𝔐 a vg^{ww} ¦ *txt* ℵ 1006. 1611. 1841 *pc* gig sy; Prim | ⸀1-νων ℵ ¦ -σσου 051. 1854 𝔐^{A} a vg sy$^{(h)}$; Bea | ⸀2-ρου 051 𝔐 ¦ – (*et* και) A *pc* ¦ *txt* ℵ C P 046. 1006. 1611. 1841. 1854. 2053. 2062. 2329 *al* | ⸀3λιθου A 1006. 1841 *pc* a vg | ⸋ ℵ *pc* • **13** ⸀-μου ℵ 1854. 2053. 2062 𝔐^{K} | ⸋ ℵ^{2} 1006. 1841. 2030. 2053. 2062 𝔐^{K} vg^{cl} sy^{ph}; Prim | ⸋1 046. (1611). 2030 *pc* • **14** ⸂*2–5 1* 051 𝔐 it vg^{cl} sy^{h} ¦ *2–5* 1611. 2329 *pc* bo ¦ *txt* ℵ A C P 1006. 1841. 1854 *pc* vgst (sy^{ph}) | ⸀-λοντο ℵ *al* lat ¦ απηλθεν 051. 1854. (⸉ 2329) 𝔐^{A} (a) sy^{ph} | ⸉ *3 1 2* C P 1611. 1854. 2030. 2053. (2062). 2329 𝔐^{K} latt ¦ *txt* ℵ A 1006. 1841 *pc* (051 𝔐^{A}: αυ. *p.* ευρ.) | ⸁ευρησεις 051 𝔐^{A} gig; Prim Bea ¦ ευρης 1006. 1841. 1854. 2030. 2329 𝔐^{K} ¦ *txt* ℵ A C P 1611. 2053. 2062 *pc* vg sy co • **15** ⸆και 2030 𝔐^{K} • **16** ⸀και λεγ. 2030. 2053. 2062. 2329 *al* a vg sy^{ph}; Prim Bea ¦ λεγουσιν 046 *pc* ¦ – 051 *al* | ° 2030 𝔐^{K} | ⸁βυσσον 2030 𝔐^{K} a vg^{cl} sy | ⸀1-ραν P *pc* | °1 A P 1006. 1841. 1854. 2030. 2053. 2062. 2329 𝔐^{K} latt ¦ *txt* ℵ C 051. 0229. 1611 𝔐^{A} | ⸀2-σω ℵ 051. 0229. 1611. 2053. 2062. 2329 𝔐^{A} | ⸀3-ταις 051 𝔐 lat sy bo^{ms} ¦ *txt* ℵ A C P 0229. 1006. 1611. 1841. 2053. 2062. 2329 *pc*; Prim • **17** ° 051. 1611 𝔐^{A} | ⸀τον τ. ℵ 046. 0229. 2329 *pc* gig ¦ τον ποταμον 2053. 2062 *pc* ¦ των πλοιων 051 𝔐^{A}; Bea ¦ τον ποντον *pc*; Prim ¦ *txt* A C 1006. 1611. 1841. 1854. 2030 *pm* lat

ναῦται καὶ ὅσοι τὴν θάλασσαν ἐργάζονται, ἀπὸ μακρόθεν
9 Is 34,10 ἔστησαν **18** καὶ ⸀ἔκραζον βλέποντες τὸν ⸁καπνὸν τῆς
Jr 22,8 Ez 27,32 πυρώσεως αὐτῆς λέγοντες· τίς ὁμοία τῇ πόλει ⸆ τῇ με-
Ez 27,30-34 γάλῃ; **19** καὶ ⸀ἔβαλον χοῦν ἐπὶ ⸂τὰς κεφαλὰς⸃ αὐτῶν καὶ
⸁ἔκραζον ⸄κλαίοντες καὶ πενθοῦντες⸅ ⸆ λέγοντες·
οὐαὶ °οὐαί, ἡ πόλις ἡ μεγάλη,
ἐν ᾗ ἐπλούτησαν πάντες οἱ ἔχοντες °¹τὰ πλοῖα
ἐν τῇ θαλάσσῃ ἐκ τῆς τιμιότητος αὐτῆς,
10! · Ez 26,19 ὅτι μιᾷ ὥρᾳ ἠρημώθη.
12,12! Jr 51,48 **20** Εὐφραίνου ⸂ἐπ᾽ αὐτῇ⸃, οὐρανὲ
καὶ οἱ ἅγιοι ⸋καὶ οἱ⸌ ἀπόστολοι καὶ οἱ προφῆται,
ὅτι ἔκρινεν ὁ θεὸς τὸ κρίμα ὑμῶν ἐξ αὐτῆς.
5,2! **21** Καὶ ἦρεν εἷς ἄγγελος ⸀ἰσχυρὸς λίθον ὡς ⸁μύλινον
Jr 51,63s Ez 26,12 μέγαν καὶ ἔβαλεν εἰς τὴν θάλασσαν λέγων·
14,8! οὕτως ὁρμήματι βληθήσεται Βαβυλὼν ἡ μεγάλη
πόλις
Ez 26,21 καὶ οὐ μὴ εὑρεθῇ ἔτι ⸆.
Is 24,8 Ez 26,13 **22** °καὶ φωνὴ κιθαρῳδῶν καὶ μουσικῶν καὶ αὐλη-
τῶν καὶ ⸀σαλπιστῶν
οὐ μὴ ἀκουσθῇ ἐν σοὶ ἔτι,
καὶ πᾶς τεχνίτης ⸂πάσης τέχνης⸃
οὐ μὴ εὑρεθῇ ἐν σοὶ ἔτι,
22s: Jr 25,10 ⸋καὶ φωνὴ μύλου
οὐ μὴ ἀκουσθῇ ἐν σοὶ ἔτι⸌,
23 καὶ φῶς λύχνου
οὐ μὴ φάνῃ ἐν σοὶ ἔτι,
Jr 7,34; 16,9 καὶ φωνὴ νυμφίου καὶ ⸆ νύμφης
οὐ μὴ ἀκουσθῇ ἐν σοὶ ἔτι·
Is 23,8; 34,12 Mc 6,21! °ὅτι °¹οἱ ἔμποροί σου ἦσαν οἱ μεγιστᾶνες τῆς γῆς,

18 ⸀-ξαν A C P 051*. 1006. 1611. 1841. 2329 *pc* | ⸁τοπον A 1611 *pc* a vg ¦ πονον 2053. 2062 | ⸆ταυτη C 2329 *pc* latt (sy^{h}) co • **19** ⸀-λλον P *pc* ¦ επεβαλον A (1006. 1841) *pc* | ⸂της -λης ℵ 2053. 2062 *pc* bo | ⸁-ξαν A C 051*. 2329 *pc* ¦ εκλαυσαν 1611. 1854 *pc* | ⸄ *3* 1611 ¦ – A | ⸆και 051 𝔐 gig vg^{mss} sy ¦ *txt* ℵ A C 1006. 1841. (1854). 2053. 2062 *al* vg; Prim | ° ℵ 1006. 1841. 1854 *pc* bo | °¹ 051. 1854. 2053 𝔐^{A} • **20** ⸂επ αυτην 051 𝔐^{A} ¦ εν αυτη A 2030 *pc* | ⸋ C 051. 2329 𝔐^{A} a gig vg^{cl} • **21** ⸀-ρον (⸉ ℵ*) 1854. 2053^{txt}. 2062^{txt} *pc* ¦ – A sy^{h} | ⸁λιθον ℵ ¦ μυλον 051 𝔐 gig; Prim ¦ *txt* A (C) 2053. 2062 *pc* | ⸆εν αυτη ℵ 046 (*pc*) • **22** ° ℵ 2329 *pc* | ⸀-πιγγων ℵ 1611. 1854. 2329 *pc* sy (co) | ⸂και π. τεχ. 2053 *pc* ¦ – ℵ A | ⸋ ℵ *al* sy bo • **23** ⸆φωνη C 2329 sy^{ph} | ° 2030 𝔐^{K} co | °¹ A 1006. 1841 *pc*

ὅτι ἐν τῇ φαρμακείᾳ σου ἐπλανήθησαν πάντα τὰ Is 47,9 Nah 3,4
ἔθνη,
24 καὶ ἐν αὐτῇ ⸀αἷμα προφητῶν καὶ ἁγίων εὑρέθη 6,10; 16,6; 17,6; 19,2 Mt 23,35.37p · Jr 51,49 Ez 24,7; 36,18 |
καὶ πάντων τῶν ἐσφαγμένων ἐπὶ τῆς γῆς.
56 19 ⸆ Μετὰ ταῦτα ἤκουσα °ὡς φωνὴν °¹μεγάλην ὄχλου 6 PsSal 8,2 Dn 10,6
πολλοῦ ἐν τῷ οὐρανῷ λεγόντων· 4,11!
ἁλληλουϊά· Tob 13,18 Ps 104,35 etc
ἡ σωτηρία καὶ ἡ ⸉δόξα καὶ ἡ δύναμις⸊ τοῦ θεοῦ ἡμῶν,
2 ὅτι ἀληθιναὶ καὶ δίκαιαι αἱ κρίσεις αὐτοῦ· 16,7!
ὅτι ἔκρινεν τὴν πόρνην τὴν μεγάλην
ἥτις ⸀ἔφθειρεν τὴν γῆν ἐν τῇ πορνείᾳ αὐτῆς, 11,18 Jr 51,25
καὶ ἐξεδίκησεν τὸ αἷμα τῶν δούλων αὐτοῦ ἐκ ⸆ 18,24! Dt 32,43 2Rg 9,7 Ps 79,10
χειρὸς αὐτῆς.
3 Καὶ δεύτερον ⸀εἴρηκαν·
ἁλληλουϊά· Ps 104,35 etc
καὶ ὁ καπνὸς °αὐτῆς ἀναβαίνει εἰς τοὺς αἰῶνας τῶν 14,11 Is 34,10
αἰώνων.
4 καὶ ἔπεσαν οἱ πρεσβύτεροι οἱ εἴκοσι τέσσαρες καὶ τὰ 4,4!
τέσσαρα ζῷα καὶ προσεκύνησαν τῷ θεῷ τῷ καθημένῳ ἐπὶ 4,6! · 5,7!
⸂τῷ θρόνῳ⸃ λέγοντες·
ἀμὴν ἁλληλουϊά, Ps 106,48
5 Καὶ ⸂φωνὴ ἀπὸ τοῦ θρόνου ἐξῆλθεν λέγουσα⸃· 21,3! · 4,11! ·
αἰνεῖτε ⸂¹τῷ θεῷ⸃¹ ἡμῶν Ps 22,24; 134,1; 135,1.20
πάντες οἱ δοῦλοι αὐτοῦ
°[καὶ] οἱ φοβούμενοι αὐτόν,
οἱ μικροὶ καὶ οἱ μεγάλοι. 11,18! Ps 115,13
6 Καὶ ἤκουσα °ὡς φωνὴν ὄχλου πολλοῦ καὶ ὡς φωνὴν 1! · 1,15!
ὑδάτων πολλῶν καὶ ὡς φωνὴν βροντῶν ἰσχυρῶν ⸀λε- 14,2!
γόντων· 4,11!
ἁλληλουϊά, Ps 104,35 etc

24 ⸀-ματα 046[c]. 051 𝔐 ¦ *txt* א A C P 046*. 1611. 2053. 2062. 2329 *al* latt sy co
¶ **19,1** ⸆και 051. 2344 𝔐[A] sy[ph] bo | ° 051*. 1006. 2053. 2062 𝔐[A] gig sy | °¹ 2344 𝔐[A] vg[cl]; Prim Apr Bea | ⸉ *4* א* a ¦ *4 2 3 1* 1854. 2030 𝔐[K] gig ¦ δο. και η τιμη κ. η δυν. 2329 *pc* (sy[h]) bo ● **2** ⸀διεφθ. 051. 1854. 2030. 2329 𝔐[K] ¦ εκρινεν A | ⸆της 051. 2053. 2062. 2344 𝔐[A] ● **3** ⸀-κεν 1854. 2030. 2344 𝔐[K] bo ¦ ειπαν C *pc* | ° 1611 𝔐[A] ● **4** ⸂του -νου 051. 1611 𝔐[A] ¦ των -νων P ● **5** ⸂φ. εκ τ. θ. εξ. λεγ. (א[2]) P 051 (𝔐[A]: *om.* λεγ.) ¦ φ. απο του ουρανου εξ. λεγ. 046 *pc*; Prim ¦ φωναι εξηλθον εκ (απο 0229) τ. θ. λεγουσαι א* 0229 | ⸂¹τον θεον 𝔐 ¦ *txt* א A C P 046. 051. 0229. 2329. 2344 *al* lat | °† א C P *pc* sa bo[ms] ¦ *txt* A 051. (0229) 𝔐 latt sy bo ● **6** ° 1006 𝔐[A] gig; Prim | ⸀-ντας 051 𝔐[A] ¦ -ντες 1854. 2030 𝔐[K] ¦ *txt* (א) A P 0229. 1006. 1611. 1841. 2053. 2062. 2329 *al* latt

Ps 93,1; 97,1; 99,1 1 Chr 16,31 Zch 14,9 · 11,17! ὅτι ἐβασίλευσεν ⸂κύριος ὁ θεὸς [ἡμῶν]⸃ ὁ παντοκράτωρ.
Ps 118,24 Mt 5,12 · 1 Chr 16,28 **7** χαίρωμεν καὶ ⸀ἀγαλλιῶμεν καὶ ⸁δώσωμεν τὴν δο- *57*
ξαν αὐτῷ,
9; 21,2.9 Mt 22,2! ὅτι ἦλθεν ὁ γάμος τοῦ ἀρνίου * καὶ ἡ ⸀¹γυνὴ °αὐτοῦ *(57)*
ἡτοίμασεν ἑαυτὴν
14 Is 61,10 **8** καὶ ἐδόθη αὐτῇ ἵνα περιβάληται βύσσινον λαμπρὸν ⸆ καθαρόν·
τὸ γὰρ βύσσινον τὰ δικαιώματα τῶν ἁγίων ἐστίν.
1,11.19; 14,13; 21,5 · 1,3! L 14,15s **9** Καὶ λέγει μοι· °γράψον· μακάριοι οἱ εἰς τὸ δεῖπνον
7! ⸋τοῦ γάμου⸌ τοῦ ἀρνίου κεκλημένοι. ⸋¹καὶ λέγει μοι·⸌
22,6! | 22,8s οὗτοι οἱ λόγοι ⸆ ⸉ἀληθινοὶ τοῦ θεοῦ εἰσιν⸊. **10** καὶ ἔπεσα
Act 10,25s ἔμπροσθεν τῶν ποδῶν αὐτοῦ ⸀προσκυνῆσαι αὐτῷ. καὶ
λέγει μοι· ὅρα μή⸆· σύνδουλός σού εἰμι καὶ τῶν ἀδελ-
6,9! φῶν °σου τῶν ἐχόντων τὴν μαρτυρίαν Ἰησοῦ· τῷ θεῷ
προσκύνησον. ἡ γὰρ μαρτυρία Ἰησοῦ ἐστιν τὸ πνεῦμα
τῆς προφητείας.

4,1 Ez 1,1 Act 10,11! · **11** Καὶ εἶδον τὸν οὐρανὸν ἠνεῳγμένον, καὶ ἰδοὺ ἵπ- *58*
14; 6,2 2 Mcc 3,25; 11,8 · πος λευκὸς καὶ ὁ καθήμενος ἐπ᾽ αὐτὸν ⸂[καλούμενος]
1,5! · 3,7! · Ps 9,9; 72,2; 96,13; 98,9 πιστὸς καὶ ἀληθινός⸃, καὶ ἐν δικαιοσύνῃ κρίνει καὶ
Is 11,4s | 1,14! πολεμεῖ. **12** οἱ δὲ ὀφθαλμοὶ αὐτοῦ °[ὡς] φλὸξ πυρός,
Dn 10,6 cf Is 62,3.2 καὶ ἐπὶ τὴν κεφαλὴν αὐτοῦ διαδήματα πολλά, ἔχων ⸆
2,17 Ph 2,9 ὄνομα γεγραμμένον ὃ οὐδεὶς οἶδεν εἰ μὴ αὐτός, **13** καὶ
Is 63,1-3 περιβεβλημένος ἱμάτιον ⸀βεβαμμένον αἵματι, καὶ ⸁κέκλη-
J 1,1 ται τὸ ὄνομα αὐτοῦ ὁ λόγος τοῦ θεοῦ.
14 Καὶ τὰ στρατεύματα °[τὰ] ἐν τῷ οὐρανῷ ἠκολούθει

6 ⸂ *1–3* A 1006. 1841 *pc* t sa^{mss} bo; Cyp ¦ *2–4* 051. (1) 𝔐^{A} ¦ ο θ. ο κυρ. ημ. ℵ* ¦ *txt* ℵ^{2} P 1611. 1854. 2030. 2053. 2062. 2329. 2344 𝔐^{K} lat sy^{h} sa^{ms} ● **7** ⸀-ωμεθα 2030 𝔐^{K} | ⸁† -σομεν ℵ^{2}A 2053 *al* ¦ δωμεν ℵ* 051. 1006. 1611. 1841. 1854. 2030 𝔐^{K} ¦ *txt* 2062. 2329 𝔐^{A} | ⸀¹ νυμφη ℵ^{2} gig co; Apr | ° 1 *al*; Apr ● **8** ⸆και 1854. 2030. (2344) 𝔐^{K} a vg^{cl} sy ● **9** ° 1 *al* | ⸋ ℵ* 1841 𝔐^{A} gig t bo | ⸋¹ ℵ* *pc* | ⸆οι A *pc* ¦ μου ℵ* sy^{h} | ⸉ *1 4 2 3* 051 ℵ* 𝔐^{A} a t; Prim ¦ *2 3 1 4* ℵ^{2} 1006. 1841. 2329 *pc* vg^{cl} ● **10** ⸀και προσεκυνησα 2344 𝔐^{A} sy^{ph} bo | ⸆ποιησης 1006. 1841 *pc* latt | ° ℵ* *pc* ● **11** ⸂*2–4* A 051 𝔐^{A} ¦ † *2 1 3 4* ℵ ¦ *2–4 1* 2028 *al* a ¦ *1 2* 2329 *pc* ¦ *txt* (1006). 1611. 1841. 1854. 2030. 2053. 2062 𝔐^{K} vg^{cl}; Ir^{lat} ● **12** °† ℵ 051 𝔐 ¦ *txt* A 1006. 1841 *al* latt sy sa^{mss} bo; Ir^{lat} | ⸆ονοματα γεγραμμενα και 1006. 1841. 1854. 2030 𝔐^{K} sy^{h} ● **13** ⸀ρεραντισμ- P (1006. 1841). 2329 *al* ¦ περιρεραμμ- ℵ$^{(2)}$ ¦ ερραμμ- (1611). 2053. 2062 ¦ *txt* A 051 𝔐 | ⸁καλειται 051. 2344 𝔐^{A} ● **14** ° ℵ A 046. 1611. 2053. 2062. 2329. 2344 𝔐^{A} gig ¦ *txt* P 051. 1006. 1841. 1854. 2030 𝔐^{K} lat sa; Cyp

αὐτῷ ⸂ἐφ’ ἵπποις λευκοῖς⸃, ⸀ἐνδεδυμένοι ⸄βύσσινον λευ- 11.8
κὸν⸅ ⸆ καθαρόν. **15** καὶ ἐκ τοῦ στόματος αὐτοῦ ἐκπο- Is 49,2
ρεύεται ῥομφαία ⸆ ὀξεῖα, ἵνα ἐν αὐτῇ πατάξῃ τὰ ἔθνη, 2.12! · Is 11,4
καὶ αὐτὸς *ποιμανεῖ αὐτοὺς ἐν ῥάβδῳ σιδηρᾷ*, καὶ αὐτὸς 2,27! *Ps 2,9*
πατεῖ τὴν ληνὸν τοῦ οἴνου ⸂τοῦ θυμοῦ τῆς ὀργῆς⸃ τοῦ 14,19s! Is 63,2s · 14,10
θεοῦ τοῦ παντοκράτορος, **16** καὶ ἔχει ⸂ἐπὶ τὸ ἱμάτιον καὶ⸃ 11,17!
ἐπὶ τὸν μηρὸν αὐτοῦ °ὄνομα γεγραμμένον· Βασιλεὺς βα- 17,14! 2 Mcc 13,4
σιλέων καὶ κύριος κυρίων. Dt 10,17
(59) **17** Καὶ εἶδον ⸀ἕνα ἄγγελον ἑστῶτα ἐν τῷ ἡλίῳ καὶ
ἔκραξεν °[ἐν] φωνῇ μεγάλῃ °¹λέγων πᾶσιν τοῖς ὀρνέοις 18,2! · *17s:* 21
τοῖς πετομένοις ἐν μεσουρανήματι· Ez 39,4.17-20
Δεῦτε °²συνάχθητε εἰς τὸ δεῖπνον ⸂τὸ μέγα τοῦ⸃ θεοῦ
18 ἵνα φάγητε σάρκας βασιλέων καὶ σάρκας χιλιάρχων 6,15!
καὶ σάρκας ἰσχυρῶν καὶ σάρκας ἵππων καὶ τῶν καθη-
μένων ἐπ’ ⸀αὐτῶν καὶ σάρκας πάντων ἐλευθέρων τε καὶ 6,15!
δούλων ⸂καὶ μικρῶν⸃ καὶ ⸆ μεγάλων. 13,16
19 Καὶ εἶδον τὸ θηρίον καὶ τοὺς βασιλεῖς τῆς γῆς 17,12-14 Ps 2,2
καὶ τὰ στρατεύματα ⸀αὐτῶν συνηγμένα ποιῆσαι °τὸν πό- 11,7!
λεμον μετὰ τοῦ καθημένου ἐπὶ τοῦ ἵππου καὶ μετὰ τοῦ
59 στρατεύματος αὐτοῦ. **20** καὶ ἐπιάσθη τὸ θηρίον καὶ ⸂μετ’ 13,1 Dn 7,11
αὐτοῦ ὁ⸃ ψευδοπροφήτης ὁ ποιήσας τὰ σημεῖα ἐνώπιον 16,13! · 13,13!
αὐτοῦ, ἐν οἷς ἐπλάνησεν τοὺς λαβόντας τὸ χάραγμα τοῦ 13,14! 16!
θηρίου καὶ τοὺς προσκυνοῦντας ⸄τῇ εἰκόνι⸅ αὐτοῦ· ζῶν- 13,15! · Nu 16,33
τες ⸀ἐβλήθησαν οἱ δύο εἰς τὴν λίμνην τοῦ πυρὸς ⸂¹τῆς Ps 55,16 · 20,10.14s; 21,8
καιομένης⸃ ἐν ⸆ θείῳ. **21** καὶ οἱ λοιποὶ ἀπεκτάνθησαν Hen 10,6 · 14,10! Is 30,33 |
ἐν τῇ ῥομφαίᾳ τοῦ καθημένου ἐπὶ τοῦ ἵππου τῇ ἐξελ- 2,12!
θούσῃ ἐκ τοῦ στόματος αὐτοῦ, καὶ πάντα τὰ ὄρνεα ἐχορ- Is 11,4 · 17s!
τάσθησαν ἐκ τῶν σαρκῶν αὐτῶν.

14 ⸂επι ι. πολλοις *pc* ¦ εφιπποι πολλοι 051*. (2344) 𝔐^{A} | ⸀-μενοις ℵ* *pc* | ⸄ *2 1* ⸅ A ¦ λευκοβυσσινον 1006. 1841 *pc* | ⸆και ℵ *al* gig vg^{cl} sy^{ph}; Apr • **15** ⸆διστομος 1006. 1841. 1854. 2030. 2329 𝔐^{K} vg^{cl} sy^{h}; Tert Ambr Prim | ⸂ *3 4 1 2* ℵ 2329 *pc* ¦ τ. θυ. και τ. ορ. 2344 𝔐^{A} • **16** ⸂επι το μετωπον και 1006. 1841 *pc* ¦ – A | ° *pc* lat • **17** ⸀αλλον ℵ 2053. 2062 *pc* sy^{ph} sa^{mss} bo ¦ – 1611. 1854. 2030. 2329 𝔐^{K} sy^{h}; Bea ¦ *txt* A 051. 1006. 1841 𝔐^{A} a vg; Prim | ° A 051. 1006. 1611. 1841. 2053. 2062. 2329. 2344 𝔐^{A} latt ¦ *txt* ℵ 1854. 2030 𝔐^{K} | °¹ 051 𝔐^{A} vg^{ms} | °² 051 𝔐^{A}; Prim | ⸂του μεγαλου 051 𝔐^{A} • **18** ⸀αυτους (ℵ) A *pc* | ⸂ *2* 046. 1611. 1854. 2053. 2062 *al* vg^{ms} ¦ μ. τε 051. 1854. 2030. 2053 𝔐^{K} | ⸆των ℵ 1006. 1611. 1841 *pc* • **19** ⸀αυτου A *pc* sa | ° 046. 051. 1006. 1611. 1841. 2053. 2062. 2329. 2344 𝔐^{A} • **20** ⸂ *3 1 2* 1006. 1841. 2030 𝔐^{K} gig sa^{ms}; Tert ¦ *3 1–3* P 2329 *pc* ¦ μετα τουτο ο 051 𝔐^{A} ¦ οι μετ αυτου, ο A *pc* sa^{ms} bo ¦ *txt* ℵ 1611(*). 1854. 2053. 2062. 2344 *al* lat | ⸄την εικονα ℵ* 1611. 2053. 2062 *pc* ¦ το χαραγμα 046 | ⸀βληθησονται 𝔐^{A}; (Ir^{lat}) | ⸂¹την -νην 051 𝔐 gig ¦ *txt* ℵ A P *pc* lat | ⸆τω 051 𝔐^{A}

10,1! **20** Καὶ εἶδον ⸆ ἄγγελον καταβαίνοντα ⸋ἐκ τοῦ οὐρα- *60*
9,1! νοῦ⸌ ἔχοντα τὴν κλεῖν τῆς ἀβύσσου καὶ ἅλυσιν
μεγάλην ⸂ἐπὶ τὴν χεῖρα⸃ αὐτοῦ. **2** καὶ ἐκράτησεν τὸν
12,3! · 12,9! · δράκοντα, ⸂ὁ ὄφις ὁ ἀρχαῖος⸃, ⸀ὅς ἐστιν ⸆ Διάβολος
καὶ °ὁ Σατανᾶς⸇, καὶ ἔδησεν αὐτὸν χίλια ἔτη **3** καὶ
9,1! Is 24,21s ἔβαλεν αὐτὸν εἰς τὴν ἄβυσσον καὶ ⸀ἔκλεισεν καὶ ἐσφρά-
13,14! γισεν ἐπάνω αὐτοῦ, ἵνα μὴ ⸁πλανήσῃ °ἔτι τὰ ἔθνη ἄχρι
Hen 18,16; 21,6 τελεσθῇ °¹τὰ χίλια ἔτη. ⸆ μετὰ ταῦτα δεῖ ⸉λυθῆναι αὐ-
τὸν⸊ μικρὸν χρόνον.
Dn 7,9.22 Theod Mt 9,28. 1K 6,2 **4** Καὶ εἶδον θρόνους καὶ ἐκάθισαν ἐπ’ αὐτοὺς καὶ *61*
κρίμα ἐδόθη αὐτοῖς, καὶ ⸆ τὰς ψυχὰς τῶν πεπελεκισμέ-
6,9! νων διὰ τὴν μαρτυρίαν Ἰησοῦ καὶ διὰ τὸν λόγον τοῦ θεοῦ
13,15! καὶ οἵτινες οὐ προσεκύνησαν τὸ θηρίον ⸀οὐδὲ τὴν εἰ-
13,16! κόνα αὐτοῦ καὶ οὐκ ἔλαβον τὸ χάραγμα ἐπὶ τὸ μέτω-
Ez 37,10 · 6 Dn 7,27 · πον ⸇ καὶ ἐπὶ τὴν χεῖρα αὐτῶν. καὶ ἔζησαν καὶ ἐβασί-
λευσαν μετὰ °τοῦ Χριστοῦ ⸆¹ χίλια ἔτη. **5** ⸋⸆οἱ λοιποὶ *62*
τῶν νεκρῶν οὐκ ἔζησαν ἄχρι τελεσθῇ τὰ χίλια ἔτη.⸌
1,3! Αὕτη ἡ ἀνάστασις ἡ πρώτη. **6** μακάριος καὶ ἅγιος ὁ
ἔχων μέρος ἐν τῇ ἀναστάσει τῇ πρώτῃ· ἐπὶ τούτων ὁ
14; 2,11; 21,8 ⸂δεύτερος θάνατος⸃ οὐκ ἔχει ἐξουσίαν, ἀλλ’ ἔσονται
4; 1,6! ἱερεῖς τοῦ θεοῦ καὶ τοῦ Χριστοῦ καὶ βασιλεύσουσιν
⸄μετ’ αὐτοῦ⸅ °[τὰ] χίλια ἔτη.
3 **7** Καὶ ⸂ὅταν τελεσθῇ⸃ τὰ χίλια ἔτη, λυθήσεται ὁ σα- *63*
13,14! τανᾶς ἐκ τῆς φυλακῆς αὐτοῦ **8** καὶ ἐξελεύσεται πλανῆσαι
Ez 7,2 ⸆ τὰ ἔθνη °τὰ ἐν ταῖς τέσσαρσιν γωνίαις ⸋τῆς γῆς, τὸν⸌
Ez 38–39,16 · Γὼγ καὶ ⸇ Μαγώγ, ⸆¹ συναγαγεῖν αὐτοὺς εἰς °¹τὸν πό-
Jos 11,4 Jdc 7,12 1Sm 13,5 | λεμον, ὧν ὁ ἀριθμὸς °²αὐτῶν ὡς ἡ ἄμμος τῆς θαλάσ-
Hab 1,6 𝔊 · σης. **9** καὶ ἀνέβησαν ἐπὶ τὸ πλάτος τῆς γῆς καὶ ⸀ἐκύ-

¶ **20,1** ⸆αλλον א[2] 2050 (⸉*pc*) vg[ms] sy[ph] sa[ms]; Bea | ⸋ א* | ⸂εν τη χειρι א 1611 *pc* ● **2** ⸂τον οφιν τον -ον א 051 𝔐 ¦ *txt* A *pc* | ⸀ὅ א 2050 *pc* | ⸆ο א 1611. 2050. 2053. 2062. 2329 *pc* | ° 051. 1854. (2050) 𝔐[A] | ⸇(12,9) ο πλανων την οικουμενην ολην 051. 2030. 2377 𝔐[K] sy[h] ● **3** ⸀εδησεν 𝔐[A] | ⸁πλανα 2030. (2050). 2377 𝔐[K] | ° 051 𝔐[A] bo | °¹ 051. 1854 𝔐[A] | ⸆και 051. 2050 𝔐[A] vg[cl] bo | ⸉ א 051 𝔐[A] latt ● **4** ⸆ειδον 1006. 1841. (2050) *pc* a; Bea | ⸀ουτε 051 𝔐[A] | ⸇αυτων 051. 1854 𝔐[A] vg[mss] sy[ph]; Bea | ° 051. 2062 𝔐[A] | ⸆¹τα 1006. 1841. 2030. 2377 𝔐[K] ● **5** ⸋ א 2030. 2053. 2062. 2377 𝔐[K] sy; Vic Bea | ⸆και 046. 051. 1006. 1841. 1854. 2050 𝔐[A] a vg[mss] bo ¦ ἅ 2329 ¦ *txt* A 1611 *pc* lat ● **6** ⸂θ. ο δ. 051 𝔐[A] | ⸄μετα ταυτα (2329) 𝔐[K] | °A 051 𝔐 ¦ *txt* א 046. 1611. 2053. 2062. 2329 *pc* ● **7** ⸂μετα 2030 𝔐[K] ● **8** ⸆παντα א 2053[com]. 2062[com] *pc* sy[ph] | ° א 1854. 2053. 2062. 2329 *al* | ⸋ א* | ⸇τον א[2] 1006. 1841. 1854. 2030. 2053. 2062. 2329 𝔐[K] | ⸆¹και א 051 𝔐[A] sy[ph] | °¹ 051. 1854 𝔐[A] | °² 051. 1611 𝔐[A] ● **9** ⸀-λωσαν א 051. 1854. 2050. 2053. 2062 𝔐[A]

κλευσαν τὴν παρεμβολὴν τῶν ἁγίων ⸆ καὶ τὴν πόλιν
τὴν ἠγαπημένην, *καὶ κατέβη πῦρ* ⸂*ἐκ τοῦ οὐρανοῦ*⸃ *καὶ*
κατέφαγεν αὐτούς. **10** καὶ ὁ διάβολος ὁ πλανῶν αὐτοὺς
ἐβλήθη εἰς τὴν λίμνην τοῦ πυρὸς ⸀καὶ θείου ὅπου °καὶ
τὸ θηρίον καὶ ὁ ψευδοπροφήτης, καὶ βασανισθήσονται
ἡμέρας καὶ νυκτὸς ⸋εἰς τοὺς αἰῶνας τῶν αἰώνων⸌.
64 **11** Καὶ εἶδον θρόνον μέγαν λευκὸν καὶ τὸν καθήμενον ⸂ἐπ' αὐτόν⸃, οὗ ἀπὸ °τοῦ προσώπου ἔφυγεν ἡ γῆ
καὶ ὁ οὐρανὸς καὶ τόπος οὐχ εὑρέθη αὐτοῖς. **12** καὶ
εἶδον τοὺς νεκρούς, ⸋τοὺς μεγάλους καὶ τοὺς μικρούς,⸌
ἑστῶτας ἐνώπιον τοῦ θρόνου. καὶ βιβλία ⸀ἠνοίχθησαν,
καὶ ἄλλο βιβλίον ἠνοίχθη, ὅ ἐστιν τῆς ζωῆς, καὶ ἐκρί-
θησαν οἱ νεκροὶ ἐκ τῶν γεγραμμένων ἐν ⸂τοῖς βιβλί-
οις⸃ κατὰ τὰ ἔργα αὐτῶν. **13** καὶ ἔδωκεν ἡ θάλασσα τοὺς
⸂νεκροὺς τοὺς ἐν αὐτῇ⸃ καὶ ὁ θάνατος καὶ ὁ ᾅδης ⸀ἔδω-
καν τοὺς ⸄νεκροὺς τοὺς ἐν αὐτοῖς⸅, καὶ ⸁ἐκρίθησαν ἕκαστος κατὰ τὰ ἔργα ⸀¹αὐτῶν. **14** καὶ ὁ θάνατος καὶ ὁ
ᾅδης ἐβλήθησαν εἰς τὴν λίμνην τοῦ πυρός. ⸋⸆οὗτος ὁ
⸂θάνατος ὁ δεύτερός⸃ ἐστιν, ἡ λίμνη τοῦ πυρός.⸌ **15** καὶ
εἴ τις οὐχ εὑρέθη ἐν ⸂τῇ βίβλῳ⸃ τῆς ζωῆς γεγραμμένος,
ἐβλήθη εἰς τὴν λίμνην τοῦ πυρός.
65 **21** Καὶ εἶδον οὐρανὸν καινὸν καὶ γῆν καινήν. ὁ γὰρ
πρῶτος οὐρανὸς καὶ ἡ πρώτη γῆ ⸀ἀπῆλθαν ⸂καὶ ἡ
θάλασσα οὐκ ἔστιν ἔτι⸃. **2** καὶ τὴν πόλιν τὴν ἁγίαν Ἰερουσαλὴμ καινὴν εἶδον καταβαίνουσαν ⸉ἐκ τοῦ οὐρανοῦ
ἀπὸ τοῦ θεοῦ⸊ ἡτοιμασμένην ὡς νύμφην κεκοσμημένην
τῷ ἀνδρὶ αὐτῆς. **3** καὶ ἤκουσα φωνῆς μεγάλης ἐκ τοῦ
⸀θρόνου λεγούσης·

2Rg 6,14
Jr 11,15; 12,7 Ps 87,2; 78,68 · *2Rg 1,10.12* Ez 38,22; 39,6 | 12,9!
19,20! · 14,10!
16,13!
5,7! 1Rg 10,18 Dn 7,9 ·
6,14; 16,20; 21,1 Ps 114,3.7 2P 3,7.10.12 · 12,8 Dn 2,35 Theod | 11,18!
Dn 7,10
3,5! Is 4,3
Dn 12,1
12s: 2,23! Ps 28,4 Sir 16,12 · Hen 51,1; 61,5 J 5,28s
21,4 Is 25,8 1K 15,26
19,20!
6!
3,5!
Is 65,17; 66,22 2P 3,13 · 20,11!
Mt 4,5! Is 52,1 Neh 11,1.18 · 3,12 H 11,16; 12,22 G 4,26 · 19,7! Is 61,10
16,17 19,5

9 ⸆και την πολιν των αγιων 046 *pc* (sy^{ph}) | ⸂απο του θεου (P) 1854 vg^{ms} ¦ απο (εκ 051 𝔐^{A}) του (– 051 *pc*) θ. εκ (απο 051 𝔐^{A}) τ. ουρ. ℵ^{2} 051. (⸉2030. 2329 𝔐^{K}) 𝔐 lat sy$^{(ph)}$ ¦ *txt* A (P) 2053^{com} *pc* vg^{ms} bo^{mss}; Aug (ℵ*: *h. t.*) ● **10** ⸀κ. του ℵ 1006. 1611. 1841. 2329 *al* ¦ του 2053. 2062 | ° ℵ 051. 2050. 2053. 2062 𝔐^{A} a vg^{mss} sy^{ph} co; Apr | ⸋ 1 *pc* ● **11** ⸂επ (επανω ℵ) αυτου ℵ A 1006. 1611. 1841. 2053. 2062. 2329 *pc* ¦ επ αυτω 1854 *pc* ¦ *txt* 051 𝔐 | ° 051 𝔐 ¦ *txt* ℵ A P 1006. 1611. 1841. 2050. 2329 *pc* ● **12** ⸋ 2030 𝔐^{K} | ⸀ηνοιξαν 1854. 2030. 2329 𝔐^{K}; Ambr ¦ ηνεωχθη ℵ | ⸂ταις -βλοις ℵ ● **13** ⸂*3 4 1* 051. 1854 𝔐^{A} | ⸀-κεν A *pc* | ⸄*3 4 1* 051. 1854. 2030 𝔐^{A} | ⸁κατεκρ. ℵ | ⸀¹αυτου 𝔐^{K} sa^{mss} ● **14** ⸋ 051. 2053^{txt}. 2062^{txt} 𝔐^{A} a sin bo; Aug | ⸆και ℵ | ⸂*3 1* ℵ (1611) *pc* ● **15** ⸂τω βιβλιω 1006. 1841. 2030. 2377 𝔐^{K}

¶ **21,1** ⸀-θεν P 1854. 2030 *al* lat ¦ παρηλθεν 051 𝔐^{A} | ⸂και την -σσαν ουκ ειδον ετι A ● **2** ⸉ 051 𝔐^{A} ● **3** ⸀ουρανου 051^{s} 𝔐 gig sy co; Ambr Prim ¦ *txt* ℵ A *pc* lat; Ir^{lat}

ἰδοὺ ἡ σκηνὴ τοῦ θεοῦ μετὰ τῶν ἀνθρώπων,
καὶ ⸀σκηνώσει μετ᾽ αὐτῶν, καὶ αὐτοὶ ⸀¹λαοὶ αὐτοῦ ἔσονται, καὶ αὐτὸς ὁ θεὸς ⸂μετ᾽ αὐτῶν
ἔσται [αὐτῶν θεός]⸃, **4** *καὶ ἐξαλείψει* ⸆ *πᾶν δά-*
κρυον ⸀*ἐκ τῶν ὀφθαλμῶν* αὐτῶν, καὶ °ὁ θάνατος οὐκ ἔσται ἔτι οὔτε πένθος οὔτε κραυγὴ
⸋οὔτε πόνος⸌ οὐκ ἔσται ⸂ἔτι, [ὅτι] τὰ πρῶτα⸃
⸀ἀπῆλθαν.
5 °Καὶ ⸀εἶπεν ὁ καθήμενος ἐπὶ τῷ θρόνῳ· ἰδοὺ ⸂και- 66
νὰ ποιῶ⸃ πάντα καὶ λέγει⸆· γράψον, ὅτι οὗτοι οἱ λόγοι
πιστοὶ καὶ ἀληθινοί ⸇ εἰσιν. **6** καὶ ⸀εἶπέν μοι· ⸂γέγοναν.
ἐγώ [εἰμι]⸃ τὸ ἄλφα καὶ τὸ ὦ, ⸆ ἡ ἀρχὴ καὶ τὸ τέλος.
ἐγὼ τῷ διψῶντι δώσω ⸇ ἐκ ⸋τῆς πηγῆς⸌ τοῦ ὕδατος
τῆς ζωῆς δωρεάν. **7** ὁ νικῶν ⸀κληρονομήσει ταῦτα καὶ
ἔσομαι ⸀*αὐτῷ θεὸς καὶ* ⸂*αὐτὸς ἔσται μοι υἱός*⸃. **8** τοῖς
δὲ δειλοῖς καὶ ἀπίστοις ⸆ °καὶ ἐβδελυγμένοις καὶ φονεῦ-
σιν καὶ πόρνοις καὶ φαρμάκοις καὶ εἰδωλολάτραις καὶ
πᾶσιν τοῖς ⸀ψευδέσιν τὸ μέρος αὐτῶν ἐν τῇ λίμνῃ τῇ
καιομένῃ πυρὶ καὶ θείῳ, ὅ ἐστιν ⸂ὁ θάνατος ὁ δεύτερος⸃.
9 Καὶ ἦλθεν εἷς °ἐκ τῶν ἑπτὰ ἀγγέλων τῶν ἐχόντων 67
τὰς ἑπτὰ φιάλας ⸂τῶν γεμόντων⸃ °¹τῶν ἑπτὰ πληγῶν τῶν
ἐσχάτων καὶ ἐλάλησεν μετ᾽ ἐμοῦ λέγων· δεῦρο, δείξω
σοι ⸉τὴν νύμφην τὴν γυναῖκα τοῦ ἀρνίου⸊. **10** καὶ ἀπ-

13,6 J 1,14 • Zch 2,14s Lv 26,12 Ez 37,27 2K 6,16 • 1Rg 8,27 Is 8,8 Jr 31,1 Ps 95,7 | 7,17! *Is 25,8* Jr 31,16 20,14 Is 35,10; 51,11; 65,19 • Is 43,18; 65,17 5,7! • Is 43,19 2K 5,17! • 19,9! • 22,6! 16,17 1,8! • 22,13 7,16s; 22,1.17 J 7,37 Is 55,1 Jr 2,13 Zch 14,8 | 2,7! • *2Sm 7,14* Lv 26,12 *Ez 11,20* Zch 8,8 | R 1,29! Tt 1,16 22,15 E 5,5s 19,20! 14,10! • 20,6! 15,7! 15,1! 19,7!

3 ⸀εσκηνωσεν א* 1611. 2050 *pc* gig vg^{mss} sy^{h} | ⸀¹λαος P 051^{s}. 1006. 1611. 1841. 1854. 2062^{com} 𝔐^{K} lat sy ¦ *txt* א A 046. 2030. 2050. 2053. 2062^{txt}. 2329 𝔐^{A} a; Ir^{lat} | ⸂† *1–3* 𝔐^{K} gig ¦ *3 1 2* א 1 *al* sin; Aug ¦ *3 1 2 5 4* 051^{s}. (1854) 𝔐^{A} ¦ *1–3 5* 1006. 1611. 1841 *pc* ¦ *txt* A 2030. 2050. 2053(^{txt}. 2062). 2329 *al* vg; Ir^{lat} • **4** ⸆ο θεος A 1. 1006. 1841 *al* vg; Tert Apr ¦ απ αυτων 𝔐^{K} | ⸀απο 051^{s} 𝔐 ¦ *txt* א A 1841 *pc* | ° א 2050. 2329 *pc* | ⸋ א 2030 *pc* | ⸂ *1 3 4* A 051^{s}. 1006. 1611. 1841. 2030. 2053. 2062. 2329. 2377 𝔐^{A} ¦ *2 3 4* א^{1} *pc*; Aug ¦ ετι τα προβατα א* ¦ τα γαρ πρωτα 94 *pc* gig ¦ *txt* 1. 1854. 2050 𝔐^{K} a sin vg^{ww} sy^{h}; Ir^{lat} | ⸀-θεν א 1854. 2050. 2053. 2062. 2329 𝔐^{K} ¦ παρηλθον 1611 *pc* sy^{ph} • **5** ° 𝔐^{K}; Ir^{lat} Apr | ⸀λεγει 1854. 2030. 2377 *pc* | ⸂καινοποιω 051^{s}. 2030. 2377 𝔐^{A} | ⸆μοι א 051^{s}. 1006. 1841^{vid}. 2050 𝔐^{A} a vg^{cl} sy^{ph} co | ⸇του θεου 1854. (2329) 𝔐^{K} sy^{h} • **6** ⸀λεγει א *pc* | ⸂† *1 2 pc* (?) ¦ γεγονα (– א^{2}) εγω (– 1 𝔐^{K}) א 051^{s} 𝔐 sy^{h} sa ¦ *txt* A 1006. 1841. 2053. 2062 *pc* (latt) sy^{ph}; Ir^{lat} | ⸆και 𝔐^{K} | ⸇αυτω 𝔐^{K} | ⸋ A • **7** ⸀δωσω αυτω 𝔐^{K} | ⸀αυτων A 1854. 2030. 2377 𝔐^{A} sin vg^{ms}; Tert | ⸂ *2–4* A 1006. 1841 *pc* sa ¦ αυτοι εσονται μοι υιοι 051^{s}. 1854. 2030. 2377 𝔐^{A}; Tert • **8** ⸆και αμαρτωλοις 1854. 2329 𝔐^{K} sy | ° 051^{s} 𝔐^{A} | ⸀ψευσταις A | ⸂ *3 4 2* 051^{s}. 1854. 2030. 2377 𝔐^{A} ¦ *2* P • **9** ° 051^{s}. 1006 𝔐^{A} | ⸂τας (– 𝔐^{K}) γεμουσας 1. 1006. 1611. 1841. 1854. 2030. 2377 𝔐^{K} latt sy | °¹ 𝔐^{K} | ⸉ *1 2 5 6 3 4* 051^{s} 𝔐^{A} ¦ *3 4 1 2 5 6* 2050 𝔐^{K} ¦ *3–6* 2053. 2062 ¦ *txt* א A P 1006. 1611. 1841. 1854. 2030. 2329. 2377 *al* lat sy co; Cyp

ἤνεγκέν με ἐν πνεύματι ἐπὶ ὄρος μέγα ⸋καὶ ὑψηλόν, καὶ Ez 40,1s · 17,3! · Mt 4,8!
ἔδειξέν μοι τὴν πόλιν τὴν ⸆ ἁγίαν Ἰερουσαλὴμ κατα- Mt 4,5!
βαίνουσαν ἐκ τοῦ οὐρανοῦ ⸀ἀπὸ τοῦ θεοῦ **11** ⸋ἔχου- 2
σαν τὴν δόξαν τοῦ θεοῦ⸌, ⸆ ὁ φωστὴρ αὐτῆς ὅμοιος 23 Is 58,8; 60,1s. 19 Ez 43,2ss
λίθῳ τιμιωτάτῳ ⸋¹ὡς λίθῳ⸌ ἰάσπιδι κρυσταλλίζοντι.
12 ἔχουσα τεῖχος μέγα καὶ ὑψηλόν, ἔχουσα πυλῶνας δώ- *12s:* Ez 40,5; 48,30-35
δεκα ⸋καὶ ἐπὶ τοῖς πυλῶσιν ἀγγέλους δώδεκα⸌ καὶ Is 62,6
ὀνόματα ⸆ ⸀ἐπιγεγραμμένα, ἅ ἐστιν ⸂[τὰ ὀνόματα]⸃ τῶν Ex 28,21; 39,14
δώδεκα φυλῶν ⸁υἱῶν Ἰσραήλ· **13** ἀπὸ ⸀ἀνατολῆς πυλῶ- 7,4 | L 13,29
νες τρεῖς ⸋καὶ ἀπὸ βορρᾶ πυλῶνες τρεῖς ⸋καὶ ἀπὸ
⸉νότου πυλῶνες τρεῖς ⸋καὶ ἀπὸ δυσμῶν⸊ πυλῶνες τρεῖς.
14 καὶ τὸ τεῖχος τῆς πόλεως ⸀ἔχων θεμελίους δώδεκα H 11,10 E 2,20
καὶ ἐπ᾽ αὐτῶν δώδεκα ὀνόματα τῶν δώδεκα ἀποστόλων
τοῦ ἀρνίου.

15 Καὶ ὁ λαλῶν μετ᾽ ἐμοῦ εἶχεν ⸋μέτρον κάλαμον 11,1 Ez 40,3.5
χρυσοῦν, ἵνα μετρήσῃ τὴν πόλιν καὶ τοὺς πυλῶνας αὐτῆς ⸋καὶ τὸ τεῖχος αὐτῆς⸌. **16** καὶ ἡ πόλις τετράγωνος Ez 43,16
κεῖται καὶ τὸ μῆκος αὐτῆς ⸂ὅσον [καὶ]⸃ τὸ πλάτος. καὶ Zch 2,6 Ez 48,16s
ἐμέτρησεν τὴν πόλιν ⸆ τῷ καλάμῳ ἐπὶ ⸀σταδίων ⸂δώδεκα
χιλιάδων⸃, τὸ μῆκος καὶ τὸ πλάτος ⸆ ⸋καὶ τὸ ὕψος⸌
αὐτῆς ἴσα ἐστίν. **17** καὶ ⸋ἐμέτρησεν τὸ τεῖχος αὐτῆς
ἑκατὸν τεσσεράκοντα τεσσάρων πηχῶν μέτρον ἀνθρώ- Dt 3,11
που, ὅ ἐστιν ἀγγέλου. **18** καὶ ⸀ἡ ἐνδώμησις τοῦ τείχους
αὐτῆς ἴασπις καὶ ἡ πόλις χρυσίον καθαρὸν ⸂ὅμοιον 11
ὑάλῳ καθαρῷ⸃. **19** ⸆ οἱ θεμέλιοι τοῦ τείχους τῆς πόλεως παντὶ λίθῳ τιμίῳ κεκοσμημένοι· ὁ θεμέλιος ὁ *19s:* Tob 13,17
πρῶτος ἴασπις, ὁ δεύτερος σάπφιρος, ὁ τρίτος χαλ- Is 54,11s Ex 28,17-20 Ez 28,13

10 ⸋ 1854. 2030. 2377 𝔐[A] | ⸆μεγαλην και 051[s]. 1854. 2030. 2377 𝔐[A] | ⸀εκ 2053. 2062 𝔐[K] ● **11** ⸋ A 2062 | ⸆και 2329 𝔐[A] t vg[cl] sy[ph]; Prim | ⸋¹ 051[s]. 2050 𝔐[A] t (sy[ph]) ● **12** ⸋ A 051[s*]. 2030. 2050. 2377 *pc* t sy[h] | ⸆ταυτων ℵ *pc* sy[ph] | ⸀γεγραμ. ℵ *pc* | ⸂*2* 1006. 2062 𝔐[K] ¦ † – ℵ 051[s] 𝔐[A] t ¦ *txt* A 1611. 1841. 1854. 2030. (2050). 2053. 2329. 2377 *al* | ⸁των υ. P 051[s]. 2050 *pc* ¦ του 1006. 1854 𝔐[A] ¦ – (1611). 2030. 2062. 2377 *pc* ¦ *txt* ℵ A 1841. 2053. 2329 𝔐[K] ● **13** ⸀-λων 𝔐[K] | ⸋(*ter*) 051[s]. (1611. 2329) 𝔐[A] t vg[mss]; Prim Bea | ⸉δυσ. ... νοτ. A *pc* vg[ms] sa ● **14** ⸀-χον ℵ[2] 051[s] 𝔐 ¦ – ℵ* ¦ *txt* A 1006. 2329. 2377 *pc* ● **15** ⸋ 𝔐[A] a bo | ⸋ 051[s]. 1854. 2377 𝔐[K] ● **16** ⸂† *1* ℵ 051[s] 𝔐 gig sy[ph] ¦ *2* 2069 *pc* ¦ *txt* A 1006. 1611. 1841. 2050. 2329 *al* lat sy[h] | ⸆εν 051[s]. 2030. 2377 𝔐[A] | ⸀-διους A[vid] P 1006. 1611. 1841. 1854. 2030. 2050. 2329. 2377 𝔐[K] t ¦ -διου (*!*) ℵ[2] ¦ *txt* ℵ* 051[s]. 2053[vid]. 2062 𝔐[A] | ⸂δεκαδυο χ. δωδεκα 1854 𝔐[K] (sy[h]) | ⸆αυτης 2050 *pc* (t) sy[ph] | ⸋ 2329 vg[mss] ● **17** ⸋ 1854 𝔐[K] ● **18** ⸀ην η (– ℵ*) ℵ* 051[s] 𝔐 lat ¦ *txt* ℵ[2] A P 1611. 2030. 2053. 2062. 2377 *pc* gig t | ⸂ομοια υ. κ. 051[s] 𝔐[A] a t; Prim ¦ – 2030. 2377 *pc* vg[ms] bo[ms] ● **19** ⸆και ℵ* 051[s]. 2030. 2053. 2062. 2377 𝔐[A] t vg[cl] sy bo

κηδών, ὁ τέταρτος σμάραγδος, **20** ὁ πέμπτος σαρδόνυξ,
ὁ ἕκτος ⸀σάρδιον, ὁ ἕβδομος χρυσόλιθος, ὁ ὄγδοος
βήρυλλος, ὁ ἔνατος τοπάζιον, ὁ δέκατος χρυσόπρασος,
ὁ ἑνδέκατος ὑάκινθος, ὁ δωδέκατος ⸁ἀμέθυστος, **21** καὶ
οἱ δώδεκα πυλῶνες δώδεκα μαργαρῖται, ἀνὰ εἷς ἕκαστος
22,2 τῶν πυλώνων ἦν ἐξ ἑνὸς μαργαρίτου. καὶ ἡ πλατεῖα τῆς
πόλεως χρυσίον καθαρὸν ὡς ὕαλος διαυγής.
7,15! **22** Καὶ ναὸν οὐκ εἶδον ἐν αὐτῇ, ὁ γὰρ κύριος ὁ θεὸς
11,17! ὁ παντοκράτωρ ⸆ ναὸς αὐτῆς ἐστιν καὶ τὸ ἀρνίον. **23** καὶ
22,5 Is 60,1.19s; 24,23 · ἡ πόλις οὐ χρείαν ἔχει τοῦ ἡλίου οὐδὲ τῆς σελήνης ἵνα
11! φαίνωσιν ⸂αὐτῇ, ἡ γὰρ⸃ δόξα τοῦ θεοῦ ἐφώτισεν αὐ-
Is 60,3.5 τήν, καὶ ὁ λύχνος αὐτῆς τὸ ἀρνίον. **24** καὶ περιπατήσου-
Ps 68,30 σιν τὰ ἔθνη διὰ τοῦ φωτὸς αὐτῆς, καὶ οἱ βασιλεῖς τῆς
γῆς φέρουσιν ⸂τὴν δόξαν αὐτῶν⸃ εἰς αὐτήν, **25** καὶ οἱ
Is 60,11 · 22,5 Zch 14,7 · πυλῶνες αὐτῆς οὐ μὴ κλεισθῶσιν ἡμέρας, νὺξ γὰρ οὐκ
Is 60,11 Ps 72,10s ἔσται ἐκεῖ, **26** καὶ οἴσουσιν τὴν δόξαν καὶ τὴν τιμὴν
Is 35,8; 52,1 · τῶν ἐθνῶν εἰς αὐτήν⸆. **27** καὶ οὐ μὴ εἰσέλθῃ εἰς αὐτὴν
Ez 33,29 · 22,15 · πᾶν κοινὸν καὶ ⸂[ὁ] ποιῶν⸃ βδέλυγμα καὶ ψεῦδος εἰ μὴ
3,5! Is 4,3 οἱ γεγραμμένοι ἐν τῷ βιβλίῳ τῆς ζωῆς ⸄τοῦ ἀρνίου⸅.
21,6! Gn 2,10 Ez 47,1 Zch 14,8 **22** Καὶ ἔδειξέν μοι ποταμὸν ⸆ ὕδατος ζωῆς λαμπρὸν 68
Ps 46,5 · J 7,38; Hen 14,19 | ὡς κρύσταλλον, ἐκπορευόμενον ἐκ ⸂τοῦ θρόνου⸃
21,21 · τοῦ θεοῦ καὶ τοῦ ἀρνίου. **2** ἐν μέσῳ τῆς πλατείας αὐ-
Gn 2,9 Ez 47,12 · 2,7! PsSal 14,3 τῆς καὶ τοῦ ποταμοῦ ἐντεῦθεν καὶ ⸀ἐκεῖθεν ξύλον ζωῆς ⸁ποιοῦν καρποὺς δώδεκα, κατὰ μῆνα ⸀^{1}ἕκαστον ⸀^{2}ἀπο-
διδοῦν ⸂τὸν καρπὸν⸃ αὐτοῦ, καὶ τὰ φύλλα ⸄τοῦ ξύ-
Joel 1,14 𝔊 Jr 3,17 | Zch 14,11 λου⸅ εἰς θεραπείαν °τῶν ἐθνῶν. **3** καὶ πᾶν κατάθεμα
3,21 οὐκ ἔσται ⸀ἔτι. καὶ ὁ θρόνος τοῦ θεοῦ καὶ τοῦ ἀρνίου
7,15 ἐν αὐτῇ ἔσται, καὶ οἱ δοῦλοι αὐτοῦ ⸁λατρεύσουσιν αὐ-

20 ⸀-διος 051^{s} 𝔐^{A} (a t); Prim | ⸁-υσος ℵ^{2} 𝔐 ¦ -υστινος ℵ* 2053. 2062 *pc* ¦ *txt* A P 046. 1611. 2030. 2329. 2377 *al* • **22** ⸆ο A *pc* • **23** ⸂εν αυ., η γ. ℵ^{2} 051^{s}. 2030. 2377 *pc* a vg bo; Apr ¦ , αυτη γαρ η 1611. 1854 𝔐^{K} • **24** ⸂(26) τ. δοξ. και την τιμην αυ. 2053 *pc* vg; Apr ¦ αυτω δοξ. και τιμ. των εθνων 1611. 1854 𝔐^{K} (bo) • **26** ⸆ινα εισελθωσιν 1611. 1854. 2329 𝔐^{K} • **27** ⸂*2* ℵ^{2}A 1006. 1841. (2030). 2050. 2329. (2377) *al* ¦ ποιουν 046. 051^{s}. 1611^{s}. 2053. 2062 𝔐^{A} gig; Apr ¦ *txt* (ℵ*) 1854 𝔐^{K}; Ambr | ⸄του ουρανου ℵ

¶ **22,1** ⸆καθαρον 051^{s}. 2030. 2377 𝔐^{A} | ⸂*2* ℵ ¦ τ. στοματος 1611^{s}. 2329 *pc* • **2** ⸀εντευθεν 051^{s}. 2030. 2050. 2377 𝔐^{A} sy^{ph} ¦ εκει 2062 *pc* | ⸁ποιων A *pc* | ⸀^{1}ενα εκ. 051^{s} 𝔐^{A} ¦ εκαστος 1611^{s}. 1854 *al* ¦ εκαστω 046 *pc* | ⸀^{2}-διδους ℵ 051^{s}. 1611^{s}. 1854. 2050 𝔐^{K} | ⸂*2 1* *pc* ¦ τους -ους ℵ 2030. 2377 *pc* sy^{ph} | ⸄των -ων ℵ | ° ℵ 2053. 2062 *pc* • **3** ⸀εκει 051^{s}. 2329 𝔐^{A} sy^{ph} ¦ – ℵ* | ⸁-ευουσιν 046. 1611^{s}. 1854. 2062 *pc*

τῷ 4 καὶ ὄψονται τὸ πρόσωπον αὐτοῦ, καὶ τὸ ὄνομα Ps 17,15; 42,3 Mt 5,8
αὐτοῦ ⸆ ἐπὶ τῶν μετώπων αὐτῶν. **5** καὶ νὺξ οὐκ ἔσται 14,1! | 21,25!
⸀ἔτι καὶ ⸂οὐκ ἔχουσιν χρείαν⸃ ⸁φωτὸς λύχνου καὶ ⸀¹φω- 21,23!
τὸς °ἡλίου, ὅτι κύριος ὁ θεὸς φωτίσει °¹ἐπ' αὐτούς, Is 60,19
καὶ βασιλεύσουσιν εἰς τοὺς αἰῶνας τῶν αἰώνων. 5,10! Dn 7,18.27

69 **6** Καὶ ⸀εἶπέν μοι· οὗτοι οἱ λόγοι πιστοὶ καὶ ἀληθινοί, 19,9; 21,5
καὶ °ὁ κύριος ὁ θεὸς τῶν ⸂πνευμάτων τῶν⸃ προφητῶν Nu 27,16 𝔊 1K 14,32
ἀπέστειλεν ⸆ τὸν ἄγγελον αὐτοῦ ⸋δεῖξαι τοῖς δούλοις 1,1! Dn 2,28s.45 |
70 αὐτοῦ⸌ ἃ δεῖ γενέσθαι ἐν τάχει. **7** °καὶ ἰδοὺ ἔρχομαι 3,11! Is 40,10
ταχύ. μακάριος ὁ τηρῶν τοὺς λόγους τῆς προφητείας τοῦ 1,3! · 18!s
βιβλίου τούτου.
(70) **8** Κἀγὼ Ἰωάννης ὁ ⸉ἀκούων καὶ βλέπων⸊ ταῦτα. καὶ 1,9 · 1J 1,1-3
ὅτε ἤκουσα καὶ ⸀ἔβλεψα, ἔπεσα προσκυνῆσαι ἔμ- *8s:* 19,10!
προσθεν τῶν ποδῶν τοῦ ἀγγέλου τοῦ δεικνύοντός μοι
ταῦτα. **9** καὶ λέγει μοι· ὅρα μή⸆· σύνδουλός σού εἰμι
καὶ τῶν ἀδελφῶν σου τῶν προφητῶν °καὶ τῶν τηρούν-
των τοὺς λόγους ⸇ τοῦ βιβλίου τούτου· τῷ θεῷ προσκύνησον.
71 **10** Καὶ λέγει μοι· μὴ σφραγίσῃς τοὺς λόγους τῆς προ- 10,4! · 18!s
φητείας τοῦ βιβλίου τούτου, ⸂ὁ καιρὸς γὰρ⸃ ἐγγύς ἐστιν. 1,3
11 ὁ ἀδικῶν ἀδικησάτω ἔτι ⸋καὶ ὁ ῥυπαρὸς ⸀ῥυπανθήτω Ez 3,27 Dn 12,10
ἔτι⸌, καὶ ὁ δίκαιος ⸂δικαιοσύνην ποιησάτω⸃ ἔτι καὶ Is 56,1
ὁ ἅγιος ἁγιασθήτω ἔτι.
12 ⸆ Ἰδοὺ ἔρχομαι ταχύ, καὶ ὁ μισθός μου μετ' ἐμοῦ 3,11! · Is 40,10
⸀ἀποδοῦναι ἑκάστῳ ὡς τὸ ἔργον ⸁ἐστὶν αὐτοῦ. **13** ἐγὼ 2,23! Ps 28,4 Jr 17,10

4 ⸆και א • **5** ⸀εκει 051^{s}. 2377$^{v.l.}$ 𝔐^{A} sy^{ph} ¦ – 1611^{s}. 1854 𝔐^{K} ¦ *txt* א A P 1006. 1841. 2030. 2050. 2053. 2062. 2329. 2377* *pc* latt sy^{h} co | ⸂ουχ εξουσιν χρ. A 1006. 1841. 2050. 2053. 2062. 2329 *pc* gig vg; Ambr Prim ¦ ου χρεια 1611^{s}. 1854 𝔐^{K} | ⸁φως 2030. 2050. 2053. 2062. 2329. 2377 *pc* ¦ – 051^{s} 𝔐 a; Ambr ¦ *txt* א A 1006. 1841 *pc et* ⸀¹φως A P 051^{s}. 2030. 2050. 2053. 2062. 2329. 2377 *al* ¦ *txt* א 𝔐 | ° 1611^{s}. 1854 𝔐^{K} | °¹ 051^{s} 𝔐 lat ¦ *txt* א A 1006. 1841. 2030. 2050. 2329. 2377 *pc* gig; Ambr Prim • **6** ⸀λεγει 1611^{s}. 1854 𝔐^{K} | ° 051^{s} 𝔐 ¦ *txt* א A 1611^{s}. 1841. 2053. 2062. 2329 *pc* | ⸂αγιων 051$^{s\ v.l.}$ 𝔐^{A} ¦ πν. και των 2030. 2377 *pc* | ⸆με א* 1006. 1841 *pc* sy^{h} sa | ⸋ 1854 *al* • **7** ° 051^{s}. 2053. 2062 𝔐^{A} t; Prim Bea • **8** ⸉ א 1006. 1841. 2329 𝔐^{A} vg^{ms} sy^{ph} bo; Prim | ⸀-επον A 2053. 2062. 2329 *pc* ¦ ειδον 1611^{s}. 1854 𝔐^{K} • **9** ⸆ποιησης 1006. 1841 *pc* latt; Cyp | ° 𝔐^{A}; Prim | ⸇ (10) της προφητειας 2020 a vg^{cl}; (Tyc) • **10** ⸂οτι ο κ. 2377 𝔐^{A}; Cyp Tyc Prim • **11** ⸋ A 2030. 2050. 2062^{txt} *pc* | ⸀ρυπαρευθητω 𝔐 ¦ *txt* א 1854 *pc* | ⸂δικαιωθητω 2020 *pc* t vg^{cl} bo • **12** ⸆και 1611^{s}. 2030 𝔐^{A} vg^{mss} | ⸀-δοθηναι א* *pc* | ⸁εσται (⸉ 1611^{s}. 2329 𝔐^{A}) 𝔐; Bea ¦ *txt* א A (2030) *pc*

1,8! · 1,17! · 21,6 τὸ ἄλφα καὶ τὸ ὦ, ⸀ὁ πρῶτος καὶ ὁ ἔσχατος, ἡ ἀρχὴ
καὶ τὸ τέλος⸁.
1,3! · 7,14! **14** Μακάριοι οἱ ⸀πλύνοντες τὰς στολὰς αὐτῶν⸁, ἵνα
2,7! ἔσται ἡ ἐξουσία αὐτῶν ἐπὶ τὸ ξύλον τῆς ζωῆς καὶ τοῖς
Ps 118,19s | Ph 3,2 πυλῶσιν εἰσέλθωσιν εἰς τὴν πόλιν. **15** ἔξω οἱ κύνες καὶ
21,8.27 E 5,5! R 1,29! οἱ φάρμακοι καὶ οἱ πόρνοι καὶ οἱ φονεῖς καὶ οἱ εἰδωλο-
1J 1,6 λάτραι καὶ πᾶς ⸀φιλῶν καὶ ποιῶν⸁ ψεῦδος.
1,1 Ml 3,1 **16** Ἐγὼ Ἰησοῦς ἔπεμψα τὸν ἄγγελόν μου μαρτυρῆ- *(72)*
5,5! σαι ὑμῖν ταῦτα ⸂ἐπὶ ταῖς ἐκκλησίαις. ἐγώ εἰμι ἡ ῥίζα καὶ
R 1,3! · 2,28! Nu 24,17 τὸ γένος Δαυίδ, ⸆ ὁ ἀστὴρ ὁ λαμπρὸς ὁ πρωϊνός.
2,7 · 21,2.9 **17** Καὶ ⸰τὸ πνεῦμα καὶ ⸰ἡ νύμφη λέγουσιν· ἔρχου. καὶ
21,6! Is 55,1 J 7,37 ὁ ἀκούων εἰπάτω· ἔρχου. καὶ ὁ διψῶν ἐρχέσθω, ὁ θέλων
λαβέτω ὕδωρ ζωῆς δωρεάν.
7.10; 1,3 **18** Μαρτυρῶ ἐγὼ παντὶ ⸰τῷ ἀκούοντι τοὺς λόγους *72*
18s: Dt 4,2; 13,1 τῆς προφητείας τοῦ βιβλίου τούτου· ἐάν τις ἐπιθῇ ἐπ'
15,1! Dt 29,19 αὐτά, ἐπιθήσει ⸀ὁ θεὸς ἐπ' αὐτὸν⸁ τὰς ⸆ πληγὰς τὰς
γεγραμμένας ἐν τῷ βιβλίῳ τούτῳ, **19** καὶ ἐάν τις ἀφέλῃ
ἀπὸ τῶν λόγων ⸆ τοῦ βιβλίου τῆς προφητείας ταύτης,
2,7! ἀφελεῖ ὁ θεὸς τὸ μέρος αὐτοῦ ἀπὸ τοῦ ξύλου τῆς ζωῆς
Mt 4,5! καὶ ⸰ἐκ τῆς πόλεως τῆς ἁγίας τῶν γεγραμμένων ἐν τῷ
βιβλίῳ τούτῳ.
3,11! **20** Λέγει ὁ μαρτυρῶν ταῦτα· ναί, ἔρχομαι ταχύ. ⸰Ἀ-
1K 11,26; 16,22 μήν, ⸆ ἔρχου κύριε Ἰησοῦ⸆.

2Th 3,18! **21** Ἡ χάρις τοῦ κυρίου ⸂Ἰησοῦ μετὰ ⸂πάντων. ⸆

13 ⸀*7 8 10 1–5* (2030). 2377 𝔐^{A} ¦ *2 3 5–10* A (2053. 2062 *pc*) ● **14** ⸀ποιουντες τας εντολας αυτου 𝔐 gig sy$^{(h)}$ bo; Tert ¦ *txt* ℵ A 1006. 1841. 2050. 2053. 2062 *pc* vgst sa; Fulg Apr ● **15** ⸀*3 2 1* ℵ 046 *pc* gig sa ¦ ο φ. κ. π. 051^{s}. 2030. 2050 𝔐^{A} ● **16** ⸂εν A 1006. 1841. 2329 *al* ¦ – 051^{s} 𝔐^{A}; Prim | ⸆και 051^{s}. 2030. 2050 𝔐^{A} a sy^{ph} ● **17** ⸰*bis* ℵ ● **18** ⸰ 051^{s}. 2377 𝔐^{A} | ⸀*3 4 1 2* ℵ 051^{s}. 2030. (2050). 2377 𝔐^{A}; Ambr Apr ¦ *1 2* A* | ⸆επτα 046. 051^{s}. 2377 𝔐^{A} ● **19** ⸆τουτων ℵ *pc* (a) | ⸰A *pc* bo ● **20** ⸰ ℵ 2030. 2050. 2329 *pc* gig sy^{ph} co; Prim Bea | ⸆ναι 051^{s}. 1854. 2030. 2050. 2377 𝔐^{K}; Prim | ⸆ Χριστε ℵ^{2} 1611^{s}. 2030. 2050 𝔐^{A} bo; Prim Bea ¦ Χρ. μετα των αγιων σου (*et om. vs* 21) 2329 ● **21** ⸂Ι. Χριστου 051^{s} 𝔐 ¦ ημων Ι. Χρ. 2067 *pc* lat sy ¦ *txt* ℵ A 1611^{s}. 2053. 2062 *pc* | ⸂των αγιων ℵ gig ¦ π. τ. αγιων (+ αυτου 2030) 051^{s} 𝔐 sy co ¦ π. (η)μων 2050 *pc* ¦ *txt* A vg; Bea | ⸆αμην ℵ 051^{s} 𝔐 vg^{cl} sy co ¦ *txt* A 1006. 1841 *pc* a gig vgst

APPENDICES

I. CODICES GRAECI ET LATINI

II. TEXTUUM DIFFERENTIAE

III. LOCI CITATI VEL ALLEGATI

IV. SIGNA, SIGLA ET ABBREVIATIONES

I. CODICES GRAECI ET LATINI IN HAC EDITIONE ADHIBITI

A. CODICES GRAECI

ms. nr.	saec.	bibliotheca	cont.
*𝔓^{1}	III	Philadelphia, Univ. of Penns., Univ. Mus., E 2746; P. Oxy. 2	Mt 1,1-9.12.14-20
*𝔓^{2}	VI	Firenze, Mus. Archeol., Inv. 7134	Jo 12,12-15
*𝔓^{3}	VI/VII	Wien, Österr. Nat. Bibl., Pap. G. 2323	Lc 7,36-45; 10,38-42
*𝔓^{4}	III	Paris, Bibl. Nat., Suppl. Gr. 1120	Lc 1,58-59; 1,62–2,1.6-7; 3,8–4,2.29-32.34-35; 5,3-8; 5,30–6,16
*𝔓^{5}	III	London, Brit. Libr., Inv. 782. 2484; P. Oxy. 208. 1781	Jo 1,23-31.33-40; 16,14-30; 20,11-17.19-20.22-25
*𝔓^{6}	IV	Strasbourg, Bibl. Nat. et Univ., Pap. copt. 379. 381. 382. 384	Jo 10,1-2.4-7.9-10; 11,1-8.45-52
𝔓^{7}	IV-VI(?)	olim: Kiev, Ukrain. Nat. Bibl., Petrov 553	Lc 4,1-2
*𝔓^{8}	IV	Berlin, Staatl. Mus., Inv. 8683	Act 4,31-37; 5,2-9; 6,1-6.8-15
*𝔓^{9}	III	Cambridge (Mass.), Harvard Univ., Semit. Mus., Inv. 3736; P. Oxy. 402	1 Jo 4,11-12.14-17
*𝔓^{10}	IV	Cambridge (Mass.), Harvard Univ., Semit. Mus., Inv. 2218; P. Oxy. 209	Rm 1,1-7
*𝔓^{11}	VII	Leningrad, Publ. Bibl., Gr. 258 A	1 Cor 1,17-22; 2,9-12.14; 3,1-3.5-6; 4,3–5,5.7-8; 6,5-9. 11-18; 7,3-6.10-14
*𝔓^{12}	III	New York, Pierpont Morgan Libr., Pap. Gr. 3; P. Amherst 3b	Heb 1,1
*𝔓^{13}	III/IV	London, Brit. Libr., Inv. 1532v; P. Oxy. 657; Firenze, Bibl. Laurenziana; PSI 1292	Heb 2,14–5,5; 10,8-22; 10,29–11,13; 11,28–12,17
*𝔓^{14}	V	Sinai, Harris 14	1 Cor 1,25-27; 2,6-8; 3,8-10.20
*𝔓^{15}	III	Kairo, Egyptian Mus., JE 47423; P. Oxy. 1008	1 Cor 7,18–8,4
*𝔓^{16}	III/IV	Kairo, Egyptian Mus., JE 47424; P. Oxy. 1009	Ph 3,10-17; 4,2-8

*$\mathfrak{P}^{17}$	IV	Cambridge, Univ. Libr., Add. 5893; P. Oxy. 1078	Heb 9,12-19
*$\mathfrak{P}^{18}$	III/IV	London, Brit. Libr., Inv. 2053 v; P. Oxy. 1079	Apc 1,4-7
*$\mathfrak{P}^{19}$	IV/V	Oxford, Bodl. Libr., Gr. bibl. d. 6 (P); P. Oxy. 1170	Mt 10,32–11,5
*$\mathfrak{P}^{20}$	III	Princeton, Univ. Libr., AM 4117; P. Oxy. 1171	Jc 2,19–3,9
*$\mathfrak{P}^{21}$	IV/V	Allentown, Muhlenberg Coll., Theol. Pap. 3; P. Oxy. 1227	Mt 12,24-26.32-33
*$\mathfrak{P}^{22}$	III	Glasgow, Univ. Libr., MS 2 – X. 1; P. Oxy. 1228	Jo 15,25–16,2.21-32
*$\mathfrak{P}^{23}$	III	Urbana, Univ. of Illinois, G. P. 1229; P. Oxy. 1229	Jc 1,10-12.15-18
*$\mathfrak{P}^{24}$	IV	Newton Centre, Andover Theol. School, Hill's Libr., OP 1230; P. Oxy. 1230	Apc 5,5-8; 6,5-8
*$\mathfrak{P}^{25}$	IV	Berlin, Staatl. Mus., Inv. 16388	Mt 18,32-34; 19,1-3.5-7.9-10
*$\mathfrak{P}^{26}$	ca. 600	Dallas, Southern Meth. Univ., Bridwell Libr.; P. Oxy. 1354	Rm 1,1-16
*$\mathfrak{P}^{27}$	III	Cambridge, Univ. Libr., Add. 7211; P. Oxy. 1355	Rm 8,12-22.24-27; 8,33–9,3.5-9
*$\mathfrak{P}^{28}$	III	Berkeley, Pacific School of Rel., Museum, Pap. 2; P. Oxy. 1596	Jo 6,8-12.17-22
*$\mathfrak{P}^{29}$	III	Oxford, Bodl. Libr., Gr. bibl. g. 4 (P); P. Oxy. 1597	Act 26,7-8.20
*$\mathfrak{P}^{30}$	III	Gent, Rijksuniv., Univ. Bibl., Inv. 61; P. Oxy. 1598	1 Th 4,12-13.16-17; 5,3.8-10.12-18.25-28; 2 Th 1,1-2
*$\mathfrak{P}^{31}$	VII	Manchester, J. Rylands Libr., Gr. P. 4; P. Ryl. 4	Rm 12,3-8
*$\mathfrak{P}^{32}$	ca. 200	Manchester, J. Rylands Libr., Gr. P. 5; P. Ryl. 5	Tt 1,11-15; 2,3-8
*$\mathfrak{P}^{33}$ (+58)	VI	Wien, Österr. Nat. Bibl., Pap. G. 17973. 26133. 35831 (= $\mathfrak{P}^{58}$); 39783	Act 7,6-10.13-18; 15,21-24.26-32
*$\mathfrak{P}^{34}$	VII	Wien, Österr. Nat. Bibl., Pap. G. 39784	1 Cor 16,4-7.10; 2 Cor 5,18-21; 10,13-14; 11,2.4.6-7
*$\mathfrak{P}^{35}$	IV(?)	Firenze, Bibl. Laurenziana; PSI 1	Mt 25,12-15.20-23
*$\mathfrak{P}^{36}$	VI	Firenze, Bibl. Laurenziana; PSI 3	Jo 3,14-18.31-32.34-35
*$\mathfrak{P}^{37}$	III/IV	Ann Arbor, Univ. of Michigan, Inv. 1570; P. Mich. 137	Mt 26,19-52
*$\mathfrak{P}^{38}$	ca. 300	Ann Arbor, Univ. of Michigan, Inv. 1571; P. Mich. 138	Act 18,27–19,6.12-16
*$\mathfrak{P}^{39}$	III	Rochester, Ambrose Swabey Libr., Inv. 8864; P. Oxy. 1780	Jo 8,14-22

ms. nr.	saec.	bibliotheca	cont.
*𝔓40	III	Heidelberg, Pap. Samml. der Univ., Inv. 45; P. Bad. 57	Rm 1,24-27; 1,31–2,3; 3,21–4,8; 6,4-5.16; 9,16-17.27
*𝔓41	VIII	Wien, Österr. Nat. Bibl., Pap. K. 7541–48	Act 17,28–18,2.24-25.27; 19,1-4.6-8.13-16.18-19; 20,9-13.15-16.22-24.26-28.35-38; 21,1-4; 22,11-14.16-17
*𝔓42	VII/VIII	Wien, Österr. Nat. Bibl., Pap. K. 8706	Lc 1,54-55; 2,29-32
*𝔓43	VI/VII	London, Brit. Libr., Inv. 2241	Apc 2,12-13; 15,8–16,2
*𝔓44	VI/VII	New York, Metropol. Mus. of Art, Inv. 14. 1. 527	Mt 17,1-3.6-7; 18,15-17.19; 25,8-10; Jo 9,3-4; 10,8-14; 12,16-18
*𝔓45	III	Dublin, P. Chester Beatty I; Wien, Österr. Nat. Bibl., Pap. G. 31974	Mt 20,24-32; 21,13-19; 25,41–26,39; Mc 4,36-40; 5,15-26; 5,38–6,3.16-25.36-50; 7,3-15; 7,25–8,1.10-26; 8,34–9,9.18-31; 11,27–12,1.5-8.13-19.24-28; Lc 6,31-41; 6,45–7,7; 9,26-41; 9,45–10,1.6-22; 10,26–11,1.6-25.28-46; 11,50–12,12.18-37; 12,42–13,1.6-24; 13,29–14,10.17-33; Jo 10,7-25; 10,30–11,10.18-36.42-57; Act 4,27-36; 5,10-21.30-39; 6,7–7,2.10-21.32-41; 7,52–8,1.14-25; 8,34–9,6.16-27; 9,35–10,2.10-23.31-41; 11,2-14; 11,24–12,5.13-22; 13,6-16.25-36; 13,46–14,3.15-23; 15,2-7.19-27; 15,38–16,4.15-21.32-40; 17,9-17
*𝔓46	ca. 200	Dublin, P. Chester Beatty II; Ann Arbor, Univ. of Michigan, Inv. 6238	Rm 5,17–6,3.5-14; 8,15-25.27-35; 8,37–9,32; 10,1–11,22.24-33; 11,35–15,9; 15,11–16,27; 1Cor 1,1–9,2; 9,4–14,14; 14,16–15,15; 15,17–16,22; 2Cor 1,1–11,10.12-21; 11,23–13,13; Gal 1,1-8; 1,10–2,9.12-21; 3,2-29; 4,2-18; 4,20–5,17; 5,20–6,8.10-18; Eph 1,1–2,7; 2,10–5,6; 5,8–6,6.8-18.20-24; Ph 1,1.5-15.17-28; 1,30–2,12.14-27; 2,29–3,8.10-21; 4,2-12.14-23; Col 1,1-2.5-13.16-24; 1,27–2,19; 2,23–3,11.13-24; 4,3-12.16-18; 1Th 1,1; 1,9–2,3; 5,5-9.23-28; Heb 1,1–9,16; 9,18–10,20.22-30; 10,32–13,25

*$\mathfrak{P}^{47}$	III	Dublin, P. Chester Beatty III	Apc 9,10–11,3; 11,5–16,15; 16,17–17,2
*$\mathfrak{P}^{48}$	III	Firenze, Bibl. Laurenziana; PSI 1165	Act 23,11-17.23-29
*$\mathfrak{P}^{49}$	III	New Haven, Yale Univ. Libr., P. 415	Eph 4,16-29; 4,31–5,13
*$\mathfrak{P}^{50}$	IV/V	New Haven, Yale Univ. Libr., P. 1543	Act 8,26-32; 10,26-31
*$\mathfrak{P}^{51}$	ca. 400	Oxford, Ashmolean Mus.; P. Oxy. 2157	Gal 1,2-10.13.16-20
*$\mathfrak{P}^{52}$	II	Manchester, J. Rylands Libr., Gr. P. 457	Jo 18,31-33.37-38
*$\mathfrak{P}^{53}$	III	Ann Arbor, Univ. of Michigan, Inv. 6652	Mt 26,29-40; Act 9,33–10,1
*$\mathfrak{P}^{54}$	V/VI	Princeton, Univ. Libr., Garrett Depots 7742; P. Princ. 15	Jc 2,16-18.22-26; 3,2-4
*$\mathfrak{P}^{55}$	VI/VII	Wien, Österr. Nat. Bibl., Pap. G. 26214	Jo 1,31-33.35-38
*$\mathfrak{P}^{56}$	V/VI	Wien, Österr. Nat. Bibl., Pap. G. 19918	Act 1,1.4-5.7.10-11
*$\mathfrak{P}^{57}$	IV/V	Wien, Österr. Nat. Bibl., Pap. G. 26020	Act 4,36–5,2.8-10
[$\mathfrak{P}^{58}$]		vide $\mathfrak{P}^{33}$	
*$\mathfrak{P}^{59}$	VII	New York, Pierpont Morgan Libr.; P. Colt 3	Jo 1,26.28.48.51; 2,15-16; 11,40-52; 12,25.29.31.35; 17,24-26; 18,1-2.16-17.22; 21,7.12-13.15.17-20.23
*$\mathfrak{P}^{60}$	VII	New York, Pierpont Morgan Libr.; P. Colt 4	Jo 16,29-30; 16,32–17,6.8-9.11-15.18-25; 18,1-2.4-5.7-16.18-20.23-29.31-37.39-40; 19,2-3.5-8.10-18.20.23-26
*$\mathfrak{P}^{61}$	ca. 700	New York, Pierpont Morgan Libr.; P. Colt 5	Rm 16,23-27; 1Cor 1,1-2.4-6; 5,1-3.5-6.9-13; Ph 3,5-9.12-16; Col 1,3-7.9-13; 4,15; 1Th 1,2-3; Tt 3,1-5.8-11.14-15; Phm 4-7
*$\mathfrak{P}^{62}$	IV	Oslo, Univ. Bibl., Inv. 1661	Mt 11,25-30
*$\mathfrak{P}^{63}$	ca. 500	Berlin, Staatl. Mus., Inv. 11914	Jo 3,14-18; 4,9-10
*$\mathfrak{P}^{64}$ (+67)	ca. 200	Oxford, Magdalen Coll., Gr. 18; Barcelona, Fundación S. Lucas Evang., Inv. 1 (= $\mathfrak{P}^{67}$)	Mt 3,9.15; 5,20-22.25-28; 26,7-8.10.14-15.22-23.31-33
*$\mathfrak{P}^{65}$	III	Firenze, Ist. di Pap. G. Vitelli; PSI 1373	1Th 1,3–2,1.6-13
*$\mathfrak{P}^{66}$	ca. 200	Cologny, Bibl. Bodmer.; P. Bodmer II; Dublin, P. Chester Beatty	Jo 1,1–6,11; 6,35–14,26.29-30; 15,2-26; 16,2-4.6-7; 16,10–20,20.22-23; 20,25–21,9
[$\mathfrak{P}^{67}$]		vide $\mathfrak{P}^{64}$	
*$\mathfrak{P}^{68}$	VII(?)	Leningrad, Publ. Bibl., Gr. 258B	1Cor 4,12-17; 4,19–5,3
*$\mathfrak{P}^{69}$	III	Oxford, Ashmolean Mus.; P. Oxy. 2383	Lc 22,41.45-48.58-61

ms. nr.	saec.	bibliotheca	cont.
*$\mathfrak{P}^{70}$	III	Oxford, Ashmolean Mus.; P. Oxy. 2384; Firenze, Ist. di Pap. G. Vitelli, CNR 419. 420	Mt 2,13-16; 2,22–3,1; 11,26-27; 12,4-5; 24,3-6.12-15
*$\mathfrak{P}^{71}$	IV	Oxford, Ashmolean Mus.; P. Oxy. 2385	Mt 19,10-11.17-18
*$\mathfrak{P}^{72}$	III/IV	Cologny, Bibl. Bodmer.; P. Bodmer VII. VIII (1. 2 Pt hodie in Bibl. Vaticana)	1Pt 1,1–5,14; 2Pt 1,1–3,18; Jd 1-25
$\mathfrak{P}^{73}$	?	Cologny, Bibl. Bodmer.	Mt 25,43; 26,2-3
*$\mathfrak{P}^{74}$	VII	Cologny, Bibl. Bodmer.; P. Bodmer XVII	Act 1,2-5.7-11.13-15.18-19.22-25; 2,2-4; 2,6–3,26; 4,2-6.8-27; 4,29–27,25; 27,27–28,31; Jc 1,1-6.8-19. 21-23.25; 1,27–2,3.5-15.18-22; 2,25–3,1.5-6.10-12.14; 3,17–4,8.11-14; 5,1-3.7-9.12-14.19-20; 1Pt 1,1-2.7-8. 13.19-20.25; 2,6-7.11-12.18.24; 3,4-5; 2Pt 2,21; 3,4. 11.16; 1Jo 1,1.6; 2,1-2.7.13-14.18-19.25-26; 3,1-2.8. 14.19-20; 4,1.6-7.12.16-17; 5,3-4.9-10.17; 2Jo 1.6-7. 12-13; 3Jo 6.12; Jd 3.7.12.18.24
*$\mathfrak{P}^{75}$	III	Cologny, Bibl. Bodmer.; P. Bodmer XIV. XV	Lc 3,18-22; 3,33–4,2; 4,34–5,10; 5,37–6,4; 6,10–7,32.35-39.41-43; 7,46–9,2; 9,4–17,15; 17,19–18,18; 22,4–24,53; Jo 1,1–11,45.48-57; 12,3–13,1.8-9; 14, 8-30; 15,7-8
*$\mathfrak{P}^{76}$	VI	Wien, Österr. Nat. Bibl., Pap. G. 36102	Jo 4,9.12
*$\mathfrak{P}^{77}$	II/III	Oxford, Ashmolean Mus.; P. Oxy. 2683	Mt 23,30-39
*$\mathfrak{P}^{78}$	III/IV	Oxford, Ashmolean Mus.; P. Oxy. 2684	Jd 4-5.7-8
*$\mathfrak{P}^{79}$	VII	Berlin, Staatl. Mus., Inv. 6774	Heb 10,10-12.28-30
*$\mathfrak{P}^{80}$	III	Barcelona, Fundación S. Lucas Evang., Inv. 83	Jo 3,34
*$\mathfrak{P}^{81}$	IV	Trieste, S. Daris, Inv. 20	1Pt 2,20–3,1.4-12
*$\mathfrak{P}^{82}$	IV/V	Strasbourg, Bibl. Nat. et Univ., Gr. 2677	Lc 7,32-34.37-38
$\mathfrak{P}^{83}$	VI	Louvain, Bibl. de l'Univ., P. A. M. Kh. Mird 16. 29	Mt 20,23-25.30-31; 23,39–24,1.6
$\mathfrak{P}^{84}$	VI	Louvain, Bibl. de l'Univ., P. A. M. Kh. Mird 4. 11. 26. 27	Mc 2,4-5.8-9; 6,30-31.33-34.36-37.39-41; Jo 5,5; 17, 3.7-8
*$\mathfrak{P}^{85}$	IV/V	Strasbourg, Bibl. Nat. et Univ., Gr. 1028	Apc 9,19–10,2.5-9

*𝔓86	IV	Köln, Inst. für Altertumskunde, Theol. 5516	Mt 5,13-16.22-25
𝔓87	III	Köln, Inst. für Altertumskunde, Theol. 12	Phm 13-15.24-25
*𝔓88	IV	Milano, Univ. Cattolica, Inv. 69. 24	Mc 2,1-26
*א 01	IV	London, Brit. Libr., Add. 43725	eapr
*A 02	V	London, Brit. Libr., Royal 1 D. VIII	eapr (vac. Mt 1,1–25,6; Jo 6,50–8,52; 2Cor 4,13–12,6)
*B 03	IV	Roma, Bibl. Vatic., Gr. 1209	eap (vac. 1Tm–Phm; Heb 9,14-fin.)
*C 04	V	Paris, Bibl. Nat., Gr. 9	eapr (vac. Mt 1,1-2; 5,15–7,5; 17,26–18,28; 22,21–23,17; 24,10-45; 25,30–26,22; 27,11-46; 28,15-fin.; Mc 1,1-17; 6,32–8,5; 12,30–13,19; Lc 1,1-2; 2,5-42; 3,21–4,25; 6,4-36; 7,17–8,28; 12,4-19,42; 20,28–21,20; 22,19–23,25; 24,7-45; Jo 1,1-3; 1,41–3,33; 5,17–6,38; 7,3–8,34; 9,11–11,7; 11,47–13,7; 14,8–16,21; 18,36–20,25; Act 1,1-2; 4,3–5,34; 6,8; 10,43–13,1; 16,37–20,10; 21,31–22,20; 23,18–24,15; 26,19–27,16; 28,5-fin.; Rm 1,1-3; 2,5–3,21; 9,6–10,15; 11,31–13,10; 1Cor 1,1-2; 7,18–9,6; 13,8–15,40; 2Cor 1,1-2; 10,8-fin.; Gal 1,1-20; Eph 1,1–2,18; 4,17-fin.; Ph 1,1-22; 3,5-fin.; Col 1,1-2; 1Th 1,1; 2,9-fin.; 2Th; 1Tm 1,1–3,9; 5,20-fin.; 2Tm 1,1-2; Tt 1,1-2; Phm 1-2; Heb 1,1–2,4; 7,26–9,15; 10,24–12,15; Jc 1,1-2; 4,2-fin.; 1Pt 1,1-2; 4,5-fin.; 2Pt 1,1; 1Jo 1,1-2; 4,3-fin.; 2Jo; 3Jo 1-2; Jd 1-2; Apc 1,1-2; 3,20–5,14; 7,14-17; 8,5–9,16; 10,10–11,3; 16,13–18,2; 19,5-fin.)
*D 05	V	Cambridge, Univ. Libr., Nn. II 41	ea (vac. Mt 1,1-20; [3,7-16 suppl.]; 6,20–9,2; 27,2-12; Mc 16,15-fin.; Jo 1,16–3,26; [18,14–20,13 suppl.]; Act 8,29–10,14; 21,2-10.16-18; 22,10-20; 22,29-fin.; Jc–Jd)
*D 06	VI	Paris, Bibl. Nat., Gr. 107, 107 AB	p (vac. Rm 1,1-7; [1,27-30; 1Cor 14,13-22 suppl.])
E 07	VIII	Basel, Univ. Bibl., AN III 12	e†

ms. nr.	saec.	bibliotheca	cont.
*E 08	VI	Oxford, Bodl. Libr., Laud. Gr. 35	a (vac. Act 26,29–28,26; Jc–Jd)
F 09	IX	Utrecht, Univ. Bibl., Ms. 1	e†
*F 010	IX	Cambridge, Trin. Coll., B. XVII. 1	p (vac. Rm 1,1–3,19; 1 Cor 3,8-16; 6,7-14; Col 2,1-8; Phm 21-fin.; Heb)
G 011	IX	London, Brit. Libr., Harley 5684; Cambridge, Trin. Coll., B. XVII. 20	e†
*G 012	IX	Dresden, Sächs. Landesbibl., A 145b	p (vac. Rm 1,1-5; 2,16-25; 1 Cor 3,8-16; 6,7-14; Col 2,1-8; Phm 21-fin.; Heb)
H 013	IX	Hamburg, Univ. Bibl., Cod. 91 in scrin; Cambridge, Trin. Coll., B. XVII. 20, 21	e†
H 014	IX	Modena, Bibl. Estens., G. 196	a†
*H 015	VI	Athos, Lavra s. n.; Kiev, Bibl. Akad. Nauk, Petrov 26; Leningrad, Publ. Bibl., Gr. 14; Moskva, Hist. Mus., 563; Moskva, Lenin Bibl., Gr. 166,1; Paris, Bibl. Nat., Suppl. Gr. 1074; Paris, Bibl. Nat., Coislin 202; Torino, Bibl. Naz., A. 1	1 Cor 10,22-29; 11,9-16; 2 Cor 4,2-7; 10,8-12; 10,18–11,6; 11,12–12,2; Gal 1,1-10; 2,9-17; 4,30–5,5; Col 1,26–2,8; 2,20–3,11; 1 Th 2,9-13; 4,5-11; 1 Tm 1,7–2,13; 3,7-13; 6,9-13; 2 Tm 2,1-9; Tt 1,1-3; 1,15–2,5; 3,13-15; Heb 1,3-8; 2,11-16; 3,13-18; 4,12-15; 10,1-7.32-38; 12,10-15; 13,24-25
*I 016	V	Washington, Smithsonian Inst., Freer Gall. of Art, 06. 275	1 Cor 10,29; 11,9-10.18-19.26-27; 12,3-4.14.27; 14,12.22.32-33; 15,3.15.27-28.38-39.49-50; 16,1-2.12-13; 2 Cor 1,1.9.16-17; 2,3-4.14; 3,6-7.16-17; 4,6-7.16-17; 5,8-10.17-18; 6,6-8.16-18; 7,7-8.13-14; 8,6-7.14-17; 8,24–9,1.7-8; 10,1.8-10; 10,17–11,2.9-10.20-21.28-29; 12,6-7.14-15; 13,1-2.10-11; Gal 1,1-3.11-13; 1,22–2,1.8-9.16-17; 3,6-8.16-17.24-28; 4,8-10.20-23; Eph 2,16-18; 3,6-8.18-20; 4,9-11.17-19.28-30; 5,6-11.20-24; 5,32–6,1.10-12.19-21; Ph 1,1-4.11-13.20-23; 2,1-3.12-14.25-27; 3,4-6.14-17; 4,3-6.13-15; Col 1,1-4.10-12.20-22.27-29; 2,7-9.16-19; 3,5-8.15-17; 3,25–4,2.11-13; 1 Th 1,1-2.9-10; 2,7-9.14-16; 3,2-5.11-13; 4,

			7-10; 4,16–5,1.9-12.23-27; 2Th 1,1-3.10-11; 2,5-8. 14-17; 3,8-10; 1Tm 1,1-3.10-13; 1,19–2,1.9-13; 3,7-9; 4,1-3.10-13; 5,5-9.16-19; 6,1-2.9-11.17-19; 2Tm 1, 1-3.10-12; 2,2-5.14-16.22-24; 3,6-8; 3,16–4,1.8-10. 18-20; Tt 1,1-3.10-11; 2,4-6.14-15; 3,8-9; Phm 1-3. 14-16; Heb 1,1-3.9-12; 2,4-7.12-14; 3,4-6.14-16; 4, 3-6.12-14; 5,5-7; 6,1-3.10-13; 6,20–7,2.7-11.18-20; 7,27–8,1.7-9; 9,1-4.9-11.16-19.25-27; 10,5-8.16-18. 26-29.35-38; 11,6-7.12-15.22-24.31-33; 11,38–12,1. 7-9.16-18.25-27; 13,7-9.16-18.23-25
(*)K 017	IX	Paris, Bibl. Nat., Gr. 63	e
(*)K 018	IX	Moskva, Hist. Mus., V. 93, S. 97	apK (vac. Act; Rm 10,18-fin.; 1 Cor 1,1–6,13; 8,7-11)
*L 019	VIII	Paris, Bibl. Nat., Gr. 62	e (vac. Mt 4,22–5,14; 28,17-fin.; Mc 10,16-30; 15, 2-20; Jo 21,15-fin.)
(*)L 020	IX	Roma, Bibl. Angelica, 39	ap (vac. Act 1,1–8,10; Heb 13,10-fin.)
M 021	IX	Paris, Bibl. Nat., Gr. 48	e
(*)N 022	VI	Leningrad, Publ. Bibl., Gr. 537; Patmos, Joannu, 67; Roma, Bibl. Vatic., Gr. 2305; London, Brit. Libr., Cotton. Tit. C. XV; Wien, Österr. Nat. Bibl., Theol. Gr. 31; Athen, Byz. Mus., Frg. 21; Lerma/ Alessandria, A. Spinola; New York, Pierpont Morgan Libr., 874; Thessaloniki, Archeol. Mus.	e (vac. Mt 1,1-24; 2,7-20; 3,4–6,24; 7,15–8,1.24-31; 10,28–11,3; 12,40–13,4.33-41; 14,6-22; 15,14-31; 16,7–18,5; 18,26–19,6; 19,13–20,6; 21,19–26,57; 26,65–27,26.34-fin.; Mc 1,1–5,20; 7,4-20; 8,32–9,1; 10,43–11,7; 12,19–14,25; 15,23-33.42-fin.; Lc 1,1–2,23; 4,3-19.26-35; 4,42–5,12; 5,33–9,7.21-28.36-58; 10,4-12; 10,35–11,14; 11,23–12,12.21-29; 18,32–19,17; 20,30–21,22; 22,49-57; 23,41–24,13.21-39. 49-fin.; Jo 1,1-21; 1,39–2,6; 3,30–4,5; 5,3-10.19-26; 6,49-57; 9,33–14,2; 14,11–15,14; 15,22–16,15; 20, 23-25.28-30; 21,20-fin.)
O 023	VI	Paris, Bibl. Nat., Suppl. Gr. 1286; olim Mariupol, Gymnasium	eP: Mt†
(*)P 024	VI	Wolfenbüttel, Herzog-August-Bibl., Weißenburg 64	Mt 1,11-21; 3,13–4,19; 10,7-19; 10,42–11,11; 13, 40-50; 14,15–15,3.29-39; Mc 1,2-11; 3,5-17; 14,13-24.

ms. nr.	saec.	bibliotheca	cont.
			48-61; 15,12-37; Lc 1,1-13; 2,9-20; 6,21-42; 7,32–8,2; 8,31-50; 9,26-36; 10,36–11,4; 12,34-45; 14,14-25; 15,13–16,22; 18,13-39; 20,21–21,3; 22,3-16; 23,20-33; 23,45–24,1; 24,14-37; Jo 1,29-40; 2,13-25; 21,1-11
P 025 [*]	IX	Leningrad, Publ. Bibl., Gr. 225	act *cath (*)p (*)r (vac. Rm 2,15–3,5; 8,33–9,11; 11,22–12,1; 1Cor 7,15-17; 12,23–13,5; 14,23-39; 2Cor 2,13-16; Col 3,16–4,8; 1Th 3,5–4,17; 1Jo 3,20–5,1; Jd 4-15; Apc 16,12–17,1; 19,21–20,9; 22,6-fin.)
(*)Q 026	V	Wolfenbüttel, Herzog-August-Bibl., Weißenburg 64	Lc 4,34–5,4; 6,10-26; 12,6-43; 15,14-31; 17,34–18,15; 18,34–19,11; 19,47–20,17; 20,34–21,8; 22,27-46; 23,30-49; Jo 12,3-20; 14,3-22
*R 027	VI	London, Brit. Libr., Add. 17211	Lc 1,1-13; 1,69–2,4; 2,16-27; 4,38–5,5; 5,25–6,8.18-40; 6,49–7,22.44.46-47.50; 8,1-3.5-15; 8,25–9,1.12-43; 10,3-16; 11,4-27; 12,4-15.40-52; 13,26–14,1; 14,12–15,1; 15,13–16,16; 17,21–18,10; 18,22–20,20.33-47; 21,12–22,6.8-15.42-56; 22,71–23,11.38-51
S 028	X (949)	Roma, Bibl. Vatic., Gr. 354	e
*T 029 cum 0113; 0125; 0139	V	Roma, Bibl. Vatic., Borg. Copt. 109 (Cass. 18,65); ibidem, Copt. T 109 (Cass. 7,2); New York, Pierpont Morgan Libr., M 664 A; Paris, Bibl. Nat., Copt. 129,9, fol. 49. 65; 129,10, fol. 209 (= 0113); Copt. 129,9 fol. 76 (= 0125); Copt. 129,7, fol. 35; 129,8, fol. 121. 122. 140. 157 (= 0139)	Lc 6,18-26; 18,2-9.10-16; 18,32–19,8; 21,33–22,3 22,20–23,20; 24,25-27.29-31; Jo 1,24-32; 3,10-17; 4,52–5,7; 6,28-67; 7,6–8,31
U 030	IX	Venezia, Bibl. S. Marco, 1397 (I, 8)	e
V 031	IX	Moskva, Hist. Mus., V. 9, S. 399	e†
*W 032	V	Washington, Smithsonian Inst., Freer Gall. of Art, 06. 274	e (vac. Mc 15,13-38; Jo [1,1–5,11 suppl.]; 14,26–16,7)
X 033	X	München, Univ. Bibl., fol. 30	e†

*Z 035	VI	Dublin, Trin. Coll., K. 3. 4	Mt 1,17–2,6.13-20; 4,4-13; 5,45–6,15; 7,16–8,6; 10,40–11,18; 12,43–13,11; 13,57–14,19; 15,13-23; 17, 9-17; 17,26–18,6; 19,4-12.21-28; 20,7–21,8.23-30. 37-45; 22,16-25; 22,37–23,3.13-23; 24,15-25; 25,1-11; 26,21-29.62-71
(*)Γ 036	X	Oxford, Bodl. Libr., Auct. T. infr. 2.2; Leningrad, Publ. Bibl., Gr. 33	e (vac. Mt 5,31–6,16; 6,30–7,26; 8,27–9,6; 21,19–22,25; Mc 3,34–6,21)
(*)Δ 037	IX	St. Gallen, Stiftsbibl., 48	e (vac. Jo 19,17-35)
*Θ 038	IX	Tbilisi, Inst. rukop., Gr. 28	e (vac. Mt 1,1-9; 1,21–4,4; 4,17–5,4)
Λ 039	IX	Oxford, Bodl. Libr., Auct. T. infr. 1.1	Lc Jo
*Ξ 040	VI	London, Brit. and Foreign Bible Society, 24	Lc 1,1-9.19-23.27-28.30-32.36-66; 1,77–2,19.21-22. 33-39; 3,5-8.11-20; 4,1-2.6-20.32-43; 5,17-36; 6,21–7,6.11-37.39-47; 8,4-21.25-35.43-50; 9,1-28.32-33.35; 9,41–10,18.21-40; 11,1-4.24-33
Π 041	IX	Leningrad, Publ. Bibl., Gr. 34	e†
Σ 042	VI	Rossano, Curia arcivescovile	Mt Mc
Φ 043	VI	Tirana, Staatsarchiv, Nr. 1	Mt Mc†
*Ψ 044	VIII/IX	Athos, Lavra, Β′ 52	eap (vac. Mt; Mc 1,1–9,5; Heb 8,11–9,19)
Ω 045	IX	Athos, Dionysiu, 55	e
*046	X	Roma, Bibl. Vatic., Gr. 2066	r
047	VIII	Princeton, Univ. Libr., Med. and Ren. Mss. Garret 1	e
*048	V	Roma, Bibl. Vatic., Gr. 2061	Act 26,6–27,4; 28,3-31; Rm 13,4–15,9; 1Cor 2,1–3,11.22; 4,4-6; 5,5-11; 6,3-11; 12,23–15,17.20-27; 2Cor 4,7–6,8; 8,9-18; 8,21–10,6; Eph 5,8–6,24; Ph 1,8-23; 2,1-4.6-8; Col 1,20–2,8.11-14.22-23; 3,7-8; 3,12–4,18; 1Th 1,1.5-6; 1Tm 5,5-6.17.20-21; 2Tm 1,4-6.8; 2,2-25; Tt 3,13-15; Phm 1-25; Heb 11,32-38; 12,3–13,4; Jc 4,15–5,20; 1Pt 1,1-12; 2Pt 2,4-8; 2,13–3,15; 1Jo 4,6–5,13.17-18.21; 2Jo 1-13; 3Jo 1-15
049	IX	Athos, Lavra, Α′ 88	ap†

ms. nr.	saec.	bibliotheca	cont.
*050	IX	Athen, Nat. Bibl., 1371; Athos, Dionysiu, (71) 2; Moskva, Hist. Mus., V. 29, S. 119; Oxford, Christ Church Coll., Wake 2	Jo 1,1.3-4; 2,17–3,8.12-13.20-22; 4,7-14; 20,10-13. 15-17
*051	X	Athos, Pantokratoros, 44	r (vac. Apc 1,1–11,14; 13,2-3; 22,8-14)
*052	X	Athos, Panteleimonos, 99,2	Apc 7,16–8,12
*053	IX	München, Bayer. Staatsbibl., Gr. 208	Lc 1,1-55; 1,57–2,40
*054	VIII	Roma, Bibl. Vatic., Barb. Gr. 521	Jo 16,3–19,41
*057	IV/V	Berlin, Staatl. Mus., P. 9808	Act 3,5-6.10-12
*058	IV	Wien, Österr. Nat. Bibl., Pap. G. 39782	Mt 18,18-19.22-23.25-26.28-29
*059 cum 0215	IV/V	Wien, Österr. Nat. Bibl., Pap. G. 39779; 36112 (= 0215)	Mc 15,20-21.26-27.29-38
*060	VI	Berlin, Staatl. Mus., P. 5877	Jo 14,14-17.19-21.23-24.26-28
*061	V	Paris, Louvre, Ms. E 7332	1Tm 3,15-16; 4,1-3; 6,2-8
*062	V	olim: Damaskus, Kubbet el Chazne	Gal 4,15–5,14
*063 cum 0117	IX	Athos, Vatopediu, 1219; Moskva, Hist. Mus., V. 137, S. 39; V. 181, S. 350; Paris, Bibl. Nat., Suppl. Gr. 1155, II (= 0117)	Lc 16,19–18,14; 18,36–19,44; 20,19-23; 20,36–21,20; 22,6-30; 22,53–24,20.41-fin.; Jo 1,1–3,34; 4,45–6,29
*064 cum 074; 090	VI	Kiev, Bibl. Akad. Nauk, Petrov 17; Sinai, Harris 10 (= 074); Leningrad, Publ. Bibl., Gr. 276 (= 090)	Mt 25,15–26,3.17-39.59-70; 27,7-30.44-56; 28,11-fin.; Mc 1,11-22; 1,34–2,12; 2,21–3,3; 3,27–4,4; 5,9-20
*065	VI	Leningrad, Publ. Bibl., Gr. 6, I	Jo 11,50–12,9; 15,12–16,2; 19,11-24
*066	VI	Leningrad, Publ. Bibl., Gr. 6, II	Act 28,8-17
*067	VI	Leningrad, Publ. Bibl., Gr. 6, III	Mt 14,13-16.19-23; 24,37–25,1.32-45; 26,31-45; Mc 9,14-22; 14,58-70
*068	V	London, Brit. Libr., Add. 17136	Jo 13,16-17.19-20.23-24.26-27; 16,7-9.12-13.15-16. 18-19
*069	V	Chicago, Univ. Libr., Orient. Inst., 2057	Mc 10,50-51; 11,11-12
*070 cum 0110;	VI	Oxford, Clarendon Press, b. 2; London, Brit. Libr., Add. 34274 (= 0110); Paris, Bibl. Nat., Copt. 129,7,	Lc 3,19-30; 8,13-19; 8,56–9,9; 10,21-39; 11,24-42; 12,5–13,32; 16,4-12; 21,30–22,2.54-65; 23,4–24,26;

cum 0124; 0178; 0179; 0180; 0190; 0191; 0202		fol. 14. 72; 129,8, fol. 89f. 139. 147-154; 129,9, fol. 87; 129,10, fol. 119-124. 156. 164 (= 0124); Wien, Österr. Nat. Bibl., Pap. K. 2699 (= 0178); Pap. K. 2700 (= 0179); Pap. K. 15 (= 0180); Pap. K. 9007 (= 0190); Pap. K. 9031 (= 0191); London, Brit. Libr., Or. 3579 B (= 0202)	Jo 5,22-31; 7,3-12; 8,13-21; 8,33–9,39; 11,50-56; 12,46–13,4
*071	V/VI	Cambridge/Mass., Harvard Univ., Semit. Mus., Inv. 3735	Mt 1,21-24; 1,25–2,2
*072	V/VI	olim: Damaskus, Kubbet el Chazne	Mc 2,23–3,5
*073 cum 084	VI	Sinai, Harris 7; Leningrad, Publ. Bibl., Gr. 277 (= 084)	Mt 14,19-35; 15,2-8
[074]		vide 064	
*076	V/VI	New York, Pierpont Morgan Libr., Pap. G. 8	Act 2,11-22
*077	V	Sinai, Harris App. 5	Act 13,28-29
*078	VI	Leningrad, Publ. Bibl., Gr. 13, I	Mt 17,22–18,3.11-19; 19,5-14; Lc 18,14-25; Jo 4,52–5,8; 20,17-26
*079	VI	Leningrad, Publ. Bibl., Gr. 13, II	Lc 7,39-49; 24,10-19
080	VI	Leningrad, Publ. Bibl., Gr. 275; Alexandria, Bibl. Patriarch., 496	Mc 9,14-18.20-22; 10,23-24.29
*081	VI	Leningrad, Publ. Bibl., Gr. 9	2Cor 1,20–2,12
*082	VI	Moskva, Hist. Mus., V. 108, S. 100	Eph 4,2-18
*083 cum 0112; 0235	VI/VII	Leningrad, Publ. Bibl., Gr. 10; Sinai, Harris 12 (= 0112); Leningrad, Publ. Bibl., O. L. D. P. 149 (= 0235)	Mc 13,12-14.16-19.21-24.26-28; 14,29-45; 15,27–16,8; conclusio brevior; 16,9-10; Jo 1,25-28.30-41; 2,9–4,14.34-49
[084]		vide 073	
*085	VI	Leningrad, Publ. Bibl., Gr. 714	Mt 20,3-32; 22,3-16
*086	VI	London, Brit. Libr., Or. 5707; Kairo, Mus. of Antiquities, Copt. 9239	Jo 1,23-26; 3,5–4,18.23-35.45-49
*087 cum 092b	VI	Leningrad, Publ. Bibl., Gr. 12. 278; Sinai, Harris 11 (= 092b); Gr. 218	Mt 1,23–2,2; 19,3-8; 21,19-24; Mc 12,32-37; Jo 18,29-35

ms. nr.	saec.	bibliotheca	cont.
*088	V/VI	Leningrad, Publ. Bibl., Gr. 6, II	1 Cor 15,53–16,9; Tt 1,1-13
*089 cum 092a	VI	Leningrad, Publ. Bibl., Gr. 280; Sinai, Harris 11 (= 092a)	Mt 26,2-12
[090]		vide 064	
*091	VI	Leningrad, Publ. Bibl., Gr. 279	Jo 6,13-14.22-24
[092a]		vide 089	
[092b]		vide 087	
*093	VI	Cambridge, Univ. Libr., Taylor-Schechter Coll. 12, 189. 208	Act 24,22–25,5; 1 Pt 2,22-24; 3,1.3-7
*094	VI	Athen, Nat. Bibl., Gr. 2106	Mt 24,9-21
*095 cum 0123	VIII	Leningrad, Publ. Bibl., Gr. 17; 49,1-2 (= 0123)	Act 2,22-28; 2,45–3,8
*096	VII	Leningrad, Publ. Bibl., Gr. 19	Act 2,6-17; 26,7-18
*097	VII	Leningrad, Publ. Bibl., Gr. 18	Act 13,39-46
*098	VII	Grottaferrata, Bibl. della Badia, Z′ α′ 24	2 Cor 11,9-19
*099	VII	Paris, Bibl. Nat., Copt. 129,8, fol. 162	Mc 16,6-8; conclusio brevior; 16,9-18
*0100	VII	Paris, Bibl. Nat., Copt. 129,10, fol. 196	Jo 20,26-27.30-31
*0101	VIII	Wien, Österr. Nat. Bibl., Pap. G. 39780	Jo 1,29-32
*0102 cum 0138	VII	Athos, Vatopediu, 1219; Paris, Bibl. Nat., Suppl. Gr. 1155, I; Athos, Protatu, 56 (= 0138)	Mt 21,24–24,15; Lc 3,23–4,8.10-16.18-19.21-43; 21, 4-18
*0103	VII	Paris, Bibl. Nat., Suppl. Gr. 726, fol. 6. 7	Mc 13,34–14,5.7-17.21-25
*0104	VII	Paris, Bibl. Nat., Suppl. Gr. 726, fol. 1-5. 8-10	Mt 23,7-22; Mc 1,27-41; 13,12–14,3
*0105	X	Wien, Österr. Nat. Bibl., Suppl. Gr. 121	Jo 6,71–7,46
*0106 cum 0119	VII	Leningrad, Publ. Bibl., Gr. 16; Leipzig, Univ. Bibl., Cod. Gr. 7; Birmingham, Selly Oak Coll., Mingana chr. arab. 93; Sinai, Harris 8 (= 0119)	Mt 12,17-19.23-25; 13,32; 13,36–15,26
*0107	VII	Leningrad, Publ. Bibl., Gr. 11	Mt 22,16–23,14; Mc 4,24-35; 5,14-23
*0108	VII	Leningrad, Publ. Bibl., Gr. 22	Lc 11,37-45
*0109	VII	Berlin, Staatl. Mus., P. 5010	Jo 16,30–17,9; 18,31-40

[0110]		vide 070	
*0111	VII	Berlin, Staatl. Mus., P. 5013	2Th 1,1–2,2
[0112]		vide 083	
[0113]		vide 029	
*0114	VIII	Paris, Bibl. Nat., Copt. 129,10, fol. 198	Jo 20,4-6.8-10
*0115	IX/X	Paris, Bibl. Nat., Gr. 314, fol. 179. 180	Lc 9,35-47; 10,12-22
0116	VIII	Napoli, Bibl. Naz., II C 15	Mt 19,14-28; 20,23–21,2; 26,52–27,1; Mc 13,21–14,67; Lc 3,1–4,20
[0117]		vide 063	
*0118	VIII	Sinai, Harris 6	Mt 11,27-28
[0119]		vide 0106	
*0120	IX	Roma, Bibl. Vatic., Gr. 2302	Act 16,30–17,17.27-29.31-34; 18,8-26
*0121a	X	London, Brit. Libr., Harley 5613	1Cor 15,52–16,24; 2Cor 1,1-15; 10,13–12,5
*0121b	X	Hamburg, Univ. Bibl., Cod. 50	Heb 1,1–4,3; 12,20–13,25
*0122	IX	Leningrad, Publ. Bibl., Gr. 32	Gal 5,12–6,4; Heb 5,8–6,10
[0123]		vide 095	
[0124]		vide 070	
[0125]		vide 029	
*0126	VIII	olim: Damaskus, Kubbet el Chazne	Mc 5,34–6,2
*0127	VIII	Paris, Bibl. Nat., Copt. 129,10, fol. 207	Jo 2,2-11
*0128	IX	Paris, Bibl. Nat., Copt. 129,10, fol. 208	Mt 25,32-37.40-42.44-45
*0130	IX	St. Gallen, Stiftsbibl., 18, p. 143–146; 45, p. 1. 2; Zürich, Zentralbibl., C. 57	Mc 1,31–2,16; Lc 1,20-31.64-79; 2,24-48
*0131	IX	Cambridge, Trin. Coll., B. VIII. 5	Mc 7,3.6-8; 7,30–8,16; 9,2.7-9
*0132	IX	Oxford, Christ Church Coll., Wake 37	Mc 5,16-40
0133	IX	London, Brit. Libr., Add. 31919	eP: Mt Mc†
*0134	VIII	Oxford, Bodl. Libr., Seld. sup. 2, fol. 177. 178	Mc 3,15-32; 5,16-31
*0135	IX	Milano, Bibl. Ambros., Q. 6. sup.	Mt 25,35–26,2; 27,3-17; Mc 1,12-24; 2,26–3,10; Lc 1,24-37; 1,68–2,4; 4,28-40; 6,22-35; 8,22-30; 9,42-53; 17,2-14; 18,7-9.13-19; 22,11-25.52-66; 23,35-49; 24,32-46

ms. nr.	saec.	bibliotheca	cont.
*0136 cum 0137	IX	Leningrad, Publ. Bibl., Gr. 281; Sinai, Harris 9 (= 0137)	Mt 13,46-52; 14,6-13; 25,9-16; 25,41–26,1
[0137]		vide 0136	
[0138]		vide 0102	
[0139]		vide 029	
*0140	X	Sinai, Harris App. 41	Act 5,34-38
0141	X	Paris, Bibl. Nat., Gr. 209	ePK: Jo
*0143	VI	Oxford, Bodl. Libr., Gr. bibl. e. 5 (P)	Mc 8,17-18.27-28
*0145	VII	olim: Damaskus, Kubbet el Chazne	Jo 6,26-31
*0146	VIII	olim: Damaskus, Kubbet el Chazne	Mc 10,37-45
*0147	VI	olim: Damaskus, Kubbet el Chazne	Lc 6,23-35
*0148	VIII	Wien, Österr. Nat. Bibl., Suppl. Gr. 106	Mt 28,5-19
0155	IX	olim: Damaskus, Kubbet el Chazne	Lc 3,1-2(?).5(?).7-11; 6,24-27(?).28-31
*0156	VIII	olim: Damaskus, Kubbet el Chazne	2Pt 3,2-10
0159	VI	olim: Damaskus, Kubbet el Chazne	Eph 4,21-24; 5,1-3
*0160	IV/V	Berlin, Staatl. Mus., P. 9961	Mt 26,25-26.34-36
*0161	VIII	Athen, Nat. Bibl., 139	Mt 22,7-46
*0162	III/IV	New York, Metropol. Mus. of Art, 09. 182. 43; P. Oxy. 847	Jo 2,11-22
*0163	V	Chicago, Univ. Libr., Orient. Inst., 9351; P. Oxy. 848	Apc 16,17-20
*0164	VI/VII	Berlin, Staatl. Mus., P. 9108	Mt 13,20-21
*0165	V	Berlin, Staatl. Mus., P. 13271	Act 3,24–4,13.17-20
*0166	V	Heidelberg, Univ. Bibl., Pap. 1357	Act 28,30-31; Jc 1,11
*0167	VII	Athos, Lavra, Δ 61; Louvain, Bibl. de l'Univ., Sect. des mss., frg. Omont no. 8	Mc 4,24-29.37-41; 6,9-11.13-14.37-39.41.45
*0169	IV	Princeton, Theol. Sem., Pap. 5; P. Oxy. 1080	Apc 3,19–4,3
*0170	V/VI	Princeton, Theol. Sem., Pap. 11; P. Oxy. 1169	Mt 6,5-6.8-10.13-15.17

*0171	ca. 300	Firenze, Bibl. Laurenziana; PSI 2. 124; Berlin, Staatl. Mus., P. 11863	Mt 10.17-23.25-32; Lc 22,44-56.61-64
*0172	V	Firenze, Bibl. Laurenziana; PSI 4	Rm 1,27-30; 1,32–2,2
*0173	V	Firenze, Bibl. Laurenziana; PSI 5	Jc 1,25-27
*0174	V	olim: Firenze, Bibl. Laurenziana; PSI 118	Gal 2,5-6
*0175	V	Firenze, Bibl. Laurenziana; PSI 125	Act 6,7-10.12-15
*0176	IV/V	Firenze, Bibl. Laurenziana; PSI 251	Gal 3,16-25
*0177	X	Wien, Österr. Nat. Bibl., Pap. K. 2698	Lc 1,73–2,7
[0178]		vide 070	
[0179]		vide 070	
[0180]		vide 070	
*0181	IV/V	Wien, Österr. Nat. Bibl., Pap. G. 39778	Lc 9,59–10,14
*0182	V	Wien, Österr. Nat. Bibl., Pap. G. 39781	Lc 19,18-20.22-24
*0183	VII	Wien, Österr. Nat. Bibl., Pap. G. 39785	1 Th 3,6-9; 4,1-5
*0184	VI	Wien, Österr. Nat. Bibl., Pap. K. 8662	Mc 15,36-37.40-41
*0185	IV	Wien, Österr. Nat. Bibl., Pap. G. 39787	1 Cor 2,5-6.9.13; 3,2-3
*0186 cum 0224	V/VI	Wien, Österr. Nat. Bibl., Pap. G. 39788; 3075 (= 0224)	2 Cor 4,5-8.10.12-13
*0187	VI	Heidelberg, Univ. Bibl., Pap. 1354	Mc 6,30-41
*0188	IV	Berlin, Staatl. Mus., P. 13416	Mc 11,11-17
*0189	II/III	Berlin, Staatl. Mus., P. 11765	Act 5,3-21
[0190]		vide 070	
[0191]		vide 070	
*0193	VII	Paris, Bibl. Nat., Copt. 132, fol. 92	Jo 3,23-26
0196	IX	Damaskus, Mus. Nat.	Mt 5,1-11; Lc 24,26-33
*0197	IX	Beuron, Erzabtei	Mt 20,22-23.25-27; 22,30-32.34-37
*0198	VI	London, Brit. Libr., Pap. 459	Col 3,15-16.20-21
*0199	VI/VII	London, Brit. Libr., Pap. 2077 B	1 Cor 11,17-19.22-24
*0200	VII	London, Brit. Libr., Pap. 2077 C	Mt 11,20-21
*0201	V	London, Brit. Libr., Pap. 2240	1 Cor 12,2-3.6-13; 14,20-29
[0202]		vide 070	

ms. nr.	saec.	bibliotheca	cont.
*0204	VII	London, Brit. Libr., Or. 4923	Mt 24,39-42.44-48
*0206	IV	Dayton, United Theol. Sem.; P. Oxy. 1353	1 Pt 5,5-13
*0207	IV	Firenze, Bibl. Laurenziana; PSI 1166	Apc 9,2-15
*0208	VI	München, Bayer. Staats-Bibl., 29022e	Col 1,29–2,10.13-14; 1 Th 2,4-7.12-17
*0209	VII	Ann Arbor, Univ. of Michigan, Ms 8	Rm 14,9–15,2; 16,25-27; 2 Cor 1,1-15; 4,4-13; 6,11–7,2; 9,2–10,17; 2 Pt 1,1–2,3
*0210	VII	Berlin, Staatl. Mus., P. 3607. 3623	Jo 5,44; 6,1-2.41-42
0212	III	New Haven, Yale Univ., P. Dura 10	(Diatessaron:) Mt 27,56-57; Mc 15,40.42; Lc 23,49-51.54; Jo 19,38
*0213	V/VI	Wien, Österr. Nat. Bibl., Pap. G. 1384	Mc 3,2-3.5
*0214	IV/V	Wien, Österr. Nat. Bibl., Pap. G. 29300	Mc 8,33-37
[0215]		vide 059	
*0216	V	Wien, Österr. Nat. Bibl., Pap. G. 3081	Jo 8,51-53; 9,5-8
*0217	V	Wien, Österr. Nat. Bibl., Pap. G. 39212	Jo 11,57–12,7
*0218	V	Wien, Österr. Nat. Bibl., Pap. G. 19892B	Jo 12,2-6.9-11.14-16
*0219	IV/V	Wien, Österr. Nat. Bibl., Pap. G. 36113. 26083	Rm 2,21-23; 3,8-9.23-25.27-30
*0220	III	Boston, Leland C. Wyman	Rm 4,23–5,3.8-13
*0221	IV	Wien, Österr. Nat. Bibl., Pap. G. 19890	Rm 5,16-17.19; 5,21–6,3
*0222	VI	Wien, Österr. Nat. Bibl., Pap. G. 29299	1 Cor 9,5-7.10.12-13
*0223	VI	Wien, Österr. Nat. Bibl., Pap. G. 3073	2 Cor 1,17–2,2
[0224]		vide 0186	
*0225	VI	Wien, Österr. Nat. Bibl., Pap. G. 19802	2 Cor 5,1-2.8-9.14-16; 5,19–6,1.3-5; 8,16-24
*0226	V	Wien, Österr. Nat. Bibl., Pap. G. 31489	1 Th 4,16–5,5
*0227	V	Wien, Österr. Nat. Bibl., Pap. G 26055	Heb 11,18-19.29
*0228	IV	Wien, Österr. Nat. Bibl., Pap. G. 19888	Heb 12,19-21.23-25
*0229	VIII	olim: Firenze, Bibl. Laurenziana, PSI 1296b	Apc 18,16-17; 19,4-6
*0230	IV	olim: Firenze, Bibl. Laurenziana, PSI 1306	Eph 6,11-12
*0231	IV	Oxford, Bodl. Libr., P. Ant. 11	Mt 26,75–27,1.3-4
*0232	V/VI	Oxford, Bodl. Libr., P. Ant. 12	2 Jo 1-9

0233	VIII	Münster/Westf., Ms. 1	e†
*0234	VIII	olim: Damaskus, Kubbet el Chazne	Mt 28,11-15; Jo 1,4-8.20-24
[0235]		vide 083	
*0236	V	Moskva, Mus. Puschkina, Golenischtschew, Copt. 55	Act 3,12-13.15-16
*0237	VI	Wien, Österr. Nat. Bibl., Pap. K. 8023 bis	Mt 15,12-15.17-19
*0238	VIII	Wien, Österr. Nat. Bibl., Pap. K. 8668	Jo 7,10-12
*0239	VII	London, Brit. Libr., Or. 4717 (16)	Lc 2,27-30.34
*0240	V	Tbilisi, Inst. rukop., 2123	Tt 1,4-6.7-9
*0241	VI	Cologny, Bibl. Bodmer.	1 Tm 3,16–4,3.8-11
*0242	IV	Kairo, Mus. of Antiquities, no. 71942	Mt 8,25–9,2; 13,32-38.40-46
*0243	X	Venezia, Bibl. S. Marco, 983 (II 181)	1 Cor 13,4–16,24; 2 Cor 1,1–13,13
0244	V	Louvain, Bibl. de l'Univ., P. A. M. Kh. Mird 8	Act 11,29–12,5
*0245	VI	Birmingham, Selly Oak Coll., Mingana Georg. 7	1 Jo 3,23–4,1.3-6
*0246	VI	Cambridge, Westminster Coll.	Jc 1,12-14.19-21
*0247	V/VI	Manchester, J. Rylands Libr., P. Copt. 20	1 Pt 5,13-14; 2 Pt 1,5-8.14-16; 2,1
*0249	X	Oxford, Bodl. Libr., Auct. T 4. 21, fol.326. 327	Mt 25,1-9
0250	VIII	Cambridge, Westminster Coll., Cod. Climaci rescriptus	Mt 2,12-23; 3,13-15; 5,1-2.4.30-37; 6,1-4.16-18; 7,12.15-20; 8,7.10-13.16-17.20-21; 9,27-31.36; 10,5; 12,36-38.43-45; 13,36-46; 26,75–27,2.11.13-16.18.20.22-23.26-40; Mc 14,72–15,2.4-7.10-24.26-28; Lc 22,60-62.66-67; 23,3-4.20-26.32-34.38; Jo 6,53–7,25.45.48-51; 8,12-44; 9,12–10,15; 10,41–12,3.6.9.14-24.26-35.44-49; 14,22–15,15; 16,13-18; 16,29–17,5; 18,1-9.11-13.18-24.28-29.31; 18,36–19,1.4.6.9.16.18.23-24.31-34; 20,1-2.13-16.18-20.25; 20,28–21,2
*0251	VI	Paris, Louvre, S. N. 121	3 Jo 12-15; Jd 3-5
*0252	V	Barcelona, Fundación S. Lucas Evang., P. Barc. 6	Heb 6,2-4.6-7
*0253	VI	olim: Damaskus, Kubbet el Chazne	Lc 10,19-22
*0254	V	olim: Damaskus, Kubbet el Chazne	Gal 5,13-17
*0255	IX	olim: Damaskus, Kubbet el Chazne	Mt 26,2-9; 27,9-16
*0256	VIII	Wien, Österr. Nat. Bibl., Pap. G. 26084	Jo 6,32-33.35-37

ms. nr.	saec.	bibliotheca	cont.
*0259	VII	Berlin, Staatl. Mus., P. 3605	1 Tm 1,4-7
*0260	VI	Berlin, Staatl. Mus., P. 5542	Jo 1,30-32
*0261	V	Berlin, Staatl. Mus., P. 6791. 6792. 14043	Gal 1,9-12.19-22; 4,25-31
*0262	VII	Berlin, Staatl. Mus., P. 13977	1 Tm 1,15-16
*0263	VI	Berlin, Staatl. Mus., P. 14045	Mc 5,26-27.31
*0264	V	Berlin, Staatl. Mus., P. 14049	Jo 8,19-20.23-24
*0265	VI	Berlin, Staatl. Mus., P. 16994	Lc 7,20-21.34-35
*0266	VI	Berlin, Staatl. Mus., P. 17034	Lc 20,19-25.30-39
*0267	V	Barcelona, Fundación S. Lucas Evang., P. Barc. 16	Lc 8,25-27
*0268	VII	Berlin, Staatl. Mus., P. 6790	Jo 1,30-33
*0269	IX	London, Brit. Libr., Add. 31919, fol. 23	Mc 6,14-20
*0270	IV/V	Amsterdam, Univ. Bibl., GX 200	1 Cor 15,10-15.19-25
*0271	IX	London, Brit. Libr., Add. 31919, fol. 22	Mt 12,27-39
*0272	IX	London, Brit. Libr., Add. 31919, fol.21. 98. 101	Lc 16,21–17,3.19-37; 19,15-31
*0273	IX	London, Brit. Libr., Add. 31919, fol. 29. 99. 100	Jo 2,17–3,5; 4,23-37; 5,35–6,2
*0274	V	inventus: Qasr Ibrim (Nubiae), hodie (?)	Mc 6,56–7,4.6-9.13-17.19-23.28-29.34-35; 8,3-4.8-11; 9,20-22.26-41; 9,43–10,1.17-22
1	XII	Basel, Univ. Bibl., A. N. IV. 2	eap
1	XII	Schloß Harburg, Öttingen-Wallersteinsche Bibl., I,1, 4°, 1	rK†
2	XII	Basel, Univ. Bibl., A. N. IV. 4	ap
4	XIII	Paris, Bibl. Nat., Gr. 84	e†
4	XV	Basel, Univ. Bibl., A. N. IV. 5	ap
6	XIII	Paris, Bibl. Nat., Gr. 112	eap
7	XI	Basel, Univ., A. N. III. 11	pK†
13	XIII	Paris, Bibl. Nat., Gr. 50	e†
17	XV	Paris, Bibl. Nat., Gr. 55	e
21	XII	Paris, Bibl. Nat., Gr. 68	e†
22	XII	Paris, Bibl. Nat., Gr. 72	e†

¶ 4,6 ⸀h | 10 ⸂hS ¦ ⸀h
¶ 5,5 ⸂h *ut* ℵ*; V *ut* 𝔐; [H S] *ut* 𝔐, *sed* [τον] | 8 ⸆[V] ¦ ⸂ThB | 16 ⸂ThB | 20 ⸆[H] | 21 ⸀S *ut* 𝔐 ¦ ⸂S | 25 ⸂V
¶ 6,3 ⸂T | 7 ⸂V *ut* 𝔐 | 8 ⸂h | 11 ⸆h | 13 ⸋TSVMBN ¦ ⸋¹T ¦ ⸉h | 17 ⸂Th ¦ ⸀hVM *ut* A; S *ut* 𝔐 | 21 ⸀S ¦ ⸆[S]

AD TIMOTHEUM II

¶ 1,2 ⸀h: κυριου Ιησ. (*sine test.*) | 10 ⸀SV *ut* 𝔐 | 11 ⸀V *ut* 𝔐
¶ 2,14 ⸂hSVB *ut* 𝔐 | 18 ⸋T (H) S N | 21 ⸆[S] V | 22 ⸀h *ut* C | 25 ⸂S
¶ 3,6 ⸂S | 10 ⸂hV | 12 ⸉THSVMBN | 15 ⸋THBN; [M] *ut txt*
¶ 4,1 ⸆[S] *ut* 𝔐 ¦ ⸂h | 2 ⸉ThB | 3 ⸀S | 7 ⸀S | 10 ⸂(H) S ¦ ⸀TS | 13 ⸂(H) | 15 ⸂SV | 16 ⸂SV ¦ ⸀(H) | 20 ⸂(H) | 21 ⸋[H] | 22 ⸆hSM *ut* A; V *ut* 𝔐

AD TITUM

¶ 1,1 ⸀h: Χριστ. [Ιησ.] | 5 ⸂(H) *ut* A; S *ut* 𝔐 | 10 ⸋THSMBN ¦ ⸋¹[V] | 13 ⸋[H]
¶ 2,3 ⸀T (H) SVMBN | 4 ⸂T | 5 ⸂S | 9 ⸉S | 10 ⸂h ¦ ⸀h *ut* 33 | 11 ⸂SVM *ut* 𝔐 | 13 ⸀T (H) S N *ut* ℵ
¶ 3,9 ⸀THBN | 13 ⸂Th

AD PHILEMONEM

5 ⸀(H) *ut* A | 6 ⸂H: [του] ¦ ⸀ThSMB *ut* ℵ ¦ ⸆V | 9 ⸀h | 11 ⸋(H) | 12 ⸀V *ut* 𝔐; SM *ut* 𝔐 *sed*: [συ δε] *et* [προσλαβου] | 18 ⸂S | 25 ⸆h [V] ¦ ⸆SVMB

AD HEBRAEOS

¶ 1,2 ⸉S | 3 ⸆[S] ¦ ⸆[S] | 8 ⸋[H] ¦ ⸂(H) N | 9 ⸂TSB *ut* ℵ | 12 ⸂T ¦ ⸋T; [S] *ut txt*
¶ 2,7 ⸆[H] S (*sed ex err. p.* αυτου *vs* 8) | 8 ⸀SV *ut* 𝔐 ¦ ⸋[H N]
¶ 3,2 ⸋[H N] | 6 ⸀THBN *ut* B; VM: εαν[περ] ¦ ⸆T [H] S [V M] B [N] | 9 ⸆[S] | 13 ⸉h
¶ 4,2 ⸂ThBN *ut* ℵ | 3 ⸀h *ut* ℵ ¦ ⸋[H N] | 7 ⸂h *ut* B
¶ 5,1 ⸋[H] | 3 ⸂THSVMBN | 12 ⸂TSV *ut* 𝔐 ¦ ⸋T (H)N; [V] *ut txt*
¶ 6,2 ⸂(H) ¦ ⸋(H) N | 3 ⸂SV | 18 ⸋(H) M N; [S] *ut txt*
¶ 7,1 ⸂h | 4 ⸋(H) N | 6 ⸆[S] V | 9 ⸂THBN | 10 ⸆T [S V] | 11 ⸀S | 22 ⸋S | 26 ⸋[H S V] | 27 ⸀Th
¶ 8,2 ⸆[S] V | 4 ⸂S ¦ ⸆[S V M] | 6 ⸂(H) N ¦ ⸀S *ut* P | 8 ⸂h *ut* 𝔐 | 10 ⸂Th *ut* ℵ*
¶ 9,1 ⸋[H] | 2 ⸂h *ut* B | 3 ⸀h *ut* B | 10 ⸂h *ut* B | 11 ⸂ThSVMB | 14 ⸀ThSVMB *ut* 𝔐 | 17 ⸂(H) | 19 ⸋T; [S M] *ut txt* | 26 ⸋T
¶ 10,1 ⸆h ¦ ⸂T *ut* D* ¦ ⸀HS | 4 ⸉h | 11 ⸂hS | 16 ⸀S | 30 ⸉SV | 32 ⸂S: ημ. [υμων] | 38 ⸀H *ut txt sed* [μου]
¶ 11,4 ⸀S | 6 ⸋T; [H S V N] *ut txt* | 8 ⸆[S] ¦ ⸆[S] | 11 ⸀T (H) SVMBN *ut* 𝔐; h *ut* 𝔐 *sed* -τῃ -ρᾳ | 12 ⸂hSVMBN | 13 ⸂THSVMBN *ut* ℵ* | 15 ⸂TS *ut* ℵ* | 20 ⸋T | 32 ⸀SVB *ut* 𝔐 | 34 ⸂SV | 37 ⸂THSVBN *ut* ℵ; hM *ut* 𝔐 | 38 ⸂h
¶ 12,3 ⸂(H) *ut* ℵ*; S *ut* 𝔐 | 7 ⸆SV | 9 ⸋THSVMBN | 11 ⸂T (H) SMBN | 13 ⸂hSVM *ut* 𝔐 | 15 ⸀ThSVMBN ¦ ⸆THSVMBN | 16 ⸂S *ut* 𝔐 | 18 ⸆V | 19 ⸋(H) | 21 ⸂h | 23 ⸉S | 25 ⸀h | 26 ⸂S | 27 ⸀H *ut txt sed* [την] | 28 ⸂S

¶ **13,5** ⸁ **T B** | **6** ○ **T H M B N**; [V] *ut txt* | **9** ⸁ **h S V M** | **10** ○ [H] | **15** ⸂ (H) *ut* א* | **21** ⸆ **V** *ut* 𝔐 ¦ ⸇ **h** [S] *ut* א* ¦ ⸀ **S** | **22** ⸀ **h** | **23** ○ [S] | **25** ⸆ **S V M B**

IACOBI

¶ **1,9** ⸂ **H** *ut txt sed* [ο] αδ. | **12** ⸆ **S V M** *ut* 𝔐 | **15** ⸀ **H V M** | **18** ⸁ **h S** | **19** ⸂ **S** *ut* 𝔐 | **22** ⸉ **H B N** | **26** ⸁ (H) **N** ¦ ⸀1 (H) **N** *ut* **B** | **27** ○ **T**

¶ **2,3** ⸂ **T** ¦ ⸂· (H) *ut* **B** | **4** ⸀ **h** *ut* **B*** | **6** ⸁ **T** *ut* א* | **10** ⸀ **S** *ut* 𝔐 ¦ ⸁ **S** *ut* 𝔐 | **14** ○ **H** | **16** ○ **H** | **19** ⸂ (H) *ut* **B**; **h S** *ut* **C** | **20** ⸀ **S** *ut* 𝔐 | **22** ⸀ **T** | **26** ⸀ (H) *ut* **B**

¶ **3,3** ⸀ **S** | **4** ⸇ *et* ⸀ **S V** *ut* 𝔐 | **5** ⸂ **S V** | **6** ○ **T** ¦ ⸀ **T** | **8** ⸉ **T S V B** *ut* א ¦ ⸀ **S** | **12** ⸆ **S** ¦ ⸂ **S** *ut* א | **14** ⸂· **T**

¶ **4,2** ⸂ **T B** *ut* א | **4** ⸂ **T** | **8** ⸀ **H N** | **9** ⸂ **T** *ut* א ¦ ⸀ **T h S V M** | **12** ○ (H) **N** ¦ ⸂ **S** (*sed non* ⸀*!*) | **13** ⸀1 **S** ¦ ⸆ **S V** | **14** ⸁ (H) **N** *ut* **B**; **h** *ut* **A** ¦ ⸆ **T h S V M B** ¦ ⸂ (H) *ut* **B**; **h**: ατμις εστε η (*cf* **A**) | **15** ⸀ (H)

¶ **5,3** ⸆ **S** | **4** ⸀ **T H B N** ¦ ⸁ **T H B N** | **5** ⸆ **S** | **7** ⸇ [S] **V** [M] | **9** ⸂ **T** *ut* 𝔐 | **11** ⸀1 **S** *ut* **A** ¦ ⸂ **h** *ut* **B** | **12** ⸂ **S** *ut* 𝔐, *sed* [εις] | **14** ○ **T H B N** ¦ ⸂ **H** *ut txt sed* [τ. κυρ.] | **16** ⸀ (H) **N** | **18** ⸉ **T h** | **20** ⸂ (H) **N** *ut* **B** ¦ ⸂· **h** *ut* **B**

PETRI I

¶ **1,6** ○ **T H V B N** | **8** ⸆ **S** ¦ ⸁ **H** | **9** ⸀ **H N** | **11** ⸂ **h** | **12** ○ **H** | **16** ○ [H N] ¦ ⸀ **S** *ut* 𝔐 ¦ ⸁ **T** *ut* א ¦ ○1 **T H B N**; [M] *ut txt* | **21** ⸀ **S V M** *ut* 𝔐 | **22** ⸂ **T H B N** *ut* **A**

¶ **2,1** ⸀ (H) | **3** ⸀ **S V** | **5** ⸀ **T S** ¦ ○1 **T H V M B N**; [S] *ut txt* | **6** ⸂ **H N** *ut* **B** | **7** ⸁ **T S** | **24** ⸀ **h** ¦ ⸆ **T**

¶ **3,1** ⸀ **T H B N** *ut* א*; [S] *ut txt* ¦ ⸂ (H) *ut* **B** | **4** ⸉ (H) | **6** ⸂ **H** *ut* **B** | **7** ⸀ (H) *ut* 𝔐 ¦ ⸂1 **h** | **11** ○ **T** | **18** ⸂ **T** (H) **M B N** (*sine test.?*); **S** *ut* א ¦ ⸁ **T S V B** *ut* **A** | **20** ⸁ **S** | **22** ○ **T H M B N**; [S] *ut txt*

¶ **4,1** ⸂ **S** *ut* 𝔐 ¦ ⸀ (H) *ut* **B** | **5** ⸂· **H** *ut* **B** | **14** ⸂ **S** *ut* א | **17** ○ **T B**; [H S N] *ut txt* | **18** ⸂ **T h** *ut* א; [H N] *ut* **B*** *sed* [δε] | **19** ⸂ (H) *ut* **B** ¦ ⸀ **S**

¶ **5,1** ⸀ **T S V M** *ut* א | **2** ⸂ **T N** *ut* א*; **H** *ut* **B** | **5** ○ [H] | **8** ⸀ **T S V M** *ut* **L**; (H) *ut* **B** | **9** ○1 **S V** | **10** ⸂ **T** (H) **M B N** *ut* א; **h** *ut* **B** ¦ ⸂· **H** *ut* **A** | **11** ⸂ **S V M B** *ut* 𝔐 ¦ ⸆ **T S V M B N** | **14** ⸆ [S]

PETRI II

¶ **1,1** ⸀ (H) | **3** ⸆ **T V N** ¦ ⸂ (H) | **4** ⸉ **T h** *ut* 𝔐; **S** *ut* **C** ¦ ⸂ **S** *ut* **C** | **5** ⸂ **S** *ut* א | **9** ⸀ **T h B** | **10** ⸆ *et* ⸁ **S** | **17** ⸂ **T S M B**; **V**: *7 8 1–6* (*sine test.?*) | **18** ⸂ **T S M** | **21** ⸉ **T** ¦ ⸂ **S** *ut* 81; **V** *ut* 𝔐; **M** *ut* 81 *sed* [αγιοι]

¶ **2,4** ⸀ **T M B N** *ut* א; **H V** *ut* **A** | **6** ⸂ **H** *ut* **B** ¦ ⸀ **T S V M B N** *ut* 𝔐 | **8** ○ (H) | **9** ⸀ **T** | **11** ⸂· **T** [H] **S V M B N** *ut* 𝔐 | **12** ⸂ **T** *ut* א ¦ ⸂· **S**: και καταφθ. (*sine test.?*) | **13** ⸀ **T S V** ¦ ⸀1 **h** *ut* **B** | **14** ⸁ **H** *ut* **A** | **15** ⸀ **h** ¦ ⸁ (H) **N** *ut* **B** ¦ ○ *et* ⸀1 **h** | **17** ⸆ [S] *ut* **A** | **19** ⸀ **S V M B** | **20** ⸂ (H) **V M N** *ut* 𝔐 | **21** ⸂ **S V** *ut* א | **22** ⸆ [S] *ut* 𝔐 ¦ ⸁ **S**

¶ **3,3** ⸂· **T S V** *ut* א | **5** ⸁ **h** *ut* א* | **9** ⸂ **T** *ut* א | **10** ⸆ **S V** [M] ¦ ○ **T** ¦ ⸀ **T** *ut* 𝔐 | **11** ⸂ **T** *ut* 𝔐 ¦ ⸀ [H N] *ut txt* | **13** ⸉ **T** ¦ ⸂ **T** | **16** ⸆ **T S V B** | **18** ○ **T H N**

IOHANNIS I

¶ **1,4** ⸁ **h** | **5** ⸉1 **H**

¶ **2,2** ⸀ **h** | **6** ○ **H** | **10** ⸉ **T h** | **14** ⸋ [H] | **17** ○ [H] | **18** ⸀ **V M** *ut* 𝔐; **S**: οτι [ο] | **19** ⸉ **T S V** | **20** ⸂ (H) *ut* **B**; **h S V B** *ut* 𝔐 | **24** ⸂ **H N** *ut txt sed* [εν] | **27** ⸂· **h** | **29** ○ (H)

¶ 3,5 ⸆ [S] | 7 ⸀ h | 13 ° H V M B N | 14 ⸇ [S] *ut* 𝔐 | 15 ⸀ h ¦ ⸁ T h S V M B | 19 ⸂ H M N *ut* A; V *ut txt sed* [και] ¦ ⸄ T S B *ut* 𝔐 | 21 ⸁ H S V M B N *ut* A ¦ ⸆ T *ut* 𝔐 | 23 ⸀ T h S B

¶ 4,2 ⸁ h | 3 ⸂ h ¦ ⸆ [S] | 10 ⸀ T h S V M B | 12 ⸂ T H V N *ut* ℵ | 15 ⸆ [H] | 16 ° [H]

¶ 5,1 ⸂ H N | 5 ⸂ T V *ut* 𝔐; H N *ut* B *sed* [δε] | 6 ⸀ S V M *ut* ℵ ¦ ⸁ h | 10 ⸀ T H S V M B N | 11 ⸂ H B N *ut* B | 15 ⸁ S V *ut* 𝔐 | 18 ⸀ S V M B | 20 ⸂ S *ut* A ¦ ⸁ T H S V M B N

IOHANNIS II

5 ⸂ H S V M B N *ut* 𝔐 | 6 ⸆ T S B | 8 ⸁ T S V M B | 9 ⸀ S V | 12 ⸄ (H) *ut* B; S V M *ut* 𝔐

IOHANNIS III

3 ° T | 4 ⸄ (H) *ut* B | 10 ° T | 14 ⸉ S

JUDAE

4 ⸀ H N ¦ ⸀¹ S M | 5 ° T H S V M B N ¦ ⸂ *5 (1–4)*: T H S V M B N *et* ⸄ κυρ.: T (H) S*?* N, ο κυρ.: S*?* V, [ο] κυρ.: M, Ιησ.: h B ¦ ⸀¹ M (*ex err.?*) | 13 ⸁ h ¦ ° h ¦ °¹ h | 14 ⸀ T H N | 15 ⸂ T H S V M B N ¦ ⸆ T [S] B | 16 ⸀ T H S V M B N | 18 ° T H M B N; [S] *ut txt* ¦ ⸂ H *ut* B | 22/23 ⸀ T M B *ut* A ¦ ⸂ H S V N *ut* B

APOCALYPSIS

¶ 1,3 ⸄ T *ut* ℵ | 4 ⸀ h *ut* ℵ | 5 °¹ [H] | 6 ⸁ h *ut* A ¦ ⸋ H | 9 ⸇ T S | 10 ⸉ h *ut* A | 13 ⸁ h | 15 ⸀ T *ut* ℵ; h S V M B *ut* 𝔐 | 19 ⸁ H S V B

¶ 2,1 ⸀ H | 2 ⸆ S V M B ¦ ⸇ [S] B | 5 ⸆ [S] B | 7 ⸇ h B | 8 ⸀ H | 9 ⸆ [S] | 10 ⸀ (H) M N ¦ ⸀² (H) *ut* A; h *ut* C *vl txt* | 13 ⸆ [S] ¦ ° [S] ¦ ⸇ [S] *ut* ℵ; V *ut* 1006 ¦ °¹ [H S] | 14 ° h | 15 ° H | 16 ° T | 18 ⸀ H *ut* A ¦ °¹ [H N] ¦ ⸁ T | 19 ° T | 20 ⸇ h B *ut* 1006 ¦ ⸁ T | 22 ⸀¹ T H M N ¦ ⸀² h | 25 ⸀ T H N *ut* ℵ

¶ 3,2 ° (H) N | 3 ⸁ T h B | 5 ⸀ S B *ut* 𝔐 | 7 ⸂ h *ut* ℵ ¦ ⸀ T h S V B *ut* 𝔐 ¦ ⸀¹ h ¦ ⸀² T B *ut* ℵ | 9 ⸀ S B *ut* 𝔐 ¦ ⸀¹ *bis* S | 14 ⸀ H: και [ο] (*cf* ℵ) | 17 ⸀ S V B ¦ ⸆ h B | 18 ⸁ T S B N | 20 ° (H) S V M N

¶ 4,4 ⸂ T N *ut* 2073; (H) S V M B *ut* 𝔐 ¦ °¹ (H) | 7 ⸀ h S V B | 8 ⸀ S V B *ut* 𝔐 | 9 ⸂ (H) S V B | 11 ⸆ [S] B

¶ 5,3 ⸀ *bis* T h S | 4 ⸂ V M B *ut* 1006; H: [εγω] εκλ. πολυ | 6 ⸁ T h ¦ ⸀¹ S B ¦ ° [H] | ⸀³ T h B *ut* ℵ | 8 ⸁ T h B | 9 ⸂ S V [M] B *ut* ℵ | 10 ⸁ S B ¦ ⸀² H B | 11 ⸆ T h B | 12 ⸀ T h N | 13 ⸇ [H] S [V] M B [N] *ut* A ¦ ⸆¹ T ¦ ⸁ h *ut* A ¦ ⸂ (H) B

¶ 6,1 ⸁ H S V M B N *ut* 2329 | 4 ° [H] ¦ ⸁ H: [εκ] | 8 ⸂ H: επανω [αυτου] ¦ °¹ T B; [H V N] *ut txt* | 11 ⸄ T S V M B N *ut* 𝔐 ¦ ⸀ T h S B *ut* 𝔐 | 12 ⸉ T | 13 ⸀¹ T *ut* ℵ ¦ ⸉ S | 14 ⸀ h | 16 ⸂ T | 17 ⸀ B

¶ 7,1 ⸂ T h S V *ut* ℵ ¦ ⸄ S *ut* C; h: [τι] δενδρ. | 2 ⸀ h ¦ ⸁ h | 3 ⸀ h *ut* A | 9 ⸀ B *ut* 1006 ¦ ⸀¹ T | 12 ° [H]

¶ 8,2 ⸀ h | 3 ⸂ h B ¦ ⸀ S *ut* 𝔐 | 5 ⸂ h *ut* A | 6 ⸀ S V M B | 7 ⸀ T | 13 ⸂ h

¶ 9,2/3 ⸁ S V ¦ ⸀¹ T N | 4 ⸀ T N ¦ ⸁ V | 5 ⸀ (H) V B | 6 ⸁ h *ut* A | 7 ⸀ T h M N *ut* ℵ | 10 ⸀ h | 11 ⸂ T *ut* ℵ | 12/13 ⸂² H M *ut* A | 19 ⸀ M *ut* 2053 | 20 ⸀ (H) M B *ut* C; S V *ut* A; h *ut* A *vl txt* ¦ ⸁ S | 21 ⸀ T h V M N

¶ 10,1 ⸂ T H N | 6 ⸋¹ [H] | 8 ⸀ *bis* S: -ουσα[ν] ¦ ⸁ T S V *ut* ℵ

¶ **11,2** ⸀S ¦ ○[H N] | **3** ⸀H | **4** ○[H] | **5** ⸁B *ut* 1006; h *ut* 𝔐 *vl* 1006 | **6** ○T | **9** ○[S] | **10** ⸀[1]T *ut* א* | **11** ○T; [H N] *ut txt* ¦ ⸂S V *ut* C; H: [εν] αυτοις ¦ ⸀S B | **12** ⸀B *ut* 𝔐; S: ηκουσα[ν] ¦ ⸂h ¦ ⸁S B | **15** ⸀S V B | **16** ○[1] B; ([H]) *ut txt*; h: οἳ ¦ ⸀T S *ut* א*; h B *ut* C | **17** ⸇T h *ut* א* | **18** ⸄T S V M B N | **19** ○[S V]
¶ **12,2** ⸂h S *ut* 051; V: [και] κραζ. | **3** ⸂T h S V M | **5** ⸀B (S V: αρρενα) | **6** ⸁T h *ut* א | **7** ○T | **8** ⸀T h S V M B | **10** ⸀[2]S V M B ¦ ⸀[3]S M B | **12** ○T (H) S V M N | **18** ⸀T S V B
¶ **13,1** ⸀h S V B | **2** ⸀T h | **3** ⸂T S V M B *ut* א | **4** ⸄h | **5** ⸀S *ut* 𝔐 ¦ ○[1]T S V M; [H N] *ut txt* | **6** ⸂S *ut* 𝔐 | **7** □[H] | **8** ⸂S V *ut* 𝔐; B *ut* 1611; M: οὗ ου γεγ. το ον. [αυτου] | **10** □[S] ¦ ⸀T (H) S V M B N *ut* C; h *ut* א | **12** ⸂S V *ut* 𝔐 | **13** ⸉T | **14** ⸀S | **15** ⸀H ¦ ⸁h ¦ ⸉T *ut* א; [H S V M N] *ut txt* ¦ ⸀[1]T ¦ ⸄h | **16** ⸁h *ut* 1 | **17** ○T; [H N] *ut txt* ¦ ⸀h | **18** ⸆h S B ¦ ⸂T B *ut* 𝔐; h *ut* א
¶ **14,3** ○T N; [S] *ut txt* | **4** □h ¦ ⸀H | **5** ⸆T | **7** ⸆T | **8** ⸂S V M *ut* A; B *ut* א*; H: δευτ. [αγγελος] | **10** ⸀B ¦ ⸄h *ut* A | **13** ⸀[1]S | **16** ⸂h *ut* C | **18** ○[H] ¦ ○[1]T S V B; [H N] *ut txt* ¦ ⸀S V
¶ **15,3** ⸁(H) B | **4** ⸀S *ut* א | **6** ○[H] ¦ ⸀H *ut* A
¶ **16,3** ⸀S *ut* א ¦ ⸁S V *ut* 𝔐 | **4** ⸁h B | **5** ⸂H: ο ην [ο] οσιος | **6** ⸀T ¦ ⸁T h S V B *ut* 𝔐 | **12** ○T V N; [H] *ut txt* ¦ ⸀h | **14** ⸄h B *ut* A; S *ut* 𝔐, *sed* [εκεινης] | **17** ⸁S *ut* 𝔐[K]; M: ν. [τ. ουρανου] | **18** ⸄(H) S V M B *ut* א
¶ **17,3** ⸀S V M B ¦ ⸀[1]T h N *ut* א; S V M B *ut* 𝔐 | **4** ○[S] ¦ ⸁T h S B ¦ ⸀[1]T h *ut* א* ¦ ⸀[2]S *ut* 1611 | **6** ⸂S: [εκ] του αιμ. | **7** ⸉T h S | **8** ⸀T h S V B ¦ ⸁T S V M B | **13** ⸆T h S [M] | **16** ○T; [H N] *ut txt*
¶ **18,2** ⸁S V ¦ □[2]T H S V B N | **3** ⸂H: [του οιν.] του θυμ. της πορν. ¦ ⸀(H) (B: -κασιν) *ut* א | **4** ⸂h *ut* A | **6** ○[H] | **8** ⸂H: [κυριος] ο θεος | **9** ⸀T h S M ¦ ⸁h B *ut* A; V *ut pc* | **10** ⸂h B *ut* A | **12** ⸁h *ut* C; S V *ut* 𝔐 ¦ ⸀[2]S *ut* 𝔐 | **13** □[V] | **14** ⸀T *ut* א | **16** ○[1] B; [H] *ut txt* ¦ ⸀[2]T h | **18** ⸀H B | **19** ⸀h *ut* A ¦ ⸁H *ut* A | **21** ⸁T S V M B *ut* 𝔐 | **22** ⸂H: [πασ. τεχν.] | **23** ○[1] [H N] | **24** ⸀T V B
¶ **19,5** ⸂T *ut* P ¦ ○T H N; [S M] *ut txt* | **6** ⸀h *ut* 1854 ¦ ⸂H: κυρ. ο θεος [ημων] | **7** ⸁T h S V M B *ut* א*; (H) N *ut* A | **9** ⸆h *ut* A | **11** ⸂S *ut* A; N *ut* א; H: πιστ. [καλουμ.] κ. αλ. | **12** ○T (H) S V M N | **13** ⸀T *ut* א; H B *ut* P | **14** ○T S ¦ ⸄h *ut* 1006 | **17** ○S B; [H] *ut txt* | **18** ⸀(H) | **19** ○[S] | **20** ⸂S V *ut* 1006; h *ut* P ¦ ⸂[1]S V B
¶ **20,2** ⸂h S V M B ¦ ⸀T ¦ ⸆T ¦ ○S | **3** ⸉T S | **5** ⸆h S V B | **6** ○S V B; [H N] *ut txt* | **9** ⸂h V M *ut* א[2] | **10** ⸀T h B *ut* א | **11** ⸂(H) M B *ut* A ¦ ○[S]
¶ **21,3** ⸀S ¦ ⸀[1]h ¦ ⸂T S V *ut* א; (H) M N *ut* 𝔐[K] | **4** ⸀h S ¦ ○T ¦ ⸂(H) B *ut* A ¦ ⸁h V *ut* א | **5** ⸆h S B | **6** ⸂T H M N *ut pc*; S V *ut* 051[s] ¦ ⸇T V | **9** ⸂B | **12** ⸂T H S V M B N *ut* א | **14** ⸀S V B *ut* 𝔐 | **16** ⸂T H S V M N *ut* 𝔐 ¦ ⸀h B *ut* P | **18** ⸀S *ut* א*; V B *ut* 𝔐; M: [ην] η | **27** ⸂S *ut* A; H N: [ο] ποιων
¶ **22,2** ⸁T h ¦ ⸀[2]T h S | **5** ⸁[S V] *ut txt* ¦ ⸀[1]H ¦ ○[1] [H S V] | **6** ○h; [S] *ut txt* | **8** ⸉T S B ¦ ⸀h *ut* A | **10** ⸀h | **12** ⸁V B | **13** ⸂h *ut* A | **14** ⸂S | **15** ⸂T *ut* א | **16** ⸀h B *ut* A | **17** ○*bis* h | **18** ⸂T S V *ut* א ¦ ⸆[S] | **21** ⸀S *ut* 𝔐; H: Ιησ. [Χρ.] ¦ ⸁H *ut* א; S V M *ut* 𝔐 ¦ ⸆S V M

III. LOCI CITATI VEL ALLEGATI

A. EX VETERE TESTAMENTO

Genesis

ℌ	𝔊
31,44 + 50b	31,44
46 + 48a	46
51 + 52a + 48b	48
50a	50
52b	52
35,16 + 21	35,16

Exodus

ℌ	𝔊
20,13-15	20,15.13.14
21,16.17	21,17.16
25,6	—
28,23-28	28,29a
32,9	—
35,8	—
15.17	35,12a
18	—
(36,8a	36,8a)
8b.9	37,1-2
10-33	—
34	38,18
35-38	37,3-6
37,1-24	38,1-17
25-28	—
29	38,25
38,1-7.8	22-24.26
9-23	37,7-21
24-29.30a.b.31	39,1-6.7.9.8
39,1a	12
1b-31	36,8b-38
32a	—
32b	39,10
33-38	13.20.14.17.16.15
39	—
40	39,19.21
41-43	18.22.23
40,7.8	—
11	—
28	—
30-32	38,27

Leviticus

26,11s : *2K 6,16*
12 : Ap 21,3.7
21 : Ap 15,1.6
41 : Act 7,51
42 : L 1,72
46 : G 3,19
27,30 : Mt 23,23

Numeri

ℌ	𝔊
1,24-37	1,36-37.24-35
6,23 + 27	6,23
10,34-36	10,36.34.35
26,15-47	26,24-27.15-23.32-47.28-31

5,6s : L 19,8
12ss : J 8,3
15 : H 10,3
6,1-21 : Act 21,26
2 : Act 18,18
3 : *L 1,15*
9.18 : Act 18,18; 21,24
9,12 : J 19,36
11,4 : 1K 10,6
16 : L 10,1
25 : Act 2,3
26-29 : Mc 9,38 1Th 5,19
28 : L 9,49
29 : Act 2,18 1K 14,5
33 : Ap 16,21
34 : 1K 10,6
12,2 : J 9,29
3 : Mt 11,29
7 : *H 3,2.5* Ap 15,3
8 : J 9,29 1K 13,12 H 11,27 2J 12 3J 14
10.13 : Mt 8,2
14,2 : 1K 10,10
3 : Act 7,39
16 : 1K 10,5
21-23 : H 3,11
22s : H 3,18
23 : J 6,49
29.32 : H 3,17
29-37 : Jd 5
33s : Act 7,36; 13,18
36 : 1K 10,10
15,17-21 : R 11,16
35 : H 13,13
35s : Act 7,58
38s : Mt 9,20; 23,5 Mc 6,56 L 8,44
c. 16 : Jd 11
16,5 : *2T 2,19*
11-35 : 1K 10,10
22 : H 12,9
28 : J 5,30; 7,17
30.32 : Ap 12,16
33 : Ap 19,20
17,3 : H 12,3
25 : H 9,4
18,3s : H 9,6
8 : 1K 9,13
21 : H 7,5
31 : Mt 10,11 L 10,7 1K 9,13 1T 5,18
19,6 : H 9,19
9.17 : H 9,13
20,7-11 : 1K 10,4
21,3 : 1K 12,3
5s : 1K 10,9
8s : J 3,14
22,16 : Act 9,38
28 : 2P 2,16
23,19 : H 6,18
22 : Mt 2,15
24,6 : H 8,2
8 : Mt 2,15
17 : Mt 2,2 Ap 22,16
25,1 : 1K 10,8
1s : Ap 2,14
9 : 1K 10,8
26,62 : 1K 10,8
27,14 : Act 7,51
16 : Act 6,3 H 12,9 Ap 22,6
17 : *Mt 9,36 Mc 6,34* J 10,9
18 : Act 6,6
21 : J 11,51
23 : Act 6,6
28,3s : H 7,27
9 : Mt 12,5
30,3 : Mt 5,33
31,16 : 2P 2,15 Ap 2,14
33,55 : 2K 12,7
35,30 : H 10,28

Deuteronomium

1,7 : Ap 9,14
10 : H 11,12
16s : J 7,51
31 : Act 13,18
35 : J 6,49

2,5	: Act 7,5
14	: J 5,5
25	: Act 2,5
3,11	: Ap 21,17
26	: L 22,38
27	: Mt 4,8
4,2	: Ap 22,18s
7s	: R 3,1s
10etc	: Act 7,38
11	: H 12,18
12	: J 5,37 Act 9,7 H 12,19
15-18	: R 1,23
24	: *H 12,29*
28	: Act 7,41; 17,29
29	: Act 17,27
32	: Mc 13,19
34	: Act 13,17
35	: *Mc 12,32*
37	: Act 13,17
38	: Mt 5,5
40	: L 1,6
5,4s	: G 3,19
8	: Ap 5,3
13s	: L 13,14
14	: Mt 12,1 Mc 2,27
15	: Act 13,17
16	: *Mt 15,4 Mc 7,10 E 6,2*
16-20	: *Mt 19,18s Mc 10,19 L 18,20*
17	: *Mt 5,21*
17s	: *Jc 2,11*
17-21	: *R 13,9*
18	: Mt 5,27
21	: *R 7,7*
22s	: H 12,18
6,4(etc)	: *Mc 12,29.32* 1K 8,4 Jc 2,19
5	: *Mt 22,37 Mc 12,30.33 L 10,27*
8	: Mt 23,5
13	: *Mt 4,10* L 4,8
16	: *Mt 4,7 L 4,12* H 3,9
7,1	: Act 13,19
2	: Mt 5,43
6	: Tt 2,14
9	: 1K 10,13 2K 1,18
8,3	: *Mt 4,4 L 4,4* 1K 10,3
5	: H 12,5s
9,3	: *H 12,29*
4	: *R 10,6*
5	: Tt 3,5
9	: Mt 4,2 H 9,4
10	: Act 7,38
9,10s	: 2K 3,3
16	: Act 1,25
19	: *H 12,21*
26	: Act 13,17
27	: R 2,5
29	: Act 13,17
10,8	: H 10,11
12	: L 10,27
15	: Act 13,17
17	: Act 10,34 G 2,6 Ap 17,14; 19,16
20	: *Mt 4,10 L 4,8* 1K 6,17
21	: L 1,49
22	: H 11,12
11,6	: Ap 12,16
11	: H 6,7
13	: R 1,9
14	: Jc 5,7
18	: Mt 23,5
29	: J 4,20
12,5	: J 4,20
12	: Act 8,21
13,1	: Ap 22,18s
2	: Mc 13,22
2-4	: Mt 24,24
6	: Mt 24,24 Mc 13,22
14,1	: R 8,14; 9,4
2	: Act 15,14 Tt 2,14
22s	: Mt 23,23 L 18,18
27	: Act 8,21
29	: L 14,13 Act 8,21
15,4	: Act 4,34
7s	: Mt 5,42 1J 3,17
9	: Mt 6,23
10	: 2K 9,7
11	: Mt 26,11 Mc 14,7 J 12,8
16,2	: Mc 14,12
3	: L 22,19
16	: L 2,41 J 7,2
20	: R 9,31
17,6	: Mc 14,56 J 8,7 *H 10,28*
7	: J 8,7 Act 7,58 *1K 5,13*
8-13	: Mt 5,22
20	: Act 1,25
18,1-3	: 1K 9,13
7	: H 10,11
10-14	: Act 19,19
13	: Mt 5,48
15	: Mt 17,5 Mc 9,4.7 L 7,39; 9,35; 24,25 J 1,21; 5,46 *Act 7,37*

18,15-20 : *Act 3,22*
19,15 : *Mt 18,16* Mc 14,56 J 8,17 *2K 13,1 1T 5,19*
18 : J 7,51
21 : Mt 5,38
20,3 : H 12,3
6 : 1K 9,7
21,6-8 : Mt 27,24
18.20? : Mt 5,22
20 : Mt 11,19
22 : Act 5,30
22s : Mt 27,58 Mc 15,42 L 23,53
23 : J 19,31 *G 3,13*
22,4 : L 14,5
12 : Mt 9,20
22-24 : J 8,5
23,1 : Act 8,27
2 : G 5,12
4 : Mt 5,43
5 : 2P 2,15
7 : Mt 5,43
19 : Mt 27,6
21ss : Act 5,4
22 : Mt 5,33 Jc 4,17
26 : Mt 12,1 Mc 2,23 L 6,1
24,1ss : Mt 5,31
1.3 : Mt 19,7 Mc 10,4
5 : L 14,20
14s : Mt 20,8 Mc 10,19 Jc 5,4
15 : E 4,26 Jc 4,17
16 : J 8,21
25,3 : 2K 11,24
4 : *1K 9,9 1T 5,18*
5 : *Mt 22,24 L 20,28*
5s : *Mc 12,19*
26,5 : Act 7,15
27,12 : J 4,20
25 : Mt 27,4
26 : J 7,49 2K 3,9 *G 3,10.13*
28,4 : L 1,42
10 : Jc 2,7
22 : Act 23,3
28s : Act 22,11 2P 1,9
35 : Ap 16,2
53 : R 2,9
58 : G 3,10
64 : L 21,24
29,3 : *R 11,8*
17 : Act 8,23 *H 12,15*
19 : Ap 22,18
30,4 : Mt 24,31 Mc 13,27
30,6 : R 2,29
10 : G 3,10
11 : 1J 5,3
12 : J 3,13 *R 10,6*
13 : R 10,7
14 : *R 10,8*
16 : R 2,26
31,1 : Mt 26,1
6 : *H 13,5*
7 : H 4,8
8 : H 13,5
26 : Mt 10,18 J 5,45s
32,4 : R 9,14 1J 1,9 *Ap 15,3*.4; 16,5
5 : Mt 12,39; 17,17 Act 2,40 Ph 2,15
8 : Act 17,26(2×) H 2,5
10 : 2K 6,14
11 : L 13,34
15 : E 1,6
17 : 1K 10,20 Ap 9,20
20 : Mt 17,17
21 : *R 10,19* 1K 10,22
28s : L 19,42
35 : L 21,22 *R 12,19 H 10,30*
36 : *H 10,30*
39 : J 5,21
40 : Ap 1,18; 10,5s
43 : Mt 4,10; 25,31 *R 15,10 H 1,6* Ap 6,10; 12,12; 19,2
47 : Act 7,38
49 : Act 7,45
33,2 : Mt 25,31 Act 7,53 Jd 14
3 : Act 7,38
3s : Act 20,32
5 : E 1,6
9 : Mt 10,37 L 14,26
12 : 2Th 2,13
16 : Act 7,35
26 : E 1,6
34,1 : Mt 4,8
5 : Ap 15,3
9 : Act 6,6

Josue

𝔥	𝔊
8,30-35	9,2a-f
19,47.48	19,48.47
24,29-31	24,30.31.29

1,2(etc) : H 3,5 Ap 15,3
4 : Ap 9,14

Judicum

Ruth

Samuelis I

ℌ Samuelis I — 𝔊 Reg(nor)um I

Samuelis II

ℌ Samuelis II	𝔊 Reg(nor)um II

Reg(nor)um I

ℌ Reg(nor)um I	𝔊 Reg(nor)um III
3,1	2,35c; 5,14a
4,17-19	4,19.17.18
20	2,46a
5,1.4-6	46k.f.g.i
7-8	5,1
31.32a	6,1a.b
32b	5,32
6,11-13	—
14	6,3
18	—
37.38	6,1c.d; 2,35c
7,1a-12a.1b	7,38-49.50
12b	6,36a
13-18.19-21	7,1-6.8.9.7
22	—
23-51	7,10.11.13.12. 14-31.33.32. 34-37
31	—
8,1	8,1b
12.13	53a
41b.42a	—
9,15-22	10,22a.5,14b.22b.c
23-25	2,35h.f.g
11,3a	11,1
3b	—
5-8	11,6.8.5.7
12,2	43
14,1-18	12,24g-n
19.20	—
20.21	21.20
22,47-50	16,28d-g

Reg(nor)um II

ℌ Reg(nor)um II 𝔊 Reg(nor)um IV

(*)28	XI	Paris, Bibl. Nat., Gr. 379	e (vac. Mt 7,17–9,22; 14,33–16,10; 26,70–27,48; Lc 20,19–22,46; Jo 12,34–13,1; 15,24–16,12; 18,16-28; 19,11-fin. [19,11–20,20; 21,5-18 suppl.])
(*)33	IX	Paris, Bibl. Nat., Gr. 14	eap (vac. Mc 9,31–11,11; 13,11–14,60; Lc 21,38–23,26)
36	XII	Oxford, New Coll., 58	aK
42	XI	Frankfurt/Oder, Stadtarchiv, Ms 17	apr†
51	XIII	Oxford, Bodl. Libr., Laud. Gr. 31	eap†
56	XV	Oxford, Lincoln Coll., Gr. 18	e
61	XVI	Dublin, Trin. Coll., A 4. 21	eapr
63	X	Dublin, Trin. Coll., A 1. 8	eK
64	XII	Isle of Bute, Duke of Bute, Ms. 82 G. 18/19	e
69	XV	Leicester, Town Mus., Cod. 6 D 32/1	eapr†
76	XII	Wien, Österr. Nat. Bibl., Theol. Gr. 300	eap
(*)81	1044	London, Brit. Mus., Add. 20003; Alexandria, Bibl. Patriarch., 59	ap (vac. Act 4,8–7,17; 17,28–23,9)
88	XII	Napoli, Bibl. Naz., II. A. 7	apr
94	r: XII ap: XIII	Paris, Bibl. Nat., Coislin Gr. 202,2	aprK
97	XII	Wolfenbüttel, Herzog-August-Bibl., Gud. Graec. 104. 2	ap
103	XI	Moskva, Hist. Mus., V. 96, S. 347	apK
104 [*]	1087	London, Brit. Libr., Harley 5537	a (*)p r
110	XII	London, Brit. Libr., Harley 5778	apr†
117	XV	London, Brit. Libr., Harley 5731, fol. 1-183	e†
118	XIII	Oxford, Bodl. Libr., Auct. D. infr. 2. 17	e†
122	XII	Leiden, Univ. Bibl., B. P. Gr. 74a	eap†
124	XI	Wien, Österr. Nat. Bibl., Theol. Gr. 188	e†
131	XIV	Roma, Bibl. Vatic., Gr. 360	eap
157	XII	Roma, Bibl. Vatic., Urbin. Gr. 2	e

ms. nr.	saec.	bibliotheca	cont.
162	1153	Roma, Bibl. Vatic., Barb. Gr. 449	e
172	XIII/XIV	Berlin, Staatsbibl., Phill. 1461	apr†
174	1052	Roma, Bibl. Vatic., Gr. 2002	e†
181	ap: XI r: XV	Roma, Bibl. Vatic., Reg. Gr. 179	apr
189	e: XIV ap: XII	Firenze, Bibl. Laurenziana, VI. 27	eap†
209	eap: XIV r: XV	Venezia, Bibl. S. Marco, 394	eapr
213	XI	Venezia, Bibl. S. Marco, 409	e†
221	X	Oxford, Bodl. Libr., Can. Gr. 110	ap
225	1192	Napoli, Bibl. Naz., Cod. Vien. 9	e
229	1140	Escorial, X. IV. 21	e†
230	1013	Escorial, Y. III. 5	e
237	X	Moskva, Hist. Mus., V. 85, S. 41	eK
238	XI	Moskva, Hist. Mus., V. 91, S. 47; olim: Dresden, Sächs. Landesbibl., A 100	eK
241	XI	olim: Dresden, Sächs. Landesbibl., A 172	eapr
245	1199	Moskva, Hist. Mus., V. 16, S. 278	e
251	XII	Moskva, Leninbibl., Gr. 9	e
255	XII	olim: Berlin, Staatsbibl., Gr. Qu. 40	ap
257	XIII/XIV	olim: Berlin, Staatsbibl., Gr. Qu. 43	ap
264	XII	Paris, Bibl. Nat., Gr. 65	e†
274	X	Paris, Bibl. Nat., Suppl., Gr. 79	e†
304	XII	Paris, Bibl. Nat., Gr. 194	eK (vac. Lc Jo)
307	X	Paris, Bibl. Nat., Coislin Gr. 25	aK
309	XIII	Cambridge, Univ. Libr., Dd. XI. 90	ap†
321	XII	London, Brit. Libr., Harley 5557	ap†
322	XV	London, Brit. Libr., Harley 5620	ap

323 [*]	XI	Genève, Bibl. Publ. et Univ., Gr. 20	(*)a p (vac. [Act 1,1-8; 2,36-45 suppl.])
326	XII	Oxford, Lincoln Coll., Lat. 82	ap†
327	XIII	Oxford, New Coll., Gr. 59	ap
337	XII	Paris, Bibl. Nat., Gr. 56	apr†
346	XII	Milano, Bibl. Ambros., S. 23 sup.	e†
348	1022	Milano, Bibl. Ambros., B. 56 sup.	e
365[*]	XIII	Firenze, Bibl. Laurenziana, VI 36	ea (*)p (vac. Rm 1,1-18; 7,18-21; 8,3-31)
385	1407	London, Brit. Libr., Harley 5613	apr†
398	XI	Cambridge, Univ. Libr., Kk. VI. 4	ap†
424	XI	Wien, Österr. Nat. Bibl., Theol. Gr. 302	apr
429	ap: XIV r: XV	Wolfenbüttel, Herzog-August-Bibl., 16.7 Aug. 4°	apr
431	XI	Strasbourg, Séminaire, 1	eap
435	XII/XIII	Leiden, Univ. Bibl., Gronov. 137; Arundel Castle, Duke of Norfolk, MD 459	e†
436	XI	Roma, Bibl. Vatic., Gr. 367	ap
440	XII	Cambridge, Univ. Libr., Mm. VI. 9	eap
442	XIII	Uppsala, Univ. Bibl., Gr. 1, p. 183-440	apK (vac. Act Rm)
451	XI	Roma, Bibl. Vatic., Urbin. Gr. 3	ap
453	XIV	Roma, Bibl. Vatic., Barb. Gr. 582	aK
460	XIII	Venezia, Bibl. S. Marco, 379	ap
462	XIII	Moskva, Hist. Mus., V. 24, S. 346	ap
467	XV	Paris, Bibl. Nat., Gr. 59	apr
472	XIII	London, Lambeth Pal., 1177	e†
473	XIII	London, Lambeth Pal., 1178	e
474	XI	London, Lambeth Pal., 1179	e†
482	1285	London, Brit. Libr., Burney 20	e
489	1316	Cambridge, Trin. Coll., B. X. 16	eap†
491	XI	London, Brit. Libr., Add. 11836	eap†
522	1515	Oxford, Bodl. Libr., Can. Gr. 34	eapr

ms. nr.	saec.	bibliotheca	cont.
543	XII	Ann Arbor, Univ. of Michigan, Ms 15	e†
544	XIII	Ann Arbor, Univ. of Michigan, Ms 25	e
(*)565	IX	Leningrad, Publ. Bibl., Gr. 53	e† (vac. Jo 11,26-48; 13,2-23)
569	1061	Leningrad, Publ. Bibl., Gr. 72	eK
579	XIII	Paris, Bibl. Nat., Gr. 97	e†
614	XIII	Milano, Bibl. Ambros., E 97 sup.	(*)a p (vac. Jd 3-fin.)
[*]			
621	XIV	Roma, Bibl. Vatic., Gr. 1270	ap(K)†
623	1037	Roma, Bibl. Vatic., Gr. 1650	ap†
629	XIV	Roma, Bibl. Vatic., Ottob. Gr. 298	ap
630	XIV	Roma, Bibl. Vatic., Ottob. Gr. 325	act (*)cath (*)p
[*]			
636	XV	Napoli, Bibl. Naz., II. A. 9	ap
642	XV	London, Lambeth Pal., 1185	ap†
(*)700	XI	London, Brit. Libr., Egerton 2610	e
713	XII	Birmingham, Selly Oak Coll., Cod. Alg. Peckover Gr. 7	e†
720	XIII	Wien, Österr. Nat. Bibl., Theol. Gr. 79. 80	eapK†
788	XI	Athen, Nat. Bibl., 74	e
826	XII	Grottaferrata, Bibl. della Badia, A′ α′ 3	e
828	XII	Grottaferrata, Bibl. della Badia, A′ α′ 5	e
(*)892	IX	London, Brit. Libr., Add. 33277	e (vac. [Jo 10,6–12,18; 14,23-fin. suppl.])
915	XIII	Escorial, T III 12	ap
918	XVI	Escorial, Σ I 5	ap (vac. Act)
945	XI	Athos, Dionysiu, 124 (37)	e (*)act cath p
[*]			
954	XV	Athos, Dionysiu, 347 (312)	e
983	XII	Athos, Esphigmenu, 29	e
998	XII	Athos, Iviron, 654 (30)	e†

1006 [*]	XI	Athos, Iviron, 728 (56)	e (*)r
(*)1010	XII	Athos, Iviron, 738 (66)	e (vac. [Lc 8,4-44; Jo 12,25–13,22 suppl.])
1012	XI	Athos, Iviron, 1063 (68)	e
1038	XIV	Athos, Karakallu, 37 (49)	e
1067	XIV	Athos, Kutlumusiu, 57	ap†
1071	XII	Athos, Lavra, A′ 104	e
1093	1302	Athos, Panteleimonos, 28	e
1175 [*]	XI	Patmos, Joannu, 16	(*)act cath (*)p (vac. 1 Th 1,10–3,2; Tt 1,7-fin.; Phm; Heb 3,6–6,7; 8,6–10,8; 11,20–12,2; 13,21-fin.)
1194	XI	Sinai, Gr. 157	e
1195	1123	Sinai, Gr. 158	e
1216	XI	Sinai, Gr. 179	e
1229	XIII	Sinai, Gr. 192	e†
1230	1124	Sinai, Gr. 193	eK
(*)1241	XII	Sinai, Gr. 260	eap (vac. Mt 8,14–13,3; Act 17,10-18; [1 Cor 2,10-fin.; 2 Cor 13,3-fin.; Gal; Eph 2,15-fin.; Phil; Col; Heb 11,3-fin.; Jc–Jd suppl. vel alia manu]
1242	XIII	Sinai, Gr. 261	eap
1243	XI	Sinai, Gr. 262	eap
1253	XV	Sinai, Gr. 303	e
1293	XI	Paris, Bibl. Nat., Suppl. Gr. 1225	e†
1325	1724	Jerusalem, Taphu, 62	e
1329	XII	Jerusalem, Saba, 166; Leningrad, Publ. Bibl., Gr. 303	e
1333	XI	Jerusalem, Saba, 243	e
1346	X/XI	Jerusalem, Saba, 606; Leningrad, Publ. Bibl., Gr. 284	e
1355	XII	Jerusalem, Stavru, 104	e
1424 [*]	IX/X	Maywood, Theol. Sem., Gruber Ms. 152	(*)eK apr (vac. Mt 1,23–2,16)

ms. nr.	saec.	bibliotheca	cont.
1448	XI	Athos, Lavra, A′ 13	eap
1505	1084	Athos, Lavra, B′ 26	e act (*)cath p
[*]			
1506	1320	Athos, Lavra, B′ 89	e (*)pK (vac. 1 Cor 1,3-4; 4,16-fin.; 2 Cor–Heb)
[*]			
1518	XV	olim: London, Lambeth Pal., 1181	ap
1573	XII/XIII	Athos, Vatopediu, 939	eap
1582	949	Athos, Vatopediu, 949	e
1611	XII	Athen, Nat. Bibl., 94	ap (*)r (vac. [Apc 21,27-fin. suppl.])
[*]			
1678	XIV	Athos, Panteleimonos, 770	eaprK
1704	1541	Athos, Kutlumusiu, 356	eapr
1729	XV	Athos, Vatopediu, 968	ap†
1735	XI/XII	Athos, Lavra, B′ 42	ap†
(*)1739	X	Athos, Lavra, B′ 64	ap (vac. [Act 1,1–2,6 suppl.])
1758	XIII	Lesbos, Limonos, 195	ap
1827	1295	Athen, Nat. Bibl., 131	ap†
1831	XIV	Athen, Nat. Bibl., 119	ap
1832	XIV	Athen, Nat. Bibl., 89	ap†
1836	X	Grottaferrata, Bibl. della Badia, A′ β′ 1	ap (vac. Act–2 Pt)
1838	.XI	Grottaferrata, Bibl. della Badia, A′ β′ 6	ap†
1841	IX/X	Lesbos, Limonos, 55	ap† (*)r
[*]			
1845	X	Roma, Bibl. Vatic., Gr. 1971	ap
1846	XI	Roma, Bibl. Vatic., Gr. 2099	ap†
1852	XIII	Uppsala, Univ. Bibl., Ms. Gr. 11	apr†
1854	XI	Athos, Iviron, 231 (25)	ap (*)r
[*]			
1875	X	Athen, Nat. Bibl., 149	ap†

1877	XIV	Sinai, Gr. 280	ap
1881	XIV	Sinai, Gr. 300	a (*)p (vac. [Heb 4,13–5,8 suppl.])
[*]			
1884	XVI	Gotha, Landesbibl., Chart. B. 1767	a (vac. cath)
1891	X	Jerusalem, Saba, 107; Leningrad, Publ. Bibl., Gr. 317	ap
1906	1056	Paris, Bibl. Nat., Coislin Gr. 28	pK
1908	XI	Oxford, Bodl. Libr., Roe 16	pK
1912	X	Napoli, Bibl. Naz., Cod. Vien. 8	p†
1962	XI	Wien, Österr. Nat. Bibl., Theol. Gr. 157	pK†
2014	XV	Roma, Bibl. Vallicell., D. 20	rK
2015	XV	Oxford, Bodl. Libr., Barocci 48, fol.51-74	r†
2016	XV	London, Brit. Libr., Harley 5678	r
2020	XV	Roma, Bibl. Vatic., Gr. 579	r
2027	XIII	Paris, Bibl. Nat., Gr. 491	r†
2028	1422	Paris, Bibl. Nat., Gr. 239	rK
(*)2030	XII	Moskva, Univ., 2	r (vac. Apc 1,1–16,20)
2036	XIV	Roma, Bibl. Vatic., Gr. 656	rK
2042	XIV	Napoli, Bibl. Naz., II. A. 10	rK
(*)2050	1107	Escorial, X. III. 6	r (vac. Apc 6,1–19,21)
(*)2053	XIII	Messina, Bibl. Univ., 99	rK
(*)2062	XIII	Roma, Bibl. Vatic., Gr. 1426	rK (vac. Apc 2,1–14,20)
2067	XV	Roma, Bibl. Vatic., Pal. Ms. Gr. 346	rK
2069	XV	Venezia, Bibl. S. Marco, 981 (II 54)	rK
2073	XIV	Athos, Iviron, 273(34)	rK†
2080	XIV	Patmos, Ioannu, 12	apr†
2127	XII	Palermo, Bibl. Naz., Dep. Mus. 4	eap†
2138	1072	Moskva, Gorki-Univ. Bibl., 1	apr†
2143	XII	Leningrad, Publ. Bibl., Gr. 211	ap
2145	1145	Leningrad, Publ. Bibl., Gr. 222	e
2147	XI	Leningrad, Publ. Bibl., Gr. 224	eap
2148	1337	Leningrad, Publ. Bibl., Gr. 235	eK

ms. nr.	saec.	bibliotheca	cont.
2298	XI	Paris, Bibl. Nat., Gr. 102	ap
2318	XVIII	Bukarest, Rumän. Akad., 234	aK (vac. Act)
(*)2329	X	Meteora, Metamorphosis 573, fol. 210–245 r°	r
2344	XI	Paris, Bibl. Nat., Coislin Gr. 18	apr†
(*)2351	X	Meteora, Metamorphosis 573, fol. 245 v°–290	rK (vac. Apc 13,18–14,3; 14,6-fin.)
2377	XIV	Athen, Byzant. Mus., 117	r†
2464 [*]	X	Patmos, Joannu, 742	a (*)p (vac. Rm 11,29–16,10; 1.2Tm; Tt; Phm; Heb 7,2-14; 9,20–10,4; 10,19-fin.)
2492	XIII	Sinai, Gr. 1342	eap
2495 [*]	XIV/XV	Sinai, Gr. 1992	e (*)a (*)p r
2768	978	München, Bayer. Staatsbibl., Gr. 208, fol. 107-134	eK: Jo
ℓ 32	XI	Gotha, Landesbibl., Membr. I 78	ℓesk
ℓ 44	XII	Kopenhagen, Kgl. Bibl., GkS 1324, 4°	ℓ+a sk
ℓ 185	XI	Cambridge, Christ's Coll., DD. I. 6	ℓe†
ℓ 1575	IX	Wien, Österr. Nat. Bibl., Pap. K. 16. 17	U–ℓa†
ℓ 1602	VIII	New York, Pierpont Morgan Libr., 615; Freiburg, Univ. Bibl., 615	U–ℓ†
			† = codex mutilatus K = textus cum commentario ℓ = lectionarium P = codex ea tantum continet quae indicabimus de abbreviationibus aliis cf. notam 8 in p. 35*

f^{1} = 1, 118, 131, 209, 1582 et al
f^{13} = 13, 69, 124, 174, 230, 346, 543, 788, 826, 828, 983, 1689, 1709 et al

ad 𝔐 pertinent:

2 ap, 18, 34, 57, 82, 105, 108, 110, 127, 128, 129, 132, 133, 134, 135, 139, 140, 141, 142, 143, 144, 146, 147, 148, 150, 151, 155, 167, 170, 171, 177, 183, 186, 190, 192, 193, 194, 196, 198, 200, 201, 203, 204, 208, 210, 212, 214, 223, 226, 240, 244, 246, 247, 250, 261, 269, 272, 275, 276, 277, 278a, 281, 300, 302, 306, 308, 309, 314, 319, 325, 328, 329, 334, 335, 343, 347, 350, 351, 355, 356, 358, 359, 360, 361, 364, 367, 368, 369, 373, 374, 375, 376, 379, 384, 386, 388, 394, 396, 399, 402, 404, 405, 407, 408, 410, 411, 412, 413, 414, 415 ,419, 425, 432, 450, 452, 454, 457, 458, 461, 465, 466, 469, 476, 480, 491, 498, 506, 528, 529, 531, 532, 533, 535, 540, 541, 547, 549, 550, 568, 570, 571, 574, 575, 583, 584, 586, 592, 594, 600, 601, 602, 603, 604, 605, 607, 616, 618, 620, 622, 624, 625, 626, 627, 628, 632, 634, 637, 638, 639, 640, 644, 651, 655, 656, 660, 664, 672, 673, 680, 688, 692, 699, 707, 708, 746, 748, 750, 754, 756, 757, 794, 801, 824, 825, 831, 839, 843, 844, 845, 852, 857, 862, 864, 867, 877, 880, 887, 890, 896, 901, 910, 911, 912, 914, 916, 919, 920, 921, 922, 928, 936, 937, 938, 942, 943, 944, 950, 951, 959, 962, 970, 980, 991, 993, 1013, 1023, 1030, 1045, 1069, 1070, 1072, 1073, 1074, 1075, 1076, 1077, 1078, 1080, 1094, 1099, 1100, 1101, 1103, 1104, 1105, 1107, 1110, 1112, 1121, 1129, 1149, 1161, 1185, 1186, 1189, 1190, 1191, 1193, 1196, 1198, 1199, 1201, 1202, 1203, 1206, 1207, 1208, 1209, 1211, 1212, 1213, 1215, 1218, 1221, 1222, 1224, 1225, 1227, 1231, 1232, 1233, 1234, 1235, 1236, 1238, 1240, 1244, 1247, 1248, 1249, 1250, 1277, 1283, 1285, 1300, 1309, 1310, 1312, 1314, 1316, 1320, 1323, 1324, 1328, 1330, 1331, 1334, 1339, 1340, 1341, 1343, 1345, 1347, 1350a, 1350b, 1351, 1352a, 1356, 1360, 1370, 1371, 1374, 1392, 1395, 1400, 1417, 1438, 1444, 1445, 1447, 1449, 1452, 1470, 1476, 1482, 1483, 1492, 1503, 1508, 1513, 1514, 1517, 1520, 1521, 1539, 1540, 1543, 1545, 1547, 1548, 1556, 1566, 1570, 1572, 1577, 1583, 1594, 1597, 1604, 1605, 1607, 1614, 1617, 1618, 1619, 1622, 1626, 1628, 1636, 1637, 1649, 1656, 1662, 1668, 1672, 1673, 1693, 1714, 1717, 1720, 1723, 1725, 1726, 1727, 1728, 1730, 1731, 1732, 1733, 1734, 1736, 1737, 1738, 1740, 1741, 1742, 1745, 1746, 1747, 1748, 1749, 1750, 1752, 1755a, 1755b, 1756, 1757, 1763, 1767, 1768, 1770, 1771, 1772, 1800, 1826, 1828, 1829, 1835, 1847, 1849, 1851, 1855, 1856, 1858, 1859, 1862, 1869, 1870, 1872, 1876, 1878, 1879, 1880, 1882, 1888, 1889, 1897, 1899, 1902, 1905, 1906, 1907, 1911, 1914, 1915, 1916, 1917, 1918, 1919, 1920, 1921, 1922, 1923, 1924, 1926, 1927, 1928, 1929, 1930, 1931, 1932, 1933, 1934, 1936, 1937, 1938, 1941, 1946, 1948, 1951, 1952, 1954, 1955, 1956, 1957, 1958, 1964, 1967, 1968, 1970, 1971, 1972, 1974, 1975, 1978, 1979, 1980, 1981, 1982, 1986, 1988, 1992, 1997, 1998, 2001, 2003, 2007, 2009, 2013, 2090, 2096, 2098, 2119, 2125, 2126, 2132, 2133, 2135, 2139, 2140, 2141, 2142, 2144, 2160, 2172, 2173, 2175, 2176, 2177, 2178, 2181, 2183, 2189, 2191, 2199, 2218, 2221, 2236, 2261, 2266, 2273, 2275, 2277, 2281, 2289, 2295, 2303, 2306, 2307, 2310, 2311, 2352, 2353, 2355, 2356, 2373, 2376, 2378, 2380, 2381, 2382, 2386, 2390, 2409, 2423, 2424, 2425, 2431, 2441, 2466, 2468, 2475, 2479, 2483, 2484, 2490, 2491, 2496, 2499, 2500, 2501, 2502, 2503, 2532, 2534, 2536, 2540, 2545, 2547, 2549, 2552, 2554, 2558, 2568, 2572, 2573, 2579, 2584, 2587, 2619, 2626, 2627, 2629, 2639, 2657, 2666, 2668, 2671, 2675, 2690, 2691, 2796, 2698, 2699, 2700, 2704, 2712, 2716, 2723, 2746, 2784, 2785

et permulti alii

B. CODICES LATINI

sign.		saec.	bibliotheca	cont.
			Evangelia	
a	3	IV	Vercelli, Bibl. Capitolare	e (vac. Mt 25,2-12; Mc 1,22-34; 15,15–16,20; Lc 11,12-26; 12,37-59)
a²	16	V	Chur, Rhät. Mus.	Lc 11,11-29; 13,16-34
aur	15	VII	Stockholm, Kgl. Bibl., A 135	e (vac. Lc 21,8-30)
b	4	V	Verona, Bibl. Capitolare, VI (6)	e (vac. Mt 1,1-11; 15,12-22; 23,18-27; Mc 13,11-16; 13,27–14,24; 14,56–16,20; Lc 19,26–21,29; Jo 7,44–8,12)
β	26	VII	St. Paul in Kärnten, Stiftsbibl., 25. 3. 19 (XXV a. 1)	Lc 1,64–2,51
c	6	XII/XIII	Paris, Bibl. Nat., Lat. 254 (Colbertinus 4051)	e
d	5	V	Cambridge, Univ. Libr., Nn. II. 41	e (vac. Mt 1,1-11; 2,20–3,7; 6,8–8,27; 26,65–27,2; Mc 16,6-20; Jo 1,1–3,16; 18,2–20,1)
e	2	V	Trento, Mus. Naz., s. n. (Palat. 1185)	e (vac. Mt 1,1–12,49; 24,50–28,2; Mc 1,1-20; 4,8-19; 6,10–12,37; 12,40–13,2.3-24.27-33; 13,36–16,20; Lc 8,30-48; 11,4-24; Jo 18,12-25)
f	10	VI	Brescia, Bibl. civica Queriniana	e (vac. Mt 8,16-26; Mc 12,5–13,32; 14,53-62; 14,70–16,20)
ff¹	9	VIII	Leningrad, Publ. Bibl., O. v. I, 3 (Corb. 21)	Mt
ff²	8	V	Paris, Bibl. Nat., Lat. 17225 (Corb. 195)	e (vac. Mt 1,1–11,16; Lc 9,48–10,20; 11,45–12,6; Jo 17,16–18,9; 20,23–21,8)
g¹	7	VIII	Paris, Bibl. Nat., Lat. 11553 (Sangerm. 15)	e
h	12	IV/V	Roma, Bibl. Vatic., Lat. 7223, fol. 1-66	Mt 3,15–14,33; 18,12–28,20
i	17	V	Napoli, Bibl. Naz., Lat 3 (Vind. 1235)	Mc 2,17–3,29; 4,4–10,1; 10,33–14,36; 15,33-40; Lc 10,6–14,22; 14,29–16,4; 16,11–23,10
j	22	VI	Sarezzano/Alessandria, chiesa	Jo 1,8–4,29; 5,3-20; 5,29–7,45; 8,6–11,1.12-34; 18,36–19,17; 19,31–20,14

k	1	IV/V	Torino, Bibl. Naz., G. VII. 15	Mt 1,1–3,10; 4,1–14,17; 15,20-36; Mc 8,8–16,8; concl. brev.
l	11	VIII	Berlin, Staatsbibl., Depot Breslau 5 (Rehdigeranus 169)	e (vac. Mt 1,1–2,15; Lc 11,28-37; Jo 1,1-16; 6,32-61; 11,56–12,10; 13,34–14,22; 15,3-15; 16,13–21,25)
λ		VIII/IX	Cambridge/Mass., Harvard Univ., Houghton Libr.	Lc 16,27–17,8.11-16.18-26
μ		V	München, Bayer. Staatsbibl., (Frg. Monacense)	Mt 9,17.30-37; 10,1-5.7-10
n	16	V	St. Gallen, Stiftsbibl., 1394 II p. 50-89; 172 p. 256; Vadiana 70	Mt 17,1-5; 17,14–18,20; 19,20–21,3; 26,56-60.69-74; 27,62–28,3.8-fin.; Mc 7,13-31; 8,32–9,10; 13,2-20; 15,22–16,13; Jo 19,13-17.24-42
o	16	VII	St. Gallen, Stiftsbibl., 1394 III p. 91-92	Mc 16,14-20
p	20	VIII	St. Gallen, Stiftsbibl., 1395 VII p. 430-433	Jo 11,14-44
π	18	VII	Stuttgart, Landesbibl., H. B. VII 29; H. B. XIV 15; H. B. VI 114; Darmstadt, Landesbibl., 895; Donaueschingen, Fürstenbergische Hofbibl., Cod. 192. 193	Mt 13,6-15.31-38; Lc 14,8-13; Jo 3,34-36; 6,39-41; 7,24-38; 9,22-32; 11,19-21.26-27.38-48; 20,25-30
q	13	VI/VII	München, Bayer. Staatsbibl., Clm 6224 (Frising. 24)	e (vac. Mt 3,15–4,23; 5,25–6,4; 6,28–7,8; 23,13-28; Mc 1,7-21; 15,5-36; Lc 23,23-35; 24,11-39; Jo 10,11–12,38; 21,9-17.18-20)
r^1	14	VII	Dublin, Trin. Coll., A. 4. 15 (Usserianus 1)	e (vac. Mt 1,1–15,16; 15,31–16,13; 21,4-21; 28,16-20; Mc 14,58–15,8; 15,32–16,20; Jo 1,1-15)
ρ	24	VII/VIII	Milano, Bibl. Ambros., M. 12 sup.	Jo 13,3-17
s	21	VI/VII	Milano, Bibl. Ambros., O. 210 sup., fol.1-8	Lc 17,3-29; 18,39–19,47; 20,46–21,22
t	19	V/VI	Bern, Univ. Bibl., Cod. 611 fol.143-144	Mc 1,2-23; 2,22-27; 3,11-18

Actus apostolorum

d	5	V	Cambridge, Univ. Libr., Nn. II 41	1,1–8,20; 10,4–20,31; 21,2-7; 21,10–22,2.10-20
e	50	VI	Oxford, Bodl. Libr., Laud. Gr. 35	(vac. 1,1-2; 26,30–28,25)
gig	51	XIII	Stockholm, Kgl. Bibl., (Gigas liber)	Act
h	55	V	Paris, Bibl. Nat., Lat. 6400 G	3,2–4,18; 5,23–7,2; 7,42–8,2; 9,4-24; 14,5-23; 17,34–18,19; 23,8-24; 26,20–27,13
l	67	VII	León, Archivio Catedralico, Ms. 15	it: 8,27–11,13; 15,6-12.26-38
p	54	XII	Paris, Bibl. Nat., Lat. 321	it: 1,1–13,6; 28,16-fin.

sign.		saec.	bibliotheca	cont.
r	57	VII/VIII	Sélestat, Bibl. Municip., 1093	2,1–3,13; 4,31–5,11; 7,2-10; 8,9–9,22.36-42; 12,1-17; 19,4-17
s	53	VI	Napoli, Bibl. Naz., Lat. 2 (Vind. 16)	23,15-23; 24,4-fin.
sin	74	X	Sinai, Arab. Ms 455	10,36-40; 13,14-16.26-30
t	τ	VII-XI	bibliothecae complures (Liber-Commicus)	1,1-26; 2,1-47; 4,1-3.19-20; 4,32–5,16.19-32; 6,1–7,2; 7,51–8,4.14-40; 9,1-22.32-42; 10,25-43; 13,26-39
w	58	XV	Praha, Ev. Fac. Comenii	Act

Corpus Paulinum

sign.		saec.	bibliotheca	cont.
a	61	IX	Dublin, Trin. Coll., 52	(vac. 1 Cor 14,36-39)
b	89	VIII	Budapest, Mus. Nat., Lat. med. aevi I	p
d	75	VI	Paris, Bibl. Nat., Gr. 107,107 AB	(vac. 1 Cor 14,9-17; Heb 13,22-fin.)
f	78	IX	Cambridge, Trin. Coll., B. XVII. 1	(vac. Rm 1,1–3,18; [1 Cor 3,8-15; 6,7-14; Col 2,2-7; Phm 21-25; Heb suppl.])
g	77	IX	Dresden, Sächs. Landesbibl., A. 145b	(vac. Rm 1,2-4; 2,17-24; 1 Cor 3,8-15; 6,7-14; Col 2,2-7; Phm 21-25; Heb)
gue	79	VI	Wolfenbüttel, Herzog-August-Bibl., 4148	Rm 11,33–12,5; 12,17–13,5; 14,9-20; 15,3-13
m	86	IX	Monza, Bibl. Capitolare, i-2,9	Rm 1,1–10,2; 12,13-16; 13,8-10; 14,8-10.23; 15,11–16,25; 1 Cor 1,1-5; Eph 4,1-fin.; Col–2 Tm 4,1
μ	82	IX	München, Bayer. Staatsbibl., Clm 29055a	Heb 7,8-26; 10,23-39
p	80	VII	Heidelberg, Univ. Bibl., 1334 (369/256)	Rm 5,14-17.19-20; 6,1-2
r	64	VI et VII	München, Bayer. Staatsbibl., Clm 6230. 6436; ibidem, Univ. Bibl., 4° 928; Göttweig, Stiftsbibl., 1	Rm 5,16–6,19; 14,10–15,13; 1 Cor 1,1–3,5; 6,1–7,12. 19-26; 13,13–14,5.11-18; 15,14–16,24; 2 Cor 1,1–2,10; 3,17–5,12; 5,14–6,3; 7,10–8,12; 9,10–11,21; 12,14–13,10; Gal 2,5–4,3; 4,6–5,2; 6,5-fin.; Eph 1,1-13; 1,16–2,3; 2,6–3,16; 6,24; Ph 1,1-20;4,11-fin.; 1 Th 1,1-10; 1 Tm 1,12–2,15; 5,18–6,13; Heb 6,6–7,5.8-18; 7,20–8,1; 9,27–10,9; 10,11–11,7
ρ	88	X	Basel, Univ. Bibl., B I 6	2 Cor 7,3–10,18

t	τ	VII-XI	bibliothecae complures (Liber Commicus)	Rm 2,11-29; 3,28–4,8; 5,1-10.12-21; 6,12-23; 7,14-25; 8,3-11.22-39; 10,8-13; 11,25–13,8.10-14; 14,7-13.18-19; 15,1-13.25.30-33; 16,17-20; 1Cor 1,3-10.17-22; 2,5-8; 3,1-2; 3,7–4,5.9-15.21; 5,7-8; 6,12-20; 7,1-14. 25-34.37-40; 9,7-17; 10,14–11,2.23-32; 12,1-13; 12, 27–13,8; 15,1-11.20-22.33-57; 2Cor 1,3-4.8-11; 4,5-10; 5,1-5; 6,1–7,1; 8,9-15; 9,6-13; 10,17–11,6.16-31; 13,7-11; Gal 2,16-20; 3,13–4,7.22-31; 5,14–6,5.7-10; 6,14-fin.; Eph 1,2-8.16-23; 3,14-17; 4,1-10.13-15; 4, 17–5,8; Ph 2,5-11; 3,7-12; 3,17–4,9; Col 1,2-3.9-11. 24-29; 2,14-15; 3,1–4,3; 1Th 4,3-9.13-16; 5,1-10.14-23; 2Th 1,3-12; 1Tm 1,15-17; 3,1-7.13; 6,11-14; 2Tm 2,1-10; 3,16–4,8.17-18; Tt 2,11–3,7; Heb 1,1-12; 2,9–3,2; 9,11-14.16-20; 10,32-38; 11,13-16.24-28.33-34; 11,36–12,2.12-28
v	81	VIII/IX	Paris, Bibl. Nat., Lat. 653	Heb 1,1–4,3
z	65	VIII	London, Brit. Libr., Harley 1772	it: Heb 10,1-fin.

Epistulae catholicae

d	5	V	Cambridge, Univ. Libr., Nr. II 41	3Jo 11-15
ff	66	IX	Leningrad, Publ. Bibl., Q. v. I 39	Jc
h	55	V	Paris, Bibl. Nat., Lat. 6400 G	1Pt 4,17-fin.; 2Pt 1,1–2,7; 1Jo 1,8–3,20
l	67	VII	León, Archivio Catedralico, Ms 15	Jc 4,4-15; 5,16-fin.; 1Pt 1,1-7; 1,22–2,9; 3,1-14; 1Jo 1,5–2,10.14-16; 2,24–3,12; 3,22–4,18; 4,20-fin.; 2Jo 1-6.8-fin.; 3Jo 1-10
r	64	VII	München, Bayer. Staatsbibl., Clm 6230. 6436/16. 21	1Pt 1,8-19; 2,20–3,7; 4,10-fin.; 2Pt 1,1-4; 1Jo 3, 8-fin.
s	53	VI	Napoli, Bibl. Naz., Lat. 2 (Vind. 16)	it: 1Pt 1,1-18; 2,4-10
t	τ	VII-XI	bibliothecae complures (Liber Commicus)	Jc; 1Pt 1,2–2,10; 2,21–3,18; 3,22–4,11; 4,13–5,11; 2Pt 1,5-8.10-11; 1,20–2,8; 3,1-fin.; 1Jo 1,1–2,29; 3, 2-9.11-12.15-16.18-24; 4,7-16; 5,16-20; Jd 20-fin.

sign.		saec.	bibliotheca	cont.
w	32	VI	Wolfenbüttel, Herzog-August-Bibl., Weißenburg 76 (4160)	it: 1 Pt 2,18-25; 3,8-18; 4,7-9.18-19; 2 Pt 1,13-21; 1 Jo 1,6-7; 2,6-11.15-17; 3,6-9.13-21; 4,9-21
z	65	VIII	London, Brit. Libr., Harley 1772	it: 1 Pt 2,9–4,15; 1 Jo 1,1–3,15

Apocalypsis

sign.		saec.	bibliotheca	cont.
a	61	IX	Dublin, Trin. Coll., 52	Apc
gig	51	XIII	Stockholm, Kgl. Bibl., (Gigas liber)	Apc
h	55	V	Paris, Bibl. Nat., Lat. 6400 G	1,1–2,1; 8,7–9,12; 11,16–12,14; 14,15–16,5
sin	74	X	Sinai, Arab. Ms 455	20,11–21,7
t	τ	VII-XI	bibliothecae complures (Liber Commicus)	1,1-18; 2,1–5,13; 7,2-12; 8,2-4; 10,1–11,4.15; 14,1-7; 19,5-16; 21,1-2.9-23; 22,1-15

II. TEXTUUM DIFFERENTIAE

(Tischendorf⁸ — Nestle/Aland²⁵; explanationem siglorum etc. vide in sectione IV Introductionis)

SEC. MATTHAEUM

¶ **1,5** ⸀*bis* S V M B *ut* 𝔐 | **6** ⸆ V | **7/8** ⸁*bis* V B | **9** ⸀*bis* H | **10** ⸀¹*bis* V B | **16** ⸂ S *ut* sy^s *sed* Ιωσ. δε ω εμνηστευθη π. Μ. | **18** ⸂ (H) S: [Ιησ.] Χρ.; h *ut* B | **19** ⸀ S V | **20** ⸀ T h S V B | **22** ⸆ V | **24** ⸀ S ¦ ○ T S; [H N] *ut txt* | **25** ○ [H N] ¦ ⸀ V

¶ **2,9** ⸀ V | **13** ⸂ h *ut* B | **19** ⸉ V | **22** ⸉ S V B | **23** ⸀ T B N

¶ **3,1** ○ [S] | **2** ○ T H S N; [M] *ut txt* | **6** ○ S | **7** ○ T H N | **10** ⸆ [V] | **12** ⸂ h *ut* B | **14** ○ T H N; [S] *ut txt* | **15** ⸂ (H) M N *ut* B | **16** ⸂ S *ut* 𝔐 ¦ ○ T (H) N ¦ ○¹ *bis* T H M N ¦ ○² T H S N

¶ **4,1** ○ [H] | **2** ⸂ T M N *ut* ℵ | **3** ⸂ S V *ut* 𝔐 | **5** ⸀ S | **9** ⸀ S | **13** ⸀ S V M *ut* B²; B *ut* ℵ* | **16** ⸀ H N | **17** ○ *bis* h | **23** ⸂ B *ut* C*; M S V *ut* ℵ¹ | **24** ○ H N

¶ **5,1** ○ [H] | **4/5** ⸉ T B | **9** ○ T; [H S V N] *ut txt* | **11** ⸀ T ¦ ⸇ V *sed a.* πονηρον ¦ ○ S | **18** ○ [H] | **22** ⸆ [S M V] ¦ ⸀ T | **25** ⸉ V | **27** ⸆ V | **28** ⸀ T *ut* ℵ*; [H N] *ut txt* | **32** ⸄ [H] *ut txt* | **37** ⸀ h | **39** ⸀ S V ¦ ⸁ V ¦ ⸂ T *ut* ℵ; S V *ut* K; H N: σιαγ. [σου] | **45** ⸀ S: ος | **46** ⸂ h *ut* D | **47** ⸀ S V *ut* 𝔐 ¦ ⸂ S

¶ **6,1** ○ [H] ¦ ○¹ T | **4** ⸉ T *ut* ℵ* ¦ ⸆ [S] | **5** ⸇ S ¦ ⸆² [S V] | **8** ⸂ H N *ut* B *sed* [ο θεος] | **10** ⸆ V | **12** ⸀ V *ut* 𝔐 | **15** ⸆ [H V] B | **16** ⸆ S V | **18** ⸉ h | **21** ○ [H] | **22** ○ T | **25** ⸂ T *ut* ℵ; S V *ut* 𝔐; [H N] *ut txt* | **28** ⸂ V *ut* 𝔐 | **32** ⸀ V | **33** ⸂ T H N *ut* ℵ; M *ut txt sed* [τ. θεου] | **34** ⸀ H *ut* B*

¶ **7,4** ⸁ S V | **6** ⸁ S V M | **8** ⸀ h *ut* B | **9** ○ H ¦ ⸀ S V | **10** ⸂ S V *ut* 𝔐 | **13** ◻ (H); [S] *ut txt* | **14** ⸀ T H B N *ut* ℵ* | **15** ⸆ S V | **16** ⸀ V | **17** ⸉ h | **18** ⸀ T H S M N ¦ ⸁ T S M N | **21** ⸆ B *ut* C² | **24** ○ [H] | **28** ⸀ S

¶ **8,1** ⸂ T | **7** ○ T H N ¦ ⸆ V B | **8** ⸂ T H M N | **9** ⸆ [H] | **10** ⸂ T V | **12** ⸀ T *ut* ℵ* | **13** ⸆ S V [M] ¦ ○ T H S V M B N | **18** ⸀ T V B *ut* 𝔐; S *ut* ℵ*; h: [πολλ.] οχλ. | **21** ○ T H S M N | **22** ○ T S | **23** ○ H S B; [V M] *ut txt* | **25** ⸆ S V B | **32** ⸆ [S] | **34** ⸀ S V ¦ ⸁ T h

¶ **9,1** ⸇ [V] | **2** ⸀ S V M B | **4** ⸀ (H) M B N ¦ ⸇ S V | **5** ⸀ S V M B | **6** ⸀ (H) N | **9** ⸀ T S | **10** ○ T | **11** ⸀ S | **12** ⸆ V | **14** ⸀ T (H) N *ut* ℵ*; [M] *ut txt* | **18** ⸂ T h *ut* f^1; V M *ut* ℵ¹; S *ut* L; (H) N: [εις] προσελθ. ¦ ⸀ T S *ut* ℵ | **19** ⸀ T (H) N | **22** ○ T | **26** ⸀ h S *ut* ℵ | **27** ○ (H) N; [S M] *ut txt* ¦ ⸀ (H) S B *ut* ℵ | **28** ⸄ h *ut* B | **32** ○ H M N | **34** ◻ [H]

¶ **10,1** ⸆ [S] | **2** ○¹ S V | **3** ⸀ T *ut* D; S *ut* 𝔐 | **13** ⸀ (H) | **14** ⸆ T h S V M B | **16** ⸄ h | **21** ⸀ h | **23** ⸆ B *ut* D *sed* εν τη ετερα ¦ ○ [H N] ¦ ⸁ T H N *ut* ℵ* | **25** ⸂ *bis* h ¦ ⸀ H N | **28** ⸀ H M ¦ ⸁ S | **32** ○ H M N | **33** ⸂ (H) ¦ ⸉ S ¦ ○ H M N

¶ **11,5** ⸀ h *ut* Z | **8** ⸉ T ¦ ⸆ V ¦ ° T H N; [S] *ut txt* | **10** ⸆ S V | **15** ⸆ [S] V | **19** ⸂ V *ut* 𝔐 | **23** ⸀ V *ut* C ¦ ⸂ T S V B

¶ **12,4** ⸂ S V M B *ut* C ¦ ⸂ S V M | **10** ⸆ S B *ut* 𝔐 *sed om* ην ¦ ⸂ H S V M B | **11** ⸂ [H] | **15** ⸀ T H B N *ut* ℵ; S M: [οχλ.] πολ. | **18** ⸆ T H M N *ut* ℵ* | **22** ⸀ (H) ¦ ⸁ S *ut* 𝔐 *sed* [τ. τυφλ.] ¦ ⸂ V *ut* 𝔐 | **24** ⸂ H N *ut* ℵ | **25** ⸀ V *ut* 𝔐 | **27** ⸂ H N | **29** ⸃ T | **31** ⸆ h | **32** ⸀ h *ut* B | **35** ⸆ T h S | **36** ⸂ S V M *ut* 𝔐; B *ut* C | **44** ⸆ T [H N] | **46** ⸀ S V *ut* 𝔐 | **47** □ (H) S; [N] *ut txt* | **49** ° T; [H N] *ut txt* | **50** ⸀ S: ποι[ησ]η ¦ ⸆ S

¶ **13,1** ⸆ T h *ut* ℵ; V [M] *ut* 𝔐 | **2** ⸆ [V] | **4** ⸂ *et* ⸆ T V *ut* 𝔐; h *ut* D | **7** ⸂ (H) V M N | **9** ⸆ V B | **11** ° T (H) S N | **16** ° [H N] ¦ ⸂ V *ut* K | **17** ° T | **18** ⸂ S | **22** ⸆ S V [M] | **23** ⸂ S V | **28** ° H ¦ ⸀ H S V M B N *ut* B | **30** ⸂ T S V M B *ut* 𝔐; h *ut* 𝔐 *vl ut* ℵ* ¦ ⸆ S ¦ ⸀ H *ut txt sed* [εις] ¦ ⸃ (H) *ut* B | **33** ⸀ [H] *ut txt* | **35** ⸆ T h *ut* ℵ* ¦ ° T H N | **36** ⸂ T V | **39** ⸆ V | **40** ⸂ V *ut* 𝔐 | **43** ⸆ V | **44** ° (H) N | **45** ° (H) N; [S] *ut txt* | **51** ⸆ V ¦ ⸆ V | **52** ⸀ h *ut* B[1] | **55** ⸂ S | **57** ⸂ T h S V *ut* ℵ

¶ **14,3** ⸆ S B ¦ ° T H N; [S] *ut txt* ¦ ⸀ [S] B *ut* B[2] ¦ °[1] [T] | **4** ⸀ T *ut* ℵ[2]; S V B *ut* 𝔐 | **6** ⸀ S *ut* C; V *ut* 𝔐 | **9** ⸀ S V M | **10** ° T H M N | **11** ⸂ B *ut* D; S *ut* Θ | **12** ⸃ S V M B | **13** ⸂ T h | **15** ⸉ T h ¦ ⸆ T h S V [M] B N | **16** ° T | **19** ⸂ *et* ⸃ h | **22** ° T; [H N] *ut txt* ¦ °[1] (H) S B | **24** ⸀ T h S V B *ut* 𝔐 | **25** ⸂ S; V [απ]ηλθεν | **26** ⸀ T *ut* ℵ*; S V *ut* 𝔐 | **27** ⸀ T *ut* ℵ*; S V B *ut* 𝔐; [H N] *ut txt* | **28** ⸀ H *ut* B ¦ ⸉ S | **29** ° T H M N ¦ ⸀ h V *ut* 𝔐 | **30** ° T H N | **34** ⸀ S *ut* 𝔐 | **36** ° [H]

¶ **15,1** ⸆ V ¦ ⸉ S | **2** ° T H M N | **4** ⸂ T S V | **6** ⸆ T S V M B N *ut* 𝔐 ¦ ⸀ T h S *ut* ℵ*; V *ut* 𝔐 | **14** ⸀ T *ut* 𝔐; (H) *ut* B; h: οδ. εισ. τυφ. [τυφλων] ¦ ⸀[1] S *ut* L | **15** ° T H N; [M] *ut txt* | **17** ⸂ S V | **22** ⸂ T h *ut* ℵ; S V *ut* 𝔐 ¦ ⸃ h S V | **23** ⸂ S V B N *ut* 𝔐 | **26** ⸀ T *ut* D | **27** ° [H] | **30** ⸀ H M N *ut* B; T S B *ut* P; V *ut* W | **31** ⸀ h V M ¦ ⸂ h *ut* B ¦ ⸁ (H) *ut* ℵ ¦ ⸃ T h | **32** °[1] [H] | **35/36** ⸂ *bis* V ¦ ⸀ V *ut* 𝔐 ¦ ° V ¦ ⸃ V ¦ ⸆ V ¦ ⸁ V | **37** ⸉ V | **38** ⸆ h S [M] *ut* B ¦ ⸉ T h | **39** ⸂ V *ut* 𝔐

¶ **16,1** ° [H] ¦ ⸂ T h *ut* ℵ* | **2/3** □ [T] ⟦H⟧ [S] [N] | **4** ⸆ [V] | **5** ⸉ h | **8** ⸂ T S V M | **11** ⸂ V ¦ ⸀ V *ut* 𝔐 | **12** ⸀ T *ut* ℵ*; V *ut* 𝔐; [H N] *ut txt* | **17** ⸁ H: εν [τοις] ουρ. | **19** ⸀ S V *ut* 𝔐; M *ut* 𝔐 *sed* [και] ¦ ⸂ S V | **20** ⸂ (H) N ¦ ⸆ V ¦ ⸆ V | **21** ⸀ H N *ut* ℵ*; M: ο Ιησ. [Χρ.] | **22** ⸀ h *ut* B | **24** ⸀ H: [ο] Ιησ.

¶ **17,1** ⸆ h | **3** ⸂ S; V: ωφθη[σαν] ¦ ⸉ S V | **4** ⸂ V ¦ ⸉ h | **5** ⸉ S V | **8** ⸂ T h S V *ut* 𝔐; M: [αυ]τον | **9** ⸂ h S V M B | **10** ⸆ V M B | **14** ⸀ S V *ut* 𝔐 | **15** ⸂ (H) M N | **17** ⸀ h *ut* Z *sed* [τοτε] | **20** ⸆ V ¦ ⸂ V ¦ ⸃ V ¦ ⸀ V *ut* 𝔐 ¦ ⸆ [21] V [M] B | **22** ⸂ S V B | **23** ⸂ h | **24** ⸂ T M N *ut* ℵ* | **25** ⸂ T h *ut* ℵ*; V *ut* 𝔐 ¦ ⸃ h | **26** ⸀ V *ut* 𝔐 | **27** ⸂ T h ¦ ⸆ V

¶ **18,1** ⸆ h | **6** ⸂ S *ut* 𝔐 | **7** ⸆ T | **8** ⸉ V | **10** ⸀ [h] *ut* B ¦ ⸆ [11] [M] B | **12** ⸂ *et* ° T S V | **14** ⸂ (H) ¦ ⸃ S | **15** □ T H N; [S] *ut txt* | **16** ⸀ T S B *ut* ℵ; h *ut* B | **18** ⸂ S V *ut* 𝔐 ¦ ⸃ S V *ut* 𝔐 | **19** ⸂ T S *ut* ℵ; [H V N] *ut txt* ¦ ⸀ T | **21** ⸀ H: ο Π. ειπ. [αυτω] ¦ ⸉ S V B | **24** ⸂ H N ¦ ⸉ T H S N | **25** ⸀ V *ut* 𝔐 ¦ ⸂ T S V M | **26** ⸆ T B ¦ ⸆ [S] V M ¦ ⸀ S V *ut* 𝔐 | **27** ⸀ H: [εκεινου] | **30** ⸆ S V M B | **31** ⸂ S V ¦ ⸃ T | **34** ° H: [οὗ] ¦ ⸆ T S V M N | **35** ⸂ V

¶ **19,3** ⸆ T ¦ ⸂ T H S B N | **4/5** ⸆ (V?; *ex err. p.* ειπεν *vs* 5 *add*) ¦ ⸂ T V | **7** ° T (H) B N | **9** ° *et* ⸀ h *ut* B ¦ ⸆ S V M B *ut* C*; h *ut* B | **10** °[1] T H S M B N | **11** ° H | **14** ⸆ T h ¦ ⸂ T | **16** ⸀ V *ut* 𝔐 | **17** ⸂ (H) N | **18** ⸀ T h *ut* ℵ ¦ ⸂ (H) M N | **20** ⸉ (H) N | **21** ⸂ h ¦ ° T S V N; [H] *ut txt* ¦ ⸃ T S V M | **22** ⸀ T *ut* ℵ; H N *ut txt sed* [τουτον] | **24** ⸆T h ¦ ⸀(H) N ¦ ⸁T (H) S M N ¦ ⸂T *ut* Z; (H) S M N *ut* ℵ; V *ut* 𝔐 | **26** ⸉T | **28** ⸀T S ¦ ⸁T h S V M B N | **29** ⸂T h: *3–13 1 2* (*sine test.*); S *ut* ℵ; V M *ut* 𝔐 ¦ ⸄T H N ¦ ⸀T H N

¶ **20,4** ⸆S M | **5** ○[H N] | **8** ○T (H) N | **9** ⸂H N *ut* B; S *ut* D | **10** ⸂T *ut* ℵ ¦ ⸀T V *ut* 𝔐 ¦ ⸄H S *ut txt sed* [το] αν. δ. κ. αυ. | **12** ⸉T (H) N | **13** ⸉h V *ut* 𝔐 | **14** ⸀[h] | **15** ○H B N | **17** ⸂(H) N ¦ ⸀T M N *ut* ℵ; [H] *ut txt* | **18** ⸀T M N *ut* ℵ; [H] *ut txt* | **19** ⸀h | **20** ⸂T h S V M B *ut* 𝔐 | **21** ⸂h ¦ ○T H M N | **23** ⸀h S M ¦ ○(H) | **24** ⸂T S | **26** ⸀H N ¦ ⸂h *ut* B | **27** ⸂h *ut* B | **29** S *om* πολυς *ex err.* | **30** ⸂T *ut* ℵ; H S V M B N *ut* B ¦ ⸀T h S *ut* C | **31** ⸂T H S V M B N ¦ ⸁T h S | **32** ○[H] | **34** ⸂V *ut* 𝔐

¶ **21,1** ⸁S V M ¦ ⸆S V | **2** ⸀S ¦ ⸁S V ¦ ⸀¹h | **3** ⸂S V *ut* 𝔐 | **4** ⸆V ¦ ⸀S | **5** ○V | **6** ⸀T S V | **7** ⸆[S] V | **8** ⸁T | **11** ⸂V *ut* 𝔐 | **12** ⸇T S V B | **18** ⸀S V M ¦ ⸁T (H) N | **19** ⸆T H M N | **24** ○[H] | **25** ○[S] ¦ ⸀T h S V B | **26** ⸂V *ut* 𝔐 | **28** ⸉h ¦ ○T (H) M N; [S] *ut txt* ¦ ⸇h V | **29-31** ⸂*ter* H N *ut* B; S M *ut* Θ; *sed* ○T *et* ⸄V *et* ⸀H S M B N | **32** ⸉V ¦ ⸀T V | **38** ⸀V | **43** ○h | **44** □T; [H S V N] *ut txt* | **45** ⸂T h | **46** ⸁V

¶ **22,7** ⸂V | **10** ⸀S ¦ ⸁T H S M N *ut* ℵ | **13** ⸉V ¦ ⸂S *ut* D | **16** ⸀T H N | **20** ⸂T h B *ut* D | **21** ○T H N | **30** ⸀V *ut* 𝔐 ¦ ⸁T S M *ut* ℵ; V *ut* 𝔐 | **32** ⸂T *ut* ℵ; S V *ut* 𝔐, M *ut* 𝔐 *sed* ο θ. [θεος]; H N *ut txt sed* [ο] θ. | **37** ⸂V *ut* 𝔐 ¦ ○H | **39** ○T H B N ¦ ⸂(H) B *ut* K; h: ομοιως αὐτῇ | **43** ⸆S ¦ ⸉T h *ut* ℵ; S V *ut* 𝔐 | **44** ⸆[S] V M B

¶ **23,1** ○[H] | **3** ⸆[V] *ut* 𝔐 ¦ ⸂V *ut* 𝔐 | **4** ⸂T (H) S N *ut* L ¦ ⸄S V | **5** ⸆V | **7** ⸆[V] | **13** ○V ¦ ⸆V *ut* 𝔐 | **19** ⸆h | **21** ⸀h S V B *ut* C | **23** ○T S B ¦ ⸀T H N | **24** ○H | **26** ⸆[H S] V ¦ ⸀S V | **27** ⸀h | **30** ⸂T V *ut* 𝔐 | **32** ⸀h *ut* B* | **34** ⸆V | **36** ⸉h S V B | **37** ⸉V ¦ ⸀V *ut* 𝔐; [H N] *ut txt* | **38** ○(H) N

¶ **24,1** ⸂V *ut* 𝔐 | **3** ⸆V | **6** ⸆S [M] *ut* 𝔐 | **7** ⸂V M *ut* 𝔐 | **16** ⸀T h S V B | **17** ⸀S | **18** ⸂S | **21** ⸂T B | **24** ⸀T *ut* ℵ; (H) S B *ut* L | **28** ⸆S | **29** ⸀T | **30** ⸂S V M *ut* 𝔐 ¦ ⸄T *ut* ℵ*; S *ut* D | **31** ⸆h S V M *ut* 𝔐 ¦ ○T V M; [H N] *ut txt* | **33** ⸉T S V B | **34** ○T S ¦ ○¹[H] | **36** □S V M ¦ ⸆S [V] | **37** ⸀T S V M B *ut* 𝔐 ¦ ⸆V | **38** ⸁T S V M B *ut* 𝔐; [H N] *ut txt* ¦ ⸀¹S V M *ut* 𝔐 | **39** ○H | **40** ⸉T H M N | **45** ⸆V | **46** ⸉V | **48** ○T [S] ¦ ⸂V

¶ **25,1** ⸀T S V *ut* 𝔐 | **3** ⸀T N *ut* ℵ; [H S V] *ut txt* | **4** ⸀S V M *ut* 𝔐 | **6** ⸂T H B N *ut* ℵ; S *ut txt sed* [αυτ.] | **7** ⸀S | **9** ⸂T h | **15/16** ⸂V *ut* 𝔐 ¦ ⸀T S V ¦ ⸆T | **17** ⸆h V M B *ut* 𝔐 ¦ ⸀S V M *ut* 𝔐 | **18** ⸁S | **20** ⸀V *ut* 𝔐 | **21** ⸆S V | **22** ○T H N ¦ ⸀V *ut* 𝔐 | **23** ⸉h | **27** ⸂S V | **39** ⸀S V M | **41** ○T H N; [S V] *ut txt* ¦ ⸂S *ut* D | **42** ⸆[H]

¶ **26,7** ⸉S *ut* 𝔐 ¦ ⸀T ¦ ⸂V | **20** ⸆T [H] S [M N] | **22** ○[S] ¦ ⸂B *ut* D; S M: εις εκ. [αυτ.] | **26** ⸆S V | **27** ○[H] | **28** ⸆S [V] ¦ ⸇S [V] | **29** ⸉S | **36** ⸁[H] | **39** ⸀T h S ¦ ○T | **42** ○[H] ¦ ⸀V | **45** ○H M N ¦ ⸂h *ut* B | **53** ⸀S V M *ut* 𝔐 ¦ ⸇[S] V M ¦ ⸂T S *ut* ℵ* | **55** ⸆V ¦ ⸂V *ut* W | **56** ⸆h | **58** ○T S; [H N] *ut txt* | **59** ⸂T *ut* D | **60** ⸉S V | **61** ⸀T S V B *ut* ℵ | **63** ⸆T | **65** ⸇S V [M] | **71** ⸂T B *ut* 𝔐, S: ελθ. δε [αυτ.] ¦ ⸇V ¦ ⸀S: [αυ]τοις

¶ **27,2** ⸆[S] V ¦ ⸆S V B | **3** ⸀(H) N ¦ ⸁S V M B | **4** ⸀(H) | **10** ⸀h *ut* ℵ | **11** ⸆h | **16** ○T H S V M B N | **17** ⸂T S V M B *ut* 𝔐; H N [τον] Βαρ. | **21** ○[V] | **22** ⸆[S] | **23** ⸂S V *ut* 𝔐 | **24** ⸀(H) M N ¦ ⸀¹h S V M *ut* 𝔐 | **28** ⸀h | **29** ⸀S V B ¦ ⸁T h S

V | 31 ⸂ *et* ○ T | 35 ⸀ T h B | 40 ⸂ h ¦ ○ H S V M | 41 ⸀ T *ut* ℵ; [H N] *ut txt* | 42 ⸀ T S B *ut* ℵ | 43 ⸂ h ¦ ⸀ V *ut* 𝔐 | 46 ⸀ H ¦ ⸂ H | 47 ○ S | 49 ⸀ (H) M N ¦ ⊤ ⟦H⟧ [S] | 51 ⸂ T *ut* L; V *ut* 𝔐; H N *ut txt sed* [απ] | 54 ⸀ T H M B N ¦ ⸂ h *ut* B | 56 ⸀ *bis* h *ut* L: -ριαμ ...ρια ¦ ⸂ h S V M *ut* 𝔐 | 57 ⸀ h S V M B | 59 ○ T S V M; [H N] *ut txt* | 60 ○ S | 64 ○ T (H) N | 65 ⊤ h S V

¶ 28,1 ⸀ (H) B | 6 ⊤ [S V] *ut* 𝔐 | 11 ⸀ T B | 14 ⸀ h ¦ ○ T H B N; [S] *ut txt* | 15 ○ T (H) N ¦ ⸀ T h ¦ ○¹ T S V M; [H N] *ut txt* | 17 ⊤ [S] | 18 ○ T S V M B; [H N] *ut txt* | 19 ⸀ T *ut* 𝔐 ¦ ⸁ h

SEC. MARCUM

¶ 1,1-3 ⸂ T (H) N *ut* ℵ*; [S] V M B *ut* 𝔐 ¦ ⊤ T S V M | 4 ⸂ H B N *ut* B; S M *ut* 𝔐 | 6 ⸂ S *ut* A | 7 ○ [H N] | 8 ⊤ S [M] ¦ ○ H N | 9 ⸂ h *ut* B ¦ ⸀ N *ut* D | 11 ⸂ T *ut* ℵ*; H N *ut txt sed* [εγενετο] | 14 ⸂ H B N | 15 ⸂ T *ut* ℵ*; H N *ut txt sed* [κ. λεγ.], S *ut txt sed* [και] λ. | 16 ⸀ S *ut* A | 18 ⸂ S *ut* 𝔐 | 21 ⸂ T h S B *ut* L | 24 ⊤ [S] V [M] ¦ ⸀ T h S | 25 ⸀ T M *ut* ℵ*; [H N] *ut txt* | 27 ⸂ T (H) N *ut* ℵ; B *ut* L ¦ ⸂· V *ut* 𝔐 | 28 ⸂ S | 29 ⸂ h M *ut* B | 31 ⊤ [S] V ¦ ⊤· S V (*sed* ευθυς) | 32 ⸀ H M B N ¦ ⸂ V *ut* 𝔐; S *ut txt sed* η πολ. ολη (*cf* 𝔐) | 34 ⸀ H *ut* B *sed* [Χρ. ειναι] | 35 ⸂ H *ut txt sed* [κ. απηλθ.] | 36 ⸀ S ¦ ⊤ S V | 37 ⸀ *et* ○ S V M ¦ ⸉ V | 40 ⸂ T [H] M B N *ut* ℵ*; V *ut* 𝔐; S *ut txt sed* κ. γ. [και] | 41 ⸀ S V ¦ ⸂ B *ut* D ¦ ○ T | 42 ⊤ S V | 45 ⸉ T h S *ut* ℵ ¦ ○¹ [H]

¶ 2,1 ⸂ h S V M | 2 ⊤ S [V] | 3 ⸂ S *ut* 𝔐 | 4 ⸀ S *ut* 𝔐 | 5 ⸂ S | 7 ⸀ h | 8 ○ [H] ¦ ⊤ V ¦ ○¹ [H] | 9 ⸁ H ¦ ⸂ H *ut txt sed* [και]; S V *ut* Γ ¦ ⸀¹ T S *ut* ℵ | 10 ⸂ T h *ut* ℵ; S V *ut* A | 12 ⸀ S V ¦ ○ [H] ¦ ⸉ V | 13 ⸀ T | 15/16 ⸂ T *ut* ℵ; S *ut txt sed om.* οι ¦ ⸂· T S B *ut* ℵ; V *ut* 𝔐 ¦ ⸉ T ¦ ⸀ S V M *ut* 𝔐 ¦ ⸁ T h S V M *ut* 𝔐 | 17 ○¹ T V; [H N] *ut txt* | 18 ⸀ S *ut* 𝔐 *sed om.* οι *sine test.* ¦ ⸂· H *ut txt sed* [μαθ.] | 19 □¹ S *ut* L | 22 ⸂ S *ut* f^{13} ¦ ⸂· V *ut* 𝔐 ¦ □ T; [H N] *ut txt* ¦ ⊤ V *ut* 𝔐 | 23 ⸀ (H) *ut* B ¦ ⸂ h *ut* B | 25 ⸀ V *ut* 28; S: [αυτος] λεγει | 26 ○ [H N] ¦ ⸂ S V M B *ut* 𝔐

¶ 3,1 ○ T H N | 2 ⊤ T [S] B ¦ ⸀ T | 3 ⸂ H M B N *ut* B; S *ut* 𝔐 | 4 ⸂ H S V B *ut* 𝔐 | 5 ⊤ (H) [S] B | 6 ⸀ T h *ut* ℵ | 7/8 ⸀ T ¦ ⸂ T *ut* ℵ; h: *2–5 1 6–8* (*sine test.?*) ¦ ⊤· [S] ¦ ⸁ (H) N | 11 ⸂ (H) S M B N *ut* B; V *ut* E | 12 ⸉ V ¦ ⸀ T | 14 ⸂ T S V M B N | 16 ⸂ [V] *ut txt* | 17 ⸀ (H) N | 20 ⸀ S V *ut* 𝔐 ¦ ○ T; [H S N] *ut txt* ¦ ⸁ T | 22 ⸀ H N | 25 ⸂ H S V M B N *ut* B | 26 ⸂ T *ut* ℵ*; S V *ut* 𝔐; B: μεμ. και (*sine test.?*) | 27 ⸉ S *ut* 𝔐 | 28 ⸀ V | 29 ⸀ T | 31 ⸂ H S V M B N ¦ ⸂· S ¦ ⸀ V *ut* 𝔐 | 32 □ H M; [V] *ut txt* | 33 ⸂ S *ut* 𝔐 ¦ ⸀ S ¦ ○ H N | 35 ○ T (H) N ¦ ⸂ h ¦ ⊤ V

¶ 4,1 ⸂ V *ut* D *sed* [το] | 3 ⸀ V *ut* 𝔐; S: [του] σπ. | 5 ⸀ H: [και] οπου ¦ ⸁ S *ut* f^1 | 6 ⸀ h | 8 ⸂ S V ¦ ⸀ T S V M B *ut* A ¦ ⸁ *ter* T *ut* ℵ; (H) M N *ut* B; S: εἷς; h *ut* ℵ *vl ut* L | 10 ⸂· S *ut* 𝔐 | 11 ⸀ h ¦ ○ T B | 15 ⸂ T S V M *ut* ℵ | 16 ⸀ T S *ut* ℵ; H V M B N *ut* 𝔐 ¦ ○ [S] | 18 ⸀ T S | 20 *ter* T S M N *ut* 𝔐; (H): ἐν ... [ἐν] ... [ἐν]; h: ἕν ... [ἕν] ... [ἕν] | 21 ⊤ T H B N *ut* B | 22 ⊤ T h S V M N | 24 ⊤ S V M | 26 ⸂ V *ut* 𝔐 *sed* [εαν] | 28 ⸀ V *ut* 𝔐 ¦ ⸁ *bis* T H M N *ut* B* ¦ ⸂ T N: -ρης -τος; H S V M B *ut* 𝔐 | 31 ⸀ S V | 32 ⸂ S | 36 ⸂· T: αλ. δε πλοια ησαν μ. αυ.; V *ut* L | 38 ⸉ T S V B ¦ ⸀ S V *ut* 𝔐 | 40 ⸂ T V M N *ut* 𝔐; S: δειλ. εσ. ουτ.; ουπω (*cf* f^1) | 41 ⸂ T S *ut* ℵ*

¶ 5,1 ⸀ S ¦ ⸁ V *ut* 𝔐 | 2 ○ [H N] ¦ ⸀ S | 6 ⸀ H S M B N | 9 ⸂ S *ut* E ¦ ⸀ S V ¦ ⊤ h | 10 ⸂ S V M *ut* 𝔐 | 13 ⸂ S V *ut* 𝔐 | 14 ⸀ S | 15 ⸂ S V *ut* 𝔐 | 19 ⸂ S V *ut* 𝔐 | 21 ⸂· T *ut* ℵ* | 23 ⸂ h *ut* 𝔐 | 25 ⊤ S V B | 26 ⸂ T h S B *ut* ℵ | 27 ⊤ T H [M] N | 33 ⸀ S

V B *ut* 𝔐 | **34** ⸀T S V | **36** ⸀S: ευθυς παρακ-; V: [ευθεως παρ]ακ- (*sine test.?*) | **40** ⸂S V *ut* 𝔐 ¦ ⸆S V [M]
¶ **6,2** ⸉S V ¦ ⸂T H S M B N *ut* B ¦ ⸀S ¦ ⸄T S B | **3** ⸄S *ut* 𝔐 | **4** ⸂T *ut* ℵ* | **5** ⸂S *ut* 𝔐 | **6** ⸀T (H) N | **8** ⸀S *ut* ℵ | **9** ⸀(H) *ut* B^2 | **12** ⸀V ¦ ⸁S V M | **14** ⸀Th S V M | **16** ⸀S | **22** ⸀T S V M B N *ut* 𝔐 ¦ ⸁S V B ¦ ⸂T H M N *ut* ℵ | **23** ⸂T H S V M B N ¦ ⸄Th V M B N *ut* 𝔐; S: οτι [ο] ¦ ⸂^{1}T h N | **26** ⸀S V ¦ ⸉V | **27** ⸀S V B ¦ ⸁S V | **29** ⸀T *ut* ℵ | **30** ○T | **32** ⸂T S *ut* 𝔐 | **33** ⸀(H) ¦ ⸁T *ut* ℵ; S M: [αυτους] πολ. | **34** ⸂V | **35** ⸀T h ¦ ⸂T *ut* ℵ*; V *ut* 𝔐 | **37** ○[S] ¦ ⸀T S M B *ut* ℵ | **38** ⸉H N | **39** ⸂(H) M N *ut* ℵ | **40** ⸀*bis* V | **41** ○^{1}T H V M N ¦ ⸀B | **43** ⸂T *ut* ℵ | **47** ⸆[S] | **48** ⸀V ¦ ⸆V *ut* 𝔐 | **49** ⸂S V B | **50** ⸄V: και ευθυς (*cf* 𝔐) | **51** ⸂H *ut* ℵ | **52** ⸂V | **55** ⸄V *ut* 𝔐 | **56** ⸀V ¦ ⸀^{1}S V
¶ **7,2** ⸆V *ut* K | **3** ⸀T *ut* ℵ | **4** ⸀(H) V M N *ut* ℵ ¦ □T H M N; [S] *ut txt* | **5** ⸀S V | **6** ⸆V ¦ ⸉h | **8/9** ⸆V ¦ ⸇S V [M] ¦ ⸁T H S V M B N | **13** ⸂S V *ut* ℵ | **15** ⸂V *ut* 𝔐 ¦ ⸆S V M B | **17** ⸆T ¦ ⸂S | **24** V *ut* 𝔐 ¦ ⸀S V *ut* 𝔐 ¦ ⸆[H] S V M B ¦ ⸁T ¦ ⸀^{1}T H N *ut* ℵ | **25** ⸂S *ut* 𝔐 ¦ ⸀T S | **26** ⸀h *ut* B | **27** ⸉S | **28** ⸂T H S M B N *ut* ℵ; V *ut* 𝔐 ¦ ⸀V | **32** ○V; [S] *ut txt* | **33** ○T | **35** ○T H N ¦ ⸆T N *ut* ℵ | **37** ⸆h ¦ ⸂T H V N *ut* ℵ; S: [τους] κλ.
¶ **8,1** ⸆[V] *ut* 𝔐 | **2** ⸂h *ut* B | **3** ⸀H N *ut* B; V *ut* 𝔐 | **5** ⸂S B | **7** ⸄T *ut* ℵ* | **8** ⸂S *ut* 𝔐 | **10** ⸆h ¦ ○[S] | **12** ⸄(H) *ut* B | **13** ⸂V: εμβας παλιν (*cf* 𝔐) | **16** ⸆V ¦ ⸁T V | **17** ⸆[S] V M | **19** ⸆T [S] B *ut* ℵ | **20** ⸀T h *ut* ℵ; S V *ut* 𝔐 ¦ ⸂T M B N *ut* ℵ; S *ut* 𝔐; V *ut txt sed* [αυτω] | **23** ⸁T h S V | **25** ⸀H *ut* B ¦ ⸁T h | **26** ⸂T *ut* ℵ*; V *ut* 𝔐 | **28** ⸂S *ut* D ¦ ⸀M *ut* 𝔐; [S] *ut txt* | **29** ⸀S V *ut* 𝔐 | **32** ⸂V *ut* 𝔐 | **33** ⸆V | **34** ⸂T ¦ ⸀H M N *ut* ℵ | **35** ⸂(H) ¦ ⸀S V ¦ ⸄T S V *ut* K ¦ ⸂^{1}B *ut* D; H: [εμ. κ.] τ. ευαγγ. | **36** ⸀h V *ut* 𝔐 ¦ ⸁h *ut* A | **37** ⸀S *ut* L; V M B *ut* 𝔐
¶ **9,1** ⸉S V B *ut* 𝔐 | **2** ○(H) M N | **5** ⸉S | **7** ⸁S B ¦ ⸂V *ut* 𝔐 | **8** ⸂(H) *ut* B: μεθ εαυ. ει μη …; N *ut* ℵ | **9** ⸂S ¦ ⸀T h S V B | **11** ⸂T *ut* ℵ; S: λ. οι [Φ. κ. οι] γρ. | **12** ⸀V ¦ ○T S B ¦ ⸀^{1}T *ut* ℵ; S *ut* 𝔐 | **13** ⸀*bis* S V B | **17** ⸂V *ut* 𝔐 | **18** ○^{1}T | **21** ⸀S *ut* C* | **24** ⸆V ¦ ⸇V | **25** ⸆T S B ¦ ⸉S | **29** ⸆S V [M] B | **30** ⸀(H) | **31** ○[H] | **33** ⸀S | **37** ⸀H: [εν] ¦ ⸂T S ¦ ⸁V | **38** ⸀*et* ⸆V *ut* 𝔐 ¦ ⸂T M N *ut pc?*; S B *ut* D *sed* ημιν | **39** ⸀S: [Ιησ.] | **41** ⸀T | **42** ⸀S: [τουτων] ¦ ⸂T H S M N *ut* ℵ | **43** ⸀T (H) N ¦ ⸆V | **45** ⸆V ¦ ⸇V | **47** ○(H) ¦ ⸆V | **49** ⸂V | **50** ⸀*bis* T
¶ **10,1** ⸂S: [και] [δια του] περαν | **2** ⸂T *ut* ℵ; H: κ. [προσελ. Φαρ.] | **4** ⸂V *ut* 𝔐 | **5** ⸂V | **6** ⸀S V M *ut* 𝔐; [H] *ut txt* | **7** ⸀T ¦ □T H B N; [S] *ut txt* | **11/12** ⸀V B ¦ ⸄V *ut* 𝔐 | **13** ⸉T S B ¦ ⸂T S V B | **14** ⸆[S] | **19** ⸂T V ¦ ⸆T B | **20** ⸀S *ut* C; V B *ut* 𝔐; M: [αποκρ.] εφη αυτ. | **21** ○V; [H N] *ut txt* ¦ ⸆S V M B | **24** ⸆[S] V M B | **25** ○*bis* (H) | **26** ⸂H *ut* ℵ | **27** ⸆V ¦ ⸂H: … δυν. παρα [τω] θεω | **28** ⸀S V M | **29** ⸂S V M B *ut* A ¦ ○[H] | **30** ⸂h *ut* A | **31** ○[H S] | **35/37** ⸀H N: οι [δυο] ¦ ⸂(H) B *ut* C; S V M *ut* 𝔐 ¦ ⸄T S V | **39** ○[S] | **43** ⸀^{1}h S | **44** ⸂T *ut* 𝔐 | **46** ⸆S | **47** ⸀h *ut* B ¦ ⸁S *ut* 𝔐 | **52** ⸄T S B ¦ ⸀S
¶ **11,1** ⸂T h B *ut* D ¦ ⸁h | **2** ⸂T *ut* ℵ ¦ ⸀T S B | **3** ⸆S V B ¦ ⸂h *ut* B | **4** ⸆T [S] ¦ ⸇T V | **7** h *ut* B | **9** ⸆V | **11** ⸀T (H) S M B N *ut* ℵ ¦ ⸂[h] *ut txt* | **13** ⸄B | **17** ○(H) ¦ ⸂V | **18** ⸉S ¦ ⸀T | **19** ⸀T h S V B *ut* 𝔐 | **23** ⸆S | **25** ⸀S ¦ ⸆V B | **28** ⸉T *ut* 𝔐 | **30** ○[S] | **31** ⸀S *ut* A ¦ ⸆[S] B ¦ ○[H S] | **32** ⸀T B ¦ ⸂V *ut* 𝔐 | **33** ⸉S V ¦ ⸆S V
¶ **12,1** ⸂V *ut* 𝔐 | **3** ⸀V | **6** ⸀V ¦ ⸂V *ut* 𝔐 ¦ ⸆V ¦ ⸁V *ut* 𝔐 ¦ ⸄V *ut* 𝔐 | **7** ⸂V

ut 𝔐 | **8** ⸉ V ¦ ○ V | **9** ○ T H N | **14** ⸂ S V ¦ ⸀ S *ut f*[1] ¦ ⸁ T S | **15** ⸂ T | **17** ⸀ S V B *ut* 𝔐 ¦ ○ H | **19** ⸀ S B *ut* W; V *ut* 𝔐 ¦ ⸆ V | **21/22** ⸀ V ¦ ⸁ V *ut* 𝔐 ¦ ⸀[1] V *ut* A ¦ ⸉ V | **23** □ H | **24** ⸀ V | **25** ⸂ h *ut* B | **26** ○[1] H S V M N | **27** ⸆ T h *ut* 𝔐 ¦ ⸇ [S V] ¦ ⸆[1] V *ut* 𝔐; S: [υμ. ουν] | **28** ⸂ H S V M N ¦ ⸉ V | **29** ⸀ V *ut* 𝔐 ¦ ⸁ V *ut* C | **30** ○ (H) ¦ ⸆ V | **31** ⸀ V | **32** ○ (H) | **33** ○ (H) ¦ ⸄ V *ut* 𝔐 ¦ ⸆ T S | **34** ○ S ¦ ○[1] [H] | **35** ⸉ S V | **36** ⸆ V ¦ ⸇ T S V B ¦ ⸂ h ¦ ⸄ T S V M | **37** ⸆ V | **41** ⸄ h | **43** ⸂ V ¦ ⸄ T S V

¶ **13,2** ⸀ V ¦ ○ T M N | **3** ⸆ T | **5** ⸀ V *ut* 𝔐 | **6** ⸆ V | **7** ⸂ h *ut* B ¦ ⸆ [S] V M | **8** ⸄ S V | **9** ⸀ V *ut* 𝔐 | **10** ⸀ V *ut* 𝔐 | **15** ⸀ (H) M N *ut* B ¦ ⸆ S V ¦ ⸁ H S V M N | **22** ⸂ T S N ¦ ⸄ T B N | **23** ⸆ V M | **25** ⸀ S *ut* A; V *ut* 𝔐 | **27** ⸆ V ¦ ○ T S B; [H N] *ut txt* | **28** ⸀ T S V *ut* K | **29** ⸀ S | **30** ⸀ V *ut* 𝔐 | **31** ○ (H) N | **32** ⸀ h *ut* B; V *ut* 𝔐 | **33** ⸆ S V ¦ ○ [H]

¶ **14,2** ⸁ V | **3** ⸂ V *ut* 𝔐 ¦ ⸄ T S B *ut* א* ¦ ⸀ V *ut* 𝔐 | **4** ⸀ V *ut* 𝔐 | **5** ⸉ h V ¦ ⸂ T | **7** ⸂ T *ut* א*; H: αυτοις [παντοτε] | **8** ⸆ [V] ¦ ⸉ T S V | **9** ⸆ V | **10** ⸆ S: [ο] ¦ ⸂ S V *ut* L ¦ ⸀ S V *ut* 𝔐 | **11** ⸂ S V | **16** ⸆ [S] V | **18** ⸀ h | **19** ⸆ V *ut* 𝔐 ¦ ⸇ S V B *ut* 𝔐 | **20** ⸆ [S] ¦ ⸇ [H N] | **21** ⸆ S V M B | **22** ⸆ [S] V *ut* 𝔐 | **24** ⸀ V: το της [καιν.] διαθ. ¦ ⸁ V *ut* 𝔐 | **30** ⸀ V *ut* 𝔐 | **31** ⸉ T S V B ¦ ⸂ T ¦ ○ [H N] | **33** ○ *bis* (H) M N | **35** ⸂ h | **36** ⸂ S | **38** ⸂ V | **39** □ [H] | **40** ⸀ T S V B | **41** ○ [H S] | **42** ⸂ T | **43** ⸆ [H] M [N] ¦ ⸇ T [S] *ut* A ¦ ○[1] T | **45** ⸆ [S V] | **47** ⸀ H *ut txt sed* [τις] ¦ ○ [S] ¦ ⸂ V | **49** ⸂ h | **50** ⸀ V *ut* 𝔐 | **51** ⸀ T V B *ut* 𝔐 ¦ ⸁ V *ut* 𝔐; S: κ. κρ. αυτ. [οι νεανισκοι] | **52** ⸆ [S] V M | **53** ⸆ h S V *ut* 𝔐 | **60** ⸂ h | **64** ⸁ V *ut* 𝔐 | **66** ⸀ V *ut* 𝔐 | **68** □ H N | **69** ⸁ h *ut* B | **70** ⸁ S V: κ. γαρ Γ. ει [και η λ. σου ομ.] (*cf* 𝔐) | **71** ⸂ S *ut* א | **72** ○ S ¦ ⸂ S *ut* 𝔐 ¦ ⸀ H M B N *ut* B

¶ **15,1** ⸆ S V *ut* 𝔐 ¦ ⸂ T h S M N *ut* א ¦ ⸇ T ¦ ⸆[2] V | **4** ⸀ V *ut* 𝔐 ¦ ○ T; [H N] *ut txt* | **6** ⸀ S B *ut* 𝔐 | **7** ⸂ V | **8** ⸀ V M *ut* 𝔐; S: [αει] επ. αυτ. | **10** □ [H] | **12** ○ H S V M N ¦ ⸀ H N: [ον] λεγ. | **14** ⸂ S | **15** ⸀ T *ut* א | **20** ⸀ T *ut* א; S V *ut* 𝔐 ¦ ⸁ T *ut* A ¦ ○ T | **22** ⸄ (H) V M N | **23** ⸀ S V *ut* 𝔐 | **27** ⸆[1] S [V M] B | **29** ⸀ T *ut* D; [H N] *ut txt* | **34** ⸀ S: ωρα ενατη (*sine test.*); V *ut* 𝔐 ¦ ⸁ H V M B N *ut* Θ ¦ □ [H] | **35** ⸂ T B *ut* א; h *ut* B | **36** ⸀ H N *ut* B; S: [και] γεμ. | **39** ⸉ T *ut* 𝔐 | **40** ⸂ H B | **43** ○ (H) ¦ ○[1] [S] | **44** ⸂ T ¦ ⸀ (H) B *ut* B | **46** ⸂[1] T S V M N ¦ ⸂[2] T H N

¶ **16,1** ⸆ [H N] ¦ ⸀ T *ut* א*; H N: η [του] | **2** ⸀ H N *ut* B *sed* [τη]; S *ut* 𝔐 ¦ ⸂ T N ¦ ⸄ h | **4** ⸂ T H S M B N | **5** ⸂ h | *post* 16,**8** *ad* ⟦[1] conclusio brevior⟧ *et* ⟦[2] 16,9-20⟧: T *pon.* concl. brev. (*sec.* L) *et* 16,9-20 (*sec.* ς) *in app.*; H (S) V N *add.* 16,9-20 *et* concl. brev. *ita* ⟦ ⟧ *inclusa* (S *ita* [ ] *inclusa*) *in txt*, M B *add.* 16,9-20 *sine signo in txt et* concl. brev. *in app. ad finem evang.*

⟦[1] concl. brev.⟧ ○[2] (T) H S V N

⟦[2] 16,9-20⟧: **9** ⸄ (T) | **14** ○ (T) S V B; [H N] *ut txt* ¦ ⸆ [H] S M B | **17** ⸀ (H) S *ut* C* ¦ ○ (H); [S] *ut txt* | **18** □ (T) V M N; [H] *ut txt* | **19** ⸂ (T) *ut* 𝔐; [H V N] *ut txt*

SEC. LUCAM

¶ **1,7** ○ [H] | **15** ⸀ T (H) V M B N *ut* א; h [S] *ut txt* | **17** ⸂ h *ut* B* | **21** ⸀ T S V B *ut* 𝔐 | **25** ⸆ h S V B ¦ ⸇ V | **26** ⸂ V | **27** ⸂ S V *ut* 𝔐 | **28** ⸆ T *ut* א; V *ut* 𝔐 ¦ ⸇ [M] B | **36** ⸂ T S V B | **37** ⸀ V | **42** ⸀ S V *ut* 𝔐 | **43** ⸂ S V | **49** ⸂ S V | **55** ⸀ S | **56** ⸂ V *ut* 𝔐 | **59** ⸀ V | **63/64** ⸆ T V M B | **69** ⸇ S | **75** ⸀ T h S V B | **76** ⸂ T S V B | **78** ⸂ T S V

¶ **2,2** ⸆ S V M B ¦ ⸉ T ¦ ⸂ h *ut* B | **3** ⸀ V *ut* 𝔐 | **4/5** S V *ut* 𝔐; B *ut* A | **7** ⸂ V

ut 𝔐 | **9** ⸆ V | **12** ○ (H) M N ¦ ⸂ T *ut* א* | **13** ⸀ h | **14** ⸂ h *ut* 𝔐; V: εν ανθ. ευδο-
κια[ς] | **15** ⸆ S V ¦ ⸀ S V | **17** ⸀ V | **19** ⸀ T (H) M B N | **25** ⸉ S V B | **26** ⸄ S V B *ut*
𝔐; H: πρ. [η] αν | **28** ⸆ S | **33** ⸆ T | **35** ○ (H) [S] | **37** ⸀ S *ut* D | **38** ⸀ V: [αὕτη]
αὐτῇ | **39** ⸀ S V ¦ ○ T ¦ ⸁ S V M B ¦ ⸆ [S] V M | **40** ⸀ T S V B | **48** ⸀ H N | **51** ⸂ S
ut D, *sed* απ-; V *ut* 𝔐 | **52** ⸂ H *ut* B; S V B *ut* 𝔐
¶ **3,3** ○ H | **5** ⸀ T H N | **8** ⸂ h *ut* B ¦ ⸆ [S] | **9** ⸂ [H]: κ. [καλον] | **14** ⸀ T V ¦ ⸁ T |
17 ⸀ *et* ⸁ V ¦ ⸆ [S] | **20** ○ T H M B N; [S] *ut txt* | **22** ⸀ V | **23-31** ⸁ S *ut* 𝔐 ¦ ⸀¹ S V
B | **32** ⸀ H *ut* א* ¦ ⸁ S B *ut* 𝔐 ¦ ⸀¹ V | **33** ⸂ (H) *ut* B; h: τ. Αδαμ τ. Αρνει | **37** ⸀ S
B *ut* 𝔐 ¦ ⸁ T ¦ ⸀¹ S V B
¶ **4,5-12** ⸄ h *ut* 𝔐 *sed* [o] ¦ ⸉¹ T S V M B N ¦ ○ [H] ¦ ○¹ V | **16** ⸀ S: την Ναζαρα;
V *ut* K ¦ ⸁ T h | **17** ⸀ H M N ¦ ○¹ T; [H S N] *ut txt* | **24** ⸀ T | **25** ⸆ T S B ¦ ○ (H) |
40 ⸁ T h V; S: [α]παντες ¦ ⸀¹ V ¦ ⸀² h V | **41** ⸀ T h S ¦ ⸁ H V B; S κρα[υγα]ζ- | **43** ⸉
h ¦ ⸂ S V *ut* 700 | **44** ⸂ T *ut* D; S *ut* C; V *ut* 𝔐
¶ **5,2** ⸂ T h N *ut* A; (H) V M *ut* B; S B *ut* 4 ¦ ⸀ S V | **3** ⸆ [S] V ¦ ⸂ T *ut* א; V B *ut*
L | **5/6** ⸆ [S] V B ¦ ⸇ [S] V B ¦ ⸆¹ [S] V ¦ ⸂ S *ut* 𝔐 ¦ ⸄ S *ut* 𝔐; V *ut* f^1 | **7** ⸆ [S] V |
8 ⸆ S | **9** ⸀ T h S V M B N | **10/11** ○ H ¦ ⸀ S V | **12** ⸄ S V B *ut* 𝔐 | **13** ⸀ T S V |
17 ⸀ V | **18** ○ T S V M B; [H N] *ut txt* | **21** ⸄ S V B *ut* L | **24** ⸁ h | **28** ⸀ S V M |
29 ⸄ h *ut* B* | **31** ⸂ H: [o] I. | **33** ⸆ V | **34** ○ S ¦ ⸂¹ S V M B *ut* 𝔐 | **39** □ [H] ¦ ○
(H); [S] *ut txt* ¦ ⸆ [S] V B ¦ ⸀ S V
¶ **6,1** ⸂ T V B *ut* 𝔐; S: εν σαβ. [δευτ.] ¦ ⸂¹ T *ut* 𝔐 | **2** ⸂ T S V M *ut* 𝔐 | **3** ⸂ T S
ut א; [H] *ut txt*, *sed* [o] ¦ ⸀ T S V M B N ¦ ○ H | **4** ⸀ [H] *ut txt* ¦ ⸀¹ T S *ut* 𝔐 ¦
⸆ T | **5** ⸆ T S V B ¦ ⸂ T h S V M B | **7** ○ T S V ¦ ⸀ h ¦ ⸂ S V M *ut* 𝔐 ¦ ⸆ S V M |
8 ⸀ S V | **9** ○ [H] ¦ ⸀ V ¦ ⸁ S V | **10** ⸀ S | **14** ○ *bis* V | **15** ○ V ¦ ○¹ V; [H N] *ut txt* |
16 ○ V | **26** ⸉ T S B *ut* א; H V M N *ut* 𝔐 | **29** ⸀ T | **30** ⸆ V *ut* 𝔐 | **31** ⸆ T h [S]
V B *ut* 𝔐 | **33** ○ S V B; [H M] *ut txt* ¦ ⸆ V | **34** ○ [H N] ¦ ⸆ V | **35** ⸀ T h | **36** ○ T
H M B N | **38** ⸂ S ¦ ⸀ h· | **42** ⸀ V B *ut* 𝔐; S: [η] πως | **45** ⸆ [S] V M B | **46** ○ h
¶ **7,1** ⸀ h *ut* 𝔐 | **4** ⸀ T S | **6** ○ T ¦ ⸆ V B ¦ ○¹ T *ut* א* ¦ ⸉ S V | **7** ⸀ V | **10** ⸇ S V |
11 ⸂ T h *ut* א* ¦ ⸆ T S V | **12** ⸉ S ¦ ⸀ T S M N | **13** ⸄ T *ut* א | **15** ⸀ h | **16** ⸀ T h S
B | **19** ⸁ H | **20** ⸀ T S V B ¦ ⸁ h | **22** ⸆ T S V B ¦ ○ T S V B | **24/25** ⸀ *bis* T S V B |
26 ⸀ T S V B | **28** ⸀ S V M B *ut* 𝔐 ¦ ⸁ T S B *ut* Ψ | **32** ⸂ T *ut* D; V *ut* 𝔐 ¦ ⸆ [S] |
33 ⸀ *et* ⸁ T *ut* א; V *ut* 𝔐 ¦ ⸂ S V *ut* 𝔐 | **35** ⸂ T h V *ut* 𝔐 | **38** ⸀ T | **39** ⸆ [H N] |
42 ⸆ [S] V ¦ ⸇ S V ¦ ⸉· S *ut* 𝔐 | **43** ⸀ S *ut* א; V *ut* 𝔐 | **44** ⸂ T *ut* א; h V B M *ut* 𝔐;
S: μοι ε. [τους] | **45** ⸁ T h S V M B N | **46** ⸂ T S V B *ut* א | **47** ⸂ T *ut* א
¶ **8,3** ⸀ S | **13** ⸂ T h ¦ ⸀ h | **16** ⸁ S V *ut* 𝔐 | **19** ⸀ S V ¦ ⸆ T | **20** ⸂ V ¦ ⸆ T S B *ut*
א; V *ut* 𝔐 ¦ ⸄ T S V B *ut* 𝔐 | **23** ⸉ h | **25** ⸂ V ¦ ⸄ S *ut* L | **26** ⸀ T S M *ut* א; V *ut*
𝔐 | **27** ⸂ h: υπ. [τις] αν. | **28** □¹ [H] | **29** ⸀ T (H) S V M B N *ut* א ¦ ⸀² (H) M N ¦
⸀³ V | **30** ⸆ T V B ¦ ⸀ S V | **32** ⸀ T h S B | **35** ⸀ V B ¦ ○ [H] | **37** ⸀ T ¦ ⸁ T S M *ut*
א*; V *ut* 𝔐 | **40** ⸂ T V B | **41** ⸀ T h ¦ ○ T H N | **42** ⸀ T S V M B N | **43** □ H N ¦ ⸀
S | **45** ⸆ T S V B *ut* א | **48** ⸀ T S V | **49** ⸆ [S] V | **50** ⸁ S M B | **51** ⸄ S *ut* א | **52** ⸂
T V N | **54** ⸀ T
¶ **9,1** ⸆ S B *ut* א ¦ ⸉ h | **2** ⸂ T H N *ut* B; V *ut* 𝔐 | **3** ○ H S | **5** ⸆ T V | **9** ⸆ [H]
S B [N] ¦ ⸇ V | **10** ⸂ V *ut* 𝔐 | **11** ⸀ S | **12** ⸆ V | **13** ⸉ T (H) M N ¦ ⸂ h S V B *ut* 𝔐 |
14 ⸀ T ¦ ○ T; [V] *ut txt* | **15** ⸀ h S | **18** ⸁ h ¦ ⸂ T H S M B N *ut* א* | **22** ⸀ h | **23** ⸀ h |
25 ⸀ h | **28** ○ (H); [S] *ut txt* | **34** ⸀ S V ¦ ⸂ V B *ut* 𝔐 | **38** ⸀ V ¦ ⸁ T S: ἐπίβλεψαι
(*cf* א) | **39** ⸀ H M B N | **47** ⸀ h S V B *ut* 𝔐 ¦ ⸁ T V | **49** ○ T V M N ¦ ⸁ T ¦ ⸀¹ T |

50 ⸰ T H N ¦ ⸆ [S] *ut* L | **51** ⸂ T *ut* C; V *ut* 𝔐 | **52** ⸀ T ¦ ⸁ T S V M B N | **54** ⸆ V ¦ ⸆· [V] | **57** ⸆ V | **58** ⸰ [H] | **59** ⸰ T (H) N ¦ ⸂ T H V M B N *ut* ℵ | **62** ⸂ [H N]: [προς αυτον] ο Ι. ¦ ⸄ T S V M B *ut* ℵ

¶ **10,1** ⸆ T S V B ¦ ⸰ T S V; [H N] *ut txt* ¦ ⸰[1] T S V M N; [H] *ut txt* | **2** ⸉ S V | **3** ⸆ V | **4** ⸰ T | **6** ⸂ T h S V B *ut* 𝔐 ¦ ⸀ S V B | **11** ⸂ S V M *ut* A | **12** ⸆ T | **15** ⸂ S V *ut* L ¦ ⸰ T B ¦ ⸀ T h S V M B | **17** ⸰ T S V; [H N] *ut txt* | **18** ⸉ h *ut* B | **19** ⸀ V ¦ ⸁ T (H) M B N | **21** ⸂ H V M N *ut* B ¦ ⸉ T S B | **22** ⸆ T [S] | **27** ⸰ h ¦ ⸂ (H) *ut* B ¦ ⸄ *et* ⸂[1] *et* ⸂[2] V *ut* 𝔐 | **29** ⸀ V | **30** ⸆ S V B ¦ ⸆· V | **31** ⸰ [H] | **32** ⸂ H S V M B N *ut* B | **35** ⸂ T (H) S V M B N *ut* 𝔐 | **37** ⸰ [H] | **38** ⸂ T V ¦ ⸄ T V *ut* 𝔐 ¦ ⸆ T (H) M N *ut* ℵ; [h] S V B *ut* 𝔐 | **39** ⸀ S B ¦ ⸰ [H] | **40** ⸀ H S V M B N | **41/42** ⸀ V ¦ ⸂ H N *ut* ℵ; S *ut* ℵ, *sed om.* η ενος; h *ut* D ¦ ⸁ T S V B ¦ ⸀[1] h *ut* D

¶ **11,9** ⸀ T | **10** ⸀ T *ut* A; h *ut* B | **11** ⸂ h *ut* B; S *ut* ℵ ¦ ⸆ T B *ut* 𝔐; h *ut* 𝔐, *sed* [και]; S V M *ut* ℵ ¦ ⸀ T H S V M B N *ut* 𝔐 ¦ ⸉ V B | **12** ⸆· T [S] V M B | **13** ⸂ S *ut* ℵ; H *ut txt sed* [ο] | **14** □ H S | **15** ⸁ H N *ut* ℵ | **17** ⸂ T h S *ut* ℵ | **18** ⸁ H N *ut* ℵ | **19** ⸀ H N *ut* ℵ ¦ ⸉ T *ut* ℵ; h S B *ut* A | **20** ⸰ T S B; [H V N] *ut txt* | **23** ⸆ [S] | **24** ⸰ T M B N; [(H) V] *ut txt* | **25** ⸆ [H] | **27** ⸉ S V B *ut* 𝔐 | **28** ⸀ V | **29** ⸀ V ¦ ⸆ V | **30** ⸆ [H N] | **33** ⸁ T S V M B N | **36** ⸄ T *ut* 𝔐; h: [τι] μ. ¦ ⸆ h | **37** ⸆ V | **41** ⸀ S | **42** ⸂ T *ut* 𝔐 | **47** ⸂ T | **48** ⸆ V | **49** ⸁ T S V B | **50** ⸀ T h | **53/54** ⸰ T ¦ ⸆ V

¶ **12,1** ⸉ T V B | **4** ⸂ S *ut* L | **6** ⸀ V | **8/9** ⸀ H | **11** ⸂ H: πως [η τι] | **17** ⸀ H | **18** ⸄ T V B *ut* 𝔐; S *ut* 𝔐, *sed om* μου[1] | **19** □ [H] | **20** ⸀ H; S: [απ]αιτ. | **21** □ [H] ¦ ⸀ T H N *ut* ℵ* | **22** ⸰ [H N] ¦ ⸉ T h ¦ ⸆· [H N] | **23** ⸰ T | **24** ⸀ T h S V M B N | **25** ⸉ T h S V B ¦ ⸆ V | **27** ⸂ T S N ¦ ⸆ S V | **28** ⸀ V | **30** ⸀ V | **38** ⸀ T *ut* ℵ*; V *ut* 𝔐 | **39** ⸂ (H) V B; S: [εγρ. αν και] ουκ | **41** ⸆ T V | **42** ⸰ [H N] | **53** ⸂ *bis* H V M N *ut* B; T *ut* ℵ; S *ut txt sed* [την] θυγ. ¦ ⸰ T | **54** ⸰ T H S V M B N | **55** ⸰ S | **56** ⸄ T h S V B *ut* 𝔐 ¦ ⸂[1] T S V M B N | **58** ⸰ [H]

¶ **13,4** ⸆ T | **5** ⸀ T (H) M B N | **7** ⸰ T H V M B N | **9** ⸉ M | **12** ⸆ T | **15** ⸀[2] (H) | **19** ⸆· S V M B | **21** ⸀ T H M N | **25** ⸆ V | **26** ⸀ h | **27** ⸂ T S V M *ut* 𝔐 ¦ ⸄ H S V M B N *ut* B | **28** ⸀ T h *ut* B* | **29** ⸂ T V *ut* 𝔐 | **31** ⸁ V | **34** ⸀ T | **35** ⸰ T; [H N] *ut txt* ¦ ⸆· T V ¦ ⸉ V ¦ ⸂ H *ut* B; [M] *ut txt*; V *ut* 𝔐

¶ **14,1** ⸰ [H] | **3** ⸆ V | **5** ⸆ T V ¦ ⸀ S *ut* ℵ ¦ ⸁ [S] V B *ut* A | **6** ⸂ V *ut* 𝔐 | **13** ⸂ T B *ut* 𝔐 | **14** ⸀ T | **17** ⸀ h S ¦ ⸁ T h S *ut* ℵ*; V *ut* 𝔐 | **26** ⸀ T V M B N *ut* 𝔐 ¦ ⸁ T S V M B ¦ ⸉ T S V B ¦ ⸉[1] S *ut* K; V *ut* 𝔐 | **27** ⸆ V | **31** ⸁ V | **32** ⸂ H *ut* ℵ*; h *ut* B *vl txt* | **34** ⸰ [M] ¦ ⸀ *bis* T

¶ **15,4** ⸆ S [V] | **8** ⸀ T *ut* 𝔐 | **9** ⸆ V *ut* 𝔐 | **12** ⸂ T V B *ut* 𝔐 | **13** ⸀ T h S V M B | **16** ⸀ T S V M B N ¦ ⸁ T V B | **17** ⸁ T S V B | **20** ⸀ T S B | **21** ⸉ T V B *ut* 𝔐 ¦ ⸆ [H] | **22** ⸰ T | **24** ⸀ h ¦ ⸂ V B *ut* P | **26** ⸂ T *ut* 𝔐 | **29** ⸰ T S V M N ¦ ⸀ h *ut* B | **30** ⸆ h | **32** ⸂ T *ut* D

¶ **16,4** ⸁ T H S V M B N | **6** ⸂ V ¦ ⸉ h | **7** ⸀ S V *ut* 𝔐 *sed* [και] ¦ ⸂ V | **9** ⸉ V B | **12** ⸀ (H) N *ut* B ¦ ⸉ T (H) S V M B N | **14** ⸂ V *ut* 𝔐; S: τ. π. [και] | **17** ⸉ h | **26** ⸀ V B ¦ ⸆ T S V [M] | **27** ⸉ T S V B *ut* 𝔐 | **29** ⸆ T [S V]

¶ **17,1** ⸂ T S V M N | **4** ⸆· V | **6** ⸰ S; [H] *ut txt* | **9** ⸆ V *ut* 𝔐 | **11** ⸆ S V M B ¦ ⸂ V *ut* 𝔐 | **12** ⸀ T h S B *ut* ℵ ¦ ⸰ H S M N ¦ ⸂ (H) *ut* B | **17** ⸂ H M N *ut* B ¦ ⸰ T; [H N] *ut txt* | **21** ⸂ V *ut* 𝔐 | **23** ⸂ T h N *ut* L; S V: εκει [η] ιδου ωδε ¦ ⸄ H: μη [απελ. μηδε] διωξ. | **24** □[1] (H) | **27** ⸁ T h V | **29** ⸀ T h V | **33** ⸂ V *ut* 𝔐 ¦ ⸄ T S V M B N ¦ ⸀ T H M N | **34** ⸰ [H]

¶ **18,1** ⸆ V | **4** ⸉ H M N | **10** ○ (H) | **11** ⸂ T *ut* ℵ*; (H) S V M B N *ut* B ¦ ⸀ h | **12** ⸀ T H V N | **13** ⸀ H *ut* B | **14** ⸂ T *ut* 𝔐 | **16** ○ [H] | **19** ○ T; [H N] *ut txt* | **20** ⸆ T | **21** ⸆ S V M B | **22** ⸂ T S V B *ut* ℵ; H N: [τοις] ουρ. | **24** ○ [H] ¦ □ T H S V M B N | **28** ○ T | **29** ○ T | **30** ⸀ (H) M N | **35** ⸀ V | **36** ⸆ h S | **40** ○ H

¶ **19,2** ⸄ T h *ut* ℵ | **5** ○ [H] | **8** ⸀ S V N *ut* 𝔐 ¦ ⸂ H: [τοις] πτ. διδ. | **9** ○ [H] ¦ ○[1] T; [H N] *ut txt* | **13** ⸀ (H) *ut* ℵ | **15** ⸂ T V M B N | **17** ⸀ h V | **22** ⸀ H B | **26** ⸆ V | **29** ⸀ H | **30** ⸀ T S V ¦ ○[1] V | **31** ⸆ V | **36** ⸀ H V M N *ut* A | **38** ⸂ T *ut* ℵ*; S V B *ut* 𝔐; h *ut* ℵ* *vl* 𝔐 | **40** ⸆ T h S V B ¦ ⸀ S *ut* 𝔐 | **42** ⸂ T V *ut* 𝔐; B *ut* D ¦ ⸆ T *ut* 𝔐 | **43** ⸀ h *ut* 𝔐

¶ **20,1** ⸀ T S | **4** ⸆ T | **9** ⸄ T H S V M B N | **10** ⸆ V *ut* 𝔐 ¦ ⸂ V *ut* 𝔐 | **13** ⸆ V | **24** ⸂ S *ut* 𝔐 | **26** ⸂ H S *ut* ℵ | **27** ⸂ H *ut* ℵ ¦ ⸀ h | **32** ⸂ V *ut* f^{13} | **33** ⸂ V | **35** ⸀ h | **36** ⸀ T *ut* 𝔐 ¦ ⸀[1] V *ut* 𝔐 | **42** ⸂ S ¦ ⸆ T S V B | **44** ⸉ H S V M N ¦ ⸉[1] S V B | **45** ⸂ T H M N *ut* B

¶ **21,2** ⸉ T S V | **3** ⸉ T S V ¦ ⸀ T | **4** ⸀ T S V B ¦ ⸆ S V M B ¦ ⸁ T S V | **5** ⸀ T | **6** ⸆ H *ut* ℵ | **8** ⸆ S V ¦ ⸇ V | **11** ⸉ (H) N ¦ ⸄ T *ut* 𝔐; h S B *ut* ℵ | **12** ○ S V B | **13** ⸆ S V M B | **15** ⸀ h S V M B | **19** ⸀ H M B N *ut* A | **20** ⸆ V | **23** ⸆ V ¦ ⸇ V | **24** ⸆ [H] *ut* B; [S] *ut* L | **25** ⸀ S V | **32** ○ [H] | **34** ⸉ H | **35** ⸂ V | **36** ⸀ V *ut* 𝔐 ¦ ⸁ V | **37** ⸉ h

¶ **22,3** ⸀ V | **6** ⸂ V *ut* 𝔐 | **7** ○ H S V M B N | **11** ⸆ h | **14** ⸀ V *ut* 𝔐 | **16** ⸂ T V M N *ut* 𝔐 | **17-20** ○[1] H S V M B N ¦ ⸀ T *ut* 𝔐 ¦ □ ⟦H N⟧ | **22** ⸂ V | **30** ⸀ (H) *ut* B ¦ ⸉ T B | **31** ⸆ V | **34** ⸂ T *ut* 𝔐; V M N *ut* f^{13} | **36** ⸂ T *ut* ℵ* | **37** ⸆ [S] V | **39** ○ [H] | **42** ⸀ T *ut* K; S *ut* 𝔐 | **43/44** *vss* ⟦H⟧ [S] ¦ ⸆ (H) ¦ ⸂ h S V ¦ ⸀ T | **48** ⸂ V | **51** ○ [H] | **52** ⸀ V *ut* 𝔐 ¦ ⸁ T ¦ ⸀[1] T | **53** ○ M | **57** ⸆ T S B | **61** ⸀[1] T S V M B N | **62** □ [H] | **64** ⸂ S V M B *ut* 𝔐 | **68** ⸂ V B *ut* 𝔐 ¦ ⸆ V *ut* 𝔐; B *ut* Θ

¶ **23,3** ⸀ V | **6** ⸆ V ¦ ⸂ H: [ο] ανθ. Γαλ. | **8** ⸂ S *ut* 𝔐, *sed* θελων *ut txt* ¦ ⸆ V | **10-12** ⸂ (H) V M N *ut* 𝔐 ¦ ⸀[1] S V B | **14** ⸁ V ¦ ○ S | **15** ⸂ V *ut* 𝔐 | **16** ⸆ [S] V M B | **20** ⸀ T *ut* 𝔐 | **21** ⸄ V *ut* 𝔐 | **23** ⸀ h | **25** ⸄ S V *ut* 𝔐 | **26** ⸀ h ¦ ⸂ V *ut* 𝔐 | **28** ⸂ T H N *ut* ℵ* | **29** ⸂ S *ut* ℵ ¦ ⸀ V *ut* 𝔐 | **31** ○ (H) N | **32** ⸉ T S V B | **33** ⸀ T S | **34** □ ⟦H N⟧ ¦ ⸀[1] H | **35** ⸂ T *ut* ℵ; V *ut* 𝔐 | **36** ⸀ S V B ¦ ⸂ V *ut* 𝔐 | **38** ⸂ V *ut* 𝔐; S M B *ut* 𝔐, *sed om.* γεγρ. ¦ ⸄ V *ut* 𝔐 | **39** ○[1] T H N | **42/43** T h S M B *ut* ℵ; V *ut* 𝔐 | **44** ⸂ V ¦ ○ [S] V | **45** ⸂ H *ut* B | **47** ⸀ V | **49** ⸀ S ¦ ○ S ¦ ⸆ h ¦ ○[1] V | **50** ⸂ H V M B N *ut* 𝔐; S: [και] αν. ¦ ○ h (*et pon. hic* –) | **51** ⸀ T h S ¦ ⸀[1] V *ut* f^{1} | **53** ⸂ V *ut* 𝔐 ¦ ⸁ T *ut* ℵ | **55** ○ T ¦ ⸉ V *ut* 𝔐

¶ **24,3** ⸂ ⟦H⟧ [V] *ut txt* | **4** ⸀ V *ut* 𝔐 ¦ ⸄ S V | **6** ⸂ ⟦H⟧ [V] ⟦N⟧ *ut txt* | **7** ⸉ V | **9** □ [H] ¦ ⸉ T S | **10** ⸆ V *ut* K | **12** □ T N; ⟦H V⟧ *ut txt* | **13** ⸉ S V B ¦ ⸆ M | **15** ⸂ H: [και] αυτ. | **17** ⸄ V *ut* 𝔐 | **18** ⸀ V *ut* 𝔐 ¦ ⸁ T V | **19** ⸀ V | **21** ⸆ V | **24** ⸂ H *ut* B | **27** ⸆ [S], *sed pon. p.* γραφ. (*sine test.*) | **28** ⸀[1] T S V M B | **29** ○ [S] | **32** □ (H) ¦ ⸆ V | **33** ⸀ V | **34** ⸉ V | **36** ⸆ V ¦ □ T N; ⟦H⟧ [S V] *ut txt* | **37** ⸀ h | **38** ⸄ S V M B | **39** ○ [S] ¦ ⸉ V *ut* 𝔐 ¦ ⸂ T *ut* ℵ* | **40** □ T N; ⟦H⟧ [S] ⟦V⟧ *ut txt* ¦ ⸀ S | **42** ⸆ V | **44** ⸀ T S V B *ut* 𝔐 | **46** ⸂ V *ut* 𝔐 | **47** ⸀ h S V M B ¦ ⸀[1] V *ut* 𝔐 | **48** ⸂ S M *ut* ℵ; V *ut* 𝔐; B: υμ. δε μ. (*sine test.?*) | **49** ⸂ T S *ut* ℵ ¦ ⸀ T H S V M B N ¦ ⸆ V ¦ ⸉ V | **50** ⸂ T H S M B N *ut* ℵ; V *ut* D ¦ ⸀ V *ut* 𝔐 | **51** □ T N; ⟦H⟧ [S] ⟦V⟧ *ut txt* | **52** □ T N; ⟦H⟧ [S] ⟦V⟧ *ut txt* | **53** ⸀ T *ut* D; V [M] *ut* 𝔐

SEC. IOHANNEM

¶ 1,3 ⁚ *et* ⁚[1] T h M B N | 4 ⸀T *ut* ℵ | 15 ⸂ (H) *ut* B* | 18 ⸂ T S B *ut* 𝔐; V *ut* ℵ[1] | 19 ⸋ T | 21 ⸂ T *ut* ℵ; S V M B N *ut* 𝔐; (H) *ut txt, sed* [συ] ¦ ○ T | 24 ⸆ [V] | 26 ⸀ T H S V M B N *ut* B | 27 ⸀ H *ut* ℵ* ¦ ○ [H] | 28 ○ [S] | 30 ⸀ V | 31 ⸆ S | 35 ○[1] H | 37 ○ T ¦ ⸂ S V M B *ut* 𝔐; h *ut* C* | 38 ○ T ¦ ⸂ T *ut* 𝔐 | 39 ⸀ V | 41 ⸀ T *ut* 𝔐 | 45 ⸆ S B | 46 ○ T ¦ ○[1] T S V B | 47 ○ T H M N | 49 ⸂ V: αυ. Ν. κ. λεγει; S: αυ. Ν. [κ. λεγει] (*sine test.?*) | 50 ○ V; [S] *ut txt* | 51 ⸆ V; [S] *ut txt*

¶ 2,1 ⸂ h B | 3 ⸂ *et* ⸄ T | 4 ○ T | 10 ⸆ S V M B | 12 ⸂ H S M N *ut* B | 15 ⸂ H N ¦ ⸀ T h S V M *ut* 𝔐 | 17 ⸀ V *ut* 𝔐 | 19 ○ [H] | 22 ⸁ S V M | 24 ⸀ S V M B *ut* 𝔐 ¦ ⸁ S *ut* 𝔐

¶ 3,3 ⸆ V | 4 ○ [H S V] | 5 ⸆ [H] B ¦ ⸄ T | 13 ⸆ T V *ut* 𝔐 | 15 ⸂ S *ut* 𝔐 | 16 ⸆ S V M B | 17 ⸆ V | 18 ○ T H N | 23 ○ T S V M B N; [H] *ut txt* | 24 ○ T H N | 25 ⸀ h | 27 ⸂ T H S V M B N *ut* 𝔐 | 28 ⸀ [H] *ut* B; T S V M B N *ut* 𝔐 | 31 ⸋ Th; [S] *ut txt* | 32 ○ T h | 34 ⸂ V *ut* 𝔐 | 36 ○ T

¶ 4,1 ⸀ H S V M N ¦ ○ [H] | 5 ○ T S V M B; [H N] *ut txt* | 6 ⸀ V | 9 ○ T ¦ ⸋ T; [H N] *ut txt* | 11 ⸂ (H) N *ut* B ¦ ○ T | 14 ⸆ T | 15 ⸀ S *ut* K; V *ut* A | 16 ⸆ S V B ¦ ⸉ H | 17 ○ T N; [H S V] *ut txt* ¦ ⸉ T | 21 ⸀ S *ut* Ψ | 24 ○ T N ¦ ⸉ T | 25 ⸁ S V | 29 ⸀ T H S M B N | 34 ⸀ T V N | 36 ⸆ T | 38 ⸀ T | 39 ⸀ V | 42 ○ [H] ¦ ⸂ h *ut* B | 43 ⸆ V *ut* 𝔐 | 45 ⸀ T ¦ ⸀[1] T | 46 ⸄ T h | 47 ⸂ S *ut* C | 50 ⸁ S V | 51 ○ T S V M N ¦ ⸀ T *ut* ℵ; V *ut* 𝔐 ¦ ⸂ V B *ut* 𝔐 | 53 ○ T H S V M B N | 54 ○ T; [H V] *ut txt*

¶ 5,1 ⸆ T B; [S V M] *ut txt* ¦ ⸆[1] [S] V | 2 ⸂ T: επι τη πρ. κ. το λεγομενον (*cf* ℵ*) ¦ ⸀ h *ut* B; V M B *ut* 𝔐 | 3 ⸆ V ¦ ⸇ V M B ¦ ⸆[1] M *ut* 𝔐; V *ut* 𝔐 *sed* [κυριου]; B *ut* Δ | 5 ○ [H] | 9 ⸂ T *ut* D | 10 ○ T H S V M B N | 11 ⸂ T V *ut* 𝔐; H M N *ut* A | 12 ⸀ V M *ut* 𝔐; S *ut* 𝔐 *sed* [ουν] ¦ ⸆ V | 13 ⸀ T *ut* D | 14 ○ [H] | 15 ⸁ T (H) M N *ut* ℵ | 17 ○ T H N | 18 ○ T | 19 ⸋ [H] ¦ ⸀[1] T H V M N ¦ ⸂ T *ut* ℵ | 20 ⸀ T *ut* ℵ | 25 ⸀ S *ut* ℵ; V *ut* 𝔐 ¦ ⸁ V | 28 ⸀ S *ut* ℵ; V *ut* 𝔐 | 29 ⸂ T (H) M N | 32 ⸀ T | 36 ⸀ S *ut* A | 37 ⸀ S V M *ut* 𝔐 | 42 ⸉ T | 44 ○ [H] | 47 h *ut* B

¶ 6,2 ⸀ T V N *ut* 𝔐 | 3 ⸁ S V M B *ut* 𝔐 ¦ ⸂ T *ut* ℵ | 7 ⸂ T *ut* D ¦ ○ H S V B ¦ ○[1] H | 9 ⸆ V | 10 ⸆ S V M *ut* 𝔐 ¦ ○ h | 11 ⸂ T | 13 ⸀ S V | 14 ⸂ (H) *ut* B; V *ut* 𝔐 ¦ ⸉ T | 15 ⸀ T | 17 ⸂ T ¦ ⸄ T h *ut* ℵ | 19 ⸀ T | 21 ⸂ T | 22 ⸀ h | 23 ⸀ T S B *ut* 091 ¦ ⸁ H | 27 ⸂ T *ut* ℵ | 29 ○ T M N; [V] *ut txt* | 32 ⸀ (H) | 33 ⸆ T | 35 ⸆ T S V B ¦ ⸀ S B ¦ ⸁ S | 36 ○ T; [H N] *ut txt* | 37 ⸀ H S V M B N | 38 ⸁ T | 39 ○ H S | 40 ○[1] H S | 42 ⸀ (H) *ut* B ¦ ⸆ T V | 44 ⸀ h | 45 ⸁ S V | 46 ○ [H] ¦ ⸀ T *ut* ℵ* | 47 ⸆ V | 49 ⸂ V *ut* 𝔐 | 50 ⸀ h | 51 ⸂ T *ut* ℵ ¦ ⸉ T | 52 ⸉[1] T *ut* ℵ ¦ ○ T S V M B N; [H] *ut txt* | 53 ○ [H] | 54 ⸆ S V B | 58 ⸀ S B ¦ ⸆ [S] *ut* D; V *ut* 𝔐 | 65 ⸀ T ¦ ⸆ V | 66 ⸆ T ¦ ○ T S V M N | 69 ⸂ V *ut* Θ* | 71 ⸉ T ¦ ⸆ T S V

¶ 7,1 ○ T ¦ ○[1] [H] | 3 ⸁ S V *ut* 𝔐 ¦ ⸂ T h S V M B N *ut* 𝔐; (H) *ut txt sed* [σου] | 4 ⸀ h *ut* B | 6 ○ T | 8 ⸀ (H) V M | 9 ○ T B ¦ ⸀ (H) V M N *ut* 𝔐 | 10 ○ T B | 12 ⸂ T S B *ut* 33 ¦ ⸄ T ¦ ○ T; [H V N] *ut txt* | 16 ○ T H N | 17 ○ T | 19 ⸀ (H) N | 22 ⸂ T ¦ ○ [H] | 23 ⸆ [H N] ¦ ⸇ T | 24 ⸀ T S V M B N | 28 ⸂ H: [ο] Ιησ. | 29 ⸀ T | 31 ⸂ T *ut* ℵ ¦ ⸁ T | 32 ⸄ T *ut* D; V: *4 5 3 1 2 6* (*sine test.?*) | 33 ⸉ V | 34 ○ T S V M N | 35 ⸉ T ¦ ○ T | 36 ○ T S V M N | 37/38 ⸀ T B ¦ ⸂ T *ut* ℵ* | 39 ⸁ T (H) S V M B N ¦ ⸀[1] T S V M B ¦ ⸀[2] S *ut* 𝔐; V *ut* 𝔐 *sed* [αγιον] ¦ ⸀[3] H | 40 ⸇ [H N] | 41 ⸂ T | 42 ⸀

T S V M ¦ ⸉ T | 44 ⸀ H *ut* B | 46 ⸂ S V B *ut* 𝔐; T M N (*sine test.*): ελ. ουτ. ανθ. ως ουτος λαλ. ο ανθ. | 47 ○ T ¦ ○¹ [H] | 50 ⸂ T *ut* ℵ*; H N *ut* B | 52 ⸉ T

7,53–8,11 *pon.* T (*sec.* D *et* ς), ⟦N⟧ (*sec. ed.* H) *in app.*; ⟦H⟧ *post* Jo 21,25; S *in txt, sed litteris minoribus*; ⟦V⟧ M B *in txt* | 53 ⸀ S M

¶ 8,2 ⸀ h *ut* Λ ¦ ▫ [H] | 3 ⸂ h *ut* D | 4 ⸀ h ¦ ⸂ h S *ut* Λ | 5 ⸂ S *ut txt sed* διακελευει (*cf* 1071) ¦ ⸀ [H] *ut txt* ¦ ⸀¹ h *ut* c ¦ ⸆ h | 6 ▫ [H] ¦ ⸀ S *ut* Γ ¦ ⸀ h *ut* K | 7 ○ [H] ¦ ⸀ M *ut* K; [H] *ut txt* ¦ ⸂ h *ut* 𝔐 *sed* [τον] | 8 ⸀ h S M *ut* 𝔐 ¦ ⸆ h | 9 ⸆ [S] M *ut* U ¦ ⸀ h M *ut* 𝔐 ¦ ⸀ M | 10 ⸀ S ¦ ⸂ h *ut* D; M: αυτη· η γυνη | 11 ⸂ S *ut* D; M *ut* U ¦ ⸂¹ H M *ut* D

8,12 ○ [H] ¦ ⸀ H M N | 14 ⸉ h *ut* B ¦ ○ T | 16 ○ T N; [H] *ut txt* | 17 ⸀ T | 23 ⸉ T S V B | 25 ⸂ H: [ο] Ιησ. ¦ ⸂¹ H *ut* b | 28 ○ T H S V M B N | 34 ○¹ [H] ¦ ▫ [H] | 38 ⸂ S V M B *ut* ℵ | 39 ○ [H] ¦ ⸀ V ¦ ⸀ (H) N *ut* B*; S V M *ut* C | 41 ○ T H S M B N ¦ ⸂ (H) N *ut* B; S: ου γεγενηθημεν (*sine test.*) | 42 ⸆ V ¦ ○ [H] | 44 ⸂ T S | 48 ⸆ V | 52 ○ T H S M B N | 54 ⸂ (H) S B *ut* ℵ | 55 ⸂ T S V *ut* 𝔐 | 56 ⸀ T | 57 ⸀ h | 58 ⸆ S V B

¶ 9,4/5 ⸀ V ¦ ⸀ T ¦ ⸀¹ h | 6 ⸀ (H) N ¦ ⸆ V *ut* 𝔐 | 9 ⸂ S *ut* ℵ *sed* [δε]; V *ut* ℵ ¦ ⸆ [S] | 10 ○ V; [H S N] *ut txt* | 11 ○ [S V] | 12 ⸂ T *ut* A | 14 ⸂ S *ut* 𝔐 | 16 ○ T M; [H V N] *ut txt* | 17 ⸉ T | 20 ⸀ S M: δε; V *ut* L | 23 ⸀ h *ut* 𝔐 | 24 ⸉ T | 26 ⸆ [S] V M | 27 ⸆ h ¦ ⸉¹ S | 28 ⸂ T V B *ut* 𝔐; S *ut* D | 31 ⸆ V *ut* 𝔐 ¦ ⸂ H M B N | 35 ⸆ S V B ¦ ⸆ [S] V M ¦ ⸀ S V | 36 ⸂ h *ut* B; (H) *ut txt sed* [και ειπεν] | 37 ⸀ S V *ut* 𝔐 | 40 ○ T | 41 ○ [H]

¶ 10,5 ⸀ S | 7 ⸀ T: – (*cf* ℵ*); S V M B *ut* ℵ*vid ¦ ⸂ H: [ο] Ιησ. ¦ ○¹ H S B | 8 ⸂ T *ut* ℵ* | 13 ⸆ V | 14 ⸂ S V | 16 ⸀ S ¦ ⸀¹ T V N | 18 ⸀ (H) N | 20 ⸀ T | 22 ⸀ T *ut* 𝔐 ¦ ○ T | 23 ○ [H] ¦ ○¹ T | 24 ⸀ h | 25 ⸂ T *ut* ℵ*; H: [ο] Ιησ. | 28 ⸉ S | 29 ○ T ¦ ⸂ S *ut txt sed* μειζων; V *ut* 𝔐; h M B *ut* 𝔐 *sed* παντ. μειζων ¦ ⸆ [S] V M B | 31 ⸀ V *ut* 𝔐 | 32 ⸂ (H) M N *ut* B ¦ ⸆ V | 34 ⸂ H: αυτ. [ο] Ιησ. | 35 ⸉ T | 36 ○ T | 38 ⸀ T *ut* ℵ ¦ ⸀ S *ut* 𝔐 | 39 ⸂ H: εζ. [ουν] ¦ ⸂ T *ut* ℵ*; h: [παλιν] αυτ. πιασ. | 40 ⸀¹ (H) N | 41 ⸉ S | 42 ⸂ S V *ut* A

¶ 11,1 ⸆ T | 2 ⸀ T S V B | 11/12 ⸂ T *ut* ℵ | 17 ⸂ T *ut* D; V *ut* 𝔐 | 18 ○ T H N | 19 ⸀ T S V M *ut* 𝔐 ¦ ⸂ S V *ut* 𝔐 ¦ ⸆ [S] V [M] | 20 ⸀ T h S V B | 21 ○¹ T H M N ¦ ○² h ¦ ⸉ *et* ⸀ S *ut* 𝔐 | 22 ○ T H S M B N | 25 ⸆ [S] *ut* ℵ* | 28 ⸀ S V | 29 ○ T ¦ ⸀ T V M N ¦ ⸀ T V M | 30 ○ T | 31 ⸀ S V | 32 ⸀ S V B ¦ ⸀ S | 44 ⸆ [S] V B *ut* 𝔐 ¦ ⸂ H: [ο] Ιησ. αυτ. ¦ ○ V; S *ut txt* | 45 ⸂ S V *ut* 𝔐 ¦ ⸀ (H) S V M B N | 46 ⸆ S V M B | 50 ⸀ V *ut* 𝔐 | 52 ⸆ [S] | 53 ⸀ S V | 54 ⸂ T *ut* 𝔐 ¦ ⸀ T S V M B

¶ 12,1 ⸆ [S] V ¦ ⸀ V M B *ut* A; S: [ο Ιησ.] | 2 ○¹ S V | 3 ⸀ T S V B ¦ ○¹ [H] | 4 ⸀ S V B; [H] *ut txt* ¦ ⸂ S *ut* f^1; H N *ut* B | 12 ⸂ T S V *ut* 𝔐 ¦ ○ T H V M B N; [S] *ut txt* | 15 ⸀ S *ut* 𝔐 | 16 ⸂ S V *ut* 𝔐 | 17 ⸀ T | 22 ○ T S V ¦ ⸂ S: παλιν ερχ. Α. κ. Φ. κ.; V *ut* 𝔐; M *ut* ℵ | 23 ⸀ S *ut* 𝔐 | 26 ⸉ S V *ut* 𝔐 | 29 ⸀ H: [ουν] ¦ ○ T | 30 ⸂ H *ut* B | 32 ⸀ H *ut* B | 36 ⸆ S V M B | 43 ⸀ h *ut* ℵ | 50 ⸂ S *ut* 𝔐

¶ 13,2 ⸂ T H S V M B N *ut* ℵ | 3 ⸀ V | 6 ⸆ S V M ¦ ⸆ S V M *ut* 𝔐 | 10 ⸂ T H M N *ut* B ¦ ⸉ V ¦ ⸂ T *ut* ℵ; H N: [ει μη τ. ποδ.] νιψασθαι | 11 ○ [S] | 15 ⸀ T | 18 ⸀ T V ¦ ⸀¹ T | 19 ⸂ H N *ut* B | 21 ○ T H N | 22 ⸆ S V M B | 23 ⸆ [S] V M ¦ ○ [H] | 24 ⸂ T H S V M B N | 25 ⸂ T *ut* ℵ*; H M N *ut* B; S *ut* 𝔐 | 26 ⸂ S V M B N *ut* C*; H: ουν [ο] Ιησ. ¦ ⸂ S V *ut txt sed* επιδωσω ¦ ⸂¹ H N *ut txt sed* [το] | 27 ○¹ T H M N | 28 ○ [H N] | 29 ⸂ T H N *ut* ℵ | 31 ⸆ S V B | 32 ▫ H; [S] *ut txt* ¦ ⸀ S V M | 36 ⸀ T

H B N *ut* B; V *ut* 𝔐; S *ut* 𝔐 *sed* [αυτω] ¦ ⸆T [S] | 37 ⸂T V *ut* 𝔐; H N: [ο] Πετ. ¦ ○h ¦ ⸄H *ut* B

¶ **14,3** ⸉S V | **4** ⸂V | **5** ⸇T S V M ¦ ⸂T H B N | **6** ○T H M N | **7** ⸂H S V M N ¦ ⸀H V M N *ut* B; S *ut* 𝔐 ¦ ○H S M N ¦ ○[1] (H) M N | **9** ○[H] ¦ ⸂(H) S V M B N ¦ ⸇S V M | **10** ⸀S *ut* 𝔐 ¦ ⸆T S V M ¦ ⸁S M *ut* L; V *ut* 𝔐 | **11** ⸀h ¦ ⸆h V | **13** ⸀h | **14** ○[H] ¦ ⸀(H) *ut* A | **15** ⸀S V *ut* 𝔐 | **16** ⸂T *ut* ℵ; (H) S V M B N *ut* L | **17** ⸆T S V [M] B ¦ ⸇V ¦ ⸁V ¦ ⸀[1] (H) B | **19** ⸀S V M B | **20** ⸂H B *ut* B | **22** ○H | **26** ○T S V B | **31** ⸂H *ut* B

¶ **15,6** ⸁T S | **8** ⸀T h S V M B N | **9** ⸉T V | **10** ⸀T ¦ ⸂T h S M B N *ut* ℵ; (H) *ut* B | **13** ○T | **14** ⸀(H) N *ut* B | **16** ⸁h | **18** ○T | **26** ⸆S V M B

¶ **16,2** ○[H] | **3** ⸀S *ut* D; M *ut* D *sed* [υμιν] | **4** ○T; [V] *ut txt* | **7** ⸂H N | **10** ⸆S | **13** ⸄(H) M N *ut* A; V *ut* 𝔐 | **14** ⸀T (H) M N *ut* ℵ | **16** ⸀V ¦ ⸆V | **18** ⸉T S V M N ¦ □[1] S ¦ ○H B ¦ ⸂H: [τι λαλει] | **19** ⸀T H M N *ut* B, V *ut* 𝔐 | **20** ⸆[S] V | **22** ⸀S ¦ ⸁(H) *ut* B | **23** ⸄T H S V M B N | **27** ⸂H *ut* B | **28** ⸀T H S M B N | **29** ⸆V ¦ ○[V] | **31** ⸆S V B | **32** ⸀V *ut* 𝔐

¶ **17,1** ⸆S V B ¦ ⸂V *ut* A; S: ο υι. [σου] | **2** ⸂H S V M B *ut* 𝔐 | **3** ⸀T | **5** ⸁h | **6** ⸀S V | **7** ⸁(H) | **8** ⸀h S V | **11** ⸀h S V B *ut* 𝔐 | **12** ⸂B *ut* 𝔐; S *ut* 𝔐 *sed* [και] | **13** ⸀S *ut* 𝔐 | **16** ⸉S V | **17** ⸆S | **19** ○T; [H N] *ut txt* | **21** ⸀T H M B N ¦ ⸆S V M B ¦ ⸁S V M B | **24** ⸀T H M B N ¦ ⸀[1] h | **25** ⸀T H V M B N

¶ **18,1** ⸆S V B ¦ ⸂T *ut* ℵ*; H V *ut* 𝔐 | **2** ⸆S V M B *ut* 𝔐 ¦ ⸂h *ut* B | **3** ⸂H N: [εκ] των; S: [εκ των] | **4** ⸂V *ut* 𝔐 | **5** ⸆T *ut* ℵ; S V M B *ut* 𝔐 ¦ ⸇h | **7** ⸉T S V | **10** ⸂V | **13** ⸂V *ut* 𝔐 | **14** ⸀S | **15** ⸆V ¦ ⸉[1] h | **20** ⸆S V M | **21** ⸀S | **22** ⸂V *ut* 𝔐 | **23** ⸂S V B *ut* 𝔐 | **27** ⸀S: [ο] Πετ. | **29** ○T H N | **30** ⸂V *ut* 𝔐 | **31** ○H ¦ ○[1] T ¦ ⸇T S V B *ut* 𝔐 | **33** ⸂T *ut* 𝔐 | **34** ⸆S V *ut* A ¦ ⸂T N ¦ ⸉T S V B | **36** ⸂S *ut* D[s] ¦ ⸄T V M N *ut* 𝔐 | **37** ○[H N] ¦ ⸆V [M] | **39** ⸂S *ut* 𝔐 ¦ ○[H]

¶ **19,1** ⸂S *ut* L (ο Π. λαβων τ. Ιησ.) | **4** ⸂T h B *ut* ℵ; V M *ut* 𝔐; S: εξηλ. [ουν] ¦ ⸄T h *ut* ℵ ¦ ⸂[1] T *ut* ℵ* | **5** ○[H] | **6** ○T | **7** ○T ¦ ⸆[S] | **10** ○T ¦ ⸉S V | **11** ⸂T V M N *ut* 𝔐 ¦ ⸆S B ¦ ⸀T S B ¦ ⸁S V | **12** ⸂T S B *ut* A | **16** ⸂V *ut* 𝔐 ¦ ⸆V *ut* 𝔐 | **17** ⸂V *ut* 𝔐 ¦ ⸂[1] S V *ut* 𝔐 ¦ ⸀h | **21** ⸉H | **24** □T H N; [S M] *ut txt* | **25** ⸀*bis* T | **26** ⸀S | **27** ⸉T | **28** ⸂h *ut* B | **29** ⸆[S] V *ut* 𝔐 ¦ ⸂T *ut* ℵ* | **30** ⸂T *ut* ℵ*; H N: [ο] Ιησ. | **31** ⸀h | **33** ⸉S V B | **34** ⸉T S V | **35** ⸀T H M N; S: πιστευ[σ]ητε | **38** ○H N; [S] *ut txt* ¦ ○[1] [H N] ¦ ⸀*bis* T ¦ ⸂T *ut* ℵ* | **39** ⸂S *ut* 𝔐 ¦ ⸁(H) *ut* ℵ* | **41** ⸂T V

¶ **20,1** ⸀T | **5/6** ⸆[S] ¦ ○T | **10** ⸀S V M B; H N: αὑτ- | **11** ⸀T | **13** ○T | **15** ⸆S V M B | **16** ⸆S V M B ¦ ⸀S V | **17** ⸆S V M B ¦ ⸂h *ut* B ¦ ⸇V | **18** ⸀S V B ¦ ⸀[1] S V *ut* 𝔐 | **19** ⸆S [V] *ut* 𝔐 | **20** ⸆H M N *ut* A | **21** □T S B; [H N] *ut txt* | **23** ⸀*bis* h ¦ ⸁h *ut* B* | **24** ⸆S V M B | **25** ⸉T ¦ ⸄T M B N *ut* A | **28** ⸇[S] | **29** ○[H] | **30** ○T (H) S V M B N | **31** ⸀T H M B N

¶ **21,1** ⸂T H N *ut* B | **3** ⸀S V M B *ut* ℵ | **4** ⸀T H S V M B N ¦ ⸆V ¦ ⸁T h S B | **5** ⸂T H M N *ut* ℵ | **6** ⸂T | **10** ○[H] | **11** ○T N; [V] *ut txt* | **12** ○[H] ¦ ○[1] H N | **13** ⸆S B *ut* ℵ; V *ut* 𝔐 | **14** ⸀S *ut* 𝔐 | **16** ⸀[1] T (H) N | **17** ⸁H S V M B N ¦ ⸂T *ut* ℵ; H N *ut* B ¦ ⸀[1] T (H) N | **18** ⸂H M N *ut* B; S *ut* D ¦ ⸄S *ut* 1 | **21** ○[S] | **23** ⸂T S V B ¦ ⸂[1] T S *ut* ℵ* | **24** ⸆h ¦ ⸂T *ut* 𝔐; h: [ο] και; S *ut* Θ ¦ ⸉S V B *ut* 𝔐 | **25** □T ¦ ⸁H M N

ACTA

¶ 1,1 ○H | 7 ⸂T H N *ut* B* | 8 ○[H] | 11 ⸀T H V M N | 14 ⸀S V ¦ ○[H N] ¦ ⸆[1] H V M N | 15 ⸁H | 16 ⸇[S] V M | 19 ⸆T ¦ ○H ¦ ⸀T *ut* א | 22 ⸀T

¶ 2,1 ⸁V | 3 ⸂S V *ut* 𝔐 | 4 ⸀S V | 5 ⸀(H) S V M | 6 ⸁H *ut* א; S *ut* 𝔐 | 7 ⸆T S B ¦ ⸀(H) B N *ut* B; S V M *ut* 𝔐 ¦ ⸁H V N | 12 ⸀T H M N | 20 ⸆h ¦ ⸇S V ¦ □T | 25 ⸆T | 26 ⸉T H S V M B N | 30 ⸆[S V] *ut* 𝔐 | 33 ⸂H V *ut txt, sed* [και] | 34 ○T H M B N | 36 ⸉S | 38 ⸂H N *ut* B ¦ ⸀H B | 42 ⸇V | 43/44 ⸀T H V M B N ¦ ⸆T [S] V B ¦ ⸁T H S V M B N ¦ ⸂(H) N | 47/3,1 ⸂S V *ut* 𝔐, *sed* [τη εκκ.]

¶ 3,6 □T H M B N; [S] *ut txt* | 7 ⸀S V | 10 ⸀H V M B N | 13 □ *bis* H V M N | 16 ○H | 19 ⸀T H N | 22 ⸁T S V M B *ut* א*; H N *ut* B | 25 ⸉H M N ¦ ⸀Th ¦ ⸁H *ut* A* | 26 ○[1] [H]

¶ 4,1 ⸀(H) | 4 ○T H N; [S] *ut txt* ¦ ⸀T *ut* א; [S] V M *ut* 𝔐 | 5 ⸃T *ut* א | 7 ⸉T *ut* א | 8 ⸆S V B | 9 ⸀H S V M B N | 17 ⸆V B *ut* 𝔐 | 18 ○T H M N ¦ ○[1] [H] | 22 ⸀S V M B | 24 ⸇[S V] B | 25 ⸂M *ut* 𝔐, *sed* ο δια πν. αγ. δια του στ.; B *ut* 629, *sed* Δ. παι. σου | 28 ○H M N | 30 ⸂H M N | 32 ⸆ *bis* [S] V ¦ ⸀[1] H M B N | 33 ⸂T *ut* א; H M N *ut* B | 37 ⸁H S V B

¶ 5,8 ⸂V B *ut* 𝔐, S: [ο] | 12 ⸀H N | 15 ⸀H | 16 ⸆[S] V | 18 ⸆[S V] | 19 ⸀H V M B N | 23 ⸆[S] V M | 26 ⸀S V M B *ut* 𝔐 | 28 ○T H V N | 31 ○[H] S V | 32 ⸀h *ut* B *vel ut* 69 ¦ ○h | 33 ⸀T S M B | 34 ⸃S *ut* 𝔐 | 37 ⸆V *ut* 𝔐 | 38 ○[H] ¦ ⸀S | 40 ⸆[S] B

¶ 6,3 ⸀[h] *ut* A; S V B *ut* 𝔐 ¦ ⸆[V] | 5 ⸀T (H) V M B N | 9 ⸂T *ut* א | 13 ○T V; [H N] *ut txt*

¶ 7,3 ○(H) N ¦ ○[1] [S] | 5 ⸉S | 7 ⸉S B | 10 ⸀T ¦ ○(H) V M N | 11 ⸂S *ut* 𝔐 | 13 ⸁(H) N ¦ ⸂T *ut* א; H N *ut* A | 15 ⸂(H) *ut* 𝔐 ¦ □[H] | 16 ⸂V *ut* 𝔐 | 19 ○T H M B N; [S] *ut txt* ¦ ⸉S B | 22 ⸂H S V M B N *ut* 𝔐 | 25 ○T H B N; [S] *ut txt* | 30 ⸆[S] | 31 ⸀H S V M B | 34 ⸀H N | 36 ⸂H *ut* B | 38 ⸀(H) M N | 43 ○T H M B N ¦ ⸀T *ut* א*; H N *ut* B; S V M B *ut* C | 45 ⸀T | 46 ⸀H S V M B | 49 ⸂(H) | 51 ⸀h *ut* B | 60 ⸉T S V

¶ 8,1 ⸂T *ut* א*; H N *ut txt, sed* [δε] | 5 ○S | 6 ○B | 9 ⸁S *ut* 𝔐 | 18 ⸆S V B | 27 ⸀V *ut* 𝔐 ¦ ○T; [H N] *ut txt* | 28 ⸀H M N ¦ ⸂T *ut* א* | 32 ⸀(H) V M B N | 33 ○T H B N ¦ ⸆S V M

¶ 9,2 ⸂T *ut* א | 11 ⸀(H) | 12 ⸂T *ut* א; S V M B *ut* 𝔐; H N *ut txt, sed* [εν ορ.] ¦ ⸃T S V M B N *ut* א*; H: [τας] χ. | 13 ⸀S | 15 ⸆[H N] | 18 ⸉S ¦ ⸀S | 19 ⸀H S M B | 21 ⸀H V M B | 22 ○T H N | 25 ⸂V *ut* 𝔐 ¦ ⸃V *ut* E | 27 ⸂T H M N *ut* B; V *ut txt, sed* [του] I. | 32 ⸁S: -δα[ν] | 34 ⸂S V B *ut* 𝔐 | 35 ⸀S: -δα[ν] | 36 ⸉T S V | 37 ⸂(H) N *ut* B; S V M B *ut* 𝔐 | 42 ○H | 43 ⸆[S] M *ut* א[c]; V *ut* 𝔐

¶ 10,9 ⸀T S | 11 ⸇S [V] | 18 ⸀(H) | 19 ○(H) M N *ut* B; T h S V B *ut* א ¦ ⸀T *ut* 𝔐; (H) N *ut* B; [h] *ut txt* ¦ ⸁S V M B | 24 ⸀T S *ut* 𝔐 | 28 ⸉T B | 32 ⸆S | 36 ○(H); [V M] *ut txt* | 37 ⸀S V | 39 ○H V M N | 40 ⸂H S V B *ut* A | 42 ⸁T | 45 ⸀(H) ¦ ⸂H | 48 ⸀T

¶ 11,2 ⸀S | 3 ⸀ *bis* (H) B | 9 ⸂(H) M N *ut* B | 11 ⸀h B | 12 ⸉S | 13 ⸆[S] V B | 20 ⸀T M B N *ut* א[c] | 21 ○[S] | 22 ○[1] T H V M B N; [S] *ut txt* | 23 ○[S V] ¦ ⸇[H] | 28 ⸀(H) N *ut* B

¶ 12,1 ⸉T | 3 ○T H M B N; [S] *ut txt* | 5 ⸀S | 6 ⸀(H) *ut* B | 8 ⸀T S V | 11 ○T h

S *ut* 𝔐; V *ut txt, sed* [ο] κ. | 12 ⸋[S] | 15 ⸀h *ut* B ¦ ⸉B | 17 ⸋T | 21 ⸋[H] ¦ ⸋¹T H B N; [S V] *ut txt* | 24 ⸀(H) N | 25 ⸀T h S V M B N *ut* A ¦ ⸂S
¶ 13,6 ⸂H S V M B N *ut* B | 10 ⸋¹T h S V B | 11 ⸂(H) S V M B N | 14 ⸂S V ¦ ⸂T H V M B N | 17 ⸀T | 18 ⸀T | 19 ⸋(H) | 20 ⸋T H M B N; [S] *ut txt* | 22 ⸉S ¦ ⸋[H] | 28 ⸂h *ut* ℵ* | 29 ⸉h | 30/31 ⸀H N *ut txt, sed* [νυν] | 33 ⸂T H V *ut* ℵ ¦ ⸂¹T *ut* D | 35 ⸀S *ut* 𝔐 | 38 ⸋T | 40 ⸆[S] V M | 44 ⸀h ¦ ⸂h ¦ ⸂(H) V M N *ut* B* | 45 ⸆S [V] M ¦ ⸆¹T *ut* 𝔐 | 46 ⸀h *ut* C; S V M B *ut* 𝔐 | 48 ⸂(H) *ut* B | 49 ⸀T | 52 ⸀T h *ut* 𝔐
¶ 14,3 ⸋H S V ¦ ⸂T *ut* ℵ | 8 ⸂S V B *ut* 𝔐 | 9 ⸀H V N | 10 ⸆S [V] | 11 ⸀S V | 14 ⸀(H) V M N; S: [ε]αυτ. | 17 ⸀S B ¦ ⸉S | 21 ⸀T N ¦ ⸋[H N] | 25 ⸂T h N ¦ ⸆S [V] *ut* ℵ
¶ 15,4 ⸀H S V M B N ¦ ⸀¹T S V M B | 6 ⸀T | 8 ⸆[S V] M | 9 ⸀h S M | 16 ⸂T H M B N *ut* ℵ | 17/18 ⸀S V M B *ut* 𝔐 | 20 ⸆S [V M] ¦ ⸂H M N *ut* A | 23 ⸂S V M *ut* 𝔐, *sed* M: [ταδε] ¦ ⸀S V *ut* 𝔐, *sed* [και οι] | 24 ⸋H N | 25 ⸀T h V B N | 41 ⸂T S V M B N *ut* 𝔐; H *ut txt, sed* [την]
¶ 16,1 ⸋T | 3 ⸂T | 9 ⸋T H V M B N | 11 ⸂H S V B *ut* 𝔐 ¦ ⸂¹S: Νεα[ν]πολιν | 12 ⸂T H S M B N *ut* ℵ; V *ut* 𝔐 *sed* τ. μερ. [της] | 13 ⸂S *ut* 𝔐 | 14 ⸋T H N | 15 ⸂S V | 16 ⸀S ¦ ⸂S | 17 ⸀S ¦ ⸋[H] ¦ ⸂M ¦ ⸋²B | 18 ⸆S V M B | 19 ⸂h *ut* B | 23 ⸀(H) M N | 24 ⸉S | 26 ⸋[H] | 27 ⸋T S V | 28 ⸂T *ut* ℵ; H M N *ut* B; S B *ut* 𝔐 | 29 ⸋H M N | 31 ⸆S | 32 ⸀(H) N | 33 ⸂T H V M B N *ut* ℵ | 36 ⸋H | 38 ⸀T
¶ 17,3 ⸂T h *ut* A; S V B *ut* 𝔐 | 4 ⸋[H] | 5 ⸂T *ut* ℵ | 11 ⸆[H S] V M B [N] | 19 ⸀H M N *ut* B ¦ ⸋[H] | 21 ⸋[S] | 22 ⸋T H N | 26 ⸂S V | 28 ⸂h *ut* B | 30 ⸂T H N | 34 ⸂H: [ο]
¶ 18,1 ⸂S V M *ut* A, *sed* S M: [ο Παυλ.] | 2 ⸀T *ut* D | 3 ⸀T (H) N | 7 ⸀H V M N *ut* 𝔐 ¦ ⸂S B *ut* ℵ | 12 ⸉(H) | 15 ⸆[S] V [M] | 17 ⸆[S V] M *ut* 𝔐 | 19 ⸀²S *ut* 𝔐 | 23 ⸀T H N | 25 ⸋h | 26 ⸉S
¶ 19,1/2 ⸀¹H V M N | 3 ⸂T h B *ut* ℵ | 6 ⸋T H M B N | 8 ⸋H N | 9 ⸆S V [M] *ut* 𝔐 | 14 ⸀T S V | 15 ⸋T S V M B; [H N] *ut txt* | 16 ⸀S V *ut* 𝔐 | 20 ⸂S V B *ut* 𝔐 | 22 ⸋T M N | 24 ⸋[H] | 27 ⸉T ¦ ⸋ *bis* [H] | 30 ⸂S V B | 34 ⸀(H) ¦ ⸂T h N *ut* ℵ ¦ ⸆h | 35 ⸉H | 39 ⸀T
¶ 20,4 ⸆S V M B | 5 ⸀(H) S | 6 ⸀H V M B *ut* 𝔐; S: [οπ]ου | 10 ⸂h | 11 ⸋[H] | 13 ⸀h S *ut* 𝔐; M: προ[σ]ελθ. | 14 ⸀S V | 15 ⸀h ¦ ⸆[S V] B ¦ ⸋B; [S V] *ut txt* | 16 ⸀T S B | 21 ⸂T h S *ut* ℵ | 24 ⸂(H) N ¦ ⸆[S V] | 28 ⸀T S *ut* A | 29 ⸀S V: [γαρ] οιδα [τουτο] | 30 ⸋[H] ¦ ⸂T H N | 32 ⸀(H) N | 33 ⸀T
¶ 21,3 ⸀S | 5 ⸉(H) M N | 6 ⸀H M N | 10 ⸆S V M *ut* 𝔐 | 13 ⸂T B *ut* ℵ; H *ut txt, sed* [ο] Π., S *sed* + [και ειπ.] | 18/19 ⸀T | 20 ⸂T *ut* ℵ; V *ut* 𝔐 | 22 ⸀T V *ut* A; S: [δει ... πλ.,] ακ. [γαρ] | 23 ⸀(H) | 24 ⸀S V | 25 ⸂(H) | 32 ⸀h | 40 ⸂h *ut* B
¶ 22,3 ⸆[S] | 11 ⸂h *ut* B | 18 ⸀T | 21 ⸀h *ut* B | 23 T S V B
¶ 23,1 ⸂T h S M B *ut* ℵ; (H) *ut* B | 6 ⸋(H) S N | 7 ⸀T V *ut* 𝔐; (H) N *ut* B ¦ ⸂h *ut* B* | 8 ⸋(H) N | 10 ⸀S ¦ ⸋(H) | 12 ⸀h | 15 ⸂S V | 17 ⸀T H N ¦ ⸉T V | 18 ⸀(H) | 20 ⸀T H S V M B *ut* A | 23 ⸂T H S M N | 28 ⸋[H] ¦ ⸆S | 30 ⸂T S B *ut* ℵ ¦ ⸂T *ut* ℵ; H N *ut* B ¦ ⸆S V M B | 35 ⸀h *ut* B; S *ut* 𝔐
¶ 24,2 ⸋[H N] | 15 ⸀T | 26 ⸋[H] | 27 ⸀S *ut* 𝔐
¶ 25,1 ⸂T h N | 10 ⸉T H M N ¦ ⸀T H N | 16 ⸂h | 17 ⸋H N | 18 ⸂T h S M *ut* A | 22 ⸆[S V M] ¦ ⸆[S V M] | 24 ⸀(H) ¦ ⸂S V B

¶ **26,1** ⸀ (H) V M N | **3** ⸉ T | **4** ⸰ H B N; [S] *ut txt* ¦ ⸰¹ H S V M B N | **7** ⸀ h | **10** ⸀ h *ut* 𝔐 | **12** ⸆ V | **14** ⸂ S *ut* 𝔐 | **15** ⸰ [V] | **16** ⸰ T S V | **20** ⸆ S V M B | **21** ⸰ H V M N | **26** ⸰ (H) ¦ ⸀ (H) N *ut* B | **29** ⸀ T | **31** ⸰¹ (H) V M N

¶ **27,5** ⸀ T H *ut* B | **8** ⸉ H V M B N ¦ ⸀ H *ut* B | **11** ⸆ S V B | **14** ⸀ S V | **16** ⸀ T S V M B N *ut* ℵ* | **23** ⸰ H S V M B N | **27** ⸁ h *ut* B* | **29** ⸀ S B | **37** ⸀ (H) | **39** ⸁ (H) | **41** ⸂ T H N *ut* ℵ*

¶ **28,1** ⸀ H | **6** ⸀ T ¦ ⸁ T | **7** ⸉ (H) M N | **9** ⸰ [H] | **13** ⸀ T S V M B N | **15** ⸀ S: [εξ]ηλθον | **16** ⸆ T ¦ ⸂ S: [ο … στατωπ.] επετρ. [δε] τω Π., V *it.*, *sed* τω [δε] Π. επετρ. **19** ⸀ S | **23** ⸀ S V | **25** ⸀ T | **28** ⸉ H | **31** ⸰ T

AD ROMANOS

¶ **1,1** ⸉ (H) S V B | **16** ⸰ [H] | **27** ⸁ H | **29** ⸂ T *ut* ℵ; h *ut* C *vl ut* ℵ | **32** ⸀ h

¶ **2,2** ⸀ T h B *ut* ℵ | **5** ⸆ [S] | **8** ⸆ S V M | **13** ⸰ [H N] | **16** ⸂ H N *ut* B; h *ut* A *vl ut txt* ¦ ⸀ (H) S V ¦ ⸉ h S V M B | **26** ⸀ S

¶ **3,2** ⸂ B *ut* B; H N *ut txt sed* [γαρ] | **4** ⸁ T H N ¦ ⸀¹ S V M B | **7** ⸀ h S V B | **8** ⸰ [H] | **11** ⸰ (H) ¦ ⸰¹ (H) ¦ ⸀ h | **12** ⸰ (H) S V ¦ ⸋ h M | **14** ⸆ h | **22** ⸰ [H N] ¦ ⸂ V B *ut* 𝔐; S *ut* 𝔐 *sed* [κ. επι π.] | **25** ⸂ T (H) M N *ut* ℵ | **28** ⸀ h S | **29** ⸀ h *ut* B

¶ **4,1** ⸂ (H) *ut* B; M *ut txt sed* [ευρηκ.] | **8** ⸀ h S V | **9** ⸆ S V M | **11** ⸀ h ¦ ⸰ T H N; [S V] *ut txt* ¦ ⸁ T *ut* ℵ; [H N] *ut txt* | **15** ⸀ S B | **19** ⸰ T [H] N | **22** ⸰ [H N]

¶ **5,1** ⸀ T H S V M B | **2** ⸂ [H N] *ut txt* | **3** ⸀ h | **6** ⸂ H N *ut* B; S M *ut txt sed* [ετι²] | **11** ⸰ [H N] | **15** ⸰ [H N] | **17** ⸂ h *ut* 1739 ¦ ⸃ [H] *ut txt* ¦ ⸉ *h*

¶ **6,2** ⸀ S | **3** ⸰ [H V] | **11** ⸆ S [V] | **19** ⸋ [H]

¶ **7,6** ⸁ [H N] *ut txt* | **14** ⸀ V | **17** ⸀ T H N; S: [εν]οικ. | **20** ⸰ (H) | **23** ⸰ [H] | **25** ⸂ T M B N *ut* B; (H) *ut txt sed* [δε]; h S *ut* 𝔐 ¦ ⸰ T

¶ **8,2** ⸀ S V B *ut* 𝔐 | **11** ⸰ [S V] ¦ ⸂ T H N *ut* ℵ*; B *ut* D*; V *ut* D* *sed* [Ιησ.]; M *ut* ℵ* *sed* [Ιησ.]; S: εκ νεκ. Χρ. ¦ ⸰¹ [H] ¦ ⸃ h | **14** ⸉ T M N *ut* B; V *ut* 𝔐 | **20** ⸃ S V M | **21** ⸀ T N | **23** ⸃ H N *ut txt sed* [ημεις] | **24** ⸀ T S V M B N *ut* 𝔐; h *ut* 𝔐 *vl ut* ℵ* ¦ ⸁ h *ut* ℵ* *vl ut txt* | **28** ⸆ [H N] | **34** ⸀ T ¦ ⸰ [H] ¦ ⸆ [H S] ¦ ⸰¹ T H N | **35** ⸀ h *ut* ℵ

¶ **9,13** ⸀ (H) N | **19** ⸰ T H S V M N | **20** ⸂ S *ut* 𝔐 | **23** ⸰ H | **26** ⸂ H N *ut txt sed* [αυτοις] | **27** ⸀ S V B

¶ **10,3** ⸰ H S V M N | **5** ⸂ *et* ⸰ T H N *ut* ℵ*; S *ut* 81; V *ut* 𝔐; M *ut* B ¦ ⸀ T H S V M B N | **9** ⸂ (H) *ut* B | **14** ⸀ T *ut* ℵ* | **15** ⸀ (H) N ¦ ⸰ H S V M B N | **20** ⸰ T (H) S V M N ¦ ⸆ h B

¶ **11,4** ⸀ S *ut* A | **6** ⸆ [S] | **8** ⸀ T H N | **13** ⸂ S *ut txt sed* [ουν] | **17** ⸂ S V M B *ut* 𝔐 | **20** ⸂ S V B | **21** ⸋ T H M N; [S V] *ut txt* | **22** ⸀¹ S V M | **23** ⸀ S V M | **25** ⸀ (H) N *ut* A; h *ut txt* | **30** ⸀ h | **31** ⸀ S *ut* 𝔐

¶ **12,1** ⸉ T (H) S N | **2** ⸀ *bis* h S *ut* A ¦ ⸆ [S V] | **4** ⸉ h | **14** ⸰ H N | **15** ⸆ h S [V]

¶ **13,1** ⸆ [S] | **4** ⸰¹ B | **9** ⸉ h ¦ ⸋ [H N] | **11** ⸀ h | **12** ⸂ H *ut txt sed* [δε] | **13** ⸂ h | **14** ⸂ h *ut* B

¶ **14,5** ⸰ B; [H V N] *ut txt* | **6** ⸆ [S] | **9** ⸆ [S] V ¦ ⸀ [S] V *ut* 𝔐 | **12** ⸰ [H N] ¦ ⸋ [H N] | **13** ⸰ *bis* h | **18** ⸀ S | **19** ⸀ T h V | **21** ⸆ [S M] B | **22** ⸰ [S]

¶ **15,4** ⸆ [H] ¦ ⸆ h | **5** ⸉ h | **7** ⸀ (H) N | **8** ⸀ h | **14** ⸰¹ [S V] | **15** ⸀ H N ¦ ⸆ [S] B ¦ ⸁ T H B N | **17** ⸂ S V *ut* 𝔐; H *ut txt sed* την | **18** ⸀ h | **19** ⸀ [H] *ut* A; N *ut* B | **21** ⸉ (H) N | **23** ⸁ H S V M N | **30** ⸰ [H N] | **32** ⸂ *et* ⸃ T *ut* ℵ*; h *ut* 𝔐

¶ **16,1** ○[1] T V M; [H S N] *ut txt* | **2** ⸉ (H) | **6** ⸀T | **8** ⸀S V | **17** ⸀[1] S V B | **19** ⸆ [H] S V M | **20** ⸆ h S V M B | **21** ○ [H] | [25-27]: [S] | **27** ⸀ [H] *ut* B ¦ ⸆ T S V M B N

AD CORINTHIOS I

¶ **1,1** ⸉ (H) S V M | **2** ⸆ V | **4** ⸀ H N *ut* ℵ* | **8** ○ [H N] | **13** ⸁ h B | **14** ⸂ T (H) N *ut* ℵ*; [S] *ut txt* | **28** ⸆ [H S V M]
¶ **2,1** ⸀ T h S V M N | **2** ⸂ T *ut* ℵ | **9** ⸀ H N | **10** ⸀ (H) B N | **13** ⸀ h | **15** ⸂ T *ut* F; (H) S V M N *ut* 𝔐; h *ut txt sed* [τα]
¶ **3,2** ○ [H N] | **12** ⸆ [S M] ¦ ⸂ T (H) V M N *ut* ℵ; h *ut* B | **16** ⸉ (H) S N
¶ **4,2** ⸀ S B | **11** ⸀ S V B | **14** ⸀ B | **17** ⸆ T h S V M B N ¦ ⸂ V M *ut* 𝔐; H N *ut txt sed* [Ιησ.]
¶ **5,4** ⸂ T N *ut* A; H V *ut txt sed* [ημ.]; S B *ut* 𝔐 | **5** ⸆ T h S V [M] B *ut* 𝔐 | **7** ⸆ S | **8** ⸀ h *ut* B | **11** ⸀ T | **13** ⸀ H
¶ **6,2** ⸀ h | **7** ○ T | **11** ⸂ [H] S [V M] B *ut* B | **14** ⸀ h *ut* B | **19** ⸉ h
¶ **7,5** ○ [H] ¦ ○[1] [H N] | **9** ⸀ T (H) S V M N | **13** ⸂ H S V M N | **15** ⸀ h M B | **17** ⸁ T (H) N | **22** ⸆ [S] *ut* 𝔐 | **28** ○ [H] | **34** ⸄ T *ut* ℵ; S *ut* 𝔐 ¦ ○ [H] | **38** ⸂ h *ut* B ¦ ⸁ h | **40** ⸁ (H)
¶ **8,6** ○ [H] ¦ ⸀ h | **8** ⸂ T *ut* ℵ; V *ut* 𝔐 | **10** ○ [H] | **11** ⸂ B *ut* ℵ[2]
¶ **9,7** ○ [H] | **9** ⸀ (H) S V M B | **12** ⸀ T | **16** ⸁ T h S V M B | **22** ⸆ [S V M]
¶ **10,2** ⸀ (H) V N *ut* 𝔐 | **3** ⸂ [H] *ut txt* | **4** ⸉ S V | **8** ⸆ h S V M | **9** ⸀ T H S V M B N *ut* ℵ ¦ ⸁ T h S M B ¦ ⸀[1] S V M | **11** ⸂ S V M B *ut* 𝔐 | **13** ⸉ h | **16** ⸉ T B | **18** ⸀ h S V B | **20** ⸀ S M B *ut* ℵ; H *it. sed* [τα εθνη]; V *ut* 𝔐 ¦ ⸂ V: και ου θεω θυει
¶ **11,3** ○ h | **5** ⸀ h | **17** ⸀ *et* ⸁ h S B *ut* A | **19** ○ T S; [H V N] *ut txt* | **24** ⸇ [S V] *ut* 𝔐
¶ **12,6** ⸂ (H) ¦ ⸄ S *ut* 𝔐 *sed* [εστιν] | **9** ⸆ S V M | **10** ○ *bis* B; [H] *ut txt* ¦ ⸀ T S ¦ ⸆ S V | **18** ⸀ (H) N | **19** ○ [H] | **20** ○ (H) | **21** ○ [H] | **25** ⸀ T V | **26** ○ T H N; [S] *ut txt* | **31** ⸀ S
¶ **13,2** ⸀ H | **3** ⸀ T S V M B N | **4** ⸋ H B *ut* B; [S] *ut txt* | **5** ⸁ h *ut* B | **8** ⸀ V; S: [εκ]-πιπτει ¦ ⸂ h | **11** ⸆ S V M
¶ **14,2** ⸆ S V M | **6** ○ T B N | **8** ⸉ h | **13** ⸀ S | **14** ○ [H] | **15** ○ [H] | **16** ⸀ T V M *ut* ℵ*; [H N] *ut txt* | **18** ⸀ T h B | **19** ⸂ S *ut* 𝔐 | **25** ○ T | **28** ⸀ h | **34/35** ⸆ S ¦ ⸀[1] (H) S M | **37** ⸂ T *ut* D* | **38** ⸀ h S B | **39** ⸂ B *ut* B
¶ **15,5** ⸀ T h *ut* ℵ | **6** ⸆ [S] V [M] | **7** ⸀ T h | **10** ○ T (H) M N | **14** ○ (H) M N; [S] *ut txt* ¦ ⸀ (H) | **17** ⸆ [H N] | **27** ○ h | **28** ○ [H] ¦ ○[1] H N; [S] *ut txt* | **49** ⸀ T (H) S V | **50** ⸂ S *ut* 𝔐 | **51** ⸇ S V M | **54/55** ⸂ (H) *ut* ℵ* ¦ ⸆ [H]
¶ **16,2** ⸁ h S | **4** ⸉ T | **6** ⸀ H N ¦ ⸂ (H) *ut* B | **8** ⸀ H | **10** ⸀ (H) | **17** ⸀ h V | **22** ⸂ T H S V M *ut* B[2] | **24** ⸆ [S]

AD CORINTHIOS II

¶ **1,6/7** ⸂ h *ut* B | **8** ⸁ T h S B | **10** ⸂[1] H N *ut txt sed* [οτι] | **12** ⸀ T H S V M B N *ut* ℵ* ¦ ○ T V M N; [H] *ut txt* | **15** ⸀ (H) S | **19** ⸂ T H N *ut* ℵ* | **22** ○ S; [H] *ut txt*
¶ **2,1** ⸀ T h S V M N *ut* ℵ | **2** ⸆ [S] | **7** ⸂ (H) *ut* A | **9** ⸀ h *ut* A
¶ **3,3** ⸆ h B | **5** ⸁ H | **9** ⸂ (H) V M N *ut* 𝔐 ¦ ⸆ [S] | **13** ⸀ T | **18** ⸀[1] h
¶ **4,2** ⸀ T *ut* ℵ | **5** ⸉ T (H) S V M N ¦ ⸀ h *ut* ℵ* | **6** ○ B (*ex errore?*) ¦ ⸀ S M ¦ ⸄ T H N *ut* A; B *ut* D; M *ut txt sed* [Ιησ.] | **10** ⸂ T | **13** ⸆ T | **14** ○ [H M] | **17** ○ (H) N

¶ **5,3** ⸀ h B ¦ ⸂ T H S V M B N *ut* 𝔐

¶ **6,4** ⸂ H S V M BN | **15** ⸂¹ h | **16** ⸂ S

¶ **7,8** ⸀ H N *ut* B; B *ut* 𝔓46* | **11** ⸆ S | **12** ⸆ [H] | **14** ⸀ T (H) N *ut* ℵ*

¶ **8,7** ⸀ T h V B *ut* ℵ | **9** ○ [H N] | **13** ⸆ [S V] | **16** ⸂ T H S V M B N | **18** ⸉ T | **19** ⸂ H S V M N ¦ ⸃ H *ut* B | **24** ⸂ (H) S V M B

¶ **9,2** ⸂ S V B | **4** ⸂ T H S V M B N | **5** ○ T | **8** ⸂ S *ut* 𝔐 | **10** ⸂ T H S V M N | **11** ⸂ h *ut* B

¶ **10,4** ⸂ T V | **8** ○ h S ¦ ⸂ T *ut* ℵ | **10** ⸉ S B ¦ ⸂ h | **14** ⸀ h

¶ **11,3** ⸋ T; [H N] *ut txt* ¦ ○ T h M N; [S] *ut txt* | **4** ⸂ T h S V M | **18** ⸆ [H S V] M B [N] | **21** ⸂ V | **23** ⸉ T *ut* ℵ* | **27** ⸆ [S] V M | **30** ○ [H] | **32** ⸆ S V M

¶ **12,1** ⸂ h *ut* ℵ ¦ ⸃ S | **3** ⸂ S ¦ ⸋ [H N] | **5** ⸆ T S V [M] | **6** ○ T H S V M B N | **7** ○ T ¦ ⸂ S V | **9** ⸆ [S V] ¦ ○ H N | **10** ⸃ h S V B *ut* 𝔐 | **11** ⸆ h | **12** ⸀ H: σημ. [τε] | **14** ○ [S] | **15** ⸂ V *ut* 𝔐; S *ut* 𝔐 *sed* [και] ¦ ⸃ T (H) M N | **19** ⸂ V *ut* 𝔐 | **20** ⸂ S ¦ ⸃ S M | **21** ⸂ T S

¶ **13,4** ⸆ [S] ¦ ⸂ h ¦ ⸃ S V ¦ ⸋ [H] | **5** ⸉ T h S B ¦ ⸆ S V M | **13** ○ [H]

AD GALATAS

¶ **1,3** ⸀ T B *ut* B; h: κ. κυρ. [ημων] | **4** ⸂ T h S B | **8** ⸀ T *ut* ℵ*; H N *ut* A, *sed* [υμ.]; S *ut* B | **11** ⸂ T h | **12** ⸂ h | **15** ⸋ T M B N; [H] *ut txt* | **18** ⸉ T H S V M N | **21** ○ [H]

¶ **2,6** ○ V; [H N] *ut txt* | **13** ○ [H N] | **14** ⸀ H N *ut* F; T: ουχ *ut* ℵ* A C P *pc ex errore* | **16** ⸉ T H N ¦ ⸉¹ h ¦ ⸂ V | **20** ⸀ B

¶ **3,1** ⸆ [S] | **7** ⸉ S | **14** ⸉ (H) N | **19** ⸂ (H) N | **21** ⸀ [H N] *ut txt* ¦ ⸁ T S V B *ut* ℵ; (H) *ut* B; h: εκ ν. ην [αν] | **23** ⸂ S V | **28** ⸂ T

¶ **4,6** ⸂ V | **9** ⸂ T (H) N | **14** ⸂ S V *ut* 6 | **19** ⸂ (H) S V B | **23** ○ [H N] ¦ ⸂ T h S V M B N *ut* 𝔐 | **25** ⸀ T V B *ut* ℵ; S *ut* 𝔐; M *ut* 𝔓46 | **26** ⸆ [S] | **28** ⸂ *et* ⸃ (H) V | **30** ⸂ S

¶ **5,6** ○ [H] | **7** ○ T H N | **17** ⸂ S | **20** ⸂ h S B ¦ ⸃ h S B | **21** ⸆ [S V] B ¦ ⸆ h [S] V M B | **26** ⸂h

¶ **6,2** ⸂ H S V M B | **4** ○ [H] | **9** ⸂ S V | **10** ⸂ T H V M | **11** ⸂ h *ut* B* | **12** ⸆ [H N] ¦ ⸂ T | **13** ⸂ h | **17** ⸂ S B *ut* 𝔐; V: [κυρ.] Ιησ. | **18** ○ [H]

AD EPHESIOS

¶ **1,1** ⸉ S V M ¦ ⸋ [T H S V M N] | **14** ⸂ T h V M N | **15** ⸀ H *ut* ℵ* | **17** ⸂ h *ut* B *vl ut txt* | **18** ○ [H N] | **20** ⸂ T (H) S V M B N ¦ ⸃ T S *ut* ℵ

¶ **2,5** ⸆ h

¶ **3,1** ○ T | **3** ○ [H] | **6** ⸆ [S] | **9** ○ T (H) N | **18** T h S V | **19** ⸀ h *ut* B

¶ **4,4** ○ [H] | **7** ○ [H] | **8** ⸆ [H] S V B | **9** ⸆ h [S V] B | **16** ⸂ h ¦ ⸃ T | **18** ⸂ S | **21** ⸂ h | **26** ○ T H N | **28** ⸀ (H) *ut* B | **32** ⸂ [H] *ut txt* ¦ ⸃ h

¶ **5,2** ⸂ T H S V M B N ¦ ⸀ (H) *ut* B | **4** ⸃ T S | **15** ⸀ S V *ut* 𝔐 | **19** ○ T (H) V N; [S] *ut txt* ¦ ⸀ V M B *ut* 𝔐; S *ut* 𝔐 *sed* [εν] | **22** ⸆ h S V M B *ut* ℵ | **23** ⸉ h | **25** ⸆ [S] V *ut* 𝔐 | **28** ⸀ T *ut* 𝔐; [H S V N] *ut txt* | **29** ⸂ S | **30** ⸆ [S] | **31** ○ *bis* [H N] *ut txt* ¦ ⸀ T *ut* ℵ*; h *ut* A | **32** ○ [H N]

¶ **6,1** ⸋ [H N] | **5** ⸉ S ¦ ○ T | **8** ⸀ S *ut* A | **10** ⸂ h | **12** ⸂ h ¦ ⸆ [S V] | **16** ⸂ V ¦ ○ [H] | **19** ⸋ [H] | **21** ⸀ T h S ¦ ⸉ S

AD PHILIPPENSES

¶ **1,6** ʃ (H) S B | **9** ⸀ h | **14** ⸆ T H S V M B N *ut* א | **16/17** ° h | **19** ⸀ h | **24** ⸀ h ¦ ° T H S V M N | **27** ⸀ S V

¶ **2,2** ⸀ h | **4** ⸀ T (H) M N | **5** ⸀ S | **9** ° [S] | **11** ⸀ T | **12** ° [H] | **15** ⸂ S | **21** ⸉ T (H) V M N *ut* 𝔐 | **26** ⸉ h *ut* B; S *ut* א*; (H) *ut* א*, *sed* [ιδειν] | **27** ⸀ H | **30** ⸀ (H) *ut* א

¶ **3,6** ⸀ S V | **7** ° T | **8** ⸆ S V [M] | **10** ° T H B N; [S] *ut txt* ¦ °[1] T H N | **12** ° T ¦ °[1] [H] | **13** ⸀ T (H) S V M B N

¶ **4,1** ⸀ h *ut* B | **23** ⸆ S [V] M

AD COLOSSENSES

¶ **1,3** ⸆ T S V M B *ut* 𝔐 ¦ ° [H N] ¦ ⸀ h | **4** ⸉ [H] *ut txt* | **7** ⸀ (H) S M B | **12** ⸆[1] h *ut* א ¦ ⸂ h S M | **14** ⸀ h | **16** ⸆ *et* ⸆ S V M | **18** ⸆ [H] B | **20** ⸋ [H] | **22** ⸀ h *ut* B ¦ ⸆ S | **27** ⸂ T h S V M N

¶ **2,2** ⸉ S *ut* A; V *ut* 𝔐 | **4** ⸆ S V M | **7** ⸉ S M *ut* 𝔐, V *ut* 𝔐, *sed* [εν τη] ¦ ⸉ H S *ut* 𝔐 *sed* [εν αυτη] | **8** ʃ h | **12** ⸀ T H S V M N | **13** ° T H V M N ¦ ⸀ h *ut* B | **16** ⸂ T h S V M | **17** ⸀ h | **23** ° [H]

¶ **3,4** ⸀ (H) S V M N | **6** ⸋ T H N | **11** ° T H N; [S V] *ut txt* | **12** °[1] h | **13** ⸂ T h S V *ut* 𝔐 | **14** ⸀ S *ut* 𝔐 | **15** ° [H] | **16** ⸀ h *ut* א* ¦ ° (H) S V M | **22** ⸀ T (H) S V M B N | **24** ⸀ S ¦ ⸆ S

¶ **4,8** ⸉ S | **12** ⸀ V *ut* 𝔐; S: στ[αθ]ητε | **13** ⸂ H | **15** ⸀ *et* ⸂ T *ut* א; S V M B *ut* 𝔐

AD THESSALONICENSES I

¶ **1,4** ° M; [H V N] *ut txt* | **5** ° T H N; [V] *ut txt* ¦ °[1] (H) | **7** ⸀ h S | **8** ⸋ H V M B N; [S] *ut txt* | **9** ⸀ h | **10** ° [H]

¶ **2,3** ⸀ S V | **4** ⸆ [S] V | **5** ° H; [S] *ut txt* | **7** ⸀ T S V M N | **12** ⸀ h | **13** ° [S] ¦ ⸉ H N *ut* B | **16** ⸀ h

¶ **3,2** ⸉ T (H) S V M *ut* א; h *ut txt sed* [του θεου] | **5** ʃ h | **13** ⸀ h ¦ ° (H) V M B N; [S] *ut txt*

¶ **4,1** ° (H) ¦ °[1] [H S V] | **8** ° H | ⸀ S | **10** ° T B; [H N] *ut txt* | **11** ° T H M B N

¶ **5,2** ⸆ [S] V M | **3** ⸆ h S V M B *ut* B ¦ ⸉ T H *ut* א | **4** ⸀ (H) | **9** ʃ h ¦ ° [H] | **10** ⸀ T (H) M N | **13** ⸂ T h N *ut* B ¦ ⸀[1] T | **15** ° T (H) M N; [S] *ut txt* | **21** ° [H] | **25** ° T; [H V N] *ut txt* | **27** ⸆ h [S V] B | **28** ⸆ [S V]

AD THESSALONICENSES II

¶ **1,2** ° H S V M B N | **4** ⸂ h

¶ **2,1** ° [H N] | **3** ⸀ h S V M B | **6** ⸀ T H S V M B N | **8** ° [H N] ¦ ⸀ h *ut* א* | **12** ⸀ T h S V M B | **13** ⸂ T (H) V | **14** ° H M | **16** ° S; [H M] *ut txt*

¶ **3,4** ⸉ T *ut* א*; [H S N] *ut txt*, *sed* [καί[1]] | **6** ° (H) N ¦ ⸀ (H) N *ut* B | **8** ⸉ S V M | **13** ⸀ S V | **14** ⸆ S ¦ ⸂ T S | **18** ⸆ [V]

AD TIMOTHEUM I

¶ **1,12** ⸆ [S] ¦ ⸀ h | **16** ⸉ T h M N *ut* 𝔐 | **18** ⸀ T h; S: -τευ[σ]η

¶ **2,8** ⸀ (H) | **9** ⸀ T H S V M B N *ut* א* ¦ ⸂ h ¦ ⸀[2] T h

¶ **3,14** ⸋ M; [H] *ut txt* ¦ ⸉ T V M N

Paralipomenon I

ℌ	𝔊
1,11-23	—
16,24	—

Paralipomenon II

ℌ	𝔊
27,8	—

Esdrae

ℌ	𝔊
Esdrae	Esdrae II,1-10

Nehemiae

ℌ	𝔊
Nehemiae	Esdrae II,11-23
3,7.8a	—
7,68-72	17,69-73
11,16.20s.23b. 28s.32-35	—
12,4-7a	—

Esther

ℌ	𝔊
1,1	1,1s
4,6	—
9,5.30	—

5,3.6	: Mc 6,23
7,2	: Mc 6,23

Job

ℌ	𝔊
23,14	—

1,1	: 1Th 5,22
6ss	: L 22,31
7	: 1P 5,8
8	: 1Th 5,22
9-11	: Ap 12,10
19	: Mt 7,25
21	: 1T 6,7
21s	: Jc 5,11
2,1ss	: Ap 12,9
4s	: Ap 12,10
9a	: 1Th 5,8
3,21	: Ap 9,6
4,3s	: H 12,12
8	: G 6,7
9	: 2Th 2,8
5,9	: R 11,33
12s	: *1K 3,19*
22s	: Mc 1,13
7,21	: H 1,3
9,8	: Mt 14,25 Mc 6,48 J 6,19
10	: R 11,33
12	: R 9,20
10,12	: L 19,44 1P 2,25
13	: Mt 19,26
11,2	: Mt 11,11
7s	: 1K 2,10
12,7	: Mt 6,26
7-9	: R 1,20
13	: 1K 1,24
14	: Ap 3,7
17	: 1K 1,20
19	: L 1,52
13,16	: Ph 1,19
28	: Mc 2,22 Jc 5,2
14,1	: Mt 11,11
2	: Jc 1,11
15,18	: R 11,34
16,9	: Act 7,54
10	: Act 7,57
19	: Mc 11,10
18,5	: Mt 25,8
19,26s	: J 19,30
27	: L 2,30
22,7	: Mt 25,42
22,9	: L 1,53
29	: Mt 23,12 Jc 4,6
24,13-17	: J 3,20
16	: Mt 6,19
26,6	: Ap 9,11
27,6	: 1K 4,4
28,22	: Ap 9,11
31,1	: Mt 5,28
8	: J 4,37
32	: Mt 25,35
40	: Mt 13,7
32,11	: Act 2,14
18s	: Act 2,13
19	: Mt 9,17 L 5,37
34,29	: R 8,34
36,10	: 2T 2,19
37,5	: J 12,29
15	: 2K 4,6
38,17	: Mt 16,18 Ap 1,18
41	: Mt 6,26 L 12,24
39,19s	: Ap 9,7
30	: Mt 24,28
41,3	: *R 11,35*
10-12	: Ap 9,17
23	: 2P 2,4
42,2	: Mt 19,26 Mc 10,27
5	: L 2,30
11ss	: Jc 5,11

Psalmi

ℌ	𝔊
9	9,1-21
10,1-18	9,22-39
11–113	10–112
114	113,1-8
115	113,9-26
116,1-9	114
116,10-19	115
117–147,11	116–146
147,12-20	147

1,1	: Act 24,5
5	: Mt 13,49
2,1s	: *Act 4,25s*
2	: J 1,41 Ap 11,15; 17,18; 19,19
7	: Mt 3,17; 4,3 L 3,22 J 1,49 *Act 13,33 H 1,5; 5,5*
8	: H 1,2 Ap 2,26
9	: *Ap 2,26s*; 12,5; *19,15*
11	: 2K 7,15
4,5	: *E 4,26*
5,10	: *R 3,13*

78,44 : Ap 16,4
45 : Ap 16,13
70etc : R 1,1
71s : J 21,16
79,1 : 1K 3,17 Ap 11,2
2s : Ap 11,9
3 : Ap 16,6
5 : Ap 6,10
6 : 1Th 4,5
9 : L 18,13
10 : Ap 6,10; 19,2
80,2 : J 10,4
8s : Mc 12,1
9-17 : L 13,6 J 15,1
82,6 : *J 10,34*
84,4 : Mt 8,20
85,3 : Jc 5,20
11 : J 1,17
86,3 : Mt 9,27
5 : L 6,35
9 : Ap 3,9; *15,4*
87,2 : Ap 20,9
5 : G 4,26
88,9 : L 23,49
12 : Ap 9,11
89,2 : L 1,50
3 : R 15,8
4 : Act 2,30
4s : J 7,42
7 : Ap 13,4
8 : 2Th 1,10
10 : Mt 8,26 Mc 4,39 L 21,25
11 : L 1,51
12 : 1K 10,26
21 : Act 13,22
23 : 2Th 2,3
27 : J 12,34 1P 1,17
28 : H 1,6 Ap 1,5; 17,18
38 : Ap 1,5
49 : L 2,26
51 : 1P 4,14
51s : H 11,26
90,4 : 2P 3,8
5s : Mt 6,30
91,4 : L 13,34
11s : *Mt 4,6*; 26,53 Mc 1,13 *L 4,10.11*
13 : L 10,19
92,9 : Jc 3,3
16 : J 7,18
93,1 : Ap 19,6
94,2 : 1Th 4,6
11 : R 1,21 *1K 3,20*
14 : *R 11,2*
95,7 : J 10,3 Ap 21,3
7s : *H 3,15; 4,7*
7-11 : *H 3,7-11*
11 : H 3,18; *4,3.5*
96,1 : Ap 14,3
5 : Ap 9,20
11 : Ap 12,12
13 : Act 17,31 Ap 19,11
97,1 : Ap 19,6
3 : Ap 11,5
7 : *H 1,6* Ap 7,11
10 : L 1,74 R 12,9
98,1 : Ap 14,3
2 : R 1,17 Ap 15,4
2s : L 2,30
3 : L 1,54; 3,6 Act 28,28
9 : Act 17,31 Ap 19,11
99,1 : Ap 11,18; 19,6
5 : Mt 5,35
6 : 1K 1,2
100,5 : L 1,50
101,5 : Jc 4,11
102,26-28 : *H 1,10-12*
28 : H 13,8
103,3 : Mc 2,7
7 : R 3,1s
8 : Jc 5,11
11.13 : L 1,50
15 : Mt 6,28
17 : L 1,50
19 : Ap 4,2
104,2 : Ap 12,1
4 : *H 1,7*
12 : *Mt 13,32 Mc 4,32 L 13,19*
13 : Ph 1,22
27 : Mt 24,45
35etc : Ap 19,1.3.6
105,8s : L 1,72
21 : Act 7,10
24 : Act 7,17
26 : R 1,1
27 : Act 7,36
30 : Ap 16,13
38 : Ap 11,10.11
39 : 1K 10,1
106,9 : Mc 4,39 Ap 16,12
10 : L 1,71
14 : 1K 10,6

106,16 : Mc 1,24
20 : R 1,23
37 : 1K 10,20
45 : L 1,72
48 : L 1,68 Ap 19,4
107,3 : Mt 8,11 L 13,29
5.8s : Mt 5,6
9 : L 1,53
10.14 : L 1,79
20 : Act 10,36; 13,26
25-32 : Mt 8,26 Mc 4,39
26 : *R 10,7*
30 : J 6,21
109,8 : *Act 1,20*
12 : H 10,28
16 : Act 2,37
25 : Mt 27,39 Mc 15,29
28 : 1K 4,12
110,1 : *Mt 22,44*; 26,64 *Mc 12,36;* 14,62; 16,19 *L 20,42s*; 22,69 *Act 2,34s* R 8,34 *1K 15,25* E 1,20 Kol 3,1 *H 1*,3.*13*; 8,1; 10,12
4 : R 11,29 *H 5,6*.10; 6,20; 7,3.11.15.*17.21*
5 : R 2,5
111,2 : *Ap 15,3*
4 : Jc 5,11
9 : L 1,49.68
112,4 : 2K 4,6
9 : *2K 9,9*
10 : Mt 8,12 Act 7,54
c.113–118 : Mt 26,30
113,5 : H 1,3
114,3.7 : Ap 20,11
7 : H 12,26
115,4 : Act 7,41
4-7 : Ap 9,20
5 : 1K 12,2
13 : Ap 11,18; 19,5
116,3 : Act 2,24
10 : *2K 4,13*
11 : R 3,4
117,1 : *R 15,11*
118,6 : R 8,31 *H 13,6*
15s : L 1,51
17s : 2K 6,9
19s : Ap 22,14
20 : J 10,9
22 : Mc 8,31 *L 20,17* Act 4,11 *1P 2*,4.7
118,22s : *Mt 21,42 Mc 12,10s*
24 : Ap 19,7
25 : Mt 21,15
25s : *Mt 21,9 Mc 11,9 J 12,13*
26 : *Mt* 11,3; *23,39* L 7,19; *13,35; 19,38*
119,30 : 2P 2,2
32 : *2K 6,11*
43 : Jc 1,18
46 : R 1,16
89 : L 21,33
98 : 2T 3,15
103 : Ap 10,9
120 : L 12,5
137 : Ap 16,5.7
142.160 : J 17,17
164 : L 17,4
165 : 1J 1,10
176 : Mt 18,12
122 : J 4,20
6 : L 14,32
123,1 : Mt 14,19
125,5 : G 6,16
126,5s : L 6,21
128,6 : G 6,16
130,4 : Mc 2,7
7 : R 3,24
8 : Mt 1,21 Tt 2,14 Ap 1,5
132,5 : Act 7,46
11 : Act 2,30
16s : J 5,35
17 : L 1,69
134,1 : Ap 19,5
135,1 : Ap 19,5
14 : *H 10,30*
15-17 : Ap 9,20
20 : Ap 19,5
136,2s : 1K 8,5
3 : Ap 17,14
7 : Jc 1,17
26 : Mt 11,25 L 10,21
137,8 : Ap 18,6
9 : L 19,44
138,1 : 1K 11,10
139,1 : R 8,27
14 : *Ap 15,3*
21 : Ap 2,6
140,4 : *R 3,13* Jc 3,8
141,2 : 1T 2,8 Ap 5,8
9 : Mt 13,41
143,2 : R 3,20 G 2,16

144,9 (etc) : Ap 5,9; 14,3
145,13b : 1K 10,13
15 : Mt 24,15
16 : Act 14,17
17 : *Ap 15,3*; 16,5
18 : Act 17,27 Ph 4,5
19 : J 9,31
146,5s : Act 17,24
6 : *Act 4,24; 14,15* Ap 5,13; 10,6
147,4 : E 3,15
8 : Act 14,17
9 : L 12,24
15 : 2Th 3,1
18 : Act 13,26
18s : Act 10,36
19s : R 3,1s
148,1 : *Mc 11,10*
149,1 : Ap 14,3
2 : H 3,2
150,5 : 1K 13,1

Proverbia

𝔊 (𝔥)	𝔊
4,7	—
8,33	—
11,4	—
16,1-3	—
4	16,9
6-9	15,27a.28a.29a.b
18,23.24	—
19,1.2	—
20,14-19	—
20-22	20,9a.b.c
21,5	—
22,6	—
23,23	—

1,16 : R 3,15
23 : Act 2,2
28 : J 7,34
2,2 : E 6,4
3s : Kol 2,3
3-6 : Jc 1,5
4 : Mt 13,44
6 : 2T 2,7
3,3s : L 2,52
4 : Act 24,16 R 12,17 2K 8,21
7 : R 12,16 1K 4,10
9 : Ph 1,11
11 : E 6,4
11s : *H 12,5s*
12 : Ap 3,19
25 : 1P 3,6
34 : L 1,51 *Jc 4,6 1P 5,5*
4,26 : H 12,13
6,17 : Mt 23,35
7,3 : 2K 3,3
8,15s : R 13,1
17 : Mt 7,8 J 14,23
20 : Mt 21,32
22 : Ap 3,14
22s : J 1,2
23-27 : Kol 1,17
9,2.5 : Mt 22,4
36 : Mt 22,3
10,9 : Act 13,10
10 : Mt 5,9
12 : *Jc 5,20 1P 4,8*
11,5 : R 1,18
24 : 2K 9,6
30 : Ph 1,11
31 : L 23,31 *1P 4,18*
12,2 : L 1,30
28 : Mt 21,32
13,9 : Mt 25,8
14,5 : Act 6,13
21 : Mt 5,7 Jc 2,6
29 : 1Th 5,14
15,1 : Jc 1,19
8 : J 9,31
9 : R 9,31
11 : Ap 9,11
29 : J 9,31
16,7 : Mt 9,13
27 : Jc 3,6
33 : Act 1,26
17,3 : 1P 1,7
5 : Mt 5,7
18,4 : J 7,38
19,17 : Mt 25,40
20,9 : 1J 1,7
22 : Mt 5,39 1Th 5,15
27 : 1K 2,10
21,16 : 2P 2,21
18 : 1K 4,13
21 : Mt 21,32
22 : 2K 10,4
22,8a : *2K 9,7*
8 : G 6,7
10 : Act 24,5
23,20 : Mt 11,19
31 : E 5,18
24,12 : *Mt 16,27* L 16,15 *R 2,6* 2T 4,15 Ap 2,23

Ecclesiastes

Canticum

Isaias

ℌ	𝔊
2,22	—
40,7	—
8	40,7.8
56,12	—

Locus	Loci citati
11,2	: Mt 3,16 J 1,32 E 1,17 *1P 4,14*
2s	: Ap 1,4
3	: J 7,24
4	: 2Th 2,8 Ap 19,15.21
4s	Ap 19,11
5	: E 6,14
10	: Mt 12,21 *R 15,12* Ap 5,5
15	: Ap 16,12
16	: Ap 16,12
12,2	: *H 2,13*
3	: J 7,37
13,5	: R 9,22
8	: 1Th 5,3
10	: *Mt 24,29 Mc 13,24* Ap 6,12s
13	: Mc 13,8
21s	: Ap 18,2
14,11	: Mt 11,23 L 10,15
12	: L 10,18 Ap 8,10
13	: Mt 11,23 L 10,15 Ap 16,15
15	: Mt 11,23 L 10,15
29	: Ap 12,3
16,12	: Act 7,48
17,7	: H 3,2
8	: Ap 9,20
10	: L 1,47
19,2	: Mt 24,7 Mc 13,8 L 21,10
11s	: 1K 1,20
14	: 1T 4,1
17	: L 21,11
21,1	: Ap 17,3
9	: Ap 14,8; 18,2
22,4	: Mt 26,75 L 22,62
13	: *1K 15,32*
19	: L 16,3
22	: Mt 16,19 Ap 3,7
c. 23	: Mt 11,21
23,8	: Ap 18,3.23
17	: Ap 17,2; 18,3
24,8	: Ap 18,22
17	: L 21,35 Ap 8,13
19	: L 21,25
21	: Ap 6,15; 17,18
21s	: Ap 20,3
23	: Ap 4,4; 21,23
25,4	: 2Th 3,2
8	: *1K 15,54 Ap 7,17;* 20,14; *21,4*
29	: L 21,35
26,11	: H 10,27
13	: *2T 2,19*
26,17	: J 16,21 Ap 12,2
19	: *Mt 11,5*; 27,52 *L 7,22* J 5,28
20	: Mt 6,6 *H 10,37*
21	: Ap 8,13
27,1	: Ap 12,3; 13,1
9	: *R 11,27*
13	: Mt 24,31
28,7	: Mc 3,21
11	: R 8,26
11s	: *1K 14,21*
12	: Mt 11,29
16	: Mt 21,42 L 20,17 *R 9,33; 10,11* E 2,20 2T 2,19 *1P2, 4.6*
22	: R 2,9; 9,28
29,3	: L 19,43
6	: Ap 8,5; 11,19
10	: *R 11,8*
11	: Ap 5,1
13	: *Mt 15,8s Mc 7,6s* Kol 2,22
14	: Mt 11,25 L 10,21 *1K 1,19*
16	: *R 9,20*
18	: *Mt 11,5 L 7,22*
23	: Mt 6,9
30,8	: Ap 1,11
33	: Ap 19,20
31,5	: L 13,34
32,15	: Act 1,8
17	: R 5,1 Jc 3,18
33,18	: 1K 1,20
24	: Act 10,43
34,4	: *Mt 24,29 Mc 13,25 L 21,26* H 1,12 Ap 6,13s
7	: Ap 17,6
8	: Mt 11,22
10	: Ap 14,11; 18,18; 19,3
11	: Ap 18,2
12	: Ap 6,15; 18,23
14	: Mt 12,43 Ap 18,2
35,3	: H 12,12
4	: *J 12,15*
5s	: *Mt 11,5* Mc 7,37 *L 7,22*
6	: Act 3,8
8	: Ap 21,27
10	: Ap 21,4
36,7.20	: Mt 27,43
37,2	: Ap 11,3
16	: *Act 4,24*
19	: G 4,8
20	: J 5,44
38,3	: H 10,22

38,7	: L 2,12
39,2	: Mt 2,10
40,1	: L 2,25
2	: Ap 1,5; 18,6
3	: *Mt 3,3 Mc 1,3* L 1,76 *J 1,23*
3-5	: *L 3,4-6*
5	: L 2,30 Act 28,28
6	: Jc 1,10
6s	: *1 P 1,24*
7	: Jc 1,11
8	: Mt 24,35 L 21,33
8s	: *1 P 1,25*
9	: J 12,15
10	: Ap 22,7.12
13	: *R 11,34 1 K 2,16*
17	: Act 19,27
18	: Mc 4,30 Act 17,29
26	: R 1,20 E 1,19; 6,10
28	: R 1,20 H 3,4
31	: Ap 12,14
41,2	: Ap 16,12
4	: Ap 1,4
8	: Jc 2,23
8s	: L 1,54 H 2,16
10	: Act 18,9s
14	: L 12,32; 24,21
25	: Ap 7,2; 16,12
42,1	: Mt 3,17 L 3,22; 9,35; 23,35
1-4	: *Mt 12,18-21*
5	: Act 17,24.25
6	: L 2,30.32
7	: Mt 11,5 L 1,79 Act 26,18
8	: J 8,12
9	: *Mt 12,18*
10	: Ap 14,3
12	: 1 P 2,9
16	: Act 26,18
18	: *Mt 11,5 L 7,22*
43,4	: Ap 3,9
5	: Mt 8,11 L 13,29 Act 18,9s
6	: 2 K 6,18
10	: J 8,58; 13,19
13	: J 8,58 1 J 1,1
14	: L 24,21
16	: Mt 14,25
18	: Ap 21,4
18s	: 2 K 5,17
19	: Ap 21,5
19s	: J 7,38
20	: 1 P 2,9
21	: *1 P 2,9*
43,25	: Mc 2,7 L 5,21
44,2	: E 1,6 Ap 1,17
5	: Ap 13,16
6	: Ap 1,17
9-20	: Act 17,29
21	: L 3,22
23	: Ap 12,12
24	: L 24,21
25	: 1 K 1,20
27	: Ap 16,12
28	: Act 13,22
45,3	: Kol 2,3
9	: R 9,20
14	: *1 K 14,25*
16	: L 13,17
17	: H 5,9
19	: J 18,20
21	: *Mc 12,32 Act 15,18*
23	: *R 14,11* Ph 2,10.11
46,10	: J 13,19
11	: Ap 16,12
13	: L 2,32
47,8	: Ap 18,7
9	: Ap 18,8.23
14	: Ap 18,8
48,2	: Mt 4,5
6	: Ap 1,19
12	: Ap 1,17
13	: R 4,17
20	: Ap 18,4
49,1	: G 1,15
2	: E 6,17 H 4,12 Ap 1,16; 2,12; 19,15
4	: Ph 2,16
6	: L 2,32 *Act* 1,8; *13,47* Ap 7,4
8	: *2 K 6,2*
9	: L 2,32
10	: J 7,37 R 9,16 *Ap 7,16*.17
12	: L 13,29
13	: 2 K 7,6 Ap 12,12
18	: *R 14,11*
22	: L 15,5
23	: Ap 3,9
24	: Mt 12,29 Mc 3,27 L 11,22
26	: Ap 16,6
50,3	: Ap 6,12
6	: Mt 5,39; 10,6; 26,67; 27,30 Mc 10,34
8	: R 8,33
9	: H 1,11 1 P 3,13
51,1	: R 9,31

Jeremias

ℌ	𝔊
2,1.2a	—
7,1.2a	—
8,10-12	—
10,6-8.10	—
11,7s	—
17,1-4	—
(25,13a	25,13a)
13b	32,13b
14	—
15-38	32,15-38
26–43	33–50
27,1.7.13.17.21	—
29,16-20	—
30,10s.15a	—
15b	37,16
22	—
31,35-37	38,36s.35
33,14-26	—
39,4-13	—
44	51,1-30
45	31-35
46,1.26	—
2-25.27s	26,2-28
47	29
48	31
49,1-5	30,17-21
6	—
49,7-22	30,1-16
23-27	29-33
28-33	23-28
34a-39	25,14-19
34b	20
50–51	27–28
51,44b-49a	—
52,2s.28-30	—

10,14 : R 1,22
22 : Ap 6,12
25 : 1Th 4,5 2Th 1,8 Ap 16,1
11,5 : L 1,73
15 : Ap 20,9
19 : J 1,29 Ap 5,6
20 : 1Th 2,4 1P 2,23 Ap 2,23; 15,4
12,3 : *Jc 5,5*
7 : L 13,35 Ap 20,9
15 : *Act 15,16*
17 : L 13,3
13,16 : J 9,4; 11,9 Ap 14,7
14,9 : Jc 2,7
12 : Ap 6,8
14 : Mt 7,22
15,2 : Ap 13,9
2s : Ap 6,8
7 : Jc 1,1
9 : Mt 27,45
16,9 : Ap 18,23
12 : H 3,12
16 : Mt 4,19 Mc 1,17
18 : Ap 18,6
19 : Ap 15,4
17,7 : L 2,25
8 : L 8,6
10 : Ap 2,23; 22,12
11 : L 12,20
15 : 2P 3,4
21 : J 5,10
18,2s : Mt 27,10
6 : R 9,21
12 : H 3,12
19,13 : Act 7,42
c. 20 : H 11,36
20,2 : Mt 21,35
9 : 1K 9,16
18 : 2Th 3,8
21,5 : Ap 2,16
7 : L 21,24 Ap 6,8
22,3 : Mt 23,23
5 : L 13,35
8 : Ap 11,8; 18,18
24 : *R 14,11*
23,5 : L 1,78 J 7,42
5s : 1K 1,30
15 : Ap 8,11
18 : R 11,34 1K 2,16
20 : H 1,2
23 : Act 17,27
23,24 : E 1,23
24,2-6 : L 13,6
6 : 2K 10,8
25,4 : Mt 21,34; 23,34 Ap 10,7
10 : Ap 18,22s
15 : Ap 14,10; 17,2; 18,3
29 : 1P 4,17
30 : Ap 10,3.11; 14,18
26,21-23 : Mt 2,13; 21,36
23 : H 11,37
27,15 : Mt 7,22
29,7 : 1T 2,2
13s : Mt 7,7
30,23 : Ap 11,18
31,1 : Ap 21,3
9 : 2K 6,18
15 : *Mt 2,18*
16 : Ap 7,17; 21,4
20 : Mt 3,17 L 3,22
31 : L 22,20 1K 11,25 H 9,15
31-34 : *H 8,8-12*
31.34 : Mt 26,28 Mc 14,24
33 : R 2,15 *H 10,16*
33s : J 6,45 R 11,27
34 : Mt 23,8 *H 10,17*
37 : R 11,2
32,7-9 : Mt 27,10
10s : Ap 5,1
40 : L 22,20 1K 11,25 H 13,20
33,9 : Ap 10,9
34,19 : Act 8,27
22 : Ap 17,16
c. 37 : H 11,36
c. 38 : H 11,36
38,15 : L 22,67
42,5 : Ap 1,5
43,11 : Ap 13,9
46,10 : L 21,22
49,11 : 1T 5,5
36 : Ap 7,1
50,5 : H 13,20
8 : Ap 18,4
15 : Ap 18,6
25 : Act 9,15 R 9,22
29 : Ap 18,6
31 : Ap 18,8
34 : Ap 18,8
38 : Ap 16,12
51,6 : Ap 18,4
7 : Ap 14,8; 17,2.4; 18,3
8 : Ap 14,8

51,9 : 18,4.5
13 : Ap 17,1.15
25 : Ap 8,8; 11,18; 19,2
33 : Ap 14,15
35 : Mt 27,25
36 : Ap 16,12
45 : Ap 18,4
48 : Ap 18,20
49 : Ap 18,24
63s : Ap 18,21

Threni

ℌ	𝔊
3,22-24.29	—

1,15 : Ap 14,19s
2,1 : Mt 5,35
15 : Mt 27,39
3,15 : Act 8,23
30 : Mt 5,39
4,2 : 2K 4,7
20 : L 1,11

Ezechiel

ℌ	𝔊
1,14.25b.26a	—
7,3-5a	7,7-9
5b	—
6a	7,3
6b	—
7-9	7,4-6
10,14	—
27,31.32b	—
32,19	32,21
33,25a-27a	—
40,30.38b.39a	—
42,18s	42,19.18

1,1 : Mt 3,16 Mc 1,10 L 3,21 Ap 19,11
5 : Ap 4,6
10 : Ap 4,7
13 : Ap 4,5
18 : Ap 4,6.8
22 : Ap 4,6
24 : Ap 1,15
26 : Mt 26,64 Ap 1,13; 4,2
27s : Ap 4,3
28 : Ap 1,17
2,1 : Act 14,10; 26,16
8 : Ap 10,9s
9 : Ap 10,2
2,9s : Ap 5,1
3,1-3 : Ap 10,9s
12 : Ap 1,10
18ss : Jc 5,20
22 : Act 9,6
27 : Mt 11,15 Ap 22,11
4,14 : Act 10,14
5,2 : Ap 8,7
11etc : *R 14,11*
12 : Ap 6,8; 8,7
17 : Ap 6,8
7,2 : Ap 7,1; 20,8
4 : H 10,25
12-16 : Mc 13,14
16 : Mt 24,16
8,3 : L 4,9
9,2 : Ap 1,13
4 : Ap 7,3; 9,4; 14,1
6 : 1P 4,17 Ap 7,3; 9,4
11 : Ap 1,13
10,2 : Ap 8,5
12 : Ap 4,6.8
11,6 : Ap 11,8
19 : 2K 3,3
20 : *Ap 21,7*
24 : Act 8,39
12,2 : Mc 8,18 Ap 2,13
22 : 2P 3,4
13,10-15 : Mt 7,27 Act 23,3
14,10 : Ap 4,7
14 : H 11,7
19 : Ap 16,1
20 : H 11,7
21 : Ap 6,8
15,1-8 : J 15,6
16,9 : E 5,26
39 : Ap 17,16
46.49 : Ap 11,8
60 : H 13,20
17,3.7 : Ap 12,14
23 : Mt 13,32 Mc 4,32 L 13,19
24 : L 14,11
18,7.9.16 : Mt 25,35
24 : H 6,6
20,21 : L 10,28
34 : *2K 6,17*
41 : 2K 6,17 Ph 4,18
21,5 : Act 10,14
24s : 2Th 2,8
31 : L 1,52; 14,11
22,25 : 1P 5,8

23,29 : Ap 17,16
31 : Ap 16,1
24,7 : Ap 18,24
25,2etc : Ap 10,11
26,12 : Ap 18,21
13 : Ap 18,22
15 : Ap 6,14
16s : Ap 18,9
17 : Ap 18,10
19 : Ap 17,16; 18,19
21 : Ap 18,21
27,12 : Ap 18,3
12-22 : Ap 18,12s
13 : Ap 18,13
17 : Act 12,20
18 : Ap 18,3
27-29 : Ap 18,17
30-32 : Ap 18,9
30-34 : Ap 18,19
31 : Ap 18,15
32 : Ap 18,18
33 : Ap 18,3
36 : Ap 18,11.15
28,2 : 2Th 2,4
2.6.9 : Act 12,22
13 : Ap 17,4; 21,19
34 : 2K 12,7
29,3 : Ap 12,3
5 : Ap 6,8
21 : L 1,69
31,6 : Mt 13,32 Mc 4,32 L 13,19
8 : Ap 2,7
14s : Mt 11,23
32,7 : Mt 24,29
7s : Ap 6,12s
9 : L 21,24
33,4 : Act 18,6
13 : L 18,9
27 : Ap 2,23; 6,8
29 : Ap 21,27
32 : Jc 1,23
34,4 : Ap 3,2
5 : Mt 9,36 1P 2,25
6 : Mt 18,12
8 : Jd 12
11s : L 15,4
11-16 : J 10,11
12 : Mt 18,12
16 : Mt 18,12 L 15.4; 19,10
1P 2,25
17.20 : Mt 25,32
34,23 : J 10,11.16 Ap 7,17
36,18 : Ap 18,24
20 : R 2,24
23 : Mt 6,9
25 : H 10,22
25-27 : J 3,5
26 : 2K 3,3
27 : 1Th 4,8
37 : L 1,6
37,3 : Ap 7,14
5 : *Ap 11,11*
9 : J 20,22
10 : *Ap 11,11*; 20,4
12s : Mt 27,52 J 5,28
14 : 1Th 4,8
23 : Tt 2,14
24 : J 10,11.16
25 : J 12,34
26 : H 13,20
27 : J 1,14; 14,23 *2K 6,16*
Ap 7,15; 21,3
38–39,16 : Ap 20,8
38,19 : L 21,11 Ap 6,12
19s : Ap 11,13
22 : L 21,11 Ap 8,7; 14,10; 20,9
39,4 : Ap 19,17s
6 : Ap 20,9
17-20 : Ap 19,17s
40,1s : Ap 21,10
3 : Ap 11,1; 21,15
5 : Ap 21,12s.15
42,13 : Mt 24,15
43,2 : Ap 1,15; 18,1
2ss : Ap 21,11
16 : Ap 21,16
44,7 : Act 21,28
10ss : H 13,10
47,1-12 : J 7,38
1 : Ap 22,1
10 : Mt 4,19 Mc 1,17
12 : Ap 22,2
48,16s : Ap 21,16
30-35 : Ap 21,12s
35 : Ap 3,12

Daniel

ℌ	𝔊	Theod
(3,23	3,23)	
3,24-30	3,91-97	
—	3,24.25	

— 3,26-45 = Od. 7
— 3,46-51
— 3,52-90 = Od. 9
3,31-33 — ¦ 4,1-3
4,1-34 4,4-37
5,14s.18-22.24 — ¦ 5,14s.18-22.24

1,2 : J 3,35
12.14 : Ap 2,10
2,5 : Act 8,20
8 : Act 10,34 E 5,16
18 : R 12,1
18s : Ap 11,13; 16,11
22 : 1K 2,10
27s : Mc 4,11
28s : Mt 24,6; 26,54 Mc 13,7 L 21,9 Ap 1,1.19; 22,6
29 : Ap 4,1
34s : Mt 21,44 L 20,18
35 : Ap 12,8; 20,11
44 : 1K 15,24 Ap 11,15
44s : Mt 21,44 L 20,18
45 : Mt 24,6; 26,54 Mc 13,7 L 21,9 Ap 1,1; 4,1; 22,6
47 : Mc 4,11 1K 14,25 Ap 17,14
3,4 : Ap 10,11
5 : L 15,25
5s : Ap 13,15
6 : *Mt 13,42.50*
10.15 : L 15,25
19s : 1K 13,3
23-25 : H 11,34
26 𝔊 : Act 5,30 H 11,12
27s 𝔊 : Ap 16,7
28 𝔊 : Mt 4,5
28 : Act 12,11
29 : Act 8,20
31 : 1P 1,2
35 𝔊 : E 1,6
45 𝔊 : J 5,44
52 𝔊 : Act 5,30
4,9.18 : Mt 13,32 Mc 4,32 L 13,19
27 : E 1,19 Ap 14,8
31 : Ap 4,9
5,4.23 : Ap 9,20
28 : R 9,28
6,17 : Mt 27,66
21 : 2T 4,17
23 : Act 12,11
26 : 1P 1,2
27 : 1P 1,23 Ap 4,9
28 : 2T 4,17
7,2 : Ap 7,1
3 : Ap 11,7; 13,1
4-6 : Ap 13,2
7 : Ap 12,3; 13,1
8 : Ap 13,5.7
9 : Mt 28,3 Mc 9,3 Ap 1,14; 20,4.11
9s : Mt 19,28
10 : Mt 5,22 L 2,13 J 5,22 H 1,14 Ap 5,11; 20,12
11 : Ap 13,5; 19,20
13 : *Mt* 11,3; *26,64 Mc 14,62* L 22,68 *Ap 1,7*.13; 14,14
13s : *Mt 24,30*; 25,31 *Mc 13,26* *L 21,27* J 5,22
14 : Mt 28,18 L 1,33 H 12,28 Ap 11,15
18 : L 12,32 H 12,28 Ap 22,5
20 : Ap 13,5; 17,12
21 : Ap 11,7; 13,7
22 : Mc 1,15 L 21,8 1K 6,2 Ap 20,4
24 : Ap 12,3; 13,1; 17,12
25 : Ap 12,14; 13,6.7
27 : L 12,32 Ap 11,15; 20,4; 22,5
28 : L 2,19
8,1 : Ap 1,9
3 : Ap 13,11
4.9 : Act 8,26
10 : Ap 8,10; 12,4
16 : L 1,19
18 : Ap 1,17
26 : Ap 10,4
9,3 : Mt 11,21 L 10,13
6 : Jc 5,10 Ap 10,7
10 : Ap 10,7
16 : R 3,21
19 : L 18,13
21 : L 1,10.19 Act 3,1
24 : Mt 4,5 H 9,12
26 : Mt 11,3
27 : *Mt* 4,5; *24,15* Mc 13,14
10,5s : Ap 1,13; 15,5
6 : Mt 28,3 Ap 1,14; 2,18; 19,1.12
7 : L 1,22 Act 9,7
9 : Mt 17,6
12 : L 1,13
13 : Jd 9 Ap 12,7
16 : L 1,64
21 : Jd 9 Ap 12,7

Osee

J

Amos

Abdias

Jonas

: Mt 23,35
ss : Mt 8,24 Mc 4,37
: Act 27,19
: Ap 11,13
0 : Mc 4,41
2-15 : J 11,50
15 : L 21,25
16 : Mc 4,41
1 : *Mt 12,40*; 16,4 1K 15,4
,5 : Mt 12,41 L 11,32
5s : Mt 11,21 L 10,13
,6 : Mt 2,10
9 : Mt 26,38 Mc 14,34

Michaeas

2,11 : L 6,26
3,3 : Ap 17,16
11 : R 2,17
4,7 : L 1,33
10 : L 1,74 Ap 12,2
14 : Mt 26,67
5,1 : J 7,42
1.3 : *Mt 2,6*
4 : E 2,14
12 : Ap 9,20
6,8 : Mt 23,23
9 : Ap 11,18
15 : J 4,37
7,6 : *Mt 10,*21*.35-36 L 12,53*
20 : L 1,55.72.73 R 15,8

Nahum

1,6 : Ap 6,17
2,1 : Act 10,36 *R 10,15* E 6,15
3,4 : Ap 9,21; 17,2; 18,23
10 : L 19,44

Habacuc

1,5 : *Act 13,41*
6 : Ap 20,9
8 : Mt 24,28
14s : Mt 13,47
2,3 : *H 10,37* 2P 3,9
4 : *R 1,17 G 3,11 H 10,38*
11 : L 19,40
18s : 1K 12,2
2,20 : Ap 8,1
3,2 : Mt 17,6
17 : Mt 21,19 L 13,6
18 : L 1,47
19 : 1K 1,24

Sophonias

1,7 : Ap 8,1
14setc : R 2,5 Ap 6,17
18 : H 10,27
3,8 : Ap 16,1
10 : Act 8,27
13 : J 1,47 *Ap 14,5*
14s : J 12,15
15 : Mt 27,42 Mc 15,32 J 1,49; 12,13

Aggaeus

1,3 : Mt 28,20
2,6 : L 21,26 *H 12,26*
9 : J 14,27
21 : L 21,26 *H 12,26*
23 : Mt 12,18

Zacharias

1,1 : Mt 23,35 L 11,51
3 : Jc 4,8
5 : J 8,52
6 : Ap 10,7
8 : Ap 6,2-5
12 : Ap 6,10
2,6 : Mc 13,27 Ap 21,16
10 : Mt 24,31 Ap 7,1
14 : Ap 3,11
14s : Ap 21,3
17 : Ap 8,1
3,1 : Ap 12,10
1s : Ap 12,9
2 : *Jd 9*.23
4 : Jd 23
8 : L 1,78
4,2 : Ap 1,12; 4,5
3 : Ap 11,4
10 : Ap 5,6; 11,4
14 : Ap 11,4
5,2s : Ap 14,16
6,1-3 : Ap 6,2-5
5 : Ap 7,1

Machabaeorum II

Machabaeorum III

Machabaeorum IV

Tobias

Judith

Susanna

Bel et Draco

Baruch

Epistula Jeremiae

Siracides

Sapientia Salomonis

9,16 : J 3,12
10,6 : 2P 2,7
16 : 2K 12,12
17 : H 11,6
11,10 : 1K 4,14
15 : R 1,23
23 : R 2,4
12,10 : H 12,17
12 : R 9,19
13 : 1P 5,7
19 : Act 11,18
24 : R 1,23
13–15 : R 1,19-32
13,1 : R 1,21 1K 15,34 H 11,10
6 : Act 17,27
10 : Act 17,29
14,1 : Jd 13
20 : Act 17,23
15,1 : L 6,35
3 : J 17,3
7 : R 9,21
8 : L 12,20
11 : J 20,22
17 : Act 17,23
16,6 : 1K 11,24
9 : Ap 9,3
13 : Mt 16,18 R 10,7
22 : Ap 8,7
26 : Mt 4,4
17,1 : R 11,33
2 : Mt 22,13
11 : R 2,15
14 : 1Th 5,3
15 : Mc 6,49
17 : G 6,1
18,1 : Act 9,7; 22,9
14 : Ap 8,1
14s : 1Th 5,2
15s : J 3,12 H 4,12
16[15] : Ap 2,12
25 : H 11,28
19,7s : 1K 10,1
10 : Act 13,17

Liber Jubilaeorum

1,23 : R 2,29
2,19 : R 9,24
19,21etc : R 4,13

Psalmi Salomonis

1,5 : Mt 11,23
4,23 : 2T 3,11
25etc : R 8,28 E 6,24
5,3 : Mc 3,27
3s : J 3,27
9ss : Mt 6,26
7,1 : J 15,25
6 : J 1,14
8,2 : Ap 19,1
14 : 1J 4,6
15 : Act 1,8
28 : R 3,3
9,5 : R 2,5
10,2 : H 12,7
12,6 : H 6,12
14,1 : R 7,10 H 12,7
3 : Ap 22,2
15,2.3 : H 13,15
8 : R 2,3
16,5 : L 22,37
17,1 : R 2,17
21 : J 7,42
23s : Ap 2,27
25 : L 21,24
26.29 : Mt 19,28
30 : Mt 21,12
32 : L 2,11
36 : H 4,15
43 : Ap 3,18
18,6s : Mt 13,6
10 : L 2,14

Henoch

1,2 : 1P 1,12
9 : Jd 14
5,4 : Jd 16
7 : Mt 5,5
9,4 : Ap 15,3; 17,14
5 : H 4,13
10 : 1P 3,19
10,4s : 2P 2,4
6 : Jd 6 Ap 19,20
11-14 : 2P 2,4
11-15 : 1P 3,19
12,4 : Jd 6
14,19 : Ap 22,1
22 : Ap 5,11
15,6s : Mc 12,25

16,1	: Mt 13,39
3	: 1 P 1,12
18,13	: Ap 8,8
15s	: Jd 13
16	: Ap 20,3
21,3	: Ap 8,8; 17,9
5s	: Jd 13
6	: Ap 20,3
22,9	: H 12,23
9ss	: L 16,26
11	: Jd 6
38,2	: Mt 26,24
39,4	: L 16,9
40,1	: Ap 5,11
46,3	: Kol 2,3
10	: Mc 8,29
48,7	: Jc 3,6
10	: Jd 4
51,1	: Ap 20,13
2	: L 21,28
4	: Mc 12,25
54,6	: Ap 13,14
60,8	: Jd 14
61,5	: Ap 20,13
8	: Mt 25,31
62,2s	: Mt 25,31
4	: 1 Th 5,3
63,10	: L 16,9
66,2	: Ap 16,5
69,27	: Mt 25,31; 26,64 J 5,22
72–82	: G 4,10
83,3-5	: 2 P 3,6
86,1	: Ap 8,10
91,7	: R 1,18
15	: 2 P 2,4
93,3	: Jd 14
94,8	: L 6,24 Jc 5,1
97,8-10	: L 12,19 Jc 4,13
98,4	: Jc 1,14
99,8	: R 1,21
102,5	: Kol 1,22
103,4	: Mt 26,13
104,13	: 1 K 4,17

Apocalypsis Baruch

14,8ss	: R 11,33
13	: R 4,13
15,8	: R 8,18
21,13	: 1 K 15,19
23,4	: R 5,12
32,6	: R 8,18
48,8	: R 4,17
22	: R 2,17
51,3	: R 4,13
54,10	: L 1,42
15	: R 5,12
17s	: R 1,19
57,2	: R 2,15
59,6	: R 9,22

Assumptio Mosis

3,11	: Act 7,36
5,4	: R 1,25
12,7	: R 9,16
?	: Jd 9 (sec Clem Al, Orig etc)

Testamenta XII Patriarcharum

I. Testamentum Ruben

4,3	: R 2,15
5,5	: 1 K 6,18

III. Testamentum Levi

2	: 2 K 12,2
3,2	: R 2,5
6	: R 12,1
14,4	: R 2,22
18,7	: R 1,4
9	: H 9,26

VI. Testamentum Zabulon

c. **9** fin	: R 11,25

VII. Testamentum Dan

5,2	: R 15,33
6,2	: Jc 4,8

VIII. Testamentum Naphthali

8,4	: Jc 4,7

XI. Testamentum Joseph

7,8	: R 1,26
8,5	: Act 16,23.25
10,1	: R 5,3 Jc 1,3

XII. Testamentum Benjamin

4,3s : R 12,21

Vita Adae et Evae

c. 9 : 2K 11,14

Martyrium Isaiae

5,11-14 : H 11,37

Apocalypsis Eliae

(sec Orig) : *1K 2,9*

B. E SCRIPTORIBUS GRAECIS

Aratus, Phaenomena 5

Act 17,28

Epimenides, De oraculis / περὶ χρησμῶν

Tt 1,12

Euripides, Bacchae 794

Act 26,14

Heraclitus?

2P 2,22

Julianus, Or. 8,246b

Act 26,14

Menander, Thaïs

1K 15,33

Thucydides II 97,4

Act 20,35

---

unde?

1K 9,10 2K 4,6 E 5,14
1T 5,18 Jc 4,5

IV. SIGNA, SIGLA ET ABBREVIATIONES

a) Signa textui inserta

⸀	pro sequenti verbo } in apparatu alia praebentur
⸂ ⸃	pro verbis ita inclusis } in apparatu alia praebentur
⸆	hic aliquid inseritur
⸋	verbum sequens } omittuntur
⸌ ⸍	verba ita inclusa } omittuntur
⸉ ⸊	verborum ita inclusorum ordo invertitur; qui ubi non per se liquet, in apparatu numeris significatur
⸀ ⸀1 ⸀2 ⸂ ⸂1 ⸂2 ⸆ ⸆1 ⸆2 ⸋1 ⸋2 ⸋3 ⸌1 ⸍ ⸌2 ⸍ ⸌3 ⸍ ⸉1 ⸊ ⸉2 ⸊ ⸉3 ⸊	ponuntur, si quodque signum iterum vel tertium etc in eodem versu occurrit
⸉	verbum sequens alio loco ponitur vel omittitur
:	aliter interpungitur
[ ]	ita includuntur verba etc, quae dubitamus an textui inserenda sint
⟦ ⟧	ita includuntur sententiae, quas additiones posteriores esse arbitramur; quae tamen et ob vetustatem et ob gravitatem retinentur
*	initium novae sectionis, ubi id per se non intellegitur

b) Signa et sigla in apparatu occurrentia

†	crux ponitur, ubi textus N[25] in hac editione mutatus est
p)	lectiones e locis parallelis invasae
...	significantur vocabula, quae sive cum lectione ante citata sive cum textu congruunt
*	prima manus cod
1.2.3 vel a b c	correctores cod, dummodo distingui possint
c	corrector cod
mg	lectio marginalis
s	supplementum
v. l.	varia lectio
com(m)	commentator(es)
txt	textus
( )	ita includuntur testes a ceteris non nisi minoribus rebus discrepantes
+	addit/-unt } intra variam lectionem
–	omittit/-unt } intra variam lectionem
(*!*)	sic
?	testis non verificatus
,	distinguit testes, qui ita ( ) inclusi minoribus rebus inter se differunt

;	distinguit codices a patribus
¦	distinguit varias lectiones ad eundem locum pertinentes
|	distinguit varias lectiones in eodem versu occurrentes
●	distinguit varias lectiones duorum versuum
𝔓	papyrus
ℓ	lectionarium
f^{1}	familia codd min. 1 et aliorum
f^{13}	familia codd min. 13 et aliorum
𝔐	textus a plerisque codd praebitus
pc	pauci
al	alii
pm	permulti
it	omnes vel plerique codd versionis veteris latinae (= Italae)
a b c ...	singuli codd eiusdem versionis
lat	vulgata et pars versionis veteris latinae
latt	vulgata et tota vetus latina
lat(t)	vulgata et tota vetus latina (non nisi minoribus rebus discrepantes)
vg	vulgata Hieronymi
vg^{s}	vulgata Sixtina (1590)
vg^{cl}	vulgata Clementina (1592)
vg^{st}	vulgata Stuttgartiensis (ed. Weber, 1969)
vg^{ww}	vulgata, quam ed. Wordsworth-White (1889–1898)
sa	versio sahidica
ac	versio achmimica
ac^{2}	versio subachmimica
mae	versio mediaegyptiaca
mf	versio mediaegyptiaca faijumica
pbo	versio protobohairica
bo	versio bohairica
co	omnes versiones aegytiacae (= copticae)
sy^{s}	codex Sinaiticus } versiones veteres syriacae
sy^{c}	codex Curetonianus } versiones veteres syriacae
sy^{p}	versio, quae dicitur «peschitta»
sy^{h}	versio Harclensis
sy^{hmg}	eiusdem versionis lectio marginalis
sy^{h**}	lectio, quae in textu eiusdem versionis asterisco notatur
sy^{ph}	versio Philoxeniana (sed $sy^{p.h}$ = «peschitta» et Harclensis!)
sy	omnes versiones syriacae
aeth	versio aethiopica
arm	versio armenica
geo	versio georgica
slav	versio slavonica
got	versio gotica
ms(s)	codex (codices) versionis notatae vel a patribus nominatus (-ti)
pt	partim

c) Abbreviationes aliae

a = actus apostolorum et epistulae catholicae
a(nte)
acc(entus vel spiritus)
add(it/addunt)
app(aratus criticus)
Aqu(ila) = translatio graeca Veteris Testamenti, quam fecit Aquila
c(um)
cath = epistulae catholicae
cet(eri)
c(on)f(er)
cj/cjj = conjecit/conjecerunt
cod/codd = codex/codices
comm(entatores recentiores)
cont(inet)
del(evit)
dist(inguit/-unt)
e = evangelia
ead(em)
ed(itio, editor, edidit/-erunt)
et c(etera)
ex err(ore)
ex itac(ismo)
ex lat? = ex versione latina?
ex lect(ionariis)
fin(is)
frg/frgg = fragmentum/fragmenta
𝔊 = translatio graeca Veteris Testamenti, i. e. LXX
𝔥 = textus hebraicus (= masoreticus)
hab(et/-bent)
h. t. = homoioteleuton
id(em)
i. e. = id est
illeg(ibilis)
incert(us)
interp(unctio etc)
it(em)
κτλ = καὶ τὰ λοιπά (= et cetera)
lac(una)
lect(ionarium)
mut(ilatus)
obel(us etc)
om(ittit, omittunt)
ord(o) inv(ersus etc)

p = epistulae paulinae
p(agina)
p(ost)
pon(it/ponunt)
r = revelatio
rell = reliqui
saec(ulum)
sec(undum)
sim(ilis)
suppl(ementum, -evit)
s/ss; sq/sqq = sequens/sequentes
Symm(achus) = translatio graeca Veteris Testamenti, quam fecit Symmachus
test(is/testes)
Theod(otion) = translatio graeca Veteris Testamenti, quam fecit Theodotion
v(ide)
v(aria) l(ectio)
vac(at)
verss = versiones (antiquae)
vid(etur), i. e. lectio non omnino certa
v(e)l
vs/vss = versus/versus

De abbreviationibus librorum biblicorum et nominum patrum ceterisque, quae hic non indicatae sunt: vide introductionem